BALTHUS

Balthus à Rossinière, en 1990,
photographié par
Henri Cartier-Bresson,
Magnum Photos.
Collection Mélanie
Cartier-Bresson, Paris.

Fondation Pierre Gianadda
Martigny Suisse

BALTHUS

100e anniversaire

Commissaires de l'exposition:

Jean Clair, de l'Académie française,
et Dominique Radrizzani

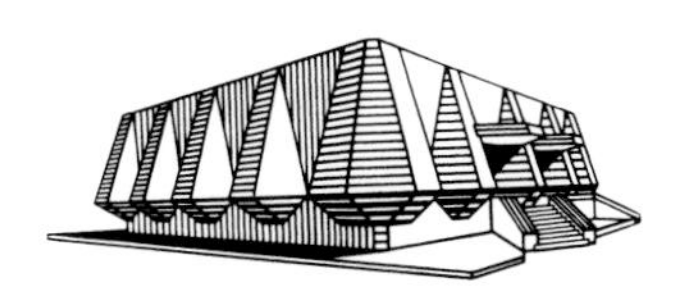

16 juin au 23 novembre 2008
Tous les jours de 9 h à 19 h

Cette exposition est placée sous le haut patronage de

Monsieur Pascal Couchepin,
Président de la Confédération suisse

Partenaire principal

Le 19 novembre 1978 était inaugurée la Fondation Pierre Gianadda, que j'ai créée pour perpétuer le souvenir de mon frère Pierre, décédé tragiquement en voulant porter secours à ses camarades.

C'était il y a trente ans.

Léonard Gianadda

Centenaire de Balthus
Trentième anniversaire de la Fondation

Cette année, Balthus aurait eu 100 ans. En effet, il avait eu la bonne idée de naître un 29 février: c'était en 1908.

De son côté, inaugurée le 19 novembre 1978, la Fondation Pierre Gianadda célèbre cette année son trentième anniversaire.

Pour marquer ce double événement, notre exposition d'été est consacrée à Balthus.

Le jeudi 9 décembre 1982, il y a plus d'un quart de siècle, j'eus le privilège de faire la connaissance de Balthus. Avec Pierre Gassier, qui préparait l'exposition *Manguin parmi les Fauves*, nous fûmes invités à déjeuner chez nos amis Bernhard et Mania Hahnloser à la Villa Les Magnolias, à Berne. Balthus était également présent, accompagné de son épouse Setsuko, vêtue de son traditionnel kimono.

16 mars 1990: Setsuko, Balthus, Annette et Léonard Gianadda. Au programme de la soirée, le *Requiem* de Mozart.
Photo Marcel Imsand

Le 6 janvier 1989, jour de l'Epiphanie, jour des Rois, jour de la Saint-Balthazar – la fête de Balthus! –, le principe d'une exposition à la Fondation avait même été arrêté. Diverses circonstances devaient faire échouer ce premier projet…

Balthus était un visiteur assidu de nos expositions. Ainsi, combien d'heures n'a-t-il pas passées à visiter attentivement l'exposition *Bonnard*, l'un de ses peintres favoris?

Je me rappelle également son téléphone du 16 mars 1990: «Léonard, y aurait-il encore deux places pour le concert de ce soir?» Au programme, Michel Corboz et son Ensemble Vocal et Instrumental de Lausanne donnaient le *Requiem* de Mozart, certainement le compositeur préféré de Balthus. En souvenir de cette soirée mémorable, j'ai demandé à Michel Corboz de redonner ce programme durant l'exposition *Balthus*.

J'ai souvent été un hôte du Grand Chalet à Rossinière… parfois pour livrer quelques bouteilles de la cuvée de la Fondation que Balthus me commandait régulièrement! Très accueillant, il ne refusait jamais les rencontres que je sollicitais. C'est ainsi qu'il reçut Daniel Marchesseau, Jean-Marie Tasset, Philippe Dagen, Jean-Louis Prat et combien d'autres.

En octobre 1999, Balthus me demanda de faire partie des membres fondateurs du Conseil de la Fondation qu'il entendait créer. Ce fut l'occasion de nombreuses et fructueuses rencontres, jusqu'à sa disparition le 18 février 2001.

Nos réunions permirent la mise sur pied de plusieurs projets, notamment les transformations du Grand Chalet nécessaires à l'organisation d'expositions, ainsi que la restauration de l'atelier de l'artiste.

9 mai 1993: Visite de l'exposition *Balthus* à Lausanne.

Photo Jean-Guy Python, Bottens

* * *

Cette rétrospective Balthus est certainement l'une des expositions qui me tenaient le plus à cœur, pour avoir eu le privilège de côtoyer pendant de si nombreuses années ce génie du XXe siècle. J'aimerais à cette occasion exprimer toute ma reconnaissance à la comtesse Setsuko Klossowska de Rola et aux enfants de Balthus, Stanislas, Thadée et Harumi, pour leur précieux soutien dans l'organisation de cette rétrospective du centenaire.

Toute ma gratitude va également à Jean Clair qui, conservateur au Centre Georges Pompidou à Paris, avait organisé en 1983 l'une des premières rétrospectives Balthus… avant la grande exposition du Palazzo Grassi à Venise, en 2001. Auteur, avec Virginie Monnier, du *Catalogue raisonné* de Balthus, Jean Clair – par ailleurs membre du Conseil de la Fondation Pierre Gianadda – nous a apporté une aide amicale et précieuse, assurant avec Dominique Radrizzani le commissariat de cette exposition: qu'ils en soient chaleureusement remerciés. Grâce à leur réputation, des prêts essentiels ont pu être obtenus tant auprès de grands musées européens et américains que de nombreux collectionneurs privés. A tous, j'adresse mes plus vifs remerciements.

Léonard Gianadda
Président de la Fondation
Pierre Gianadda

Membre de l'Institut

P.-S.: Au moment de mettre sous presse cet ouvrage, j'apprends la brillante élection de Jean Clair à l'Académie française le 22 mai dernier et je lui adresse mes vives et amicales félicitations.

SUISSE: J'y ai vécu si longtemps que j'en arrive à me croire suisse. C'est durant la première guerre mondiale que j'ai découvert ce pays. J'aurais tant de choses à raconter dessus… La Suisse a joué un rôle important dans ma jeunesse et, depuis, j'y retourne toujours, presque comme par hasard…

Balthus

Avant-propos

L'exposition *Balthus* rassemble à Martigny l'essentiel des chefs-d'œuvre du grand artiste. Plusieurs anniversaires accompagnent cet événement: le centenaire du peintre, mais aussi le vingt-cinquième anniversaire de la grande rétrospective du Centre national d'art et de culture Georges Pompidou en 1983, et le trentième anniversaire de l'inauguration de la Fondation Pierre Gianadda le 19 novembre 1978.

Ce n'est pas la première fois que Balthus est valaisan. C'est même en Valais que tout commence, près de Sierre où, chaque année, le poète Rainer Maria Rilke invite Baladine et ses enfants à venir se distraire au château de Muzot. C'est lui qui préfacera le livre *Mitsou* du très jeune Balthus, dessiné à 11 ans, dont le premier tableau connu, *Paysage de Muzot*, peint en 1923 à l'âge de 15 ans, témoigne également d'un «Valais de l'enfance».

Confrontant les deux mythiques paysages urbains de Balthus, *La Rue* et *Le Passage du Commerce-Saint-André*, grâce à la générosité exceptionnelle du Museum of Modern Art de New York et de prêteurs privés, la rétrospective invite à une traversée de toutes les périodes et de tous les thèmes: portraits, paysages, scènes d'intérieur, sans oublier les chats, l'animal sacré de celui qui se présentait comme «le Roi des chats», ni surtout les jeunes filles en fleurs, qui sont une part importante de l'énigme de Balthus, tels *La Toilette de Cathy*, présentée pour la première fois en Suisse, *Les Beaux Jours* ou *Thérèse rêvant.*

Notre vive reconnaissance va à la famille de l'artiste: à sa femme, Setsuko Klossowska de Rola, et à ses enfants, Stanislas, Thadée et Harumi, pour leur aide précieuse. Aux institutions publiques et privées, à leurs responsables, à tous les prêteurs qui, par leur générosité ou leur collaboration, ont participé à la réalisation du projet, ainsi qu'aux auteurs du catalogue. Que chacun trouve ici l'expression de notre profonde gratitude.

Jean Clair et Dominique Radrizzani
Commissaires de l'exposition

Inauguration de la rétrospective Balthus au Centre Georges Pompidou, novembre 1983.
De haut en bas et de gauche à droite: Dominique Bozo, Mme Claude Pompidou, un inconnu, Balthus et Jack Lang, Mme et M. Jean Maheu, Setsuko Klossowska de Rola et Jean Clair, deux jeunes modèles.
Photo Gola

Eût-il choisi une devise, il eût pu emprunter celle de cette Angleterre où il s'honore d'avoir des ancêtres: «Je maintiendrai.» Dans une fin de siècle abandonnée de la peinture et de son bonheur, il a maintenu l'art de peindre. Et il l'a maintenu de main de maître.

Ses lieux d'élection, non par hasard, ont été des montagnes, le Beatenberg de son enfance, les monts du Morvan après la guerre, les monts Albins pendant l'épisode italien, le Pays valaisan aujourd'hui, et le retour à l'horizon, à la lumière de sa jeunesse.

«A l'écart, inactuels, sur les montagnes...», disait Nietzsche de ces grands esprits européens qui n'avaient pas abdiqué.

Pour maintenir l'écart avec un monde qui se délitait, Balthus a aussi assumé bien des personnages et des masques, et ses amis, ses intimes, de Rilke à Jouve, d'Artaud à Fellini, auront aussi été ces saltimbanques dont parle la VIIIe *Elégie*, ballottés d'un pays à l'autre, *Heimatlose* à qui une certaine exigence de l'esprit servait de boussole au cours des voyages et de repère à tous les personnages tour à tour assumés.

Il importe aujourd'hui qu'un lieu, une institution comme on dit, garde les traces des différents moments qui ont constitué la vie errante et centrée à la fois d'un des plus grands peintres de ce siècle.

Jean Clair

Remerciements

La Fondation Pierre Gianadda et les organisateurs de l'exposition tiennent à exprimer leur vive reconnaissance aux musées, institutions, fondations, galeries et collectionneurs privés qui, par leur générosité, en ont permis la réalisation. Cette rétrospective n'aurait pu être mise sur pied sans le précieux concours de la famille Balthus: Mme la comtesse Setsuko Klossowska de Rola, Mme Harumi Klossowska de Rola, MM. Stanislas et Thadée Klossowski de Rola; qu'ils en soient vivement remerciés. Notre gratitude s'adresse tout particulièrement à Mmes Françoise et Evangéline Hersaint pour leur contribution essentielle, ainsi qu'à M. Daniel Marchesseau. Nos remerciements vont également aux auteurs des textes de cet ouvrage, ainsi qu'à toutes les personnes qui nous ont fidèlement témoigné leur confiance

Belgique
Gooreind (Wuustwezel)
The Triton Foundation
M. Willem Cordia

Etats-Unis
New York
The Metropolitan Museum of Art
M. Philippe de Montebello, Président-Directeur
The Museum of Modern Art
M. Glenn D. Lowry, Président-Directeur
Washington, D.C.
Hirshhorn Museum and Sculpture Garden, Smithsonian Institution
M. J. Tomilson Hill, Directeur

France
Aix-en-Provence
Musée Granet
M. Bruno Ely, Directeur
Amiens
Musée de Picardie
Mme Sabine Cazenave, Directrice
Mme Sylvie Couderc, Responsable des collections Art moderne et Art contemporain
M. Gauthier Gillmann, Régisseur
Paris
Fondation Henri Cartier-Bresson
Mme Martine Franck Cartier-Bresson
Mme Mélanie Cartier-Bresson
Galerie Doria
M. et Mme Denis et Sophie Doria
Galerie Daniel Malingue
M. Daniel Malingue
Musée d'Orsay
M. Guy Cogeval, Président-Directeur
M. Serge Lemoine, Ancien Président-Directeur
Mme Sylvie Patry, Conservatrice
Donation Philippe Meyer
Musée national Picasso, Paris
Mme Anne Baldassari, Directrice
M. Hubert Boisselier, Régisseur
M. Philippe Saunier, Conservateur
Musée national d'Art moderne – Centre national d'Art et de Culture Georges Pompidou
M. Alain Seban, Président
M. Alfred Pacquement, Directeur
Troyes
Musée d'Art moderne
M. Emmanuel Coquery, Directeur

Grande-Bretagne
Edimbourg
Scottish National Gallery of Modern Art
M. Richard Calvocoressi, Directeur
Londres
The Tate Gallery
M. Nicholas Serota, Président-Directeur
Mme Nicole Simões da Silva, Assistante aux Mouvements des œuvres

Suisse

Berne

Kunstmuseum Bern
M. Matthias Frehner, Directeur

Genève

Blondeau Fine Art Service
M. Marc Blondeau

Collection Jean Bonna
M. Jean Bonna
Mme Nathalie Strasser

Christie's
M. Thomas Seydoux
Mme Nadja Scribante

Galerie Jan Krugier & Cie
M. et Mme Jan et Marie-Anne Krugier-Poniatowski
Mme Evelyne Ferlay, Directrice

Lausanne

Galerie Alice Pauli
Mme Alice Pauli

Ecole cantonale d'art de Lausanne
M. Pierre Keller, Directeur

Vevey

Musée Jenisch Vevey
M. Dominique Radrizzani, Directeur
Mme Julie Enckell Julliard, Conservatrice Art moderne et contemporain
Mme Lauren Laz, Conservatrice du Cabinet cantonal des estampes

ainsi qu'à tous les collectionneurs qui ont souhaité garder l'anonymat.

Leurs remerciements s'adressent également à:

Mme Margherita Agnelli de Pahlen
Mme Claude Barbey
M. Daniel Barbey
M. Julien Basch
Mme Sandra Basch
M. Peter Berger
Mme Denyse Bertoni
M. Jacques Biolley
Mme Janet Briner
M. Robert Briner
M. Dominique de Buman
Mme Paula Cussi
Mme Catherine Duret
Mme Odile Emery
M. Bernard Fibicher
M. Yves Fischer
M. Herbert Fleisch
Mme Maria Pia Fleisch
M. Georges Gagnebin
M. Heini Giger
M. Jean Goutchkoff
M. Jean-Jacques Goy
M. Bernhard Hahnloser
Mme Mania Hahnloser
M. Jean-Frédéric Jauslin
M. Robert Kopp
M. Kyriakos Koutsomallis
Dr Michael Kropf
Mme Catherine Lepdor
M. Leo Marciano
Mme Géraldine Martin
M. Rainer Michael Mason
Mme Jacqueline Matisse Monnier
Mme Virginie Monnier
Mme Monique Nordman
M. et Mme Adrien Ostier
M. Lionel Pissarro
M. Jean-Louis Prat
Mme Lorraine Ramer
M. Nicolas Rochat
M. Emmanuel Roman
Mme Béatrice Rosenberg
M. le baron Eric de Rothschild
Mme Béatrice Saalburg
Mme Nancy Schwartz
M. Jean-Michel Skira
M. Sam Szafran
Mme Jeanne Vallon
M. Dominique Viéville
Mme Gisèle Vouillon
M. Jean-Pierre Wiswald
Mme Sylvie Wuhrmann
M. Jörg Zutter
Mme Stefanie Zutter

Pour le 25e anniversaire de Balthus

par Jean Clair

En passant chez mon libraire cet après-midi, j'ai acheté deux livres.

Je n'ai pas mis longtemps à comprendre que c'était le génie malin de Balthus qui m'avait soufflé de les emporter de concert.

Le premier était un opuscule de Georg Christoph Lichtenberg, l'auteur des *Aphorismes*, étrange et attachant personnage, fils hypochondre d'un ecclésiastique, satiriste et savant, sceptique envers le Rêve comme envers la Réalité. Le petit livre en question est les *Consolations à l'adresse des malheureux qui sont nés un 29 février*.[1] Lichtenberg, au demeurant, était bossu, comme le *buckliges Männlein*, le petit bossu de la chanson que tous les petits Allemands ont apprise, bossu aussi comme le personnage assis sur le trottoir, à gauche, dans *Le Passage du Commerce-Saint-André* (cat. 63)...

Le second livre était un ouvrage de Champfleury, auteur injustement oublié, dont l'essai sur *Les Chats. Histoires – Mœurs – Observations – Anecdotes* a été publié la première fois en 1869 à Paris, chez Rothschild.

On aura grand profit à le lire. On y lira par exemple ces lignes qui eussent comblé d'aise Balthus qui se disait *The King of Cats* et peignait des Thérèse rêveuses, que «les artistes épris des délicatesses des chats le sont également des délicatesses de la femme, et qu'à cette double compréhension se joint parfois l'amour du fantasque et de l'étrange». Et Champfleury d'ajouter: «Mais quelle souplesse ne faudrait-il pas à la plume pour essayer de rendre les nuances qui caractérisent: Femmes, Fantaisie, Chats! Comment tracer visiblement le mystérieux trait d'union qui relie une telle trilogie?»[2]

C'est toujours lui, l'ami de Courbet et de cet autre amoureux fou des chats que fut Baudelaire, qui remarque: «En tête des artistes contemporains qui se sont occupés des chats, marche Eugène Delacroix, nature fébrile et nerveuse.» Que n'aurait-il écrit de Balthus?

Eugène Delacroix, *Etudes de chats* (illustrations pour *Les Chats* de Champfleury), vers 1860, plume et encre brune, 22,7×18,2 cm, Vevey, Musée Jenisch Vevey, collection d'art Nestlé.

Ailleurs, parmi les «historio-griffes», comme on nommait plaisamment Moncrif, l'historiographe principal des chats, Champfleury rappelle cet aristocrate que le comte de Rola eût aimé fréquenter entre tous, le vicomte de Chateaubriand, si lié aux chats que les chats étaient liés à lui, et qui, réfugié solitaire à la fin de sa vie au fond de l'Abbaye-aux-Bois comme Balthus au Grand Chalet de Rossinière, finissait par trouver qu'il ressemblait si fort à un chat: «Ne connaissez-vous pas

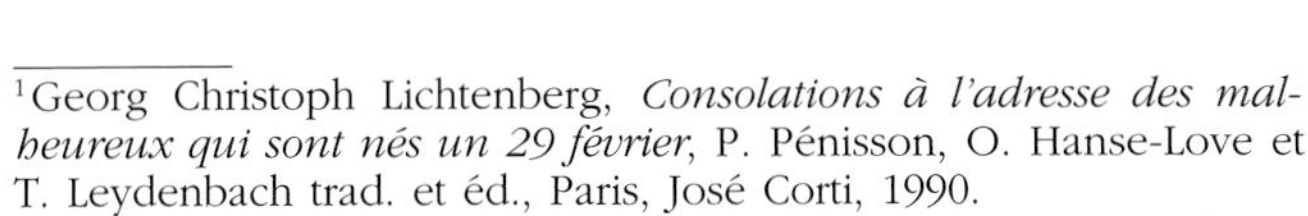
[1] Georg Christoph Lichtenberg, *Consolations à l'adresse des malheureux qui sont nés un 29 février*, P. Pénisson, O. Hanse-Love et T. Leydenbach trad. et éd., Paris, José Corti, 1990.

[2] Champfleury, *Les Chats* (1869), Paris, Les Silènes, 1994, p. 145.

près d'ici, disait-il en souriant à son ami le comte de Marcellus, quelqu'un qui ressemble au chat? Je trouve, quant à moi, que notre longue familiarité m'a donné quelques-unes de ses allures.»

Les chats, comme les malheureux humains auxquels s'adressent les consolations de Lichtenberg, ont un rapport singulier au temps, à la vie qui en déroule le cours comme à la mort qui le conclut. Ce n'est pas par hasard que les Egyptiens en avaient fait des animaux sacrés, dont les étincelles d'or au fond des prunelles reflétaient une part d'éternité, et qui les emmaillotaient de bandelettes pour les faire reposer auprès d'eux dans la paix des tombeaux – et chasser les souris.

Aussi un homme né un 29 février et dont l'anniversaire se fête tous les quatre ans entretient-il avec le temps un rapport si compliqué qu'il lui faut compter avec le calendrier, le calcul des astres, mais aussi la distraction, l'oubli calculé des calendes grecques et le retour incertain des saisons. Ne lui faut-il pas, plus qu'au simple mortel qui, sans réfléchir ni rêver, vieillit tout simplement d'un an tous les ans, contraint qu'il est d'attendre un anniversaire annoncé, se rapprocher des chats, qui réfléchissent et qui rêvent, qui bondissent ou qui s'étirent dans une durée autre que la durée des computs, une durée qui n'est plus mesurée par le *numero rotundo* d'une année longue et dont les échéances sont sans arrêt reportées?

«On dira ce qu'on voudra, écrit Lichtenberg, mais un homme qui n'a d'anniversaire que tous les quatre ans, n'est pas comme les autres.» Si l'homme du commun est fêté tous les ans, honoré, commémoré, et parfois couvert de cadeaux, «la malheureuse créature qui est née le 29 février, comparée à d'autres hommes, perd au moins soixante-quinze pour cent de ces manifestations de joie au cours de sa vie». Il lui faut, avec une patience peu commune, s'habituer à l'idée de ne pas recevoir chaque année les présents spontanés auxquels elle aurait droit, la reconnaissance, l'assentiment, voire les éloges et les prix, du public et des critiques, par exemple, mais attendre, attendre encore – et se réjouir de vieillir si peu. Destin singulier en effet d'un art dont la gloire fut longtemps différée, mais dont l'auteur semblait avoir, dès sa naissance, bu un peu de la boisson de cette jouvence qui permet aux artistes de génie de créer.

Ainsi fut-il de Balthus, roi des chats, roi des anniversaires sans calendes, qui, entré dans la vie par un «crac» mystérieux dans le temps, comme avait déjà remarqué Rilke, n'avait jamais souhaité que de rester toute sa vie un enfant.

J. C.

Balthus et Rilke: une enfance
De Genève à Soglio

par Jean Clair

«Pour écrire un seul vers, il faut avoir vu beaucoup de villes, d'hommes et de choses, il faut connaître les animaux, il faut sentir comment volent les oiseaux et savoir quel mouvement font les petites fleurs en s'ouvrant le matin. Il faut pouvoir repenser à des chemins dans des régions inconnues, à des rencontres inattendues, à des départs que l'on voyait longtemps approcher, à des jours d'enfance dont le mystère ne s'est pas encore éclairci, à ses parents qu'il fallait qu'on froissât lorsqu'ils vous apportaient une joie et qu'on ne la comprenait pas… A des maladies d'enfance qui commençaient si singulièrement par tant de profondes et graves transformations, à des jours passés dans des chambres calmes et contenues…»

Ainsi s'exprime le jeune Malte Laurids Brigge quand il débarque à Paris, en 1904.[1] Ainsi sans doute pensait le jeune Balthus, arrivant à son tour dans la capitale en mai 1924, plein de l'enseignement de celui qui, pendant cinq ans, avait veillé sur ses années d'apprentissage. L'œuvre à accomplir est le fruit de l'enfance que l'on a su garder en soi. Balthus n'avait-il pas déclaré, deux ans auparavant – il avait 14 ans: «Dieu sait combien je serais heureux de demeurer toujours un enfant»?

Il est temps de constater que cette peinture, si unique en ce siècle, qui s'inscrit dans la descendance de David et de Courbet, n'aura été si singulière qu'à croître à la lumière de deux des plus grands poètes de ce temps.

Rilke avait donc été, entre 1920 et 1927, son père spirituel. Mais, tout aussitôt après sa mort, et sans discontinuité, Pierre Jean Jouve lui succède dans cette *sacra conversazione*. Entre ces trois êtres, le peintre et les deux écrivains, rencontres, coïncidences, correspondances se multiplièrent, trop précis pour ne pas penser que, mus par le magnétisme mystérieux des affinités électives, les aspirations de certains humains, comme des métaux ou des plantes, se rencontrent en des points de l'espace et du temps définis par la plus rigoureuse nécessité.

[1] Rainer Maria Rilke, *Les Cahiers de Malte Laurids Brigge*, M. Betz trad., Paris, Emile-Paul, 1947, p. 21.

Genève, entre la Suisse et la France, Soglio, dans la Haute-Engadine, Beatenberg, au-dessus du lac de Thoune, Muzot, en Valais, furent de ces lieux. Et, entre 1919 et 1926, quelques dates allumèrent les points d'un zodiaque qui dessinait un destin. En s'effaçant – le 29 décembre 1926 –, Rilke, le poète bohémien qui avait conduit les premiers pas du jeune peintre, confierait au poète baudelairien de *Sueur de sang* le souci de lui inspirer les œuvres de la maturité. «J'ai connu Balthus, dira Jouve, au temps de la mort de Rainer Maria Rilke qui avait exercé sur lui une très noble influence. Balthus était alors un jeune homme doué d'une singulière gravité, et comme armé d'une expérience qui ne lui appartenait pas en propre.»

Baudelaire et Delacroix, Apollinaire et Picasso, c'est entendu, nous connaissons de ces rencontres illustres. Mais il y a peu d'exemples – y en a-t-il même encore? – dans une histoire récente, plutôt livrée au chaos, d'une fraternité d'esprit de trois Européens dans le creuset d'une même œuvre.

* * *

Tout avait commencé le 11 juin 1919. Rilke, venant de Munich, arrive en Suisse, invité à faire une tournée de conférences. Son amie, la comtesse Dobrcenski-Wenkheim, lui a offert l'hospitalité dans son chalet de Nyon, au bord du lac Léman. Après un court séjour, il se rend à Genève, descendant comme toujours à l'Hôtel des Bergues, sur les bords du lac, chambre 18. Avant le cataclysme de 1914 et l'effondrement des quatre empires qui la composent, grands-ducs de toutes les Russies, rois de Prusse, Louis Ier et II de Bavière, princes de Naples ou de Savoie, toute l'aristocratie de l'Europe se retrouve dans ce haut lieu de style néo-classique.

Rilke y revoit une jeune femme qu'il avait rencontrée à Paris plusieurs années auparavant, mariée à un peintre et historien d'art, Erich Klossowski de Rola. Celui-ci, de très petite noblesse polonaise, est originaire de Silésie. De cette union, elle avait eu, écrira-t-elle au poète, «deux ravissants fils», Pierre et Balthus Klossowski. L'aîné seul aurait eu, selon la coutume, le droit d'hériter du titre. Mais Pierre Klossowski, on le sait, méprisa toujours ce privilège. Le cadet, en revanche, revendiqua, malgré les sarcasmes de plusieurs de ses proches, les armes de la famille, refusant notamment, après 1962, d'ouvrir le courrier qui ne serait pas adressé au comte de Rola. C'est là un exemple qui montre que les derniers-nés sont parfois plus conservateurs que les premiers.

Le couple Klossowski s'était séparé au début de l'année 1917. Erich Klossowski, réfugié en France, y finira ses jours dans la petite communauté d'artistes étrangers qui s'étaient rassemblés à Sanary-sur-Mer.[2] Rilke devait, à plusieurs reprises, revoir celle qui signait son œuvre de peintre – car elle était peintre elle aussi – du nom de Baladine (fig. 1), et qui, sous celui de Merline, échangerait bientôt avec lui une abondante correspondance[3]. Le 3 septembre 1920, toujours à l'Hôtel des Bergues, eut lieu, au soir, la première rencontre d'importance. Merline était venue chercher Rilke à la gare. Il avait prévu de rester vingt-quatre heures. Il demeura huit jours. Merline, beaucoup plus tard, rappellerait ces journées: «Mes fils étaient mon école et mon plaisir – und ich war ihre Gespielin. Als dann Rilke dazukam, waren wir alle vier wie glückliche Kinder.»[4]

«Tous les quatre réunis, comme des enfants heureux…»: Balthus avait donc 11 ans quand l'auteur des *Cahiers de Malte* entra dans la vie de la famille Klossowski pour y jouer le rôle du père de substitution, amant d'une Merline plus infantile peut-être que ses deux fils. Elle était en tout cas, dit-elle, leur meilleure camarade de jeu. Quinze jours après cette rencontre, l'aîné des deux fils attendait encore le retour d'une figure devenue familière: «Hier soir encore, *à peu près à l'heure de l'arrivée du train*, Pierre regardait autour de lui et dit: ‹C'est comme une fête ici.› Tout était dans une attente…»[5]

Le fait est que Rilke fut étonnamment présent auprès de sa famille d'adoption, lui d'ordinaire si soucieux de préserver sa solitude. Il prit soin de la scolarité des deux enfants, s'occupa de s'entremettre, de leur trouver des subsides financiers, de s'inquiéter chaque semaine de leur sort.

Surtout – la correspondance avec sa mère en témoigne, où le nom de Balthus, encore orthographié Baltusz, est souvent cité[6] –, il distingua la précocité du jeune peintre. Il lui écrit aussi directement, pas moins de huit longues lettres entre novembre 1920 et juin 1926, à quelques semaines de sa mort.[7] En 1921, il s'arrange pour faire éditer, chez Rotapfel, les premiers dessins à l'encre de *Mitsou* (cat. 1) – l'histoire en images d'un chat et d'un jeune enfant. Il l'honore d'une merveilleuse préface. Puis, jusqu'à sa mort, il s'inquiétera, veillera, échangera avec le petit Balthus, puis l'adolescent, le jeune homme enfin, conseils et cadeaux. Ils s'envoient des livres: sans doute la première monographie de Longhi sur Piero della Francesca, qui fut à l'origine de la redécouverte du peintre d'Arezzo et dont la lecture prépare le fameux voyage d'Italie de Balthus, en 1926 (cat. 7 et 8). Le jeune peintre offre à son tour au poète son petit tableau du *Narcisse*, copié du Poussin du Louvre.

Surtout, on sent dès les premières œuvres, en 1928, une influence très directe, souvent littérale du poète,

Fig. 1: Baladine Klossowska, *Portrait de Rainer Maria Rilke*, vers 1920, crayon sur papier, collection particulière.

[2] Voir Manfred Flügge, *Amer azur. Artistes et écrivains à Sanary*, Paris, Editions du Félin, 2007, pp. 90-91.
[3] Rainer Maria Rilke et Merline, *Correspondance, 1920-1926*, D. Bassermann éd., Zurich, Max Niehans, 1954.
[4] *Ibid.*, p. 38.
[5] Lettre de Merline du 18 septembre 1920.
[6] Lettres des 16 et 20 octobre, 12, 15, 27 et 30 novembre, 3 et 25 décembre 1920, 6 février 1921, etc.

[7] Rilke 1945.

Fig. 2: Balthus, *Premières communiantes au Luxembourg*, 1925, huile sur toile, 56×54 cm, collection particulière.

qui vient de disparaître. Les thèmes du jardin du Luxembourg, des enfants jouant au cerceau, du jet d'eau qui s'immobilise, de la balle suspendue dans l'air, des communiantes, développés dans l'œuvre poétique de Rilke, renaîtront dans l'œuvre plastique du jeune peintre.

Ainsi, des vers tirés du *Livre d'images*, et composés à Paris, en 1903, comme:

En voiles blancs, les Communiantes[8]
S'enfoncent dans le vert neuf des jardins.
Voici surmontée leur enfance
et différent sera tout ce qui vient[9]

évoquent irrésistiblement les premiers tableaux, figurant des communiantes se promenant dans les allées du Luxembourg (fig. 2).

D'autres tableaux de la même année rappellent aussi des peintures de Pierre Bonnard, l'autre grand ami de la famille Klossowski, de 1901-1902, inspirées du Grand-Lemps ou des squares parisiens, peuplés d'enfants jouant au cerceau, à la balle ou au croquet, ou traversés de communiantes encore, si proches en image et en esprit des poésies de Rilke (fig. 3). Balthus sans doute les connaissait, qui accompagnait sa mère visiter Bonnard dans sa maison de Vernonnet, à côté de Giverny.

D'autres œuvres des *Poésies nouvelles*, comme *Dans un parc étranger* (le Luxembourg), ou encore *Le Carrousel*, évoquant les chevaux bariolés qui tournent et les équipages d'enfants en habits blancs, semblent décrire les futurs tableautins du jeune Balthus:

Tout cela passe et va, se hâte vers sa fin
et tourne, et vire, sans but et sans répit.
Poussés, chassés, un rouge, un vert, un gris,
un petit profil à peine ébauché.

Tous ces instantanés pris sous les frondaisons du jardin du Luxembourg, des gestes suspendus de l'enfance, dans lesquels sonne sourdement le deuil de leur imminente disparition, se retrouvent encore dans le poème intitulé *Avant la pluie d'été*:

De tout ce vert du parc, on ne sait quoi
est soudain retiré, et on le sent,
silencieux s'approcher des fenêtres.
Dans les buissons, fort et instant,
résonne un chant de pluvier gris.
[...]
Sur les tapisseries fanées *se mire*
de telle après-midi la lumière indécise,
où nous étions enfants et où nous avions peur.

Fig. 3: Pierre Bonnard, *La Famille au jardin (Grand-Lemps)*, 1901, huile sur toile, 109×128 cm, Zurich, Kunsthaus Zürich.

[8] Et non pas *Les Communiants* dans la traduction des *Œuvres poétiques* de Rilke dans la Bibliothèque de la Pléiade, où le traducteur semble ignorer que, au début du siècle, les petites filles seules portaient des aubes blanches qui les faisaient ressembler à de petites mariées.

[9] Sauf indication contraire, nous donnons la traduction de Maurice Betz, à notre sens inégalée.

C'est encore dans *Le Livre d'images* qu'un poème comme *Enfance* semble s'illustrer d'un ensemble de tableaux de Balthus, parmi lesquels, comme des transpositions littérales, *Le Bassin du Luxembourg (Temps de pluie)* et *Orage au Luxembourg*. Datés de 1928, ils semblent tous deux un souvenir de son mentor qui venait de mourir (fig. 4 et cat. 10):

La peur et les heures interminables de l'école
[...]
Et jouer comme suit: balle, anneaux et cerceau,
dans un jardin qui tendrement s'estompe,
puis frôler ça et là des adultes,
aveuglé, ensauvagé par la hâte d'attraper,
mais le soir en silence, à pas menus et raides,
rentrer à la maison, saisi d'une main ferme –,
O tout cela que l'on comprend à peine maintenant,
O cette angoisse, ô ce fardeau.

Et des heures durant, près du grand bassin gris,
rester à genoux près du petit voilier;
l'oublier, parce que d'autres encore croisent
avec les mêmes voiles, ou plus belles, dans les ronds,
ne pouvoir effacer cette petite face
blême qui sombre et remonte au fond du bassin –,
Enfance, ô ces images qui m'échappent et glissent
vers où? vers où?[10]

La poésie, entendue comme capacité d'appréhender l'«Ouvert», la puissance créatrice de l'enfance, telle qu'on la découvre dans *Les Cahiers de Malte*, dans les *Sonnets à Orphée*, dans les *Elégies*, se retrouveront transposées de manière miraculeuse dans les premiers chefs-d'œuvre de Balthus des années trente, les jeunes filles rêveuses, la nudité glorieuse de corps encore incertains d'eux-mêmes, les postures abandonnées ou gauches des enfants dans la *Kinderstube*, occupés à lire, à rêvasser, à filer au fil «des heures passées à attendre, à retourner de vagues choses»[11], durant l'interminable semaine des quatre jeudis. Tout ici évoque la grande latence de l'adolescence, la lente maturation des formes, les passages et leurs rites étranges et confondants, les découvertes de la chair et ses émois, les jeux de masques et de travestis dans les greniers, avec leurs terreurs et leurs délices – et au loin, peut-être, l'appréhension, confuse encore, de la grande mort.

Jusqu'à quel point le hiératisme des plus grands tableaux de Balthus, ces personnages en catalepsie, occupés à célébrer un rite dont le sens nous échappe,

Fig. 4: Balthus, *Le Bassin du Luxembourg (Temps de pluie)*, 1928, huile sur toile, 37,9×45,6 cm, collection particulière.

comme *Le Passage du Commerce-Saint-André* (cat. 63) ou *La Chambre (II)* ou *Le Rêve (II)* (cat. 71), ne lui fut-il pas dicté par un certain sens qu'avait Rilke du sacré et de l'érotisme, tel qu'on le sent dans la description qu'il avait faite des tapisseries de *La Dame à la licorne*? «Mais une fête vient encore; personne n'y est invité. L'attente n'y joue aucun rôle. Tout est là, tout pour toujours. Le lion se retourne, presque menaçant: personne n'a le droit de venir. Nous ne l'avons jamais vue lasse; est-elle lasse? Ou ne s'est-elle reposée que parce qu'elle tient un objet lourd? [...] C'est un miroir qu'elle tient. Vois-tu: elle montre son image à la licorne...»[12]

L'un des lieux élus de ces rencontres sera Beatenberg, au-dessus du lac de Thoune. Baladine s'y installe à plusieurs reprises, avec ses deux fils. Balthus y fera ses premières armes: des peintures murales pour le temple du village, à thème religieux, mais dont les modèles sont de robustes paysans du coin. Choquantes aux yeux du pasteur, elles seront bientôt effacées. Plus tard, Balthus, en 1937, fera de ce paysage alpin le motif élu de *La Montagne (L'Eté)*, le chef-d'œuvre de sa jeunesse (fig. 5). La peinture demeure aujourd'hui encore énigmatique, qui rassemble les personnages d'un drame parmi lesquels se reconnaît Antoinette de Watteville, sa future femme, tandis que le peintre, petite silhouette à flanc de colline, tourne le dos et s'éloigne.

Le 18 août 1920, c'est de Beatenberg que Merline écrit à Rilke: «Ici, on fait un certain culte de vous. Vous figurez au mur, on a tous vos livres et on vous aime [...]

[10] Rainer Maria Rilke, *Œuvres poétiques et théâtrales*, J.-Cl. Crespy trad., Paris, Gallimard, Bibliothèque de la Pléiade, 1997, pp. 203-204.
[11] Rainer Maria Rilke, *Enfance*, *Le Livre d'images* (*Das Buch der Bilder*, 1902).
[12] Rainer Maria Rilke, *Les Cahiers de Malte Laurids Brigge*, *op. cit.*, p. 128.

Cat. 150:
Baladine
Klossowska,
*Baltusz
et son chat*,
1916,
gouache
et aquarelle
sur papier,
32×24,5 cm,
collection
particulière.

Fig. 5: Balthus, *La Montagne (L'Eté)*, 1937, huile sur toile, 248×365 cm, New York, The Metropolitan Museum of Art.

Couchée dans l'herbe, me sentant comme enracinée dans cette terre un peu humide et tiède, j'ai lu votre *Stundenbuch*. J'ai lu à haute voix et plus je lisais plus ma voix devenait tremblante [...] Aussi, glaube ich, dass der Berg ein Zauberberg ist. Soll ich mit dem Berg sprechen, dass er Sie herzaubert?»

Ce n'est que fin août 1922, cependant, que Rilke rejoindra sa famille adoptive au Beatenberg, cette «montagne magique» dont il paraît être le dieu. Il y retournera un an plus tard, en août 1923, dix ans avant que Balthus n'en fasse le sujet de sa grande peinture.

Le lieu, au centre de la Suisse, est comme un pôle magnétique de l'Europe, à égale distance de l'Allemagne, de l'Italie, de l'Autriche et de la France, du midi et du nord, de l'est et de l'ouest, à la frontière des cultures de l'olivier et du blé. On y jouit de ce cosmopolitisme équilibré qui marquera peut-être essentiellement l'art de Balthus.

Ainsi, dans la correspondance entre Rilke et Merline, dès les premières lignes, passe-t-on indifféremment, on vient de le noter, du français à l'allemand sans même en avoir conscience: «Kennen Sie mich denn René? Comment c'était? me demandez-vous. C'est moi, je crois, qui me suis penchée folle d'amour sur votre main en l'embrassant. Je n'ai presque plus de souvenir, je sais que quelque chose est hinausgetreten aus mir...»[13]

Ainsi la demeure de Baladine Klossowska, si l'on en croit Jean Cassou dans ses mémoires[14], d'abord rue Férou, puis 11, rue Malebranche, devait-elle devenir un salon littéraire où l'on parlait indifféremment français, italien, espagnol et allemand. S'y rencontraient Rilke et Valéry, Verhaeren et Julius Meier-Graefe, Charles Du Bos et Wilhelm Uhde, Gide et Ortega y Gasset, les Maritain et le jeune Pierre Leyris... C'est dans ce milieu lettré que grandit Balthus. On ne comprendrait rien à son art si l'on n'avait présente à l'esprit cette dimension européenne. Longtemps, elle le rendit incompréhensible à un milieu français trop chauvin, trop longtemps replié sur lui-même.

S'il fallait brièvement résumer son cosmopolitisme, il y a d'abord les très anciennes racines polonaises. Du côté de la mère, du grand-père maternel, chantre à la synagogue de Breslau, Balthus gardera un sentiment judaïque du Livre et de l'instance de la Loi qui le rapproche parfois étrangement, dans certains de ses dessins les plus érotiques et cruels, de ceux de son compatriote Bruno Schulz, le dessinateur des jeux pervers du *Livre idolâtre*, l'auteur par ailleurs du *Traité des mannequins* (fig. 6). Il y a ensuite, du côté du père, l'apport prussien et poméranien: une culture germanique impeccable, d'où ne manquent ni le fonds populaire des illustrés du *Struwwelpeter* ou des garnements de Wilhelm Busch, ni, du côté lettré, la fascination du théâtre de marionnettes de Heinrich von Kleist. Le côté mitteleuropéen, que Rilke avait nourri, peut aussi faire comprendre combien les dessins aigus et inquiétants des *Hauts de Hurle-Vent*, aigus et déchiquetés, évoquent parfois Alfred Kubin et tout un graphisme dont les sources baroques seraient à rechercher entre la Bohême et la Moravie. Viendra la France – Paul Valéry et Gide, puis les peintres, Pierre Bonnard, l'ami fidèle, Derain, le maître vénéré. Vient enfin l'Italie en 1926 – et les leçons du quattrocento, puis Rome à partir de

Fig. 6: Bruno Schulz, *Scène à table. Joseph, autoportrait entre deux femmes*, avant 1933, crayon sur papier.

[13] Lettre de Merline à Rilke du 2 septembre 1920.
[14] Jean Cassou, *Une vie pour la liberté*, Paris, Laffont, 1981, p. 83.

1962. Au milieu de tout cela, comme un point d'équilibre géographique et mental, cette Lotharingie spirituelle vers laquelle il retourne à plusieurs reprises, en 1920, Beatenberg, puis Genève durant la guerre, la Gruyère enfin, après 1975, le Pays-d'Enhaut, le Grand Chalet de Rossinière.

* * *

Le 24 juillet 1919, durant son périple en Suisse, Rilke arrive à Soglio. C'est un petit village escarpé de l'Engadine, tourné vers l'Italie. Quand on vient de Saint-Moritz, il faut d'abord parcourir le haut plateau de Silvaplana, bordé de glaciers et de pics étincelants, creusé de grands lacs immobiles, en direction du col de la Maloja. Au fur et à mesure que l'on descend, subjugué par un paysage d'une admirable perfection, dont la végétation semble hésiter entre le nord des sapins et des mélèzes, et le sud des châtaigniers et des noyers, tout comme son architecture de palais et d'églises hésite entre l'Italie baroque et l'Allemagne romantique, on prend conscience que ce fut un lieu essentiel de l'Europe avant le déclenchement de la Première Guerre et l'effondrement des empires dont les chefs se retrouvaient aux Bergues.

On y rencontre d'abord Nietzsche bien sûr, à Sils-Maria, entre la petite maison qui est devenue son musée et le bois de sapins sur le lac, où il reçut la vision du *Zarathoustra*. Mais on sait moins que dix ans après lui, au même endroit, Marcel Proust, âgé de 20 ans, y vécut un amour dont il a laissé le souvenir émerveillé dans l'un des premiers et des plus beaux textes des *Plaisirs et les Jours*.[15]

En poursuivant la route, on s'engage dans le Val Bregaglia que, du côté suisse, on appelle le Bergell-Tal. Ainsi, comme dans le nom de Sils-Maria, écrivait le jeune Marcel, à la frontière des deux mondes, «les noms sont deux fois doux, où le rêve des sonorités allemandes s'y meurt dans la volupté des syllabes italiennes».[16] On arrive alors à Stampa. A gauche de la route, il y a, inchangé, l'épais chalet de bois de la famille Giacometti. De cette famille d'artistes, grandis dans l'ombre de Hodler, Alberto, l'aîné des trois fils, deviendrait l'ami le plus proche de Balthus dans les années cinquante, au moment où le peintre habitait Chassy-en-Morvan. A droite, il y a toujours le café que tenait la famille Varlin, qui donna à la Suisse son meilleur peintre expressionniste. Plus bas encore, on arrive sur le grand plateau désolé où Giovanni Segantini a réalisé l'essentiel de son œuvre – le grand *Triptyque de la nature* et les tableaux consacrés au cycle des *Mauvaises Mères* – et où il trouva la mort.

On atteint Soglio par une petite route escarpée sur la droite, vertigineuse à maints endroits. Haut perché, étagé, le village est un étroit balcon tourné vers la lumière du midi et fait face aux cinq dents rocheuses des Sciora. Il y a en lui un mélange étonnant de douceur et de tragédie, de tendresse et de violence.

C'est Rilke qui avait fait connaître Soglio à la famille Klossowski. Est-ce le hasard qui indiqua son chemin à Jouve, en 1933, comme il est dit dans sa biographie? Ou bien, dans une correspondance encore inconnue, Rilke lui-même? Toujours est-il qu'un an plus tard, Jouve découvrait, stupéfait, la peinture de Balthus, quand elle fut exposée Galerie Pierre. Il en deviendrait dès lors, avec Antonin Artaud, le plus juste et le plus pénétrant de ses commentateurs. Ce fut le début d'une longue et étroite amitié, qui dura jusque dans les années cinquante, quand une brouille les sépara.

Le poète devint aussi, de longues années, le propriétaire du tableau le plus inquiétant peut-être que Balthus ait peint, *Alice*, dont le modèle avait été l'épouse de Pierre Leyris, Betty. (Il faudra un jour étudier comment cette société cosmopolite fut une société de passeurs de frontières, de traducteurs: Pierre Leyris, Pierre Klossowski, Jouve lui-même...) Longtemps, *Alice* fut accrochée dans la chambre du poète, 8, rue de Tournon. Et il lui consacra un texte étonnant. Mais toutes ces choses commencent d'être connues, et nous n'y reviendrons pas.

Demeure l'énigme de Soglio, de ce lieu dérobé, difficile d'accès comme il en est généralement des lieux décrits dans *Le Cabinet des fées*, admirable position où, successivement, Rilke, Balthus et Jouve vinrent vivre et puiser l'essentiel de leur inspiration. Jouve, à partir de 1933, ne cessa pas d'y revenir presque chaque été. Il en fera le décor d'un des plus beaux récits que la littérature de ce siècle nous ait donnés, *Dans les années profondes*. Son héroïne, Hélène, est comme l'émanation sensuelle du paysage qui l'entoure et où elle vit. Créature maniériste composée de la matière des montagnes, des forêts et de la lumière autant qu'être fait de chair, de toisons et de muqueuses, Hélène est, dans sa double nature minérale et organique, rocher et chevelure, matérielle et solaire, une créature mythique, bien proche des hautes statures féminines, envoûtantes elles aussi dans leur double nature angélique et luciférienne, que Balthus devait peindre dans les années quarante.

Le nom de Soglio devient, dans le récit de Jouve, reconnaissable sous le nom de Sogno, tout comme le nom des Salis, qui domine toute la région – de la Casa Salis d'en haut au palais Salis de la vallée –, se retrouve dans le nom des Sannis du roman.

Mais Jouve entre-temps avait déjà avoué sa fascination pour la mère de Balthus et de Pierre. Le roman du *Monde désert* était paru en 1927, c'est-à-dire «au temps

---

[15] Marcel Proust, «Présence réelle», *Les Plaisirs et les Jours*, ch. XXII, Paris, Calmann-Lévy, 1896.
[16] *Ibid.*, p. 222.

de la mort de Rilke» selon ses propres paroles, et l'année de sa rencontre avec Balthus. Au détour d'une page surgit la figure d'une femme nommée, comme la mère de Balthus et de Pierre Klossowski, Baladine. «La personne de Baladine a un caractère provocant. Si l'on a remarqué certains mouvements que son grand corps peut faire, on n'arrive plus à en détacher son regard. Un qualificatif assez juste serait ‹oiseau féminin›. Des jambes hautes et fortes, agréables à voir, un pied cambré, hanches et poitrine présentes, mais la taille douce; [...] le visage large et charmeur d'un chat, les minces lèvres passées au rouge, le regard cendré. Quant à ses cheveux, ils sont aussi provocants, un peu sombres, sensuels.»[17]

Si l'on se réfère aux photographies que l'on garde de Baladine Klossowska, celle en particulier où elle figure en compagnie de Rilke et du jeune Balthus (fig. 7), on pourra mesurer la véracité de la description.

Fig. 7: Rilke, Balthus et Baladine à Beatenberg, Suisse, été 1922, photographie, collection particulière.

La première partie du récit se passe dans le massif de la Bella Tola, qui culmine à trois mille mètres, vaste belvédère triangulaire d'où l'on découvre, en direction du midi, un défilé admirable de sommets, du mont Cervin, ou Matterhorn, au mont Rose, au confluent des langues française, germanique et italienne. La suite du roman se déroule dans le Valais, à la hauteur de Sierre, c'est-à-dire non loin du lieu où Rilke, à Muzot, avait vécu ses dernières années, et du petit cimetière de Rarogne où l'on trouve sa tombe.

J. C.

[17] Pierre Jean Jouve, *Le Monde désert*, Paris, Mercure de France, 1960, p. 40.

Notes sur l'innocence et la cruauté chez Balthus

par Dominique Radrizzani

Mais nous sommes les pauvres musiciens et nos corps sont les instruments.
Georg Büchner[1]

Saviez-vous que, lui-même peintre et historien de l'art, le père de Balthus avait connu Steinlen? A Montmartre, il l'a rencontré vers 1902 en vue d'un petit livre sur les peintres de la Butte. Et il a logiquement été frappé par ses chats – à certains moments, Steinlen pouvait en héberger jusqu'à dix-sept à la fois: «Sa spécialité, ce sont les chats. Une prédilection à laquelle il est jusqu'ici resté fidèle […]. Il a réuni ses protégés dans des histoires en images ou dans cette grande peinture murale qui ornait le cabaret du Chat noir et qui représente une Apothéose sur les toits de Montmartre.»[2] Les histoires en images *Des Chats* de Steinlen berceront l'enfance de Balthus qui enrichira le précieux in-folio d'études au crayon dans les marges (fig. 1).

La première réalisation importante du petit Balthus, sa «première œuvre» comme il dira lui-même, est précisément une «histoire en images» et, qui plus est, consacrée à un chat: exécutés à Genève en 1919, les dessins sans paroles de *Mitsou* (cat. 1) paraissent en 1921 avec une préface de Rilke. Steinlen meurt deux ans plus tard. A-t-il eu entre les mains le petit livre du petit «Baltusz», ainsi que ses liens avec Klossowski père nous permettent de le supposer? Le maître des chats a-t-il seulement compris que le petit livre annonçait un prétendant au trône et le futur *Roi des chats*?

Fig. 1: Couverture de *Des Chats, Dessins sans paroles* par Steinlen, 1898, Paris, Ernest Flammarion.

Et les chats eux-mêmes, seront-ils d'accord de passer du socialisme anarchiste de Steinlen au féodalisme de Balthus?

«Eh bien oui! je crois que j'aime l'élégance. Peut-être est-ce pour cela que j'aime tant les chats, des bêtes qui sont l'élégance même!»[3], avouait Steinlen. Le très élégant et célèbre *Roi des chats* de 1935 (cat. 37) nous dit: «Vive les Chats! et restons sur notre mur et regardons-les [les hommes] avec notre ironie méprisante et hautaine s'agiter comme des déments et mal se conduire.»[4]

Fig. 2: *Balthus serrant un chat dans ses bras, Beatenberg, 1923*, photographie, collection particulière.

Le mystérieux tableau entretient à mon sens de possibles liens avec une photographie peu connue, très récemment réapparue[5], qui montre le jeune Balthus, à la fois tendre et effronté, serrant un chaton dans ses bras (fig. 2).

[1] Georg Büchner, *La Mort de Danton* (*Dantons Tod*, 1835), B. Chartreux, E. Spreng et J.-P. Vincent trad., Paris, L'Arche, 2004, p. 94.
[2] Erich Klossowski, *Die Maler von Montmartre (Willette, Steinlen, T.-Lautrec, Léandre)*, Berlin, Julius Bard, [1903] (= *Die Kunst*, 15), p. 36.
[3] Théophile Alexandre Steinlen, cité par Mme L.-G. Renard, «Steinlen. Dessins», *La Revue du Peuple*, 4, 27 mars 1904, p. 116.
[4] Lettre de Balthus à Antoinette de Watteville, Paris, 15 septembre 1935, dans Balthus 2001, p. 378.
[5] Repr. dans Rewald 2007, p. 153.

Fig. 3: Théophile Alexandre Steinlen, *La Rue*, 1896, lithographie en couleurs, 236×298 cm, Paris, Bibliothèque des Arts décoratifs.

Quand Balthus peint *La Rue* (cat. 35), un thème qui, comme les chats, appartenait jusqu'alors à Steinlen – les Klossowski connaissent la fameuse affiche monumentale *La Rue* de 1896 pour l'Imprimerie Charles Verneau (fig. 3) –, c'est pour la vider de sa vie grouillante, «la vie grouillante et formidable»[6], pour lui substituer un ordre arrêté, à l'histoire en marche une histoire fossile. Il est vrai que Balthus se réclame de Piero della Francesca et de Poussin, deux artistes qui, à des siècles d'intervalle, ont élaboré la peinture à partir d'un immobile théâtre de poupée, recourant le premier à des modèles en terre, le second à des figurines de cire. Balthus peut se faire l'économie de l'artificieux dispositif: le monde, la rue ne sont-ils pas devenus ce théâtre figé? «On parle à un monsieur: on s'aperçoit tout à coup que c'est un pantin. On s'adresse à un autre: c'est un automate. Un troisième, l'intellectuel: c'est un guignol qui n'a pas de bas-ventre! Au secours! Au secours! C'est tous des mannequins! [...] Non je crois la lumière altérée, la forme exténuée, le mouvement égaré.»[7]

Le tableau magistral a été conçu comme le «manifeste d'une attitude plastique. [... C'est] l'extériorisation de différents sentiments primitifs ou primordiaux: la plupart des acteurs de cette scène sont des enfants. [...] Le groupe érotique dans le coin à gauche ([...] le garçon qui cherche à violer la petite fille) n'a vraiment rien d'obscène.»[8] La main du jeune homme était, à l'origine, assez peu innocemment plaquée entre les cuisses de la fillette (fig. 4), mais ce détail a été repris quelque vingt ans plus tard à la demande du propriétaire de l'œuvre.[9] Ce groupe érotique résulte peut-être d'un dessin pour *Les Hauts de Hurle-Vent*, lequel, parfaitement contemporain à l'invention du tableau, montre Cathy s'élançant bras écartés, brusquement arrêtée dans sa course par Nelly, qui s'est jetée derrière elle et la retient à bras-le-corps (fig. 5).

La peinture de Balthus découle souvent d'un impressionnant tissu de réemplois, pastiches et citations. Citations des maîtres anciens, citations de ses propres dessins, citations de lectures enfantines, le *Struwwelpeter*, *Alice au pays des merveilles*.

Avez-vous remarqué, dans *Le Passage du Commerce-Saint-André* (cat. 63), la clef dorée qui brille au fond? Elle brille par son faux or d'enseigne – un forgeron-serrurier avait là son échoppe[10] – autant que par son inaccessibilité aux humains qui ne la voient pas et qu'elle nargue. Trop haute pour qu'on la puisse saisir, n'est-elle pas la cause des songeries de la fillette au premier plan?: «Hélas! pauvre Alice! en arrivant devant la porte, elle s'aperçut qu'elle avait oublié la petite clef d'or, et, quand elle revint vers la table la chercher, elle comprit qu'il lui était impossible de l'atteindre: elle la voyait distinctement à travers la dalle de verre.»[11]

Fig. 4: Balthus, *La Rue*, 1933 (cat. 35), premier état (détail).

Depuis Alberti ou Piero della Francesca, depuis les premiers théoriciens de la perspective, depuis ce

[6] Théophile Alexandre Steinlen, cité par Mme L.-G. Renard, *op. cit.*, 1904, p. 114.

[7] Lettre de Balthus à Antoinette de Watteville, Paris, 1er janvier 1934, dans Balthus 2001, p. 151.

[8] Lettre de Balthus à Antoinette de Watteville, Paris, 18 janvier 1934, *ibid.*, p. 158.

[9] James Thrall Soby, qui avait acheté le tableau et voulait l'exposer au MoMA, a demandé à Balthus de reprendre cette partie.

[10] Cf. Clair 1984.

[11] Lewis Carroll, *Alice sous terre* (*Alice's Adventures Underground*, 1886), dans *Tout Alice*, H. Parisot trad., Paris, GF Flammarion, 1979, p. 48.

quattrocento que Balthus hante et revisite à loisir, le tableau est par définition cette dalle de verre à travers laquelle les êtres et les choses, et en particulier les petites clefs d'or, se peuvent voir distinctement.

* * *

L'enfance est un moment capital auquel Balthus ne cesse de revenir comme à un mythe de l'origine. Le seul vrai royaume sur lequel règne ce Roi des chats est son merveilleux royaume de l'enfance. A Antoinette de Watteville, le 20 février 1935: «Donne-moi la main, ma

Fig. 5: Balthus, «Je la suppliai de se retirer et, à la fin, j'essayai de l'y contraindre», 1932 (projet d'illustration pour *Les Hauts de Hurle-Vent*, ch. XII, p. 191), plume et encre de Chine, 33×25 cm, Londres, collection particulière.

petite sœur, appuie-toi sur moi, je te conduirai à travers tous les nids de vipères possibles, à travers toutes les ronces, toutes les épines et tu croiras parcourir des allées de roses et nous arriverons dans mon merveilleux royaume où tout est à la fois délicieux et sauvage, somptueux et plein de mystères, aussi beau que l'enfance et aussi plein de science que tous les sages réunis.»[12]

N'est-ce pas la première image de *Mitsou* (fig. 6 et cat. 1) qui, sous une forme monumentalisée et féminisée, fait son retour en force dès la fin des années soixante-dix dans les versions successives du *Chat au miroir* (fig. 7)?

Balthus enfant tend à Balthus peintre le miroir de l'innocence. Même si, et cela n'enlève rien au tour de force du garçonnet, *Mitsou* n'est pas aussi pur d'influences que la critique a généralement voulu s'en convaincre. Quoi de plus normal à 11 ans? Il y a les influences parentales d'abord, et puis, particulièrement frappante à mes yeux, celle de Frans Masereel[13]. De ce dernier, le petit Balthus découvre chaque matin, de 1917 à 1920, un nouveau dessin enchâssé au centre de la une du quotidien genevois *La Feuille* (fig. 8) que reçoit sa

Fig. 6: Balthus, *Mitsou*, première image, 1921.

Fig. 7: Balthus, *Le Chat au miroir (II)*, 1986-1989, huile sur toile, 200×170 cm, Rome, collection particulière.

Fig. 8: Frans Masereel, *«Et le peuple attend»*, *La Feuille*, 11 avril 1919.

[12] Lettre de Balthus à Antoinette de Watteville, Chalet Mandrot, Saanenmöser, 20 février 1935, dans Balthus 2001, pp. 329-330.

[13] Cf. Radrizzani 2003, p. 11.

maman. Les années genevoises de Masereel en exil coïncident avec les années genevoises des Klossowski en exil, elles concordent avec *Mitsou*. Par ses contraintes éditoriales, Masereel a été amené à développer à Genève une technique directe de dessin au pinceau sur zinc (contrastant avec la rigidité du bois gravé), qui libère le geste. La narration en images de *Mitsou* emboîte le pas aux expérimentations du Flamand, à ses fluidités et empâtements du noir, allant jusqu'à adopter la proportion de ses vignettes.

* * *

La Joueuse de diabolo (cat. 17), pour laquelle il existe plusieurs dessins préparatoires[14], nous place devant un tableau primordial des débuts, réalisé au lendemain d'une première version de *La Rue*.

Une fille de dos, dans sa robe du dimanche, esquisse un pas de menuet. Ce n'est plus le Louvre de Poussin que fréquente Balthus, mais celui de Watteau, on songe à *L'Indifférent* aux bras nonchalamment ouverts. La jeune demoiselle a lancé son diabolo et, les bras écartés, s'apprête à le renvoyer. La tête violemment renversée en arrière, elle suit des yeux la trajectoire de la bobine. Autour d'elle règne la souveraine harmonie de verts du jardin du Luxembourg («O Bébé tu aimerais ce jardin où s'est écoulée ma première enfance! La grâce enfantine, la blondeur de ce jardin, l'irréalité de la lumière»[15]), à peine troublée par l'indication des trois couleurs fondamentales, le rouge, le jaune et le bleu, que Balthus a ingénieusement distribuées sur l'axe vertical de la jeune fille. Bleus ses collants, jaunes le nœud papillon dans ses cheveux et la ceinture flottant au vent, rouge la bobine au sommet du tableau – le nœud dans les cheveux reprend gracieusement le dessin du projectile. A droite, un arbre dont les branches alanguies répètent les bras de la joueuse semble se livrer à son propre diabolo, dont il articule et décompose le geste autour de son tronc. La jeune fille n'a toutefois pas vu le paysage luxuriant du parc, trop absorbée qu'elle est par la captivante bobine de son jeu solitaire. Sur les conseils de Rilke, Balthus a dû lire Proust: «Albertine qui se promenait en manœuvrant son diabolo comme une religieuse son chapelet. Grâce à ce jeu elle pouvait rester des heures seule sans s'ennuyer. [...] sortant de la poussière du souvenir, Albertine se reconstruisait devant moi. Le golf donne l'habitude des plaisirs solitaires. Celui que procure le diabolo l'est assurément.»[16]

Fig. 9: Balthus, *Portrait d'Antonin Artaud*, 1935, encre de Chine sur papier (au dos d'une feuille à en-tête du Café Le Dôme), 24×20,5 cm, collection particulière.

De 1925 à 1932, Balthus procède à la mise en place d'un véritable catalogue des jeux d'enfants: ballon, cerceaux, volants (jusque dans *La Rue* de 1933, cat. 35), bilboquet. *La Joueuse de diabolo* préfigure les œuvres où le jeu contraint la position du corps et le livre sans défense au regard du spectateur.

Elle est surtout le premier tableau où Balthus prend pour sujet la jeune fille en fleur. Sa robe immaculée et ses bras déployés la font apparaître comme un ange, mais qui jouerait avec le diable. Premier tableau où le corps de la jeune fille est en quelque sorte instrumentalisé (sur un mode certes plus innocent que dans *La Leçon de guitare* quatre ans plus tard), cintré comme la clepsydre qu'il projette dans les airs. Premier tableau qui suspend le temps.

* * *

1er décembre 1933, à Antoinette de Watteville: «Je prépare une nouvelle toile. Une toile plutôt féroce. Dois-je oser t'en parler? [...] C'est une scène érotique. Mais comprends bien, cela n'a rien de rigolo, rien de ces

[14] Clair-Monnier CC 1464/1-4, D 366 (cat. 16) et, le plus abouti et le plus complet, D 365, qui provient de toute évidence d'un carnet d'esquisses démembré des années 1928 à 1931 (Clair-Monnier CC 1465*ter*).
[15] Lettre de Balthus à Antoinette de Watteville, Paris, mars 1934, dans Balthus 2001, p. 188.
[16] Marcel Proust, *A l'ombre des jeunes filles en fleurs* (1918), dans *A la recherche du temps perdu*, II, Paris, Gallimard, Bibliothèque de la Pléiade, 1988, p. 282.

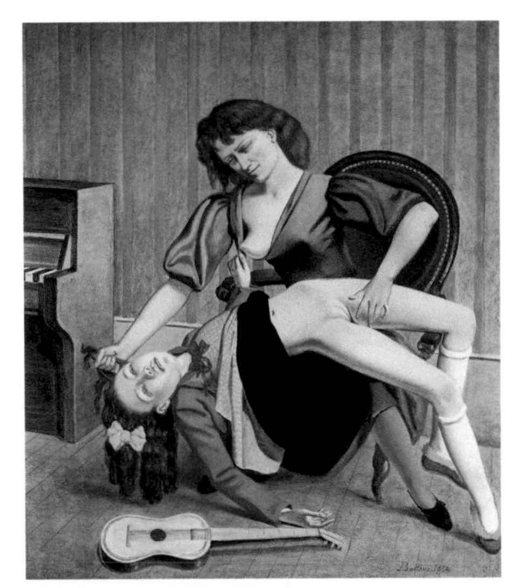

Fig. 10: Balthus, *La Leçon de guitare*, 1934, huile sur toile, 161×138,5 cm, collection particulière.

Fig. 11: Couverture du *Moine raconté par Antonin Artaud*, Paris, Editions Denoël et Steele, 1931.

petites infamies usuelles que l'on se montre clandestinement en se poussant du coude. Non je veux déclamer au grand jour, avec sincérité et émotion, tout le tragique palpitant d'un drame de la chair, proclamer à grands cris les lois inébranlables de l'instinct. Revenir ainsi au contenu passionné d'un art. Mort aux hypocrites!»[17]

C'est au début des années trente que Balthus s'est lié avec Antonin Artaud (fig. 9) au point de devenir l'un de ses plus proches amis et d'en être considéré comme une sorte d'alter ego. Ils se sont rencontrés dans un café à Paris, ont immédiatement été frappés par leur ressemblance physique, ont immédiatement sympathisé. Les premières plus belles pages consacrées à Balthus reviennent à Artaud, et pour lui Balthus réalise en 1935 les décors et les costumes des *Cenci*, la seule pièce jamais jouée du Théâtre de la Cruauté.

La Leçon de guitare (fig. 10) a pu plaire à Artaud, qui lui aura facilement trouvé des similitudes avec ses propres recherches formelles sur la cruauté. Le scandaleux tableau qui active des réminiscences des primitifs du XVe siècle (la *Pietà de Villeneuve-lès-Avignon* d'Enguerrand Quarton) ne se contente pas de rejoindre une conscience subversive d'Artaud (les «instincts féroces mis à nu»[18]), on peut y voir de troublantes analogies avec Artaud «peintre», en particulier avec son tableau vivant le plus célèbre, qui orne la couverture du *Moine raconté par Antonin Artaud* en 1931[19] (fig. 11). Ce livre que la critique littéraire est unanime à considérer aujourd'hui comme un fondement de la cruauté chez Artaud prévient de peu les investigations de Balthus dans le même domaine. Construction pyramidale de pietà, idée de claustration, jeune fille évanouie, exsangue, à la merci de sa prédatrice, rapport ambigu entre les deux femmes, sadisme, etc. La tête et le bras de la jeune victime se souviennent peut-être, chez l'un et l'autre artiste (voir aussi le dessin à la plume pour *Les Hauts de Hurle-Vent*, cat. 32), du *Marat* de David et justifient la formule d'Artaud au sujet de Balthus: «la technique du temps de David, au service d'une inspiration violente, moderne»[20].

Le rapprochement avec la mise en scène photographique va au-delà des simples coïncidences formelles: la fillette de Balthus se superpose exactement à la jeune Antonia, 15 ans, du roman («C'est une enfant, [...] qui n'a rien vu du monde»[21]), tandis que la maîtresse de musique est le double de Mathilde, la fausse madone ou madone satanique d'Artaud: «Son habit entr'ouvert laissait voir sa poitrine à demi nue. [...] [L'œil du prieur] se promena avec une avidité insatiable sur le globe charmant.»[22] Balthus nous attribue le point de vue du prieur.

La physionomie du visage et la main qui tire sadiquement les cheveux de la fillette ont des antécédents possibles dans l'illustration des *Hauts de Hurle-Vent*, le tout premier tableau de la série (cat. 19) – à noter l'attention constante portée par Balthus aux chevelures de sa saga graphique. Le dessin définitif de *La Leçon de guitare*[23] est une des rares feuilles qui, étrangères aux *Hauts de Hurle-Vent*, leur soient parfaitement assimilables par leur style.

[17] Lettre de Balthus à Antoinette de Watteville, Paris, 1er décembre 1933, dans Balthus 2001, p. 132.
[18] Lettre de Balthus à Antoinette de Watteville, Paris, 3 décembre 1934, *ibid.*, p. 292.
[19] Antonin Artaud, *M. G. Lewis, Le Moine, raconté par Antonin Artaud*, Paris, Editions Denoël et Steele, 1931. Adaptation et réécriture par Artaud du chef-d'œuvre de Matthew Gregory Lewis, l'un des pères du roman noir et satanique.

[20] Artaud 1934, pp. 899-900.
[21] Antonin Artaud, *M. G. Lewis, Le Moine*, *op. cit.*, p. 15.
[22] *Ibid.*, p. 63.
[23] Clair-Monnier D 451.

«Je veux y mettre beaucoup, beaucoup de choses, de la tendresse, de la nostalgie enfantine, du rêve, de l'amour, de la mort, de la cruauté, du crime, de la violence, des cris de haine, des rugissements et des larmes! Tout cela, tout ce qui est caché au fond de nous-mêmes, une image de tous les éléments essentiels de l'être humain dépouillé de sa croûte épaisse de lâche hypocrisie!»[24]

Quatorze dessins, quatorze chefs-d'œuvre de tendresse et de cruauté, *Les Hauts de Hurle-Vent* forment un répertoire de motifs auquel Balthus ne cessera désormais de retourner. *La Toilette de Cathy* (cat. 34) est la claire transposition de l'une des encres (cat. 27); l'*Etude pour «La Montagne (L'Eté)»* (cat. 38) combine plusieurs sources (cat. 21 et 29). Quant au dessin *«J'ai occupé le temps...»* (cat. 20), qui contient *Les Enfants Blanchard* (cat. 41) en entier, il annonce en outre *Le Salon (II)* (cat. 45) et surtout conduit à *La Patience* de 1943, la fillette appuyée sur son coude. Nous voilà à Fribourg.

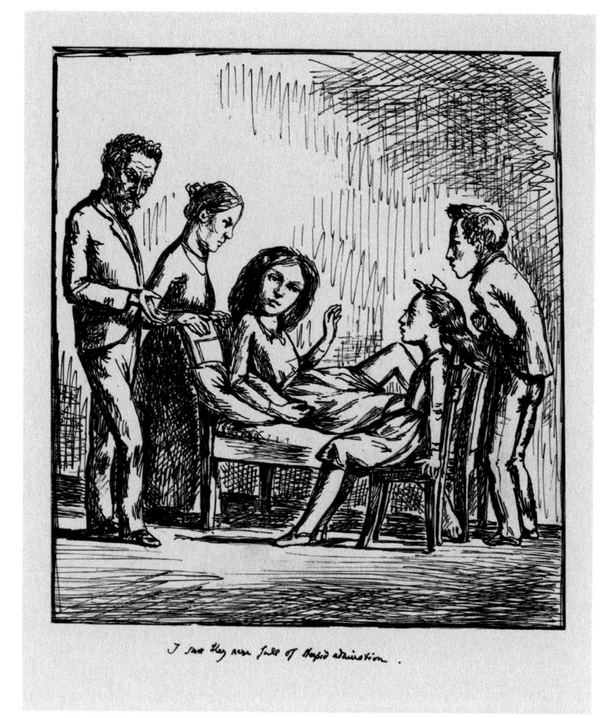

Cat. 25: Balthus, «Je voyais qu'ils étaient remplis d'une admiration stupide» (illustration pour *Les Hauts de Hurle-Vent*, ch. VI, p. 81), 1933-1935, encre de Chine, 35,4×31 cm, collection particulière.

* * *

Et *Les Beaux Jours* (cat. 49)? On en sait plus aujourd'hui sur les conditions d'exécution du chef-d'œuvre fribourgeois de Balthus.[25] Le peintre a soumis son jeune modèle à une gymnastique compliquée avant de le fixer dans la position définitive du tableau. On se doute peut-être un peu moins (et le modèle le premier) que cette position rejoue en fait, après des détours inutiles, une position bien arrêtée. C'est celle de Cathy, «tranquillement assise sur le sofa», dans une illustration des *Hauts de Hurle-Vent* (cat. 25).

En lieu et place de l'avant-bras que Cathy soulevait et qui surgissait bizarrement de son corps juvénile, à égale distance de la tête et du genou, Balthus a placé ce qui doit être lu comme un miroir mais peut être vu comme une flèche – sa géométrisation et son rendu plastique comparables à la flèche de Georges de La Tour dans son *Saint Sébastien* du Louvre –, flèche que la jeune fille a reçue en plein cœur. La scène évoquée correspond précisément au chapitre de la morsure chez Brontë – Cathy s'est fait attraper à la cheville par le bouledogue *Skulker*. Clouée à la méridienne par la morsure d'une flèche blanche, la Cathy fribourgeoise des *Beaux Jours* – «Je voyais qu'ils étaient remplis d'une admiration stupide: elle est si démesurément supérieure à eux... à n'importe qui sur terre, n'est-ce pas Nelly?»[26] – se regarde en son beau miroir qui matérialise, dans le théâtre immobile et nostalgique de Balthus, cette hésitation entre l'innocence et la cruauté.

D. R.

[24] Lettre de Balthus à Antoinette de Watteville, Paris, 8 novembre 1934, dans Balthus 2001, p. 280.

[25] Cf. l'article de Frédéric Wandelère, *infra*, p. 29.

[26] Emily Brontë, *Les Hauts de Hurle-Vent*, F. Delebecque trad., illustrations de Balthus, préface de M. Surya, Paris, Librairie Séguier, 1989, p. 86.

Les Beaux Jours

par Jean Starobinski

Cat. 49: Balthus, *Les Beaux Jours*, 1944-1946, huile sur toile, 148×200 cm, Washington, D.C., Hirshhorn Museum and Sculpture Garden, Smithsonian Institution, don de Joseph H. Hirshhorn, 1966.

Tons froids et tons chauds: leur opposition est la grande affaire de la peinture. J'ai souvent entendu Balthus affirmer ce principe, pour lui fondamental. *Les Beaux Jours* (1944-1946, cat. 49) en apportent une preuve décisive: cet admirable tableau, du point de vue technique, pose et résout un défi qui fut rarement affronté avec une telle hardiesse. Dans la scène représentée, la lumière du jour entre à gauche, éclairant froidement divers objets d'une chambre: un pan de rideau, le coin d'une table qui porte une coupe, le dossier d'un canapé, le bord du grimaçant coussin d'où se soulève la tête de l'adolescente. La direction de la lumière extérieure est marquée par l'ombre de la coupe et par celle du pied de la table Directoire. Mais il y a une autre source de lumière dans le tableau. C'est, dans la profondeur de la pièce, la cheminée où rougeoie un grand feu vers lequel se penche, d'un geste véhément, un jeune homme au torse nu. La lumière de ce feu intérieur donne la réplique à la clarté qui pénètre du dehors. Au sens calorique immédiat, la fraîcheur et la chaleur contrastent. Les flammes produites par la longue bûche projettent aussi leurs ombres: celle des grandes pinces obliquement appuyées, et celle de la sphinge dressée devant l'âtre. Les deux lumières, selon un axe oblique, se rencontrent sur le corps de la très jeune fille que fixe le peintre. Celle-ci, à demi assise sur le canapé, laisse glisser une jambe à terre. Le visage reçoit le jour extérieur, tandis que l'envers du miroir où elle se regarde obliquement et la jambe qu'elle garde repliée sur le canapé appartiennent au territoire où se répandent les tonalités du brasier de la cheminée. Sur la toile, la pointe de la mule du pied gauche rejoint la sphinge et l'extrémité des pinces, en un point brûlant.

Mais que penser du titre que le peintre a donné à son tableau? *Les Beaux Jours*, avec leur étrange pluriel, sonnent comme le titre d'un récit ou d'un chapitre de roman. N'allons pas ici chercher une source précise, mais souvenons-nous du rôle que joue, dans l'œuvre de Balthus, autour de la trentième année, le cycle de dessins et de peintures inspirés par *Les Hauts de Hurle-Vent* (*Wuthering Heights*, 1847) d'Emily Brontë (cat. 19 à 32 et 34). Le personnage masculin qui active férocement le feu, dans *Les Beaux Jours*, s'inscrit dans le prolongement des représentations que Balthus a données de Heathcliff, le héros violent qui fut pour lui l'objet d'une évidente identification. Dans le roman, le feu dans l'âtre est un acteur permanent, chargé de virtualités à la fois protectrices et destructrices: il est une sauvagerie mal domestiquée, qui n'est pas sans rapport avec les puissances tumultueuses de la lande.

Dans presque tous les tableaux de Balthus, un événement se produit. Quelque chose advient. Le souvenir qu'en garde le spectateur n'est pas différent de celui qu'il aurait conservé d'une scène dramatique, d'un moment dans un opéra, d'un geste accompli dans un récit mythique ou dans un rêve. Cet aspect dramaturgique, si fortement marqué dans des œuvres célèbres [*La Montagne (L'Eté)*; *La Rue*, cat. 35; *Le Passage du Commerce-Saint-André*, cat. 63; *La Chambre (II)*], inscrit les grands tableaux de Balthus, avec leur charge symbolique, dans le registre de l'Histoire, qui fut pendant si longtemps la forme noble de la peinture. «Le peintre n'a qu'un instant», disait Diderot. Mais son conseil visait à retenir, d'une action, l'instant du paroxysme qui l'explique et la résume tout entière. Balthus, avec sa grande patience et son instinct divinatoire, fait surgir des moments qu'on dirait sauvés de l'oubli et ramenés en pleine présence. Moments où l'événement fatal coïncide avec la configuration mystérieuse d'une situation dont les acteurs ne semblent pas conscients. *Les Beaux Jours* ne représentent pas le vif d'une action, mais le moment syncopal qui en porte la trace ou le pressentiment. A en croire le titre du tableau, évocateur d'une durée, l'instant mis en scène n'est qu'un épisode dans une série de journées. Il appartient à notre imagination d'en compléter le récit. Histoire de prime adolescence, où le destin prend un tournant. La fille au visage trop large, contemplant obliquement ses apprêts exagérés, aperçoit sans doute l'ondulation serpentine du collier: elle est absorbée dans sa propre image. L'adolescent agenouillé devant les flammes de la cheminée paraît absorbé dans la tâche d'activer le tourbillon incandescent. Par quelle histoire les deux personnages sont-ils liés? Ils regardent chacun un foyer différent. L'un, de tout son corps penché, semble uni aux braises de l'âtre; l'autre est captif du froid miroir. Chacun appartient à son rêve. Il me paraît certain qu'ils tentent chacun de lire les signes d'un destin différent. Les belles journées ont leur mélancolie.

J. S.

Balthus à Fribourg, chez Louis de Chollet, au Guintzet, et chez lui, place Notre-Dame

par Frédéric Wandelère

Conversation avec Mme Odile Emery (née Bugnon), le modèle des *Beaux Jours* (cat. 49), à Châbles, près de Fribourg (Suisse), le 14 novembre 1985.

Quand j'ai posé pour lui, j'avais 14 ans.

Chez les de Chollet. Je voyais souvent ce monsieur, à cette époque. On l'appelait de Rola. Il n'avait pas d'autre nom. C'était un ami de la famille. Il habitait place Notre-Dame. Il avait peint Monsieur de Chollet et ses filles. *Le tableau était dans le hall d'entrée de la maison de Chollet, au Guintzet.*

Un beau soir, j'étais avec les filles et de Rola était là avec de Chollet. Il lui a dit: «J'aimerais la peindre, celle-là!» J'étais une petite gamine, je ne m'intéressais pas à ces messieurs. Je ne savais même pas ce qu'il faisait, ce qu'il était. Je le voyais comme un ami qui venait là. J'ai dit: «Eh bien, je vais demander à ma maman.»

«Il s'agira de venir chez moi, tu vas poser, ce sera deux, trois fois.»

Et puis, c'est la gouvernante des filles de Chollet qui a demandé à ma mère. Ma mère a dit: «Oui, pourquoi pas, si vous l'accompagnez, il n'y a pas de problème.»

Et je suis allée deux ou trois jeudis de suite chez lui, place Notre-Dame. Une première fois avec la gouvernante de Chollet. Et puis après, seule. Cela m'ennuyait, vous ne pouvez pas vous imaginer. Cela m'ennuyait parce qu'il ne fallait pas bouger, et lui n'était pas causant du tout. Très sobre et très mystérieux. C'était un monsieur qui m'impressionnait énormément. Il était très noiraud, avec des yeux très sombres. C'était un monsieur plutôt renfermé. En tout cas, c'est comme ça que je le voyais à l'époque.

Vous savez que moi, j'avais complètement oublié cet épisode. Je ne savais pas du tout ce que ce Rola allait devenir, je n'avais aucune idée de rien du tout. C'était un ami de Chollet, je le faisais pour la famille de Chollet, pour satisfaire ce désir et puis c'est tout. Et j'ai complètement oublié tout ça. Ce n'est qu'il y a quelques années: je mangeais avec Yoki, et il parlait de Balthus. Et j'ai dit: «C'est qui, Balthus?» Je ne faisais pas le rapprochement avec ce Rola. Mais c'est alors que tout s'est recollé, reconstitué. On m'a montré, on m'a ramené le catalogue de Beaubourg. J'ai reconnu* Les Beaux Jours. *Tout y est, les détails, absolument tout. – Le feu, le monsieur n'existaient pas. Il y avait une vaste pièce au rez-de-chaussée. Balthus travaillait dans un grand living, un grand salon. Il dessinait.*

Portrait d'Odile Emery (née Bugnon), Châbles, novembre 1985.
Photo Jean-Luc Cramatte

Je n'avais pas de collier. Je suis arrivée avec des petits souliers et des chaussettes, et quand il m'a vue, il m'a dit: «Non, non, non» et il a appelé sa bonne qui m'a apporté ces savates, là. Il m'a fait changer, parce que j'avais vraiment l'air trop petite fille – ou je ne sais pas quoi. Et puis, il arrive. Il tournait autour de moi. Il a commencé à échancrer ma robe. J'étais très inquiète, mais il y avait la gouvernante (rires). *Il y avait la*

* Yoki (Emile Aebischer, dit Yoki): peintre fribourgeois né en 1922.

Fig. 1: Balthus, *Etude pour «Les Beaux Jours»*, 1944, huile sur papier marouflé sur toile, 37×44,5 cm, collection particulière.

gouvernante, il y avait la bonne... non, je n'étais pas trop inquiète. Vous savez, à cet âge, et à l'époque, c'était quelque chose qui ne se passait pas couramment. Alors bon, il a repoussé un peu la robe sur l'épaule. Il m'a apporté un collier. Il a demandé, je l'entends toujours, ce collier et ces chaussures, et puis le miroir.

Il vous a placée?

Placée, installée. Il savait exactement ce qu'il voulait. Parce que ce n'est pas du tout naturel. Ce n'est pas moi qui ai eu l'idée d'une pose comme celle-là.

Je me souviens très bien du fauteuil. C'était un Récamier assez court.

Vous reconnaissez votre visage?

Pas tellement.

Il y a encore un détail amusant. Entre le moment où Balthus m'a demandé de poser et le moment où je suis allée, j'avais changé de coiffure. J'avais de longs cheveux lisses que je retenais comme ça, de côté, avec une petite coquille. Et puis, ma mère m'a dit: «Ecoute, c'est épouvantable, ces cheveux sont négligés, tu ne peux pas aller te faire peindre comme ça!» Elle m'a envoyée chez le coiffeur et m'a fait faire une permanente. D'où ces cheveux frisotés sur le front, et tirés. Moi, je me trouvais affreuse!

Il y a deux esquisses préparatoires (fig. 1 et Clair-Monnier P 151), voyez!

Oui, alors ça, je me rappelle qu'il m'avait fait poser de façons différentes. Cela, je me le rappelle très très bien. Je me disais: mais où est-ce qu'il veut en venir? Quelle gymnastique il veut encore me faire faire?...

A quoi pensiez-vous?

Pour moi, l'essentiel était de ressortir le plus vite possible, de prendre le tram et de rentrer chez moi.

Là, de visage, je ne me reconnais pas, mais ce que je reconnais, c'est ma morphologie, les genoux, les mains... C'était tout à fait ce que j'étais. Je me suis reconnue plus dans les pieds, les mains, les attaches, les genoux, que dans le visage. Et le front aussi, en fait c'est vrai, j'ai le front assez haut.

C'était en été?

Ça devait être en avril, mai.

Ah, la robe n'était pas si courte. Vous voyez qu'il l'a repliée. C'était une robe aux genoux, comme on les portait.

Vous vous souvenez d'autres tableaux?

Je me souviens du portrait de Louis de Chollet. Je l'ai vu des années durant dans le hall. Autrement, il a fait le portrait d'une nièce des Chollet, Laurence Bergeaud. Elle avait aussi l'âge des filles de Chollet, peut-être une année ou deux de plus. Elle était aussi fréquemment là, au Guintzet.

F. W.

Visions d'égotisme. L'autoportrait chez Balthus

par Camille Viéville

C'est le retour de tout désir qui rentre
vers toute vie qui de loin s'enlace…
Où tombe-t-il? Veut-il, sous la surface
qui dépérit, renouveler un centre?
Rainer Maria Rilke, *Narcisse*

Dans *L'Œil vivant*, Jean Starobinski étudie l'importance du masque, ce qu'il cache et, paradoxalement, ce qu'il contribue à révéler:

> «Le masque devra être un défilé de masques, la pseudonymie devra devenir une ‹polynymie› systématique. Sinon, l'égotiste est repris par les autres; le malentendu auquel il voulait échapper n'aura fait que s'aggraver à son détriment.»[1]

Dans ses autoportraits, Balthus endosse – avec une systématisation saisissante – une succession d'identités masquées; leur accumulation est, surtout jusqu'à la fin des années quarante, étonnante. Assemblées, elles forment une part vibrante de son image artistique, sociale et intime.

Balthus Rex

En 1935, Balthus, animé d'une vigoureuse ambition nobiliaire, se peint, non en Prince des arts, mais en *Roi des chats*, son autoportrait devenu le plus célèbre (cat. 37). Une inscription en révèle le sens: c'est là le portrait d'un monarque-peintre, à la tête d'un royaume félin, oscillant entre la référence à un monde fantasmé et celle au portrait royal. L'«événement verbal» et «parergonal»[2] qu'elle constitue est essentiel à la compréhension de l'œuvre.

Une véritable mythologie est créée par Balthus autour du chat, notamment dans le domaine de l'autoportrait. Dès *Mitsou* (1919-1921, cat. 1), il s'y associe. Ainsi, en 1933, il envoie à sa future épouse, Antoinette de Watteville, «un récent portrait de Mr. Balthus, où l'on voit ce grand homme, seul, abandonné de tous, affalé contre le poêle, espérant y trouver la chaleur que les cœurs humains lui refusèrent, – pleurant sur ses malheurs»[3]: une image d'Epinal[4] représentant un chat habillé en homme (fig. 1), au sein de laquelle l'artiste réunit la question de l'autoportrait, le félin et le positionnement grandiloquent et misanthrope, présents ensuite dans *Le Roi des chats*. Puis, en 1935, Balthus

Fig. 1: Image d'Epinal découpée et collée par Balthus sur un feuillet en 1933, 13,2×10,4 cm, collection particulière.

[1] Jean Starobinski, *L'Œil vivant. Corneille, Racine, La Bruyère, Rousseau, Stendhal*, Paris, Gallimard, 1999 [édition augmentée], p. 240.

[2] Jacques Derrida, *Mémoires d'aveugle. L'autoportrait et autres ruines*, cat. exp. Musée du Louvre, Paris, 1990, p. 68.

[3] Lettre à Antoinette de Watteville, Paris, 30 août [1933], dans Balthus 2001, pp. 108-109.

[4] Radrizzani 2003, cat. 46, p. 37.

commence à signer ses lettres à Antoinette «The King of Cats»:

> «En s'attribuant un nouveau nom, remarque Starobinski à propos de Stendhal [l'un des écrivains préférés du jeune Balthus], il se donnera non seulement un nouveau visage, mais une nouvelle destinée, un nouveau rang social, de nouvelles patries.»[5]

Le Royaume des chats[6] est un univers où la désinvolture est de mise; l'on y toise cruellement le monde avec une «ironie méprisante et hautaine»[7]. On assiste également à un étonnant phénomène de métempsycose:

> «[L']incarnation dans le rôle de Balthus, note l'artiste, est bien la plus ingrate et la plus désagréable que le King of Cats ait connue jusqu'ici.»[8]

Cette mythologie serait demeurée anecdotique si elle ne s'était pas incarnée en peinture:

> «Le roi, rappelle Louis Marin, n'est vraiment roi, c'est-à-dire monarque, que dans des images.»[9]

Le versant plastique du Royaume des chats trouve sa source dans les représentations en pied d'hommes de pouvoir accompagnés de bêtes féroces, mais néanmoins soumises à leur maître, qui sont nombreuses à la Renaissance. Ainsi, à Henri le Pieux se joint, chez Lucas Cranach l'Ancien (fig. 2), un énorme chien à la dentition inquiétante, à Charles Quint, chez Jakob Seisenegger (1532), un véritable molosse, à Ladislas de Fraunberg, chez Hans Mielich (1557), une magnifique panthère. Permettant d'asseoir l'autorité d'un personnage important, l'animal menaçant est un attribut viril de puissance sociale, de noblesse et de respect. Dans *Le Roi des chats*, le registre agressif est délaissé au profit d'une atmosphère plus dandy, à laquelle le félin souriant (tel le Cheshire Cat de Lewis Carroll) donne une tonalité canaille. Toutefois, le chat – qui a l'attitude d'un chat domestique mais le gabarit d'un chat sauvage – a, semble-t-il, été dompté à coups de fouet par ce mirliflore émacié. Non sans masochisme, il en conserve à l'égard de son souverain un sentiment de reconnaissante et affectueuse déférence.

Fig. 3: John Singer Sargent, *Walford Graham Robertson*, 1894, huile sur toile, 230,5×118,7 cm, Londres, Tate Gallery.

Fig. 2: Lucas Cranach l'Ancien, *Henri le Pieux, duc de Saxe*, 1514, huile sur panneau de tilleul transféré sur toile, 184×82,5 cm, Dresde, Staatliche Kunstsammlungen.

Fig. 4: James Abbott McNeill Whistler, *Arrangement in Black and Gold: Comte Robert de Montesquiou-Fezensac*, 1891-1892, huile sur toile, 208,6×91,6 cm, New York, The Frick Collection.

Dans l'élaboration esthétique du *Roi des chats* intervient également un modèle d'origine britannique, le *swagger portrait*[10], caractérisé par la mise en scène, teintée d'ostentation, du faste, de la prestance, de la supériorité sociale, sur un mode théâtralisé. John Singer Sargent a réalisé plusieurs *swagger portraits* avec lesquels le tableau de Balthus présente d'intéressantes similitudes. Ainsi, son portrait de *Walford Graham Robertson* (fig. 3) relève d'un procédé comparable, si ce n'est que le dandy anglais est ici figuré en compagnie d'un nuageux caniche.[11] L'esprit du comte de Montesquiou par James Whistler (fig. 4), véritable archétype du portrait fin de siècle, plane. *Le Roi des chats* doit aussi beaucoup à la composition du *Portrait de Théodore Duret* par Manet (fig. 5), à son évocation de la peinture de Velázquez et de Goya, à sa crânerie.

Fig. 5: Edouard Manet, *Portrait de Théodore Duret*, 1868, huile sur toile, 46,5×35,5 cm, Paris, Musée du Petit Palais.

Ainsi, dans son premier autoportrait pictural indépendant[12], Balthus se représente – en bon dandy – inactif, n'ayant pour unique préoccupation que de révéler au monde son indépendance et sa supériorité. Son masque, d'une beauté renfrognée et défiante, évoque puissamment un autre autoportrait célèbre, lui aussi plein de morgue, celui de Salvator Rosa (fig. 6). Revêtir

Fig. 6: Salvator Rosa, *Autoportrait*, vers 1645, huile sur toile, 116,3×94 cm, Londres, National Gallery.

les atours du Roi des chats, puis s'exposer ainsi ostensiblement au monde apparaît paradoxal; mais, note Starobinski:

> «L'exhibition masquée représente un état de puissance supérieure: agir sur le spectateur, séduire l'auditoire, mais sans être atteint par le regard du public.»[13]

En vieillissant, Balthus continue d'allier son image à celle du chat. Son ascétique et dernier véritable autoportrait peint (1949) le montre vêtu d'une austère blouse, un rictus félin aux lèvres, doté d'un faciès très proche de celui de l'homme-chat du *Chat de la Méditerranée* (cat. 54) – climax de vorace animalité – réalisé la même année[14]:

> «Le chat, écrit Jean Clair, serait au peintre ce que le miroir est à la peinture: une sorte d'emblème, une signature d'autant plus insistante qu'elle est plus secrète.»[15]

---

[5] Jean Starobinski, *op. cit.*, p. 235.
[6] Le Roi Balthus est entouré d'une Reine, Antoinette de Watteville, et d'une Princesse, Sheila Pickering, toutes deux portraiturées par l'artiste.
[7] Lettre de Balthus à Antoinette de Watteville, [Paris], 15 septembre [1935], dans Balthus 2001, p. 378. Voir également *ibid.*, p. 392.
[8] Lettre de Balthus à Antoinette de Watteville, [Paris], [24 mai 1936], *ibid.*, p. 462.
[9] Louis Marin, *Le Portrait du roi*, Paris, Les Editions de Minuit, 1981, p. 12.
[10] Le *swagger portrait* a été défini et étudié par Andrew Wilton (*The Swagger Portrait. Grand Manner Portraiture in Britain from Van Dyck to Augustus John 1630-1930*, cat. exp. Tate Gallery, Londres, 1992). Cette expression est difficilement traduisible en français; *swagger* signifie à la fois «arrogance», «rodomontades», «fanfaron», «crâner», «poser insolemment».
[11] Une autre source, plus ancienne, au tableau de Sargent est le portrait du fils de Goya (*Portrait de Javier Goya*, 1805-1806), lui aussi représenté en compagnie d'un caniche.
[12] En 1933, Balthus procède à un autoportrait cryptique dans *La Toilette de Cathy*; j'y reviendrai.
[13] Jean Starobinski, *op. cit.*, p. 263.
[14] A ce sujet, voir Radrizzani 2002b, p. 85.
[15] Clair 1983a, p. 275.

Le Maître

A partir de la seconde moitié du XVIe siècle, après que le peintre s'est affranchi de son statut d'artisan pour devenir membre des Arts Libéraux, les autoportraits en artiste se multiplient, comme autant de célébrations de la *maestria*. Cette composante, fortement sociale et affirmative, se perpétue. La conception balthusienne de l'autoportrait en artiste comporte deux principaux versants: la peinture/le peintre et le dessin/le dessinateur.

Fig. 7: Balthus, *Autoportrait*, 1933, encre de Chine, 22×18 cm, collection particulière.

Le premier (1933, fig. 7) est un «autoportrait d[e] dessinateur en autoportraitiste»[16]: Balthus s'est représenté, assis, une feuille de papier sur les genoux, une plume à la main, le regard intense, en train de se dessiner. Depuis 1932, il travaille à l'illustration de *Wuthering Heights (Les Hauts de Hurle-Vent)* d'Emily Brontë dont certaines esquisses possèdent les mêmes vivaces qualités griffues. L'artiste tient ici sa plume dans la main gauche, en raison de l'«inversion spéculaire»[17] provoquée par le miroir dans lequel il observe son reflet. Ce type d'autoportrait est à voir comme l'image dessinée ou peinte d'une image réfléchie. Plus encore, les peintres s'y représentent comme des techniciens. Dans le dessin de Balthus, la restitution de «la gauche et la droite à leurs justes places»[18] grâce à la hachure du droitier (du coin supérieur droit vers le coin inférieur gauche) révèle «l'orientation réelle du corps de l'artiste»[19]. Cohabitent alors réalisme visuel et réalisme corporel.[20]

Fig. 8: Balthus, *Autoportrait*, 1940, huile sur toile, 44×32 cm, collection particulière.

L'autoportrait de 1940 (fig. 8) relève d'une mise en scène tout autre. Contrairement au précédent, dans lequel Balthus est *visiblement* en train de dessiner, l'artiste n'est pas ici *visiblement* en train de peindre; il regarde.[21] Son élégance un peu précieuse rappelle celle de Manet dans son autoportrait de 1879 (fig. 9) en «peintre gentleman»[22]: la figure du dandy hante indubitablement cette œuvre. Dans sa main droite, un chiffon, dans sa main gauche au mouvement suspendu, un pinceau. Le chiffon est un attribut relativement rare; pourtant, il est le pendant capital du pinceau, permettant évidemment d'effacer la peinture. Balthus est, on le sait, un peintre de la lenteur. De nombreuses anecdotes relatent sa propension à détruire une composition commencée depuis de longues semaines. Ici, il détient, dans une complétude toute symbolique, l'outil de l'apparition et celui de la disparition.

Fig. 9: Edouard Manet, *Autoportrait à la palette*, 1879, huile sur toile, 83×57 cm, collection particulière.

De fait, dans ces autoportraits, Balthus s'attache à représenter le métier, tantôt *via* l'éphémère et l'insaisissable – par le vertige spectral que provoque la perpétuelle et vacillante hésitation entre la feuille et le miroir –, tantôt par l'instauration d'une pérennité de l'image grâce à la peinture (à la fois comme médium et comme objet), dans ce qu'elle a de séculaire et de durable.

Un ensemble d'œuvres plus tardif continue de poser la question de l'autoportrait en artiste en explorant l'iconographie du couple constitué par le peintre et le modèle: une première série de dessins, *La Séance de pose* (1975) puis, en 1977, les études pour *Le Peintre et son modèle* (1980-1981, fig. 10). On est naturellement tenté d'associer l'homme au peintre, mais Balthus demeure allusif: il le représente sans procéder à une forte individualisation du visage ou de dos (alors, on devine à sa calvitie et à sa chevelure blanche qu'il a un âge comparable à celui de Balthus). Le modèle devient attributif et identificatoire, comme l'étaient la plume ou le chiffon dans les autres autoportraits en artiste.

---

[16] Expression empruntée à Jacques Derrida, *op. cit.*, p. 64.
[17] Michael Fried, *Le Modernisme de Manet ou Le Visage de la peinture dans les années 1860. Esthétique et origines de la peinture moderne, III*, Paris, Gallimard, 2000, pp. 98-121 et 326-329.
[18] *Ibid.*, p. 103.
[19] *Ibid.*, p. 104.
[20] *Ibid.*, p. 110.
[21] Idée empruntée à Jacques Derrida, *op. cit.*, p. 66.
[22] Gregory Galligan, «The Self Pictured: Manet, the Mirror, and the Occupation of Realist Painting», dans *The Art Bulletin*, LXXX, 1, mars 1998, p. 139 *(«gentleman painter»)*.

Fig. 10: Balthus, *Le Peintre et son modèle*, 1980-1981, tempera sur toile, 226,5×230,5 cm, Paris, Centre Georges Pompidou, Musée national d'Art moderne.

Narcisse

L'idéalisation est la caractéristique première d'un petit ensemble d'autoportraits d'ambition plus modeste que *Le Roi des chats* et les autoportraits en artiste. Elle se cristallise dans la beauté physique; les tourments intérieurs, les difficultés psychiques, ou encore l'image sociale, ailleurs soulignés, sont ici délaissés. Dès la fin des années vingt, Balthus emprunte cette voie dans un vigoureux dessin au crayon (fig. 11). Si l'on compare cet autoportrait à une étude (vers 1933-1935, fig. 12), plus vériste, de la tête de l'artiste, on saisit aisément la dimension idéalisée du premier dessin: dans le second, Balthus respecte davantage sa physionomie, aiguë et aiguisée (le nez légèrement aquilin et les lèvres fines perpétuellement retroussées d'un imperceptible pli carnassier).

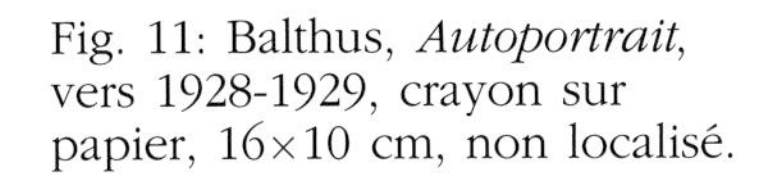

Fig. 11: Balthus, *Autoportrait*, vers 1928-1929, crayon sur papier, 16×10 cm, non localisé.

Dans les années quarante, Balthus s'essaie de nouveau à l'idéalisation. Il choisit alors un biais historicisant, plus complexe, en ayant recours au portrait ovale, puis à la référence ingresque. Le cadre ovale dote son autoportrait de 1942 (fig. 13) d'une ampleur séculaire. En effet, ce format, hérité des arts décoratifs et de la gravure, a connu son heure de gloire en France à la fin du XVIIIe siècle. Le cadre vient souligner délicatement la tête du peintre, contribuant ainsi à mettre davantage en valeur sa mine grave, ses joues fiévreusement creusées, ses traits réguliers.

Fig. 12: Balthus, *Autoportrait*, vers 1933-1935, encre de Chine sur papier, 28×15,5 cm, collection particulière.

Dans le dernier autoportrait (1943, cat. 97) de cette lignée, l'idéalisation passe par la citation stylistique. A la manière d'Ingres, le visage est représenté avec une grande attention et une délicatesse assumée, Balthus ayant recours à un travail subtil sur les ombres, alors que le buste et les vêtements sont réalisés au trait. Le portrait ingresque est le modèle du portrait graphique en France à la fin des années 1910 et au début des années vingt. Dans le sillage de Picasso, de nombreux artistes s'y adonnent, avec plus ou moins de bonheur. Mais le contexte artistique en 1940 est très changé, l'intérêt pour Ingres s'étant fort émoussé. Cependant, Balthus s'en fait l'héritier avec cet autoportrait idéalisé.

Fig. 13: Balthus, *Autoportrait*, 1942, fusain, 42,7×33,2 cm, non localisé.

La dimension narcissique de ces œuvres est – comme tout masque – profondément révélatrice:

> «De cette tension permanente entre perception et réflexion, entre extériorité et intériorité, réalité et idéalité naît tout le paradoxe de Narcisse.»[23]

Faut-il rappeler que l'une des premières œuvres copiées – étudiées – par Balthus est *Echo et Narcisse* de Nicolas Poussin (vers 1627)?[24]

Balthus le «maudit»[25]

Intimement lié à l'unique roman d'Emily Brontë, *Les Hauts de Hurle-Vent*, le cryptoportrait se caractérise chez Balthus par l'association du «détournement subjectif»[26] et de l'autoportrait. Fréquemment pratiqué par les artistes depuis la Renaissance, il permet, d'une part, de signer une œuvre de son visage et, d'autre part, de s'attribuer des qualités admirées, mais non nécessairement possédées. Balthus, dotant le personnage de Heathcliff de ses traits dans les illustrations puis dans une toile, s'invente une autre mythologie personnelle, parallèlement à celle du *Roi des chats*.

Balthus rapproche la tragique destinée des principaux protagonistes, Cathy et Heathcliff, de sa propre histoire, de ses difficultés à séduire Antoinette de Watteville et à être accepté au sein de sa famille. Aussi conçoit-il leurs visages comme des portraits d'Antoinette et de lui-même, mêlant ainsi étroitement la fiction à la réalité. En s'attachant à représenter la sauvagerie des personnages dans leur rapport au monde, il livre l'image d'un Heathcliff amoureux, brut et rude, malheureux aussi, dans une projection romanesque de lui-même. De fait, les deux principaux travaux d'illustration chez Balthus, *Mitsou* (1919-1921, cat. 1) et *Les Hauts de Hurle-Vent* (cat. 19 à 32), contiennent, sur un mode certes différent, une part fondamentale d'autoportrait.

Simultanément, Balthus peint *La Toilette de Cathy* (cat. 34), très librement inspirée d'un passage – qu'il a auparavant illustré (cat. 27) – du roman. Le glissement de l'illustration à la peinture s'opère par le passage d'une scène descriptive (Heathcliff se querellant avec Cathy) à l'expression d'une vision (Heathcliff, «sinistre et saturnien»[27], songeant à celle qu'il aime). Comme l'explique Balthus[28], la dénudation de Cathy, mais surtout la représentation de Heathcliff sous la forme d'un autoportrait «très transposé»[29] (et en prêtant à la jeune femme les traits d'Antoinette) assurent l'accès au symbole. En ce sens, il a conservé la part fondamentale d'autobiographie présente dans les illustrations. De fait, Heathcliff, dans *La Toilette de Cathy*, constitue un premier autoportrait peint de Balthus avant *Le Roi des chats*. L'intime prend également un tour moins littéral par la figuration du rêveur (Balthus-Heathcliff) et la représentation de sa rêverie (le souvenir de l'inaccessible Antoinette-Cathy): il élève ainsi ses difficultés personnelles à un rang allégorique. Le recours pour les personnages de Cathy et Heathcliff au cryptoportrait permet à Balthus de procéder au détournement subjectif du roman de Brontë en y insufflant, avec force et obsession, une dimension privée, viscérale, amoureuse.

L'autoportrait, «lieu d'affleurement d'un fantasme narcissique d'omnipotence»[30], tient une place importante dans l'œuvre de Balthus. Il offre une image protéiforme et touffue, rétrospective aussi, du peintre. Ainsi, Balthus revêt tour à tour les habits du roi, de l'artiste, du bel homme et de l'amant anathématisé, tel un habile comédien. Vie intime et vie sociale s'y mêlent étroitement, restituant, dans ce qu'il choisit d'en livrer, la complexité, l'altérité, et les ambiguïtés, de sa personnalité.

C.V.

[23] Patricia Desroches-Viallet, «Narcisse, peintre ou poète? Un retour aux origines, illustré par le tableau du peintre romantique Ph. O. Runge, *Mère à la source* (1804)», dans *Textures*, 9, octobre 2003 (numéro spécial «Les figures de Narcisse»), p. 47.

[24] La copie est offerte par l'artiste à Rainer Maria Rilke qui, en guise de remerciement, lui dédie un poème intitulé *Narcisse*.

[25] Georges Bataille, à propos du personnage de Heathcliff dans *Les Hauts de Hurle-Vent* d'Emily Brontë (*La Littérature et le Mal*, Paris, Gallimard, 1957, repris dans *Œuvres complètes*, IX, Paris, Gallimard, 1979, p. 177).

[26] Expression empruntée à Dominique Radrizzani 2006, p. 10.

[27] Emily Brontë, *Wuthering Heights (Les Hauts de Hurle-Vent)*, dans *Wuthering Heights et autres romans*, D. Jean trad., Paris, Gallimard, Bibliothèque de la Pléiade, 2002, p. 298.

[28] Notamment dans une lettre à Antoinette de Watteville, [Paris], [18 janvier 1934], dans Balthus 2001, pp. 158-159.

[29] Lettre à Erich Klossowski, [Paris], 18 décembre [1933], *ibid.*, p. 137. Il semblerait que cette transposition soit synonyme d'idéalisation.

[30] René Demoris, «Représentation de l'artiste au siècle des Lumières: le peintre pris au piège?», dans René Demoris (éd.), *L'Artiste en représentation*, Paris, Editions Desjonquères, 1993, p. 22.

Balthus: Giacometti

par Raymond Mason

Texte non corrigé et non remanié à la demande de l'auteur

L'amitié entre Balthus et Giacometti pendant vingt ans était véritable et importante. Dans le foyer miraculeux de grands artistes et grands écrivains qui fut Paris de l'avant-guerre ils étaient deux solitaires, Giacometti ayant quitté le Parti Surréaliste sous l'approbe de tous et Balthus, bien que courtisé par le même, se tenant à l'écart. Leurs œuvres étaient parfaitement singulières ressemblant en rien à tout ce qui se faisait autour d'eux, bien que leur talent fut réconnu de tous. Ce qu'était déjà un rapprochement se fortifiait par l'importance d'une culture artistique acquise dès l'extrême jeunesse à côté de parents artistes et leurs amis, célèbres peintres et écrivains, faisant d'eux des enfants prodigues dessinant et peignant avec talent et plaisir et, très tôt pour Alberto, la sculpture. Ils avaient eu, tous petits, le sublime privilège d'apercevoir l'immensité du monde de l'art.

Leur amitié d'hommes murs était aussi remarquable par le fait qu'ils se différaient en tout. Giacometti tête massive, parole forte et saccadée; Balthus le maintien altier, la voix claire et trainante. Leurs arts des pôles opposés, Giacometti commencant déjà à concentrer son regard sur une figure unique et bientôt la tête seule – un travail d'analyse; la peinture de Balthus étant le comble de l'étendue groupant des multiples personnages par l'artifice de la composition – un travail de synthèse.

Or, ils avaient un terrain d'entente. Le soir venu, ils se lamentaient de leur travail en cour. Tous leurs amis étaient témoins de Giacometti et Balthus rivalisant par moments pour trouver les termes les plus pessimistes pour caractériser leur non-réussite. Le «Je n'arrive pas» de Giacometti, le «Je suis un raté» de Balthus, comportement inoui, aucun autre artiste de renom s'exprimant de la sorte. Ceci ne pouvait pas dire qu'ils n'avaient aucune idée de leur valeur mais, tout simplement, qu'ils considéraient l'art plus grand et plus important qu'eux-mêmes. Qu'est-ce que ce monde de l'art, ce paradis aperçu dès leur enfance? Il y a, nimbant toute la peinture, toute la sculpture, leur beauté palpable et permanente. Par cette immobilité même elles permettent le long regard qui, seul, approfondit notre compréhension et exalte notre bonheur.

Cat. 127: Balthus, *Portrait d'Alberto Giacometti*, vers 1950, crayon sur papier quadrillé, 21×16,5 cm, collection particulière.

A la recherche de cette beauté-là correspond, c'est certain, une très haute ambition. Elle est illustrée à merveille par le grand tableau de Balthus «Le Passage de Commerce Saint-Andre» une immense composition savante et réflechie, sans doute son chef-d'œuvre et, par fortune, présente dans cette exposition. La composition est l'art d'organiser, de réunir, les différents elements d'une scène pour en faire un ensemble mais quand ces elements sont conçus de façon significative, l'un par rapport à l'autre, comme dans «Le Passage», on atteint à une musique statique, un palpable suspension de temps, un silence où règne, oui, la beauté. (Le travail inlassable des doigts d'Alberto Giacometti sur la tête en terre-glaise en resulte avec un dessin au plus serré, un striement d'incisions venant de tout angle, vivant finalement dans l'espace une œuvre de beauté intense.)

Si nous aimons, et c'est toujours ainsi que l'on en parle, une œuvre d'art, c'est bien sa beauté qu'on aime. Nous admirons sa verité, nous aimons sa beauté. Les peintures noires de Goya, les tryptiques de l'Autel de Isenheim de Grünewald, œuvres extrèmes, nous ne repugnent pas, elles nous envoûtent. Devant «Guernica» de Picasso on ne crie pas «Quelle horreur la guerre», mais «Quel chef d'œuvre!»

La beauté a disparu de tout commentaire sur l'art quand en fait elle en est l'essentiel. La satisfaction grand ou petite ne vient que si l'œuvre est belle. Le sujet la situe dans le monde et dans son temps. La beauté transcende cette réalité pour apporter le bonheur. Peu de gens aujourd'hui ont la culture nécessaire de pouvoir decèler la valeur intrinsèque d'une œuvre. D'ailleurs ils n'achetent plus les œuvres d'art mais seulement des NOMS et, dans la presse, ces achats sont suivis par leurs prix et, très souvent, rien d'autre, la valeur régnant étant l'argent. Il vaut la peine de mentionner que la dissatisfaction de Giacometti et Balthus pour leur travail se traduisait par la casse pure et simple chez le premier et la réprise sans fin du second avec souvent le même resultat. Ceci révélait leur dédain de l'argent, toute leur fierté d'être artiste, toute la noblesse de peindre et sculpter sans consideration de l'œuvre comme objet de commerce. Et, après tout, s'il s'agissait seulement de faire des Giacomettis et des Balthus, pourquoi détruire?

Leur amitié, étrange et belle, était faite d'un commun désir de s'élever. Cette merveilleuse foi, cette soif de l'absolu de la part d'artists aussi accomplis ont disparu de nos jours et il faut le déplorer car c'est de leur absence que notre art contemporain sonne creux.

R. M.

«Maintenir à jamais ce qui disparaît déjà.» Sur Balthus et Rilke

par Robert Kopp

C'est en 1919 que Rilke est entré dans la vie de Balthus. Ce dernier avait alors 11 ans. Ce fut à Genève. Baladine Klossowska, venant de Berlin, s'était installée dans la cité de Calvin avec ses deux garçons, après quelques mois passés à Berne. La guerre avait obligé les Klossowski à quitter Paris, où ils vivaient depuis une dizaine d'années dans un milieu d'artistes et d'écrivains très cosmopolite, gravitant autour de Bonnard. Citoyens allemands, ils avaient vu leurs biens confisqués et vendus aux enchères, comme ceux de Kahnweiler. Heureusement, ajoutait Balthus plus tard, le père avait pris la précaution de placer ses économies dans les emprunts russes. Les Klossowski retournèrent donc à Berlin, où le frère de Baladine, Eugen Spiro, s'était fait une réputation comme membre de la Sécession. Quant à Erich Klossowski, historien de l'art, auteur d'une importante monographie sur Daumier, ami et collaborateur de Julius Meier-Graefe, mais aussi peintre estimable à ses heures, il réussit à gagner sa vie en exécutant des décors et des costumes pour le Lessingtheater, ainsi que pour le Deutsches Künstlertheater dirigé par Victor Barnowski.

Au début de 1917, les époux Klossowski se séparèrent. Erich continuait à travailler tantôt à Berlin, tantôt à Munich et dans d'autres villes, avant de s'installer, à la fin des années vingt, avec sa nouvelle compagne, l'actrice Hilde Stieler, à Sanary-sur-Mer, charmant port de pêche abritant une colonie d'artistes allemands. Il y mourra en 1949.[1]

Rilke, lui, avait fait la connaissance des Klossowski dès avant la guerre, à Paris. Mais c'est en été 1919, à l'occasion d'une tournée de conférences en Suisse, qu'il s'est passionnément lié avec Baladine. Elle avait alors 33 ans et, au dire de Pierre Jean Jouve, quelque chose de provocant. «Des jambes hautes et fortes, agréables à voir, un pied cambré, hanches et poitrine présentes, mais la taille douce [...], le visage large et charmeur d'un chat, les minces lèvres passées au rouge, le regard cendré. Quant à ses cheveux, ils sont aussi provocants, un peu sombres, sensuels.»[2]

Fig. 1: Baladine, Paris, vers 1906, photographie offerte par Baladine à Rilke, collection particulière.

Femme passionnée, Baladine était prête à renvoyer ses deux garçons à Berlin, à les confier à sa sœur, afin de vivre pleinement sa nouvelle passion. Or, Rilke, trop épris de son indépendance et de sa solitude, avait tôt

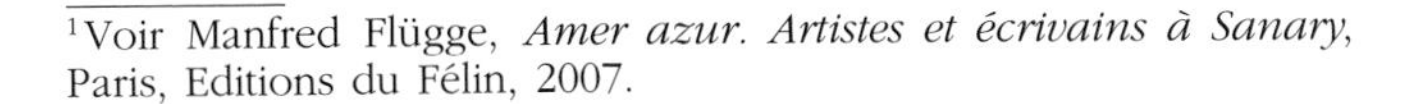

[1] Voir Manfred Flügge, *Amer azur. Artistes et écrivains à Sanary*, Paris, Editions du Félin, 2007.

[2] Pierre Jean Jouve, *Le Monde désert*, Paris, Mercure de France, 1960, p. 40.

Fig. 2: Baladine Klossowska, *Rilke sur son sofa à Muzot*, 1922, crayon et aquarelle sur papier, Cologny-Genève, Fondation Martin Bodmer – Bibliotheca Bodmeriana.

rétabli quelque distance. Mais il restera, jusqu'à sa mort, le 29 décembre 1926, une sorte de père de substitution pour les deux garçons, pour le cadet en particulier, dont il reconnut immédiatement le talent, voire le génie. A preuve, la préface qu'il écrivit, en novembre 1920, pour *Mitsou*, l'histoire d'un chat trouvé, perdu, retrouvé et reperdu, racontée par Baltusz *(sic)* en quarante images, publiée par le Rotapfel-Verlag (fig. 3 et cat. 1). Si, aux yeux de Rilke, l'existence des chats ne fut jamais qu'une hypothèse passablement risquée, Baltusz, en revanche, affirme le poète, «existe» bel et bien: «Il survit en vous.» Il sera le Roi des chats. *The King of Cats* (cat. 37).

Fig. 3: Couverture de *Mitsou*, 1921.

N'étant inscrit dans aucun cours de peinture, ne suivant l'enseignement d'aucune académie, Balthus apprit son métier sur le tas, au contact des uns et des autres. De sa mère d'abord, puis de Masereel à Genève, de Margrit Bay à Beatenberg, où il a passé plusieurs étés, de son père et de son oncle, Eugen Spiro, à son retour à Berlin, en 1922. Il ne pouvait être que sensible à l'affectueuse attention et aux conseils que Rilke lui donnait, notamment lors de leurs étés à Beatenberg, mais aussi à travers les *Lettres à un jeune peintre* que Balthus publia plus tard.[3] Celui de suivre les grands maîtres du passé quels qu'ils soient, occidentaux ou orientaux. Ainsi, le jeune Balthus passe aisément de Poussin et de Piero della Francesca à la peinture chinoise. Pour les 50 ans de Rilke, il offre au poète une copie d'*Echo et Narcisse*. Mais il se montre tout autant impressionné par un petit bouddha que Rilke avait offert à sa mère.

Copier permet d'apprendre: toute sa vie, Balthus répètera cette vérité quelque peu oubliée de nos jours. Pour lui, l'artiste est d'abord un artisan qui a besoin d'acquérir patiemment son métier. De même que le poète porte en lui toute une bibliothèque, le vrai peintre commence par se constituer un musée. Ce qui ne l'empêche pas de lire. Et Balthus, très tôt, en partie grâce à Rilke, qui lui a par exemple offert une *Divine Comédie* de Dante, a été un grand lecteur.

Tu es l'héritier.
Les fils héritent
car les pères meurent.
Les fils, eux, durent et s'épanouissent.
Tu es l'héritier.[4]

Mais, surtout, Rilke conforte Balthus dans l'idée que le monde extérieur existe. Que c'est lui qu'il faut d'abord scruter et regarder, plutôt que de se pencher sur son nombril. Balthus n'a cessé de répéter que sa principale préoccupation était d'exprimer le monde, et non pas de s'exprimer lui-même. D'où son peu d'intérêt pour la peinture surréaliste qui essayait de fixer sur la toile des images arrachées aux rêves ou remontant de l'inconscient. Ni Magritte, ni Max Ernst, ni Tinguely ne lui paraissent vraiment indispensables.

En revanche, Balthus est obsédé par les paysages:

La lumière bruit au faîte de ton arbre
et te rend les choses bigarrées et vaines,
elles ne te trouvent que quand le jour rougeoie.
Le crépuscule, cette tendresse de l'espace,
pose ses mille mains sur mille têtes,
à leur contact, même l'étrangeté se recueille.

C'est ainsi que tu veux prendre le monde
contre toi, avec ce geste d'infinie douceur.
Tu décroches la terre et les ciels
et la sens sous les plis du manteau.[5]

[3] Rilke 1945.
[4] Rainer Maria Rilke, *Le Livre d'heures*, dans *Œuvres poétiques et théâtrales*, Paris, Gallimard, Bibliothèque de la Pléiade, 1997, p. 318.
[5] *Ibid.*, p. 308.

Fig. 4: Balthus, *Nature morte – pommes et coing*, 1956, aquarelle et crayon sur papier, 35×51 cm, collection particulière.

Fig. 5: Balthus, *Fruits sur le rebord d'une fenêtre*, 1956, huile sur toile, 66,5×86,5 cm, collection particulière.

Prendre le monde contre soi, n'est-ce pas ce que Balthus essaie de faire à travers les paysages du Morvan (cat. 66, 72, 73, 76) peints durant les années 1953-1960 passées à Chassy? Paysages immobiles, d'un équilibre géométrique parfait, réduits à l'essentiel, où le temps s'est arrêté, transformant hommes et bêtes en objets. Aucune dramaturgie, un décor fait de volumes, de lumière et d'ombre. Le souvenir de Cézanne n'est pas loin, ni celui de Braque. Mais sont évités les pièges de l'abstraction qui, pour Balthus, signifiaient la fin de l'art. Hors du temps, la grande cour de la ferme (cat. 76), hors du temps, le troupeau dans la vallée de l'Yonne, le paysan près de sa vache. Mais hors d'un espace géographique précis également. Rien à voir avec le Jura de Courbet ou la Seine des impressionnistes. La couleur n'est pas une couleur locale. C'est aussi bien celle des paysages chinois du XIIIe siècle que des paysages toscans du XIVe. Balthus ne s'intéresse pas au particulier; il est d'emblée de plain-pied avec l'universel.

Mais ce parti pris des choses ne va pas sans une mise à distance de ces mêmes choses, et qui est comme le signe de leur fragilité. Le regard se perd au loin, dans quelque ciel indécis. Ce regard est d'ailleurs souvent celui à travers une fenêtre ouverte sur un infini lointain. Ainsi *Nature morte – pommes et coing* (fig. 4) et les *Fruits sur le rebord d'une fenêtre* (fig. 5) baignent-ils dans une lumière d'éternité qui se propage à travers le paysage s'estompant dans le fond. Jeu de miroir, jeu de distance, harmonie parfaite, le temps d'un regard.

Cette contemplation de la nature a tout d'une prière. C'est le mot que Balthus emploie volontiers en parlant de son métier de peintre. Pour lui, peindre, c'est prier:

> A quoi bon égarer mes mains parmi les pinceaux?
> Quand je te *peins*, mon Dieu, tu le remarques à peine.
>
> Je te *sens*. Aux bordures de mes sens,
> tu commences hésitant comme un archipel,
> et pour tes yeux qui jamais ne cillent,
> je suis l'espace.[6]

En effet, poésie et prière ont, pour Rilke, partie liée. Non pas dans un sens chrétien d'une parole adressée à une transcendance, mais dans celui, plus général et plus vague, d'élévation, d'exercice spirituel, de dépassement. D'amour aussi, et d'adoration. Sous toutes les formes. La résurrection est aussi celle des corps.

> Comprends donc:
> Ceci est mon corps qui ressuscite. Aide-le
> tout bas à passer de son ardente tombe
> à ce ciel que j'ai en toi:
> qu'audacieuse, de lui émane la survie.[7]

De la religion du paysage à la religion des corps, le passage est d'autant plus aisé que ces corps aussi nous

[6] *Ibid.*, p. 279.
[7] *Sept poèmes phalliques*, *ibid.*, p. 659.

sont offerts hors du temps et de l'espace, au-delà du désir. Si le travail du poète et du peintre est «prière» (le mot est fréquent et chez Balthus et chez Rilke), c'est qu'ils transforment tout ce à quoi ils touchent en œuvre d'art, l'arrachent à la contingence et, a fortiori, à toute vulgarité.

La religion de l'art est une religion aristocratique. C'est celle de Baudelaire, qui ne connaissait que trois êtres respectables: le poète, le prêtre, le soldat. Elle ne va pas sans un mépris certain pour le commun des mortels qui ne sait ni créer, ni prier, ni tuer. Que l'humanité est stupide, Rilke et Balthus l'ont répété à l'envi. Ils faisaient partie de cette famille de dandys qui cultivent l'art de déplaire: Barbey d'Aurevilly, Valéry, Pierre Jean Jouve. Aller à contre-courant des modes de leur époque leur semblait un gage d'indépendance. Ainsi, Rilke a toujours refusé une poésie engagée dans les luttes de l'époque. Il est, disait de lui Marina Tsvetaïeva, le poète «le plus éloigné dans l'éloignement, le plus élevé dans le sublime, le plus solitaire dans la solitude». Et d'ajouter: «Rilke n'est ni une commande, ni une manifestation de notre temps – il est son contrepoids. Guerres, boucheries, chairs déchiquetées de la discorde – et Rilke. Notre temps – un des péchés de la terre, lui sera pardonné – grâce à Rilke. En vertu de la loi des contraires, c'est-à-dire par nécessité, c'est-à-dire en guise de contrepoison à notre temps, Rilke ne pouvait naître dans un autre temps. C'est là sa modernité. Le temps ne l'a pas commandé, il l'a mandé.»[8] N'est-ce pas là aussi la modernité de Balthus? Et celle de Giacometti, le seul de ses contemporains dont il se sentait vraiment proche, Jouve et Artaud mis à part.

D'où, malgré son ouverture au monde, ce sentiment de l'exil et de l'ailleurs qui l'habite et habite ses tableaux. Exils successifs, tout au long de sa vie, ballotté entre la France et l'Allemagne, la Suisse et l'Italie, tantôt au milieu de grandes villes, tantôt dans des retraites campagnardes. Lieux de passage, lieux de travail. Jusqu'au Grand Chalet, à Rossinière, qui est un ancien hôtel, Balthus avait laissé subsister, au-dessus des portes, les vieux numéros de chambre, sans doute pour rappeler au visiteur qu'il n'est que de passage.

Comme les poèmes de Rilke, les tableaux de Balthus nous restituent à la fois «le cœur battant du monde» et nous font sentir que le monde pourrait n'être qu'un décor prêt à s'écrouler à chaque instant. L'œuvre du poète et l'œuvre du peintre participent de ce *memento mori* sensible à travers le vocabulaire, qui est encore celui des Ecritures pour Rilke, mais détourné de son sens originel, celui de la peinture religieuse pour Balthus, qui lui emprunte maints symboles, privés toutefois de leurs fonctions premières. Depuis Kierkegaard, l'art aussi est une maladie à la mort. Mais – comme le disait Camus dans sa préface à l'exposition Balthus à la Galerie Pierre Matisse à New York, en 1949 – l'artiste est un nageur remontant d'étranges fleuves vers des sources oubliées. «La trace d'un pied sur le sable, des feux morts, le cri indistinct d'une sentinelle invisible, ce sont des promesses dont il se nourrit. Tout cet effort est de ne pas se laisser entraîner par le courant. Avant de se perdre dans l'embouchure, il veut découvrir la source et la terre promise. Ainsi du peintre qui veut tirer le monde de la nuit et maintenir à jamais ce qui disparaît déjà. A chaque aube, la création recommence.»[9] Une création qui nous restitue le monde d'avant la chute et qui nous tient lieu de paradis.

R. K.

[8] Marina Tsvetaïeva, *Le Poète et le Temps*, Cognac, Le Temps qu'il fait, 1998, p. 45.

[9] Dans Clair 1983, p. 76.

Œuvres exposées

1

Mitsou, Quarante images par Baltusz, [1919]
Préface de Rainer Maria Rilke
Rotapfel-Verlag, Zurich et Leipzig, 1921
Avec dédicace de Balthus
13 pages + 40 feuilles de planches
19×24,7 cm
Martigny, Collection Fondation Pierre Gianadda

MITSOU

QUARANTE IMAGES
PAR
BALTUSZ

PREFACE DE RAINER MARIA RILKE

ROTAPFEL-VERLAG
ERLENBACH-ZÜRICH & LEIPZIG

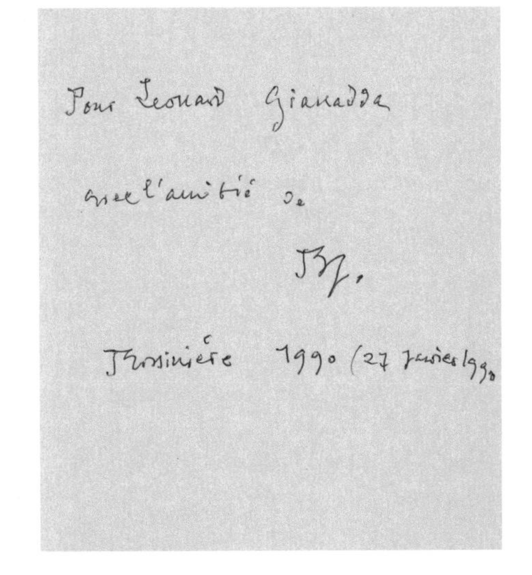
Pour Leonard Gianadda
avec l'amitié de
B.
Rossinière 1990 (27 janvier 1990)

MARTIN

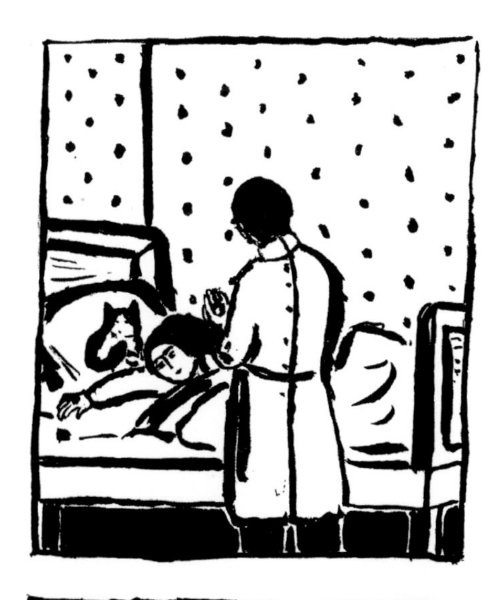

2

Paysage de Muzot

1923

Huile sur carton

49,5×37,5 cm

Collection particulière

3
Général chinois
vers 1923-1924
Bois et tissu
H 38,7 cm
Vevey, Musée Jenisch Vevey,
dépôt de la Fondation Balthus

4
Personnage chinois
vers 1923-1924
Bois et tissu
H 37 cm
Vevey, Musée Jenisch Vevey,
dépôt de la Fondation Balthus

5
Armoire peinte de motifs chinois
1924
Meuble décoré
215×215×55 cm
Collection particulière
Exposé pour la première fois

5
Armoire peinte de motifs chinois (détail)
1924

5
Armoire peinte de motifs chinois (détail)
1924

5
Armoire peinte de motifs chinois (détail)
1924

5
Armoire peinte de motifs chinois (détail)
1924

6
Paysage provençal
1925
Huile sur bois
77×51 cm
Troyes, Musée d'Art moderne,
donation Pierre et Denise Lévy

Balthus 1925

7
La Légende de la Sainte Croix:
Invention et preuve de la vraie Croix
(d'après Piero della Francesca)
1926
Huile sur carton
45×67 cm
Paris, Musée d'Orsay,
collection Philippe Meyer

8

La Légende de la Sainte Croix:
Visite de la Reine de Saba à Salomon, la reine et ses dames d'honneur
(d'après Piero della Francesca)
1926
Huile sur carton
68×72,5 cm
Lugano, Fondazione Lions Club Lugano
Inédit

9

Saint Pierre distribue les aumônes
(d'après Masaccio)
1926
Huile sur carton
59,5 × 54 cm
Collection particulière,
courtesy Blondeau Fine Art Service, Genève

10
Orage au Luxembourg
1928
Huile sur toile
46×55 cm
Suisse, collection particulière

Baltus. 28

11
Nature morte au chapeau bernois
1928
Huile sur toile
65×81 cm
Collection particulière

12
Portrait d'Hedwig Müller
1928
Huile sur toile
87×65,7 cm
Collection particulière

13
La Berge de l'île Saint-Louis
1929
Huile sur toile
45,5×35,5 cm
Collection particulière

14
Le Quai Malaquais
1929
Huile sur toile
43×65 cm
Luxembourg, collection particulière
Exposé pour la première fois

Balthus.29

15
Portrait d'Adele Bay
1930
Huile sur toile
73,5×60,5 cm
Collection particulière
Inédit

16
Etude pour **La Joueuse de diabolo**
1930
Encre de Chine
21,5×17 cm
Suisse, collection particulière

17 ▷
La Joueuse de diabolo
1930
Huile sur toile
80×65 cm
Vevey, Musée Jenisch Vevey,
dépôt d'une collection particulière

18
Portrait de jeune fille
en costume d'amazone
1932
Huile sur toile
52×32 cm
Collection Stanislas Klossowski de Rola

19-32
Quatorze illustrations pour **Wuthering Heights (Les Hauts de Hurle-Vent)** d'Emily Brontë
1933-1935
Collection particulière

19
«Tirez-lui les cheveux en passant»
(Pull his hair when you go by) (ch. III, p. 38)
1933-1935
Encre de Chine
38,5×31 cm
Collection particulière

20
«J'ai occupé le temps à écrire pendant vingt minutes»
(I have got the time on with writing for twenty minutes) (ch. VI, p. 74)
1933-1935
Encre de Chine
38,8×31 cm
Collection particulière

21
«C’était un de leurs grands amusements de se sauver dans la lande et y rester toute la journée»
(It was one of their chief amusements to run away to the moors and remain there all day) (ch. VI, p. 74)
1933-1935
Encre de Chine
36×29,4 cm
Collection particulière

22
«Cathy et moi nous étions échappés par la buanderie pour nous promener à notre fantaisie…»
(Cathy and I escaped from the wash-house to have a ramble of liberty…) (ch. VI, p. 75)
1933-1935
Encre de Chine
38,7×31 cm
Collection particulière

23
«Nous avons couru depuis le sommet des Hauts»
(ch. VI, p. 76)
1933-1935
Encre de Chine
39,8×31 cm
Collection particulière

24
«Le démon l'avait saisie par la cheville...»
(The devil had seized her ankle...) (ch. VI, p. 78)
1933-1935
Encre de Chine
39,8×31 cm
Collection particulière

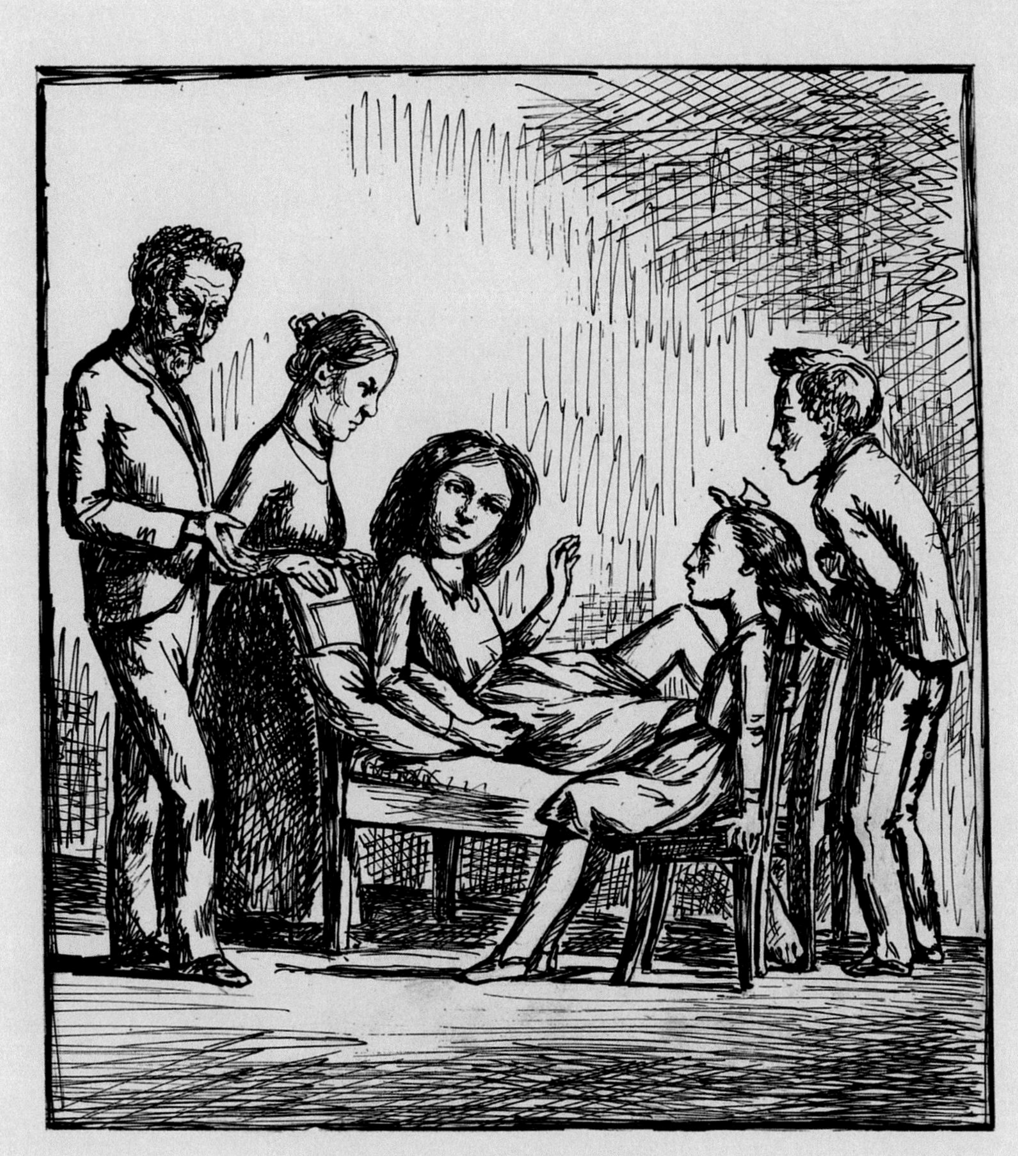

25
«Je voyais qu'ils étaient remplis d'une admiration stupide»
(I saw they were full of stupid admiration) (ch. VI, p. 81)
1933-1935
Encre de Chine
35,4×31 cm
Collection particulière

26
«Tu n'avais qu'à ne pas me toucher»
(You needn't have touched me) (ch. VII, p. 86)
1933-1935
Encre de Chine et crayon sur papier contrecollé sur papier
39,4×30,9 cm
Collection particulière

27
«Alors, pourquoi portes-tu cette robe de soie?»
(Why have you that silk frock on, then?) (ch. VIII, p. 107)
1933-1935
Encre de Chine et crayon
39,8×31 cm
Collection particulière

28
«D'un mouvement instinctif, il l'arrêta au vol»
(ch. IX, p. 116)
1933-1935
Encre de Chine
39,8×31 cm
Collection particulière

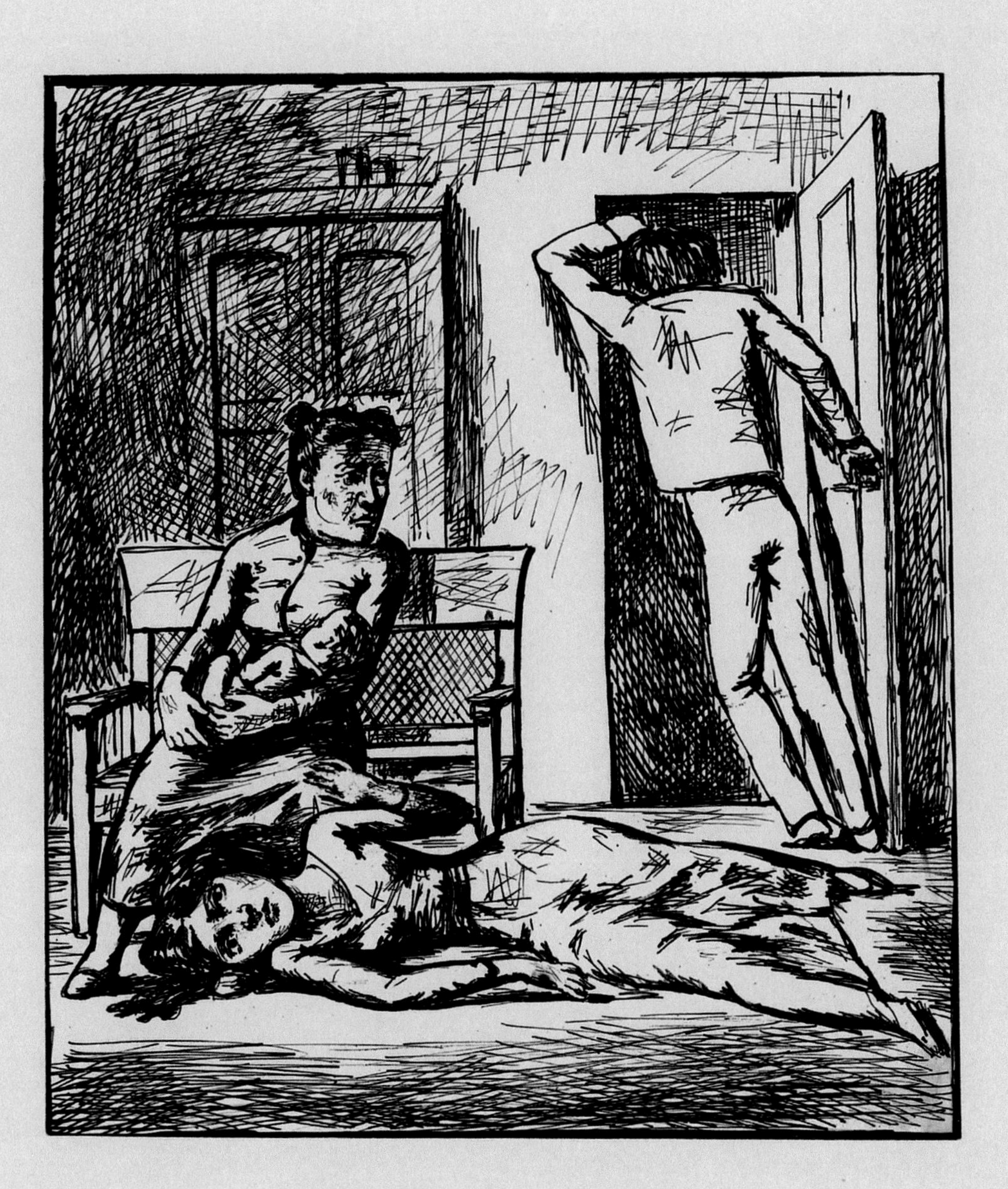

29
«Nelly, ne faites-vous jamais de rêves singuliers?»
(Nelly, do you sometimes dream queer dreams?) (ch. IX, p. 122)
1933-1935
Encre de Chine et crayon
39,8×31 cm
Collection particulière

30
«Non, non, Isabelle, vous ne vous sauverez pas»
(ch. X, p. 160)
1933-1935
Encre de Chine
31,5×26,5 cm
Collection particulière

31
«Je vous refuserai à l'avenir l'accès de cette maison, déclara Catherine…»
(There, you've done with coming here! said Catherine…) (ch. XI, p. 174)
1933-1935
Encre de Chine
35×26,9 cm
Collection particulière

33

Wuthering Heights, texte d'Emily Brontë, avant-propos de Michel Surya et illustrations de Balthus
[Paris]: Librairie Séguier, 1989
In-4°, [n. p.], 12 lithographies justifiées 2/50 et monogrammées par l'artiste
Vevey, Musée Jenisch Vevey, Cabinet cantonal des estampes, collection de la Ville de Vevey, legs Daniel Bornand (inv. 2007-225)
Non reproduit

32
«Les bras de Cathy s'étaient relâchés et sa tête pendait sur son épaule»
(ch. XV, p. 244)
1933-1935
Encre de Chine
29,4×26,2 cm
Collection particulière

34
La Toilette de Cathy
1933
Huile sur toile
165×150 cm
Paris, Centre Georges Pompidou,
Musée national d'Art moderne /
Centre de création industrielle

Balthus 1933

35
La Rue
1933
Huile sur toile
195 × 240 cm
New York, The Museum of Modern Art,
legs James Thrall Soby, 1979

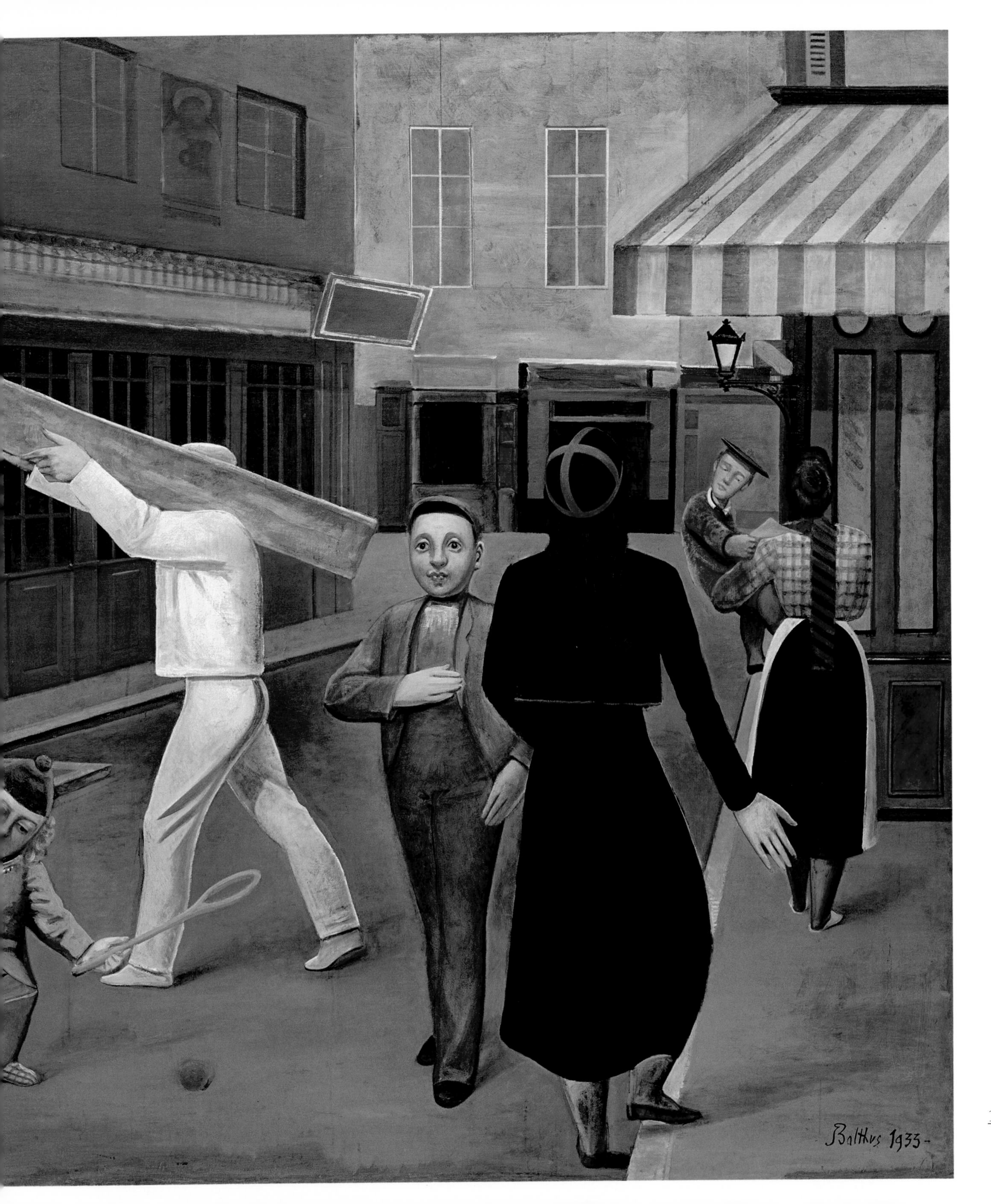
Balthus 1933

36
La Caserne
1933
Huile sur toile
81×100 cm
Collection particulière

Balthus 1933

37
Le Roi des chats
1935
Huile sur toile
78×49,5 cm
Vevey, Musée Jenisch Vevey,
dépôt de la Fondation Balthus

A PORTRAIT OF
H.M.
THE KING OF CATS
painted by
HIMSELF
MCMXXXV

38
Etude pour **La Montagne (L'Eté)**
1935
Huile sur toile
60×73 cm
New York, The Metropolitan Museum of Art,
Purchase, Gift of Himan Brown, by exchange, 1996
(inv. 1996.176)

Balthus 1935

39
Portrait de Pierre Colle
1936
Huile sur toile
55×46 cm
Collection particulière

40
Frère et sœur
1936
Huile sur carton
92×65 cm
Washington, D.C.,
Hirshhorn Museum and Sculpture Garden,
Smithsonian Institution,
don de Joseph H. Hirshhorn, 1966

Balthus

41

Les Enfants Blanchard

1937

Huile sur toile

125×130 cm

Paris, Musée du Louvre,
donation Picasso,
en dépôt au Musée national Picasso, Paris

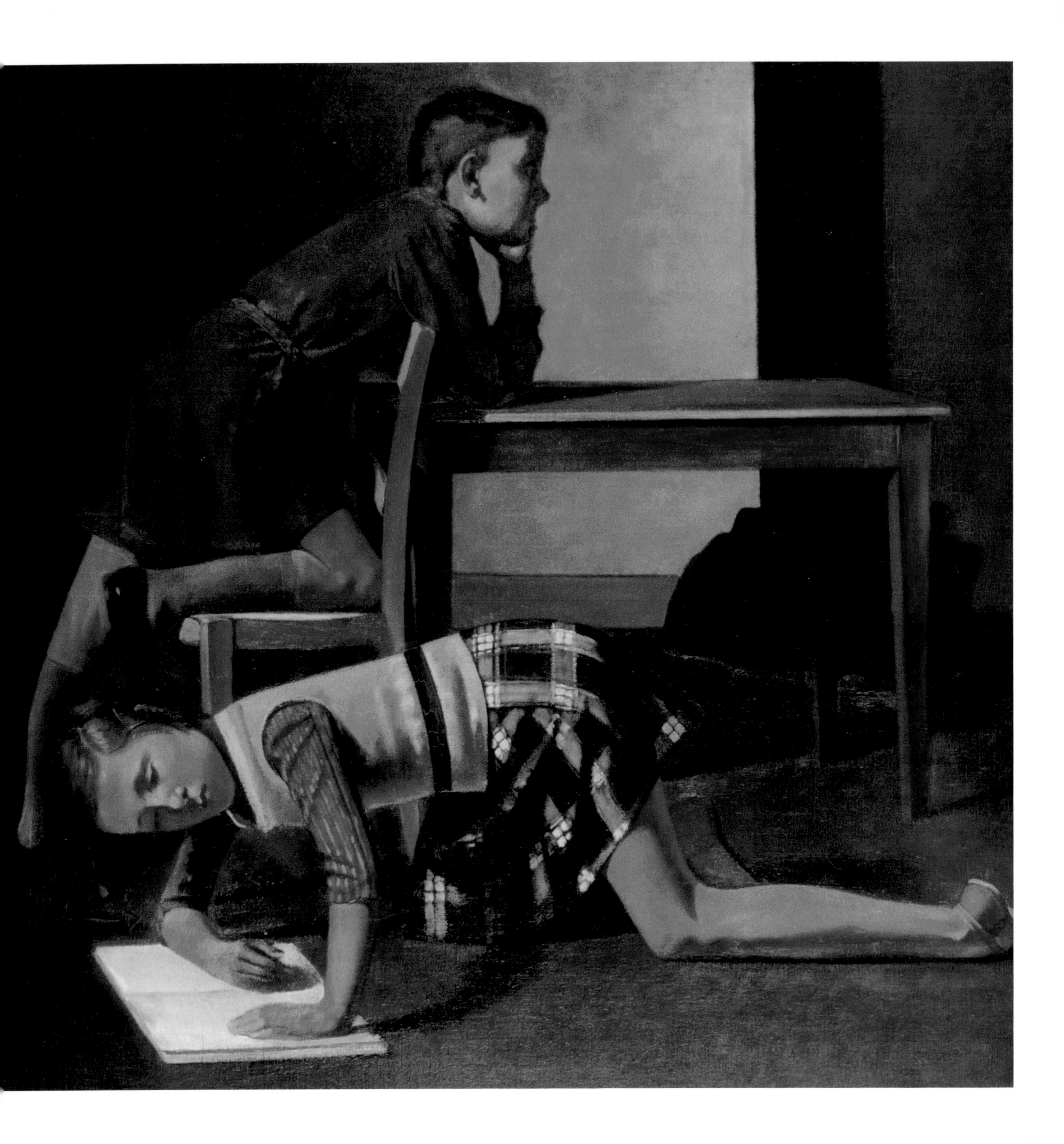

42
Femme à la ceinture bleue
1937
Huile sur toile
91,5×68,5 cm
Amiens,
collection Musée de Picardie

Balthus 1937

43
Thérèse rêvant
1938
Huile sur toile
150 × 130,2 cm
New York,
The Metropolitan Museum of Art,
The Jacques & Natasha Gelman Collection,
1998 (inv. 1998.363.2)

1938

44
Portrait de Pierre Matisse
1938
Huile sur toile
128,8×86,7 cm
New York, The Metropolitan Museum of Art,
The Pierre and Maria-Gaetana Matisse Collection, 2002
(inv. 2002.456.7)

Balthus 1938

45
Le Salon (II)
1942
Huile sur toile
114,8×146,9 cm
New York, The Museum of Modern Art,
Estate of John Hay Whitney, 1983

46
Jeune fille endormie
1943
Huile sur bois
82×100 cm
Londres, Tate Gallery

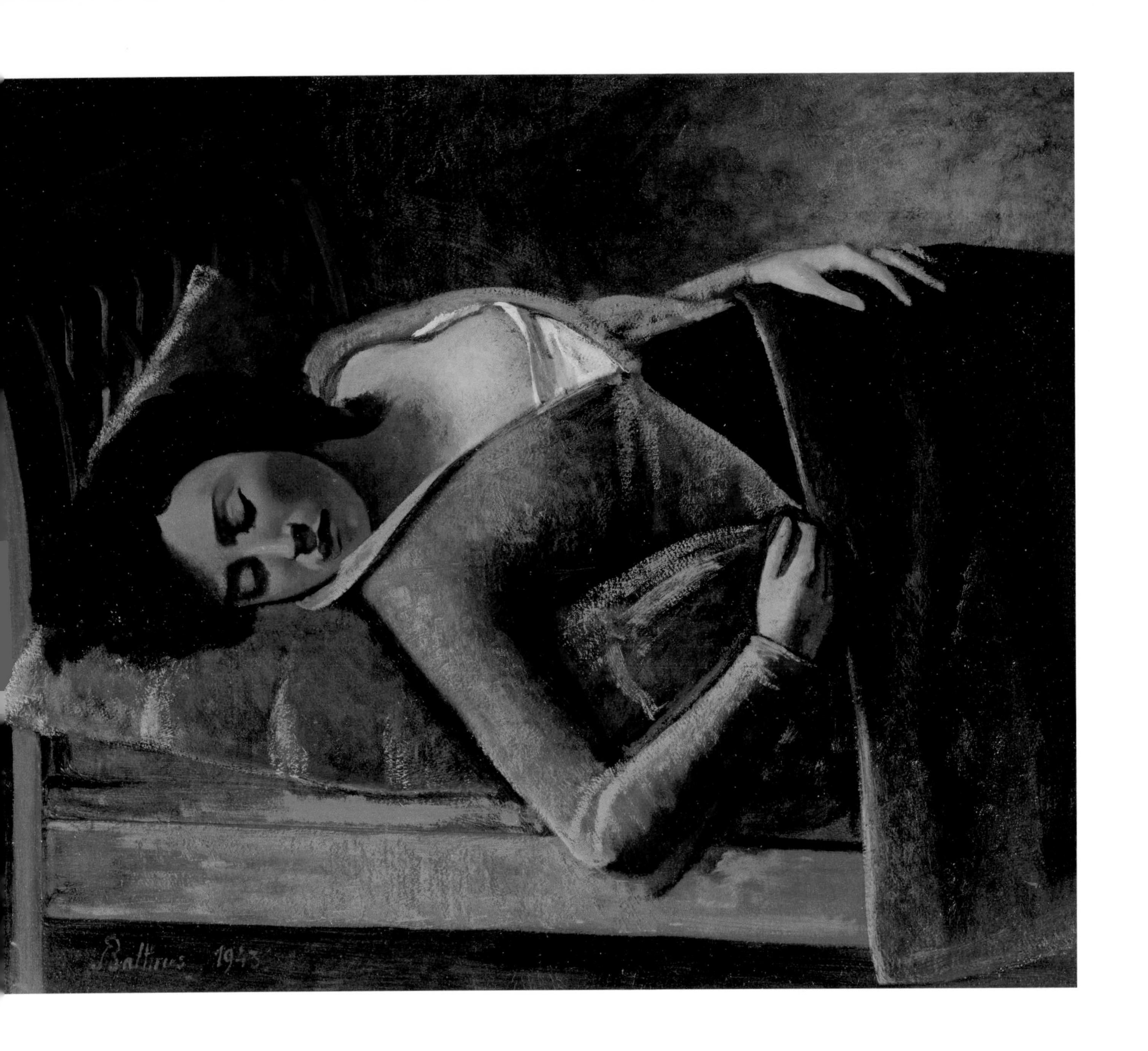
Balthus 1943

47
Portrait de Madame Matossian et de sa fille Dalité
1944
Huile sur bois
54×43 cm
Collection particulière

48
La Princesse Maria Volkonska à l'âge de douze ans
1945
Huile sur carton
82×64 cm
Collection particulière

49
Les Beaux Jours
1944-1946
Huile sur toile
148×200 cm
Washington, D. C., Hirshhorn Museum
and Sculpture Garden, Smithsonian Institution,
don de Joseph H. Hirshhorn, 1966

50
La Chambre (I)
1947-1948
Huile sur toile
189,9×160 cm
Washington, D. C., Hirshhorn Museum
and Sculpture Garden, Smithsonian Institution,
don de Joseph H. Hirshhorn, 1966

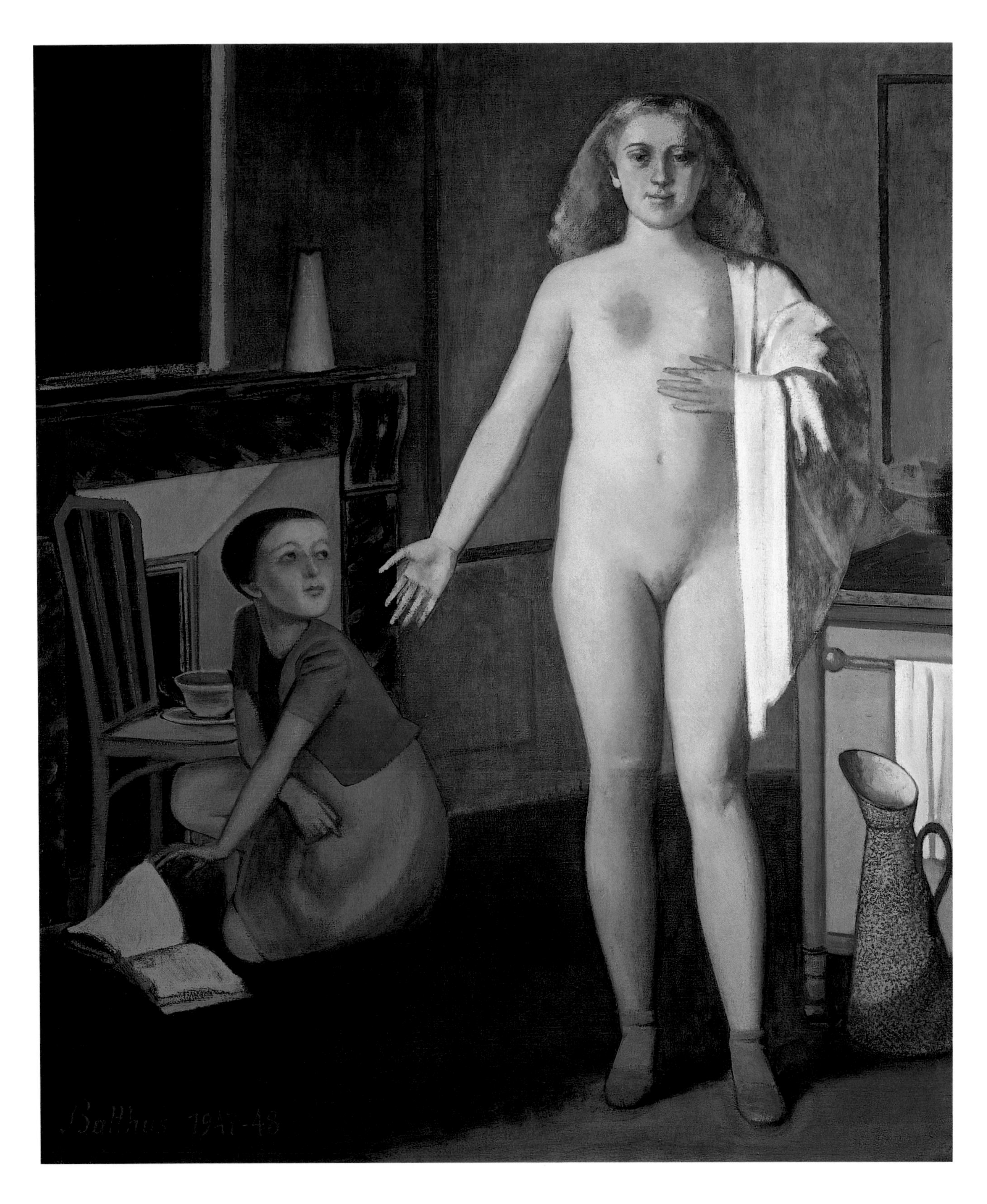
Balthus 1947-48

51

Jeune fille à sa toilette

1948

Huile sur toile

55,9×46,4 cm

Genève, Galerie Jan Krugier & Cie

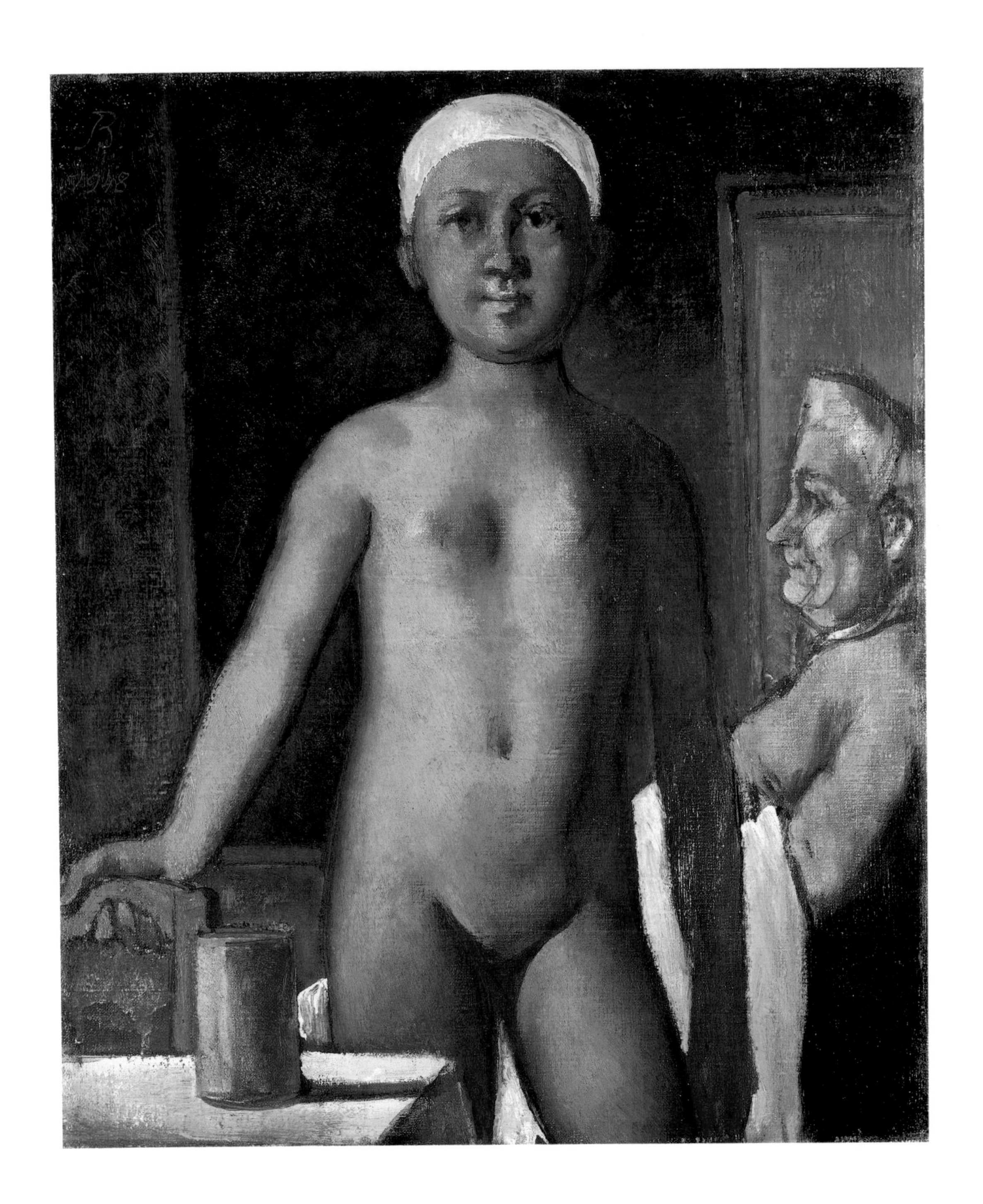

52
Les Poissons rouges
1948
Huile sur toile
62,2×55,9 cm
Collection particulière

53
Esquisse pour **Le Chat de la Méditerranée**
1948
Au verso: **Diverses esquisses** (cat. 116)
Encre de Chine
27×21 cm
Genève, collection Jean Bonna

54
Le Chat de la Méditerranée
1949
Huile sur toile
127×185 cm
Collection particulière

55
Le Spahi et son cheval
1949
Huile sur toile
58,9×64,2 cm
Washington, D. C., Hirshhorn Museum
and Sculpture Garden, Smithsonian Institution,
don de Joseph H. Hirshhorn, 1966

Balthus 1949

56
Portrait de Laurence B.
1949
Huile sur carton
63×44,5 cm
Collection particulière

57
Autoportrait
1949
Huile sur toile
116,8×81,2 cm
Collection particulière

58
Portrait de Claude Hersaint
1951
Huile sur carton
92×73 cm
Collection particulière

59
Les Joueurs de cartes
1952
Huile sur toile
64×81 cm
Collection particulière

60
Etude pour **Le Passage du Commerce-Saint-André**
1951-1953
Crayon
52×40 cm
Collection particulière

61
Etude pour **Le Passage du Commerce-Saint-André**
1951-1953
Crayon
67×77 cm
Collection particulière

62
Etude pour **Le Passage du Commerce-Saint-André**
1954
Plume et crayons rouge et bleu sur esquisse au crayon
21×21 cm
Collection Stanislas Klossowski de Rola

63
Le Passage du Commerce-Saint-André
1952-1954
Huile sur toile
294 × 330 cm
Collection particulière

REGISTRES

64
Colette de profil
1954
Huile sur toile
92,5×73,5 cm
Collection particulière

65
Les Trois Sœurs (Sylvia, Marie-Pierre et Béatrice Colle)
1954-1955
Huile sur toile
60 × 120 cm
Collection particulière

66
La Vallée de l'Yonne
1955
Huile sur toile
90×162 cm
Troyes, Musée d'Art moderne,
donation Pierre et Denise Lévy

Balthus 55

67
Frédérique au chandail rouge
1955
Huile sur toile
49×44 cm
Londres, collection particulière

68
Etude pour **Jeune fille à la chemise blanche**
1955
Huile sur toile
92×73 cm
Collection particulière

69
Etude pour **Le Lever (I)**
1955
Crayon et aquarelle sur papier
55,2×43,5 cm
Genève, Galerie Jan Krugier & Cie

70 ▷
Le Lever (I)
1955
Huile sur toile
161×130,4 cm
Edimbourg, Scottish National Gallery
of Modern Art, Purchased 1981

71
Le Rêve (II)
1956-1957
Huile sur toile
198 × 198 cm
Collection particulière

72
La Bergerie
1957-1960
Huile sur toile
50×101,5 cm
Lausanne, Galerie Alice Pauli

73
Paysage à l'étang
1956
Huile sur toile
33×97 cm
Collection particulière

Balthus 57.60

74
Portrait de la baronne Alain de Rothschild
1958
Huile sur toile
190×152 cm
Paris, collection particulière

75
Le Drap bleu
1958
Huile sur toile
162×97 cm
Collection particulière

76
Cour de ferme à Chassy
1960
Huile sur toile
130×162 cm
Paris, Centre Georges Pompidou,
Musée national d'Art moderne /
Centre de création industrielle,
donation d'André et Henriette Gomès (Paris) en 1985

77
Le Lever (II)
1975-1978
Huile sur toile
169 × 159,5 cm
Collection particulière

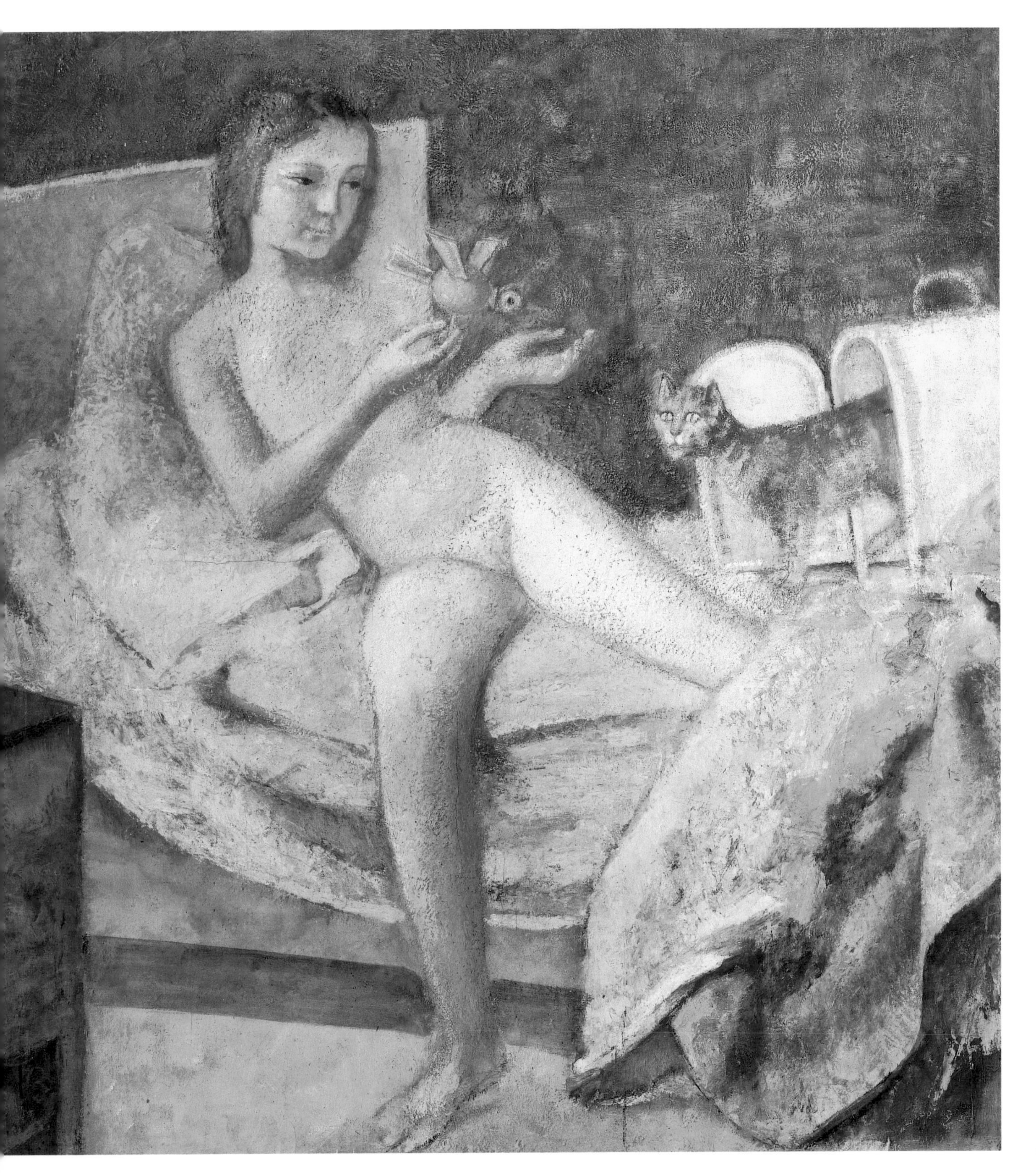

78
Etude pour
Paysage de Montecalvello (
1970
Crayon
70×100 cm
Saint-Saphorin,
collection Pierre Keller

79
Etude pour
Paysage de Montecalvello (I
1970
Fusain sur papier
peau d'éléphant
70×100 cm
Saint-Saphorin,
collection Pierre Keller

80
Etude pour
Paysage de Montecalvello (I)
1971-1972
Aquarelle et crayon sur papier
peau d'éléphant
34,5×50 cm
Collection particulière

81
Etude pour
aysage de Montecalvello (I)
1978
Crayon sur papier
peau d'éléphant
70×100 cm
Londres, collection
particulière

82
Etude pour **Paysage de Montecalvello (I)**
1978
Fusain et lavis d'aquarelle sur papier peau d'éléphant contrecollé sur papier
70×100 cm
Vevey, Musée Jenisch Vevey,
acquis grâce à la générosité de la Fondation Holenia Trust, Zurich

83 ▷
Paysage de Montecalvello (II)
1994-1998
Huile sur toile
162×130 cm
Vevey, Musée Jenisch Vevey,
dépôt de la Fondation Balthus

84
La Gare de Rossinière
1995
Huile sur toile
110×100 cm
Collection particulière
Œuvre inachevée

Cat. 125: Balthus, *Jeune fille assise*, 1949, crayon, 30,5×42 cm, collection particulière.

Une très jeune fille, une gomme très douce: les dessins

par Dominique Radrizzani

Une très jeune fille, qui était assise derrière le comptoir, se lève pour le servir.
– Monsieur?
Elle a un joli visage un peu boudeur et les cheveux blonds.
– Je voudrais une gomme très douce, pour le dessin.[1]

Une copie d'après Fra Angelico ouvre la monographie de Hans Graber sur René Auberjonois en 1925: «De façon très révélatrice, ce n'est pas Raphaël ou d'autres artistes de la Haute Renaissance qu'il copie, ni non plus les Botticelli et Ghirlandaio alors très en vogue, mais les artistes sévères de la seconde moitié du quattrocento, les Uccello et Fra Angelico. Dans ce choix, c'est clairement la recherche de l'expression simple, immédiate, la recherche du ‹primitif› qui s'exprime.»[2]

Fig. 1: René Auberjonois, *Etude pour «La Synagogue»*, 1920, huile sur toile, 46×37 cm, Bâle, Öffentliche Kunstsammlung Basel (donation Hans Graber, 1946).

L'année suivante, Balthus part pour l'Italie où il réalise des copies d'après Piero della Francesca et Masaccio (cat. 7-9). Il rencontrera Hans Graber trois ans plus tard, en 1929. En remerciement de l'ouvrage sur Piero que l'historien lui avait adressé à l'instigation de Rilke[3], il lui offre la plus grande de ses copies d'Arezzo, la plus belle, cette mythique *Reine de Saba et ses dames d'honneur*, retrouvée et publiée ici pour la première fois (cat. 8). Dans une lettre à son père: «Pense donc, j'ai fait la connaissance de Hans Graber. Il a beaucoup admiré deux de mes copies de Piero que j'ai emportées à Zurich, surtout la *Bataille* que j'ai donnée aux Strohl. Il s'est aussi beaucoup intéressé aux autres choses, surtout trois petits paysages du Luxembourg que j'ai faits ce printemps lui ont beaucoup plu, il a dit qu'il lui semblait retrouver la mentalité d'Auberjonois.»[4] Cette mentalité d'Auberjonois (fig. 1), très observable dès le premier tableau connu (cat. 2), puis dans les copies d'après le quattrocento toscan et les vues du Luxembourg (cat. 10), n'est pas près de quitter Balthus qui, loin de s'en défendre, la revendique avec fierté.

En 1932, il va retrouver Auberjonois à Lausanne, comme il ressort d'une lettre au professeur Jean Strohl, son protecteur: «J'ai passé tout l'été à Berne [...]; je n'ai pas bougé, sauf un petit voyage à Lausanne où, comme vous l'avez appris, j'ai eu le bonheur de refaire connaissance d'Auberjonois.»[5] Ces retrouvailles sont, pour l'artiste, à tel point saillantes et son admiration pour Auberjonois à tel point liée à son père que, plusieurs mois après, le jeune homme lui rapporte: «Entre-temps, j'avais été à Lausanne où je refis connaissance avec Auberjonois, un homme vraiment admirable et qui a

[1] Alain Robbe-Grillet, *Les Gommes*, Paris, Les Editions de Minuit, 1973, p. 65.
[2] Hans Graber, *René Auberjonois*, Bâle, Benno Schwabe & Co. Verlag, 1925, p. 5; voir aussi *idem*, *Jüngere Schweizer Künstler*, I, Bâle, Benno Schwabe & Co. Verlag, 1918, p. 13.
[3] Hans Graber, *Piero della Francesca*, Bâle, Benno Schwabe & Co. Verlag, 1920.
[4] Lettre de Balthus à son père, Zurich, 12 septembre 1929, dans Balthus 2001, p. 35.
[5] Lettre de Balthus à Jean Strohl, Paris, 4 décembre 1932, *ibid.*, p. 87.

gardé l'amitié la plus fidèle pour toi.»[6] Auberjonois, l'homme vraiment admirable qui impressionne et dont le jugement compte[7], est un ami de longue date d'Erich Klossowski: ils avaient étudié ensemble à Dresde, se sont retrouvés à Paris à l'aube du XXe siècle. Se sont-ils revus en Suisse pendant la guerre?

Le mystère Balthus

Printemps 1941, Balthus fait à Lausanne un petit arrêt de deux jours «tout à fait charmant et substantiel. Auberjonois vraiment très amical et tellement compréhensif! Et quelle conversation riche et amusante – nous nous sommes quittés fort contents l'un de l'autre. Je l'ai trouvé un peu vieilli physiquement, mais toujours lumineux d'intelligence et de charme.»[8] La figure, les conseils, l'influence d'Auberjonois occupent alors plus que jamais son esprit: «Pour ma part, Auberjonois m'a encore vivement conseillé de venir pour quelque temps, et m'a répété qu'il ferait tout pour moi, et il peut effectivement beaucoup. Il connaît naturellement tous les grands collectionneurs, auprès desquels il est très influent. Je pourrais peut-être faire une exposition en faisant venir des tableaux de Paris (via Lyon).»[9]

Le 30 décembre, Auberjonois s'éclipse à Berne, non sans avoir prévenu son entourage: «Je prends trois jours de congé – à Berne, où m'attend un ami français désorienté et solitaire – sans ressources. Nul doute que je ne trouve un moment pour vous parler de cette ville, où rien ne m'attire que l'amitié de ce *déraciné*.»[10] Le déraciné avec qui on a rendez-vous pour Nouvel-An, c'est bien sûr Balthus. De son séjour bernois, Auberjonois s'en reviendra enchanté, un homme neuf: «J'ai repris le travail furieusement à mon retour de Berne où je m'étais ‹ensauvé› pour quarante-huit heures, l'affaire d'échapper à ces sinistres réunions de famille de fin d'année, où des octogénaires s'ingénient à remémorer des souvenirs autour d'un bol de punch. J'avais donné rendez-vous à un mien ami français, marié à la fille du colonel de Watteville de fâcheuse mémoire. Et mon temps s'est passé entre un hôtel de seconde classe parfaitement confortable, où je traînais au lit quinze heures sur vingt-quatre, et des brasseries en compagnie de ce jeune couple. J'ai aimé Berne – pourquoi ne pas le dire!»[11] Auberjonois est alors dans sa soixante-dixième année et Balthus dans sa trente-quatrième. Un autoportrait au vitriol donne une idée du vieil olibrius qui suit le jeune couple dans les brasseries de la capitale (fig. 2). Le réveillon chez Balthus deviendra pour le Vaudois une institution. Les deux années suivantes à Fribourg, place Notre-Dame: «J'ai passé 48 heures chez Balthus. Dont la moitié au coin du feu. Douce impression de famille [...].»[12] Famille à laquelle on appartient presque. Auberjonois sait-il que son ami Erich Klossowski a tenté un resserrement des liens? Apprenant qu'il serait grand-papa: «Ah, je pense qu'il faudra des parrains et en premier lieu il importerait de demander à René A d'accepter cela.»[13] Pour le vernissage de son exposition à la Galerie Moos à Genève en novembre 1943, Balthus se fait accompagner par son mentor: «Un peu en retard, ayant été prendre Auberjonois à la gare, j'eus un mouvement de recul en entrant dans cette galerie envahie par les chapeaux à la mode qui se ruèrent sur moi en m'engloutissant. [...] Auberjonois m'écrit: ‹J'ai conservé un beau souvenir, un souvenir très fort, très puissant, des toiles devant lesquelles nous nous sommes arrêtés.› Il manifeste encore le désir d'écrire quelque chose sur mon grand tableau, la *Patience*, qui l'a particulièrement impressionné.»[14]

Fig. 2: René Auberjonois, *«Auberjonois vous présente ses bons vœux»*, fin 1941, mine de plomb, 26×19 cm, collection particulière.

La fréquentation du vieux maître se poursuit jusqu'au départ de Suisse de Balthus en 1946. Les seules distractions qui viennent troubler la vie de cénobite

[6] Lettre de Balthus à son père, Paris, 15 mai 1933, *ibid.*, p. 94.

[7] Cf. la lettre de Balthus à Emo Bardeleben, Paris, 3 janvier 1932, dans Radrizzani 2003, p. 19. Voir aussi Dominique Radrizzani, «Stendhalien jusque dans ses vieux chandails», dans Balthus 2008, p. 51.

[8] Lettre de Balthus à Antoinette de Watteville, Champrovent, 12 mai 1941, archives familiales (inédit).

[9] Lettre de Balthus à Antoinette de Watteville, Champrovent, 22 mai 1941, archives familiales (inédit).

[10] Lettre de René Auberjonois à Gustave Roud, Lausanne, 30 décembre 1941, dans Auberjonois 1999, p. 309.

[11] Lettre de René Auberjonois à Gustave Roud, Lausanne, 21 janvier 1942, *ibid.*, p. 311.

[12] Lettre de René Auberjonois à «Klo» (Erich Klossowski), Lausanne, 25 mars 1944, archives familiales (inédit).

[13] Lettre d'Erich Klossowski à son fils Balthus, Sanary, 26 septembre 1942, archives familiales (inédit).

[14] Lettre de Balthus à sa mère Baladine, Fribourg, 16 novembre 1943, archives familiales (inédit).

d'Auberjonois au début de 1946 sont ses visites au Français. La première à Genève: «Dimanche je suis allé déjeuner à Genève chez Balthus. Il a loué la belle Villa Diodati, appelée Villa Byron après que le poète y eut séjourné et écrit le 3e chant de son *Childe Harold*. Balthus, dont l'arrière-grand-mère était parente de Byron, a trouvé de son goût d'échouer dans cette belle maison où j'allais jouer enfant avec Arthur Diodati.»[15] La seconde à Berne, au vernissage de l'exposition *L'Ecole de Paris* conçue par Balthus à la Kunsthalle: «Suis allé pourtant à Berne (pressé par mon ami Balthus) voir un ensemble de peintres de Paris d'une belle tenue!»[16]

Fig. 4: René Auberjonois, *Clown et petite écuyère*, 1946, huile sur toile, 81×54 cm, collection particulière.

Les deux amis soutiennent des positions très comparables sur l'art et sur la vie. Ils ont en commun une forme de féodalisme rattaché à la terre, «la bonne terre»[17], prônent le retour au métier. «J'ai peut-être apporté parmi mes confrères un certain goût du *métier* – ce que le Poussin appelait de la délectation.»[18] Ils partagent la même admiration pour Poussin qu'ils ont l'un et l'autre copié au Louvre, la même admiration pour Courbet. L'ombre du peintre d'Ornans plane sur le dessin *Les Pensionnaires*, qui montre deux adolescentes livrées aux saphiques appétits de leur emprisonnement (fig. 3).

Fig. 3: René Auberjonois, *Les Pensionnaires*, vers 1945, mine de plomb, localisation inconnue.

Auberjonois entremêle les citations des *Demoiselles du bord de Seine* et du très scandaleux *Sommeil* – Paul Vallotton vient de défrayer la chronique lausannoise en exposant le chef-d'œuvre de Courbet dans sa galerie. Pendant la guerre, Jouve, avec qui Balthus est très lié, a fait paraître en Suisse un article dans lequel il affirme: «Courbet peint non seulement l'objet féminin, mais son intimité qu'assiège l'idée majeure de la privation.»[19] – Voir les variations plus tardives imaginées par Balthus en son pensionnat de la Villa Médicis à Rome (cat. 136-137).

On peut aller plus loin. Dans *Le Lever du paysan* de 1945 – Balthus connaît bien ce tableau, publié dans *Labyrinthe* en 1946 – ou dans son *Clown et petite écuyère* de 1946 (fig. 4), Auberjonois met en place un

Fig. 5: René Auberjonois, *Jeune femme au lit*, vers 1930, huile sur toile, 34×37,3 cm, collection particulière.

[15] Lettre de René Auberjonois à son fils Fernand, 10 janvier 1946, dans *René Auberjonois 1872-1957. Lettres et souvenirs*, Fernand Auberjonois (éd.), Lausanne, Etudes de Lettres, 1972, p. 40.

[16] Lettre de René Auberjonois à Gustave Roud, Lausanne, 3 mars 1946, dans Auberjonois 1999, p. 353. Voir également les lettres de René Auberjonois à son fils Fernand, 10 janvier et 8 mars 1946, dans *René Auberjonois, op. cit.*, 1972, pp. 40-41.

[17] Lettre de Balthus à Antoinette de Watteville, Paris, 1er janvier 1934, dans Balthus 2001, p. 152.

[18] Lettre de René Auberjonois à Daniel Simond, Lausanne, 28 mars 1928, dans Auberjonois 1999, p. 127.

[19] Pierre Jean Jouve, «Un tableau de Courbet», *Suisse contemporaine*, III/7, juillet 1943, p. 597.

[20] René Auberjonois, dans Paul Budry, *René Auberjonois: Dessins accompagnés d'un commentaire de Paul Budry*, Lausanne, Mermod, 1932, p. 7.

dispositif qui n'est pas sans annoncer le mystère Balthus: une jeune fille prépubère, dans une pose arrogante, défie le regard du spectateur. La *Jeune fille endormie* (cat. 46) peinte à Fribourg en 1943 semble s'inspirer, pour la composition, la couleur sourde et jusqu'à la profondeur du sommeil, de la *Jeune femme au lit* d'Auberjonois (fig. 5): «On travaille mieux sur l'endormi, comme le praticien sur le narcosé. Il n'y a plus ce rapport avec le regard, qui gêne. On touche de plus près, on charcute. Vos fautes de dessin font moins mal au modèle.»[20]

Le matou gentleman et le roi des chats

«[Il] importe d'avoir un contrôle de chaque instant, et, à la moindre avance, répondre instantanément par une contre-attaque, exactement comme un chat se défend, mais pas un chat qui se sauve, un de ces grands chats à l'âme noble qu'on voit se retourner et tenir tête, et qui n'a même pas à donner un coup de patte pour obtenir le respect qui lui est dû. L'autre en convient et se retire. Ce terrible regard qui est comme deux lunes jaunes ardentes a suffi. C'est que ce n'est pas en vain ce que je dis là qu'Auberjonois est exactement comme un chat. Le chat est propre: il est propre; sec: il est sec; grandiose: il est grandiose; sobre: il est sobre; gris: il est gris; tigré: il est tigré; net: personne n'a jamais été plus net. En un mot qui résume tout, Auberjonois réalise le parfait matou gentleman. Ses cils et ses sourcils, comme ceux du chat, sont volumineux et grondants.»[21] Dans le numéro de *Formes et couleurs* où elle a été publiée en 1942, la description de Cingria était illustrée quelques pages plus loin du magistral autoportrait de 1936, l'un des plus félins sûrement du peintre. Cingria s'y connaît plutôt bien en chats, s'apprêtant à publier en octobre 1945 ses *Carnets du chat sauvage* dans *Labyrinthe* – même numéro que l'article d'Edouard Muller sur Balthus. Il avait été portraituré avec son chat par Auberjonois en 1930; c'est environné de chats que, en 1948, son profil est immortalisé par Balthus sur une nappe en papier du Catalan, restaurant parisien où l'artiste aime retrouver ses amis.[22] Et dans les mêmes années, le même Balthus a réalisé l'un des plus beaux portraits de l'écrivain (fig. 6).[23]

Fig. 6: Balthus, *Portrait de Charles-Albert Cingria*, 1946-1947, plume et encre de Chine, localisation inconnue.

Cingria et Balthus se fréquentent depuis le début des années trente au moins. Ensemble, ils ont pratiqué l'«entretien-promenade au Luxembourg», tant et si bien qu'en juillet 1934 déjà, Cingria était en mesure de fournir à Paulhan «un article de 8 pages que j'intitulerai *L'Amour de la Suisse* où il est question de l'aversion ou d'un loyalisme au pittoresque et d'une foule de choses. Aussi de Berne dans l'idée grandie et lyrique qui a pris corps dans nos entretiens-promenades au Luxembourg avec Balthus Klossowski? J'avais ce projet depuis longtemps.»[24]

Une année après son éblouissant portrait d'Auberjonois, Cingria intrigue auprès du même éditeur pour obtenir Balthus: «Buchet[25] m'a dit que c'était Budry qui devait faire l'article Balthus, mais qu'il y avait renoncé.

[21] Charles-Albert Cingria, «Vivre et peindre», *Formes et couleurs*, 4: *Auberjonois*, octobre 1942, non paginé.

[22] Clair-Monnier Cr 1752.

[23] Ce dessin peu connu (pas dans Clair-Monnier) a été publié en 1971 par Rainer Michael Mason (*La Revue de Belles-Lettres*, 2, 1971, p. 59) qui me l'a aimablement signalé. Par rapprochement avec la couverture de Balthus pour la Petite collection Balzac (*Les Marana – Vengeance d'artiste*, Genève, Editions Albert Skira, Petite collection Balzac XI, 1947), je suggère une datation vers 1946-1947 de ce dessin.

[24] Cingria, *CG*, IV, p. 91. Initialement publié sous le titre «Voyage non sentimental» dans la *Feuille centrale de Zofingue* en 1935, l'article devient *Le Pays «agréable»* dans les *Œuvres complètes*, IV, pp. 150-161.

[25] Le peintre vaudois Gustave Buchet (Etoy 1888 - Lausanne 1963).

Donc moi je suis toujours là. D'autant plus que j'ai Balthus qui me remettra à moi seulement de superbes photographies. Je viens te voir peut-être demain.»[26] L'article, malheureusement, ne dépassera jamais le stade des intentions.

Cingria a-t-il fréquenté les deux peintres séparément? Sous sa plume, ils ne pouvaient que se rencontrer, comme les deux expressions d'une même félinité. Dans le post-scriptum d'une lettre à Margherita Caetani en 1950: «Il est trois heures du matin, je me couche. Amitiés à Balthus», et quatre lignes plus bas: «Je pense à Auberjonois. Ce qu'il y a de notable chez lui c'est que c'est un homme racé qui fait de la peinture racée. Cette rencontre est très rare. Ordinairement les racés font de la peinture crapuleuse et les crapuleux une inattendue grande peinture noble.»[27]

N'ayant pas eu la chance d'Auberjonois, Balthus se chargera lui-même de son portrait en chat, à la fin des années quarante. L'*Autoportrait* de 1949 (cat. 57) reprend les traits du chat des *Poissons rouges* (cat. 52) et du *Chat de la Méditerranée* (cat. 54), qui n'ignorent pas que la nature «leur a fait un avantage qui réussit toujours chez les hommes; c'est d'avoir ce qu'on appelle une physionomie».[28] Balthus s'approprie sans scrupule la forme du visage, le nez, les orbites ocre-rouge, l'expression ironique, «l'ensemble de leurs traits, qui porte un caractère de finesse & d'hilarité».[29]

«Gommer jusqu'au fin du fin»

Avec le XXe siècle apparaît la gomme. Chez les artistes, le petit bloc de caoutchouc ne s'impose pas immédiatement comme moyen graphique. Il est l'aveu d'une faiblesse, d'un défaut de virtuosité et, comme tel, proscrit. L'artiste pouvait honorablement avouer des hésitations – c'était le thème de la très belle exposition de Françoise Viatte, *Repentirs*, en 1991 au Louvre. Mais les erreurs?

Il faudrait écrire une histoire de la gomme, rappeler ses hauts faits (la radicale entreprise de Rauschenberg en 1953, qui efface un dessin de De Kooning), ses héros (Matisse qui gomme tant et plus pour cerner l'idée, Giacometti qui réduit la forme et ouvre les lignes).

Le dessin allie désormais le cristal de carbone et le caoutchouc, un minerai et une sève, deux principes antinomiques qui donneront lieu tantôt à un combat acharné, tantôt à un jeu sadique, celui de la pointe de graphite et de la tendresse du latex. L'érosion en douceur ou la saignée blanche. Parfois, la gomme joue le rôle de l'estompe, très usitée depuis le XVIIIe siècle (jusqu'à Degas et Matisse), qui brouille les contours et noie les ombres.

«Pourtant, peu à peu, l'image du juge sortit de parmi les lignes frottées à la gomme, et le gris du fond.»[30] Ecrite en 1911, cette phrase – la première, dans la littérature francophone, où la gomme ait une fonction artistique? – appartient à C. F. Ramuz. Comme par hasard, elle est tirée du roman *Aimé Pache, peintre vaudois*, dont la dédicace à René Auberjonois ne laisse aucun doute sur l'identité du modèle.

Il n'est pas surprenant que la gomme rencontre son premier et le plus chaud partisan chez un artiste qui, «petit-fils d'Ingres» – Auberjonois est issu du cours de Luc-Olivier Merson, lui-même élève d'Ingres –, se méfie des séductions de la ligne et déclare la guerre aux démons de la virtuosité. La gomme, entre ses doigts, brillera comme l'arme absolue et ses dessins proclameront à force de latex l'improbité de l'art. Pas un trait qui ne soit aussitôt tempéré, corrigé, pas une affirmation qui ne soit bien vite relativisée. René Auberjonois s'est lui-même très clairement exprimé sur sa manière de dessiner: «Les beaux dessins, Signorelli, vous présentent de belles carcasses à peinture. Ils n'esquivent rien, ni les emmanchements, ni les volumes. Tout est là, puisque tout doit se retrouver dans la peinture. Ils éclatent de savoir et de force, c'est du concentré de tableau. Les miens, pour la plupart je serais embarrassé de les peindre. Ils perdent de vue les fins pour lesquelles ils ont demandé de naître, qui est de peindre.» Et d'enchaîner: «Ça devient facilement une manie de raffiner sur le gris, gris-blanc, blanc, de gommer jusqu'au fin du fin. On vide et l'on s'y vide.»[31]

«Gommer jusqu'au fin du fin», la gomme, qui ne se réduit pas à une victoire sur les certitudes d'écoles, invite à la recherche d'une beauté nouvelle, d'une matière fragile et tremblée, d'une douceur, d'un affinement. Dans la monographie qu'il consacre au dessin d'Auberjonois en 1932, Paul Budry précise: «Auberjonois poursuit, la gomme aux doigts, une fuyante image, si légère que ces minces effleurements de graphite la surchargent encore, si farouche qu'une caresse un peu vive la ferait évanouir, si essentielle qu'elle finirait par se sustenter de rien, de la seule pesée des yeux sur le papier. En sorte qu'au terme de l'opération, qu'on craint toujours de voir solder par un coup

[26] Lettre de Charles-Albert Cingria à André Held, 5 octobre 1943, dans Cingria, *CG*, V, p. 164.

[27] Charles-Albert Cingria, «Six petites lettres», *Cahiers de la Pléiade*, 9, printemps 1950, p. 76.

[28] François Augustin Paradis de Moncrif, *L'Histoire des Chats* (1727), dans *Œuvres de Moncrif, nouvelle édition augmentée de L'Histoire des Chats*, Paris, chez Maradan, 1791, 2 vol., II, p. 475.

[29] *Ibid.* Au sujet de l'hilarité du *Chat de la Méditerranée*, cf. Radrizzani 2006, p. 10.

[30] C. F. Ramuz, *Aimé Pache, peintre vaudois*, Lausanne, Payot, [1911], p. 60.

[31] Paul Budry, *op. cit.*, 1932, p. 14.

de gomme final, ses dessins se tiennent là, dans leur page un peu salie par l'aventure, comme un givre à la vitre entre l'en deça et l'au delà.»[32] Avant de trouver la formule chimique: «Si l'on considère la cellule de son dessin, vous tenez une combinaison plutôt irrésolue de trait, de gomme et d'estompe, le trait traîne après lui des ombres d'enveloppe.»[33]

Réalisée par Balthus à Fribourg en 1943, l'*Etude pour «La Patience»* (cat. 99) suscite la comparaison avec Auberjonois, dont elle est proche stylistiquement et topographiquement. On songe à l'*Ecuyère* (fig. 7) pour le trait appuyé, l'effet de *sinopia* cher aux deux artistes, le travail de la gomme qui rend moelleuses les formes, blonde la lumière.

Fig. 7: René Auberjonois, *Ecuyère*, vers 1940, mine de plomb, 37,9×23,8 cm, Lausanne, Musée cantonal des Beaux-Arts.

Le crayon d'une main, la gomme de l'autre

Jean Clair a révélé les troublantes analogies entre *Le Cheval de cirque* de Bonnard de 1934-1946 et *Le Spahi et son cheval* de Balthus (cat. 55) – réalisé en 1949 en soumettant à la leçon de Bonnard une idée surgie vingt ans plus tôt dans un carnet du Maroc.[34] En 1952, Balthus illustre *Langue* de Jouve avec une lithographie (cat. 128 et 129) qui découle de la façon la plus ouverte du *Parallèlement* de Bonnard. L'année suivante, une copie à l'aquarelle du *Port de Trouville* confirme une phase bonnardienne.[35] La conjonction de l'aquarelle et du *Spahi* trouve son explication la plus vraisemblable dans *Couleur de Bonnard*, le numéro de *Verve* paru au lendemain de la mort de Bonnard en 1947, qui contient les deux sujets revisités par Balthus.

De 1947 encore, l'*Etude pour «La Partie de cartes»* (cat. 115), où l'on pense discerner d'abord une influence giacomettienne, est en réalité plus près de Bonnard, comme il ressort d'un rapprochement avec la *Jeune femme dressant la table*, datée aux alentours de 1925 (fig. 8). Trouant l'entrelacs de graphite, les zébrures de la gomme donnent saillie à la figure découpée en contre-jour dans la pièce inondée de soleil. Contrariant l'opinion courante qui veut qu'il se passe de la gomme, Bonnard en fait des orgies. Traquant, gomme aux doigts, les effets de lumière, il ne cesse de se réapprovisionner en gommes, craint d'en manquer. Dans les carnets du peintre où les réflexions sur le métier sont plus rares que les listes de commissions, la gomme fait de fréquentes incursions. Jusqu'à cette annotation gourmande en date du 2 octobre 1931: «gomme, crayon, pain d'épices»[36], où l'on se plaît à penser que la gomme du dessinateur a commandé celle du pâtissier, la gomme arabique dont le pain d'épice est traditionnellement recouvert. Quittant le chevalet pour la table à dessin, la célèbre formule de Bonnard, «le pinceau d'une main, le chiffon de l'autre», devient, en toute logique: «le crayon d'une main, la gomme de l'autre».

[32] *Ibid.*, p. 12.
[33] *Ibid.*, p. 16.

[34] Cf. Jean Clair, dans Clair-Monnier, p. 10.
[35] Jean Clair, cité par Virginie Monnier dans Clair 2001, pp. 332-333.
[36] Clair 1984a, p. 185. Voir aussi pp. 193 et 202.

Fig. 8: Pierre Bonnard, *Jeune femme dressant la table*, vers 1925, crayon sur papier, 50×32 cm, collection particulière.

Un vide actif qui ronge

«Balthus peut dessiner, moi je ne peux pas dessiner.»[37] Alberto Giacometti (fig. 9) a eu très tôt besoin de la gomme. Il se souvient de cette scène fondamentale, qui se déroulait dans l'atelier de son père et où déjà la gomme joue un rôle essentiel: «Les poires devenaient toujours minuscules. Je recommençais, elles redevenaient toujours exactement de la même taille. Mon père, agacé, a dit: ‹Mais commence à les faire comme elles sont, comme tu les vois!› Et il les a corrigées. J'ai essayé de les faire comme ça et puis, malgré moi, j'ai gommé, j'ai gommé et elles sont redevenues une demi-heure après, exactement au millimètre, de la même taille que les premières.»[38]

Giacometti est un modeleur. La gomme lui permet d'envisager le dessin comme un modelage. Giacometti ajoute, il retranche. La gomme évoque l'empreinte directe d'un pouce, transforme le médium entier en belle endormie, *on touche de plus près, on charcute.*

S'insinuant partout dans le dessin de l'artiste, la gomme traduit cette sensation qu'il a décrite dans *Labyrinthe* en 1945, «sensation que j'ai éprouvée souvent devant des êtres vivants, devant des têtes humaines surtout, le sentiment d'un espace-atmosphère qui

Fig. 9: Alberto Giacometti, *Hommage à Balzac*, 1946, crayon sur papier, 45,4×30,5 cm, Norwich, Université d'East Anglia, collection Robert et Lisa Sainsbury.

[37] «Je suis d'un arrivisme féroce» (interview d'Eberhard W. Kornfeld par Christoph Doswald), dans Toni Stooss, Patrick Elliott et Christoph Doswald (éd.), *Alberto Giacometti 1901-1966*, Ostfildern-Ruit, Verlag Gerd Hatje, 1996, p. 369. Voir aussi David Sylvester, *En regardant Giacometti* (*Looking at Giacometti*, 1994), J. Frémon trad., Marseille, André Dimanche Editeur, 2001, p. 152.

[38] Alberto Giacometti, *Ecrits*, Paris, Hermann, 1990, p. 289.

entoure immédiatement les êtres, les pénètre, est déjà l'être lui-même».[39] La gomme devient dans Giacometti un principe comparable à celui que Jacques Dupin identifie, parlant des sculptures, comme le vide actif qui ronge la forme.[40] Elle «ouvre des brèches dans le réseau des lignes pour la circulation du vide et la pénétration de l'air».[41]

Balthus et Giacometti sont les meilleurs amis du monde. Souvent en violent désaccord pour le pur plaisir de la controverse, ils ont de vives discussions sur des sujets les plus futiles possible. Un soir, c'est la représentation du tape-tapis qui est au cœur de la dispute.[42] J'imagine assez que Balthus y soutient l'importance des lignes et Giacometti celle des vides.

En réponse à Pierre Matisse qui, en 1956, lui demande une préface sur Balthus, Giacometti soupire: «Vous me demandez d'écrire un texte pour le catalogue de Balthus mais cela m'est totalement impossible en ce moment. [...] Je ne vois pas aujourd'hui une peinture de Rembrandt comme je la voyais hier ni d'aucun autre, tout cela fait que je n'ai plus aucune idée arrêtée sur aucune peinture, que je ne sais pas ce que j'en pense et qu'il m'est totalement impossible de dire quoi que ça *(sic)* soit sur la peinture de Balthus comme il me serait impossible pour Miró ou Picasso ou Buffet ou Hélion ou Dubuffet ou Mondrian ou Riopelle ou tous les autres.»[43]

En 1975, année où Balthus se souvient de son ami disparu dans un petit texte hommage, son dessin subit très nettement l'influence du sculpteur, dans l'*Etude pour «La Séance de pose»* ou les *Etudes pour «Nu au foulard»* (fig. 10), qui imitent le trait, mais aussi la gomme d'Alberto.

Fig. 10: Balthus, *Etude pour «Nu au foulard»*, 1975, crayon, 57×61 cm, Lausanne, Galerie Alice Pauli.

Ils sont, dans la première moitié du XXe siècle, quatre chevaliers de la gomme, dont le seul Balthus fait le lien avec les trois autres. Rejoignant les instruments traditionnels du dessin et dépendant, comme eux, de qui s'en sert, la gomme ne dit pas la même chose chez Auberjonois et Bonnard, Giacometti ou Balthus. Elle a sûrement à voir avec la lumière chez Bonnard et le vide chez Giacometti, avec une pudeur chez Auberjonois. Chez Balthus? En combinant la pointe acérée du graphite et la douceur veloutée du latex, Balthus réunit la griffe et le coussinet. Comme les chats.

D. R.

[39] Alberto Giacometti, «Henri Laurens», *Labyrinthe*, 15 janvier 1945, p. 3.

[40] Jacques Dupin, «La réalité impossible», dans Jacques Dupin et Michel Leiris, *Alberto Giacometti*, Paris, Maeght Editeur, 1978, p. 38.

[41] *Ivi.*

[42] L'anecdote m'a été rapportée en janvier 2002 par Bruno et Odette Giacometti, qui avaient assisté à la discussion.

[43] Lettre d'Alberto Giacometti à Pierre Matisse, automne 1956, dans Russell 1999, p. 327.

Dessins

85
Autoportrait
1924
Crayon et fusain
31 × 20,5 cm
Collection particulière

86
Etude de nu masculin
1925
Crayon
48,5×31,6 cm
Collection particulière

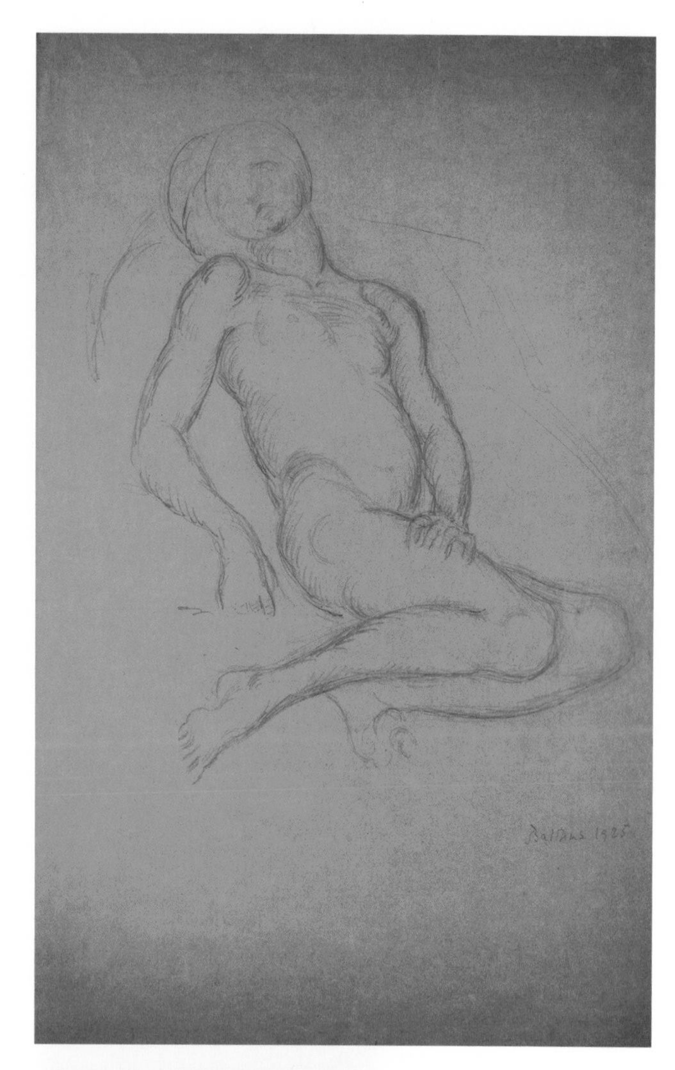

87
Etude de nu masculin
1925
Recto et verso
Crayon
48,5×31,6 cm
Collection particulière

88
Etude pour **L'Ange quittant Tobie**
1927
Encre de Chine sur papier kraft
37,9×26,1 cm
Vevey, Musée Jenisch Vevey

89
Spahi buvant
1931
Encre de Chine
21,7×17,5 cm
Collection particulière

90
Six personnages en costume espagnol
1931
Encre de Chine
20×25,5 cm
Collection Stanislas Klossowski de Rola

91
Le Nain
1928
Lithographie
en trois passages
sur Arches
57×38 cm
Reproduction
lithographique
(années soixante)
d'un dessin de 1928
Exemplaire 6/200
Collection particulière

92
Etude d'Heathcliff assis
1934
(en vue d'une illustration inédite pour *Les Hauts de Hurle-Vent*)
Crayon
22×17,6 cm
Suisse, collection particulière

93
Portrait d'Antoinette
1942
Crayon
26 × 20 cm
Collection Stanislas Klossowski de Rola

94
Portrait d'enfant (d'après Géricault)
1938
Crayon (double face)
17,4×25 cm
Berne, Kunstmuseum,
Dauerleihgabe, Inv. Nr. Lg 2179

95 ▷
Portrait d'Antoinette
1943
Crayon
82,5×75 cm
Genève,
collection Jean Bonna

96
Portrait d'Antoinette
1942
Crayon
14×10 cm
Collection Stanislas Klossowski de Rola

97
Autoportrait
1943
Fusain
63×45,7 cm
Vevey, Musée Jenisch Vevey, dépôt de la Fondation Balthus

98
Etude pour **La Patience**
1943
Crayon
25×33 cm
Collection Stanislas Klossowski de Rola

99
Etude pour **La Patience**
1943
Crayon gras
32,8×25 cm
Collection Stanislas Klossowski de Rola

102 ▷
Paysage d'hiver
(étude pour **Le Gottéron**)
1943
Crayon, crayon gras
et rehauts de blanc
sur papier foncé
32,8×32 cm
Collection Stanislas Klossowski de Rola

100
Etude pour **Le Gottéron**
1943
Encre de Chine *(recto)*, aquarelle *(verso)*
29,6×21 cm
Collection Stanislas Klossowski de Rola

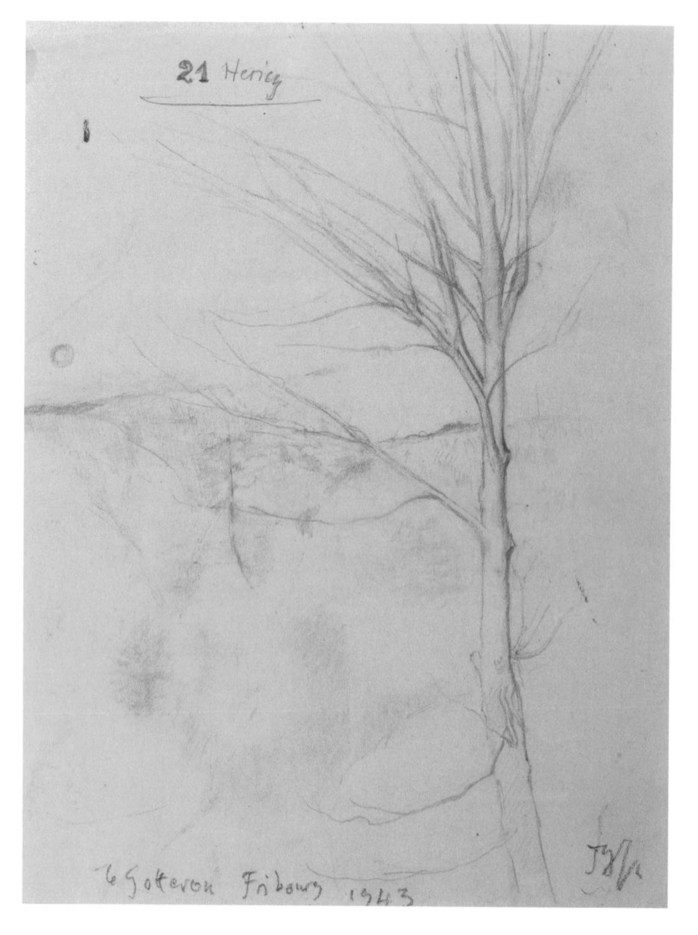

101
Etude d'arbre pour **Le Gottéron**
1943
Crayon
32,8×25 cm
Collection Stanislas Klossowski de Rola

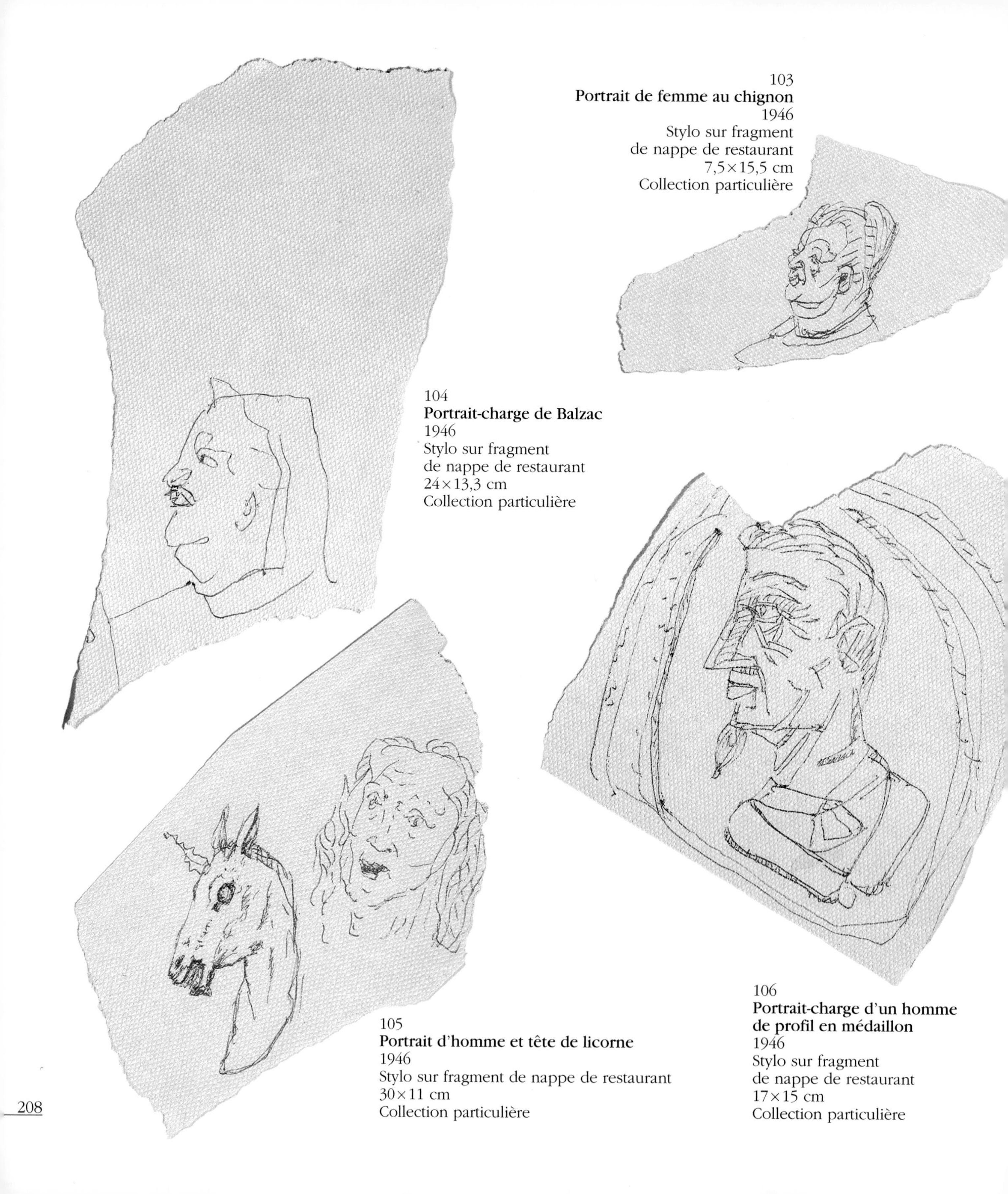

103
Portrait de femme au chignon
1946
Stylo sur fragment
de nappe de restaurant
7,5×15,5 cm
Collection particulière

104
Portrait-charge de Balzac
1946
Stylo sur fragment
de nappe de restaurant
24×13,3 cm
Collection particulière

105
Portrait d'homme et tête de licorne
1946
Stylo sur fragment de nappe de restaurant
30×11 cm
Collection particulière

106
Portrait-charge d'un homme de profil en médaillon
1946
Stylo sur fragment
de nappe de restaurant
17×15 cm
Collection particulière

107
Deux personnages grotesques et un autre personnage
1946
Crayon sur carte (publicité Golay Sons & Stahl),
au verso du menu d'un repas donné le 23 février 1946
à l'Hôtel Richemond à Genève
17,1×11,5 cm
Collection particulière

108
Caricature de femme le buste dénudé;
deux portraits d'homme de profil;
portrait de Rosabianca Skira de profil
1946
Au verso, non reproduits: **Deux hérissons féminisés**
Crayon sur fragment de nappe de restaurant
36×27,5 cm
Collection particulière

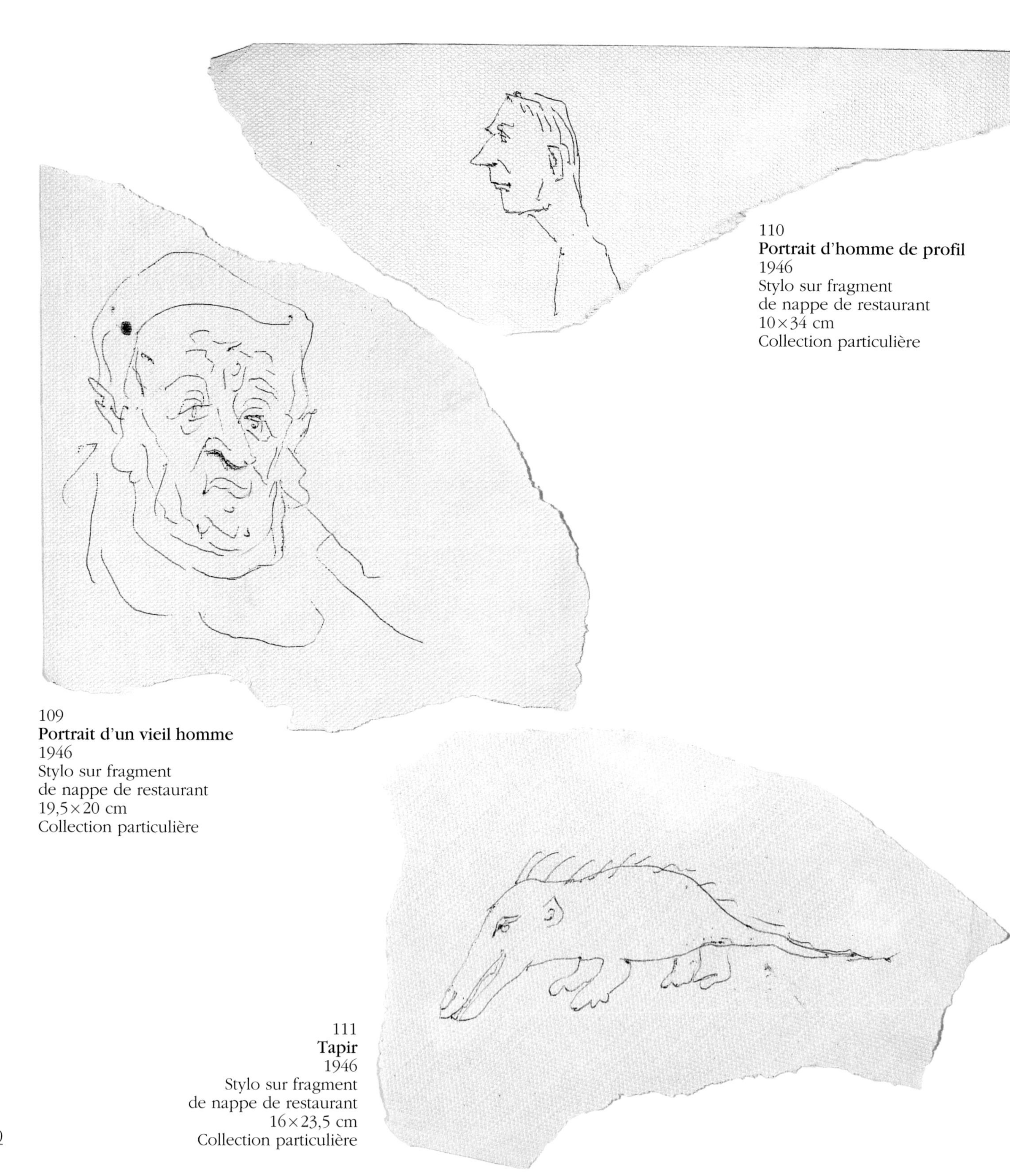

110
Portrait d'homme de profil
1946
Stylo sur fragment
de nappe de restaurant
10×34 cm
Collection particulière

109
Portrait d'un vieil homme
1946
Stylo sur fragment
de nappe de restaurant
19,5×20 cm
Collection particulière

111
Tapir
1946
Stylo sur fragment
de nappe de restaurant
16×23,5 cm
Collection particulière

112
Coq de profil
1946
Stylo sur fragment
de nappe de restaurant
30×23 cm
Collection particulière

113
Tête d'enfant
1946
Stylo sur fragment
de nappe de restaurant
15×13 cm
Collection particulière

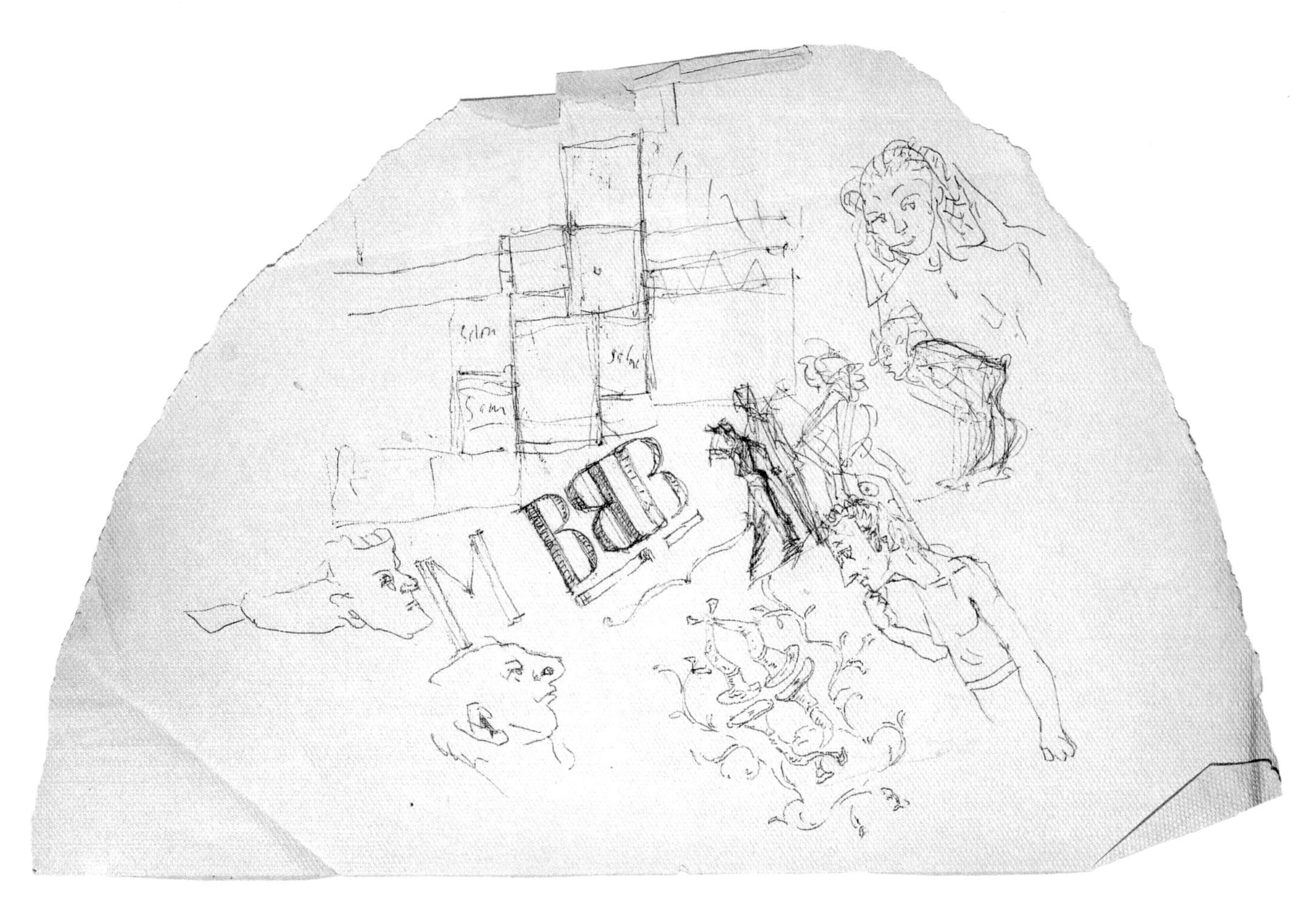

114
Caricatures diverses, calligraphies, plan
1946
Stylo sur fragment de nappe de restaurant
27×42 cm
Collection particulière

115
Etude pour
La Partie de cartes
1947
Crayon sur papier
56×42 cm
Lausanne,
Galerie Alice Pauli

116
Diverses esquisses
1948
Verso de cat. 53
Encre de Chine
27×21 cm
Genève, collection Jean Bonna

117
Etude pour **Femme couchée**
1948
Fusain et crayon
42×57 cm
Pully, collection particulière

118
Pierre Jean Jouve et «l'enjambement»
1948-1949
Crayon sur fragment de nappe du Restaurant Le Catalan
21,5 × 17 cm
Londres, collection particulière

119-123
Illustrations caricaturales de «l'enjambement» de Pierre Jean Jouve
Non reproduites

124. **Sans titre**
Non reproduit

125
Jeune fille assise
1949
Crayon
30,5×42 cm
Collection particulière

126
Tireurs de langue
vers 1950
Recto et verso
Plume
16×21 cm
Collection
Stanislas Klossowski de Rola

127
Portrait
Alberto Giacometti
vers 1950
Crayon
sur papier quadrillé
21×16,5 cm
ollection particulière

128
Langue, poème
de Pierre Jean Jouve
Trois illustrations par
Balthus, André Masson
et Josef Sima
68 pages; 36 cm
Paris, L'Arche, 1952
Londres, collection
particulière

129
Deux études de nu
pour **Langue**
1951-1952
Aquarelle
31,5×24,5 cm
Suisse, collection
particulière

130
Trois arbres
(Paysage de Fleur d'eau)
1953
Encre de Chine et lavis
14,5×23 cm
Collection
Stanislas Klossowski de Rola

131
Paysage de Fleur d'eau
1953
Encre de Chine et lavis
12×17 cm
Collection
Stanislas Klossowski de Rola

132
Portrait d'une jeune Japonaise
1962
Crayon
25×19 cm
Collection particulière

133
Idée pour **La Chambre turque**
1963
Aquarelle, encre et crayon
22,9×28,9 cm
Collection particulière

134
Etude pour **Japonaise à la table rouge**
1964
Crayon
49×69 cm
Martigny, Collection Fondation Pierre Gianadda

135
Portrait de Jacqueline Sassard
1967
Crayon
sur papier quadrillé
42×30 cm
Collection particulière

13
Deux dormeuse
196
Crayo
sur papier quadrill
19×50 cn
Collectio
particulière
courtes
Catherine Duret
Genèv

136
Deux dormeuses
1967
Crayon
23×31,5 cm
Collection particulière

138
Katia endormie
1969-1970
Crayon
35,5×38 cm
Lausanne, Galerie Alice Pauli

139
Katia endormie
1969-1970
Crayon et fusain
70×50 cm
Pays-Bas,
The Triton Foundation

140
Etude de jambes pour **Katia lisant**
1968-1970
Crayon
48×36 cm
Collection particulière

141
Etude pour **Katia lisant**
1968
Crayon
26,5×36 cm
Collection particulière

142
Etude pour **Katia lisant**
1968
Encre de Chine
et crayon
19,5×22,5 cm
Collection particulière

143
Nature morte au panier
1970
Aquarelle
73×60 cm
Suisse, collection particulière

144
Etude pour **Nu assoupi**
1969
Crayon
72×50 cm
Londres, collection particulière

145
Neuf dessins pour amuser Harumi
(d'après *Alice au pays des merveilles*)
1976-1977
Crayon, crayon feutre et crayons de couleur
45×56 cm
Collection particulière

146
La Séance de pose
1975
Crayon
35×48 cm
Collection Stanislas Klossowski de Rola

147
Paysage de Rossinière
1980
Crayon et aquarelle
42×32,4 cm
Collection Stanislas Klossowski de Rola

148
Paysage de Rossinière
1980
Crayon et fusain
52×39 cm
Collection particulière

149
Paysage de Rossinière
1977-1980
Crayon et aquarelle
50×65,5 cm
Collection particulière

154
Balthus et son équipe pour le décor de *Così fan tutte*, Aix-en-Provence, 1950
Photographie d'Alfio di Bella (recadrée)
dédicacée par Balthus
à Albert Skira
Collection particulière

Chronologie

établie à partir de celle conçue par Virginie Monnier
pour le *Catalogue raisonné*

Balthazar Klossowski, dit Balthus, naît le 29 février 1908 à Paris. Il est le second fils d'Erich Klossowski (1875-1946), peintre et historien de l'art, et d'Elizabeth Dorothea Spiro (1886-1969), dite Baladine. Son frère aîné est l'écrivain et dessinateur Pierre Klossowski (1905-2001). Etablis dans le quartier de Montparnasse depuis 1903, Erich et Dorothea sont liés avec René Auberjonois, Pierre Bonnard, Julius Meier-Graefe, Théophile Alexandre Steinlen, Wilhelm Uhde, Rainer Maria Rilke.

1914

De nationalité allemande, la famille est contrainte de quitter la France. Après avoir été recueillie par le professeur Jean Strohl à Zurich, elle s'établit à Berlin, où Erich Klossowski crée en 1916 les décors et les costumes du Lessingtheater.

1917

Le couple Klossowski se sépare. Mère et enfants s'installent quelques mois à Berne avant de se fixer en novembre à Genève.

1919

Début de la liaison entre Baladine et Rilke. Balthus est inscrit au Lycée Calvin. Réalisation de *Mitsou*. Eté à Beatenberg, où il rencontre l'artiste Margrit Bay dont il sera l'assistant de 1917 à 1922.

1920

Se passionne pour la culture chinoise et illustre pour Rilke des épisodes de la vie du sage taoïste Chuang-tzu, invente un roman chinois.

1921

Publication de *Mitsou* avec une préface de Rilke. Au printemps, Baladine se réinstalle avec ses fils à Berlin, chez son frère, le peintre Eugen Spiro. Eté à Muzot avec Rilke.

1922

Réalise les décors pour une pièce chinoise qu'il propose sans succès au Staatstheater de Munich. Eté à Beatenberg, automne à Muzot, sans Rilke. En hiver, la famille se retrouve à Berlin.

1923

En mai, Baladine et Balthus quittent définitivement Berlin pour Beatenberg. Pierre s'établit à Paris.

1924

Printemps à Paris. Fréquente en élève libre la Grande Chaumière. Montre ses dessins à Bonnard et à Maurice Denis, qui lui conseillent de copier les Poussin au Louvre. Eté à Beatenberg, où il fait la connaissance d'Antoinette de Watteville, alors âgée de 12 ans.

1925

Voyage avec sa mère à Toulon, où il peint le *Paysage provençal*. Retour à Paris, où il copie le *Narcisse* de Poussin qu'il enverra à Rilke et réalise une première série de vues du jardin du Luxembourg.

1926

Grâce au mécénat du professeur Jean Strohl, passe l'été en Italie, où, à Arezzo et Borgo San Sepolcro, il copie les fresques de Piero della Francesca et, à Florence, Masaccio-Masolino. Automne à Beatenberg. Rilke meurt le 29 décembre.

1927

Réalise, durant le printemps, la décoration du temple protestant de Beatenberg et projette un grand tableau inspiré de l'histoire de Tobie. A Paris, en automne, commence les scènes de rue et refait des vues du jardin du Luxembourg.

1928

Séjourne de février à septembre à Zurich, tombe amoureux d'Antoinette.

1929

A Berlin en avril. De septembre à octobre, la Galerie Förter de Zurich organise une exposition où, à côté d'œuvres de Toni Ciolino et de lithographies de Gregor Rabinovitch, sont présentés une dizaine de tableaux de Balthus, sa première exposition.

1930

Passe plusieurs semaines en été avec les de Watteville. *La Joueuse de diabolo*. S'éprend d'Antoinette, dont il fait le premier portrait. Dès octobre, service militaire au Maroc, d'abord à Kenitra puis à Fès, jusqu'en décembre 1931.

1932

Après un séjour chez Strohl, se rend à Beatenberg puis à Berne, où, installé de mai à octobre chez les de Watteville, il réalise une série de copies d'après les *Trachtenbilder* du Lucernois Josef Reinhard (1749-1824) au Musée historique et *Portrait de jeune fille en costume d'amazone*. Rend visite à René Auberjonois à Lausanne. A l'automne, partage un appartement avec Pierre et Betty Leyris à Paris. Travaille aux illustrations des *Hauts de Hurle-Vent*.

1933

Dès mars, loue un atelier rue de Furstenberg 4. Se lie avec Jouve et Derain qui lui donne des conseils techniques. *La Rue*, *La Caserne*. Première quinzaine d'août à Muzot. En septembre, retrouve son père à Sanary. Achève *La Toilette de Cathy* en décembre. Pierre Loeb (Galerie Pierre), qu'Uhde lui a présenté, est fortement impressionné par *La Rue*. Visite d'André Breton, à la tête d'une délégation formée de Paul Eluard, Georges Hugnet et Alberto Giacometti. L'orientation naturaliste de Balthus les déçoit. Se lie avec Giacometti.

1934

Visite de Picasso. En avril, exposition à la Galerie Pierre (*Portrait de jeune fille en costume d'amazone*, *La Rue*, *La Toilette de Cathy*, *Alice*, ainsi que *La Leçon de guitare*, qui fait scandale). Se lie avec Artaud. En mai, *La Toilette de Cathy* est montrée à Bruxelles dans une exposition de la revue *Minotaure*. Séjour à Beatenberg en juin. Le mois suivant, à Paris, fait une tentative de suicide. Crée les décors et les costumes de *Comme il vous plaira* au Théâtre des Champs-Elysées. Reprend *Les Hauts de Hurle-Vent*. Passe Noël à Berne chez les de Watteville.

1935

Crée les décors et les costumes des *Cenci* d'Artaud. Publie huit de ses illustrations pour *Les Hauts de Hurle-Vent* dans *Minotaure*. Bref séjour à Londres, puis chez Jouve en Engadine. En octobre, s'installe dans l'atelier cour de Rohan. Pierre Colle lui commande le *Portrait d'André Derain*. Achève *Les Hauts de Hurle-Vent*. Ecrit un texte sur l'illustration du livre d'enfants au XIXe siècle (perdu). Réalise *Le Roi des chats* et la première étude de *La Montagne (L'Eté)*.

1936

S'attelle en janvier à *La Montagne (L'Eté)*. Ses quatorze illustrations des *Hauts de Hurle-Vent* sont exposées à Londres. Y séjourne en avril. Accompagne Jouve à Soglio (Engadine) en août. Retourne à Londres en automne.

1937

Epouse Antoinette de Watteville le 2 avril. *Les Enfants Blanchard*, *La Jupe blanche*. Achève *La Montagne (L'Eté)*. L'Américain James Thrall Soby achète *La Rue*.

1938

Première exposition à la Galerie Pierre Matisse à New York. Séjour à Champrovent avec Pierre et Betty Leyris. Le *Portrait de Miró*, réalisé la même année à la demande de Pierre Loeb, entre au Museum of Modern Art de New York.

1939

Larchant. Mobilisé et envoyé en Alsace en septembre, il y est blessé et rentre à Paris en décembre.

1940

Après quelques semaines de convalescence passées à Sigriswil avec Antoinette, il la raccompagne à Berne et retourne à Paris se faire démobiliser. S'installe en juin avec Antoinette à Champrovent, où Betty Leyris est réfugiée depuis avril. *Le Cerisier*.

1941

Ayant passé mars et avril chez les de Watteville, retourne seul à Champrovent, où il peint le *Paysage de Champrovent*. En octobre, Picasso achète *Les Enfants Blanchard* à Pierre Colle. Invite Auberjonois à Berne pour Nouvel-An.

1942

Devant l'avancée des Allemands, quitte Champrovent et s'installe avec Antoinette à Berne, puis à Fribourg. Naissance de son fils Stanislas. Invite Auberjonois à Fribourg pour Nouvel-An.

1943

En novembre, la Galerie Moos de Genève lui consacre une exposition. *Jeune fille endormie*. Invite Auberjonois à Fribourg pour Nouvel-An.

1944

Naissance de son fils Thadée. En novembre, séjourne à Paris et rend visite à Picasso.

1945

S'installe à la Villa Diodati à Cologny, près de Genève, où il se lie avec l'éditeur Albert Skira, fait la connaissance d'André Malraux, retrouve Giacometti, Jean Starobinski. Prépare l'exposition *L'Ecole de Paris*, qui aura lieu au printemps 1946. Séjourne à Paris.

1946

Achève *Les Beaux Jours*. Vernissage à la Kunsthalle de Berne de l'exposition conçue par Balthus, *L'Ecole de Paris*, dans laquelle il inclut ses toiles, *La Jeune Scythe* et *Nature morte*. Se sépare d'Antoinette et retourne à Paris. Exposition organisée par Henriette Gomès.

1947

Voyage d'été avec André Masson dans le sud de la France. Retrouve Picasso et fait la connaissance de

Laurence Bataille, dont il exécute plusieurs portraits. *La Chambre (I).*

1948

Peint une série de *Nus* et commence *La Partie de cartes.*

1949

Le Chat de la Méditerranée.

1950

Crée les décors et les costumes de *Così fan tutte* pour le Festival d'Aix-en-Provence. Première étude pour *Le Passage du Commerce-Saint-André.*

1951

Séjourne en Italie, invité par les Caetani. Se rend à Rome et à Sermoneta.

1952

Commence *Le Passage du Commerce-Saint-André.*

1953

Quitte Paris et s'installe, grâce à l'appui d'un groupe de collectionneurs et de marchands, au château de Chassy, dans le Morvan.

1954

Achève *La Chambre (II)* et *Le Passage du Commerce-Saint-André.* Sa nièce par alliance, Frédérique Tison, le rejoint, et restera avec lui jusqu'en 1962.

1955

Le Lever (I). En décembre, retourne à Paris pour trois mois.

1956

Exposition au Museum of Modern Art de New York. Reçoit en novembre la visite d'Alberto Giacometti et de Pierre Matisse à Chassy.

1959-1960

Crée les décors de *Jules César.*

1961

André Malraux, ministre de la Culture, le fait nommer directeur de l'Académie de France à la Villa Médicis, à Rome, dont il commence aussitôt la restauration de l'édifice.

1962

Envoyé par Malraux en mission au Japon, il y rencontre sa future femme, Setsuko Ideta, qui le suit bientôt à Rome. Se lie avec Federico Fellini.

1966

Rétrospective au Musée des Arts décoratifs, à Paris.

1967

Epouse Setsuko Ideta au Japon. Entreprend la restauration des jardins de la Villa Médicis.

1968

Naissance de son fils Fumio, qui ne vivra que deux ans. Rétrospective à la Tate Gallery de Londres. Exposition *Ingres* en février à la Villa Médicis.

1969

Commence à dessiner d'après des photographies effectuées à sa demande par Brigitte Courme (1934-1982). Exposition *Courbet* en octobre à la Villa Médicis.

1970

Premiers dessins de Montecalvello, château médiéval qu'il a acheté près de Viterbe. D'octobre à décembre, exposition *Alberto Giacometti* à la Villa Médicis.

1971-1972

En novembre 1971, exposition *Bonnard* à la Villa Médicis et, en novembre 1972, *Dessins de paysage à la Renaissance.*

1973

Naissance de sa fille Harumi. Exposition *Les Caravagesques français* en novembre à la Villa Médicis.

1976

Exposition *André Derain* en novembre à la Villa Médicis.

1977

La Toilette de Cathy est acquise par le Musée national d'Art moderne de Paris. S'installe à Rossinière, au Grand Chalet.

1979

La Rue est léguée par Soby au Museum of Modern Art de New York. *Paysage de Montecalvello (I).*

1980

Vingt-six peintures sont exposées à la Biennale de Venise.

1983-1984

Rétrospective au Musée national d'Art moderne de Paris, organisée par Jean Clair; au Metropolitan Museum of Art de New York par Sabine Rewald, et au Musée de la Ville de Kyoto. Exposition *Balthus, Giacometti, Bonnard* à la Galerie Alice Pauli de Lausanne de mai à juillet 1984.

1987-1994

Chat au miroir (II), Chat au miroir (III).

1992

Exposition à Ornans dans le Musée Maison natale Gustave Courbet.

1993

Rétrospective au Musée cantonal des Beaux-Arts de Lausanne.

1994

Exposition de dessins au Kunstmuseum de Berne.

1995

Ebauche *La Gare de Rossinière*, qu'il laisse inachevée.

1996

Rétrospective au Centro de Arte Reina Sofía, à Madrid.

Balthus, Setsuko et Harumi à Rossinière, en 1990, photographiés par Henri Cartier-Bresson.

pour Harumi
avec l'amitié d'Henri

1998

Création de la Fondation Balthus.

1999

Parution du *Catalogue raisonné* de Jean Clair et Virginie Monnier.

2001

Balthus meurt le 18 février au Grand Chalet de Rossinière. Grande rétrospective de son œuvre en automne au Palazzo Grassi de Venise.

2002

Balthus, de Piero della Francesca à Alberto Giacometti au Musée Jenisch Vevey.

2003

La Jeunesse de Balthus, première exposition de la Fondation Balthus au Grand Chalet, à Rossinière. Suivront *Henri Cartier-Bresson et Martine Franck chez Balthus* (2004); *Les Desseins de Balthus* (2005); *La Magie du paysage* (2006); *Le Mystère des chats* (2007).

2007

Balthus, Time Suspended, exposition au Museum Ludwig de Cologne.

2008

Balthus, 100e anniversaire à la Fondation Pierre Gianadda à Martigny.

Table des œuvres

1. **Mitsou, Quarante images par Baltusz**, [1919]
Préface de Rainer Maria Rilke
Rotapfel-Verlag, Zurich et Leipzig, 1921
Avec la dédicace de Balthus
13 pages + 40 feuilles de planches
19×24,7 cm
(Clair-Monnier I 1512)
Martigny, Collection Fondation
Pierre Gianadda
Repr. pp. 45-49

2. **Paysage de Muzot**, 1923
Huile sur carton, 49,5×37,5 cm
(Clair-Monnier P 1)
Collection particulière
Repr. p. 51

3. **Général chinois**, vers 1923-1924
Bois et tissu, H 38,7 cm
(Clair-Monnier S 1812)
Vevey, Musée Jenisch Vevey,
dépôt de la Fondation Balthus
Repr. p. 52

4. **Personnage chinois**, vers 1923-1924
Bois et tissu, H 37 cm
(Clair-Monnier S 1813)
Vevey, Musée Jenisch Vevey,
dépôt de la Fondation Balthus
Repr. p. 52

5. **Armoire peinte de motifs chinois**, 1924
Meuble décoré, 215×215×55 cm
(Clair-Monnier P 7)
Collection particulière
Exposé pour la première fois
Repr. pp. 53 et 54-57 (détails)

6. **Paysage provençal**, 1925
Huile sur bois, 77×51 cm
(Clair-Monnier P 9)
Troyes, Musée d'Art moderne,
donation Pierre et Denise Lévy
Repr. p. 59

7. **La Légende de la Sainte Croix: Invention et preuve de la vraie Croix**
(d'après Piero della Francesca), 1926
Huile sur carton, 45×67 cm
(Clair-Monnier P 24)
Paris, Musée d'Orsay,
collection Philippe Meyer
Repr. p. 61

8. **La Légende de la Sainte Croix: Visite de la Reine de Saba à Salomon, la reine et ses dames d'honneur**
(d'après Piero della Francesca), 1926
Huile sur carton, 68×72,5 cm
(Clair-Monnier P 22)
Lugano, Fondazione Lions Club Lugano
Inédit
Repr. p. 63

9. **Saint Pierre distribue les aumônes**
(d'après Masaccio), 1926
Huile sur carton, 59,5×54 cm
(Clair-Monnier P 26)
Collection particulière,
courtesy Blondeau Fine Art Service,
Genève
Repr. p. 65

10. **Orage au Luxembourg**, 1928
Huile sur toile, 46×55 cm
(Clair-Monnier P 38)
Suisse, collection particulière
Repr. p. 67

11. **Nature morte au chapeau bernois**, 1928
Huile sur toile, 65×81 cm
(Clair-Monnier P 45)
Collection particulière
Repr. p. 69

12. **Portrait d'Hedwig Müller**, 1928
Huile sur toile, 87×65,7 cm
(Clair-Monnier P 41)
Collection particulière
Repr. p. 71

13. **La Berge de l'île Saint-Louis**, 1929
Huile sur toile, 45,5×35,5 cm
(Clair-Monnier P 51)
Collection particulière
Repr. p. 73

14. **Le Quai Malaquais**, 1929
Huile sur toile, 43×65 cm
(Clair-Monnier P 53)
Luxembourg, collection particulière
Exposé pour la première fois
Repr. p. 75

15. **Portrait d'Adele Bay**, 1930
Huile sur toile, 73,5×60,5 cm
(pas dans Clair-Monnier)
Collection particulière
Inédit
Repr. p. 77

16. Etude pour **La Joueuse de diabolo**, 1930
Encre de Chine, 21,5×17 cm
(Clair-Monnier D 366 avec la date 1925;
cf. Radrizzani 2003, cat. 12)
Suisse, collection particulière
Repr. p. 78

17. **La Joueuse de diabolo**, 1930
Huile sur toile, 80×65 cm
(pas dans Clair-Monnier:
Radrizzani 2003, cat. 6)
Vevey, Musée Jenisch Vevey,
dépôt d'une collection particulière
Repr. p. 79

18. **Portrait de jeune fille en costume d'amazone**, 1932
Huile sur toile, 52×32 cm
(Clair-Monnier P 62)
Collection Stanislas Klossowski de Rola
Repr. p. 81

19-32. Quatorze illustrations pour **Wuthering Heights (Les Hauts de Hurle-Vent)** d'Emily Brontë, 1933-1935
Collection particulière

19. «**Tirez-lui les cheveux en passant**» (**Pull his hair when you go by**)
(ch. III, p. 38), 1933-1935
Encre de Chine, 38,5×31 cm
(Clair-Monnier I 1552)
Collection particulière
Repr. p. 83

20. «**J'ai occupé le temps à écrire pendant vingt minutes**» (**I have got the time on with writing for twenty minutes**) (ch. VI, p. 74), 1933-1935
Encre de Chine, 38,8×31 cm
(Clair-Monnier I 1553)
Collection particulière
Repr. p. 84

21. «**C'était un de leurs grands amusements de se sauver dans la lande et y rester toute la journée**» (**It was one of their chief amusements to run away to the moors and remain there all day**) (ch. VI, p. 74), 1933-1935
Encre de Chine, 36×29,4 cm
(Clair-Monnier I 1554)
Collection particulière
Repr. p. 85

22. «**Cathy et moi nous étions échappés par la buanderie pour nous promener à notre fantaisie…**» (**Cathy and I escaped from the wash-house to have a ramble of liberty…**) (ch. VI, p. 75), 1933-1935
Encre de Chine, 38,7×31 cm
(Clair-Monnier I 1558)
Collection particulière
Repr. p. 86

23. «**Nous avons couru depuis le sommet des Hauts**» (ch. VI, p. 76), 1933-1935
Encre de Chine, 39,8×31 cm
(Clair-Monnier I 1560)
Collection particulière
Repr. p. 87

24. «**Le démon l'avait saisie par la cheville…**» (**The devil had seized her ankle…**) (ch. VI, p. 78), 1933-1935
Encre de Chine, 39,8×31 cm
(Clair-Monnier I 1562)
Collection particulière
Repr. p. 88

25. «**Je voyais qu'ils étaient remplis d'une admiration stupide**» (**I saw they were full of stupid admiration**)
(ch. VI, p. 81), 1933-1935
Encre de Chine, 35,4×31 cm
(Clair-Monnier I 1564)
Collection particulière
Repr. p. 89

26. «**Tu n'avais qu'à ne pas me toucher**» (**You needn't have touched me**)
(ch. VII, p. 86), 1933-1935
Encre de Chine et crayon sur papier contrecollé sur papier, 39,4×30,9 cm
(Clair-Monnier I 1565)
Collection particulière
Repr. p. 90

27. «**Alors, pourquoi portes-tu cette robe de soie?**» (**Why have you that silk frock on, then?**) (ch. VIII, p. 107), 1933-1935
Encre de Chine et crayon, 39,8×31 cm
(Clair-Monnier I 1570)
Collection particulière
Repr. p. 91

28. «**D'un mouvement instinctif, il l'arrêta au vol**» (ch. IX, p. 116), 1933-1935
Encre de Chine, 39,8×31 cm
(Clair-Monnier I 1574)
Collection particulière
Repr. p. 92

29. «**Nelly, ne faites-vous jamais de rêves singuliers?**» (**Nelly, do you sometimes dream queer dreams?**)
(ch. IX, p. 122), 1933-1935
Encre de Chine et crayon, 39,8×31 cm
(Clair-Monnier I 1575)
Collection particulière
Repr. p. 93

30. «**Non, non, Isabelle, vous ne vous sauverez pas**» (ch. X, p. 160), 1933-1935
Encre de Chine, 31,5×26,5 cm
(Clair-Monnier I 1577)
Collection particulière
Repr. p. 94

31. «**Je vous refuserai à l'avenir l'accès de cette maison, déclara Catherine…**» (**There, you've done with coming here! said Catherine…**) (ch. XI, p. 174), 1933-1935
Encre de Chine, 35×26,9 cm
(Clair-Monnier I 1580)
Collection particulière
Repr. p. 95

32. «**Les bras de Cathy s'étaient relâchés et sa tête pendait sur son épaule**»
(ch. XV, p. 244), 1933-1935
Encre de Chine, 29,4×26,2 cm
(Clair-Monnier I 1592)
Collection particulière
Repr. p. 97

33. **Wuthering Heights**, texte d'Emily Brontë, avant-propos de Michel Surya et illustrations de Balthus [Paris]: Librairie Séguier, 1989
In-4°, [n. p.], 12 lithographies justifiées 2/50 et monogrammées par l'artiste
Vevey, Musée Jenisch Vevey, Cabinet cantonal des estampes, collection de la Ville de Vevey, legs Daniel Bornand (inv. 2007-225)
Non reproduit

34. **La Toilette de Cathy**, 1933
Huile sur toile, 165×150 cm
(Clair-Monnier P 74)
Paris, Centre Georges Pompidou, Musée national d'Art moderne / Centre de création industrielle
Repr. p. 99

35. **La Rue**, 1933
Huile sur toile, 195×240 cm
(Clair-Monnier P 73)
New York, The Museum of Modern Art, legs James Thrall Soby, 1979
Repr. pp. 100-101

36. **La Caserne**, 1933
Huile sur toile, 81×100 cm
(Clair-Monnier P 75)
Collection particulière
Repr. p. 103

37. **Le Roi des chats**, 1935
Huile sur toile, 78×49,5 cm
(Clair-Monnier P 84)
Vevey, Musée Jenisch Vevey, dépôt de la Fondation Balthus
Repr. p. 105

38. Etude pour **La Montagne (L'Eté)**, 1935
Huile sur toile, 60×73 cm
(Clair-Monnier P 87)
New York, The Metropolitan Museum of Art, Purchase, Gift of Himan Brown, by exchange, 1996 (inv. 1996.176)
Repr. p. 107

39. **Portrait de Pierre Colle**, 1936
Huile sur toile, 55×46 cm
(Clair-Monnier P 89)
Collection particulière
Repr. p. 109

40. **Frère et sœur**, 1936
Huile sur carton, 92×65 cm
(Clair-Monnier P 94)
Washington, D.C., Hirshhorn Museum and Sculpture Garden, Smithsonian Institution, don de Joseph H. Hirshhorn, 1966
Repr. p. 111

41. **Les Enfants Blanchard**, 1937
Huile sur toile, 125×130 cm
(Clair-Monnier P 100)
Paris, Musée du Louvre, donation Picasso, en dépôt au Musée national Picasso, Paris
Repr. p. 113

42. **Femme à la ceinture bleue**, 1937
Huile sur toile, 91,5×68,5 cm
(Clair-Monnier P 106)
Amiens, collection Musée de Picardie
Repr. p. 115

43. **Thérèse rêvant**, 1938
Huile sur toile, 150×130,2 cm
(Clair-Monnier P 112)
New York, The Metropolitan Museum of Art, The Jacques & Natasha Gelman Collection, 1998 (inv. 1998.363.2)
Repr. p. 117

44. **Portrait de Pierre Matisse**, 1938
Huile sur toile, 128,8×86,7 cm
(Clair-Monnier P 114)
New York, The Metropolitan Museum of Art, The Pierre and Maria-Gaetana Matisse Collection, 2002 (inv. 2002.456.7)
Repr. p. 119

45. **Le Salon (II)**, 1942
Huile sur toile, 114,8×146,9 cm
(Clair-Monnier P 138)
New York, The Museum of Modern Art, Estate of John Hay Whitney, 1983
Repr. p. 121

46. **Jeune fille endormie**, 1943
Huile sur bois, 82×100 cm
(Clair-Monnier P 141)
Londres, Tate Gallery
Repr. p. 123

47. **Portrait de Madame Matossian et de sa fille Dalité**, 1944
Huile sur bois, 54×43 cm
(Clair-Monnier P 148)
Collection particulière
Repr. p. 125

48. **La Princesse Maria Volkonska à l'âge de douze ans**, 1945
Huile sur carton, 82×64 cm
(Clair-Monnier P 154)
Collection particulière
Repr. p. 127

49. **Les Beaux Jours**, 1944-1946
Huile sur toile, 148×200 cm
(Clair-Monnier P 155)
Washington, D.C., Hirshhorn Museum and Sculpture Garden, Smithsonian Institution, don de Joseph H. Hirshhorn, 1966
Repr. pp. 128-129

50. **La Chambre (I)**, 1947-1948
Huile sur toile, 189,9×160 cm
(Clair-Monnier P 169)
Washington, D.C., Hirshhorn Museum and Sculpture Garden, Smithsonian Institution, don de Joseph H. Hirshhorn, 1966
Repr. p. 131

51. **Jeune fille à sa toilette**, 1948
Huile sur toile, 55,9×46,4 cm
(Clair-Monnier P 170)
Genève, Galerie Jan Krugier & Cie
Repr. p. 133

52. **Les Poissons rouges**, 1948
Huile sur toile, 62,2×55,9 cm
(Clair-Monnier P 175)
Collection particulière
Repr. p. 135

53. Esquisse pour **Le Chat de la Méditerranée**, 1948
Au verso: **Diverses esquisses** (cat. 116)
Encre de Chine, 27×21 cm
(Clair-Monnier D 578 et 579)
Genève, collection Jean Bonna
Repr. p. 136 et p. 214

54. **Le Chat de la Méditerranée**, 1949
Huile sur toile, 127×185 cm
(Clair-Monnier P 193)
Collection particulière
Repr. pp. 136-137

55. **Le Spahi et son cheval**, 1949
Huile sur toile, 58,9×64,2 cm
(Clair-Monnier P 195)
Washington, D.C., Hirshhorn Museum and Sculpture Garden, Smithsonian Institution, don de Joseph H. Hirshhorn, 1966
Repr. p. 139

56. **Portrait de Laurence B.**, 1949
Huile sur carton, 63×44,5 cm
(Clair-Monnier P 199)
Collection particulière
Repr. p. 141

57. **Autoportrait**, 1949
Huile sur toile, 116,8×81,2 cm
(Clair-Monnier P 198)
Collection particulière
Repr. p. 143

58. **Portrait de Claude Hersaint**, 1951
Huile sur carton, 92×73 cm
(Clair-Monnier P 178)
Collection particulière
Repr. p. 145

59. **Les Joueurs de cartes**, 1952
Huile sur toile, 64×81 cm
(Clair-Monnier P 212)
Collection particulière
Repr. p. 147

60. Etude pour **Le Passage du Commerce-Saint-André**, 1951-1953
Crayon, 52×40 cm
(pas dans Clair-Monnier: Klossowski de Rola 2005, p. 92)
Collection particulière
Repr. p. 148

61. Etude pour **Le Passage du Commerce-Saint-André**, 1951-1953
Crayon, 67×77 cm
(pas dans Clair-Monnier: Klossowski de Rola 2005, p. 92)
Collection particulière
Repr. p. 148

62. Etude pour **Le Passage du Commerce-Saint-André**, 1954
Plume et crayons rouge et bleu sur esquisse au crayon, 21×21 cm
(pas dans Clair-Monnier: Klossowski de Rola 2005, p. 93)
Collection Stanislas Klossowski de Rola
Repr. p. 149

63. **Le Passage du Commerce-Saint-André**, 1952-1954
Huile sur toile, 294×330 cm
(Clair-Monnier P 220)
Collection particulière
Repr. pp. 150-151

64. **Colette de profil**, 1954
Huile sur toile, 92,5×73,5 cm
(Clair-Monnier P 224)
Collection particulière
Repr. p. 153

65. **Les Trois Sœurs (Sylvia, Marie-Pierre et Béatrice Colle)**, 1954-1955
Huile sur toile, 60×120 cm
(Clair-Monnier P 234)
Collection particulière
Repr. p. 155

66. **La Vallée de l'Yonne**, 1955
Huile sur toile, 90×162 cm
(Clair-Monnier P 251)
Troyes, Musée d'Art moderne, donation Pierre et Denise Lévy
Repr. p. 157

67. **Frédérique au chandail rouge**, 1955
Huile sur toile, 49×44 cm
(Clair-Monnier P 254)
Londres, collection particulière
Repr. p. 159

68. Etude pour **Jeune fille à la chemise blanche**, 1955
Huile sur toile, 92×73 cm
(Clair-Monnier P 257)
Collection particulière
Repr. p. 161

69. Etude pour **Le Lever (I)**, 1955
Crayon et aquarelle sur papier, 55,2×43,5 cm
(Clair-Monnier D 844)
Genève, Galerie Jan Krugier & Cie
Repr. p. 162

70. **Le Lever (I)**, 1955
Huile sur toile, 161×130,4 cm
(Clair-Monnier P 260)
Edimbourg, Scottish National Gallery of Modern Art, Purchased 1981
Repr. p. 163

71. **Le Rêve (II)**, 1956-1957
Huile sur toile, 198×198 cm
(Clair-Monnier P 271)
Collection particulière
Repr. p. 165

72. **La Bergerie**, 1957-1960
Huile sur toile, 50×101,5 cm
(Clair-Monnier P 303)
Lausanne, Galerie Alice Pauli
Repr. p. 167

73. **Paysage à l'étang**, 1956
Huile sur toile, 33×97 cm
(Clair-Monnier P 269)
Collection particulière
Repr. p. 167

74. **Portrait de la baronne Alain de Rothschild**, 1958
Huile sur toile, 190×152 cm
(Clair-Monnier P 300)
Paris, collection particulière
Repr. p. 169

75. **Le Drap bleu**, 1958
Huile sur toile, 162×97 cm
(Clair-Monnier P 285)
Collection particulière
Repr. p. 171

76. **Cour de ferme à Chassy**, 1960
Huile sur toile, 130×162 cm
(Clair-Monnier P 314)
Paris, Centre Georges Pompidou, Musée national d'Art moderne / Centre de création industrielle, donation d'André et Henriette Gomès (Paris) en 1985
Repr. p. 173

77. **Le Lever (II)**, 1975-1978
Huile sur toile, 169×159,5 cm
(Clair-Monnier P 336)
Collection particulière
Repr. p. 175

78. Etude pour **Paysage de Montecalvello (I)**, 1970
Crayon, 70×100 cm
(Clair-Monnier D 1182)
Saint-Saphorin, collection Pierre Keller
Repr. p. 176

79. Etude pour **Paysage de Montecalvello (I)**, 1970
Fusain sur papier peau d'éléphant, 70×100 cm
(Clair-Monnier D 1181)
Saint-Saphorin, collection Pierre Keller
Repr. p. 176

80. Etude pour **Paysage de Montecalvello (I)**, 1971-1972
Aquarelle et crayon sur papier peau d'éléphant, 34,5×50 cm
(Clair-Monnier D 1185)
Collection particulière
Repr. p. 177

81. Etude pour **Paysage de Montecalvello (I)**, 1978
Crayon sur papier peau d'éléphant, 70×100 cm
(Clair-Monnier D 1405)
Londres, collection particulière
Repr. p. 177

82. Etude pour **Paysage de Montecalvello (I)**, 1978
Fusain et lavis d'aquarelle sur papier peau d'éléphant contrecollé sur papier, 70×100 cm
(Clair-Monnier D 1403)
Vevey, Musée Jenisch Vevey, acquis grâce à la générosité de la Fondation Holenia Trust, Zurich
Repr. p. 178

83. **Paysage de Montecalvello (II)**, 1994-1998
Huile sur toile, 162×130 cm
(Clair-Monnier P 349)
Vevey, Musée Jenisch Vevey, dépôt de la Fondation Balthus
Repr. p. 179

84. **La Gare de Rossinière**, 1995
Huile sur toile, 110×100 cm
(pas dans Clair-Monnier: Radrizzani 2006, cat. 28)
Collection particulière
Œuvre inachevée
Repr. p. 181

Dessins

85. **Autoportrait**, 1924
Crayon et fusain, 31×20,5 cm
(Clair-Monnier D 352)
Collection particulière
Repr. p. 193

86. **Etude de nu masculin**, 1925
Crayon, 48,5×31,6 cm
(Clair-Monnier D 369)
Collection particulière
Repr. p. 194

87. **Etude de nu masculin**, 1925
Recto et verso
Crayon, 48,5×31,6 cm
(Clair-Monnier D 370 et 371)
Collection particulière
Repr. p. 194

88. Etude pour **L'Ange quittant Tobie**, 1927
Encre de Chine sur papier kraft, 37,9×26,1 cm
(Clair-Monnier D 397 avec la date 1928; cf. Radrizzani 2003, cat. 11)
Vevey, Musée Jenisch Vevey
Repr. p. 195

89. **Spahi buvant**, 1931
Encre de Chine, 21,7×17,5 cm
(Clair-Monnier D 422)
Collection particulière
Repr. p. 196

90. **Six personnages en costume espagnol**, 1931
Encre de Chine, 20×25,5 cm
(pas dans Clair-Monnier:
Klossowski de Rola 2005, p. 109)
Collection Stanislas Klossowski de Rola
Repr. p. 196

91. **Le Nain**, 1928
Lithographie en trois passages sur Arches, 57×38 cm
Reproduction lithographique (années soixante) d'un dessin de 1928 (Clair-Monnier Cr 1721). Exemplaire 6/200
Collection particulière
Repr. p. 197

92. **Etude d'Heathcliff assis**, 1934
(en vue d'une illustration inédite pour *Les Hauts de Hurle-Vent*, cf. vente Catherine Charbonneaux, Drouot, Paris, 17 décembre 2001, lot 9)
Crayon, 22×17,6 cm
(Clair-Monnier D 498 avec la date 1943; cf. Radrizzani 2003, cat. 32)
Suisse, collection particulière
Repr. p. 198

93. **Portrait d'Antoinette**, 1942
Crayon, 26×20 cm
(Clair-Monnier D 489)
Collection Stanislas Klossowski de Rola
Repr. p. 199

94. **Portrait d'enfant**
(d'après Géricault), 1938
Crayon (double face), 17,4×25 cm
(Clair-Monnier D 475)
Berne, Kunstmuseum, Dauerleihgabe, Inv. Nr. Lg 2179
Repr. p. 200

95. **Portrait d'Antoinette**, 1943
Crayon, 82,5×75 cm
(Clair-Monnier D 490)
Genève, collection Jean Bonna
Repr. p. 201

96. **Portrait d'Antoinette**, 1942
Crayon, 14×10 cm
(pas dans Clair-Monnier:
Rewald 2007, cat. 35)
Collection Stanislas Klossowski de Rola
Repr. p. 202

97. **Autoportrait**, 1943
Fusain, 63×45,7 cm
(Clair-Monnier D 491)
Vevey, Musée Jenisch Vevey, dépôt de la Fondation Balthus
Repr. p. 203

98. Etude pour **La Patience**, 1943
Crayon, 25×33 cm
(Clair-Monnier D 496;
au verso, non reproduit: D 499)
Collection Stanislas Klossowski de Rola
Repr. p. 204

99. Etude pour **La Patience**, 1943
Crayon gras, 32,8×25 cm
(Clair-Monnier D 497)
Collection Stanislas Klossowski de Rola
Repr. p. 205

100. Etude pour **Le Gottéron**, 1943
Encre de Chine *(recto)*,
aquarelle *(verso)*, 29,6×21 cm
(Clair-Monnier D 824 avec la date 1953 due à une annotation trompeuse de Balthus: *Chassy 1953?*; cf. Radrizzani 2002, cat. 40; *au verso:* D 825)
Collection Stanislas Klossowski de Rola
Repr. p. 206

101. Etude d'arbre pour **Le Gottéron**, 1943
Crayon, 32,8×25 cm
(Clair-Monnier D 506)
Collection Stanislas Klossowski de Rola
Repr. p. 206

102. **Paysage d'hiver**
(étude pour **Le Gottéron**), 1943
Crayon, crayon gras et rehauts de blanc sur papier foncé, 32,8×32 cm
(Clair-Monnier D 504)
Collection Stanislas Klossowski de Rola
Repr. p. 207

103. **Portrait de femme au chignon**, 1946
Stylo sur fragment de nappe de restaurant, 7,5×15,5 cm
(Clair-Monnier Cr 1726)
Collection particulière
Repr. p. 208

104. **Portrait-charge de Balzac**, 1946
Stylo sur fragment de nappe de restaurant, 24×13,3 cm
(Clair-Monnier Cr 1727)
Collection particulière
Repr. p. 208

105. **Portrait d'homme et tête de licorne**, 1946
Stylo sur fragment de nappe de restaurant, 30×11 cm
(Clair-Monnier Cr 1728)
Collection particulière
Repr. p. 208

106. **Portrait-charge d'un homme de profil en médaillon**, 1946
Stylo sur fragment de nappe de restaurant, 17×15 cm
(Clair-Monnier Cr 1729)
Collection particulière
Repr. p. 208

107. **Deux personnages grotesques et un autre personnage**, 1946
Crayon sur carte (publicité Golay Sons & Stahl), au verso du menu d'un repas donné le 23 février 1946 à l'Hôtel Richemond à Genève, 17,1×11,5 cm
(Clair-Monnier Cr 1725)
Collection particulière
Repr. p. 209

108. **Caricature de femme le buste dénudé; deux portraits d'homme de profil; portrait de Rosabianca Skira de profil**, 1946
Au verso, non reproduits:
Deux hérissons féminisés
Crayon sur fragment de nappe de restaurant, 36×27,5 cm
(Clair-Monnier Cr 1732)
Collection particulière
Repr. p. 209

109. **Portrait d'un vieil homme**, 1946
Stylo sur fragment de nappe de restaurant, 19,5×20 cm
(Clair-Monnier Cr 1733)
Collection particulière
Repr. p. 210

110. **Portrait d'homme de profil**, 1946
Stylo sur fragment de nappe de restaurant, 10×34 cm
(Clair-Monnier Cr 1734)
Collection particulière
Repr. p. 210

111. **Tapir**, 1946
Stylo sur fragment de nappe de restaurant, 16×23,5 cm
(Clair-Monnier Cr 1735)
Collection particulière
Repr. p. 210

112. **Coq de profil**, 1946
Stylo sur fragment de nappe
de restaurant, 30×23 cm
(Clair-Monnier Cr 1730)
Collection particulière
Repr. p. 211

113. **Tête d'enfant**, 1946
Stylo sur fragment de nappe
de restaurant, 15×13 cm
(Clair-Monnier Cr 1731)
Collection particulière
Repr. p. 211

114. **Caricatures diverses, calligraphies, plan**, 1946
Stylo sur fragment de nappe
de restaurant, 27×42 cm
(Clair-Monnier Cr 1736)
Collection particulière
Repr. p. 212

115. Etude pour **La Partie de cartes**, 1947
Crayon sur papier, 56×42 cm
(Clair-Monnier D 550)
Lausanne, Galerie Alice Pauli
Repr. p. 213

116. **Diverses esquisses**, 1948
Verso de cat. 53
Encre de Chine, 27×21 cm
(Clair-Monnier D 578 et 579)
Genève, collection Jean Bonna
Repr. p. 214 et p. 136

117. Etude pour **Femme couchée**, 1948
Fusain et crayon, 42×57 cm
(Clair-Monnier D 593)
Pully, collection particulière
Repr. p. 215

118. **Pierre Jean Jouve et «l'enjambement»**, 1948-1949
Crayon sur fragment de nappe
du Restaurant Le Catalan, 21,5×17 cm
(Clair-Monnier Cr 1770)
Londres, collection particulière
Repr. p. 216

119. **Illustration caricaturale de «l'enjambement» de Pierre Jean Jouve**, 1948-1949
Encre sur fragment de nappe
du Restaurant Le Catalan, 17×16 cm
(Clair-Monnier Cr 1771)
Londres, collection particulière
Non reproduite

120. **Illustration caricaturale de «l'enjambement» de Pierre Jean Jouve**, 1948-1949
Crayon sur fragment de nappe
du Restaurant Le Catalan, 7×9 cm
(Clair-Monnier Cr 1772)
Londres, collection particulière
Non reproduite

121. **Illustration caricaturale de «l'enjambement» de Pierre Jean Jouve**, 1948-1949
Crayon sur fragment de nappe
du Restaurant Le Catalan, 17,2×14 cm
(Clair-Monnier Cr 1773)
Londres, collection particulière
Non reproduite

122. **Illustration caricaturale de «l'enjambement» de Pierre Jean Jouve**, 1948-1949
Crayon sur fragment de nappe
du Restaurant Le Catalan, 29×20 cm
(Clair-Monnier Cr 1774)
Londres, collection particulière
Non reproduite

123. **Illustration caricaturale de «l'enjambement» de Pierre Jean Jouve**, 1948-1949
Crayon sur fragment de nappe
du Restaurant Le Catalan, 14×31 cm
(Clair-Monnier Cr 1775)
Londres, collection particulière
Non reproduite

124. **Sans titre**, 1948-1949
Crayon sur fragment de nappe
du Restaurant Le Catalan, 28×22 cm
(Clair-Monnier Cr 1778)
Londres, collection particulière
Non reproduit

125. **Jeune fille assise**, 1949
Crayon, 30,5×42 cm
(Clair-Monnier D 660)
Collection particulière
Repr. pp. 182 et 217

126. **Tireurs de langue**, vers 1950
Recto et verso
Plume, 16×21 cm
(pas dans Clair-Monnier:
Klossowski de Rola 2005, p. 109)
Collection Stanislas Klossowski de Rola
Repr. p. 218

127. **Portrait d'Alberto Giacometti**, vers 1950
Crayon sur papier quadrillé, 21×16,5 cm
(Clair-Monnier D 671)
Collection particulière
Repr. pp. 37 et 219

128. **Langue**, poème de Pierre Jean Jouve
Trois illustrations par Balthus,
André Masson et Josef Sima
68 pages; 36 cm
Paris, L'Arche, 1952
(Clair-Monnier I 1602)
Londres, collection particulière
Repr. p. 220

129. Deux études de nu pour **Langue**, 1951-1952
Aquarelle, 31,5×24,5 cm
(Clair-Monnier D 673 avec la date 1950
due à une annotation de Balthus)
Suisse, collection particulière
Repr. p. 221

130. **Trois arbres (Paysage de Fleur d'eau)**, 1953
Encre de Chine et lavis, 14,5×23 cm
(Clair-Monnier D 702; double face)
Collection Stanislas Klossowski de Rola
Repr. p. 222

131. **Paysage de Fleur d'eau**, 1953
Encre de Chine et lavis, 12×17 cm
(Clair-Monnier D 705; double face)
Collection Stanislas Klossowski de Rola
Repr. p. 222

132. **Portrait d'une jeune Japonaise**, 1962
Crayon, 25×19 cm
(Clair-Monnier D 997)
Collection particulière
Repr. p. 223

133. Idée pour **La Chambre turque**, 1963
Aquarelle, encre et crayon, 22,9×28,9 cm
(Clair-Monnier D 1021)
Collection particulière
Repr. p. 224

134. Etude pour **Japonaise à la table rouge**, 1964
Crayon, 49×69 cm
(Clair-Monnier D 1070)
Martigny, Collection Fondation
Pierre Gianadda
Repr. p. 225

135. **Portrait de Jacqueline Sassard**, 1967
Crayon sur papier quadrillé, 42×30 cm
(Clair-Monnier D 1110)
Collection particulière
Repr. p. 226

136. **Deux dormeuses**, 1967
Crayon, 23×31,5 cm
(Clair-Monnier D 1094)
Collection particulière
Repr. p. 227

137. **Deux dormeuses**, 1967
Crayon sur papier quadrillé, 19×50 cm
(Clair-Monnier D 1096)
Collection particulière,
courtesy Catherine Duret, Genève
Repr. p. 227

138. **Katia endormie**, 1969-1970
Crayon, 35,5×38 cm
(Clair-Monnier D 1136)
Lausanne, Galerie Alice Pauli
Repr. p. 228

139. **Katia endormie**, 1969-1970
Crayon et fusain, 70×50 cm
(Clair-Monnier D 1142)
Pays-Bas, The Triton Foundation
Repr. p. 229

140. Etude de jambes pour **Katia lisant**, 1968-1970
Crayon, 48×36 cm
(Clair-Monnier D 1165)
Collection particulière
Repr. p. 230

141. Etude pour **Katia lisant**, 1968
Crayon, 26,5×36 cm
(pas dans Clair-Monnier:
Radrizzani 2002, cat. 78)
Collection particulière
Repr. p. 231

142. Etude pour **Katia lisant**, 1968
Encre de Chine et crayon, 19,5×22,5 cm
(Clair-Monnier D 1169)
Collection particulière
Repr. p. 231

143. **Nature morte au panier**, 1970
Aquarelle, 73×60 cm
(Clair-Monnier D 1195)
Suisse, collection particulière
Repr. p. 232

144. Etude pour **Nu assoupi**, 1969
Crayon, 72×50 cm
(Clair-Monnier D 1143)
Londres, collection particulière
Repr. p. 233

145. **Neuf dessins pour amuser Harumi**
(d'après *Alice au pays des merveilles*),
1976-1977
Crayon, crayon feutre et crayons
de couleur, 45×56 cm
(Clair-Monnier Cr 1810)
Collection particulière
Repr. p. 234

146. **La Séance de pose**, 1975
Crayon, 35×48 cm
(Clair-Monnier D 1348)
Collection Stanislas Klossowski de Rola
Repr. p. 235

147. **Paysage de Rossinière**, 1980
Crayon et aquarelle, 42×32,4 cm
(partie de Clair-Monnier D 1394)
Collection Stanislas Klossowski de Rola
Repr. p. 236

148. **Paysage de Rossinière**, 1980
Crayon et fusain, 52×39 cm
(Clair-Monnier D 1395)
Collection particulière
Repr. p. 236

149. **Paysage de Rossinière**, 1977-1980
Crayon et aquarelle, 50×65,5 cm
(pas dans Clair-Monnier; Radrizzani 2006,
cat. 14, avec le titre et la date erronés:
Paysage de Montecalvello, 1971-1973)
Collection particulière
Repr. p. 237

Documents

150. Baladine Klossowska
(Elizabeth Dorothea Klossowska, dite
Baladine, Breslau 1886 - Paris 1969)
Baltusz et son chat, 1916
Gouache et aquarelle sur papier,
32×24,5 cm
Collection particulière
Repr. p. 17

151. Pierre Klossowski
(Paris 1905-2001)
Portrait de Balthus, vers 1928?
Crayon, 15×10 cm
Paris, collection Denis Doria
Repr. p. 250

152. **Labyrinthe** n° 13, 15 octobre 1945
Collection particulière
Non reproduit

153. **Labyrinthe** n° 20, 1er juin 1946
Collection particulière
Non reproduit

154. **Balthus et son équipe pour le décor de *Così fan tutte*, Aix-en-Provence, 1950**
Photographie d'Alfio di Bella (recadrée)
dédicacée par Balthus à Albert Skira
Collection particulière
Repr. p. 238

Hors catalogue
Photographies d'Henri Cartier-Bresson
et de Martine Franck
Deux repr. pp. 2 et 242

151
Pierre Klossowski
Portrait de Balthus
vers 1928?
Crayon
15×10 cm
Paris, collection Denis Doria

Bibliographie sélective

Catalogue raisonné

Clair-Monnier = Jean Clair et Virginie Monnier, *Balthus. Catalogue raisonné de l'œuvre complet*, Paris, Gallimard, 1999

Livres, articles, catalogues

Artaud, Antonin, «Exposition Balthus à la Galerie Pierre», *La Nouvelle Revue française*, 248, mai 1934, pp. 899-900; repris dans Clair 1983, pp. 40-41

Artaud, Antonin, «Les Cenci», *La Bête noire*, 2, 1er mai 1935, p. 1

Artaud, Antonin, «La jeune peinture française et la tradition» («La Pintura francesa joven y la tradición», *El Nacional*, 17 juin 1936), *Œuvres complètes*, Paris, Gallimard, 1971, VIII, pp. 248-253, et Clair 1983, pp. 42-44

Artaud, Antonin, «Balthus» [écrit en 1947], *Art Press*, 39, juillet-août 1980, p. 4; repris dans Clair 1983, pp. 46-47

Artaud, Antonin, «Faits remontant à 1934: la misère peintre», *Art Press*, 74, octobre 1983, pp. 5-6; repris dans Clair 2001, pp. 472-475

Artaud, Antonin, *Messages révolutionnaires*, Paris, Gallimard, 1971, pp. 249-251

Auberjonois, René, *Avant les autruches, après les iguanes…, Lettres à Gustave Roud, 1922-1954*, Doris Jakubec et Claire de Ribaupierre Furlan (éd.), Lausanne, Centre de recherches sur les lettres romandes, Editions Payot, 1999

Aubert, Raphaël, *Le paradoxe Balthus*, Paris, Editions de la Différence, 2005

Auzias de Turenne, Solange (éd.), *Omaggio a Balthus*, textes de Solange Auzias de Turenne, Jean-Marie Tasset, Jean Leymarie, Costanzo Costantini, cat. exp. Accademia Valentino, Rome, 24 octobre 1996 - 31 janvier 1997; Milan, Skira Editore, 1996

Balthus, textes de Federico Fellini, Jean Leymarie, Anne-Marie Sauzeau, cat. exp. Centre culturel français de Rome, 1989

Balthus, portraits privés, Lausanne, Les Editions Noir sur Blanc, 2008

Bernier, Georges, «Balthus», *L'Œil*, 15, mars 1956, pp. 27-33

Bigongiari, Piero, «Balthus a Firenze», *XXIII Premio del Fiorino*, Biennale Internazionale d'Arte, Palazzo Strozzi, Florence; remanié dans *idem, Dal barocco all'informale*, Bologne, Nuova Casa Editrice Cappelli, 1980, pp. 323-333; trad. fr. dans Clair 1983, pp. 306-312

Bigongiari, Piero, «Balthus et Paolo», dans Clair 1983, pp. 312-313

Carandente, Giovanni, *Balthus: Disegni e acquarelli*, cat. exp. Palazzo Racani-Arroni (XXV Festival dei Due Mondi, Spolète), Milan, Electa, 1982

Carluccio, Luigi, *Balthus*, cat. exp. Galleria Galatea, Turin, 1958

Carrillo de Albornoz, Cristina, et Leymarie, Jean, *Balthus*, textes de Jean Leymarie, Francisco Calvo Serraller, Cristina Carrillo de Albornoz, Antoni Tàpies, cat. exp. Museo Nacional Centro de Arte Reina Sofía, Madrid, janvier-mars 1996

Cingria, Charles-Albert, *Œuvres complètes*, Lausanne, L'Age d'Homme, 1967-1981, 17 vol.

Cingria, Charles-Albert, *Correspondance générale*, Lausanne, L'Age d'Homme, 1975-1981, 5 vol.

Clair, Jean, «Balthus ou les métempsycoses», *La Nouvelle Revue française*, 163, juillet 1966, pp. 148-152; repris dans Clair 1983, pp. 104-107

Clair, Jean, «Balthus», *La Nouvelle Revue française*, 314, 1er mars 1979, pp. 92-96

Clair 1983 = *Balthus*, Gérard Régnier (éd.), textes de Jean Clair, Piero Bigongiari, Sylvia Colle-Lorant, Jean Starobinski *et al.*, cat. exp. Centre Georges Pompidou, Paris, 1983

Clair 1983a = Jean Clair, «Les métamorphoses d'Eros», dans Clair 1983, pp. 256-279

Clair 1984 = Jean Clair, «Eros et Cronos, le rite et le mythe dans l'œuvre de Balthus», *La Revue de l'art*, 63, 1984, pp. 83-92

Clair, Jean, «Balthus und die Moderne», *Du*, 1992/9: *Balthus. Ein Unbehagen in der Moderne*, septembre 1992, pp. 42-44

Clair, Jean, «Le Sommeil de cent ans», dans Clair-Monnier, pp. 7-59

Clair 2001 = *Balthus*, Jean Clair (éd.), textes de Jean Clair, Sabine Rewald, Robert Kopp, Sylvia Colle-Lorant, Xiaozhou Xing, Raymond Mason *et al.*, cat. exp. Palazzo Grassi, Venise; Paris, Flammarion, 2001

Clair 2001a = Jean Clair, «De ‹La Rue› à ‹La Chambre›. Une Mythologie du ‹Passage›», dans Clair 2001, pp. 17-34

Clair 2001b = Jean Clair, «Balthus et Rilke: une enfance», dans Clair 2001, pp. 35-42

Clair 2001c = Jean Clair, «Balthus photographe», *Connaissance des Arts*, 586, septembre 2001, pp. 54-63

Clair, Jean, «Le chat et l'oiseau», dans Radrizzani 2004, pp. 10-11

Courthion, Pierre, *Balthus*, cat. exp. Galerie Moos, Genève, 1943

Davenport, Guy, *A Balthus Notebook*, New York, The Ecco Press, 1989

Fauchereau, Serge, «Balthus devant Schulz, Klossowski, Jouve et quelques autres», *Les Cahiers du Musée national d'Art moderne*, 12, 1983, pp. 224-243

Fauchereau, Serge, *Bruno Schulz, Le Livre idolâtre*, Paris, Denoël, 2004

Fellini, Federico, cat. exp. *Balthus: Paintings and Drawings, 1934 to 1977*, Pierre Matisse Gallery, New York, 15 novembre - 15 décembre 1977; trad. fr. par Gérard Macé dans *La Nouvelle Revue française*, 332, 1er septembre 1980, pp. 134-137, et dans Clair 1983, pp. 116-118

Fernier, Jean-Jacques (éd.), *Balthus dans la maison de Courbet*, textes de Jean Leymarie, Xiaozhou Xing, Jean-Jacques Fernier, Yoshio Abé, cat. exp. Musée Maison natale Gustave Courbet, Ornans, 4 juillet - 6 septembre 1992

Fox Weber, Nicholas, *Balthus, A Biography*, New York, Alfred A. Knopf, 1999

George, Waldemar, «Balthus», *Le Figaro littéraire*, 25 janvier 1947

Gropp, Rose-Maria, *Balthus in Paris. Die erste Ausstellung 1934*, Munich, Schirmer/Mosel, 2007

Jouve, Pierre Jean, «Les *Cenci* d'Antonin Artaud», *La Nouvelle Revue française*, 261, juin 1935, pp. 910-915; repris dans Clair 1983, pp. 50-53

Jouve 1943 = Pierre Jean Jouve, «Œuvre peinte de Balthus», *Lettres*, 1, janvier 1943, pp. 36-38; repris dans Clair 1983, pp. 54-55

Jouve 1943a = Pierre Jean Jouve, «Balthus», *Suisse contemporaine*, III/11, novembre 1943, pp. 933-939; repris dans Clair 1983, pp. 56-59

Jouve, Pierre Jean, «*Così fan tutte* ou le changement des objets», Programme du IIIe Festival International de Musique, Aix-en-Provence, 1950; remanié dans «Ironie de *Così fan tutte*», *En miroir (Journal sans date)*, Paris, Mercure de France, 1952, pp. 192-200; repris dans Clair 1983, pp. 60-62

Kaenel, Philippe, «Balthus ou les enjeux de la biographie», dans *Legitimationen. Künstlerinnen und Künstler als Autoritäten der Gegenwartskunst* (Akten zur internationalen Tagung der VKS, Winterthur 2002), Julia Gelshorn (éd.), Berne, Peter Lang, 2004, pp. 19-42

Klossowski, Pierre, «Balthus beyond Realism», *ARTnews*, LV/8, décembre 1956, pp. 26-31 // «Du tableau vivant dans la peinture de Balthus», *Le Monde nouveau*, 108-109, février-mars 1957, pp. 70-80; repris dans Clair 1983, pp. 80-85

Klossowski de Rola, Stanislas, *Balthus: Peintures*, Paris, Hermann, 1983

Klossowski de Rola, Stanislas, *Balthus*, Paris, Editions de La Martinière, 1996

Klossowski de Rola, Stanislas, *Les Desseins de Balthus*, cat. exp. Fondation Balthus, Rossinière, Paris, Panama-Archimbaud, 2005

Klossowski de Rola, Stanislas, *Le Mystère des chats*, cat. exp. Fondation Balthus, Rossinière, 2007

Koutsomallis, Kyriakos (éd.), *Balthus: Dessins, aquarelles, huiles*, textes de Jean Clair, Federico Fellini, Kyriakos Koutsomallis, Jean Leymarie, cat. exp. Musée d'Art moderne Basil & Elise Goulandris Foundation, Andros, 30 juin - 17 septembre 1990

Koutsomallis, Kyriakos (éd.), *Balthus à la Villa Médicis: Peintures, aquarelles, dessins*, textes de Jean Clair, Jean-Marie Drot, Federico Fellini, Kyriakos Koutsomallis, Jean Leymarie, cat. exp. Académie de France, Villa Médicis, Rome, 8 octobre - 18 novembre 1990; Rome, Edizioni Carte Segrete, 1990

Lévy, Sophie (éd.), *Balthus: Un atelier dans le Morvan (1953-1961)*, textes d'Emmanuel Starcky, Jean Clair, Sabine Rewald et Sophie Lévy, Dijon, Musée des Beaux-Arts, 1999

Leymarie, Jean, *Balthus*, Genève, Albert Skira, 1978; seconde édition 1982

Leymarie, Jean, «Balthus et la Suisse», dans Zutter 1993, pp. 35-59

Leymarie, Jean, et Helfenstein, Josef (éd.), *Balthus: Zeichnungen*, Berne, Kunstmuseum Bern, 18 juin - 4 septembre 1994, textes de Jean Leymarie et Antonin Artaud, catalogue par Henriette Mentha et Josef Helfenstein, Berne, Kunstmuseum Bern; Bâle, Wiese Verlag, 1994

Leyris, Pierre, «Deux figures de Balthus», *Signes*, 4, hiver 1946-1947, pp. 83-87

Lhote, André, «Gromaire à la Galerie Pierre», *La Nouvelle Revue française*, 249, 1934, pp. 1045-1046

Luck, Rätus, «Rainer Maria Rilke, le matou Mitsou et le ‹King of Cats›, avec un prologue sur le monde animal», dans *Chiens et chats littéraires*, Sibylle Birrer, Marie-Thérèse Lathion et Ulrich Weber (éd.), Berne, Archives littéraires suisses; Carouge, Editions Zoé; Berne, Office fédéral de la culture, 2001, pp. 221-235

Mason, Raymond, «Les années cinquante à Paris et à Chassy», dans Clair 2001, pp. 125-134

Mèredieu, Florence de, «Peinture et mise en scène Artaud-Balthus», *Les Cahiers du Musée national d'Art moderne*, 12, 1983, pp. 217-223

Metken, Günter, *In Künstlers Lande gehen*, Munich, Schirmer/Mosel, 1988, pp. 347-350

Pieyre de Mandiargues, André, «Balthus, je me souviens…», *XXe siècle*, 44, juin 1975, pp. 61-67

Radrizzani 2002 = Dominique Radrizzani (éd.), *Balthus: De Piero della Francesca à Alberto Giacometti*, textes de Balthus, Bernard Blatter, Dominique Radrizzani, François Rouan, Jean Starobinski, cat. exp. Musée Jenisch Vevey, Vevey, 2002

Radrizzani 2002a = Dominique Radrizzani, «Balthus: De Piero della Francesca à Alberto Giacometti», dans Radrizzani 2002, pp. 13-19

Radrizzani 2002b = Dominique Radrizzani, «Une très jeune fille, une gomme très douce: le dessin de Balthus», dans Radrizzani 2002, pp. 78-91

Radrizzani, Dominique, *La Jeunesse de Balthus*, cat. exp. Fondation Balthus, Rossinière; Lausanne, Genoud, 2003

Radrizzani, Dominique, *Henri Cartier-Bresson et Martine Franck chez Balthus*, textes de Jean Clair et Dominique Radrizzani, cat. exp. Fondation Balthus, Rossinière; Lausanne, Genoud, 2004

Radrizzani, Dominique, *Balthus: La Magie du paysage*, cat. exp. Fondation Balthus, Rossinière, 2006

Rewald, John, «Thoughts on drawings by Balthus», *Drawings by Balthus*, New York, E. V. Thaw, 1963

Rewald, Sabine (éd.), *Balthus*, cat. exp. The Metropolitan Museum of Art, New York; New York, Harry N. Abrams, 1984

Rewald, Sabine, «Some Notes on Balthus's Nonmusical Guitar Lesson», dans *Source: Notes in the History of Art*, XI, 3-4, printemps/été 1992, pp. 59-64

Rewald, Sabine, «Balthus's Magic Mountain», *The Burlington Magazine*, CXXXIX, 1134, septembre 1997, pp. 622-628

Rewald, Sabine, «Balthus's Lessons», *Art in America*, LXXXV, 9, septembre 1997, pp. 88-94, 120-121

Rewald, Sabine, «Balthus's Thérèses», *Metropolitan Museum Journal*, 33, 1998, pp. 305-314

Rewald, Sabine, «Le jeune Balthus», dans Clair 2001, pp. 43-60

Rewald, Sabine, *Balthus: Time Suspended, Paintings and Drawings 1932-1960*, cat. exp. Museum Ludwig, Cologne; Munich, Schirmer/Mosel, 2007

Rilke, Rainer Maria, préface de *Mitsou, Quarante images par Baltusz*, Erlenbach/Zurich, Leipzig, Rotapfel-Verlag, 1921

Rilke, Rainer Maria, «Lettres à un jeune peintre», *Fontaine*, 44, 1945; repris dans *Lettres à un jeune peintre*, Paris, Archimbaud, 1994 (plusieurs rééd.)

Rilke, Rainer Maria, *Lettres françaises à Merline, 1919-1922*, Paris, Seuil, 1950

Rilke, Rainer Maria, *Die Briefe an Frau Gudi Nölke: Aus Rilkes Schweizer Jahren*, Wiesbaden, Insel, 1953, pp. 98-99, 102-103, 108

Rouan, François, «L'atelier de Balthus: revenir à Rossinière», *Art Press*, 184, octobre 1993, pp. 46-49

Rouan, François, *Balthus ou son ombre*, Paris, Galilée, 2001

Rouan, François, «Photophanie», dans Radrizzani 2002, pp. 113-119

Russell, John, «Balthus», cat. exp. *Balthus*, Tate Gallery, Londres, 4 octobre - 10 novembre 1968; trad. fr. dans Clair 1983, pp. 280-297

Russell, John, *Matisse: père et fils* (*Matisse: Father & Son*, 1999), Paris, Editions de La Martinière, 1999, *ad indicem*

Soby, James Thrall, *Balthus Paintings*, Pierre Matisse Gallery, New York, 1938

Soby, James Thrall, *Balthus*, New York, The Museum of Modern Art, 1956 (*Museum of Modern Art Bulletin*, XXIV/3, 1956, pp. 3-34)

Spies, Werner, «Der Dandy: Balthus in Paris», *Rosarot vor Miami: Ausflüge zu Kunst und Künstlern unseres Jahrhunderts*, Munich, Prestel, 1989, pp. 102-106

Starobinski, Jean, «Des peintures de Balthus à la Galerie Moos à Genève», *Le Curieux*, 13 novembre 1943; repris dans Clair 1983, pp. 68-69

Starobinski, Jean, «D'où venait l'enchantement», dans Clair 1983, pp. 330-333

Starobinski, Jean, «Malraux, Balthus et l'idée du chat», *Du*, 1992/9: *Balthus. Ein Unbehagen in der Moderne*, septembre 1992, pp. 18-19; repris dans Radrizzani 2002, pp. 109-111

Starobinski, Jean, «Alberto Giacometti et Balthus à la place du Molard (Genève 1945)», dans *Balthus et Giacometti*, Aomi Okabe (éd.), textes de Jean Starobinski, Jean Leymarie, Aomi Okabe, Karuizawa, Musée d'Art Mercian, 1997, pp. 12-13; repris dans Radrizzani 2002, pp. 93-96

Szabo, George, cat. exp. *Balthus Drawings*, Gertrude Stein Gallery, New York, 1er mai - 30 juin 1980

Viatte, Germain, «Visite à Balthus, à propos de son premier voyage en Italie», *Hommage à Michel Laclotte*, Paris, Electa, RMN, 1994, pp. 648-651

Viéville, Camille, *Balthus et l'illustration (de ‹Mitsou› à ‹Wuthering Heights›)*, Mémoire de maîtrise sous la direction d'Emmanuel Pernoud, Université de Picardie Jules Verne, Amiens, Année 2001-2002, 2 vol.

Viéville, Camille, *Les années de formation de Balthus (histoire de l'art, traditions et modernité)*, Mémoire de D.E.A. sous la direction d'Eric Darragon, Université de Paris I Panthéon-Sorbonne, Année 2002-2003, 2 vol.

Viéville, Camille, «Balthus et les poètes: sur un portrait oublié de Jean de Bosschère», *à paraître*

Viéville, Dominique, «Balthus: la femme à la ceinture bleue, 1937», *Revue du Louvre*, 2, mai 1991, p. 71

Zutter 1993 = *Balthus*, Jörg Zutter (éd.), textes de Jörg Zutter, Jean Leymarie, Jean-Rodolphe de Salis, Jean Starobinski, Lausanne, Musée cantonal des Beaux-Arts; Genève, Skira, 1993

Zutter 1993a = Jörg Zutter, «Paysage alpin et conception visionnaire», dans Zutter 1993, pp. 8-33

Ecrits de Balthus

Correspondance amoureuse avec Antoinette de Watteville (1928-1937), Stanislas et Thadée Klossowski (éd.), Paris, Buchet-Chastel, 2001

Correspondance avec Pierre Jean Jouve dans Robert Kopp, «Balthus et Jouve. Documents inédits», dans Clair 2001, pp. 61-76

Correspondance avec Pierre Matisse dans Russell 1999, *ad indicem*

[«Hommage à Alberto Giacometti»], dans *Alberto Giacometti: Dessins*, Galerie Claude Bernard, Paris, 1975

«Afterword» à Emily Brontë, *Wuthering Heights*, New York, The Limited Editions Club, 1993, pp. 207-208; trad. dans Radrizzani 2002, pp. 121-124

«Ecrits et propos sur le dessin», dans Radrizzani 2002, pp. 101-105

Entretiens

Balthus: Entretiens avec Sadruddin Aga Khan, Yehudi Menuhin et Théodore Monod, Paris, M. Archimbaud, Séguier, coll. Carré d'Art, 2002

Balthus, portraits privés, Lausanne, Les Editions Noir sur Blanc, 2008

Bellony, Alice, *Avec Balthus à la Villa Médicis*, Paris, L'Echoppe, 2003

Carrillo de Albornoz, Cristina, «Balthus: peindre un monde qui n'existe plus», *BeauxArts magazine*, 143, mars 1996, pp. 10-11

Carrillo de Albornoz, Cristina, *Balthus. Propos recueillis par Cristina Carrillo de Albornoz*, Paris, Assouline, 2000

Costantini, Costanzo, *Balthus à contre-courant, Entretiens avec Costanzo Costantini* (*L'enigma Balthus. Conversazioni con il pittore più affascinante del nostro tempo*, 1996), Montricher, Les Editions Noir sur Blanc, 2001

Dagen, Philippe, «Monsieur le comte», *Le Monde*, 4-5 août 1991, pp. 1 et 8

Gendel, Milton, «H.M. The King of Cats, a footnote. Interview with Balthus, elusive, uninterviewable artist...», *ARTnews*, 61/2, avril 1962, pp. 36-38, 52-54

Jaunin, Françoise, *Balthus, Les méditations d'un promeneur solitaire de la peinture, Entretiens avec Françoise Jaunin*, Lausanne, La Bibliothèque des Arts, 1999

Legris, Michel, «La Villa Médicis a-t-elle encore un sens?, II: Entretien avec Balthus», *Le Monde*, 12 janvier 1967, p. 11

Peppiatt, Michael, «Balthus: Waker of dreams», *Réalités* (éd. angl.), octobre 1967, pp. 52-56

Rewald, Alice, «Balthus à la Villa Médicis», *Gazette de Lausanne*, 289, 8-9 décembre 1962, p. 13

Viatte, Germain, propos recueillis le 13 février 1994, dans Viatte 1994

Zeki, Semir, *Balthus ou la quête de l'essentiel*, Paris, Les Belles Lettres, Archimbaud, 1995

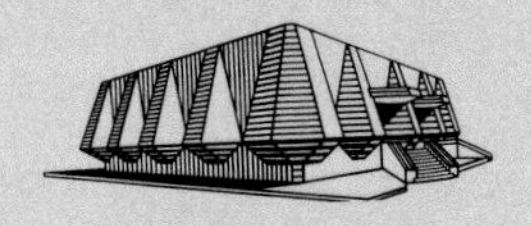

Nous tenons à témoigner notre gratitude aux généreux mécènes, donateurs et Amis de la Fondation qui, par leur soutien, nous permettent la mise sur pied de notre programme de concerts et d'expositions.

Nous remercions tout particulièrement:

La Commune de Martigny
L'Etat du Valais

Anonyme, Belgique
AXA Art Assurance SA, Zurich
Banque Cantonale du Valais
Banque Julius Bär & Cie SA
Caves Orsat-Rouvinez Vins
Champagne Pommery
Conseil de la culture, Etat du Valais
Fondation Coromandel, Genève
Fondation Symphasis
Generali Assurances, Martigny
Groupe Mutuel, Martigny
Hôtel La Porte d'Octodure, Martigny-Croix
Imprimeries Réunies Lausanne s.a.
Journal Le Temps
Le Nouvelliste et Feuille d'Avis du Valais
Les Chemins de fer fédéraux suisses
Losinger Construction SA
Loterie Romande
M. Dan Mayer, Zoug
M. Daniel Marchesseau, Paris
Mme H. M.-B., Berne
M. J. J. et Mme A. La B., Belgique
Mme Brigitte Mavromichalis, Martigny
Mobilière Suisse Assurances AG, Sion
Nestlé SA, Vevey
PAM, Valaisanne Holding SA, Martigny
Rolex
Société de développement de Martigny
Swiss Life
Touring Club Suisse Valais
Le Tunnel du Grand-Saint-Bernard
UBS SA
Valmont

ainsi que: CREDIT SUISSE

Temple de platine à Fr. 5000.–

Alpwater, eau minérale naturelle, Saxon
Bugnon Gérald, Verbier
Burrus Charles et Bernadette, Boncourt
Caves Orsat SA, Martigny
Debiopharm SA, Rolland-Yves Mauvernay, Lausanne
Expositions Natural Le Coultre SA, Genève
Henniez SA, eaux minérales, Henniez
Hôtel des Bains de Saillon
Hôtel Mercure du Parc SA, Martigny
Imprimeries Réunies Lausanne s.a., Renens
Kuhn & Bülow, Versicherungsmakler, Zurich
Lombard Odier Darier Hentsch & Cie, Genève
Louis et Mireille-Louise Morand, Distillerie, Martigny
Magnier John, Verbier
Maroger Jean-Michel, Chemin
Matériaux Plus SA, Martigny
Nardin Pierre-Antoine, Le Locle
Office du Tourisme, Martigny
Rouvinez Vins SA
SGA, Bernard Develey, Sion
Société de Développement, Martigny
Thea Pharma, Clermont-Ferrand, France
Veuthey & Cie SA, Martigny

Chapiteau d'or à Fr. 1000.–

Adatis SA, M. Palisse, Martigny
Agence Caecilia, Pedro Kranz, Genève
Alpin Chalet SA, Roberto Vilar, Sion
Ascenseurs Schindler SA, Lausanne, succursale de Sion
Assunta Sommella Peluso, Ignazio Peluso, Ada Peluso and Romano I. Peluso New York, USA
AXO SA, Henri Barone, Meythet, France
Barbier Marie-Christine, Villars
Baronne Philippine de Rothschild, Paris
Basler Versicherungs-Gesellschaft, Abt. Transportversicherung, Bâle
Bauknecht SA, appareils ménagers, Crissier
Baumgartner Papiers, Inapa Suisse SA, Crissier
Bemberg Jacques, Lausanne
de la Béraudière Pilar, Genève
Berra Bernard, Martigny
Berrut G. et J., Hôtel Bedford, Paris
Betondrance SA, Martigny
Bétrisey Edouard, Martigny
B.K., Berne
Bloemsma Marco P., Lausanne
Bobst SA, Lausanne
Bonhôte Anne, Anières
Bron Joseph, Martigny, Monthey
de Bruijn Louise et Bernard, Hérémence
BSI SA, Lausanne, Genève
Café-Restaurant «Les Platanes», Fabrice Grognuz, Martigny
Café-Restaurant «Les Touristes», François et Christophe Chomel, Martigny
Cappi-Marcoz SA, agence en douane, Martigny
Chaillier Monique, Crans-Montana
Charles Lucienne, Epalinges
Classe Matu 1954-1955, Saint-Maurice
Cligman Léon, Paris
Clouzot Inès, Paris
Conforti Monique, Martigny
Conforti SA, Martigny
Constantin Martial, Vernayaz
Coop Valais, Châteauneuf-Conthey
Corboud Gérard, Blonay
Couchepin Jean-Jules, Martigny
Courcelle-Gruz Christiane, Saint-Cergues, France
Cretton Georges-André et Marie-Rose, Martigny
Crittin Myriam et Pierre, Martigny
Cuendet J.-F., Pully
Driancourt Alan, Genève
Dumas-Hermes Thierry et Odile, Neuilly-sur-Seine, France
Favre SA, transports internationaux, Martigny
Feldschlösschen Boissons AG, Rheinfelden
Fidag SA, fiduciaire, Martigny
Fischer Sonia, Thônex
Fondation du Grand-Théâtre de Genève, Guy Demole, Genève
Fournier Daniel, Martigny
Gagnebin Yvonne et Georges, Echandens
Galerie du Rhône SA, Pierre-Alain Crettenand, Sion
Galerie Lelong, Paris
Gandur Jean-Claude, Tannay
Gervais Eric, Stansstad
Gianadda François et Sakkas Yannis, Martigny
Gianadda Mariella, Martigny
Givel Edouard et Jacqueline, Anières
Givel Jean-Claude, Lonay
Grande Dixence SA, Sion
Gras Savoye (Suisse) SA, Carouge
Grieu Maryvonne, Bussigny
Griot Jean, Louveciennes, France
Gross Christophe, Allianz Assurances, Martigny
Groupe Bernard Nicod, Lausanne
Guex-Mencia Carmen, Salvan
Guggenheim Josi, Zurich
Hahnloser Bernhard et Mania, Berne
Hersaint Evangeline, Crans-Montana
Hersaint Françoise, Crans-Montana
Hôtel-Restaurant «Le Transalpin», Britta et René Borloz, Martigny-Croix
Huber Jean-Claude, Martigny
Institut Florimont, Sean Power, Petit-Lancy
Isidor Jack, Le Mont-Pèlerin
Jenny Klaus, Zürich
de Kalbermatten Bruno, Jouxtens-Mézery
Lacroix-Losey Marie-Juliette, Versoix
La Poste Suisse, CarPostal Valais Romand Haut-Léman
Lagonico Carmela, Cully
Lagonico Pierre, Cully
Lambert Pol, Bursinel
Lambrecht Barbara, Montreux
Les Fils de Charles Favre SA, Sion
Les Fils de Charles Favre SA, Sion
Les Fils de Serge Moret, Primeurs, Préville-Fruits SA, Martigny
Leuzinger Teresa, Vevey
Levy James et Mireille, Lausanne
Leyvraz Jacques, Lausanne
Liuzzi Anthony, Küsnacht
Liuzzi Monique, Küsnacht
Lonfat Raymond et Amely, Crans-sur-Sierre
Lorenz Paul, Sion
Losinger Construction SA, Fribourg
Lüscher Michel, Chardonne
Luyet Michel et Didier, Martigny
Maccio Santa et Aldo, Pully
Mairie de Chamonix
M. K. G., Suisse
Manor AG, Bâle
Massimi-Darbellay Jacques et Lilette, Martigny
Matériaux Buser & Cie SA, Martigny
Mayer - Shoval, Genève
Morand Mireille, Martigny
Municipalité de Salvan
Murisier-Joris Pierre-André, Martigny
Nehama Albert, Saint-Prex
Noetzli Rodolphe, Neuchâtel
Nordmann Monique, Vandœuvres
Odier Patrick, Lombard Odier & Cie, Genève
Oltramare Yves, Vandœuvres
d'Ormesson André, Paris
Pahud-Montfort Jean-Jacques, Monthey
Papilloud Jean-Daniel, Sion
Pharmacies de la Gare, Centrale, de la Poste, Lauber, Vouilloz et Zurcher, Martigny
Philipona Raoul, Schmitten
Ports Francs et entrepôts de Genève SA
Pot Philippe et Janine, Lausanne
Pour-cent culturel MIGROS
Pour-cent culturel MIGROS
Pour-cent culturel MIGROS
Pradervand Mooser Michèle, Chesières
Publicitas Valais
Reinshagen Maria, Zurich
Restaurant «L'Olivier», Hôtel du Forum, Martigny
Restaurant «L'Olivier», Hôtel du Forum, Martigny
Restaurant «Le Loup Blanc», Maria et Fred Faibella, Martigny
Rhôneole SA, Nicolas Mettan, Collonges
Rizerie du Simplon Torrione & Cie SA, Martigny
Roduit Bernard, Fully
Rossa Jean-Michel, Martigny
Rubinstein Daniel, Crans-Montana
Rügländer Elsbeth et Pierre, Lucerne
Salamin Electricité, Martigny
Salvi Serge, Gümligen
Sanval SA, Jean-Pierre Bringhen, Martigny
Saudan Les Boutiques, Martigny

Saudan Raymond, Sion, Martigny
Seiler Hotels Zermatt AG, Christian Seiler, Sion
Sellerie Grandchamp S.à r.l., Martigny
Tarica, Paris
Telekurs Multipay AG, Thi-anh-Van Pham, Zurich
Téléverbier SA, Verbier
Tetra Laval International SA, Pully
Thompson Gerry et Ken, Martigny
UBS SA, François Gay, Martigny
Uniqa Versicherung AG, Vaduz, Liechtenstein
Vannay Stéphane, Martigny
Varnoux Gisèle, Monaco
Vocat Olivier, Martigny
Waser Robert, Sierre
Yerlès Fernande, Martigny
Zermatten Doris et Gil, Martigny
Zurcher-Michellod Madeleine et Jean-Marc, Martigny
Zwissig Victor, Sierre

Stèle d'argent à Fr. 500.–

Accoyer Bernard, Président de l'Assemblée Nationale, Veyrier-du-Lac, France
ACS Voyages - Automobile Club Suisse, Sion
Adank Marie-Loyse, Neuchâtel
Alksnis Karlis, Genève
Ambassade de la Principauté de Monaco, Berne
Amon Albert, Lausanne
Anonyme, Pully
Antinori Ilaria, Randogne
Arcusi Jacques, Vacqueyras, France
Art Edition R. + E. Reiter, Hinwil
Association du Personnel Enseignant Primaire et Enfantine de Martigny (APEM)
Baudry Gérard, Grand-Lancy
Beizermann Michel, Crans-Montana
Bender Emmanuel, Martigny
Berg-Andersen Bente et Per, Crans
Berger Peter, Pully
Bernheim Claude et André, Paris
Bestazzoni Umberto, Martigny
Bich Sabine, Prangins
Bodmer Henry C.M., Zollikerberg
Bolomey Marianne, La Tour-de-Peilz
Bonvin Roger, Martigny
Bossy Jacqueline, Sion
Botteron Virgile, Reconvilier
Bourban Narcisse, Haute-Nendaz
Bourgeoisie de Martigny
BP (Switzerland) AG, Claude Pernet, Lausanne
Brandicourt André, Chamonix, France
Brechtbühl - Vannotti Maria-Nilla, Muri
Bruchez Jean-Louis, Martigny
Bruellan SA, Jean-François Beth, Verbier
Brun Jean-François, Riddes
Bruttin Gaston, Martigny
Buhler-Zurcher Dominique et Jean-Pierre, Martigny
Burgener Emmanuel, Chemin-Dessous
Buzzi Aleardo, Monaco
Café Moccador SA, Martigny
Casella Gérard, Celigny
Cassaz Béatrice et Georges, Martigny
Castino Silvia et Marco, Turin, Italie
Cavada Tullio, Martigny
Cevins SA, Martigny
Chaudet Marianne, Chexbres
Chavaz Denis, Sion
Chevron Jean-Jacques, Bogis-Bossey
Christen Catherine, La Conversion
Claivaz Willy, Haute-Nendaz
Classe 1935, Martigny
Classe Matu 1954-1955, Saint-Maurice
Clément Joëlle et Pierre, Galerie Clément, Vevey
Cohen Luciano Pietro, Genève
Collombin Gabriel, Les Granges
Commune de Randogne, Crans-Montana
Comte Marie-Jeanne, Carouge
Constantin Jean-Claude, Martigny
Couchepin Bernard, Martigny
Crans-Montana Tourisme, Crans-Montana
Crommelynck Landa et Berbig Carine, Paris
D. A. (Mme), Martigny
D. G., Neuilly-sur-Seine, France
Debons Armand, Martigny
Delaloye Jean-Pierre, Ardon
Del Don Gemma, Gorduno (Tessin)
Delus-Chassinat Christiane, Lutry
Ducrey Guy, Martigny
Dutoit Michel, Romanel
Edipresse SA, direction générale, Lausanne
Egger Heinz, Zurich
Ehrsam Jean-Pierre, Aigle
En souvenir d'Edouard et de Berthe Anderhub-Zimmermann, Krienz/Lucerne
Entreprise Dénériaz SA, génie civil, béton armé, charpentes, Sion
Espace 72, Issy-les-Moulineaux, France
Fardel Gabriel, Martigny
Feron Patrice, Verbier
Ferreira Antonio José, Lausanne
Fiduciaire Duc-Sarrasin & Cie SA, Martigny
Fiscel Dominique, Crans-Montana
Fischer Christine et Jan, Zollikon
Fischer Edouard-Henri, Rolle
Fischer Pierre-Edouard, Prangins
Fixap SA, entretien d'immeubles, Monthey
Fleury Gabriel, Granges
Gaillard Monique et Bernard, Genève
Galerie Daniel Malingue, Paris
Gastaldo Yvan, Martigny
Gaudin Georges, Sion
Georg Waechter Memorial Foundation, Genève
Gerber Pierre et Bernadette, La Claie-aux-Moines
Gétaz Romang Service SA, Vevey
Gianadda Gilberte, Martigny
Giroud Lucienne, Martigny
Goldschmidt Léo et Anne-Marie, Val-d'Illiez
Grand Chantal et Gabriel, Vernayaz
Grand Emmanuel, Martigny
Grandguillaume Pierre et Cécile, Grandson
Grisard Anneta M., Riehen
Guex-Crosier Jean, Martigny
Gysi Pascal, Genève
Heine Holger, Oberwil
Héritier & Cie, bâtiments et travaux publics, Sion
Hoirie Edouard Vallet, Confignon
Hopkins Waring, Paris
Hôtel-Club Sunways, Stéphanie et Laurent Lesdos, Champex
Hôtel du Vieux Stand, Martigny
Huber Suzanne, Genève
IDIAP, Institut de recherche, Martigny
Inoxa Perolo et Cie, Conthey
Jacquérioz Alexis, Martigny
Jacquillat Thierry et Marie Annick, Picadilly, Londres
Jaques Paul-André et Madeleine, Haute-Nendaz
Kaempfer Belinda et Steven, Crans-sur-Sierre
Kaufman Karen, Annecy, France
Kearney-Stevens Kevin et Shirley, Bâle
Kessler Didier, Genève
King Lina, Genève
Klein Gérard, Gstaad
Köhli Josette, Grand-Saconnex
Lacchini Luigi, Lafin Spa, Crémone, Italie
Lambercy Jean-Luc, Martigny
Les Fils de Charles Favre SA, Sion
Leutwyler Hans A., Zurich
Levet Jacqueline, Paris
Levy Evelyn, Jouxtens-Mézery
Lorenz Claudine et Musso Florian, Sion
Lüscher Monique, Clarens
Luy Hannelore, Martigny
Macai Guido, Sion
Magnenat André et Ruth, Lausanne
Magnin Gabriel et Maryvonne, Sion
Maillard Alain, Lausanne
Maillefer Michel, La Conversion
Malard Raoul et Brigitte, Martigny
Marcie-Rivière Jean-Pierre, Paris
Masson Louis et Nicolette, Pully
Maus Bertrand, Genève
Micarana SA, Courtepin
Michellod Christian, Martigny
Michellod Gilbert, Monthey
Möbel-Transport AG, Zurich
Monney-Campeanu Gilbert et May, Vétroz
Morand Tatjana et Julien, Martigny
Morard Jacques-Antoine, Genève
Motel des Sports, Jean-Marc Habersaat, Martigny
Neubourg Hélène, Pully
Nordmann Serge et Annick, Vésenaz
Nydegger Simone-Hélène, Lausanne
Pache Jean-Michel, Vernayaz

Pain Josiane et Alfred, Londres
Pasquier Bernadette et Jean, Martigny
Peppler Wilhelm, Montagnola
Perolo Raymond, Uvrier-Sion
Perraudin Georges, Martigny
Perrig Antoine, Sion
Petite Jacques et Marie-Françoise, Martigny
Pfister Paul, Bülach
Piota SA, combustibles, Martigny
Pomari Alessandra, Minusio (Tessin)
Pradervand Daniel, Martigny
Pralong Jean, Saint-Martin
de Preux Marie-Madeleine, Verbier
Primatrust SA, Philippe Reiser, Genève
Probst Elena, Lisbonne, Portugal
Proz Liliane et Marcel, Sion
Putallaz Mizette, Martigny
Pysarevitch Michel, Martigny
Ramazzotti-Michels Marie-Christine, Mondercange, Luxembourg
Ramoni Raymond, Cossonay
Restaurant «Le Catogne», Sylviane Favez, Orsières
Restaurant «Le Pont de Brent», Gérard Rabaey, Brent
Restaurant «L'Olivier», Hôtel du Forum, Martigny
Restaurant «Sur-le-Scex», Marie-France Gallay, Martigny-Croix
Rethoret Michel, Genève
Rhône-Color SA, Sion
Ribet André, Verbier
Ribordy Guido, Martigny
Rich Louise et Patrick, Crans-Montana
Riesco José, Martigny-Bourg
Righini Charles et Robert, Martigny
Rivier Françoise, Aïre
Roccabois-Roccalu, Pierre-Maurice Roccaro, Charrat
Roduit Bernard, Fully
Roggli Helga et Georges, Brent
Romerio Arnaldo, Verbier
Rosat Anne, Les Moulins
Rossati Ernesto, Verbier
Rosenwasser Andrei, Villars-sur-Glâne
Rouiller Mathieu, Martigny
Saraillon Serge, Martigny
Schenk Francis, Genève
Schmidt Jürgen, Wiesbaden, Allemagne
Schroder & Co. Banque SA, Luc Denis, Genève
Schupbach Daniel, Yvorne
Smith Thérèse et Hector, Montreux
Société des Cafetiers de la Ville de Martigny
Société des Vieux-Stelliens Vaudois, Cully
SOS Surveillance, Glassey SA, Martigny
Sottas Bernard, Bulle
Spaethe Liliane et Dieter, Creux-de-Genthod
Stucky de Quay Jacqueline, Verbier
Tardy André-Pierre, Coinsins
Taverne de la Tour, Martigny
Thétaz Anne-Marie et Pierre-Marie, Orsières
Thierry Solange, Paris
Thoma Albert, Ile des Pins, Nouvelle-Calédonie
Tissières Bernard, Martigny
de Traz Cécile, Martigny
Trèves François et Catherine, Paris
Trèves Martine, Coppet
de Tscharner Richard, Coppet
Vêtement Monsieur, Martigny
Visentini Nato et Angelo, Martigny
Visual Cards International, Esteve Alexandre, Chamonix, France
Vocat Colette, Martigny
de Vogüé Béatrice, Crans-Montana
Von der Ropp Catherine, Baronne, Lausanne
Von Ro, Daniel Cerdeira, Charrat
Von Tscharner Catharina, Gryon
Vouga Anne-Françoise, Cormondrèche
Vouillon Giselle, Belleville, France
Vouilloz Liliane et Raymond, Fully
Vuilloud Pierre-Maurice, Monthey
Wartmann Karl, Thônex
Wenger Fredy, Ecublens
Wiswald Jean-Pierre, Lausanne
Zosso-Wagner Jean-Jacques, Martigny
Zuchuat Yvon et Raymond Gaston, Martigny
Zurcher Jean-Marie et Danièle, Martigny
Zwahlen & Mayr SA, Aigle

Colonne de bronze à Fr. 250.–

Aboudaram Gilbert, Martigny
Abriel Aline, Martigny
Abrifeu SA, Anne-Brigitte Balet Nicolas, Riddes
A. Varone SA, vitrerie, Martigny
Aebi Jean-Marc, Savigny
Aepli André, Dorénaz
Agid Michelle, Nice, France
Air-Glaciers SA, transports aériens, Sion
Airnace SA, Francis Richard, Evionnaz
Albertini Sylvette, Verbier
Alex Sports, Les Boutiques SA, Alex Barras, Crans-Montana
Allen Avril, Crésuz
Allisson Jean-Jacques, Yverdon-les-Bains
Alpatec SA - Ingénieurs Civils, Martigny
Al-Rahal Angela, Genève
Altherr Marco, Chermignon
Ambrosetti Molinari, Mme et M., Savone, Italie
Amedeo Giovanna, Luxembourg
Amherd Jean, Chambost-Longessaigne, France
Amrein Franz, Genève
Amy-Bossard Christiane, Zinal
Andenmatten Arthur, Genève
Andenmatten Roland, Martigny
Andrey Olivier, Fribourg
Anonyme, Chamonix, France
Anonyme, Crassier
Anonyme, Genthod
Anonyme, Lausanne
Anonyme, Sierre
Anonyme, Val-d'Illiez
Antonioli Claude-A., Genève
d'Arcis Yves, Pomy
Ardin-Scheibli Maria-Pia, Siviriez
Arlettaz Albert, Vouvry
Arlettaz Daniel, Martigny
Arnaud Claude, Lausanne
Arnodin Martine et Antoine, Montrouge, France
Arnold René-Pierre, Lussy-sur-Morges
Arts et Vie, résidence de loisirs, Samoens, France
Association Musique et Vin, Jacques Mayencourt, Chamoson
Atelier Jeca, Catherine Vaucher-Cattin, Les Acacias
Atelier Palette Albertvilloise, Albertville, France
Aubailly André, Orléans, France
Aubry Jean-Michel, Chêne-Bougeries
Augsbourger Françoise, Vevey
d'Auriol Olivier, Pully
Ausländer Alexandra, Lausanne
Auto-Electricité, Missiliez SA, Martigny
Avilor S.à r.l., Benoît Henriet, Schiltigheim, France
Avoyer Pierre-Alain, Martigny
Bachala Maggy, Saint-Mars-du-Désert, France
Badoux Jean-René, Martigny
Bagnoud Dominique et Jean-Richard, Chermignon
Balma Manuela et Marc-Henri, Chancey, France
Balmer Frieda, Zurich
Bamberger Béatrice, Neuchâtel
Banderet Georges, Martigny
Barabas Annamaria, Aubonne
Barbey Daniel, Genève
Barbey Marlyse et Roger, Corsier
Barillon Pierre-Michel, Monthey
Baroffio Marceline et Pierre, Renens
Barras Renée, Crans-Montana
Barth-Maus Martine, Genève
Bartholdi Irène, Nyon
Bartoli Anne Marie, Evian-les-Bains, France
Baruh Micheline, Chêne-Bougeries
Baseggio Olivier, Saint-Maurice
Batruch Christine, Veyrier
Baumgartner Pierre et Marguerite, Ostermundigen
Baumgartner Véronika, Ittigen
Baur François et Madeline, Rillieux, France
Beaumont Olivier, Lausanne
Beck Jeannine, Morges
Bed and Breakfast «Le Gîte», Serge Favez, Orsières
Bedoret Edith, Crans-Montana
Beer Elisabeth et Heinz, Meiringen
Belet Louis-Ph., Vendlincourt
Belgrand Jacques, Belmont
Bellan Catherine et Jean-Claude, Crans-Montana
Bellicoso Michel Antonio, Martigny-Croix
Benczi Françoise, Zurich
Bender Laurent et Benoît, Martigny

Bender Yvon, Martigny
Beney Jean-Michel, Venthône
Benoit-Cattin Bruno, Vétheuil, France
Benusiglio Nick, Genève
Berclaz Simone, Orsières
Berdat Françoise, Chamoson
Berg Peter Torsten, Grande-Bretagne
Berger Henri, Arboussols, France
Berguerand Anne, Martigny
Berguerand Luc, Martigny
Berguerand Marc, Nyon
Berkovits Maria et Joost, Hoofddorp, Pays-Bas
Berlie Jacques, Miex
Bernard Nicole, Paris
Bernasconi Giancarlo, Agno
Bernasconi Sylvie, Troinex
Berne Jacques et Annick, Le Havre, France
Bernheim Hedi et ses Amis, Olten
Bernier Martine, Yvorne
Berrut Jacques, Monthey
Berthon Emile, Grilly, France
Bertrand Catherine, Genève
Bessac Danielle, Pringy, France
Bessèche Alain, Echichens
Bessero Anne-Caroline, Sion
Bestenheider Eliane, Crans-Montana
Betschard Isabelle, Thônex
Bezençon Michel, Saillon
Bezinge Marcelle, Sion
Biaggi André, Martigny
Bianco Liliane, Bex
Biber Kira et Philip, Genève
Bich Aintoine, Nyon
Bideaux Alain, Foucherans, France
Bircher Carole, Verbier
Birkigt Françoise, Vouzon, France
Bischof Louis et Jeannette, Muntelier
Black Findlay, Verbier
Blanc Jacky, Monthey
Blanc-Benon Jean, Lyon, France
Blaser Heinz Paul, Sion
Bloch Raymond C. et Monique, Berne
Bloechliger-Gray Sally et Antoine, Jongny
Blum Jean et Tatiana, Gstaad
Boada José, Genthod
Boers Ettie, Borex
Boëton Bernard, Le Mont-sur-Lausanne
Boiseaux Christian, Annecy, France
Boisseau Frédérique, Chernex
Boissier Marie-Françoise, Verbier
Boissonnas Jacques et Sonia, Thônex
Bollin Dorothée, Martigny
Bonnet Françoise, Crans-Montana
Bonvin Antiquités, Nicolas Barras, Sion
Bonvin Gérard, Crans-Montana
Bonvin Louis, Crans-Montana
Bonvin Rosemary, Monthey
Bonvin Sébastien, Sion
Bonvin Venance, Lens
Bonzanigo Luca, Claro (Tessin)
Bottreau Jean-Claude, Sallanches, France
Bouchardy Maria, Meyrin
Boucherie Bruchez Oreiller, Jocelyne Oreiller, Verbier
Boucheron Alain, Zermatt
Bougard Alain J., Belmont-sur-Lausanne
Bourban Pierre-Olivier, Haute-Nendaz
Boutique Carré Blanc, Madeleine Lambert, Martigny
Bouygues Constructions, Alain Loyer, Saint-Sulpice
Bovier Josiane, Clarens
Braunschweig Philippe, Vevey
Bretz Carlo et Roberta, Martigny
Brichard Jean-Michel, Bar-le-Duc, France
Bridel Frank, Blonay
Briguet Florian, Saillon
Broccard Claude, Martigny
Brochellaz Philippe, Martigny
Brodbeck Pierre, Fenalet-sur-Bex
Broekman - Van der Linden Queenie, Hilversum, Pays-Bas
Brossy Liliane et Claude, Echandens
Bruchez-Delaloye Georgette, Chamoson
Bruchez Pierre-Yves, Villette
Bruellan SA, Crans-Montana
Brun Francis, Lyon, France
Brun Jacques, Megève, France
Brünisholz Lynda, Champéry
Buchs Jean-Gérard, Haute-Nendaz
Bugnard Valérie, Monthey
Buguet-François Nathalie, Saint-Cyr-au-Mont-d'Or, France
Buholzer Marie-José, Genève
de Buman Jean-Luc et Marie-Danièle, Epalinges
Bumann-Hoogendam Annemieke, Saas-Fee
Burdet Michèle, Chesières
Bureau Technique Moret SA, Martigny
Buriat Jean-Louis, Paris
Burimmo SA, Lausanne
Burki Marcel, Lausanne
Burri-Dumrauf Irma et Pierre, Croix-de-Rozon
Burrus Yvane, Crans
Buser Niklaus et Michelle, Le Bry
Buyle Stéphan, Bruxelles
Cabinet de Coulhac - Mazerieux SA, Sion
Café Bélem, Roduit Colette, Fully
Café de Martigny, Bernardo de Oliveira, Martigny
Café-restaurant de Plan-Cerisier, Martigny-Croix
Caillat Béatrice, Corsier Port
Caille Suzanne, Prangins
Caillet Annemarie, Yverdon-les-Bains
Calandra Micheline et Pierre-Marie, Peseux
Calderari Alberto, Ecublens
Caloz André, Collombey
Caloz Varone Chantal, Sion
Campanini Claude, La Chaux-de-Fonds
Campion Patricia et Jean-Claude, Conthey
Camporini Yolande, Bossey, France
Cand Jean-François, Yverdon-les-Bains
Candaux François, Grandson
Carcel Anne, Roanne, France
Cardana Cristiano, Verbania-Pallanza, Italie
Carenini Plinio, Bellinzone
Carrichon Fabien, Lutry
Carron Anita, Martigny
Carron Annie et Michel, Riddes
Carron Josiane, Fully
Cartier Jacqueline, Genève
Casset Jacques, Domancy, France
Caste Jean, Crans-Montana
Castella Pascal et Eliette, Saint-Pierre-de-Clages
Cavallero Yolande, Vandœuvres
Cavelli Fausta, Cavigliano
Caveau des Ursulines, Gérard Dorsaz, Martigny-Bourg
Cavé Jacques, Martigny
CDM Hôtels et Restaurants SA, Lausanne
Ceffa-Payne Gilbert, Veyrier
Celio Teco, Crans-Montana
Cellier du Manoir, vinothèque, Martigny
Cencio Gianfranco, Fully
Centre culturel du Hameau, Verbier
Cert SA, Martigny
Chable Daniel et Laurence, Chexbres
Chalier Jean-Pierre, Genève
Chalvignac Philippe, Paris
Chandon Moët Jean-Remy, Lausanne
Chapatte Francis, Grandvaux
Chapon Jean, Triors, France
Chappaz Claude, Martigny
Chappuis Nicole, Vessy
Charles Françoise, Voisins-le-Bretonneux, France
Charles Jean-Pierre, Baden
Chatagny Noëlle, Fribourg
Chatagny Rodolphe, Gland
Chatagny-Bussard Régine, Pringy
Chatillon Françoise, Laconnex
Chaussures Alpina SA, Danielle Henriot, Martigny
Chavan Bernadette et Jean-François, Pully
Chavaz Xavier, Sion
Cherpitel Nicole et Didier, Crans
Chevalier Jouvray Christiane, Saint-Honoré, France
Chevalley-Vouilloz Annette, Onex
Chouraqui Gérard, Blonay
Christe Madeleine, Genève
Cidel SA, Pierre-Gaston Girard, Lutry
Ciola Ana Maria, La Conversion
Citroen Olga, Villars-sur-Ollon
C. J., Lyon, France
Clair M.-Charlotte, Paris
Claret Valérie, Saxon
Clausen Rose-Marie, Savièse
Claustres Monique, Paris
Clément Borlat et fils, Clarens
Clerc Jean-Michel, Fully
de Clerck Christine, Crans-Montana
Clivaz Fabienne, Genève
Clivaz Paul-Albert, Crans-Montana
Closuit Jean-Marie, Martigny

Closuit Léonard, Martigny
Closuit Marie-Thérèse, Martigny
Cochet Vony, Meudon, France
Collège de Bagnes, Le Châble
Collette Monique, Dorénaz
Collin Robert, Les Rousses, France
Colomb Geneviève et Gérard, Bex
Comba Ina, Nyon
Commune de Bagnes, Le Châble
Commune de Martigny-Combe
Commune de Vouvry
Compagnies de Chemins de Fer, Martigny-Châtelard, Martigny-Orsières
Comte Genevieve et Hervé, Pharmacie de la Gare, Martigny
Comte Philippe, Genève
Comutic SA, Martigny
Contestin Gabriel, Marseille, France
Coppey Charles-Albert et Christian, Martigny
Copt Aloys, Martigny
Copt Marius-Pascal, Martigny
Corm Serge, Rolle
Cottier Antoinette et Denis, Morges
Couchepin François, Lausanne
Courbe-Michollet Arlette, Chamonix, France
Courtemanche Sabine, Lille, France
Cousin Bernard, Fleurier
Cowie Peter et Françoise, La Tour-de-Peilz
Cravino Luigi, Frassinello, Italie
Crettaz Arsène, Martigny
Crettaz Monique, Conthey
Crettaz Pierre-André, Riddes
Crettenand Dominique, Riddes
Crettenand Narcisse, Isérables
Crettenand Simon, Riddes
Crettex Bernard, Martigny
Cretton Bernard, Monthey
Crot Eric, Yverdon-les-Bains
Cuennet Marina, Pailly
Cusani Josy, Martigny
Cuypers Marc, Martigny
Czartoryski Kristof, Verbier
Dallenbach Monique et Reynald, Chemin
Dallèves Anaïs, Salins
Damoiseau Philippe, Chardonne
Dandelot Maurice, Aïre - Le Lignon
Danheux Xavier, Nattages, France
Dapples-Chable Françoise, Verbier
Darbellay Gilbert, Martigny
Darbellay Jean-Paul, Martigny
Darbellay Michel et Caty, Martigny
Darbellay Paule, Martigny
Darbellay Stéphane, Martigny
Darbellay-Rebord Béatrice et Willy, Martigny
Darioly Michel, Martigny
Dayer Francis, Monthey
Dayet Christine et Claude, Crans-Montana
Dean John, Verbier
Debrunner SA, Philippe Darbellay, Martigny
Décaillet Marthe, Martigny
Defago Daniel, Veyras
Delacretaz Bernard, Lausanne
Delafontaine Jacques, Chardonne
Delaloye Lise, Ardon
Delamuraz-Reymond Catherine, Lausanne
de la Rochefoucauld Pierre, Paris
Délèze Marie-Marguerite, Sion
Della Torre Carla, Arzo
Delli Zotti Marie-Louise, Lausanne
Delmi-Bagnoud Nadine, Vandœuvres
Delrvelle Jean-Claude, Verbier
Dely Isabelle et Olivier, Martigny
Denis Paulette, Genève
Deruaz Anne, Cologny
Derveloy Gérald, Martigny
Desbois Gérard, Saint-Louis, France
Desmond Corcoran, Londres
Devaud Jacques, Bramois
Devaux Marc, Sallanches, France
Dewarrat Claude, Pully
Dewé Ghislaine et Alain, Crans-Montana
Diacon Philippe, La Tour-de-Peilz
Dichy Valérie, Lausanne
Diethelm Roger, Sion
Dini Liliane, Savièse
Dirac Georges-Albert, Martigny
D L. M., Versailles, France
Dolmazon Jean, Samoens, France
Donette Levillayer Monique, Orléans, France
Dorsaz François, Martigny
Dorsaz Michel, Martigny
Dougoud Maurice, Saint-Sulpice
Dovat Viviane, Cointrin
Doy Jacques et Nella, Anières
Dreyfus Pierre et Particia, Bâle
Driancourt Catherine, Hermance
Droz Marthe, Sion
Dubach Hermine-Hélène, Grand-Lancy
Dubouchet Jacques, Vernier
Duboule Claivaz Stéphanie, Martigny
Duclos Anne et Michel, Chambésy
Ducrey Jacques, Martigny
Ducrey Paul, Martigny
Ducry Alexandre et Ott Alexandra, Martigny
Ducry Danièle et Hubert, Martigny
Dufaud Patrice, Pully
Duguet Charles, Montreux
Dumas Françoise et Jacques, Annecy-le-Vieux
Dupas Jean-Pierre, Lausanne
Duperrier Philippe F., Aire-la-Ville
Duplirex, L'Espace Bureautique SA, Martigny
Durandin Marie-Gabrielle, Monthey
Duret Andrée et Jean-Jacques, Genève
Duriaux André, Genève
Dutoit Bernard, Lausanne
Echaudemaison Max, Maisons-Alfort, France
Eckert Jean-François, Les Marécottes
Edmondson Ian, Champex-Lac
Egger Camille, Pully
Eggermann Geneviève, Genève
Ehrbar Ernest, Lausanne
Ekström Véronique, Bernex
Electricité d'Emosson SA, Martigny
Elfstrom Kristina, Verbier
Embiricos Marinah, Verbier
Emonet SA, quincaillerie, Martigny
Emonet Marie-Paule, Martigny
Emonet Philippe, Martigny
Engel Barbara, Chernex
Erard Dolores et Henri, Crans-Montana
Erba Catherine et Rémy, Saignelégier
Escallier Marianne, Domène, France
Eschmann Francis, Salvan
Eusèbe Alexandra, Lutry
Evreinow Alexandra, Sion
Faessler Georges, Pully
Falaise Patrick, Domancy, France
Falbriard Jean-Guy, Champéry
Falciola Jean-Claude, Genève
Falkenburger Paul, Grimisuat
Faller Bernard, Colmar, France
Fallou Pierre-Marie, Artenay, France
Famé Charles, Corseaux
Famille Thétaz vins S.à r.l., Fully
Fanchamps Nadine, Zermatt
Farine Françoise, Thônex
Fauquex Arlette, Coppet
Faure Isabelle, Minusio
Favorol Sa, Stores, Savièse
Favre Bernard, Commugny
Favre Marie-Thé et Henri, Auvernier
Favre Marius, Anières
Favre Myriam, Genève
Favre Olivier, Lavey-Village
Favre Roland R., Stallikon
Favre-Crettaz Luciana, Riddes
Favre-Emonet Michelle, Sion
Favre-Zaza Gilberte, Sarreyer
Febex SA, Bex
Feiereisen Josette, Bulle
Fellay Dominique, Genève
Fellay-Pellouchoud Michèle, Martigny
Fellay-Sports, Monique Fellay, Verbier
Felley Marco, Martigny
Ferrari Olivier, Jongny
Ferrari Paolo, Brusino-Arsizio
Ferrari Pierre, Martigny
Fiduciaire Bernard Jacquier S.à r.l., Martigny
Fiduciaire Jean Philippoz SA, Leytron
Fiduciaire Rhodannienne SA, Sion
Fillet Jean, pasteur, Thônex
Filliez Bernard, Martigny
Finasma SA, Bernard Verbaet, Cologny
Fischer Alain, Cortaillod
Fischer Hans-Jürgen, Delémont
Fleisch Maria Pia, Pully
Fleming Roger, Argentière, France
Flipo Jérôme, Tourcoing, France
Foire du Valais, Martigny
Fondazione Orchidea, Mauro Regazzoni, Riazzino
Forclaz Claude, Veyras
Forestier-Chométy Anne-Marie, Besançon, France
Fortini Christiane, Villars-sur-Ollon
Frachebourg Jean-Louis, Sion
Franc Robert, Martigny

Francey Mireille, Grandson
Francillon Roger, Lausanne
François Madelyne, Lyon, France
Frankl Claudia, Arzier
Franzetti Fabrice, Martigny
Franzetti Joseph, Martigny
Frass Antoine, Sion
Frehner & Fils SA, Martigny
Frey Hedwig, Estavayer-le-Gibloux
Friedli Anne et Catherine Koeppel, Fully
Fulchiron Roland et Bernadette, Ecully, France
Fumex Bernard, Evian, France
Fustinoni Andrea, Saint-Prex
Fux Christine et Marcel, Viège
Gagneux Eliane, Bâle
Gaillard-Ceravolo Anne-Marie et
Jean-Pierre Vandevoorde, Genève
Gaillard Herrera Pérez María et Christophe,
Martigny
Gaillard Philippe, Martigny
Galerie Claude Bernard,
Claude Bernard Haim, Paris
Galerie Daniel Varenne, Genève
Galerie Laforet, Silvia Weibel, Martigny
Galerie Mareterra Artes, Eeklo, Belgique
Galerie Patrick Cramer, Genève
Galland Christiane, Romainmôtier
Galletti Jacques et Yvette, Martigny
Galletti Mathilde, Monthey
Ganty-Desaulles Anne, Leysin
Ganzoni Blandine et Philippe, Genève
Garage Check-point, Martigny
Garage Kaspar SA, Philippe Bender,
Martigny
Garage Olympic, Paul Antille, Martigny
Garance Gabriel, Meyrin
Gardaz Jacques, Vevey
Garnier Serge, Martigny
Gasser Marianne, Vouvry
Gault John, Orsières
Gautier Jacques, Genève
Gay-Balmaz Nicole, Martigny
Gay-Crosier François, Verbier
Gay Dave, Martigny
Gay Marie-Françoise et Alain, Fully
Gebhard Charles, Küsnacht
Geiser Clinton E., Blonay
Geissbuhler Frédéric, Auvernier
Gemünd Danièle, Castelveccana/Varese,
Italie
Genetti SA, Riddes
Genoud Antoine, Sion
Genton Etienne, Monthey
Georges André, Chêne-Bougeries
Gerber René, Bâle
Gertsch Jean-Claude, Neuchâtel
Gevaert Benoît, Verbier
Ghaziri Blandine, Lausanne
Gianadda Géraldine, Chemin
Gianadda Laurent, Martigny
Gilliard Jeannine, Saint-Sulpice
Gilliéron Michel, Corcelles
Gillioz Elfrida, Sion
Gilson Jacqueline, Genolier
Girod Dominique, Genève
Girod Erika et Charles, Zurich
Giroud Frédéric, Martigny
Gisler Monique, Préverenges
Glauser-Beaulien Eudoxia et Pierre,
Neuchâtel
Glenz Marie-Thérèse, Sion
Gloor Mario, Genève
Gnaegi Anne-Marie et Jean, Buchillon
Goeres Raymond, Kehlen, Luxembourg
Golay François, La Tour-de-Peilz
Golaz Edmond, Genève
Golaz-von Roten Marie-Laure, Mies
Goldenbaum Soly, Boulogne, France
Goldstein A. et S., Sion
Gollut Elisabeth, Lausanne
Gontard-Deluermoz Anne-Marie,
Saint-Didier-au-Mont-d'Or, France
Gonvers Serge, Vétroz
Gorgemans André, Verbier
Goury du Roslan Célian, Mies
Graf-Amsler Hermina et Alfred, Clarens
Grand Hôtel du Parc, Thibault Relecom,
Villars-sur-Ollon
Grandjean Claude, Le Mont-sur-Lausanne
Granges Jean-Claude,
Tea-room «Les Arcades», Fully
Grasso Carlo, Peintre, Calizzano, Italie
Grecos Iraklis, Collombey
Gredig Rosemarie, Verbier
Gretillat Monique, Neuchâtel
Grimler Nancy, Chêne-Bourg
Grisoni Michel, Vevey
Groppi J.P. Mario, Genève
Gross Philippe, Gland
Gschwend Beata, Saint-Gall
Gudefin Philippe, Verbier
Guelat Laurent, Fully
Guex-Crosier Jean-Pierre, Martigny
Guigoz Françoise, Vex
Guillemin Pierre, Finhaut
Guinnard Fabienne, Lausanne
Gurtner Gisèle, Chamby
Guyaz Claudine-Isabelle et Heinz Laubscher,
Lausanne
Haenggi Werner, Lens
Haldimann Blaise, Sierre
Halle Maria, Givrins
de Haller Emmanuel B., Neftenbach
Halperin Noemi, Genève
Hanier Monique et Bernard, Randogne
Hannart Marie-Emmanuel, Berne
Hardy Gérard, Notre-Dame-de-Bellecombe,
France
Harsch Henri HH SA, Carouge-Genève
Hart-Albertini Karen, Verbier
Hatam Valborg, Chêne-Bougeries
Hauri Arthur-Edouard, Neuchâtel
Häusler Heribert, Klein-Winternheim,
Allemagne
Heintz Bertha, Monthey
Held Michèle et Roland, La Tour-de-Peilz
Helvetic Trust, Rolf Spaeth, Lausanne
Henchoz Michel, Aïre
Henrioud Shirley, Genève
Henry Gabrielle, Lausanne
Hercules-Suard Françoise et Brian Leslie,
Monthey
Héritier Régis, Savièse
Herrli-Bener Walter, Seewen
Hervé Jacques et Evelyne, Maurecourt,
France
Hess Claus, Höchberg, Allemagne
Hiltbrand-Héritier Chantal, Conthey
Hintermeister James, Lutry
H. J., Verbier
Hobin Pascale, Troistorrents
Hoebreck Liliane et Jean-Paul, Genève
Hoffstetter Maurice, Blonay
Hollenfeltz du Treux Pierre, Verbier
Holmes Inez, Ferney-Voltaire, France
Hoog-Fortis Janine, Thônex
Horisberger Eliane, La Chaux-de-Fonds
Hôtel du Rhône, Otto Kuonen, Martigny
Hôtel Eden, Patrick Barras, Crans-sur-Sierre
Hôtel Faucigny, Chamonix, France
Hôtel Masson, Anne-Marie Sévegrand,
Veytaux-Montreux
Hôtel Mont-Rouge, Jean-Jacques Lathion,
Haute-Nendaz
Hottelier Denis, Martigny
Hottelier Jacqueline, Plan-les-Ouates
Hottelier Patricia et Michel, Genève
Huber André, Martigny
Hubin Colette, Lausanne
Huet Marika, La Rippe
Hugenin Rose-Marie, Neuchâtel
Huguenot Marti Michelle, Chamby
Hummel Charles, ancien ambassadeur,
Saxon
Hunziker Ruth, Veyrier
Hurni Bettina S., Genève
IDEAC SA, Jean-Pierre Bourcart, Ecublens
Iller Rolf, Haute-Nendaz
Imhof Anton, La Tour-de-Peilz
Imhof Charlotte, Corcelles
Implenia Construction SA, Martigny
Impresa di Pittura, Attilio Cossi, Ascona
Imprimerie Schmid SA, Sion
Ingesco SA, Genève
Invernizzi Fausto, Quartino
Iori Ressorts SA, Charrat
Iseli Bruno-François, Effretikon
Is Wealth Management, Thomas Iller, Sion
Jaccard Francis, Martigny
Jaccard Jacqueline, Chêne-Bougeries
Jaccard Marc, Morges
Jackson Marie-Christine, Lausanne
Jacquemin Jean-Paul, Martigny
Jacquérioz Michel, Martigny
Jacques Yves, Evian, France
Jan Gloria, Lutry
Jaquenoud Christine, Bottmingen
Jaquet Albert, Clarens
Jarrett Stéphanie, Mont-sur-Rolle

Javalet Martine, Albertville, France
Jawlensky Angelica, Mergoscia
Jayet Dominique, Sembrancher
Jeanneret Claude, Genève
Jenny-Tabur Nadia, Gland
Jenoure Paulette et Peter, Oberwil
John Claudette, Meillerie, France
John Marlène, Sierre
Joliat Jérôme, Genève
Jolly Irma, Zurich
Jordan Philippe, Sembrancher
Joris Françoise, Champex
Jotterand Michèle, Vessy
Jouvenat François, Bex
Juda Henri, Dexia Banque privée SA, Lausanne
Jules Rey SA, Crans
Juvet Olivier et Maria, Louhans, France
Kaales Nicolaas, Salvan
Kaiser Peter et Erica, Saint-Légier
de Kalbermatten Anne-Marie et Jean-Pierre, Sion
de Kalbermatten Anne-Marie, Veytaux
de Kalbermatten Isabelle, Salvan
Kapur Barbara et Harish, Ravoire
Karbe Kerstin, Petit-Lancy
Karl Meyer SA, Le Mont-sur-Lausanne
Kaufmann Peter G., Lausanne
Kegel Sabine, Genève
Kellermann Theresa, Montreux
Khalef Abdelmadjid-Rachid, Leysin
Kiefer Henri, Vevey
Kilp Winfried et Angelika, Küsnacht
Kindler Anne-Marie et Philippe, La Conversion
Kirchhof Sylvia et Pascal, Thonon-les-Bains, France
Klaus Gabrielle, Epalinges
Kleiner Max, Staufen
Krafft-Rivier Loraine et Pierre, Lutry
Krayenbühl Thomas, Jona
Krichane Edith et Faïçal, Chardonne
Krieger-Allemann Roger et Arlette, Saint-Légier
Kugler Alain et Michèle, Genève
Kung Alain, Cointrin
Kuonen Gérard, Martigny
Lacroix Alain, Villars-sur-Ollon
Lacrouts Roger et Monica, Genève
Läderach-Weber Danielle, Saint-Maurice
Lagrange Claudine, Bulle
Lak Willem et Caroline, Les Granges/Salvan
Lambelet Charles-Edouard, Glion
Landgraf François, Saint-Sulpice
Langenberger Christiane, Conseillère aux Etats, Romanel-sur-Morges
Langraf Madeleine, Vevey
Lanzoni Rinaldo, Genève
La Semeuse, Marc Bloch, La Chaux-de-Fonds
L'Atelier de Saillon, école de dessin et peinture, Saillon
Latour Claude, La Conversion

Lauber Joseph, Martigny
Laubhus AG, Rüfenach
Laurant Marie Christine et Marc, Fully
de Lavallaz Christiane, Sion
Laydevant Françoise et Roger, Genève
Leclercq Xavier, Montreux
Le Déclic, Brigitte Morard, Martigny
Ledin Michel, Conches
Le Floch-Rohr Josette et Michel, Confignon
Legros Christian, Verbier
Lehner et Tonossi SA, aciers-quincaillerie-mazout, Sierre
Lejeune Marc, Crans
Le Joncour Jean-Jacques, Chippis
Lelong Gérard, Frazé, France
Lendi Beat, Prilly
Leonard Gary, Ravoire
Leonardon Dominique, Zurich
Lepori Claudio, Bellinzona
Le Roux de Chanteloup Danièle et Jean-Jacques, Champéry
Les Mariées de Cédrine, Katherine Giroud, Martigny
Leuba Serge, Fribourg
Leuthold Marianne et Jean-Pierre, Lutry
Leuzinger Claudia et Patrick, Thônex
Lévy Guy, Fribourg
Levy Noëlle, Genève
Lewis-Einhorn Rose N., Begnins
Lieber Anne et Yves, Saint-Sulpice
Lilla-Hinni Marcelle, Genève
Limacher Florence et Richard Stern, Eysins
Lindstrand Kai, Torgon
Livera Laurent, Monthey
Livera Léonardo, Collombey
Livio Jean-Jacques, Corcelles-le-Jorat
Loewensberg Félix, Aigle
Logean Sophie et Christian, Meyrin
Lombardi Christiane, Minusio
Lonfat Juliane, Martigny
Long Dave, Sion
Lorenzetti-Ducotterd Marie-Antoinette, Locarno
Lucchesi Fabienne, La Croix-de-Rozon
Lucchesi Serenella, Monaco
Luce Fabrice, Galmiz
Luce NS Concept, Augusto Mastrostefano, Marnand
Lucibello Chercher Samir, Lausanne
Lugon Bernard, Martigny
Luisier Adeline, Berne
Lurin Stéphane Andrée, Lyon, France
Lüscher Bernhard et Marianne, Winterthur
Lustenberger-Zumbühl Werner et Annelies, Littau
Lux Frédéric, Genève
Lux Frédéric, Genève
Lyons David, Lutry
M.F., Chamonix, France
M. F., Sion
M. M., Paris
Mabilon Frédérique, Genève
Machado Alvaro, Lausanne

Maetzler Anne-Marie, La Fouly
Maillon François, Lyon, France
Maini Maria Teresa, Plaisance, Italie
Mamon Delia, Verbier
Mantel Laurent, Paris
Marchand Yves-Olivier, Onex
Marcoz Nadia, New York
Maréchal Silvana, Chexbes
Maret Christian, Sion
Mariaux Richard, Martigny
Marin Bernard, Martigny
Marin Yvon, Liddes
Martin Michelle, Genève
Martin Nicole, Paris
Martin Suzanne, Neuendorf
Martinetti Raphy et Madeleine, Martigny
Martinez Michel, Grimisuat
Marty Caroline, Thann, France
Massard Rita, Martigny
Masson André, Martigny
Massot Dominique, Genève
Mathieu Erich, Muraz
Matricon Yves, Lyon France
Matthey Brigitte et Pierre, Vésenaz
Maurer Willy et Jacqueline, Riehen
Maury Valérie, Vevey
Maye Dominique Pascal, Carouge
Mayor Christian, Monthey
Mayor Mathias, Genève
Mayor Paulette, Veyras
de Meester de Heyndonck Daniel, Venthône
Méga SA, traitement de béton et sols sans joints, Martigny
Meier Jacqueline, Genève
Mellen Annie et William, Bollène, France
Melly Blaise, Sierre
Mendes de Leon Luis, Champéry
Mendes de Leon Soizic, Gland
Ménétré Pierre, Grand-Saconnex
Menétrey-Henchoz Jacques et Christiane, Porsel
Menuz Bernard et Chantal, Châtelaine
Mercier Michèle, Vich
Méric di Giusto Solange, Verpillières-sur-Ource, France
Méric Marie-Noëlle, Paris
Merz Otto, pasteur, Uitikon
Messner Tamara, Martigny
Mestdjian Marie Amahid, Genève
Métrailler Mario, Martigny
Métrailler Pierrot et Eléonore, Sion
Métrailler Sonia, Martigny
Métral Edgar, Sierre
Métral Raymond, Martigny
Meunier Gérard, Achères-La-Forêt, France
Meunier Jérôme, Saint-Symphorien, Belgique
Meyer Daniel, La Tour-de-Peilz
Meyer Evelyn, Nyon
Miallier Raymond, Clermont-Ferrand, France
Miauton Pierre-Alex, Bassins
Michaud Dora et David, Yverdon
Michaud Edith et Francis, Martigny

Prof. Michel François-Bernard, Montpellier, France
Michel Thierry, Grand-Saconnex
Michelet Freddy, Sion
Michellod Guy, Martigny
Microscan Service SA, Chavannes-près-Renens
Migliaccio Massimo, Martigny
Miglioli-Chenevard Magali, Pully
Miller Corina, Lausanne
Mittelheisser Marguerite, Illzach, France
Mobilidée - Bois design 07, Sion
Moillen Marcel, Martigny
Moillen Monique, Martigny
Mol Jan, les Marécottes
Mollard André, Cointrin
MOM Consulting SA, Bernard Schmid, Martigny
Mommeja Bernard, Genève
Monard Anne, Vex
Monnard Christian et Gabrielle, Martigny-Croix
Monnet André, Sion
Monnet Bernard, Martigny
Monnin Louis et Lily, Carouge
de Montabert François, Vetraz-Monthoux, France
Montavon Maurice, Swiss caution, Effingen
Montfort Evelyne, Hauterive
de Montmollin Violaine, Neuchâtel
Montoya Claire, Paris
Morard Hubert, Lyon, France
Moreillon Marie-Rose, Genève
Moret Claude, Verbier
Moret Raymonde, Martigny
Moretti Anne, Pully
Morin Ruth, Lausanne
Morin-Stampfli Alain, Indre, France
Moritz André, Rosheim, France
Moser Jean-Pierre, Lutry
Mottet Brigitte, Lausanne
Mottier Raymond, Grimisuat
Moulin Marine, L'Aigle, France
Mouther Marie, Martigny
Mouthon Anne-Marie, Marin-Epagnier
Mueller Marc Alain, Anet
Müller Christophe et Anne-Rose, Berne
Muri René, Herzogenbuchsee
Nagovsky Tatiana, Genève
Nahon Philippe, Courbevoie, France
Nanchen et Guex, Martigny Immobilier SNC.
Nanchen Jacqueline, Sion
Nançoz Roger et Marie-Jo, Sierre
de Nanteuil Laurence, Menthon-Saint-Bernard, France
Narbel Marie-Claude et Blaise, Lausanne
Nendaz Amédé, La Tzoumaz
Neville Cook Alexandra, Communy
Nicolazzi René, Genève
Nicolet Olivier, Martigny
Nicollerat Louis, Martigny
Niebling Elisabeth et Charles, Arbaz
Noir Dominique, Monthey
Noordenbos-Huber Marianne, Eindhoven, Pays-Bas
Nordin Margarita, Crans-Montana
Nordmann Alain, Ozoire-la-Ferrière, France
Nosetti Orlando, Gudo
Novarina Catherine, Thonon, France
Nuñes Eduardo et Isabel, Martigny
Oberson Catherine, Genève
Obrist Reto, Sierre
OCMI Société Fiduciaire SA, Genève
Oertli Barbara, Lisbonne, Portugal
Oetterli Anita, Aetingen
Olsburgh Nelly et John, Pully
Ott Pierre-Alain, Genève
Otten J. D., Waalre, Pays-Bas
Oulevey Christophe, Lausanne
Paccolat Fabienne, Martigny
Pacifico Penny, Nendaz
Pages Franck, Baden-Baden, Allemagne
Paley Nicole et Olivier, Chexbres
Pallavicini Cornelia, Zurich
Panizza Giovanni, San Michele, Italie
Papaux SA, Fenêtres, Savièse
Papilloud Gaël, Créactif, Martigny
Papilloud Jean-Claude, Créactif, Martigny
Parchet Maria, Clarens
Pâris-Hamelin Annette, Boulogne, France
Pasquier André, Saxon
Passerini Jacques, Crans-Montana
Pasteur Philippe, La Tronche, France
Patier Yves, Gagny, France
Patrimoine et Gestion SA, Genève
Pauzé Mariette, Sierre
Peillet Francis, Saint-Geniès-de-Cornolas, France
Pellaud Charly, Restaurant «La Boveyre», Epinassey
Pellaud René, Martigny
Pellissier Jean-Claude, Martigny
Pellissier Vincent, Sion
Pellouchoud Janine, Martigny
Peny Nadine, Féchy
Perez-Tibi Dora, Neuilly, France
Peris Cynthia, Ferney-Voltaire, France
Perraudin Maria, Martigny
Perrault Crottaz Danielle, La Tour-de-Peilz
Perréard Patrick, Genève
Perret Alain, Vercorin
Perrin Catherine, Montreux
Perrin Charly, Martigny
Perroud Jean-Claude, Saxon
Perthuis Gwilherm, Amancy, France
Pesant Virginie, Genève
Petch Anna, Verbier
Peten Evelyne, Lauenen
Petersen Yvette, Saint-Maurice
Peterson Judith, Verbier
Petroff Michel et Claire, Grand-Saconnex
De Peyer Béatrice, Onex
Pfefferlé Marie-Jeanine, Sion
Pfefferlé Raphaële, Sion
Pfister-Curchod Madeleine et Richard, Pully
Phenix Assurances, Lausanne
Philippin Bernard et Chantal, Le Châtelard
Phillips Monique, Lausanne
Piasenta Michelle et Pierre-Angel, Martigny
Piatti Jeannine, Sion
Picard-Billi Bianca, Chevreuse, France
Pignat Daniel, d'Alfred, Plan-Cerisier
Pignat Daniel et Sylviane, Martigny-Croix
Pignat David, Martigny
Pignat Marc, Martigny
Pigott Peter H., Anzere
Piguet-Cuendet Jean-François, Cully
Pijls Henri M., Salvan-Les Granges
Pilet Marcel, Lausanne
Pillet Françoise et Jacques, Martigny
Pillet Liline, Martigny
Pillonel André, Genève
Pitteloud Anne-Lise, Sion
Pitteloud Janine, Sion
Pitteloud Paul-Romain, Les Agettes
Piubellini Gérard, Lausanne
Pizzolante Lara, Onex
Plaquevent Ludovic, Paris
Plenar Georges, Sallanches, France
Poirrier Yves, Saint-Cloud, France
Polgar Eric, Mex
Polli et Cie SA, Martigny
Pommery Philippe, Verbier
Pont René-Pierre, Granges
Pouvesle Patrice, Burcin, France
Prahl Soren, Amsterdam
Praz Bernadette, Sion
Préperier Michel, Le Châble
de Preux Michèle, Jouxtens-Mézery
de Preux Thierry, Lutry
Priolo Mario, Villeneuve
PromoFlor, Bernard Masseron, Veyrier
Puech-Hermès Nicolas Philippe, Orsières
Puhl Lore, Champex
Puippe Janine, Ostermundigen
Puippe Pierre-Louis, Martigny
P. Y. G., Anonyme, Genève
Quaglia Philippe, Barcelone, Espagne
Raboud Bernard, Droguerie-Herboristerie, Broc
Raboud Hugues, Genthod
Raboud Jean-Joseph, Köniz
Raggenbass-Couchepin René et Florence, Martigny
de Rambures Francis, Verbier
Ramel Daniel, Jouxtens
Ramseyer Jean-Pierre, Grimisuat
Rannaud Pierre, artiste peintre, Chatou, France
Rapin Jean-Jacques, Lausanne
Rappaz Pierre-Marie, Sion
Ratano Abraham, Mathod
Rattray Bernard et Noémie, Grimentz
Rausing Birgit
Rausis Maurice, Martigny
Raymond Jean et Marie-Anne, Chernex
Rebelle Vouilloz Fabienne, Martigny
Reber Guy et Edith, Collonge-Bellerive
Rebord Mario, Martigny

Rebord Philippe, Sullens
Rebstein Gioia et François, La Conversion
Redalié Tatiana, Genève
Regueiro Joaquin, Milladoiro, Espagne
Reiber Barbara et Ernest, Savièse
Reicke Ingalisa, Bâle
Reitz Jaqueline, Jouxtens-Mézery
Remy Michel, Bulle
Renck Yvette, Monthey
Renggli Dominique et John, Réchy
Renout Marie-Thérèse et Pierre, Murist
Rentchnick Pierre, Commugny
Restaurant «Le Bourg-Ville», Claudia et Ludovic Tornare-Schmucki, Martigny
Réthoré Alain, Marcilly-en-Gault, France
Rettmeyer Evelyne et Franck, Rives-sur-Fure, France
Rettmeyer Denise, Rives-sur-Fure, France
Reuver-Cohen Marc et Caroline, Crans
Revon Alain, Lumbin, France
Reyers Anton, Les Marécottes
Rey-Günther Anita, Port
Reymond Josée, Lucens
Reymond-Rivier Berthe, Jouxtens-Mézery
Ribail Isolde, Sion
Ribordy Antoinette, Sion
Richard Hélène et Hubert, Paris
Richard Jean-Philippe, Nyons, France
Rieder Systems SA, Lutry
Rigamonti-Musy Jacqueline, Monthey
Rigips SA, Usine la Plâtrière, Granges
Rime Georges, Yverdon-les-Bains
Rinaldi Roselyne, Vouvry
Ritrovato Angelo, Monthey
Robinet André et Henry Daniel, Fontaine-lès-Dijon, France
Rochat Elisabeth et Marcel, Les Charbonnières
Rochat Jean-Luc, Bienne
Rochat Véronique, Chexbres
Rodin Stratégies SA, Chavannes-de-Bogis
Roduit Albert, Martigny
Roduit Edwin et Michellod Léon, Martigny
Roelants André, Lintgen, Luxembourg
Rollason Michèle, Genthod
Romero Jean-Paul, Hergiswil
Rondi-Schnydrig Marie-Thérèse, Pfäffikon
Roos Susy, Gerzensee
Rosa-Doudin Donatella, Strasbourg, France
Rossetti Etienne, La Tour-de-Peilz
Roud Marza, Lausanne
Rouiller Bernard, Praz-de-Fort
Rouiller Jean-Marie, Martigny
Rouvinez Simon, Grimentz
Roux Françoise, Jongny
Roux Roland, Pully
Rovelli Paolo, Lugano
Ruchat René Armand Louis, Versoix
Rudhardt Klaus Jürgen, Cologne, Allemagne
Ruffieux Véronique, Saint-Maurice
Rybicki Jean-Noël, Luthier, Sion
Rykiel Sonia, Paris

Saint-Denis Marc, Vandœuvre-lès-Nancy, France
de Saint-Rapt Jean-Annet, Paris
Salvan Paul et Franziska, Avully
Sametec SA, Sion
Sarafian Jean-Marc, Enghien-les-Bains, France
Sarrasin Monique, Bovernier
Sarrasin Olivier, Saint-Maurice
Sarrasin Pascal, Martigny
Saudan Georges, Martigny
Saudan Pierre, Martigny
Sauthier Edmond et Michèle, Martigny
Sauthier Marie-Claude, Riddes
Sauty Irène, Genève
Sauval Alain et Sabine, Paris
Schack Bo, Ferney, France
Scheidegger Aurore et Frédéric, Martigny
Schelker Markus, Oberwil
Schellenberg Marie-Claire, Sion
Schenk Claire-Lise, Martigny
Schenker Erna, Corsier
Scheurer Gérard, Aigle
Schiller Hans, Zurich
Schippers Jacob, Martigny
Schläpfer Andreas, Chexbres
Schlogel Colette, Genève
Schlup Juliette et Hansrudolf, Môtier
Schmid Anne-Catherine, Saillon
Schmid Jean-Louis, Martigny
Schmid Monique, Saconnex-d'Arve
Schmid Trudi, Langenthal
Schmidt Caroline, Genève
Schmidt Immobilier, Grégoire Schmidt, Martigny
Schmidt Laurent, Martigny
Schmidt Pierre-Michel, Epalinges
Schmutz Aloys, Conthey
Schmutz Doris, Brione
Schneider Marianne, Genève
Schneider Sylvia, Thalheim
Schnyder Maria Magdalena, Fribourg
Schoeb Louise, Genève
Schoeulanb Julien, Anières
Scholer Urs, Corseaux
Schulthess Maschinen SA, Granges
Schürenkämper Albert, Crans-Montana
Schwartz Jean-Pierre et Pascale, Sallanches, France
Schwieger Ian, Nyon
Sechet Véronique et Glinne Pascal, Pully
Secretan Arnaud et Marie-Pierre, Paudex
Seguin Elisabeth, Saint-Gengoux-le-National, France
Seigle Marie-Paule, Martigny
Serey Régine, Crans-Montana
Séris Geneviève et Jean-François, Ayze, France
Sermier Irma et Armand, Sion
Sermier Joseph-Marie, Vouvry
Severi Farquet Annelise et Roberto, Veyrier
SIC S.à r.l., Régine Reynard, Crans-Montana

Sicosa SA, Jean-Jacques Chavannes, Lausanne
Sidler Laetitia, Ruvigliana
Sieber Hans-Peter, Bellmund
Siegenthaler Marie-Claude, Tavannes
Simon Marianne, Rüfenacht
Simonetta Anne-Lise, Ravoire
Simonin Josiane, Cernier
S. I. P. Sécurité SA, Vernayaz
Skarbek-Borowski Irène et Andrew, Verbier
Sleator Donald, Pully
Slucki Jany et Bernard, Crésuz
Société d'Electricité, Martigny-Bourg
Sola Philippe, Martigny
Solot Liliane, Crans-sur-Sierre
Sommer Alfred Walter, Pacific Palisades, Etats-Unis
Soulier Alain, Crans-sur-Sierre
Soulier Jacqueline, Vésenaz
Sousi Gérard, président d'Art et Droit, Lyon, France
Spencer, Sandra et Scanio, Marina, Mont-sur-Rolle
Spinner Madelon, Rome
Srnka Catherine, Sierre
Stahli Georges, Collonge-Bellerive
Stähli Regula, Nidau
Stalder Mireille, Meyrin
Stassen Fabienne, Hermance
Steeg François, Crans-sur-Sierre
Stefanini Giuliana, Bernex
Steiner Eric, Grand-Saconnex
Steinmann Claire-Lise, Confignon
Stelling Nicolas, Estavayer-le-Lac
Stephan SA, Pierre Stephan, Givisiez
Stettler Martine, Martigny
Sthioul Catherine, Les Diablerets
Stolt Ginette, Buchillon
Storno François, Genève
Stricker Marie-Claude, Vevey
Strohhecker Pierre, Gland
Strub To et Irina, Thoune
Strübin Peter, Viège
Studer Myriam et Roland, Veyras
Sturm-Cuenod Marie-Laure, Lens
Suchet Dominique et Emmanuel, Lyon, France
Suter Ernest, Staufen
Suter Madeleine, Grand-Saconnex
Tacchini Carlos, Savièse
Taillandier René, Paris
Taponier Jean, Paris
Taramarcaz José, Martigny-Croix
Tatti Brunella, Arzier
Tatti Pietro, Crans
Taverney Bernard, Epalinges
Tériade Alice, Paris
Thaulaz Gérald, Villeneuve
Theumann Jacques, Saint-Sulpice
Thiébaud Alain, Peseux
Thiebaud Fred, Verbier
Thomas Roger, Lutry
Thomson Ronald, Ravoire

Thonney Marlyse, Pully
Thullen Florence et Patrick, Dardagny
Thurau Roger, Venthône
Thüring Carole et Gontran, Paris
Thys Bill, Epalinges
Tiemstra Johanna et Gabriel,
Mayens-de-Riddes
Tissières André, Martigny
Tonascia Pompeo, Ascona
Tonon Corinne et Pelenc Dominique,
Crest, France
Tonossi Michel, Sierre
Tornare Gilbert, Bourg-Saint-Pierre
Torosantucci Sandra, La Chaux-de-Fonds
de Torrenté Bernard, Sion
Torrione Joseph, Sion
Toureille Béatrice et Jacques, Genève
Touw Danny, Brent
Touzet Dominique, Verbier
Trachsel Ernst et Liselotte, Münchenbuchsee
Trento Longaretti, Bergame, Italie
Triebold Pierre, Martigny
Troillet Jacques, Martigny
Tschan Irène, Etoy
Tschan Therese, Laufen
Tscholl Heinz-Peter, Guttannen
Türler A. W., Genève
Tyco Fire & Integrated Solutions SA,
Préverenges
Ucova, Sion
Udressy Ginette, Monthey
Unal Jacques, Champéry
Urban-Ruhlmann Marie-Paule,
Obernai, France
Vacheron Aline, Lausanne
Valchanvre Sàrl, Saxon
Valloton Henri, Fully
Valorisations Foncières SA, Genève
Van den Bergh Marcelle, Nyon
Van Dun Peter, Les Marécottes
Vaney Claude, Crans-Montana
Vanderheyden Dirk, Savièse
van der Tempel Gerhardus, Roosdaal,
Belgique
Van Lippe Irène, Hérémence
van Nierop Ingeborg et Maarteen, Champéry
Van Prooyen Peter Christiaan, Rotterdam,
Hollande
van Rijn Bernhard, Salvan
Van Schaik Cornelis Adriianus,
Haute-Nendaz
Van Schelle Charles, Haute-Nendaz
Varga Laurence, Paris
Varone Benjamin, Savièse
Vasserot Lucienne, Pully
Vaudan Anne-Brigitte, Bagnes
Vautravers Cosette et Edgar, Lausanne
Vegezzi Aleksandra, Genthod
Venetz Annie-Moria, Hérémence
Vernaz Philippe, Monthey
Vetsch Boris, Borex
Viansone SA, R. + G. Dafflon et J. Noverraz,
Meyrin
Viard Burin Cathy-Silvia, Genève
Viatte Gérard et Janine, Verbier
Videsa SA, Sion
Vigolo David, Monthey
Vigreux Georges, Lyon, France
Vilchien Ingrid, Genève
Villeger Albine, Villard-de-Lans, France
Viotto-Sorenti M.-Cristina, Courmayeur, Italie
Vité Laurent, Bernex
Vittoz Monique et Eric, Cernier
Vogel Pierre et Liline, Saint-Légier
Voillat François, Eaunes, France
Voirol Denis, Val-d'Illiez
Voland Jacques, Sierre
Volland Marc, Grand-Saconnex
Vollenweider Ursula, Genolier
Von Allmen Elfie, Verbier
Von Arx Konrad-Michel, Moutier
Von der Lahr Joachirm, Villeneuve
Von der Weid Hélène, Villars-sur-Glâne
Von Muralt F. Peter, Zurich
Von Orelli Jacques et Barbara,
Château-d'Œx
Vouilloz Claude, Saxon
Vouilloz Jeanine, Sion
Vouilloz Philippe, Martigny
Vuadens Suzanne, Yvorne
Vuignier Claire et Jacques, Martigny
Vuillaume R. SA, Robert Vuillaume,
Genève-Châtelaine
Vuilleumier Denise, Genève
Vulliez Guillaume, Lausanne
Wachsmuth Anne-Marie, Genève
Wadsworth Clare, Condom, France
Waegeli Gilbert et Pierrette, Meinier
Walde Simone, Conthey
Waldvogel Guy, Prangins
Walewski Alexandre, Verbier
Walewski-Colonna Marguerite, Verbier
Walker Catherine, Genthod
Walpen Francis, Chêne-Bougeries
Walz Elke et Gerhard, Epalinges
Wantz Anouk, Lausanne
Wasem Marie-Carmen, Sion
Wedmedev Anita, Crans-Montana
Weil Eric et Susi, Crans-Montana
Wey Heidi, Monthey
Whitehead Malcom et Judith, Martigny
Widmer Chantal, Grandvaux
Widmer Karl, Killwangen
Wild Valérie, Lausanne
Winkelmann Ingrid, Dünsen, Allemagne
Wirz Christiane et Peter, Aigle
Wist Christiane, Genève
de Witt Wijnen Otto, Bergambacht,
Pays-Bas
Wohlwend Chantal, Grand-Lancy
Wohnlich Edwin, Sion
de Wolff Madeleine, Riehen
Wurfbain Elisabeth, Haute-Nendaz
Wyer Gabrielle, Martigny
Yuill Alison, Vevey
Zabot-Bagnoud Christiane, Vouvry
Zaccagnini Kathleen, Meyrin
Zanetti-Minikus Guido, Füllinsdorf
Zanzi Luigi, Varese, Italie
Zbinden Yves et Corinne, Collonges
Zehnder Margrit, Beat et David,
Hinterkappelen
Zehner Hugo, Sion
Zeller Jean-Pierre, Vernier
Zen Ruffinen Yves et Véronique,
Susten/Leuk
Zermatten Agnès, Sion
Ziegler-Suter Marianne, Zollikerberg
Zink de Raczynski Richard, Thoiry, France
Zuber Jean-Philippe, Clarens
Zufferey Marguerite, Sierre
Zumbühl Philippe, Ronco s/Ascona
Zumstein Monique, Aigle
Zumstein Véronique, Saint-Sulpice
Zünd Gaye, Chailly-Montreux
Zürcher Manfred, Hilterfingen
Zurlinden Brigitte Franziska, Niederbipp
Zwingli Jürg, Grand-Saconnex
Zwingli Martin, Colombier

Crédits photographiques

Archivio Electa: p. 41
Atelier Jacques Bétant Lausanne: pp. 79, 190, 213, 229
James Austin: p. 189
Bibliothèque des Arts décoratifs, Paris: p. 22
Jacques Biolley: pp. 136-137
Ilse Blumenthal-Weiss: p. 20
Claude Bornand, Lausanne: pp. 37, 52, 127, 148, 153, 223, 224, 225, 226, 227, 230, 231
Chris Burke, New York: p. 203
Henri Cartier-Bresson / Magnum Photos: pp. 2, 238, 242
Centre Georges Pompidou, Musée national d'Art moderne, Paris: pp. 25, 35
CNAC/MNAM Photo: Jean-Claude Planchet: p. 99
Jean-Luc Cramatte, cramatte.com: p. 29
Jacques Faujour, Saint-Maur-des-Fossés: p. 135
Fondation Martin Bodmer – Bibliotheca Bodmeriana, Cologny-Genève: p. 40
Fondation Pierre Gianadda, Martigny: p. 23
Fondation Maeght, Saint-Paul-de-Vence: p. 189
The Frick Collection, New York: p. 32
Galerie Jan Krugier & Cie: p. 162
Gallimard / R. Dreyfus: pp. 35, 141 / Jacques Faujour, Saint-Maur-des-Fossés: p. 34
Entreprise d'arts graphiques Jean Genoud, Le Mont-sur-Lausanne: pp. 23, 31, 40, 45-49, 51, 78, 79, 105, 177, 178, 181, 193, 197, 234, 236, 237
Studio Patrick Goetelen, Genève: pp. 133, 136, 201, 214, 227
Beatrice Hatala: pp. 17, 109
Hirshhorn Museum and Sculpture Garden, Smithsonian Institution, Washington D.C., Photo Lee Stalsworth: pp. 27, 111, 128-129, 131, 139
Fotoatelier Gerhard Howald, Kirchlindach-Berne: p. 78
J. Hyde: pp. 30, 61
Marcel Imsand, Lausanne: p. 5
Institut Suisse pour l'Etude de l'Art, Zurich: pp. 184, 185
IRL, Renens: p. 21
Marc Jeanneteau (Amiens, collection Musée de Picardie): p. 115
Kunsthaus Zürich, Zurich, Cécile Brunner: p. 15
Kunstmuseum Basel, Bâle: p. 183
Kunstmuseum Bern / by A.D.A.G.P., Paris: p. 200
André Longchamp, Genève: pp. 73, 125, 147, 167
Malingue Paris: p. 175
Kuno Mathis, Binningen: p. 185
Paul Matisse: p. 24
The Metropolitan Museum of Art, New York: pp. 18, 34; The Metropolitan Museum of Art, Purchase, Gift of Himan Brown, by exchange, 1996 (1996.176) Photograph © The Metropolitan Museum of Art: p. 107; The Jacques and Natasha Gelman Collection, 1998 (1999.363.2) Image © The Metropolitan Museum of Art: p. 117; The Pierre and Maria-Gaetana Matisse Collection, 2002 Image © The Metropolitan Museum of Art: p. 119
© 2008. Digital image, The Museum of Modern Art, New York/Scala, Florence: pp. 100-101, 121
Virginie Monnier: p. 23
Musée d'Art moderne de Troyes, donation Pierre et Denise Lévy, photographe: Daniel Le Nevé: pp. 59, 157
Musée cantonal des Beaux-Arts de Lausanne: p. 34, Photo Jean-Claude Ducret: p. 188
Musée Jenisch Vevey, Vevey: p. 11; Photographe: Claude Bornand, Lausanne: p. 179
Musée du Petit Palais, Paris: p. 33
National Gallery, Londres: p. 33
Photo Gola: p. 8
Photo RMN – Bertrand Prévost: p. 173 – J.G. Berizzi, Paris: p. 113
E. Pollitzer, New York: p. 35
Jean-Guy Python, Bottens: p. 6
Georg Rehsteiner, Vufflens-le-Château: p. 176
Revue de Belles-Lettres, Genève: p. 186
Sabine Rewald, New York: p. 35
Peter Schälchli, Zurich: pp. 133, 145, 150-151, 161
Scottish National Gallery of Modern Art, Edimbourg: p. 163
Staatliche Kunstsammlungen, Dresde: p. 32
Tate Gallery, Londres: pp. 15, 32, 123
Henri Thyssens: p. 25
Dora Timm, Minusio-Locarno: p. 21
The Triton Foundation, Gooreind (Wuustwezel): p. 229
Mauro Zeni, Lugano: p. 63

Table des matières

Edités et coédités par la Fondation Pierre Gianadda

Paul Klee, 1980, par André Kuenzi (épuisé)
Picasso, estampes 1904-1972, 1981, par André Kuenzi (épuisé)
Art japonais dans les collections suisses, 1982, par Jean-Michel Gard et Eiko Kondo (épuisé)
Goya dans les collections suisses, 1982, par Pierre Gassier (épuisé)
Manguin parmi les Fauves, 1983, par Pierre Gassier (épuisé)
La Fondation Pierre Gianadda, 1983, par C. de Ceballos et F. Wiblé
Ferdinand Hodler, élève de Ferdinand Sommer, 1983, par Jura Brüschweiler (épuisé)
Rodin, 1984, par Pierre Gassier
Bernard Cathelin, 1985, par Sylvio Acatos (épuisé)
Paul Klee, 1985, par André Kuenzi
Isabelle Tabin-Darbellay, 1985 (épuisé)
Gaston Chaissac, 1986, par Christian Heck et Erwin Treu (épuisé)
Alberto Giacometti, 1986, par André Kuenzi
Alberto Giacometti, 1986, photos Marcel Imsand, texte Pierre Schneider (épuisé)
Egon Schiele, 1986, par Serge Sabarsky (épuisé)
Gustav Klimt, 1986, par Serge Sabarsky (épuisé)
Serge Poliakoff, 1987, par Dora Vallier (épuisé)
André Tommasini, 1987, par Sylvio Acatos (épuisé)
Toulouse-Lautrec, 1987, par Pierre Gassier
Paul Delvaux, 1987
Trésors du Musée de São Paulo, 1988:
  Ire partie: *de Raphaël à Corot*, par Ettore Camesasca
  IIe partie: *de Manet à Picasso*, par Ettore Camesasca
Picasso linograveur, 1988, par Danièle Giraudy (épuisé)
Le Musée de l'automobile de la Fondation Pierre Gianadda, 1988, par Ernest Schmid (épuisé)
Le Peintre et l'affiche, 1989, par Jean-Louis Capitaine (épuisé)
Jules Bissier, 1989, par André Kuenzi
Hans Erni, Vie et mythologie, 1989, par Claude Richoz
Henry Moore, 1989, par David Mitchinson
Louis Soutter, 1990, par André Kuenzi et Annette Ferrari (épuisé)
Fernando Botero, 1990, par Solange Auzias de Turenne
Modigliani, 1990, par Daniel Marchesseau
Camille Claudel, 1990, par Nicole Barbier (épuisé)
Chagall en Russie, 1991, par Christina Burrus
Ferdinand Hodler, peintre de l'histoire suisse, 1991, par Jura Brüschweiler
Sculpture suisse en plein air 1960-1991, 1991, par André Kuenzi, Annette Ferrari et Marcel Joray

Mizette Putallaz, 1991
Calima, Colombie précolombienne, 1991, par Marie-Claude Morand (épuisé)
Franco Franchi, 1991, par Roberto Sanesi (épuisé)
De Goya à Matisse, estampes du Fonds Jacques Doucet, 1992, par Pierre Gassier
Georges Braque, 1992, par Jean-Louis Prat
Ben Nicholson, 1992, par Jeremy Lewison
Georges Borgeaud, 1993
Jean Dubuffet, 1993, par Daniel Marchesseau
Edgar Degas, 1993, par Ronald Pickvance
Marie Laurencin, 1993, par Daniel Marchesseau
Rodin, dessins et aquarelles, 1994, par Claudie Judrin
De Matisse à Picasso, Collection Jacques et Natasha Gelman (The Metropolitan Museum of Art, New York), 1994
Albert Chavaz, 1994, par Marie-Claude Morand (épuisé)
Egon Schiele, 1995, par Serge Sabarsky
Nicolas de Staël, 1995, par Jean-Louis Prat
Larionov – Gontcharova, 1995, par Jessica Boissel
Suzanne Valadon, 1996, par Daniel Marchesseau
Edouard Manet, 1996, par Ronald Pickvance
Michel Favre, 1996
Les Amusés de l'Automobile, 1996, par Pef
Raoul Dufy, 1997, par Didier Schulmann
Joan Miró, 1997, par Jean-Louis Prat
Icônes russes, Galerie nationale Tretiakov, Moscou, 1997, par Ekaterina L. Selezneva
Diego Rivera – Frida Kahlo, 1998, par Christina Burrus
Collection Louis et Evelyn Franck, 1998
Paul Gauguin, 1998, par Ronald Pickvance
Hans Erni, rétrospective, 1998, par Andres Furger
Turner et les Alpes, 1999, par David Blayney Brown
Pierre Bonnard, 1999, par Jean-Louis Prat
Sam Szafran, 1999, par Jean Clair
Kandinsky et la Russie, 2000, par Lidia Romachkova
Bicentenaire du passage des Alpes par Bonaparte 1800-2000, par Frédéric Künzi (épuisé)
Vincent Van Gogh, 2000, par Ronald Pickvance
Icônes russes. Les saints. Galerie nationale Tretiakov, Moscou, 2000, par Lidia I. Iovleva
Picasso. Sous le soleil de Mithra, 2001, par Jean Clair
Marius Borgeaud, 2001, par Jacques Dominique Rouiller
Les coups de cœur de Léonard Gianadda, 2001 (CD Universal et Philips), vol. 1
Kees Van Dongen, 2002, par Daniel Marchesseau

Léonard de Vinci – L'inventeur, 2002, par Otto Letze
Berthe Morisot, 2002, par Hugues Wilhelm et Sylvie Patry (épuisé)
Jean Lecoultre, 2002, par Michel Thévoz
De Picasso à Barceló. Les artistes espagnols, 2003, par María Antonia de Castro
Paul Signac, 2003, par Françoise Cachin et Marina Ferretti-Bocquillon
Les coups de cœur de Léonard Gianadda, 2003 (CD Universal et Philips), vol. 2
Albert Anker, 2003, par Therese Bhattacharya-Stettler
Le Musée de l'automobile de la Fondation Pierre Gianadda, 2004, par Ernest Schmid
Chefs-d'œuvre de la Phillips Collection, Washington, 2004, par Jay Gates
Luigi le berger, 2004, de Marcel Imsand
Trésors du monastère Sainte-Catherine, mont Sinaï Egypte, 2004, par Helen C. Evans
Jean Fautrier, 2004, par Daniel Marchesseau
La Cour Chagall, 2004, par Daniel Marchesseau
Félix Vallotton. Les couchers de soleil, 2005, par Rudolf Koella
Musée Pouchkine, Moscou. La peinture française, 2005, par Irina Antonova
Henri Cartier-Bresson, Collection Sam, Lilette et Sébastien Szafran, 2005, par Daniel Marchesseau
Claudel et Rodin. La rencontre de deux destins, 2006, par A. Le Normand-Romain et Y. Lacasse
The Metropolitan Museum of Art, New York: Chefs-d'œuvre de la peinture européenne, 2006, par Katharine Baetjer
Le Pavillon Szafran, 2006, par Daniel Marchesseau
Edouard Vallet. L'art d'un regard, 2006, par Jacques Dominique Rouiller
Picasso et le cirque, 2007, par María Teresa Ocaña et Dominique Dupuis-Labbé
Marc Chagall, entre ciel et terre, 2007, par Ekaterina L. Selezneva
Albert Chavaz. La couleur au cœur, 100e anniversaire, 2007, par Jacques Dominique Rouiller
Offrandes aux Dieux d'Egypte, 2008, par Marsha Hill
Léonard Gianadda, la Sculpture et la Fondation, 2008, par Daniel Marchesseau
Martigny-la-Romaine, 2008, par François Wiblé
Léonard Gianadda, d'une image à l'autre, 2008, par Jean-Henry Papilloud
Aventure en Octodure. Une BD de la Fondation Pierre Gianadda, 2008, par Maoro, Kitsos et Pop
Balthus, 100e anniversaire, 2008, par Jean Clair et Dominique Radrizzani

A paraître

Olivier Saudan, 2008, par Nicolas Raboud
Hans Erni, 100e anniversaire, 2008, par Jacques Dominique Rouiller
Rodin érotique, 2009, par Dominique Viéville
Musée Pouchkine, Moscou. De Courbet à Picasso, 2009, par Irina Antonova
Images saintes. Maître Denis, Roublev et les autres. Galerie nationale Tretiakov, 2009, par Nadejda Bekeneva
René Magritte, 2010, par Jean-Louis Prat

Commissaires de l'exposition

Jean Clair
Dominique Radrizzani

Organisation de l'exposition

Jean Clair
Dominique Radrizzani
Léonard Gianadda
Anne-Laure Blanc

Catalogue

Jean Clair
Dominique Radrizzani

Editeur: Fondation Pierre Gianadda, 1920 Martigny, Suisse
Tél. +41 027 722 39 78
Fax +41 027 722 31 63
http://www.gianadda.ch
e-mail: info@gianadda.ch

Maquette: Nelly Hofmann, IRL
Correction: Alain Michet, IRL
Composition, photolitho et impression: Imprimeries Réunies Lausanne s.a., 2008
sur papier couché Satimat 150 gm^2

Couverture: *Thérèse rêvant*, cat. 43

ISBN broché 978-2-88443-109-5
ISBN relié 978-2-88443-110-1

The SHOULDER *and* NECK

Second Edition

JAMES E. BATEMAN, M.D., F.R.C.S.(C)

Diplomate, American Board of Orthopedic Surgery;
Surgeon-in-Chief, Orthopaedic and Arthritic Hospital, Toronto.

Formerly Fellow in Surgery, University of Toronto
Instructor, Faculty of Surgery, University of Toronto
Chief of Orthopaedic Surgery, Scarborough General Hospital, Toronto;
Consultant, Department of Veterans' Affairs, Canada,
Workmen's Compensation Board of Ontario,
Belleville General Hospital, Peel Memorial Hospital,
Northwestern General Hospital, Humber Memorial Hospital.

With the Special Assistance of

VICTOR L. FORNASIER, M.D., F.R.C.P.(C)

Assistant Professor, Department of Pathology, University of Toronto;
Pathologist, Princess Margaret Hospital, Wellesley Hospital, Toronto;
Consultant in Orthopaedic Pathology, Orthopaedic and Arthritic Hospital,
The Hospital for Sick Children, Toronto.

Drawings by Louise Gordon, Dorothy Irwin, and David MacLeod

1978

W. B. SAUNDERS COMPANY • Philadelphia • London • Toronto

W. B. Saunders Company: West Washington Square
Philadelphia, PA 19105

1 St. Anne's Road
Eastbourne, East Sussex BN21 3UN, England

1 Goldthorne Avenue
Toronto, Ontario M8Z 5T9, Canada

The Shoulder and Neck ISBN 0-7216-1571-6

 Made in the United States of America. Press of W. B. Saunders Company. Library of Congress catalog card number 77-84685.

Last digit is the print number: 9 8 7 6 5 4 3 2 1

To

THE ORTHOPAEDIC AND ARTHRITIC HOSPITAL,
an institution dedicated to the special care
of bone and joint cripples.

PREFACE TO THE SECOND EDITION

He that will not accept new remedies must expect new evils.

Sir Francis Bacon

Over 200 years ago the English physician-scientist formulated this aphorism, and nowhere is it more applicable than in the management of shoulder problems today. Time distills clinical impressions and adds a background of assurance that strengthens the approach to any problem. Some 25 years of special interest have been focused by the author on the shoulder and environs. Derangements of the shoulder system dominate forequarter disorders, but new knowledge of the neck and its intricate parts with their shadowy influence has also come into sharp clinical focus.

This new edition highlights surgical techniques of rotator cuff repair based on the author's experience of over 1000 cases. Shoulder subluxation, a long overlooked entity, has been identified as a common precursor of osteoarthritis of the glenohumeral joint. All forms of arthroplasty, including total joint replacement, have been established as a new standard part of the orthopaedist's armamentarium for shoulder problems.

A systematic categorization of the disorders based on pain patterns has been emphasized as a prudent and simple approach to diagnosis in this region. New tools, such as arthroscopy, and the broadened place of arthrography are discussed herein. Motion study analysis of the shoulder system by a combined video and visual approach has been established and its results tabulated in this edition.

Environments containing hazards that may lead to injuries now include the household and domestic domain, as well as industrial areas, playing fields, and highways. One can only "coast" downhill, and it is to be hoped that the new ingredients in this edition establish a sufficiently firm plateau to allow level progress for a significant period.

JAMES E. BATEMAN, M.D.

ACKNOWLEDGMENTS

An author incurs many debts and receives many favors in producing a work of this size. Identification of all who contributed is difficult, but I would like to pay particular tribute to a number of people whose assistance was especially valuable.

Editorial Assistants merit special commendation. In this instance, Marilyn Mode and Sharon Thornton not only mobilized the resources of a busy Physiotherapy Department, but contributed materially to manuscript preparation. I received the support of the entire Orthopaedic and Arthritic Hospital, but particular mention should be made of cooperation from Patricia O'Connor, Director of Nursing, and an indulgent Administrator, Dr. C. S. Wright.

A conscientious resident staff, including Dr. Aijaz Mirza, Dr. Ali Berenji, and Dr. Rene Rojas, accepted specific assignments and contributed preliminary preparation of the chapters on Fractures, Tumors, and Embryology.

The Medical Art Department headed by John Pearce, and Gayle Cullins, have helped assiduously. David MacLeod, now listed with two other significant medical artists, deserves special commendation for the fine new artwork of this volume.

Colleagues such as Dr. Norrie Swanson and Dr. Dan Mehta made important contributions to the section on Rheumatology. Dr. John Colwill materially assisted in the section on Cervical Spine Deformities, as did Dr. Herbert Basian with reference to Vascular Lesions. Dr. Donald Turner, Chief Radiologist, helped greatly in all aspects of radiologic material and interpretation.

Outstanding secretarial assistance by Patricia Brind and Ria Touchie, who also doubled as a model in several sections, polished the manuscript most appropriately. The continued support of the entire staff of the W. B. Saunders Company is gratefully acknowledged.

JAMES E. BATEMAN, M.D.

CONTENTS

Section II
INVESTIGATION AND DIAGNOSIS

Section III
CLINICAL SYNDROMES

Section VII

DISABILITY EVALUATION OF THE SHOULDER AND THE NECK

Chapter 18

Chapter 19

Section I

BASIC SCIENCES AS RELATED TO THE SHOULDER AND NECK

Chapter 1

EVOLUTION, EMBRYOLOGY, AND CONGENITAL ANOMALIES

CORRELATION OF SHOULDER AND NECK LESIONS

Disorders of the forequarter of the body command a regional interpretation of disease that links the major units of the neck and shoulder. Intricate specialization of the most mobile portion of the spine—the neck—has been tied to the most mobile joint system in the body—the shoulder. The ravages of wear and constant reciprocal integration, as well as the use of carriers common to both areas, inexorably produce symptom complexes in which both zones participate (Fig. 1–1). The clinician must correctly evaluate and segregate the sources of derangement in the two areas, or management will be misdirected.

The pathology of the shoulder system has long been countenanced, but the influence of the neck has been less well formulated. Common neck pathology, including intervertebral disk changes, spondylosis, and foraminal disorders, is a constant background against which new episodes of shoulder and neck derangement must be plotted. The pitfall to be avoided is the careless acceptance of many insensible tissue changes as the cause of new clinical events.

Environmental influences assume new significance as shoulder and neck disturbances are identified. Human response to injury varies, depending on whether the insult occurred in a car, at work, in the house, or on the playing field. Local tissue response cannot vary greatly, but the individual's reaction can show extensive swings. Economic and situational factors can contribute so that psychic responses dominate patient interpretation.

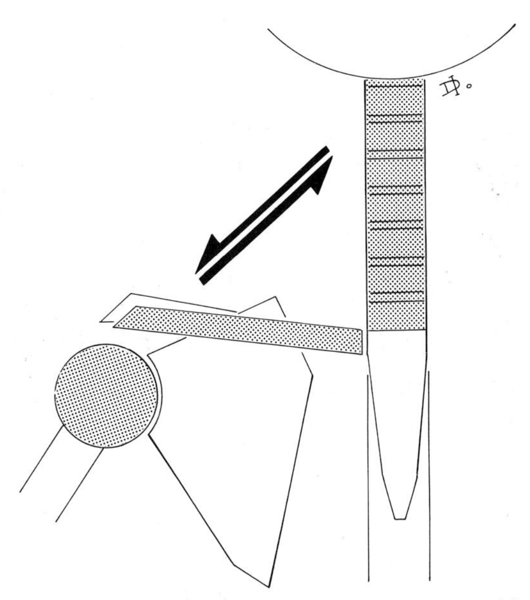

Figure 1–1 The shoulder-neck aggregate—two mobile segments suspending a limb supporting a head and containing major neurovascular systems.

The neck and shoulder area together is the seat of greater swings of patient injury response than any other zone in the body. There is a consequent need to consider injuries according to environmental settings, with appropriate treatment programs designed to assimilate these influences.

Both the shoulder and the neck are designed so that they can adapt to impairment. The shoulder joint system allows substitution of function not found elsewhere in the body, as does the neck. Often the result is an acceptance of some degree of disability to a point that continuing use of the part results in a state much more difficult to correct than the initial insult. Clinicians for a long time were content to accept such a disposal, but the modern emphasis on optimum physical status, sometimes regardless of age, has made such a disposal unacceptable. A classic example is provided by the new thinking related to glenohumeral osteoarthritis; recurrent subluxation of the shoulder, now recognized as a not uncommon entity, is frequently detected as a precursor in many cases of glenohumeral arthritis. The interpretation of neck pathology is following a similar pattern of renaissance. The state of spinal stenosis and associated myelopathy has also been overlooked for years, but its incidence and effects are becoming clearer with new thinking and more detailed investigation.

Systemic disorders sometimes segregate the shoulder and neck area, leaving other zones less involved. Marie-Strümpell arthritis sometimes implicates both parts. The angle area of girdle joint and spine is common ground, with cervical costal derangements affecting both neck and arm. At this junction also, the weighted levers of arm-with-hand and neck-with-head sometimes find a fulcrum that rends crossing structures, such as the brachial plexus.

The combination of integrated embryology, associated anatomy, and continuous biochemical functions links these regions inseparably.

EVOLUTION OF THE SHOULDER AND NECK

Many evolutionary changes have been evoked by the need for a prehensile extremity in man. Two primary problems have been met as the shoulder-neck region has evolved; one group of changes has been concerned with the development of new parts, while the other process has involved the integration of these parts with the already existing structures.

The development of the neck as a ribless mobile zone is an example of the compromises in structure that have taken place. Large nerves from the segments opposite the appendage require unobstructed passage outward to reach the hand, so that ribs disappear in the cervical region (Fig. 1–2). A

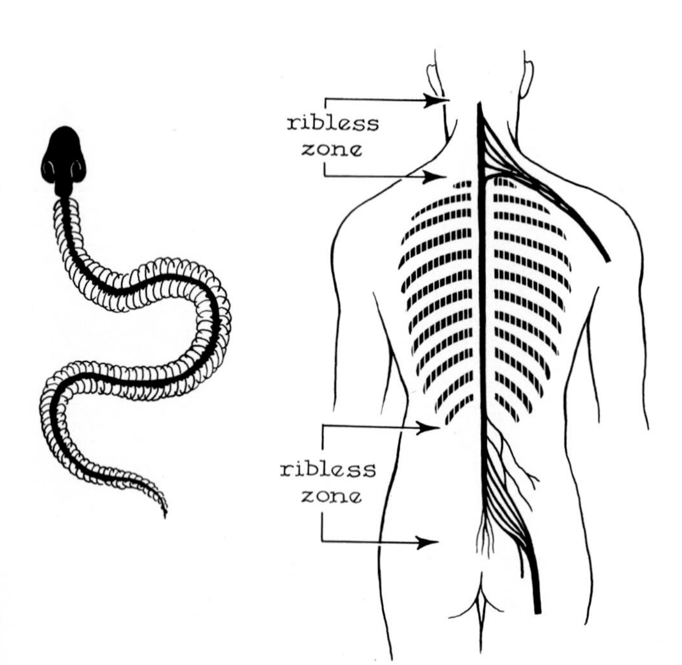

Figure 1–2 Ribless zones developed to allow unobstructed innervation of extremities.

similar process operates in relation to the lumbar plexus and the lower limbs. Since we are upright and our eyes look forward, work is done in front of the body; to enable this, rotation of the upper limb has occurred (Fig. 1–3).

As these adaptive changes have taken place, some parts of the body have had to change more radically than others. Owing to the new position the arm takes up, the supraspinatus no longer pulls from behind forward, but instead acts at an admittedly poorer mechanical advantage by pulling from below upward (Fig. 1–4). Consequently it is exposed to much greater mechanical stress (see Fig. 1–4).

Elements of the shoulder and neck may first be identified in cartilaginous fish, which have a dorsal or scapular segment and a ventral or coracoid element; the space between eventually represents the shoulder joint. Steps in evolution demarcate the neck and the shoulder, and eventually separate the appendage more definitely from the body. Some transitional forms representative of this stage may be recognized. The neck and fin are connected by a solid element as an intermediate step prior to complete separa-

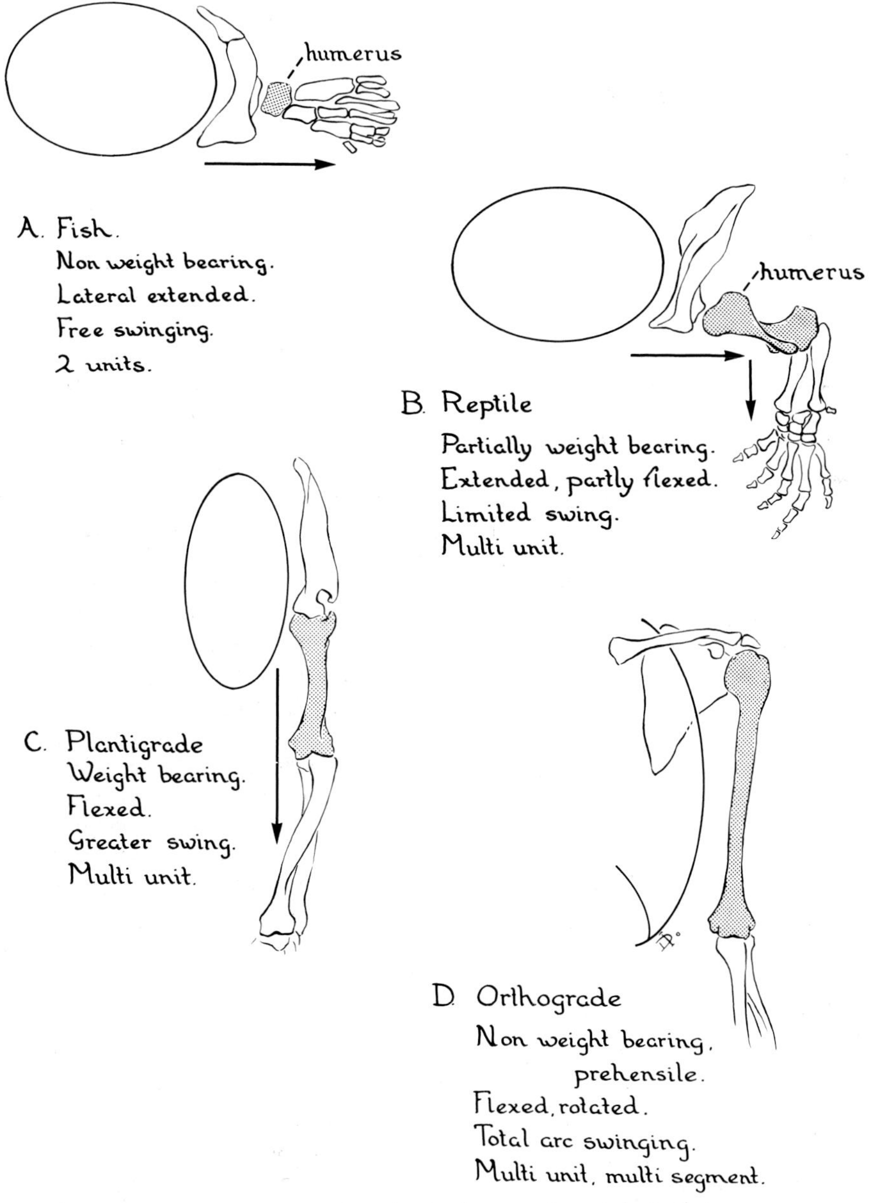

Figure 1–3 Upper extremity development through geologic time.

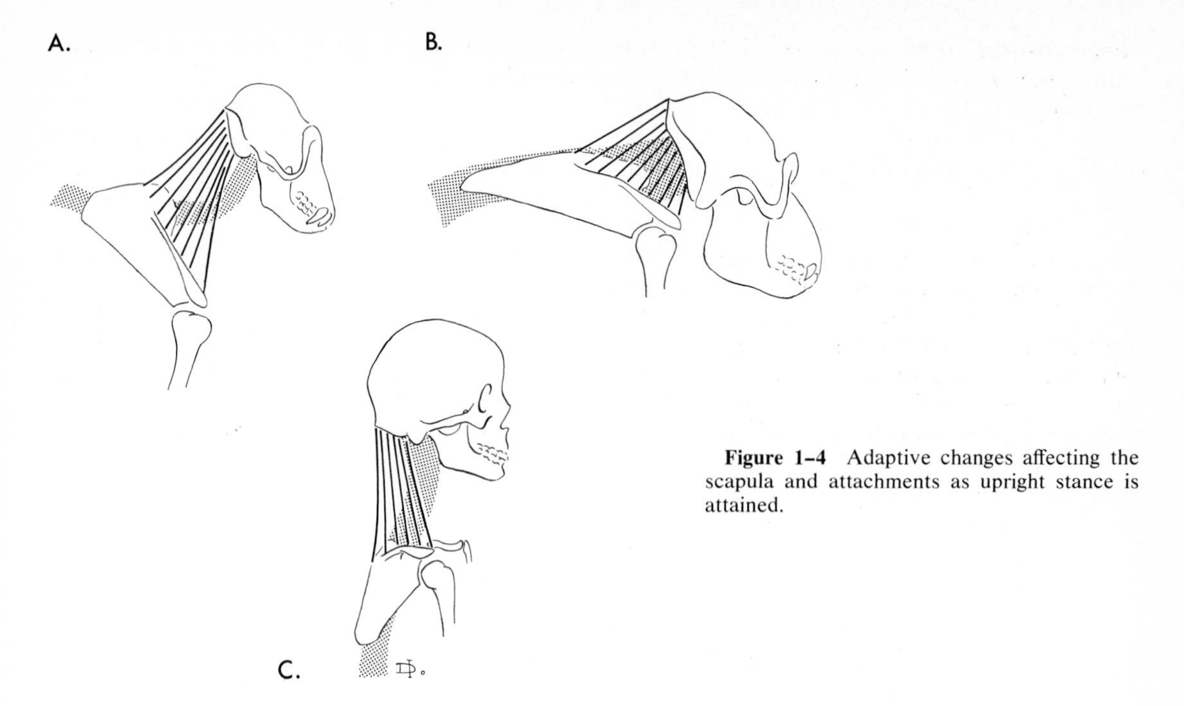

Figure 1–4 Adaptive changes affecting the scapula and attachments as upright stance is attained.

tion. In human beings, the various anomalies of incomplete descent of the scapula represent this stage. In some there is a definite bone, the omovertebral bone, connecting the scapula to the neck; in further stages of this process, there may simply be a high-riding scapula with some underlying fibrous bands (Fig. 1–5).

Mobility of the neck is a property of the higher mammals. The heavy bony elements that buttress the forelimb in lower forms gradually disappear, so that both the upper limb and the neck segments assume greater separation and much greater mobility (Fig. 1–6). In addition to the bony changes, extensive shifting occurs in the attachment of the primary muscles that move the appendage in its new position.

Evolutionary changes rotate the upper limb so that it can function in front of the body rather than at the side (Fig. 1–7). The scapula shows the greatest degree of change from primitive forms to more specialized groups; it becomes the base of the arm and shifts from the cervical position to one over the chest, carrying the limb with it. As it does so, it rotates so that its axillary border changes to the present position from one that originally related to the position of the posterior spinous process.

The supraspinous portion of the scapula is a property of higher mammals; there is no corresponding part in the lower limb. As the mobility of the neck develops, the upper portion of the scapula becomes attenuated, while the lower portion enlarges. The muscle masses attached to these zones change accordingly, so that a much smaller supraspinous muscle and a much larger infraspinous muscle area develop (Fig. 1–8).

As the full upright position is assumed, greater stress falls on the smaller supraspinous. Rotation of the girdle as a whole takes place between the scapula and the chest, but further rotation due to the torsion of the humerus also occurs. In lower mammals like sheep dogs, the biceps splits the lateral surface of the head of the humerus evenly,

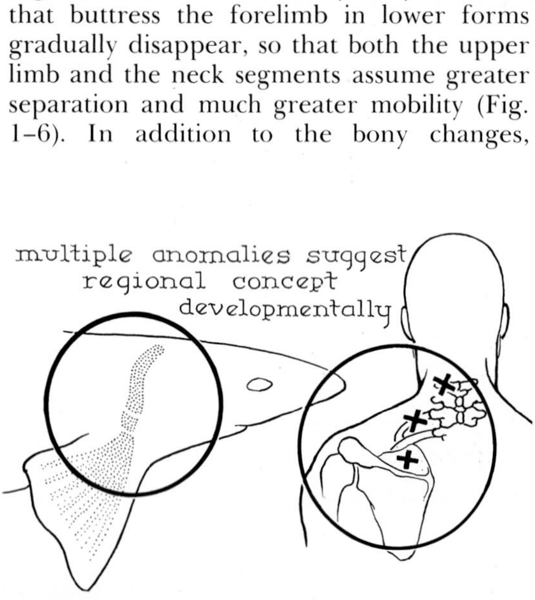

Figure 1–5 Regional development of shoulder and neck as suggested in the anomaly of incomplete descent of the scapula with multiple anomalies.

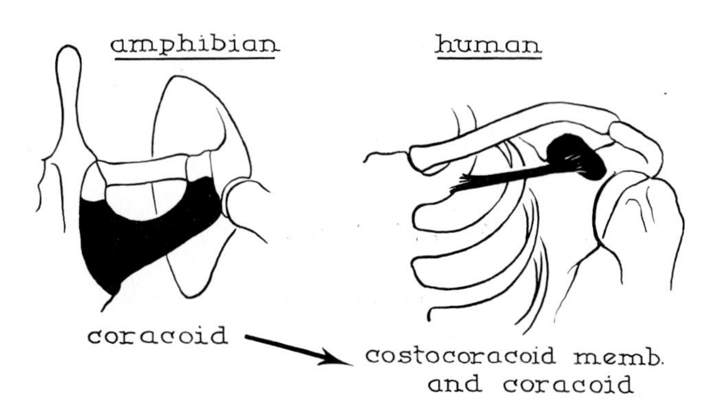

Figure 1–6 Precordial element of amphibian forms as represented by costocoracoid membrane in man.

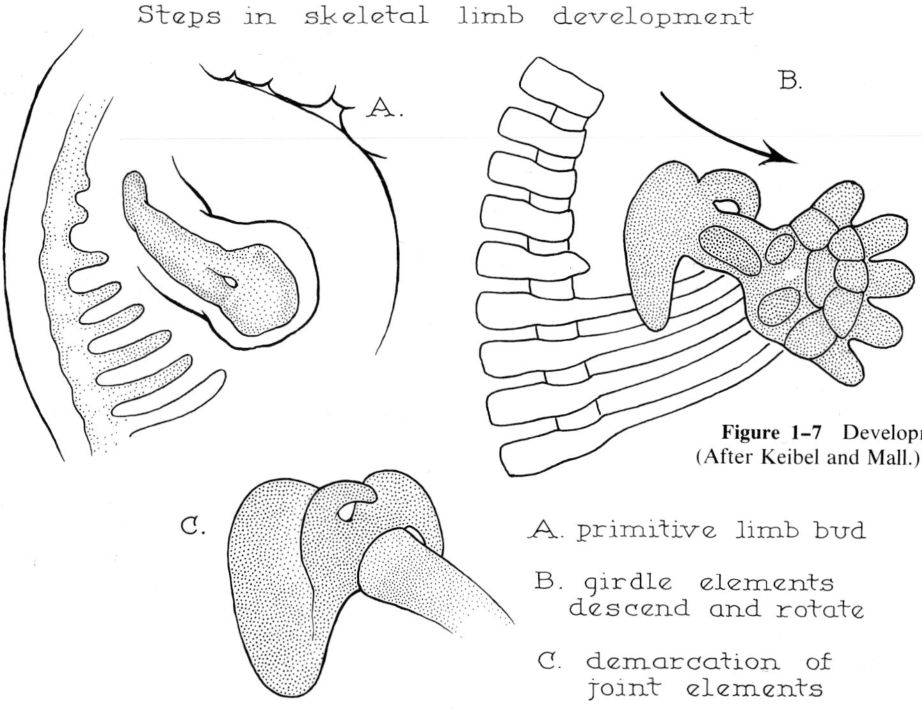

Steps in skeletal limb development

A.

B.

C.

A. primitive limb bud

B. girdle elements descend and rotate

C. demarcation of joint elements

Figure 1–7 Development of upper limb. (After Keibel and Mall.)

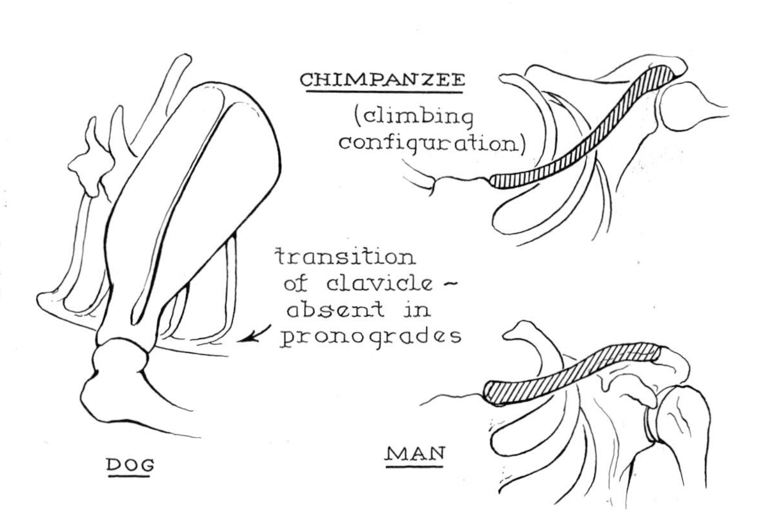

Figure 1–8 The presence and development of a clavicle in man is an important property which allows free hanging of the upper extremity.

but as the upper limb is rotated in man, the biceps swings to the front, so that greater stress then falls on the much smaller and lesser tuberosity (Fig. 1–9).

ETIOLOGY OF MALFORMATIONS

Knowledge and understanding of congenital and hereditary abnormalities has increased tremendously during the 20th century. Many of these disturbances have been inaccurately defined in the past. The terms "congenital" and "hereditary" are not synonymous. Hereditary disorders embrace a group of conditions, small in number, which come into focus because of the extensive systemic abnormalities, as well as local skeletal changes, associated with them. Congenital deformities are simply disorders present at birth, but with no transmissible properties. In this way, two quite separate etiologic mechanisms involving changes present at birth and developmental abnormalities have been identified.

Congenital Abnormalities. Insight into embryo pathology increased with the contribution of Gregg in 1941, who reported that German measles affecting a mother during early pregnancy could cause abnormalities in the embryo.

Amniotic fluid analysis accurately reflects the status of the fetus, allowing identification of pathologic changes.

Inherited Disturbances. Inherited pathologic states are determined by the 46 genes carried on the human chromosomes. Meticulous genetic studies have illustrated pedigree patterns, into which general inherited disorders have been allocated.

AUTOSOMAL DOMINANT INHERITANCE. Dominant inherited personalities tend to be structural. As a rule, the chance of an offspring having the abnormality of the father will be 50 per cent, since a normal chromosome is as likely to be involved as the homologous one.

AUTOSOMAL RECESSIVE INHERITANCE. Inherited disorders from both parents fall into this group, such as those that might result from the mating of first cousins.

SEX-LINKED INHERITANCE. Sex-linked inheritance is controlled by the sex chromosomes, but male to male transmission cannot occur. A given defect in the father, then, can appear only in female offspring.

Sex-linked Dominant Inheritance. This is a rare pedigree pattern affecting both males and females. Transmission is by both sexes, but the male transmits to no sons and all daughters. Fifty per cent of female issues are afflicted. A classic example of this disorder is hypophosphatemic or vitamin D–resistant rickets.

Sex-linked Recessive Inheritance. This rare pattern also affects all daughters of a carrier father; the sons are unaffected but carriers. However, the mutant gene can come from a

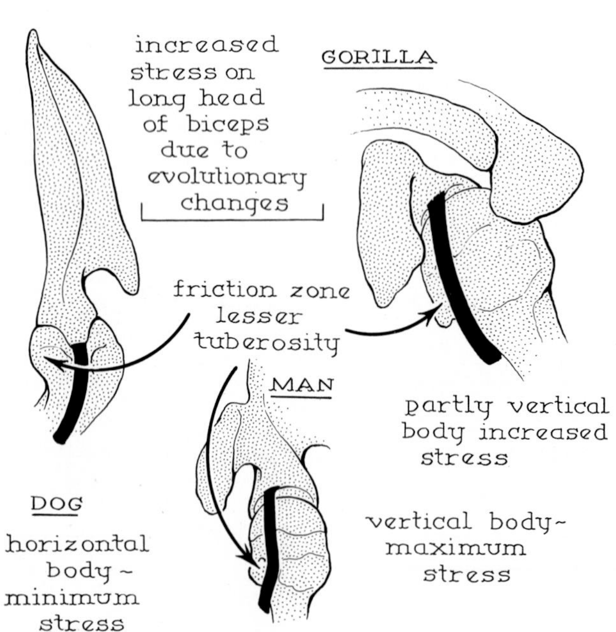

Figure 1–9 Bicipital mechanism of man is profoundly influenced by upper limb evolution.

carrier mother to involve half the sons, which is more likely to occur in a consanguineous first-cousin marriage. Approximately 10 per cent of the cases have been attributed to environmental factors alone.

Environmental Factors. Environmental factors of known influence include German measles, which can lead to abnormalities of the heart, eye, internal ear, and teeth. Mental retardation and certain cerebral abnormalities have also been identified in children born to mothers who have had rubella during pregnancy. Other viral infections, such as hepatitis, poliomyelitis, measles, mumps, and chickenpox, have also been implicated as contributing to fetal abnormalities.

The probable dangers of radiation have been underlined by studies that followed the atomic bomb explosions at Hiroshima and Nagasaki. More than 25 per cent of the children born to Japanese women pregnant at the time of the atomic bomb explosions had abnormalities of the central nervous system, such as microcephaly and mental retardation. An accumulated dose of radiation also has been suspected to be the cause of abnormalities of children born in later years to parents who had been exposed to radiation.

The increased incidence of amelia and phocomelia led to studies that implicated drugs such as thalidomide. Defects produced by thalidomide include absence or gross deformities of the long bones, intestinal atresia, or gross anomalies. Other drugs with teratogenic properties include aminopterin, used in the treatment of leukemia, and tolbutamide, used in diabetes.

Hormones that are possible causes of congenital abnormalities include progesterones and cortisone. Defects may also be caused by certain antibodies and vitamin deficiencies.

INHERITED DISORDERS OF CONNECTIVE TISSUE

There are a number of generalized connective tissue disorders identified as having an inheritable nature in which the neck and the shoulder participate. In some of them, quite dominant changes implicate these areas, whereas in others associated changes are really an incidental finding.

Mucopolysaccharidoses. A number of special names, such as Morquio's syndrome, have been applied to conditions which belong to the large group of mucopolysaccharidoses. The fundamental defect is excretion of excessive amounts of dermatan sulfate in the urine, resulting in the condition first described by Beresford, but subsequently reported by Morquio, whose name became more frequently linked with the syndrome.

Involvement of the neck is an almost constant feature of this syndrome. The major coaptation is hypoplasia of the odontoid which, coupled with ligamentous laxity, contributes to extreme occipitoatloid instability and thus possible spinal cord compression. Nearly all patients sooner or later develop serious spinal compression symptoms from this mechanical derangement. Many die suddenly in their sleep as a result of acute atlantoaxial subluxation. Surgical fusion of the upper cervical spine should be carried out when the condition is recognized.

Involvement of other joints takes the form of limitation of extension, due in part to irregularity of joint surfaces and concomitant changes in tendons and ligaments surrounding the joints.

Frequently the medial one-third of the clavicle is expanded, with the remaining segment appearing relatively narrow and bowed superiorly. The ends appear pointed and directed inferiorly at the tip of the shoulder. The scapulae are comparatively small and ride at a higher level. There is a typical hypoplastic appearance of the glenoid fossae.

Osteogenesis Imperfecta. A centuries-old congenital flaw in maturation of osseous elements of long bones has been identified as a heritable disorder of connective tissue. Brittle bones and a blue sclera are the hallmarks. The basic defect has been related to maturation of the collagen fiber. There is relatively normal cartilage development, but osteoplastic activity is disrupted.

The lower limbs frequently are seriously deformed as a result of multiple fractures that always unite imperfectly. In the shoulder area, fracture frequently occurs with malunion or nonunion of the clavicle. Recurrent dislocation of the glenohumeral joint is another frequent shoulder complication in this disease. The weakening capsular structures and excessive mobility favor this complication.

Alkaptonuria. Homogentisic acid can be demonstrated in the urine as a diagnostic finding in this disease. The urine of affected patients turns dark when alkali is added.

Abnormal pigment deposition in the form of ochronosis develops in spine, laryngotracheal cartilages, and elsewhere as a sequela to the alkaptonuria.

The systemic changes include cardiovascular lesions, as well as genitourinary abnormalities such as kidney stones and prostatic calculi.

Skeletal involvement is most obvious in the lower limb, but the glenohumeral joints also can be involved. The degenerative changes develop almost like those of a neurotrophic joint. Such articular changes sometimes are erroneously treated by steroid injections that only aggravate the arthropathy. Progressive changes involve the master arm more frequently, and can progress to a point where capsuloplasty or arthroplasty is required.

Ehlers-Danlos Syndrome. An elastic type of hypermobility of joints due to abnormal stretching qualities of ligaments, capsules, and skin is a further heritable connective tissue disorder. An aberration of the collagen fiber or relative increase in the elastic tissue component is the basic tissue error.

Stretchy skin and hyperextensible small joints are prominent manifestations. Stretching stress of the suspensory structures in the shoulder favors a sloping shoulder–long neck appearance. Subluxation and recurrent dislocation of the acromioclavicular and glenohumeral joints frequently occur, sometimes on a bilateral basis.

The laxity of capsule and ligaments above the glenohumeral joints can result in hyperextensibility of the shoulders to the point where the patient can extend his arms posteriorly so far that his elbows almost touch behind him.

Marfan's Syndrome. An inherited connective tissue disease, perhaps more frequently referred to as arachnodactyly, has been recognized that involves dominant ocular and aortic deformities, as well as characteristic skeletal features.

Shoulder involvement consists chiefly of skin changes and acromioclavicular abnormalities. Increased striae appear over pectoral and anterior deltoid areas, and there is frequent subluxation of the acromioclavicular joint. Ligamentous laxity favors recurrent dislocation of the joint. The glenohumeral joint is not implicated as often or nearly so extensively.

Myositis Ossificans Progressiva. A long-recognized musculoskeletal entity has been newly classified in recent decades as a primarily connective tissue disorder. The term fibrodysplasia, replacing myositis, has been incorporated because the initial change is in the connective tissue of aponeuroses, fasciae, and tendons.

The disorder is probably a fundamental dystrophy of connective tissue in which an acute reaction is followed by calcification and ossification. Localized swellings appear first in the region of the neck and back, and later in the limbs. Lumps come and go in a matter of days; they may be painful, sometimes assuming the appearance of acute injury or acute inflammation. These swellings may or may not be attached to deep fascia; sometimes they have a cystic feeling, and in the acute form a discharge may occur that simulates rheumatic fever. As the disease progresses, wryneck deformity is a frequent development. Exostoses develop at the proximal ends of bones at the attachments outside the structures—for example, in the occipital area of the skull. Eventually, columns and plates of bone replace tendons, fasciae, and ligaments. The spine becomes completely rigid because of fixation of these bony parts. Ankyloses with complete immobility of the upper trunk, neck, and shoulders may develop as a result of these bony arches.

Calcification in muscles—for example, the sternomastoid—may be difficult to distinguish from neoplastic conditions such as osteogenic sarcoma. A hallmark of the disease, having little apparent relationship to the primary defect, is microdactyly of the thumb and great toe.

Homocystinuria. Homocystinuria is an inherited connective tissue disorder that in some respects simulates Marfan's syndrome. The inborn error of metabolism has been largely related to a deficiency of cystathionine synthetase. The multiple skeletal abnormalities include osteoporosis, scoliosis, thoracic deformity, kyphoscoliosis, and excessive length of the round bones of the limbs. In some series as many as one-third of the cases have involved an abnormality of the humerus that takes the form of a varus deformity. The associated round-shoulderedness may be part of the varus configuration of the humerus.

Léri's Pleonosteosis. An inherited disorder of connective tissue that has only recently been identified as Léri's pleonosteosis. The disorder becomes apparent in adolescence or early adulthood, and consists

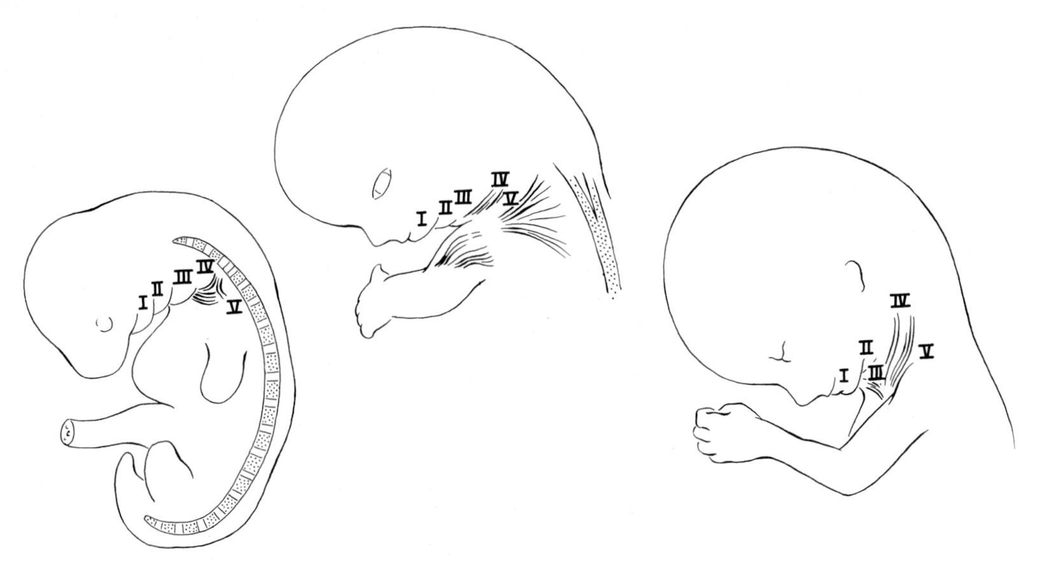

Figure 1–10 Development of the neck.

of broadening and deformity of the thumbs and great toe, flexion contractures of the interphalangeal joints, and limitation of motion at other joints. Carpal tunnel syndrome has been identified accompanying the hand deformity. The finding of particular interest is the frequent occurrence of a semifixed internal rotation of the upper limbs and of external rotation of the lower limbs.

DEVELOPMENT OF THE NECK

During the third week of embryonic life, the spinal cord, as the notochord, extends as a continuous rod; by the fifth week, differentiation of individual segments is apparent (Fig. 1–10). At the same time, sclerotomes invest the notochord and the neural tube as a sheath, becoming the vertebral elements. At the end of the fifth week chondrification starts, with separate centers for centrum, neural arches, and costal processes in each segment. About the eighth week, centers of endochondral ossification appear. The notochord shrinks and eventually disappears, except at the interbody levels, where it persists to form the nucleus pulposus area of the intervertebral disk. Initially, the head is acutely flexed on the pericardial region; during the second month, this zone elongates to form the neck. Four arches develop in the foregut and constitute the branchial arches; as they grow, the head is straightened, and the intervening neck zone is formed (Fig. 1–11). The internal grooves constitute the pharyngeal pouches, and ultimately produce the middle ear and the eustachian tube from arch I, the tonsillar fossa from arch II, the thymus glands and inferior parathyroid gland from arch III, and the superior parathyroid from arch IV. Anomalies and vestiges of these elements lead to the branchial cysts and sinuses encountered clinically.

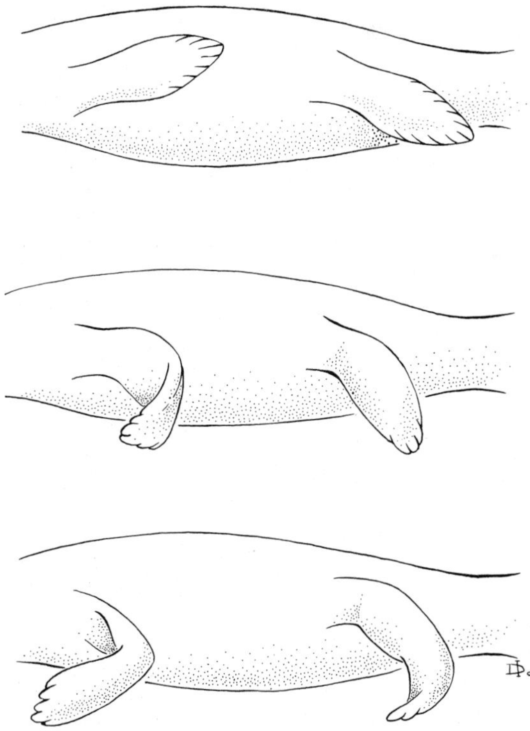

Figure 1–11 Migration and rotation of limbs for prehensile action.

Table 1–1 ANOMALIES OF THE NECK

1. Anomalies of the Suboccipital Region
   a. Intraparietal bone
   b. Platybasia
   c. Synostosis with atlas
2. Anomalies of the Atlas
   a. Absence of posterior arch
   b. Segmental replacement with occipital bone
3. Anomalies of the Axis
   a. Ossiculum terminale
   b. Os odontoideum
   c. Rudimentary odontoid
   d. Absence of odontoid
4. Cervical Spondylolisthesis
5. Congenital Scoliosis
6. Klippel-Feil Syndrome
7. Spina Bifida
8. Congenital Fusions
9. Anomalies of the Joints

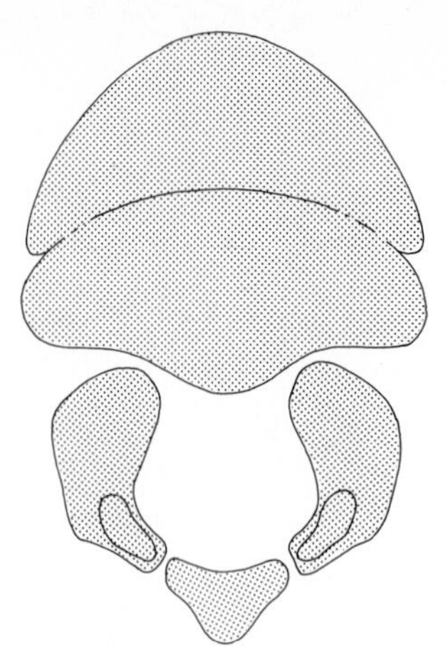

Figure 1–12 Development of the occiput.

CONGENITAL ANOMALIES OF THE NECK

Abnormalities of the body elements show wide variation in the neck (Table 1–1). Severe aberration is seen in anencephaly, in which the nape of the neck and the adjacent occipital zones are distorted to a degree incompatible with postnatal survival. In this state, the vertebrae are decreased in number, and vertebral bodies fail to fuse, or are markedly distorted. Similar extensive neural changes are often apparent with occipital anencephaly and a short or absent cervical spinal cord. Only a few forms of this severely altered pattern are compatible with survival. One less severe form, the Klippel-Feil syndrome, or congenital brevicollis, is sometimes encountered. This is a fusion of vertebral bodies, with or without fusion of corresponding arches and obliteration of apophyseal joints. This anomaly most commonly involves C.2 and C.3. As a rule, congenital fusion of vertebral bodies produces few symptoms, but may come to light following injury or routine investigation. A somewhat less flexible neck is present, but usually only two segments are implicated, and the cervical spine is able to compensate adequately for this aberration.

ANOMALIES OF THE SUBOCCIPITAL REGION

Aberrations in the growth and development of the suboccipital region contribute to clinical abnormalities. The occipital bone is composed of four parts at birth (Fig. 1–12). The upper or squamous portion develops from the two centers that have united (interparietal) and a lower portion (supraoccipital); these unite to form the complete squamous portion. The condylar portions ossify from a single center on each side, and the basilar part from a further single center. About the fourth year, the squamous portions unite with the condylar portion, and at about the sixth year the basilar portion unites with the rest of the bone to form a single unit (see Fig.

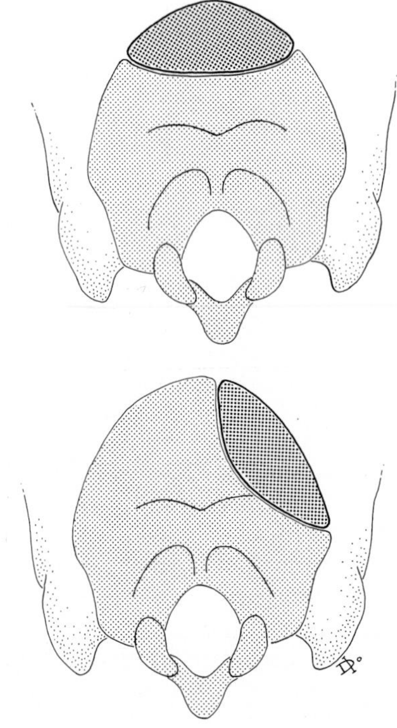

Figure 1–13 Anomalies of the occipital region.

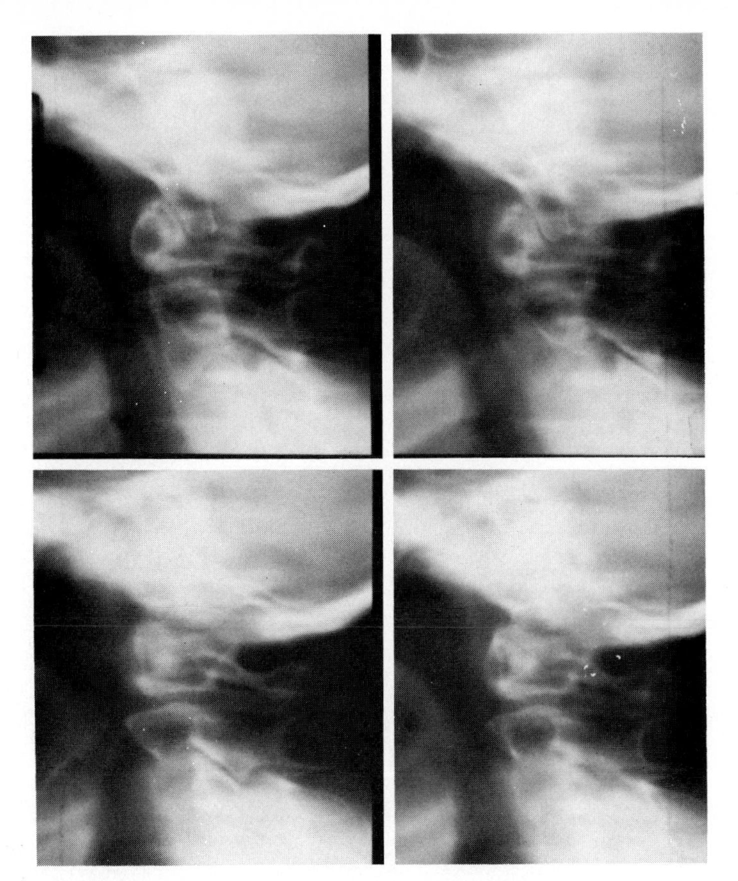

Figure 1–14 Congenital anomaly of occipital bone.

1–12). The commonest congenital deviation is the persistence of a portion of the upper section of the squamous area as a separate bone, the interparietal bone (Fig. 1–13).

Distortion of the foramen magnum may result from abnormalities of the condylar and basilar portion, leading to pressure from the odontoid process, which then lies at an abnormally high level. This condition is similar to the platybasia encountered in osteomalacia, Paget's disease, and rickets. Another abnormality of this area is a very rare synostosis of occiput and atlas, which usually is bilateral. Variations in the development of the arch of the atlas occur; one side may be absent, with the occipital bone taking the form of an extended segment to replace the loss of the arch (Fig. 1–14).

ANOMALIES OF THE ATLAS

The atlas develops in two separate segments (Fig. 1–15), an anterior and a posterior, which subsequently fuse. Absence of the posterior part of this ring has been identified clinically; a portion or all of this segment may be missing. The anomaly frequently comes to light only after injury of some type has focused attention on the area. Clinical instability cannot be detected beforehand, and even stress radiographs taken in flexion and extension may fail to show any abnormal excursion of the atlas. In reported cases, no extensive neurologic signs or symptoms have been noted. Fusion of occiput and atlas also sometimes occurs, with what appears to be an extra occipitoatloid point (Fig. 1–16).

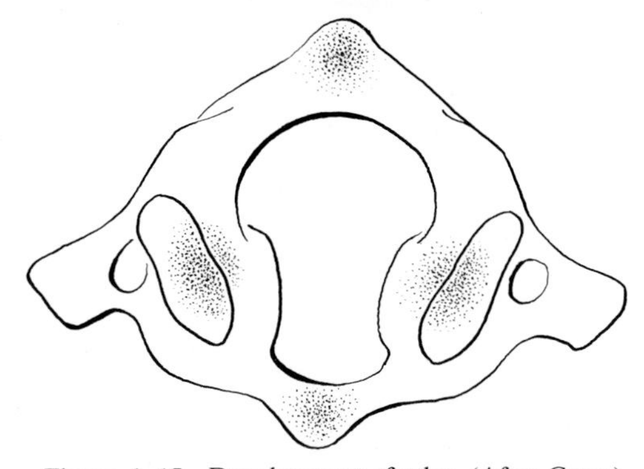

Figure 1–15 Development of atlas. (After Gray.)

ANOMALIES OF THE AXIS

Failure of normal development of the odontoid process is the source of numerous

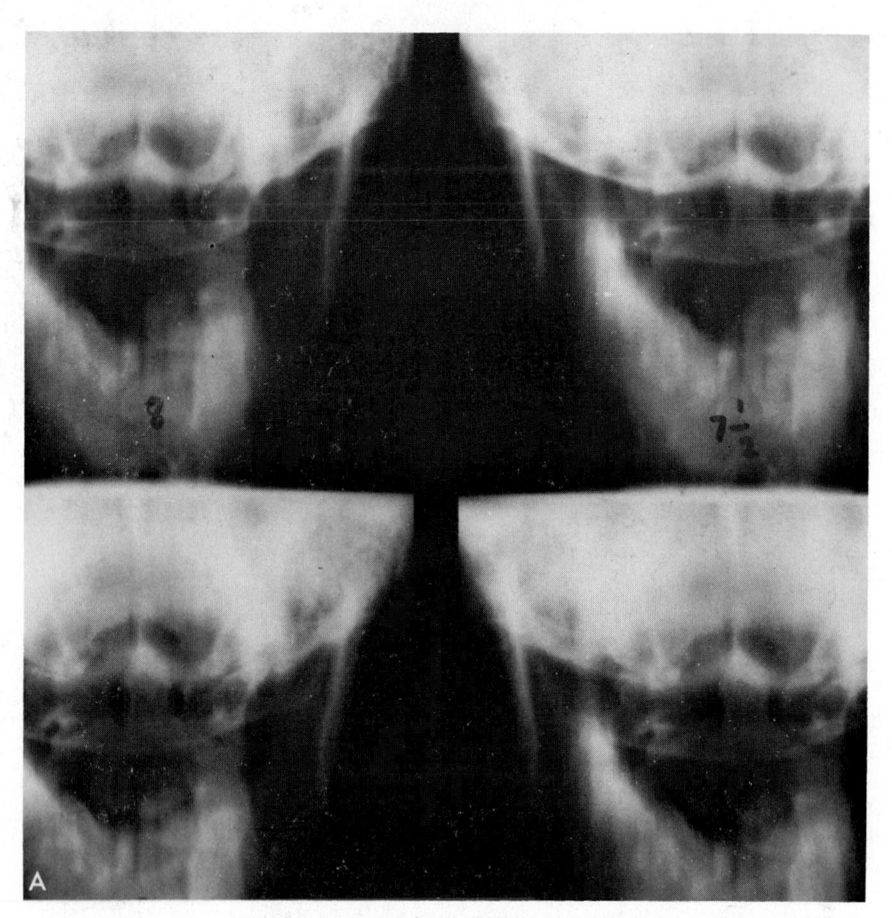

Figure 1–16 *A*, Congenital anomaly of atlas.

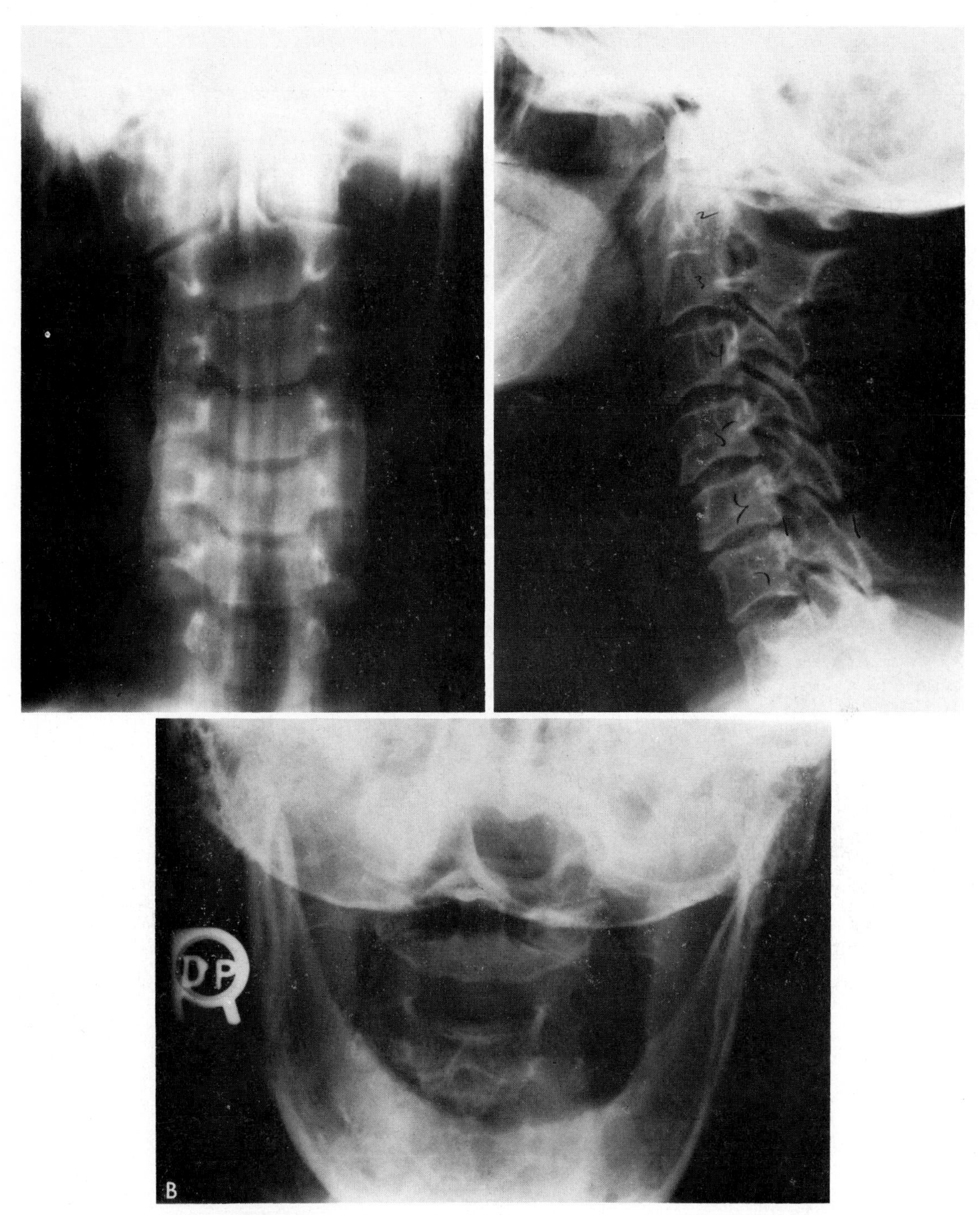

Figure 1–16 *B*, Occipitoatloid fusion with extra suboccipital joint.

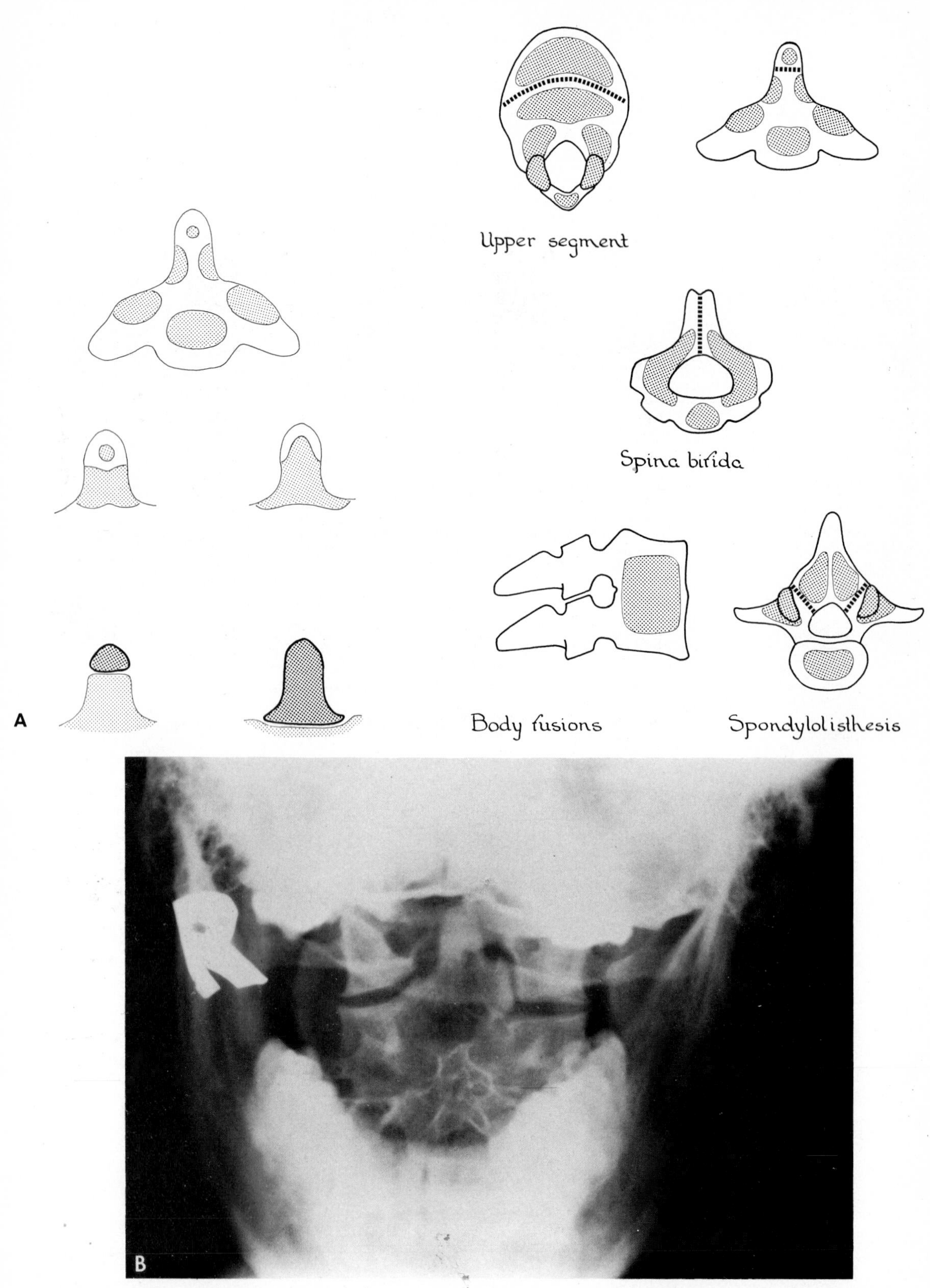

Figure 1–17 *A*, Diagram of development of axis and anomalies. *B*, Basilar invagination with odontoid anomaly.

anomalies of the axis. The process develops from two centers. A further epiphysis for the apex appears and usually unites with the first two centers by age two. The whole unit then unites with the axis by age 18. Alterations in this development lead to several separate abnormalities, including (1) ossiculum terminale, (2) os odontoideum, (3) rudimentary odontoid, and (4) absence of odontoid (Fig. 1–17).

Ossiculum Terminale. Anomalies of the cranial tip of the odontoid are the rarest of this group, and perhaps represent a proatlas found in some lower forms such as birds and reptiles. In these lower vertebrates the separate piece lies forward between the foramen magnum and the odontoid, but in man, when the tip of the odontoid remains as a separate ossicle, this position is changed to a more vertical one.

Cases have been reported of severe atlantoaxial instability when this anomaly is present. A small, almost flakelike tip of the odontoid lies above and somewhat anterior to a rudimentary odontoid. The curative treatment is occipitovertebral arthrodesis.

Os Odontoideum. Failure of fusion of the odontoid and the arch centers produces an os odontoideum, which is a frequent and important anomaly (see Fig. 1–17). The odontoid develops to normal proportions, but union with the axis is deficient. The anomaly may be present throughout life without producing symptoms, or it may come to light following cervico-occipital trauma. The clinical picture consists of local neck discomfort, with extension of pain to the shoulder region, pain in the suspensory muscles, and recurrent stiffness on rotation. Transient paralysis also may occur. Lateral roentgenograms demonstrate the subluxation of the atlas on the axis, particularly on flexion and extension films, which should be made with considerable care. Treatment consists of stabilization if there is any suggestion of neurologic changes, and also for those patients engaged in heavy labor in whom recurring trauma is present.

Rudimentary Odontoid. An abnormally small odontoid (Fig. 1–18) may occur, favoring atlantoaxial instability. Trauma to the posterior aspect of the head and neck results in local pain and headache, and sometimes a transient quadriplegia. Lateral roentgenograms made in flexion and extension identify the instability by showing increased space between the anterior arch of the atlas and the

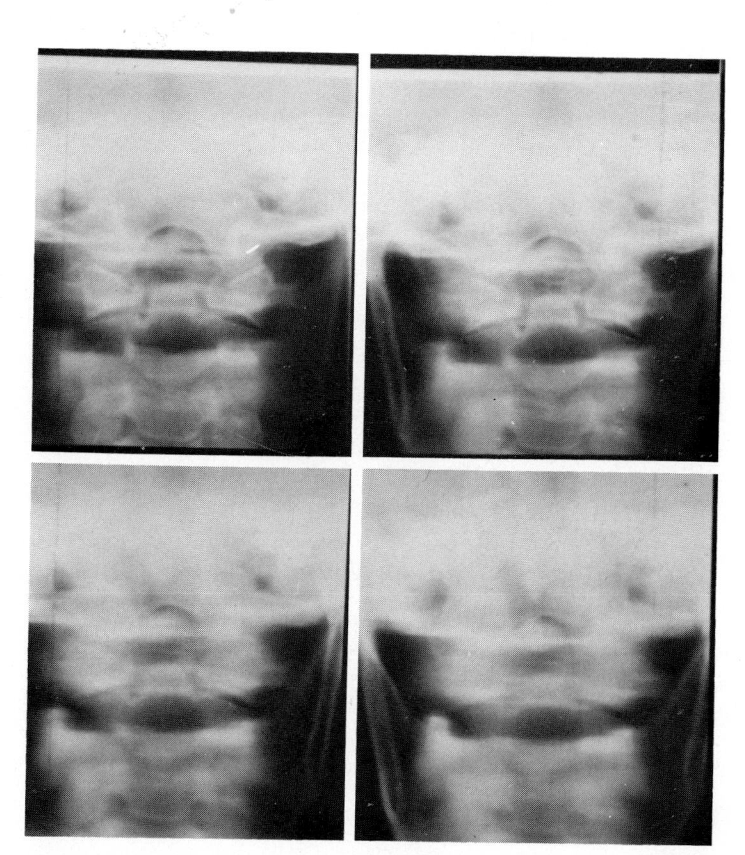

Figure 1–18 Anomaly of axis.

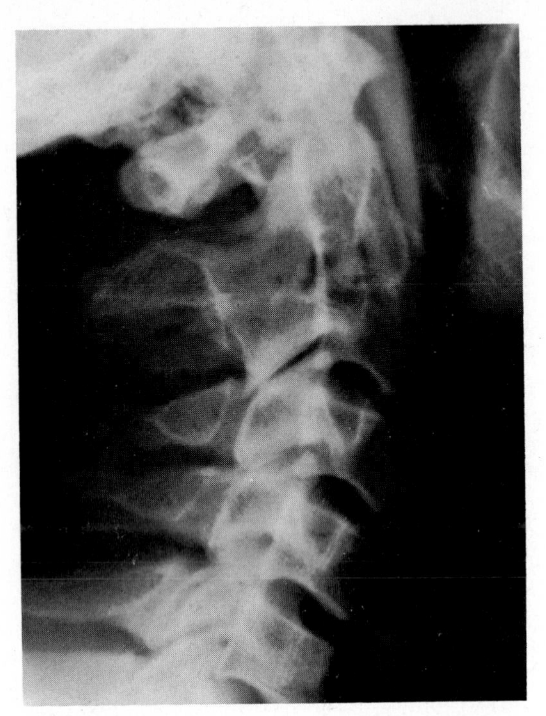

Figure 1–19 Congenital anomaly of axis.

odontoid. The degree of normal anteroposterior motion between the atlas and the axis has been carefully studied; the usual distance is 2 to 3 mm. If this is increased, cord impingement is possible. The distance is greater in children, in whom 4 to 5 mm may be the upper limit. Treatment is by stabilization of the atlantoaxial joint.

Absence of Odontoid. This anomaly is not particularly rare and may be present without producing serious symptoms. Injury, however, can precipitate significant changes. Displacement of the atlas on the axis can be identified in lateral roentgenograms. Symptoms of local pain, headache, restriction of rotation, and transient cord signs may develop. Treatment is by skeletal traction, followed by fusion of the upper three cervical vertebrae.

CERVICAL SPONDYLOLISTHESIS

Spondylolisthesis occurs in the cervical spine, usually in association with a spina bifida. The commonest level is the sixth cervical vertebra, but the lesion has been identified as involving the fourth and fifth levels also. As a rule, there is a characteristic bilateral defect in the intra-articular portion of the vertebral arch, but without significant slipping of the vertebral body (Fig. 1–20).

The anomaly may be an incidental finding or may be discovered in patients who have suffered neck trauma. Occasionally, it is the source of separate neck symptoms, including local neck pain with radiation to the suboccipital region or to the shoulders. Some restriction in motion also may be present.

In many instances, when symptoms come to light as the result of slight trauma, the spine is sufficiently stable for conservative measures to control the abnormality. These include a period of traction if there are radiating symptoms, followed by the application of a cervical collar. When there is a suggestion of instability, spinal fusion should be carried out.

CONGENITAL SCOLIOSIS

Hemivertebra is the common developmental error producing this deformity (Fig. 1–21). It may occur as a single anomaly and be interpreted as a simple torticollis, causing little difficulty apart from slight tilting of the head. Symptoms may not be noted until the patient is well along in life. In addition to local neck discomfort, the patient may develop a neurovascular type of radiating pain. When symptoms develop from this abnormality, particularly in the early stages, a program of muscle education is initiated. If the deformity increases, plaster splint correction and stabilization may be necessary, but

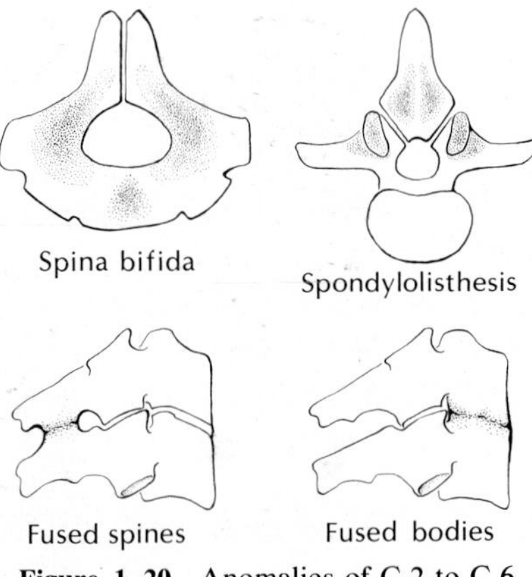

Figure 1–20 Anomalies of C.2 to C.6.

careful study should be made of any compensatory thoracic curve. In later stages a program of rest, intermittent use of a cervical splint, and physiotherapy are required.

KLIPPEL-FEIL SYNDROME, OR CONGENITAL BREVICOLLIS

In this anomaly the neck is short as a result of the fusion of several vertebrae. Correspondingly, the posterior hairline appears very low, hence the name brevicollis. There may be fewer cervical vertebrae than normal, the shape may be distorted, or a posterior spina bifida caused by failure of ossification centers may frequently be present (Fig. 1–22).

The skull rests at a lower level than normal. The hairline is lower, and excess folds of skin extend from the mastoid to the acromion process, adding to the broadened, squat appearance. The bony abnormalities may cause very little disturbance apart from some limitation of movement. If the skin folds are obvious, they give a bat-like appearance; sometimes thickened subjacent bands are identified in the folds. Plastic reconstruction can materially improve the appearance of the patient.

CERVICAL SPINA BIFIDA

A localized defect of one of the lower vertebral arches may occur in the cervical spine, but much less frequently than in the lumbosacral region (Fig. 1–23). The primary flaw rests in the development of the neural tube, rather than its overlying bony skeleton. When this lesion is situated superiorly, it is a form of anencephaly, essentially a Klippel-Feil syndrome. In the lower cervical area, C.6 and C.7 may be similarly involved, but extensive neural abnormalities are rare. The lesion comes to light during routine investigation or following injury, and as a rule does not require other than conservative treatment (see Fig. 1–23).

DEVELOPMENT OF THE SHOULDER

In man, the upper limb bud appears a little earlier than the lower, at about the fifth week of embryonic life. A mesenchymal core develops that condenses into a rod about the sixth week (see Fig. 1–9). The centers of chondrification of all the main bones appear in this rod during the ensuing two weeks. Lying around the skeleton is a periskeletal mesenchyme that develops into the muscle elements. The limb continues to migrate, following a course from a parallel position into a right angle, then to adduction, and finally to flexion plus lateral rotation.

From a cervical position, the scapula moves down over the ribs, taking up its resting position about the third month. In its descent, muscles are pulled down, extending their attachment from the cervical spine to the humerus. A prime example of this

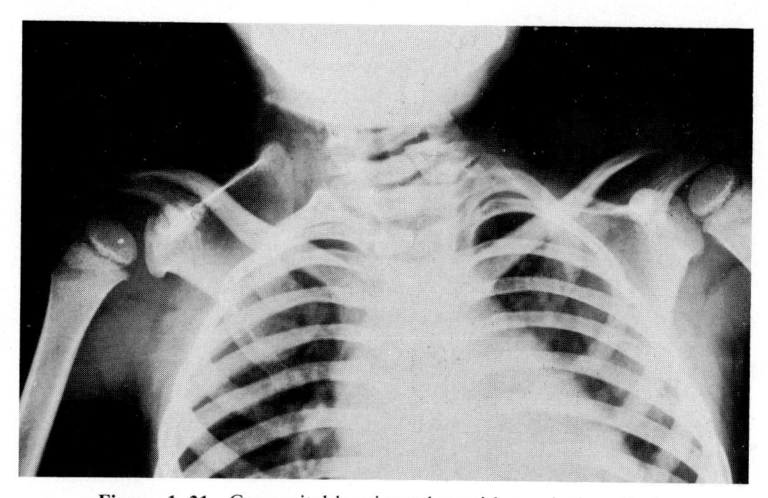

Figure 1–21 Congenital hemivertebra with cervical scoliosis.

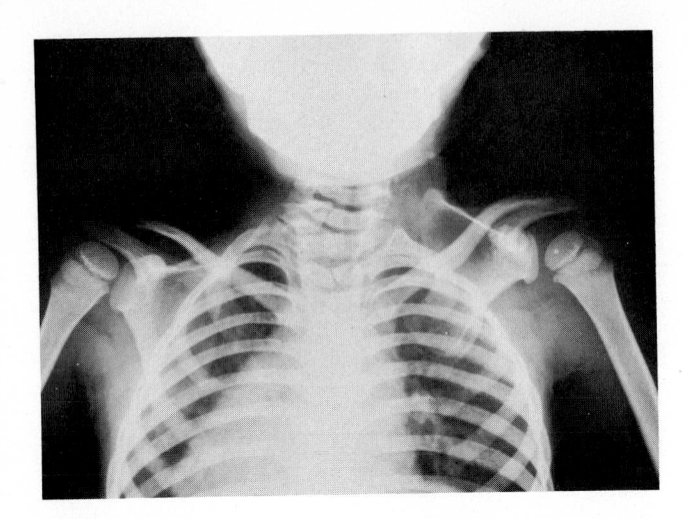

Figure 1–22 Congenital brevicollis.

pattern of migration is the latissimus dorsi muscle, which extends from the cervical spine to the humerus and carries its nerve supply with it. Once the initial developments are over and fundamental relationships have been established, further stabilization and molding occur in the bones, joints, muscles, nerves, and vessels. This process continues throughout embryonic life and is not really complete until puberty.

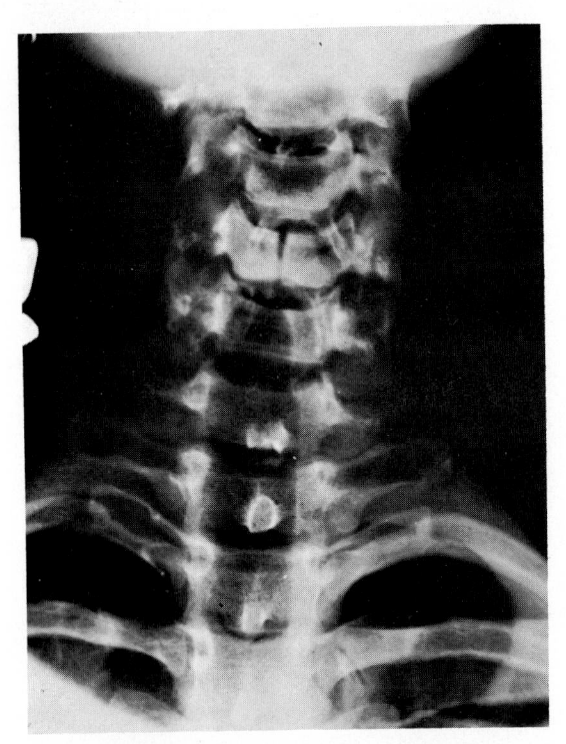

Figure 1–23 Cervical spina bifida.

CONGENITAL ANOMALIES OF THE SHOULDER (Table 1–2)

The scapula participates prominently in the most severe congenital aberration of the shoulder-neck region.

CONGENITAL ELEVATION OF THE SCAPULA

In 1891 Sprengle first described this deformity, and explained it as a failure of normal descent of the limb bud in relation to the trunk. The scapula comes to ride at an abnormally high level, often with a bony or ligamentous connection to the spine and a corresponding aplasia of some of the related muscles (Fig. 1–25).

Clinical Picture. The principal feature of this disorder is asymmetry of the neck-shoulder region. This disturbance is at the root of the neck, between the neck and the shoulder, rather than at the point of the shoulder. The involved side appears to start out from the neck at a higher level than normal, particularly when the patient is viewed from the front (see Fig. 1–21). At the back a ridge or hump appears, leading from the region of the angle of the scapula up to the back of the neck (see Fig. 1–22). Closer inspection shows the scapula lying near the midline, higher than normal, and with the inferior angle tilted backward, making it more prominent than usual. When the deformity is present on both sides, it gives the appearance of a short neck with web-like folds. The presence of an abnormal bony

Table 1–2 ANOMALIES OF SHOULDER BONES

1. Anomalies of the Scapula
a. Sprengel's deformity
b. Bipartite acromion
c. Aplasia of glenoid
2. Anomalies of the Clavicle
a. Congenital coracoclavicular bar
b. Congenital clavicular fossae
c. Segmental defects of clavicle
d. Cleidocranial dysostosis
e. Congenital pseudarthrosis of clavicle
f. Congenital neural foramina
3. Anomalies of the Humerus
a. Aplasia of head of humerus
b. Congenital retroversion
c. Bicipital groove aberrations
4. Anomalies of the Glenohumeral Joint
a. Congenital dislocation
b. Epiphyseal separation

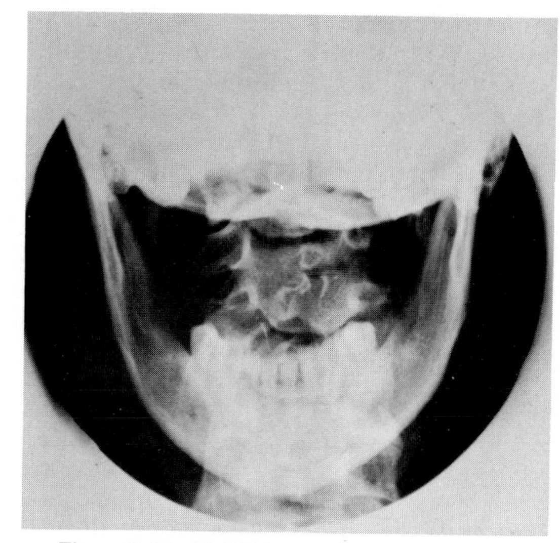

Figure 1–24 Multiple anomalies of C.2 and C.3.

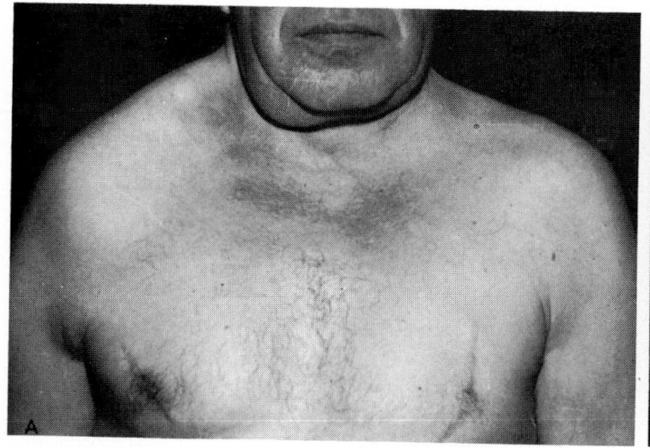

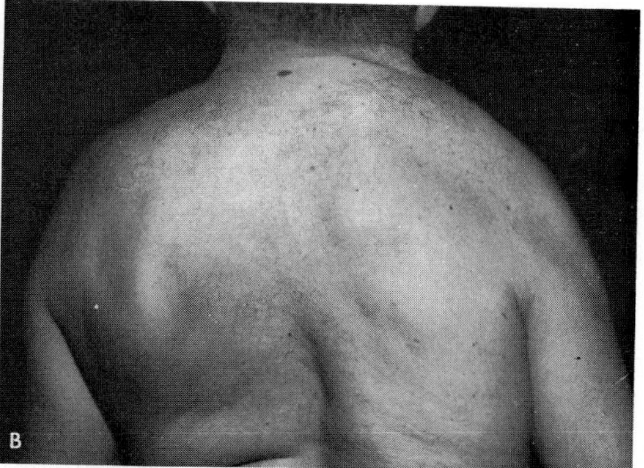

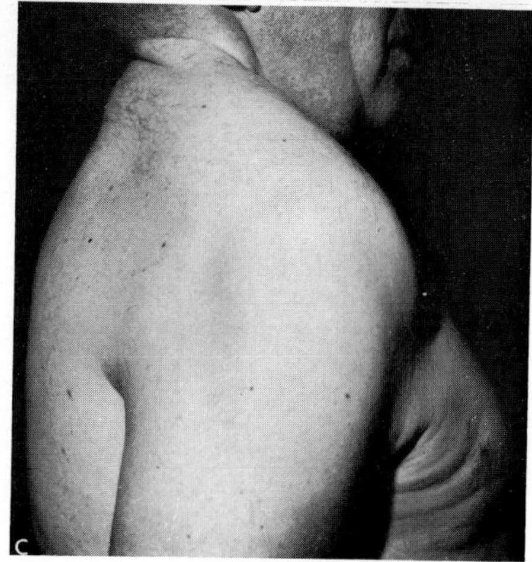

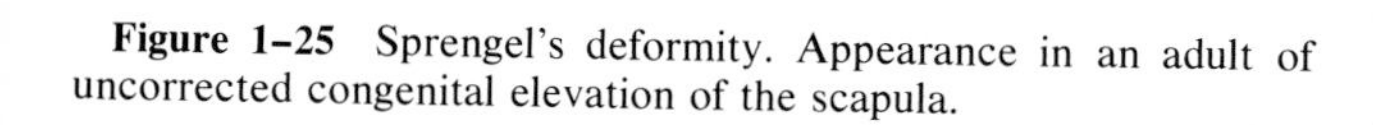

Figure 1–25 Sprengel's deformity. Appearance in an adult of uncorrected congenital elevation of the scapula.

connection with the spine is a more severe phase of the deformity that interferes with shoulder motion significantly present (Figs. 1–25, 1–26, and 1–27). The scapula is fixed much more securely than normal, so that abduction and circumduction are hampered. Forward rotation is not implicated so much. Weakness is present because of the faulty development of the lower portion of the trapezius, rhomboid, and serratus muscles. The failure of descent probably results in a less adequate attachment of the primitive muscle mass. In addition, the restricted motion leads to lessened development and power in all muscles of the shoulder girdle.

The size and fixation of the bony bar vary considerably and, consequently, so does the muscle aplasia. Not all patients have extensive limitation of motion. Associated deformities, such as cervical scoliosis, may mask the lesion or be the dominant embryologic error. The only condition with which it may be confused is pterygium colli, a disorder of superficial structures without associated bony abnormalities. On x-ray examination, the scapula appears smaller than normal; when a bony bar is present, it appears as a short, thick density, extending from the cervical spine outward and downward toward the angle of the scapula. In the lateral view it may appear as an elongated portion of the spine of the scapula.

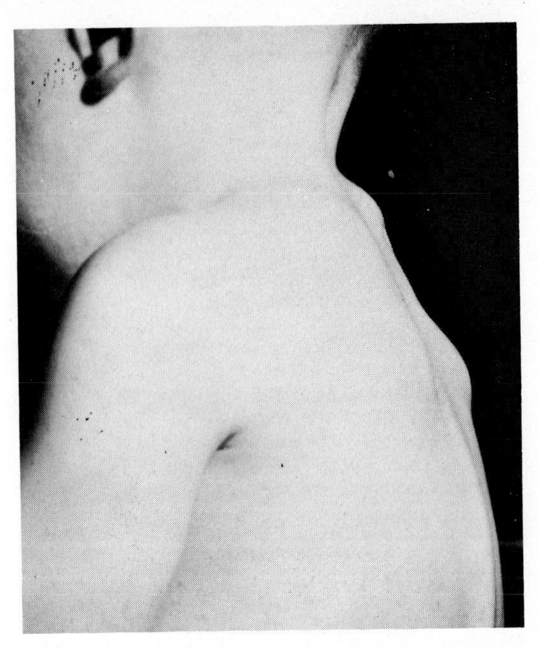

Figure 1–27 Lateral view highlights deformity of the body of the scapula in Sprengel's deformity.

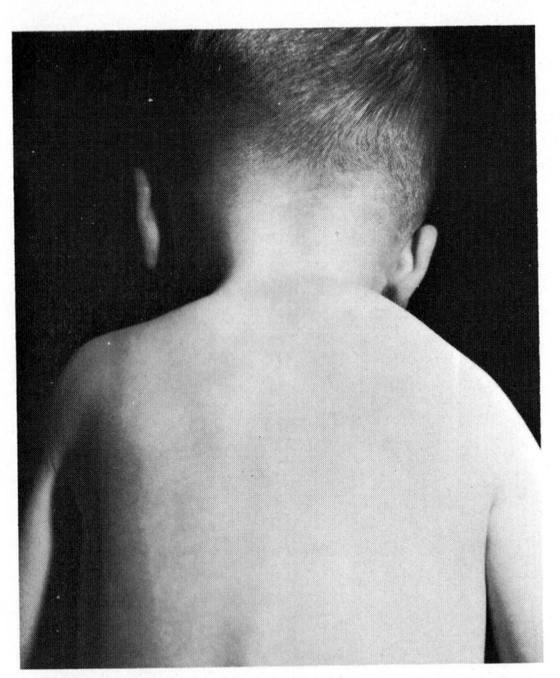

Figure 1–26 Congenital elevation of scapula. Note the filling in of the neck-shoulder angle by the omovertebral bone on the right side.

Pathologic Findings. The important findings are centered on the omovertebral bone, which is encountered in roughly half the patients (Figs. 1–27, 1–28 and 1–29). The most extensive series of these abnormalities has been described by Giannestras et al. (1964), who carefully summarized the operative findings in 21 patients. In ten of these the bone was resected.

There are variations in size, in consistency, and in both the medial and lateral attachments. In some cases the bone is continuous with the spinous processes, laminae, or transverse processes of the cervical spine. Occasionally, a marrow cavity may be identified in the omovertebral bone. The bar is broader medially and tapers toward a point close to the scapula. At the lateral end it may be continuous with the scapula, form a separate joint, or end in a cartilaginous knob. When the bar is incomplete, it is usually connected to the scapula by a fibrous cord. In addition to the omovertebral bone, abnor-

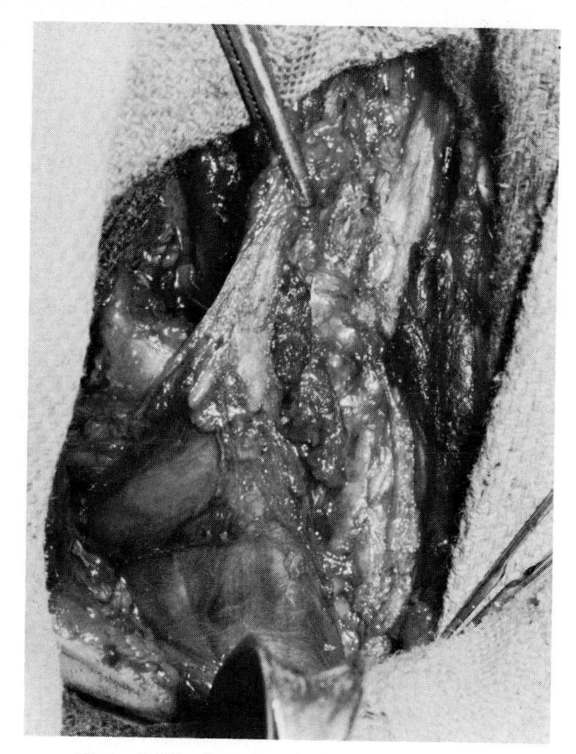

Figure 1–28 Omovertebral bone at operation.

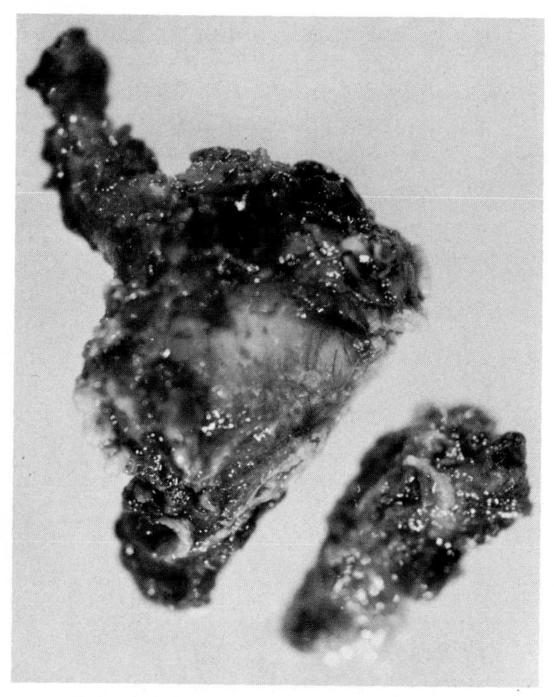

Figure 1–29 Omovertebral bone resected.

malities of the scapula and related muscles are present. The scapula is smaller than normal and may be distorted in shape. The upper border projects forward. The infraspinous fossa is shorter and smaller, and the medial aspect and the inferior angle are weak and absent. The lower segment of the trapezius muscle is most frequently lacking, along with the rhomboids and a portion of the serratus anterior.

Treatment. An effort is made to improve both the appearance and function of the shoulder. In girls, particularly, the distortion may constitute a serious cosmetic defect. In the less severe forms, conservative measures are employed. The earlier the lesion is recognized, the better is the prognosis.

Conservative Program. The principal impairment is lack of abduction. When the appearance is not significantly distorted, efforts are made to improve abduction and mobilize the scapula at the spine by a proper program of physiotherapy. Accessory movements about the shoulder also are emphasized to compensate for the rigidity and decreased motion of the girdle as a whole. The exercise program includes shrugging of the shoulder to develop the trapezius; pulling the shoulder upward to improve the rhomboid muscles; abduction and external rotation exercises at the glenohumeral joint; and general exercises to improve girdle mobility. These patients need to be followed for some time. The exercise program is continued for at least a year and, in some instances, may be beneficial if followed over a considerably longer period.

Operative Treatment. In those patients with significant deformity or in whom there is an omovertebral bone, surgical therapy is preferable. The aims of the operation are to excise the bony obstruction, to mobilize the scapula so that it can come to rest at a lower level, and to stabilize it to improve its anchoring function in the new position. A program of muscle education and exercises must be conscientiously followed after operation.

Technique. The patient is placed on the operating table face down. With the patient under general anesthesia, a curvilinear incision is made, extending from the base of the neck distally to beyond the medial angle of the scapula. Care must be taken not to cut the accessory nerve in the upper portion of the wound. The omovertebral bone lies beneath the fibers of the trapezius muscle, which may be separated along their length; the bone is exposed by periosteal dissection. After careful exposure of the strut, it is excised as completely as possible. Usually, tight bands are adjacent to the strut, and these are also cut. The upper border of the scapula is dissected free and frequently is resected, allowing the scapula to fall through the lower level. A note of caution must be sounded against too radical an effort to restore the normal contour by pulling downward violently on the scapula. Brachial plexus paralyses have been reported from a too rugged manipulation of this type. Extensive periosteal dissection around the medial border of the scapula is also discouraged.

No fixation is applied following operation, and exercises are started as soon as the wound is healed (Figs. 1–30 and 1–31).

Woodward Procedure. An alternative operative procedure has been suggested by Woodward. A midscapular longitudinal incision is made from above the angle to below the tip of the scapula. The trapezius and rhomboid muscles are dissected free from their attachments to the scapula. The omovertebral bone, if present, is also dissected free and removed along with a corner of the scapula. The scapula is then depressed to a more normal level and held in this position. The trapezius and rhomboid muscles are then attached to the scapula in its new position.

CONGENITAL DEFORMITIES OF THE CLAVICLE

There are several congenital abnormalities of the clavicle which frequently do not come to light until middle life. Serious symptoms are not often associated with these abnormalities, and sometimes a routine radiologic investigation brings them to light.

Congenital Coracoclavicular Bar or Joint

A bar of bone may persist between the clavicle and the coracoid process. This may be discovered as an incidental finding during routine x-rays of the chest. It has been reported as having an incidence of 1 to 1.2 per cent (Figs. 1–32 and 1–33). In the lowest vertebral forms, the coracoid process is an extensive bar of bone; this gradually disappears until it is represented, in most mammals, by a small stub and the costocoracoid ligament. This ligament varies in size and may contain islands of cartilage. The presence of this ligament has been linked to neurovascular syndromes caused by a compression of the neurovascular bundle, particularly when a congenital coracoclavicular joint is present. Clinically, some restriction of shoulder motion is present because of interference with scapular rotation. In patients carrying on strenuous circumduction, irritation of the neurovascular bundle may develop. If the bar is sufficiently thick to fix the clavicle, arthritic changes in the acromiocla-

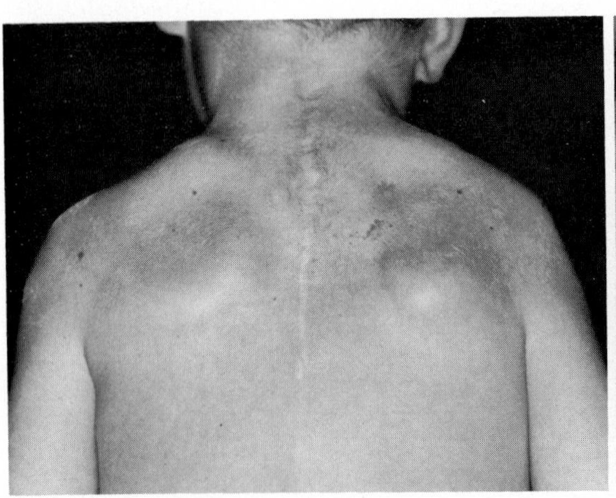

Fig. 1–30

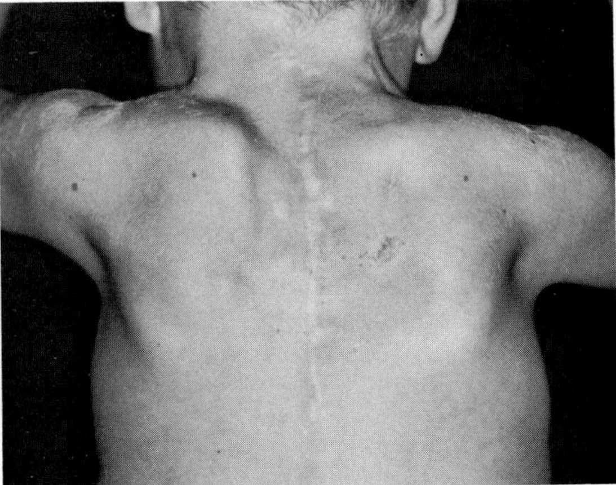

Fig. 1–31

Figure 1–30 Appearance following correction of congenital elevation of the scapula.
Figure 1–31 Motion feasible following resection of omovertebral block.

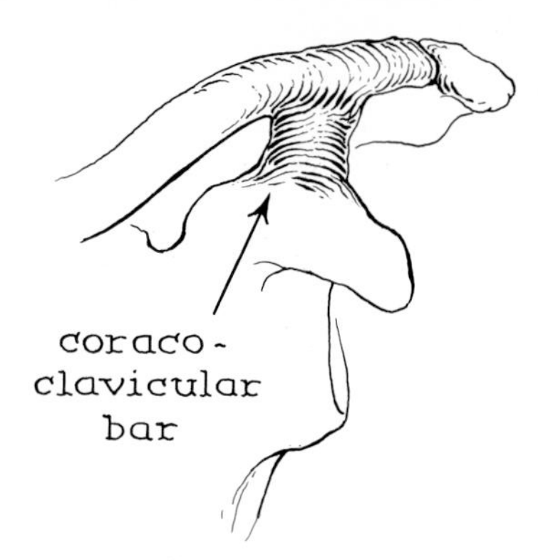

Figure 1–32 Congenital coracoclavicular bar.

vicular joint are prone to appear because of the restricted rotatory motion.

Treatment. In patients with an established bony bar who have persistent symptoms, surgical excision of the bar should be carried out.

The area is exposed through a short transverse incision just below the clavicle, the coracoid process is again identified, and the bony bar is followed from the top of the coracoid up to the clavicle. It is usually identified through digital dissection, by pressing backward along the upper border of the coracoid. There may or may not be a joint between this bony projection and the clavicle. The bar and the intervening joint are excised as completely as possible. In some instances, the bar is present on both sides, but usually only the master arm is affected clinically. Removal of the bar is followed by relief of discomfort in a high percentage of patients.

Cleidocranial Dysostosis

This is a relatively rare hereditary condition in which there has been ineffective ossification of the skull and the clavicles. Only a small portion of the frontal or occipital bone is present at birth, and this leads to delayed closure of the fontanelles. A varying degree of clavicular aplasia is present; this controls the signs and symptoms related to the shoulder that develop. The lesion is always bilateral, and when the clavicles are completely absent it is possible to swing the two shoulders to the front with the arms touching, presenting a grossly deformed appearance (Figs. 1–34 to 1–38). Even when this extreme deformity can be produced, the amount of altered function is not as extensive as might be anticipated.

In some instances only the central part of the clavicle may be absent, resulting in what amounts to a pseudarthrosis in the center of the clavicle, and leading to some instability and increased mobility of the shoulder. The defect is one that principally involves bone, and there are very few, if any, corresponding soft tissue disturbances, which tends to minimize the deleterious effects considerably. No treatment is necessary apart from postural and strengthening exercises.

Congenital Clavicular Fossa

A small oblong fossa directed obliquely may develop at the sternal end of the clavicle (Fig. 1–39). It is nearly always present on both sides and may be erroneously inter-

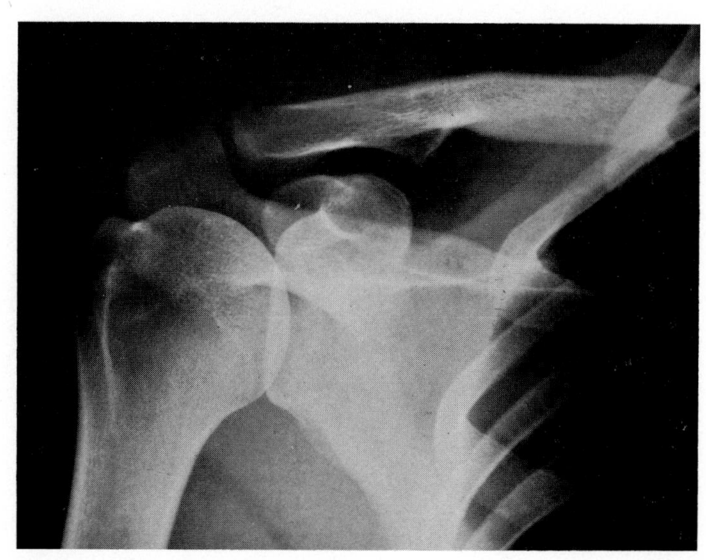

Figure 1–33 Congenital coracoclavicular bar.

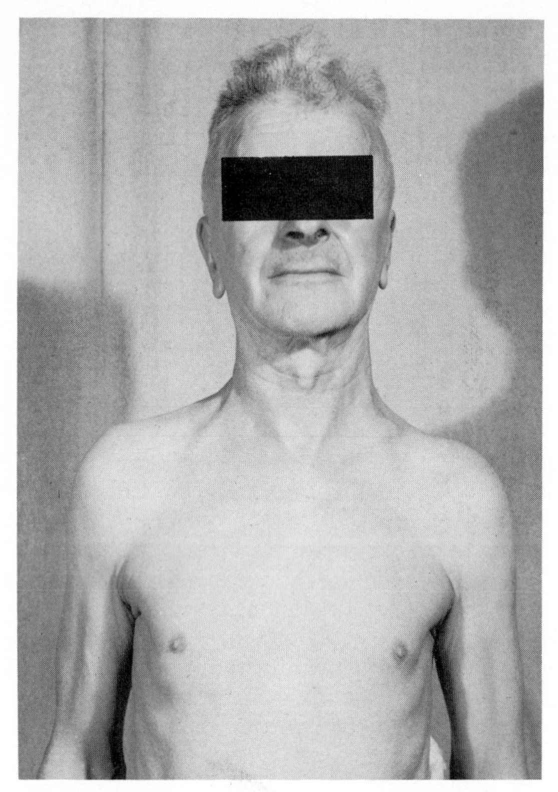

Figure 1–34 Note shortened shoulder breadth.

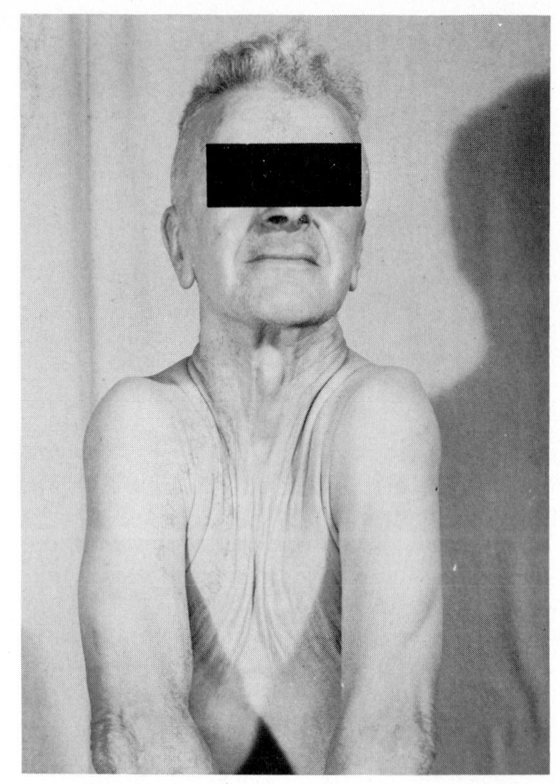

Figure 1–35 Rudimentary clavicles allow shoulders to be swung almost together in the front.

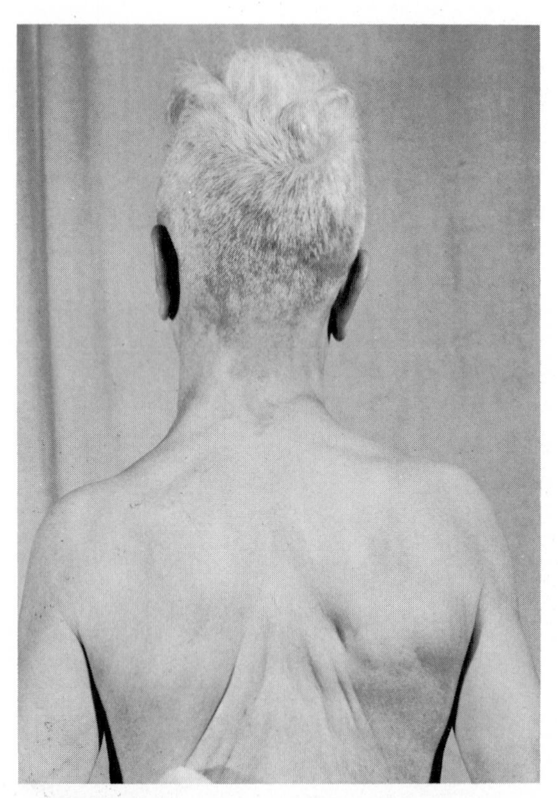

Figure 1–36 Posterior appearance in cleidocranial dysostosis.

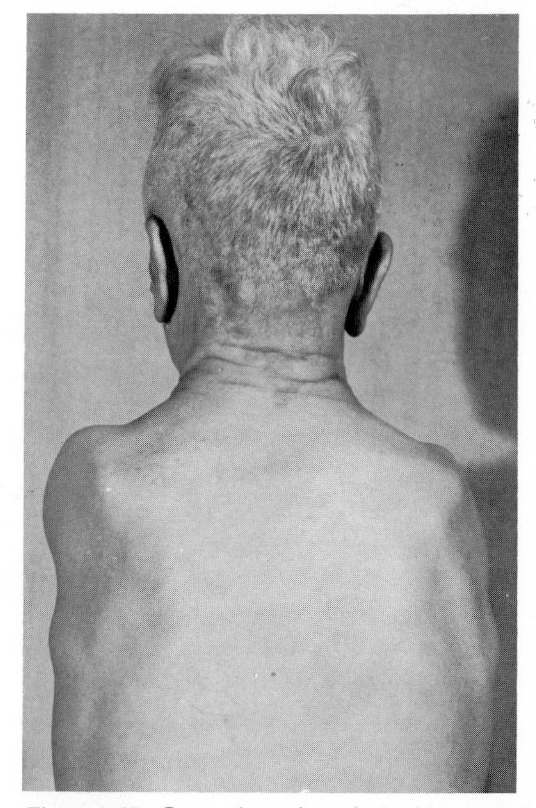

Figure 1–37 Gross shortening of shoulder breadth apparent posteriorly in cleidocranial dysostosis.

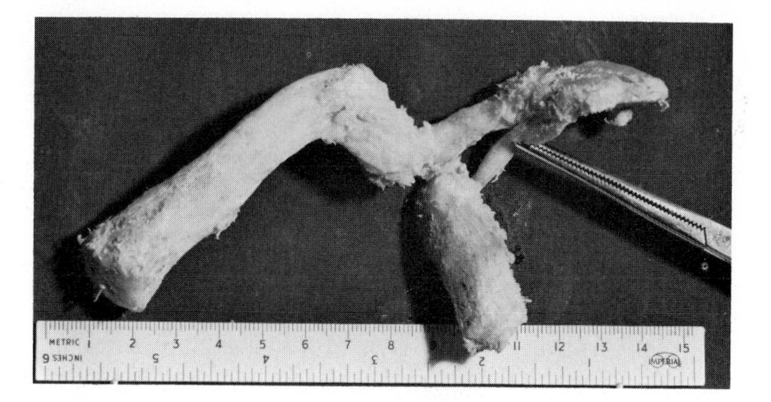

Figure 1–38 Specimen in cleidocranial dysostosis.

preted as an infection or neoplastic process. No symptoms have been reported to arise from this abnormality, and no treatment is required.

Local Congenital Defects of the Clavicle

Abnormalities in the appearance of the centers of ossification of the clavicle lead to the development of local defects. The clavicles may be absent on both sides without significant abnormality related to the skull. The outer third of the clavicle may be missing, the inner two-thirds may be missing, or the center portion may be absent. As a rule, the clinical disturbance is not as extensive as might be anticipated, and frequently the only abnormality is some increase in the normal mobility of the shoulder. Injury may bring the weakness into focus. The explanation of these clinical forms lies in the process of ossification of the clavicle. The ossification spreads inward and outward from two centers that appear at the junction of the middle and outer thirds. When neither center appears, the clavicle is absent. If the outer center fails to develop, the lateral third of the clavicle is lacking. Failure of the inner center is less common, but leads to absence of the inner two-thirds. In some instances, a branch of the supraclavicular nerve perforates the clavicle at the junction of the ossifications, spreading from the epiphyseal centers (Fig. 1–40).

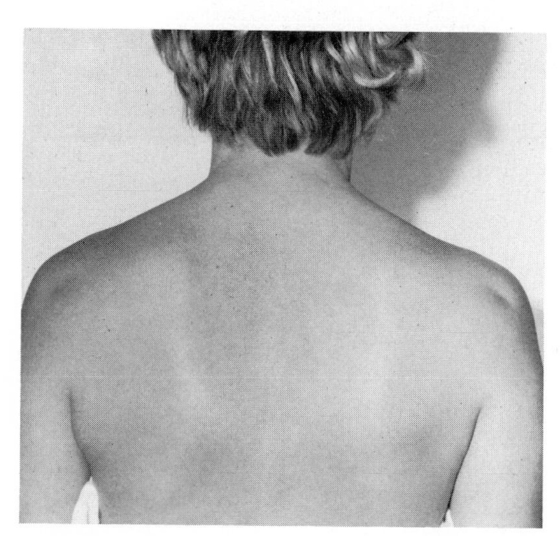

Figure 1–39 Congenital supraspinous fossae. Slight tendency toward prominence of acromioclavicular joints also.

Congenital Pseudarthrosis of the Clavicle

A frank pseudarthrosis of the midportion of the clavicle, without any other congenital stigmata such as those that accompany dysostosis, is commonly encountered (Figs. 1–41, 1–42, and 1–43).

Etiology. Centers of cartilaginous development appear in the embryo during the seventh and eighth weeks in the isolated mass of mesenchyme that forms the clavicle. These start at the junction of the outer third and the inner two-thirds, with growth proceeding toward each end. A gap may persist between these two centers, and this development has been interpreted as the source of a congenital pseudarthrosis.

Clinical Picture. An abnormal swelling develops along the clavicle, usually on one side, which is quite painless but which prevents a feeling of looseness on palpation because of the movement of the two segments. It contrasts with the exuberant callus and pain of a birth fracture, and there are no associated changes in other structures, as there are in cleidocranial dysostosis. The x-rays show a pseudarthrosis with enlarged ends and sclerotic edges.

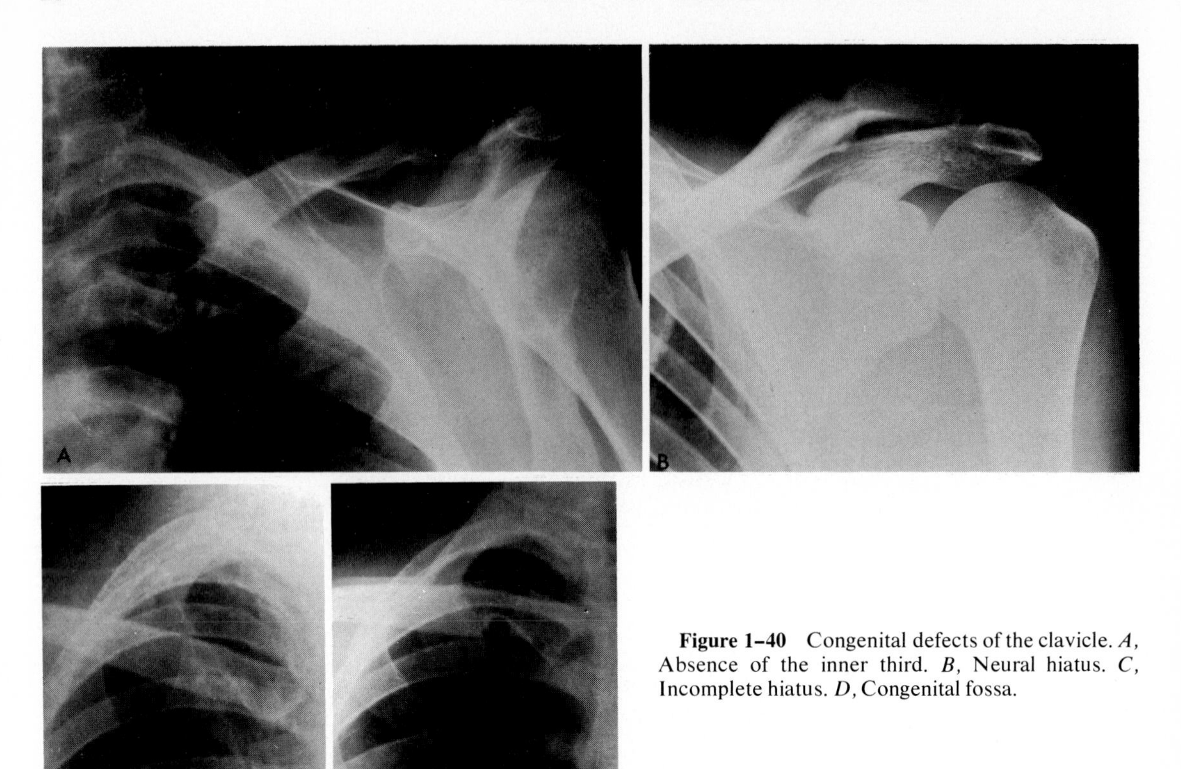

Figure 1–40 Congenital defects of the clavicle. *A*, Absence of the inner third. *B*, Neural hiatus. *C*, Incomplete hiatus. *D*, Congenital fossa.

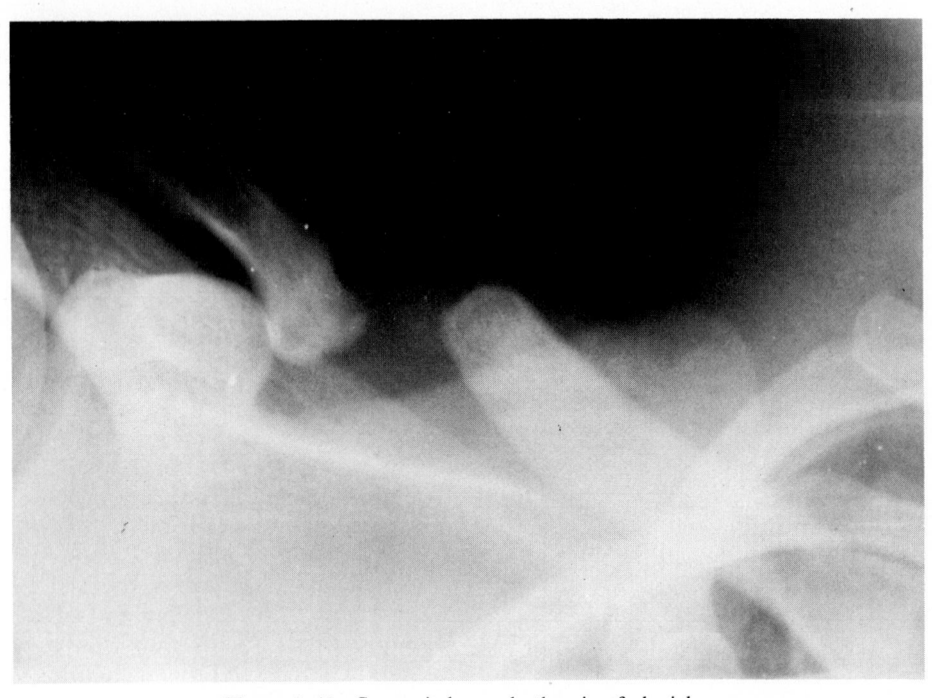

Figure 1–41 Congenital pseudarthrosis of clavicle.

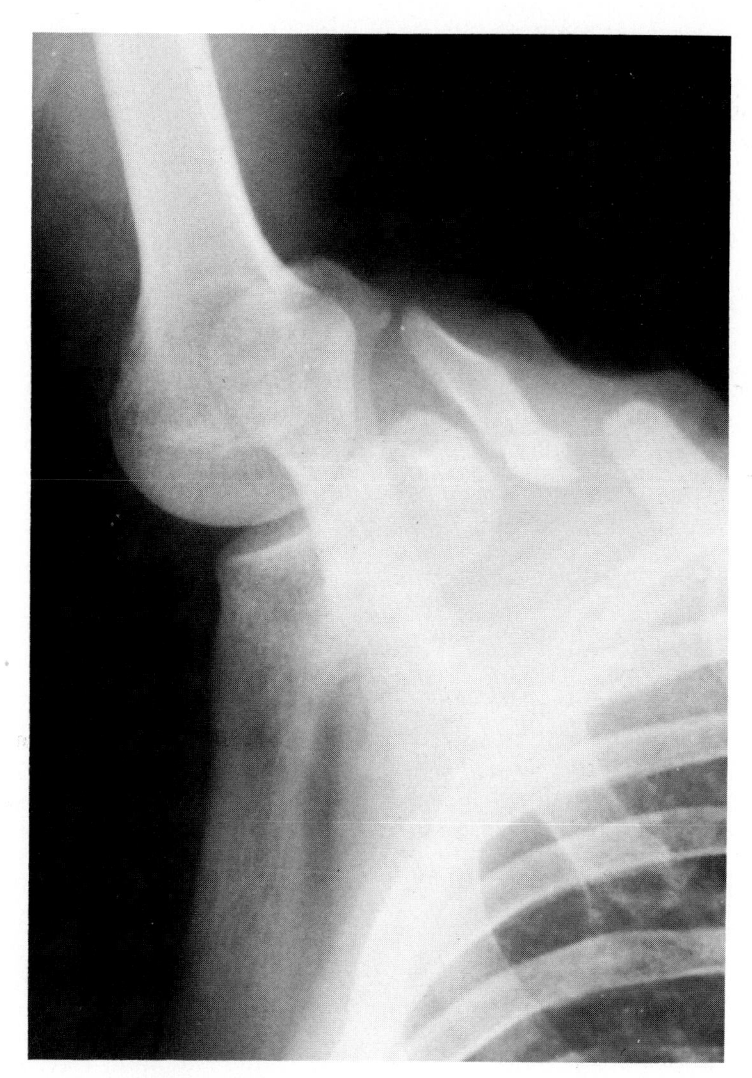

Figure 1–42 Congenital pseudarthrosis of clavicle.

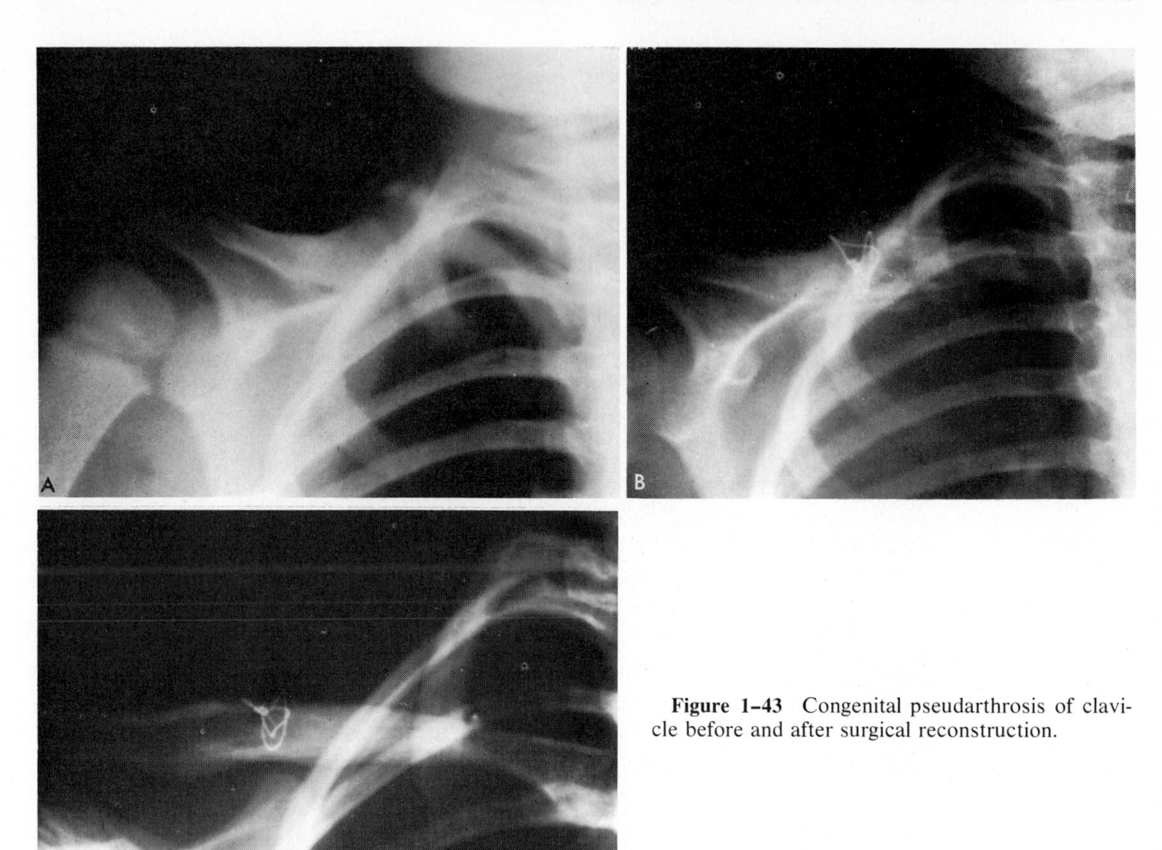

Figure 1–43 Congenital pseudarthrosis of clavicle before and after surgical reconstruction.

Treatment. Autogenous bone grafting is the treatment of choice and is followed by a much higher rate of success than when such procedures are performed for similar conditions in the tibia (see Fig. 1–43).

Subluxation of the Acromioclavicular Joint

A state of congenital luxation of the acromioclavicular joint has been recognized. Grieve (1942) first called attention to this condition when he reported seven cases discovered during routine acromioclavicular examination. It is a bilateral abnormality in which the outer end of the clavicle is prominent and the joint is lax. It must be differentiated from simple enlargement of the outer end of the stable clavicle, which is encountered in later life. As a rule, there is no history of injury preceding the development of this lesion. Congenital subluxation usually comes to light on routine clinical x-ray examination, or when consultation is sought because of the unusual appearance of the bone.

Examination shows the outer end of the clavicle riding above the acromion, and it appears to bounce in a vertical direction on pressure (Fig. 1–44). A subluxation amounts to a variation of 0.5 to 1.0 cm. Little disability results; pain and limitation of movement are not prominent, and the suprasensory ligaments are not involved. The origin of this abnormality is related to faulty development of the outer end of the clavicle or the adjacent zone of the acromion. This has been corroborated by Smith (1968), who reported a case of subluxation of the clavicle in which there was a congenital distortion of the acromion.

Treatment is not necessary unless the subluxation is sufficient to distort the appearance. When the disturbance is of cosmetic concern, the outer end is stabilized as for traumatic acromioclavicular dislocation. Excision of the outer end of the clavicle is not

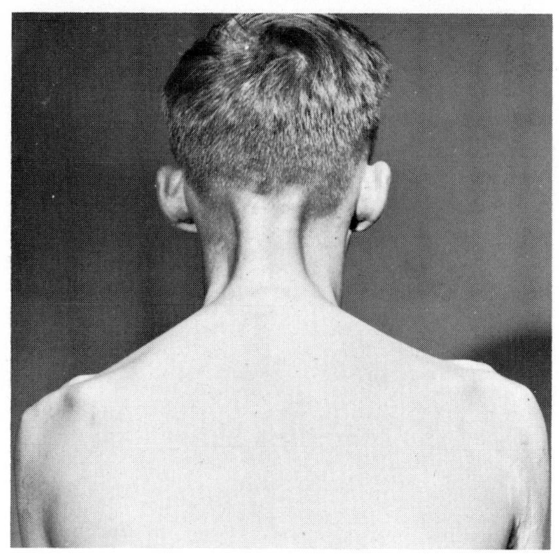

Figure 1–44 Congenital acromioclavicular subluxation bilateral.

recommended unless measures are taken to stabilize the clavicle. Recognition of the lesion is important in medicolegal and compensation problems. Demonstration of the abnormality on both sides indicates the true nature of the condition (Fig. 1–45).

CONGENITAL ABNORMALITIES OF THE HUMERUS

In a study of the progress of developing mammalian forms, significant changes can be recognized relative to the upper end of the humerus. The principal alteration involves the head. The position is changed, and the upper end twists so that in man, instead of facing dorsally, the humerus comes to face medially. The presence of this torsion explains the altered size of the tuberosities of the humerus and the subsequent shift of the bicipital groove medially, which leaves a greater lateral and a much smaller lesser or medial tuberosity.

The new position of the tuberosities also alters the position of certain muscles, such as the biceps, so that they come to lie on the front instead of the side, and the tendon follows a much more tortuous or right-angle course than formerly. This more medial position places extra strain on the lesser tuberosity and the transverse humeral ligament.

Ossification of the Humerus. The humerus develops as a typically long bone from a core of cartilage for the shaft, which later is encased in a sheath of bone from the periosteum (Fig. 1–46). The upper end is an epiphysis of solid cartilage in which ossification begins in the head during the first year, then in the greater tuberosity at three years, and in the lesser tuberosity at five years. These fuse by the age of six and unite with the shaft at age 20. The upper end of the humerus unites after the lower end, so that growth continues longer at the shoulder than at the elbow. The time of union of the epiphyses has been thought to affect the frequency of development of primary malignancies. This means that, with growth going on longer in the shoulder, the incidence of neoplasms is greater in this region than at the elbow. At birth, the upper end of the humerus is completely cartilaginous; in x-rays taken at this time, no upper end is visible.

Severe abnormalities of the upper end of

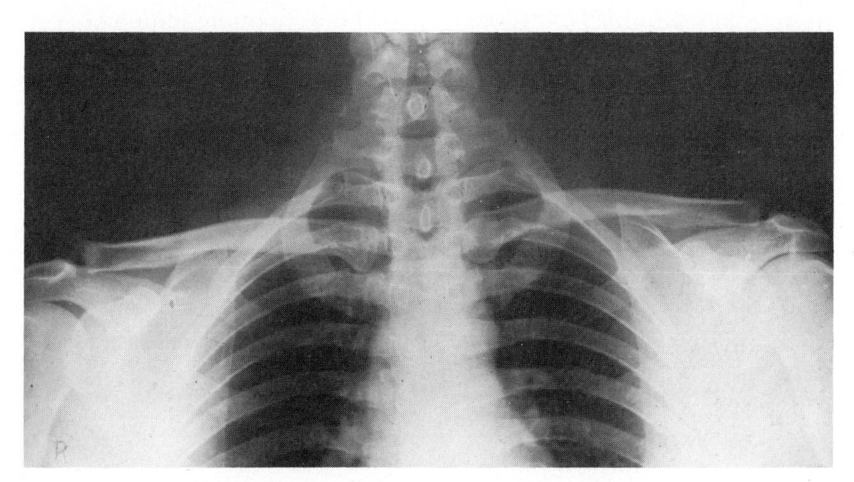

Figure 1–45 Congenital acromioclavicular subluxation as it appears radiologically.

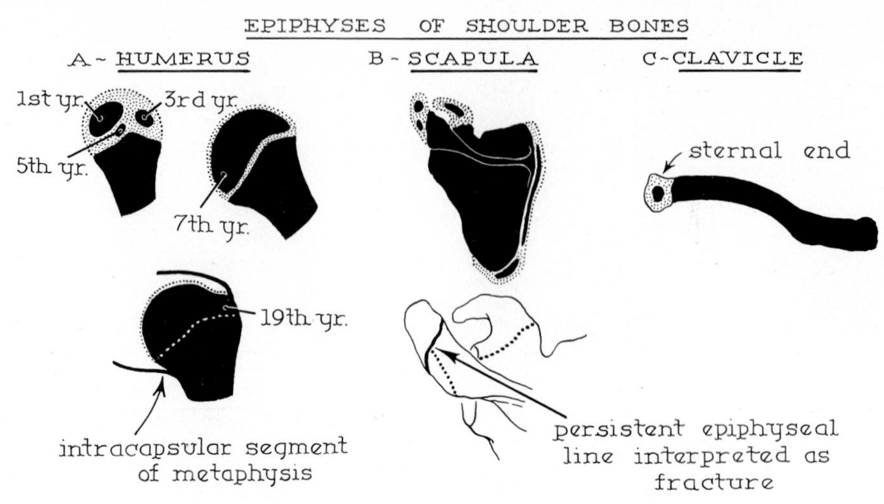

Figure 1–46 Development of bones about the shoulder.

the humerus are not common. The head of the humerus may be completely absent, and this aplasia may be associated with similar maldevelopment of the glenoid. Abnormalities in the degree of rotation of the humeral head occur more frequently. In some instances, excessive internal rotation of the head of the humerus or humerus varus develops; this explains the development of congenital recurrent posterior dislocation of the shoulder. When the head of the humerus is rotated inward to a greater degree than normal, as the arm is flexed the head has a tendency to rotate internally to an abnormal degree, so that, instead of facing the glenoid fossa in the usual application, it tends to rotate further posteriorly and slips out of the glenoid as the arm is fixed. The author has corrected congenital recurrent posterior dislocation by carrying out an external rotation osteotomy of the upper end of the humerus, bringing the distal segment inward to prevent the recurrent posterior luxation.

Variations in the size and shape of the bicipital groove may be recognized and have considerable clinical significance. A shallow groove may be present, and a correspondingly large tendon may easily slip from the groove. The converse may be true, and the groove may be deeper than normal and end as a deep cleft, holding a small tendon so that constriction and undue restriction easily result. Fortunately, the long head of the biceps is an extremely pliable structure that adapts well to a great many variations of the position of its groove and the tuberosities; otherwise, clinical disturbance would be much more frequent.

ANOMALIES OF THE SHOULDER JOINT

The joint cavities, synovium, and associated ligaments of the shoulder arise from the embryonic ray of tissue between the elements of the humerus and the scapula (Fig. 1–47). In the developing joint a central translucent area appears at the end of this zone and remains continuous with the bone ends. This layer of tissue then forms the capsule, and thus becomes continuous with the perios-

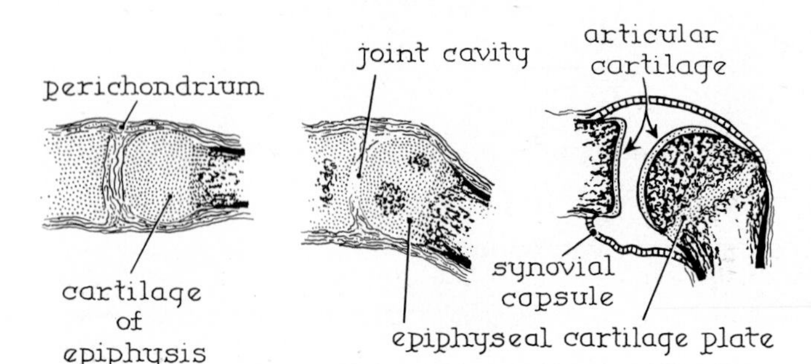

Figure 1–47 Steps in the development of the shoulder joint.

teum. In this fashion, strong hinges develop, forming protection for the articular surfaces, yet remaining rigidly adherent to the bone ends. The origin of the capsule with its extremely strong attachment to bone has been recognized as the mechanism protecting the shoulder joint from dislocation, reducing, in particular, the frequency of congenital dislocation as compared with that of the hip joint.

The tendon of the long head of the biceps invaginates the capsule and then is enveloped in a synovial layer. This layer later disappears, leaving the tendon free within the joint cavity, lying on bare cartilage. The line of attachment of capsule demarcates intra-articular from extra-articular structures. That portion of the bone that develops adjacent to the cavity zone persists, covered with cartilage and protected with capsule. That portion outside the capsular attachment is free of capsule and has no articular cartilage. When rotation and descent of the upper extremity occur, the line of capsule attachment alters, so that more of the inner aspect of the humerus adjacent to the head comes within the capsule, and the attachment extends farther down the neck (Fig. 1–48). There is no such change in the case of the scapula, so that the attachment of the capsule remains close to the articular margin around the perimeter of the glenoid, blending with the labrum. The process of capsule development with continuity to perichondrium explains the secure attachment of the labrum to the glenoid also.

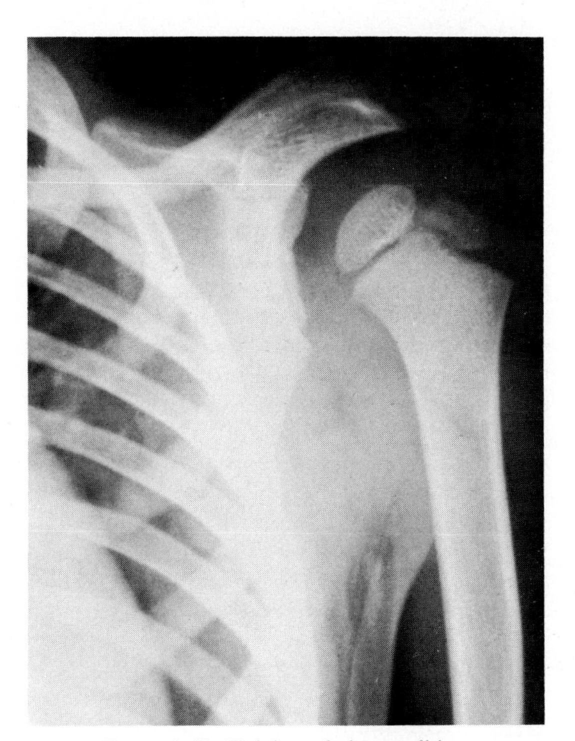

Figure 1–48 Epiphyseal abnormalities.

Capsule attachment is at the edge of the cartilage, except at the inferomedial aspect, where the change in position of the head of the humerus due to rotation allows it to shift down the shaft. This brings a short piece of the metaphysis or the upper end of the shaft of the humerus to lie within the joint. The clinical significance lies in the fact that infection of the upper end of the humerus in children, which commonly implicates the metaphysis, may then spread into the joint proper because of the inclusion of this small portion of the metaphysis.

The firm attachment of the capsule to the glenoid is maintained throughout life, and use is made of it in certain surgical maneuvers. By means of this firm attachment, it is possible to exert a pull on the glenoid and so reduce fractures in this region, which otherwise would be difficult to manipulate and tedious to expose (Chapter 13).

Congenital Dislocation of the Humerus

Congenital dislocation of the shoulder is extremely uncommon, and many authors have doubted its occurrence. Many of the cases reported as congenital are really paralytic or caused by trauma at birth. There is a condition involving maldevelopment of the scapulohumeral mechanism that results in an abnormal relation of the head of the humerus to the glenoid. The name "congenital dislocation" should be reserved for conditions of this type. A type of congenital dislocation in cases of arthrogryposis has been identified, but this condition is bilateral and is accompanied by many other deformities elsewhere. The primary defect is an abnormal development of the glenoid cavity, which may fail to attain normal proportions but may retain normal position. In some instances, the position is abnormal, and the relationship with the head of the humerus is distorted. In the first instance, the incongruity between the humerus and the glenoid resembles the aplasia of the acetabulum in congenital dislocation of the hip (Figs. 1–48 and 1–49). The infantile glenoid assumes an anterior position, and the head of the humerus, which develops normally, has a ten-

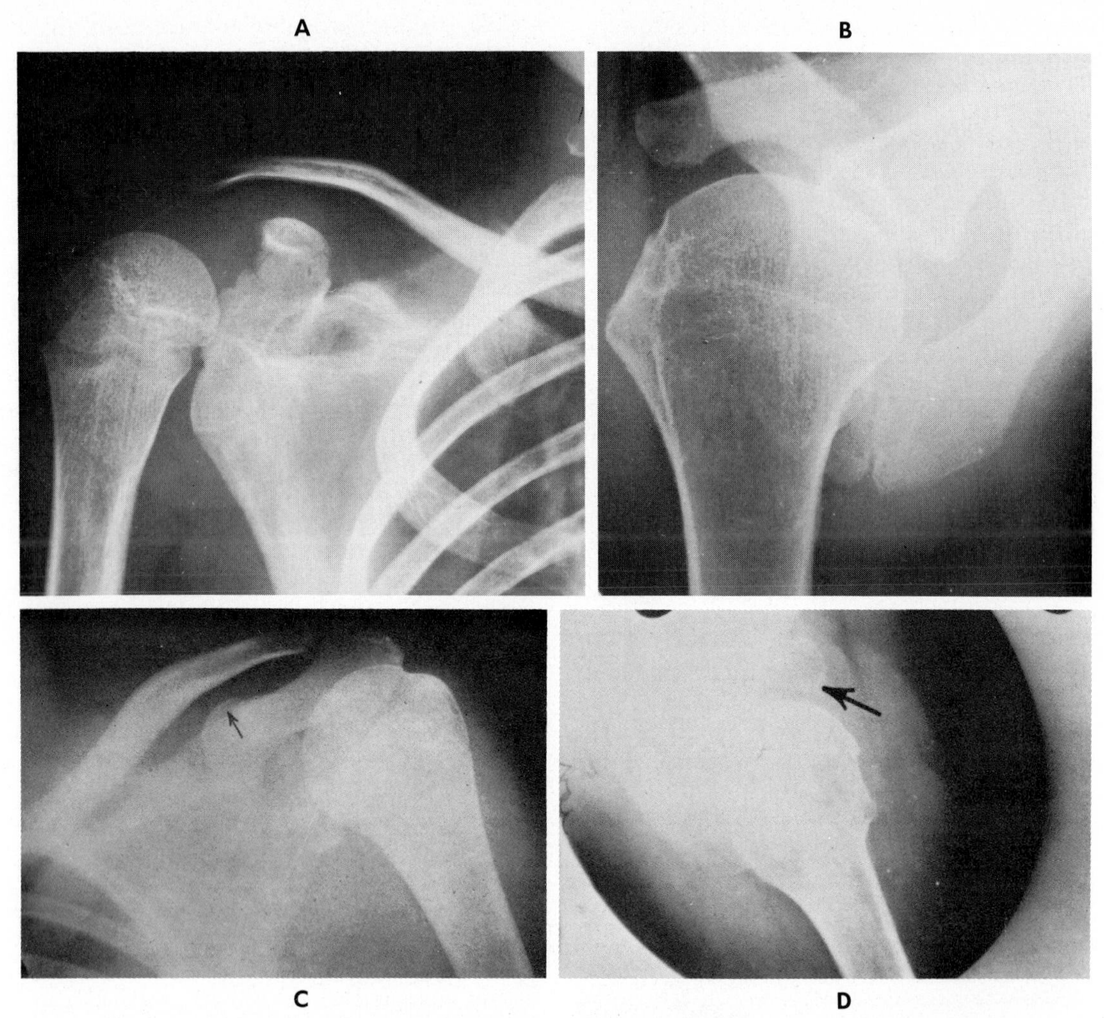

Figure 1–49 Developmental defects of the upper end of the humerus and glenoid region such as occur in congenital dislocation of the shoulder. *A*, Deformity of glenoid. *B*, Metacromion showing persistent ununited distal end of acromion. *C*, *D*, Congenital anomaly with ununited distal end of coracoid.

dency to ride posteriorly. The more frequent mechanism has to do with an abnormal position of the glenoid, and subsequent aberration of the development of the coracoid. The coracoid process extends farther forward and points laterally, forcing the glenoid to face backward. The head of the humerus is carried backward with the glenoid cavity, so that an atopic articulation results. Greater distortion of the upper portion of the glenoid also occurs in this deformity.

The reason why the inferior aspect of the glenoid is not involved so much is that it does not share in the rotation because it develops from the scapula without a separate epiphysis. In both conditions the joint is not really dislocated but is carried backward to an abnormal site. The pathologic findings consist of an abnormally shaped scapula with an elongated spine and a somewhat irregular acromion. The glenoid fossa is distorted and loses its normal oval shape (Fig. 1–50). The upper portion is convex and closely related to the coracoid; the lower portion is concave and more nearly normal in shape. Only the lower part of the humerus is in contact with the rudimentary cavity, and the remaining articular surface is misshapen. The coracoid is directed horizontally and laterally without any normal vertical or horizontal limb. The spine of the scapula is also distorted, and becomes twisted at its base so that the upper surface faces forward and the lower surface backward. The acromion is deformed, tending to be more horizontal than oblique. The upper portion of the body of the scapula is straight and not angled, and the whole body of the scapula may be altered.

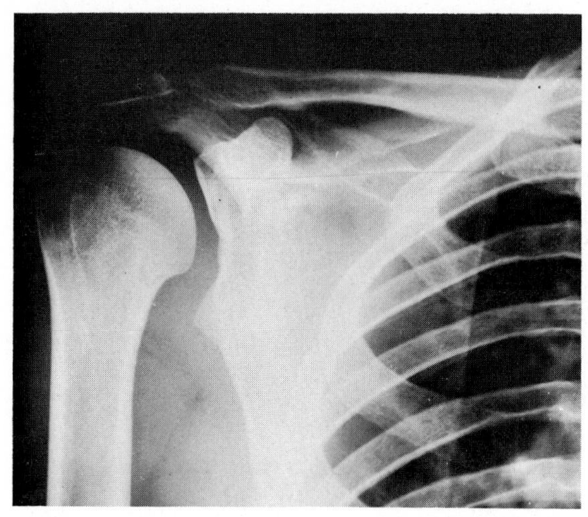

Figure 1–50 Aplasia of glenoid and associated retroversion of head of humerus.

Congenital Posterior Dislocation of the Humerus

An entity that should be differentiated from severe congenital dislocation is congenital posterior dislocation, which is sometimes described as congenital posterior subluxation (Figs. 1–51 and 1–52). Frequently, the condition does not become apparent until five to seven years of age, and it then takes the form of recurrent posterior laxity of the shoulder joint.

The patient often complains initially only of the catching sensation in the shoulder, but then gradually becomes conscious of the posterior projection. Eventually, flexion action of any degree initiates the prominence of the head of the humerus posteriorly. If the arm is held in external rotation and abducted, there is less tendency to luxation. It is the act of internal rotation that alters the normal relationship of the head of the humerus to the glenoid.

Pathologic Considerations. In this condition very few bony abnormalities can be demonstrated, as they can in severe congenital dislocation. In some instances slight hypoplasia or aplasia of the glenoid is apparent. In many cases there is retroversion of the head of the humerus, so that, as the arm is flexed, there is a tendency for posterior prominence.

The condition is almost always bilateral, with the master arm exhibiting the greater tendency to subluxation.

Treatment. Many operations have been

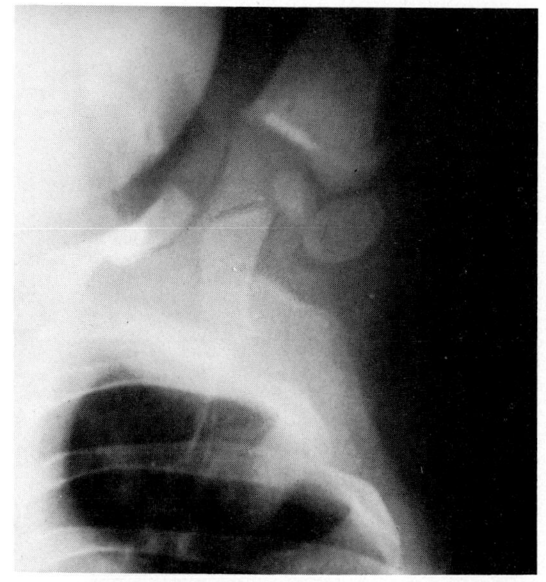

Figure 1–51 Developmental posterior dislocation of the humerus.

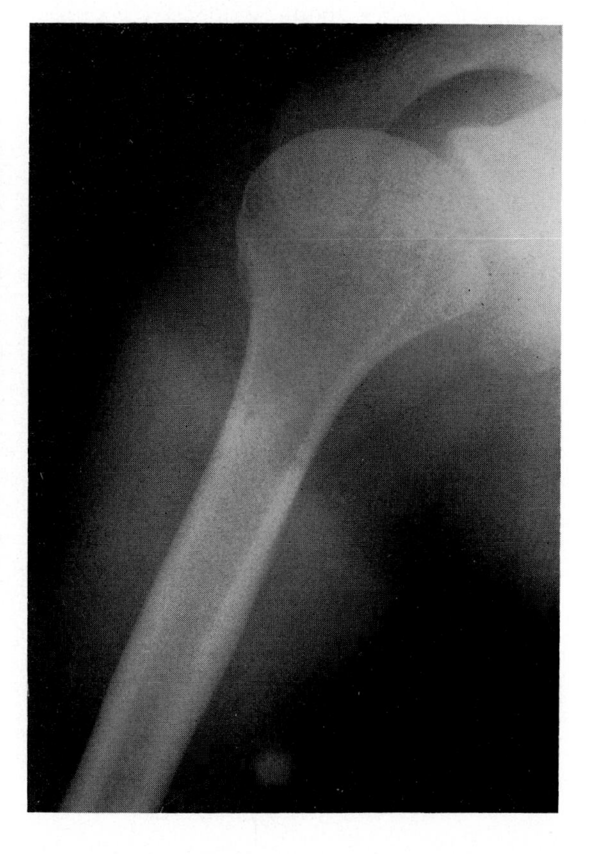

Figure 1–52 Adolescent stage of congenital posterior dislocation of head of humerus. ⟶

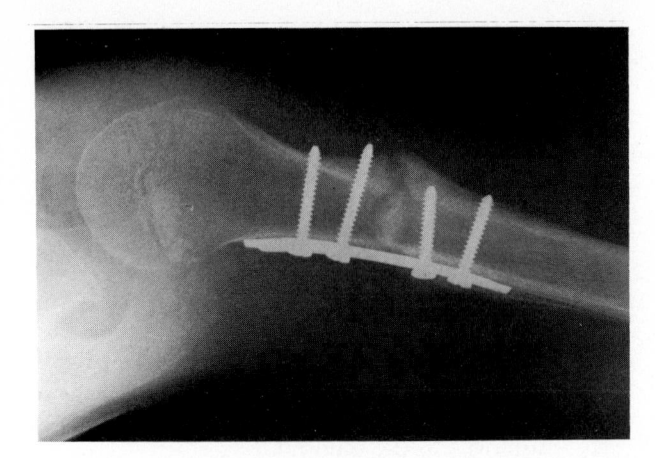

Figure 1–53 Osteotomy to correct congenital retroversion.

devised, including fascioplasty and capsuloplasty of the posterior aspect, posterior bone block, and combinations of these procedures. In the author's hands the most effective procedure has been a rotation osteotomy to correct the malalignment of the upper end of the humerus.

SURGICAL TREATMENT. Through a longitudinal incision along the lateral aspect in the bilateral bicipital groove, the upper end of the humerus is exposed over a distance of about 5 inches. A transverse rotation osteotomy is performed, and the distal segment is rotated internally about 20 degrees. Fixation in this position is then carried out with a compression plate and screws. The arm is immobilized in a shoulder spica for eight to ten weeks until union is satisfactory (Figs. 1–53 and 1–54).

Paralytic Dislocations

A paralytic dislocation is not a true congenital dislocation, but occurs more commonly than the latter. In injuries to the brachial plexus, particularly the upper roots C.5 and C.6, extensive loss of muscle power and soft tissue stability occurs, and gradual subluxation with anterior dislocation of the head of the humerus may develop. Any

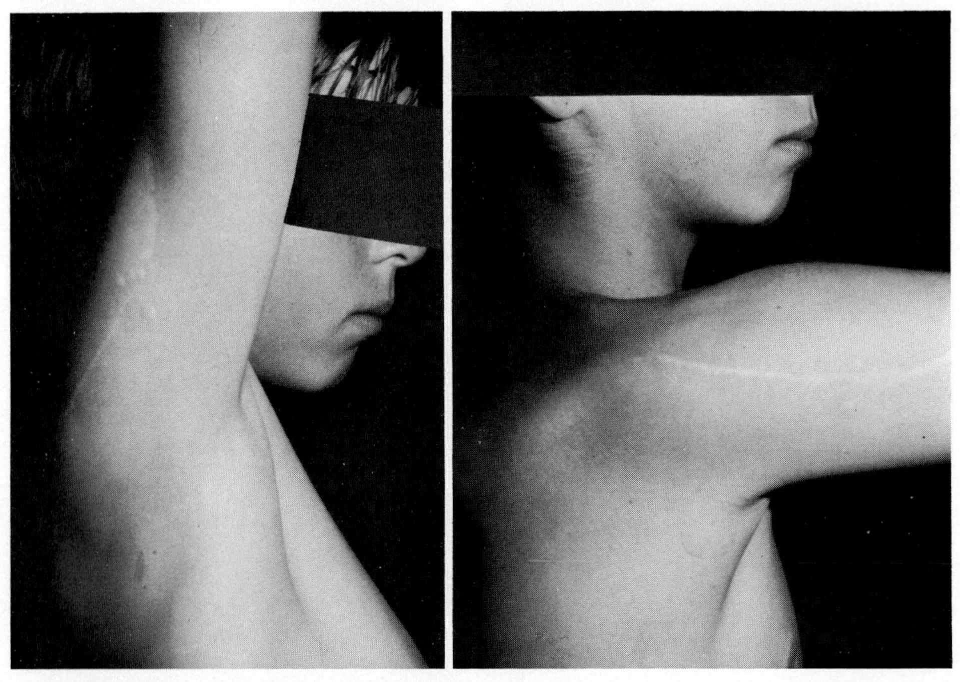

Figure 1–54 Clinical picture showing correction of the persistent posterior dislocation.

dislocation should be reduced and maintained in correct position, either by a body swathe or a single Kirschner wire. Once the paralytic dislocation has improved, soft tissues become more stable, and the subluxation comes under control. Further discussion of the management of the nerve injury is found in Chapter 14.

Epiphyseal Separation

The embryologic development of the shoulder joint explains why epiphyseal separation is more likely to occur than true glenohumeral congenital dislocation. The primitive capsule forms a stout layer over the joint and becomes continuous with the periosteum. This, then, constitutes a strong hinge, protecting the articular portion of the contiguous bones and becoming rigidly adherent just beyond the cartilaginous line. This process of capsular development and continuity with the perichondrium explains the secure attachment of the labrum to the glenoid. The epiphyseal belt closely follows the lower edge of the articular cartilage, and constitutes a much weaker zone during the period of early growth than does the intra-articular capsular covered area. For this reason, when strong force is applied to the shoulder joint, the humerus is more likely to give way through the soft epiphyseal zone than it is through the strongly anchored capsule.

In experimental efforts to produce congenital dislocation, the resulting deformity has been a fracture through the shaft or a displacement through the epiphysis, rather than separation of the joint surfaces. The injury is treated by reduction and fixation. It is not difficult to restore the alignment, but it should be remembered that this needs to be carried out largely by palpation, since no shadow of the epiphyses of the head is apparent in the x-ray at birth. In the very young, fixation by a soft sling and bandage dressing, with the arm at the side for two weeks, is all that is necessary; a shoulder spica should be applied to more mature bones.

DEVELOPMENT OF MUSCLES AND CONGENITAL ANOMALIES OF MUSCLES

The muscles of the shoulder are extremely important since they not only provide power but also permit precision control of the joint.

Table 1–3 CONGENITAL ANOMALIES OF MUSCLES

1. Development of Muscles
2. Clinical Significance of Muscle Embryology
3. Development of Trapezius and Sternomastoid
4. Development of Latissimus Dorsi and Pectoralis
5. Development of Deltoid, Spinati, and Teres Muscles
6. Development of Biceps and Coracobrachialis

Many muscles acting on the upper limb retain their primitive attachment to the vertebral column, the skull, and the iliac crest, which adds to mobility and at the same time exerts extensive control. Such a mechanism provides powerful leverage, and yet a complete circle of motion is feasible. The muscles of the lower limb, in contrast, do not reach above the iliac crest, minimizing their influence.

An orderly pattern of development synchronizes the various groups of girdle muscles. In the beginning the base is made secure, and then motion for the base is provided; this is followed by the development of muscles to move the upper arm on the base, and, finally, structures to control the more distal portion of the lever are fabricated. This sequence progresses from the neck outward. Muscles connected with the neck appear first in the premuscle mass of mesenchyme. Structures such as the trapezius and sternomastoid muscles may be identified at the beginning, and are followed by the development of the serratus anterior, levator scapulae, and rhomboids. A group that connects the girdle to the trunk, such as the latissimus dorsi and the pectoralis, may then be identified. The collection of muscles in the shoulder girdle group, such as the deltoid, the supraspinati, and the teres, then develops. The last group to appear includes muscles like the biceps and coracobrachialis, that connect the shoulder girdle to the arm.

CLINICAL SIGNIFICANCE OF THE MUSCLE EMBRYOLOGY

Development of the primitive muscle mass producing these muscles can be followed through the evolution of amphibia, reptiles, and mammals. The assumption of the upright position produced profound changes in the configuration of these structures. In the pronograde forms, in which the anterior limb is used for locomotion and weight-bearing, the axis of pull on these muscles is almost parallel to the limb. In orthograde forms, when the arm drops to the side, the line of pull alters. The pull in the upright mammalian position is almost at right angles to the primitive angle and, therefore, is much less mechanically efficient. In this process, the supraspinatus shows the greatest degree of change.

As the scapula elongates, the infraspinatus increases in size and bulk, but the supraspinatus does not follow suit. Upward elongation of the scapula would interfere with movement of the neck and shoulder, so that the supraspinatus zone remains relatively small. In addition to this lack of development, the rotation of the extremity produces a further strain on the supraspinatus tendon because it comes to pull in much less of a straight line than in the lower animal forms. Added to these two detrimental embryologic developments is the increased stress placed upon the supraspinatus by the assumption of the upright posture and the necessity for man to do much work at shoulder level or above. The combination of these factors produces a congenitally relatively weak muscle that has to assume a constantly increasing burden. In analysis of the many clinical syndromes affecting the shoulder, it is to be expected that degenerative changes will appear first in this region.

An anomaly of similar importance is related to the muscles, such as the biceps, that extend from the arm to the shoulder girdle. When the head of the humerus rotates, following the glenoid cavity, the trough containing the long head of the biceps shifts medially also. This changes the direction of pull so that, instead of being squarely over the lateral surface of the head of the humerus, the shoulder is shifted medially. In this site, it is in a less secure positon, and increased tension is placed on the fibers that hold the bicipital tendon in this position. The intertubercular fibers resist a constant tendency toward dislocation of the long head of the biceps, particularly in acts of flexion and external rotation. The application of sudden force in this arc may then rupture this retaining ligament, allowing the tendon to slip out of the groove. A much more frequent but less dramatic change is the constantly increased wear to which the bicipital tendon is exposed by these embryonal changes. It can be anticipated that wear and tear changes will also frequently be encountered in this region in the adult.

DEVELOPMENT OF THE TRAPEZIUS AND STERNOMASTOID

The first muscles connected to the shoulder girdle develop from a sheet of primitive tissue growing tailward from the occiput to the arm bud. This sheet splits, forming the trapezius posteriorly and the sternomastoid anteriorly. The split remaining between these muscle masses then becomes the posterior triangle of the neck in the adult (Fig. 1–55). In the migration from the occiput to the base of the arm bud, the nerve supply of these muscles trails along, which explains the extensive course of the accessory nerve. The sternomastoid muscle arises from the anterior portion of this primitive muscle sheet. It develops a strap-like layer extending from the mastoid process to the sternum and the inner end of the clavicle.

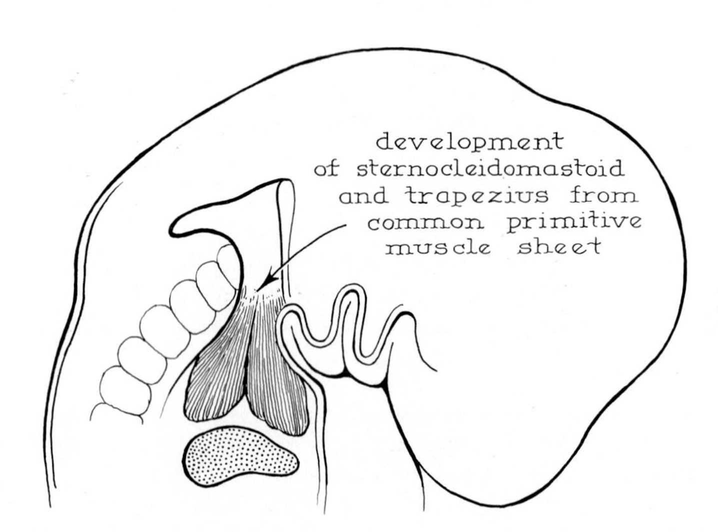

Figure 1–55 Development of the trapezius and sternomastoid also illustrates the origin of the posterior triangle of the neck.

Abnormalities at birth in the sternomastoid have long been recognized as the cause of torticollis. In some instances interference with the blood supply has been described, whereas in others traction or pressure on the muscle has been blamed. The treatment of this lesion is discussed in Chapter 13.

DEVELOPMENT OF THE LATISSIMUS DORSI AND PECTORALIS

In our remote ancestors, climbing muscles were extremely vital. The latissimus dorsi and pectoralis major are examples of powerful muscles attached to the body but extending to the upper limb, and therefore of great use in climbing (Fig. 1–56). They developed during the arboreal era, and enabled the body to be pulled upward by the arm. This phase of existence and the resultant necessities of anatomic development are also reflected in the shape of the chest (Fig. 1–57). Continued use of these muscle groups at the front and the back led to compression of the chest in an anteroposterior direction, so that it was altered from the round shape of four-footed specimens, such as the dog, to the more oval or kidney-shaped cross-section essential for the upright stance.

The latissimus dorsi is the muscle mass that arises on the posterior aspect of the shoulder, and migrates to the present attachment to the humerus during the phase of rotation of the shoulder girdle of the humerus. The lengthy course that its nerve follows has been thought to be the result of migration.

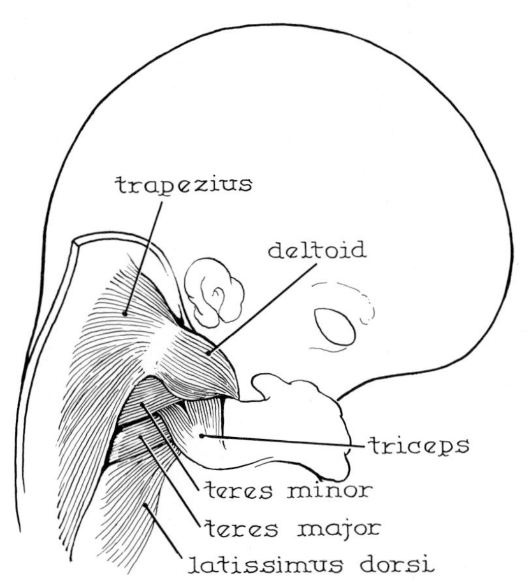

Figure 1–56 Development of climbing muscles.

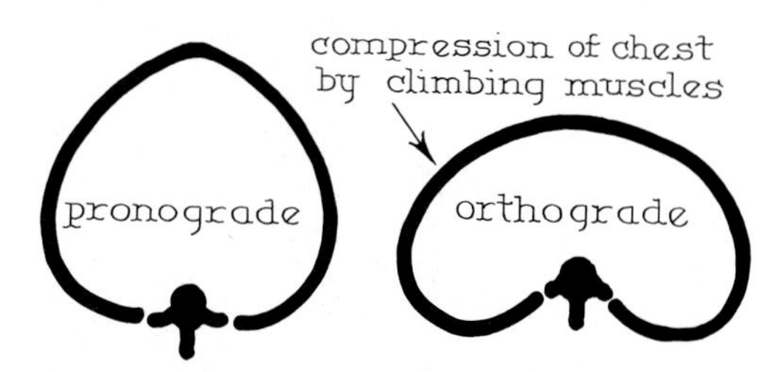

Figure 1–57 Upright body stance develops significant change in the shape of the chest triggered by the action of the climbing muscles.

The anterior counterpart to the latissimus dorsi is the pectoral. These muscles develop in close relationship to the arm bud, but at the front of the chest. In this position the mass becomes attached to the humerus, coracoid, clavicle, and upper ribs in sequence. A horizontal split appears in the primitive muscle mass, eventually demarcating the pectoralis major and the pectoralis minor. The pectoralis major develops from the superficial layer, retaining its attachment to the humerus, crossing from the chest. As the humerus rotates, the muscle insertion is drawn with it and eventually is folded over on itself, explaining the appearance of this tendon in the adult. The pectoralis minor develops from a split in this mass and does not rotate so extensively on its long axis, so there is no folding over this tendon. The pectoralis minor has gradually assumed a much less important role as evolutionary progress has been made from flying forms to plantigrade and orthograde levels. Originally, this muscle mass extended to the movable portion of the extremity through the coracoid, and was associated with a heavy precoracoid element. In orthogrades, this element is represented by the costocoracoid

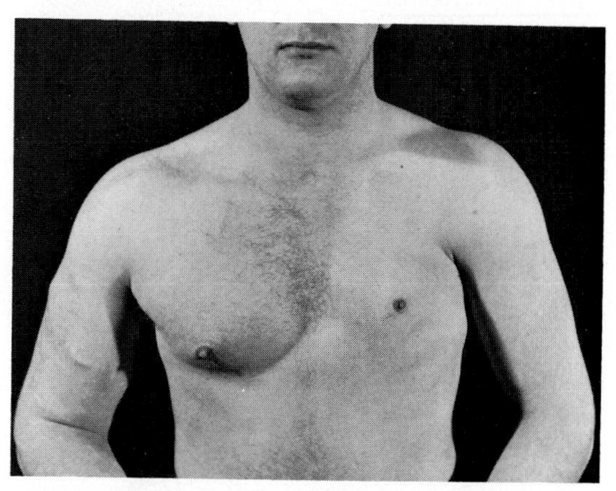

Figure 1–58 Congenital absence of pectoralis major on left side.

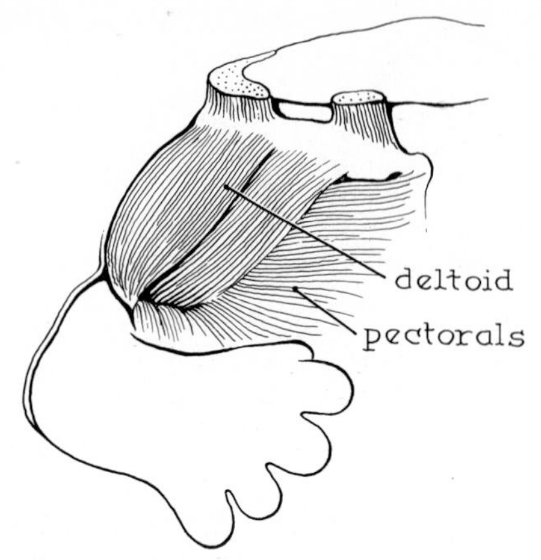

Figure 1–59 Development of deltoid and pectorals.

membrane only, replacing the heavy buttress form found in amphibians and flying forms. Abnormalities of this group of muscles are encountered in man. In some instances the pectorals are poorly developed, and not infrequently they are completely absent on one side (Fig. 1–58).

DEVELOPMENT OF DELTOID, SPINATI, AND TERES MUSCLES

Lying a little more toward the tip of the limb bud there is a further primitive mass of muscle lying in the same layer as the previous group, which ultimately produces the deltoid, the spinati, and the teres muscles. This group develops largely in the region of the limb bud, and extends proximally to gain attachment to the shoulder girdle (Fig. 1–59). The anterior portion fans out as it grows, becoming attached to the clavicle and acromion in sequence; it eventually constitutes the deltoid muscle. The teres muscles develop a little farther distally, migrating in a similar fashion from the limb bud to the girdle elements.

Congenital Anomaly of Deltoid Developmental Muscle Mass

A rare but significant defect has been encountered in the mass deposition of the deltoid muscle and spinati. It is based on the persistence of a central median raphe of congenital fibrous tissue, primarily involving the deltoid muscle with extension above to the spinati also. The fibrous band produces a shirring effect on the muscle mass connected to the arm and shoulder girdle. Its effect is to produce a "scarecrow"-like deformity, which suspends the arms in partial abduction (Fig. 1–60).

Clinical Picture. In many instances the abnormality is not correctly interpreted until early adolescence. The contracture increases with growth, with a constant stress developing in the suspensory muscles so that the weight of the limb is a continued irritant, producing a type of persistent pain that can be relieved only by recumbency or the continued use of abduction braces. The progressive pain can be so severe that constant sedation is required, with ultimate addiction resulting in some instances.

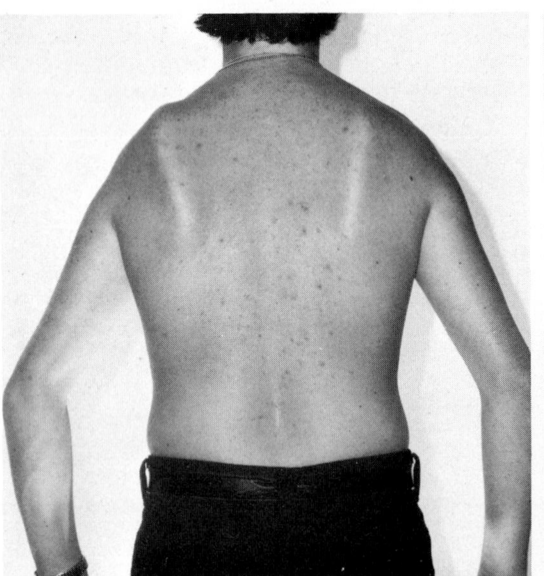

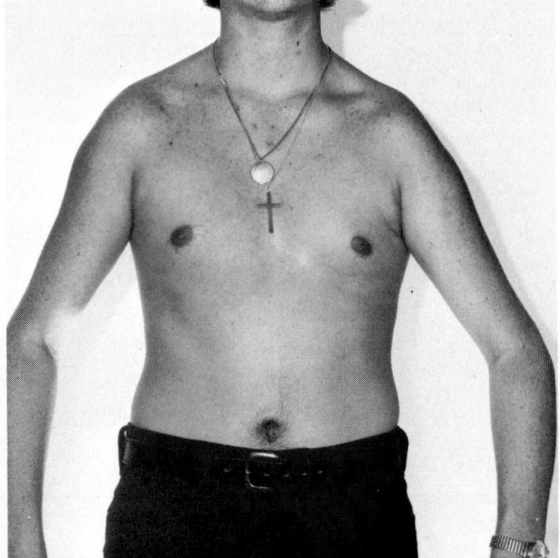

Figure 1–60 Clinical appearance of congenital fibrous bands in the deltoid.

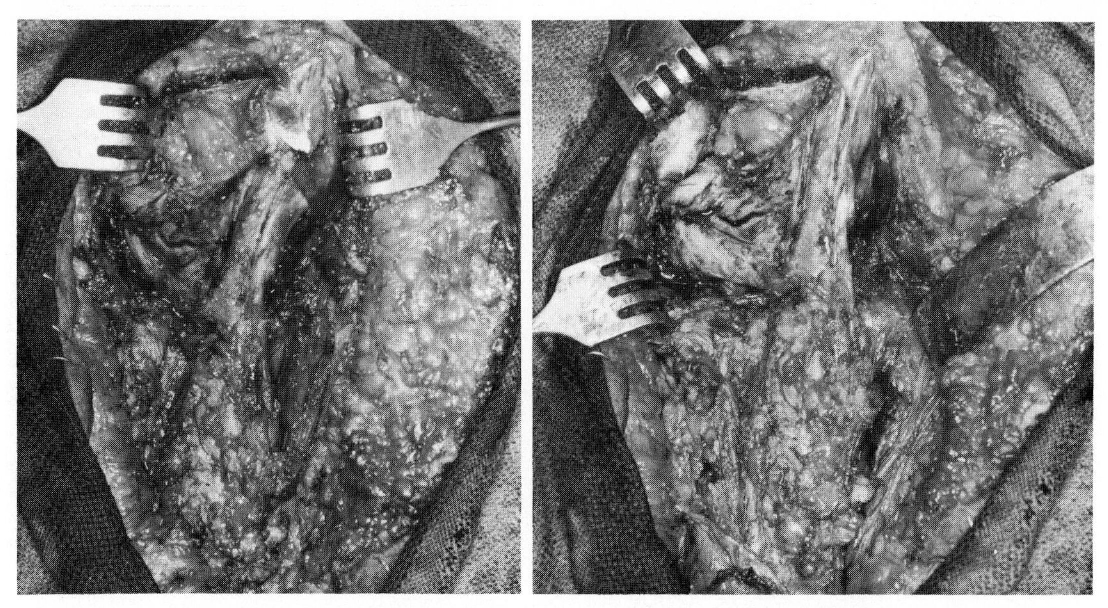

Figure 1–61 Operative appearance of the congenital fibrous band.

Surgical Treatment. Surgical relief is mandatory and is obtained by resecting the spine of the scapula and dissecting the remnants of the fibrous raphe (Figs. 1–61 and 1–62). The abnormality is almost always bilateral, and it is usually best to carry out the excision on one side at a time.

Following surgery, the arms are kept at the sides to prevent recurrence of the contracture. Care must be taken not to carry out too wide a resection, leaving an abnormally weak abductor power (Fig. 1–63), but usually this can be gauged satisfactorily at the time of surgery.

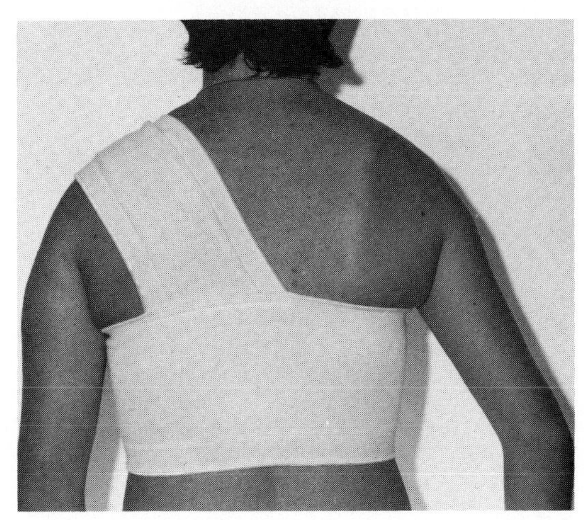

Figure 1–63 Postoperative immobilization following resection of band.

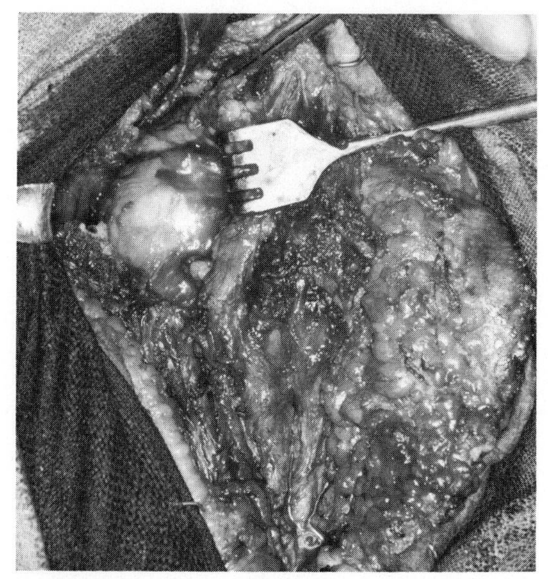

Figure 1–62 Relationship of fibrous band and capsule, showing contracture to posterior exposure.

Sometimes, when the defect is not recognized until midadolescence, contracture also involves a capsule of the shoulder joint. Under these circumstances, capsulotomy should be performed at the same time, to allow complete control of the shoulder, otherwise a considerable degree of loss of internal rotation will ensue. When the defect is recognized much earlier, resection of the fibrous band alone may suffice. The results of the surgical treatment are most satisfactory (Fig. 1–64).

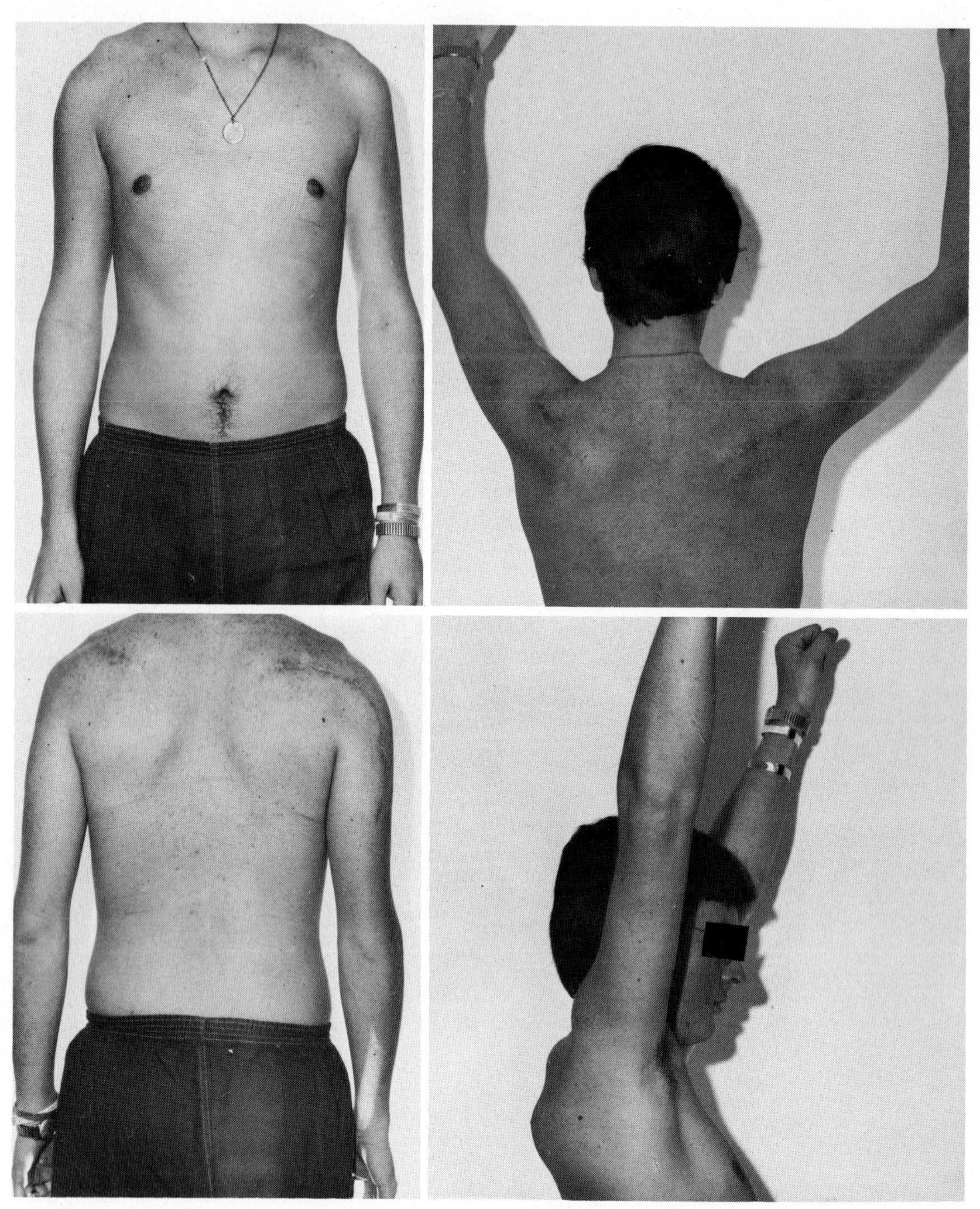

Figure 1–64 Result six months following resection of congenital bands on both sides.

DEVELOPMENT OF BICEPS AND CORACOBRACHIALIS

The biceps and coracobrachialis arise from a common V-shaped muscle mass that extends proximally from around the central bony core to attach to the bones of the shoulder girdle. As growth of the limb proceeds, a gap develops at the proximal end of this muscle, creating long and short heads. The larger portion remains on the lateral aspect, and the small part extends to the coracoid. Occasionally encountered embryonal errors in the division of the proximal end of this mass result in three or four heads of the biceps instead of the usually encountered two.

DEVELOPMENT OF THE TRICEPS

The muscle mass at the back of the limb develops in a similar fashion so that corresponding muscles appear. The muscle mass extends proximally, splits to make its attachment on the humerus, and then spreads to the shoulder girdle. As the limb grows these proximal attachments separate, forming the three heads of the triceps.

DEVELOPMENT AND ANOMALIES OF NERVES

The nerves of the limb spring from the nerve column opposite the limb bud and extend outward as a sheet (Fig. 1–65). The tips of this nerve sheet advance into the limb core, and the fibers come to lie among the layers of primitive muscle substance. As the tips of the nerves become attached to the primitive muscle, they follow the muscles in between the layers of the muscle substance. As the limb grows, nerves from the plexus branch into individual muscles, and the site of this point of innervation exerts some control over further muscular development. In this way main nerve trunks develop along intervertebral paths, while branching occurs in the intermuscular septa of the individual muscles. The muscle masses receive their nerves at an early date; as they develop, they draw the nerves along with them to keep pace with the skeletal maturation. This explains the intricate and lengthy courses of the supply to such muscles as the trapezius and the latissimus dorsi.

The base of the limb bud of the arm lies opposite the lower four cervical and first thoracic segments. This relationship of vertebral bodies to arm axis may vary; consequently, different nerves will then extend into the limb bud. There may be a variation of as much as three segments in the origin of the segmental nerves entering the limb, a condition referred to as the pre- or postfixed plexus (Fig. 1–66). The brachial plexus consists of a continuous sheet of fibers extending distally into the limb bud; it splits into dorsal and ventral divisions as it meets the humerus. The ventral division produces the anterior and medial cords, and these cords, in turn, break up into large branches, passing among the intramuscular spaces. From the ventral or anterior split arise the musculocutaneous, median, and ulnar nerves. The posterior segment produces the axillary and radial nerves.

The pattern of embryonal development is reflected in individual muscle innervation, since the course within the muscle is determined by the direction of the development of the muscle fibers. In a muscle composed

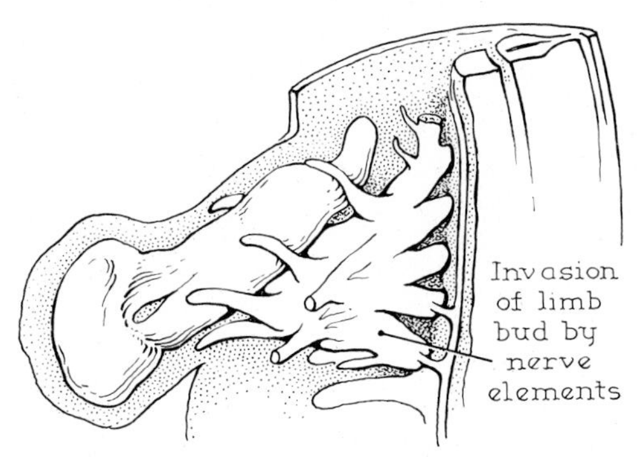

Figure 1–65 Schematic interpretation of the development of neural elements invading upper limb muscle mass.

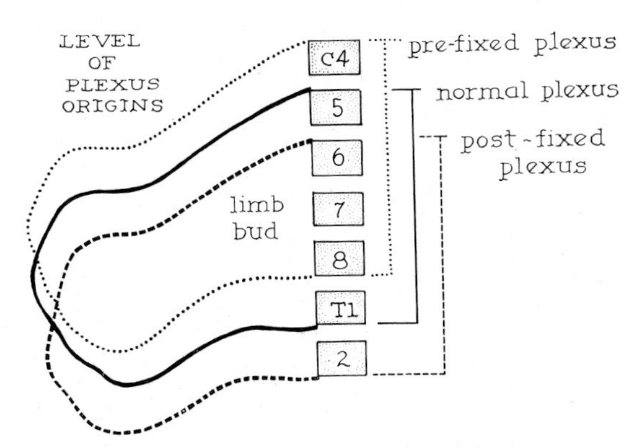

Figure 1–66 Theory of origin of cervical rib based on variation of limb level and corresponding nerve elements.

largely of parallel fibers, the innervation has a longitudinal pattern, with the main nerve entering the proximal portion and extending distally. When fibers are disposed somewhat differently, the innervation is at right angles, and the nerve crosses midway between the points of attachment of the muscles to attain the most efficient pattern of distribution. For example, the nerve for the coracobrachialis, which has long parallel fibers, comes in at the upper end and gives off branches from a parallel-running, intermuscular septum. The nerve for the deltoid, on the other hand, enters at right angles to maintain an efficient branching pattern. The importance of these relationships becomes apparent when one must make incisions in the muscles. If the biceps and coracobrachialis are cut transversely near the top, they will become completely paralyzed. The deltoid, however, could be split its entire length on the inner side, and the only loss would be to a portion of the fibers on the medial aspect of this incision.

ANOMALIES OF THE BRACHIAL PLEXUS

The neck in man is developed as a ribless zone, so that innervation from the neural segments opposite the limb bud may extend down into the limb. Large nerves from the segments opposite the appendage require unobstructed passage outward to reach the hand (Fig. 1–67). Since the limb bud may develop at different levels in relation to the spinal column, it follows that the nerve segments, which may enter the limb, will vary also. When the bud lies higher, a larger contribution may be expected from the upper segments, C.4 and C.5, and consequently less from T.1. When this occurs, there is less obstruction to the developing rib elements at the lower level of C.7, and frequently a primitive costal segment will then be free to develop. A rib that then appears in relation to the seventh cervical vertebral body will be closely related and can easily exert an upward pressure on the lower root of the plexus, which must then arch upward and over this obstruction to reach the limb. Conversely, when the limb bud develops farther tailward in relation to the vertebral column, a greater contribution can be expected from the second thoracic nerve; this has been termed a "postfixed plexus." No cervical rib should be expected to develop under these circumstances, since there is increased obstruction by the outgrowing nerves.

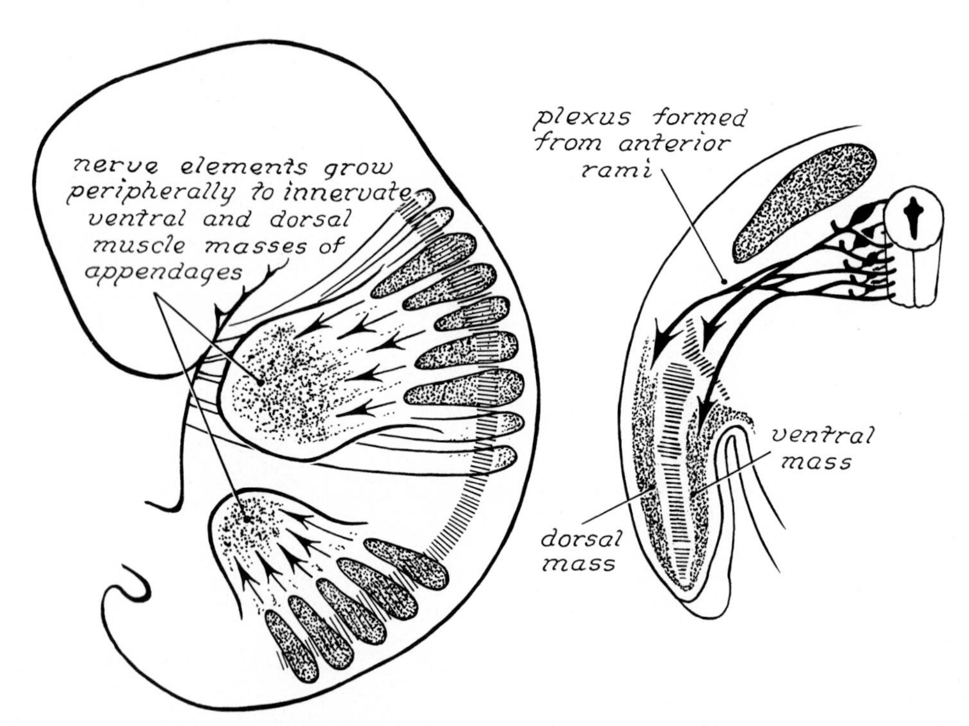

Figure 1–67 Origin and development of the brachial plexus.

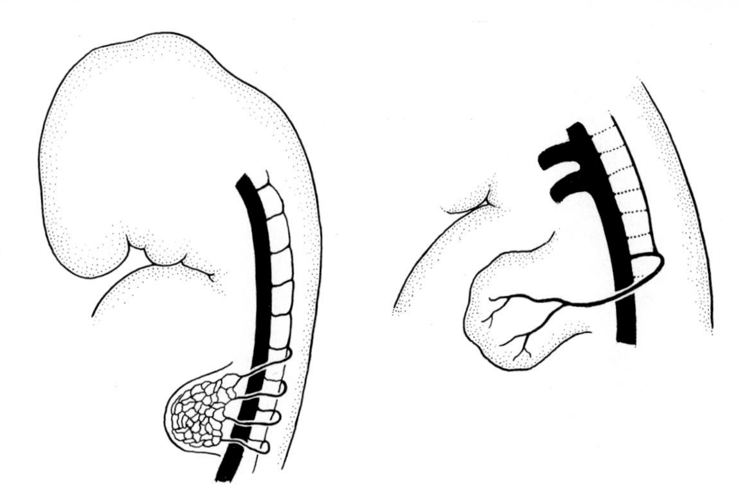

Figure 1–68 Schematic interpretation of development of limb arteries.

DEVELOPMENT AND ANOMALIES OF VESSELS

Knowledge of development of the vascular pattern is not as complete as it is in the case of bone, muscle, and nerve. However, the vessels do not play quite as important a role from the standpoint of congenital anomalies as do these other structures.

The primary artery of the limb is an axial stem that develops from an arterial network, taking shape near the base of the limb bud. Capillaries arise from the lateral side of the primitive aorta, and this network gradually extends outward into the limb bud (Fig. 1–68). The network continues to develop, and, as it progresses peripherally, unnecessary communications disappear so that gradually one main vessel is left, corresponding to the limb. In the case of the arm, this means that three or four segmental stems or subclavian vessels, one for each of the body segments, are initially present in the embryo and undergo consolidation. The vessel of the seventh, or central, segment of the group survives as the main vessel or subclavian artery of the fetus and the rest disappear. In some instances, evidence of the primitive

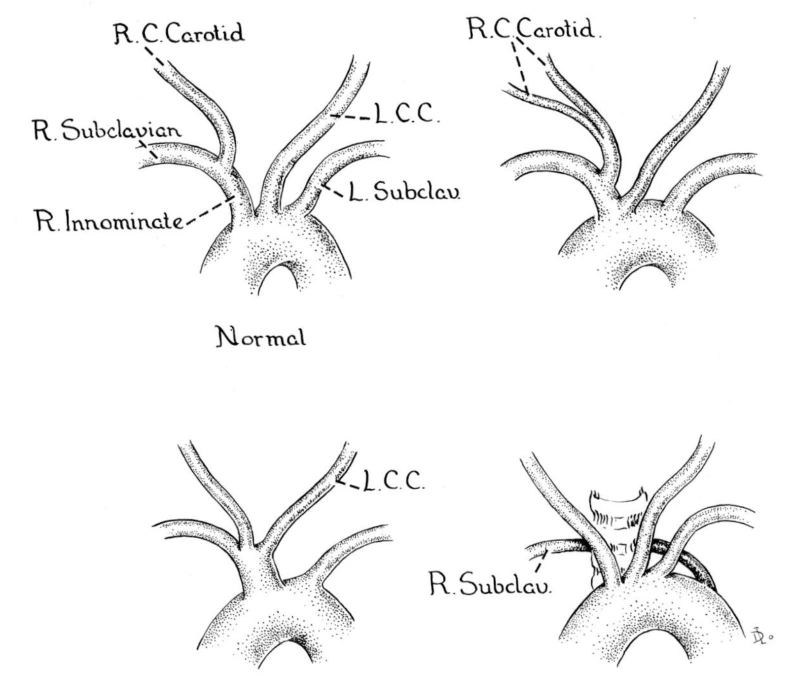

Figure 1–69 Common vascular anomalies.

network persists, and there is a plexiform arrangement of smaller vessels rather than one main subclavian vessel. In normal development, the artery perforates the primitive nerve segments that eventually constitute the brachial plexus. When there are more channels because of the persistence of some parts of the primitive vascular network, there may be two or more subclavian arteries.

The presence of vascular anomalies is more frequent if other anomalies are present, particularly any involving the development of the brachial plexus. In some instances, when there is a cervical rib perforating the plexus, there may be two subclavian arteries. Alternatively, some of the adjacent large vessels may take over a greater portion of the subclavian supply than normal and become much larger in size and superficial in position, in which case the subclavian artery is small. In surgical procedures such as scalenotomy, exploration of the brachial plexus, or excision of the cervical rib, these possible vascular anomalies should be kept in mind (Fig. 1-69).

REFERENCES

Babitt, D. P., et al.: Obstetrical paralysis and dislocation of the shoulder in infancy. J. Bone Joint Surg. (Am.) *50*:1447, 1968.

Bardeen, C. A., and Lewis, W. H.: Development of limbs, body wall and back. Am. J. Anat. *1*:1, 1901.

Browne, D.: Congenital deformities of mechanical origin. Proc. R. Soc. Med. *29*:1409, 1936.

Cattell, H. S., et al.: Pseudosubluxation and other normal variations in the cervical spine in children. A study of 160 children. J. Bone Joint Surg. (Am.) *47*:1295, 1965.

Chandler, F. A., and Altenburg, A.: Congenital muscular torticollis. J.A.M.A. *125*:476, 1944.

Chevrel, J. P.: Occipitalization of the atlas. Anat. Pathol. (Paris) *13*:104, 1965.

Desgrez, H., et al.: Congenital abnormalities of the arch of the atlas. J. Radiol. Electrol. *46*:819, 1965.

Fleming, C., and Hodson, C. J.: Os odontoideum. J. Bone Joint Surg. *37B*:622, 1955.

Francis, C. C.: Variations in the articular facets of the cervical vertebrae. Anat. Rec. *122*:589, 1955.

Gardner, E.: The prenatal development of the human shoulder joint. Surg. Clin. North Am. *43*:1465, 1963.

Giannestras, N. J., et al.: Congenital absence of the odontoid process. Case report. J. Bone Joint Surg. (Am.) *46*:839, 1964.

Gjorup, P. A., et al.: Congenital synostosis in the cervical spine. Acta Orthop. Scand. *34*:33, 1964.

Grieve, J.: Bilateral subluxation of acromioclavicular joint. Lancet *2*:424, 1942.

Haas, W. H., et al.: The coracoclavicular joint and related pathological conditions. Ann. Rheum. Dis. *24*:257, 1965.

Honkomp, J., et al.: Total fusion of the atlas and epistropheus. Z. Orthop. *100*:183, 1965.

Jain, K. K., et al.: Congenital anomaly of the cervical spine, simulating fracture-dislocation. A case report. J. Can. Assoc. Radiol. *18*:328, 1967.

Jinkins, W. J., Congenital pseudoarthrosis of the clavicle. Orthopaedics *62*:182, 1969.

Jones, M. D., et al.: Occipitalization of atlas with hypoplastic odontoid process: a cineradiographic study. Calif. Med. *104*:309, 1966.

Kruff E.: Occipital dysplasia in infancy. The early recognition of craniovertebral abnormalities. Radiology *85*:501, 1965.

Lahl, R., et al.: A rare combined malformation of the upper cervical spine. Zentralbl. Neurochir. *26*:50, 1965.

Michaels, L., Prevost, M. J., and Crang, D. F.: Pathological changes in a case of os odontoideum (separate odontoid process). J. Bone Joint Surg. (Am.) *51*:965, 1965.

Moore, M. T., et al.: Congenital cervical ependymal cyst. Report of a case with symptoms precipitated by injury. J. Neurosurg. *24*:558, 1966.

Obrador, S.: Clinical and surgical aspect of occipitocervical malformations. Rev. Clin. Esp. *101*:321, 1966.

Oxnard, C. E.: The functional morphology of the primate shoulder as revealed by comparative anatomical, osteometric and discriminant function techniques. Am. J. Phys. Anthropol. *26*:219, 1967.

Piccoli, N.: Partial absence of the posterior arch of the atlas. Arch. Sci. Med. (Torino) *120*:85, 1965.

Rappaport, I., et al.: Congenital arteriovenous fistulas of the head and neck. Arch. Otolaryngol. *97*:350, 1973.

Ribstein, M., et al.: Cervical spinal synostosis and fusions. Critical study of 7 cases. J. Med. Bordeaux *142*:948, 1965a.

Ribstein, M., et al.: Congenital blocks of the cervical spine and neurological manifestations. Neurochirurgie *11*:604, 1965b.

Sanerkin, N. G., et al.: Birth injury to the sternomastoid muscle. J. Bone Joint Surg. (Br.) *48*:441, 1966.

Sassu, G., et al.: Morphological variations of the atlas in adult Sardinians. Stud. Sassar *43*:228, 1965.

de Seze, S., et al.: Ageing of the cervical spine. Rev. Rhum. Mal. Osteoartic. *32*:654, 1965.

Shehata, R.: Occipitalization of the atlas (case report). Kyushu J. Med. Sci. *15*:109, 1964.

Shinomura, H., et al.: Case of congenital defect of the dens epistrophei. Orthop. Surg. (Tokyo) *16*:1239, 1965.

Singh, S.: Variations of the superior articular facets of atlas vertebrae. J. Anat. *99*:565, 1965.

Smith, R. W.: Dublin Q. J. Med. Sci. *50*:474, 1870 Symposium on the Clavicle. Clin. Orthop., May-June, 1968.

Woodward, J.W.: Congenital elevation of the scapula. Correction by release and transplantation of muscle origins. A preliminary report. J. Bone Joint Surg., *43-A*:219, 1961.

Chapter 2

ANATOMY OF THE SHOULDER AND NECK

INTRODUCTION

Familiarity with both internal and external relations is essential in examining, as well as operating on, the shoulder and neck. Basic components are well-known, but their interaction is less well understood, and it is this problem that confronts the clinician.

"Positional anatomy" as opposed to static anatomy is of tremendous importance in the shoulder. The location of vital structures, and their state during a given phase of motion, influence the site and extent of pathologic change profoundly. Anatomy of the shoulder is presented here under the headings of "static" and "positional," followed by a description of the individual structures.

STATIC ANATOMY

LANDMARKS

Frontal

Top

Posterior

Frontal Landmarks. Thick skin and firm muscles clothe the front of the shoulder, so that firm pressure is often needed to identify bony landmarks. Note the point of the shoulder which is the greater tuberosity of the humerus (Fig. 2–1), and that a good deal of the upper surface of the humerus lies in front of the acromion. The acromioclavicular joint is the important superior frontal landmark (Fig. 2–2). Feel it by lifting up on the elbow to shift the acromion upward. Sometimes the lateral end of the clavicle is bulbous or eburnated, making this landmark easy to identify.

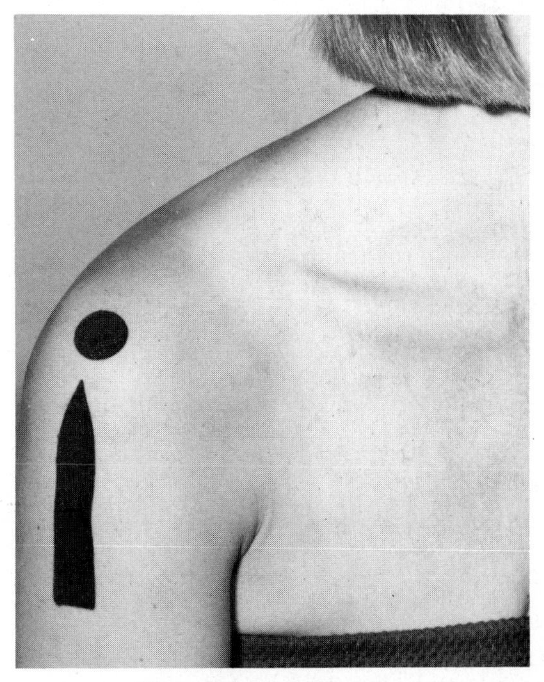

Figure 2–1 Shoulder point.

Important lymph glands are palpable just above the center of the triangle (Fig. 2–3), and with deep pressure the transverse processes of the middle cervical vertebra can be made out. The lymph glands are important because the accessory, lesser occipital, and greater auricular nerves lie below, and often intermingle with, the glands.

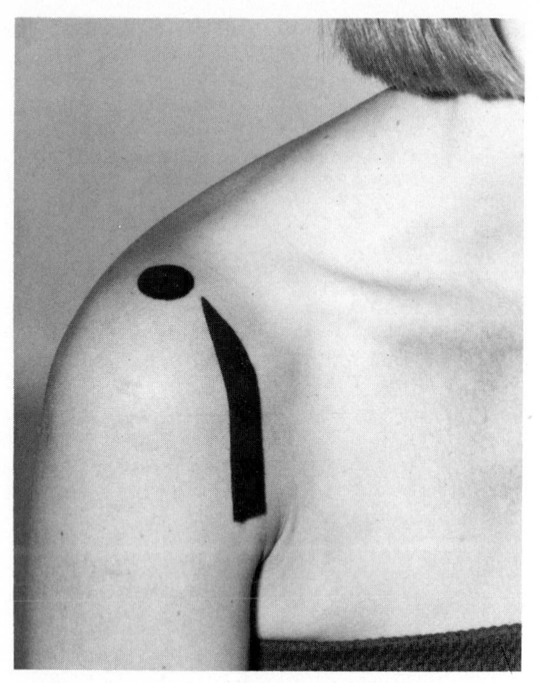

Figure 2–2 Acromioclavicular joint.

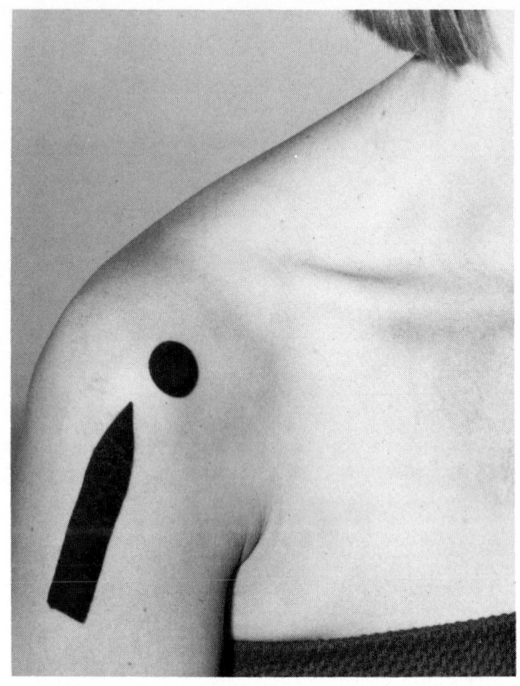

Figure 2–4 Rotator cuff.

Anterior to the acromioclavicular joint is the rotator cuff (Fig. 2–4) covered head of the humerus, and between is the coraco-acromial ligament (Fig. 2–5). The subacromial bursa is in front of the coracoacromial ligament (Fig. 2–6). The upper end of the bicipital groove is covered by the intertubercular fibers of the rotator cuff; in thin individuals the sulcus in the head of the bicipital tendon can be identified (Fig. 2–7).

Medially to the groove is the coracoid process, with short head biceps and coracobrachialis attached (Fig. 2–8). Press just below the coracoid process toward the chest

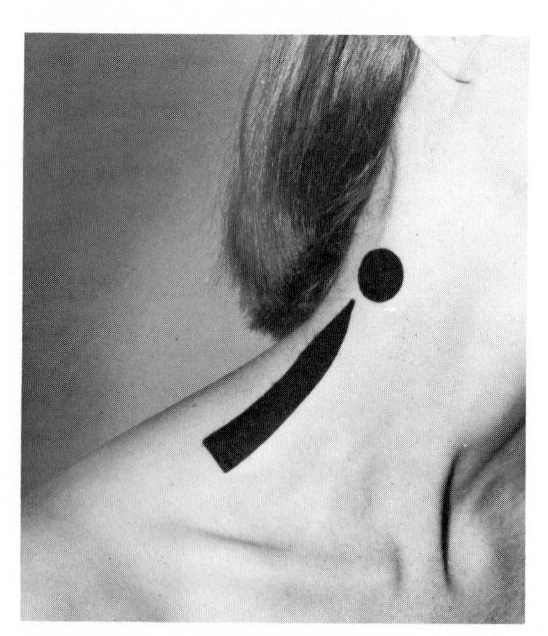

Figure 2–3 Lymph glands.

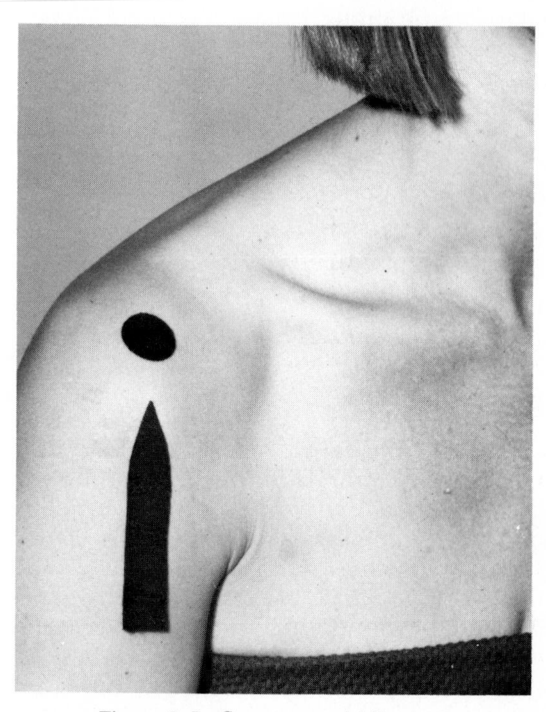

Figure 2–5 Coracoacromial ligament.

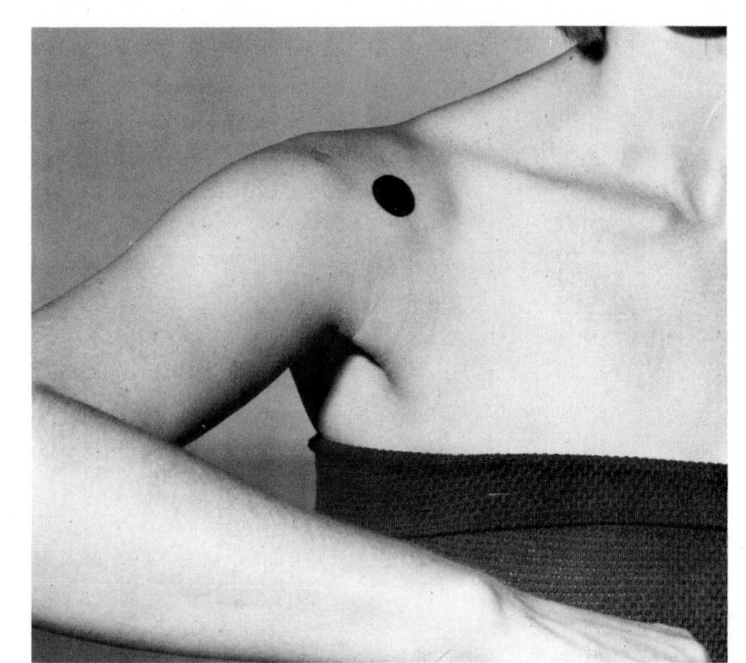

Figure 2–6 Subacromial bursa.

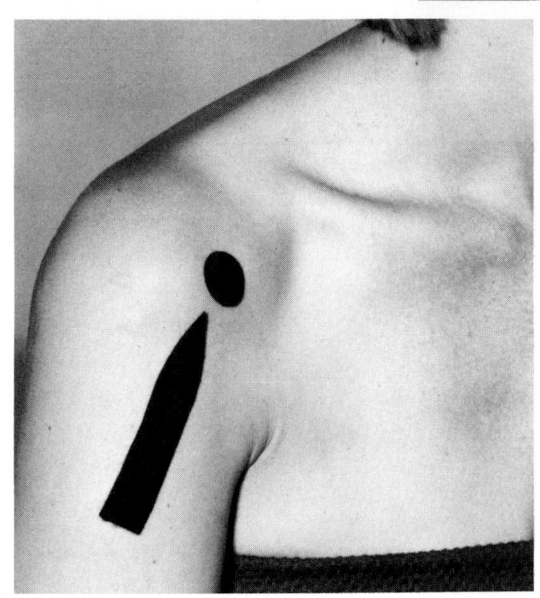

Figure 2–7 Bicipital groove.

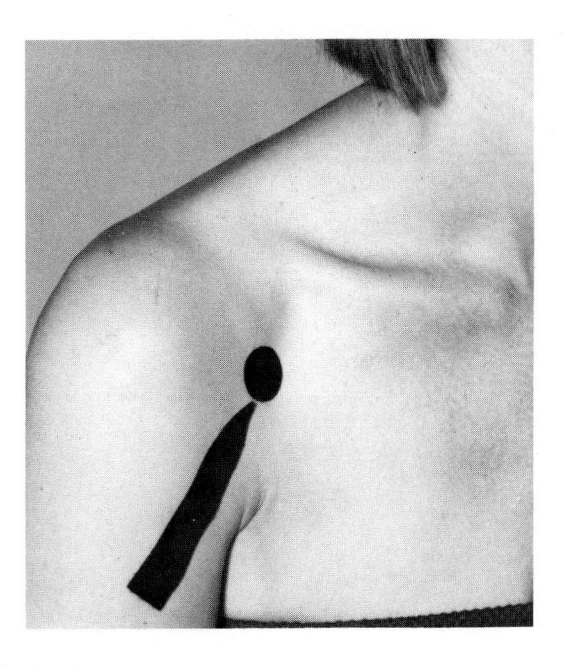

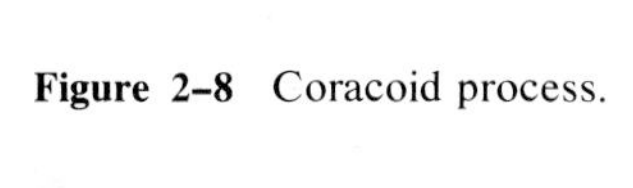

Figure 2–8 Coracoid process.

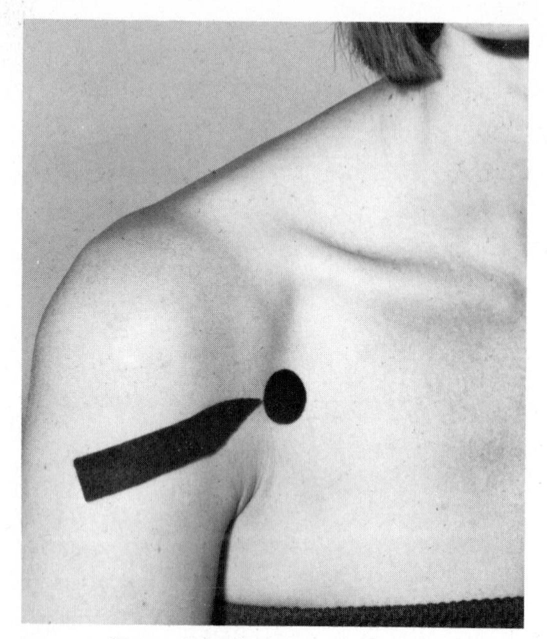

Figure 2–9 Neurovascular bundle.

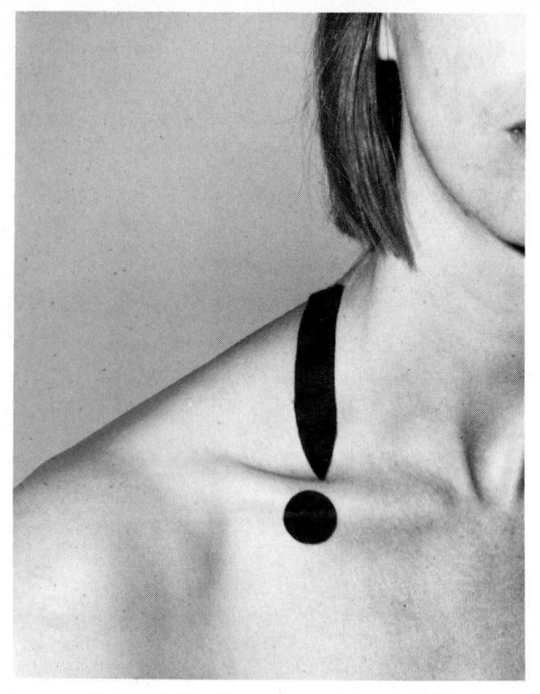

Figure 2–11 Base of posterior triangle.

wall to palpate the neurovascular bundle under the pectoralis minor (Fig. 2–9).

Landmarks from the Top. The supraclavicular and posterior triangle zone contains the vital parts on top, housing the "shoulder-neck angle" components. The "slope" of the shoulder is formed by the anterior border of the trapezius (Fig. 2–10).

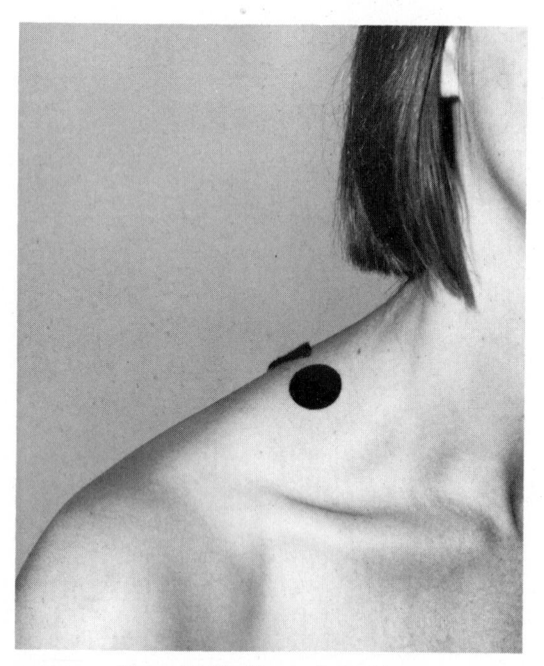

Figure 2–10 Slope of shoulder.

The bottom of the supraclavicular sulcus is the middle two-thirds of the clavicle (Fig. 2–11). The sternomastoid muscle is the vertical pillar medially (Fig. 2–12). Tilt the head to one side and palpate the brachial plexus streaming laterally from deep beneath the sternomastoid muscle (Fig. 2–13). The scalene point is just above the clavicle, about a finger's breadth lateral to the sternoclavicular attachment (Fig. 2–14). Firm pressure here identifies subclavian pulsation. Pressure at this point medially against the first rib can obliterate the radial pulse (Fig. 2–15).

In the upper corner of this triangle, thumb pressure can identify the junction of the first rib with the spine (Fig. 2–16).

Further medially, the sternoclavicular joint (Fig. 2–17) is palpated, and above this the thyroid gland, trachea coracoid, and thyroid cartilage. Pressure beneath the medial border of the sternomastoid identifies the carotid sheath and its contents (Fig. 2–18). Pressure medially shifts the trachea and esophagus so that the anterior corners and subjacent vertebral bodies can be felt.

Posterior Landmarks. Connections between the neck and shoulder dominate the posterior aspect. Bend the neck forward slightly to present more clearly the nuchal structures that lie roughly in a triangular

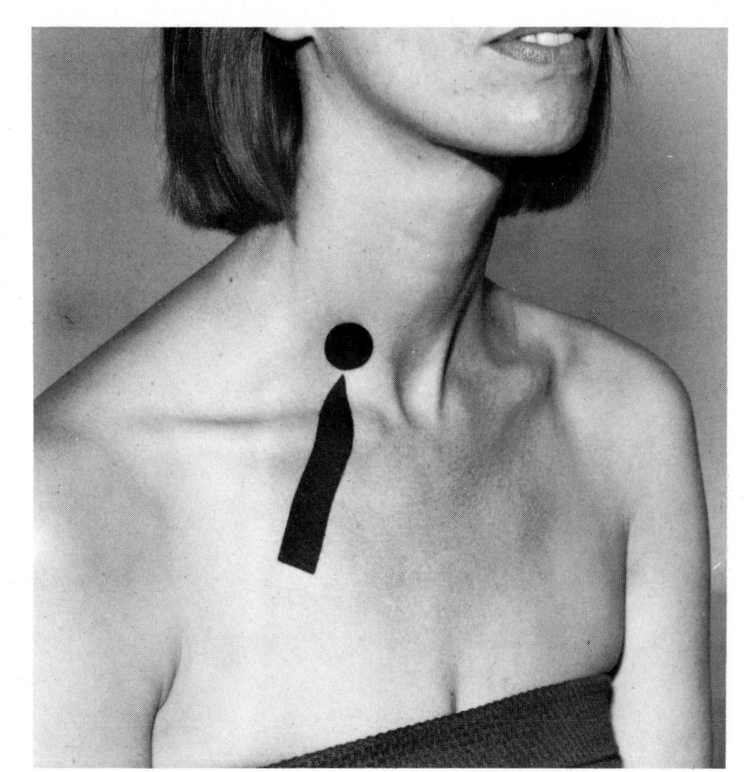

Figure 2–12 Sternomastoid muscle.

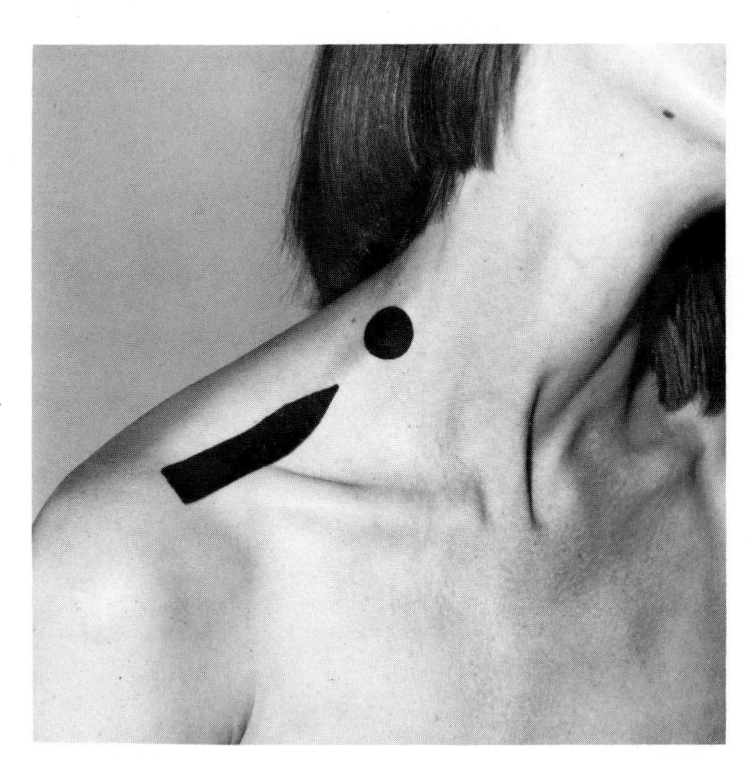

Figure 2–13 Brachial plexus.

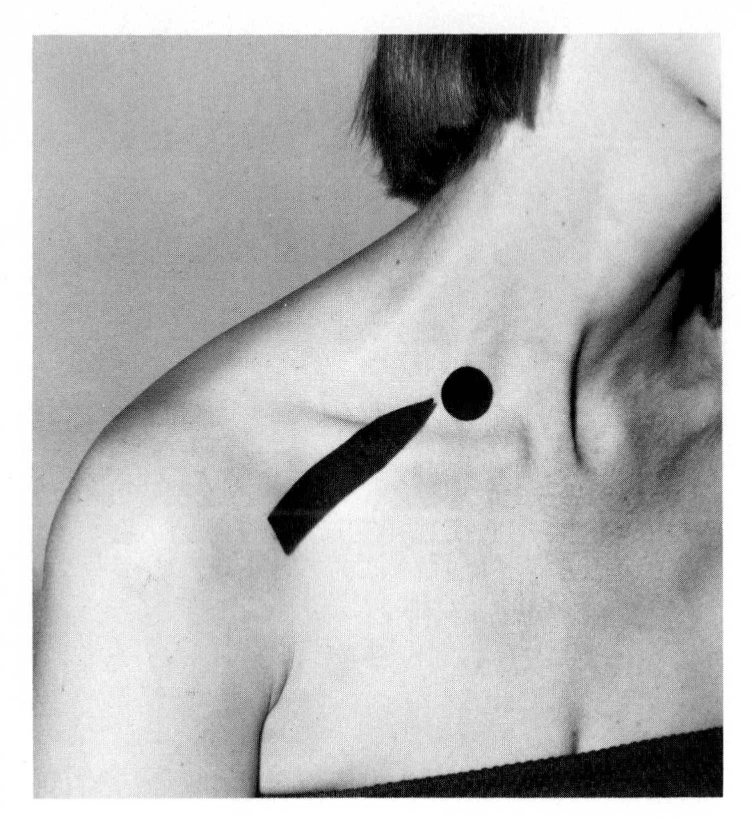

Figure 2–14 Scalene point.

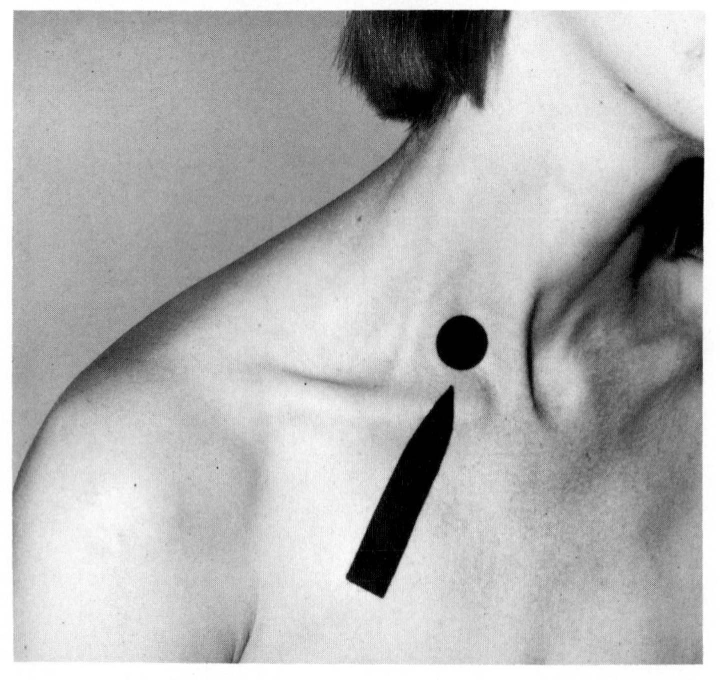

Figure 2–15 Subclavian pulsation.

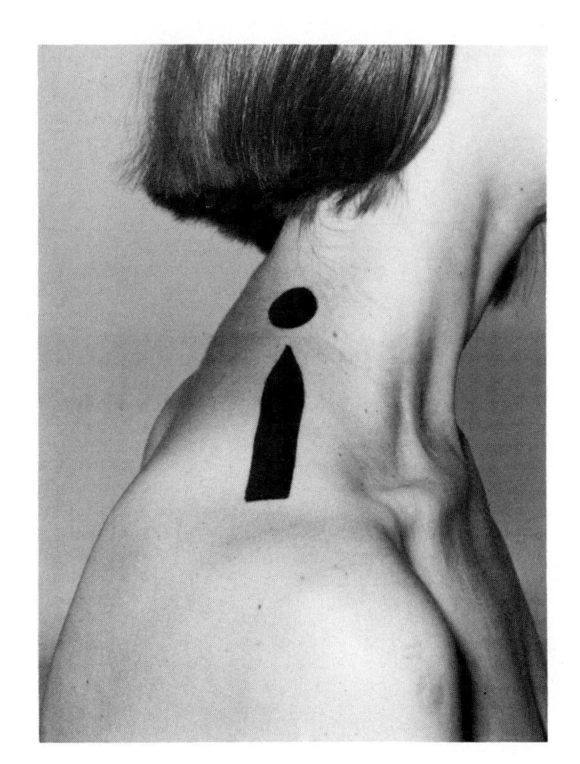

Figure 2–16 Cervical costal junction.

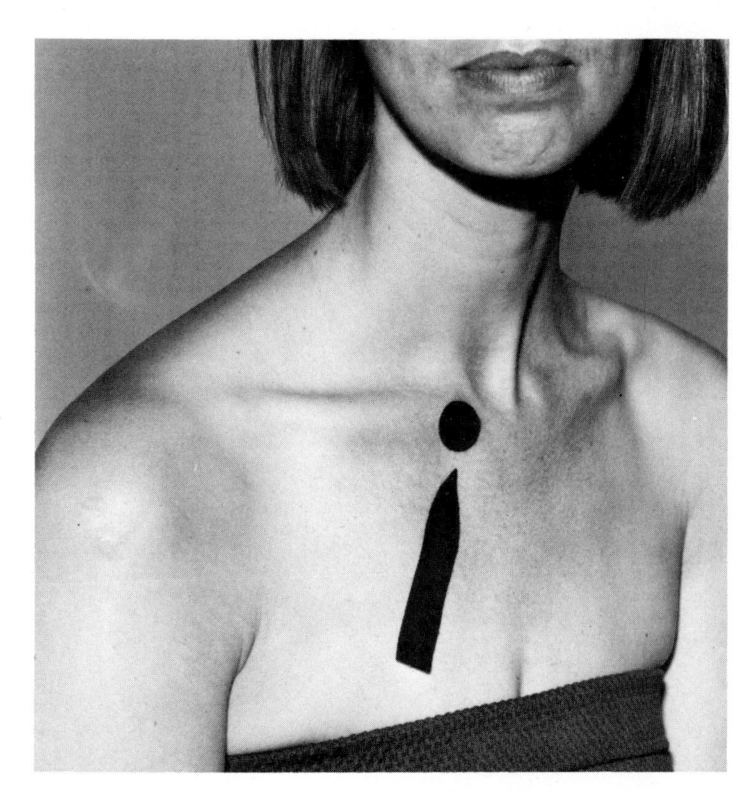

Figure 2–17 Sternoclavicular joint.

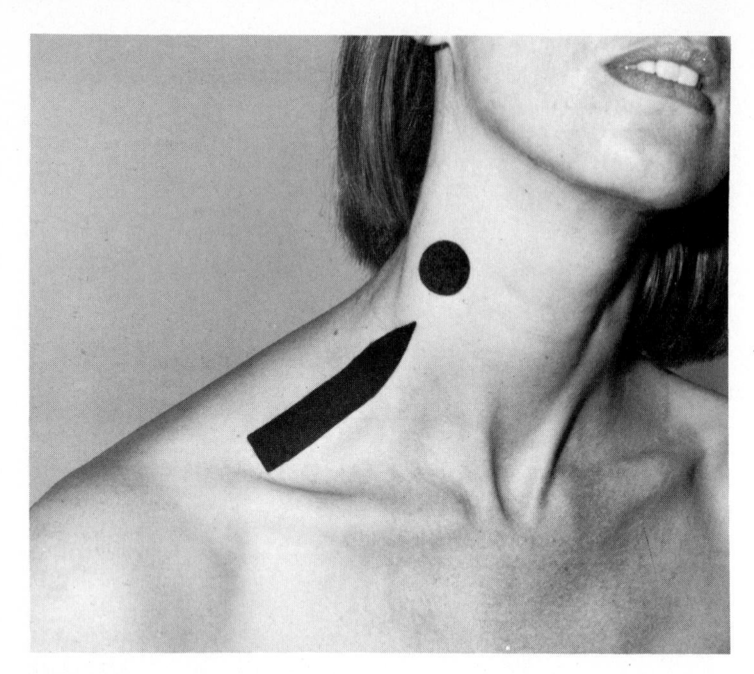

Figure 2–18 Carotid sheath contents.

confine, with the shoulder slope as the hypotenuse of the triangle.

The suboccipital area at the top emits the greater occipital nerve enmeshed in tendinous attachments (Fig. 2–19). The general area is felt by firm pressure lateral to the midline. Tips of the spinous processes (Fig. 2–20), over and above which crepitant areas can be felt in the midline, lead down from the suboccipital area to the longer cervical posterior spine at C.7.

Toward the center of the posterior region, the medial border with the prominent base of the spine of the scapula is palpated (Fig. 2–21). An important zone clinically lies between the base of the spine and the midline spinous processes. This is the zone of soft tissue folding and creasing, which

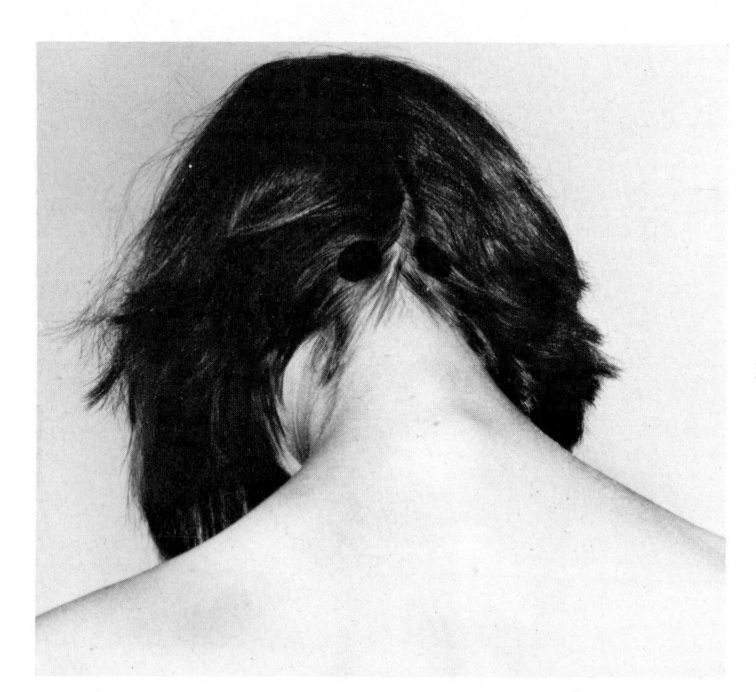

Figure 2–19 Suboccipital trigger points.

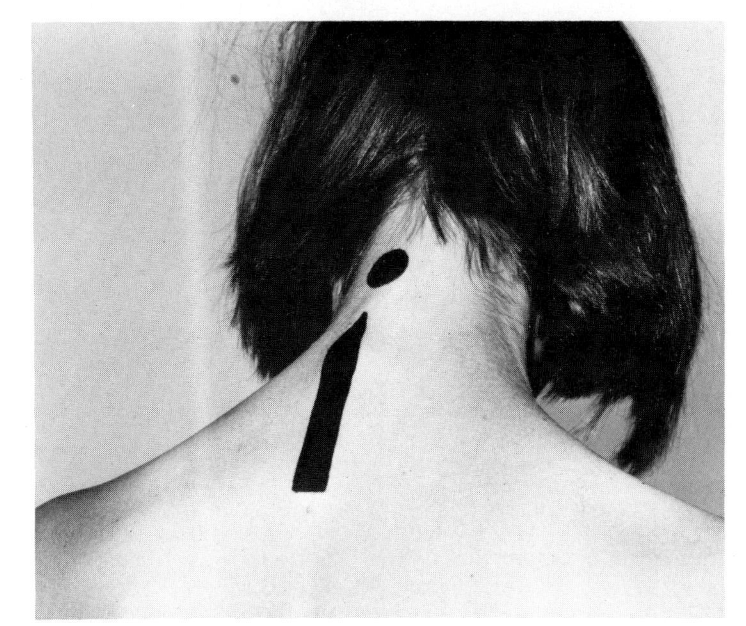

Figure 2–20 Tips of posterior spine.

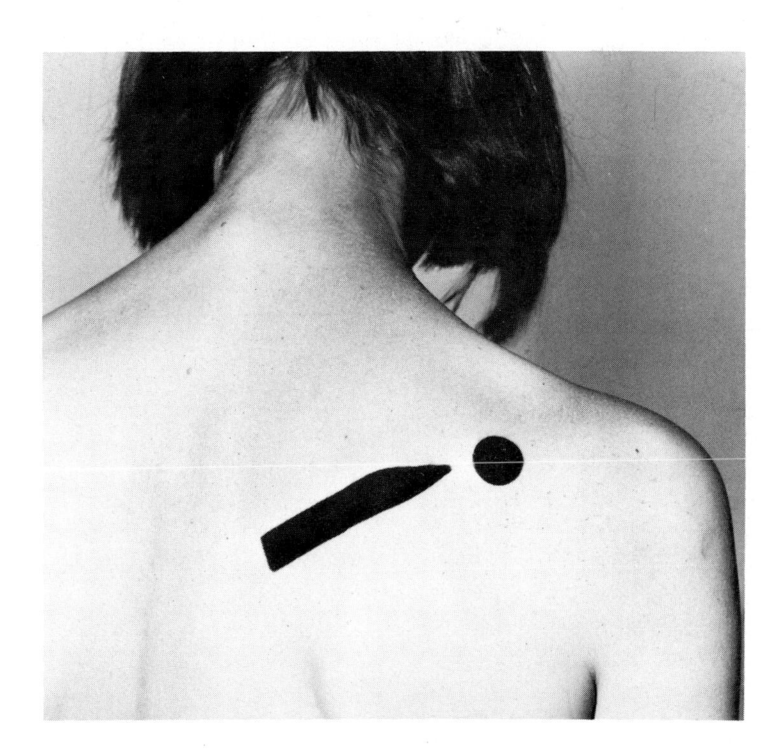

Figure 2–21 Base of spinous cap.

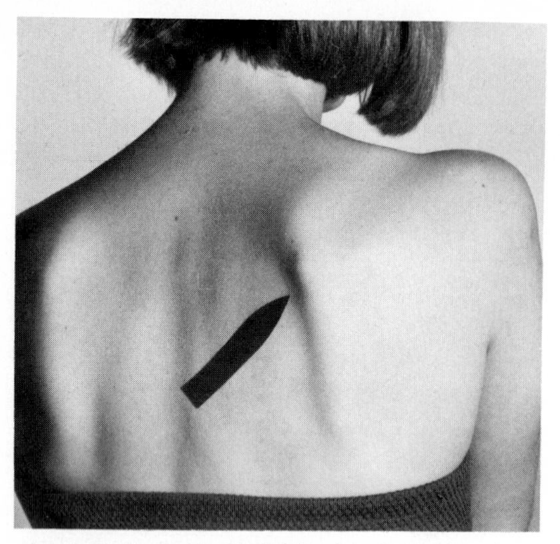

Figure 2–22 Medial border of scapula.

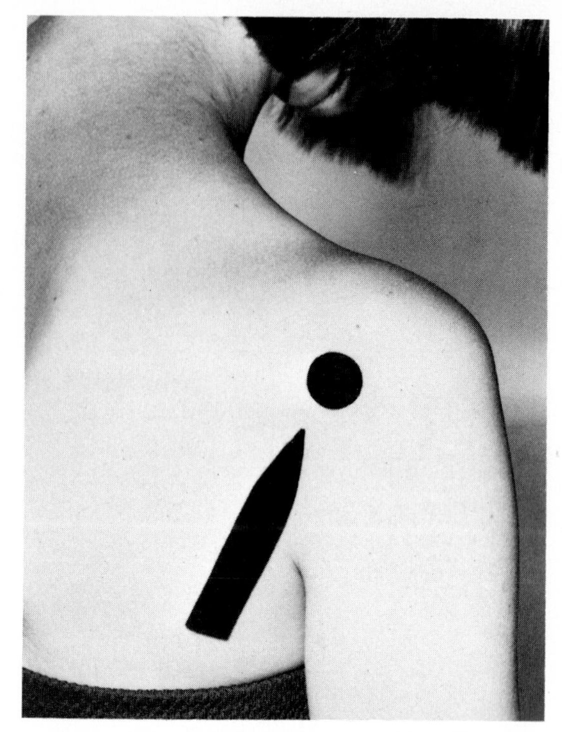

Figure 2–24 Posterior glenohumeral joint line.

occurs beneath the swinging scapula. Crepitus from irregularities in the scapular bed is identified in this region (Fig. 2–22). In the upper portion toward the shoulder, in about the center, the vulnerable area of the suspensory muscle mechanisms is located. Firm palpation above the upper border of the scapula at about the middle of the shoulder "slope" identifies an important clinical trigger zone (Fig. 2–23). The glenohumeral joint posteriorly is felt about 1 inch below and 1 inch medial to the angle of the spine of the scapula (Fig. 2–24). It is at this point that posterior injections are made when carrying out arthrography of the shoulder (Fig. 2–25).

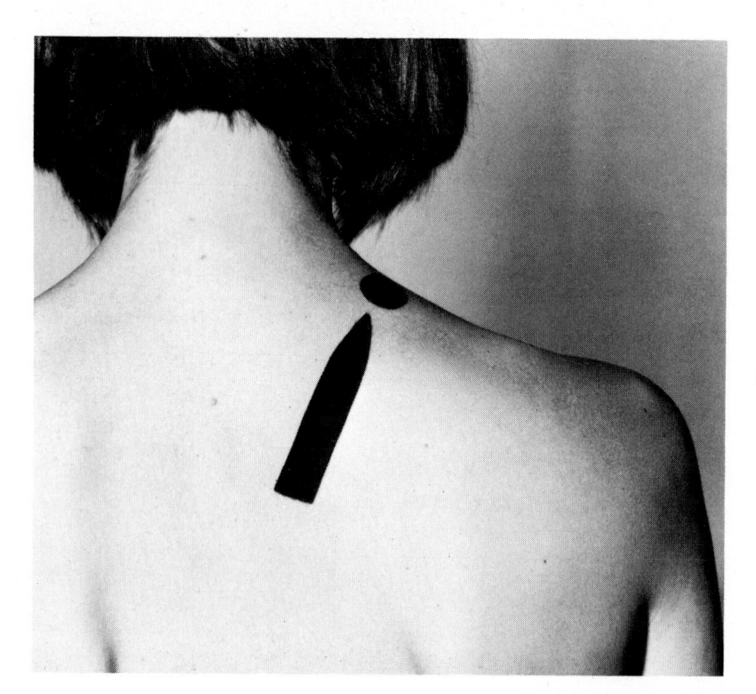

Figure 2–23 Trigger area in suspensory muscle.

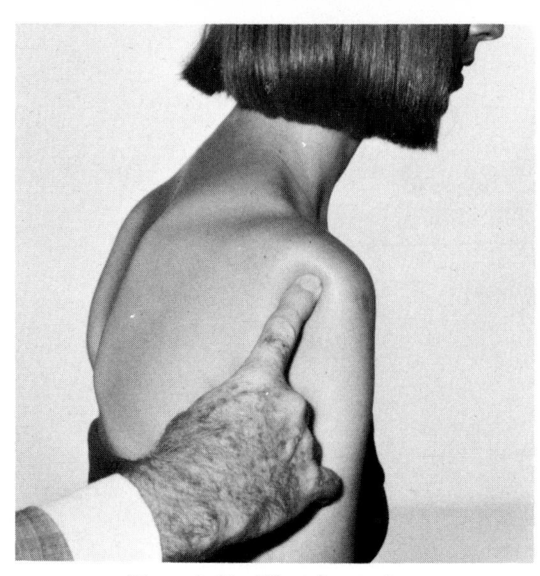

Figure 2–25 Edge of acromion.

POSITIONAL ANATOMY

Reference is made to the change in position of these anatomic landmarks in two important positions of the arm.

Arm Abducted to 90 Degrees. The head of the humerus partly slips under the coracoacromial arch, so that the lateral tuberosity cannot be felt in this position (Fig. 2–26). The bicipital groove also is difficult to make out under a tense anterior deltoid. However, if the arm is rotated downward internally and upward externally, it is possible to feel that bicipital groove and the bicipital tendon (Fig. 2–27). If the intertubercular fibers of the bicipital groove are lax, the maneuver of external rotation in this position slips the bicipital tendon medially, and this can be palpated. Sometimes an audible clunk or definite crepitus can be identified as this occurs. When considerable recurrent laxity is present, it constitutes a "snapping" shoulder.

The acromioclavicular joint is brought into prominence in this position as the arm is taken across the chest at a right angle (Fig. 2–28). The acromion slides around the clavicle in this maneuver, and a grating sensation can be felt as the acromion and clavicular surfaces subluxate somewhat. Pain on this maneuver significantly implicates the acromioclavicular joint.

The coracoid process is difficult to feel in this position because of the tight deltoid (Fig. 2–29).

Structures in the axilla can be palpated and the axillary artery (Fig. 2–30) identified by pressing firmly upward toward the hu-

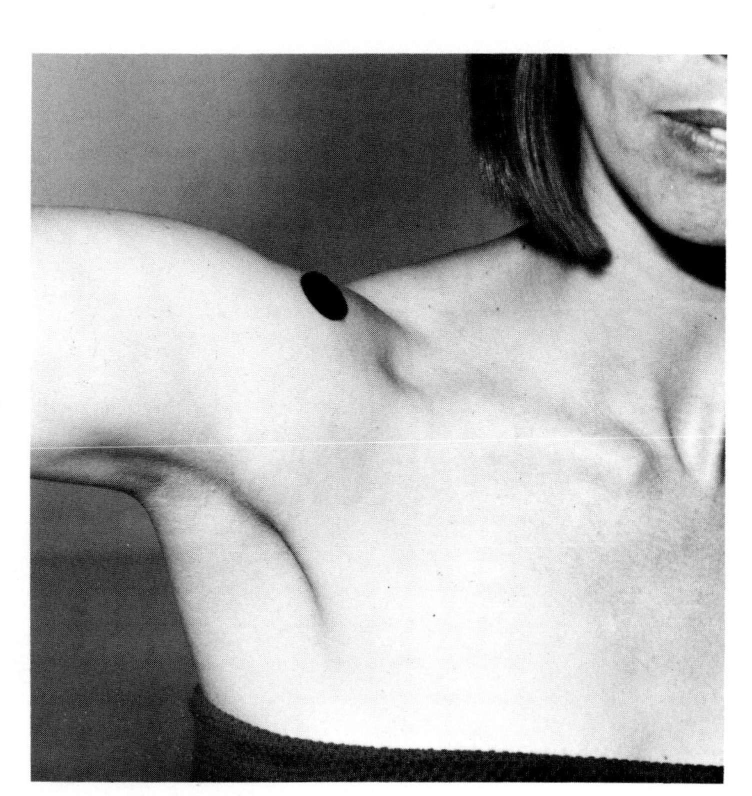

Figure 2–26 Greater tuberosity under deltoid.

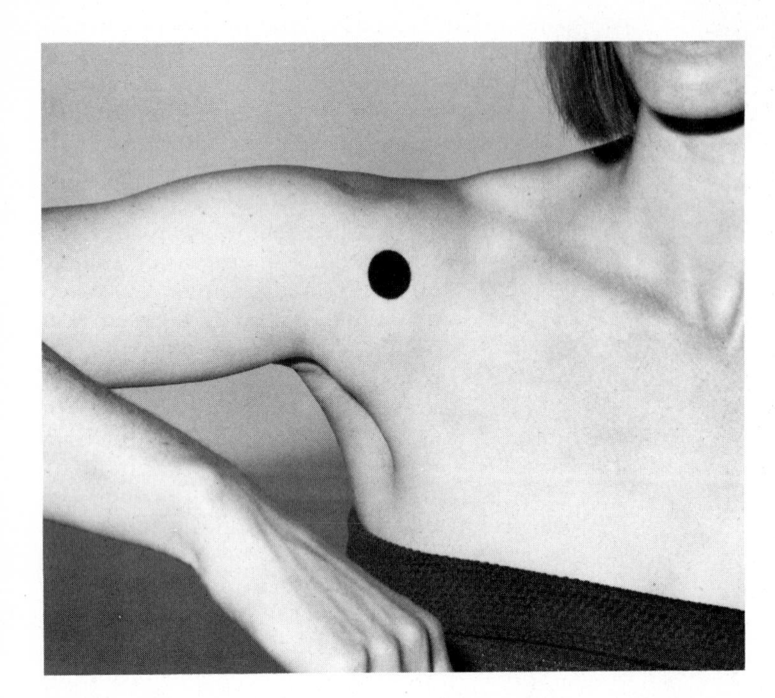

Figure 2–27 Bicipital groove.

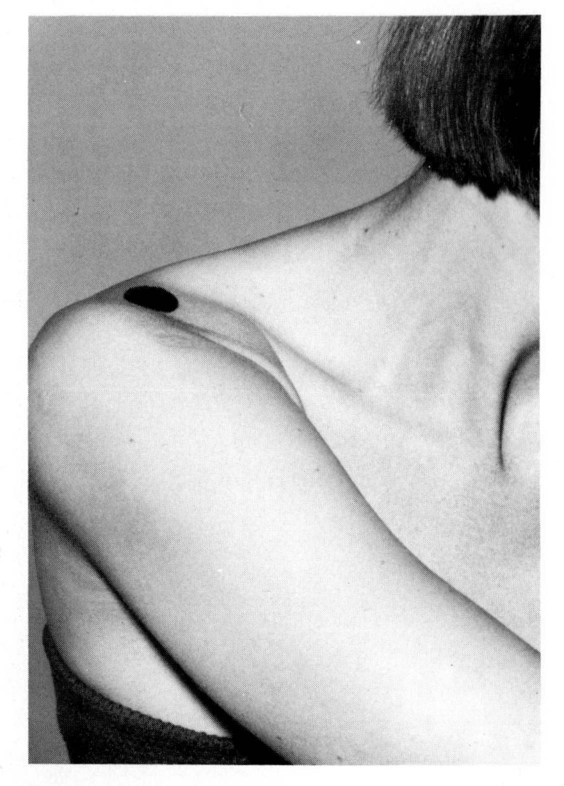

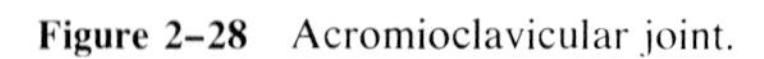

Figure 2–28 Acromioclavicular joint.

Figure 2–29 Tight deltoid over coracoid.

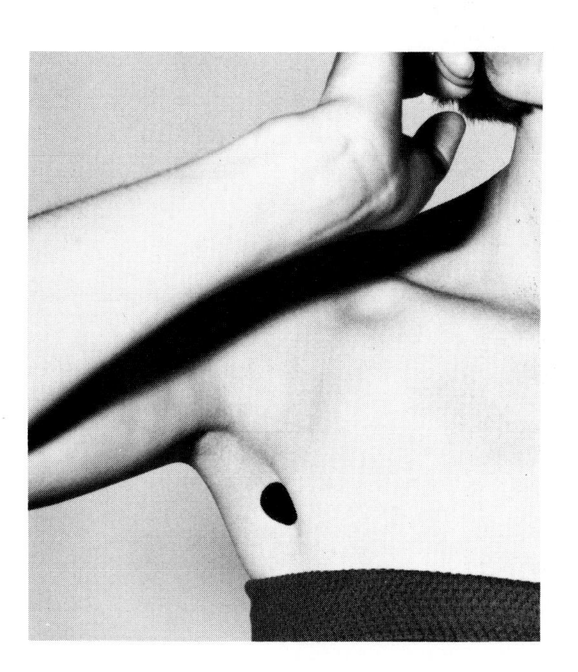

Figure 2–30 Axillary palpation.

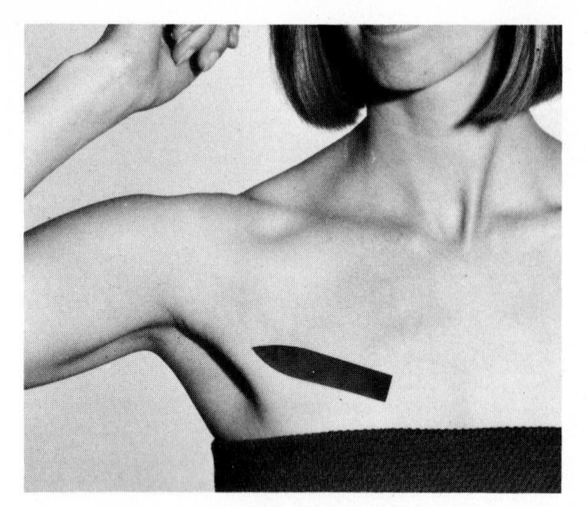

Figure 2–31 Edge of pectoralis major.

meral head. The pectoralis major is the anterior taut structure forming the front wall of the armpit (Fig. 2–31). The anterior edge of the deltoid is felt as the upper part of the crease, at the deltopectoral triangle.

Arm Circumducted above the Shoulder. In this maneuver the head of the humerus must be externally rotated (Fig. 2–32) to

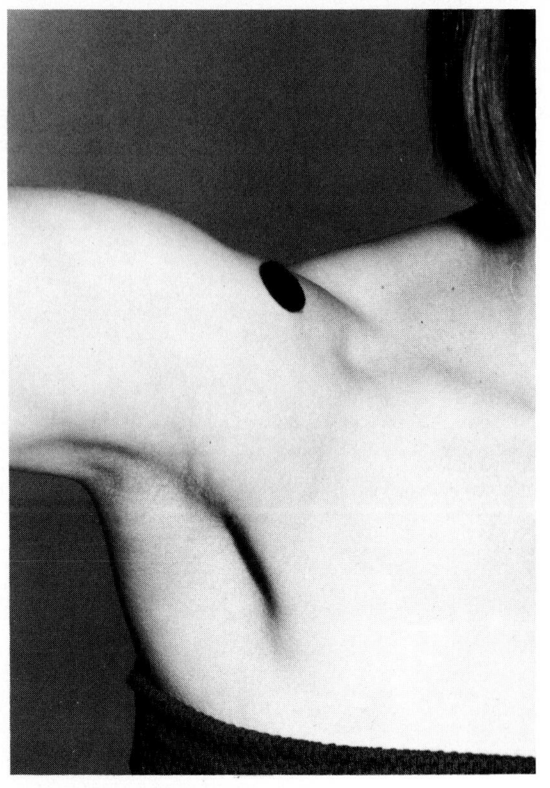

Figure 2–33 Impingement.

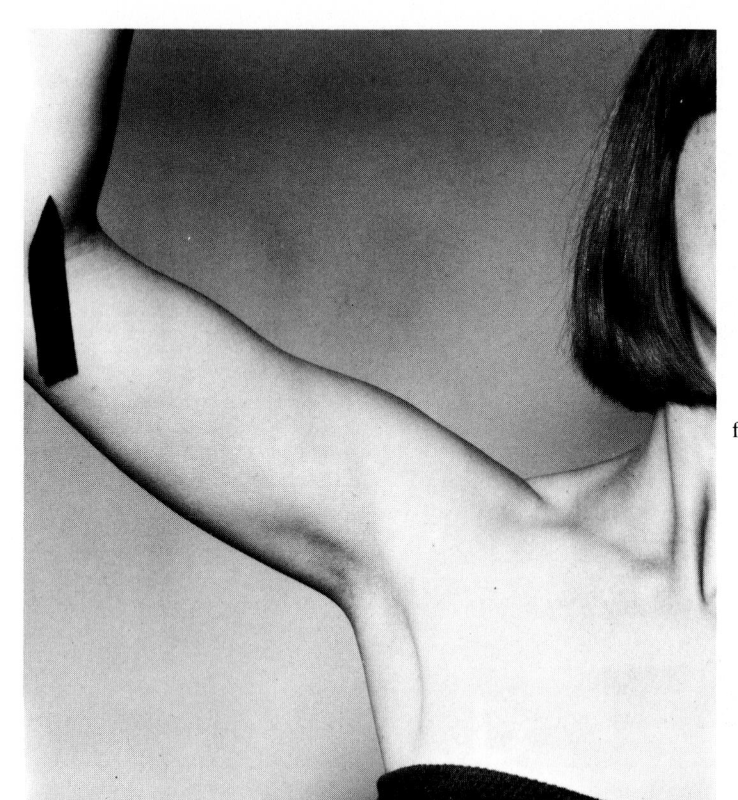

Figure 2–32 External rotation needed for circumduction.

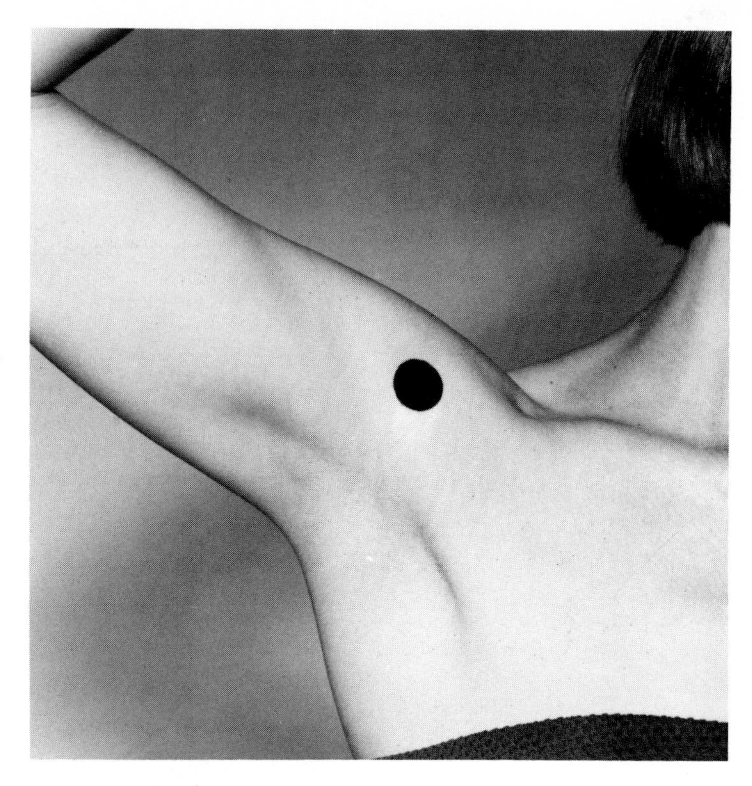

Figure 2–34 Deltoid tightening obliterates upper end of humerus.

glide under the coracoacromial arch. Pain as this is accomplished comprises the "impingement" syndrome. Many pathologic states encroach on the subacromial space, altering usual anatomic relations. "Impingement" may occur and produce pain as this motion is carried out (Fig. 2–33).

The upper end of the humerus is coated by the deltoid and cannot be felt (Fig. 2–34). The acromioclavicular joint is prominent and palpable (Fig. 2–35). The bicipital groove is difficult to feel. Axillary structures are taut and hard to palpate (Fig. 2–36). The sternoclavicular joint is more easily palpated in this action as the clavicle rotates on its long axis (Fig. 2–37).

Posteriorly, the scapula swings around the chest, exposing its bed. The chest wall and medial border of the scapula, and all these relations, are more easily made out in this position (Fig. 2–38).

SURGICAL ANATOMY

INCISIONS ABOUT THE SHOULDER

The skin lines about the shoulder run in a direction similar to the seam sleeve in a shirt (Fig. 2–39). In many instances, these are ignored, sometimes resulting in more prominent than usual scar formation following surgical exposure. The principle in ex-

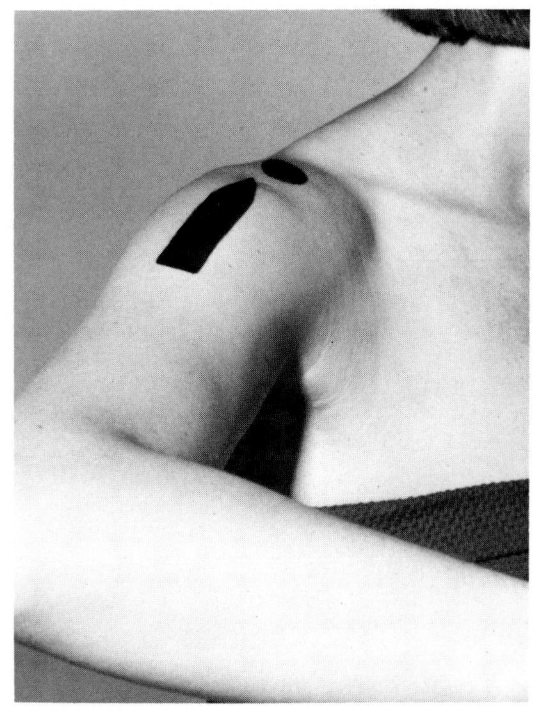

Figure 2–35 Acromioclavicular joint.

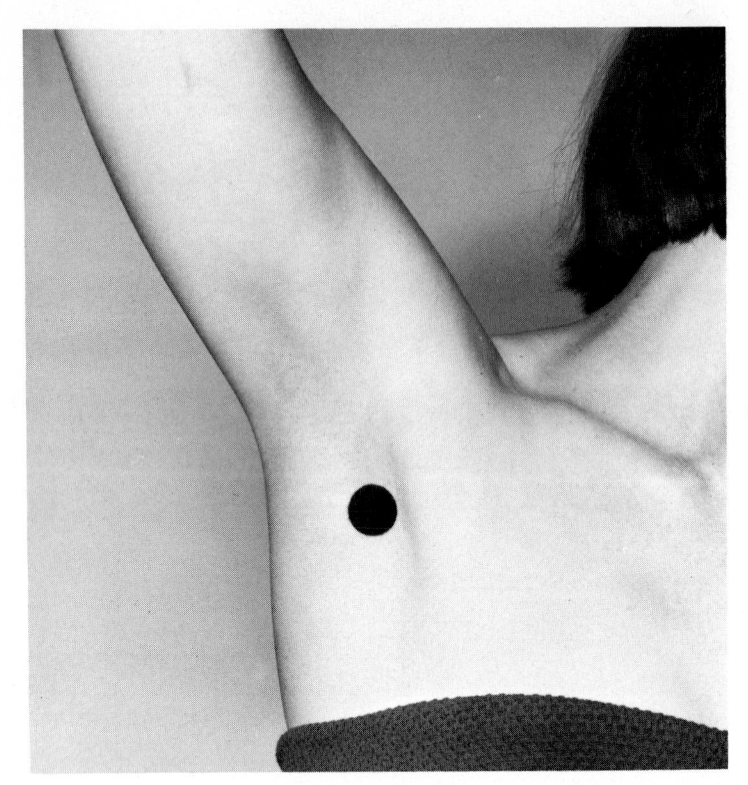

Figure 2–36 Axillary structures on stretch.

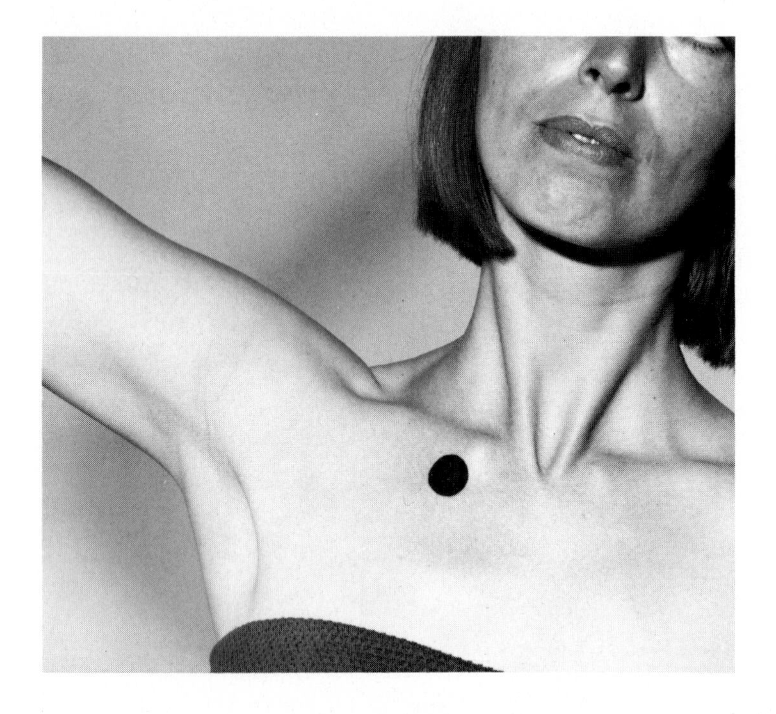

Figure 2–37 Sternoclavicular joint.

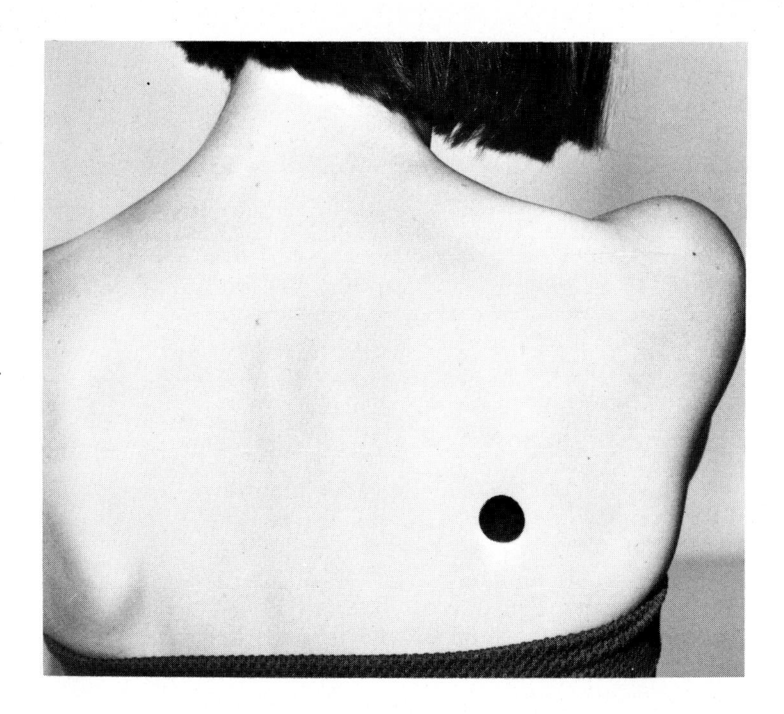

Figure 2–38 Scapular bed.

posure, however, is so to place the incision that the subjacent structures can be identified and mobilized to the greatest advantage and with minimum stress. This does not always coincide with the ideal distribution of the cut in relation to the skin lines. In the shoulder, these two prime considerations can be reconciled to a degree, but not completely.

Utility Incision. The most useful incision about the shoulder is a superoanterior cut that starts about three quarters of an inch behind the clavicle, and extends distally and obliquely just lateral to the acromioclavicular joint for a distance of 3 to 4 inches (Fig. 2–40).

DISSECTION. The deltoid muscle is spread along its grain, extending down to the subacromial bursa, and beneath this to the rotator cuff. This segment of the incision is used in order to inspect and identify

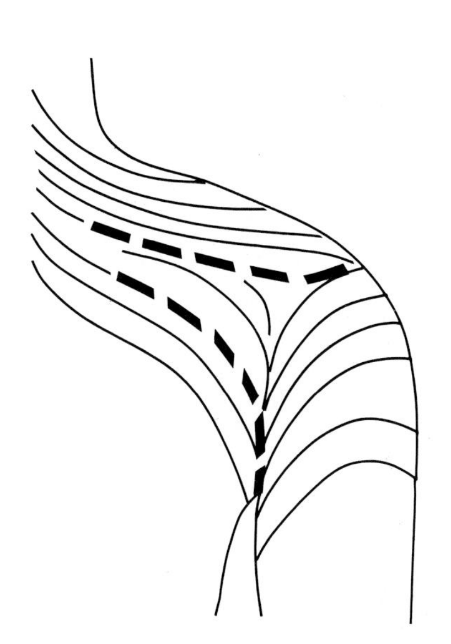

Figure 2–39 Skin lines and posterior incisions.

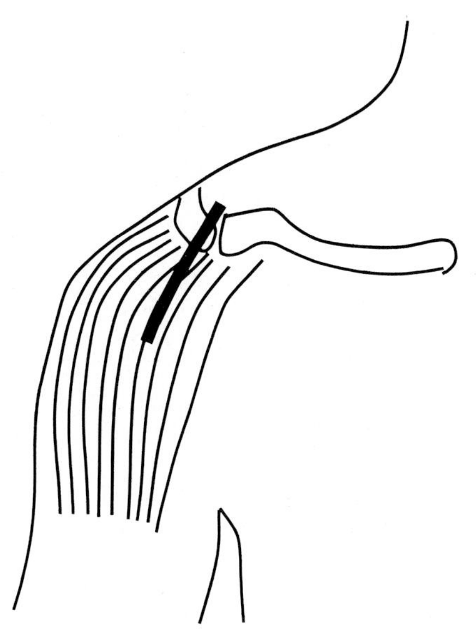

Figure 2–40 Anterior utility incision.

the position and extent of the underlying pathologic process.

In the upper part of the cut, the coracoacromial ligament is identified and transected. Care should be taken to coagulate a constant small artery that extends through the ligament from the thoracoacromial axis.

The acromioclavicular joint is exposed by sweeping the deep portion of the incision somewhat transversely along the acromion and clavicle, so that the aponeurosis of trapezius and deltoid is split near the middle and carefully reflected subperiosteally from the contiguous margins of acromion and clavicle.

In this way, an acromioclavicular arthroplasty can be performed, resecting either the lateral end of the clavicle or the medial corner of the acromion.

Care in preserving the osteoperiosteal attachment, by pulling the deltoid upward to the trapezius aponeurosis above, will provide a secure closure for the deep structures.

PRECAUTIONS. The extent of the anterior limb of this cut should not go below the lower border of the subscapularis muscle in order to avoid damage to the circumflex nerve.

APPLICATIONS. By extending the incision upward to a point behind the clavicle, the acromioclavicular arthroplasty is facilitated and the posterior-capsular ligament of the acromioclavicular joint is routinely retained. A "V"-type resection of either clavicle or acromion provides adequate mobility for the joint, removing pathologic changes and allowing much greater exposure of the cuff posteriorly. Digital dissection can then react posteriorly along either upper or lower border of spine of scapula to free spinate fila. If necessary a periosteal elevator is used in this loosening process, allowing the tendon to be pulled forward sufficiently to bridge even a sizeable cuff defect. Capsuloplasties, rotator cuff repairs, acromioclavicular arthroplasties, and glenohumeral arthroplasty can be carried out through this incision.

Anterior Incision. A 3½-inch incision obliquely placed just lateral to the deltopectoral groove is commonly used for most forms of repair of recurrent dislocation or recurrent subluxation (Fig. 2–41).

DISSECTION. Deltoid muscle is split by blunt dissection, exposing the subscapularis and inferior position of the cuff. The bicipital groove is identified. Depending on the planned surgical procedure, the subscapularis may be reflected or its fibers split to allow access to the shoulder capsule and glenoid labrum beneath.

PRECAUTIONS. The incision should not allow dissection below the lower border of the subscapularis, so as to prevent damage to the circumflex nerve.

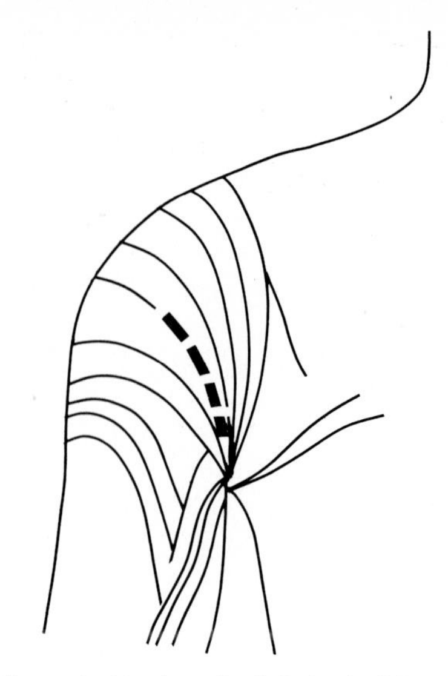

Figure 2–41 Anterior inferior incision.

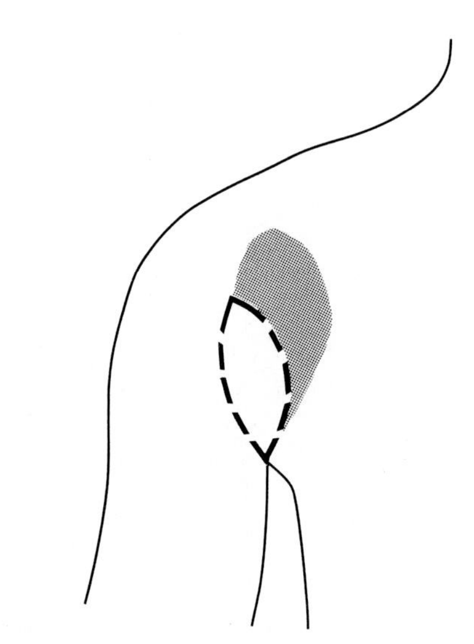

Figure 2–42 Skin mobilization in anteroinferior incision.

Anteroinferior. When it is necessary to minimize the scar formation or appearance, an incision is made somewhat lower than the usual anterior cut but in the same line, extending distally over the edge of the pectoralis major. From this incision, the skin is mobilized extensively medially, superiorly, and laterally and retracted upward to allow approach to the shoulder exactly as was feasible with the ordinary anterior approach. Such an incision usually is made for repair of recurrent dislocation in women (Fig. 2–42).

Axillary Exposure. The shoulder joint may be approached through the axilla with the very minimum disturbance of important structures. The exposure is completely bloodless and no important structure is cut or disturbed. It is dangerous, however, because of the ease with which the axillary nerve can be traumatized (Fig. 2–43).

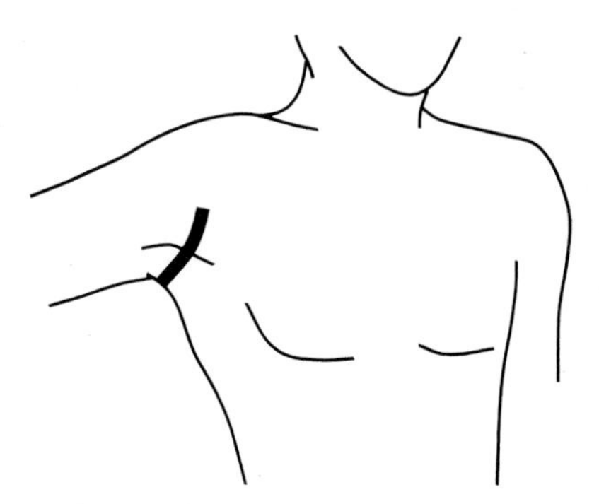
Figure 2–43 Axillary incision.

INCISION. A $3\frac{1}{2}$-inch cut is made across the anterior edge of the lower fold of the axilla, extending directly across the axilla toward the joint.

DISSECTION. An assistant positions the completely prepped limb in partial adduction and flexion, and then in abduction with slight external rotation to allow dissection. Pectoralis major is retracted superiorly, conjoined coracobrachialis and short biceps is

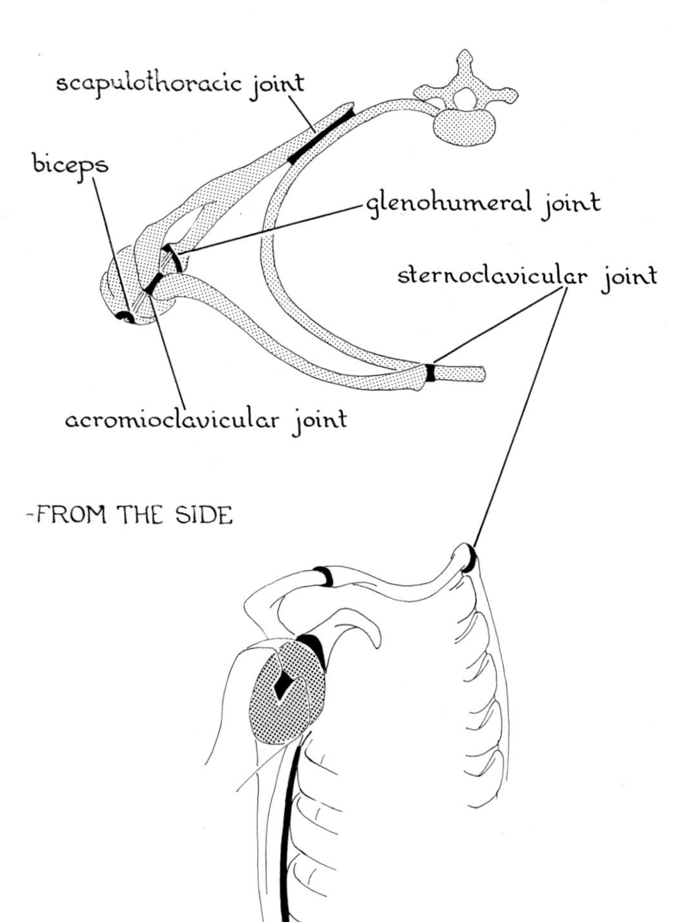

Figure 2–44 Shoulder system of joints.

felt laterally, and digital pressure identifies the neurovascular bundle. Gentle extension of dissection continues along the short biceps to beneath the coracoid process. The subscapularis is felt, and the axillary nerve at the lower border is identified and retracted inferomedially.

PRECAUTIONS. Extreme care is needed in the upward advance of the dissection. Proceed slowly along the lower border of conjoined tendon to avoid the vascular bundle.

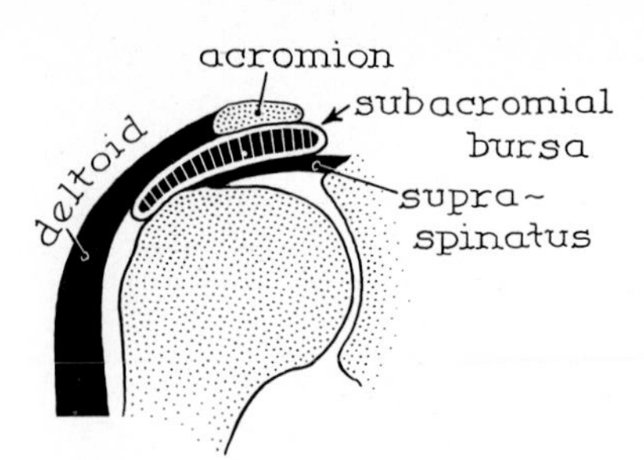

Figure 2–45 Subacromial bursa.

DESCRIPTION OF SHOULDER STRUCTURES

Glenohumeral Joint. The glenohumeral joint is the "universal" of the shoulder mechanism. The shoulder as a whole is really a system of joints embracing five principal moving mechanisms (Fig. 2–44). In addition to the glenohumeral, there are the acromioclavicular and sternoclavicular joints. The other two moving mechanisms of extreme importance are the bicipital and scapulothoracic. Although these are not synovial "joints" in the proper sense, they are true moving mechanisms participating in the shoulder complex. The intimate relationship dictates a common effect on shoulder function, and each mechanism influences a specific sphere. The three cardinal components are pervaded so often by a common pathologic process that the whole region is linked as a unit. The glenohumeral, acromioclavicular, and bicipital apparatuses are so closely associated that frequently at operation it is necessary to bring all three into view at once to correct a derangement.

The glenohumeral joint is a ball-and-socket mechanism that relies entirely on soft tissues for its stability. Unless soft tissue mechanisms can be protected and repaired, preservation of articular elements means very little. This dictum governs all surgical approaches to the shoulder.

Subacromial Bursa. Lying over the top and front of the joint is the largest bursa in the extremities. It is hung from the undersurface of the acromion, coracoacromial ligament, and deltoid. It flows under the cora-

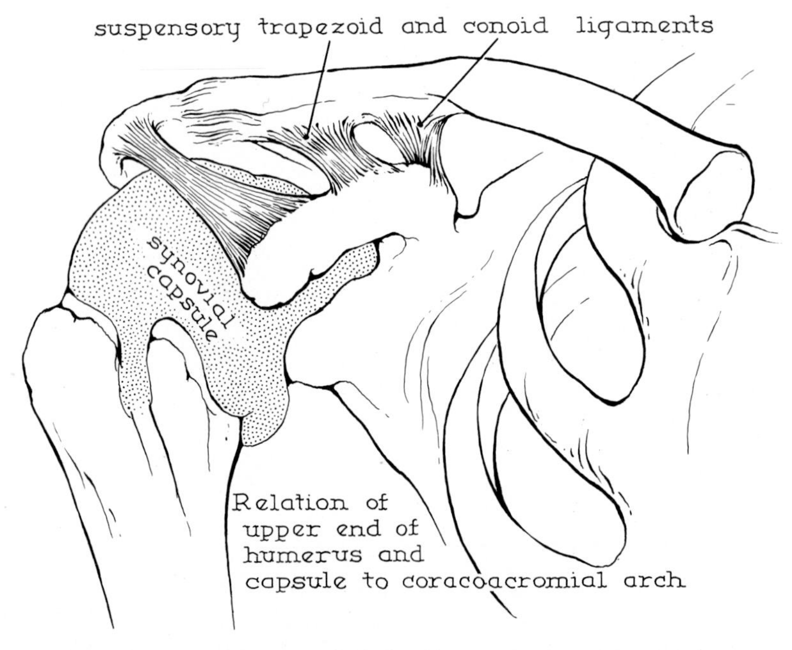

Figure 2–46 Extent of subacromial bursa and relationship to coracoacromial arch as it covers rotator cuff.

coid and the muscles attached to it, and over the subscapularis. It spreads over the greater tuberosity and medially over the rotator cuff (Fig 2–45).

The bursa continues under the deltoid muscle; the subacromial bursa is usually understood as including the subdeltoid bursa. Deep to the bursa are elements of the rotator cuff and the greater tuberosity of the humerus (Fig. 2–46). Normally it is thin-walled, less than one quarter-inch in depth, and does not communicate with the shoulder joint.

In this position, the bursa cushions the greater tuberosity, preventing impingement on the overhanging coracoacromial arch. Roughening or irregularity of the tuberosities and underlying cuff serves as an irritant. If the irritation persists, the bursa becomes redundant and its walls thicken, constituting a further obstacle to abduction and rotation of the head of the humerus. Abduction and flexion may then be blocked or checked at the point of tuberosity contact as it rotates under the arch. The bursa has been compared to the abdominal peritoneum as an indicator of disease. It is exposed in the routine superoanterior incision. When thickened and redundant it may be excised; if possible, during repairs of the rotator cuff, it is preserved and resutured on top of the cuff repair to provide and enhance a smooth surface for movement beneath the coracoacromial arch. It is not necessary to remove the acromion to excise the bursa but, as a rule, the coracoacromial ligament is resected; in such exposure, a great deal of the bursa will come into view as the arm is abducted.

Capsule of the Glenohumeral Joint. The most important structure of the shoulder mechanism lies beneath the subacromial bursa, and consists of the rotator cuff and the capsule of the shoulder joint (Figs. 2–47, 2–48, and 2–49).

The capsule and the cuff participate in some measure in an overwhelming number of shoulder disabilities. There are weaknesses in other major joints in the body, such as the menisci and patellae in the knees, and the blood supply of the head of the femur in the hip; in the shoulder, the rotator cuffs are the vulnerable structures. The fibrous capsule is so intimately blended with the rotator tendons that it is best to consider the combination as a single struc-

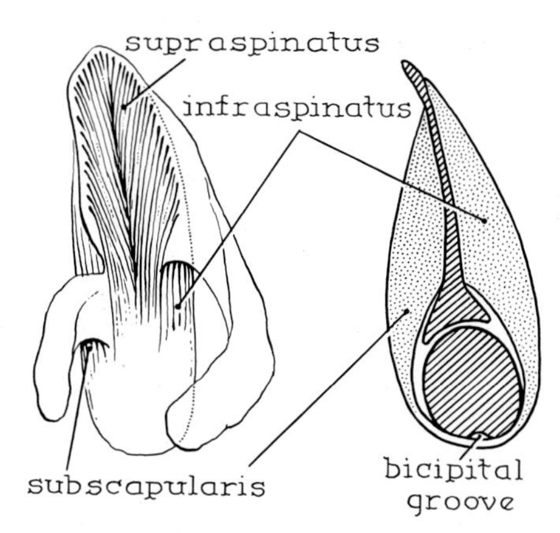

Figure 2–48 Diagram of shoulder cuff balance. Rotator cuff from the front and top is balanced by subscapularis from the back.

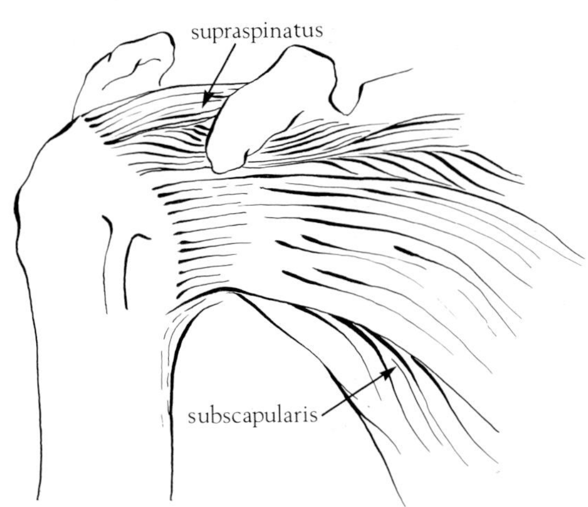

Figure 2–47 Rotator cuff from the front.

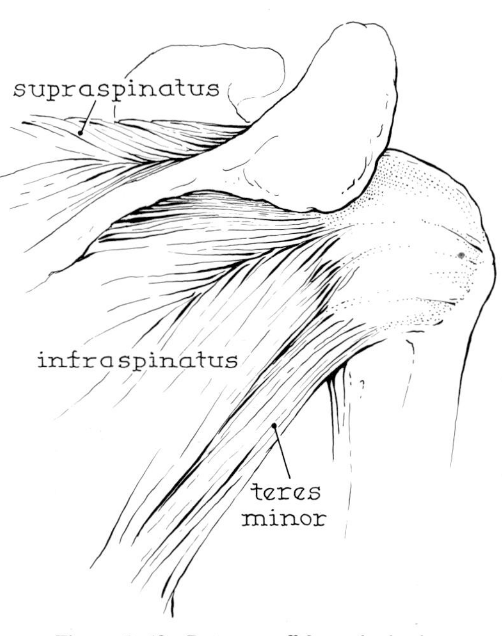

Figure 2–49 Rotator cuff from the back.

ture. It extends as a sleeve from around the glenoid cavity to embrace the head of the humerus. Superiorly, it is attached to the anatomic neck, but inferiorly, it extends for one half-inch beyond the articular cartilage. At the glenoid, it is attached just beyond the rim and in the front; the line of attachment is some distance away from the edge so that a portion is reflected along the bone, blending with the labrum. As indicated in the description of the embryologic development, it is securely anchored to the bone at all parts.

SUPERIOR CAPSULE. Clinically this is the most important portion of the mechanism. Three muscles extend from the back over the top of the head of the humerus, blending into a continuous sheet anchored in the region of the greater tuberosity just beyond the articular surface (Fig. 2–50). Such a musculotendinous sleeve provides protection, and also serves as a lever from the rotator and short abductor muscles. From a quite broad, fleshy area, the tendons narrow and blend into a homogeneous strip. The insertions of the muscles are intimately incorporated with the capsule and with each other, so that individual tendons are not well demarcated except in young people.

The cuff normally is one quarter-inch thick, and the surface is extremely smooth. The mechanism of attachment is such that it is made around a circle without a wrinkle and, as the muscles pull from their origins, tension may be focused at the front, the top, or the back. Normally, no defect is present, and the joint is sealed completely from the subacromial bursa. Extensive pathologic changes are encountered in this aspect of the capsule in injury, in metabolic disturbances, and as a result of degenerative processes.

ANTERIOR PORTION OF THE CAPSULE. The anterior wall of the capsule lies under the subscapularis tendon at the front (Fig. 2–51). There is a prolongation that forms a synovial sheath for the tendon of the long head of the biceps. The subscapularis tendon is broad and short, about 1 inch in width, and the tendon is three quarters to 1 inch long, blending closely with the capsule. In a complete anterior exposure of the front of the joint, the tendon is reflected medially.

The subscapularis bolsters the anterior aspect as it passes from the undersurface of the scapula to the distal portion of the interior tuberosity (Fig. 2–48). As it traverses the glenoid, there is a slight notch that gives the kidney shape to the glenoid. A large bursa separates it from the capsule anteriorly, and connects with the joint medially. The capsule under the subscapularis is a somewhat loose outpouching; superiorly, this recess extends to just below the coracoid process.

Variations occur in the attachment of the medial aspect of the capsule, and this is of particular significance in conditions such as recurrent dislocation of the shoulder. When the attachment of the capsule is beyond the labrum and along the neck of the scapula, there is greater freedom for movement of the head of the humerus, and the resultant ballooning of the capsule allows more room for the head to slip from the glenoid.

INFERIOR PORTION OF THE CAPSULE. The weakest part of the capsule is the inferior

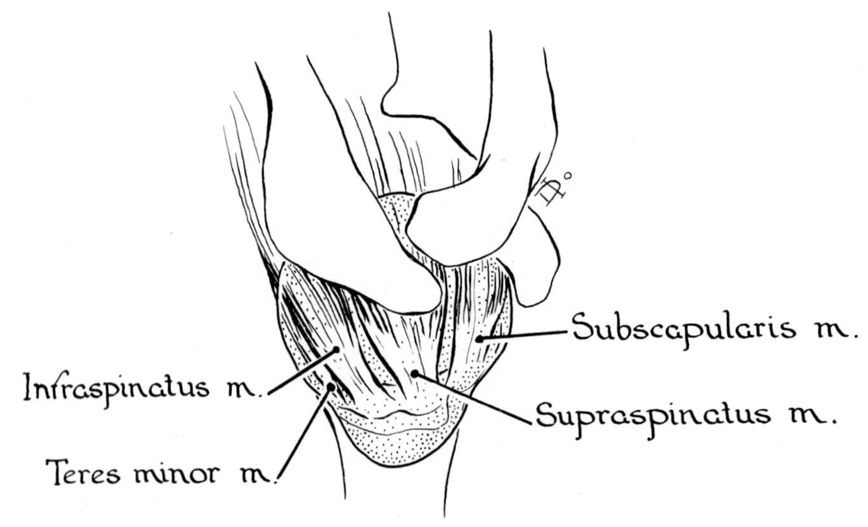

Figure 2–50 Diagram of composite shoulder mechanism.

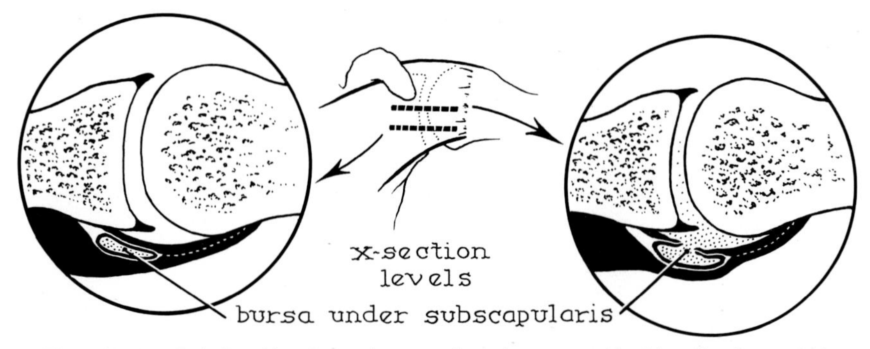

Figure 2–51 Relationship of anterior capsule to humerus, glenoid, and subscapularis.

aspect and as such, it has important clinical associations. The capsule and synovial reflection are loose and redundant, and the synovium lies in accordion-like pleats extending from the anatomic neck well below the articular margin to just beyond the glenoid rim. Normally, with the arm at the side, the thumb may be inserted easily between the capsule and the lower joint margin (Fig. 2–51). This slack is taken up as the arm is abducted and rotated. The inferior redundance is obliterated in conditions such as adhesive capsulitis, in which the capsule becomes plastered to the articular surface, from which it may be peeled like adhesive tape.

Inferior Joint Relations. The bottom of the glenohumeral joint is poorly supported, and it is through this zone that anterior dislocation occurs. Subscapularis extends well down the joint, and its lower edge is the landmark for the circumflex nerve. Dissection through the deltoid can be continued down to this level.

On abduction, triceps and teres muscles tighten like the opening of a pair of scissors, and support the head of the humerus.

Acromioclavicular Joint. The most important accessory articular is exposed at the top of the superoanterior incision (Fig. 2–52). It is identified by feeling the outer end of the clavicle and the cleft just beyond, between the clavicle and the acromion. A somewhat slack capsule, the acromioclavicular ligament, covers it. A strong band reinforces this capsule posteriorly and a much weaker band anteriorly.

Many variations are encountered in the obliquity of the acromioclavicular joint line. These extend from a quite vertical to an almost horizontal joint cleft (Fig. 2–52). The lateral end of the clavicle frequently is bulbous, enlarged, and overriding. A small cartilaginous disk, present before the age of 20, partially divides the joint into two segments. It is closely attached to the lateral articular surface.

The contiguous surfaces of acromion and clavicle are not symmetric. As viewed from above, the clavicle articulates with the acromion in a small segment of an arc (Fig. 2–53).

The acromion rotates about the lateral end of the clavicle, gliding forward and backward, and also upward and downward. The joint is quite stable unless injured. Because of this, the lateral half-inch of the clavicle may be resected, leaving the posterior capsular reinforcement in place, without causing significant instability. The rotator cuff and subacromial bursa are closely applied to the undersurface, so close that spurs on the joint may dig directly into the bursa and the capsule.

Coracoacromial Ligament. An important ligament lies directly in front of the acromioclavicular joint. It is a flat band extending from the acromion to the lateral aspect of the coracoid, triangular in shape, with its base at the medial end (Fig 2–54). Normally there is enough space to permit insertion of the little finger in between this ligament and the cuff. Damage to structures like the bursa lying underneath or to the farther subjacent cuff decreases this space, so that the ligament is rubbed as the head of the humerus is abducted and rotated.

The coracoacromial ligament is a vestigial structure representing the former continuation of a pectoralis minor across the coracoid to the acromion. It is a weak defense against upward dislocation of the head of the humerus, and it can be resected with impunity. Removal increases the space for rotation of the head of the humerus and decreases obstruction, so that it is often de-

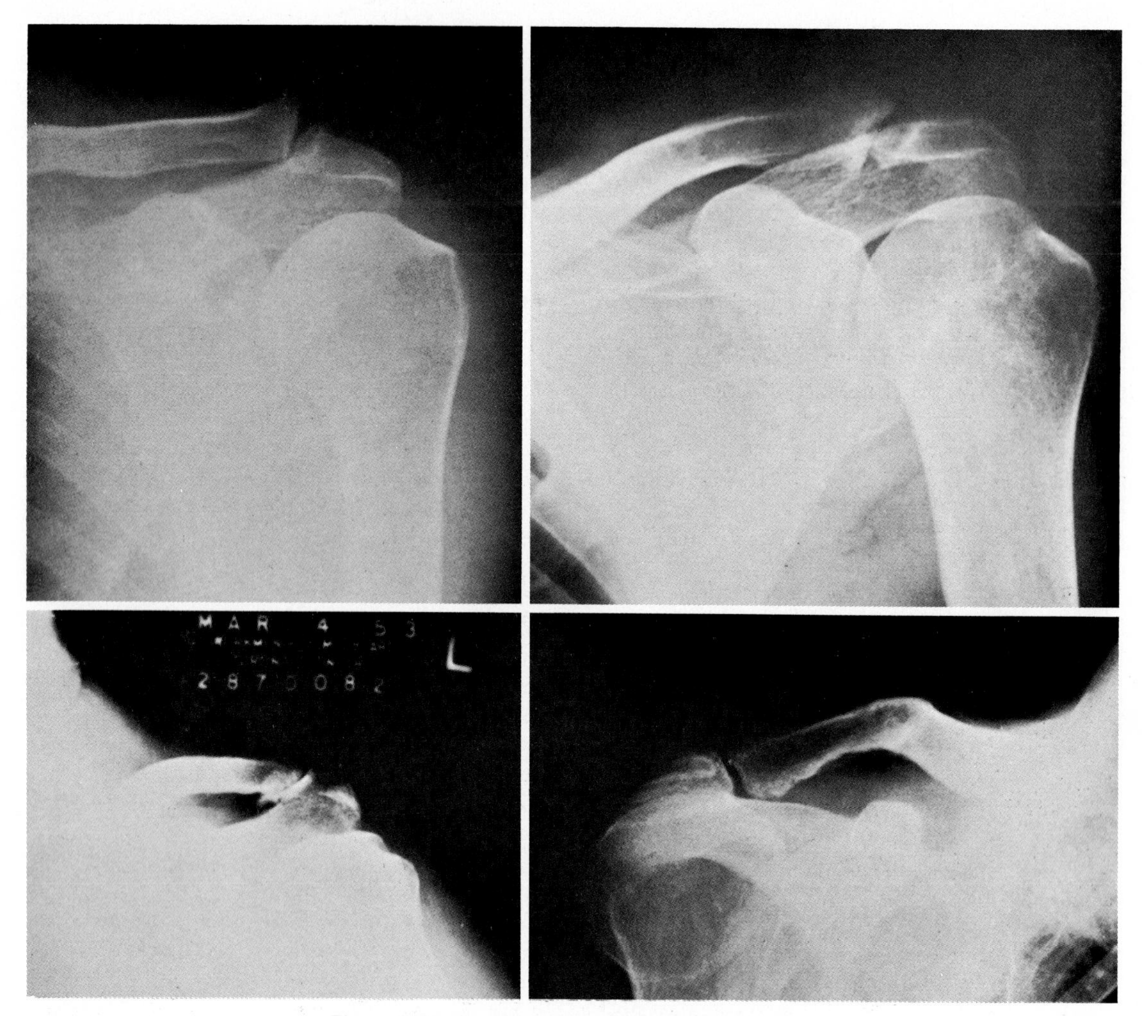

Figure 2–52 Variations in acromioclavicular joints.

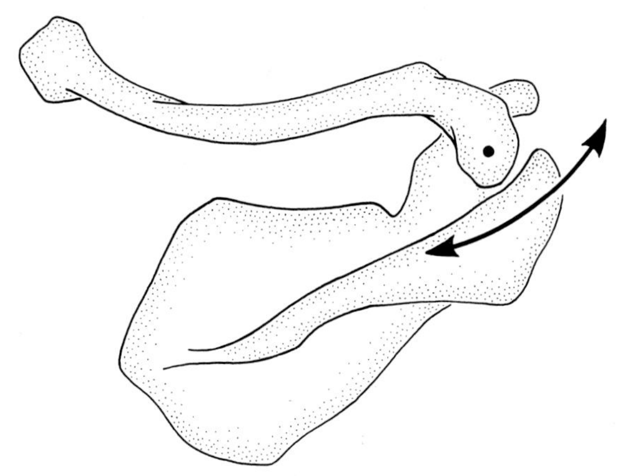

Figure 2–53 Anatomic configuration of acromioclavicular joint produces rotatory anteroposterior shift.

liberately excised when repairing cuffs or in general débridement of the area (Fig. 2–54).

Bicipital Mechanism. Below and medial to the coracoacromial ligament, the long head of the biceps may be palpated beneath the capsule. It is held in the groove by the transverse humeral ligament, a thickened prolongation of the capsule extending between the lesser and greater tuberosities. The critical zones in this structure are the points at which the tendon arches over the humeral head, and at which the floor on which it glides changes from bony cortex to articular cartilage (Fig. 2–55).

Dimensions of the groove vary widely. Deep narrow apertures favor constriction of the tendon, and shallow flat grooves tend to allow slipping and luxation of the tendon. If the cuff zone at the top of the groove is torn, the tendon may slip out of the groove, particularly if the arm is abducted and rotated externally. Similarly, if strong force is applied in this position, the tendon may be wrenched out of the groove.

Subscapularis Tendon and Its Relations. The subscapularis forms the lower anterior part of the shoulder casing. It is best felt by externally rotating the humerus a little; it is identified as a firm band roofing the bicipital groove. A prolongation of the capsule extends between the tuberosities along the bicipital tendon for a variable length (Fig. 2–50).

The tendon is heavy and indents the glenoid as it arches across anteriorly to the glenoid labrum. The muscle does not have a long tendon, so that incisions allowing reflection must be placed carefully toward the lateral aspect, otherwise it will be difficult to resuture the fleshy fibers to the tendinous portion.

Glenoid Labrum. A fibrocartilaginous lip sits along the margin of the glenoid cavity, deepening it considerably. Superiorly, it blends with and is intimately attached to the long head of the biceps. The labrum is triangular in cross-section, tough, and firmly anchored to the bone. It is subject to

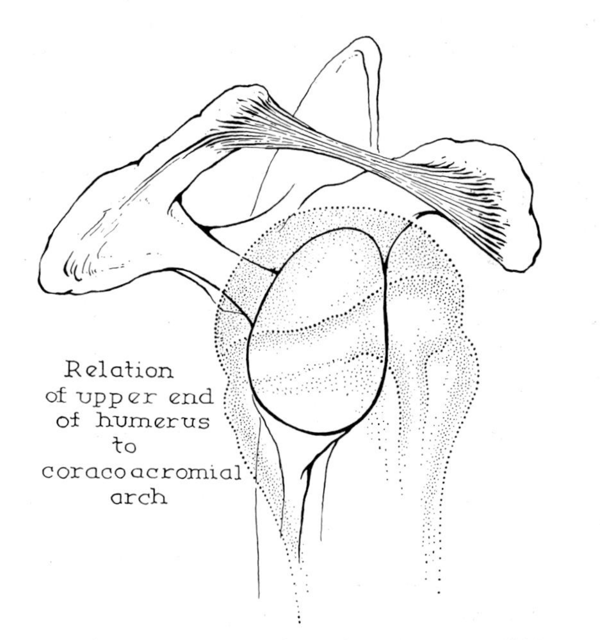

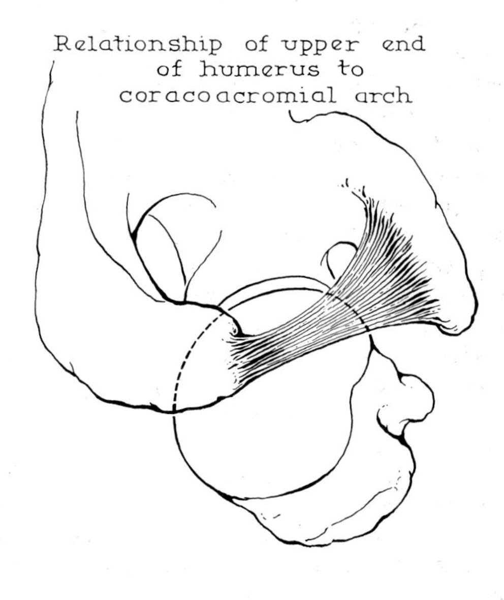

Figure 2–54 Coracoacromial arch. Note extent and importance of relation of the middle portion of the arch formed by coracoacromial ligament.

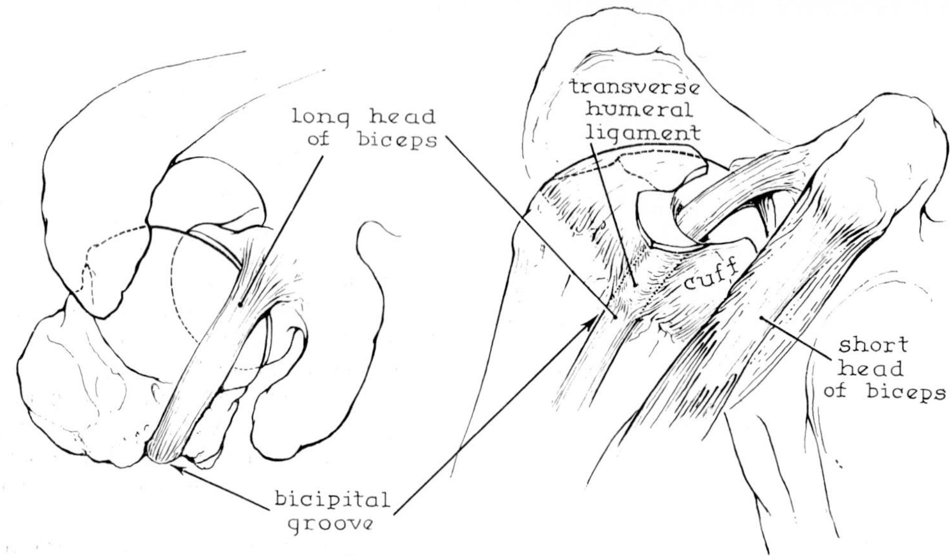

Figure 2–55 Relations of the long head of the biceps to the head of the humerus and intertubercular fibers or transverse humeral ligament.

pathologic changes from injury, wear and tear, or degeneration. Zones of separation of the labrum or fracture are found in many joints in a high percentage of patients. Sometimes pieces are broken off and lie free in the joint as loose bodies, similar to those seen from a torn meniscus in the knee. The joint capsule is attached to the scapula beyond the labrum, extending farther anteriorly and superiorly than posteriorly and inferiorly.

Interior of Glenohumeral Joint. In exploring the glenohumeral joint, the incision is made through the anterior capsule medial to the long head of the biceps. About one-half of the humeral head is then visible, and more becomes apparent with external rotation. The head of the humerus looks disproportionately large when compared with the glenoid, and the articular surface of the glenoid can hardly be seen through this exposure. Strong retraction and external rotation are necessary to visualize the articular cartilage of the glenoid.

The labrum may be felt deep in the incision as a fibrocartilaginous lip sitting on the anterior rim of the glenoid. It blends with the long head of the biceps above, and is less prominent as it is traced toward the lower aspect of the glenoid. There are extensive variations in position and size of the labrum; it may be partly detached or torn, or a loose piece may be found directly within the joint. Sometimes very little labrum can be felt.

ANATOMY OF THE POSTERIOR ASPECT OF THE NECK AND SHOULDER

The neck and shoulder are closely linked by structures on the posterior aspect. Specific clinical syndromes can be identified with origins in structures related to shoulder/neck angle (Fig. 2–56).

Ligamentum Nuchae. Forming the upper medial border of this triangular area is a thick, tough ligamentous band that extends from the occiput to the tip of the posterior spinous process of C.7. At the top it fashions a bony elevation, the external occipital protuberance, and below it is firmly anchored to the posterior spinous process of C.7. Between these two anchoring points, the heavy portion of the ligament skips the cervical tips but is connected to them by slender slips. It looks a little like the string of a bow arching the cervical spine forward. In man, this ligament is the representative of a powerful elastic structure that holds the head up in plantigrade forms. It is triangular in cross-section, and superficial layers blend with the aponeurosis of the trapezius. Cutaneous nerves pierce the aponeurotic zone close to the midline, coming from the posterior rami of spinal nerves (Fig. 2–57).

The attachments of the ligamentum nuchae explain some symptoms and their localization in certain injuries. In the extremely common whiplash or extension-flexion rear impact syndrome, the slender

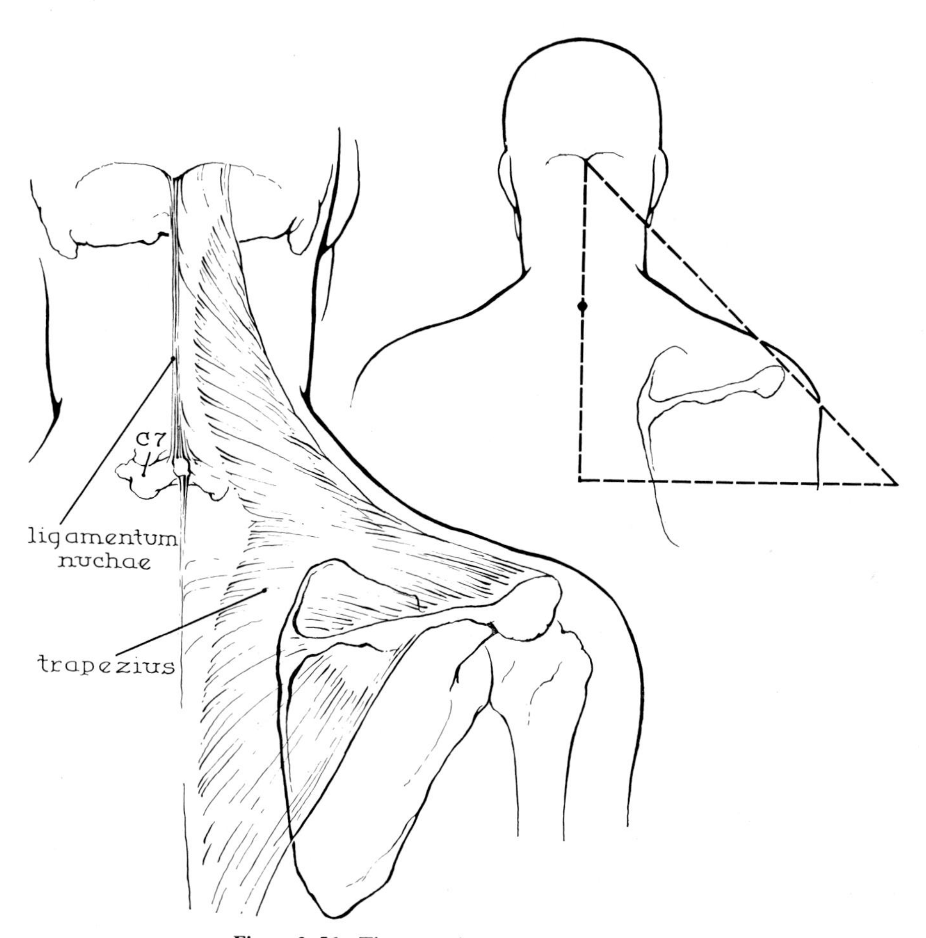

Figure 2–56 The posterior shoulder-neck aspect.

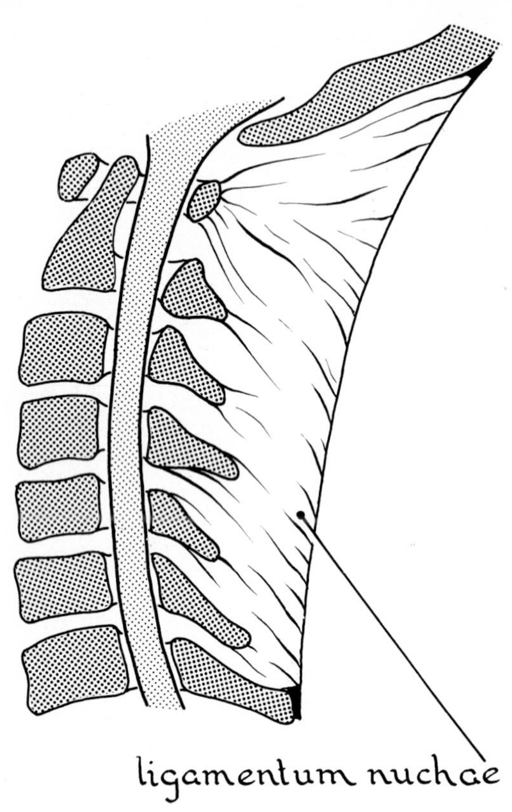

Figure 2–57 Ligamentum nuchae and relations.

slips may be avulsed from the tips of the spinous processes.

Powerful flexion when the neck muscles are tense may lead to avulsion of the C.7 spinous process because the ligament is so strongly anchored that bone gives way instead of the ligament.

More extensive changes are often found at the superior portion of this attachment along the occipital bone. Avulsion of fibers in this area is a source of occipital headache, and the scarring may implicate cutaneous nerve branches like the lesser occipital passing through the zone.

ROTATORY MECHANISM OF THE HEAD AND NECK

The chief contribution to head rotation comes from a set of three articulating mechanisms in the suboccipital zone (Fig. 2–58) consisting of:

(1) Articulation of atlas and occipital bone;

(2) Ligaments connecting axis and occipital bone;

(3) Articulation of the atlas with the axis.

The Occipital Bones

Articulation of Atlas and Occipital Bone. The occipital bone sits on the atlas resting on a pair of condyloid joints. The movements permitted at this joint are principally flexion and extension, but to this is added slight lateral motion, so that the combination contributes a degree of rotation. The capsular ligaments surround the condyles and are thin and loose, lined with synovial membrane. Reinforcing fibers pass in an obliquely upward direction extending from the base of the transverse process to the jugular processes of the occipital bone (Fig. 2–58).

The anterior and lateral occipital membrane is composed of dense fibers passing between the anterior margin of the foramen magnum and the upper border of the arch of the atlas. Laterally it is continuous with the capsular ligaments, and strengthened in front of the continuation of the anterior-longitudinal ligament, connecting the tubercle on the anterior arch of the atlas with the basilar part of the occipital bone.

The thin posterior and lateral occipital membrane passes from the posterior margin of the foramen magnum down to the upper border of the posterior arch of the atlas. As it does this, it arches over the groove for the vertebral artery. The first occipital nerve passes through this aperture underneath the artery. The aperture is bounded by a free border of the membrane, and sometimes the margin is ossified.

Ligaments Connecting the Axis with the Occiput. The pictorial membrane is a broad strong band passing from the posterior surface of the body of the axis, and extending upward in a 'V' fashion to be attached to the basilar part of the occipital bone in front of the foramen magnum, blending with the cranial dura mater.

Two strong rounded cords, the alar ligaments, extend from the odontoid process obliquely upward and laterally to be inserted into the occipital bone on the medial side of the condyles; since these ligaments limit flexion and rotation, they are called the "check ligaments" (Fig. 2–59).

Extending from the tip of the odontoid process to the anterior margin of the foramen magnum is the apical ligament. It blends with the deep portion of the anterior and lateral occipital membrane and with the cruciate ligament of the atlas. The apical ligament has been considered a rudimen-

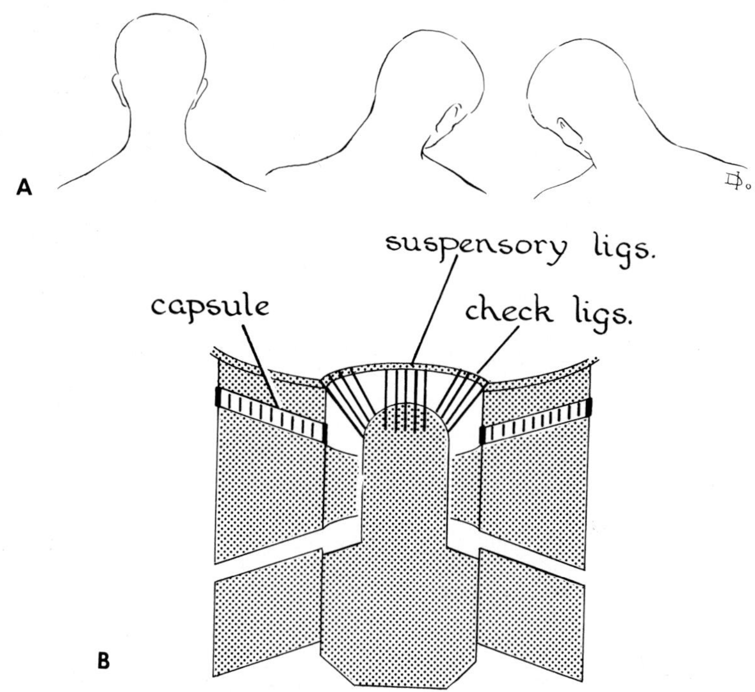

Figure 2–58 Rotary mechanism of head and neck.

tary intervertebral disk and may contain traces of the notochord.

Articulation of the Atlas with the Axis. Three joints make up a complicated mechanism that controls rotation of the head on the atlas. The anterior arch of the atlas pivots about the odontoid process as retained by the transverse ligament. A pair of plane joints form an outrigger mechanism between the two bones laterally.

The transverse ligament of the atlas arches across the atlas behind the odontoid maintaining its contact with the anterior arch. It is attached by a small band at the center to the upper surface of the basilar part of the occipital bone between the apical ligament and the pectoral membrane. A lower band passes to the posterior surface of the body of the axis. An apophyseal joint on each side has capsular ligaments that are thin and loosely attached.

The anterior-longitudinal ligament continues superiorly, connecting the lower border of the arch to the front of the body of the axis. Posteriorly, a broad, thin membrane connects atlas and axis, extending from the lower border of the posterior arch to the upper edges of the laminae, and corresponding to the ligamentum flavum lower down.

Posterior View, Coronal Cut

alar ligs

transverse lig.

accessory atlanto-axial lig.

(apical lig. deep to cruciform)

cruciform lig.

Anterior View

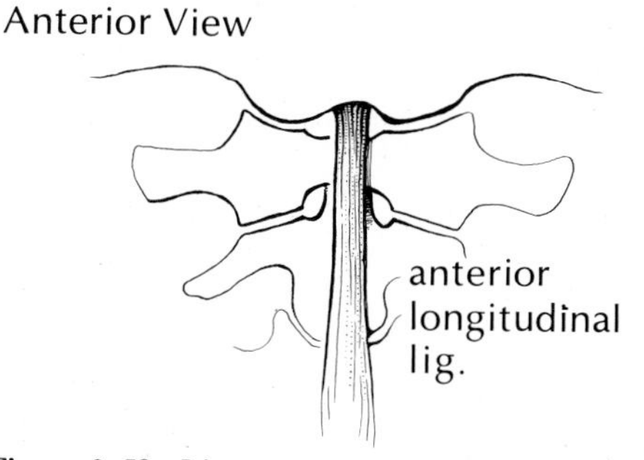

Figure 2–59 Ligaments connecting axis and occiput.

DESCRIPTION OF THE NECK STRUCTURES

Cervical Vertebrae. The cervical vertebral bodies are relatively fragile and considerably smaller than those in the lumbar

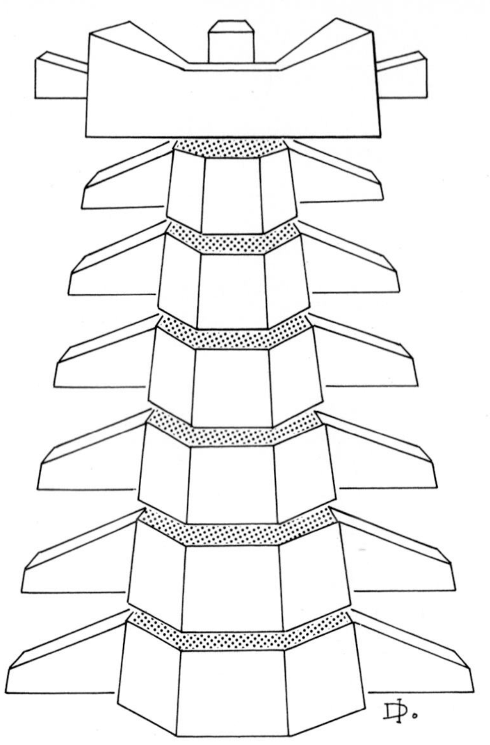

Figure 2–60 Cervical vertebrae. Note breadth of the atlas and progressive increase in the vertebral body size from C.2 to C.7.

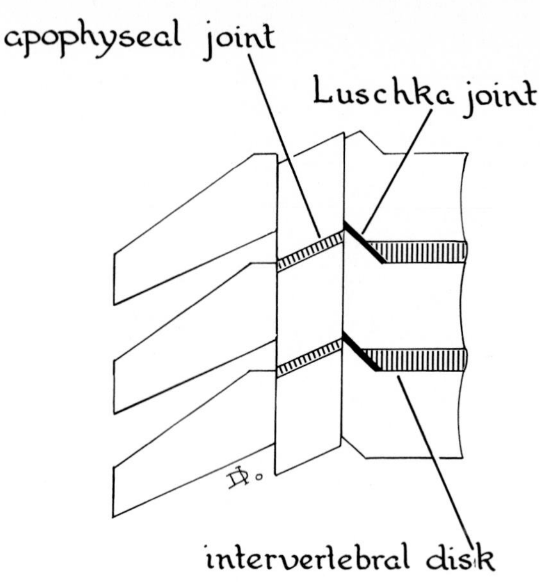

Figure 2–61 Interbody mechanism.

region. The interbody space and the disks are also much smaller. The fragility must be borne in mind when carrying out surgical procedures like bone grafts, because it is much easier to split a cervical vertebral body than a lumbar vertebra (Fig. 2–60).

Four articular mechanisms are related to each vertebra, one more than in the lumbar region.

Interbody Mechanism. The structure is similar to the lumbar region, with a well-defined cartilaginous place, anulus fibrosus and nucleus pulposus. Fine nerve fibrils from the adjacent spinal nerves ramify in the anulus and the posterior-longitudinal ligament, but these have not been identified as reaching the nuclear pulp (Fig. 2–61).

Apophyseal Joints. In the lower segment of the cervical spine, C.3 to C.7, there are small pairs of synovial articulations. These have concave-convex rather than straight plane surfaces. This allows both flexion and extension, as well as a forward and backward gliding motion. Well-defined capsules with synovial lining can be identified; branches of the adjacent spinal nerves innervate these capsules (Fig. 2–62).

Joints of Luschka. Joint-like spaces or clefts have been identified at the anterior

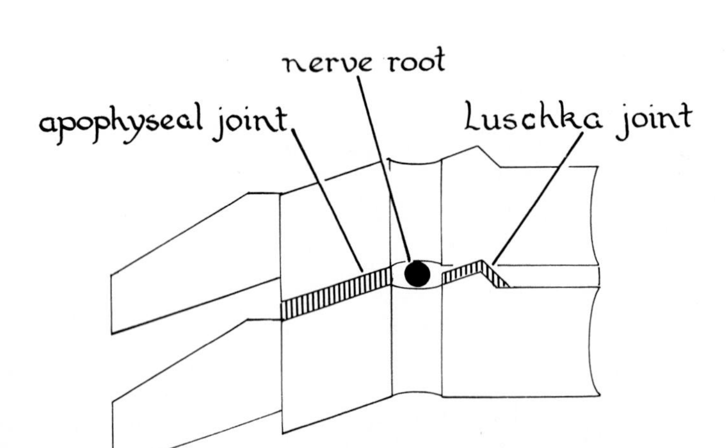

Figure 2–62 Apophyseal joints.

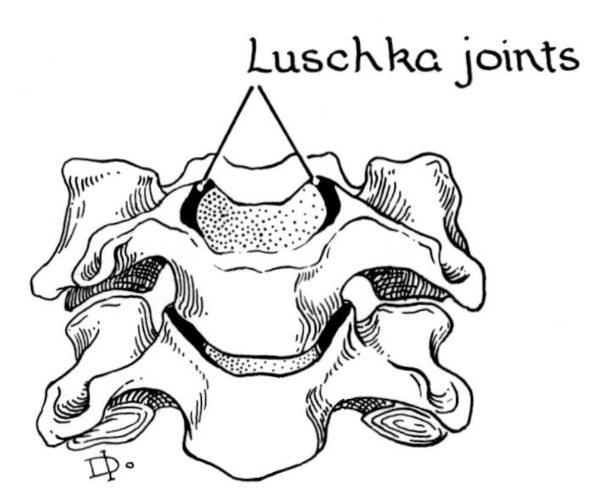

Figure 2–63 Luschka joints.

angles of the bodies on the superior surfaces (Fig. 2–63). There are considerable variations in the size and shape of these articulations from one individual to another. The position and configuration of these articulations are such that they have a tendency to prevent anterior slipping of the bodies on each other, and hence are subject to distortion and osteophyte formation. Their intimate relationship to the intervertebral foramen is a source of mechanical encroachment; spurs that develop at their edges may affect the nerve root in the canal.

POSTERIOR SPINOUS PROCESSES. No true joint mechanism exists between the spinous processes, but there are well-defined interspinous ligaments; a superficial one that is quite heavy contributes to the ligamentum nuchae. In some pathologic states, one spinous process impinges on the other, and a bursa may be found between the tips. The tips of the spinous processes also participate in other pathologic processes, such as clay-shoveler's fracture and extension-flexion injuries resulting from the "whiplash" mechanism (see Chapter 12).

Muscles of the Posterior Aspect. The musculature in the posterior neck and shoulder region has many clinical applications. Heavy groups of muscles extend from the occiput to the shoulder girdle, connecting the head to the chest and extremity. A superficial layer consisting of the trapezius is identified beneath which is a layer composed of the levator scapulae, rhomboid minor, and rhomboid major, from above downward and attached to the vertebral border of the scapula. Beneath this layer lie the splenius capitis in the center and the sternomastoid laterally; beneath the splenius is the semispinalis capitis, and then the layer of small muscles (Fig. 2–64).

Under the rhomboids is a layer consisting of the serratus posterior, superior and inferior. The digitations of this muscle pass from the spines to the ribs. Beneath this muscle layer is the thoracolumbar fascia; the layer is quite thin superiorly, extends laterally from the spinous processes to the angles of the ribs, and inferiorly passes deep to the serratus posterior and blends with the latissimus dorsi.

The deepest or fifth layer, the erector spinae, consists of spinalis, longissimus, and iliocostalis in the thoracic region; it extends upward and splits into three columns, only the middle one of which reaches the skull. The sixth layer is the semispinalis and is termed the transversus spinalis group of muscles. The suboccipital muscles lie beneath this sixth layer.

The Suboccipital Region. The base of the skull is formed by a nearly straight line

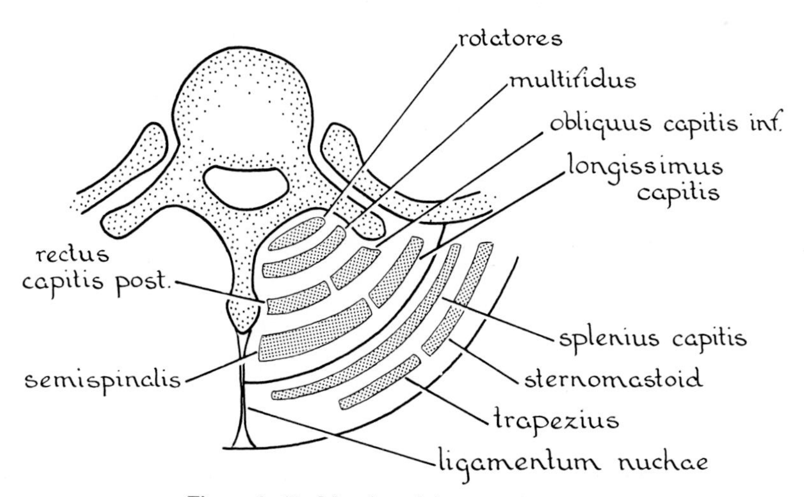

Figure 2–64 Muscles of the posterior region.

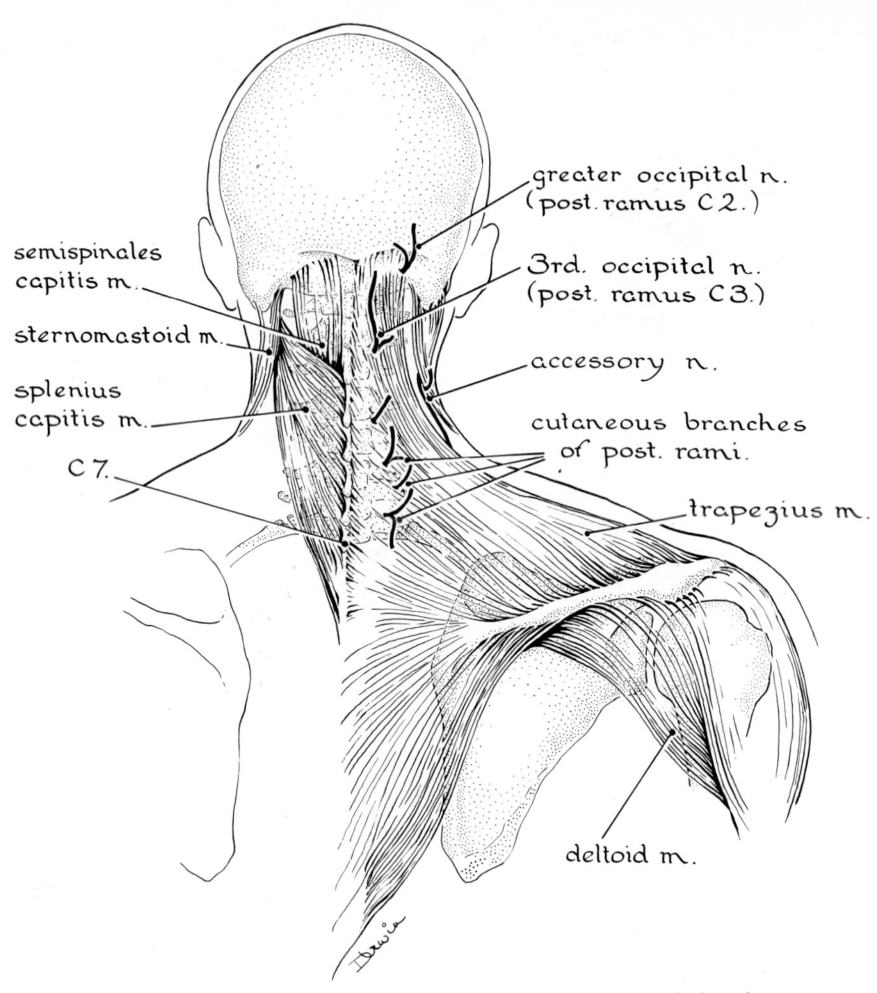

Figure 2–65 Anatomy of the suboccipital and cervical thoracic junction.

extending from one mastoid process to the other. The superior nuchal line curves laterally from the external occipital protuberance, and extends to the mastoid process, dividing it into a smooth upper and a rough lower part. Below the superior nuchal line are attached the heavy neck muscles. The contents of the suboccipital region are the layers of muscles of which the semispinalis capitis forms the posterior wall. The muscle is pierced by the greater occipital and third occipital nerves (Fig. 2–65). Frequently a branch appears below the superior nuchal line and extends upward, piercing the galea above the superior nuchal line. The occipital artery follows a similar course. It arises in the region of the inferior nuchal area below the transverse process of the atlas; farther down, a branch of the third occipital nerve pierces the semispinalis and ascends near the midline. Beneath the last layer of muscles is a vertebral venous plexus.

The floor of the suboccipital triangle is formed by the posterior arch of the atlas. From it the posterior occipitoatloid membrane passes to the margin of the foramen magnum above and to the laminae of the axis below. Branches of the suboccipital nerve and C.2 pass through this membrane.

The transverse and sigmoid sinuses extend intracranially from just above the external occipital protuberance, or in a curving fashion to a point about three quarters of an inch behind the external auditory meatus, going to a point in front of the mastoid process and below the external meatus to join the internal jugular vein.

The Scapula and Its Bed. In the center of the posterior aspect of this region lies the scapula. The upper eight ribs, at the point at which they are curved as an arch, form the track on which the scapula swings. When looked at from above, the scapula is curved to fit the chest wall (Fig. 2–66). It

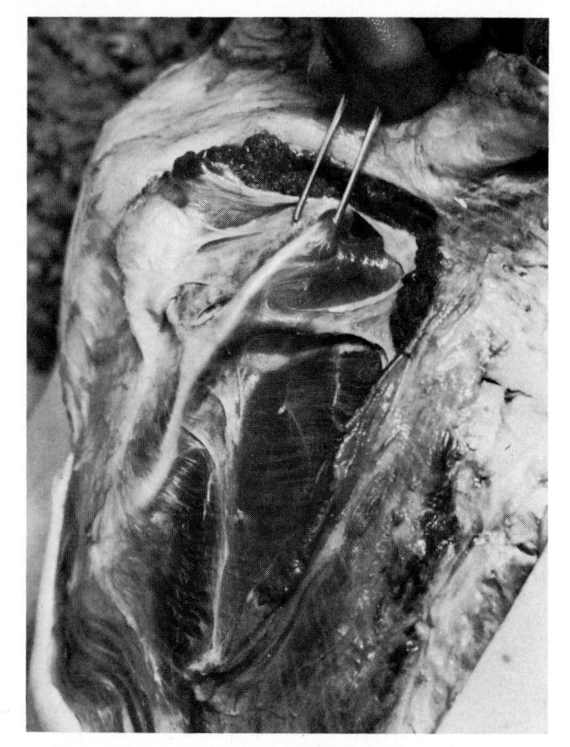

Figure 2–66 Dissection of the bed of the scapula.

has a sharpened medial or vertebral border digging into the overlying muscle layers (Fig. 2–67).

In contrast, the lateral border is rounded and strong. Important muscles are related to the scapula. The serratus anterior is attached underneath and along the medial edge so that, as it contracts, the scapula swings, as it were, or tends to come away from the rib cage. The spinati fill the grooves above and below the spine and, on top of these, there is a broad quilt of trapezius. At the top is attached the levator scapulae, and this represents the deep layer of connection of the scapula with the neck.

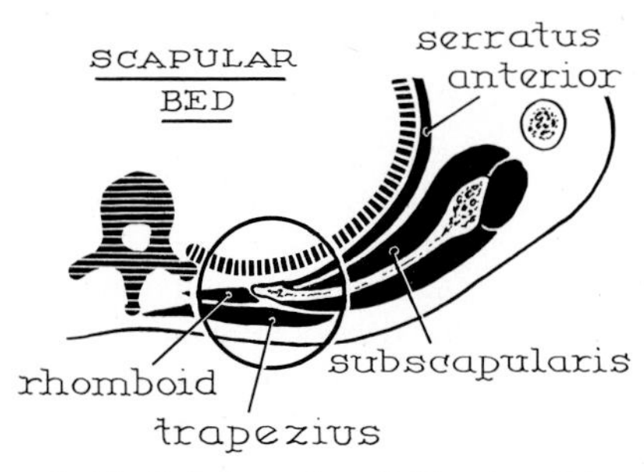

Figure 2–67 Relations of medial border of the scapula with soft tissue coverings.

The inferior angle of the scapula is blunt, rough, and strong for attachments from teres major, rhomboids, and serratus anterior.

Trapezius Muscle System. When viewed from the back, the sloping line of the shoulder is formed by the upper border of the trapezius. This muscle is really a system of muscles, providing a powerful suspensory apparatus for the whole shoulder girdle. It has the most extensive origin of any muscle in the body, extending from the skull all the way down to the lumbar region. The attachments in the cervical area are to the spinous processes and all along the top of the scapula.

In its medial attachment it contributes to the ligamentum nuchae, and through this is attached to the cervical spine. The attachments of the trapezius in the cervical area and to the spine of the scapula are important. The muscle has two strong attachments, one to the neck and the other to the spine of the scapula, so that both ends of the huge muscle system have a mobile anchorage. When the cervical spine is bent and the shoulder is used at the same time in an act such as reading, pull is applied simultaneously in opposite directions, so that some of the fibers may give way to produce a typical "kink" in the neck.

The trapezius holds the shoulder back and up, thereby forming a suspensory strut for the pendulum swing of the arm and hand (Fig. 2–68). It has been described as a postural muscle, since the upper fibers contribute a constant tension, helping to keep the trunk erect.

The nerve supply of the muscle is also important. It is supplied by the accessory nerve, which reaches it by crossing the posterior triangle of the neck, where it is the highest nerve in the triangle, lying there quite superficially (Fig. 2–38). Lymph glands in the supraclavicular area are often involved in pathologic processes and lie scattered along the path of the accessory nerve. Hence, the nerve may be involved in disease of these glands, or may be injured in surgical procedures like a simple biopsy done under local anesthetic.

When the trapezius is paralyzed, the normal sloping neck line changes to a sharp angular one, and the point at the shoulder drops downward and forward. The nerve dips under the upper and anterior margin of the trapezius at a point 1 or 2 inches

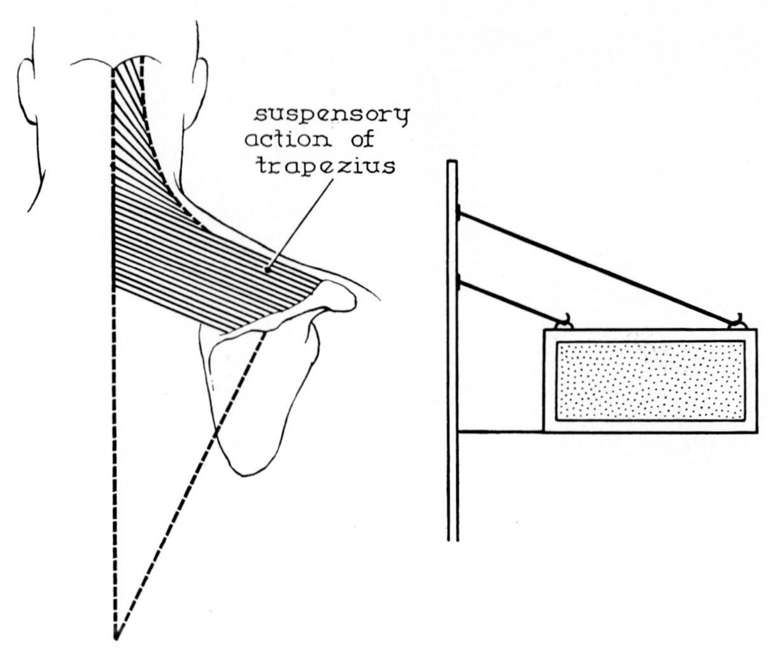

Figure 2–68 Suspensory muscle of trapezius.

above the clavicle. It sticks to the deep surface of the muscle, running at right angles to the fibers down to the lower end. The nerve may be easily exposed just as it crosses the upper border of the scapula by gently spreading the trapezius fibers. Higher up it may be exposed as it emerges from beneath the sternomastoid, approximately at the junction of the upper third and distal two-thirds of the anterior border of the posterior triangle.

The accessory nerve supplying the trapezius has a further important function. Since it arises from cranial and upper cervical sources, it is rarely disturbed in common traction injuries that damage the brachial plexus. Serious plexus injuries involving C.5 and C.6 leave the shoulder paralyzed so that the arm cannot be properly abducted. The one remaining muscle usually involved that can contribute to abduction is the trapezius, since it still has an intact nerve supply. Various operations, making use of this fact, change the distal attachment of the trapezius so that it acts directly on the upper end of the humerus, either by simple transfer of the tendon or by transfer of the tendon along with a piece of the acromion (see Chapter 14). In this fashion, a degree of abduction can be supplied to the shoulder girdle as a whole by this unparalyzed muscle.

Quadrilateral Space. In this posterior shoulder region a further area of surgical importance may be demarcated in the quadrilateral space. This is bounded above by the inferior aspect of the glenohumeral joint, the neck of the scapula, the capsule, and the head of the humerus. The long head of the triceps and the teres majors crisscross, forming the lower border (Fig. 2–31). Branches of the posterior cord, axillary, posterior humeral circumflex, and radial nerves are related to the shoulder joint at this point. The circumflex nerve and vessels pass through the space closely related to the upper bony margins. The radial nerve branches of the axillary extend to the triceps not far from the bony structures; an extensive collection of small veins accompanies these nerves (Fig. 2–69).

The Clavicle. The collar bone is the strut of the shoulder girdle. It is subcutaneous along its entire length but is crossed by structures of some importance, the supraclavicular nerves. The whole bone may be exposed on the superior surface, but, as a rule, the middle half is the zone of surgical importance.

On palpation the clavicle has a distinct S-shape. In most people, it is possible to grasp the bone at each end and manipulate it. This is helpful in diagnosing suspected fracture since crepitus can be produced easily. The subcutaneous portion also aids in providing purchase for the manipulative reduction of fracture deformities.

The double curve of the clavicle has given

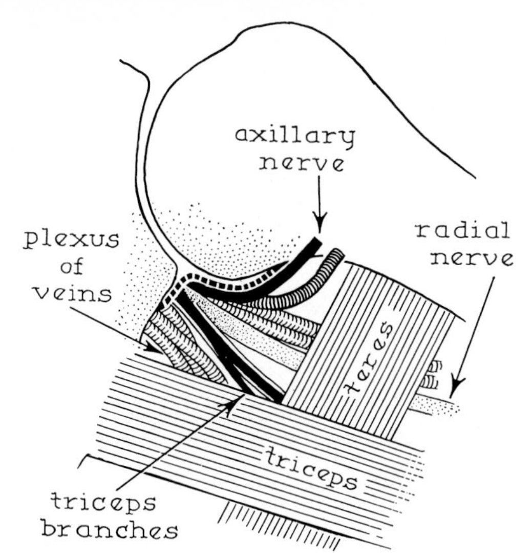

Figure 2–69 Relations and contents of the quadrilateral space.

rise to its name, which is from "clavis" (key). In cross-section, the lateral curve is somewhat flat, whereas the medial one is decidedly tubular. The alterations in shape in cross-section account for localization of many of the fractures to the middle third (Fig. 2–70). The clavicle acts as a shock absorber in the transmission of force from both the hand and the lateral aspect of the shoulder to the center of the body; this makes the junction zone of the two curves a weak spot, and it may give way.

The greater strength of the tubular medial third provides rugged protection for the subclavian vessels, which run directly beneath. Standard positions for x-rays are

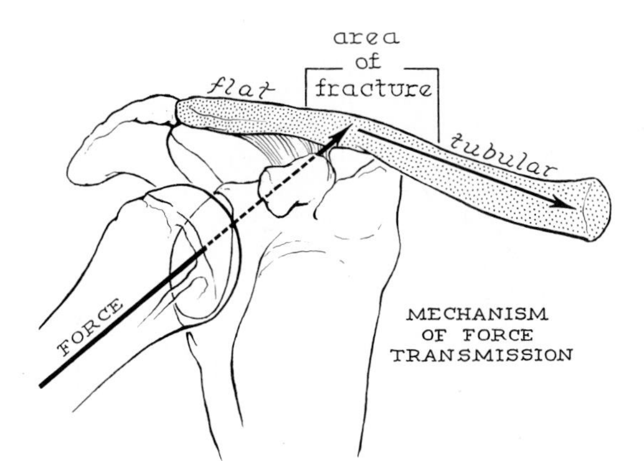

Figure 2–70 Bony configuration of the clavicle which localizes common fractures in the usual type of force application.

necessary to prevent a distorted appearance because of the curvature.

Muscle and ligament attachments are responsible for the typical deformities of certain fractures at the different sites. At the extreme lateral end there is little displacement because the coracoclavicular ligament holds the clavicle down. Medial to this ligament, the fracture ends are more freely displaced, the lateral one being pulled down by the pectoralis major and the medial one pulled up by the sternomastoid.

The Suspensory Ligament or Coracoclavicular Mechanism. The whole upper extremity is suspended by a strong ligament extending from the coracoid to the undersurface of the clavicle. The coracoclavicular ligament serves as a joint mechanism, producing a fulcrum near the lateral end of the clavicle so that the girdle can swing on it. Anatomically the coracoclavicular ligament consists of two parts, but functionally it is a single ligament (Fig. 2–71). The posterior and medial fibers are in a cone-shaped group extending from the clavicle to an apex on the medial aspect of the coronoid.

The anterior and lateral fibers are in a box-shaped group (trapezoid), and extend forward and laterally from the coronoid attachment. The direction of these fibers is such that they resist downward and inward slipping of the scapula, with the clavicle holding the arm out like a signpost.

Normally, the ligament may be stretched enough to allow the clavicle to sit up on the acromion without rupturing completely. Stretching sometimes loosens the periosteum and initiates calcification that spreads along the ligaments and is quite visible in the x-rays. In severe grades of acromioclavicular dislocation (Grade 3), the ligaments may be torn, and surgical repair is then required. The ligament is exposed through a vertical superior incision just medial to the acromioclavicular joint. Care is needed to avoid damage to the neurovascular bundle, which runs just below the coracoid process. The direction of the ligaments in suspending the scapula serves to protect the latter from riding medially.

Coracoid Process and Pectoralis Minor. The coracoid process, a thumb-like projection from the neck of the scapula, constitutes an important body landmark just below the lateral edge of the clavicle. Important structures are attached to the coracoid, and the great vessels run beneath it.

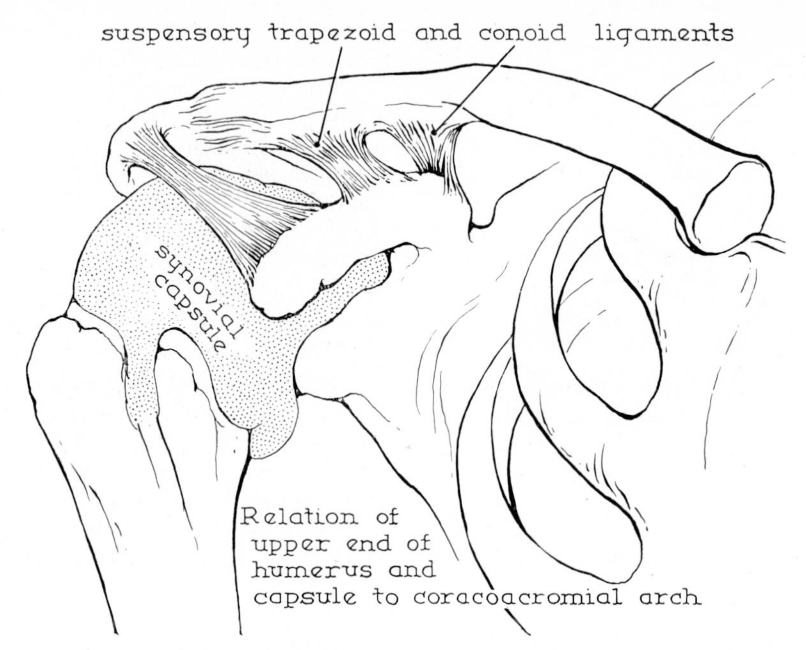

Figure 2–71 Suspensory ligaments of the clavicle.

Attached to the tip and extending toward the chest wall is the pectoralis minor; this is a short, thick muscle arising from the third, fourth, and fifth ribs, and occasionally from the second, third, and fourth ribs. The great vessels and nerves at the upper limb pass under the pectoralis minor on their way to the arm. By pressing just below the coracoid it is possible to feel pulsation of the subclavian artery and to compress it against the chest wall (Fig. 2–72). Abnormalities related to the coracoid and the pectoralis minor may compress the neurovascular bundle at this site. As the subclavian artery and the brachial plexus branches stream out from under the clavicle, they are enveloped in a sleeve of clavipectoral fascia, and proceed distally in the cervicoaxillary canal. The fascial covering at its upper part blends with the costocoracoid ligament, which is all that remains of a primitive extensive process seen in reptiles (Fig. 1–6). Sometimes the edge of the costocoracoid membrane is thickened and contains remnants of cartilage. Tightening or thickening of this structure presses the underlying bundle.

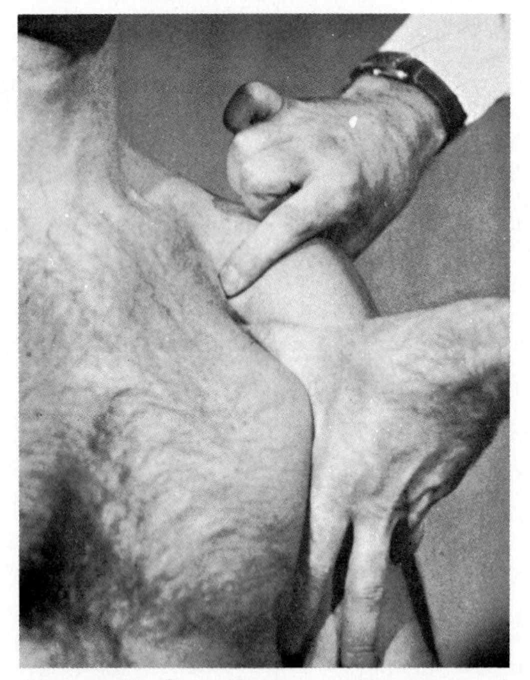

Figure 2–72 Coracoid process with neurovascular bundle is palpated by firm pressure against the chest wall.

The cervicoaxillary canal is roofed by the clavicle, subclavius, clavipectoral fascia, pectoralis minor, and finally more fascia, which blends with the axillary fold (Fig. 2–73).

In extreme extension and lateral rotation of the arm, traction force can be seen compressing the bundle against the head of the humerus. This is the position assumed in sleep, and is a frequent cause of unpleasant radiating numbness. In some instances, relief is obtained by transecting the pectoralis minor close to the coracoid process (Fig. 2–74).

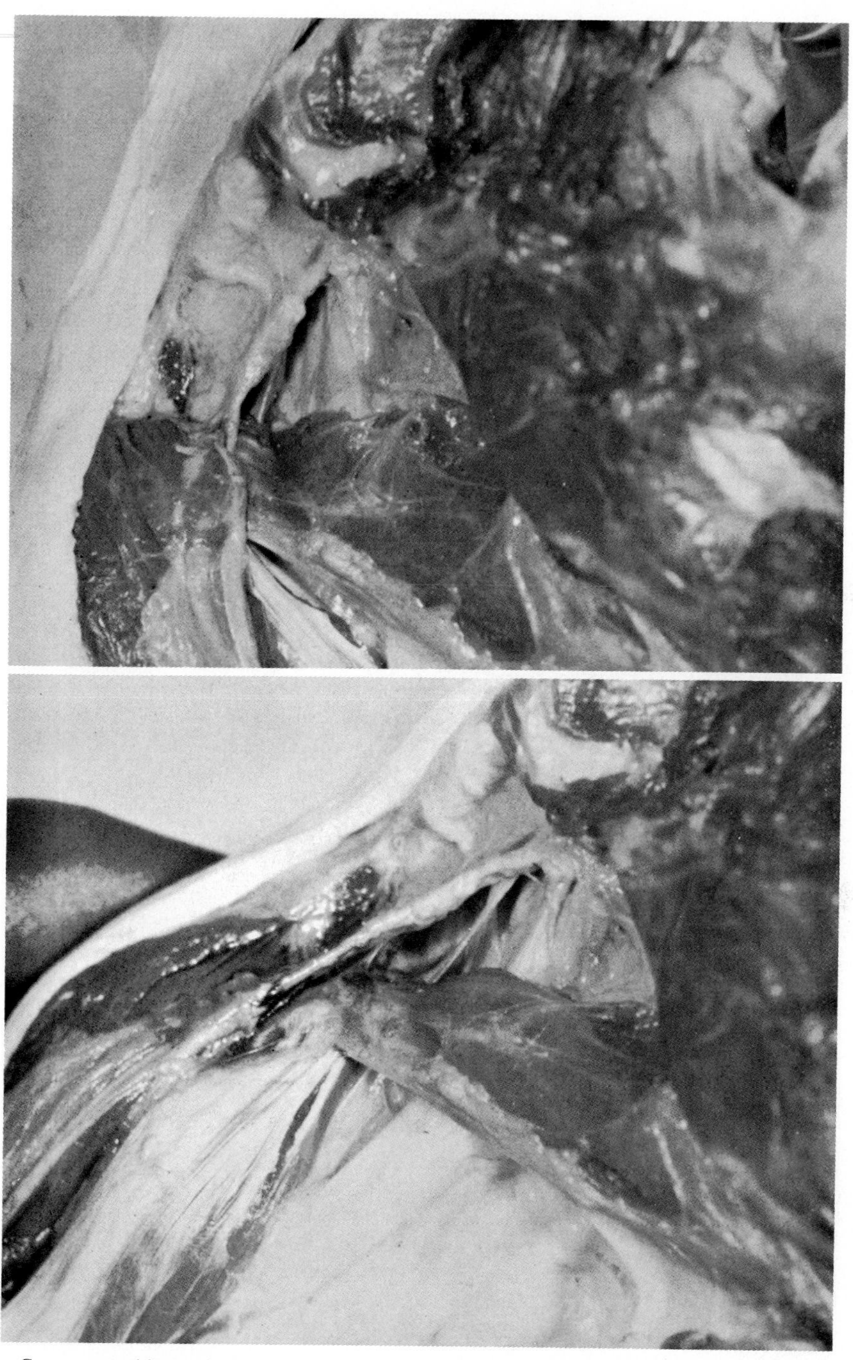

Figure 2–73 Costocoracoid membrane, pectoralis minor relations, cervical axillary sheath beneath pectoralis minor muscle.

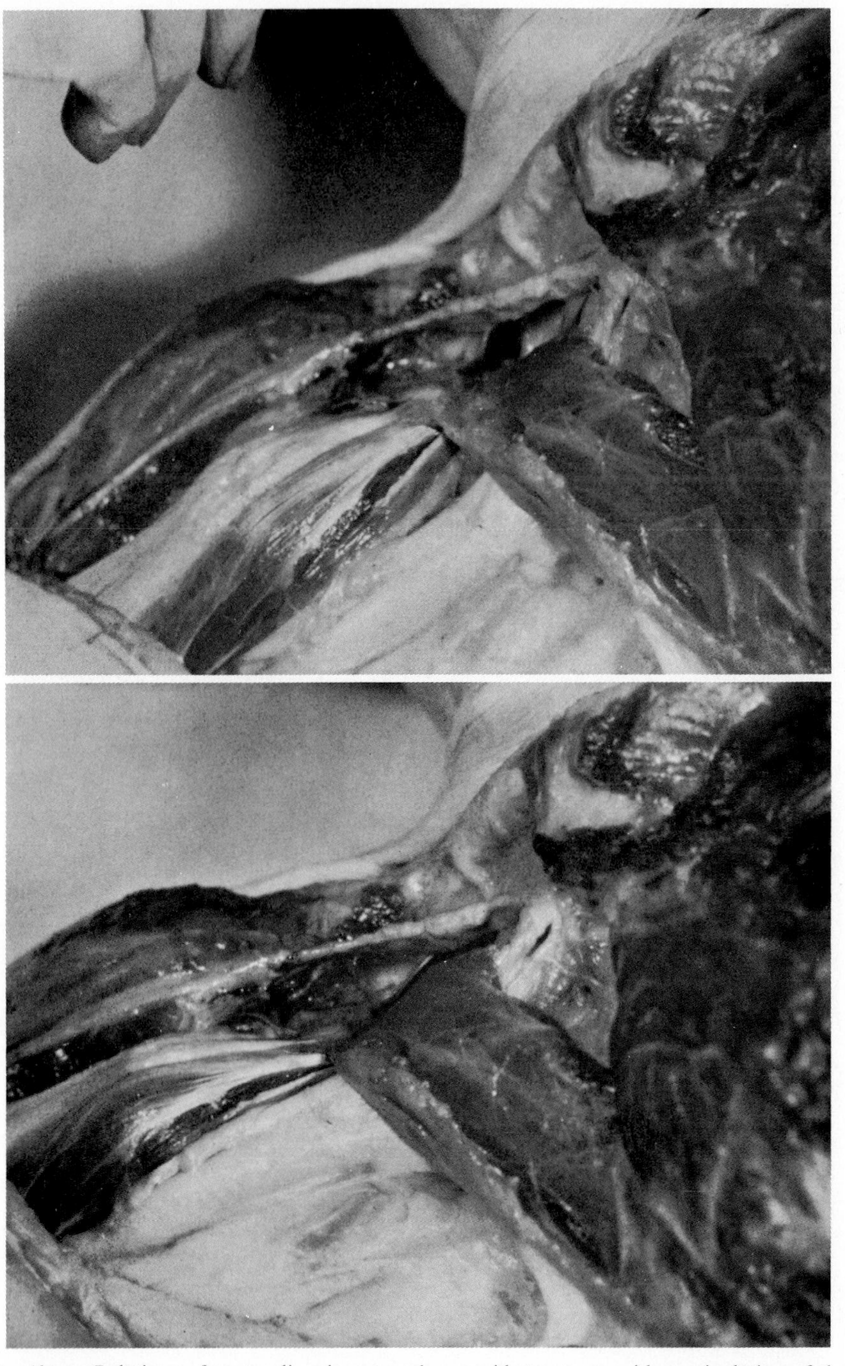

Figure 2–74 *Above,* Relations of pectoralis minor to subcoracoid structures with manipulation of the humerus on internal rotation. *Below,* Stretched pectoralis minor on external rotation.

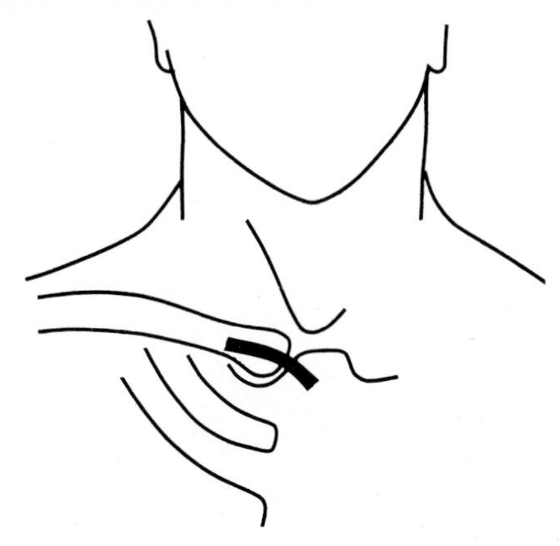

Figure 2–75 Sternoclavicular joint approach.

Sternoclavicular Joint. The sternoclavicular joint represents the sole attachment of the upper limb to the trunk of the body. Strong ligaments hold and support the rounded, bulbous, medial end of the clavicle in a shallow socket in the upper part of the sternum (Fig. 2–75).

The configuration of articular surfaces, with approximately one-half of the medial end of the clavicle riding above the top of the sternum, predisposes to instability when force is applied in a transverse direction across the body.

Exposure of the joint is through a hockey-stock-shaped incision, centered at the midjoint and bending vertically along the sternum (Fig. 2–75). A thick capsule is encountered at the front; posteriorly there is a layer of muscle that contributes padding from portions of the sternohyoid and sternothyroid muscles, giving a degree of protection to the great vessels that course behind the joint.

An articular fibrocartilage can be identified, together with three ligaments: the anterior sternoclavicular; a thinner posterior sternoclavicular; and an interclavicular ligament. The latter runs between the sternal ends of the clavicle connecting the opposite side, and dips downward in the middle to be attached to the interclavicular notch of the sternum.

Inside the joint there is a thick, articular disk or check ligament (Fig. 2–76), attached from the top of the clavicle around the medial end to a point on the sternum beneath it; force applied to the lateral aspect of the shoulder and transmitted along the clavicle is snubbed or checked by the action and attachment of this ligament. Margins blend front and back with the capsular ex-

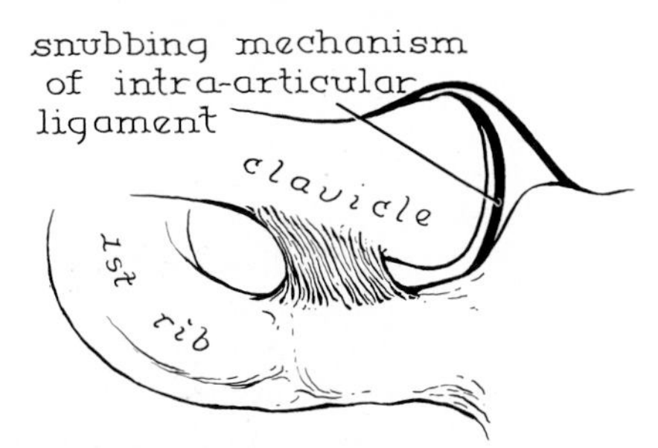

Figure 2–76 Sternoclavicular joint and ligaments.

tension, strengthening the attachment of the central cartilaginous disk.

BLOOD SUPPLY OF THE SHOULDER

Branches from main arteries in the area provide a copious blood supply to the shoulder. The anterior and posterior, humeral circumflex, coracoacromial axis, and suprascapular artery form a rich network encircling the joint from which vessels pass inward to soft tissues, capsule, synovium, and bone (Fig. 2–77).

Anterior Humeral Circumflex Artery. Arising in the quadrilateral space and passing

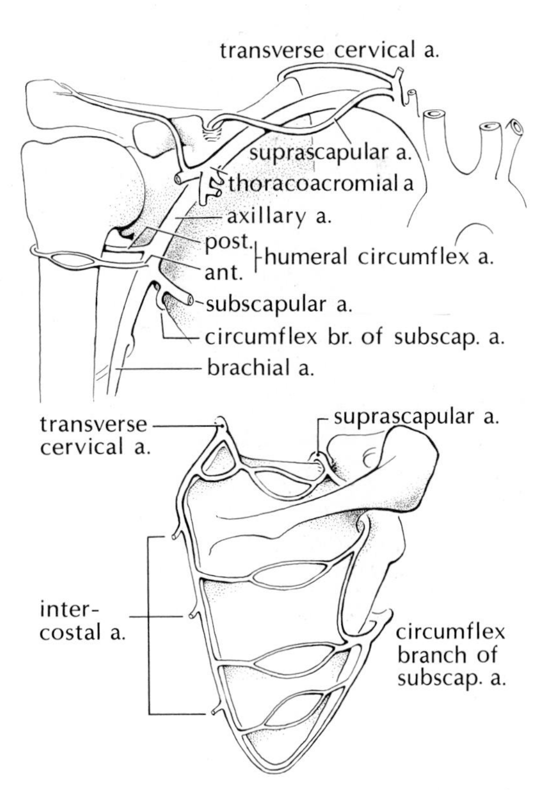

Figure 2–77 Blood supply of the shoulder. (After Grant.)

anteriorly and laterally, the anterior humeral circumflex sends an anterolateral branch to the joint structures. This arises at the lower border of the subscapularis. It extends to the neck of the humerus, under the coracobrachialis and the short head of the biceps, reaching the bicipital groove. Branches then extend upward in the groove to the head of the humerus and the shoulder joint. The artery is encountered in surgical dissections for repair of recurrent dislocation of the shoulder, and is avoided by keeping dissection carefully above the lower border of the subscapularis (Fig. 2–77).

Posterior Humeral Circumflex Artery. A somewhat larger posterior branch comes from the third part of the axillary artery, passing through the quadrilateral space to extend laterally beneath the deltoid to the neck of the humerus. Branches extend up to the shoulder joint and down the shaft of the humerus. The vessel is encountered in surgical dissections of the posterior quadrilateral space. As a rule, the vessel can be palpated and avoided in the dissection. It can be identified by digital pressure upward against the under aspect of the glenohumeral joint (Fig. 2–77).

Coracoacromial Axis. A quite constant vessel extends from the coracoacromial axis through the coracoacromial ligament to the anterior aspect of the joint. It is of surgical importance because it is routinely encountered when cutting the coracoacromial ligament to provide decompression superiorly in the "impingement" syndrome. The vessel lies toward the posterior portion of the coracoacromial ligament, and small branches extend at the junction with the coracoid process to the anterior aspect of the joint.

Suprascapular Artery. This vessel reaches the suprascapular recess along the upper border of the glenoid and sends branches superiorly to the posterior aspect of the joint (Fig. 2–77).

Circumflex Scapular Artery. A network of vessels from the suprascapular and subscapular arteries sends branches superiorly and anteriorly chiefly to the inferior aspect of the joint (Fig. 2–77).

BLOOD SUPPLY OF THE ROTATOR CUFF

Considerable interest has focused on the vascularity of cuff structures because of its possible significance in pathologic states. Extremely careful studies have been carried out by Mosely and associates, McNab, and Rothman. Techniques involved in these works have been similar, but conclusions drawn from them have not been uniform.

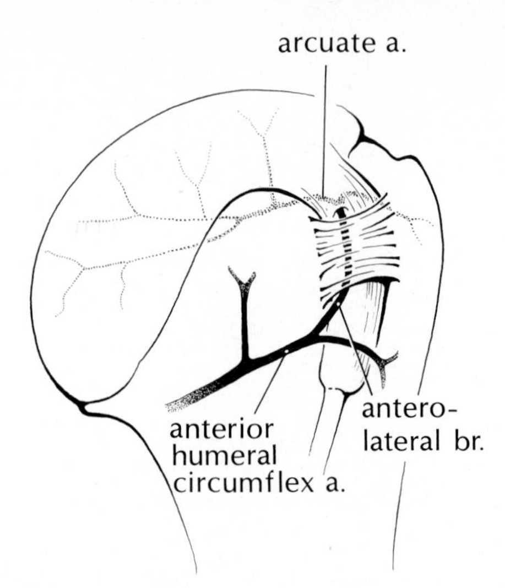

Figure 2–78 Blood supply of rotator cuff. (After McNab.)

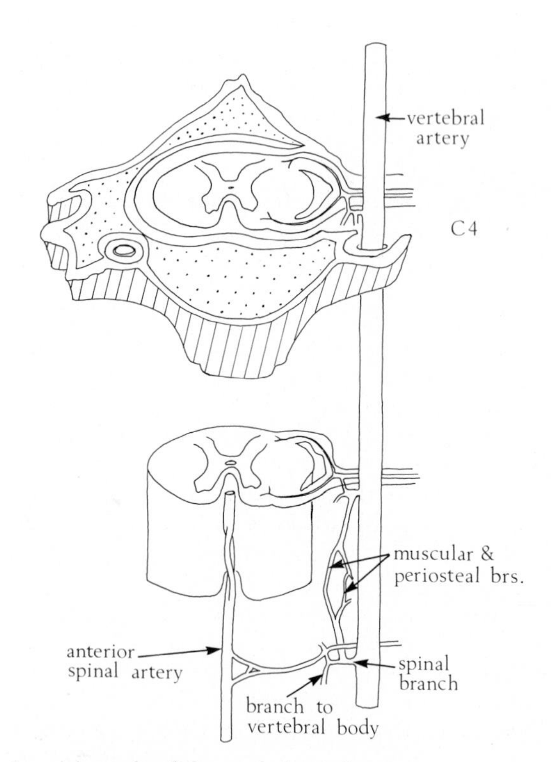

Figure 2–79 Blood supply of the neck.

The main blood supply to the cuff arises from the bicipital groove branches of the anterior circumflex, supra- and infraspinous branches of the suprascapular, the ascending branches of the posterior humeral circumflex, and twigs from the subscapular artery (Fig. 2–78).

Arcuate Artery. The very careful work of Mosely identified an "arcuate" artery, comprising a branch from the bicipital artery as it curves laterally in arcuate fashion across the front of the humerus, sending a branch superiorly directly to the rotator cuff. Mosely observed that, at all ages, branches from the arcuate artery penetrated the rotator cuff and anastomosed with vessels within the tendon. It is extremely interesting that age apparently made no difference with reference to the vascularity encountered (Fig. 2–78).

Suprascapular Posterior, Circumflex, and Subscapular Arteries. Branches extend to the muscles of the cuff unit from these vessels, which then split into smaller vessels, forming a further anastomotic network that extends through the musculotendinous area directly reaching the tendinous zone (Fig. 2–79).

Critical Zone Vascular Supply. A network of vessels from the above osseous and muscular branches supplies the completely tendinous zone of the cuff unit. Mosely encountered only one specimen in which extensive anastomosis was absent at all ages.

A zone of hypovascularity has been postulated by Rothman and McNab as a basis for cuff deterioration and an influence on the positioning of cuff tears. Such a supposition, however, is not supported by the findings at operation. Degeneration can involve a broad area of the cuff, sometimes the whole tendinous element. Similarly, cuff tears show no uniformity whatsoever with reference to position. Any part of the cuff may tear; it is true that a greater number of tears are encountered in the anterolateral aspect, but many other reasons apart from vascularity could account for this.

A further surgical finding is of importance. About the zones of calcification, supposedly the result of avascularity, there is always a profuse blood supply. Only at the apex of a calcareous deposit will little blood be encountered when the deposit is excised. Also, bleeding tissue is always routinely encountered when the edges of cuff tears are excised for repair.

BLOOD SUPPLY OF THE NECK

Vertebral Artery. The blood supply of vital neck structures, including bony spine, spinal cord, nerve roots and coverings, and posterior cranial fossa and cerebral visual cortex, is derived from the vertebral arteries (Fig. 2–79). The tortuous course they take, and the susceptibility of their intimate coverings to structural change, has placed them in a vulnerable position. In most instances, the protective mechanism is amazingly adequate. However, when changes develop within the vessels, such as atheromatous cracks, circulation may be compromised or temporarily obstructed.

The artery is intimately related to the joints of Luschka medially and the apophyseal joint posterolaterally, so that osteophyte formation at either site may encroach on its usual course. The efficiency of the vertebral artery system is related to the anastomosis with the circle of Willis from the internal carotid system. A weak point in one area may influence the other.

Contrast studies have been used to show that head and neck motion, principally rotation, may alter flow in the vertebral artery. Thus, Hutchinson and Yates have reported that pathologic changes in the vertebral artery may favor ischemia. The flow between C.2 and C.6 may be followed on the same side to which the head and neck is turned, and to the opposite vessel at the point where the artery twists over the arch of the atlas. Changes in such a mechanism could explain transient attacks of vertigo attributed to vertebrovascular ischemia (see Chapter 12).

NERVE SUPPLY OF NECK AND SHOULDER REGION

Knowledge of the nerve supply, common pathways, and distribution helps significantly in both the interpretation of the clinical picture and the strategic clinical dissection. We recognize pain patterns typical of purely neck disorders, shoulder neck lesions, shoulder joint proper disturbances, and the group of entities producing some shoulder, but more severe radiating, symptoms.

Cutaneous supply does not correspond well with deep structure integration, so that accurate knowledge of peripheral nerve distribution and nerve root origin is required.

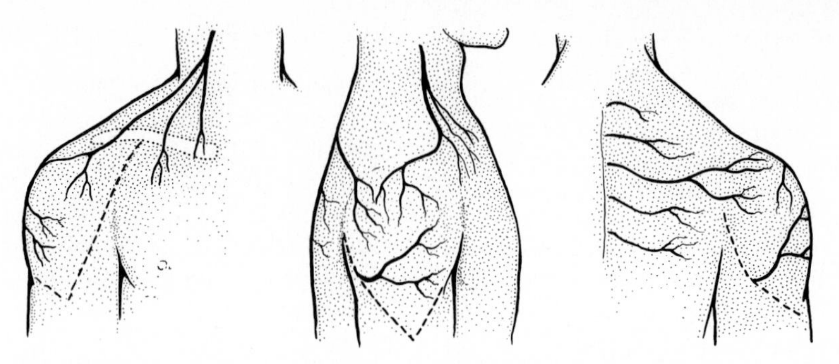

Figure 2–80 Cutaneous nerve supply of the shoulder region.

CUTANEOUS SUPPLY

The upper four cervical nerves supply the occipital, suboccipital, posterior, and all the supraclavicular area (Fig. 2–80).

Suboccipital and Occipital regions. The second cervical nerve is totally distributed to suboccipital and occipital regions. The posterior ramus is the largest of all the cervical posterior rami. It reaches the suboccipital area through the interval between the axis and posterior arch of the atlas. As with the greater occipital nerve, it passes the tendinous attachment of semispinalis and trapezius close to the skull, and supplies a large cutaneous region reaching the cortex.

The lesser occipital courses from the anterior ramus of C.2 and hooks around the accessory nerve and posterior border of the sternomastoid to supply the suboccipital area behind the ear (Fig. 2–81).

Lateral Aspect of the Neck. The upper portion of the supraclavicular zone is supplied by the great auricular nerve as a branch of the anterior rami of C.2 and C.3. The anterior cutaneous nerve also arises from C.2 and C.3, runs transversely across the sternomastoid from the posterior bor-

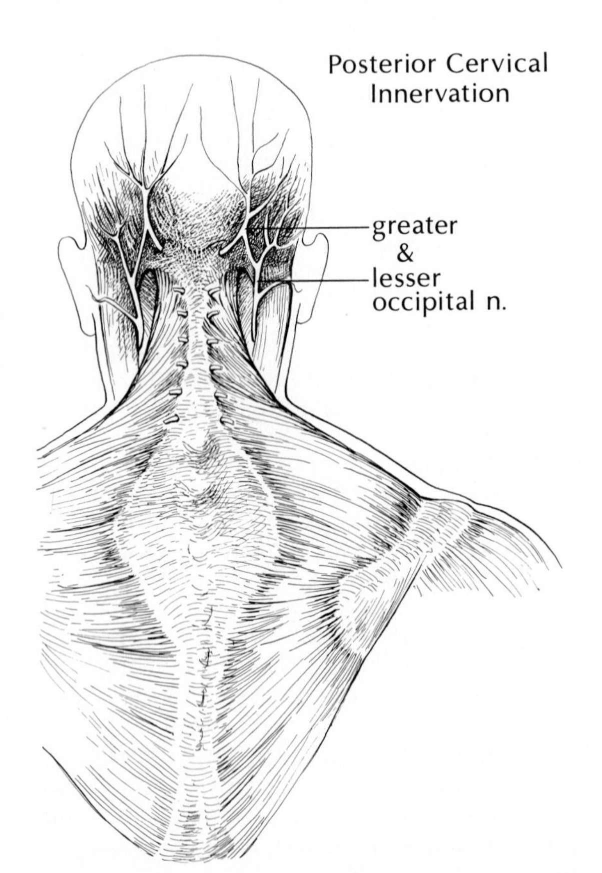

Figure 2–81 Nerve supply, suboccipital area.

der, and passes under the external jugular vein ramifying in the platysma.

Clavicular Zone. A large trunk arises from the C.3 and C.4 anterior rami to descend from the posterior border of the sternomastoid under the platysma and deep fascia, and divide into three descending branches. The medial supraclavicular branch extends into the sternoclavicular joint region. A large intermediate branch passes over the middle of the clavicle to supply the skin over the pectoralis major and adjacent zone of the deltoid. The lateral branches extend over the trapezius and acromion to supply skin at the top and point of the shoulder. The area below the point of the shoulder is supplied by the lateral cutaneous nerve of the arm, a branch from the posterior humeral circumflex.

Posterior Aspect of Neck and Shoulder. Medial branches of posterior rami of spinal nerves 3, 4, and 5 penetrate the spinalis muscle wall to supply the skin of posterior neck region over the scapula zone. Branches of T.1 to T.8 pierce the trapezius muscle tendinous zone to supply the adjacent skin region (Fig. 2–81).

NERVE SUPPLY OF THE SHOULDER JOINT PROPER

The shoulder joint has a profuse nerve supply arising from nearby main nerve trunks. Medullary and nonmedullary fibers are distributed from these to ligaments, capsule, and synovium. After piercing the capsule, the branches form a plexus, producing a profuse branching network to the synovium. When the shoulder joint is probed under local anesthetic, painful reactions are recorded from stimulation of ligament and capsule. These are diffuse and not well localized. Needle pictures in the synovium, however, produce a sharp localizing element. If the articular surface is scratched, no definite sensation is felt.

The anatomic law of innervation is that any main trunk crossing a joint may contribute a branch to the articular structures. Branches reach the shoulder joint from suprascapular, musculocutaneous, axillary, and subscapular nerves. In addition, the musculocutaneous nerve and posterior cord of the plexus may give short branches (Fig. 2–82). There is considerable reciprocal distribution; for example, if the branch from the axillary nerve is large, or there are several branches, the twig from the musculocutaneous nerve may be missing or very small. Since the supply arises from many sources, it is difficult to carry out a complete denervation of this joint. The branches are reasonably large but are not consistently located, and many of them follow the small vessels into the periarticular structures, which further hampers peripheral denervation. The branches are derived from spinal segments C.4 to C.7, but largely from C.5, C.6, and C.7, with the most constant contributions coming from C.5 to C.6 (Fig. 2–82).

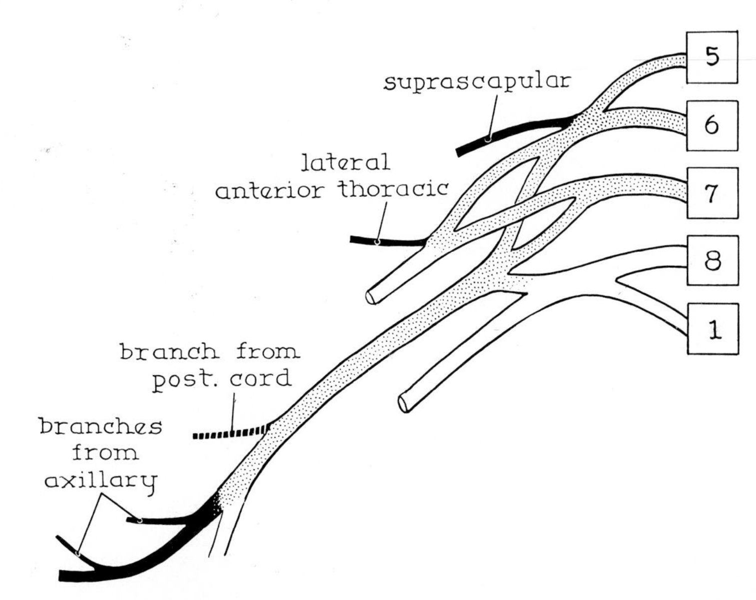

Figure 2–82 Source of shoulder innervation.

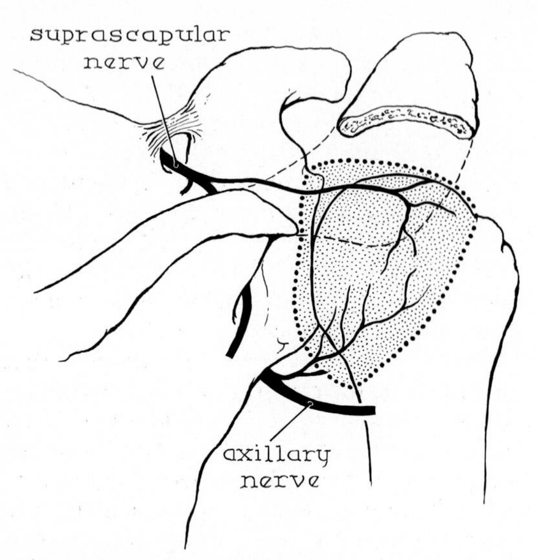

Figure 2–83 Nerve supply, superior and posterior aspects, of shoulder joint.

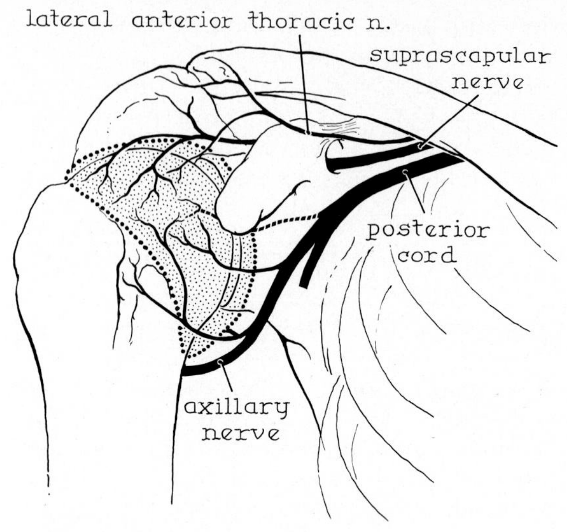

Figure 2–84 Nerve supply, anterior aspect, of shoulder joint.

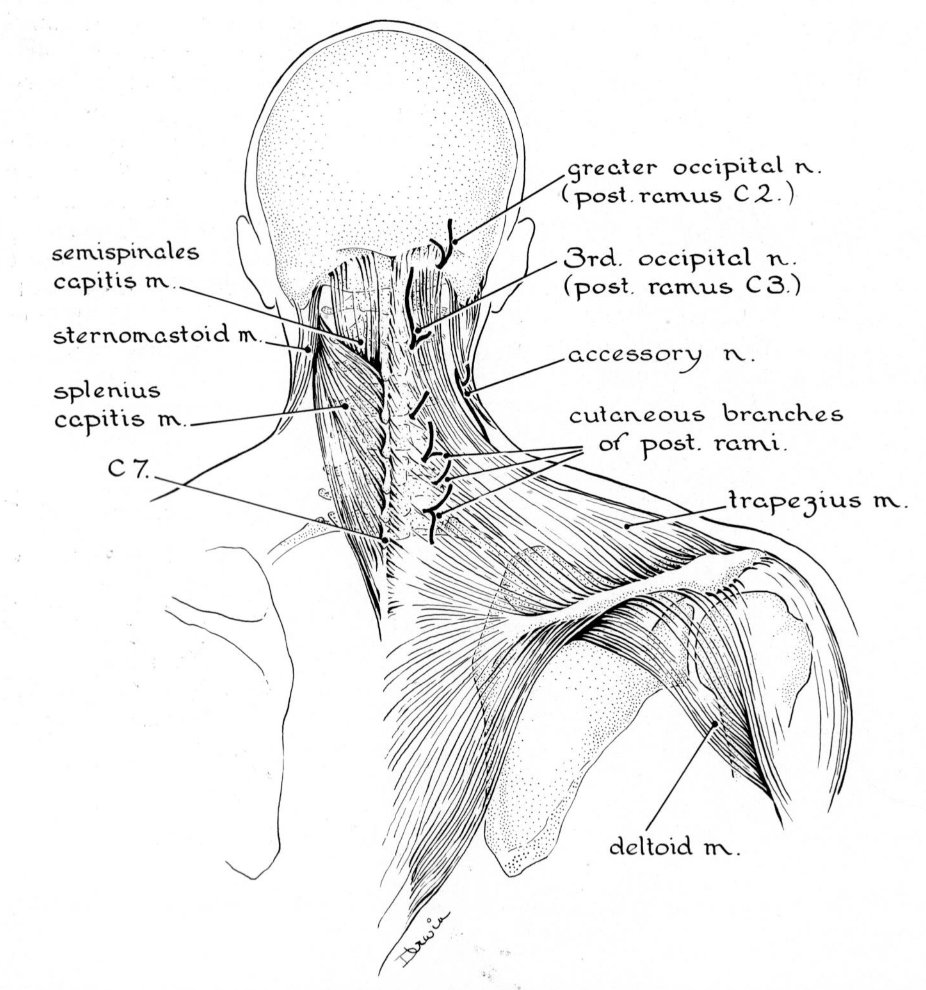

Figure 2–85 Nerve supply of neck.

NERVE SUPPLY OF THE POSTERIOR ASPECT

The posterior region is supplied by branches from the suprascapular and axillary nerves (Fig. 2–83). The former contribution arises near the top, and further branches reach the joint after piercing the supraspinatous tendon near the musculotendinous junction.

The branch from the axillary nerve curves around from the inferior aspect (Fig. 2–84).

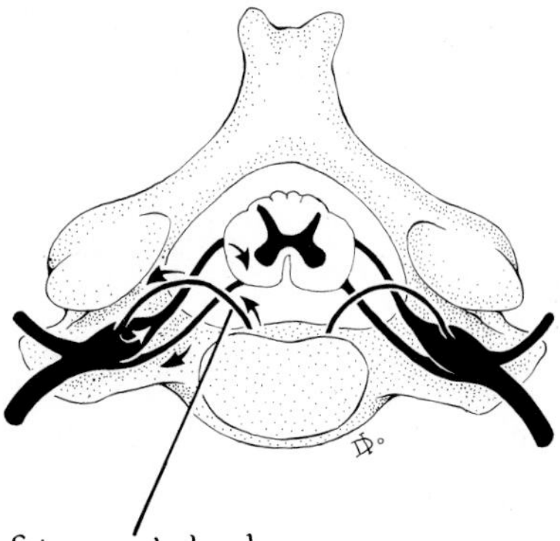

NERVE SUPPLY OF DEEP STRUCTURES OF THE NECK

The suboccipital and deep muscles of the neck are supplied by twigs from the posterior primary rami of the occipital nerves. The first crucial nerve reaches the back by passing under the vertebral artery. The much larger branch of C.2, the greater occipital, comes out between the axis and the atlas (Fig. 2–85).

Innervation of the apophyseal joints is from segmental nerves, giving filaments that accompany the vascular twigs. Special interest centers on the innervation of the intervertebral disk. To a considerable degree, neurosurgical and clinical observations (notably those by Cloward) have identified a special branch from the posterior nerve root labeled the sinuvertebral nerve which ramifies on the periphery of the annulus (Fig. 2–86). Further connections of this nerve, through the anterior root to the muscles of the region via the motor twigs, have been postulated.

Figure 2–86 Sinuvertebral nerve.

REFERENCES

Basmajian, J. V.: Grant's Method of Anatomy, 9th ed. Williams and Wilkins Co., Baltimore, 1975.

Catteno, S. M.: Neurilemmoma of the vagus nerve in the neck. Case report and review of the literature. Ohio State Med. J. *69*:381, 1973.

Compere, E. L.: Origin, Anatomy, Physiology and Pathology of the Intervertebral Disc. Instructional Course Lectures of American Academy of Orthopaedic Surgery. Vol. XVII. The C. V. Mosby Co., St. Louis, 1961.

DePalma, A. F.: Surgical anatomy of the rotator cuff and the natural history of degenerative periarthritis. Surg. Clin. North Am. *43*:1507, 1963.

DePalma, A. F.: Surgical anatomy of acromioclavicular and sternoclavicular joints. Surg. Clin. North Am. *43*:1541, 1963.

DePalma, A. F., Collery, G., and Bennett, G. A.: Variational Anatomy and Degenerative Lesions of the Shoulder Joint. Instructional Course Lectures of American Academy of Orthopaedic Surgeons. Vol. VI. The C. V. Mosby Co., St. Louis, 1949, pp. 225–281.

Ferlic, D. C.: The nerve supply of the cervical intervertebral disc in man. Bull. Johns Hopkins Hosp. *113*: 347, 1963.

Fielding, J. W.: Normal and selected abnormal motion of the cervical spine from the second cervical vertebra to the seventh cervical vertebra based on cineroentgenography. J. Bone Joint Surg. *46A*:1779, 1964.

Francis, C. C.: Dimensions of the cervical vertebrae. Anat. Rec. *122*:603, 1935.

Freedman, L., et al.: Adduction of the arm in the scapular plane: scapular and glenohumeral movements. A roentgenographic study. J. Bone Joint Surg. *48*:1503, 1966.

French, W. E., et al.: Midline cervical cleft of the neck with associated branchial cyst. Am. J. Surg. *125*:376, 1973.

Gardner, E.: Innervation of the shoulder joint. Anat. Rec. *102*:1, 1948.

Grant, J. C. B.: An Atlas of Anatomy. The Williams and Wilkins Co., Baltimore, 1972.

Hadley, L. A.: The convertebral articulations and cervical foramen encroachment. J. Bone Joint Surg. *39A*: 910, 1957.

Harris, R. S., and Jones, D. M.: The arterial supply to the adult cervical vertebral bodies. J. Bone Joint Surg. *38B*:922, 1956.

Malinski, J.: The ontogenetic development of nerve terminations in the intervertebral disc of man. Acta Anat. *38*:96, 1959.

Mosely, H. F., et al.: The arterial pattern of the rotator cuff of the shoulder. J. Bone Joint Surg. (Br.) *45*:780, 1963.

Mulligan, J. H.: The innervation of the ligaments attached to the bodies of the vertebrae. J. Anat. *91 (4)*: 455, 1957.

Nandy, K.: Surgical anatomy of the deep fascia of the neck. Surg. Clin. North Am. *54 (6)*:1297, 1974.

Orogino, C., Sherman, M. S., and Schechter, D.: Luschka's joint—a degenerative phenomenom. J. Bone Joint Surg. *42A*:853, 1960.

Overton, L. M., and Grossman, J. W.: Anatomical variations in the articulation between the second and third cervical vertebrae. J. Bone Joint Surg. *34A*:155, 1952.

Piganiol, G., et al.: Anatomical and radiologic research on the non-posterior approach to cervical discovertebral compression. Neurochirurgie *11*:338, 1965.

Ranson, S. W., and Clark, S. L.: The Anatomy of the Nervous System. 10th ed. W. B. Saunders Co., Philadelphia, 1959.

Robinson, R. A., and Southwick, W. O.: Surgical Approaches to the Cervical Spine. Instructional Course Lectures of American Academy of Orthopaedic Surgeons. Vol. XVII. The C. V. Mosby Co., St. Louis, 1960, pp. 299–330.

Roofe, R. P.: Innervation of the annulus fibrosus and posterior longitudinal ligament at the fourth and fifth lumbar level. Arch. Neurol. Psychiatry *44*:100, 1940.

Rothman, R. H., et al.: The vascular anatomy of the rotator cuff. Clin. Orthop. *41*:176, 1965.

Sabotta, McM.: Atlas of Human Anatomy. G. E. Stechert & Co., New York, 1932.

Sahadevan, M. G., et al.: The anatomical basis of cervical spondylosis. J. Indian Med. Assoc. *46*:594, 1966.

Scapinelli, R. J.: Sesamoid bones in the ligamentum nuchae of man. Anatomy *97*:417, 1963.

Singleton, M. C.: Functional anatomy of the shoulder. Phys. Ther. *46*:1043, 1966.

Southwick, W. O., and Keggi, K.: The normal cervical spine. J. Bone Joint Surg. *46A*:1767, 1964.

Stilwell, D. P.: The nerve supply of the vertebral column and its associated structures in the monkey. Anat. Rec. *125*:139, 1956.

Tsukada, A.: Nerve endings in intervertebral discs. Mitt. Med. Akad. Kioto. *24*:1057, 1172, 1938; *25*:1, 207, 1939.

Turnbull, I. M., et al.: Blood supply of cervical spinal cord in man. A microangiographic cadaver study. J. Neurosurg. *24*:951, 1966.

Wiedhopf, H.: On spondylolisthesis in the cervical region. Beitr. Orthop. Traumatol. *12*:694, 1965.

Chapter 3

BIOMECHANICS OF THE SHOULDER AND NECK

In both the shoulder and neck three primary functions can be identified. The shoulder suspends the upper extremity, forms a platform for its motion, and provides a fulcrum for the whole extremity. The neck supports the head, provides a range of motion to enhance use of our vital senses, and transmits vital structures.

PRINCIPLES OF SHOULDER FUNCTION

SUSPENSORY ACTION

Suspension is accomplished by the clavicle acting as a strut, snubbed at its inner end in the sternoclavicular joint, and with powerful suspensory muscles holding it upward and backward close to the neck. Strong ligaments and muscles, in turn, hang humerus and scapula to the clavicle. The suspensory mechanism is both static and dynamic, and is under constant stress because of the pull of gravity. The suspensory muscles include, in order of importance, trapezius, sternomastoid, and levator scapulae. The trapezius is really a muscle system since four separate parts are identifiable, each producing a different motion. The whole muscle, acting as a unit, braces the shoulder backward. The upper fibers shrug the shoulder upward and help to suspend the girdle, performing an important static role. At the opposite end, i.e., in the neck insertion, they also have a static function, contributing to the balance and support of the head on the shoulders. The upper and central fibers, in their attachment to the acromion, pull the whole shoulder girdle upward and inward, i.e., as in breast stroke or in the recovery portion of the crawl stroke in swimming. The lower portions of the muscle contribute to circumduction of the arm by clamping the scapula to the chest wall so that it cannot rotate or slip sideways. In this fashion, along with the serratus anterior, a fixed point is provided for contraction of the deltoid to lift the arm level (Fig. 3–1).

When the trapezius is paralyzed, the two important functions missing are: (1) the lack of upward pull on the shoulder girdle, which leaves the patient with a sense of dragging or increased weight in the shoulder; and (2) the firm base, from which constant action of the deltoid is lost because the scapula slips and is not clamped steadily to the chest. The result is a hunching type of girdle motion that markedly limits the upward excursion and weakens the action of the deltoid.

Sternomastoid. The sternomastoid is commonly referred to as a "breathing muscle" because of the role it assumes in labored respiration. However, it performs an important shoulder-neck function. The clavicular portion assists in elevation of the clavicle, acting from above. The whole muscle, acting from below and in unison with its fellow on the opposite side, flexes the neck strongly forward. Acting from above, the muscle rotates the head and neck to the opposite side. The distortion of this latter action is the basis for the clinical state of congenital torticollis.

Levator Scapulae. The levator scapulae, although a much smaller muscle than the

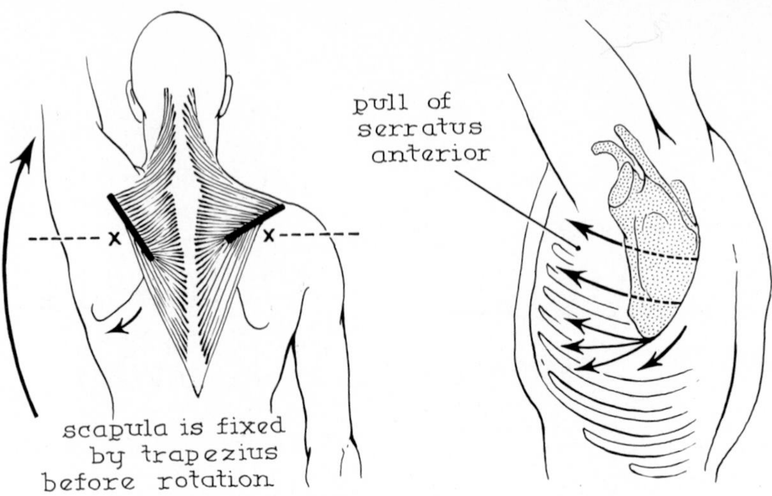

Figure 3–1 Suspensory and fixation mechanism.

sternomastoid, is an important suspensory mechanism; it contributes support to the scapula in standing, and assists in elevating the scapula. It is composed of purely parallel fibers with a tendinous insertion into the scapula. Because of its attenuated and parallel structure, it is easily involved in postural strain of a chronic nature, and is a prime site for the development of trigger zones of scar formation in habitual round-shoulderedness.

Arm Suspension. The link below the clavicle that holds the arm up has two important segments: one, a heavy ligament and the other, the powerful deltoid muscle. When either of these is lost, which happens from rupture of the ligament or paralysis of the deltoid, the humerus and scapula slip downward and forward; eventually, sufficient slack develops for pressure on the neurovascular bundle to become clinically apparent.

Deltoid Muscle. The deltoid is one of the most beautiful muscles in the body. It has a multipinnate structure, with fibers so arranged that a powerful diagonal pull can be produced. This mechanism allows a large number of fibers to contract, but focuses tremendous force at a single point. The anterior and posterior portions are composed of parallel fibers, to facilitate range in the acts of flexion and extension. The middle portion contributes most significantly to the act of abduction. After the scapula has been fixed and the head of the humerus snubbed by the cuff mechanism, the deltoid lifts the arm outward and upward. In this motion it contracts as soon as the scapula is steady, and continues to lift the arm outward and upward on its base in the glenoid. The middle fibers initiate the motion and, as the arm is lifted higher, the anterior and posterior parts reinforce this action.

The deltoid may be used as an example of the parallelogram of forces. The result of two forces acting at an angle to each other can be computed by drawing a diagram, with arrows representing magnitude and direction. The diagonal of this parallelogram represents the resultant of the two forces (Fig. 3–2). In pitching a ball, the deltoid acts to control movement of the upper arm during the preparatory backward swing, and also to control the forward swing during the delivery.

The deltoid combines with other muscles, particularly the pectoralis major, in the powerful follow-through of the pitching action. Similar acts, like punching, synchronize these two muscles to produce a powerful stroke also. In extension of the arm the posterior fibers of the deltoid are strongly supported by the teres group, so that the deltoid and the two teres muscles synchronize in the extensor action as, for example, in the backswing of the golf stroke.

When the deltoid is paralyzed, abduction of the arm is markedly weakened or completely lost. If the rotator cuff is intact, abduction sometimes can still be accomplished through powerful assistance from the biceps in front and the triceps behind. Occasionally, advantage is taken of this synchrony in performing an operation for deltoid paralysis. Under these circumstances, biceps and triceps tendon transfer may assist abduction, in which case the rotator cuff replaces the central portion of the deltoid.

Suspensory Ligament. The conoid and

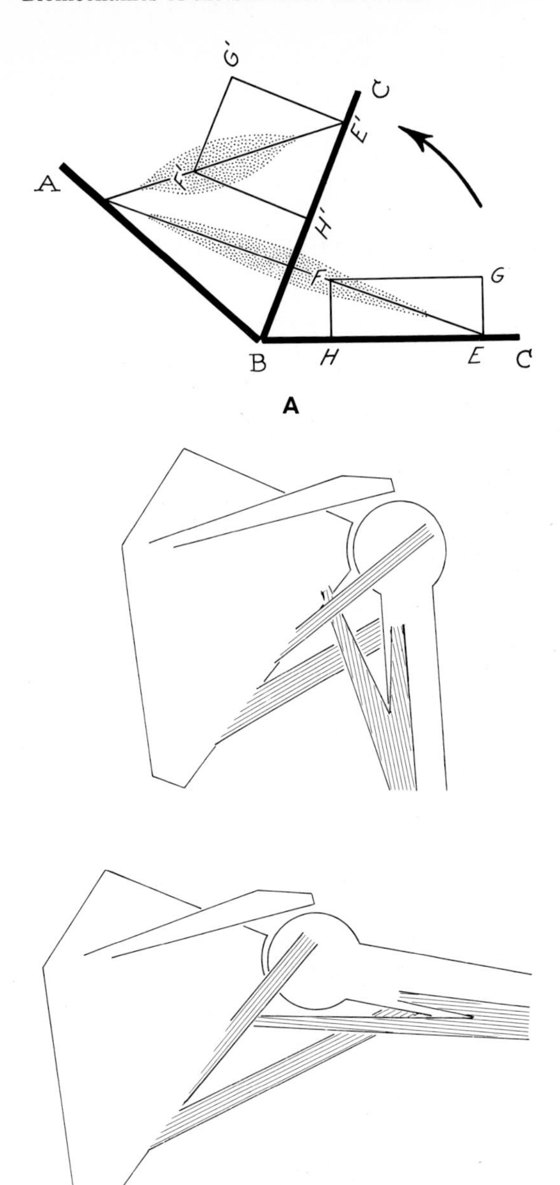

Figure 3–2 *A,* Deltoid action system compared to parallelogram of forces. *B,* Scissor protective action of the long muscles inferior to the glenohumeral joint.

trapezoid ligaments have a powerful hold on the scapula, uniting it to the clavicular strut. The round portion of this ligament, the conoid element, has short, thick fibers going in an almost straight direction. The trapezoid element acts more as a check rein, preventing the forward tilting of the scapula, and at the same time contributing some upward pull.

STABILITY AND FIXATION

The arm lever is useless unless it has a fixed base. This contribution largely comes from the layers of flat muscles piled one on top of another and attached to all surfaces of the scapula.

Paralytic disorders implicating these muscles come into clinical focus by evincing weakness in the fixating mechanism. The serratus anterior, when paralyzed, allows the scapula to swing backward and lose its attachment to the chest. The paralyzed trapezius allows the scapula to spin like a pinwheel, again contributing to a loss of fixation.

MOBILITY AND CONTROL OF THE SHOULDER

The most mobile segment of the body results from the configuration of the bony parts and the mechanically advantageous attachment of the multiple powerful muscles. The shallow socket and ball head favor frictionless spinning. The main joint has four accessory articulating zones that complement and enhance its action. Shoulder motion, therefore, can be fully appreciated only by understanding both the main and the accessory zone phases.

MECHANICS OF THE GLENOHUMERAL JOINT

Most of the movement of the shoulder occurs between the head of the humerus and the glenoid fossa. Suspension and stabilization of the whole girdle are designed to enhance this action. It functions as a machine of the third class, with the head as fulcrum, the arm, forearm, and hand as mass, and force applied between these. The point of practical importance in this mechanism is the retention of stability in the face of the wide range of motion favored by the shape of the smooth ball in the shallow socket.

In the stabilization action there are two elements. First, the ball needs to be kept closely applied to the surface of the socket, in such a fashion that it is not allowed to slip or lose position when powerful force is applied (Fig. 3–3). Secondly, the socket needs to be strengthened to withstand the tremendous pull that can be applied as the arm flails forward with the hand as a weight, such as occurs in the follow-through action of pitching. In this action, maintenance of the head of the humerus in the shallow socket depends largely on the support of the soft parts.

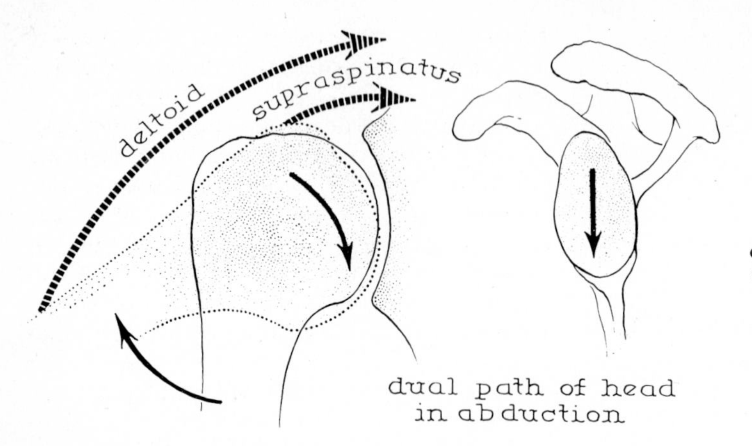

Figure 3–3 Snubbing mechanism of the supraspinatus cuff muscles for the humeral head.

Prevention of Slipping of the Head. When the arm is hanging at the side, the direction of pull of the most powerful elevator, the deltoid, is almost parallel to the long axis of the humerus (Fig. 3–4). Contraction of the deltoid alone jumps the head vertically upward in a slippery socket. Unless this jumping tendency is offset, any attempt at abduction will result in irritation of the whole girdle instead of the smooth swing of the humerus in the glenoid.

Prevention of Dislocation of the Head. Powerful abduction and external rotation favor slipping of the head of the humerus from the socket. When some further force is applied, as in a fall, the head of the humerus may slip out of its fixed place in the joint. Normally, the firm attachment of a snug casing or capsule all around the glenoid saucer prevents this. When the capsule is lax or insecurely attached, the head has greater freedom and may more easily be wrenched from the socket. The anteroinferior zone, the weak area, is normally protected by the subscapularis tendon. The act of recurrent dislocation can be prevented by limiting the range of external rotation, or by reattaching a lax capsule snugly to the rim of the glenoid. Both these principles are the basis for operations for recurrent dislocation of the shoulder.

A further arc of motion involves the head

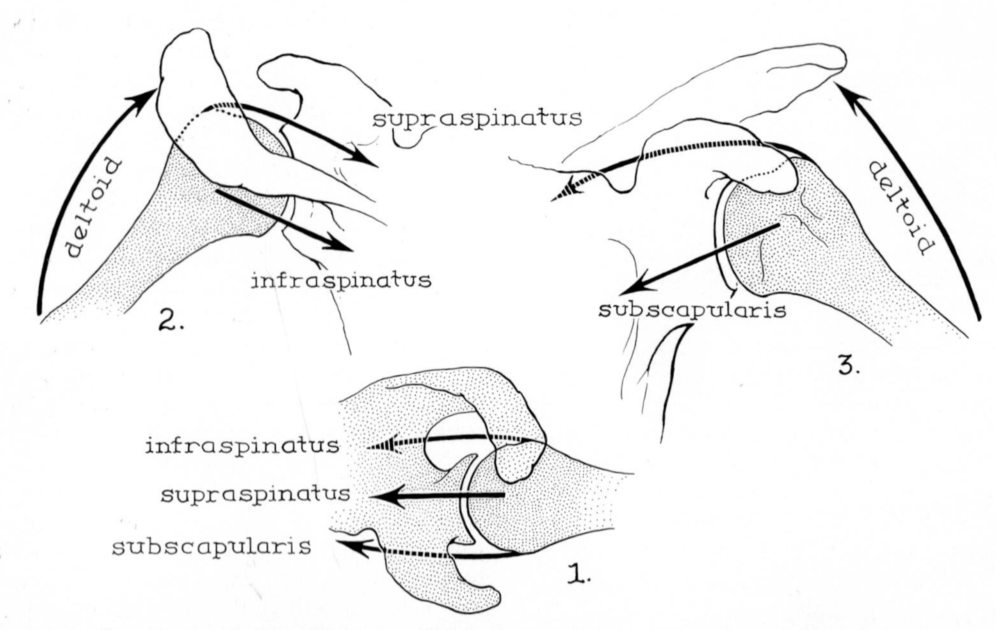

Figure 3–4 Contribution of cuff muscles in act of abduction. (1) Supraspinatus steadies humeral head from above. (2) Infraspinatus depresses the head because of the direction of its pull. (3) Subscapularis steadies the head in front and parallels the action of infraspinatus. Combination of these actions then allows the deltoid to swing the arm up on a steady fulcrum.

of the humerus, which follows a vertical linear course in its act of full rotation to complete the arc of circumduction.

The fulcrum of the head in the glenoid is a linear line rather than a stationary point (Fig. 3–4). The greater length of the glenoid in the vertical axis deliberately accommodates this movement of the head. Rotation of the humerus on its long axis is easily accommodated by the saucer-like shape of the glenoid, enhanced and deepened by the labrum. When there are abnormalities in the relationship of the head of the humerus to the glenoid, i.e., if the head is retroverted, greater external rotation is required to bring the head of the humerus into proper alignment in the glenoid. The converse of this is of clinical significance because it is felt that, in the condition of recurrent congenital posterior dislocation of the shoulder, a state of retroversion of the head of the humerus exists and, as the arm hangs at the side, the face of the humerus is twisted somewhat posteriorly. Under these circumstances, simple forward flexion of the arm will then move the face of the humerus posteriorly to an abnormal degree, and will favor posterior luxation without continuing approximation of the head to the glenoid in the normal fashion.

Mechanics of the Rotator Cuff. The group composed of the supraspinatus, infraspinatus, and teres minor muscles constitutes one of the most important muscle systems in the body, one that makes a vital contribution to shoulder action. The insertions of these muscles blend into a single tendon through which the action of all is directed. In analyzing cuff function it is useful to study the contributions of superior, posterior, and anterior parts.

SUPERIOR PORTION. This is made up largely of the supraspinatus, which controls this zone by applying tension through a short lever inserted into the top of the humerus. As the muscle contracts it pulls or depresses the head, causing it to slip downward slightly in the glenoid. In this way the stage is set for the application of force through a longer lever by the powerful deltoid. The stabilization by the cuff produces a steady fulcrum, allowing the deltoid to act to its greatest efficiency (Fig. 3–3).

POSTERIOR PORTION. The infraspinatus largely controls this segment, with some contribution from the teres minor. It is a bulky muscle with a much larger cross-section than the supraspinatus, and consequently it exerts more force. The fleshy fibers extend well up into the capsule, and the line of pull is almost vertically downward. In this position it can also act as an extensor in the horizontal place, or initiate external rotation of the head of the humerus. The combination of depression, extension, and external rotation is the vital contribution to swinging the greater tuberosity underneath the overhanging coracoacromial arch during the act of abduction and circumduction (Fig. 3–4). When there is interference with this mechanism, as in rupture or degeneration, circumduction may be obstructed because the head of the humerus then jams on the overhanging arch. The external rotation action of the muscle requires fixation of the scapula by the flat muscles, such as the rhomboids. The teres minor enhances the arc of the infraspinatus in most of these phases.

ANTERIOR PORTION. The subscapularis controls this portion through a broad, flat muscle and tendon that is intimately adherent to the capsule anteriorly and inferiorly. It acts as an internal rotator and adductor. At the same time it exerts a downward tension, depressing the head of the humerus and aiding the snubbing action of supra- and infraspinatus (Fig. 3–4).

In addition to its rotator contribution, the subscapularis has an important static function; it acts as a "live" ligament, helping to maintain the head of the humerus in the glenoid. If the attachment of the subscapularis to the scapula becomes lax, strong muscle force may then favor slipping of the head of the humerus out of the capsule anteroinferiorly. All the rotator muscles act through a common tendon that is constantly under tension on the top, at the back, and at the front; such a role favors wear and tear damage. Once a weak point or tear develops, enlargement of the defect is likely because of the constant directional pull. Such a complication leads to a further irritation from the head of the humerus, which exerts abnormal upward pressure. In turn, more wear is favored and a vicious cycle develops.

MECHANICS OF "IMPINGEMENT" PROCESS

A clinical pathologic entity, principally promulgated by a pioneer in shoulder studies, C. S. Neer, has been widely identified. Essentially, it is a derangement of the subacromial space. The action and relations of the head of the humerus in the arc of abduction to 90 degrees have been outlined above.

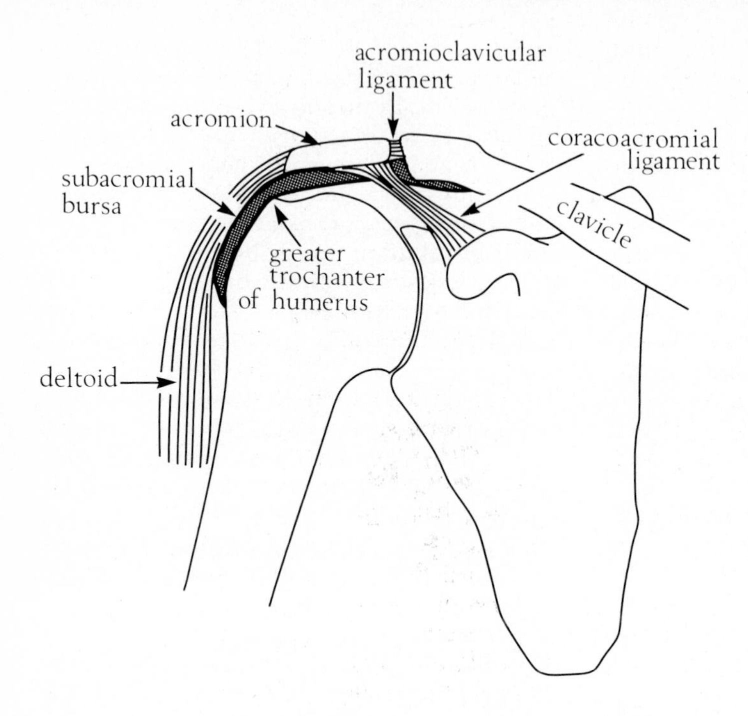

Figure 3–5 Impingement mechanics—floor of subacromial bursa.

Alteration in the structure of any of these relations, or deranged action, obstructs the trajectory of the humeral head, triggering pain and often crepitus (Fig. 3–5).

The illustration shows how changes in the floor or the roof can create the obstruction. In the floor, a thickened bursa, raveled cuff surface, folded edge of torn cuff, or bony irregularity of the humerus may encroach upon the subacromial dimension. A further cause of this syndrome is a capsule so tight or frozen that the head of the humerus cannot rotate externally well enough to allow the greater tuberosity to slip under the coracoacromial arch; "impingement" of the greater tuberosity then ensues.

In the roof, spurs or bony irregularities of the undersurface of the acromion, the acromioclavicular joint, or lateral edge of the clavicle may similarly extend downward to encroach on the space and present an obstruction (Fig. 3–6).

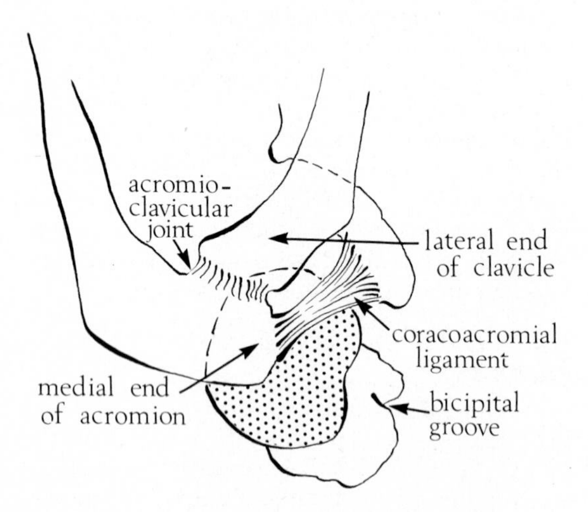

Figure 3–6 Impingement mechanics—roof of subacromial bursa.

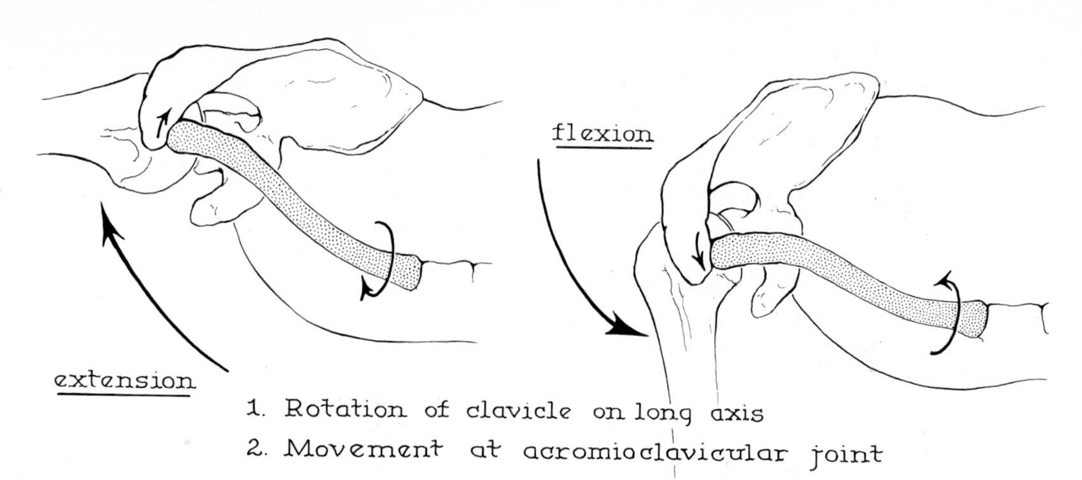

Figure 3–7 Motion of the clavicle in flexion and extension.

MECHANICS OF THE ACROMIOCLAVICULAR JOINT

The importance of the acromioclavicular joint in shoulder action has not received proper attention. Motion occurs at this joint in nearly all movements of the shoulder. The surfaces, when viewed from above, are crescentic, so that the acromion swings in an arc around the clavicle to accommodate for strong flexion and extension, such as occurs in the striking movement. The action that takes place at this joint circumducting the arm is important. During the early part of the second 90 degrees of circumduction, the acromion hinges on the clavicle, but this does not start until the arm reaches a right angle. The joint is used extensively beyond this point. This is the basis for the clinical observation that pain arising out of acromioclavicular disorder usually is not appreciated until the patient has lifted his arm almost 90 degrees. Pain that develops before this point is reached is not likely to be based in the acromioclavicular joint (Fig. 3–7).

A further extremely important function of the acromioclavicular joint is that it substitutes for a phase of abduction when rotation of the head of the humerus in the glenoid is interfered with. In those patients in whom glenohumeral disturbance from any source has produced some interference with rotation, attempted compensation is developed by more motion taking place at the acromioclavicular joint, or at an earlier-than-normal phase in the swing. In other words, once the head of the humerus is locked and can no longer rotate externally, abduction girdle action shifts from this fulcrum to the acromioclavicular joint, and movement starts earlier than usual in this joint.

The result of this compensatory mechanism is that irritation of the acromioclavicular joint develops, and wear and tear changes progress at a greater rate than is normal. Once the rotation at the glenohumeral joint has been restored to a more normal level, the acromioclavicular joint does not contribute so extensively. The important corollary of this is that, artificially, one may obtain more abductive power. The acromioclavicular joint is loosened and its obstruction is decreased by doing a resection of either the medial aspect of the acromion or the lateral aspect of the clavicle, leaving greater play at this joint so that its powers of compensation are greater than under normal circumstances. Clinical advantage is frequently taken of this physiologic arrangement in arthrodesis of the shoulder, or in acromioclavicular arthroplasty in certain standard shoulder exposures when primary disease implicates the acromioclavicular joint (Fig. 3–8).

THE SCAPULOTHORACIC MECHANISM

The contribution of the scapula to shoulder function is one of the most ingenious mechanisms in the body. It acts as a base or platform for the upper extremity, and yet takes part in movement of the whole girdle in addition to enhancing motion at the glenohumeral joint. Movements made possible by the scapulothoracic mechanism are abduction, adduction, elevation, depression, and rotation. All these are accomplished by the shifting of the flat scapula on the chest wall. The same bed is used constantly, so that any irregularities of this zone arising from constant or excessive wear and tear will come into clinical focus as discomfort or pain reflected in this region (Fig. 3–8).

Abduction or Lateral Movement of the Scapula. The scapula moves around the chest wall a distance of 3 to 4 inches, reaching a maximum as the arm is flexed across the chest. This act is accomplished by the pectoralis minor, serratus anterior, and, to a slight degree, pectoralis major. The excursion follows a curved course on the chest from just behind the posterior angle of the ribs around to the front. The significant clinical corollary is that weakness of the serratus anterior seriously interferes with this action. Atony of the fixator muscles of the scapula or general muscle laxity favor the shifting of the scapula laterally, with a consequent increase in the interscapular dimension, which may be seen in some cases of chronic postural disturbance.

Adduction or Medial Movement of the Scapula. One scapula may be moved toward its fellow from the resting position, stopping just lateral to the line of the posterior spinous processes. As this occurs the tissue and muscle between the two scapulae tend to be bunched and folded together, resisting the action. During this motion the scapula shifts over the prominent posterior curve of the ribs, moving a distance of 1½ to 2 inches. This act of adduction is accomplished by the trapezius and rhomboids exerting pull on the medial border and spine of the scapula. Soft tissue related to the medial border and base of the spine is a frequent site of posttraumatic and degenerative changes because of the repeated abnormal creasing and folding of these structures, which result in shoulder-neck discomfort.

In states of muscle atony and postural disturbance the scapulae slide sideways on the chest, increasing the range of adduction and, consequently, the stress or strain on the rhomboids and trapezius. In many instances this common postural fault can be remedied by muscle training to improve the power and tone in these suspensory muscles.

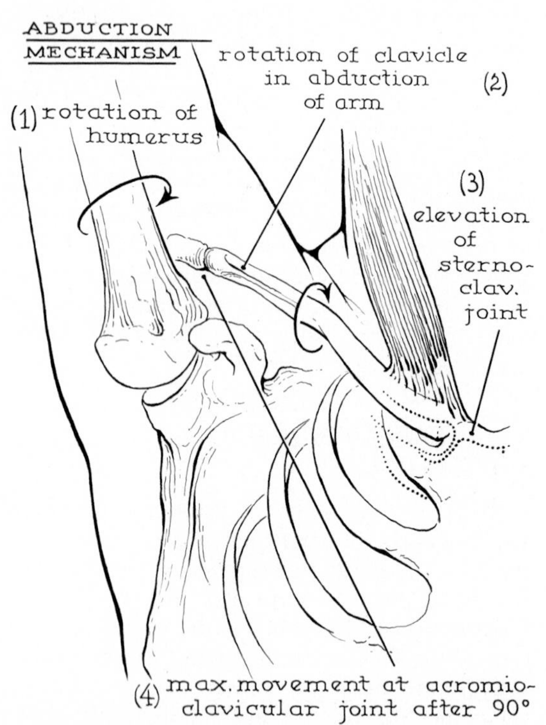

Figure 3–8 The shoulder "system" in action. Combined action of glenohumeral joint and accessory joints in abduction of the arm.

Elevation of the Scapula. The scapula is lifted up on the chest in such movements as shrugging the shoulder. It rides up roughly 2 inches, shifting a little laterally in its course. This motion is accomplished by the levator scapulae and the upper segment of the trapezius. During the shrugging action, motion also occurs at the sternoclavicular joint at the front to allow the shift of the whole girdle.

Depression of the Scapula. The point of the shoulder may be lowered actively, but only a small portion of this is due to movement of the scapula on the chest. It shifts downward about one-half inch because of downward rotation, rather than true depression. The lower fibers of the serratus anterior, assisted by pectoralis minor and subclavius, accomplish this maneuver (Fig. 3–1).

In addition to excursion in vertical and horizontal planes, the scapula rotates on itself like a pinwheel clamped to the chest. The center of the wheel is just below the middle of the spine. This action of rotation is necessary in raising and lowering the arm. During the first 30 degrees of circumduction the scapula is fixed, but at this point it starts to tilt upward so that the base of the glenoid is able to follow the excursion of the head of the humerus. From this level to the completion of the arc of elevation, the scapula rotates roughly 60 degrees (Fig. 3–9). This maneuver is accomplished by the serratus anterior and the trapezius. The return to the normal position results from the pull of the levator scapulae,

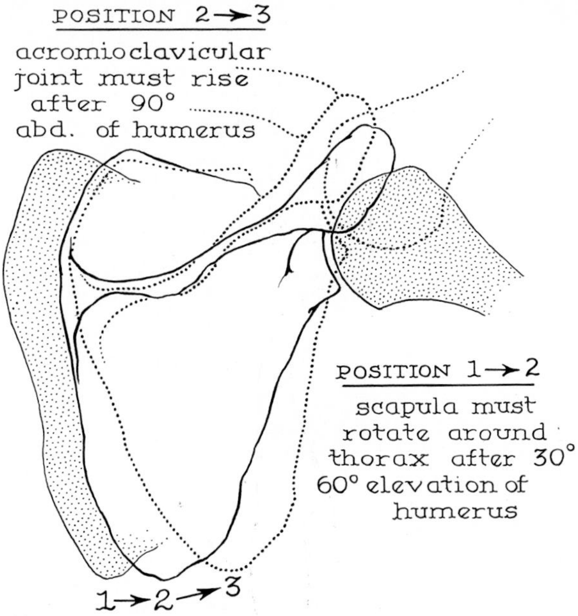

Figure 3–9 Trajectory of the scapula in shoulder motion.

rhomboids, and pectoralis minor, and is assisted by gravity.

MECHANICS OF THE STERNOCLAVICULAR JOINT

The medial end of the clavicle fits into the sternal notch, serving as an anchor for the swinging strut of the upper extremity. Movement occurs at this joint through all phases of circumduction, and in many other acts performed by the shoulder. The clavicle tips upward and downward from front to back and rotates on its long axis (Fig. 3–8); its vertical movement is through an arch of about 35 degrees. Maximum use of this excursion is made in such actions as shrugging or lifting the point of the shoulder up to the ear.

The clavicle rotates on its long axis, particularly in the upper arc of flexion, but it also moves in circumduction. As the arm is lifted from the side, the clavicle rolls upward and backward; as it is brought down, it rolls downward and forward. This can easily be verified by palpating the inner curve of the clavicle. Along the inner aspect the clavicle is a rugged, pipe-like structure with a pronounced anterior curve. As it rotates on its long axis, this stout zone still serves as a protector for the neurovascular bundle that runs beneath. The curve allows the protecting "pipe" always to swing free of the underlying vessels. In flexion and extension of the shoulder, such as occurs in punching, the clavicle moves backward and forward in a horizontal plane, and the tip of the acromial end sweeps through an arc of 35 degrees.

Two further important physiologic observations may be made. The ligament that divides the sternoclavicular joint snubs the clavicle into position at the medial end, pulling on it from the top downward. When force is transmitted along the clavicle, as in a fall, the bulbous sternal end is buffered by this tough, interarticular ligament and its attachment in such a fashion that it prevents the clavicle from jumping out of the socket (Fig. 2–76). When there is recurrent injury, damage to the interarticular ligament produces an internal derangement of the sternoclavicular joint.

Elevation of the Arm from the Side, or Abduction. Lifting the arm from the side of the body, up over the head, is a complex procedure (Fig. 3–10). The normal range is 180 degrees and is accomplished largely at the glenohumeral joint, but all the axillary joints contribute. The muscles chiefly concerned are the trapezius, serratus anterior, deltoid, and rotator cuff group.

In this motion the base of the arm lever is first steadied to allow the hoisting machinery to operate. This maneuver is accomplished by the trapezius and serratus, which clamp the scapula to the chest wall. In observing a shoulder from the back in the motion of abduction, the first thing that happens (and so quickly that it may be missed) is a trembling or waving of the inferior angle of

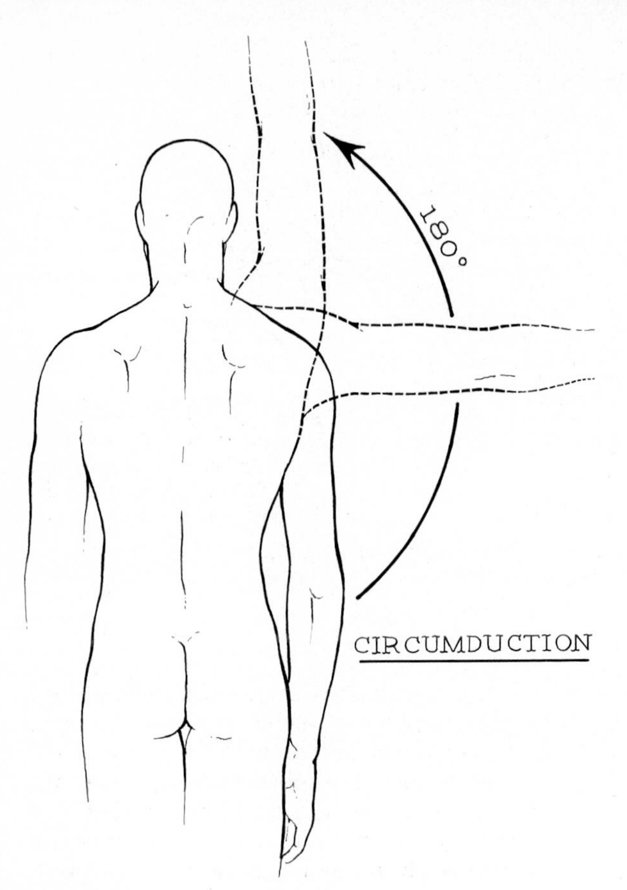

Figure 3–10 Circumduction arc.

the scapula, indicating the clamping action to the chest performed by serratus and trapezius. After this base is solid, the muscles directly acting on the humerus come into play. Snubbing of the slippery head of the humerus is achieved by the supraspinatus and infraspinatus, and after the head of the humerus is steady, the stage is set for the application of full contraction of the deltoid, which swings the arm up on its way (Fig. 3–11). The snubbing by the cuff group and the grasping elevation of the deltoid are applied simultaneously.

Some overlap in action between the cuff and the deltoid can sometimes be enhanced so that one can produce the result of both. For example, the arm with a paralyzed or damaged supraspinatus can be abducted by the deltoid, but in most instances the rhythm will be faulty and the range limited. Similarly, when the deltoid is paralyzed or absent, the arm can sometimes be abducted by extremely forceful action of an intact cuff enhanced by accessory muscles like the biceps.

The movement of circumduction starts at the glenohumeral joint, but movement also occurs at the accessory articulations. During

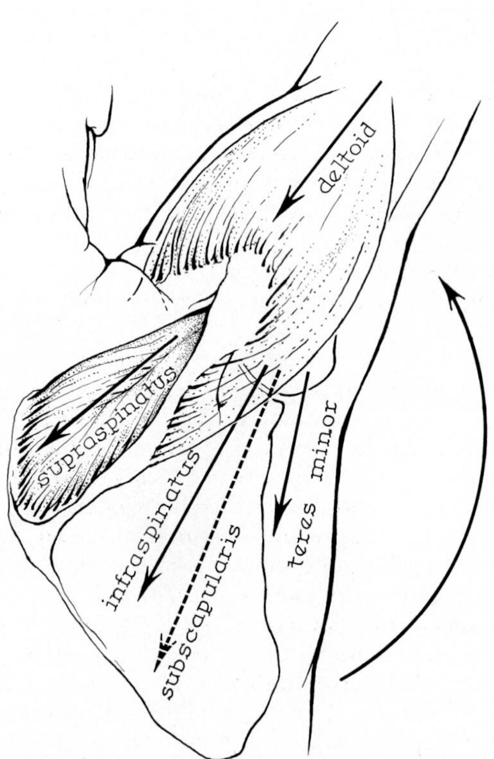

Figure 3–11 Composite action of humeral head fixators and deltoid in abduction of the shoulder.

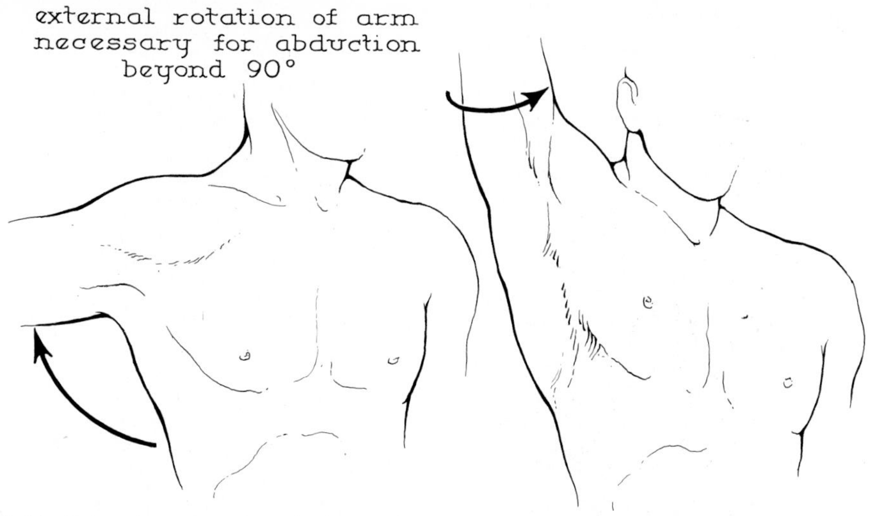

Figure 3–12 External rotation as required to "unlock" the glenohumeral joint to permit full circumduction.

the second 45 degrees of elevation, movement at the sternoclavicular joint reaches a maximum; it falls off during the second 90 degrees. For every 10-degree elevation of the arm to a right angle, there are 4 degrees of elevation at the sternoclavicular joint, as estimated by Abbott, Inman, and Saunders (Fig. 3–12). The second 90 degrees of elevation is accomplished at the glenohumeral joint, aided by contributions from the acromioclavicular and scapulothoracic joints. As the humerus reaches 90 degrees in the glenoid, obstruction is encountered in the overhanging bony ligamentous coracoacromial arch. This is overcome by the humerus rotating externally on its long axis, which allows the greater tuberosity to slip underneath the bony ligamentous obstruction (Fig. 3–13). Disturbance of this mechanism is frequent, occurring early in many shoulder disorders.

It may readily be seen that any pathologic process that mars the efficiency of the external rotators prevents the head from moving out of the way of the obstructing overhang, and may cause impingement. Similarly, decrease in the space beneath the arch due to a thickened bursa, ragged capsule, or high-riding humeral head will be a source of derangement. When this is the case, discomfort develops just before the arm reaches 90 degrees, because it is at this point that the obstruction would be encountered. When pain on motion is experienced later in the range, the source of the discomfort is likely to be in an accessory area such as the acromioclavicular joint, because this is the mechanism on which stress is then focused (Fig. 3–13).

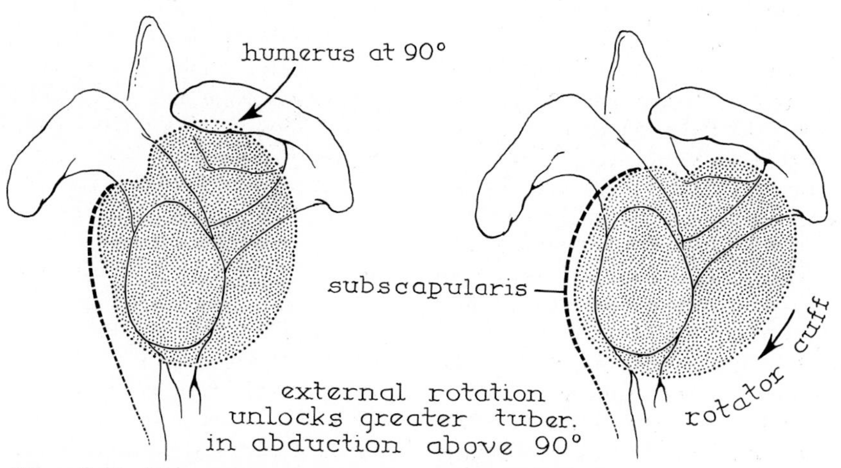

Figure 3–13 Diagram of mechanism by which external rotation permits full circumduction.

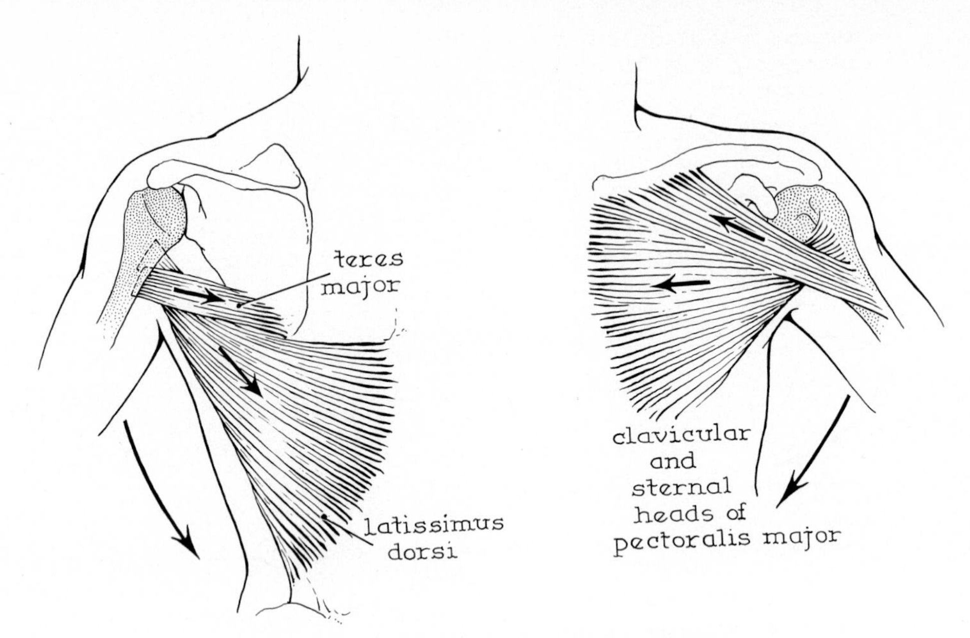

Figure 3–14 Muscle action in adduction of the arm.

Once the head of the humerus has rotated under the overhanging arch, the scapula and humerus swing upward and outward aided by 20-degree movement at the acromioclavicular joint. Maximum motion at the acromioclavicular joint takes place in the second 90 degrees, so that pain experienced during this range of movement is highly suggestive of acromioclavicular derangement. During the whole phase the scapula rotates on the chest wall around the thoracic cage. In this maneuver the trapezius fixes the scapula, and the rotation is supplied by the powerful serratus anterior pulling on the inferior angle of the scapula.

Lowering the Arm to the Side, or Adduction. From 180-degree circumduction the arm may be pulled down to the side and, at the end of the excursion, carried behind the back 5 to 10 degrees further. This action takes place with the assistance of gravity; when resistance is added, the latissimus dorsi, teres major, and pectoralis major are the motors. As the arm descends from 180-degree circumduction, the clavicle rotates downward on its long axis. The scapula moves on the chest wall during the middle 90 degrees, starting at 45 degrees from the top and stopping 45 degrees from the bottom. Motion is largely at the glenohumeral joint, with the head of the humerus rotating internally and following a linear arc from the bottom to the top of the glenoid, reversing the route taken on abduction.

The latissimus dorsi, pectoralis major, and teres major complete adduction. Should the head of the humerus be somewhat fixed in the glenoid, such as occurs from shortening of structures on the superior aspect, there is interference with the normal glenohumeral rhythm, and a more girdle-like motion results. In the act of pitching, when great force is used, stress falls on the structures at the back of the joint, which act in a braking fashion at the end of the delivery. The long head of the triceps and teres major support the joint, but maximum stress falls on the triceps because of its strong contraction from extension of the elbow. Repetitive stress in this fashion is the explanation for some instances of chronic disability in baseball pitchers (Fig. 3–14).

Forward Motion, or Flexion. The arm may be brought forward 110 degrees at the shoulder and carried on up to 180 degrees in circumduction flexion. In this movement the head of the humerus does not encounter the same obstruction from the coracoacromial arch that occurs in abduction. The scapula is fixed to the chest initially, and then moves forward around the chest wall during the second 90 degrees of elevation, ending up farther in front than during the motion of abduction (Fig. 3–15).

Flexion is accomplished by the anterior deltoid, pectoralis major, coracobrachialis, and biceps. Some pathologic processes other than adhesive capsulitis and glenohumeral

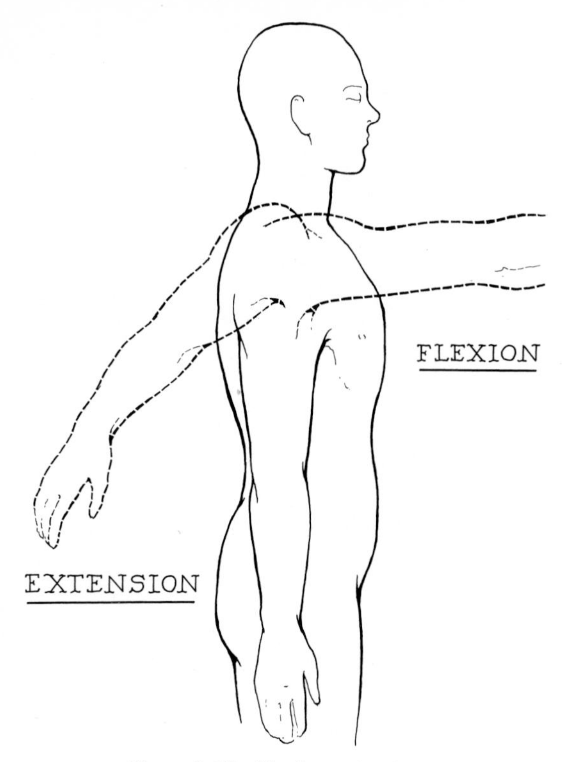

Figure 3–15 Flexion-extension arc.

arthritis interfere with flexion. When it is limited, the defect is not noticeable because scapulothoracic or girdle action with spine flexion substitutes extensively to permit many acts like forward reaching and bending (Fig. 3–16).

Backward Movement, or Extension. The arm may be swung backward at the shoulder behind the line of the body for 30 degrees. In this action the clavicle rotates downward a little on its long axis, and moves backward with the sternoclavicular joint as the fulcrum. The scapula shifts backward and tilts up a little on the chest wall. Extension is accomplished by the posterior deltoid, latissimus, teres major and minor, infraspinatus, and triceps. Adhesive joint disorders and arthritis in the glenohumeral joint interfere with extension. The motion of placing the hand behind the back is initiated by extension and completed by internal rotation. Both these movements are hampered considerably by any freezing or constricting process, implicating the capsule or periarticular structures. As is the case in adduction, the act of extension can be aided by gravity, so its loss is not a serious defect (Fig. 3–15).

External Rotation. From the midposition, with the arm at the side or abducted horizontally, the shoulder may be externally rotated almost 90 degrees. Nearly all this movement occurs at the glenohumeral joint (Fig. 3–17). When the arm is at the side this action is accomplished by the infraspinatus, teres minor, and posterior deltoid. When the arm is horizontal the supraspinatus also contributes. External rotation is a most important movement that, when lost, seriously compromises shoulder action. Disturbances such as rupture of the rotator cuff weaken external rotation so that, as the arm is abducted, the greater tuberosity cannot be rotated under the coracoacromial arch, and this obstruction means that further elevation is blocked. Constant attention should be paid to maintaining the strength and efficiency of

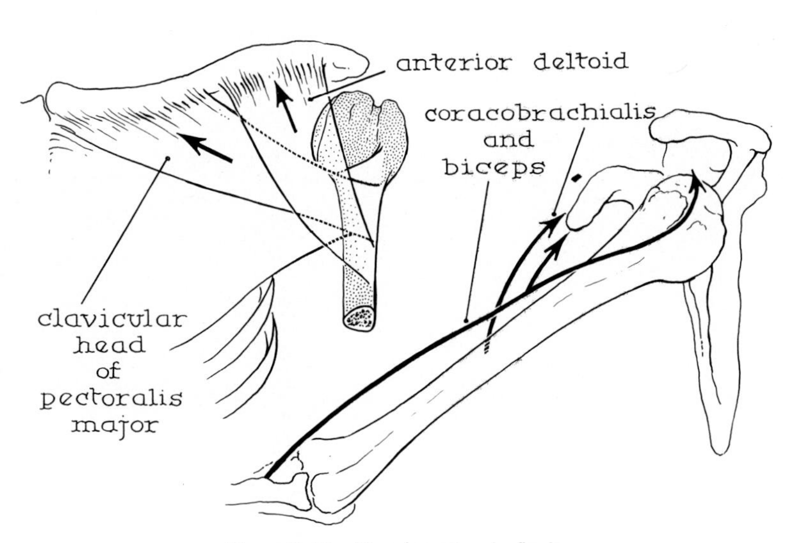

Figure 3–16 Muscle action in flexion.

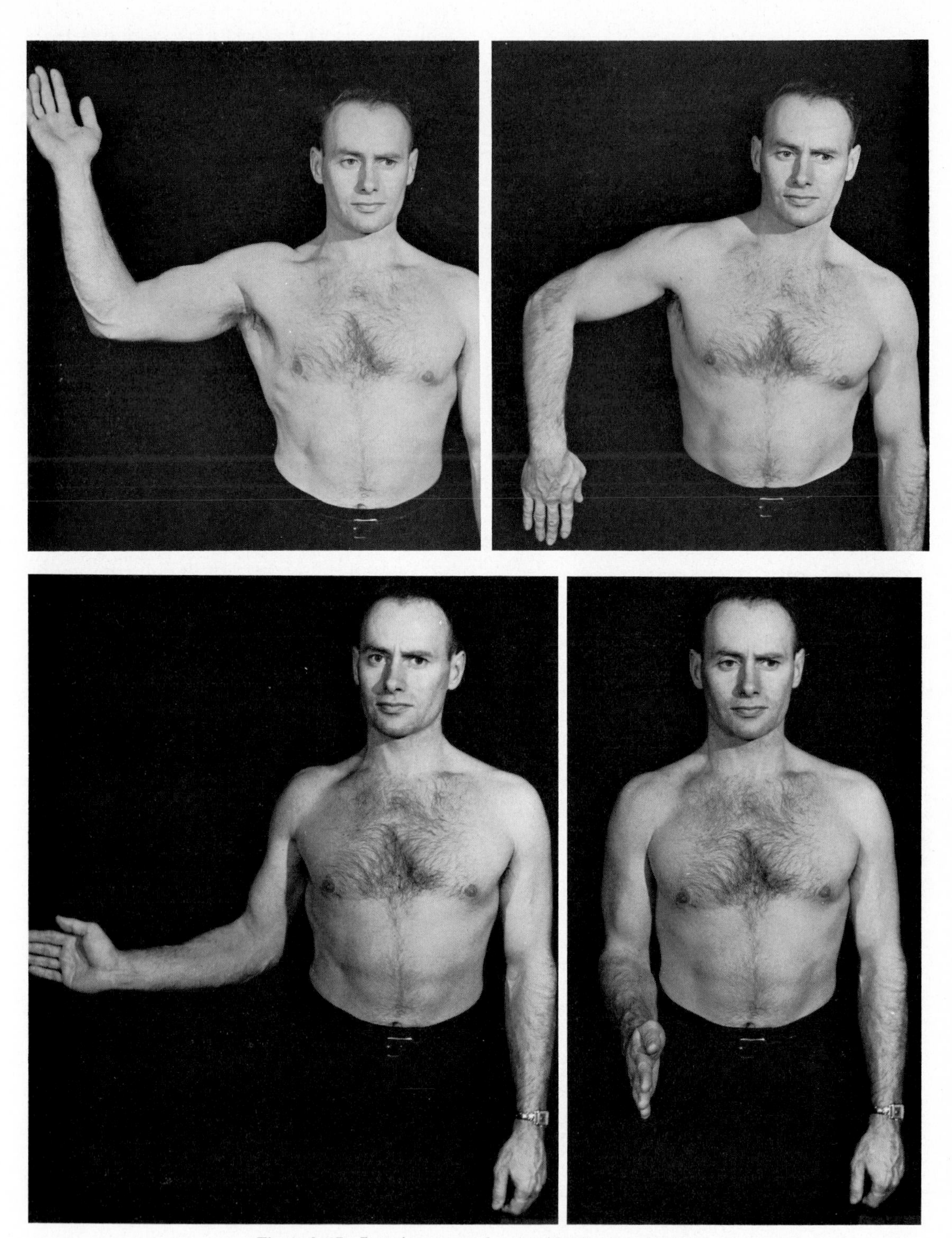

Figure 3–17 Rotation arc at the shoulder in two planes.

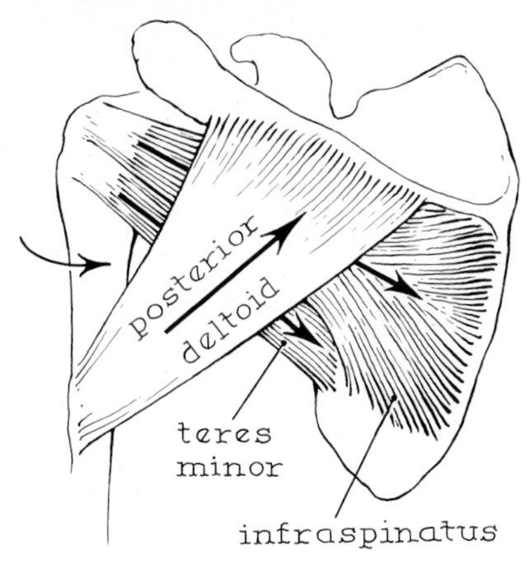

Figure 3–18 Muscle action in external rotation.

the external rotators in shoulder disorders (Fig. 3–18).

Internal Rotation. The arm may be turned inward a little more than 90 degrees in both horizontal and vertical planes. This movement occurs chiefly at the glenohumeral joint and is powered by subscapularis, pectoralis major, latissimus dorsi, and teres major (Fig. 3–19). It is a powerful action that synchronizes with adduction, as in striking a blow. It is interfered with chiefly in paralytic deformities, or when there is a fixed internal rotation deformity such as may be encountered in poliomyelitis in children. In the latter condition, internal rotation starts at 45 degrees, or almost with the arm in the line of the chest. This means that, when the arm is swung behind the back, it may be taken a further 45 degrees beyond the normal range. When this occurs, the elbow is flexed in front of the body and strikes the chest below the neck, and the hand cannot be brought to the mouth as in eating. Children overcome this deficiency by flexing the neck, but it is most inconvenient.

Fixed internal rotation deformity may be corrected by freeing the contracted structures about the shoulder, or by doing a rotation osteotomy of the humerus (see Chapter 1). The degree of fixed internal rotation is also significant in the condition of recurrent congenital posterior dislocation of the shoulder. When there is an abnormal retroversion of the head of the humerus, the simple act of flexion favors luxation of the head of the humerus posteriorly.

BIOMECHANICS OF SPECIFIC SHOULDER MOVEMENT

The shoulder is a multiaxial joint. An understanding of this basic property at once

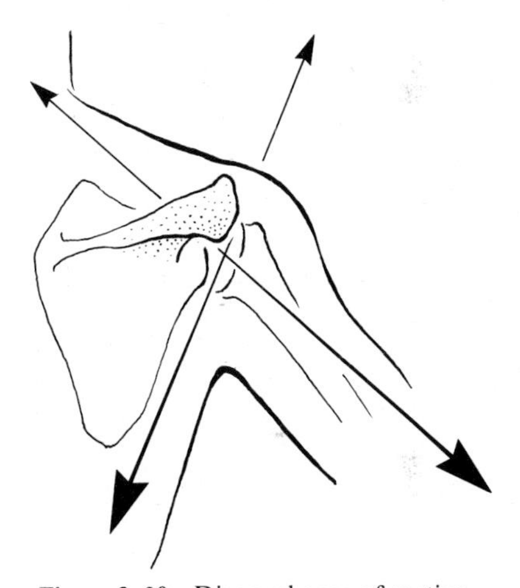

Figure 3–20 Diagonal axes of motion.

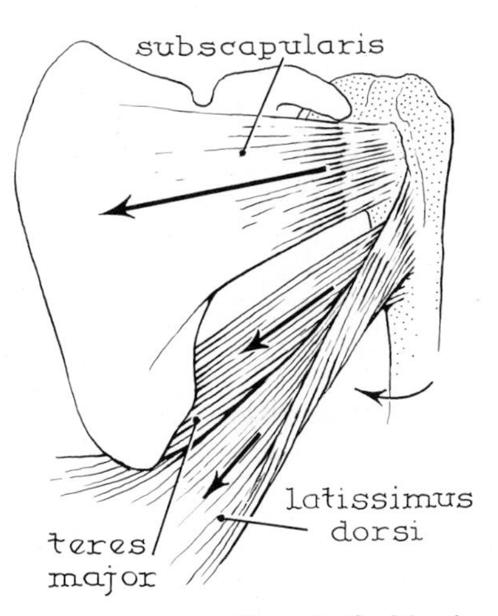

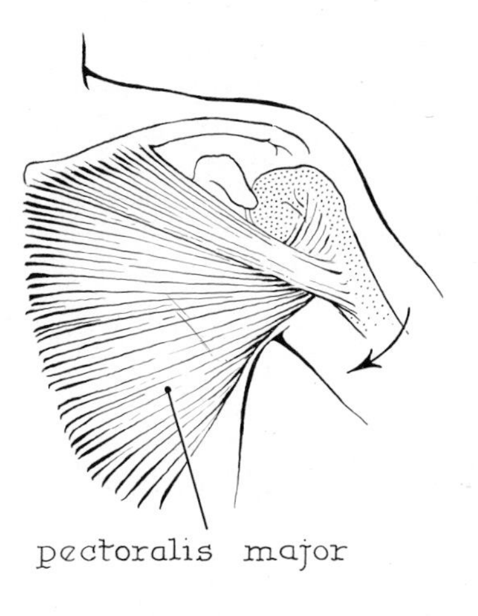

Figure 3–19 Muscle action in internal rotation.

conveys the global type of range feasible, but it also must be recognized as a compound mechanism that needs to be assimilated in order to perform such surgical reconstructions as total joint replacement. In strict anatomic depiction, three axes are identified that subtend specific plane motion of different degrees: (1) Vertical (flexion-extension); (2) Sideways (abduction-adduction); (3) Horizontal (across the chest) (Fig. 3–20).

RANGES – FUNCTIONAL

Anatomic arcs serve descriptive purposes, but use and injury assimilate an axial function rather than pure body plane trajectories. Functional components can be identified with combinations of movement and motors commonly used. A number of frequent combinations for everyday acts, as opposed to more specialized routines like throwing, can be identified as shown in the following Table:

HANDSHAKE ATTITUDE – BASIC AXIAL ROTATION:

SCAPULA – Anterior elevation

GLENOHUMERAL – Flexion, adduction, and external rotation (new diagram)

Muscles Used – **SCAPULA:**	Upper trapezius Levator scapulae Serratus anterior
GLENOHUMERAL:	Anterior deltoid Pectoralis major (clavicular head) Coracobrachialis Biceps Interspinatus Teres minor

BRASSIERE FASTENING:

SCAPULA – Posterior depression

GLENOHUMERAL – Extension, abduction, internal rotation (diagram – diagonal axis)

Muscles Used – **SCAPULA:**	Levator scapulae Rhomboids Latissimus dorsi Midtrapezius
GLENOHUMERAL:	Latissimus dorsi Teres major Posterior deltoid Long head of triceps

HAIR COMBING – DIAGONAL AXES:

SCAPULA – Posterior elevation

GLENOHUMERAL – Flexion, abduction, external rotation (diagram – diagonal axes)

Muscles Used – **SCAPULA:**	Upper, mid, and lower trapezius
GLENOHUMERAL:	Mid-deltoid Supraspinatus Infraspinatus Teres minor

GEAR SHIFTING (center-mounted stick) – DIAGONAL AXES:

SCAPULA – Anterior depression

GLENOHUMERAL – External rotation, adduction, internal rotation (diagram)

Muscles Used – **SCAPULA:**	Pectoralis minor Pectoralis major (sternal portion) Serratus anterior
GLENOHUMERAL:	Subscapularis Pectoralis major (sternal) Latissimus dorsi

Anatomic descriptions of shoulder movements are based principally on fixed places in relationship to the body; thus, we describe abduction as occurring in the coronal plane, and flexion in the sagittal plane. In reality, however, the curve of the chest wall hangs the upper extremity by means of its scapular bed in such a fashion that the plane of use involving both flexion and abduction is neither of those usually described. The arm is used principally at an angle between these two planes, so that a degree of axial rotation must also be assimilated in interpreting the biomechanics of the planes of arm actions (Fig. 3–20).

BIOMECHANICS OF COMPOSITE SHOULDER MOVEMENT PATTERNS

Everyday activities are made up of acts such as lifting, holding, pushing, turning, and shoving. It is in such common and accepted motions that clinical disorders are presented, rather than in terms of normal anatomic planes. These are combined pattern motions with contributions from many parts of the shoulder complex. Individual joint and muscle contributions may be analyzed in these acts to aid localization and understanding of injury and disease. Consideration must also be given to the part played by the elbow and hand in shoulder function. Shoulders are used unconsciously in actions of hand, wrist, and elbow. Injury or disease may hamper normal action of any one of these so that increased replacement effort is sought from the shoulder. For example, loss of rotatory range, as in an arthrodesis of wrist or elbow, unconsciously results in increased rotation at the shoulder. Weakness or disorder of one muscle group evokes replacement effort in another as, for example, the hunching motion of the shoulder by the trapezius that follows attempted abduction as a replacement in paralysis of the deltoid. Scrutiny of these purposeful patterns is of the greatest help in understanding disability in this region.

SHOULDER ACTION IN LIFTING AND CARRYING

Lifting is one of the commonest everyday activities, accomplished largely below the level of the shoulder at bench level or close to the height of the hip. The contribution of the shoulder is to anchor the upper extremity so that the lifting force may be applied (Fig. 3–21). The lift should be made as close to the body as possible in order to bring the resistance close to the fulcrum of motion. Most objects are carried in front of the body so that the serratus, trapezius, and pectoralis major fix the scapula while the biceps and anterior portion of the deltoid pull the humerus forward. As the object is grasped by the fingers, as much as possible of the hand and arm should be placed beneath the weight. In this way the lever arm from the shoulder is shortened and power is increased. As the object is lifted after the grasp is secure, the level is swung backward by the infraspinatus, latissimus dorsi, triceps, and teres muscles. When the shoulder is stiff at both the glenohumeral and scapulothoracic joints, the use of the hoisting machinery is seriously hampered. It means that the fulcrum moves from shoulder to elbow. The hand then has a grossly limited field of action, and objects can be lifted only in one narrow plane. When rotation is lost, more strain is placed on the rotators in the forearm; since the arm cannot be abducted, the only range of mediolateral excursion is through movement at the wrist.

Figure 3–21 Muscle action in lifting and carrying.

The scapulothoracic mechanism is a vital accessory joint that assumes increased significance if the glenohumeral joint is stiff. Under these conditions it compensates in such movements as lifting, carrying, and reaching. After 90 degrees of abduction, much of the normal movement is at the scapulothoracic and sternoclavicular joints, and less occurs at the glenohumeral joint.

SHOULDER ACTION IN FALLING

So many injuries occur as a result of falls that more attention should be paid to the mechanism of this action. It has been estimated that over 20 per cent of industrial accidents are due to falls or slips. In a fall the upper extremity is used involuntarily for protection and, depending on the position and force of the impact, various segments are damaged. Any strong strut transmits force until a weak point or the end is reached; a weak strut gives way quickly. Consequently, in strong, young extremities, force is more apt to reach the base of the arm in a fall than in the elderly group, where the first point of impact, such as the wrist, may give way and be fractured with the dissipation of the force.

The strength of the strut also favors the use of natural resilience in the region of the joints. The wrist, elbow, and shoulder buffer the fall so that, by the time the clavicle is reached, the force may be insufficient to break bone. Many factors contribute to the effect of falls on the shoulder, but for practical purposes two principles may be recognized. In the indirect application of the force, the position of the arm as the strut conducting the force to the shoulder is extremely important, whereas in direct contact the level or point of application of the force controls the damage. Four common positions of the arm may be recognized in falls: at the side, partly abducted, fully abducted, and extended. Resulting damage to the shoulder varies with each of these positions (Fig. 3–22).

Adduction Falls. In this injury the dropping of the body takes place so suddenly that adduction is barely started and is still incomplete when force is taken on the hand as the body falls. In this action the head of the humerus is shoved up against the coracoacromial arch, so that the brunt is taken superiorly and anteriorly rather than at the glenoid buttress. This results in force applied and possible damage to the cuff, acromion, and biceps mechanisms rather than to the clavicle or scapula (Fig. 3–22).

Abduction Falls. When the tumble is a little less sudden, the patient is able to get the arm farther from the side for protection so that force is transmitted through the arm to the scapula and clavicle. Injury to these two bones occurs more frequently (Fig. 3–22).

Full Abduction Falls. When the arm is fully abducted and externally rotated, as occurs in headlong tumbles, maximum force is applied to the anteroinferior capsule. The head may be wrenched from the socket because the major impact evades the glenoid, and a dislocation can occur. When weight is transmitted to the head in the fully abducted,

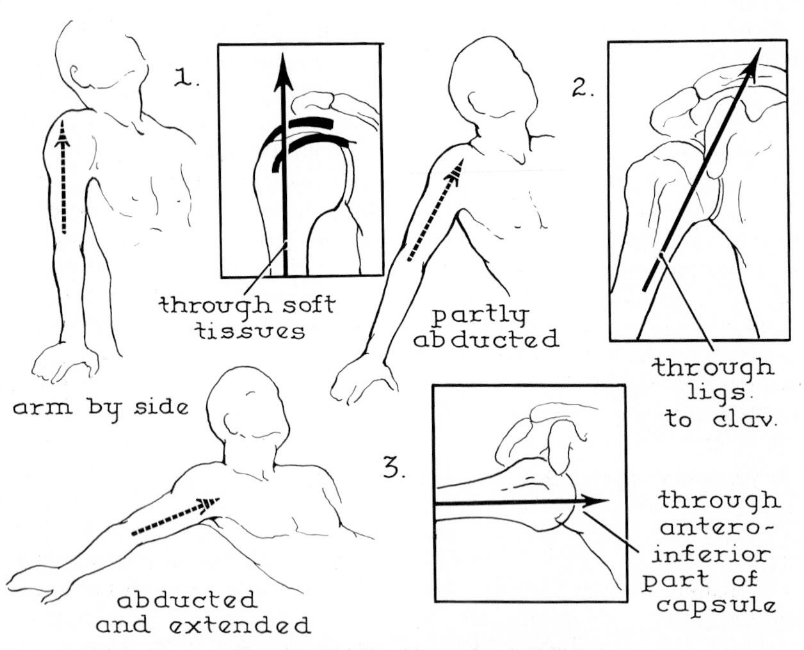

Figure 3–22 Shoulder action in falling.

externally rotated position, the force may be sufficient to indent the posterosuperior quadrant of the head of the humerus on the glenoid, much the way a pingpong ball is creased, which is the mechanism of formation of the defect in the humerus head in recurrent dislocation of the shoulder (Fig. 3–22).

Falls in Extension. When a person falls backward the arm is involuntarily extended behind the body for protection, so that the head of the humerus dips forward from under the coracoacromial arch. Major stress then falls at the front on the capsule and soft tissues, such as the biceps tendon, which can be ruptured in this act (Fig. 3–22).

SHOULDER ACTION IN THROWING AND PUSHING

Throwing is one of the most beautifully coordinated acts that the body produces. It really starts in the lower extremities, which provide the body with a base for the flinging action of the arm. The shoulder and upper arm act like the handle of a whip, with the shoulder drawing the arm backward in preparation for a forceful forward fling of forearm and hand. The scapula is clamped to the chest by the trapezius and serratus to form a firm base for the arm lever. At the same time, scapula and chest are elevated a little on the throwing side. The backward thrust of the arm is accomplished by posterior deltoid, latissimus, and infraspinatus. After this phase, the pectoralis major and the deltoid fling the humerus forward. The action of the pectoralis muscles is enhanced by the backward swing of the arm, which puts them on the stretch in a position for powerful contraction. The humerus, like the handle of the whip, flails the hand and forearm forward at the end of the lever in the follow-through motion. In this action from trunk to fingertip, the speed of movement is continually increased as momentum passes from the heavy body region to the lighter hand section. The shoulder and heavy upper arm also contribute momentum to this throwing action (Figs. 3–23 and 3–24).

Sometimes the shoulder is watched as an indication of arm action: in baseball, for example, a runner on first base may judge from the movement of the shoulder the direction in which the next throw from the pitcher is likely to go. The triceps is important in throwing because it extends the forearm powerfully and contributes support to the inferior aspect of the shoulder posteriorly (Fig. 3–2).

ACTION OF SHOULDER REGION IN STANDING, SITTING, AND LYING

The shoulder participates in the accepted and mostly unconscious activities of standing, sitting, and lying. Disorders arise in this region that are directly attributable to faulty function.

Standing. Structures in the shoulder-neck region are important in balancing and supporting the head. Normally the head erect position is accomplished unconsciously by the configuration of the bones, ligaments, and muscle action. The extensor muscle group, trapezius and erector spinae, are the muscles most concerned. These have been labeled postural muscles because of the continuous involuntary contractile tension they contribute. Usually this is at a subclinical level, but when extra strain, fatigue, or injury is added the delicate balance is altered, initiating increased effort that then impinges as a conscious act or discomfort. Prolonged standing, faulty stance, and poor muscle development increase the stretch stimulants to the postural muscle group. The slouched position with slumped shoulders seen in tall, thin individuals is an example. Poor postural habits followed in the occupation similarly may lead to increased strain.

Sitting. The action in sitting differs from that in standing, and stress on the shoulder zone is greater. In prolonged activities such as working, irritation may develop in these muscles. Since our work is kept at the front of the body so that our hands and eyes may be used, the natural tendency is toward bending forward. In sitting with attention forward, the balancing and compensatory action of the normal lumbar lordosis of standing is lost; consequently, there is a constant flexion of the spine until the cervical region is reached. At this point, since all the flexion angle must be compensated, maximum muscle pull is applied from the cervical thoracic junction upward. This strains suspensory muscles like the trapezius, and may initiate discomfort. All good sitting postures emphasize the straight position of the spine so that the balancing factor may be used to ease the burden on these suspensory muscles. A further irritant is constant use of shoulder muscles in the sitting position. This is partic-

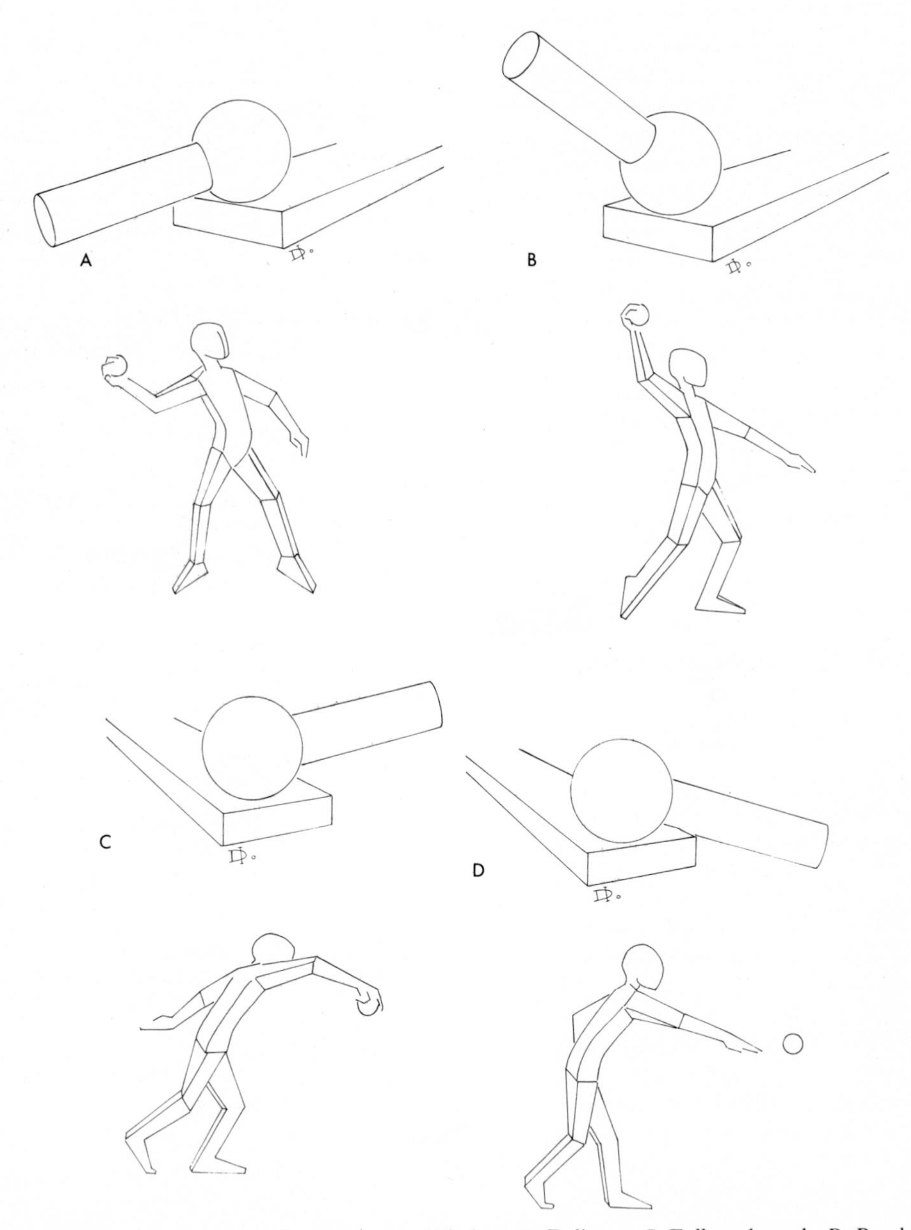

Figure 3–23 Shoulder action in throwing. *A*, Wind-up. *B*, Delivery. *C*, Follow-through. *D*, Breaking.

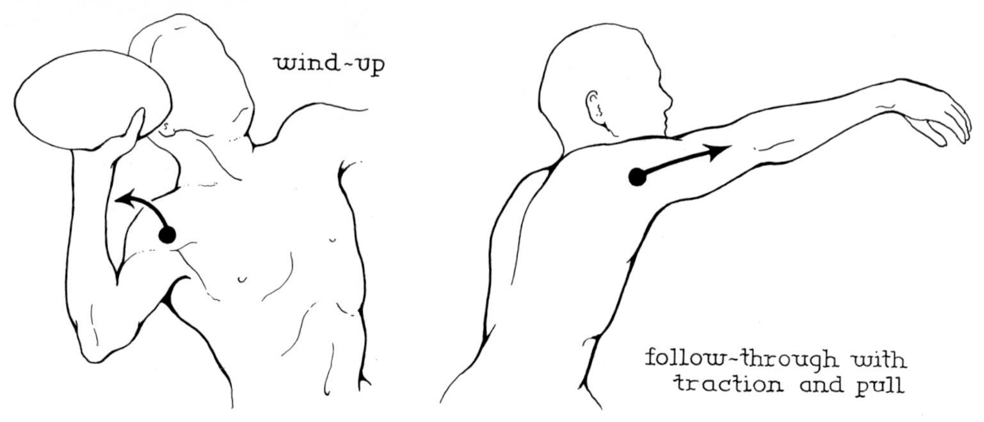

Figure 3–24 Shoulder action in passing. Greater stability is required in this act because of the pushing element in the throw.

ularly stressing if the shoulder action required is at a right angle or shoulder level. In most instances, however, the shoulder is used at bench level well below this position, and the intrinsic muscles escape constant strain.

Lying. The horizontal position relaxes all regions, the extensor postural zones in particular. Resting on the back allows the shoulders to drop into a neutral position, with head and neck similarly at rest. Extensor muscles are relaxed by firm body support and a pillow of normal height. Sagging body support flexes the spine, and a hard, thick pillow further stretches muscles, particularly in the neck-shoulder zone. This type of irritation is avoided by use of a firm bed and a relatively soft pillow. Other horizontal positions may exert abnormal stress on the shoulder region. The neurovascular bundle may be compressed by lying on the side with the arm under the body. Sleeping with the arm in the abducted and externally rotated position may stretch nerves and vessels, leading to the typical tingling discomfort in the hand and fingers.

BIOMECHANICS OF THE NECK

Our necks are used to control the position of the head and so enhance the scope of our vital senses. Different segments of the cervical spine appear to perform separate functions. The suboccipital area largely subtends head and neck rotation through 120 degrees. In this segment the occiput, atlas, and axis are involved. A further functional segment can be identified consisting of the cervical vertebrae 3 to 7. Lateral and anteroposterior mobility are contributed principally by this functional section, as evidenced by the study of the pathologic changes resulting from the wear and tear processes. It is principally the interbody space and adjacent apophyseal joints at the level of C.5, C.6 that show early changes, and subsequently may easily be the seat of clinical irritation following further insult. The third segment involves the cervical thoracic junction. Much less specialized, but yet performing a differing function, this area also has separate manifestations indicating that it should be considered as a functional unit within the cervical spine.

NECK FUNCTION

The neck supports, moves, and transmits (Fig. 3–25). In identifying these functions, emphasis has been placed on useful or applied physiology rather than on an academic dissection of precise properties. In interpreting the function of the neck, many anatomic features require consideration because of significant contributions they make to its action.

Supporting Mechanism

Certain precise properties may be singled out as contributing to the function of support. These include the pattern of bone configuration, the intervertebral disk, and the ligaments.

Bone Configuration. The function of supporting the head is made possible by the shape and structure of the cervical spine. It consists of an apical tower on which is perched an expanded base gripping the head. The shape of the cervical segments is such that they are stacked one on top of the

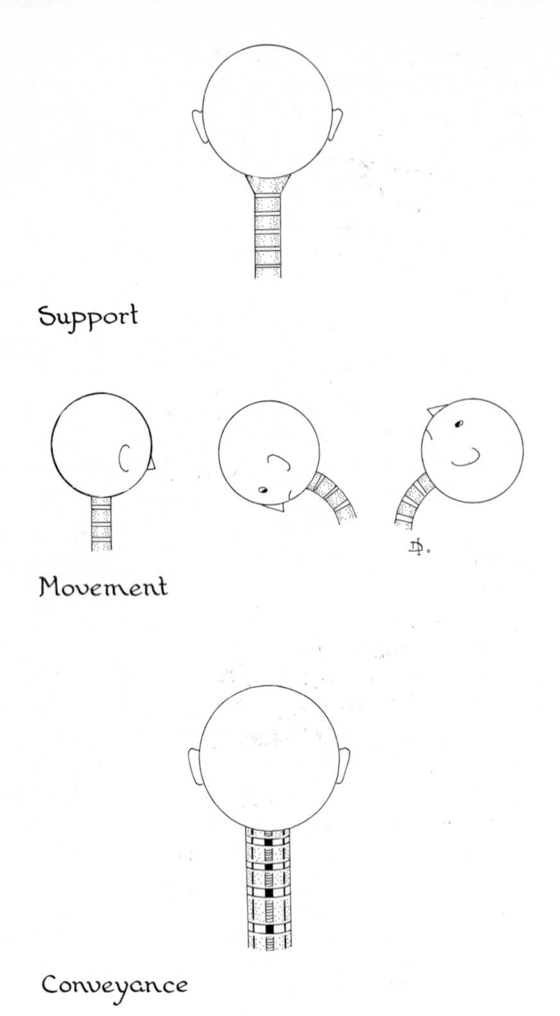

Figure 3–25 Schematic representation of neck function.

other like a pile of movable chairs. This produces a series of intermingling locks contributing individual fulcra and, at the same time, maintaining great stability. The vertebral bodies, when viewed from the front, are an inverted 'V' with the lateral edge formed by the Luschka articulations at the apex of the lateral mass. When viewed from the side, the vertebra is also an inverted 'V,' with the body sloping downward and forward and the spine downward and backward from a central apex (see Fig. 2–60). This double 'V' configuration contributes both stability and mobility. Such a mechanism locks the spine, except in flexion. Rotation is limited; lateral bending is a composite tilt without significant shift.

A significant specialized mechanism of support is contributed by allowing the upper segment to rotate freely while holding the head of the vertebra on the lower segment, which can either stay rigid or move with the upper segment as required. There results a complex of motion-on-motion segments, each of which has its own specialized stabilizing mechanisms.

Interbody Disks. The stability of one vertebral body on the other is largely the result of the compound structure of the intervertebral disks. The annulus contributes approximately one-half of the mass of the interbody substance. Its layers follow a reinforced crisscross pattern that tightens the hold on the contiguous bodies and also prevents the escape of nuclear material. The fibers extend directly down into the vertebral body, there being no layer of cartilage intervening in this arc. This attachment is so firm that it favors spur formation as a result of traction, rather then central rupture, unless unusual stress is applied. The annulus is strongly supported anteriorly by the anterior longitudinal ligament, but posteriorly this support is less. This configuration, along with the flexion stress and vertical compression force, favors posterior rather than anterior herniation of the nucleus (see Fig. 2–61).

Cracks may occur in the annulus, the weak point for bulging or extrusion of the nucleus. The annulus is a powerful check ring for motion of one vertebral body on the other. In the mobile areas of cervical and lumbar spine, a constant gliding action at many levels is a composite contributor to flexion, extension, rotation, and lateral bending. The annulus has significant control in all these actions.

Ligaments. Considerable support is obtained from ligaments in the neck, which play a relatively more important role in this area than elsewhere. The anterior-longitudinal ligament on the front of the vertebral bodies limits flexion and interbody gliding. It is firmly attached at the level of the annulus rather than at the center of the vertebral body. Several layers can be identified in shingle arrangement. This overlapping arrangement contributes strength, but the anchoring mechanism favors spur formation at the edge of the vertebral bodies.

The interspinous ligaments of the neck are amalgamated into a specialized ligamentous bow posteriorly, extending from the external occipital protuberance to the tip of the spinous process of C.7. This arrangement favors stress being focused at the top or the bottom of the cervical spine. Avulsion of the C.7 spinous process is seen much more frequently than in any other of the cervical spines. Similarly, pain in the suboccipital region from tendon bone junction stress will be experienced much more at this level than in the central portion of the cervical region.

Motion

Many factors contribute to the mobility of the cervical spine. Loss of outrigging ribs, relatively thick disks, and absence of laminar overlap all favor mobility. Two basic acts can be demarcated: (1) the rotation of the head and neck; and (2) flexion, extension, and excursion. Separate mechanisms largely subserve these functions, and extremely specialized elements make them possible.

Rotation of the Head and Neck. The act is a composite one, the rotation of the head for seeing and hearing being the vital maneuver. The neck turns in this process also, but it is a minor means to an important end. The cervical spine has a specialized upper segment consisting of occiput atlas and axis that makes it possible to rotate the head and neck, and yet maintain vertical stability.

Head rotation occurs principally at the atlantoaxial joint. The atlas holds the head and rotates it on the odontoid as a pivot. The excursion is about 30 degrees to each side, and is principally restricted by the short stout check ligaments that reach from the lateral tip of the odontoid to the inner side of the condyles of the occipital bone. Further excursion of rotation is then contributed by the cervical spine (see Fig. 2–62).

The total act receives a contribution from the lower five cervical vertebrae. The configuration of the apophyseal joints, with an upward and medial angulation of the superior facet, favors a rotatory motion as the spine is angled laterally. Gliding occurs at the interbody level to assist this rotatory act.

Rotation is checked by the articular capsules of occipitoatloid and atlantoaxial joints, the powerful odontoid check ligaments, the capsules of the lower cervical apophyseal joints, the Luschka joints, and the interbody annulus mechanism (Fig. 2–62).

Flexion-Extension. Free flexion and extension occurs in both upper and lower units (Fig. 3–26). Nodding of the head results from tilting of the occiput on the atlas. The condyles of the occiput are elongated convex ovals that ride in concave ovals of the atlas.

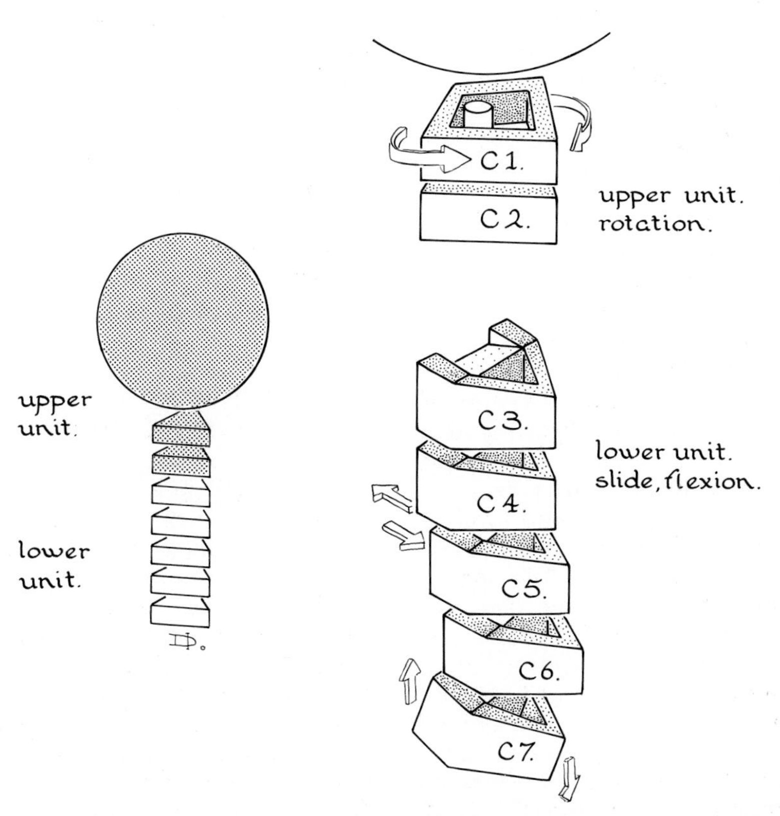

Figure 3–26 Action of cervical spine units.

The direction of fixation is forward and medially, which allows some long axis slipping as well as simple tilt, but also favors security. Two capsular and strong anterior and posterior occipitoatloid ligaments and the locking of the superior atlas facets in the condylar fossae of the occipital bone check this motion.

Main extension and flexion excursion is made possible by the configuration of the articular facets at the lower five cervical vertebrae. The joints are angled at 45 degrees so that when a gliding element is added, the forward and backward motions, some rotatory effect results. The total range is 80 to 90 degrees, with flexion normally allowing the chin to reach the chest and, in extension, the occiput to come close to the shoulder line. The most mobile area is centered at the C.5, C.6 level.

Transmission (Function of Conveyance)

Vital structures are conveyed by the cervical spine, including the spinal cord, cervical nerve roots, and vertebral artery. Anatomic design aids this function profoundly, and investigations show that pathologic states may cause serious interference.

Spinal Cord. From the foramen magnum to the cervicothoracic junction the cord runs through a triangular section framework of the vertebral arches. It is suspended in cerebrospinal fluid and protected by the pia-arachnoid and the dura mater. The dura of the brain is thicker and has two layers. The outer layer becomes continuous with the periosteum at the foramen magnum; it is the inner layer that continues as the spinal dura.

There is sufficient room for movement of the cord so that, under some circumstances, dislocation of the atlas on the axis without serious cord damage has been reported. Less mobility is present at the level somewhat lower. Angulation at the lower border of the axis, or a fracture dislocation at this level, is likely to crush the cord easily, as has been demonstrated in the "hangman's" fracture.

Cervical Nerve Roots. Eight pairs of spinal nerves spring from the cord in the cervical region. They arise as anterior and posterior divisions; in each instance, several filaments unite to form two bundles each before reaching the foramen and then coalescing into the spinal root. The sheath of the dura becomes continuous with the perineurium of the roots, forming a strong sleeve. The nerve root rests on the groove in the transverse process, the edge of which forms the usual fulcrum in brachial plexus avulsion.

Rupture of the root sleeve can be identified by contrast studies, and in some instances is indicative of extensive root damage. However, such a conclusion cannot be made in all cases, because loss of continuity of the sleeve does not necessarily indicate complete rupture of the contents. Nor does avulsion at one level necessarily mean complete avulsion at another. An even application of the avulsing force is rare. The author has repeatedly observed incomplete root avulsion at operation when there has been some loss of continuity of the root sleeve.

The nerve supply of the foraminal area comes from the small meningeal branch that arises from the common spinal nerve after it exits from the foramen and then re-enters the foramen, reaching ligaments, blood vessels, and cord coverings.

Progressive angulation of the roots occurs from above downward, so that the course of seventh and eighth roots from the cord is more oblique than that of C.3 and C.4. The roots arise opposite the vertebral body, but in descending a greater portion of the root will become related to the interbody level as one progresses from C.2 to C.8). For this reason a lower cervical spine disk herniation may implicate two roots more easily than at the higher levels.

Some observers (Abdulla and Bay) have identified motion of the cord within the vertebral canal, and suggest that this may focus stress more acutely in some pathologic states. The fact that the nerve roots progress in obliquity from above downward also influences this observation.

PAIN PATHWAYS IN THE SHOULDER-NECK REGION

Pain is the important symptom of disease in the shoulder-neck region, and may be initiated by the derangement of any component of this broad area. Patterns indicative of specific disorders can be recognized, but in a broader sense there is a special distribution in certain ailments that also can be an aid in classifying the diseases of the region. Most disorders of this region can be identified from their pain distribution pattern. Some disorders lead only to neck discomfort; others clearly implicate both the shoulder and neck; a third group implicates the

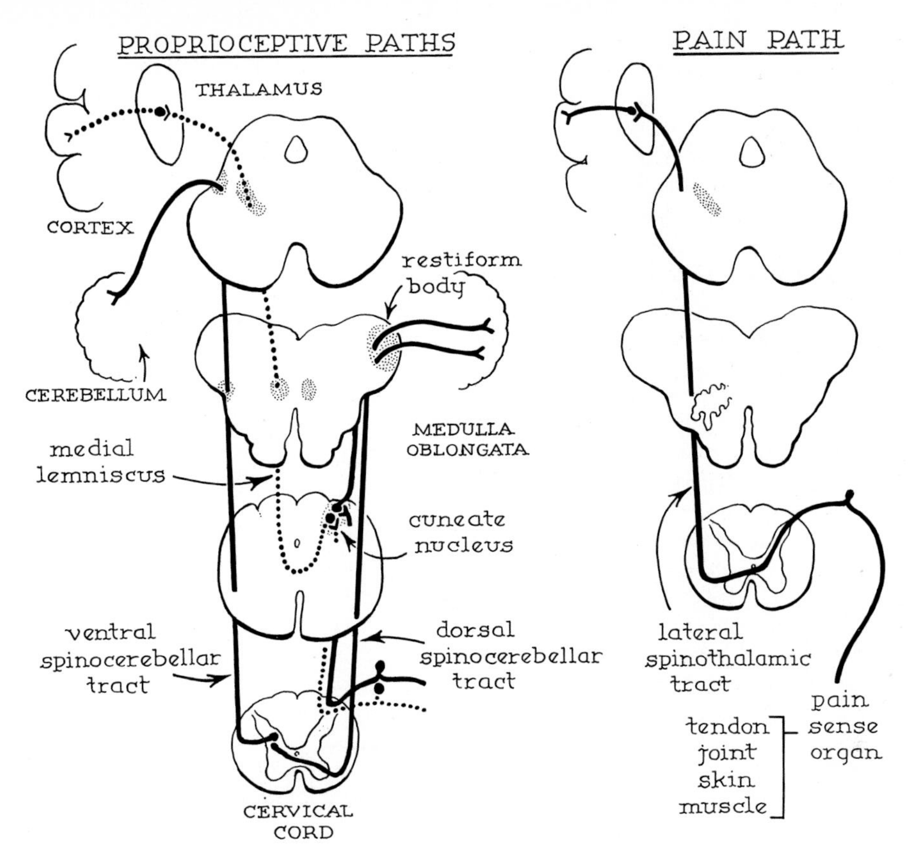

Figure 3–27 Pain pathways through spinal cord.

shoulder joint proper; and the last group develops shoulder pain plus radiating pain. These broad clinical subdivisions also have an anatomic and physiologic basis (Fig. 3–27).

Pain is a sensation impinging on consciousness as an impression of discomfort. A complex mechanism mediates it, but the parts of practical importance are the receptors and conductors of the sensation (Fig. 3–28). The receptors are bare nerve endings arising from sensory branches in the area. Special endings are not required to record the pain.

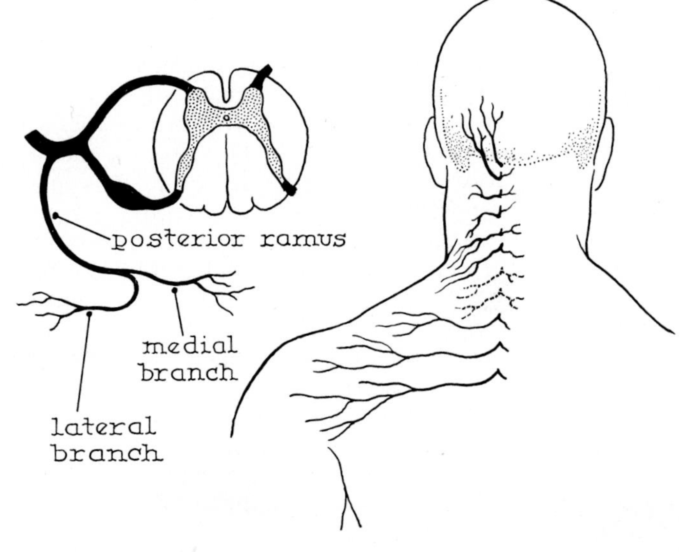

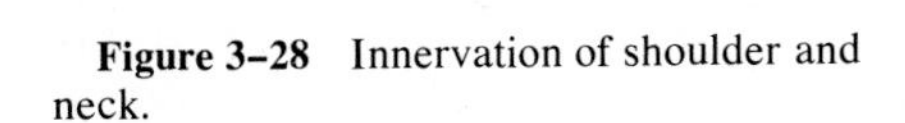
Figure 3–28 Innervation of shoulder and neck.

They are embedded in skin, fascia, muscle, tendon, ligament, periosteum, bone, joint capsule, and synovium. They are much more abundant in the skin than in the deeper structures.. Terminals of the same nerve branch extend to skin and periosteum, fascia, or synovium. Branches divide and interlace, so that the pain-receiving mechanism should be visualized as a network rather than as an individual fiber.

In addition to the bare terminals, more complicated arrangements are recognized in muscle, tendon, and fascia. This is to be expected since muscle, for example, has special properties such as lengthening and shortening that require more specialized interpretation. Receptors record changes resulting from trauma, inflammation, degeneration, abnormal use, paralysis, and many other irritants. Direct force stimulates nerve endings by pressure; so does the edema of inflammation. Stretch stimuli similarly arise from swelling and edema. Nerve endings also react to abuse such as scarring or roughening.

The segment for conducting pain extends from the nerve endings to the spinal cord. After supplying a given zone extending from skin to bone, the branch joins a peripheral nerve and so reaches the spinal cord. Contribution of the spinal cord in pain mechanisms has been the subject of extensive research and some significant new theories. Melzach and Wall have postulated a dorsal horn mechanism that functions like "a gate" that can increase or decrease the flow of nerve impulses from periphery to cord. Such an area of input then is exposed to a modulating influence at this point before it initiates pain appreciation and response (Fig. 3-29).

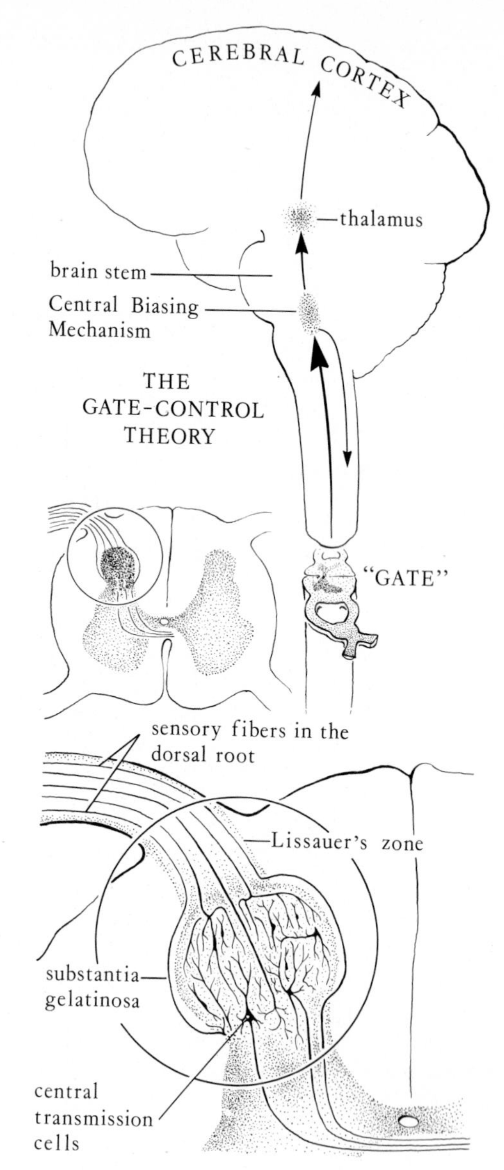

Figure 3-29 Diagram of gate theory.

At the cord cell station, possibly specific fibers of different diameters enhance or suppress the passage of the impulse. In turn, the cord gating mechanism is exposed to the effects of impulses descending from the brain above. These influences function through specialization of fibers according to diameter, so that large fibers produce a rapidly conducting network that in turn influences the control factors of the gate mechanism.

In the spinal cord, sensory pain fibers cross to the opposite side of the cord and ascend to the brain in this position. The sensation of pain is really a synthesized product and has a multiple origin. Pressure, stretching, cutting, and compression are various combinations that may be interpreted as discomfort and recorded as pain. It remains for the sensation of localization and specific relationship to add qualifying specific properties. Keeping in mind common clinical syndromes, it is possible to classify the pain mechanisms about the shoulder, and thus help to identify the pathologic sources. Not all clinical conditions conform to a precise pattern but most do, and in the remainder an understanding of the basic pain mechanism will be helpful.

PAIN MECHANISMS OF NECK AND SHOULDER-NECK DISORDERS

The sensation of neck pain enters by way of posterior rami of the cervical spinal nerves.

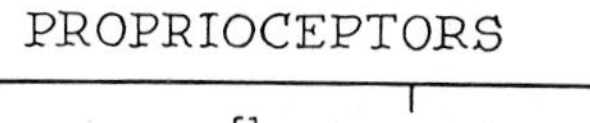

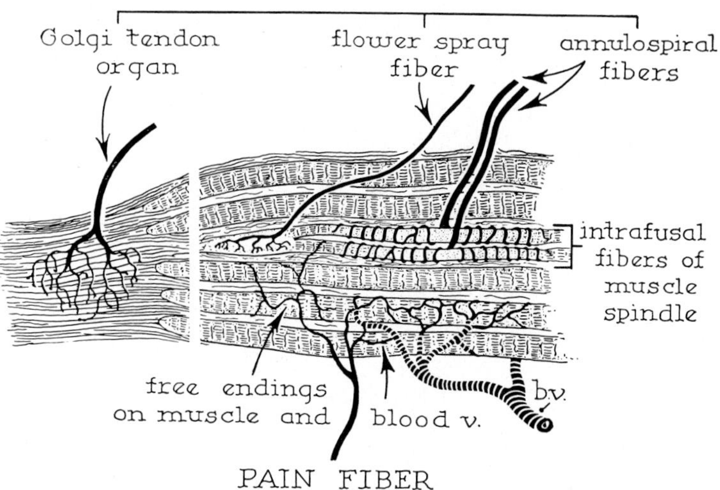

Figure 3–30 Postural pain mechanism.

The posterior rami, which are involved because they supply so much of the posterior soft tissues, divide into medial and lateral branches. The medial branches supply the skin and superficial layers, reaching the surface close to the cervical posterior spines or a little more laterally. The lateral branches supply the muscles such as the erector spinae. This means that irritation in this muscle group due to tension, stretching, or bruising will be recorded in the same skin area.

The mechanism of pain from muscle deserves special attention. Bare sensory nerve endings are in muscle and are abundant at a point close to the muscle insertions. They also infiltrate aponeurosis close to bone attachments. They are irritated by trauma and reactive edema of injury. Repeated and extensive injuries stimulate fibrosis, and the endings become involved in the scar. Many cutaneous branches pierce the trapezius zone in particular at the root of the neck, and are susceptible to irritation in extension-flexion injuries.

The posterior neck muscles are involved permanently in postural disorders. Constant stretching resulting from a slumped posture, sloped shoulders, and spreading scapulae evokes a dragging, aching type of pain. Specialized sensory nerve endings in muscle, tendon, and fascia are particularly susceptible to stretch stimuli. Between muscle fibers there are spindle-shaped endings responding to passive pinching or stretching. These are not susceptible once the muscle begins to contract actively. This physiologic explanation explains the frequently noted fact that pain in such ailments disappears once the muscles are used actively. These receptors have a low threshold and are acutely responsive to tension changes. There are other endings concerned with total tension of the muscle that come into play in strong active movements, in contrast to the chronic but largely postural stimuli (Fig. 3–30).

Pain from muscle lesions has a diffuse quality that has been studied exhaustively by Kellegren. Injected noxious agents produce local pain, but discomfort is also experienced at a distance in structures with the same segmental nerve supply. This is a logical explanation of the pain syndrome in disorders like fibrositis. Muscle spasm is also a contributor to the pain of purely muscular disorders. Irritation produces a tension response in the muscle, but there is an over-reaction, with the spasm element persisting after the local irritation has subsided.

Referred Pain in Shoulder-Neck Disorders

The shoulder-neck area is a frequent site for pain referred from disorders occurring at a distance. Two important mechanisms are involved (Fig. 3–31).

Disturbances of Emotion and Tension. The areas of the back of the neck and the root of the neck contain powerful suspensory muscles involved in support and balance of the head, and also in suspension of the shoulder. These muscles function involuntarily. Dis-

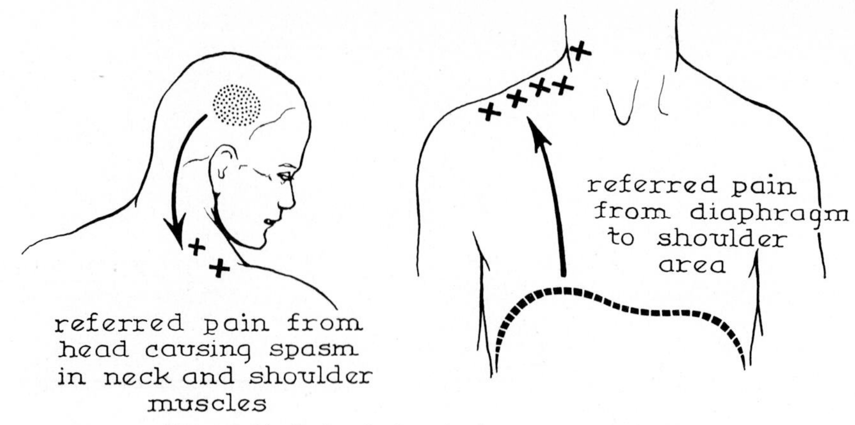

Figure 3–31 Paths of referred pain to neck and shoulder.

orders occurring apart from the area, e.g., sinusitis, migraine headache, or emotional tension, may lead to pain recorded in the shoulder-neck region. The mechanism of this pain has been investigated by Simmons-Day, Goodal, and Wolfe, who have demonstrated that it is due to sustained, prolonged contraction of the powerful posterior muscles.

For example, the injection of an irritating solution into the temporal muscle produces headache because of sustained contraction of the neck muscles that splint the head region, and so produces secondary neck-shoulder discomfort. A similar mechanism operates in lesions like persistent periodic headache or migraine, accounting for some of the shoulder-neck discomfort commonly seen in somewhat neurotic women.

Distant Lesions. The mechanism of pain referred to the shoulder and the root of the neck from intrathoracic and upper abdominal lesions has long been used as a classic example of referred pain. The undersurface of the diaphragm is supplied by the phrenic nerve derived from cervical segments 3, 4, and 5. These same segments innervate the cutaneous sensation in the neck-shoulder area, so that processes irritating the undersurface of the diaphragm may be interpreted in the cutaneous supply of these segments (Fig. 3–31).

Central lesions reflect pain into the neck and root of the neck; lesions to the center of the diaphragm cause discomfort between the neck and shoulder; and irritations near the lateral aspect are reflected at the point or tip of the shoulder. The pain is a dull ache, purely localized. Sometimes this sensation lasts after the primary and distant pathology have been controlled, suggesting the overlap for reinforcement mechanism of the internuncial pool within the spinal cord.

Experience of many observers over many years has verified the existence of trigger zones. These may be fiber fatty nodules or simply discrete areas of increased physiologic action. In the phenomenon of referred pain it is consistently being demonstrated that areas of increased activity can be identified and that these are much more responsive in patients with cardiac disease, for example, than in those without similar pathologic changes. It appears logical to expect that the pathologic process in the viscera is a source of continual production of impulses passing toward the periphery, which may then parallel and accentuate the production of impulses from the trigger zones. Conversely, the manipulation or stimulation of the trigger zones of increased activity would constitute an emphasis in the reverse direction.

Local Anesthetic Action on the Pain Mechanism

The effective relief of pain from the injection of local anesthetic agents has been soundly established clinically. The pain is relieved directly at the irritating site, as is discomfort in more distant parts. This wide relief of pain has not been completely explained, but an analysis of the pain components and their cause throws some light on it.

The immediate effect of the anesthetic is to numb the nerve endings most insulted by the injury or irritating focus. This results in cessation of pain stimuli in the local region, and also stops interpretation of the referred elements that are contributing to the diffuse nature of the pain. Muscle spasm also is decreased because of the lessening of tension stimuli on the special muscle spindle ending. Some of these endings have been shown to adapt very rapidly, particularly those identified with the fascial sheath of muscle, so that when pain, such as a pinching stimulus from a sensory organ, has been interrupted, it is no longer admitted and the muscle is released from the spasm.

It has also been suggested that the innervation of certain endings in series, as opposed to parallel, is an explanation for the more widespread effect added to a purely local response. The combination of relief of local pain, referred pain, and pain from the spasm accounts for the broad relief obtained from application of a local anesthetic.

PAIN MECHANISM IN PREDOMINANT SHOULDER DISORDERS

Two areas are to be considered and analyzed in discussing pain caused by joint disorders: (1) the way in which pain and joint disease are recorded, and (2) the way in which this record is distributed in the area.

Articular Pain Mechanism

Major nerve trunks passing a joint may send sensory twigs to articular and periarticular structures. Periosteum, tendon insertions, and ligament attachments are copiously innervated. Nerve endings in these are particularly susceptible to stretch stimuli, and have a threshold higher than the postural mechanism, so that some definitely abnormal movement is required to irritate them. Pain and subluxations, for example, are common irritants that initiate pain through such a mechanism. The pain is localized to the joint area, but that is distinctly related when the more intimate joint covering or capsule or synovium has been involved.

Branches from the same nerves, in this case axillary, suprascapular, subscapular, and musculocutaneous, reach the capsule and synovium as a fine network. The capsule is particularly well supplied, and twigs extend to the synovium along with minute blood vessels. The capsular supply pinpoints intimate joint disorder; the periarticular contribution has a less definite localization (Fig. 3–32).

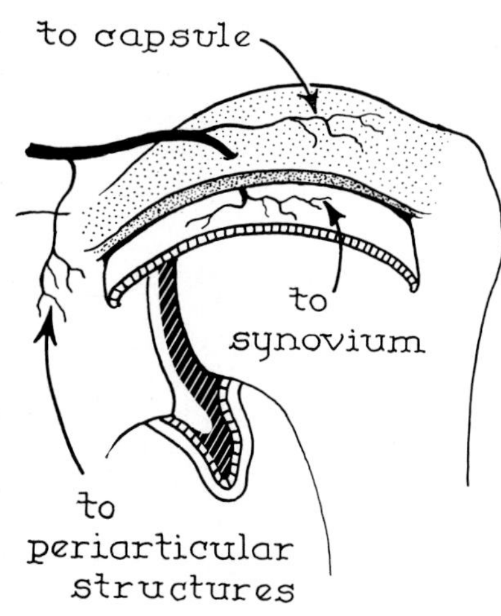

Figure 3–32 Intimate joint innervation.

Cutaneous Interpretation of Shoulder Joint Pain

Much discomfort from shoulder joint disease occurs apart from that felt in the obvious joint site, over the upper end of the humerus. The site of the shoulder, the insertion of the deltoid, the medial aspect of the arm, the back of the deltoid, and the immediately adjacent root of neck zone are examples. These parts record a dull, aching type of pain different from the sharp, acute, articular sensation. Pain in the deltoid insertion is explained by the concentration of sensory endings of the muscle toward the insertion zones. The deltoid fibers converge to a highly packed point, concentrating sensory endings in a small zone, and more pain is experienced here than from the body of the muscle when any process irritates the muscle.

Clinical and experimental observations by Inman and Saunders further elucidate the less well-localized aching pain. In mapping out the innervation of bone muscle and periosteum and relating it to spinal segments, they found that this did not necessarily correspond closely with the cutaneous patterns of the same segments. This helps to explain pain patterns not adequately answered by the cutaneous distribution of peripheral nerve.

MECHANISMS OF RADIATING PAIN

Radiating pain is a common symptom, but in this discussion it is used to denote discomfort extending well beyond the shoulder into the forearm, hand, and fingers. Many patients describe initial and moderate shoulder pain but quickly add the radiating element, indicating that this dominates the picture. Two distinct sources of discomfort may be recognized, one neural and one vascular, depending on the type of disease involved.

Radiating Pain of Neural Origin

The common example of this type of pain is that due to herniation of the cervical intervertebral disk or some common nerve root syndrome. The sharp, lancinating, intermittent pain from the shoulder down to the base of the thumb, for example, is due to nerve root compression. The sensory root supplies an area of skin or dermatome, and also a group of deep structures—muscles, tendons, and bone. The superficial and deep patterns do not correspond accurately, so that the cutaneous discomfort is recorded in one area, and deep, less well-localized pain is interpreted in a slightly different zone (Fig. 3–33). The nerve roots most frequently involved in this process are C.6 and C.7. In the diagram it will be seen that much of the sensation of shoulder musculature is derived from C.6, and the skin distribution of the same root is along the forearm to the base of the thumb. This is one explanation of the deep shoulder discomfort encountered in

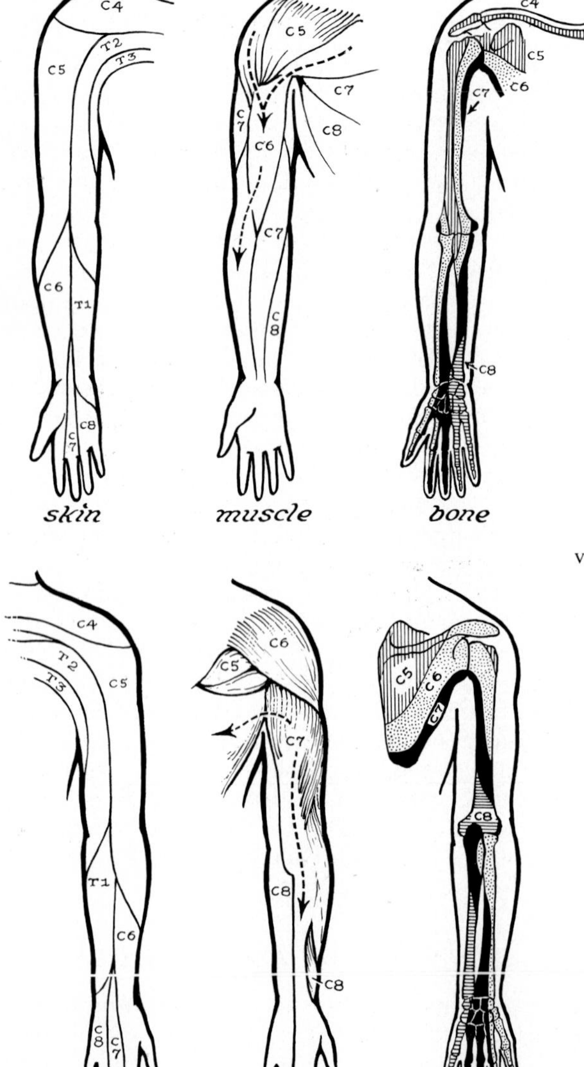

Figure 3–33 Comparison of segmental innervation of skin, muscle, and bone in upper limb.

some lesions. The distribution of the branches of the posterior division of these two roots is largely to muscle at the root of the neck—semispinalis, for example—and there is very little cutaneous supply.

This favors the production of a deep postural type of muscular pain in this zone. The pain distributed like an electric shock down the arm is due to compression of the cervical root. Maximum discomfort from this mechanism is then experienced in the zone of autonomous sensory supply.

Radiating Pain of Vascular Origin

A form of radiating discomfort that has a predominantly vascular etiology can be identified. In many disorders of the shoulder the great vessels may be implicated, with compression, traction, or both, initiating pain. The usual pattern is aching discomfort followed by a feeling of fullness in the finger; a prickly tingling occurs in the fingertip, followed by numbness of the ends, the sensation progressing proximally. Shortly there is stiffness and weakness in the fingers and hand, which may progress to a total insensitivity and paralysis involving forearm and radius. Such numbness, weakness, and tingling are familiar to anyone who has slept on his outstretched arm. These symptoms result from arterial and venous obstruction. The sense of fullness is due to venous stasis; the tingling results from the ischemia and paralysis; and severe nerve ischemia then follows. The distribution of the pain does not conform to peripheral nerve supply and starts at the tip of the finger.

Considerable work has been done by Wright in establishing a vascular basis for such pain. Observations on a group of patients showed that, in 97 per cent, alteration of the radial pulse was present in the involved side. Serious and prolonged defects result in loss of nerve function due to the ischemia.

Pain Pathways. The distribution of pain of vascular origin does not conform to the peripheral nerve supply (Fig. 3–34). Experimentally, nerve conduction fails after compression for 20 to 30 minutes, the anoxia for the ischemia apparently being the source of pain. For some time it has been observed that ligation of vessels such as main arteries does not produce extensive pain. This has been explained by Lewis, who suggests that the pain arises from the muscles rather than the vessels. In Raynaud's disease the worst pain is

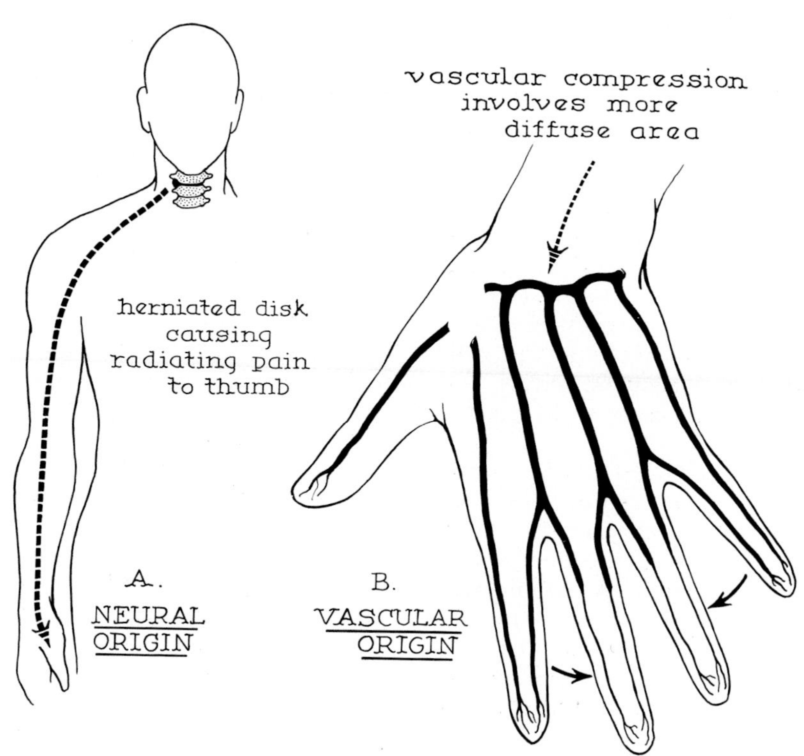

Figure 3–34 Diagrammatic comparison of neural versus vascular pain distribution.

associated with trophic disturbances; this tingling is due to deficient nutrition, which also accounts for the trophic ulceration. Usually it is the relief of ischemia that produces maximal pain, a sudden rush of warm blood into the extremity, similar to putting a cold hand under a hot water tap.

Recognition of this type of pain, and understanding of its origin, is important. The principal clinical components are an aching pain in the shoulder, arm, and forearm, with a feeling of numbness in the fingers or the whole hand. The hand often feels quite limp. This phase is followed by tingling at the fingertips; then, a feeling of burning or a prickly sensation develops in the proximal part of the fingers and the forearm. The cramplike ache leaves and the extremity comes to life when the circulation is restored. Discomfort follows a different pattern from that of nerve damage, and leaves a more diffuse impression that is harder to localize. Such authorities as Lewis and Lourish have written extensively on the etiology and mechanism of this pain. Out of the mass of discussions certain principles may be accepted; many have a practical and pathologic basis but are less clearly established physiologically. From the standpoint of diagnosis and treatment of conditions producing this discomfort, the present explanation is useful, but more physiologic research is needed to clarify the issues.

The main cause of this pain has been irritation of the vascular bundle, which produces the peripheral alterations. In turn, sensory nerve endings are irritated, producing the pain. Vasoconstriction appears as a basic irritant in initiating the syndrome, but this action alone does not produce all the peripheral pain. Vasoconstriction interferes with the local metabolic processes, which leads to stimulation of sensory endings. This occurs in the distribution of the vessels, and therefore differs considerably from the peripheral nerve pattern.

Clinically, involvement of the central fingers of the whole hand, rather than ulnar or median distribution, is characteristic. Vascular etiology accounts for the difficulty in defining the painful region, for the intermittence, and for the continuance of the discomfort. Pain follows the vascular distribution rather than peripheral nerve pathways.

The intermittent mechanism that irritates the nerve endings is controversial. Altered nutrition has been suggested as the cause of peripheral vasoconstriction and metabolic upset. The tingling that occurs in pernicious anemia is an example. The imbalance between vasoconstriction and vasodilation may also be a basic irritant. If the vasomotor upset has been established for some time, structural changes may be expected such as trophic ulceration, altered nail growth, and shiny skin. This is not nearly as common as the more transient pain disturbances.

The trophic changes seen in nerve injuries have a vasomotor basis also but belong, like Raynaud's disease, to a group of serious disturbances. The cramplike pain of which such patients complain occurs when activity is superimposed on the vasoconstriction; it is a further manifestation of muscular instability. This type of pain becomes a feature in some disorders involving clavipectoral compression: writer's cramp is a classic example. Many of these patients are engaged in occupations such as accounting, and develop these symptoms because of the strain and tension caused by prolonged holding of the writing position, which favors mild vascular compression.

The precise etiology of vascular pain probably is related to the innervation of the minute vascular elements. Vasoconstriction has been the commonest explanation, and the reaction that ensues following injection of an artery has been used as support for this theory. In this procedure, spasm occurs and is followed by acute pain and then deeper pain, which arises, according to Leriche, from the area of the vessels of distribution. It may be mediated by other factors, but the pars affecta is vascular, rather than neural, and comes from the whole distal territory of the vessel that has been stimulated. Nerve endings in the vasomotor elements probably are highly susceptible to the slightest change in circulation, and these are reflected immediately to the conducting pathways. Possibly some balancing action by the vasomotor nerves after the extremity is congested plays a part. The suggested sequence is obstruction, which leads to distention, which leads to vasoconstriction; nutritional changes follow, producing the pain. In Leriche's concept these physiologic changes later become structural, initiating increased sympathetic upset.

REFERENCES

Bakey, L., et al.: Surgical treatment of vertebral artery insufficiency caused by cervical spondylosis. J. Neurosurg. *23*:596, 1965.

Cattell, H. S., et al.: Pseudosubluxation and other normal variations in the cervical spine in children. A study of 160 children. J. Bone Joint Surg. *47A*:1295, 1965.

Codman, E. A.: The Shoulder. Published by the author, Boston, 1934.

Colachis, S. C., Jr., et al.: Radiographic studies of cervical spine motion in normal subjects. Flexion and hyperextension. Arch Phys. Med. *46*:753, 1965.

de Duca, C. J., et al.: Force analysis of individual muscles acting simultaneously on the shoulder joint during isometric abduction. J. Biomech. *6*:385, July 1973.

Engen, T. J., et al.: Method of kinematic study of normal upper extremity movements. Arch Phys. Med. *49*:9, 1968.

Goldie, I.: Calcified deposits in the shoulder joint produced by calciphylaxis and their inhibition by triamcinolone. An experimental model. Bull. Soc. Int. Chir. *24*:91–96, 1965.

Hohl, M.: Normal Motions in the Upper Portion of the Cervical Spine. Instructional Course Lectures of American Academy of Orthopaedic Surgery. J. Bone Joint Surg. *46A*:1777, 1964.

Hohl, M., and Baker, H. R.: The atlanto-axial joint. Roentgenographic and anatomical study of normal and abnormal motion. J. Bone Joint Surg. *46A*:1739, 1964.

Inman, V. T., and Saunders, J. B. de C. M.: Referred pain from skeletal structures. J. Nerv. Ment. Dis. *99*:660, 1944.

Jensen, R. K., et al.: Upper extremity contraction moments and their relationship to swimming training. J. Biomech. *9(4)*:219, 1976.

Jonsson, B., et al.: Function in the teres major, latissimus dorsi and pectoralis major muscles. A preliminary study. Acta. Morphol. Neerl. Scand. *9*:275, 1972.

Jung, A., et al.: The auricular disorders of unco-vertebral cervical arthrosis. Their treatment by uncusectomy and decompression of the vertebral artery in 15 cases. Ann. Chir. *20*:181, 1966.

Leriche, R., and Jung, A.: Les calcifications sousdeltoidiennes de l'épaule. Rev. d'Orthop. *20*:289, 1933.

Lucus, D. B.: Biomechanics of the shoulder joint. Arch. Surg. *107*:425, 1973.

Lysell, E.: Motion in the cervical spine. An experimental study on autopsy specimens. Acta Orthop. Scand. *Suppl.*:123, 1969.

Markhashov, A. M.: Variations in the arterial blood supply of the spine. Vestn. Khir. *94*:64, 1965.

Melzack, R., and Wall, P. D.: Pain Mechanism, a New Theory. Science *150*:971, 1965.

Morehouse, L. E., and Cooper, J. M.: Kinesiology. The C. V. Mosby Co., St. Louis, 1950.

Munro, D.: The factors that govern the stability of the spine. Paraplegia *3*:219, 1966.

Popelianskii, I.: On the topographo-anatomical relationship between crescent processes of the cervical vertebrae and the vertebral artery in man. Arch. Anat. *48*:50, 1965.

Poppen, N. K., et al.: Normal and abnormal motion of the shoulder. J. Bone Joint Surg. (Am.) *58(2)*:195, 1976.

Saha, A. K.: Mechanics of elevation of glenohumeral joint. Its application in rehabilitation of flail shoulder in upper brachial plexus injuries and poliomyelitis and in replacement of the upper humerus by prosthesis. Acta Orthop. Scand. *44*:668, 1973.

Selye, H.: The experimental production of calcified deposits in the rotator cuff. Surg. Clin. North Am. *43*:1483, 1963.

Southwick, W. O., and Keggi, K.: The normal cervical spine. J. Bone Joint Surg. *46A*:1767, 1964.

Vitti, M., et al.: The integrated roles of longus colli and sternocleidomastoid muscles: an electromyographic study. Anat. Rec. *177*:471, 1973.

Wrete, M.: Sensory pathways from shoulder joint. J. Neurosurg. *6*:351, 1949.

Section II

INVESTIGATION AND DIAGNOSIS

Chapter 4

INVESTIGATION OF DISEASE AND INJURY IN THE SHOULDER AND NECK

PAIN PATTERN ASSESSMENT AS A CLASSIFICATION OF SHOULDER AND NECK DISORDERS

Shoulder and neck problems are easily solved if systematic investigation is made. Pain is the universal presenting symptom, and the most reliable routine to follow is the categorization of disorders according to common pain patterns. Forequarter disorders fall naturally into four groups, each with a distinctive pattern (Fig. 4–1).

Group I. Pain complaints involving largely the neck. Sometimes suboccipital pain is interpreted as headache, so that, after initial presentation, further dissection of the pain distribution is required.

Group II. Pain distribution focused at shoulder-neck angle. A group of disorders discretely segregated to the angle structures produces this type of discomfort. Presenting complaints and physical findings are quite typical of this group.

Group III. The commonest complaint involves the shoulder joint proper. The-shoulder is really a joint system, consisting of one main and four satellite articular mechanisms. In this way a large collection of derangements commonly referred to by patients as emanating from the "shoulder" can be identified.

Group IV. Shoulder discomfort, with emphasis on accompanying radiating elements of pain. Although the shoulder area may be implicated in this group, the patient tends to concentrate on peripheral discomfort, and principally distal to the elbow, as characteristic of these disorders.

PAIN QUALITY

There are recognizable, significant differences in the intensity and quality of the pain. Neck lesions tend to produce a chronic grumbling type of discomfort, which patients frequently try to avoid by holding the neck in one position. Patients with a postural type of pain rarely suffer any acute episodes. In contrast, those with calcified tendinitis are subject to acutely disabling attacks alternating with a chronic discomfort of much less severity. Lesions with a neural background incorporate a sharp, extensive lancinating property that is present intermittently.

EFFECT OF MOTION ON PAIN

Motion plays an important part in the discomfort that people experience from le-

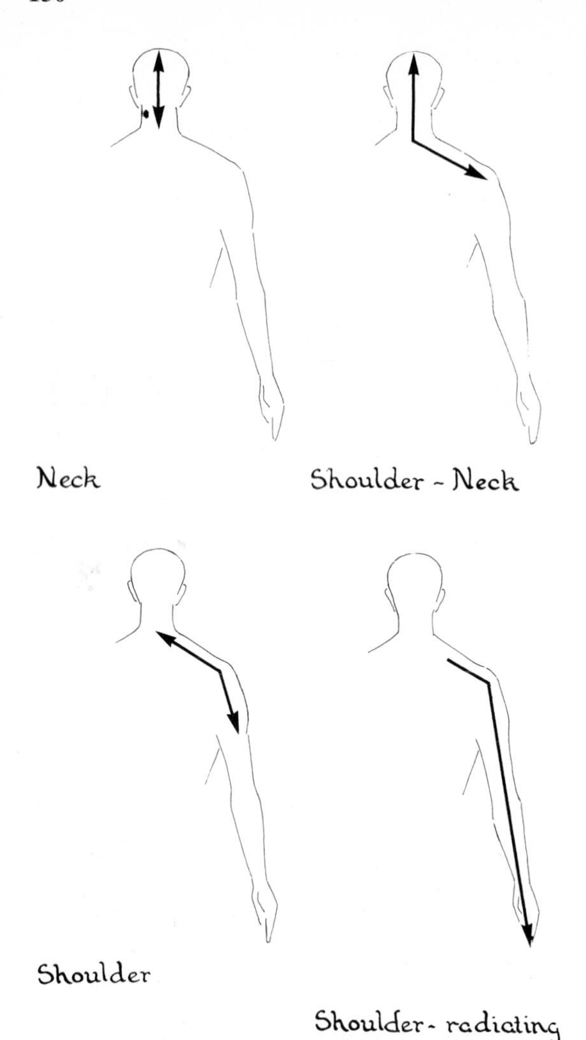

Figure 4–1 Diagram of regional pain patterns.

sions in this whole region. Neck motion typically incites pain, so that when patients have learned to prevent this by keeping the neck still, they often assume a characteristic attitude. Shoulder-neck disorders that implicate much of the suspensory mechanism to the girdle frequently are relieved by rest and aggravated by prolonged standing. Lifting the arm in abduction or flexion, or attempting to get it above the shoulder, typically triggers pain resulting from glenohumeral disorders. If the pain is not experienced until the shoulder is above a right angle, but is still localized to this area, the acromioclavicular joint is implicated. Bending the head and neck toward the side of the pain are notorious irritants of the cervical root syndromes caused by extruded disks. Similarly, passive motion of the head and neck away from the side of the pain tends to aggravate scalene disorders.

INFLUENCE OF POSTURE AND OCCUPATION ON PAIN

Many complaints involving this region may be related to disorders of posture relevant to the upright position. Assumption of the vertical position has placed a load on this area not experienced in the lower animal forms. The neck balances the head and also supports it. The shoulder girdle is a suspensory mechanism, with heavy muscles and ligaments contributing to this suspension. The same structures participate in maintaining the balance of the head and controlling the neck, so that a constant interplay of use is focused on these elements. Normally, balance is obtained, so that the effort required by one zone does not jeopardize the needs of the other. When the balance is disturbed, however, increased effort, particularly muscular, is called for and gradually impinges as a conscious process in the form of a postural pain (Fig. 4–2).

Severe deformity is not necessary to produce this complaint. The forward-bent neck, slumped shoulder, drooping chest, and protruding abdomen are the classic picture of poor posture. This has been recognized as a contributor to low back pain, and it should equally be appreciated that the same mechanism operates in relation to the cervicothoracic junction.

Further characteristics of this pain may be identified, such as the relief obtained by recumbency. Fatigue usually comes on toward the end of the day or with the approach of the maximum workload during the day. Often it is necessary to question the patient precisely in this regard, because the unsupported or slumped position at work, or a cramped position during sleep, may be intimately related to his disorder.

INFLUENCE OF OCCUPATION ON PAIN

The patient complaining of discomfort in the shoulder-neck region should be questioned precisely regarding his occupation. Those who work long hours with the arms in an overhead position, like painters or decorators, may experience discomfort only in this position, and find it relieved when they work at a lower level. Draftsmen may have persistent neck discomfort during working hours or toward the end of their working years, an effect that would be further aggravated by assumption of a cramped position in sleeping. Baseball pitchers may notice

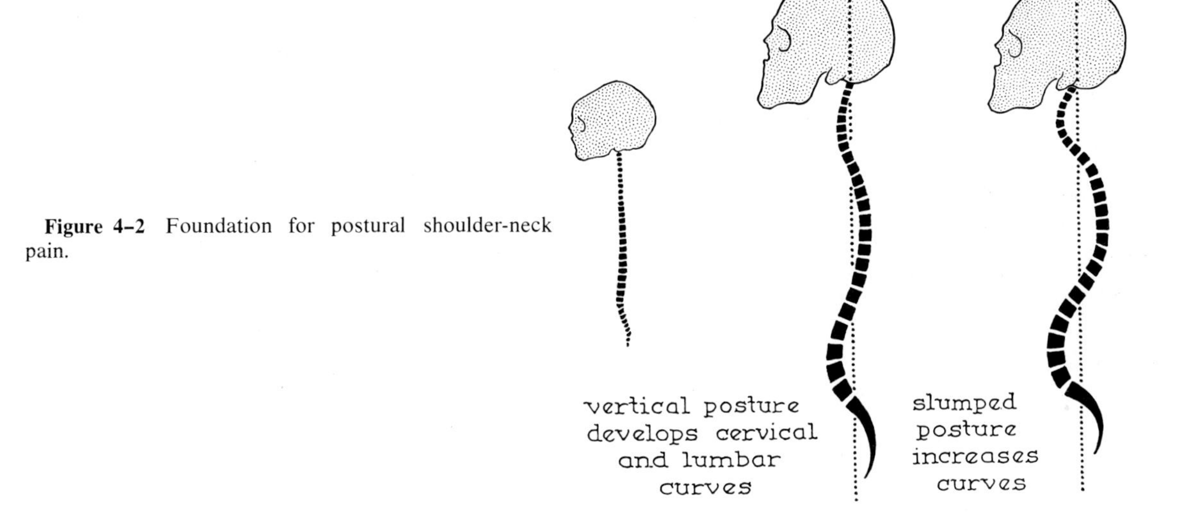

Figure 4–2 Foundation for postural shoulder-neck pain.

Figure 4–3 Influence of occupation.

a twinge of pain at the end of the delivery of the ball, whereas golfers may notice it during the back swing. Patients with short stature develop numbness and tingling after they have been working at unaccustomed above-shoulder level for some time. These relationships are significant not only from the standpoint of diagnosis, but also in clinical management (Fig. 4–3).

RELATIONSHIP OF INJURY TO SHOULDER AND NECK DISORDERS

It is extremely important to determine the manner in which an injury has occurred when investigating injuries of the neck and shoulder. A limitless variety of forces may be applied to this region; the patterns are compounded by the extensive mobility of the neck and shoulder system, alone and in combination. These properties are in direct contrast to lower limb injuries, where the factor of stability plays such an important part and gives a structural sturdiness that repels or modifies many injuries. The upper limbs, with their flexibility and resilience, more often than not escape damage to the bony structures, but the soft tissues are involved with greater frequency. More careful assessment is required to identify this type of lesion.

The shoulder-neck is an exposed region, particularly in industry. Falling objects and blows from above strike this unprotected zone easily. The natural protective act of the workman in dodging a falling object is to bend the neck forward and expose the posterior upper portion of the back and shoulder region (Fig. 4–4).

In many instances, the precise positioning of the arm and neck and their relationship to one another are particularly significant. It matters a great deal whether the brunt of the force falls in such a way that the body falls backward and is protected by an extended arm, or whether it falls forward and is protected by an outstretched arm. In automobile accidents, the position of the neck at the moment of impact profoundly affects distribution and severity of the damage. Similarly, when the brachial plexus is jeopardized by projectile tumbles, the position of the neck is extremely important.

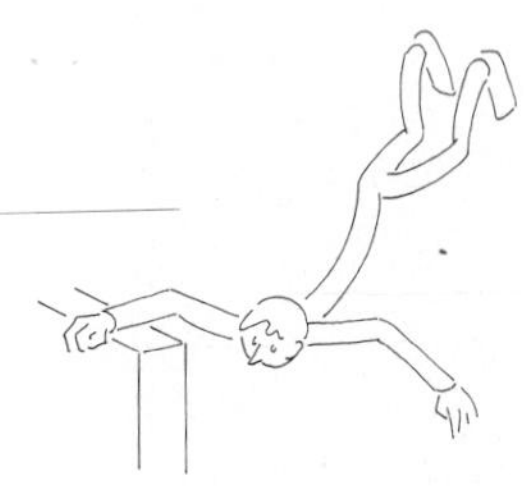

Figure 4–4 Influence of mechanism of injury; example, cuff tears.

Many illustrative examples may be selected. A patient experiences a sudden pain in the shoulder that came on while he was lifting the hood of his car; it is due to the sudden twist of the joint into external rotation, and involves the occipital mechanism. A middle-aged workman who falls on his outstretched hand, and, upon getting up, experiences sudden pain in the shoulder and inability to lift the arm from the side, has probably ruptured his cuff. However, he may not feel that a description of these events is significant unless the examiner questions him significantly.

Sometimes there is no good history of injury, the patient being unable to remember a specific episode associated with the onset of discomfort. Questioning, then, should be directed toward the possibility that repetitive minor or less severe trauma is the cause of symptoms. Such repeated stress is less obvious but is common to many workmen such as bricklayers, pneumatic tool users, or machinists whose work consistently involves some irritating movement or who constantly lift objects in front of them. Hosewives who iron clothes with great force transmit that force to the shoulder capsule; hod carriers sustain a constant downward traction force on the point of the shoulder.The significant injury may result from a routine act, and enquiry should be made as to how frequently this act is repeated.

Some indication of the severity of the reaction to the injury should be documented also. Was the patient able to carry on at his work, or did he have to stop? Did the pain become apparent the day following injury and grow so severe that he could not carry on? Did the discomfort become so great that it was necessary for him to change his occupation completely?

PAIN THRESHOLDS

The tolerance of individuals to discomfort is an obvious variable. This is often more easily assessed in industrial accidents than in civilian cases. For the most part, patients put up with considerable discomfort before seeking help, but this may not always be so.

Functional disturbances with emotional overlay are often found in the shoulder-neck area. The chronic disorders of degenerative neck lesions and soft tissue shoulder irritants frequently are a basis for prolonged complaints, with little apparent structural change to justify them. For the most part, adequate reason can be found for chronic complaints, but sometimes overemphasis is encountered; this also can largely be identified by careful history taking. Psychiatrists can now conduct a scientific study of pain, using not only clinical assessment but also an examination under anesthesia. In many cases, this type of assessment is extremely helpful, but it should still be coordinated with all the other findings.

GENERAL HEALTH

Significant information may be obtained by inquiring into the general health, previous injuries or illnesses, and possible associated complaints. The age of the patient is significant. Up to 30 years of age, the usual impairments in this region are associated with some form of injury or obvious developmental deformity. In the range of 30 to 60, during the period of greatest productivity, occupational disorders are more prominent. Toward the end of this period, the effects of degeneration are superimposed. From 60 years on, the acute incident resulting from less serious trauma is prominent, but to this must be added frequent disorders of the systemic state. No investigation is complete without a thorough examination of the patient.

EXAMINATION OF THE NECK AND SHOULDER

So many disorders implicate both the neck and shoulder that it is good practice automatically to assess both when complaints implicate either.

EXAMINATION OF THE NECK

On external inspection the contour and general proportions are noted automatically. Considerable variations occur in the length of the neck, the long giraffe-like development contrasting sharply with the short, thick-set variety. Both have propensities for certain cervical disorders. Specific assessment of the neck is best carried out from the back. Palpation identifies tender areas and their relationship to bony points. Palpate the central posterior spines up and down, looking for tenderness, crepitus, abnormal mobility, or altered contour. Palpate the paraspinal zones seeking tender points, spastic zones, or trigger points in the muscle, and hypersensitivity of the transverse processes. Atrophy of the cervical erector spinae is automatically noted, as is any spasm, resistance, or increased muscle tension as the area is palpated. The slope of the shoulder margin from the back is significant. The right-angle configuration may be accentuated, as , for example, in trapezius paralysis, or it may have a decided apical sloping pattern suggestive of postural atony.

The principle in examining this area is to start in the middle and extend to the sides, assessing the consistency, tension, strength, and action of the heavy suspensory muscles on each side (Fig. 4–5). The suboccipital zone is also assessed for tender areas. Sensitive zones related to the attachment of the muscles to the skull are particularly important. Motion of the cervical spine is estimated actively and passively. There are special instruments designed to measure neck motion accurately: protractors fitted to a headband.

Normally the range of extension and flexion of the neck is 90 degrees; this is evidenced by the patient's being able to touch the chin to the chest, and the back of the head to the region of the first thoracic spinous process. Side to side or lateral bending is a little less than 90 degrees in combination (Fig. 4–6).

The front of the neck should also be examined. The boundaries of the posterior triangle of the neck are defined with the trapezius posteriorly and the sternomastoid anteriorly. Streaming through the middle of this triangle are the trunks of the brachial plexus, which can be felt 2 to 3 inches above the clavicle if the head and neck are tilted gently to the opposite side (Fig. 4–7). Just above the medial third of the clavicle, the subclavian pulse is identified by pressing firmly at the border of the sternomastoid. Medial to it and superiorly, the carotid artery can be palpated. This sequence of palpation leads the hand naturally to the sternocleidomastoid muscle, which should be tested in the relaxed and tense positions. The clavicular

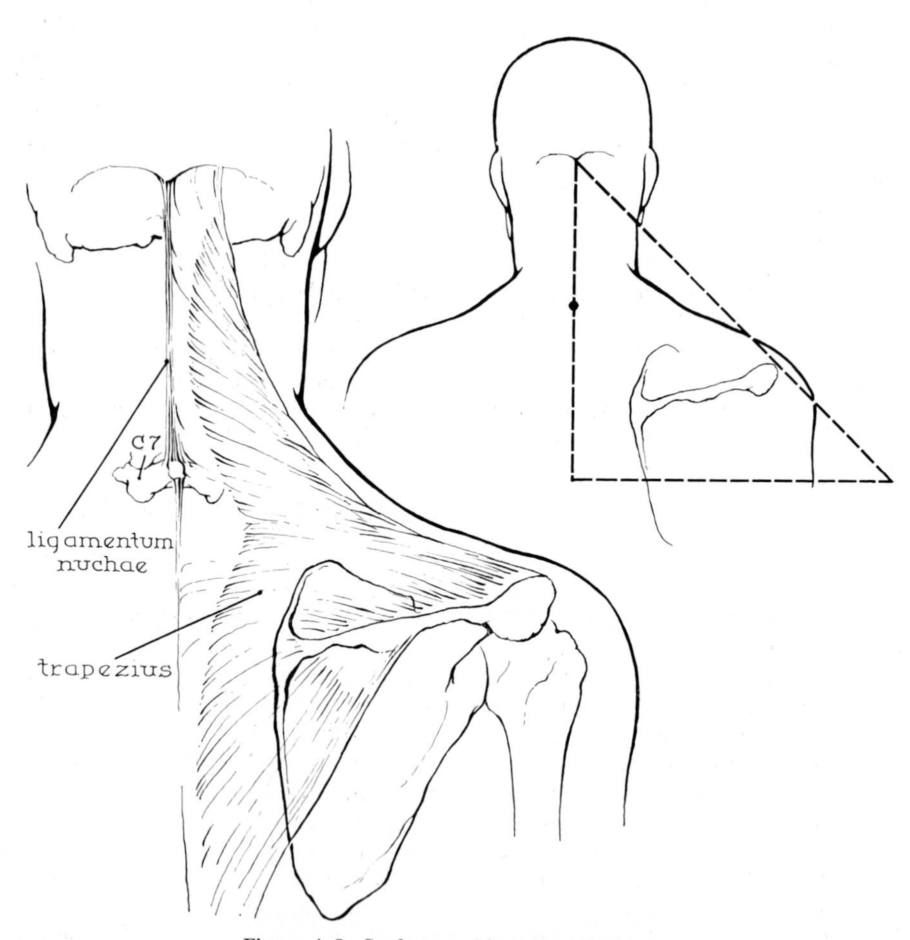

Figure 4–5 Surface markings from the back.

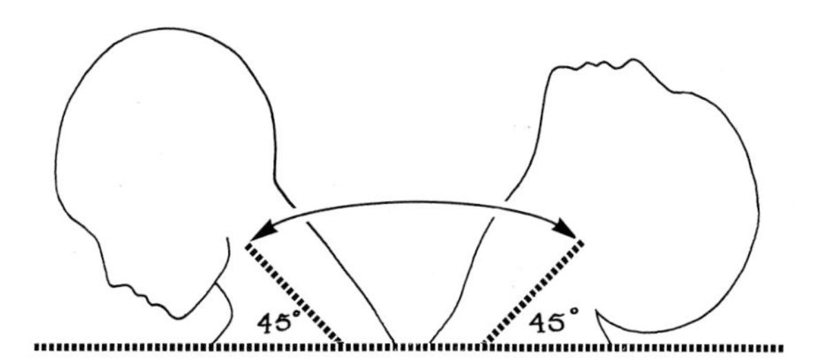

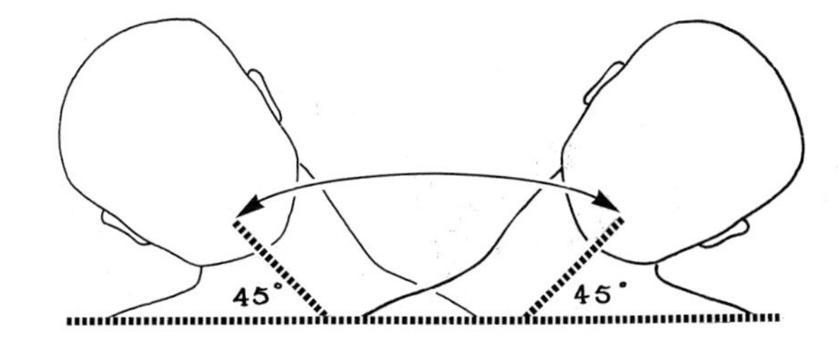

Figure 4–6 Diagram of range of neck motion. Combination of flexion-extension, lateral bending, and rotation.

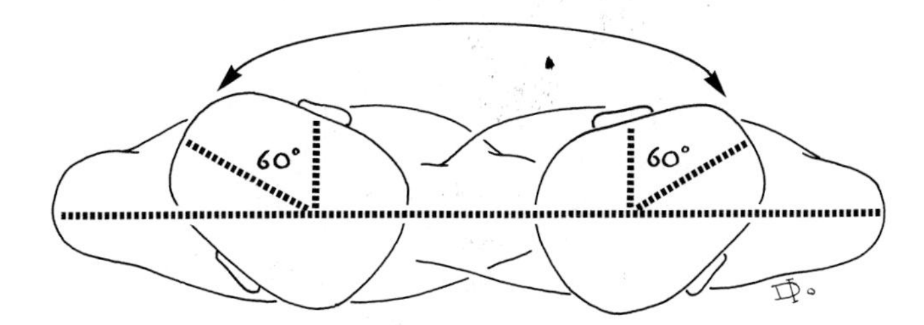

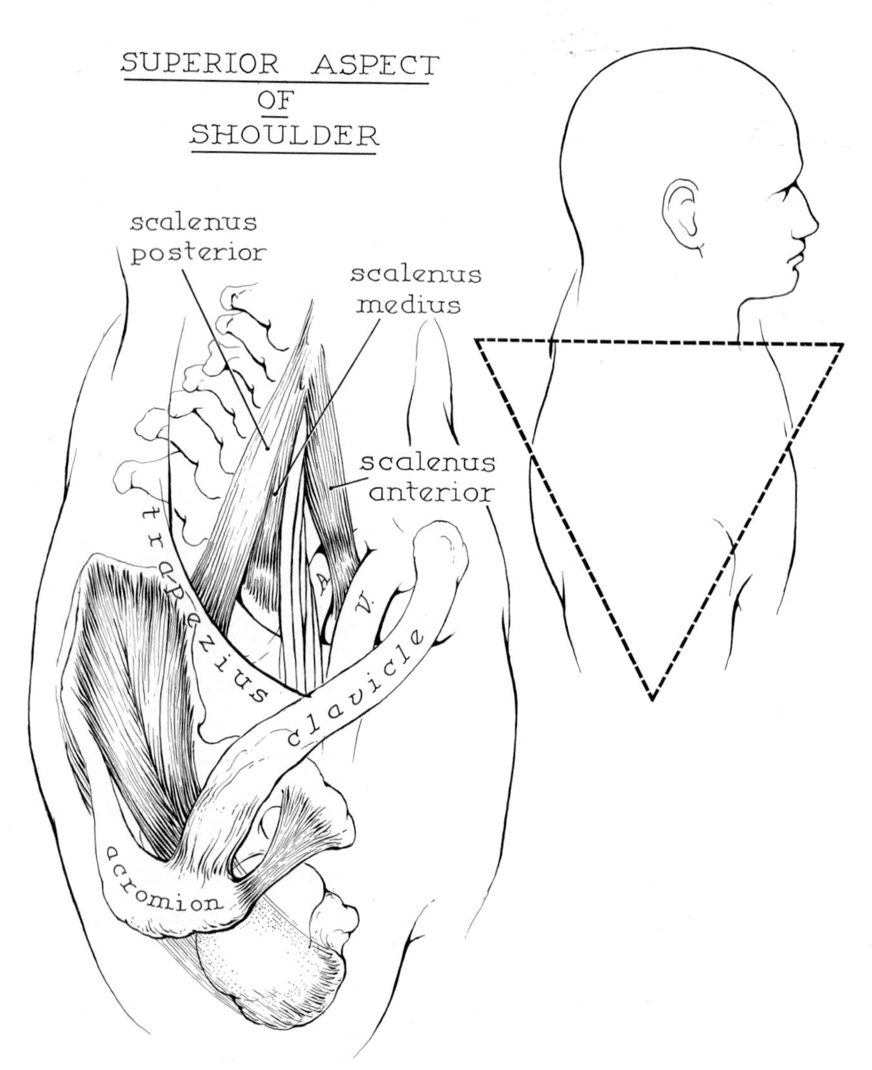

Figure 4–7 Landmarks of neck from the top.

attachment is felt and its anchorage to the mastoid process is assessed. In the midline, the act of swallowing should be assessed. The scalene point is identified 1 inch above and medial to the sternal end of the clavicle; pressure here will identify a cervical rib when present.

Proper management of neck problems requires careful records. Assessment in the Physiotherapy Department, such as outlined in Table 4–1, is invaluable in studying response to and progress of therapy.

Table 4–1 ANOMALIES OF THE NECK

1. Anomalies of Suboccipital Region
   a. Interparietal bone
   b. Platybasia
   c. Synostosis with atlas
2. Anomalies of Atlas
   a. Absence of posterior arch
   b. Segmental replacement with occipital bone
3. Anomalies of Axis
   a. Ossiculum terminale
   b. Os odontoideum
   c. Rudimentary odontoid
   d. Absence of odontoid
4. Cervical Spondylolisthesis
5. Congenital Scoliosis
6. Klippel-Feil Syndrome
7. Spina Bifida
8. Congenital Fusions
9. Anomalies of Joints

EXAMINATION OF THE SHOULDER SYSTEM

The shoulder is really a system of joints, of which the glenohumeral mechanism is but one entity in the center of four satellite articulations (Fig. 4–8).

General Impression of the Area

One automatically notes the general body posture related to shoulder girdle—whether

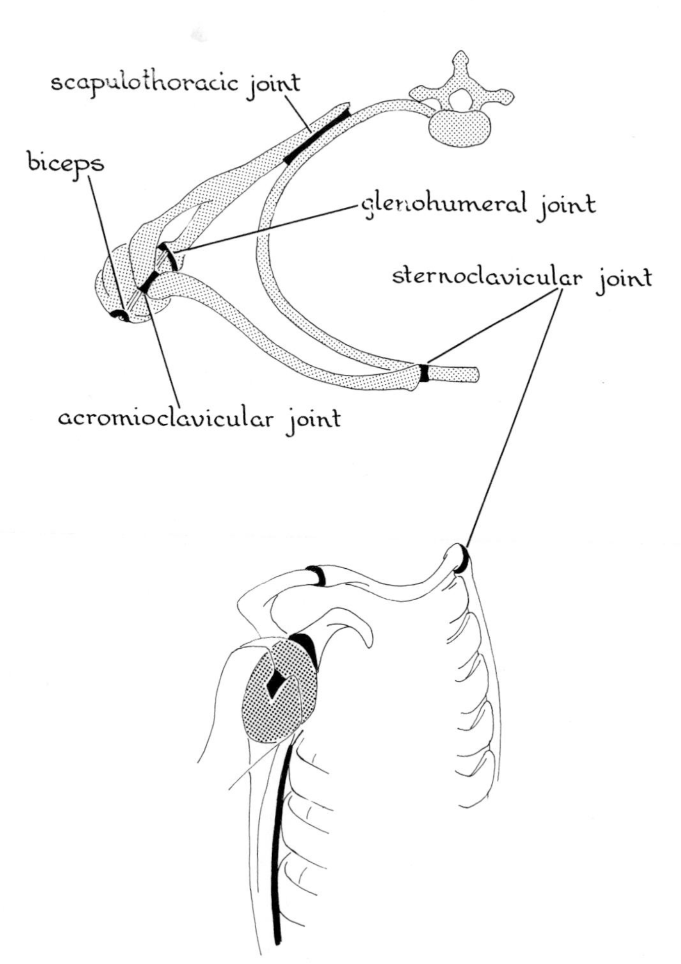

Figure 4–8 Diagram of shoulder system from above and from the side.

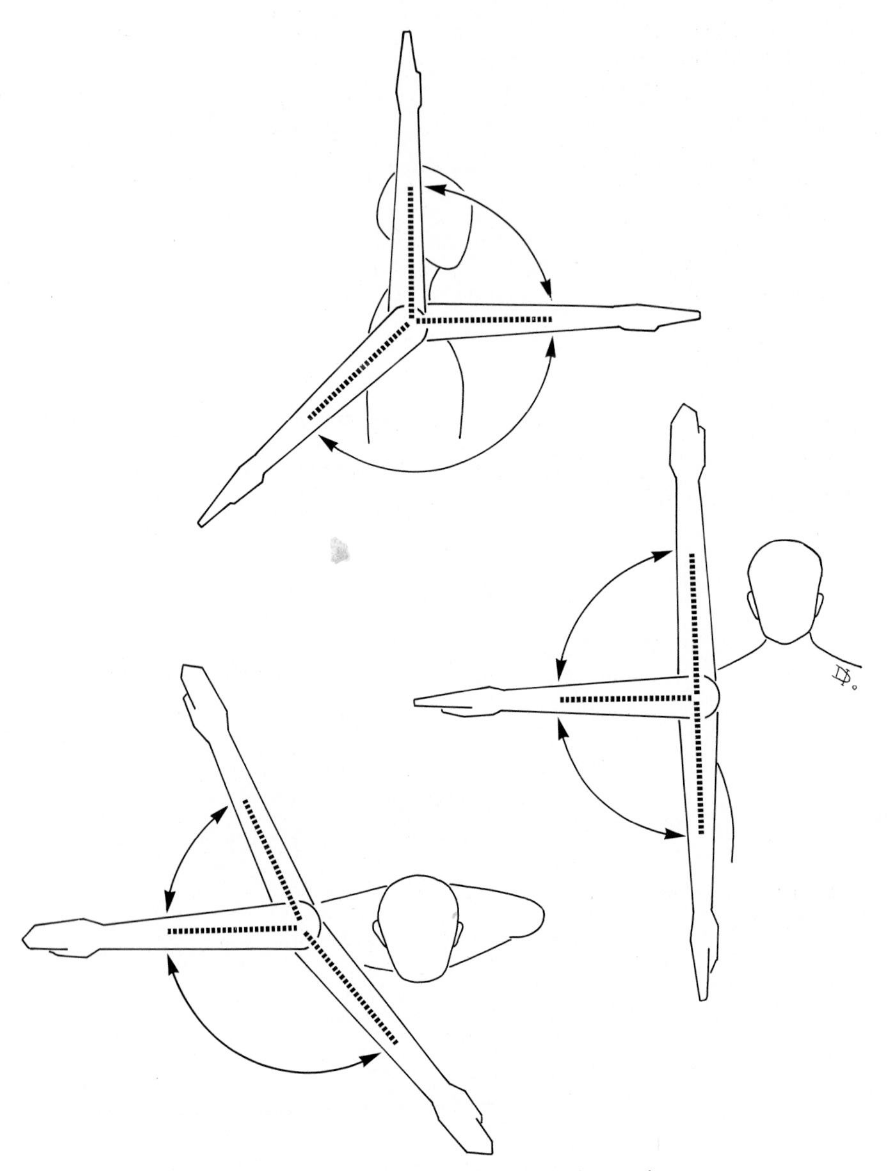

Figure 4–9 *A*, Normal range of shoulder motions.

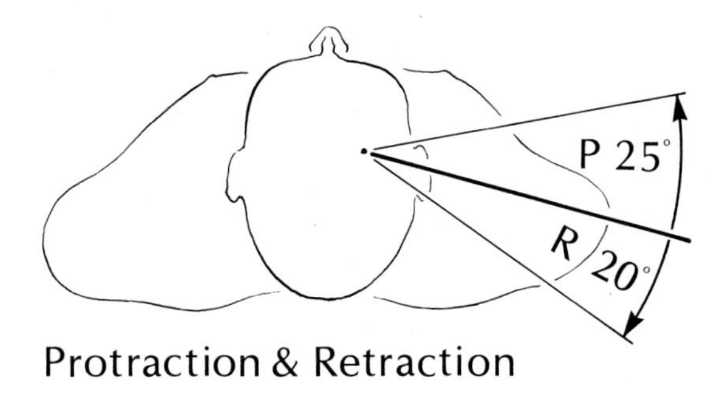

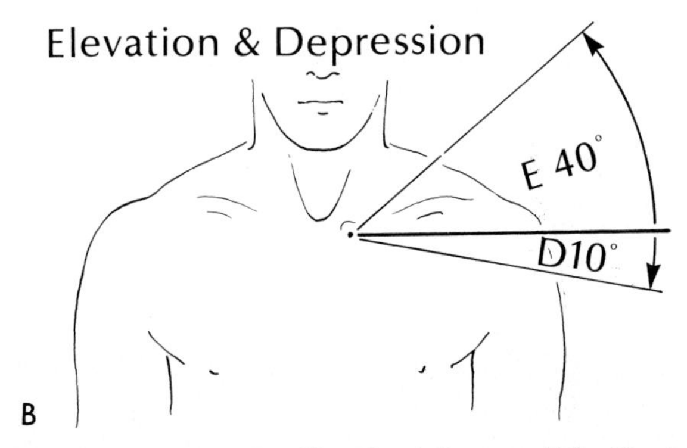

Figure 4–9 *Continued. B,* Shoulder girdle range. (After Tagrin.)

it is slumped, erect, or curved. The body build is also obvious. A short, squat, thick-necked workman contrasts markedly with a tall, thin, frail woman. The relationship of the shoulder girdle to the chest should be particularly noted. The erect, well-muscled laborer contrasts with the relaxed, slumping teenager or frail housewife with chin down, shoulders forward, scapulae spread, and chest flattened. After these observations on general body habitus, attention is turned to the shoulder region proper.

The patient may walk into the office holding the affected extremity rigidly to the side, making use of the hand by moving it from the elbow. Such a posture is usually typical of acute glenohumeral involvement. Important observations can be made as the patient takes off his clothing or attempts to undo a blouse or remove a shirt. The clothes may have been completely removed without evoking complaint, and yet on examination there is voluntary limitation of movement.

After these observations on automatic or spontaneous shoulder movement, specific ranges of motion and critical areas are assessed. The patient should be asked to do the best he can to lift the arm in forward flexion, backward into extension, then to abduction, and finally into circumduction if this is feasible. He should shrug the shoulder in an attempt to touch his ear; brace the shoulder backward; bend the neck forward, backward, laterally; and rotate the chin. Any arcs of pain evinced by this performance should be examined more carefully.

Abduction and Circumduction. This is the arc of shoulder motion most significantly impaired in many shoulder disorders. Typically, when the glenohumeral mechanism is disturbed, a girdle type of motion develops; this is best seen from the back. In this maneuver, the normal effortless swing of the arm upward or sideways is replaced by a hunching of the shoulder. The scapula and humerus move as if glued together, and the arm moves slowly and weakly to less than the midpoint of the normal range (Fig. 4–9 *A* and *B*).

Efforts to further elevate the extremity frequently are accompanied by a tilt of the head and the neck to the opposite side (Fig. 4–10). A few more degrees of abduction are added by this maneuver, but this is the result of movement of the shoulder girdle as a whole, and not further abduction at the glenohumeral joint. In recent injuries to the rotator cuff, the patient experiences a catching sensation; as the arm comes to below a right angle, abduction and external rotation produce a momentary catching spasm. As the head of the humerus dips under the coracoacromial arch, this pain from impingement increases. In long-standing injuries or in extensive full thickness cuff defects, further abduction is not feasible and further attempts at motion implicate the whole girdle, indicating a disrupted pattern (Fig. 4–11).

In contrast, patients with acromioclavicular disturbances most often experience discomfort after the arm is abducted to a right angle and, characteristically, no difficulty is encountered in reaching this point. If the

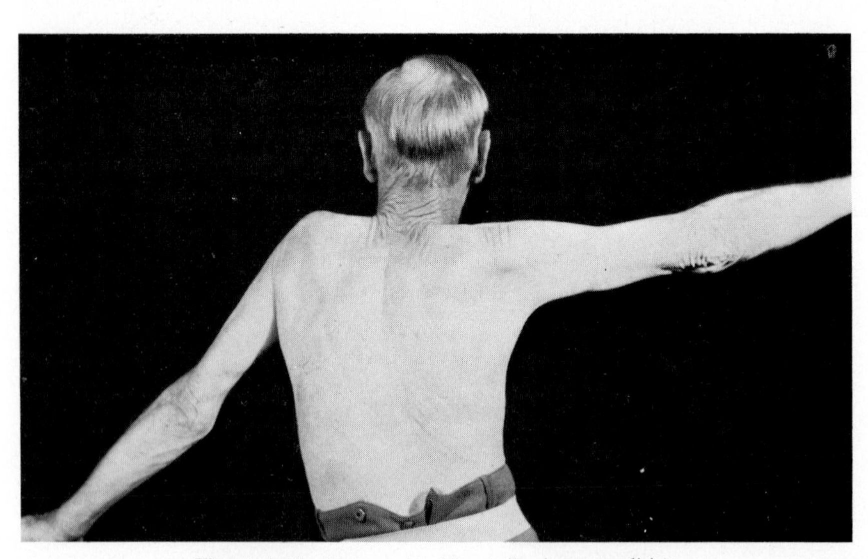

Figure 4–10 Frozen shoulder (adhesive capsulitis).

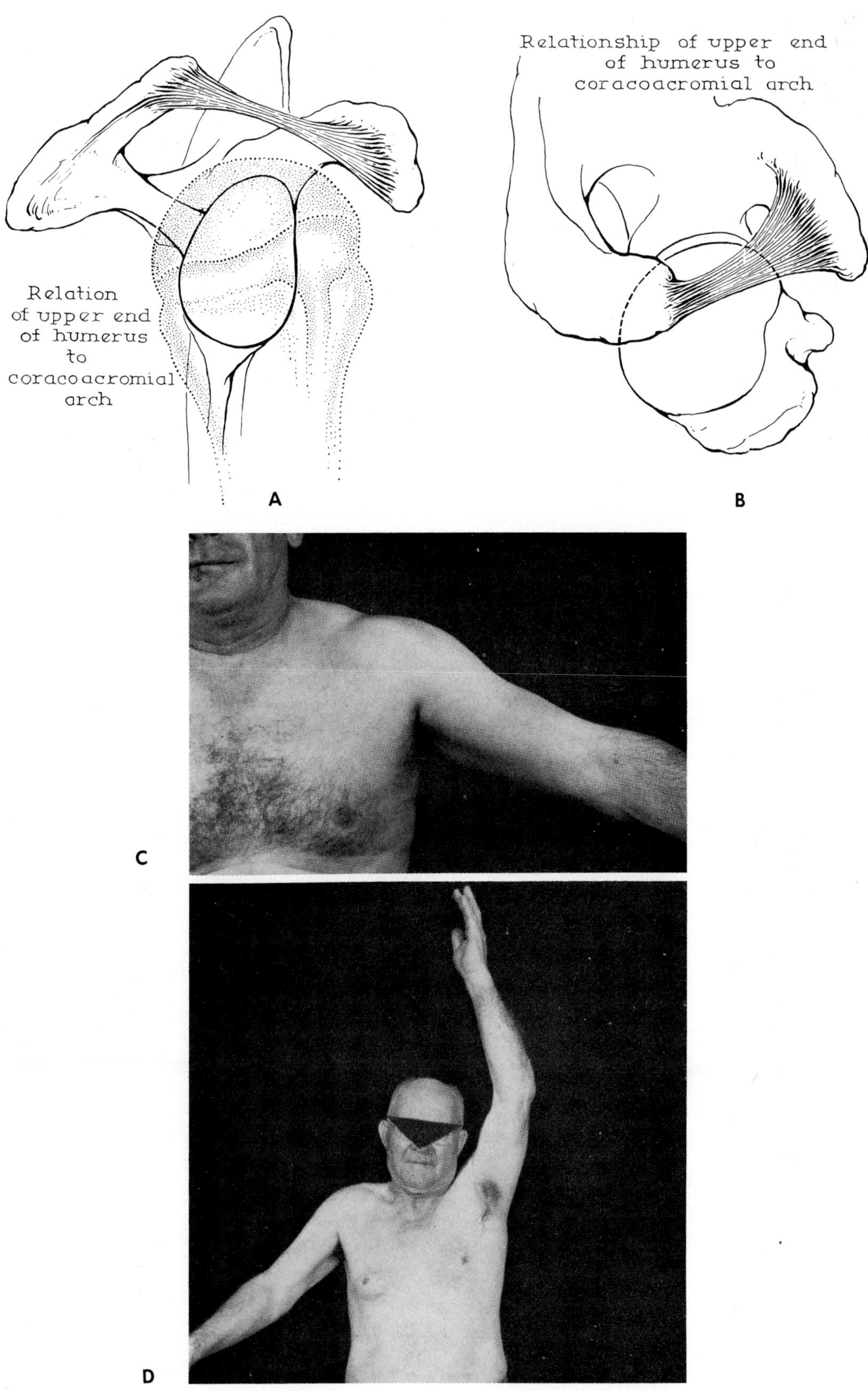

Figure 4–11 Point of impingement.

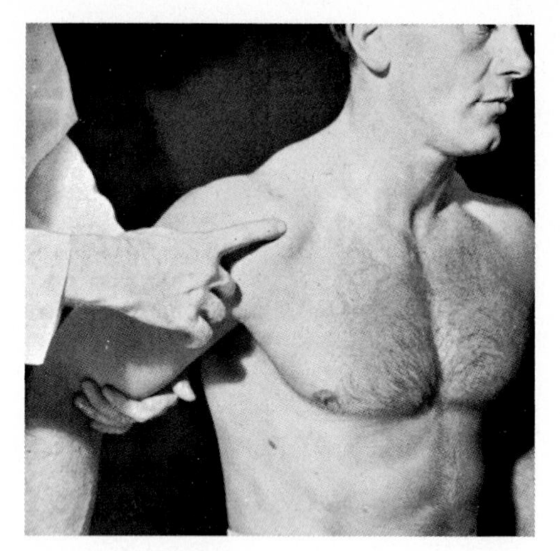

Figure 4–12 Examination of upper end of the humerus.

patient is then asked to rotate the arm across the chest at a right angle, the discomfort is accentuated.

Passive Motion. Passive motion and assisted active motion should also be carefully assessed. This examination is best carried out with the patient sitting sideways on the chair; the examiner stands behind or at the side, and grasps the flexed elbow, placing his other hand over the shoulder (Fig. 4–12). Forward movement, backward movement, and rotation are then tested, with the humeral head being palpated by the opposite hand. If voluntary motion has demonstrated a painful arc, this is left to the last, and the arm is gently abducted and rotated into the painful zone. The palpating hand notes the movement of the head of the humerus, and automatically feels the scapula also. In this fashion the typical frozen shoulder can be demonstrated. Laxity of the head of the humerus in the capsule is assessed by placing the thumb over the head of the front and using the fingers to grip the posterior part of the head of the humerus. With the examining hand in this position, pressure by the thumb can shove the head backward and forward with a springing action.

Assessment of excursion of the head of the humerus in the glenoid is extremely important in disturbances such as recurrent subluxation. The movement is also vitally important in examining for anterior or posterior recurrent dislocation. When the capsule is particularly lax posteriorly, but the head cannot be shoved too far forward, it is strongly suggestive of a posterior recurrent subluxation.

Tenderness over the upper end of the humerus is identified by firm pressure, usually by pulling the arm into slight extension so that more of the upper surface of the cuff is exposed in front of the acromion. Crepitus is looked for when the head of the humerus is rotated under the examining finger. In some instances, firm pressure through the deltoid will give the suggestion of subjacent defects in the cuff; as the humerus is rotated under the examining finger, the roughened zone may become more apparent. Snapping or clicking sounds related to shoulder movement are often heard. When the clicking sensation is related to passive rotation of the head of the humerus, it is the subacromial bursa or adjacent zone of the rotator cuff that is at fault. When the clicking sound can be produced only by the patient's moving the arm himself in rotation, it is often accompanied by an element of anterior prominence of the head of the humerus, which is highly suggestive of a subluxing joint. A clicking sensation that can be traced to the acromioclavicular joint, which is also painful on palpation, may be produced by abduction above a right angle; this suggests internal derangement of

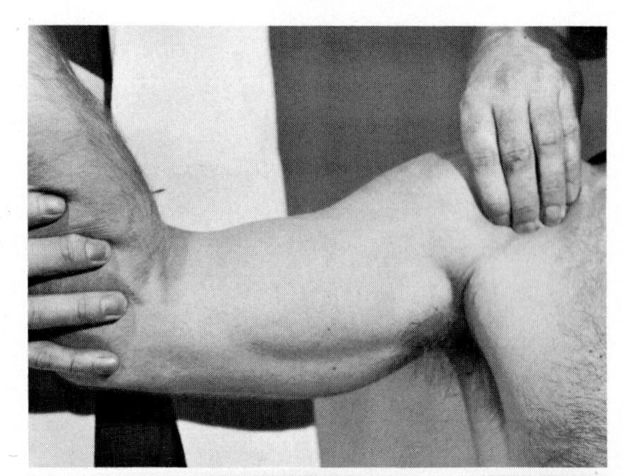

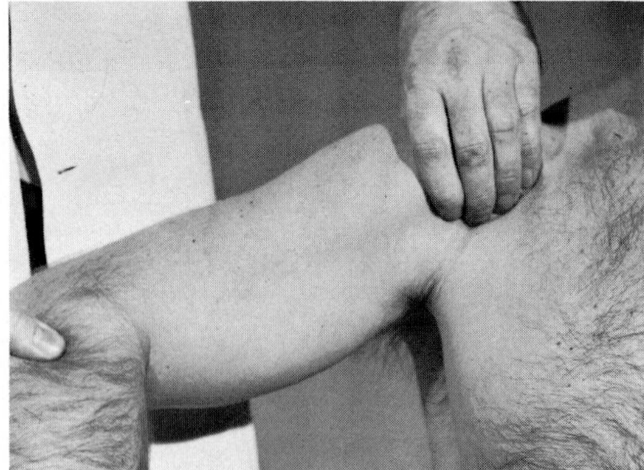

Figure 4–13 Examination of biceps apparatus.

the acromioclavicular joint, subluxation, or osteochondritis. The most obvious example of snapping shoulder results from luxation of the long head of the biceps, which often presents a loud snap as the shoulder is rotated internally and externally with the arm at a right angle.

Bicipital Area

Careful study should always be made of this area in shoulder disorders. The initial assessment is carried out by the examiner's identifying the bicipital groove between the two tuberosities, with the examining finger digging through the anterior aspect of the deltoid as the opposite arm passively rotates the head of the humerus. Tenderness in this region is noted, as is crepitus. A maneuver of particular importance is lifting the arm at the side and palpating the bicipital groove with one hand, while the other passively rotates it upward and downward; luxation or dislocation from the groove of the long head of the biceps can best be identified in this way. This often occurs with a definite clicking sensation (Fig. 4–13). Various tests have been developed for the continuity and function of the long head of the biceps. This tendon really has a somewhat stationary or steadying effect on the head of the humerus, in that the humerus moves on the tendon, rather than

Table 4–2 SUGGESTED APPROACH TO THE PHYSICIAN'S ASSESSMENT OR ANALYSIS OF SHOULDER PROBLEMS

Location/pattern of PAIN:
- ☐ Neck
- ☐ Shoulder and neck
- ☐ Shoulder
- ☐ Shoulder and radiating

1a. *PAIN WITH INACTIVITY:* (25 possible points)	a) None or ignores it	25
	b) Movement in sleep causes pain	20
	c) Awakened by pain without motion	15
	d) Jarring causes pain	10
	e) Constant	0
b. *PAIN WITH ACTIVITY:* (25 possible points)	a) None or ignores it	25
	b) Impingement	15
	c) Guarded episodic	10
	d) Occasional, repetitive	5
	e) Incapacitating	0
	f) Paralyzing	0
2. *FUNCTION–ADL:* pain (20 possible points)	a) Putting affected arm in sleeve last	4
	b) Pull up back zipper	4
	c) Reach into back pocket	4
	d) Compression stroke (e.g., ironing)	4
	e) Reach and lift with elbow straight	4
3. *POWER:* (10 possible points)	a) Lift against 3 fingers' resistance	10
	b) Lift against 2 fingers' resistance	8
	c) Lift against 1 finger's resistance	6
	d) Lift arm against gravity	4
	e) Lift arm gravity eliminated	2
	f) Unable	0
4. *STABILITY:* (10 possible points)	a) No instability	10
	b) Instability on circumduction	8
	c) Unstable on 90° flexion and palm down	6
	d) Instability on throwing	2
	e) Instability on passive antero-posterior glenohumeral joint manipulation	0
5. *CONTROL AND ROM:* (10 possible points)	a) Occiput reach (stable girdle from the back)	10
	b) Shoulder level lift (non-hunch)	5
	c) Consistent girdle motion (hunch motion)	0
	TOTAL POSSIBLE POINTS :	100

the tendon contracting and moving on the humerus. Roughening of the groove in which the tendon lies, or a fraying of the fibers or the tendon, can sometimes be identified by having the patient flex the elbow and supinate the forearm against resistance, but this maneuver is not always reliable. Function of the tendon is also tested by resistance against forward flexion of the shoulder; when the long head is ruptured, considerable weakness in this act can be demonstrated if function is compared with the opposite side.

A standard analysis of shoulder function has become progressively important. Table 4–2 is specifically applicable to the pain pattern assessment method of investigation.

Acromioclavicular Joint

An often overlooked but clinically important area lies at the lateral end of the clavicle. The acromioclavicular joint is a constantly used and abused accessory articulation of the glenohumeral mechanism. It should always be carefully examined (Fig. 4–14), and any abnormal configuration noted, such as enlargement or malalignment.

The joint line is felt by pressing up on the elbow with the arm at the side and the palpating finger over the lateral end of the clavicle. The patient should be checked for any complaints of pain referred to this area when the humerus is abducted without rotation. Pain should also be tested for by passively pushing the arm across the chest at the horizontal level; pain during this maneuver is highly typical of acromioclavicular disorders. Crepitus or luxation can often be felt on any of these maneuvers. Force applied across the body is focused on the acromioclavicular joint, and the sideways compression will be resisted by this compound strut of acromion and clavicle. In this fashion, luxation of the clavicle above the acromion may occur.

In flexion of the arm, the scapula rotates around the outer end of the clavicle; in young patients, considerable anteroposterior play can be demonstrated after certain injuries. This is best evaluated by shoving the acromion forward with one hand and steadying the clavicle with the opposite hand, so that this anteroposterior luxation is reproduced. As this act is carried out, discrepancy in the level of the outer end of the clavicle with the articulating zone of the acromion will sometimes become apparent, and is suggestive of recurrent subluxation.

Scapulocostal Mechanism

The scapula, its bed, and its covering play a part in many common pathologic states in this region. Both neck and shoulder structures are intimately integrated. The important structures are soft tissues such as heavy muscles and thick ligaments.The scapula swings on an arched track over the upper eight ribs. The thin vertebral body border insinuates between the layers like a blunt probe. Muscle root attachments of the rhom-

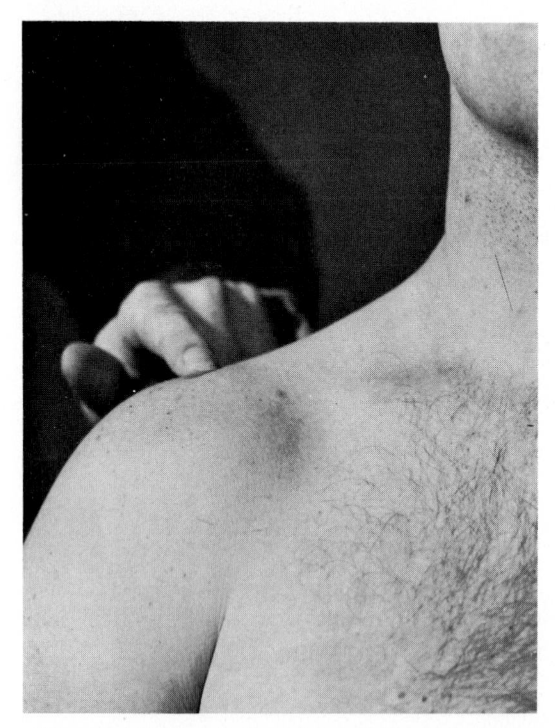

Figure 4–14 Examination of acromioclavicular joint.

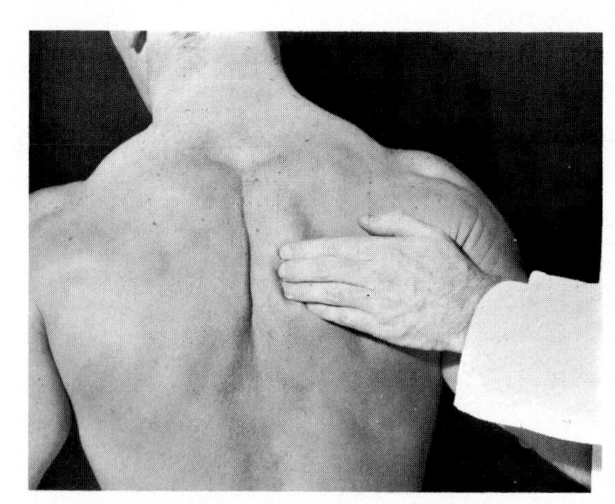

Figure 4–15 Scapulocostal mechanism.

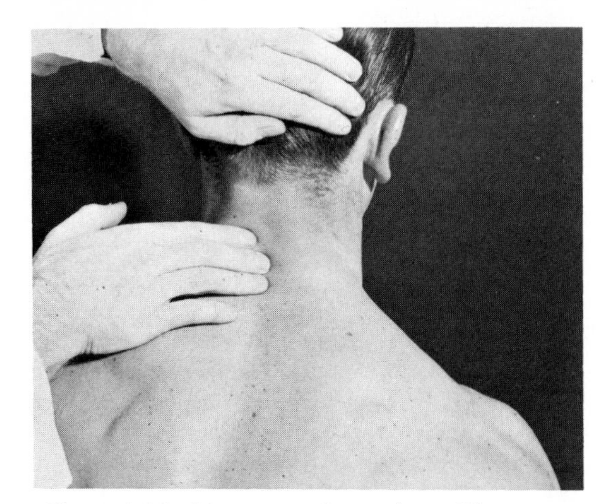

Figure 4–16 Assessment of trapezius and ligamentum nuchae.

boids and serratus creep onto this border, and if these elements become frayed a palpable crepitus develops. In assessing this region, the medial border of the scapula is palpated with the flat of the hand as the arm is moved actively and passively from the side. The area at the base of the spine of the scapula in particular is assessed during this maneuver (Fig. 4–15).

The rhythm of the scapula should be observed because it is an indicator of proper glenohumeral function. If it is obviously distorted, as in cuff tears, a typical girdle or shrugging rhythm replaces the normal, well-anchored swing of the arm. In paralytic lesions, such as involvement of the accessory or long thoracic nerves, fixation of the scapula is markedly deranged so that the posterior border swings free, pointing laterally in the former condition and almost directly backward in the latter.

The trapezius is an extremely important muscle in neck-shoulder action; it may be implicated in derangements of either neck or shoulder because it works on both levers. Function of this strong accessory muscle may be assessed by palpation of the medial attachment, the ligamentum nuchae, and the posterior cervical spinous processes (Fig. 4–16). Trigger points in this attachment to the spine of the scapula and posterior spinous processes are identified. Deformity of the upper medial border of the scapula and, in particular, curling of the edge produce a particularly coarse grating. This noise or snapping effect is accentuated by the thoracic cage, which then acts as a sounding box, perceptibly increasing the audibility.

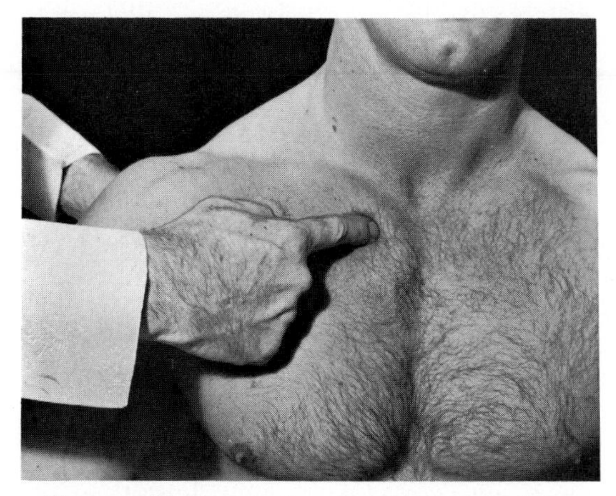

Figure 4–17 Examination of sternoclavicular joint.

Sternoclavicular Joint

Abnormalities of the sternoclavicular joint are easily overlooked. Sometimes the soft tissue padding conceals deformity of the sternoclavicular area, so this should be included in the routine investigation of the shoulder system, and should be assessed particularly in any shoulder with restriction of motion. Arthritic processes commonly enlarge and roughen the medial end. The medial end of the condyle should be palpated by digging fingers in the sternoclavicular junction, grasping the bone and directly testing its mobility. Comparison should be made with the contours of the opposite side, because it is extremely rare for both sides to be involved in a pathologic process at the same time (Fig. 4–17).

The common distortion is one in which the medial end of the clavicle rides above the sternal notch. It often has a bulbous enlargement, and this may project posteriorly and superiorly. After injury, the whole medial end may be riding medially out the the notch in the sternum.

Important structures adjacent to the sternoclavicular joint should also be assessed: the attachment of sternocleidomastoid carotid pulsation, subclavian pulsation, and finally the scalene point above and just lateral to the sternoclavicular articulation. Sometimes inspection of the joint from the front does not show the distortion, and it is necessary to look at the chest from the side or obliquely to detect the anterior displacement of the medial end of the clavicle.

Testing Motor Power

Assessment of innervation of the main muscles about the shoulder should be an

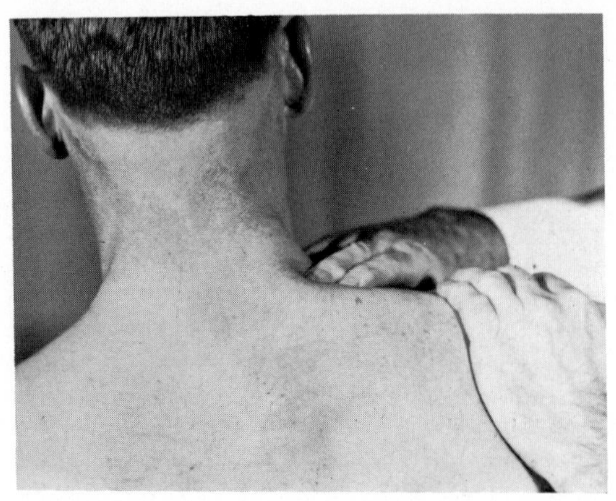

Figure 4–18 Testing for motor power in trapezius.

integral part of the investigation, particularly in injuries. Special equipment is not essential, since simple clinical assessment by palpation and muscle tensing can localize most significant defects. Some important muscles can be singled out for particular attention, and examination of these should be part of the routine assessment of this region.

Trapezius. The trapezius forms the sloping angle of the shoulder and contributes significantly to the stability of the whole upper limb. Paralysis is not uncommon, and can easily be missed on simple external inspection because of the filling in by the soft tissues. Suspicion of the existence of the lesion should be aroused by alteration in the contour at the back of the shoulder. The normal sloping angle is lost and is replaced by a much sharper right-angle appearance. Often the patient himself has noticed the flattening of the shoulder blade. He should be asked to lift the point of the shoulder to touch his ear; one examining hand acts as resistance on the point of the shoulder and the other hand palpates the suspensory fibers (Fig. 4–18).

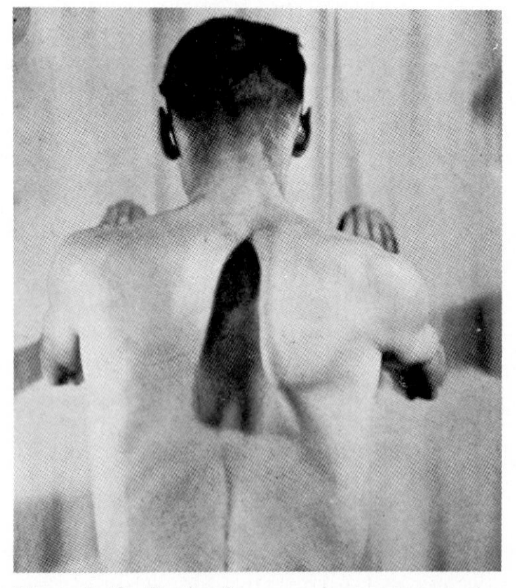

Figure 4–19 Testing for power in serratus anterior.

Serratus Anterior. Weakness or paralysis of this muscle seriously hampers rotatory control of the scapula and loosens the fixation of the scapula to the chest. The muscle is tested by exerting pressure with the forward placed arm, at the same time palpating the medial border for posterior displacement (Fig. 4–19).

Deltoid. The state of this important muscle is automatically assessed on inspection, and atrophy is usually quite apparent; however, paralysis of part or all of it can be overlooked. It is tested by palpating the fibers with one hand as the arm abducts against resistance from the other. The anterior portion is tested by resisting forward flexion, and the posterior part by resisting extension. The muscle fibers must be palpated and tested against resistance, since abduction is possible by accessory muscles, and loss of this action alone is not a reliable index of the deltoid function (Fig. 4–20).

Latissimus Dorsi. This is one of the least commonly involved muscles in the upper limb. It is tested by the examiner's holding the arm under the elbow and having the patient press down toward the side; with the opposite hand, the examiner palpates the broad tendon as it crosses the posterior axilla (Fig. 4–21).

Spinati. Particular attention should be given to the supra- and infraspinati. Atrophy and loss of substance are easily noted on inspection. Specific contraction of these muscles is obtained by having the arm at the side, palm forward, and performing internal and external rotation of the glenohumeral joint (Fig. 4–22).

Pectoral. Some injuries, particularly those involving the brachial plexus, may implicate these muscles; their assessment may be important. They are tested for resistance to adduction and forward flexion at the glenohumeral joint, with the opposite hand of the examiner palpating the muscle fibers (Fig. 4–23).

Sternomastoid. The sternomastoid is often an important structure, both as a landmark and also for its contribution to abnormalities of structure and function in

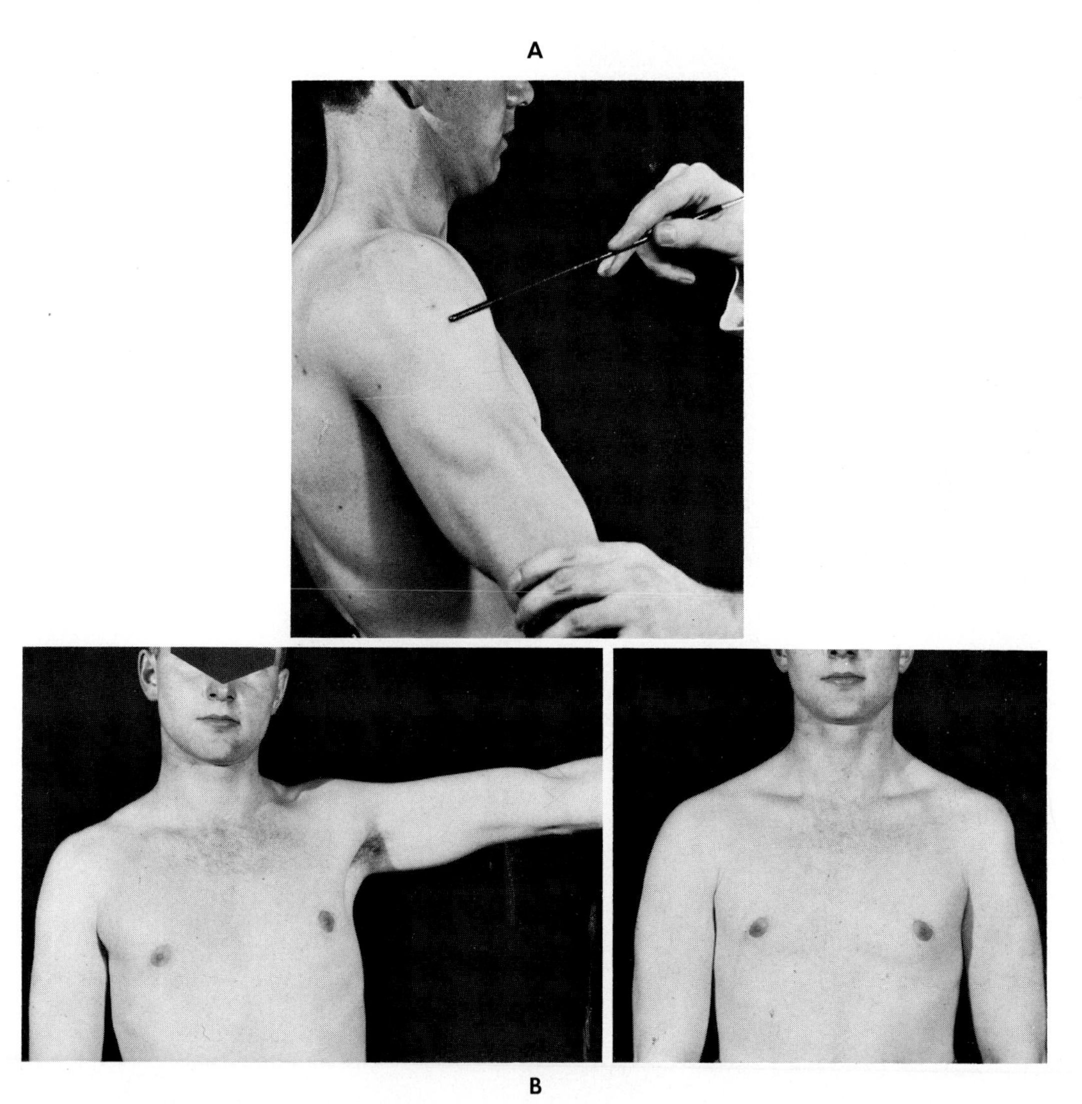

Figure 4–20 *A*, Proper method of testing deltoid. *B*, Assessing abduction alone is insufficient. Accessory muscles may give a degree of abduction when deltoid is paralyzed as above.

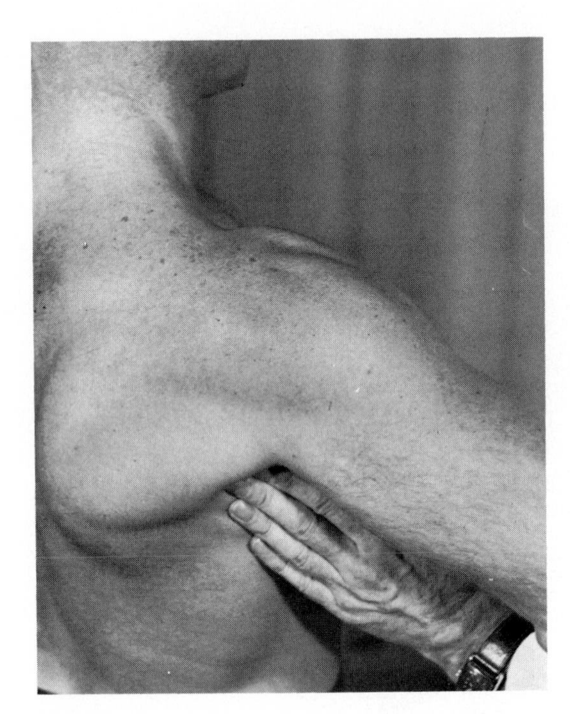

Figure 4–21 Testing the latissimus dorsi action.

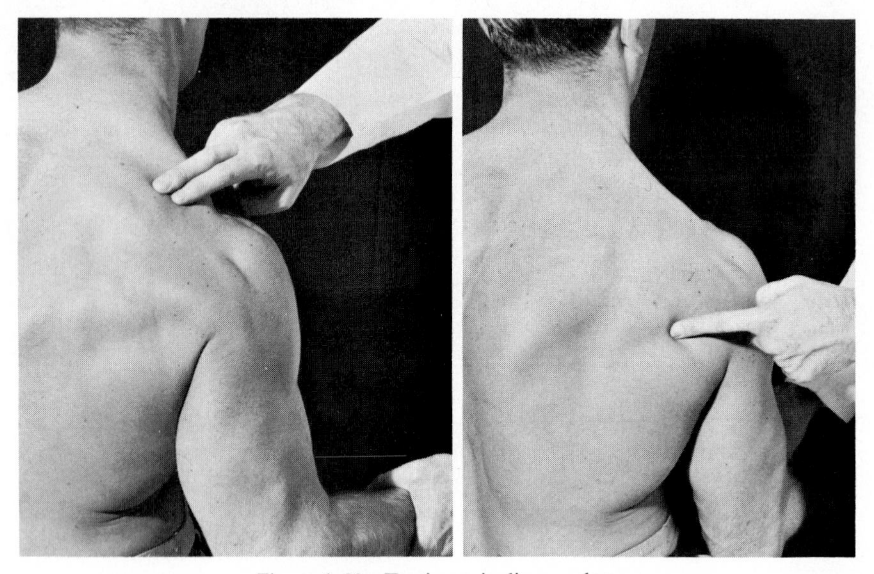

Figure 4–22 Testing spinalis muscles.

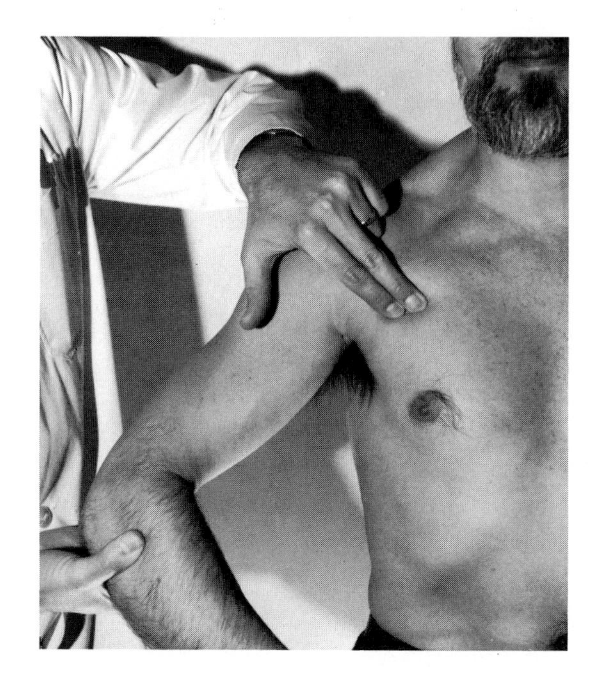

Figure 4–23 Testing pectorals.

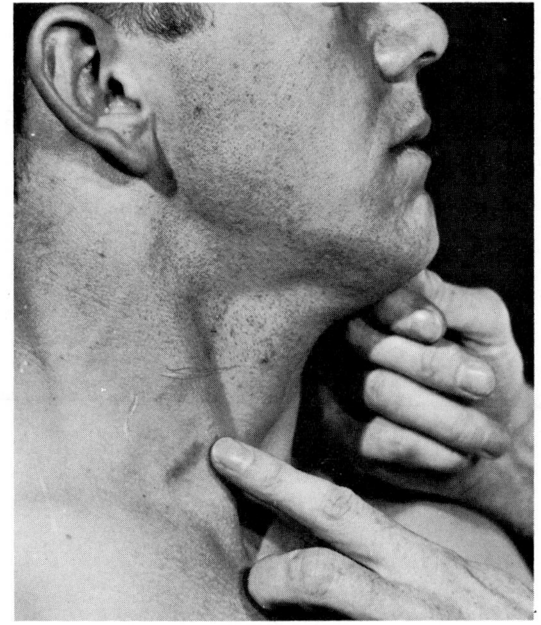

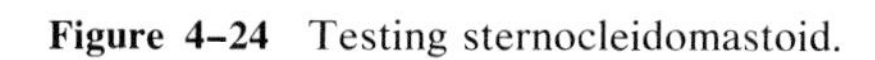

Figure 4–24 Testing sternocleidomastoid.

this region. The muscle is investigated by palpating the sternal attachment with one hand, applying resistance to tilting of the chin in the opposite direction with the opposite hand. The muscle is palpated along its length from the clavicular attachment to the tip of the mastoid process. Assessment of the continuity of its substance is particularly important in children, because scarring and fibrous contracture produce the typical wryneck deformity and eventual facial asymmetry (Fig. 4–24).

Testing for Sensory Defects

Disturbances in sensation are much less common in the shoulder region than are alterations in muscle innervation. The supraclavicular nerves are sometimes injured in incisions made parallel to the clavicle. These may leave tender scars, with embedded neuromata producing an unpleasant, radiating, burning type of pain. Touch appreciation is diminished below the incision, and patients complain of the burning sensation. The neuromata can be palpated in the scar. Injuries in the region of the posterior triangle may implicate the great auricular and lesser occipital nerves. Radiating pain extending up to or behind the ear, sometimes related to the mastoid process, may result. Some superficial diminution of light touch can be identified in these areas.

Paralysis of the posterior circumflex nerve or the axillary trunk leaves an area of hypoesthesia over the lateral border of the deltoid about 2 inches below the acromion. Response to touch and pinprick should be assessed in this area in injuries such as anterior dislocation of the shoulder. When there is any suggestion of plexus involvement, sensation in the hand should be assessed. Alteration in appreciation of touch along the lateral border of the forearm is suggestive of lateral cord involvement; involvement of the medial aspect implicates the medial cord; and hypoesthesia of the fifth finger implicates ulnar nerve and medial cord.

ELECTRICAL INVESTIGATION

Assessment of muscle action by electrical means has assumed a progressively significant role. The frequent implication of nerves in this area makes this study particularly important. Several separate entities may require assessment: (1) investigation of muscles in cases of nerve involvement; (2) testing muscle function apart from nerve damage; and (3) investigation of patients suspected of malingering.

Investigation of Nerve Injuries. The response of muscle substance to electrical stimulation varies according to the type of current used and the site to which this current is applied. Faradic current elicits a muscle response only when it is applied at the point of entrance of the motor nerve into a given muscle. It is dependent on the connection of that nerve to the muscle being intact and undamaged. If the physical state of the conducting nerve is altered as a result of cutting or crushing, there will be no conduction of the current to the muscle and no response in the muscle. Such loss of response to a faradic current is highly suggestive of significant damage to the nerve supply. When the nerve has been repaired and regeneration has occurred, the response will return, but (peculiarly enough) voluntary power can sometimes be demonstrated before the faradic response develops.

The assessment with an interrupted direct (or interrupted galvanic) current is on quite a different basis. This type of current stimulates muscle substance directly so that it may be applied at any point, and a reaction of the muscle will occur as long as there are muscle fibers present with sufficient health to contract. When degeneration of the fiber substance has occurred, or denervation has been present for so long that the muscle substance is replaced by fatty tissue, no response can be obtained. Persistent loss of response to interrupted direct or interrupted galvanic current connotes serious nerve and muscle damage. In some instances, however, if the interrupted direct current is applied repeatedly, some reaction can be obtained from the muscle after a period of days, or sometimes weeks. When both faradic and galvanic response have been lost, there is no longer any functioning nerve or muscle.

Muscle Assessment in Cases Other Than Nerve Injuries. Electric stimulation is of help in assessing the continuity of various muscles apart from paralytic disorders. If stimulation to a given muscle results in contraction and movement similar to the usual voluntary pattern, the attachments are likely intact. When normal movement is not initiated or is very weak, some alteration of the muscle attachments may be suspected. For example, the biceps may be stimulated, and normally no pain is experienced in the region of the long head; if pain develops on stimulation, it occurs apart from movement of the shoulder, so that specific discrete action of the biceps must then be responsible for the pain, since other capsular structures are not implicated. Such a response is suggestive of bicipital disorder. The muscles about the shoulder that commonly may need such electric testing are trapezius, deltoid, pectoralis, biceps, and spinati.

TRAPEZIUS. Accessory nerve injuries are not uncommon, and result in trapezius paralysis. In assessing the response in this muscle, the examiner should be careful not to confuse contraction of the rhomboids or levator scapulae with action of the trapezius. The motor point for faradic testing is just below the lateral fold, along the upper border where the accessory nerve dips into the muscle.

DELTOID. Electric stimulation and assessment of the deltoid is often needed since this is the most frequently paralyzed muscle about the shoulder. The motor point for faradic stimulation lies at the back at the midpoint of the posterior border, where the posterior circumflex branch enters the muscle. Interrupted galvanic or interrupted direct current assessment may be carried out at any two points in the muscle.

BICEPS. Paralysis of the biceps is not common, but it may be helpful sometimes to stimulate contraction in the muscle to assess its reaction and its relationship to other tissues. Isolated action of this muscle is helpful in diagnosing bicipital disorders. The motor point for faradic stimulation lies about 2 inches below the coracoid, the electrode being placed under the edge of the medial border of the deltoid.

Examination for Malingering. Sometimes one suspects that the patient's responses have an element of voluntary restraint or that he is deliberately refractory. Gross malingering is rare, but reluctance in certain movements is not uncommon, particularly when the patient is involved in litigation. Under these circumstances it is most helpful to use an electric current to stimulate muscle response. A faradic current is used, and it is often possible to produce a greater range of motion than the patient will present on a voluntary basis; sometimes this method also has a decidedly beneficial effect on the patient. In some instances the patient is encouraged by seeing the given muscle work, or the examination may so conclusively expose his malingering that he abandons the pretense.

ELECTROMYOGRAPHY

Precise assessment of minute muscle changes can now be done with the electromyograph, which provides a most accurate examination. Its principle is magnification of the small electrical changes that occur in muscle when it contracts; these are recorded on a cathode ray oscillograph for study. The apparatus consists of a preamplifier, an oscilloscope, a speaker, and a camera. Permanent records are possible with the use

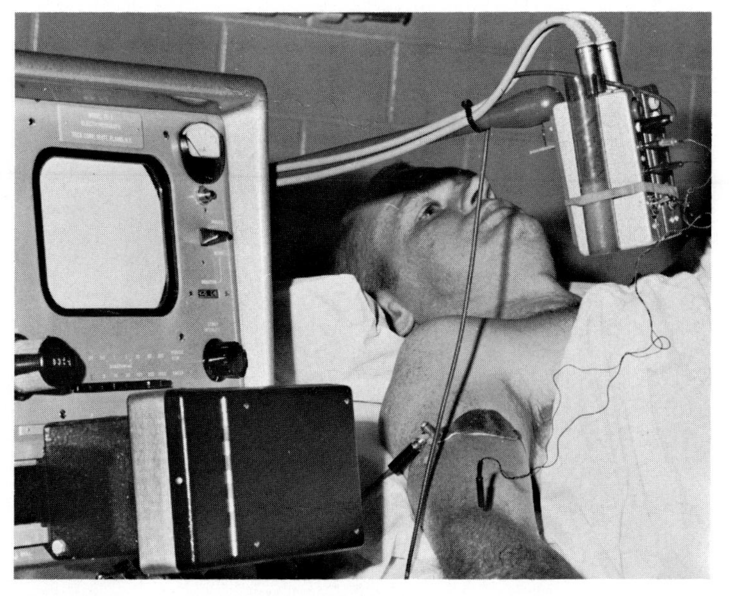

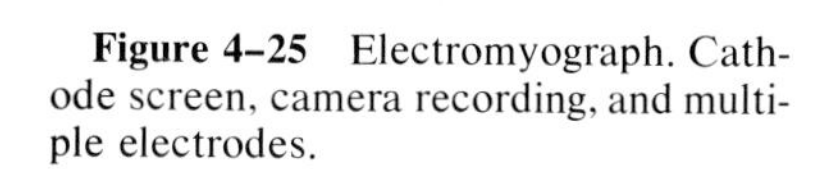

Figure 4–25 Electromyograph. Cathode screen, camera recording, and multiple electrodes.

of a camera, but the study comprises both visual and auditory assessment of the electrical response (Fig. 4–25).

No electrical potentials can be recorded in normal muscle at rest, but when it contracts, minute potentials or motor unit action potentials (MUAPs) are produced of sufficient strength and duration to be recorded on the oscillograph. The pattern produced by these changes is very much like that of a typical electrocardiograph record. Since voluntary contraction is under voluntary control, these potentials are produced by a voluntary action. Paralyzed muscle, on the other hand, has a completely different electrical pattern, no MUAP being possible; instead there are much smaller, uncontrolled action potentials known as fibrillation action potentials (FAPs). Normal MUAPs present a broad deflection, in contrast with the small FAPs. When the nerve supply or muscle is damaged, fibrillation develops and replaces the normal MUAP picture. As the muscle starts to recover, a form of MUAP called a "nascent potential" gradually develops, replacing the fibrillation changes. This examination is extremely useful in diagnosing nerve injuries, and also in assessing the stage of recovery after a nerve has been repaired; for this latter purpose it is feasible to record electrical changes with the oscilloscope at a much earlier date than is possible with any other form of investigation.

The apparatus is also useful in investigating many other neurologic disorders: nerve root lesions, muscular dystrophies, and all similar, related disturbances can be assessed. It has also been valuable in the investigation of the physiology and action of different muscles in the patterns of limb motion. In the shoulder, for example, abduction has long been thought to be dependent on the supraspinatus, but electromyographic studies show conclusively that, the instant abduction is started, the deltoid also contracts, so that this movement results from a combined and coordinated effort of both muscles.

TECHNIQUE OF ELECTROMYOGRAPHIC INVESTIGATION

Electromyographic investigation is neither painful nor time-consuming. The apparatus in common use is shown in Figure 4–25. If many examinations are being done, a screened room is preferable in order to eliminate interference, but this is not essential. For examination of the shoulder, the patient sits on a stool close to the machine, and a ground electrode is applied to the forearm. Two electrodes are used in relation to the muscle being examined: a ground surface metal electrode, and a needle electrode inserted directly into the muscle. The skin electrode is strapped over the muscle to be examined. Good contact is obtained by use of electrode jelly. The skin directly over the muscle is prepared with iodine, and the needle is inserted into the muscle belly. No anesthesia is required, and the maneuver is not significantly painful. The electrodes are connected to the recording units and the amplifier. The patient is asked to move the extremity as he would in making the deltoid contract; if the muscle is working normally, a staccato sound is produced, with broad deflections characteristic of MUAPs. If the muscle is paralyzed, no such staccato sound is produced, and the normal pattern is replaced by the fine uncontrolled FAPs. Frequently, as the needle is inserted into muscle, there is an outburst of

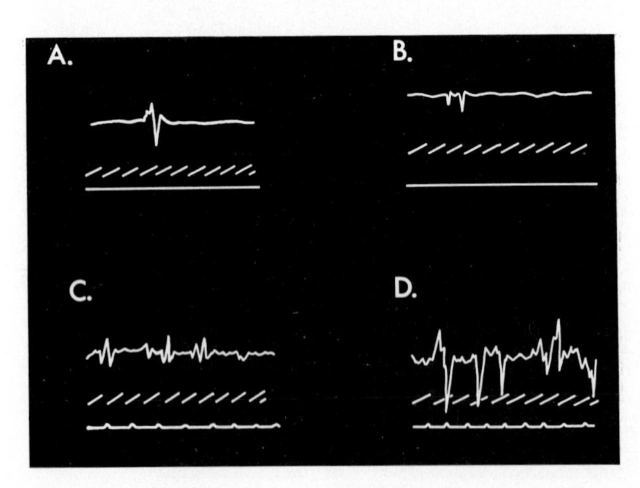

Figure 4–26 Electromyographic tracings. *A*, Normal motor unit action potentials. *B*, Fibrillation action potentials. *C*, Nascent units. *D*, Normal interference pattern.

FAPs even in unparalyzed muscle, but this is a normal reaction to the needle insertion and it quickly subsides (Fig. 4–26).

NERVE CONDUCTION STUDY

An exceedingly useful further assessment can be carried out with the electromyographic apparatus, in the form of a nerve conduction study. In this examination the needle electrode is inserted at a point in the nerve.The time that the impulse takes to travel between the two fixed points can be recorded, and the speed of conduction thus calculated.

RADIOLOGIC INVESTIGATION

INVESTIGATION OF THE NECK

Routine Films

Cervical Myelography

Cervical Diskography

Neck Routine. Good x-ray examinations are an essential part of any complete shoulder-neck investigation.

NECK. Much greater attention has been focused on the neck because of the great increase in neck injuries as a result of automobile accidents. So important have proper radiographs become that they should be standard practice for all injuries, even those of a minor nature. The routine for injuries is much more intricate than for elective investigation, but a systematic plan should be established so that a standard of comparison can be made. The routine for neck injuries should include anteroposterior, lateral, and oblique views of the cervical spine. Lateral views in flexion and extension should also be taken. The open mouth view of the odontoid process should be made.

Study of Routine Radiographs

ANTEROPOSTERIOR VIEWS. In this view, general alignment of the vertebral bodies can be assessed, but the presence or absence of anomalies such as cervical ribs is particularly apparent. A fracture of the vertebral body will appear as a tilting of one body on the other (Fig. 4–27A).

LATERAL VIEWS. Fracture or dislocation will be apparent from crushing of the bodies or alteration in alignment (Fig. 4–27B).

OBLIQUE VIEWS. Any suggestion of degenerative changes will be apparent, as will any derangement of the posterior spinous processes. Chip fractures of the anterior margin of the vertebral bodies will be identified in these views, but should not be confused with anatomic variations such as intercalary bone or epiphyseal disturbances of growth.

Fractures of the posterior spinous processes are sometimes confused with extra centers of ossification of the tip of the spinous process (Fig. 4–27*C*). Similarly, calcification in the ligamentum nuchae will be apparent in this view.

FLEXION-EXTENSION LATERAL VIEWS. These are taken particularly to identify luxation of the vertebral bodies or articular facets. Fractures of the posterior arch or laminae are also visible in the lateral views. The open mouth view of the odontoid process allows study for fracture, congenital anomaly, or any abnormal position of the lateral mass, as in occipitoatloid subluxation (Fig. 4–27*B*).

Atlantoaxial Articulation. Recent attention to this area has uncovered a greater number of derangements than was previously appreciated (Fig. 4–29). Subluxation of the atlas on the axis, in particular, has come in for careful scrutiny. Two millimeters has been accepted as the usual distance between the odontoid and the posterior portion of the anterior arch of the atlas. Subluxation has been suggested when an excursion of 3 mm or more can be established.

The Apophyseal Joints. Derangement of these articulations, particularly as a result of degenerative changes, is now recognized as a cause of neck disorder and, sometimes, of a radiating type of pain. As a rule, the joints in the upper segment are more frequently involved; these are best demonstrated by a facet view, or what is sometimes called an off-lateral view (Fig. 4–28). This is made at about 12 degrees' rotation from the true lateral position. In order that the individual sides may be identified, the views should be taken from both right and left lateral aspects.

Technique of Myelography. Myelograms are performed in the x-ray department with the patient prone on the table, a pillow under the abdomen to separate the spinous processes. The level of puncture is determined after reviewing plain films of the lumbar spine. A 3½ 19-gauge spinal needle is positioned in the subarachnoid space under fluoroscopic control. A sample of CSF is taken, and subsequently 10 to 15 ml of oily contrast material is introduced (Fig. 4–30). By tilting the table, this oil can be made to traverse the entire spinal canal, and multiple

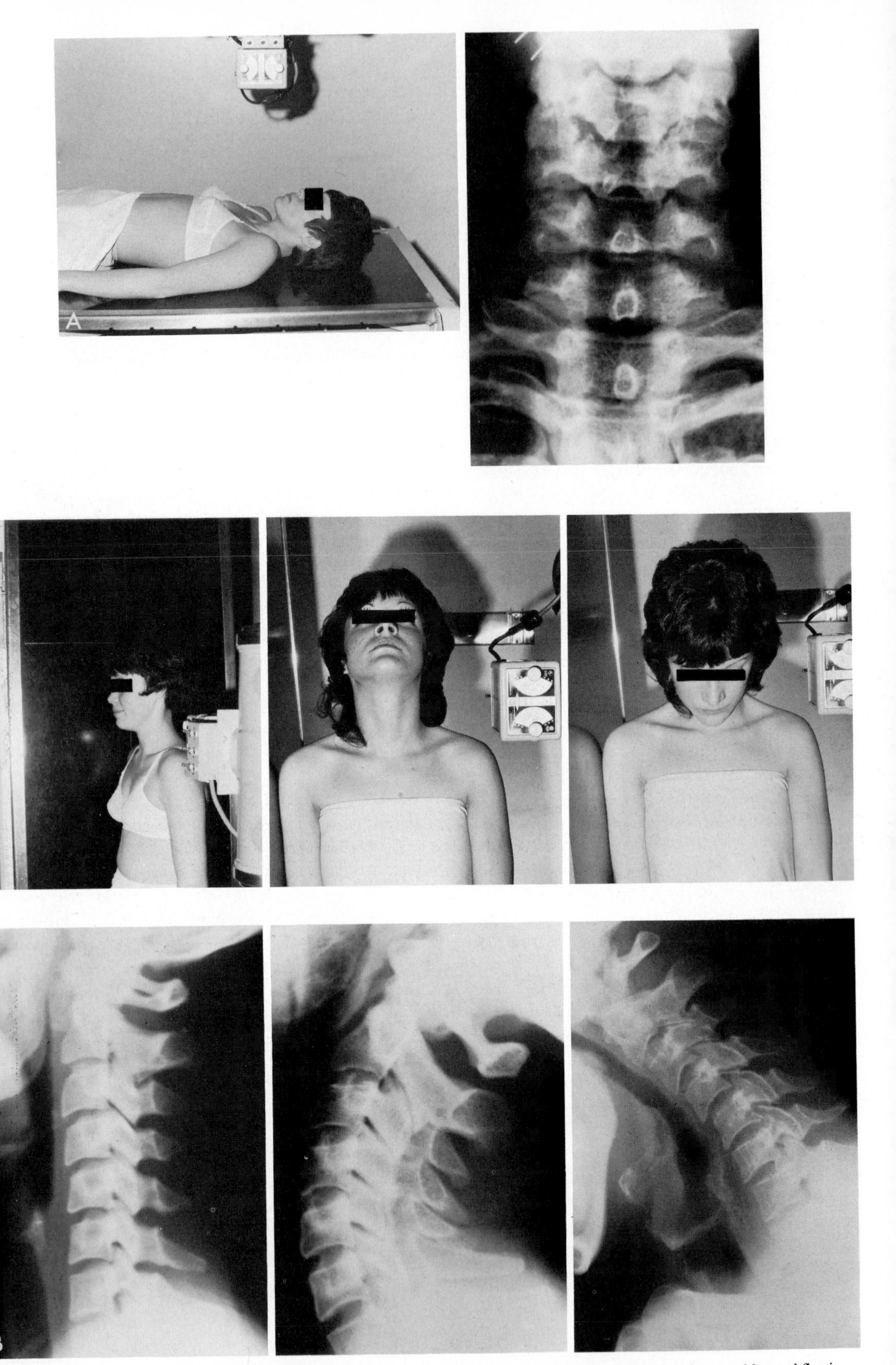

Figure 4–27 Routine cervical spine films. *A*, Anteroposterior. *B*, Lateral straight, lateral extension, and lateral flexion.

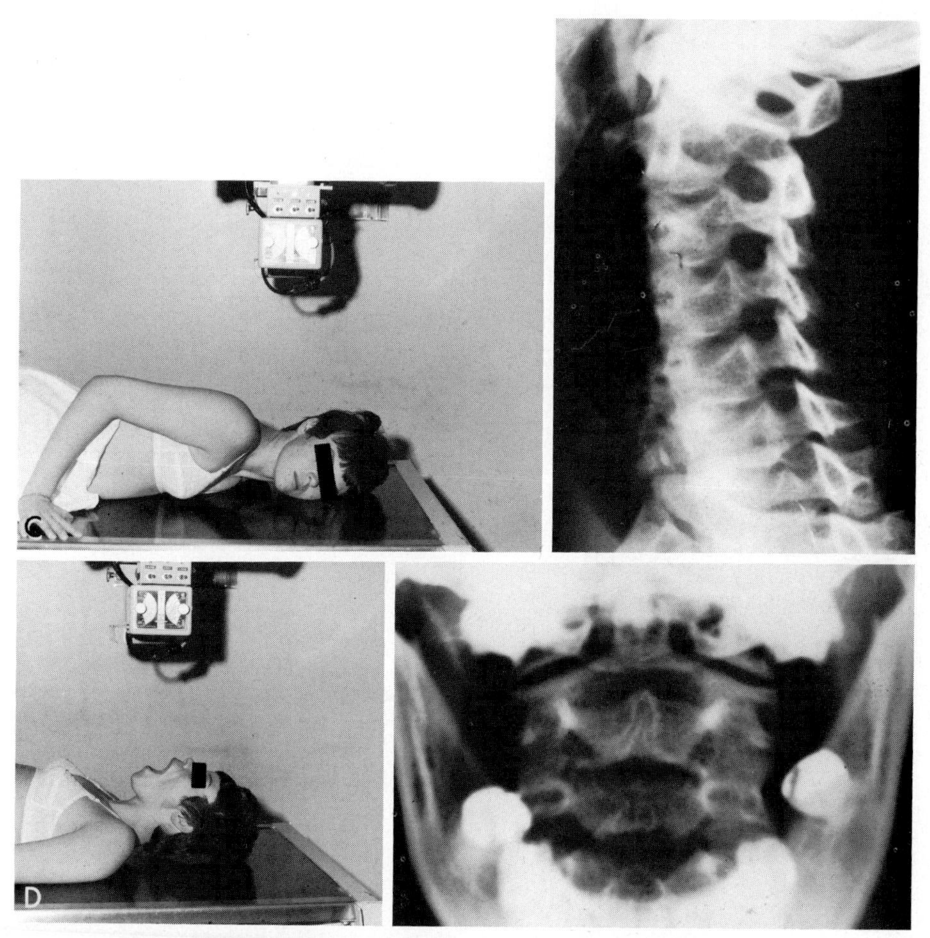

Figure 4–27 *Continued. C,* Oblique. *D,* Odontoid.

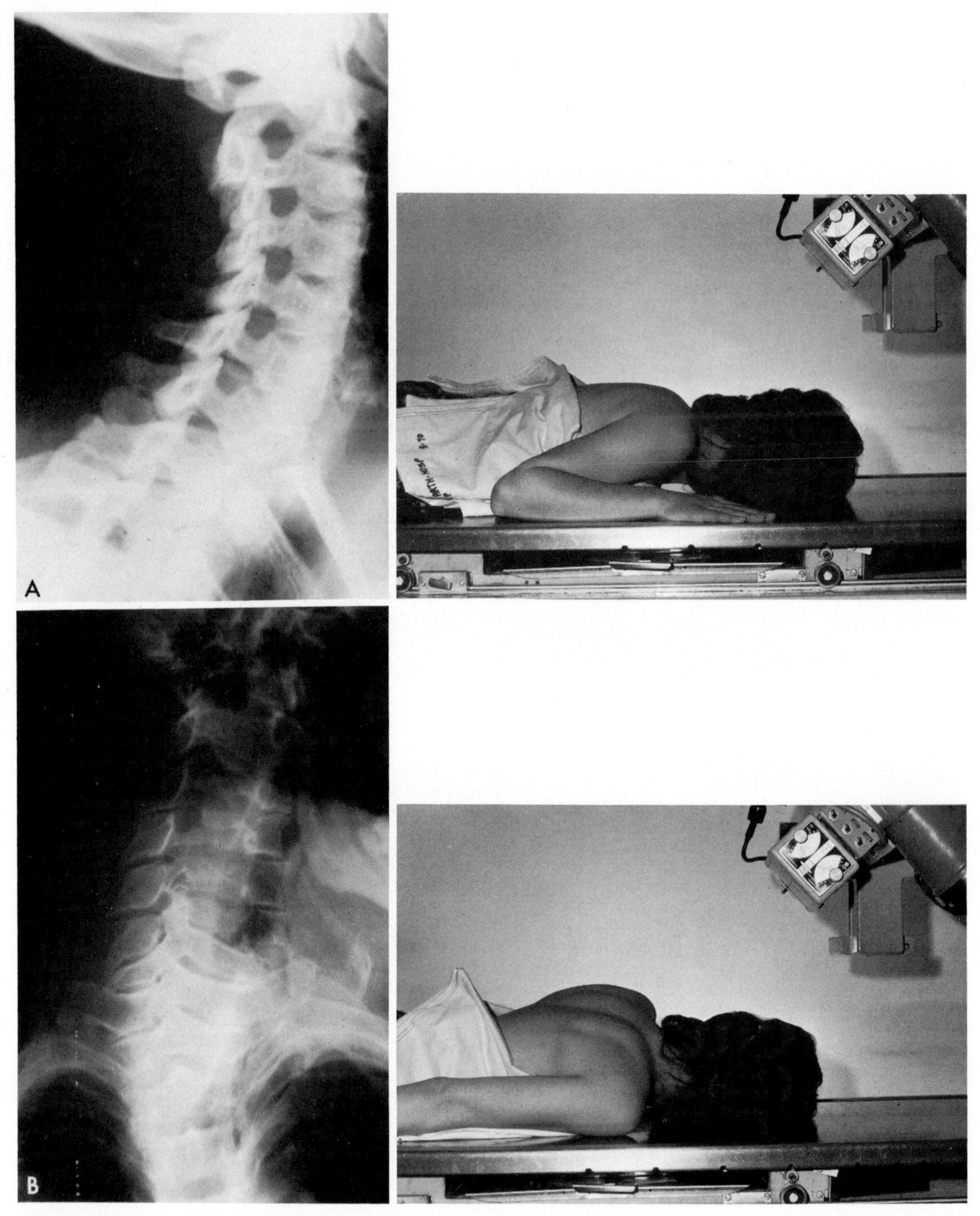

Figure 4–28 Special cervical films to show uncinate processes. *A*, Facet view. Patient is in prone oblique position with tube tilted 18 degrees caudal. *B*, Pillar view. Patient as in *A*, but more tilt to tube.

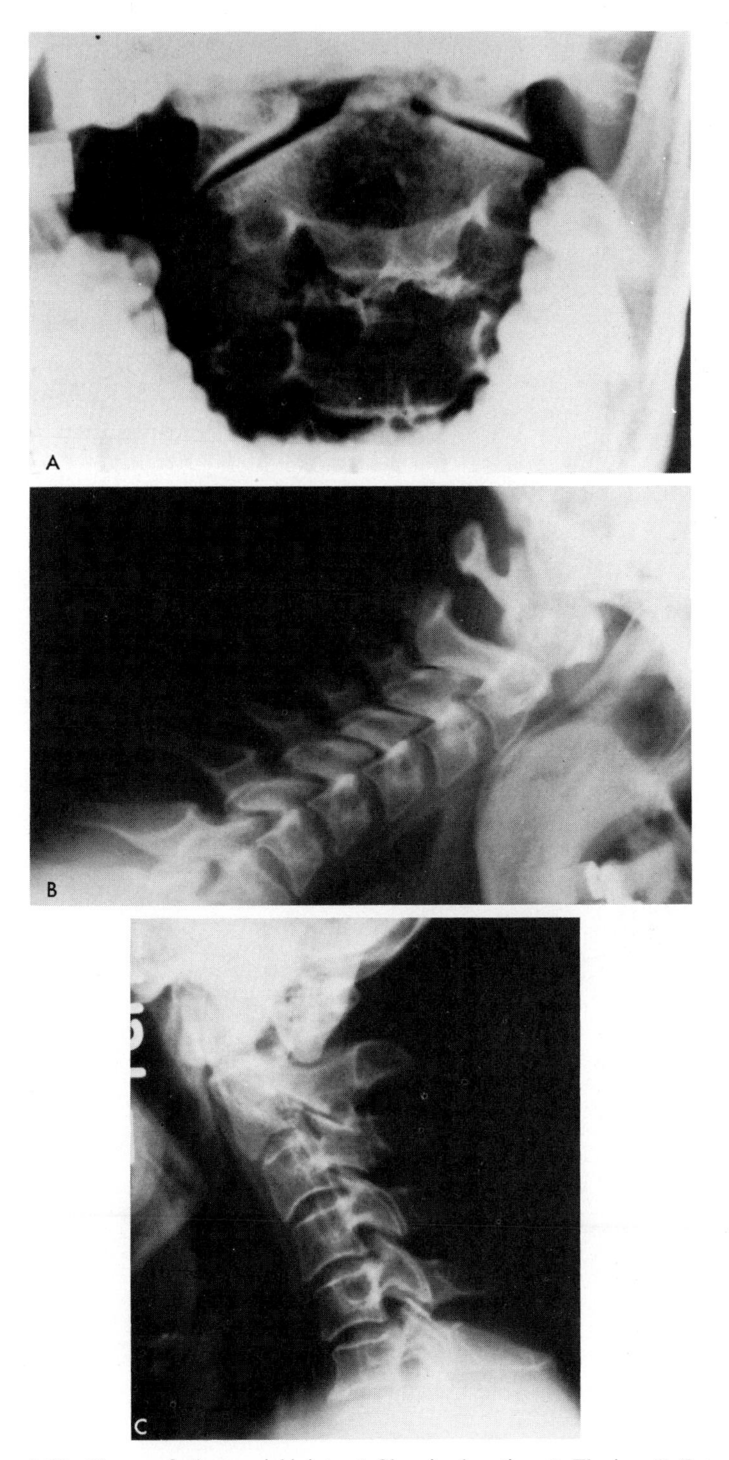

Figure 4–29 X-rays of atlantoaxial joints. *A*, Showing luxation. *B*, Flexion. *C*, Extension.

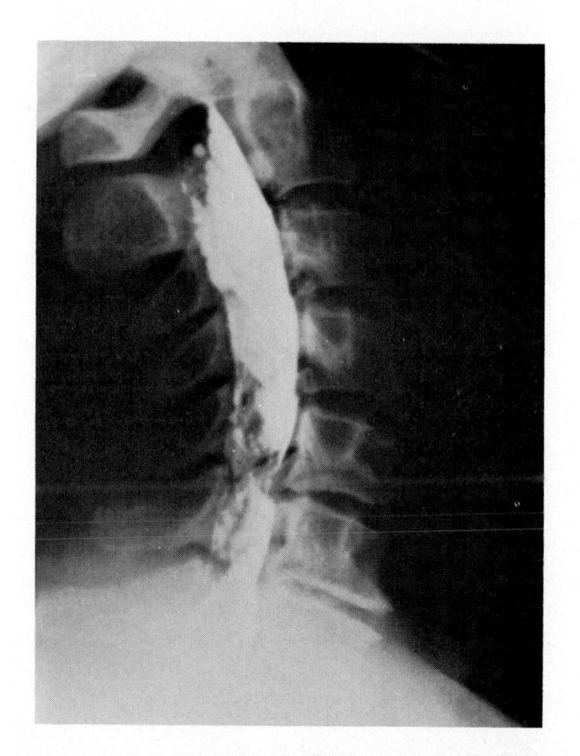

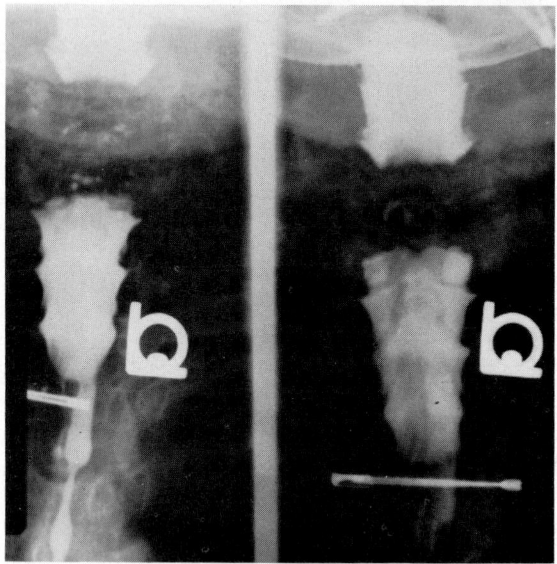

Figure 4–30 *A*, Cervical myelogram in herniated disk. *B*, Cervical myelogram in complete block with cervical cord pressure.

radiographs are obtained demonstrating the appearance of the subarachnoid space. The radiopaque oil is then retrieved via the spinal needle, which has been left in situ during the examination.

Technique of Cervical Diskography. The patient is positioned supine on the table with the neck hyperextended, and preliminary anteroposterior and lateral views of the neck are taken. The neck is then prepared with an antiseptic solution and draped with a sterile towel, and local anesthetic is infiltrated into the skin at the proposed puncture site or sites. Using an anterolateral approach, the operator positions his fingers between the carotid sheath and the lateral wall of the trachea until the vertebral body and intervertebral disk space is palpated. A fine (26-gauge) long needle is then inserted in the intervertebral disk through the anterior longitudinal ligament, and check roentgenograms are taken in both the anteroposterior and lateral projections (Fig. 4–31*A* and *B*). Subsequently, Hypaque M60 is introduced into the appropriate disk, the nature and extent of any complaints the patient may make regarding the injection are noted, and further radiographs are taken.

INVESTIGATION OF THE SHOULDER

Routine Films

Some principles of the use of x-rays should be kept in mind. All recent injuries should be radiographed, and sufficient views should be taken to ensure that no defect is overlooked, bearing in mind the need to cause a minimum of disturbance. Careful handling of fresh injuries allows enough study to be done to demonstrate major disorders, but it is not always essential to follow a precise or regular routine. The radiograph is an important record in all legal cases, serving as protection for both patient and doctor. Wet or poorly-made films are no basis on which to express an opinion regarding minor changes; it is better to await clear, dry films. Often a magnifying glass picks up changes that might

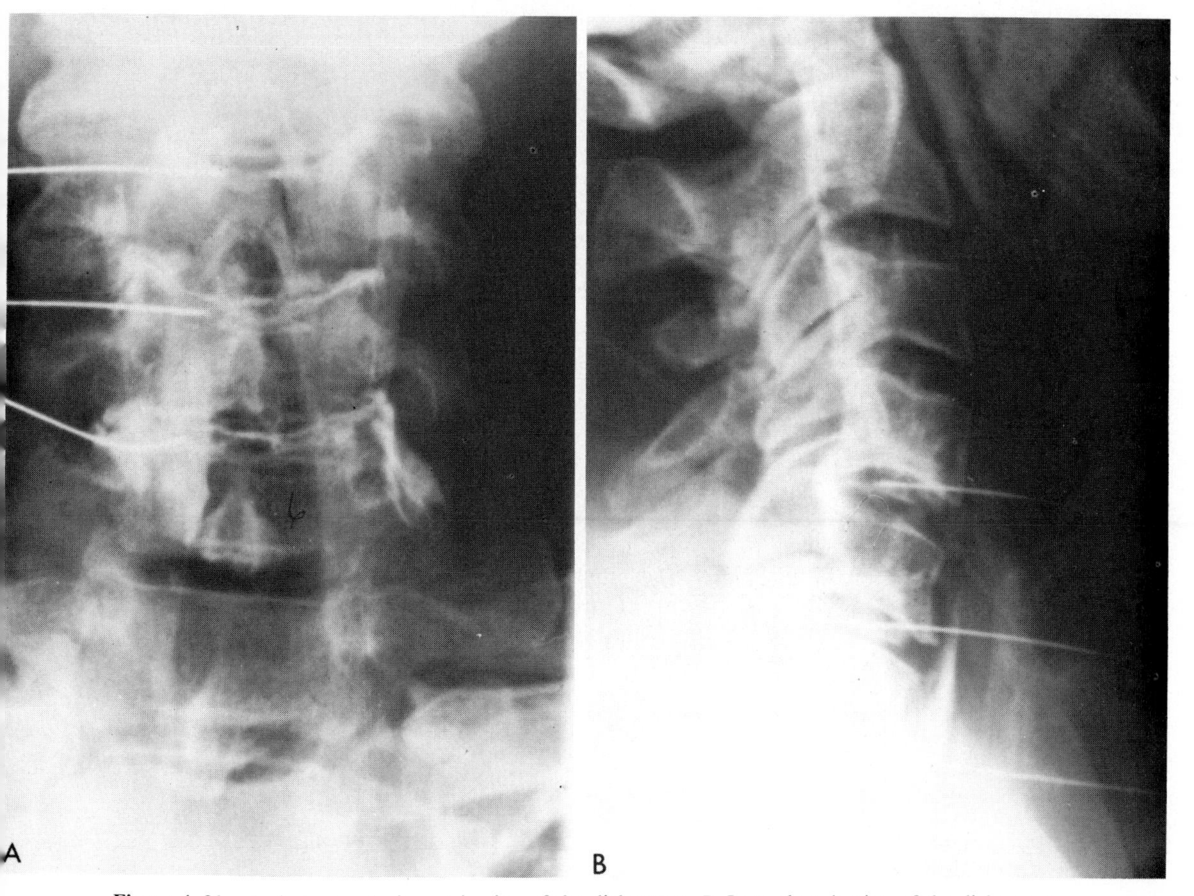

Figure 4–31 *A*, Anteroposterior projection of the diskogram. *B*, Lateral projection of the diskogram.

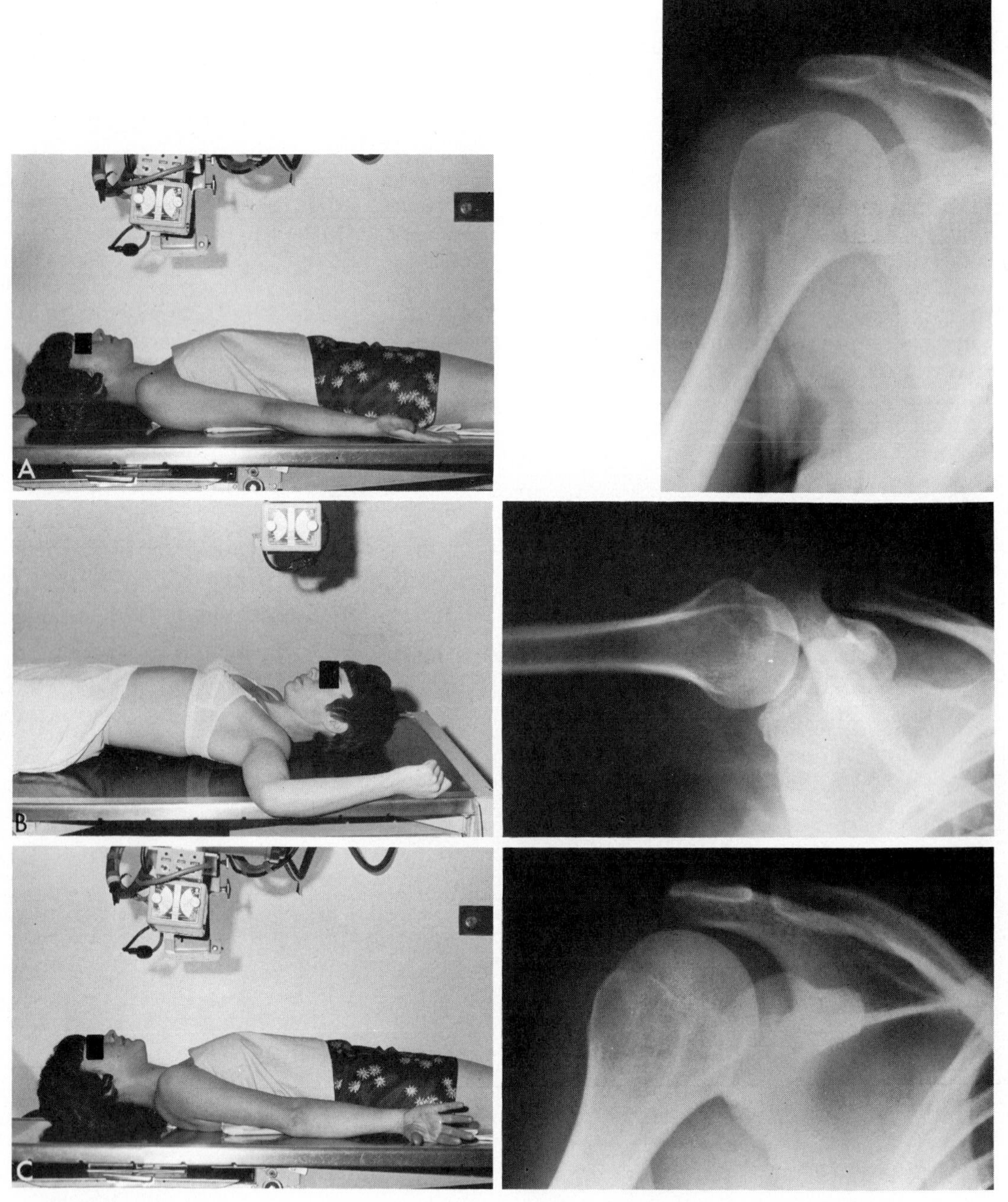

Figure 4–32 Routine shoulder views in elective cases. *A*, Anteroposterior. *B*, Lateral. *C*, Internal rotation.

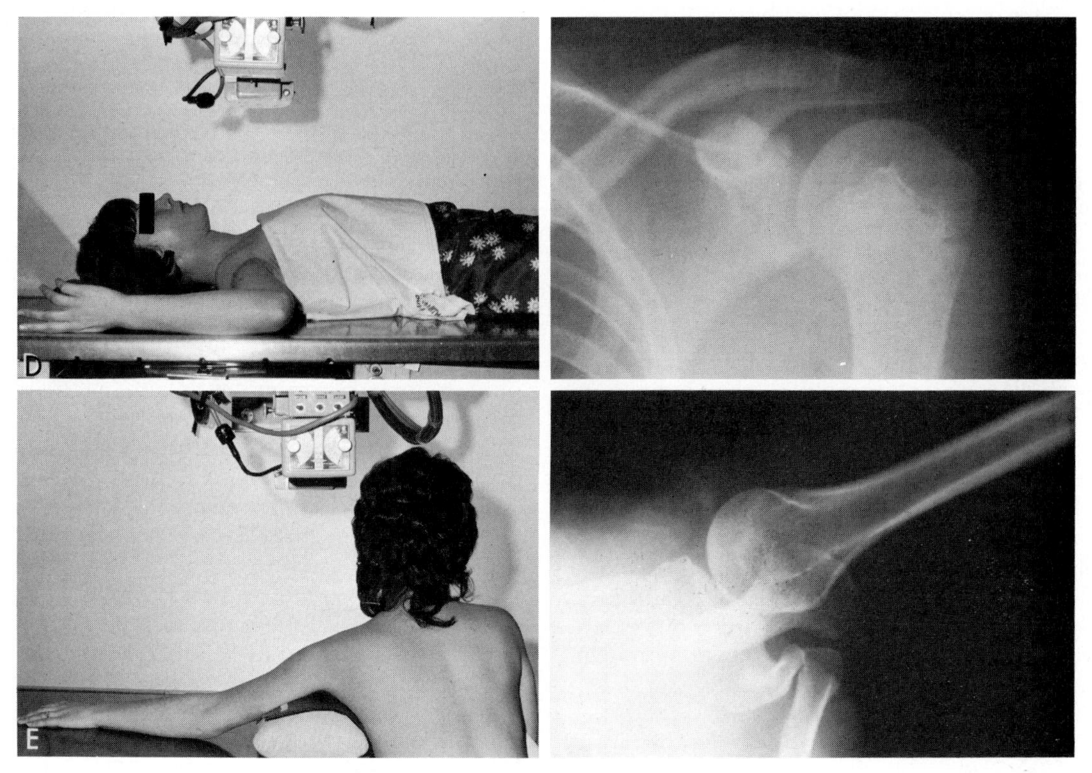

Figure 4–32 *Continued. D,* External rotation. *E,* Superoinferior.

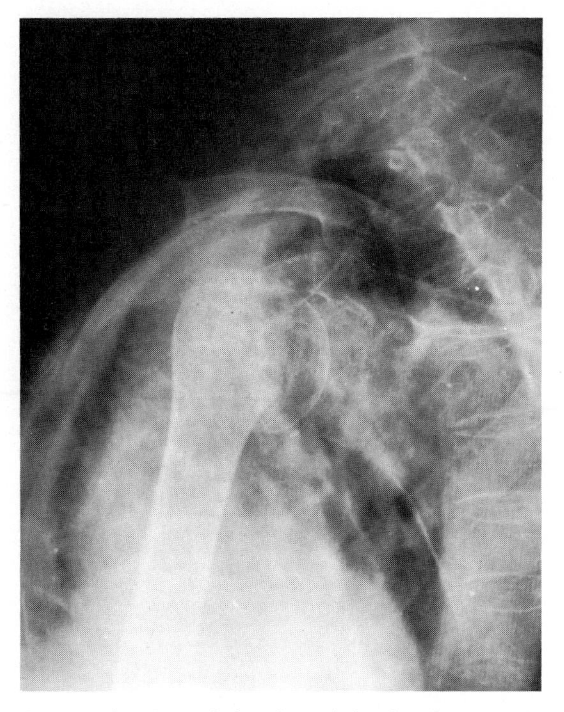

Figure 4–32 *Continued. F,* Lateral view through the chest in recent shoulder injuries.

otherwise be overlooked. Most clinicians are familiar with normal anatomic variations, but alterations of age and developmental abnormalities must also be kept in mind; the radiologist is best able to assess these.

Radiographs should always be made after reduction of a dislocation or a fracture; this is particularly important for the shoulder area. Periodic x-ray examinations are needed to assess healing and position, and a final plate should be made before the patient is discharged.

Technique in Recent Injuries. Positioning and manipulation may be so painful to patients with recent injuries that some compromise is necessary in following the usual routine. In most instances, an anteroposterior view and a lateral view through the chest are sufficient to demonstrate fractures and dislocations. The anteroposterior view is done most comfortably with the patient in the sitting position and his body rotated until the scapula is parallel with the plate. The central ray is directed parallel and caudal to the acromion. Lateral views are also essential; a view through the chest outlines the upper end of the humerus and the relationship to the glenoid. This is done with the patient sitting. The plate is placed at the injured side, the injured shoulder is depressed, the opposite one is elevated, and the body is rotated to throw the spine image posteriorly. The central ray is directed through the neck of the humerus, angled 30 degrees cranially.

Technique in Elective Cases. Standard views of the shoulder yield much information. Anteroposterior views in neutral, internal, and external rotation should be taken, as well as a lateral or superoinferior view (Fig. 4–32).

Changes of significance include cortical eburnation, cystic areas, eroded zones, small detached flakes, roughening of the cartilage, narrowing of joint space, calcification in the subacromial area, and an unusually high position of the head of the humerus in the glenoid. Special views are required to best show the acromioclavicular joint, and to demonstrate the bicipital groove, scapulocostal region, and thoracic inlet.

ANTEROPOSTERIOR VIEW. Demonstration of the subacromial zone without overlap of the head of the humerus is essential in this view. This is accomplished by placing the shoulder flat against the x-ray table, and angling the tube caudally so that the central beam is parallel to the acromion.

Often this view is taken incorrectly, producing a picture in which both subacromial and glenohumeral relations are indistinct because of overlapping. The first correction required is to make sure that the shoulder is flat against the x-ray table: this outlines the glenohumeral joint space more clearly. The second necessary adjustment is to angle the tube caudally so that the central beam is parallel to the acromion. The subacromial space is then seen clearly. This technique of correct anteroposterior assessment is particularly important in carrying out contrast studies.

INTERNAL ROTATION. The patient is supine when this view is taken, with the shoulder against the table and the hand in full internal rotation. This throws into relief the supraspinatus and teres minor insertions, and the greater tuberosity overlaps the glenoid. In those instances in which there is a defect from recurrent anterior dislocation, this view brings out the notch or defect on the posterior aspect of the articular surface of the glenoid. It is formed by this area of the head of the humerus resting on the anterior margin of the glenoid. It comes into view in the upper quadrant when the humerus is fully rotated internally (Fig. 4–32*C*).

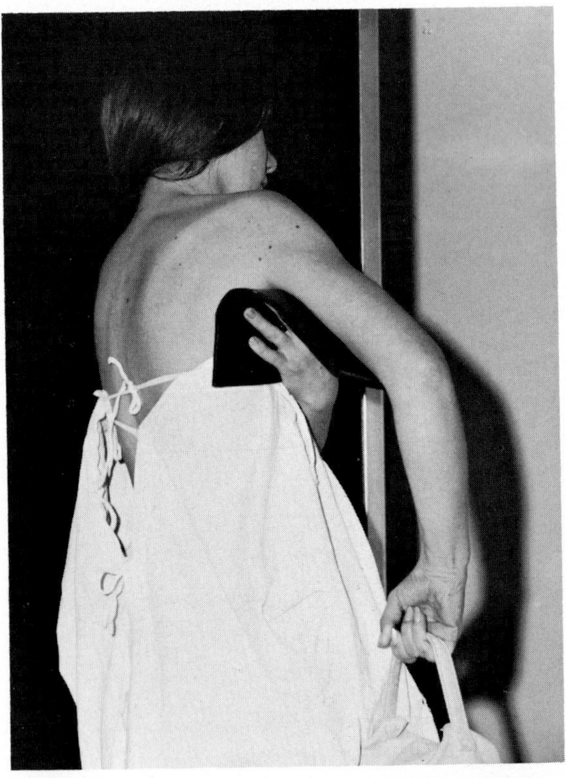

Figure 4–33 Technique for demonstration of acromioclavicular subluxation.

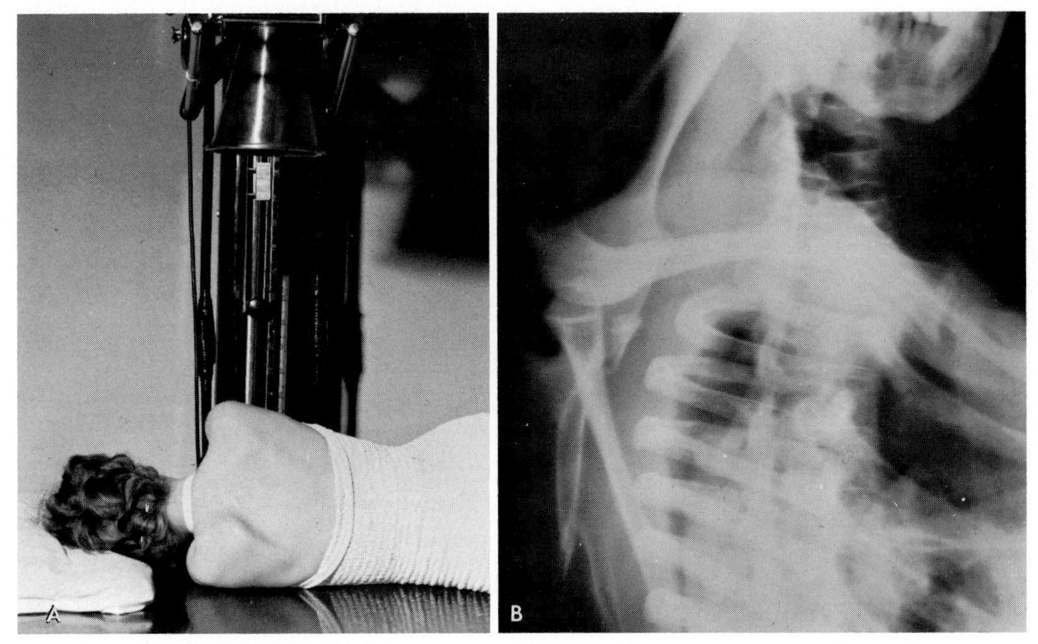

Figure 4–34 Technique for demonstration of medial border of scapula.

External Rotation. This is taken with the patient supine and the hand fully rotated externally. The lesser tuberosity then forms the lateral margin of the film. The subscapularis attachment is shown at this point (Fig. 4–32*A*).

Lateral View. The patient is placed in the sitting position, with the tube in the axilla and the plate steadied by the patient on top of the shoulder. This provides a good lateral view, and the same position gives a superoinferior view.

Acromioclavicular Joint. Routine anteroposterior and superoinferior views show this articulation, but, to demonstrate subluxation, weights are held in each hand and the radiographs are taken with the patient in the standing position. The film holder is placed behind the patient and the central x-ray is directed toward the sternal notch, thereby affording a means of comparing the two sides (Fig. 4–33).

Scapular Bed. Demonstration of the median border of the scapula in profile is required in scapulocostal lesions and fractures of the scapula. This is obtained by the patient's pulling the arm well across the front of the body so that the medial border moves away from the chest. The scapula is then outlined as it stands away from the chest margin (Fig. 4–34).

Clavicle. Examination of the scapula should be made so that the lateral end and the acromioclavicular joint are shown. A posteroanterior view is preferable so that the bone is closer to the film; the central ray is directed perpendicular to the clavicle. Views in two planes are required to show some fractures in this region; one at 20 degrees caudal, and a second at 45 degrees cranial.

Bicipital Lesions. The outline of the bicipital groove is obtained by taking a view from below upward, with the plate placed over the top of the shoulder and the hand in slight external rotation (Fig. 4–35).

Thoracic Inlet. The relations of scapula, clavicle, neck, and chest are important in assessing neurovascular radiating problems. The contour of the first rib is best outlined by a posterior projection; a superoinferior view beamed toward the root of the neck is needed to demonstrate encroachment on the inside of the inlet. The lateral view, as outlined with a tube angled slightly, is sufficient.

Special Points in Interpretation of Radiographs. The epiphysis of the upper end of the humerus does not close until the age of 20; before this age, it can be mistaken for a fracture. The epiphyseal junction has a wavy uniform line, in contrast to the sharp or acutely angled line of a fracture. A comparison with the opposite side will clarify the situation when a similar line is identified on the uninjured side. Impacted fractures in elderly people may be difficult to interpret, but suspicion should be aroused by a little heaping-up or irregularity of the cortex on the lateral side, or some unusual angulation

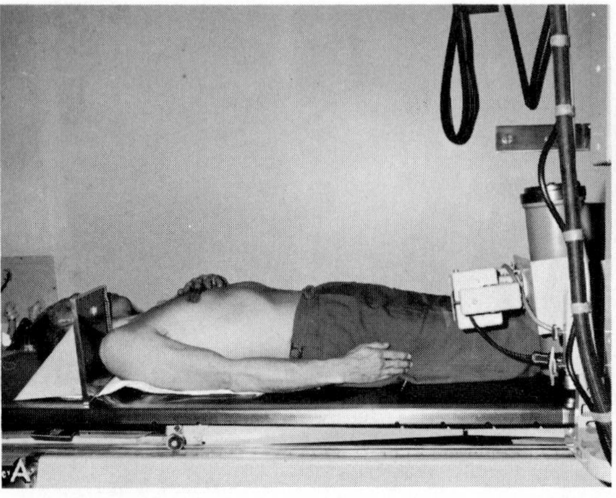

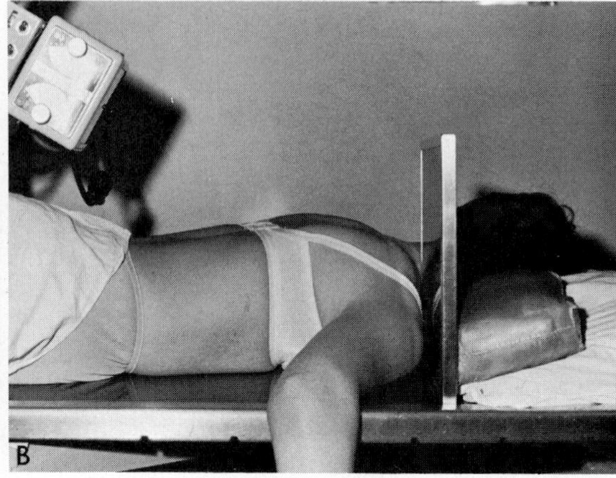

Figure 4–35 Special shoulder views. *A*, Bicipital groove. *B*, Axillary view. Used in investigation of subluxation of the shoulder.

of the glenoid face. In dislocations, lateral views or views through the chest are essential, since a posterior dislocation, in particular, may be missed.

Chip fractures of the greater tuberosity are sometimes difficult to separate from calcium deposits. The fracture is sharply outlined, with cortex on one side, whereas the calcium deposit tends to be more flattened and has a homogeneous consistency. An extremely small calcium deposit may sometimes be interpreted as a fleck of bone, or vice versa. Multiple views are necessary to outline calcium deposits adequately.

CLAVICLE. Abnormalities of the acromioclavicular joint are frequently overlooked, since there is considerable variation in apparently normal joints. The medial end of the clavicle is often bulbous. The angle of the joint line varies, and irregularities similar to arthritic changes are frequent. Careful demonstration of the joint, particularly on the anteroposterior view, is necessary to identify many of the changes. Fractures of the outer end of the clavicle may be missed if this aspect is not carefully depicted.

The curve of the shaft of the clavicle is exaggerated in some views, and displacement may be distorted. Views at right angles should be taken for clearer interpretation of the displacement.

SCAPULA. Persistent epiphyseal lines may be mistaken for fractures at the tip of the acromion or at the end of the coracoid. Similar changes in the upper half of the glenoid and the lower angle of the scapula may be erroneously interpreted. In both instances, comparison with the opposite side is the clue to the change. In some instances, there are vascular markings along the axillary border; these may be interpreted as a pathologic change, but again comparison with the opposite side is helpful. A difficult view to obtain is that of the vertebral border, particularly the upper angle, in investigation of scapulocostal disturbances, and also when seeking the cause of a snapping scapula.

Arthrography of the Shoulder

Contrast studies have become extremely valuable in identifying internal derangements of the shoulder. No other method of investigation, clinical or special, identifies cuff tears with as much certainty. In addition to its usefulness as a diagnostic tool, arthrography is now of value in assessing (1) the solidity of cuff repair, (2) recurrent dislocation problems, (3) subluxation of the shoulder, (4) capsulitis, (5) "frozen shoulder," and (6) ruptures of the biceps, all of which may be identified by quite distinctive patterns.

In addition to full thickness tears, it is possible to identify partial tears, and some localization of the position of a tear and its extent may be deduced.

Technique of Arthrography. The procedure (Fig. 4–36) is carried out by the x-ray department and is usually performed by the radiologist, but in many instances the surgeon carries out the injection of the dye. A quickly absorbed watery solution such as Diodrast is used. The author's preference is to make the injection from the posterior aspect, so that any minute leak of dye will not produce an artifact that may be confused

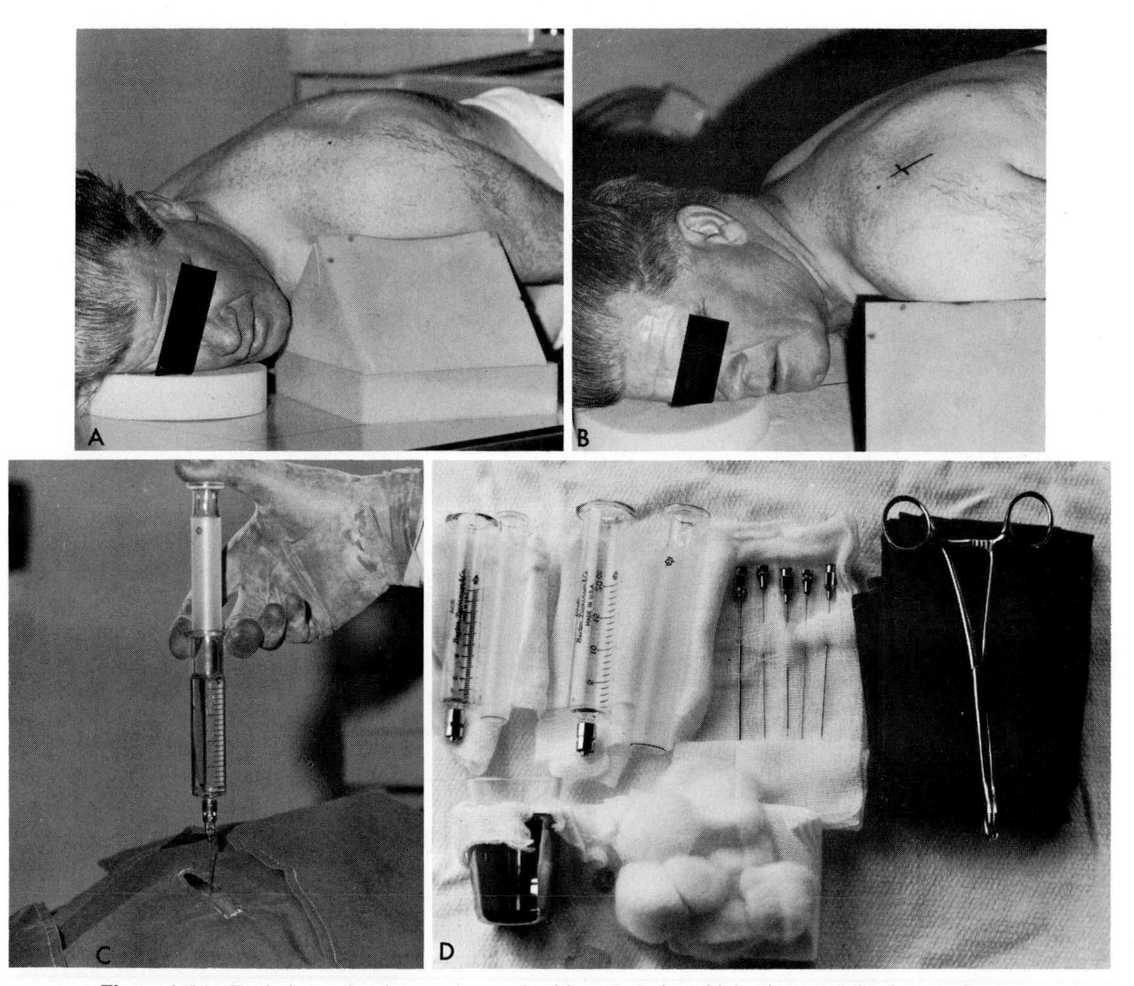

Figure 4–36 Technique of arthrography. *A,* Position. *B,* Point of injection. *C,* Injection. *D,* Set-up.

with true disease. Nearly all the pathologic changes are at the front and superior aspect, so it is particularly desirable not to have artifacts produced in this zone. When the injection is done from the back, the radiologist may outline the joint contour for the injection, or may blindly select a point 1 inch below and 1 inch medial to the angle of the spine of the scapula.

The patient is placed on the x-ray table in the prone oblique position, the shoulder to be examined being elevated, the arm by the side, palm flat on the table.

The area is prepared and draped. Local anesthetic is infiltrated into the skin at the puncture site, which is determined at fluoroscopy.

A 20-gauge spinal type needle with a short bevel is positioned over the medial inferior quadrant of the humeral head perpendicular to the table top, and advanced until bone is felt. This usually causes slight discomfort; in this event, 1 to 2 ml of local anesthetic should be administered, and the position checked with the fluoroscope.

When the needle is considered to be correctly placed, 1 ml of Hypaque M60 is injected, and this is checked at fluoroscopy. If the joint is outlined, another 10 ml of contrast agent is administered. The needle is withdrawn, and spot films and overhead films are immediately taken. The indication that the dye is in the joint is the production of a crescentric line, with the dye outlining the inferior approach and following the head of the humerus. If this has been obtained, a further 8 to 10 ml is injected.

Should it not be possible to enter the joint directly between the head of the humerus and the glenoid, an alternative technique is to insert the needle until it meets the resistance of the head of the humerus, and then draw back 1 or 2 mm and make the trial injection. If the dye forms a crescentric outline, the remainder of the dye is inserted without shifting the point of the needle.

The shoulder is massaged at the back and in the axilla, and the humerus is rotated so that the dye is spread throughout the joint. The procedure may be done with the patient lying on his face on the x-ray table. If preferred, the sitting position may be used and the injection carried out with the aid of the video screen. Injection of dye occasionally may be painful, in which case some local anesthetic may be added as the injection is completed. It is not necessary to remove the dye, because this type of contrast medium is quickly absorbed. No ill effects have been encountered from this procedure. Some local pain may persist for a short time, but since the dye is quickly absorbed the pain does not last significantly.

INDICATIONS FOR CONTRAST STUDIES. Arthrography is of the greatest help in identifying full thickness tears of the cuff. When the tear is present, the dye escapes from the joint through the slit into the subacromial area, producing a very characteristic picture. With this method, it is possible to demonstrate the lesion much earlier, making possible early repair and improved results. In bicipital lesions, frozen shoulder, and recurrent dislocation, the arthrogram patterns are also definite, conforming with the disorder found at operation. The process is particularly helpful in problem cases such as dislocations with signs suggestive of cuff damage. Arthrography will demonstrate clearly a lesion of the cuff that might otherwise be overlooked.

NORMAL ARTHROGRAM. Practice in injecting the joint is helpful. The needle used must be of sufficient length and stiffness to ensure accurate control and guidance.

The dye inside the joint outlines a quite constant pattern. A central or body area of the joint may be identified, and over the greater tuberosity a thin line of dye extending to the attachment of the rotator cuff can be identified (Fig. 4–37). The bicipital sheath can be seen, with the dye extending between the greater and lesser tuberosities; there is also extension of the dye into the subscapular recess (Fig. 4–38). Occasionally, at the posterior aspect, if the dye is inserted in the muscle substance, it will travel along the fibers of the supraspinatus and may be seen tracking transversely following the line of the fibers, making it quite easy to depict this artifact.

CUFF TEARS. When there is a defect in the

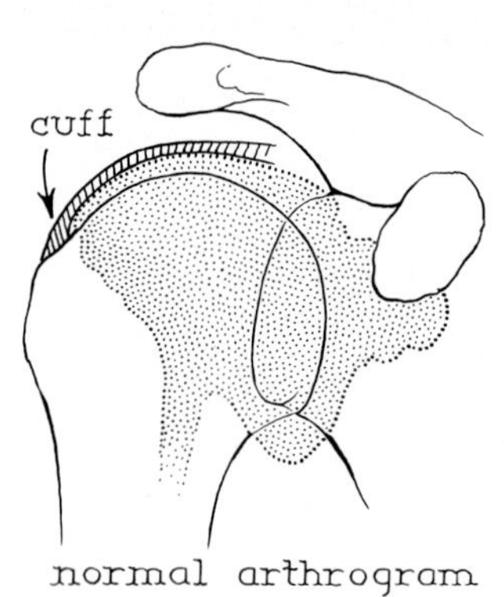

Figure 4–37 Configuration of dye pattern in a normal arthrogram.

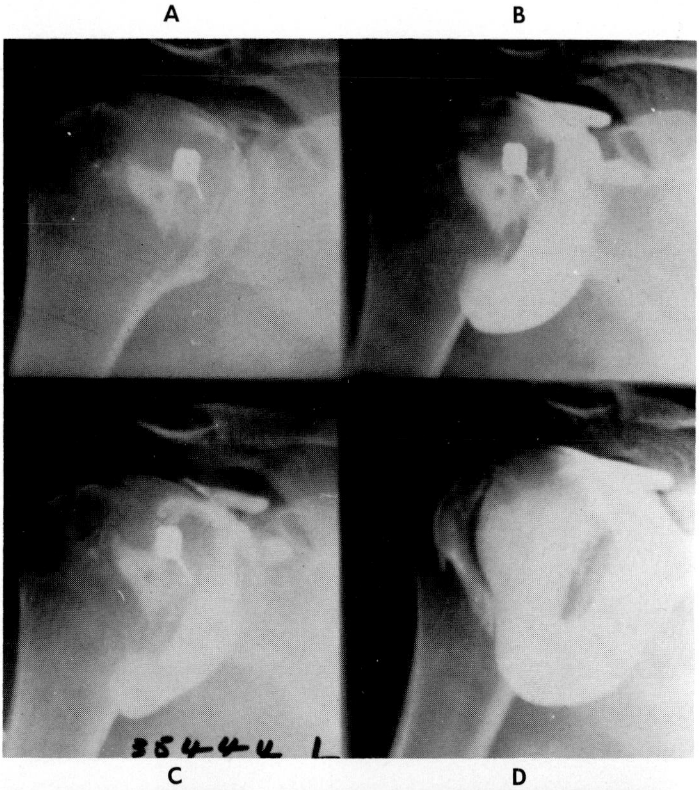

Figure 4–38 Stages in dye insertion. *A,* Tear-drop configuration indicating that the dye is properly placed in the joint. *B,* Progressive covering of head and filling of the capsule. *C,* Injection completed. Note clear subacromial area, bicipital extension, body of the joint, and the subscapularis bursa. *D,* Complete filling of the joint.

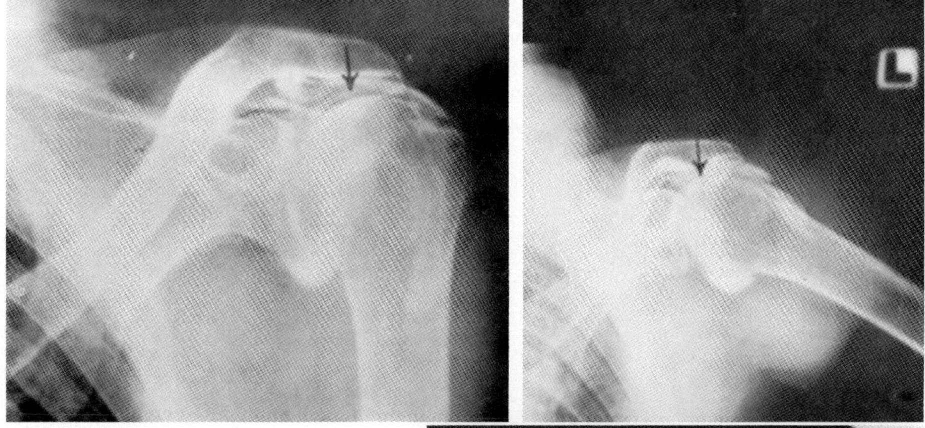

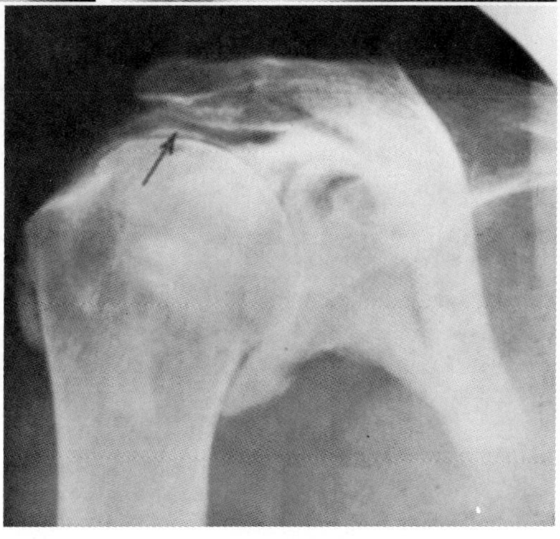

Figure 4–39 Examples of full thickness cuff tears. Note extravasation of dye.

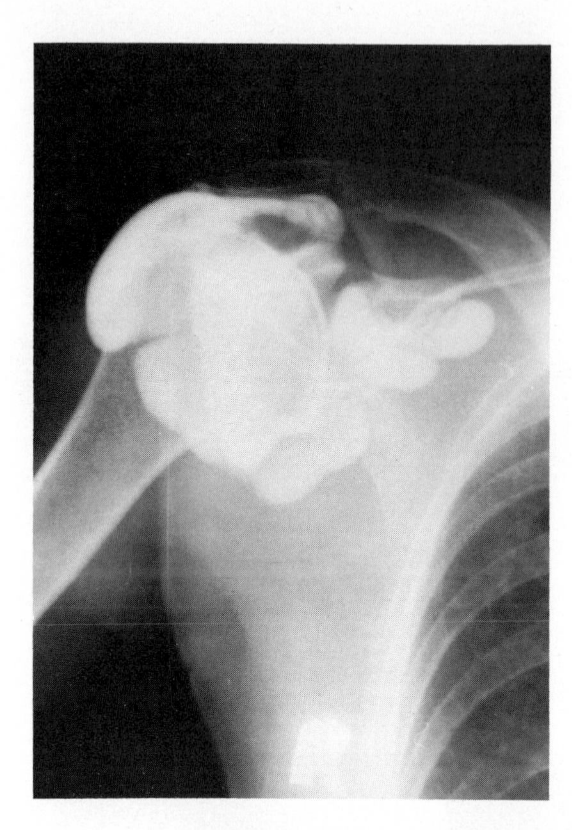

Figure 4–40 Lateral cuff tear. Subacromial leak over greater tuberosity.

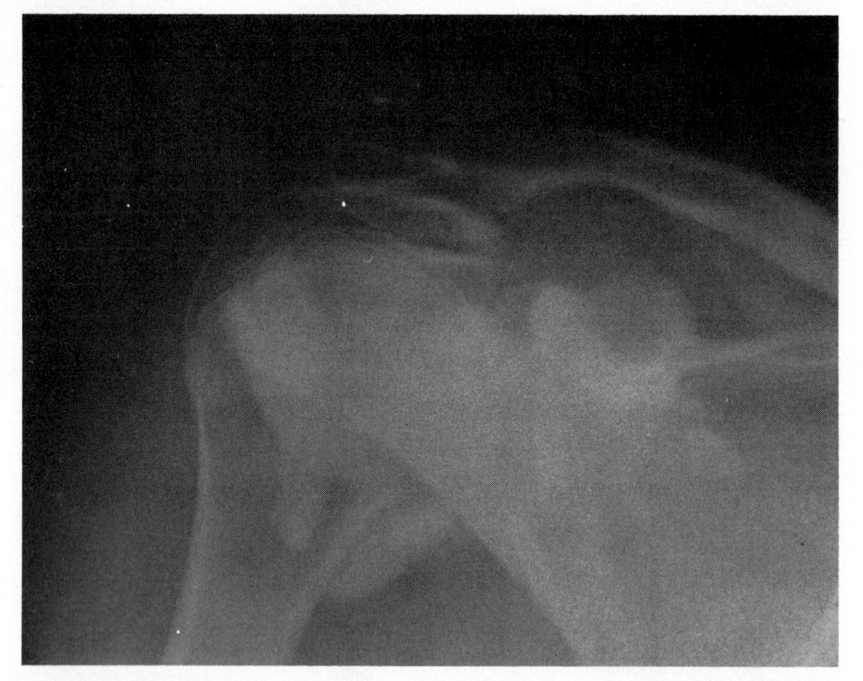

Figure 4–41 Bicipital deformity. Arthrogram in bicipital lesion. Note loss of bicipital tube.

capsule, the dye escapes and lies in an irregular pool under the acromion or extends all through the joint in an irregular fashion. It is often possible to identify the point of leakage of the dye in tears that are not too extensive, and the position of the full thickness defect is then apparent. If the dye has extended throughout the joint in a quite haphazard fashion, it is extremely suggestive of a massive tear, because there has been no retaining capsular structure to give any normal outline to dye distribution (Figs. 4–39 and 4–40).

BICIPITAL LESIONS. In some instances, distortion of the bicipital apparatus can be identified by the leak of dye anteriorly, and the loss of a clear-cut bicipital tunnel (Figs. 4–41 and 4–42).

FROZEN SHOULDER. This presents a very characteristic picture in the arthrogram. The normal, rounded capsule outline is replaced by a squat, square, contracted patch. The subacromial space is increased, and this is of diagnostic importance. The redundant fold at the inferior portion of the joint, which normally hangs down like a pleat, is completely obliterated in adhesive capsulitis (Figs. 4–43 and 4–44).

SUBSCAPULARIS RUPTURE. A distinctive configuration of dye leak occurs when the subscapularis has been torn completely. In contrast to other full thickness ruptures, the subacromial space is quite clear, but the dye escapes downward and medially, so that the normal contour of the inferior aspect is completely lost. Frequently the dye does not fill the body of the joint of the bicipital mechanism either, since it leaks directly

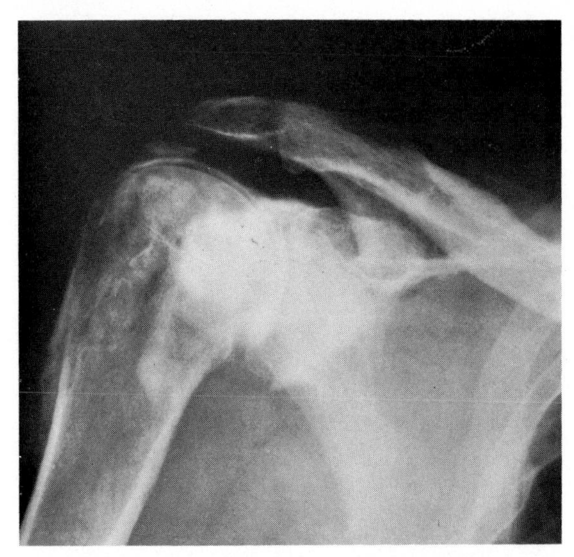

Figure 4–43 Arthrogram in frozen shoulder.

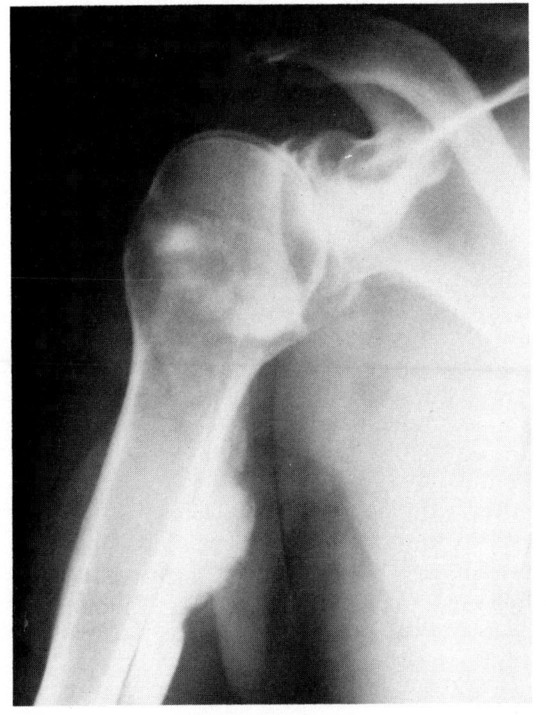

Figure 4–42 Bicipital deformity. Rupture of long head of biceps.

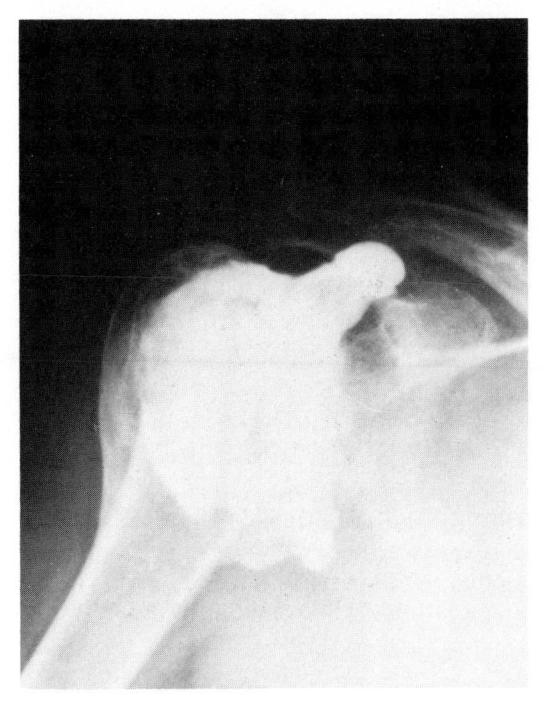

Figure 4–44 Frozen shoulder after fracture of humerus.

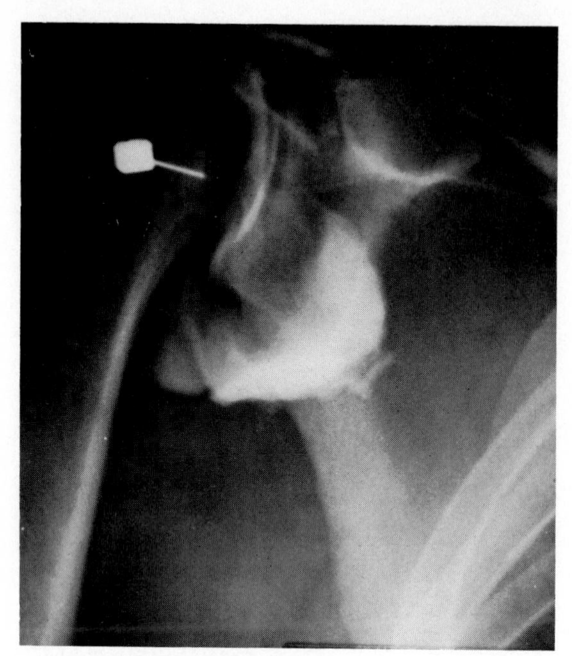

Figure 4–45 Arthrogram in ruptured subscapularis.

through the subscapularis defect. The picture is extremely typical and cannot be misinterpreted (Fig. 4–45).

RECURRENT DISLOCATION AND RECURRENT SUBLUXATION. The ballooning of the subscapular recess is grossly increased, and the line of dye in the region of the neck of the scapular extends much farther medially than normal, indicating a lax capsule (Figs. 4–46 and 4–47).

PARTIAL CUFF TEARS. A study of the upper line of dye over the head of the humerus sometimes demonstrates a thin prolongation upward, somewhat like the change seen in a barium meal outlining a duodenal ulcer. Such a defect may be somewhat square, but is more often triangular because of seepage of the dye through a partial tear in the interstices of the cuff, although not all the way through into the subacromial space (Figs. 4–48 and 4–49).

ARTHROGRAPHY OF THE ACROMIOCLAVICULAR JOINT

In some cases it is also desirable to carry out contrast studies of this joint (Fig. 4–50). The technique involves use of a fine hypodermic needle. After injection of 1 to 2 ml of Novocain into the joint, it is entered posteriorly and superiorly by allowing the needle to slide along the edge of the acromion and gradually be led into the joint. The approach is a little from the back, rather than the top, because the angle of the joint is sometimes oblique, rather than directly vertical, and it is difficult to hit the joint line if the approach is directly from the top. No more than 2 ml of dye can usually be injected into the joint.

Results of Arthrography. In some 1000 contrast studies no ill effects have been encountered. When a shoulder joint is opened the day following a contrast study, there may be slight injection of the synovium, and a little extra watery fluid may be present, but no other changes are detected. In many instances there is not even this amount of change.

In some 500 patients in whom cuff tears were suspected, full thickness tears were found in all but three in whom the arthrogram had suggested that there would be one. In the three remaining patients a partial tear was found, and it was considered that, following the arthrogram, some sealing off had occurred or that the limiting remnant was so thin that the dye had seeped through.

The same degree of accuracy is feasible in other disorders such as frozen shoulder, bicipital lesions, and glenohumeral subluxations, all of which are identified with extreme accuracy by the arthrogram.

ARTHROSCOPY OF THE SHOULDER

Direct visual inspection of joints through use of an endoscope and local anesthesia has now been proved to be beneficial. Outstanding results have been obtained in the knee, allowing the principles involved to be applied to other areas.

INDICATIONS FOR ARTHROSCOPY IN THE SHOULDER

Progressive experience with arthroscopy has delineated certain conditions that lend themselves to this type of assessment. These do not occur nearly as often in the shoulder as in the knee.

New Complaints Subsequent to Surgery. Perhaps the best indication is in cases presenting with a new and further problem although some form of surgery has already been carried out. An accurate study can be made of changes made at previous surgery, disruption of repaired areas, or new distortion.

Superficial Cuff Tear. Arthrography is an accurate and easy method of picturing full

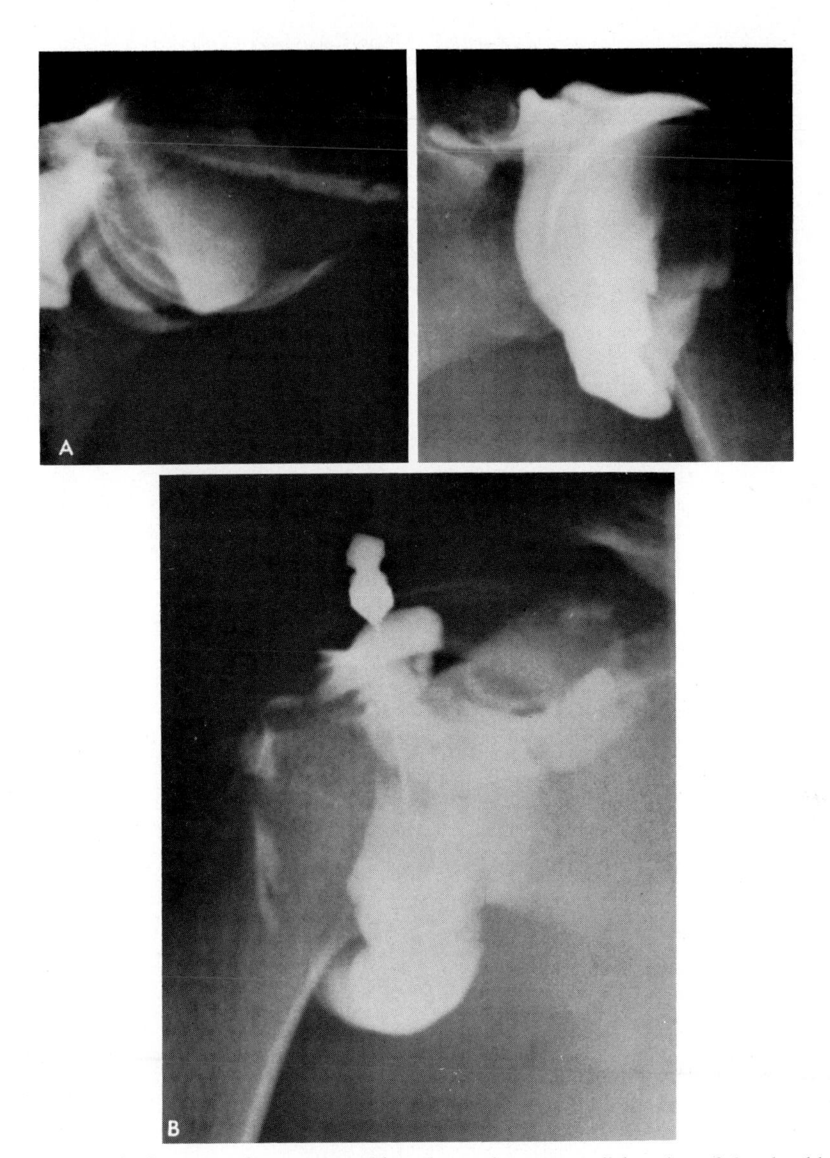

Figure 4–46 Arthrogram of recurrent subluxation and recurrent dislocation of the shoulder.

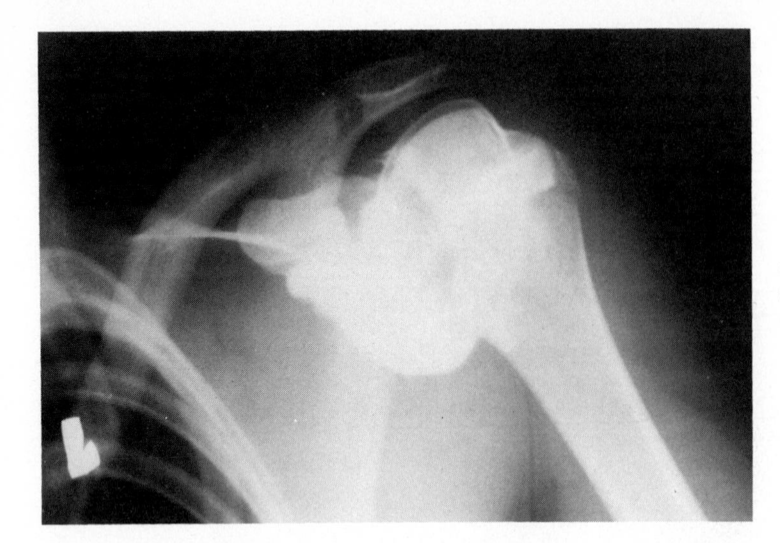

Figure 4–47 Arthrogram in recurrent dislocation. Internal rotation and defect of humerus outlined.

thickness defects. Partial splits, and particularly surface tears, often contributing to an impingement "syndrome," are not shown by the contrast study method. Arthroscopy is of value in the patient with a negative arthrogram but continued signs and symptoms of impingement, especially when he is not responding to conservative treatment.

Snapping Shoulder. In this condition it is often possible to localize the source of the snap to the front or top of the shoulder. Sometimes, however, the precise sector, whether subacromial or bicipital, is difficult to localize. Arthroscopy will clearly differentiate between a slipping biceps tendon and a folded piece of bursa or superficial cuff laceration that can produce the same snapping sound.

Subluxation and Anterior Capsular Lesions. Anterior capsular damage leading to subluxation is an entity of increasing importance. In some instances a history precisely typical of the lesion is not obtained. In very muscular individuals, who are frequent victims, physical appraisal of joint security can be difficult.

As indicated under "Technique," the endoscope must be passed through the capsule from the front to study this state most effectively; the posterolateral aspect is not appropriate.

Recurrent Dislocation. In some instances only arthroscopy is helpful in evaluating this entity. Those cases that are suspected of some other capsular damage, such as a cuff tear or dislocation in more than one trajectory, may

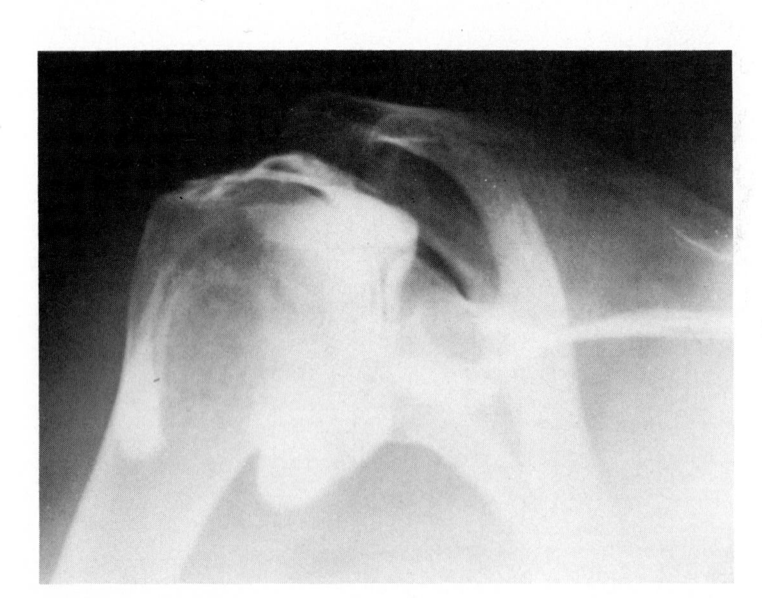

Figure 4–48 Incomplete cuff tear. Note layered formation of dye.

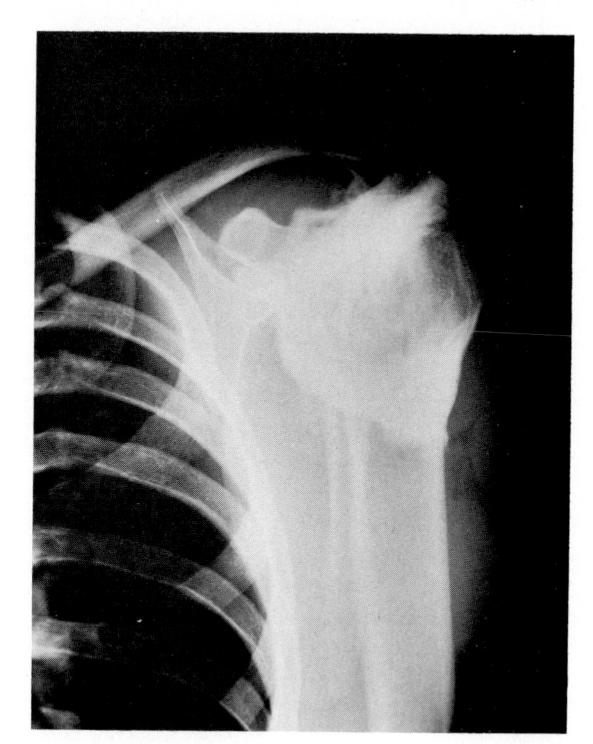

Figure 4–49 Arthrogram in partial thickness tear of cuff.

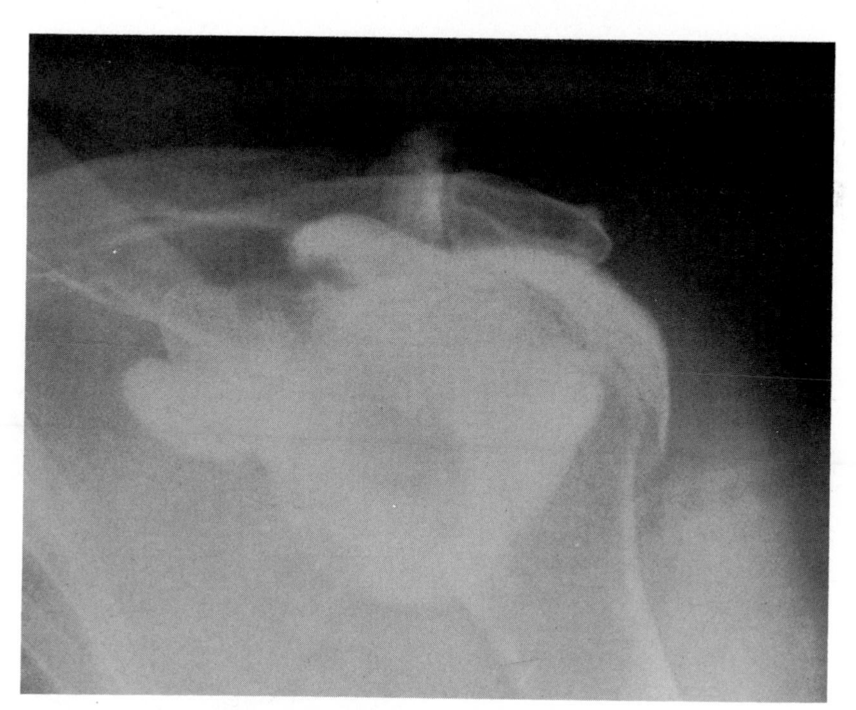

Figure 4–50 Arthrogram of acromioclavicular joint. Geyser effect in cuff tear.

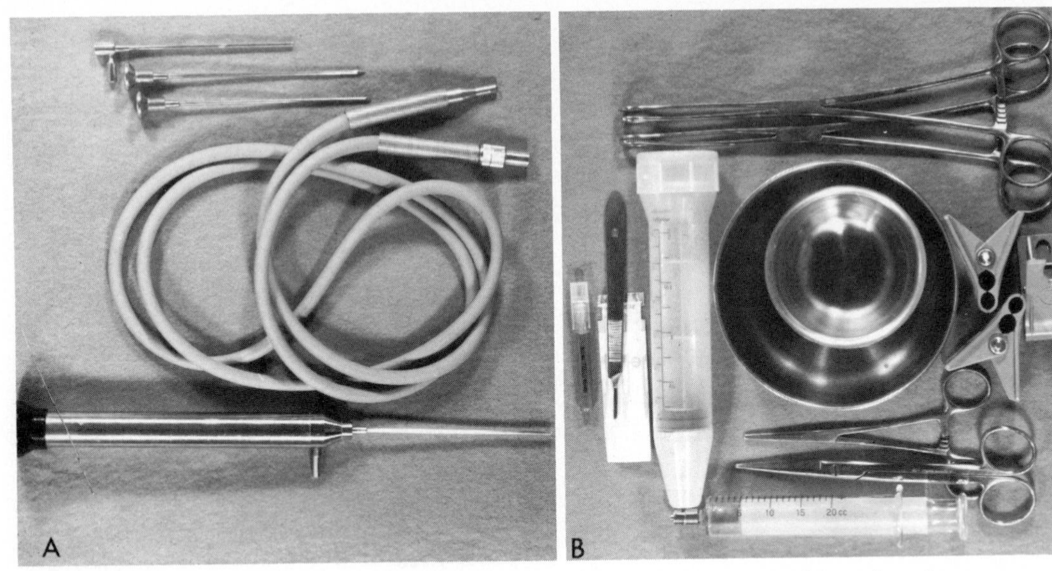

Figure 4–51 *A*, Equipment for arthroscopy: endoscope and trocars. *B*, Equipment for arthroscopy.

be aided by this study. Complicated problems such as these need intracapsular study to assess the anterior glenoid area appropriately.

Post-traumatic Arthritic Lesions. Intracapsular study, to identify loose bodies and outline precisely the extent of articular cartilage damage, may be useful in some of these entities.

Allergic Reactions or Dye Sensitivities. In some instances patients have a degree of sensitivity to the Hypaque or other similar material customarily used for the contrast study. When arthrography is not feasible, e.g., in the case of a suspected cuff damage, arthroscopy is extremely useful. In such circumstances, subacromial assessment usually is the most satisfactory approach.

TECHNIQUE OF SHOULDER ARTHROSCOPY

As indicated in the illustrations, the patient lies on his side with the disturbed shoulder upward and the arm flexed across the chest. The entire upper extremity should be prepared, or at least a sterile stockinette applied to cover the length so that manipulation may be carried out easily (Figs. 4–51 and 4–52).

A point one-half inch below and one-half inch to 1 inch anterior to the posterior corner of the acromion is identified for introduction of the endoscope. The trocar is inserted first, with appropriate anesthetic preparation, followed by the endoscope (Figs. 4–53, 4–54, and 4–55).

The principle is to penetrate below the acromion and follow it as a route into the subacromial area (Fig. 4–55). Resistance is felt as the deltoid is penetrated, and then again as the subdeltoid acromial bursa area is entered. The endoscope can be directed quite accurately beneath the acromion, but the entrance point should be far enough inferior to the acromion to allow it to be passed in parallel fashion, otherwise the head of the humerus will be hit with the endoscope and it will be difficult to reach the subacromial area.

An initial 5 ml of 2 per cent Novocain, and then 5 to 10 ml of 1 per cent anesthetic, is introduced. Once the trocar has penetrated

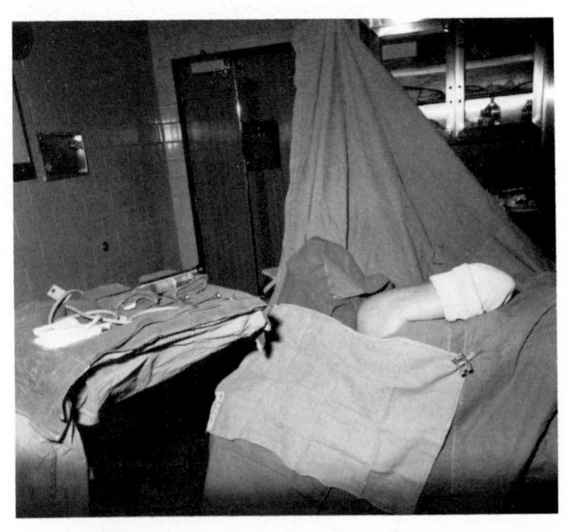

Figure 4–52 Technique for arthroscopy.

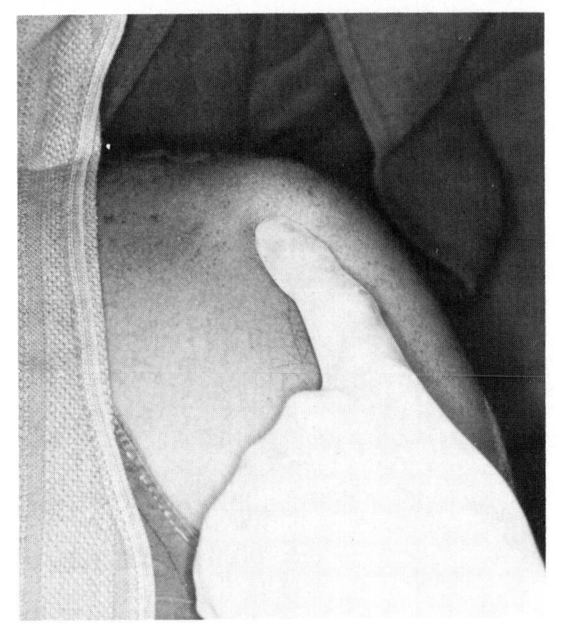

Figure 4–53 Technique for arthroscopy. Selection of site of injection and trocar insertion.

the second zone of resistance under the acromion, the injection of local anesthetic will be observed to balloon the subdeltoid bursa anteriorly, indicating that the scope has been accurately placed (Fig. 4–54). Local anesthetic, without adrenalin, is used, and is injected only after the patient has been

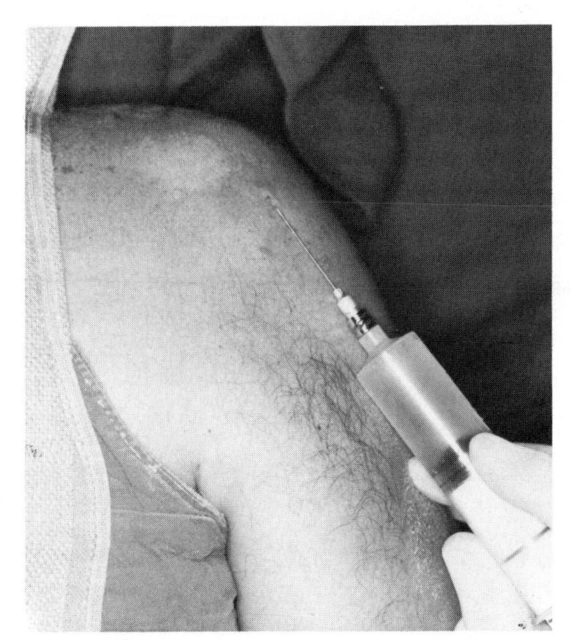

Figure 4–54 Technique for arthroscopy. Local anesthetic injection.

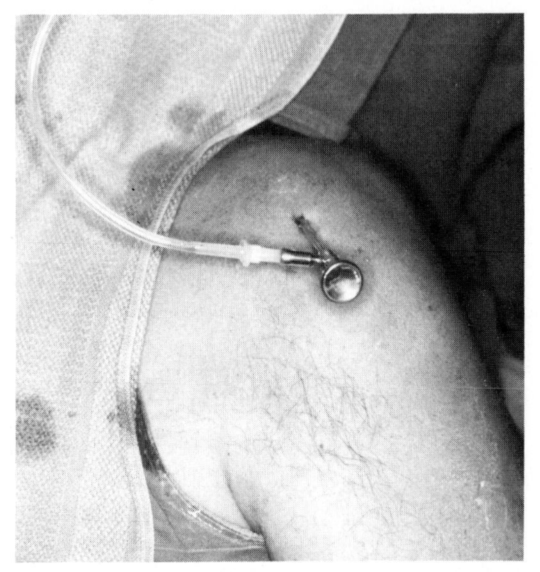

Figure 4–55 Insertion of trocar.

carefully questioned as to any history of allergic and sensitivity reactions.

Interarticular Study

A point one-half inch posterior and one-half inch below the angle of the acromion is selected for introduction of the scope. It is particularly important to anesthetize the capsule in this area; more local anesthetic is required because the capsule is very sensitive and must be penetrated to reach the inside of the joint..

Study Technique

Once the endoscope is properly positioned, the operator identifies the position; usually the oval area of the upper end of the humerus covered by rotator cuff will be apparent in the subacromial study (Figs. 4–56 and 4–57). The head of the humerus is then rotated, either by the operator or an assistant, to bring the different segments of the capsule into view. In this fashion the technique differs somewhat from that used for the knee, where it is necessary to "pan" the area in a sweeping fashion. Such a maneuver is not as essential in the shoulder because manipulating the arm brings the various zones into view.

First the lateral and then the anterior portion of the head of the humerus should be inspected. A section of the humerus will bring the bicipital and anterior capsular zone

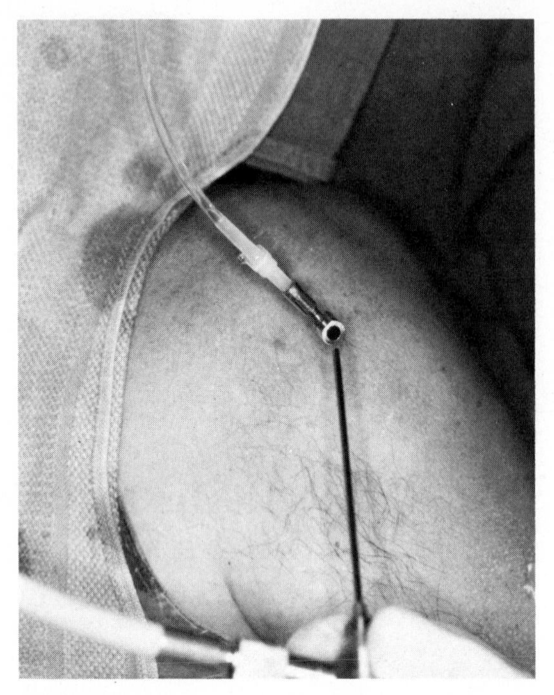

Figure 4–56 Trocar removed. Endoscope insertion.

into view. Most tears are at the top or lateral side, so that it is not difficult to identify defects in the cuff from this portion.

The consistency of the bursa and any changes also are noted, and the condition of the intertubercular area related to the biceps tendon is studied. The subacromial area may be assessed with particular attention to the acromioclavicular joint, which is reached by passing the endoscope about three-quarters of an inch further medially and at an angle to avoid hitting the head of the humerus. In some instances a little traction on the arm helps to position the endoscope to study the undersurface of the acromioclavicular region. Spurs related to the articular margin are not an uncommon finding. Sometimes these are obviously related to the acromion, or they may be irregular projections arising from the undersurface of the clavicle. Particular attention should be paid to the surface of the cuff in order to identify superficial erosions and full thickness defects.

Intracapsular study takes longer and needs careful control of the arm to view the glenoid margin and labrum accurately. Traction by the assistant helps open the joint so that the endoscope can penetrate sufficiently to enable one to identify the capsular region. Conditions such as adhesive capsulitis may exhibit widespread synovial reaction. Surface irregularities, redundant bursa, superficial erosions, and partial tears are identified by sweeping the scope around the humeral head.

The state of articular cartilage and extent of cortical defect also are apparent in intracapsular study. The shoulder joint contains 15 to 25 ml of fluid, and it can be helpful to distend the joint with saline or 5 per cent anesthetic to identify some of the changes. This is particularly so when attempting to assess the anterior capsular area. If there is a clinical indication, e.g., in such states as adhesive capsulitis, the steroid can be introduced through the cannula.

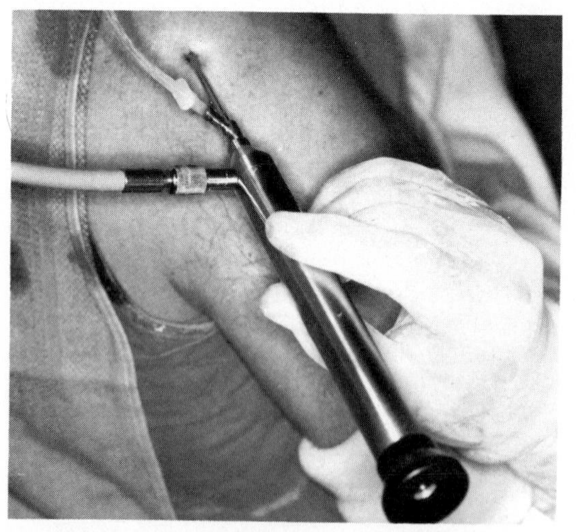

Figure 4–57 Endoscope in position for study.

Video Studies

Motion study analysis has assumed new importance as the equipment and reproduction have improved. A further advance has been made with the introduction of a synchronizing technique that produces a split-screen image, which allows external maneuvers to be correlated simultaneously with skeletal portrayal.

Components of Motion Studies Laboratory

A G.E. Fluorocan 200 has been specially modified so that the fluoroscope is mounted as an adjustable arm and clamped to an overhead tube to allow sufficient mobility to follow a patient's limb. The radiologist manipulates this tube to follow the shoulder action. The tube feeds to one side of a special effects generator coupled with a bar for

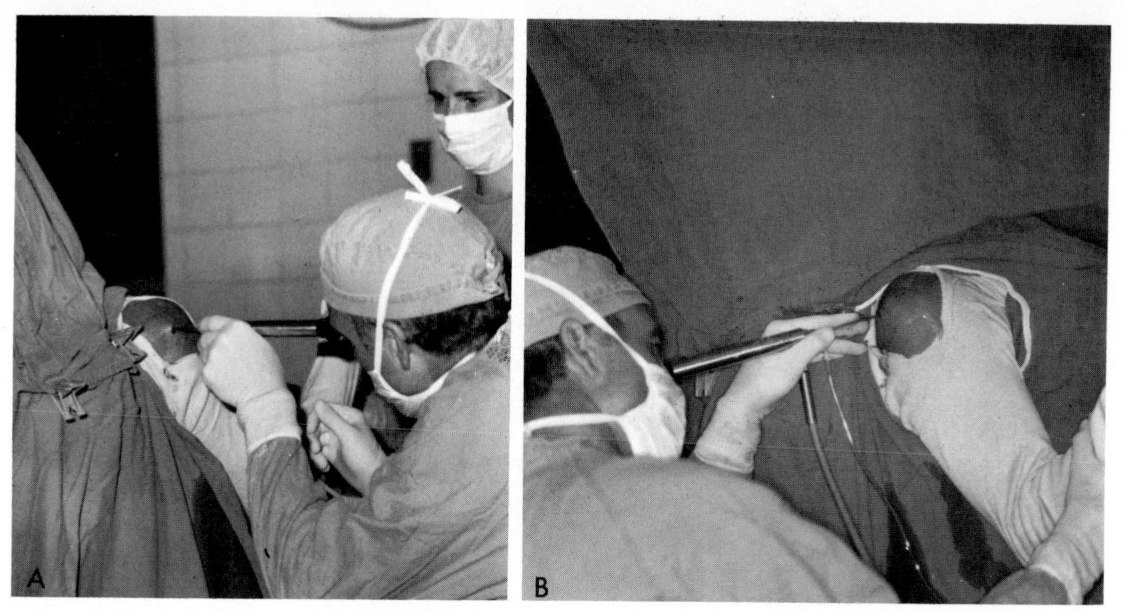

Figure 4–58 *A,* Alternative sitting posture for shoulder arthroscopy. *B,* Arthroscopist controls endoscope and rotates humerus at same time.

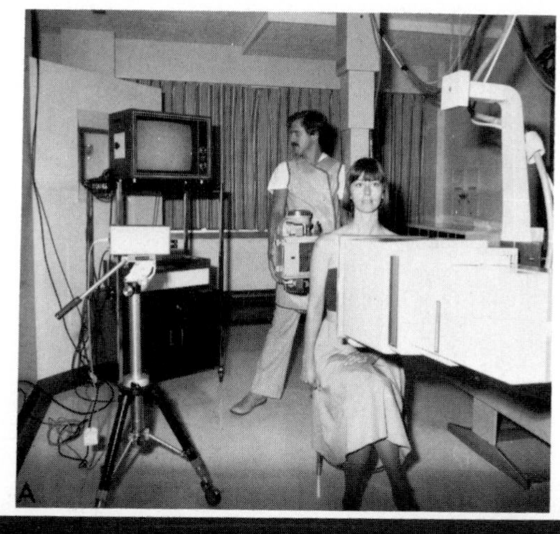

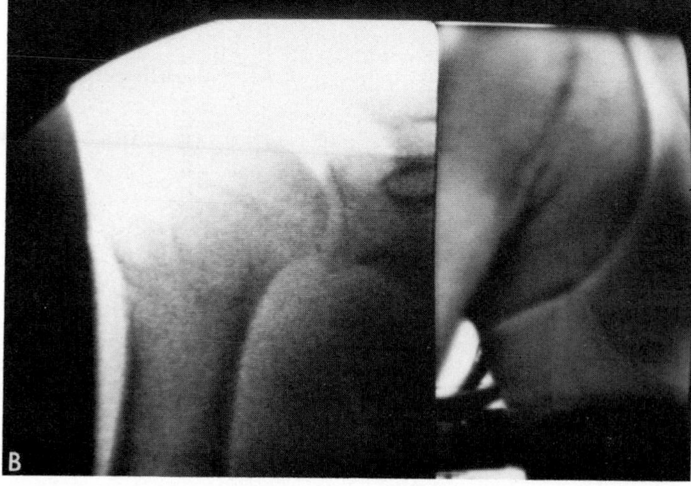

Figure 4–59 *A,* The split-screen laboratory. *B,* Split-screen image: x-ray on left, shoulder on right.

anode-diode alignment and distance fixation. A black-and-white television camera is mounted at an appropriate distance to record limb function, and the picture is fed to the other side of the effects generator. The generator (Hitachi E.A. 104) is fed to V.T.R. (Sony V02600), which is then fed to the monitor. The result is a simultaneous recording of joint and limb motion. The body action can be slowed or stopped for analysis of a particular motion. Clinical changes, pain points, impingement phenomena, girdle motion, and independent component joint actions can be assessed (Fig. 4–59).

REFERENCES

Brailsford, J.: Radiographic findings in 347 painful shoulders. Br. Med J. *1*:290, 1929.

Braun, R. M., et al.: Surgical treatment of the painful shoulder contracture in the stroke patient. J. Bone Joint Surg. (Am.) *53*:130, 1971.

Clarke, G. R.: Measurement in shoulder problems. Rheumatol. Rehabil. *15(3)*:191, 1976.

Cloward, R. B.: Cervical discography. Ann. Surg. *150*: 1052, 1959.

Gassel, M. M.: A test of nerve conduction to muscles of the shoulder girdle as an aid in the diagnosis of proximal neurogenic and muscular disease. J. Neurol. *27*: 200, 1964.

Hagen, D. E.: Introduction to the pillar projection of the cervical spine. Radio. Technology *35*:239, 1964.

Hayes, K. C., et al.: Tonic neck reflex influence on tendon and Hoffmann reflexes in man. Electromyogr. Clin. Neurophysiol. *16(2)–(3)*:251, 1976.

Holt, E. P., Jr.: Fallacy of cervical discography. Report of 50 cases in normal subjects. J.A.M.A. *188*:799, 1964.

Kummel, B. M.: Arthrography in anterior capsular derangements of the shoulder. Clin. Orthop. *83*:170, 1972.

Lakke, H.: Queckenstedt's test and the investigation of the cervical vertebrae with contrast medium. Radiol. Clin. Biol. *40*:213, 1971.

Mechner, F., et al.: Programmed instruction. Patient assessment. Examination of the head and neck. Am. J. Nurs. *75(5):* Programmed Instruction *1–24*:838, 1975.

Smith, G. W., and Nichols, P., Jr.: The technique of cervical discography. Radiology *68*:718, 1957.

Webber, T. D.: Diagnosis and modification of headache and shoulder-arm-hand syndrome. J. Am. Osteopath. Assoc. *72*:697, 1973.

Wilson, P. D.: The painful shoulder. Br. Med. J. *11*:1261, 1939.

Chapter 5

DIFFERENTIAL DIAGNOSIS OF LESIONS IN THE SHOULDER AND NECK REGION

For clinical purposes the shoulder should be regarded as a region and not as a single joint. Many patients are referred with "shoulder problems" when the cause of their discomfort really arises elsewhere; the neck, root of neck, interscapular, scapular, clavicular, axillary, and pectoral zones must always be examined as well (Fig. 5–1). The shoulder joint itself is an articular system with important auxiliary articulations, and sternoclavicular, acromioclavicular, coracoclavicular, bicipital, and scapulothoracic mechanisms also belong to this system (Fig. 5–2). The shoulder is also occasionally implicated in disease of the heart, chest, abdomen, or breast. Once this broad scope of origin of shoulder distress is appreciated, organization and classification are simplified.

In some patients with long-standing problems there may be an overlapping of symptoms that obscures the exact cause. However, there will still be an overriding picture, and careful search will usually reveal this discrete pattern.

In the ensuing discussion, an effort is made to follow a clinical grouping of problems that will lead to a definitive diagnosis rather than an assumption. Such a classification is not merely clinical, because the pain pattern characteristic of each group has an individual, underlying anatomic and physiologic basis.

Purely localized neck or suboccipital pain is mediated through branches of the posterior primary rami of spinal nerves and cervical plexus. Shoulder-neck pain often arises from disease in the posterior scapular, interscapular, and suspensory muscle area, and also is mediated through posterior spinal nerve

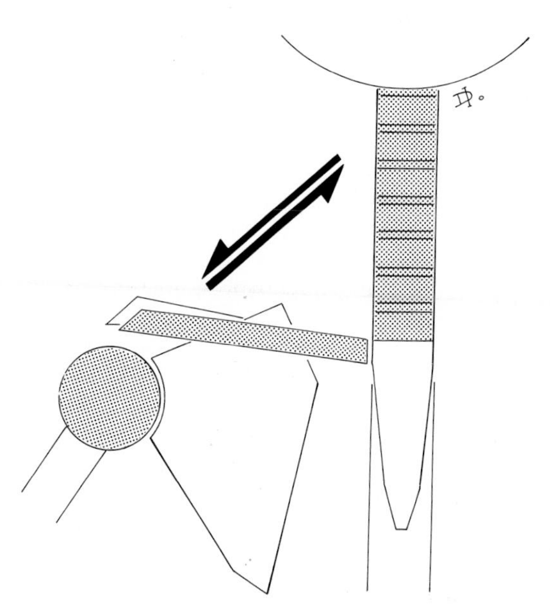

Figure 5–1 The shoulder-neck aggregate: two mobile segments suspending a limb supporting a head and containing major neurovascular systems.

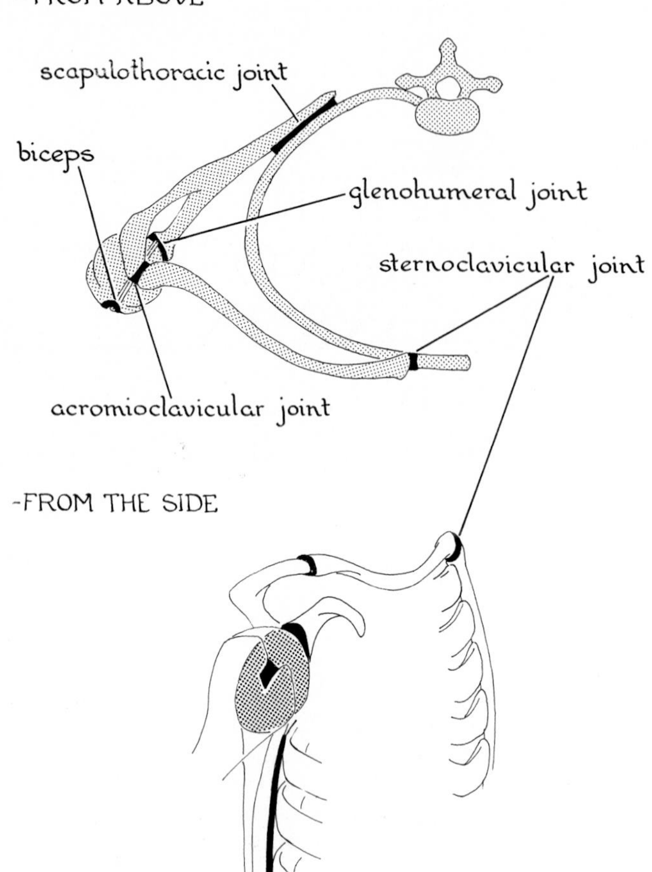

Figure 5–2 Shoulder system of joints.

branches. Localized shoulder pain is most commonly caused by shoulder joint disease, and is recorded from branches of the brachial plexus extending to this joint. Shoulder pain, plus radiating symptoms, results from nerve root or vascular irritation, and hence follows a quite different pathway. The distinctive features of the groups will be presented with the common disorders of each group (Fig. 5–3). For example, the shoulder-neck complaints caused by postural disorders and fibrositis differ vastly from those of bicipital and cuff injuries, which represent pathologic states of the shoulder joint properly. Similarly, the pain pattern from an extruded disk as an example of shoulder plus radiating pain is quite different from the pain distribution in acromioclavicular arthritis. In each group there are disorders that are somewhat alike, and the distinguishing features of these similar disorders are compared in Table 5–1. More detailed considerations of all these conditions and rare disorders, with appropriate treatment, will be included in later chapters. Oversimplification has a tendency to foster a false sense of security, but it is felt that the average physician can make good use of a planned approach if, at the same time, he recognizes the limitations of such a procedure.

LOCALIZED NECK DISORDERS

SUBOCCIPITAL ARTHRITIS

Recent work has focused new interest on many phases of neck disorders, and it has become apparent that they present a not infrequent pathologic state (Fig. 5–4). The occipitoatloid and atlantoaxial joints may show degenerative changes that frequently

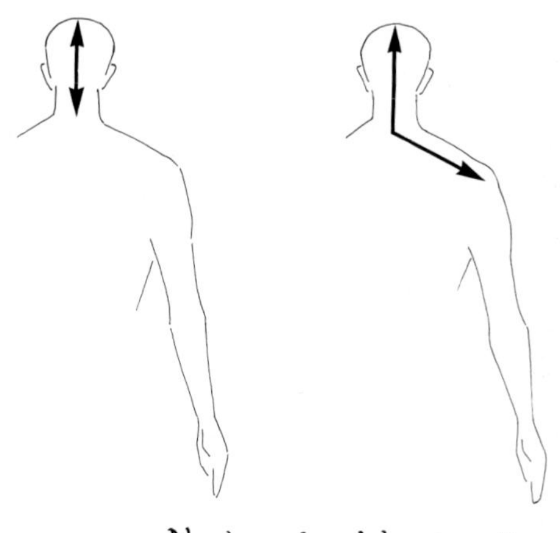

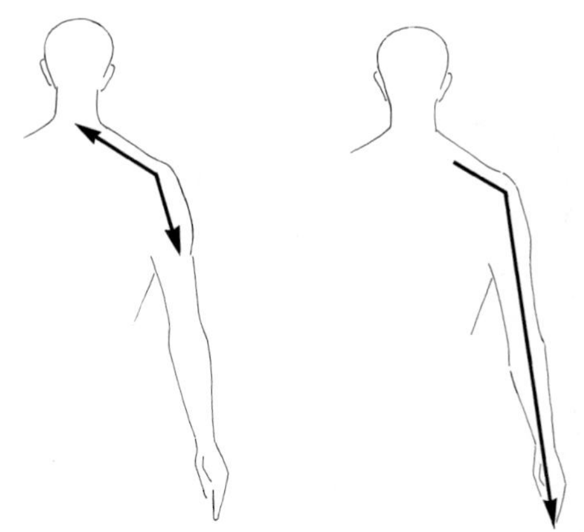

Figure 5–3 Pain patterns of shoulder-neck disease.

Table 5–1 COMPARISON OF COMMON LESIONS PRODUCING LOCALIZED SHOULDER PAIN

Lesion	History of Injury	Mechanism of Injury	Pain	Tenderness	Muscle Weakness	Persistence of Symptoms	Electric Stimulation	Radiographs	Special Test	Local Anesthetic Injection
Degenerative tendinitis	Not prominent, occasionally repeated minor trauma	Minor incident	Night pain prominent, shoulder to deltoid insertion to elbow in later stages	Over head of humerus, lateral to acromion	Not prominent	Gradual development; may be remissions	Normal response or very little alteration	Important. Detached flakes; sclerosis; cystic formation		Decreases pain; good active movement possible
Rupture of cuff	More severe episode, usually in workmen over 50 years of age	Major episode, usually a fall on the outstretched arm or a direct blow	Local shoulder	Head of humerus, lateral aspect, sometimes with sulcus palpable	Prominent	Persistent and progressive	Poor response	Little change in routine films usually, but arthrograms are diagnostic	Inability to maintain abduction	Improvement in active power very little and not sustained
Bicipital lesions	Usually a recent episode	Often sudden extension of elbow when lifting, or a fall backward with the arm and hand behind the body as protection	Shoulder plus radiation along biceps tendon	Medially or anteromedially along bicipital groove and along biceps tendon	Bicipital weakness	Protective movements develop	Frequently reproduces the pain	Special views of tuberosity may show osteophytes	Supination against resistance of the flexed forearm produces pain	Infiltration of the bicipital area produces relief

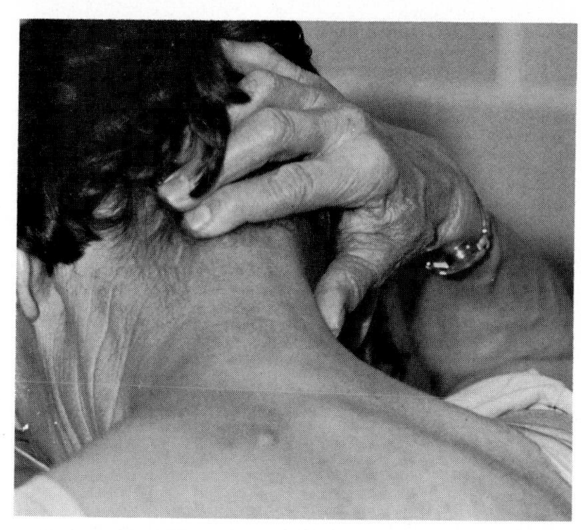

Figure 5-4 Characteristic attitude of patients emphasizing neck pain.

have originated in trauma. Pain results from movement of the head rather than of the neck. The complaint is often somewhat diffusely suboccipital. Interference with rotation, or pain on slight flexion and extension of the head without much neck movement, is characteristic. Frequently the pain is identified early in the neck-bending process, before the lower vertebral bodies have contributed to the movement. Tenderness is localized in the suboccipital area, usually on both sides of the midline, rather than directly in the center. A frequent accompaniment of this disorder is tendinitis of the erector spinae attachment in the suboccipital zone. Nearly always this has a traumatic origin.

STERNOMASTOID TENDINITIS

A frequently overlooked cause of suboccipital pain is derangement of the musculotendinous junction over the mastoid process. Patients with this condition have high neck pain, and do not particularly relate it to rotation, but have an aching sensation a little more laterally than the suboccipital regions. It is more often found unilaterally, maximum tenderness being localized over the distal mastoid process. Occasionally, calcified streaks can be made out in the sternomastoid, which sometimes appears somewhat atrophic in the zone of its mastoid fixation.

ARTHRITIS OF THE CERVICAL SPINE

By middle age most cervical spines show some evidence of degenerative wear and tear or osteoarthritis. Few patients have discomfort from these changes unless there is superimposed on them some irritating factor such as injury, increased strain, or debilitating disease. When the disturbance passes beyond normal bounds, aching pain can develop in the posterior neck-shoulder area. This is related to neck movement and is influenced very little by shoulder use. After it has been present for some little time, there is often an extension of the discomfort from the root of the neck out toward the tips of the shoulders. A sense of stiffness develops and the patient is reluctant to move the neck. It is at this point that the disk disorder may be confused with other abnormalities of the shoulder region. Spur formation on the anterior margin of vertebral bodies C.4-C.5 and C.5-C.6 is a normal finding after the age of 40 or 50. However, this fact should not be accepted as an explanation of all shoulder-neck disorders; more extensive search of the region should be made to diagnose any persistent pain. Of special significance is the involvement of the articular facets, narrowing of joint space, lipping, and spur formation of the intervertebral foramina. When this progresses so that the nerve roots are compressed, radiating pain is added to the local shoulder-neck discomfort.

The condition is well defined by the type of pain, the absence of muscle disturbance, the relation to cervical motion, and the changes evident in the radiographs. It may be confused with rheumatoid arthritis, but the latter is usually part of a much more extensive general disturbance. There is little difficulty in differentiating it from Strümpell-Marie disease.

ACUTE NECK KINKS

Neck pain is often encountered following an acute spasm or "crick" in the neck. Onset is sudden, and maximum discomfort is felt in the angle between the neck and the shoulder. It is related mostly, but not entirely, to neck movement, since only some movements initiate the discomfort. There is little or no relation to movement of the arm. Muscular soreness is acute. There is local muscle spasm, particularly in the trapezius, cervical erector spinae, and rhomboids, or combinations of these. As a rule, there is a history of sudden onset or injury. Only one side of the neck is involved, and there is no radiation to the shoulder tip or beyond.

ACUTE POSTERIOR SPRAIN

Local posterior neck pain is predominant, and the condition frequently develops after sleeping in a cramped position, from strain on the neck or arm, or as a result of reaching and twisting actions. Sometimes, after the first golf drive or tennis game of a new season, the neck is seized with a sudden spasm. Sudden onset, soreness at the root of the neck, spasm of the posterior muscles, and relation to the neck motion are the diagnostic features.

"STOP-LIGHT" SPRAIN

This topic is covered fully in the section on injuries, but is mentioned at this point for completeness. Aching pain in the neck, with radiation across the back to the shoulder zone, develops from tearing and partial rupture of the ligamentum nuchae. This distribution develops after a moderately severe flexion, or sometimes after several similar episodes of less severity. A chronic discomfort is initiated, interrupted by acute exacerbations. Sometimes discomfort subsides completely for some months. On examination, crepitus is present in the midline of the neck and is related to the posterior spinous processes. The lower area of the neck is most frequently involved. Sometimes calcification can be seen in the ligament in relation to the tips at the posterior spinous processes. The history of injury (usually an automobile accident), localized neck tenderness, crepitus in the ligament, occasional calcification, and an aching type of neck pain not particularly related to shoulder motion form the basis for diagnosis.

ACUTE POSTERIOR NECK PAIN

Attention is called to the sudden onset of generalized posterior neck pain developing quite apart from trauma. Serious systemic disturbances may be ushered in by this type of discomfort. The progress of these diseases usually makes the diagnosis obvious, but it is in the early stages that recognition may be most vital. Posterior neck pain occurs in meningitis, in premonitory cerebrovascular disease, in poliomyelitis, as a prodrome to certain acute infectious anthemata like scarlet fever, and occasionally in tetanus and pneumonia. The pain is similar in all these conditions, being intensified by flexion, and the neck is held stiffly. It is accompanied by the signs of a generalized systemic febrile process, anorexia, and lassitude. A stiff neck accompanied by pain should always receive careful attention, particularly when it occurs in children. In cerebrovascular disease, neck and occipital pain is sometimes a premonitory symptom of a more serious intracranial disturbance.

PURELY NECK DISORDERS

Certain neck disorders, most of which are not confused with the shoulder, occasionally have some bearing on the neck-shoulder area. Conditions in the root of the neck are more liable to produce pain extending out toward the shoulder than are anterior neck lesions.

Acute Infection of the Pharynx. Acute sore throat from tonsillitis or laryngitis produces a characteristic picture of difficulty in swallowing, anterior neck pain, and some fever. Tenderness is present in the neck, under the angle of the jaw. Progress of the infection to peritonsillar abscess or retropharyngeal abscess brings about more diffuse neck discomfort, with stiffening as a result of muscle splinting and limitation of motion. This can become so extensive as to result in atlantoaxial subluxation. The diagnosis of these acute throat conditions is straightforward and unlikely to be confused with neck-shoulder disorders, but the possibility of cervical spine complications should be kept in mind.

Lymphadenitis of the Neck and Shoulder. Otolaryngologists report that an elongated styloid process produces pain along the course of the glossopharyngeal nerve, and this may implicate the neck-shoulder area.

CONGENITAL AND DEVELOPMENTAL ABNORMALITIES OF THE NECK

There are two uncommon disorders producing swelling in the neck that may result in generalized pain, with extension to the root of the neck region.

Thyroglossal Cyst. This is a congenital abnormality resulting in a midline swelling above the thyroid gland. It usually appears in younger patients. The protuberance moves with swallowing or with movements of the tongue. These features clearly identify the disturbance.

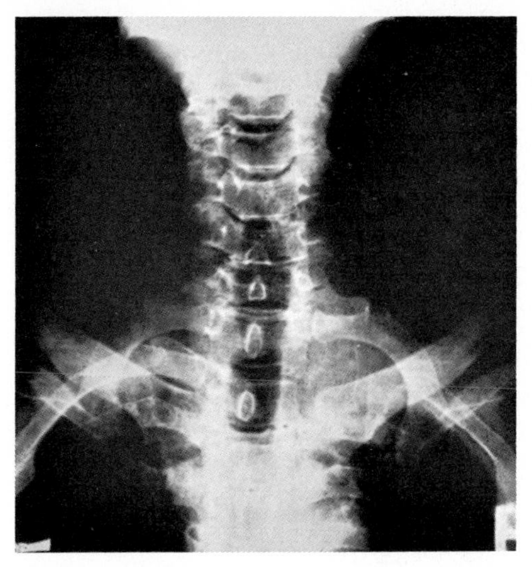

Figure 5–5 Pulmonary sulcus tumor producing shoulder-neck pain (Pancoast's syndrome).

Lateral Cervical Cysts. A further disturbance of childhood or early adult life, these appear as swellings at the side of the neck, and may lie as far distal as the clavicle. Both thyroglossal and lateral cervical cysts may become infected, resulting in swelling, pain, and restriction of neck motion.

OTHER UNCOMMON CONDITIONS

Local neck pain also results from laryngeal disturbances. Papillomata, carcinoma, tuberculosis, syphilis, and impacted foreign bodies can all produce neck pain, but the history and findings are quite characteristic.

Referred Pain. Distant disease processes may affect the root of the neck and upper shoulder area. This does not happen often but must be kept in mind when neck pain develops in patients with cardiac disease, pulmonary sulcus tumor (Fig. 5–5), duodenal ulcer, or acute cholecystitis, all of which may irritate the inferior aspect of the diaphragm and refer symptoms to the neck-shoulder zone.

CONDITIONS PRODUCING NECK PLUS SHOULDER PAIN

Affected patients indicate that pain centers in the posterior aspect of the neck-shoulder zone, and their characteristic reaction is to wrap the hand over the sloping shoulder-neck interval, digging the fingers in posteriorly (Fig. 5–6). The pain has an aching, gnawing quality that seems to encompass the whole region. Localization is sometimes difficult, and tender areas are hard to find. Sharp tingling pain, stabbing shocks, and electric-like radiation are not commonly part of the picture; neither is a history of injury, and the only significant episodes appear relatively minor. Since this area contains largely muscle and fibrous tissue, the common ailments are fibrositis, neck-shoulder kinks, musculoligamentous injuries, postural disturbances and

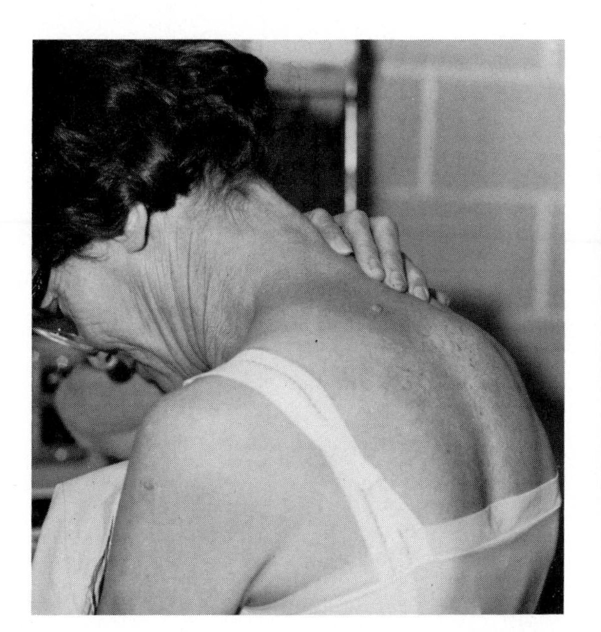

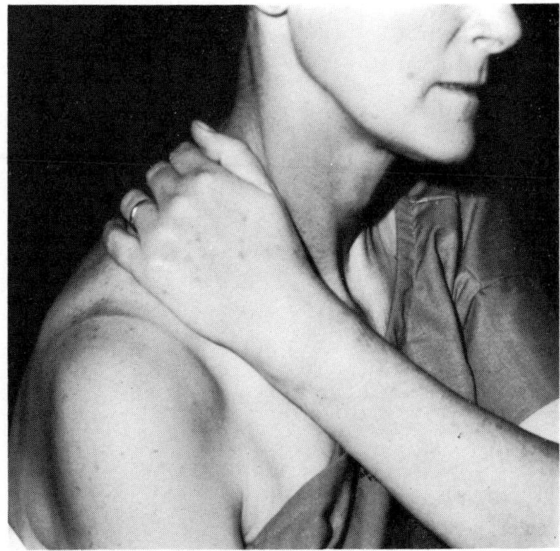

Figure 5–6 Attitude of shoulder-neck pain sufferers.

their sequelae, and scapulothoracic disorders.

POSTURAL DISTURBANCES

Keeping the head up and supporting the upper extremities in the erect position is a constant unconscious burden. When some alteration in balance occurs, or there is an added constant strain or general muscular laxity, keeping the head erect becomes an effort and discomfort is experienced. Postural disturbances are a common cause of neck-shoulder discomfort. The suspensory function of the neck-shoulder group of muscles, with the girdle suspended like a sign from the cervical spine as a post, is naturally susceptible to derangement. The rounded shoulder, slumped posture, and asthenic development predispose to persistent aching shoulder pain. Some of these patients appear to have an unusually long neck. Usually both sides are involved, but the master hand side has the predominant discomfort. Aching shoulders and neck are common in overworked and undernourished females. Faulty occupational posture without underlying structural abnormalities is also a frequent cause. This persistent, somewhat diffuse complaint must be differentiated from other more severe shoulder disorders that result in rather similar discomfort.

FIBROSITIS

A source of shoulder-neck pain is the large group of musculotendinous disorders labeled "fibrositis." In these there is a gradual onset of aching, gnawing shoulder pain, indicated by the patient's putting the palm between neck and shoulder in characteristic fashion. These disorders are allied to postural disturbances, and often develop as a sequela to habitual or occupational shoulder strain.

The complaints arising from these disorders are definite as to area but indefinite as to precise localization. The usual patient is a poorly nourished, thin, introspective female who complains of persistent, aching shoulder pain. As a rule no severe trauma is associated, but there is a gradual "building-up of tension or pressure" in the posterior neck-shoulder area. Palpation discloses thickening or nodular thickening in the suspensory muscles such as trapezius, cervical, erector spinae, levator scapulae, and rhomboids. The muscles have a dry, stringy feel, and areas of soft crepitus may be felt. Small nodules or areas of thickening are common at points of strain or fulcra of muscle action. The area at the base of the spinae of the scapula is a very common site. From this general zone, pain radiates up the back of the neck or out to the shoulder points. Occipital headache is frequently associated; occasionally the pain reaches the upper part of the arm, but it is always poorly localized. No acute distress is associated with either shoulder or neck action, but a vague soreness is experienced with the activities of both. When the lesions are long-standing, more distant radiation may occur, but examination will disclose the characteristic trigger points localized to the neck-shoulder interval. In the acute phase, whole segments of muscles are prominent or in spasm. The prominence and tension persist, even in the relaxed position.

Muscles are best assessed for spasm with the patient in the relaxed position lying on his face. The texture and consistency of a given area are compared with the patient first in this position and then standing.

SCAPULOTHORACIC DISTURBANCES

The posterior scapula-chest region is a common, long-neglected source of shoulder-neck discomfort. The scapula glides and turns on the chest constantly with every motion of the shoulder. Irregularities in the bed on which it moves, or disturbances in its contour, interfere with the normal, smooth course. The interscapular muscles are constantly bunched and folded together by movements of both upper extremities.

Various degrees of this scapulothoracic or scapulocostal syndrome may be recognized. In the least severe, there is persistent posterior shoulder pain related to scapular movement. Palpation discloses tender points all along the vertebral border of the scapula. The area related to the upper angle is commonly disturbed by stringy thickening of the muscles. The "snapping" scapula belongs in this group. In this syndrome there is a loud snapping sound in certain phases of scapular movement, produced by a dog-eared infolding of the upper vertebral border. The sharp edge bumps over the chest wall, producing pain and a diagnostic, palpable, reverberating sound.

Scapulothoracic lesions are distinguished from other disorders of the neck-shoulder group by the localization of the pain and tenderness, and the definite relation to scapular movement.

NEUROLOGIC DISTURBANCES

Neurologic disturbances should be kept in mind in investigating shoulder-neck pain. Significant lesions are more apt to be manifested as a general girdle weakness than as loss of a single precise action. The pain has a vague, diffuse quality described by the patient as a feeling of heaviness involving the neck-shoulder area. It may have a dragging sensation that is particularly noticeable, for example, when wearing a heavy overcoat or carrying a weight on the shoulder. Such a complaint should suggest shoulder girdle weakness; careful search will often show thinning and weakness of some of the major muscles or muscle groups about the shoulder.

Paralytic disorders that implicate the suspensory muscles, whether they be peripheral nerve lesions or systemic disorders, may come into clinical focus with shoulder pain; syringomyelia, accessory nerve paralysis, and long thoracic nerve paralysis may produce this type of discomfort. Physical examination will identify these different sources, and more intricate electric assessment will confirm the diagnosis.

Trapezius Paralysis. Involvement of the accessory nerve, with paralysis of the trapezius, may follow many shoulder injuries, but one of the more common origins is the excision of a gland in the posterior triangle for biopsy purposes. Paralysis of the trapezius allows the shoulder to droop, and the patient complains of the characteristic dragging, aching pain.

Serratus Anterior Paralysis. A similar complaint may be elicited in patients with this condition. An example of this is a patient who developed pressure injury to the long thoracic nerve of Bell as a result of wearing a tightly-fitting body cast. The patient was in a shoulder spica for a fracture of the opposite arm, and lay heavily on the uninvolved side. Pressure from the edge of the plaster produced serratus palsy.

Deltoid Paralysis. Trauma in the posteroinferior aspect of the shoulder other than dislocation or fracture may produce damage to the axillary nerve. The history of a blow on the back that compresses the arm or penetrates the posterior axillary area, and is followed by shoulder weakness, makes the diagnosis obvious. Spearing in football can produce this lesion despite heavy padding.

PROGRESSIVE MUSCULAR ATROPHY AND ALLIED LESIONS

The complaint of weakness and vague shoulder-neck pain may develop very gradually and spread to both shoulders. One should keep in mind the somewhat rare, but serious, neuromuscular disorders such as progressive muscular atrophy. The diagnosis is usually obvious but may be overlooked. An example is presented of a patient who had a clear-cut progressive atrophy of a scapulohumeral type that was long unrecognized.

LESIONS WITH DOMINANT SHOULDER PAIN

Among patients complaining of all types of shoulder discomfort, the largest group are those who specifically localize pain to the shoulder region proper. These patients omit neck and radiating complaints, concentrating on shoulder discomfort. Most of the acute shoulder disabilities belong in this group. The discomfort is localized clearly and quickly, with the patient grasping the point of the shoulder with the hand of the good side (Fig. 5–7). He will usually have learned that movement of the shoulder influences the pain more than any other act. The neck and hand may be implicated in long-standing disorders, but the shoulder complaint is the initial and predominant one. In general, the ones afflicted are those in the more active age bracket. Once started, the pain has a persistent, aching quality that is sharply aggravated by shoulder movement and is often most bothersome at night. Progressive limitation of shoulder movement accompanies the pain. A history of trauma is usually prevalent in this group.

On examination, points of maximum tenderness can be identified related to the shoulder joint. Shoulder movement, particularly abduction and rotation, is hampered. Not only can general limitation of movement be recognized, but specific zones of limitation can be identified as typical of specific disorders. For example, the arc of tuberosity impingement, which occurs just as the greater tuberosity begins to come into contact with the coracoacromial arch, is characteristic of cuff lesions, whereas the limitation found

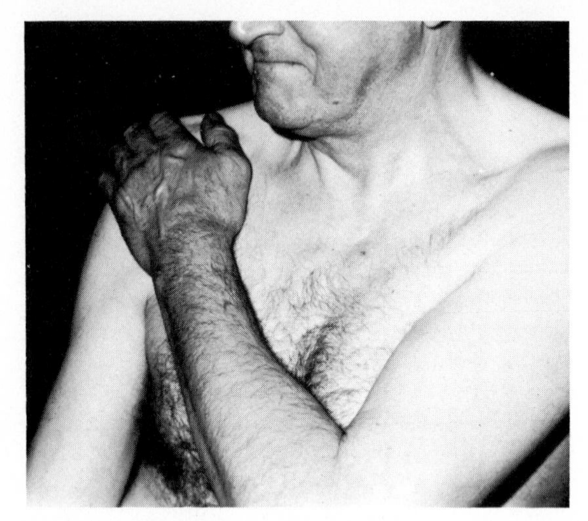

Figure 5–7 "Shoulder grasp" typical of patients with disorders of the shoulder joint proper.

in acromioclavicular disease starts after the arm has been abducted to a right angle. When the disorders have been present for some time, muscle atrophy occurs and is especially obvious in the supra-and infraspinati. The malady may have a fulminating course, such as is seen in calcified tendinitis, or it may progress slowly as in degenerative tendinitis. Both these conditions, if untreated, may result in adhesive capsulitis, or the so-called "frozen shoulder."

Although the terms "bursitis," "subacromial bursitis," "subdeltoid bursitis," and "frozen shoulder" have been used commonly in the past to describe most of the disorders in this group, they do not sufficiently demarcate the diseases and are not descriptive of the underlying pathology. Peritonitis is recognized as being a result of many lesions occurring in the abdominal cavity, but it is rarely a primary diagnosis. In the same way, the generalized term "bursitis" should be replaced by a more accurate description of the lesions present. "Abdominal adhesions" used to be a common diagnosis, just as "frozen shoulder" is today. Too many conditions have been loosely lumped together under this heading, and a more specific indication of the underlying pathology signifying the true cause is desirable. Careful attention to the investigation and examination of this group of shoulder disorders tremendously facilitates treatment. Most of the shoulder disorders that can be helped by surgery are found in this category. The common conditions comprising this group include degenerative tendinitis of the rotator cuff, tendinitis with calcification, tears of the rotator cuff, bicipital lesions, acromioclavicular arthritis, and adhesive capsulitis. Some less common conditions also may be included in this category, including osteoarthritis, infectious arthritis, metabolic arthritis, and certain neurologic disturbances. Neoplastic changes of the upper end of the humerus and the adjacent zone of the glenoid also fall into this group.

Finally, a group of conditions that refer pain to the top of the shoulder or adjacent area may have their origin in the neck, chest, heart, or biliary tree. The duodenal ulcer is a classic example of a condition that occasionally refers pain to the top of the shoulder.

DEGENERATIVE TENDINITIS

The basic cause of many shoulder disorders is wear and tear degeneration in the rotator cuff, and various degrees, phases, and complications may be encountered. The typical case of degenerative tendinitis is encountered in a middle-aged patient who complains of localized shoulder pain with a painful "arc of impingement" on abduction, starting at 75 degrees, reaching a maximum before 90 degrees, and disappearing as the shoulder passes under the overhanging arch. Tenderness is present over the upper end of the humerus, or at the lateral side of the head over the tuberosity. The location of the point of maximum tenderness is in contrast to that in bicipital lesions, in which the maximum point lies anteriorly in relation to the bicipital groove.

Aching pain at night is an outstanding characteristic. Later in the disease a typical girdle type of rhythm develops on abduction, in which the normally free swing of abduction is replaced by a hunching movement, and the scapula and humerus move together as one unit. The range is grossly limited. There may be a history of relatively minor injury, but most often the process is gradual until night pain, stiffness, and limitation of movement force the patient to seek attention. Older laborers and housewives are typical subjects. Radiographs may be quite negative, but should be studied carefully for minute changes in the head of the humerus, such as sclerosis eburnation, minute cyst formation, or small detached flakes. A diagnostic injection of Novocain decreases the pain and usually increases the movement. An arthrogram demonstrates an intact capsule, although sometimes the capsule is irregular and thinned. Arthroscopic examination shows a thickened bursa and roughened cuff.

The history and findings, as just outlined, quickly indicate the diagnosis. The pain is related to arm movement and not to the neck. It may extend to the deltoid insertion area, but there is no significant radiation down the arm as there is in root lesions. The disease may be confused with calcified tendinitis, minor tears of the rotator cuff, and bicipital lesions. The calcified lesion, usually encountered in a younger age-group, may present a much more acute picture, and x-ray examination will show the calcareous deposits. Degenerative tendinitis of the cuff is differentiated from bicipital lesions by (1) the type of pain, which is not related to movements of the biceps tendon, and (2) the point of tenderness, which is diffuse, or related to the greater tuberosity and not to the bicipital groove. Tears of the cuff may be difficult to distinguish from degenerative tendinitis, but in these there is a history of injury and the sudden onset of more acute distress following the injury. Cuff tears present with a more constant progressive course, more weakness of movement, and more limitation of movement. The arthrogram shows a typical defect, as does arthroscopic examination. Fibrositis and musculofascial disturbances of the suspensory muscle group may also be confused with degenerative tendinitis. These conditions produce neck-shoulder pain with discomfort related to the cervical spine. The points of tenderness are in the posterior group of muscles, and manipulation of these points reproduces the discomfort. Degenerative tendinitis should not easily be confused with the typical root syndrome of protruded disks, or with the radiating pain pattern of compression of the neurovascular bundle.

TENDINITIS WITH CALCIFICATION

The most painful disorder of shoulder disease is acute tendinitis with calcification. It presents a distinctive picture of a relatively young patient with acute shoulder pain of sudden onset that rapidly increases in severity. There is exquisite tenderness over the upper end of the humerus, and often swelling and enlargement of the shoulder. Agonizing pain may be experienced on the slightest movement. X-ray examination shows the calcified deposits, which are diagnostic. This condition may be so fulminating that an acute infectious arthritis of the shoulder may be suspected; however, the history and radiograph are distinctive, and it is not easily confused with other disorders. Occasionally a chip fracture of the tuberosity may be misleading, or the calcified deposit may be interpreted as a detached piece, but there are distinctive x-ray findings that separate these two conditions. The chip is corticated and sharp, and a corresponding defect may be seen in the head of the humerus. The deposit tends to be narrower, flatter, and further separated from the bone.

TEARS OF THE ROTATOR CUFF

A familiar and significant picture is presented by the middle-aged workman who falls, taking his weight on the arm or shoulder. Sharp, sudden pain occurs and the arm feels limp and powerless. Under these circumstances, when there has obviously been no fracture or dislocation, a tear of the rotator cuff should be suspected. If there is also persistent shoulder pain, and inability to raise the arm or hold it after it has been abducted for the patient, the diagnosis is confirmed. Further investigation will show a point of tenderness on the anterolateral aspect of the head of the humerus. Sometimes, in thin patients, a ridge or definite depression can be felt, indicating the separation of the sinews. Later, there is atrophy of the supra- and infraspinati. Electrical stimulation shows appropriate innervation, but stimulation of the muscle bellies has no effect on the upper end of the humerus. An arthrogram shows distortion of the normal capsule contour and a leak of dye into the subacromial area in the region of the greater tuberosity. Plain radiographs also suggest that the head is riding higher than normal as related to the glenoid.

Massive tears are easily diagnosed, but difficulty arises in picking out less severe lesions such as partial ruptures or concealed tears. In these the history and age-group are likely to be the same, but the local signs are not so definite and the pain is not so severe. After the injury there is weakness, which may pass off; later some loss of power of abduction is apparent, and a normal range is not attained. The effort at abduction is accompanied by typical hunching of the shoulder, in which the point is elevated as the arm stays dependent. Crepitus is present, and often a snapping or catching sensation that can be felt by both the patient and the examiner occurs as the humeral head reaches the coracoacromial arch. The injury is partially disabling; it is helped but not corrected by the usual conservative measures.

When such a picture persists for a matter of weeks without subsidence of pain or increase in movement, more damage to the cuff must be postulated than simple bruising or degeneration. The arthrogram is of considerable help, and leak of the dye into the subacromial space will be indicative of a defect in the cuff. This lesion is most often mislabeled a simple bursitis. If the injury is neglected, these patients remain disabled, or end with a "frozen shoulder" and adhesive capsulitis. The history of injury, persistent disability, and no relief by the normal measures separates this condition from degenerative tendinitis and calcified tendinitis. There is no related neck pain or radiating discomfort, which keeps the disorder in the group of those with predominant shoulder discomfort.

BICIPITAL LESIONS

The role of the biceps mechanism as a cause of common shoulder disabilities has not generally been appreciated. The course taken by the long head of the biceps through a narrow tunnel and over a mobile joint makes it susceptible to wear and tear changes such as those that occur in the rotator cuff. Injury and degeneration of the long head produce shoulder pain, local tenderness, limitation of movement, and a specific pattern on certain tests. Flexion and supination of the forearm against resistance initiate pain localized to the front of the shoulder and down the inside of the arm along the biceps tendon. The position of the point of maximum tenderness is characteristic, lying over the bicipital groove at the top or along the tendon at the front. Flexion and supination may spring the biceps tendon from the groove when the arm is externally rotated, and the patient will localize the pain to the area that is tender on palpation. Injury usually brings the disorder into clinical focus.

When the general signs and symptoms indicative of this lesion have been appreciated, further consideration and examination will identify several different types. The common derangements are bicipital tendinitis, rupture of the biceps tendon, and rupture of the intertubercular fibers. Any alteration in the smooth relation of the tendon to the tendon sheath or to the groove may produce the typical syndrome. The test of flexion and supination against resistance is significant, but may not always be positive. A localized snapping sensation in the region of the biceps groove, and abnormal mobility of the tendon, particularly with the arm abducted and externally rotated, is diagnostic of rupture of the transverse humeral ligament fibers. Patients with bicipital injuries frequently assume a characteristic posture. They have learned that much pain can be avoided if the arm is kept close to the side, so they tend to use the forearm, moving it at the elbow but keeping the arm close to the chest.

Tendinitis or tenosynovitis produces definite tenderness along the tendon, and sometimes a creaking sensation in the tender zone along the groove. Rupture of the long head leaves the typical shortened muscle belly with gross weakness on flexion of the elbow. Avulsion of the intertubercular fibers leaves a lax tendon that snaps, accompanied by pain, particularly on abduction and external rotation. Laxity of the tendon can be demonstrated best in the abducted and internally rotated position, when the tendon may be slipped from side to side in the groove.

Bicipital lesions are most often confused with rotator cuff disorders, either tendinitis or partial rupture, but differentiation should be possible. The point of maximum tenderness is over the biceps tendon, at the front, and is related to the bicipital groove, as distinct from the cuff lesion, in which the sore point is over the tuberosity on the lateral or anterolateral aspect. Ruptured cuff lesions do not have a lax or snapping biceps, or a shortened, relaxed muscle belly. Separating a simple rotator tendinitis from bicipital tendinitis is more difficult; the best guide is the site of maximum tenderness and pain on flexion against resistance.

ACROMIOCLAVICULAR ARTHRITIS

Disturbances of the acromioclavicular joint produce localized shoulder pain. Sometimes they are overlooked or confused with the more common rotator cuff and bicipital lesions. When the acromioclavicular joint is involved, the point of maximum tenderness is on the upper aspect of the shoulder, directly over the articulation. There is pain related to shoulder movement, particularly abduction, and it occurs in a particular segment of the circumduction arc, after 90 degrees. This is in contrast to cuff lesions, in which the pain starts before the tuberosity reaches the acromion, usually at 60 to 70 degrees. Some patients will volunteer the information that the arm can be lifted to shoulder level, and that the discomfort starts after this point is reached. Other characteristic findings in acromioclavicular arthritis are enlargement of the lateral end of the clavicle, and a cracking or grating sensation on manipulation or across-the-chest flexion by the examiner with the arm at 90 degrees.

X-ray examination shows a narrowing of joint space and roughening or erosion of the lateral end of the clavicle, which clinches the diagnosis. A suspected joint should always be compared with the opposite side, particularly when the contour seems a little abnormal. It is not uncommon to have both ends of the clavicle a little large or unusually prominent without producing symptoms. When the point of tenderness, the zone of pain, and radiographic changes have been demonstrated, there is little difficulty in distinguishing acromioclavicular arthritis from glenohumeral arthritis cuff or bicipital lesions.

ADHESIVE CAPSULITIS OF THE SHOULDER (PERIARTICULAR ARTHRITIS, FROZEN SHOULDER, ETC.)

There remains a large group of disorders that have predominant shoulder pain and obvious local shoulder signs. These have been lumped together loosely as "frozen shoulder." Any of the lesions previously described—rotator cuff tendinitis, bicipital lesions, acromioclavicular arthritis, cuff tears, and so forth—may end in typical frozen shoulder. This term describes a sign or symptom complex that, instead of being a separate etiologic entity, results from diverse pathologic conditions. Too many disorders have been labeled "frozen shoulder" without identification of the true underlying cause. Frozen shoulder arises most commonly as a reaction to the process of degeneration in the rotator cuff or bicipital mechanisms. Degeneration in the cuff results from impairment of blood supply or constant snubbing action of the tendon against the acromion, favoring a general wear and tear process. A similar situation exists in the action of the biceps tendon, from constant wear and tear in the groove and over the edge of the articular surface. Cuff tears produce pain as the arm is used, as does acromioclavicular arthritis, and the patient learns to avoid the pain by keeping the arm at the side. This favors adhesions and contraction of the redundant capsule and synovial folds on the inferior aspect of the joint. When the capsule becomes stuck, with the folds glued together, gross limitation of movement results. The disorder may be initiated by disease at a distance, such as injury to the forearm and hand, for example, but the process is the same, with constriction and eventual gluing together of the normally free synovial capsular surfaces.

There are still a few cases, usually women of menopausal age, in whom it is difficult to unearth the primary cause. In most of these the process arises as a result of some other disturbance, so that the thickening and adhesive action in cuff and capsule are a secondary, and not a primary, lesion. There is no mistaking the characteristic picture, with atrophy, gross limitation of movement, and the hunching girdle action.

Comparison of Degenerative Tendinitis, Rupture of Cuff, and Bicipital Lesions

The greatest difficulty in differential diagnosis of disorders with predominant shoulder pain occurs in separating degenerative tendinitis, rupture of the cuff, and bicipital lesions. The points of importance in the diagnosis are set out in Table 5-1. Usually, by careful physical examination and history, the diagnosis can be obtained from electric investigation, careful radiographic study, certain special tests, Novocain injection, arthrography, and arthroscopy.

Many cases of degenerative tendinitis have

been overlooked because the x-ray examination has not been sufficiently careful. Minute changes in the head of the humerus, such as detached flakes, cystic formation, and sclerosis of the tuberosity, are significant but can be completely overlooked in a routine investigation. In ruptures of the rotator cuff, the massive tear is straightforward, but minor tears are harder to demonstrate. Small tears and degenerative lesions run a less progressive course, and may retain some improvement after injection.

In suspected bicipital lesions, the point of tenderness is well around to the front in relation to the groove, and is not over the lateral aspect. There is pain and weakness on supination and flexion of forearm against resistance. Tenderness often follows the long head of the biceps down the arm, and slipping of the long head in the groove is a diagnostic finding. Many are not familiar with the use of electric stimulation as a diagnostic aid, but it has a very definite place in investigation of shoulder problems. Stimulation of the biceps without using the arm produces pain in bicipital lesions. Stimulation of the supra- and infraspinatus has little effect on the humerus when the cuff is torn. In persistent lesions, the arthrogram is extremely helpful in diagnosis and will usually help to differentiate cuff tears from other lesions. Arthroscopy is of particular help when arthrography seems negative.

STEROID ARTHROPATHY

A serious state that is encountered with increasing frequency is the general condition of overuse of steroid injections into the shoulder joint. Steroids usually are suspensions, and interarticular structures, articular cartilage, and synovium are seriously damaged by excess steroid. An acute synovitis is the early manifestation of arthropathy. The joint is swollen, has increased heat, and is acutely sensitive, with painful reduction of motion. The later stages are articular disintegration and ultimate profound arthropathy. In the early stage, this process looks like an acute inflammatory state; in the later stages, it behaves like a neurotrophic joint.

LESS COMMON CONDITIONS

Post-traumatic Arthritis and Osteoarthritis. These do not occur frequently and are unlikely to be confused with the preceding disorders. Post-traumatic arthritis and osteoarthritis have characteristic radiographic findings, and there is no question of pain and discomfort arising from shoulder movement. Muscle weakness is not prominent. There are no specifically localized painful arcs of movement. Post-traumatic arthritis has the obvious history of injury. Osteoarthritis occurs in the older age-group; the radiographs are characteristic. An increasing number of patients are being encountered, usually males, with extensive arthritic change in 40 to 50 per cent. They often have an interesting history of episodes during their youthful athletic period in which the shoulder would "catch" on throwing or some similar activity; these often happened with increased frequency, but only during athletic effort. These patients have had recurrent, unrecognized subluxation of the shoulder.

Acute Infectious Arthritis. This lesion is also uncommon. It is easily recognized by the signs and symptoms of an acute inflammatory process, with acute local tenderness and limitation of movement. There is also a febrile systemic disturbance. The only lesion that may be confused with this disorder is acute tendinitis with calcification, and under these circumstances the x-ray examination is diagnostic. A new entity has appeared, in the form of steroid arthropathy, that in its early stages often looks like an acute synovitis or arthritis. The history of too many and too frequent injections of steroid is diagnostic.

Metabolic Arthritis. This is a very rare lesion, usually encountered only in conjunction with involvement of other joints in the body by the same process. It also may be confused with degenerative tendinitis with calcification, but a therapeutic test dose of colchicine usually settles the issue.

Neurologic Disturbances. Paralytic disorders that implicate the suspensory muscles, whether they be peripheral nerve lesions or systemic disorders, may come into clinical focus with shoulder pain. Thus, syringomyelia, accessory nerve paralysis, or long thoracic nerve paralysis may produce this type of discomfort. Physical examination will identify the source, and more intricate electric assessment will confirm the diagnosis.

Neoplasms. Neoplasms of humerus, scapula, and clavicle frequently produce localized shoulder pain that is sometimes related to shoulder movement. There is very little neck pain, and radiating symptoms are rare until the advanced stage. The pain has a characteristic persistent, boring quality that is unrelieved by rest or the supported position. The condition is progressive, becoming less and less susceptible to relief from mild analgesics. When this progressive picture is completely unrelieved by simple measures, it is suggestive of serious disorder.

Referred Pain. Disturbances apart from the shoulder may give rise to pain that is felt in this general area. Referred pain is often difficult to localize, sometimes occurring at the root of the neck, in the neck-shoulder, or in the upper arm. Superior pulmonary sulcus tumor, cardiovascular lesions, gastric and biliary lesions, subdiaphragmatic disease, and metastatic lesions may all produce pain in the general shoulder zone. As a rule, signs and symptoms belonging to the primary disturbance become apparent before the referred sensation is paramount.

Neck Lesions. Disturbances in the neck frequently refer pain to the shoulder, as has been pointed out previously. However, investigation will show that the neck is implicated much more than the shoulder. Spinal cord lesions, disk lesions, and arthritis of the cervical spine may refer pain to the shoulder, but the pain has a poorly localized quality, shoulder action is not involved, and examination does not demonstrate significant local points of tenderness. In addition, there are the other spinal signs and symptoms not present in disorders of the shoulder proper.

LESIONS CAUSING SHOULDER PLUS RADIATING PAIN

The most perplexing group of conditions are those that affect patients who talk of shoulder discomfort, but immediately complain of extension of the pain below the elbow or as far as the hand (Fig. 5–8). Extension of pain to the deltoid insertion is quite routine in the glenohumeral or clearly defined shoulder proper group, but other disorders exist that clearly implicate the extremity far beyond this region and often tend to emphasize the more distal zones. These patients present themselves as having shoulder problems, but in the next breath they talk about pain in the arm, forearm, hand, and fingers. When questioned, they tend to concentrate on the radiating discomfort and say less about the shoulder. Frequently, the discomfort has been experienced first in the shoulder area for a short time, but radiating discomfort has set in later and persists as the most disturbing element. There has been a tendency in the

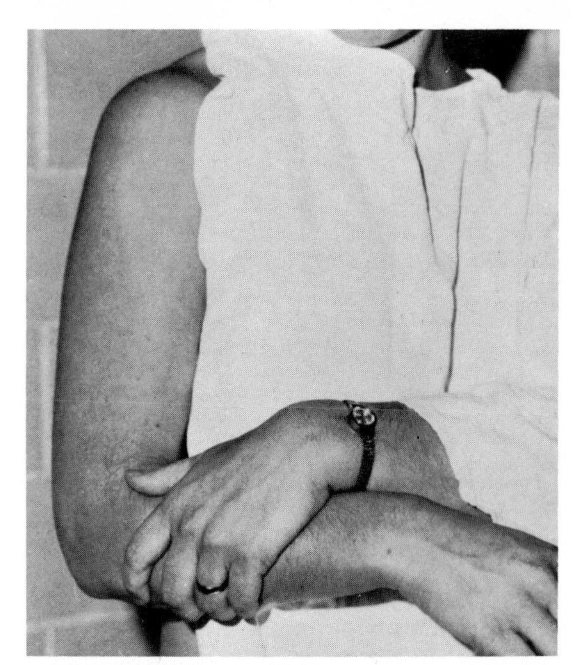

Figure 5–8 Patients with radiating shoulder pain implicate the shoulder but emphasize peripheral distribution.

literature to lump together many entitites of this group under transiently popular terms, such as scalenus anticus or cervical rib syndromes, without delving into the possibility of other causes. Investigation shows there are many lesions in this group, but two fundamental causes may be recognized: a group of conditions with a dominant neural background, and a further distinct group with a vascular or neurovascular association.

Certain qualities of radiating pain should be demarcated. There is a pain pattern from the posterior shoulder or scapular zone that flits to the back of the elbow, and then to the back of the hand. Most often the back of the hand and fingers are involved, and the patient usually cannot identify a precise peripheral distribution. Such a pattern most often stems from soft tissue disturbances such as the fibrositic lesions in the shoulder-neck angle, and generally can be identified by these properties. Sometimes the distribution of the pain specifically involves the little finger, but when it does, it usually affects the posterior surface rather than the whole digit. Characteristically, pain due to such soft tissue disturbances is dispersed by activity and aggravated by inactivity. In contrast, pain of neural origin is quite different, comprising a tingling, shock-like sensation that is usually alleviated by rest. Vascular pain, in turn, differs from both these modalities in that it contributes a feeling of fullness to the hand,

and the whole hand is usually implicated rather than one or two fingers. Frequently there is a persistent postural or positional irritant, and motion rapidly diffuses the pain.

CERVICAL ROOT SYNDROME (EXTRUDED INTERVERTEBRAL DISK, INTRAFORAMINAL NERVE ROOT COMPRESSION, SPONDYLOSIS, CORD TUMORS)

Irritation of a cervical nerve root produces discomfort in the shoulder area, and usually characteristic radiating pain. The root syndrome results from many conditions, including spinal cord tumors, extruded intervertebral disks, alterations in the bony contour of intervertebral foramina, compression fractures, and so forth. Ultimately, radiating pain is prominent in all these conditions. It often starts in the neck, extends to the shoulder, and later is more obvious in the forearm, hand, and fingers. It shortly assumes a sharp or shooting quality and is aggravated by neck movement, coughing, sneezing, and jarring. After the nerve root pattern has been recognized, the individual lesion may be determined.

Tumors of the cervical cord and nerve roots are not common, but should be suspected when there is a gradual onset of neck pain that persists quite unrelieved by rest and the usual conservative measures. Pain that is not alleviated by rest should always be carefully assessed. When the lesion has been present for some little time, other signs and symptoms appear that are suggestive of cord or root compression. Lower motor and sensory neuron signs appear in the upper extremity, whereas the legs show signs of upper motor neuron irritation in the form of increased tone, upgoing toe, clonus, and so forth. Total protein in the spinal fluid is increased in cord tumors and lesions with space-taking proportions. The myelogram and Queckenstedt test are diagnostic.

Root disturbance from disk irritation has some of the same local and radiating pain characteristics, but these are not so severe or intractable as in the case of tumors. Movement of the neck aggravates the pain. Flexion to the involved side increases the pain, whereas tilting the head away from that side decreases the discomfort. The common sensory and pain patterns travel to the base of the thumb when C.6 is involved, and to the index finger in involvement of C.7. The biceps jerk is disturbed in the former, and the triceps altered in the latter. Increased spinal fluid protein is commonly found, but is not nearly so high as in the case of tumor. The myelogram indicates a notch defect or space-taking abnormality. Symptoms from disturbances at the C.5–C.6 level are by far the commonest.

Bony abnormalities of the intervertebral foramen, such as arthritic lipping encroaching on the nerve root space, also produce root symptoms more frequently than previously realized. This disturbance has a more chronic course, and is usually preceded by considerable neck and neck-shoulder discomfort before radiating symptoms develop. These are not nearly so clear-cut as in tumors or disk irritations, and frank motor and sensory signs are not so common. The pain is not aggravated nearly so much by bending to the same side, nor relieved by bending to the opposite side. Jugular compression does not reproduce the radiating pain, as is the case in tumors and root disturbances. Oblique x-ray studies of the intervertebral foramina must be done to show bony encroachment on the intervertebral foramen. Lipping of the vertebral bodies alone is not enough to substantiate this diagnosis, since this often occurs without producing significant clinical signs and symptoms.

CERVICAL RIB AND SCALENE SYNDROME

Further out from spinal cord, the nerve roots are grouped into trunks and cords, and become intimately associated with the vascular bundle to the arm. The union takes place above the clavicle, at a point where an additional cervical rib or a tight scalenus anterior muscle may partially block the combined neurovascular bundle.

Compression of this bundle results in radiating discomfort and shoulder pain. The character of the radiation changes, however, from a pure, well-defined, neural pattern to a broad, more vague discomfort because of the vascular association. The general properties of both these conditions should be appreciated first; the individual characteristics typical of rib and muscle disorders will be defined later. Both conditions produce aching neck-shoulder pain, a feeling of numbness and tingling going down the arm to the fingers. The inner aspect of forearm and hand is the site usually involved, as compared to the outer aspect of thumb and index finger in the common cervical root lesions. The tingling frequently involves all the fingers, producing a sense of fullness in the hand. If motor and sensory signs develop, they involve the ulnar supply most often, because of pressure on the medial cord of the plexus. The small muscles of the hand are involved, but either median or ulnar groups are singled out. This distribution of atrophy following a definite peripheral nerve pattern is in contrast to progressive muscular atrophy, in which there is generalized involvement that does not follow a specific pattern.

Shoulder and arm movement are not particularly involved in either cervical rib or scalenus anticus disorders. Points of tenderness and soreness may be identified in the supraclavicular region, away from the shoulder area proper and lying above the clavicle. When neck pain is present it tends to be at the front, in contrast to the posterior discomfort of fibrositis and postural disorders.

Cervical ribs may be present and yet not cause symptoms, but when they are the cause, symptoms occur in early adult life, and frequently in both arms. Sometimes the ribs are palpable, or a tight band can be felt extending from the side of the neck across the posterior triangle to the first rib. X-ray examination is very helpful in diagnosis of this problem. Sometimes bands can be suspected when there is an unusually long transverse process of C.7 without definite rib formation, or a longer-than-normal process in an apical neck may be enough to irritate the lower cord.

The scalene syndrome is quite similar to the cervical rib disturbance, but has distinguishing features. It is more commonly encountered on one side only, and occurs in a somewhat older age-group than cervical rib. Investigation of the scalenus anterior itself usually demonstrates local signs and symptoms. On pressure the muscle is tender, and deep pressure reproduces the radiating signs. Extension of the neck commonly reproduces or increases the pain, and sometimes the radial pulses can be shut off by this maneuver. Both cervical rib and scalene syndromes differ from root lesions that result from disk irritation. The type of pain is more diffuse with the vascular component added, and there is more frequent involvement of the inside of forearm and hand, compared to the outside in root lesions. Compression flexion to the side of disturbance increases pain in extruded disks, but decreases it when the scalenus anticus is the neurovascular constricting agent. Further differentiating signs are the stiff neck, radiographic changes in the cervical spine, and positive myelogram obtained in root lesions. Atrophy of the small muscles involves the ulnar group chiefly in cervical rib, as distinct from the index and thenar groups in disks. The predominant vascular basis of the radiating pain that results in diffuse hand discomfort differs from the more localized, sharp type of radiation in root lesions.

CLAVIPECTORAL COMPRESSION SYNDROMES

There is a further group of disorders manifesting shoulder and radiating symptoms that does not belong in the cervical root or scalenus anterior/cervical rib classes. They resemble the latter because the findings suggest a vascular or neurovascular etiology; many have been erroneously called scalene or cervical rib lesions. In this group there are further distinguishing features separating several entities. The complete etiology and pathology have not yet been firmly established, so that clinical attributes are largely relied upon for classification.

The symptoms common to the group as a whole are paresthesias or numbness and tingling in the hand and fingers, developing after vague shoulder discomfort. The peripheral portion of the extremity, forearm, hand, and fingers quickly becomes the seat of the prominent discomfort, and the shoulder symptoms fade. The paresthesias follow no well-defined distribution and the pattern is indistinct, particularly as compared to the pain or numbness of peripheral nerve lesions. Frequently, both sides are involved. The vascular contribution is manifested by coldness, cyanotic hue, and crampy pain on effort. Writer's cramp is an example. Many of the symptoms and disorders have a striking relation to the position of the arm or the head. The abducted position of the arm at work or at rest is a potent irritant in many instances.

The fundamental pathologic condition common to the group appears to be stretch and compression of the neurovascular bundle, at some point in its periclavicular, not clavicular, course. The possibility of this occurring above the clavicle in cervical rib and scalene lesions has been acknowledged, but it has not been recognized that a similar disturbance may arise behind and below the clavicle or behind the pectoralis minor. The bundle lies on a firm bed along its entire course, but the structures on top of it move in three separate zones. Superiorly, the clavicle rolls up and down, and may pinch the vessels or the first rib. Lower down, the costocoracoid membrane, as a remnant of the precoracoid of primitive forms, may tighten on the bundle through its connections with the enveloping fascia. Still more distally, the sharp edge of the pectoralis minor may become the compressing force or fulcrum. A soft bundle on a hard bed is easily crushed by these structures. Several special types of compression may be recognized: costoclavicular, postural, and that arising from hyperabduction. All these conditions are to be differentiated from the carpal tunnel syndrome, in which there is no shoulder involvement, and numbness and tingling are clearly confined to median nerve distribution.

Costoclavicular Neurovascular Compression

The neurovascular bundle, in entering the axillary canal, runs through a narrow cleft beneath the clavicle and on top of the first rib. This is a slit-like aperture with the subclavius muscle arching across it, sometimes with a sharp, fusiform lower margin. Alterations and abnormalities in this cleft can compress the neurovascular bundle. Since the vein is the most medial structure running into the arm, and lies in the narrowest part of the cleft, it bears the brunt of any narrowing that develops. Abnormalities, fractures, and dislocations of the medial third of the clavicle, or fractures of the first rib followed by excess callus formation, can constrict this space. The resulting symptoms are a sense of fullness in hand and fingers, and an aching, crampy pain in the forearm and hand. Vague shoulder or shoulder-arm discomfort may be mentioned by the patient, but the radiating pain is emphasized. The hand may be swollen intermittently, and sometimes superficial veins about the shoulder are engorged. There is no limitation of shoulder movement, which contrasts with the shoulder-hand syndrome, in which gross shoulder immobilization is prominent and there are hand symptoms. The radiating discomfort has the typical diffuse vascular pattern not localized to nerve root or peripheral nerve distribution.

In addition to those patients with obvious abnormality of rib and clavicle, some develop this disturbance from a sagging shoulder girdle and atonic musculature. Normally it is difficult to encroach upon the neurovascular bundle beneath the clavicle, but it is conceivable that some sagging occurs, and when some tension in the bundle and enveloping sheath is added, the vessels may be compressed.

This costoclavicular group can be separated from scalene and cervical rib disturbances by several findings. There is no relation to cervical spine movements, and no scalene or supraclavicular tenderness. The x-ray views are different since no cervical rib is present. Arterial symptoms are not prominent, and most of the disturbances appear to be the result of venous obstruction. Costoclavicular compression can be differentiated from postural compression by the absence of any significant relation to body position, either at work or when sleeping. It is also clearly differentiated from hyperabduction compression by the lack of significant relation to shoulder movement.

Postural Compression and Sleep Syndromes

A large group of patients manifest the general signs and symptoms of neurovascular compression that have a definite relation to the position of the body, neck, and arm. The two common types of this disorder are associated with occupational posture and with sleep habits. These patients have vague shoulder pain, but are much more concerned with a feeling of pins and needles, unpleasant numbness, or a sensation of the hand going to sleep on one or both sides. Tingling is felt in the fingertips, but it is a spasmodic discomfort not continually present. There are no motor or sensory signs, but a light subjective hypoesthesia is present in several fingers when the tingling is felt.

The key to these disorders is their relation to posture changes, either occupational or nocturnal. Some patients may have just assumed a new occupation in which the use of the arms has increased. It will be noted that some activity or position, such as lifting heavy paper rolls in the slumped position or constant stretching and lifting at shoulder level or above, is the irritant that sets off the numbness and tingling. Most of these patients are in the young, active group. The cardinal finding is that most of the symptoms can be reproduced by compression of the vascular bundle as it passes below the coracoid process.

The other postural disturbances are the nocturnal dysesthesias. Patients with this problem complain of pain in the shoulder, and numbness and tingling in arm and hand. The hand "goes to sleep" or "goes dead," and they have to shake it to bring back the feeling. They usually do not notice that the resting or sleeping posture is the aggravating or initiating factor; they volunteer that the disturbance is frequent at night, but have not related the sleeping position to their symptoms. When the condition is long-standing, relatively little compression or irritation sets off the reaction. As in the previous group, the discomfort is reproduced by subcoracoid pressure. Often the radial pulse of these patients is obliterated by abduction and external rotation a little more easily than normal. Various positions may be responsible, such as lying on the arm and shoulder, or sleeping with arm abducted and externally rotated. Sometimes no disturbing sleeping position is apparent, but use of a new mattress, a different pillow, or a shorter bed has altered the usual posture and alleviated the problem. When the syndrome is appreciated and its relationship to sleep is apparent, it is not confused with other conditions.

Hyperabduction Syndrome

Wright has labeled a further group of compression problems "the hyperabduction syndrome." Patients with this disorder are usually young males of short, stocky stature who work long hours with the arms held above shoulder level. Shoulder pain and finger paresthesias develop. In some instances the discomfort appears without extreme abduction. Some people are more prone than others to develop these symptoms; they are separated from the rest by the definite history, their youth, and the characteristically easy obliteration of pulse on abduction.

SHOULDER-HAND SYNDROMES

The shoulder and hand are associated in a common symptom complex, the lesion being a reflex sympathetic dystrophy in which painful contracture of the hand and the fingers develops with, or following, some shoulder disorder. Usually this is a secondary development, and the primary cause lies in the shoulder as a sequela to trauma to the upper extremity or in lesions in the heart, chest, neck, or nervous system. This syndrome is easily differentiated from other causes of shoulder plus radiating discomfort. The dystrophic changes in hand and fingers are typical, stiffness and limitation of movement, rather than pain, being the manifestation. The fingers are reddened, moist, and swollen. There are no sensory disturbances, and there is no relation to posture or activity. Contracture of hand and fingers may be severe enough to resemble Dupuytren's contracture. The hand disability often overshadows the shoulder stiffness.

CARPAL TUNNEL SYNDROMES

Tingling discomfort in the fingers, and numbness and clumsiness in their use, may develop from compression of the median nerve at the wrist. Such lesions are sometimes confused with the many entities in the shoulder plus radiating pain disorders. They may be separated from fibrositic and vascular disturbances because, typically, it is a precise median nerve distribution that is involved; this means that the pain is usually on the opposite side of the hand. The real problem is differentiating a cervical root disturbance at the C.5-C.6 level from the carpal tunnel syndromes. The history of neck pain; neck stiffness; cervical radiographic changes; reproduction of the pain on vertical compression of the neck or neck bending; the intermittent character of the pain; the less clearly demarcated sensory changes; and the lesser likelihood of atrophy, all will aid definitive diagnosis.

In the carpal tunnel syndrome, as a rule, the signs and symptoms are clearly localized to the median nerve distribution in the hand. The pain and sensitivity implicate the anterior aspect predominantly. Occasionally, discomfort extends up the forearm because of a severe nerve compression in the tunnel, but this pain has quite different qualities from that caused by nerve root compression in the cervical region. The special investigation of particular help in differentiating these two lesions is electromyographic examination. In the carpal tunnel syndrome, the changes obviously involve the thenar eminence; in the cervical root disturbance, changes may be found as high as the posterior cervical musculature as a result of involvement of the posterior spinal nerve. Alterations in other parts of the limb well above the carpal zone may also be detected. Nerve conduction studies serve to further differentiate the two states.

REFERENCES

Benson, T. B., et al.: The effect of therapeutic forms of heat and ice on the pain threshold of the normal shoulder. Rheumatol. Rehabil. *13*:101, 1974.

Booth, R. E., Jr., et al.: Differential diagnosis of shoulder pain. Orthop. Clin. North Am. *6(2)*:353, 1975.

Boyzyk, Z.: Shoulder-hand syndrome in patients with antecedent myocardial infarctions. Rheumatologia (Warsz.) *6*:103, 1968.

Cinquegranao, D.: Chronic cervical radiculitis and its relationship to "chronic bursitis." Am. J. Phys. Med. *47*:23, 1968.

Coventry, M. B.: Problems of painful shoulder. J.A.M.A. *151(No. 3.)*:177, 1953.

Donovan, W. H., et al.: Rotator cuff tear versus suprascapular nerve injury: a problem in differential diagnosis. Arch. Phys. Med. Rehabil. *55(9)*:424, 1974.

Engleman, R. M.: Shoulder pain as a presenting complaint in upper lobe bronchogenic carcinoma: report of 21 cases. Conn. Med. *30*:273, 1966.

Finke, J.: Neurologic differential diagnosis: the lower cervical region. Dtsch. Med. Wochenschr. *90*:1912, 1965.

Gascon, J.: A current problem: diagnosis of the shoulder pain syndrome. Union Med. Can. *94*:463, 1965.

Ghorbal, M. S., et al.: Upward migration of the humeral head. Br. J. Clin. Pract. *27*:382, 1973.

Gligore, V., et al.: Shoulder pain as a manifestation of visceral disease. Dtsch. Gesundheitsw. *20*:956, 1965.

Heck, C. V.: Hoarseness and painful deglutition due to massive cervical exostoses. Surg. Gynecol. Obstet. *102*:657, 1956.

Helidonis, E., et al.: Organized hematoma of the neck simulating carotid body tumor. Int. Surg. *60(10)*:519, 1975.

Kapoor, S. C., et al.: Cervical spondylosis simulating cardiac pain. Indian J. Chest. Dis. *8*:25, 1966.

King, J., and Holmes, G.: The diagnosis and treatment of four hundred and five painful shoulders. J.A.M.A. *89*:1956, 1927.

Kosina, W., et al.: Neurological disorders and radiological diagnosis of developmental abnormalities of the cervical spine. Rheumatologia (Warsz.) *3*:135, 1965.

McRae, D. L.: The cervical spine and neurologic disease. Radiol. Clin. North Am. *4*:145, 1966.

Neviaser, J. S.: Musculoskeletal disorders of the shoulder region causing cervicobrachial pain: differential diagnosis and treatment. Surg. Clin. North Am. *43*:1703, 1963.

Ott, V. R., et al.: Differential diagnosis of ankylosing spinal disease. Arch. Phys. Ther. (Leipzig) *17*:141, 1965.

Pichler, E.: Cervical headache. Landarzt *41*:1553, 1965.

Scoville, W. B., et al.: Lateral rupture of cervical intervertebral disc. Postgrad. Med. *39*:174, 1966.

Sharp, J.: The differential diagnosis of ankylosing spondylitis. Proc. R. Soc. Med. *59*:453, 1966.

Smith, G. W., and Robinson, R. A.: The treatment of certain cervical spine disorders by anterior removal of the intervertebral disc and interbody fusion. J. Bone Joint Surg. *40A*:607, 1958.

Wright, I. S.: Neurovascular syndrome produced by hyperabduction of the arms. Am. Heart J. *29*:1, 1945.

Wright, I. S.: Vascular Diseases in Clinical Practice. Year Book Medical Publishers, Inc., Chicago, 1948.

Section III

CLINICAL SYNDROMES

Chapter 6

LESIONS PRODUCING NECK PAIN ALONE OR PREDOMINANTLY

Patients presenting with the complaint of "pain in the neck" are easily categorized as comprising just such an entity. This interpretation stems in large measure from lack of knowledge of cervical pathology, and of the armamentarium available for helping people.

Some pitfalls should be recognized from the very beginning in identifying these lesions. Patients often interpret upper neck pain inaccurately as "headache" because, to them, the head portion seems the dominant structure of the suboccipital region. Another frequent error is the belief that cervical changes will always produce symptoms at a distance, implicating zones in the shoulder or more distally in the limb. There is also a tendency to pay insufficient attention to these complaints simply because minor or transient upset can be quite common. Persistent, increasing, or consistently patterned neck pain should always be carefully evaluated as a genuine complaint.

OCCIPITAL TENDINITIS

This entity involves the upper neck or suboccipital region. It is not serious, but occurs more frequently than is usually appreciated.

Clinical Picture. Consistent upper neck discomfort that may be presented erroneously as "headache" is the common complaint. Pain starts at the back of the skull but may extend up over the back of the head, usually not to the vertex. Often first noticed on awakening, it is followed by stiffness extending downward to the shoulder blade area. Tenderness in the suboccipital area is identified, usually on both sides. This is accentuated by passive resistance to the head on extension. Sometimes an acute trigger area is identified on one side.

Etiology. Essentially this is a tendon-bone junction reaction with some fraying, rupture, or degeneration of fibers of the erector spinae, similar to that seen in gluteal or tendo Achillis tendinitis. Calcification is unusual, and profound disorder does not occur because of the preponderantly powerful tendon element and the relative protection from severe stress. There is no consistently disadvantageous mechanical element, such as occurs in the supraspinatus counterpart in the shoulder.

Treatment. Some consistent neck irritant is usually the source, such as heavy sponge rubber pillows, occupational strain, or repeated minor trauma; this may be elicited by questions concerning the patient's usual sleeping and working routine. If there is a trigger area it responds to local anesthetic or alcohol injection. Physiotherapy such as ultrasound, transcutaneous nerve stimulation, and transverse frictions in conjunction with systemic medication helps a great deal. The one precaution to be taken is in young people, for whom persistent suboccipital pain can be an early symptom of subtentorial or cerebellar disorder.

ATLANTOAXIAL OR OCCIPITOATLOID SPRAINS

Traumatic derangement involving suboccipital structures has now been recognized with increasing frequency. The work of W. Fielding has contributed significantly to better understanding of all derangements in this field.

Clinical Picture. Young people engaged in athletic activities are the main victims. The usual history is of a quick, forceful, almost uncontrolled turning of the head and neck to one side. Acute pain results, followed by marked neck stiffness. What appears to be a simple muscle "kink" does not improve, and symptoms persist.

Various degrees of this rotatory sprain occur, some of which are made much worse by the addition of passive twisting, as can occur when playing football. Typically, the head assumes an oblique to-one-side position, with the chin tilted upward and rotated to the opposite side.

Etiology. Voluntary swinging of the head beyond the normal arc can sprain the retaining ligaments, and if passive force is also applied, the result may be what amounts to atlantoaxial subluxation (see also the section on trauma).

Treatmemt. Rest is required with a cervical collar, usually a hard one, until ligaments have healed. A period of cervical traction is needed in the acute lesion, followed by collar protection for 12 weeks. Careful x-ray examination of the suboccipital area is mandatory, with special studies to delineate suboccipital structures.

OCCIPITAL NEURODYNIA

A group of superficial disorders can be identified that mainly implicate soft tissue, and which involve the branches of the cervical plexus, producing suboccipital and lateral occipital pain. The discomfort involves one side of the neck posteriorly, and may extend to the region of the mastoid process or to the front of the ear. The posterior primary divisions of the upper four nerves are distributed to the scalp and neck in this region. From the first cervical nerve arises the suboccipital nerve, which supplies the muscles of the suboccipital triangle. The lesser occipital nerve is derived from C.2 and C.3, and supplies the skin over the lateral occipital zone of the scalp, reaching to the mastoid process and upper medial portion of the oracle. This nerve is not infrequently involved in traumatic episodes, implicating the erector spinae, as has been described in the section on whiplash lesions (Fig. 6–1). Tendinitis of the erector spinae attachment in this region can also implicate this nerve in precisely the same fashion. Patients complain both of the distribution of pain following this pattern and of local tenderness; manipulation of the area characteristically reproduces their discomfort. Frequently it can be relieved by local anesthetic injection. In some instances a small amount of absolute alcohol is added, producing a solution of 20 per cent. One milliliter of absolute alcohol plus 4 ml of a 2 per cent anesthetic solution injected into the trigger area is often effective in relieving these symptoms.

SUBOCCIPITAL ARTHRITIS (OCCIPITOATLOID AND ATLANTOAXIAL ARTHRITIS)

Degenerative changes implicating suboccipital joints can occur apart from the rest of the neck, which then comprises an obstructive and painful entity (Fig. 6–2).

Clinical Picture. Upper neck pain without shoulder or arm radiation, usually related to head turning but sometimes quite constant, is the typical complaint. Acute episodes develop in which the head appears to catch or lock if it is turned forcibly or possibly twisted, as may occur in sleep. Some bilateral tenderness is identified on very firm suboccipital pressure. Flexion and extension are markedly less uncomfortable than the act of head and neck turning.

Etiology. Wear and tear changes can implicate the suboccipital joint mechanisms, as may occur elsewhere. Sometimes antecedent insult is identified, such as repeated skiing injuries. The changes can take place quite apart from the common spondylosis of the midcervical zone. (Changes develop also as part of a generalized rheumatoid process, and this sometimes much more serious complication is dealt with more extensively under the heading of "rheumatoid arthritis" in a later chapter.)

Treatment. Proper rest at night, using a soft cervical collar and avoiding thick, hard pillows or a twisted sleeping posture, is a prime reclaimant. The patient should be

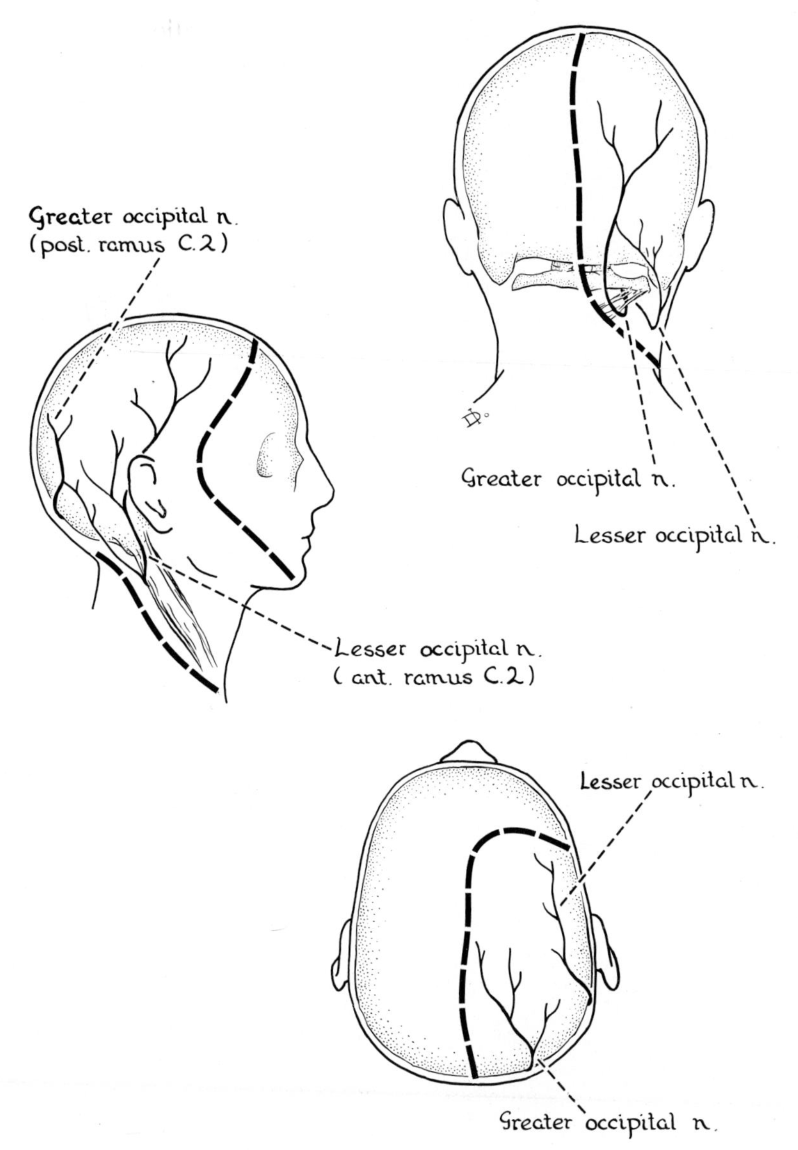

Figure 6–1 Distribution of greater occipital nerve.

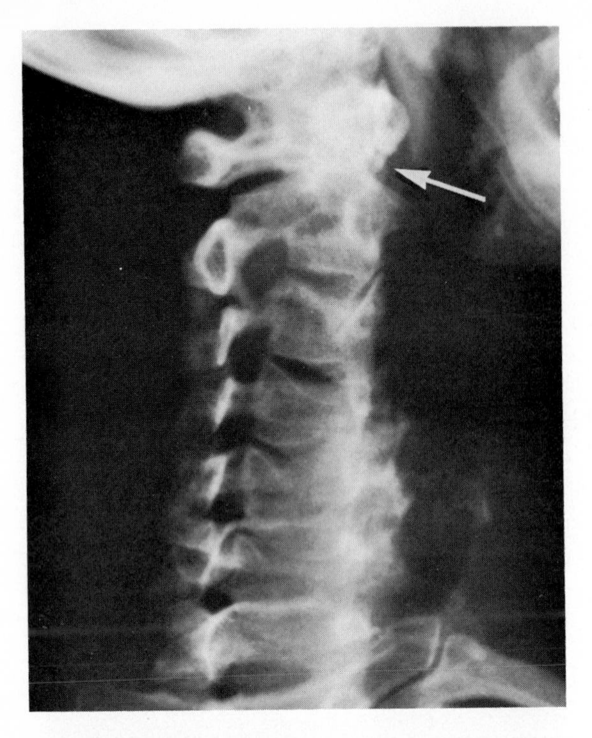

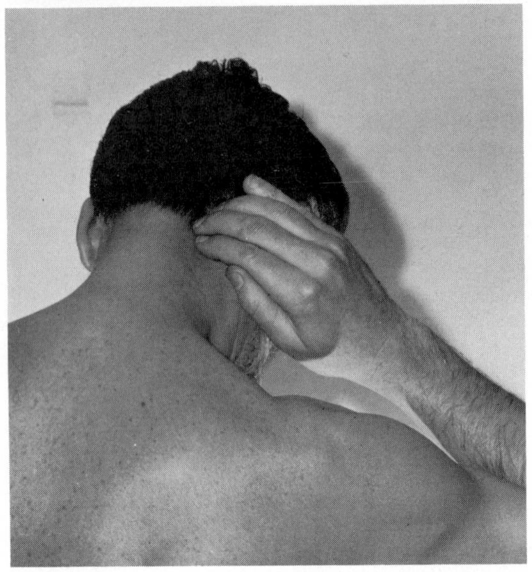

Figure 6–2 Atlantoaxial arthritis. *A*, X-ray showing area of involvement; *B*, point of tenderness.

prescribed anti-inflammatory medication, properly controlled, in maximum dosage for several months; this may be gradually diminished to a tolerated maintenance dose if symptoms persist. The amount of accommodation that the rest of the cervical spine can substitute for upper segment rotation is a natural help in controlling this entity, so that usually only conservative measures are required.

LIGAMENTUM NUCHAE TENDINITIS

In most instances intermittent, nonprogressive, local midcervical neckache arises from soft tissue derangement involving the ligamentum nuchae.

Clinical Picture. Cracking or clicking sensations at the back of the neck are a common complaint. All ages can be involved, but women of 40 and over suffer the most. Well-localized tender points related to the posterior spinous processes are present. Areas of calcification, mostly related to the lower spines, can frequently be identified in the x-ray examination. To be experienced, the sensations almost always require a voluntary twitching action on the part of the patient. Routine head or neck motion rarely produces the clicks. Radiating pain and extensive spondylosis are not usually encountered.

Etiology. In our necks we require a heavy tendon to control head balance. The extreme instability, and the leverage that can be applied, understandably favor a fraying and tearing of some tendon strands attached to the posterior spine tips. Minor or minute avulsions of periosteum probably explain the islands of ossification often seen. Greater stress than is appreciated can be applied to the ligamentum nuchae by the weighted ball at the end of the spine, as witness the clay-shoveler's fracture, which is a slightly different, but more severe, response to neck and head motion.

Treatment. Local injection or alcohol block of the acutely tender point helps a great deal. Novocain iontophoresis has a similar effect if the tenderness seems more diffuse. Anti-inflammatory medication assists considerably, and proper sleeping posture is an essential part of the treatment program. Much reassurance may be offered by explaining to the patient the origin of these clicking sensations, and indicating their nonserious source.

STERNOMASTOID TENDINITIS

The attachment of the upper end of the powerful sternomastoid muscle to the skull is

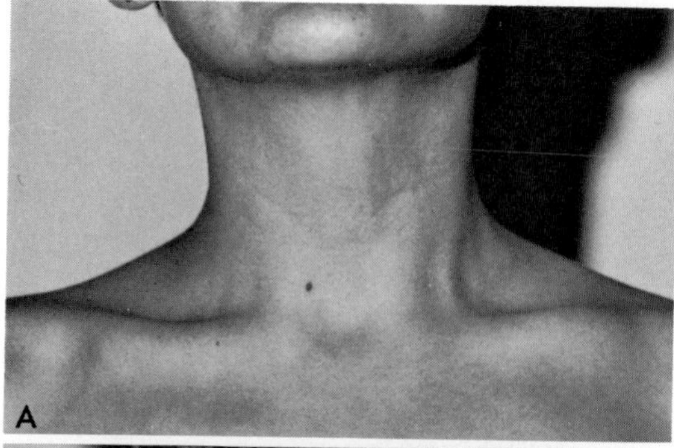

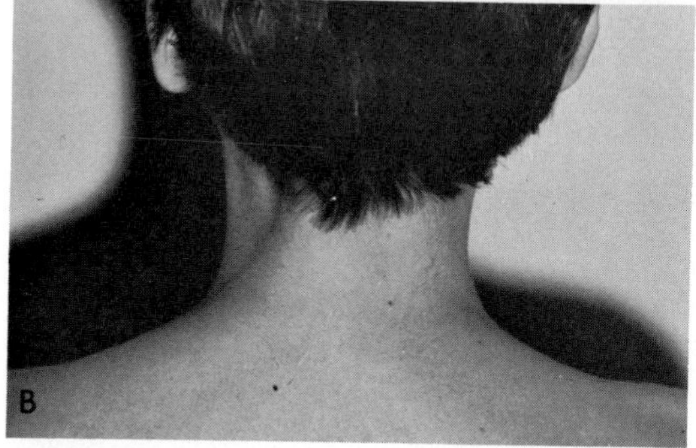

Figure 6–3 Sternomastoid tendinitis. Note that the sternomastoid muscle stands out in both back and front.

sometimes the seat of tendon-bone junction disturbances, such as may be encountered in similar anatomic situations elsewhere in the body. The patient is conscious of local pain that sometimes implicates the ear and often extends on one side up the back of the head. It almost never involves both sides at the same time. On examination a somewhat tight or spastic sternomastoid is identified, and tenderness is present well localized to the tip of the mastoid process and adjacent zone of mastoid posteriorly. The patient has a tendency to tilt the head and neck slightly to the opposite side because of the tension of spasm in this muscle. Active motion to the opposite side evokes pain related to the mastoid zone. In some instances there is a history of trauma to the neck, or a period of unaccustomed stress from prolonged lying, reading, or similar activities. Often no antecedent trauma is recalled (Fig. 6–3). X-ray examination will sometimes identify changes in the form of a calcified deposit.

Treatment. In the acute stage, local anesthetic infiltration and the injection of a steroid preparation are helpful. This is followed by a period of immobilization in a cervical collar. After the acute symptoms have subsided, a program of physiotherapy is initiated. Medication, usually some form of phenylbutazone and a light sedative, is also required.

OSTEOARTHRITIS

Degenerative changes in the cervical spine are found almost universally after the age of 50 (Fig. 6–4). They are clearly seen in x-ray studies, and all too frequently are interpreted as the causative agent for neck and shoulder pain. Discomfort does not arise from these changes nearly so often as it does from some of the soft tissue disturbances that have previously been described. As a rule, symptoms arise only when some added disturbance is superimposed, such as trauma, increased strain, continuous postural effort, or progressive debilitation.

Cardinal Signs and Symptoms. Aching pain in shoulder and neck that is associated with activity and relieved by rest is the commonest complaint. Stiffness, soreness, and pain frequently begin in the morning and increase during the day. The patient tends to keep the neck straight, moves it stiffly, and is apprehensive of turning it to the side. Turning the head while backing the car out of the garage is a frequent irritant.

Treatment. Acute exacerbations of pain

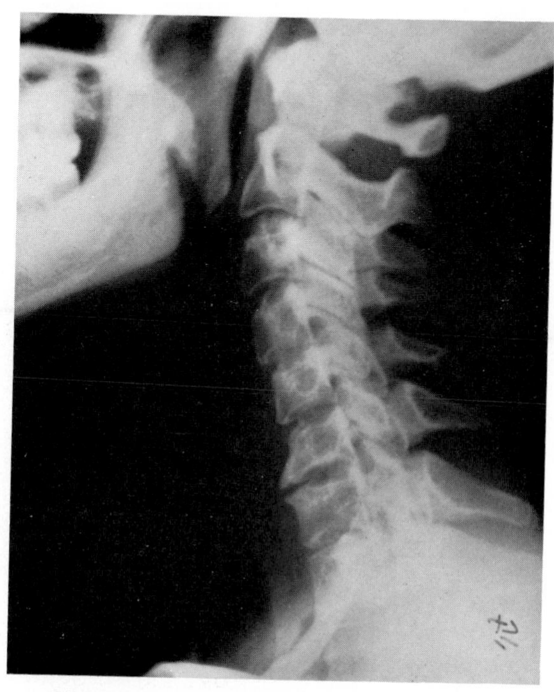

Figure 6–4 Osteoarthritis of the cervical spine.

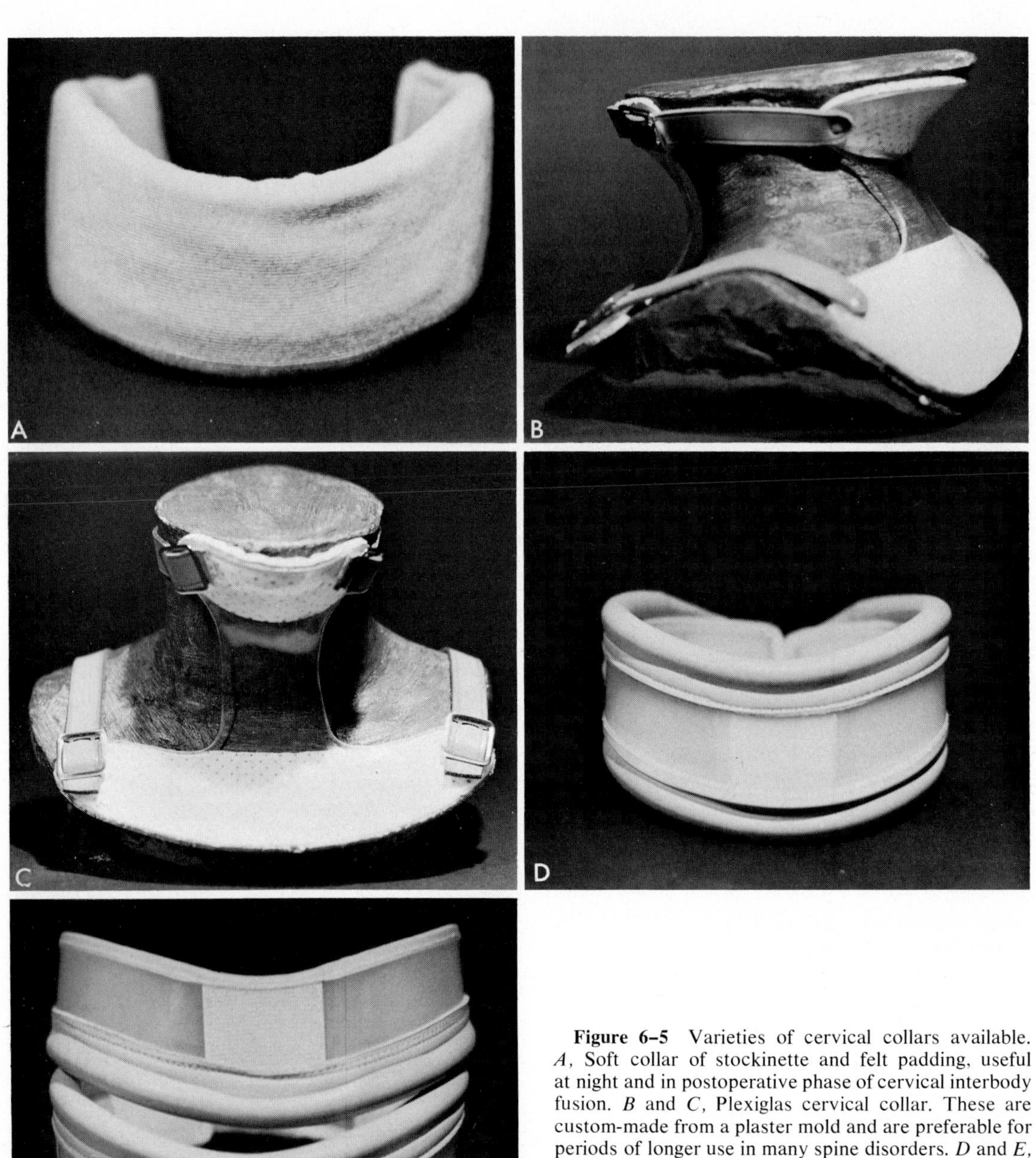

Figure 6–5 Varieties of cervical collars available. *A*, Soft collar of stockinette and felt padding, useful at night and in postoperative phase of cervical interbody fusion. *B* and *C*, Plexiglas cervical collar. These are custom-made from a plaster mold and are preferable for periods of longer use in many spine disorders. *D* and *E*, Plastic collars of commercial manufacture useful in injuries and chronic neck pain.

are treated by immobilization in an appropriate cervical collar, followed by physiotherapy accompanied by adequate systemic medication (Fig. 6–5). Medication includes such anti-inflammatory drugs as may be tolerated by the patient, muscle relaxants, and light sedatives. The collar is not worn indefinitely, a period of six to eight weeks usually being sufficient for subsidence of the acute irritation. Following this, progressive increase in active motion can be started. The collar is kept available for use during periods of occupational or working distress or further acute exacerbations.

"STOP-LIGHT" SPRAIN

The full complement of this entity is covered in a later chapter on injuries, but the purely "neck" component may be elucidated here also. Two main neck pain patterns from acceleration–deceleration episodes can be identified.

(a) *Suboccipital.* Upper neck pain with extension to the vertex from base of skull, usually unilateral, is frequent. This often is a true, accepted neuralgia or neurodynia. It is helped by local injection, initial collar rest, and physiotherapy.

(b) *Lower cervical.* Lower neck pain from this source is less well localized. Sometimes it is midline, at other times it is paraspinal. Precise trigger points are harder to identify. Initial collar support assists the ligamentous insult more than the muscular. Medication and routine physiotherapy measures provide further help.

Routine Physiotherapy for Stop-Light Sprain. The first aim is to reduce pain and muscle spasm. This can be accomplished by heat or cold and ultrasound, or transcutaneous nerve stimulation. The patient can be instructed to carry this out at home while on bedrest. Often the neck needs to be supported in a well-fitted cervical collar—felt will probably suffice. If not, a firmer type such as Plexiglas will be necessary when the patient is up and around. Once the spasm has decreased, and if arm pain is present, gentle manual cervical traction may be started (see cardinal rules, Chapter 15). Isometric strengthening exercises should be given for the neck musculature in a neutral position. Range of motion is maintained simply by free active motion in the pain-free range. Patient education is extremely important—proper sleeping and resting positions, proper posture, and neck-sparing techniques possible as a part of daily living (see conservative neck care routine, Chapter 9).

RHEUMATOID AND STRÜMPELL-MARIE ARTHRITIS

Acute pain that causes gross restriction of neck bending and a poker-stiff spine develops when the cervical region is involved in these processes. The symptoms are largely local, in contrast to some states of osteoarthritis in which radiating pain develops. Ankylosing spondylitis almost always involves the cervical spine, producing gross restriction of motion and considerable deformity. The occipitoatloid joint may be spared, so that the patient retains some rotary motion, but extensive restriction remains. The complications that may occur as a result of the extreme rigidity can be serious. Subluxation of the cervical spine at the atlantoaxial joint, fractures in the midcervical spine at the atlantoaxial joint, or fractures in the midcervical region are frequent occurrences (Fig. 6–6).

Treatment. During the acute arthritic phase, systemic measures such as indomethacin or phenylbutazone, alone or in combination with a steroid like prednisone, may be used, depending on the response and tolerance of the patient. The neck should be supported to prevent forward flexion, which contributes to the tendency of flexion contracture. Physiotherapy, important to preserve even a small amount of motion at any of the joints, should be started as soon as the control of pain will allow. There are serious late complications of luxation and dislocation that require immediate reduction and immobilization until stability is restored (Fig. 6–7*A* and *B*). Cord damage is easily sustained; fatalities are not uncommon if much force is involved in the process of subluxation. Various degrees of cord involvement may ensue and require skeletal traction in ice tongs or the application of a halo brace.

When immediate reduction is carried out, the ligaments and associated traumatic reaction may provide sufficiently firm control. Often once the luxation is initiated it becomes chronic, and some form of occipitovertebral stabilization is required. Cregan has pioneered an approach to this difficult problem. In some cases, simple posterior stabilization by bone grafts in the usual fashion suffices. In

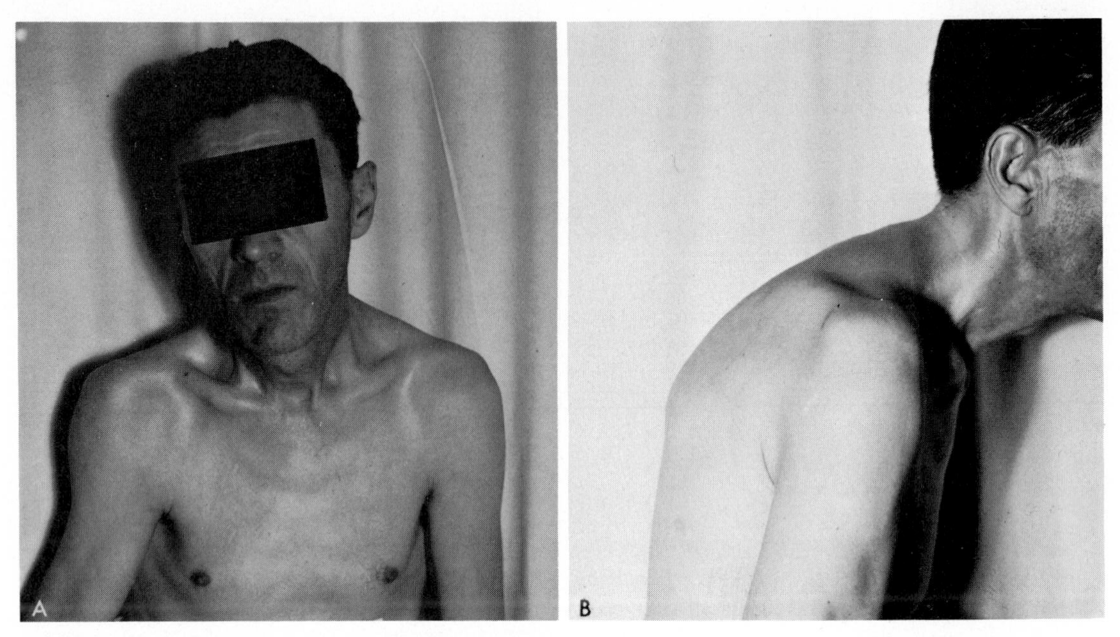

Figure 6–6 Ankylosing spondylitis.

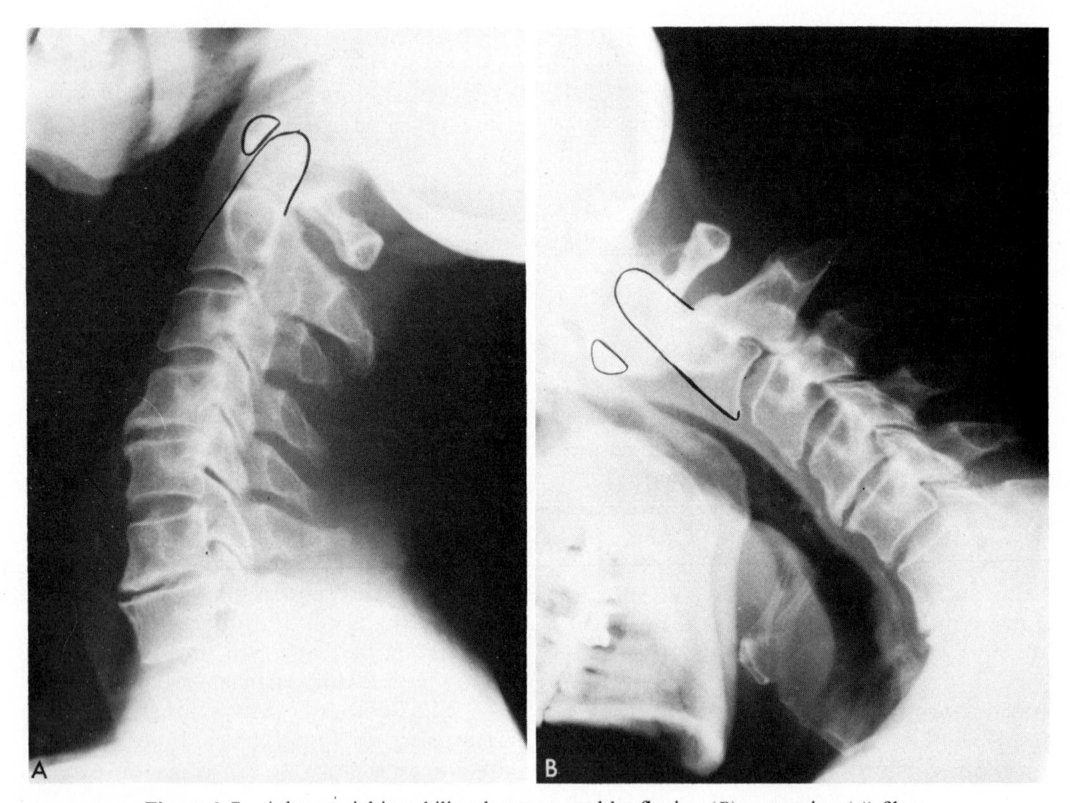

Figure 6–7 Atlantoaxial instability demonstrated by flexion (*B*), extension (*A*) films.

others, more intricate measures are needed that require the use of special plates that attach the cervical spine to the suboccipital region. Occasionally, fixation is obtained by insertion of a heavy screw at the point of coalescence of bony ridges of the occiput; this is used for fixation to the cervical spine, maintaining the head erect.

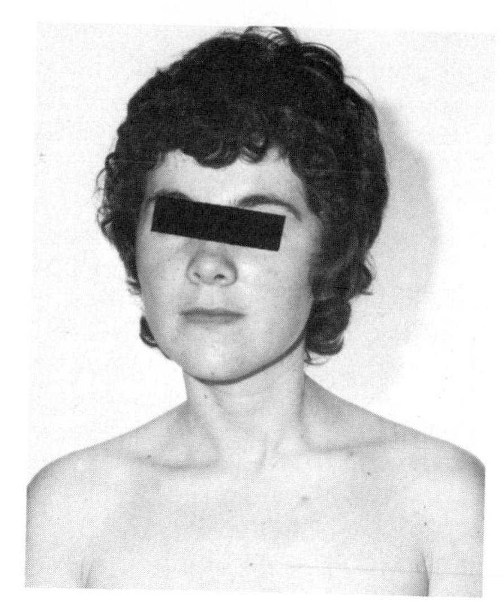

Figure 6–8. Congenital torticollis.

TORTICOLLIS

The accepted explanation of this birth deformity is that a derangement of the anatomy of the sternocleidomastoid occurs as a result of intrauterine malposition, leading to a degree of ischemia involving the muscle. In most instances, delivery of the fetus has been difficult or has been a breech birth. Initially the disturbance is limited to the sternocleidomastoid muscle (Fig. 6–8), but, as growth progresses, asymmetry of the face and jaws characteristically appears (Fig. 6–9*A* and *B*). A hard swelling is identified in the sternomastoid at birth or within the first two weeks afterward; this may gradually increase in size, leading to shortening and contracture of the sternomastoid muscle. Examination of the involved muscle shows a replacement by fibrous tissue over a distance of approximately 1 inch.

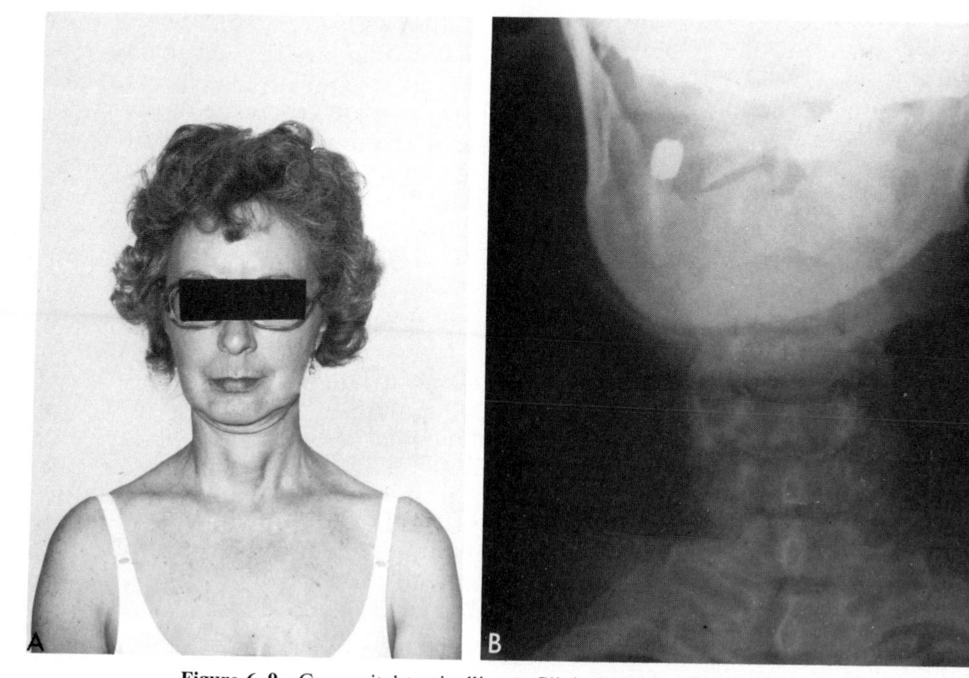

Figure 6–9 Congenital torticollis. *A*, Clinical picture. *B*, Asymmetry in radiograph.

Treatment. In many instances early recognition provides an opportunity for conservative treatment of this disturbance. In some cases this is governed by the extent of the lesion. When there is extensive shortening and an obvious, considerable zone of fibrosis in the muscle, operative measures are mandatory. Conservative treatment consists of daily stretching of the muscle; this is initiated in the physiotherapy department, but subsequently carried out by the mother after proper instruction and observation.

Operative Technique. A transverse incision 2 inches in length is made just below the sternal end of the clavicle. Dissection is carried through the platysma and deep fascia over the sternomastoid by gentle elevation of the skin incision. The attachment of the sternomastoid is identified and elevated, and a Luer clamp is used to carefully dissect it posteriorly. The sternal and clavicular segments are severed.

Sometimes there is also a contracture of the scalenus anticus muscle; should this appear, at the time of division of the sternomastoid, by careful resection, the phrenic nerve is retracted medially and the scalenus anticus is divided. In this maneuver, care should be taken to avoid damage to the brachial plexus and the C.5-C.6 roots. The fibrotic process may extend through to the scalenus anticus, making dissection difficult. It is preferable to identify the C.5-C.6 roots and retract them prior to carrying out resection, because occasionally these roots lie directly in the substance of the scalenus anticus and may be damaged as this muscle is cut.

Following operation, a pressure dressing and firm collar are applied. In more severe cases, cervical traction is required, and in all instances a program of physiotherapy with manual stretching and corrective exercises is initiated, and continued for at least six months.

DEVELOPMENTAL TORTICOLLIS

Other causes of torticollis have been identified, such as spontaneous subluxation of the cervical spine, platybasia, and anomalies of the cervical spine. Correction of the primary deformity is required to control the wryneck appearance. In adults, a mild cervical bony deformity leads to associated shortening of the sternomastoid, and necessitates resection of the distal end in the same fashion as for the congenital lesion.

SPASMODIC TORTICOLLIS

This particularly disturbing entity may be encountered in the later years of life. It can be a true paralytic lesion, but sometimes is an hysterical process.

STRUCTURAL SPASMODIC TORTICOLLIS

A clinical state may be identified in which the patient is subject to recurrent uncontrolled spasms of the sternomastoid and adjacent muscles, producing repeated rotary motions of the head and neck. Sometimes there is a mild underlying congenital deformity of the cervical spine, or a tendency toward shortening of the sternomastoid, but the condition can occur without any such predisposing cause. These patients are usually in the midadult life when they become aware of the gradual onset of this uncontrollable spasm. In many cases it apparently starts as a tic or habit spasm; nervous stimuli or stress of situational circumstances force the patient to adopt the habit of twisting and turning the head and neck to one side (Fig. 6–10). It nearly always implicates the muscle on the master arm side; a right-handed patient typically turns his head and neck to the left. He is always able to bring it back to the midline and bring the spasm under apparent control, only to have it recur. A distinct tendency for stress and nervous reaction to initiate this state has been postulated, but examples have been seen of muscle contraction as a result of pure neural stimulation. Examination often demonstrates slight tenderness related to the attachment of the sternomastoid either at the clavicle or the mastoid area, but this is not extensive. Electromyographic studies show a normal muscle, subject to what appear to be involuntary contractions that produce the head and neck turning.

Treatment. Often the patient is helped by the application of a light cervical collar, preferably of Plexiglas. This can be made in such a way that the control of the chin by a small lip on the edge of the splint prevents the head and neck from turning to the side. There is a tendency for the condition to worsen with the passage of time, and those patients not adequately controlled by the application of a brace sometimes require surgery.

Surgical Treatment. In at least one-half of the patients with spasmodic torticollis, relief

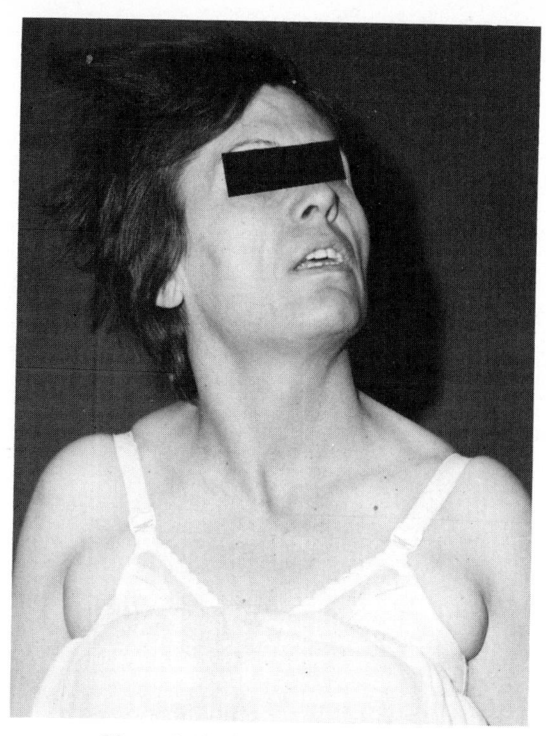

Figure 6–10 Spasmodic torticollis.

is obtained by means of a tenotomy of the involved sternomastoid. However, this does not eradicate the tic completely, and it may be necessary to avulse the nerve supply to these muscles. This is accomplished by making an incision along the posterior border of the sternomastoid muscle in its midportion, elevating the muscle, and retracting it. The accessory nerve is identified at the level of the hyoid bone, passing beneath the muscle as the highest structure in the posterior triangle. A branch from the accessory to the muscle can be identified, and this is severed. The upper portion of the sternomastoid also receives several branches directly from roots C.3 and C.4; these can be identified in the proximal portion of the wound, related to the anterior border. They can usually be felt by sweeping the finger beneath the muscle, but this must be done with care to avoid injuring the carotid sheath structures. In most patients it is desirable to section the attachment of the muscle to the clavicle, in addition to carrying out the denervation. Sometimes, considerable tension in the scalenus anticus is encountered, in which case this muscle also should be severed in the manner just described. True spasmodic torticollis is difficult to control, and patients may continue to show this rotatory habit even after a period of splinting followed by surgery. However, many are significantly helped, if not completely cured, by surgery.

Neurectomy. In some cases the spastic state is so well established that more extensive measures than simple sternomastoid tenotomy are obviously required. McKenzie has made a fundamental contribution by developing the operation of neurectomy for these intractable states.

The operation consists of a posterior laminectomy and exposure of the roots of the spinal accessory nerve and the anterior roots of the first, second, and third cervical nerves. These are divided bilaterally intradurally. The accessory nerve is divided on one side of the neck, preserving the trapezius. Postoperatively, the patient is kept in a Plexiglas collar to maintain the neutral position. In some instances, in spite of the extensive resection of the neural elements, some degree of deformity remains. In this event, patients sometimes need to be fitted with a Plexiglas neck and chain guard that prevents the head and neck from turning to the involved side; the collar may need to be worn almost as a permanent splint. Sometimes an element of hysteria is present, and it is principally in this state that the continued use of the splint may be required.

HYSTERICAL TORTICOLLIS

There are many patients with a spasmodic type of torticollis in whom the disturbance is purely hysterical or psychologic. Many sources have been identified in this relationship, and by and large they are situational factors that produce anxiety and depression, leading to a frank spastic tic (Fig. 6–11*A*, *B*, and *C*). The condition differs from the preceding group in that the twisting is completely voluntary. Although the spasms may appear to be involuntary for a given period, almost all patients can be shown to have intervals in which the spasm does not develop with the same continuity. Should there be any suspicion of such an etiology, the proper procedure is to arrange for a neuropsychiatric assessment, otherwise the lesion may prove most difficult to control. Usually, identification of the antecedent factors will help to control this type of torticollis. Rarely, if the habit spasm has been present for a long time,

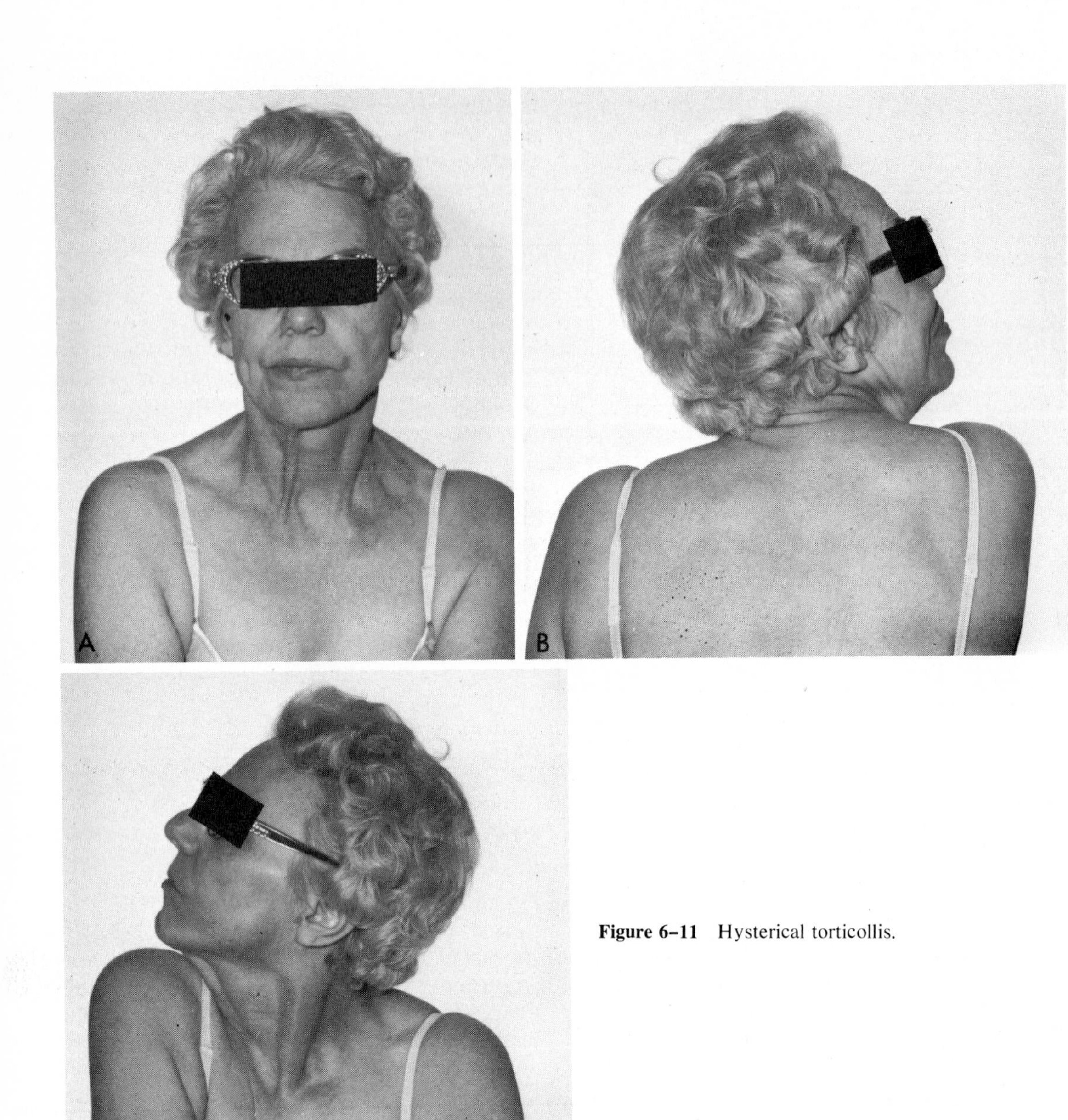

Figure 6–11 Hysterical torticollis.

there is some shortening of the involved muscle, and it may be necessary to carry out a tenotomy. Sometimes, tenotomy supplemented by psychotherapy is the most effective program.

CONGENITAL ANOMALIES

Congenital distortion involving individual bones, the whole spine, or sometimes individual muscles can be identified as a source of specific neck pain. In Chapter 1 extensive consideration, with clinical discussion, has been given to malformations involving the neck as a whole and those implicating the shoulder girdle areas. The interrelationships of these areas so influence the clinical picture and the treatment required that it is essential to consider the region as a whole. This section will deal only with anomalies of the cervical elements.

OCCIPITOATLOID ANOMALIES

Anomalies related to development of the suboccipital region have been referred to in the chapter on embryology. These are relatively rare developments.

Aberrations have been identified in the development of the occipital condyles. These sometimes take the form of an extension vertically from the occiput downward, producing interference with neck motion. Predominantly, rotatory action is obstructed. In some instances, in addition to the local discomfort of intermittent pain and stiffness, spinal cord symptoms develop, so that occipitoatloid stabilization is necessary. Another rare anomaly is the failure of one or the other side of the atlas to develop. Serious instability of the atlas ensues, often with spinal cord involvement. When feasible, atlantoaxial stabilization is mandatory (Fig. 6–12*A* and *B*).

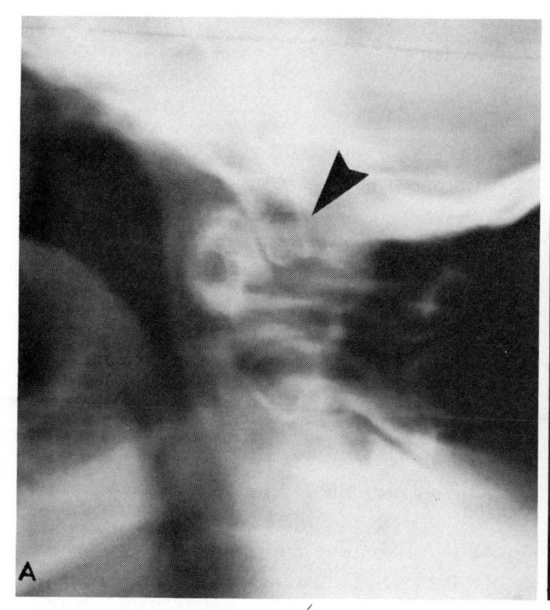

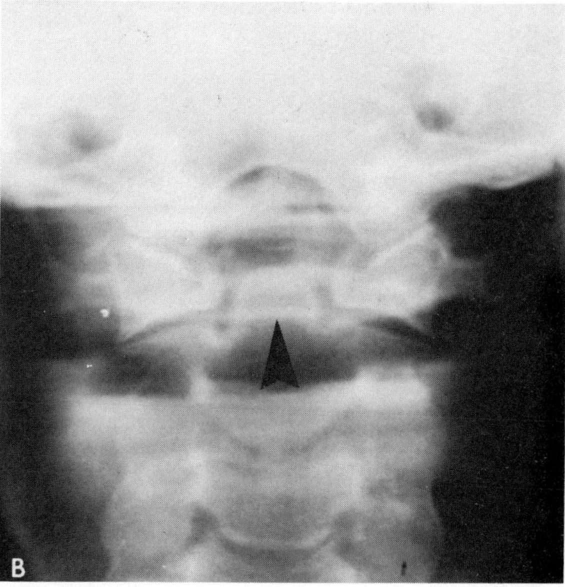

Figure 6–12 Occipitoatloid anomaly; *A*, lateral view showing occipital condyle articulating with atlas; *B*, posterior view showing abnormal odontoid and large occipital condyle articulating with atlas.

ANOMALIES OF THE ODONTOID

The various configurations of congenital distortion have been referred to in Chapter 1. Perhaps the two encountered most commonly are total absence of the odontoid or a rudimentary odontoid process. The former can go unrecognized for many years, and sometimes comes into clinical focus only as the result of an injury. Atlantoaxial stabilization is the required treatment. The rudimentary odontoid depicted in Chapter 1 also suggests atlantoaxial instability. Injury is a frequent precursor of symptoms from this region, again usually necessitating atlantoaxial stabilization.

CONGENITAL FUSIONS OF THE CERVICAL VERTEBRAE

Common anomalies of the cervical vertebrae include coalescence of the vertebral bodies, laminae or posterior spinous processes. By themselves these fusions are an infrequent source of neck pain, but they sometimes come into clinical focus in later years when degenerative processes have involved the areas above or below. Their contribution is an accessory one only, because the coalescence produces a longer lever that theoretically may favor increased stress on the adjacent mobile areas (Figs. 6–13*A*, *B*, and *C*).

CERVICAL HEMIVERTEBRA AND SCOLIOSIS

Congenital changes of this nature in the cervical spine are a source of progressive deformity and localized neck pain. Not infrequently, the disturbance is severe enough to involve other elements, such as the neural structures. Stabilization of the area is sometimes required.

CERVICAL SPINA BIFIDA

This congenital anomaly is usually identified as an incidental finding. There are rarely any local symptoms related to this abnormality.

PLATYBASIA

The contribution of brevicollis, referred to in Chapter 1, is a frequent source of local neck pain. However, these patients often reach the age of 40 before significant symptoms develop.

CERVICAL SPONDYLOLISTHESIS

The interarticular defect can occur in the cervical region also, usually in the lower segments, and can be the source of continuing cervical instability that generally arises following injury. When symptoms persist, local stabilization may be required.

DEGENERATIVE DISK DISEASE

The process of disk aging includes a fibrosis and progressive dehydration, leading to a decrease in disk substance, a diminution of interbody space, and possible bulging of the annulus fibrosis. These changes involve interbody space, and extend to the vertebral foramen. The same effects more deeply implicate the angle accessory joints of Luschka and the apophyseal joints, which in turn involve the nerve root foramen. Frank rupture of the cervical annulus, with disk protrusion producing major pressure on the cervical cord, is uncommon. However, it can occur as a result of severe trauma, which then may be of sufficient severity to damage the bony structure, producing a fracture or fracture dislocation. It is much more common, however, for this trauma to be dissipated in such a fashion that it produces a more lateral extrusion of the disk, with encroachment on the nerve root foramen rather than the central spinal canal.

FORAMINOSIS AND CERVICAL NERVE ROOT INVOLVEMENT

Encroachment on the nerve root foramen, particularly at the levels of C.5, C.6, and C.7, is encountered much more often than spinal cord foraminosis. Changes of age, trauma, and metabolism can be more intently focused on the nerve root area than on the spinal cord zone. The resulting picture of typical nerve root involvement is mild neck discomfort and rotatory head and neck restriction, accompanied by intermittent and gradually persisting attacks of numbness and tingling implicating the forearm and hand. A sensation of intermittent needle-like pain extending to the fingertips is a typical development. The patient quickly learns that this is profoundly affected by the attitude of the cervical spine. Bending the head and neck to the side may initiate or increase the radiating discomfort, whereas vertebral stretching or tilting to the opposite side tends to diminish it.

The pathology, clinical course, and treat-

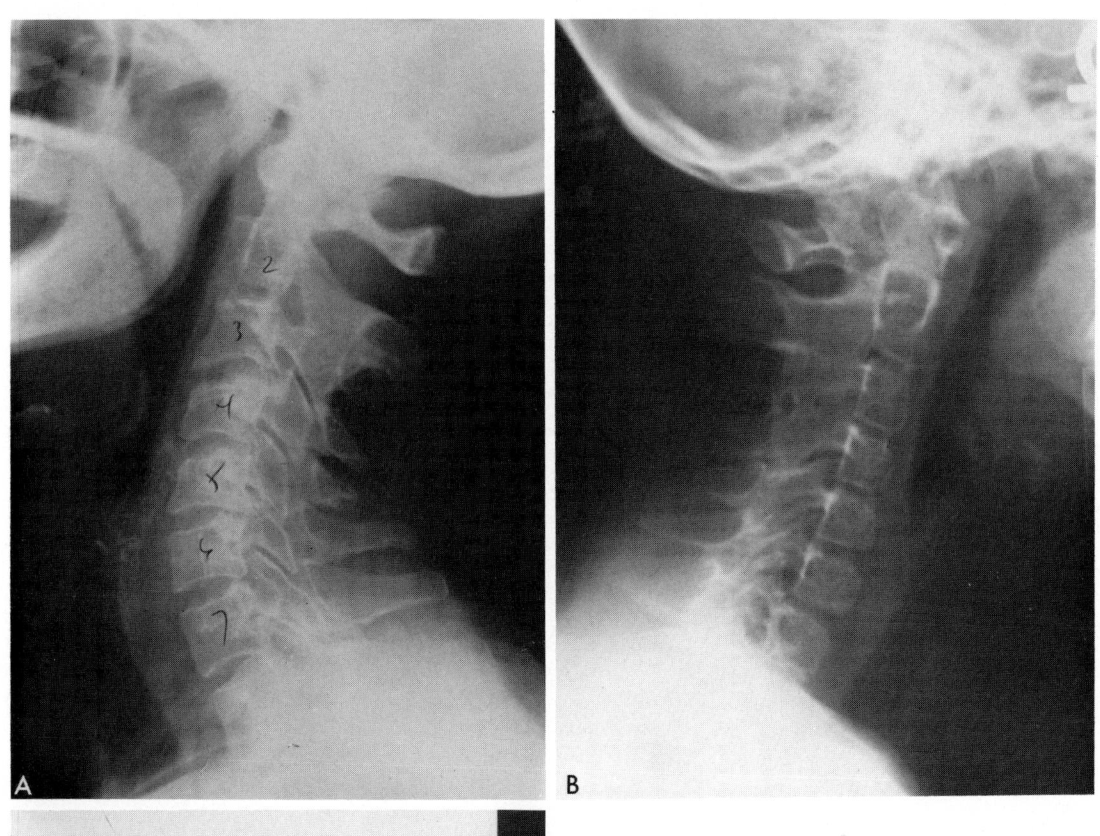

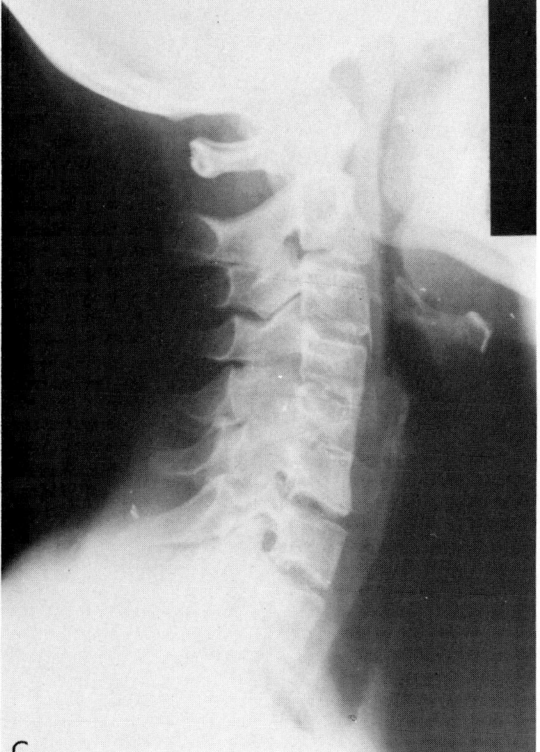

Figure 6–13 Congenital fusions of the cervical vertebrae. *A*, Fusion of C.2, C.3. *B*, Fusion of C.1, C.2. *C*, Fusion of C.4, C.5, C.6.

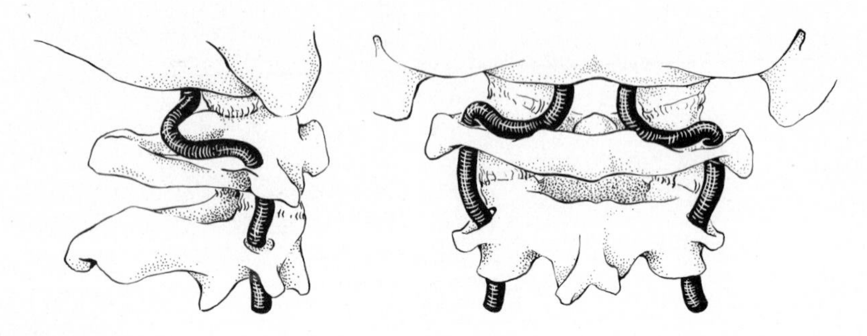

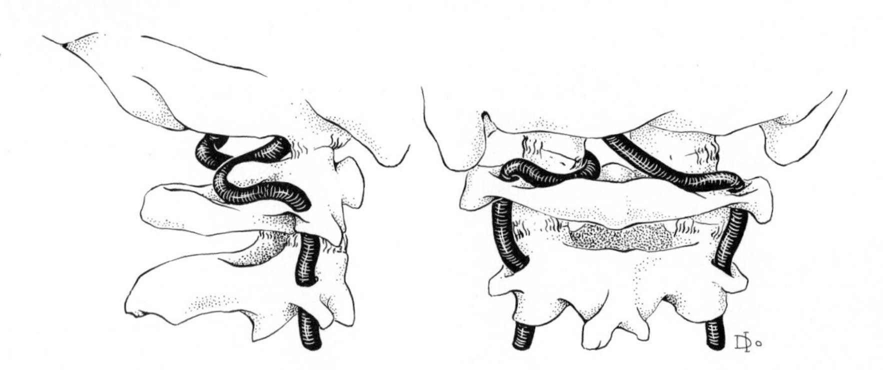

Figure 6–14 Compression of the vertebral artery by rotation of the head.

ment of nerve root syndrome developing from this entity and associated entities will be extensively covered in Chapter 9.

VERTEBRAL ARTERY FORAMINOSIS

Recognition of the significance of vertebral body spondylosis has led to the study of possible involvement of the vertebral artery by the same condition. It has become apparent that obstruction of the vertebral artery produces typical signs and symptoms. These result from distortion of the vertebrobasilar system, and may take the form of headaches and intermittent dizzy spells, progressing in some cases to more profound "blackouts." In some instances, rotation or extension of the head and neck may compress the artery, and precipitate an attack.

As is the case with cervical osteophytosis, discussed elsewhere, involvement of the transverse foramen may be correspondingly extensive with the general process, and yet may not present symptoms at all suggestive of vascular impairment. In most instances it is probable that an additional irritant or other changes are necessary to bring the vascular syndrome into clinical focus.

Atheromatous changes in the vertebral artery have been identified, and may play a more important role than the foraminal pressure alone. However, the combination of mild foraminosis along with the atheromatous change may constitute significant stenosis that leads to clinical changes. Arteriography, very useful in the identification of these lesions, should be carried out when this pathologic state is suspected.

Two zones of physiologic distortion of the vertebral artery have been identified. First, as the artery enters the neck through the foramen of the transverse process of C.6, it may be compressed in some patients when they turn the head and neck forcibly in the opposite direction. Rotation of the head and neck may alter the flow through the vertebral artery to the side to which the head is turned (Fig. 6–14). Second, the blood flow is altered in turning the head and neck at the point where the artery starts toward the cerebrum as it passes through the transverse process of the atlas. The development of atheromatous plaques in the vertebral artery is then a further element favoring stenosis or diminution of the arterial flow at these sources when there are osteophytes present. The clinical pictures develop most noticeably when the patient turns the head and neck forcibly to one side. In the same way, it may be anticipated that torsion-trauma could initiate such symptoms under these conditions.

Decompression of the vertebral artery has been reported by Verbiest, and is best performed by the anterolateral approach.

REFERENCES

Bernstein, S. A.: Acute cervical pain associated with soft-tissue calcium deposition anterior to the interspace of the first and second cervical vertebrae. J. Bone Joint Surg. (Am.) *57(3)*:426, 1975.

Bleck, E. E.: Arthritis of the C1–C2 intervertebral facets. GP *33*:94, 1966.

Dandy, W. E.: An operation for the treatment of spasmodic torticollis. Arch. Surg. *20*:1021, 1930.

Eynolds, G. G., et al.: Electromyographic evaluation of patients with post-traumatic cervical pain. Arch. Phys. Med. *49*:170, 1968.

Fierro, D., et al.: On the significance of calcifications and limited ossifications of the posterior cervical ligament. Minerva Radiol. *11*:157, 1966.

Harris, P.: Plastic foam neck support. Br. Med. J. *2*:1004, 1966.

Hulbert, K. F.: Congenital torticollis. J. Bone Joint Surg. *32B*:50, 1950.

Javid, H.: Vascular injuries of the neck. Clin. Orthop. *28*:70, 1963.

Kovacs, A.: Subluxation and deformation of the cervical apophyseal joints. Contribution to the aetiology of headache. Acta Radiol. *43*:1, 1955.

Krout, R. M., et al.: Role of anterior cervical muscles in production of neck pain. Arch. Phys. Med. *47*:603, 1966.

Middleton, D. S.: The pathology of congenital torticollis. J. Bone Joint Surg. (Br.) *18*:188, 1930.

Mueller, S., et al.: Brain stem dysfunction related to cervical manipulation. Report of three cases. Neurology (Minneap.) *26*(Vol. 26, Part I):547, 1976.

Pearson, R. W.: Head and neck pain. J. Maine Med. Assoc. *57*:264, 1966.

Pichler, E.: Cervical headache. Landarzt *41*:1553, 1965.

Raney, A. A., and Raney, R. B.: Headache, a common symptom of cervical disc lesions. Arch. Neurol. *59*:603, 1948.

Riley, L. H., Jr., et al.: Uses of the electrical skin resistance method in the study of patients with neck and upper extremity pain. Johns Hopkins Med. J. *137(2)*: 69, 1975.

Rose, H. J.: The lives of patients before presentation with pain in the neck or back. J. R. Coll. Gen. Pract. *25(159)*:771, 1975.

Roy, L. P., et al.: Some aspects of cervical spondylosis. Union Med. Can. *95*:734, 1966.

Wiberg, G.: Back pain in relation to the nerve supply of the intervertebral disc. Acta Orthop. Scand. *19*:211, 1949.

Chapter 7

SHOULDER ANGLE PAIN LESIONS

Shoulder angle and shoulder-neck pain constitutes a specific complaint as a product of a distinct group of derangements arising from the neck-shoulder junction. The area involved covers the scapular and interscapular structures, the suspensory region of neck and scapula, the spine, and the root of the neck at the junction of the cervical spine and first rib.

POSTURAL DISORDERS

Standing and working in the upright position has been accomplished in man by adapting the front and back appendages for special purposes. The forearm has increased its mobility, whereas the rear limb has developed greater balance and stability (Fig. 7–1). This means that, in the vertical position, the head and shoulders need to be balanced and constantly supported. Support is provided by the spine, and balancing is controlled by the paraspinal musculature. The upper limb is suspended as a strut, extending like the beam on a signpost (Fig. 7–2). In contrast to the lumbosacral area, fewer congenital anomalies mar this transition zone, but the vastly increased and varied action of the neck and limb create a whole new set of stresses. The discomfort rarely radiates beyond the point of the shoulder. In longstanding cases the pain may be a little more diffuse, but questioning discloses a quite specific pattern.

SIGNS AND SYMPTOMS

Certain physical types may be recognized as being predisposed to this type of stress.

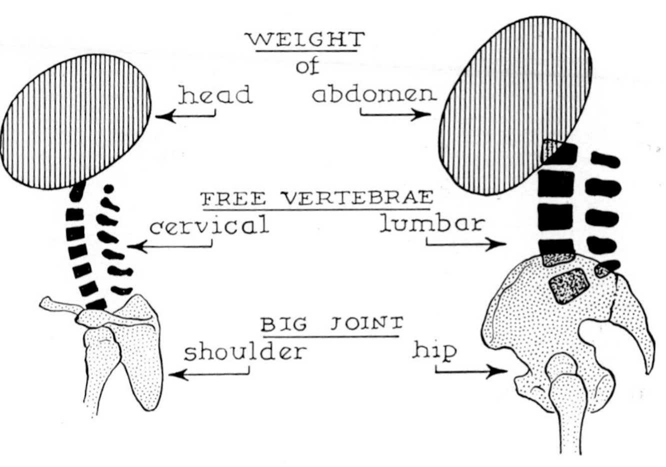

Figure 7–1 Comparison of cervical and lumbar regions as to postural strain and major joint influences.

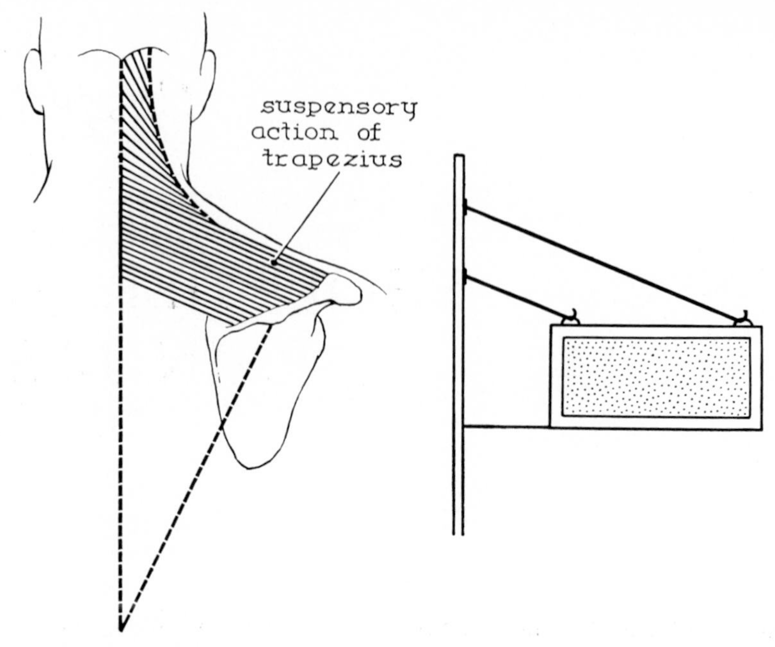

Figure 7–2 "Signposts" suspension of upper extremity at shoulder-neck angle.

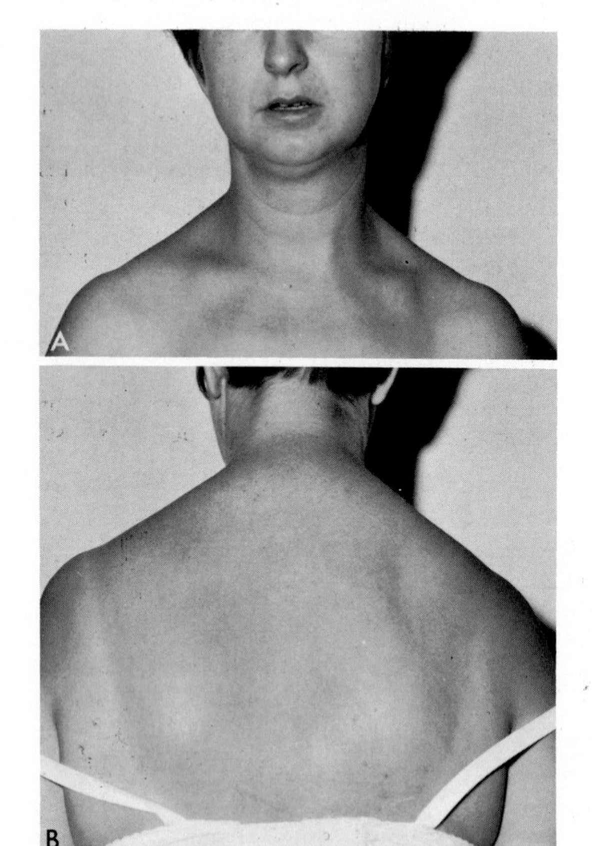

Figure 7–3 Apical shoulder configuration favors shoulder-neck and soft tissue strain.

Shoulder slope shows considerable variation, from a slanting apical type at one end of the scale to a stout, thick-set appearance at the opposite extreme (Fig. 7–3). Similarly, rib contour alters shoulder suspension; the very round form favors scapular separation and the medial borders tend to flare, whereas the angular type has much more firmly placed flaring shoulder blades.

People working long hours in a slumped-over position develop a pain that usually comes on after some hours of retaining this unbalanced posture. If this continues, less and less strain is necessary to provoke the ache. Periodically, patients straighten and stretch their necks and brace their shoulders to relieve the ache. After a while, this exercise is less effective, and gradually a persistent ache develops and extends from the neck outward. It is also common after acute illness, or following sudden assumption of a new working position or new habits in sleeping, e.g., the use of a new thick, hard pillow.

Tailors have long known the importance of the shoulder proportions in the proper fitting of coats. They recognize a point at the side of the neck, between the shoulder and midline, as the balance point (Fig. 7–4). If this area is fitted properly, the rest of the coat automatically tends to hang well. It is rare for

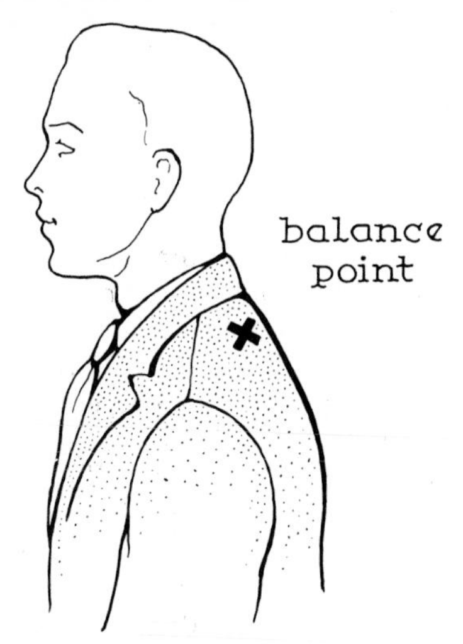

Figure 7–4 The tailor's balance point. If this area is well fitted the coat hangs properly.

any two shoulders to be maintained at the same level, and the tailor frequently calls this to a customer's attention. Usually, the right shoulder is lower in right-handed individuals. The position of the scapula in relation to the chest wall and to the arm shows considerable variations, as has been pointed out by Kendall. Normally the scapulae should be flat against the chest, without the angle or medial border being unduly prominent. A round back widens the space between the scapulae, and the medial border tends to flare. Scoliosis of all degrees may reflect disturbances in the cervical spine, favoring postural neck pain. In rheumatoid arthritis of the spine, the complete freezing of the spine tilts the head forward, and the patient complains of occipital and cervical pain as well as shoulder-neck discomfort. The hyperflexion of rheumatoid arthritis is also characteristic: in compensation, thoracic epiphysitis produces hyperextension of the cervical spine.

This is the general picture: it may be complicated by an acute episode of sudden twisting, stretching, or other trauma that acts as the proverbial straw breaking the camel's back, initiating diffuse pain in the whole region. Examination shows some prominence of muscles as a result of spasm, and movement of the cervical spine brings on pain. Arm action may cause an aching sensation that extends up the side of the neck.

ETIOLOGY AND PATHOLOGY

Postural abnormalities have long been accepted as a frequent cause of low back pain, but they have been less well recognized as the cause in the shoulder-neck area. However, this region serves as a base of two mobile segments and two weighted pendula, and the major supporting and suspensory strain is focused at the root of the neck and between the shoulder blades. It is reasonable to anticipate reaction in this zone to chronic strain, such as may be produced by abnormal posture. The supporting base is stationary while the movable segments of the neck and arm shift, exerting stress on the supporting soft parts. Weakness and stretching of the suspensory muscles then may occur.

When the imbalanced position becomes so well entrenched that it is habit, there may be

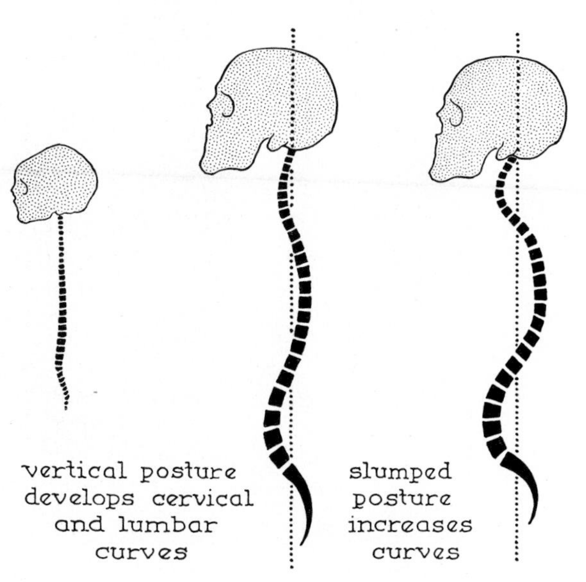

Figure 7–5 Cervical and lumbar curves developed from assumption of erect stature. Some postures exaggerate these curves, increasing the stress and retaining soft parts.

an alteration of the normal weight-bearing axis of the spine so that weight, instead of being transmitted through the vertebral bodies, tends to exert pressure on the apophyseal joints posteriorly (Fig. 7–5). Uneven joint wear and tear then follow. When persistent malalignment occurs, uneven pressure is increased, and the mechanical fault is followed by another consisting of bony overgrowth as the reaction to anterior-longitudinal ligament strain. This results in limitation of movement and stiffness in the uncorrected position. Distortion of bony alignment produces uneven ligamentous and muscular pull, which again is reflected as pain. When some acute episode is added to this disturbed posture mechanism, the muscles are overstimulated and the result is prolonged muscle contracture, recognized clinically as muscle spasm. Kendall has pointed out that associated weakness and laxity of the suspensory group is followed by shortening and contracture of the antagonists. Further deformity develops, adding a chronic fixating element; the rounded chest with sagging scapulae allows fixation by the front muscles such as the pectorals, and the whole process ends in a much more stable deformity.

TREATMENT

Correction of Obvious Postural Faults. The abnormal posture that produces these symptoms may be a living habit, an occupational habit, or an established structural change (Fig. 7–6). Instruction for correction should be given when faulty posture in standing, sitting, or lying is apparent. This involves examining the body as a whole, since the primary fault may well lie away from the neck-shoulder zone; for example, a short leg, exaggerated lumbar lordosis, weak abdominal muscles, or poor foot stance with abnormal weight-bearing patterns.

When occupational habits are the cause, efforts must be made to change them in order to improve the situation to the extent possible. For example, the height of the patient's chair, or the size and level of the desk or bench, may need to be changed; tools may be switched from one arm to the other; or a

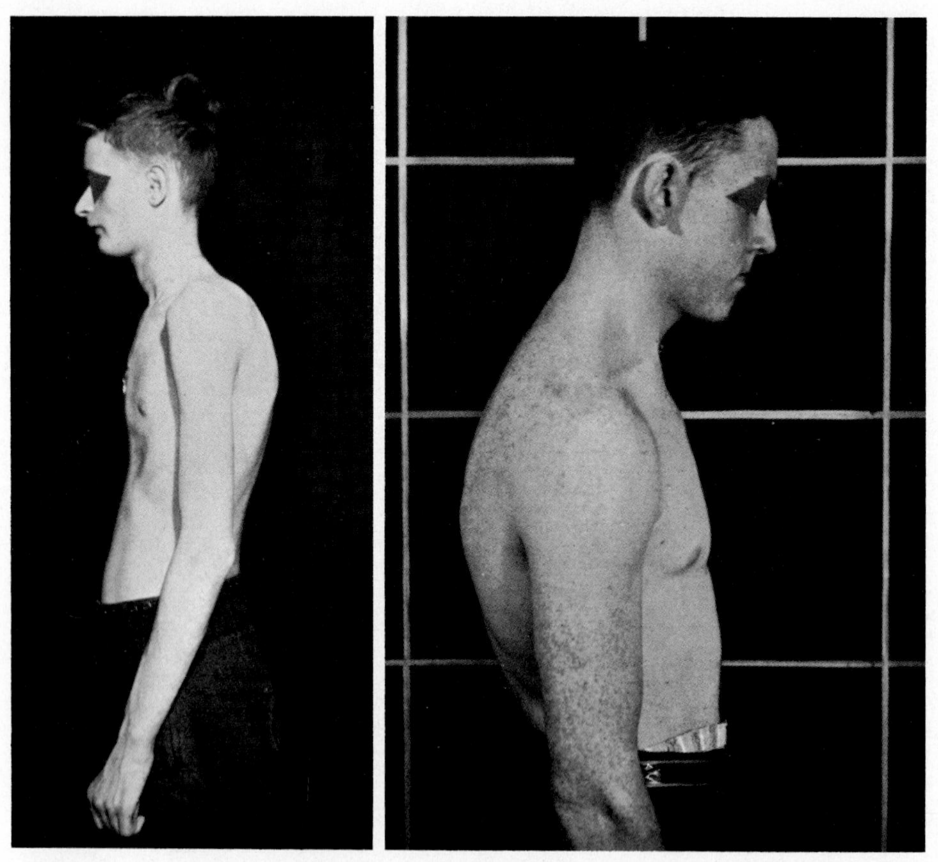

Figure 7–6 Structural changes featuring slumped shoulder posture and shoulder-neck pain.

mechanical hoist may be required to decrease lifting strains. No two patients will have the same irritants or same response. Employers should be encouraged to make such common sense adjustments as the physiques of their employees might suggest. A tall man working at a below-waist level and a short man working at above-shoulder level are prime candidates for postural pain.

In some cases, obvious structural abnormalities such as scoliosis, congenital elevation of the scapulae, or ankylosis of the neck can be recognized and treated accordingly.

Supports and Braces. The value of exercises must be stressed as the means to develop a good lifting support. However, for some patients exercises may not be sufficient if the postural faults themselves are not corrected.

SHOULDER BRACE. A useful canvas support consists of two straps fitted in a circle through which the arms are passed, and which cross diagonally at the back and are fastened by a circular belt around the waist. This brace pulls the shoulder backward as in the ordinary figure-of-eight shoulder application.

HIGH BACK SUPPORT. A Taylor type of brace may be necessary in some kyphotics, with or without the shoulder attachment added. The brace is worn during the daytime but is discarded at night.

LUMBAR SUPPORT. In some instances the prime fault may lie lower down in the lumbar region, as, for example, when a much exaggerated lumbosacral lordosis must be compensated for by an inordinate thoracic kyphosis. A good lumbar brace that flattens the lumbar spine is often effective.

BRASSIERES. Heavy breasts are a common cause of aching shoulders. When there is excessive weight, the breast should be held up by strong brassieres or supports with bone reinforcement incorporated in a body support. Often the use of a strapless bra is beneficial. Sometimes it is necessary to add additional shoulder straps or to widen them to avoid small straps digging in across the top of the shoulders (Fig. 7–7).

It is not suggested that any of these supports be worn as a permanent fixture. The maximum effort should be toward improving the tone and balance of the muscles so that support is not necessary. A support is an aid to correction, relieving the strain in the early periods, but it should eventually be discarded unless there has been extensive structural change or muscle paralysis.

Physiology Measures. In postural problems, whether they be aggravated by body build, temperament, or occupation, the physiotherapist's approach should emphasize:

1. Postural re-education;
2. Isometric strengthening of the shoulder girdle and neck musculature;
3. Patient education, including proper neck care and neck-sparing routines as described in Chapter 9.

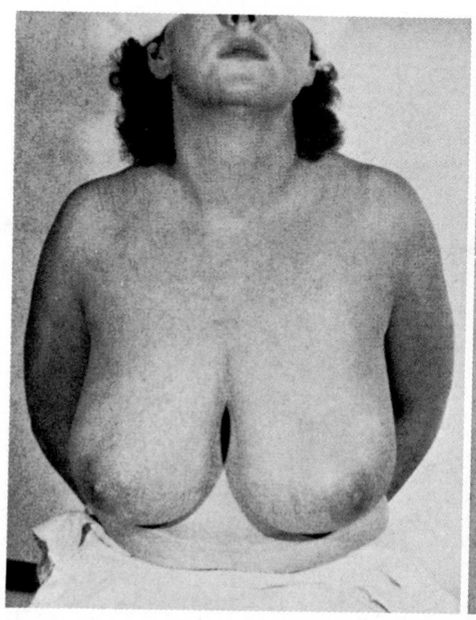

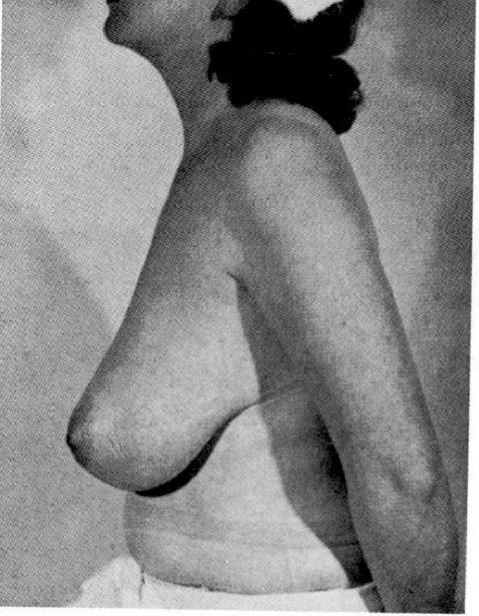

Figure 7–7 Heavy pendulous breasts poorly supported with narrow brassiere straps may cause shoulder-neck pain. Note the pressure mark from the too-narrow shoulder strap.

The patient must learn to live with the limitations imposed by his body and his environment, and to change what can be changed. He must learn what methods he can use at home to relieve discomfort while he is concentrating his efforts on protective power building. Short-term physiotherapy instruction is necessary, but very soon the patient may need only occasional visits for encouragement and correction.

For postural readjustment, the emphasis should be placed on regaining consciousness of correct body alignment; a mirror is necessary for this type of re-education. The patient must be instructed in the distribution of weight through his feet, knees, hips, low back, neck, and shoulder girdle while sitting, standing, and walking.

To strengthen the shoulder girdle, the patient is taught resisted isometric scapular patterns in four diagonals. These four patterns are: posterior elevation with adduction and anterior depression with abduction; and anterior elevation with abduction and posterior depression with adduction. The emphasis is placed on posterior elevation and posterior depression. Early in the treatment, ice and transcutaneous nerve stimulation can be used to aid the stretching of the shortened patterns of anterior depression and anterior elevation. The patient can work independently to strengthen the patterns of posterior elevation, using a strap to give resistance, and posterior depression in combination with glenohumeral extension.

These exercises are combined with isometric self-resisted neck exercises, especially rotation in a neutral position; if the patient is unable to exercise independently, a family member can be instructed how to work with him at home. These exercises must become part of the patient's life routine, just as do abdominal exercises for low back pain. The patient is also encouraged to take part in activities directed toward this bilateral strengthening process, such as swimming, rowing, etc.

Once environmental factors have been eliminated by thorough investigation of the patient's life style, and the acute episode has passed, the patient will know how to prevent a repetition and how to treat his symptoms himself if strain and discomfort recur in the future.

The physiotherapist has at his disposal many inexpensive aids to relaxation and circulation to help the patient solve his own problem. Hot packs can be purchased for home use; the Water Pik shower and vibrators combined with heat, ice applications, and even transcutaneous nerve stimulation units may relieve discomfort during the long-term strengthening process.

Many of these sufferers have a listless, unaggressive make-up that requires constant encouragement. The general body nutrition needs to be improved with a well-balanced diet or a food supplement such as concentrated protein. This should be coupled with a proper general exercise program.

FIBROSITIS OF THE SHOULDER-NECK REGION

"Fibrositis" is a term used to describe a disturbance in soft tissue that produces pain localized frequently to the posterior shoulder-neck region, a feeling of stiffness in the shoulders, and often a sensation of weakness and limitation of movement of the shoulder. The areas most frequently involved usually are related to some moving part under repeated stress. Soft tissues such as fasciae, muscles, tendons, ligaments, or the fibrous supporting elements of these tissues almost anywhere in the body may be involved, but the two zones most frequently afflicted are the shoulder-neck area and the lumbosacral region. In the former, fibrositis constitutes one of the commonest sources of discomfort. Mechanical factors associated with the assumption of the upright posture are a potent predisposing element. Nutritional and constitutional factors aggravate any such predisposition. Repeated minor trauma or microtraumas commonly initiate the syndrome, but it may also be started by some major episodes. Probably everyone has some degree of this lesion involving either or both of the usual areas.

SIGNS AND SYMPTOMS

Women between 30 and 50 years are the most frequent sufferers. They present themselves complaining of aching pain between the shoulder blades, extending out to the shoulder tip. Often they are thinly upholstered and appear to have a somewhat low pain threshold. Fatigue, worry, lowered resistance, chronic illness, and undernourishment are common irritants. In many patients, socioeconomic or psychic disturbances also occur. The disorder may be influenced, for example, by a sudden increase of strain and stress in frail young mothers. Poorly adjusted women in the menopausal age with a generally less rugged constitution are also frequent victims.

The pain is indicated in characteristic fashion by the patient's wrapping her hand around the shoulder-neck angle between the shoulder and the neck (Fig. 7–8). The patient describes a sense of pressure building up at the back of the neck and extending to the shoulder, accompanied by aching pain between the shoulder blades. Often the patient has developed characteristic movements that initially relieve the pain, but as the discomfort persists it is harder and harder to obtain relief in this way. The patient frequently illustrates the onset of pain by working her shoulder blades backward and forward, producing a soft crepitant sound. The discomfort is worse in the morning or following any period of inactivity. It seems to improve as the muscles are used, when the extremity is warm, or after the patient has been up about an hour or so. It is typically aggravated by dampness, drafts, and cold. The patient may

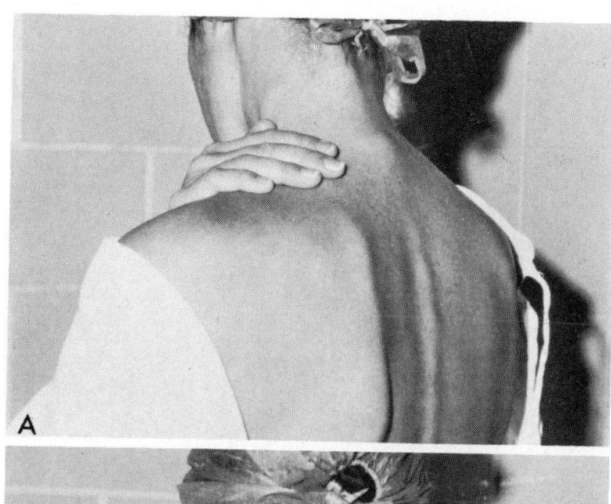

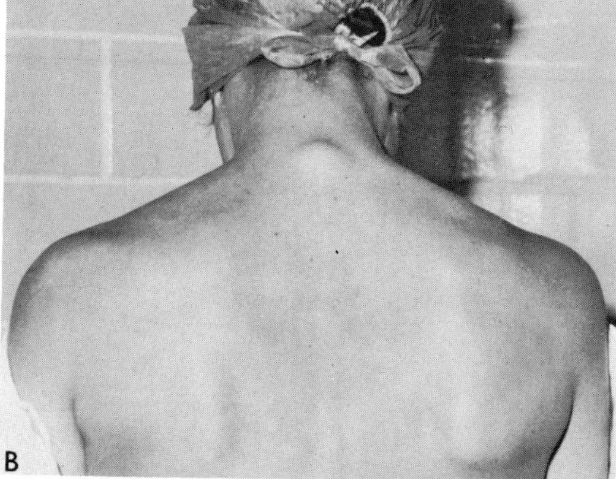

Figure 7–8 The typical indication of shoulder-neck pain of soft tissue postural stress. Frequent sufferers are thinly upholstered females with flaring scapulae.

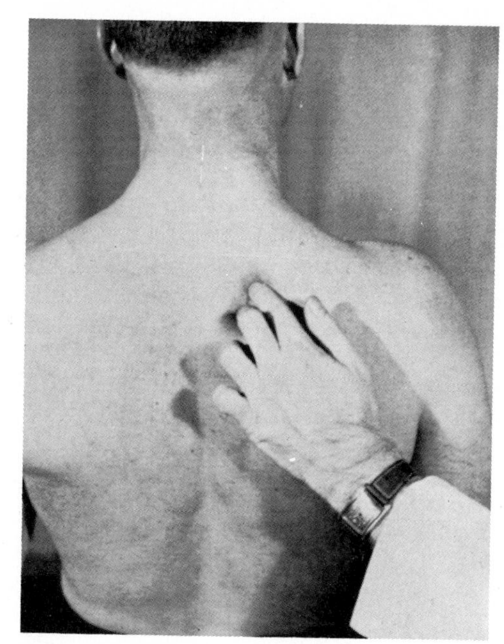

Figure 7–9 Demonstration of typical fibrositic tender point.

be unable to pinpoint the precise focus of maximum pain, describing a diffuse ache that is referred to the whole trapezius supraspinatus region. The pain has a constant dragging quality. It may occur in bouts and be followed by spontaneous intermissions of weeks or months. When some new stress or strain is added, either physical or emotional, the discomfort recurs or flares up. As a rule, the pain has been present for months or years without assuming incapacitating proportions until some new incident precipitates the whole symptom complex.

On examination, the patient is usually thin

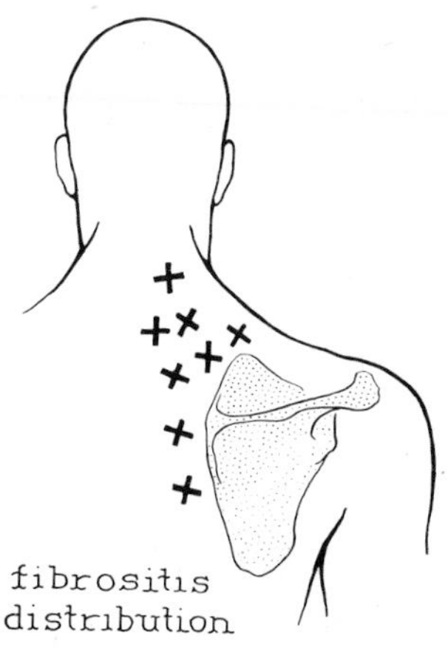

Figure 7–10 Distribution of common trigger areas in fibrositis.

and of poor muscular development. The painful area is pointed out as lying at the root of the neck posteriorly between this area and the shoulder, or in between the shoulder blades. In acute cases, spasm of the suspensory muscles can be identified. Tenderness will involve the whole muscle, but palpation will identify certain painful trigger zones (Fig. 7–9). In long-standing cases, the muscles have a definite stringy feeling and appear atonic. Deep pressure at the trigger points is exquisitely uncomfortable, and firm manipulation of these areas produces the whole distribution of the patient's discomfort (Fig. 7–10). Usually there is no real limitation of neck or shoulder movement, but forward and backward movement of the neck may be uncomfortable, as may manipulation of the shoulder girdle so that the scapula moves backward and forward.

ETIOLOGY AND PATHOLOGY

No one agent has been identified as the cause of this disturbance. Chronic strain, repeated minute trauma, occupational stress, heredity, focal infection, and even some infective agents have been indicated. The term "fibrositis" conveys the suggestion of inflammation, but this is misleading since the process is not a true inflammatory reaction as the term is commonly interpreted.

It appears much more like a reaction in musculotendinous tissue that may occur anywhere as a result of chronic strain, poor posture, or repeated occupational irritation. Movement has some relation since the disturbances are most commonly found in the mobile areas of neck, shoulder, and lumbar region. The remainder of the trunk and the long muscles of the arm and leg are almost never involved, possibly because they are not subject to persistent postural stress.

Thickening in the muscles is encountered and is related to the points of maximum tenderness. Sometimes this is a fairly well demarcated nodule, but more often it is a diffuse fullness without clear-cut margins, and it may not seem to be the same area of muscle that is palpated each time. When a definite nodule is present, excision will show it to be composed of fibrofatty or fibrous tissue

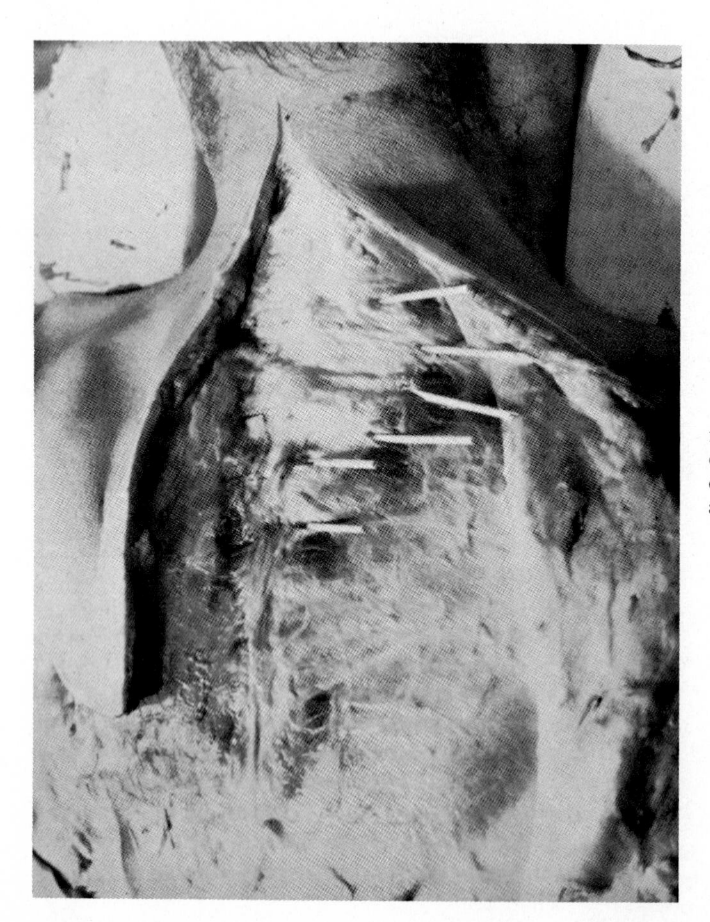

Figure 7–11 Dissection showing the neurovascular foramina in the musculotendinous zone of the posterior neck region. The openings are potential sites for minute hernias as well as scar tissue formation.

that has replaced muscle fiber. Sometimes, only a little infiltrating fibrosis with atrophy of adjacent muscle fibers is identified. When exploration of these dense areas in muscle shows little pathologic change, it may be because the spasms in the muscles represent an early stage before structural change has occurred. It seems logical to accept the term "fibrositic lesion" as the guise of a musculofascial reaction to many irritants, and to anticipate differences in the lesion corresponding to varying phases of the process. In some instances, the nodule consists of a fibrofatty herniation through the superficial fascia.

Copeman and Ackerman have carefully investigated lesions and have contributed the most significant and logical explanation of the symptoms developing in this process. They plotted the distribution of the deep fat deposit in the commonly involved zones, and found that they coincided with the areas most frequently producing the nodular fibrositic lesions. It was concluded that deficiencies in the fasciae favored herniation of fat lobules through them, and that these became strangulated or devitalized by the constricting fibers. Deficiencies in the fasciae occur constantly at the points of perforation of the neurovascular bundles, thus providing a route of escape of subjacent fat (Fig. 7–11). The fibrofatty herniation irritates adjacent tissue, edema occurs, pressure nerve endings are irritated, and pain is recorded. Such areas, being subject to osmotic changes, might be influenced by atmospheric weather changes, thus explaining the exacerbation of symptoms by climatic variations that is so characteristic of this lesion.

TREATMENT OF FIBROSITIS

Bearing in mind what is known of the pathology of this condition, the principles are to provide sufficient local relief so that the patient can continue to keep the part mobile and the muscles active. When muscle spasm and tenderness are controlled, muscle activity limits further acute pain.

Injection Therapy. The most satisfactory treatment to date is local injection of the trigger zones or nodules with an anesthetic therapy such as procaine (Novocain). This has become an effective tool therapeutically and diagnostically, and deserves special mention. The approach to the patient and the technique of this simple procedure merit consideration.

PREPARATION OF THE PATIENT. Injection therapy can usually be carried out as an office procedure. The average patient does not expect such treatment, but proper explanation will help him to accept a somewhat unpleasant process. Many dislike the sight of a long needle and find this alone most upsetting. The procedure is explained, together with the purpose and need, the amount of discomfort that may be anticipated, and the likely results. When this is a therapeutic procedure, it is wise to err on the side of conservatism in predicting or anticipating the duration of relief. It can be explained that it is hard to assess individual reactions since these vary. In the same way, the tissue reaction, the size of the lesion, and so forth, also vary from person to person. The patient may be reassured that no harm will come from the procedure.

SOLUTIONS AND REACTIONS. Inquiry is made regarding any sensitivity to local anesthetic injections, and any other allergic reaction of which the patient may be aware. Serious reactions are uncommon, and most patients have had some experience with local anesthetic injection, e.g., during dental procedures. A small amount of the anesthetic is injected initially, and a few minutes are allowed to pass before more extensive infiltration is made. The author uses 2 per cent Novocain without epinephrine, and 5 to 10 ml is injected. If a larger amount is required, a weaker solution may be used. The physician should use a local anesthetic preparation with which he is familiar. As new and longer-acting local preparations appear, improved solutions may become available. Addition of a spreading agent such as hyaluronidase is sometimes helpful. When this is used, the field affected is enlarged, but relief may not last so long. For some long-standing, well-localized lesions, absolute alcohol may be added to the preparation, 1 ml per 5 ml of anesthetic. This is effective when a small, deep trigger point can be defined. The initial reaction is a little painful, but the relief lasts much longer; only a small amount of alcohol is needed.

TECHNIQUE. Use a sharp 22- or 23-gauge needle of ordinary intramuscular length. Occasionally a long needle is necessary for more obese subjects. Hypodermic size can be used in the skin, but this is not long enough to reach the muscle planes. In some cases the injection can be carried out with the patient sitting, but it is preferable to have him face down on the table with the arms lying by the side. Once the patient is steady and comfortable, the trigger zone is identified and the skin is prepared with iodine or alcohol. After the cutaneous wheal is raised, the needle continues toward the deep site, injecting only a little anesthetic. Once the pain and radiating discomfort have been reproduced by needling the trigger region, the bulk of the solution is injected. The needle is withdrawn a little, and the tissue about the acute zone is infiltrated also.

PHYSIOLOGY OF LOCAL ANESTHETIC ACTION. Relief from local anesthetic injection has been looked upon somewhat incredulously. There can be no question of its effectiveness, so that the explanation of the precise mechanism becomes less important. One of the most effective remedies for gout, colchicine, has been used by the medical profession for years without any clear understanding of its mechanism of action, yet it is prescribed without hesitation. Local anesthetic numbs sensory endings, and, with the cessation of pain stimuli, muscle spasm is decreased. This explains both the local and more distant relief obtained. Once the cycle is severed, it does not recur until the old or a new irritant is applied. It is common to find new areas of tenderness in the same general region after initial injection, but these are definitely away from the primary focus. If desired, these may be injected at the initial treatment or taken care of later.

REACTIONS TO LOCAL ANESTHETIC. This is a safe procedure and significant complications are rare. Some people are sensitive to such agents as procaine, and inquiry should be made before massive infiltration is carried out. Others have ill effects from the pressor substance rather than the anesthetic agent; probably the former is the more common source of reaction. Responses vary from a little giddiness to slight diplopia, or a feeling of faintness and lassitude. Pentothal has been described as the ideal antidote.

EXPLANATION OF THE LESION TO THE PATIENT. The general nature of the disturbance should be explained to the patient; building up his confidence in the doctor goes a long way in curing the malady. Some patients have a somewhat lower pain threshold than normal, are subject to situational anxieties, or have some functional overlay, but it rarely helps to tell them bluntly that one of these is the main cause of their upset. Muscle spasm, painful nodules, and constant palpable trigger points cannot be imagined. They may be only a part of the whole picture, but our responsibility clearly is to alleviate them if possible. Situational or functional irritants may be diagnosed later and may then be dealt with as necessary.

PHYSIOTHERAPY MANAGEMENT IN FIBROSITIS. Good physiotherapy also helps these patients significantly. Fibrositis is a painful state with considerable muscle spasm, especially in the suspensory musculature of the shoulder-neck region. Pulsed ultrasound to the areas of muscle spasm (10 to 15 minutes daily, continuing over a period of ten days) should follow the injection therapy, and can greatly enhance the effectiveness of the injection.

Transcutaneous nerve stimulation is also very helpful for relaxation of muscle spasm through its counterirritant effect. Transverse frictions can also induce relaxation in the affected region. The patient must be carefully instructed in strengthening exercises for the weak musculature, in proper posture, and in neck care (see Chapter 9).

Muscle contraction favors absorption of reactive edema after injection. Massage prevents recurrence and extension of the fibroblastic reaction. The muscle fibers are so often thin and atrophic that active movement is the only way of increasing muscle and fiber length. The exercise regimen should expand to include resistance exercises. The active movement routine differs from that used in articular and periarticular disturbances such as supra- and infraspinatus tendinitis. In the latter, mobility of the joint is needed and must be carefully protected. In fibrositic lesions the joint and periarticular zones are comparatively uninvolved, so that attention is directed toward the muscular elements.

Home Remedies. Certain simple home remedies are helpful, such as soaking in a hot tub or using a relatively inexpensive heat lamp or bulb. The painful areas may be massaged after they have been suitably warmed.

Focal Infection. On general principles, any obvious foci of infection, such as diseased tonsils, should be treated, particularly if symptoms persist. This is not to suggest a wholesale extraction of teeth, gallbladder, or appendix, but infected tonsils, teeth, ears, or antra should receive prompt attention.

PROGRESS OF THE LESION

Chronicity characterizes this disturbance and exacerbations are frequent, although they may be months apart. A typical manifestation is an almost total lack of increase of severity of the lesion, unless special irritants such as recurring injury are added. Future attacks are prevented by avoiding the obvious irritants: fatigue, poor posture, poor sleeping habits, and unprotected exposure to cold. Frail individuals should wear warm clothing; wool is better than flannel, because moisture is absorbed rather than retained close to the skin. Maintaining general health at a high level and avoiding unnecessary stress are also deterrents.

MUSCULOLIGAMENTOUS INJURIES AT THE SHOULDER-NECK REGION

These common and important injuries have been considered in the section on trauma.

OSTEOARTHRITIS OF THE CERVICAL SPINE

Degenerative changes in the cervical spine are found almost universally after the age of 50 years. They are clearly seen in x-ray studies, and all too frequently are interpreted as the causative agent for neck and shoulder pain. Discomfort does not arise from these changes nearly as often as it does from some of the soft tissue disturbances that have been described. As a rule, symptoms arise only when some added disturbances such as trauma, increased strain, continuous postural effort, or progressive debilitation are superimposed.

CARDINAL SIGNS AND SYMPTOMS

Aching pain in the shoulder-neck area, associated with neck movement and relieved by rest, is the commonest complaint. Stiffness, soreness, and pain begin in the morning and increase with the day's activity. This is in contradistinction to many of the soft tissue disturbances that are improved by exercise and at their worst when the patient is getting out of bed in the morning. The pain may radiate to the base of the skull and up the back of the head. Patients soon learn that neck movement aggravates the discomfort, and keep the neck still to bring relief. The maximum discomfort is appreciated in the area between the neck and shoulder; patients rarely describe the discomfort as being precisely confined to the neck.

On examination some tenderness may be identified in the paravertebral, cervical musculature. Movement of the spine aggravates the discomfort, and frequently there is limitation of motion. The restriction arises principally in side-to-side bending, or turning the head and neck to one side such as when backing a care out of a driveway. None of the symptoms may be apparent until the patient experiences a sudden jarring incident, such as the abrupt stopping of a car or a fall. The head is flicked forward suddenly, and pain develops in the shoulder-neck area and the adjacent root of the neck.

ETIOLOGY AND PATHOLOGY

In the embryo, the spinal column has a uniform curvature, with a concavity directed forward to accommodate the viscera. In the thoracic and sacral regions, this curvature persists, but compensatory curves in the opposite direction develop in the cervical and lumbar zones. At about the end of the third month, the cervical spine develops anterior convexity as a result of the addition of the weight of the head. The cervical and lumbar zones are free of the outrigging support of the rib elements, so that they remain the most mobile segments of the vertebral column. The function of extra mobility is aided by abundant turgid disc tissue between the vertebral bodies. The combination of weight-bearing mobility and lack of stabilization favors accumulation of strain in these zones.

Inevitably, structural changes reflect this wear and tear process. In the cervical spine, they are seen first and most often in the region of the anterior bodies of C.5-C.6 as marginal lipping and thinning of the interspace. The pathologic picture is one of degeneration with repair. The process of degeneration starts in the intervertebral disc, leading to a loss in the normal rubbery resilience. This favors increased strain on the retaining annulus and short intervertebral fibers of the anterior-longitudinal ligament. Stretching and loosening initiates peripheral and periosteal reaction at the rim that extends into the ligament fibers, producing the typical marginal osteophytes. The development of osteophytes is frequent at the small accessory articulations or joints of Luschka.

The aging process is common to all spines,

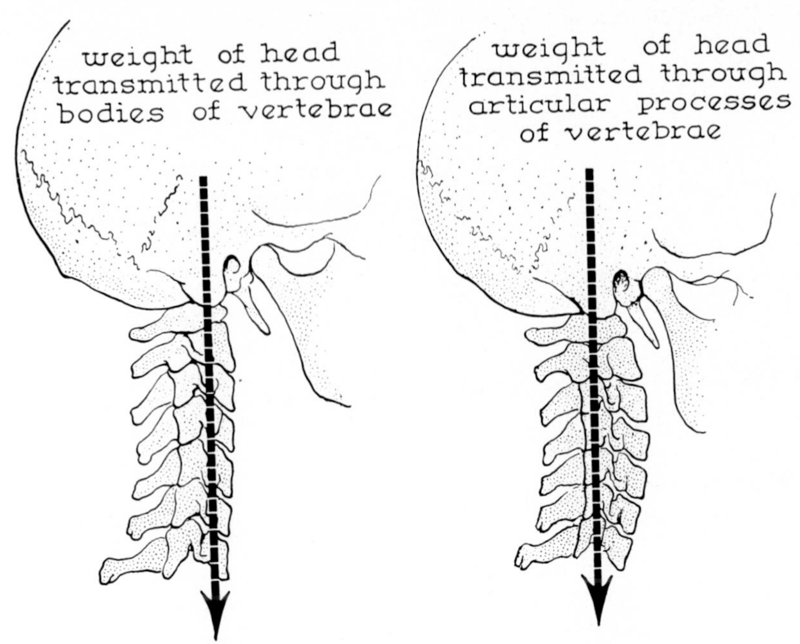

Figure 7–12 As forward curve increases, greater stress falls on the apophyseal joints posteriorly, favoring degenerative changes.

usually there are no clinical sequelae. When trauma, debilitation, systemic devitalization, or postural stress are added, the reaction comes into clinical focus.

When the normal balance is upset anteriorly, the small apophyseal joints are subjected to stress posteriorly (Fig. 7–12). This disturbs their planes of movement, alters surface contacts, and increases the strain on capsular and articular ligaments. Unequal and poorly balanced movement then sets the stage for roughening and erosion of the cartilage. Articular cartilage is not very rugged, and poor nutrition results in inadequate repair. As joint spaces become thin, the normal mechanics are further altered, and this unresolved cycle continues. When the small joints reach the stage of marginal lipping, loss of joint space, and thickened inelastic capsules, movement decreases and pain increases. Such is the usual process that eventually produces neck and shoulder discomfort. The changes may progress so that osteophyte formation, narrowing of the intervertebral space, disc bulging, and articular subluxation gradually encroach on the intervertebral foramen. When this occurs, radiating discomfort and root compression are frequently added to the local pain. Apart from injury, these changes generally produce local discomfort. They may progress, but when this happens new peripheral signs and symptoms appear, just as lumbosacral discomfort can be followed by the development of typical radiating sciatica.

TREATMENT

(1) Rest is imperative; immobilization in a light cervical collar often helps during the acute period.

(2) Often, cervical traction applied judiciously without excessive weight is beneficial (see cardinal rules, Chapter 9). If the traction is irritating to the lesion, it should be discontinued.

(3) Pain should be relieved by adequate sedation and physical measures.

(4) After an acute attack has come under control, any weakened muscle zones should be strengthened.

(5) Discomfort at night is often relieved by the use of a special contour pillow that supports the neck and prevents the patient sleeping in a twisted posture.

(6) If the pain is disabling, the cervical collar should be worn constantly during the day and replaced by a light fabric collar at night.

(7) Development of radiating pain is best controlled by repeated cervical traction (see Chapter 9). In some instances, operative measures are required; these have been

discussed in the chapter on neurologic disturbances.

CERVICOCOSTAL LESIONS

An overlooked area containing the seventh cervical spine articulation with the first rib contributes shoulder angle discomfort from a number of derangements.

CLINICAL PICTURE

Gradual onset of neck angle discomfort, with extension of pain out toward the shoulder tip, is a usual presentation.

ETIOLOGY

Coronal or posterosuperior angle blows, sometimes severe, or repeated insults of somewhat less severity, are frequent precursors. Football trauma such as shoulder blows are typical examples. The lesion is a posttraumatic osteochondritis or arthritis involving the first rib articulating with the seventh cervical vertebra. This is a relatively stable joint, but it can be disturbed by accurate application of stress. On examination, some vague shoulder angle soreness is present, but the clinching abnormality is acute tenderness on pressure over the rib spine junction.

TREATMENT

In patients with acute and persistent pain, injection of the joint gives quick relief. Initially a mixture of local (4 ml) steroid, 1 to 2 ml, can be used, supplemented with antiinflammatory medication for six to ten weeks. A physiologic routine directed toward relieving muscle spasm should be added, and ultrasound to the joint also assists. Surgical treatment has never been necessary, in the author's experience.

SCAPULOTHORACIC LESIONS

As our concept of shoulder disturbances is enlarged, it becomes apparent that the region

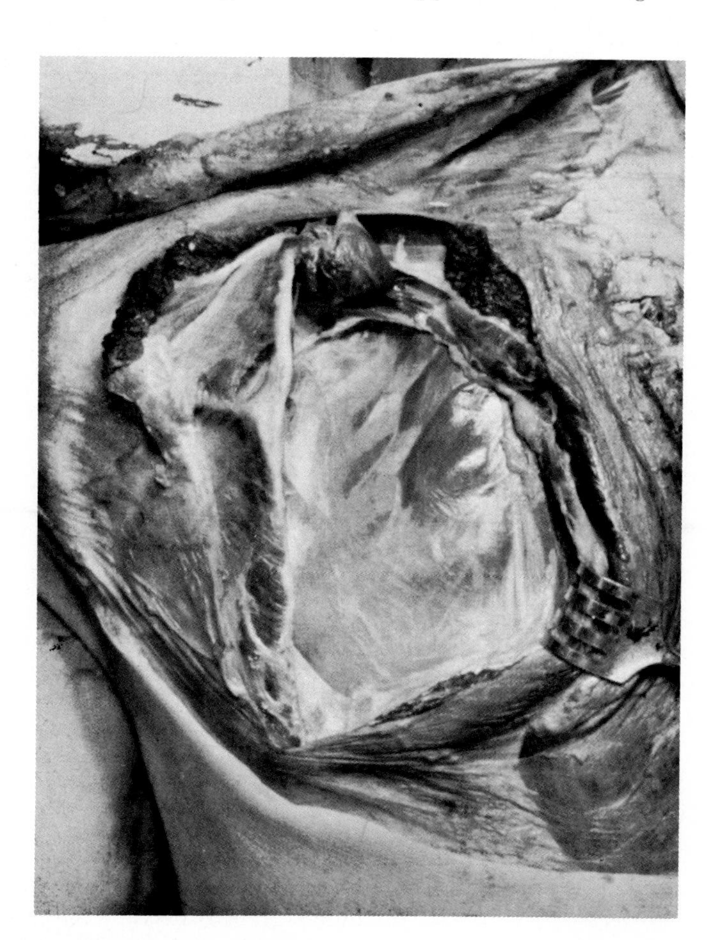

Figure 7–13 Dissection showing medial border of scapula and scapular bed.

of the shoulder blade, often overlooked as a source of significant pain, is a frequent area for disorders producing typical shoulder-neck discomfort. The focal point of origin of these lesions is the medial border of the scapula. The scapula slides, swings, and rotates constantly on a bed of ribs covered with flat, thin muscles (Fig. 7–13). Roughening of this bed or the contiguous surfaces of the scapula disturbs the normal smooth action, producing discomfort. Irregularities of the vertebral border, chest injuries, fractures of the ribs, and muscle tears are all a source of abnormal friction during the shoulder blade excursion. Poor muscle development and sagging faulty posture also contribute. These disorders as a group are labeled "scapulothoracic or scapulocostal lesions." The general underlying derangement is in the relation of the scapula to the chest, but several distinct entities may be recognized.

SCAPULOCOSTAL TENDINITIS

Scapulocostal tendinitis is a relatively mild, but quite frequent, ailment that develops in this region. It is ushered in by a complaint of dragging, aching shoulder discomfort or nagging shoulder pain that seems to come from between the shoulder blades. Patients indicate the zone of maximum distress as being related to the inner border of the shoulder blades, and often cannot quite reach around to the back to identify the sore spot precisely. The discomfort has a tendency to build up with progressive use of the shoulder during the day. Certain precise chest skeletal configurations contribute to the stress on the muscles in the area, such as round chest, which favors sagging shoulder blades and stretching of the suspending muscles. This type of constant muscle stress initiates a dragging type pain.

Patients become aware that the motion of the shoulder blades aggravates the discomfort, and they avoid this irritation by keeping the arm at the side and developing a tendency to hunch the shoulders forward and around the chest. On examination, definite tender points can be identified, principally related to the medial border of the scapula, but also in the area of the muscles between the border and the midline. A grating sensation is imparted when these zones are palpated. The commonest area is the region opposite the base of the spine in thinly upholstered asthenic individuals. The inferior angle of the scapula also is frequently involved. Manipulation of these trigger zones reproduces the discomfort, which permeates the shoulder-neck region. Firm palpation identifies the trigger points, but the surrounding musculature has a stringy atonic feeling.

Although this is partly a postural disturbance, its localizing properties set it apart from purely postural disorders. The primary source is assumption of the upright position, with the greater range of swing of the scapula that then develops. The scapula rotates like a pinwheel as well as swinging backward and forward around the chest. The vertebral border is a sharp blade that cuts into soft tissue if it does not fit smoothly into the proper layer (see Fig. 7–13). Fraying of muscle fibers and minute ruptures occur from constant wear. Weakness and atony favor the process, and zones of fibrous scar tissue then develop.

Treatment of Scapulothoracic Disturbances

Injection of Trigger Points. The tender areas in the region of the base of the spine of the scapula should be freely infiltrated with a 2 per cent local anesthetic, Novocain or a similar solution. No epinephrine should be used. In some instances repeated injections are necessary; in chronic cases it may be helpful to add 0.5 ml of absolute alcohol to a solution of 5 ml of local anesthetic, injected directly into the trigger area. At the same time, postural faults should be corrected and instruction given in proper shoulder-neck exercises (see postural strain physiotherapy measures at the beginning of this chapter for detail).

SNAPPING SCAPULAE

A similar, yet quite different, form of this disorder may be seen in a group of elderly patients, the derangement being identified more properly as a "snapping scapula." In this variation, a distinct thump or snapping sound is heard as the scapula is moved across the back of the chest. Patients with this abnormality learn how to produce the sound, which is characteristic and may be the most prominent presenting complaint. It is a more severe grade of the disturbance previously described, in that bony alteration interferes with the normal swing of the shoulder blade. Commonly this is a spur in the region of the

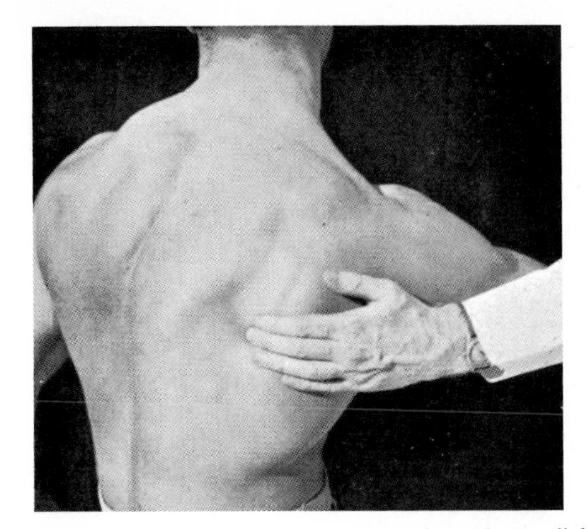

Figure 7-14 Palpating trigger areas along the medial border of the scapula.

superior angle, but it may occur at any point along the vertebral border of the scapula. The corner of the superior angle may be turned down in a dog-eared fashion, forming a sharp beak that scrapes across the scapular bed as the scapula is swung. At other times, bony lipping of the vertebral body, or irregularities from fractured ribs, produce a similar type of derangement.

The noise so characteristic of this disorder can be heard distinctly; the chest acts as a resonance box, magnifying the sound, although by palpation it is sometimes difficult to localize its precise source. It appears to come from the front top or back, and it may not be until the flat of the hand palpates the vertebral border of the scapula that the true origin can be identified (Fig. 7-14). Occupations requiring forceful, repeated shoulder action favor development of this lesion. Swinging a heavy axe, for example, pulls strongly on the anchoring tissues of the scapula. Minute periosteal tears favor osteophyte formation, and gradually a spur forms at this site. Special x-ray studies can be taken that demonstrate a curling of the medial border, or a small beak-like process close to the angle of the scapula (Fig. 7-15). A severe form of this disorder results from the growth of an osteoma, or osteochondroma, usually near the inferior border of the scapula.

In addition to the sound and the development of irritation as the shoulder blade is swung, patients complain of pain, particularly on shoulder girdle action, since soft tissue irritation leads to an aching type of shoulder-neck discomfort that pervades the region.

Treatment

When the condition has been accurately defined, the most satisfactory treatment is resection of the bony abnormality. In most instances, removal of the corner of the scapula that includes the hook-like formation is a simple and effective remedy.

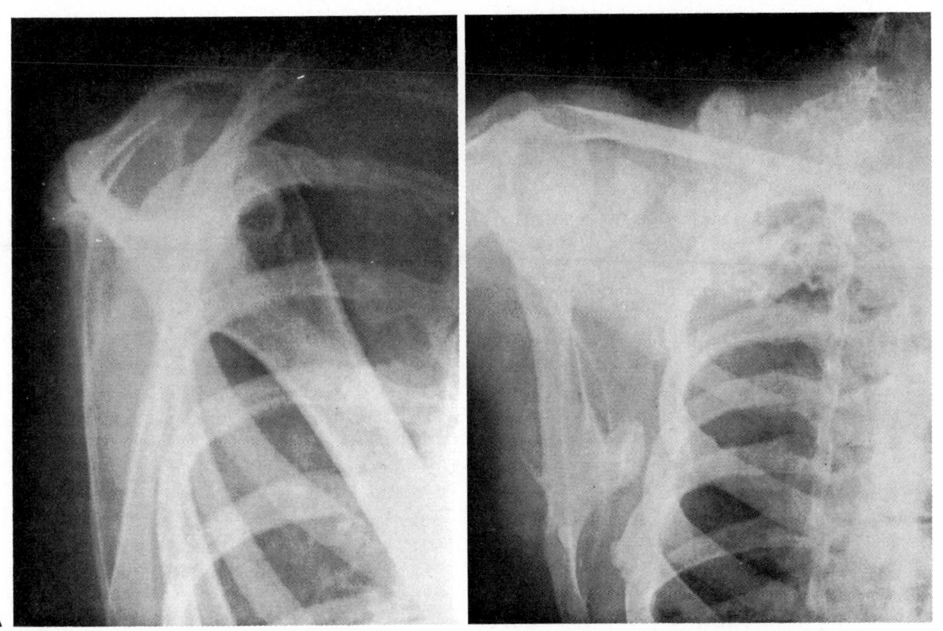

Figure 7-15 Scapular spurs producing snapping scapulae. *A*, Spur of upper corner of scapula. *B*, Large spur near inferior angle.

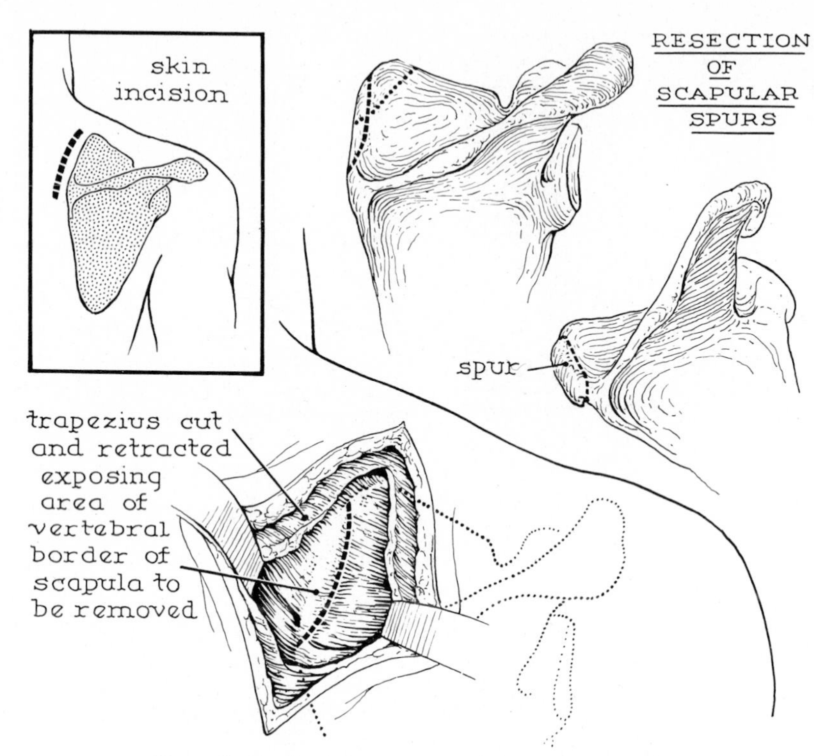

Figure 7–16 Operative treatment for snapping scapula.

Technique. The patient is placed on his face with the arm hanging over the side of the table, so that the vertebral border of the scapula is prominent. The arm is prepared, however, so that adequate manipulation can be carried out. A longitudinal incision is made just medial to the medial border of the scapula, curving above and below the spine for a distance of 2 inches (Fig. 7–16). Muscle layers are split in the direction of their fibers, and blunt dissection exposes the medial border of the scapula. Deep protractors are needed to retract the soft tissues, because the bone lies deeper than is usually appreciated. Depending on the size and length of the spur, a roughly triangular piece of scapula, 1 inch by three-quarters of an inch in size, is excised. The bone edges are smoothed, and bleeding is carefully controlled by a local coagulant such as Surgicel to prevent recurrence of the spur. As soon as the wound is satisfactorily healed, active movement is started and continued.

Undesirable Surgery in Scapulocostal Tendinitis

Attention is called to the too radical resection of the scapula in this lesion. It can happen that a process of resection carried out in several operative procedures grossly jeopardizes the stability of the scapula by removing too much bone.

The accompanying illustrations demonstrate this process in the extreme degree. The patient was left with a bare fragment of the scapula comprising a glenoid and acromion, but constituting a completely unstable blade. Under these circumstances, some improvement can be obtained by fascial sling of the remaining fragment to the cervical spine to contribute a degree of stability. Multiaxial dislocation is easy owing to the gross changes. In this instance a fascial repair was required to maintain stability (Fig. 7–17*A*, *B*, and *C*).

SEVERE SAGGING SHOULDER

An extreme form of scapulothoracic disorder may develop from either of the above disturbances, or after frank rupture of the suspensory (coracoclavicular) ligament. In some instances, discomfort from the scraping of the scapula across the posterior chest becomes so troublesome that the patient continues to pull the arm and shoulder more and more away from the site of irritation. In this way, he develops a spasm or habit in which he twists and pulls the shoulder and neck apart, as it were. This is continued to

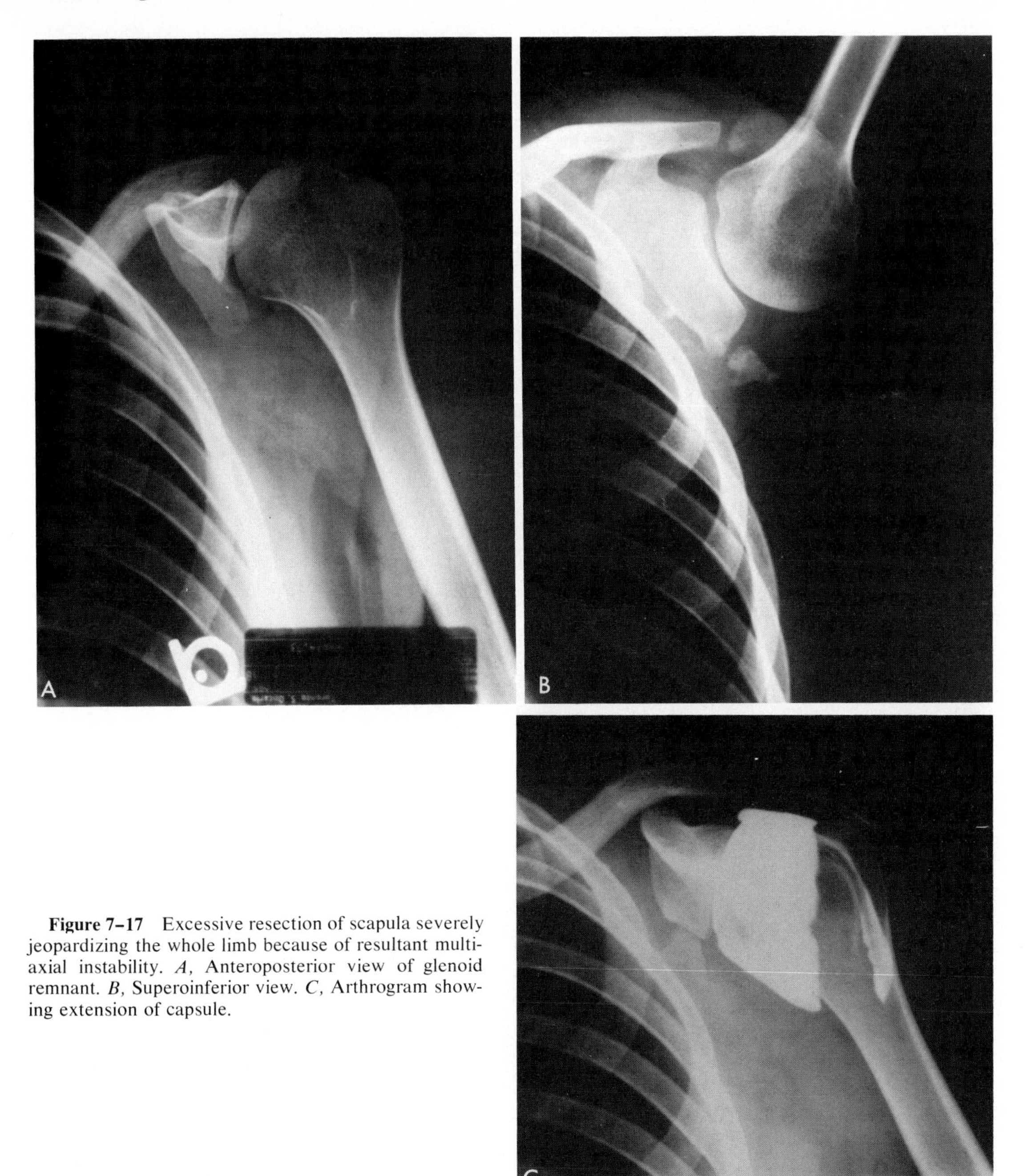

Figure 7–17 Excessive resection of scapula severely jeopardizing the whole limb because of resultant multi-axial instability. *A*, Anteroposterior view of glenoid remnant. *B*, Superoinferior view. *C*, Arthrogram showing extension of capsule.

such a degree that the muscles become lax and weak, and the excursion of the scapula on the chest is grossly increased. A point is reached at which the affected side sags and drops to the front abnormally. The whole girdle then sags, not just the head of the humerus in the glenoid cavity. On examination, the shoulder may be grasped, and shifting of the scapula back and forth on the chest will reproduce the most unpleasant element of the discomfort. Middle-aged, thin, poorly-muscled, somewhat introspective women seem to be the most frequent victims of this disorder. Because of a relatively minor focus of soft tissue irritation in the region of the vertebral border of the scapula, they consistently tense and shrug themselves into a state of extreme discomfort.

Several years may be necessary to develop the severe form of the discomfort as the muscle atony increases and the sag becomes greater. At this point, radiating pain to the

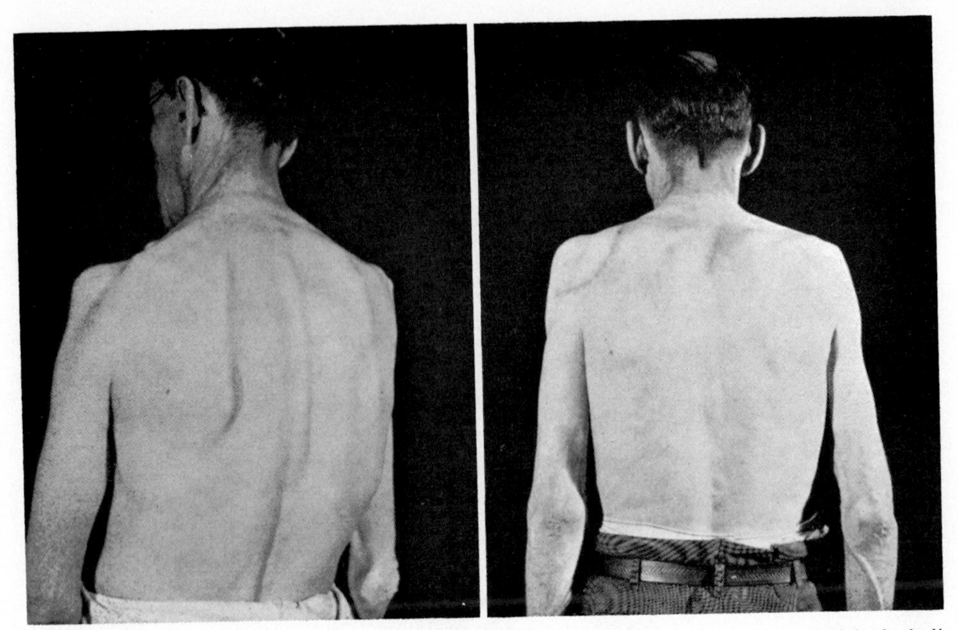

Figure 7–18 Severe sagging shoulder following too extensive resection of outer end of the clavicle, including conoid and trapezoid ligaments. *A*, Before operation. *B*, After fascial suspension.

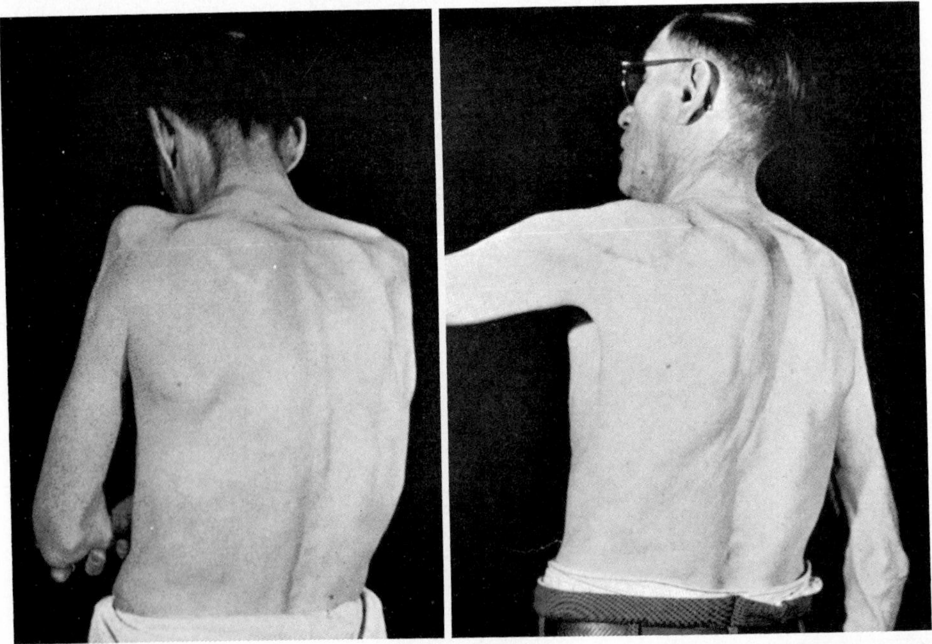

Figure 7–19 *A*, Preoperatively, function requires the support of the opposite arm. *B*, Independent movement is possible after surgery.

arm and hand may develop from compression of the neurovascular bundle anteriorly. A very similar situation develops much more rapidly if the suspensory ligaments have been ruptured or excised. Cutting of the conoid or trapezius ligaments, such as may develop from too radical excision of the lateral one-third of the scapula, will allow the shoulder girdle to sag forward, producing constant shoulder drop and, later, neurovascular symptoms (Figs. 7–18, 7–19, and 7–20).

Treatment

A conscientious program of muscle education and exercise designed to improve the tone of the suspensory muscles should be carried out, along with the simple measures outlined previously for injection and trigger points. In some instances the disorder will progress to the point that only surgical treatment offers significant assistance. The principle of operative treatment is to remove any obvious irritation at the scapulothoracic junction, and to resuspend the scapula so that the extreme muscle atony of the suspensory muscles is counteracted. This is done by inserting fascial slings that extend from the posterior spinous process of the cervical spine to the scapula, so that it is suspended in proper relation to the chest again. At first, this may seem to be too drastic a procedure for the amount of discomfort involved, but it is a most satisfactory operation when the proper indications are present. It should be stressed that minor degrees of the atonic type of the disorder should not be treated surgically. However, when patients have had constant distress for a period of three or four years, and present the evidence of obvious scapular sag, the insertion of the fascial supports can initiate a dramatic improvement.

Surgical Technique. The operation is extremely effective for the sagging scapula that develops following excision of the outer end of the clavicle, when this has included the suspensory mechanism. The patient is placed in the prone position on the operating table, with the arm hanging at the side over the table. The whole upper extremity is prepared, including the posterior scapular and lower cervical regions. The incision is made parallel to the spine, curving gently downward and extending from near the scapular notch to below the root of the spine; the medial edge is exposed (Fig. 7–21). The first step of the operation is exposure of the root of the spine of the scapula, and excision of any osteophytes or hook formation that may be encountered. The next step is exposure of the posterior spinous processes of the lower two cervical vertebrae. This is accomplished through a midline incision over the tips of spines of C.6 and C.7. A hole is drilled through each of these spines, care being taken not to split them, since they are

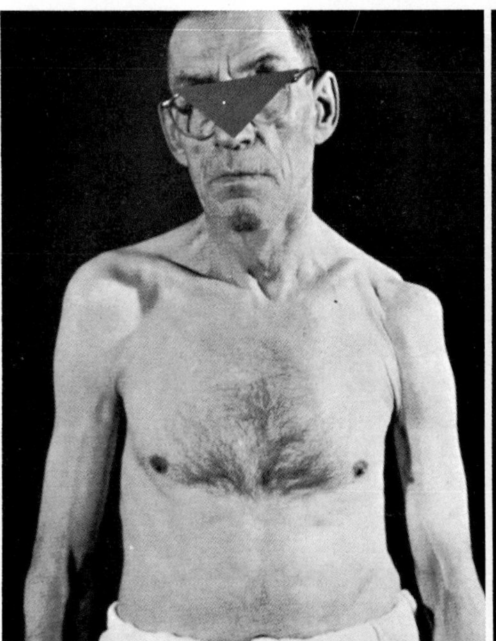
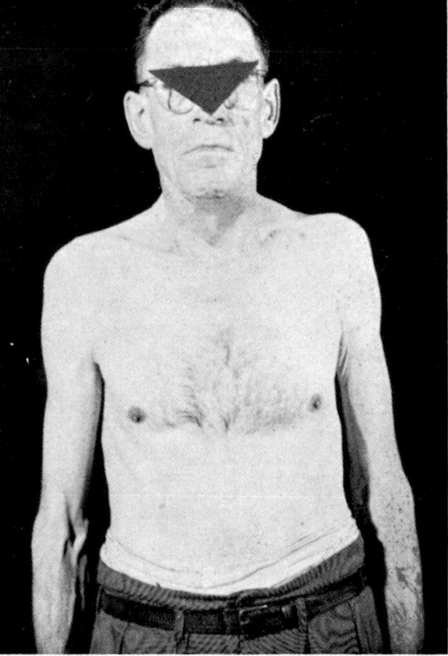

Figure 7–20 Appearance from the front before and after fascial suspension.

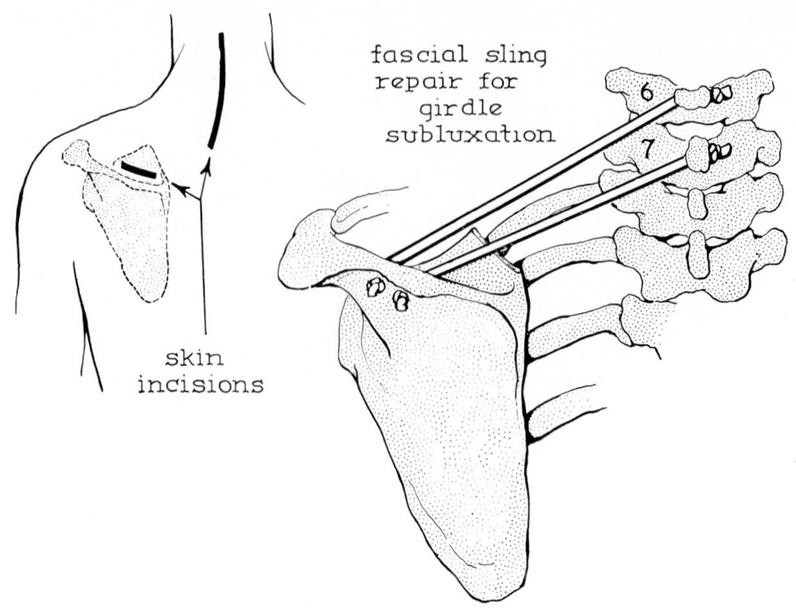

Figure 7–21 Operative exposure and technique of fascial suspension of the scapula.

sometimes poorly developed; usually a three-sixteenths inch drill is the maximum that can be accommodated. Two strong fascial slings are then made from fascia removed from the thigh, and are anchored through the drill holes in the spinous processes and carried subcutaneously to the first incision close to the notch of the spine. The whole upper extremity is then lifted, elevating the shoulder girdle as far as possible, and the fascial slings are fastened securely. In this way, the tension on the slings holds the scapula up and back. The wounds are closed in the usual fashion. A pelvic forearm plaster is applied, keeping the arm in the fascial suspended position. This is fashioned from a broad band of plaster around the iliac crests, which are well padded, with the plaster encircling the body and resting on the crests. The operative side is elevated and held in this position by a plaster ledge around the forearm and fastened to the body band (Fig. 7–22). The plaster remains in place for six weeks.

This form of fixation is preferable in patients in whom there has been excision of the clavicle. In some cases, when the sagging is not quite so extreme, a body swathe with a stockinette shirt held firmly in place will be sufficient to hold the shoulder in the corrected position. Following the removal of the fixation at the end of six weeks, exercises for the arm and shoulder are initiated, but vigorous exercise for the shoulder girdle is discouraged.

NERVE LESIONS PRODUCING SHOULDER-NECK PAIN

A group of neural disorders in this region may come into clinical focus by the production of shoulder-neck pain. These include trapezius strain, serratus anterior paralysis, scapular dystrophies, and suprascapular neurodynia. They are described completely in the chapter on nerve disturbances.

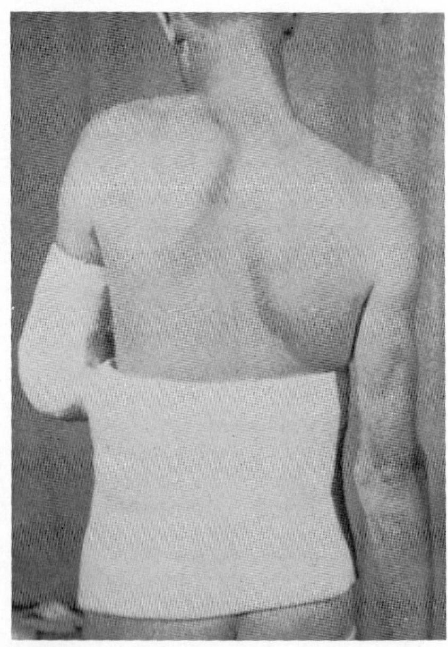

Figure 7–22 Type of plaster applied postoperatively to hold the scapula suspended in new position.

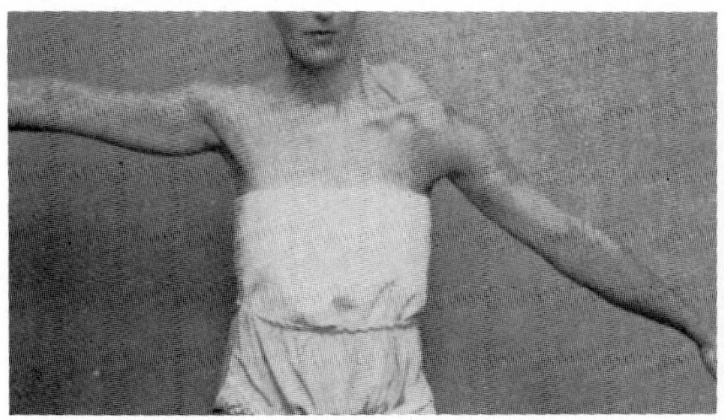
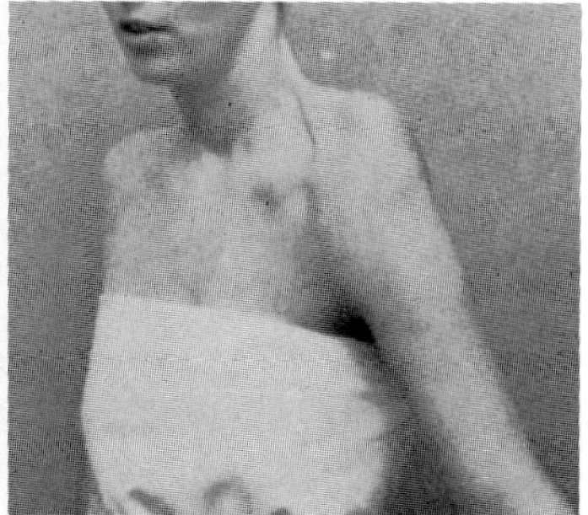

Figure 7–23 Patient with trapezius and levator paralysis following cervical gland biopsy. Note extensive deformity, with altered neck contour and winging at scapula.

The two common lesions to be particularly kept in mind are trapezius and serratus anterior paralysis. Since these may have an insidious onset, they may go unrecognized for some time. Either lesion may be present as a chronic shoulder-neck complaint, with an aching quality similar to the other entities described previously.

TRAPEZIUS PARALYSIS

The trapezius is a most important muscle in the shoulder girdle. When it is paralyzed by injury to the accessory nerve, serious deformity and disability result. The nerve is frequently damaged in operations on the neck such as biopsies, in wounds of the neck, or from pressure or traction trauma (Fig. 7–23).

Mechanism of Injury

The trapezius is supplied largely by the accessory nerve; the contributions from C.3 and C.4 are not prominent. The nerve follows a vulnerable course through the upper portion of the posterior triangle in the neck, entering into the sternomastoid muscle and crossing the apex to reach the trapezius muscle 1 inch above the clavicle. In the posterior triangle, the neck lies just beneath the deep fascia, and is the highest structure crossing this triangle. At this point, it is intimately related to cervical lymph glands and is covered only by skin and fascia, making it particularly susceptible to injury.

Signs and Symptoms

Paralysis of the trapezius results in abnormal shoulder contour, particularly as seen from the back. The shoulder slope is replaced by a sharp right-angled appearance. The shoulder drops and the scapula tilts, with the inferior angle riding closer to the midline. Loss of power in the trapezius produces winging of the scapula of a rotatory nature, because stability is decreased. Weakness in elevating the shoulder against resistance then develops because of loss of the rotatory stabilization. This is in contrast to serratus paralysis, in which the direct anteroposterior clamping effect is lost, and the winging in this instance is more from front to back. The trapezius aids extension of the neck against pressure in conjunction with the muscle of the opposite side. Loss of trapezius power can be insidious, and sometimes the only complaint may be a persistent shoulder-neck ache or a dragging sensation when wearing an overcoat or other heavy garment. Examination demonstrates weakness of shoulder abduction and circumduction. Sometimes the contour alteration is not easily recognized because of superficial soft tissue padding, but the lack of rotatory fixation of the scapula should be apparent.

Treatment

The accessory nerve is large enough to be repaired surgically, and when there is persistence of paralysis, clinically and electrically, the nerve should be repaired as quickly as may be feasible. Electrical stimulation is applied to the muscle, and exercises are initiated for the accessory muscles such as the levator scapulae, serratus, deltoid, and rhomboids. In irreparable lesions, fascial suspension can be carried out. In some cases, the two procedures can be combined in the same operation: the fascial suspension can be carried out, and the accessory nerve explored and repaired thereafter.

Technique. Exposure of the accessory nerve is obtained by an incision extending across the upper portion of the posterior triangle. The lateral border of the sternomastoid is identified and retracted medially. The accessory nerve is identified coming out from under the posterior margin about the center of this muscle. It is the highest structure in the triangle, lying superficially just beneath the fascia and surrounded by lymph vessels. A small nerve, the lesser occipital, curves up and over from below, and is intimately associated. The nerve leaves the triangle laterally under the anterior border of the trapezius about one and one half inches above the clavicle. Extra length for suture of the accessory nerve is gained by mobilizing it and bending the neck toward the side of the lesion.

PARALYSIS OF THE SERRATUS ANTERIOR MUSCLE, INJURY OF THE LONG THORACIC NERVE

The long thoracic nerve is the highest branch of the brachial plexus. It may be involved in the extensive plexus injuries, or may be injured directly from pressure or traction trauma (Fig. 7–24).

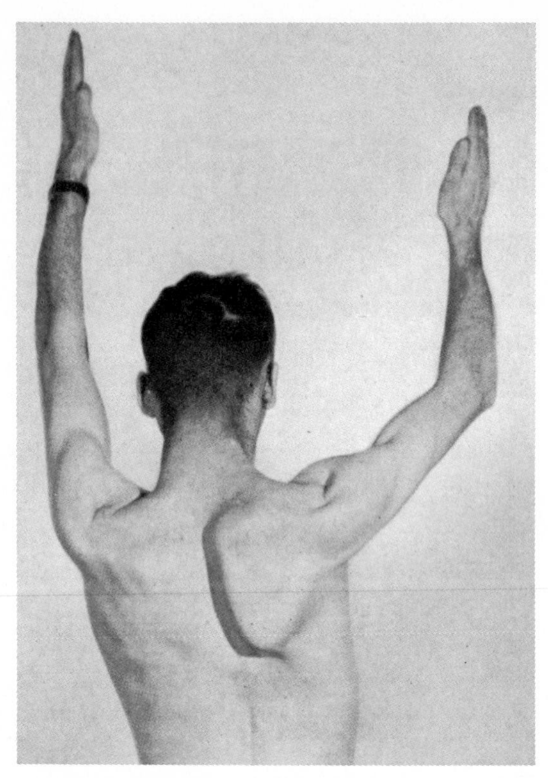

Figure 7–24 Injury of long thoracic nerve producing paralysis of serratus anterior.

Mechanism of Injury

The long thoracic nerve follows a tortuous course, arising from roots C.5, C.6, and C.7. After it has been formed, it appears at the scalenus medius and descends behind the brachial plexus to cross the axilla close to the chest wall. Thence it descends on the outer surface of the serratus anterior muscle.

In the upper portion of its course, the nerve may be exposed to pressure such as in carrying heavy loads on the shoulder. Similarly, some athletic activities involving violent use of the shoulder girdle as a unit, such as discus or javelin throwing, may result in traction injuries to the nerve. In the lower portion of its course, dissections on the axilla (as, for example, in the operation of radical mastectomy) may injure the nerve, or it can be involved in the pathologic process. Because the nerve lies close to the chest wall, undue pressure may inadventently be applied in this region in very thin people, e.g., frail, elderly women encased in body plasters who are not turned frequently enough and have continued pressure on one side for a considerable length of time.

Signs and Symptoms

Injury to the long thoracic nerve produces paralysis of the serratus anterior muscle. This results in flaring or winging of the scapula when abduction of the arm is attempted, particularly against resistance. The serratus anterior contributes significantly to the stability of the scapula and, along with the trapezius, clamps it to the chest wall, providing a firm base for the hoisting mechanism of the shoulder and arm. When this stability is lost, the scapula stands out from the chest in an anteroposterior direction and the vertebral body projects backward.

Treatment

Persistent paralysis of the serratus anterior leaves a weak extremity. This is particularly disabling in a workman. The muscle is difficult to treat by electrical stimulation because of its position. Usually, however, it may be reached by applying an electrode to the chest in front of the posterior axillary fold. In some instances the use of a sling or a brace that holds the scapula to the chest wall is effective in controlling the winging action.

Surgical Therapy. Patients who do not recover in a reasonable time should be treated surgically. If damage is suspected in the supraclavicular portion of the nerve, this is exposed through the same incision as that indicated for plexus exploration. The nerve is identified behind the plexus, piercing the scalenus medius. In the distal portion of its course it is exposed by an incision across the anterior fold of the axilla to the chest wall. In either position the nerve is exposed and the pathology dealt with as indicated.

IRREPARABLE LESIONS OF THE LONG THORACIC NERVE

Sometimes the nerve fails to recover. This can be offset somewhat by exercises designed to increase the power of the upper trapezius, rhomboids and levator scapular muscles. When this is not sufficient, several operations have been advised. The principle of these procedures is to anchor the flaring medial border of the scapula to the chest wall. This restores the clamping action and stabilizes the scapula in abduction. There is some limitation of movement, but this is not significant.

Surgical Techniques. In the Whitman technique, fascial strips are used to anchor the vertebral border to the posterior spines of T.4, T.5, T.6, and T.7. In the Dixon technique, a strip of fascia is used to anchor the inferior angle to adjacent musculature.

The most effective procedure, however, is that devised by Lowman. The principle of this method is to insert a strip of fascia at the distal portion of the medial border, carry it across the midline subcutaneously and attach it to the medial border of the opposite scapula. This restores the clamping action and stabilizes the scapula. Postoperatively the arm is carried in a sling, with the scapula fixed to the chest wall until fixation has become solid, usually at the end of three to four weeks.

REFERENCES

Brooker, A. E., et al.: Cervical spondylosis. A clinical study with comparative radiology. Brain *88*:925, 1965.

Claessens, H., et al.: Rehabilitation in shoulder lesions. J. Belge. Rhumatol. Med. Phys. *20*:69, 1965.

Clein, L. J.: The droopy shoulder syndrome. Can. Med. Assoc. J. *114(4)*:;343, 1976.

Copeman, W. S. C., and Ackerman, W. L.: Fibrositis of back. Q. J. Med. *13*:50, 1944.

Dixon, F. D.: Fascial transplants in paralytic and other conditions. J. Bone Joint Surg. *405*:19, 1937.

Fierro, D., et al.: On the significance of calcifications and limited ossifications of the posterior cervical ligament. Minerva Radiol. *11*:157, 1966.

Hunt, J. C., et al.: A convalescent cervical collar. Am. J. Orthop. 7:109, 1965.

Moyson, F., et al.: Acute pseudotorticollis: a little known disease. Acta Paediatr. Belg. *20*:259, 1966.

Rose, D. L., et al.: The painful shoulder. The scapulocostal syndrome in shoulder pain. J. Kans. Med. Soc. *67*:112, 1966.

Saha, N. C.: Painful shoulder in patients with chronic bronchitis and emphysema. Am. Rev. Resp. Dis. *94*:455, 1966.

Schein, A. J.: Back and neck pain and associated nerve root irritation in the New York City Fire Department. Clin. Orthop. *59*:119, 1968.

Whitman, A.: Congenital elevation of the scapula and paralysis of serratus magnus muscle. Operation. J.A.M.A. *99*:1332, 1932.

Chapter 8

LESIONS PRODUCING SHOULDER PAIN PREDOMINANTLY

Pain in the shoulder arises more often from disease of the glenohumeral or shoulder joint proper than from any other structure. The cardinal symptoms are clearly localized pain and soreness. Patients demonstrate this typically by grasping the shoulder point firmly with the opposite hand. They have a clear conception of the zone of discomfort; vague ache in the neck or sharp, radiating pain to the forearm is not a part of the picture. They learn early that the movement of "the arm in the socket" causes them most distress; neck action or body position have little or no effect. All acute derangements of the shoulder come to attention in this way. In long-standing lesions the area of deltoid insertion is often implicated. After shoulder pain has been present for some time, added discomfort may be experienced in the scapular zone, or it may extend to the elbow. Questioning shows that such extension is secondary, and that the dominant and initial discomfort originates in the shoulder.

There is a long list of causes of this type of pain: degenerative tendinitis, calcified tendinitis, cuff ruptures, and bicipital lesions being the common entities. It will be noted that the terms "subacromial bursitis" and "frozen shoulder" are usually avoided in such lists. As our knowledge of shoulder pathology increases, it is apparent that these are insufficiently descriptive names that are often inaccurately applied to many syndromes of varied etiology. Both these conditions do occur, but they are a result of other lesions, rather than a primary disease entity.

DEGENERATIVE TENDINITIS

(SUBACROMIAL BURSITIS, SUBDELTOID BURSITIS, SUPRASPINATUS TENDINITIS, IMPINGEMENT SYNDROME, ETC.)

For many years the commonest ailment involving the shoulder has been labeled "bursitis," but, as a clearer understanding of the pathologic processes has developed, it has become apparent that a degeneration of the rotator cuff or a tendinitis is the common foundation of shoulder disorders. In some degree, accompanied by acute or repeated minor trauma, this lesion accounts for nearly all persistent shoulder disability. The degenerative process involves the musculotendinous cuff and the bicipital apparatus. At times either the cuff or the bicipital apparatus may be the most prominently involved, and frequently both are. Since these are intimate glenohumeral structures, it is logical that disorders affecting them are reflected by predominantly localized shoulder pain.

In the adaptive adjustments of mammals, the upright position has greatly increased stress and strain on the cervicobrachial and lumbosacral zones. In the upper body region the object has been to free the arm and provide motion to the hand. Shoulder elements have contributed significantly to this development, but inevitably certain parts, e.g., the rotator cuff, have been exposed to greatly increased mechanical stress (Fig. 1–3). We work either by standing or sitting with a task in front of us, using the shoulder to bring the hand into the arc of function. This has not only changed the configuration of the forelimb, but has also exposed some parts to greater stress. Development has enabled man to use his arms in the overhead position also, so that, in addition to normal adaptive strain, greatly increased occupational stress can develop. Disturbances in the cuff come to light initially as irritation of the overlying subacromial bursa, but the bursal reaction is a result rather than a primary cause.

SIGNS AND SYMPTOMS

Degenerative tendinitis is characterized by pain in the shoulder, which the patient localizes accurately and indicates by placing the hand firmly over the point of the shoulder (Fig. 8–1). Shortly, a catching discomfort on certain movement is appreciated, chiefly when lifting the arm. Gradual limitation of movement, particularly rotation, follows. Everyday tasks initiate pain that increases to a persistent gnawing ache. Usually, no significant episode, accident, or acute incident is associated. Gradually, on certain movements, general soreness develops and is accompanied by occasional sharp twinges. Soon, movements that cause the twinge are avoided, and aching pain at night becomes troublesome. These patients have difficulty finding a comfortable sleeping position. They attempt to obtain relief by holding the shoulder, but no position is comfortable. Later, pain may appear to come from a point lower down in the arm, in the region of the deltoid insertion. It is usually at the stage when sleep is disturbed, the back trouser pocket cannot be reached, or the hair cannot be combed that the patient seeks relief. This is a disease of middle age; housewives, painters, carpenters, bricklayers, and hard-swinging golfers are most commonly afflicted.

Examination demonstrates a typical painful catch as the arm is lifted and rotated, bringing the head of the humerus under the acromial arch (Fig. 8–2). There is some limitation of movement, but the shoulder is not frozen. Active movement is made hesitantly. Often crepitus can be felt, and occasionally the patient has noted something slipping or a soft grinding element as the arm is lifted. Active movement to 70 or 80 degrees is possible. External and internal rotation are limited slightly. Study from the back shows some atrophy of supra- and infraspinatus and deltoid. Atrophy is never so severe at this stage as when the lesion has progressed to the

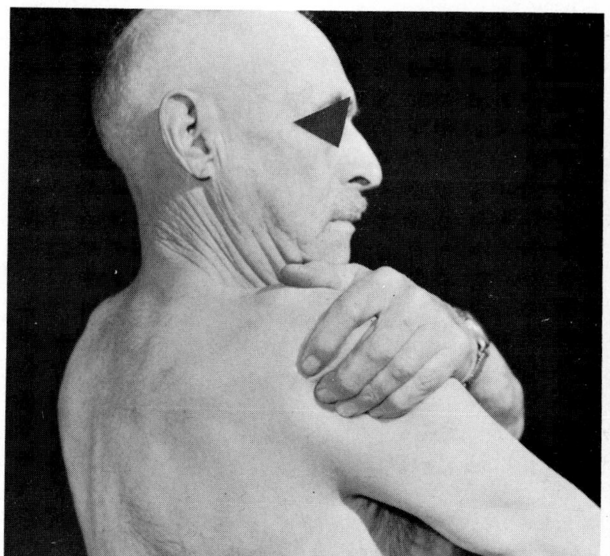
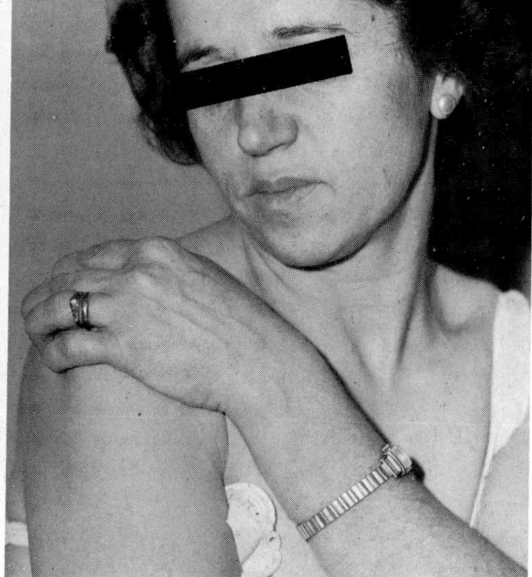

Figure 8–1 "Shoulder grasp" of patients with localized shoulder disorders, in this case degenerative tendinitis.

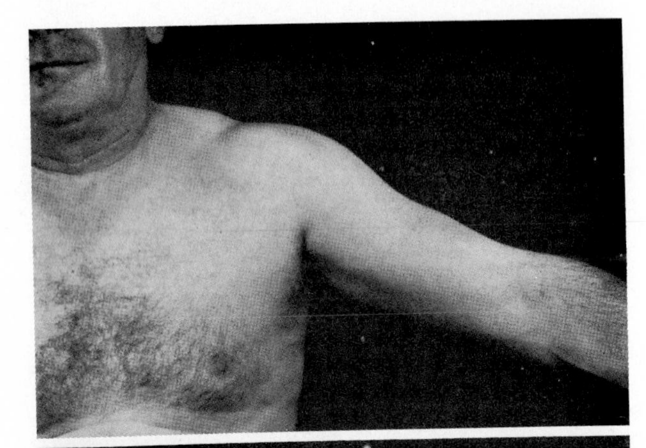

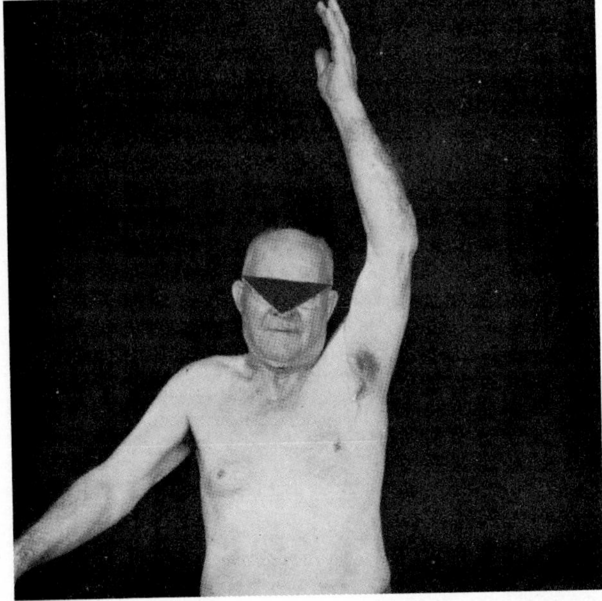

Figure 8–2 Acromial arch impingement due to loss of rotatory power in degenerative tendinitis.

typical frozen shoulder, or when there has been a rupture of the cuff.

Examination of the upper aspect will reveal tenderness directly over the upper end of the humerus. The zone of maximum tenderness is over the cuff—not over the acromion, and not over the biceps tendon. The region is sore, but there is not the exquisite tenderness encountered in the typical tendinitis with calcification. The patient is certain of the general area of soreness, but sometimes has to hunt for the really tender points. Often he grasps the shoulder and feels for it, progressing from the tip down toward the deltoid insertion. This region may be implicated and may be a little tender on palpation. Flexion of the forearm against resistance does not produce significant pain, although a little generalized discomfort may ensue. There is no complaint of pain along the front of the shoulder or down the medial aspect of the arm. Palpation along the long head of the biceps does not cause significant discomfort. When the pain has been noticeable for some weeks, other areas are implicated, e.g., the posterior aspect of the shoulder and root of the neck, or pain may extend to the elbow. Questioning shows such discomfort to be transient and less severe than the persistent and primary shoulder ache.

At this point the picture is clear, but it becomes hazier the longer the lesion is neglected. The patient learns to avoid the painful arc, so that the range is gradually decreased and the atrophy is increased. If proper treatment is not instituted, the process may continue in this way until a typical frozen shoulder develops (Fig. 8–3).

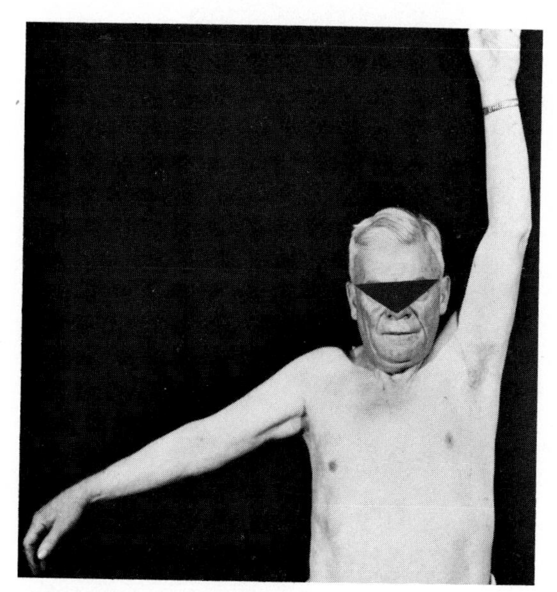

Figure 8–3 A later stage of degenerative tendinitis. Freezing has started. Note tendency to hump the right shoulder, which is not seen in the patient in Figure 8–2.

X-RAY EXAMINATION

Radiographs are not very helpful, but they should be taken and examined carefully. No abnormality may be apparent on cursory examination, but systematic search often shows minute changes. Subcortical cysts, flattening and eburnation of the greater tuberosity, sharpening of the tuberosity, small detached spicules, or a roughened facet may be seen (Fig. 8–4). If the disturbance is sufficiently severe to warrant contrast studies, the arthrogram demonstrates an intact capsule with no subacromial leak. The inferior joint fold is still lax and redundant and has not been obliterated, nor has the capsule shrunk as in adhesive capsulitis. The upper edge is sometimes a little ragged when compared with a normal cuff, and it may extend further out on the greater tuberosity, suggesting some laxity or stretching of the cuff in this area (Fig. 8–5). If there is a leak into the bursa, a tear is present in addition to the tendon degeneration. If the shadow has a rectangular, box-like configuration, the adhesive capsulitis stage has developed.

COURSE AND PROGRESS

The progress of the patient depends on the severity of the lesion, situational factors, and often his occupation. If adequate treatment is applied and movement is retained in spite of some pain, the disabling adhesive or freezing stage is avoided. In less stoical and more apprehensive patients, the tendinitis stage may quickly blend with a pernicious adhesive capsulitis, and freezing of the joint occurs. Many of these patients may recall some traumatic episode, but it has seldom been severe. If significant injury is added, the degenerative fibers give way easily, tearing the cuff. Rarely, the discomfort from the degenerative process is not prominent and persistent, and extensive questioning is necessary to bring the patient to admit that shoulder ache has been present for some time. This form of tendinitis develops over a period of weeks, and does not assume the

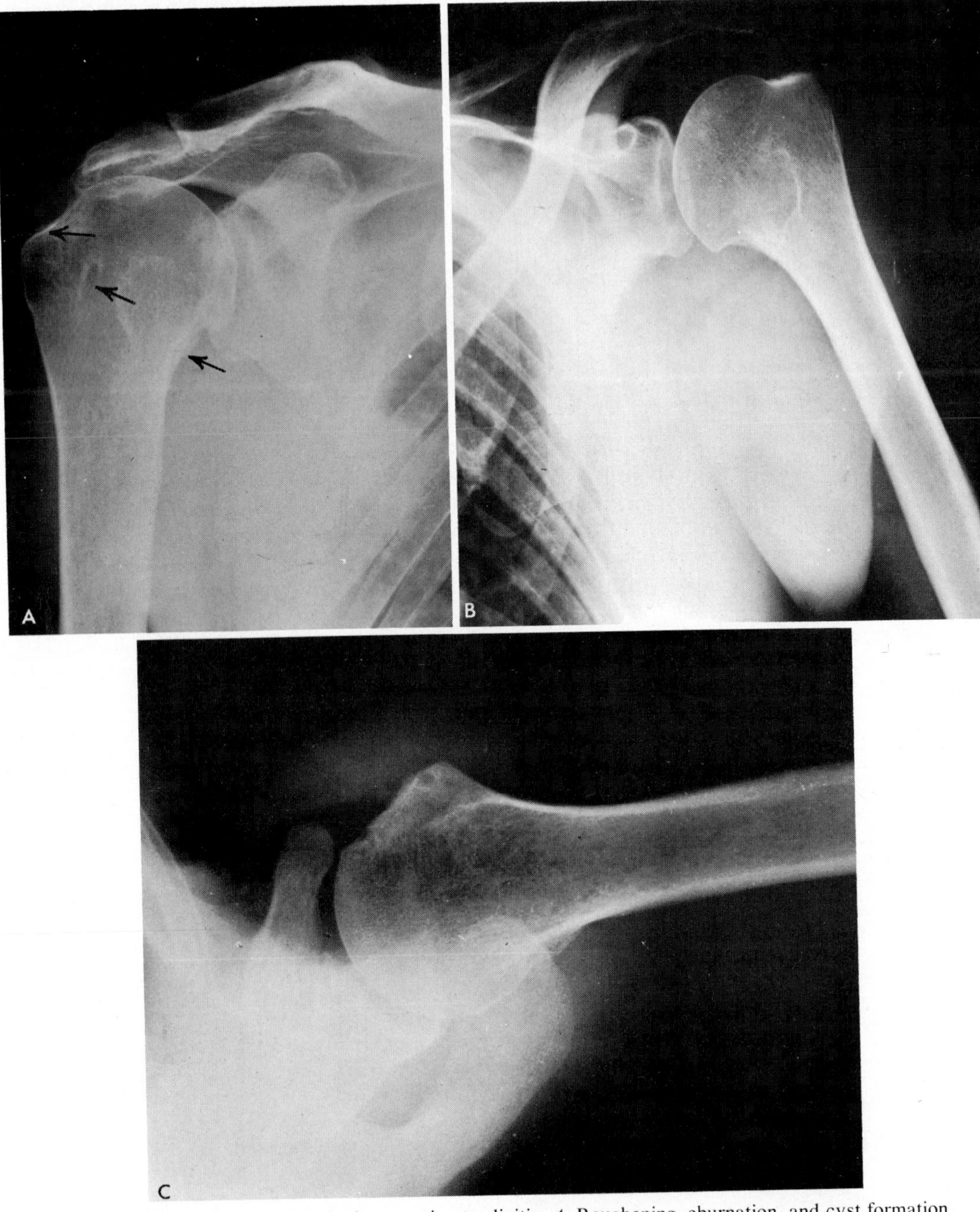

Figure 8–4 Radiographic changes in degenerative tendinitis. *A*, Roughening, eburnation, and cyst formation. *B*, Sclerosis and roughening at cuff insertion. *C*, Erosion, roughening, and cyst formation of greater tuberosity.

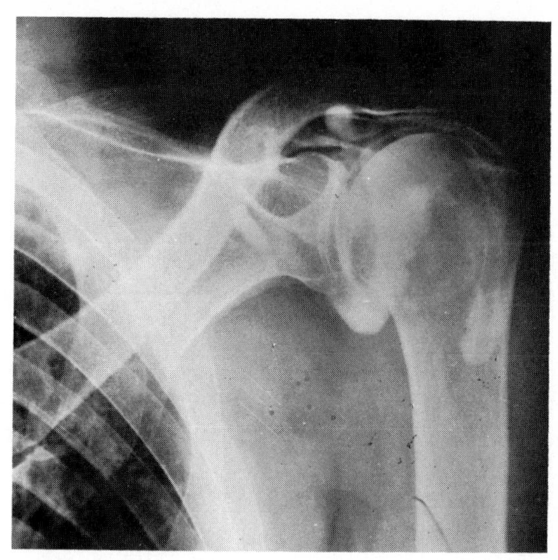

Figure 8–5 Arthrogram in a patient with degenerative tendinitis. The cuff is not torn, but the space between the head of the humerus and the undersurface of the capsule is increased, suggesting laxity and thinning of the cuff.

fulminating characteristics of tendinitis with calcification.

ETIOLOGY AND PATHOLOGY

General Description of the Process

Degenerative tendinitis is a reaction to mechanical stress and strain, plus a process of degeneration. It has been labeled "tendinitis" for want of a more accurately descriptive term. The impression of infection should not be conveyed because the process is a mechanical, degenerative, nonbacterial one. All our joints have a weak spot: in the knee, it is the menisci and the undersurface of the patella; in the hip, it is the head of the femur and its vascular supply; in the shoulder, the weak spot is the musculotendinous cuff and biceps tendon. Small changes start in these vulnerable areas and progress to widespread damage, and a similar but slightly different process can be seen in the shoulder. The development of wear and tear or degenerative arthritis in the knee and hip is common and well recognized. Degeneration in the shoulder begins in the intimate soft parts, and the severe bone changes encountered in the hip and knee do not develop. The rotator cuff bears the brunt of the wear and tear, leading to premature aging. Its anatomic position, allowing exposure to mechanical stress, favors this aging process, rather than any deficiency in its intrinsic structure.

Extensive studies of wear and tear of capsular structures have been done by Grant, Meyer, DePalma, Wilson and Duff, and Keys. Wear increases with age until, according to Codman, a histologically normal tendon in old people is rare. The underlying degenerative process is the early change, but in many instances the cuff gives way, resulting in tears and defects. Tendinitis is interpreted as the early and less serious lesion.

We look for torn cartilages in coal miners and soccer players, and we can expect cuff disturbances in painters, carpenters, and housewives who do much ironing. Lumping, fraying, and cracking of the cuff occurs near its insertion, which upsets the closely adjusted relation to the overhanging coracoacromial arch. Gradually the patient becomes conscious of this as a painful catch or a clicking sensation when the arm is lifted. From this simple beginning, widespread changes develop in bursa, capsule, bone, and cartilage. They progress from a small focus, just as they may in the knee and hip, increasing to extensive joint damage.

Changes in the Tendon

The primary change is in tendon, which then disturbs structures above and below; the bursa is irritated, and cartilage is roughened and eroded. Normally the tendon is a stout ribbon composed of bundles of collagen fibers. Between the bundles are narrow spaces that contain a few blood vessels and are sparsely lined with fibroblasts. The fibers spread a little as they are anchored into the tuberosity, so that the thinnest, most compact portion lies a short distance away from the bone attachment. Degeneration starts in the collagen fiber and in the ground substance between the fibers. The first area involved is the juxtainsertional belt, the part a little medial to the insertion zone. Grossly this appears as a slight thickening or roughening on the surface—an oval, somewhat granular area (Fig. 8–6). When such a region is examined under the microscope, changes are apparent in fiber and ground substance. The fibers become straight, loose, and thin, changing from the normal, compact, wavy, symmetric composition; the margins are less well defined, and staining qualities are altered (Fig. 8–7). Changes in the ground

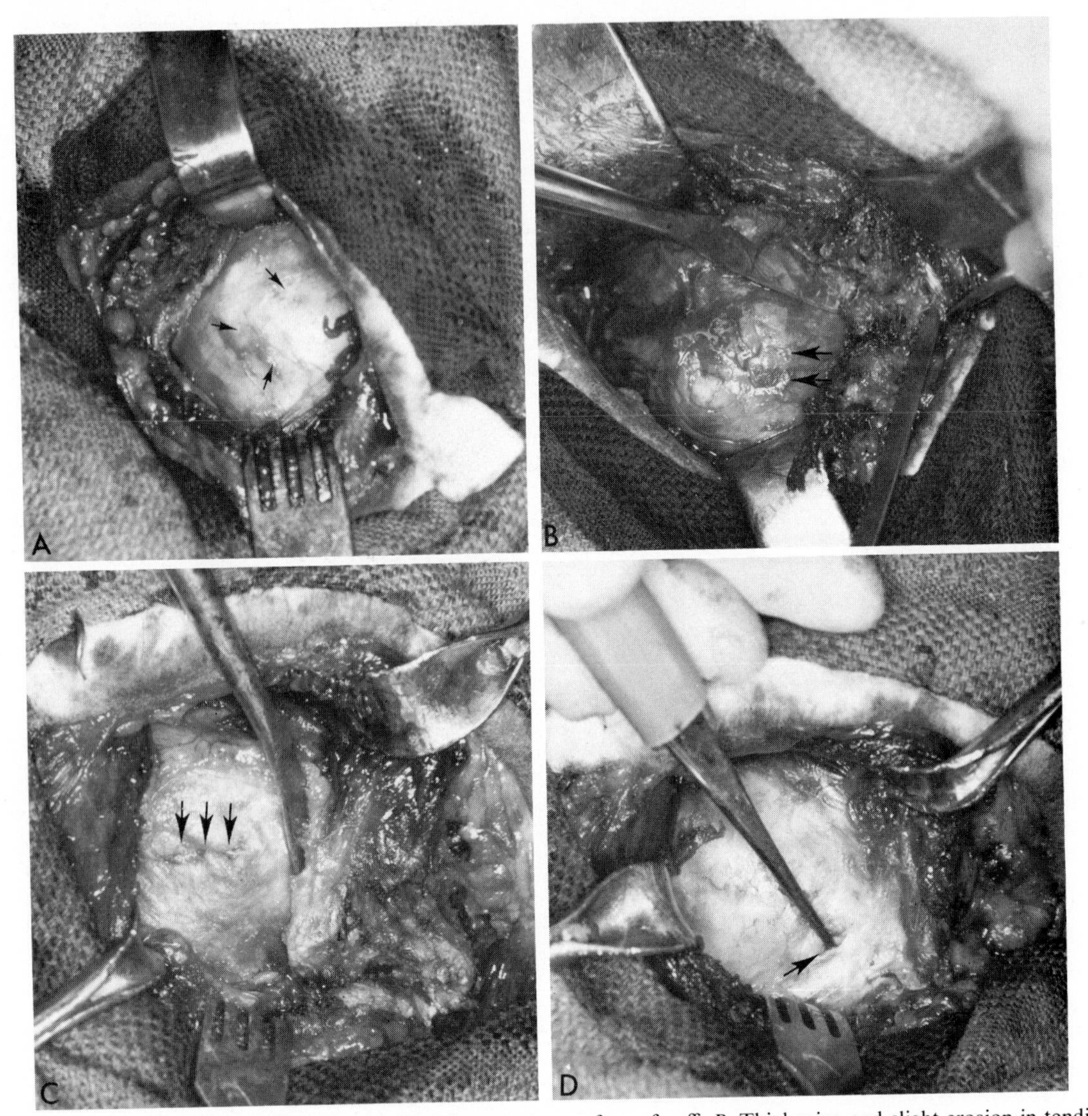

Figure 8–6 Degenerative tendinitis. *A*, Granular areas on surface of cuff. *B*, Thickening and slight erosion in tendinitis. *C*, Roughening and erosion of cuff in tendinitis. *D*, Erosion in tendinitis.

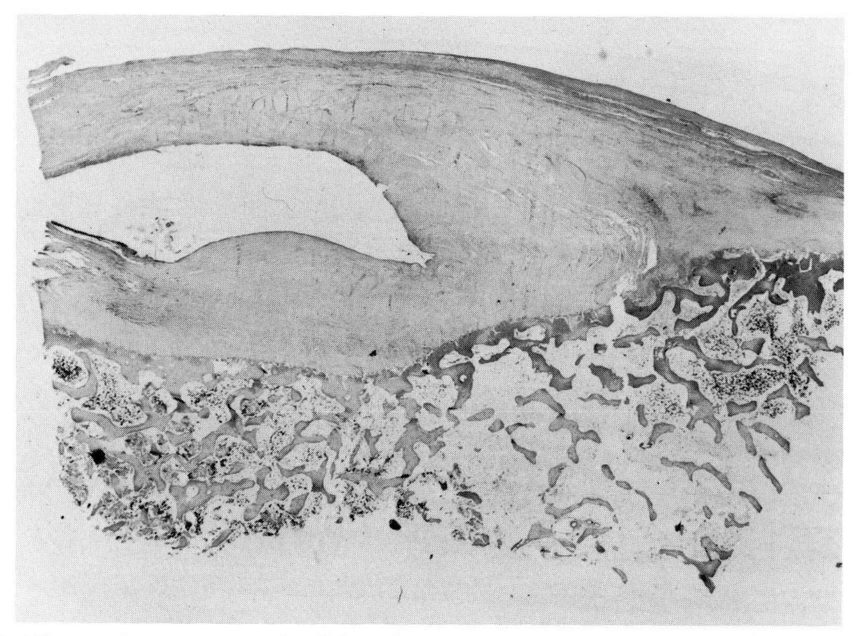

Figure 8–7 Microscopic appearance of cuff insertion zone showing early signs of degeneration. Three definite changes are apparent: (1) separation of layer of deep fibers; (2) loosening of anchoring zone; and (3) beginning of changes in cancellous bone.

substance appear in the form of mucoid swelling, which later leads to a characteristic fibrinoid change. Oval areas lose their collagen fiber composition with the fibrinoid change, and later are replaced by fibrous tissue. As more devitalization and fibrinoid and fibrotic changes occur, the tensile strength of tendon is decreased, and more direct strain is focused on the insertion fibers and adjacent cortex.

Studies by Moseley and his associates have made a fundamental contribution to the elucidation of the vascular supply of the rotator cuff, which is received from three principal sets of vessels (Chapter 2).

Osseous Arteries. A group of vessels from the bicipital grove branch of the anterior circumflex enters the greater tuberosity and penetrates to the tendinous attachments.

Muscular Branches. From supra- and subscapular arteries, a profound network extends into the tendinous zone, through the musculotendinous junction.

Tendinous Vessels. In addition to anastomoses of the muscular and osseous branches, the supraspinatus zone receives a branch from the arcuate artery, which runs beneath the bursa and extends to the supraspinatus tendon to anastomose with these vessels.

The suggestion has been made that a critical zone exists at the point of anastomosis, but practical experience suggests that this zone cannot be extensive. It is common experience at operation for removal of calcium deposits or cuff repair to encounter insistent oozing from the conjoint tendon if it is pricked with a needle or resected for suture; the area is anything but an avascular or ischemic zone. These observations support the modern theory of calcifinolaxis: that calcium is precipitated on living collagen, but not necessarily in an area of ischemia. Similarly, as one studies cuff ruptures, it becomes evident that they do not all occur in any one place, nor do they have a similar configuration. The variation in size, shape, and position does not indicate that any initial separation has a fixed source.

Synovium atrophies and disappears at the point of reflection of capsule from tuberosity. Changes similar to those in the cuff appear in the sheath and the long head of the biceps tendon. The sheath becomes thickened and adherent, and zones of fragmentation and hyaline degeneration appear.

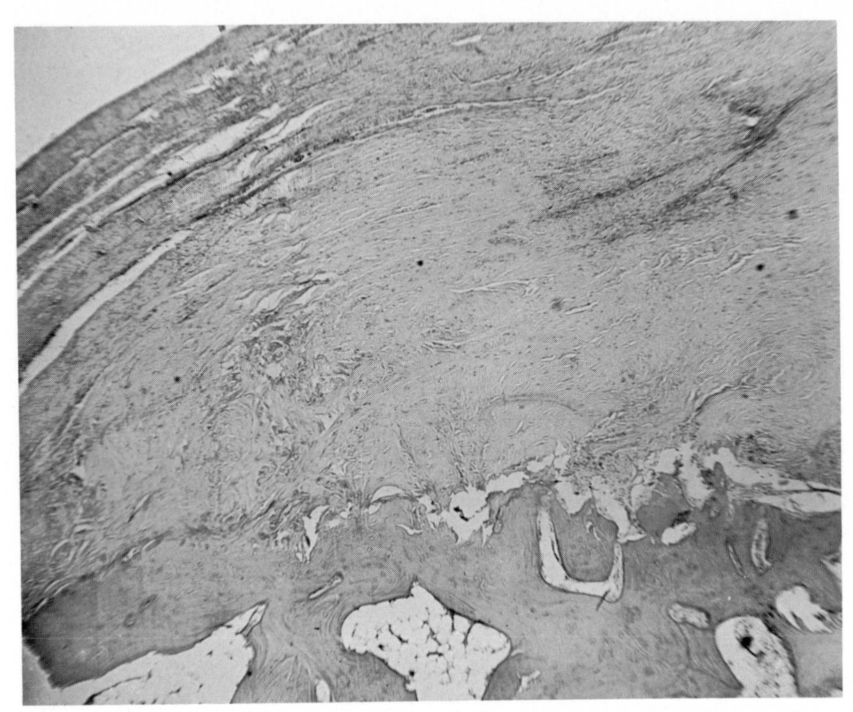

Figure 8–8 Early microscopic changes in degenerative tendinitis. Separation and fibrillation of collagen fibers, changes in ground substances between the fibers, cracking of cartilage plate, and disruption of normal cancellous architecture are apparent from above downward.

The tendon is roughened, tensile strength is decreased, and areas of fibrinoid degeneration develop, to be followed by fibrosis. The weakened area may give way as these changes progress.

The cuff is anchored by rows of perpendicularly placed cells that infiltrate the osseocartilaginous junction. Beneath these roots is a thin line of compact bone roofing the cancellous upper end of humerus. In the aging process, cells of the anchoring zone show degenerative changes too; they become loose and vacuolated, and the compact cortical line is disrupted (Fig. 8–8). Some areas of cortex become eburnated and hardened, and small portions may be avulsed. Beneath the cortical layer, small cystic cavities develop in the cancellous zone from the coalescence of several trabeculae. As the tendon weakens further, it becomes stretched as a hat does when blocked, or as a rubber tube is blistered, so that it may be creased or folded and caught as the head of the humerus swings under the coracoacromial arch. What happens to a cuff once this stage is reached depends on the activities, age, and occupation of the patient. In younger people, calcification may occur in the disturbed area; in laborers who handle heavy work, a fall may produce a massive rupture. In older, more sedentary patients, the wearing, fraying, and cracking continues in varying degrees.

Bursa

The bursa during this process loses its filamentous proportions. The thin, pinkish envelope develops thick walls with redundant folds. Thick, cordlike adhesions appear firmly anchored to the floor and are most obvious at the musculotendinous junction, away from the tuberosity. When movement is decreased, the bursa shrinks and the walls tend to fall together, becoming adherent. On microscopic examination the normal, smooth, synovial surface is deficient, with patchy areas being replaced by fibrous tissue. Zones of hyaline degeneration in the walls and villose folds are present. The extent of the fibrosis varies; in some patients only a few normal areas remain, and the walls become thick, stiff, and adherent (Fig. 8–9).

Cartilage and Bone

The smooth surface of cartilage immediately beneath tendon also reflects the

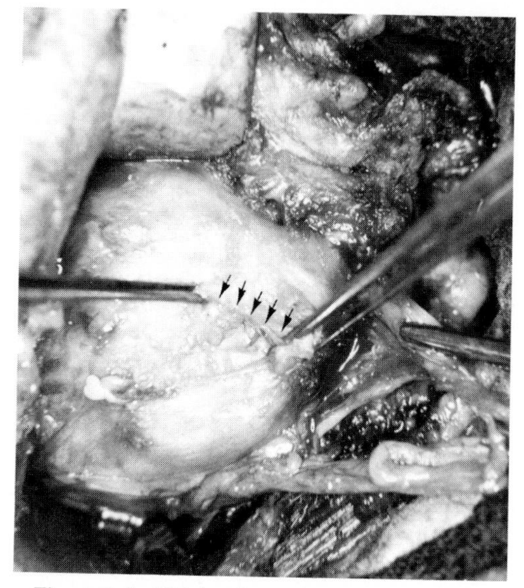

Figure 8–9 Thick adherent bursa in tendinitis.

changes of the degenerative wear and tear process. The sheen is lost first as it becomes scratched; blister formation develops and superficial flakes are dislodged. As the eroding pressure from the roughened tendon continues, cartilage disappears over a triangular-shaped area, with the base at the edge and the apex pointing into the joint (Fig. 8–10). Bare cortical bone lies under the tendon, then at the rim. Cortex becomes eburnated and, as tendon fibers pull out, it is roughened and heaped up. All these changes—the fraying thickening of tendon, heaping-up of bone, roughening of cartilage, and gluing of bursa—take place in the critical subacromial zone, and then tend to obstruct the swing of the tuberosity beneath the coracoacromial arch. As movement continues, the wearing process grinds on. Subcortical trabeculae atrophy, and small cystic areas develop and are filled with fibrofatty substance.

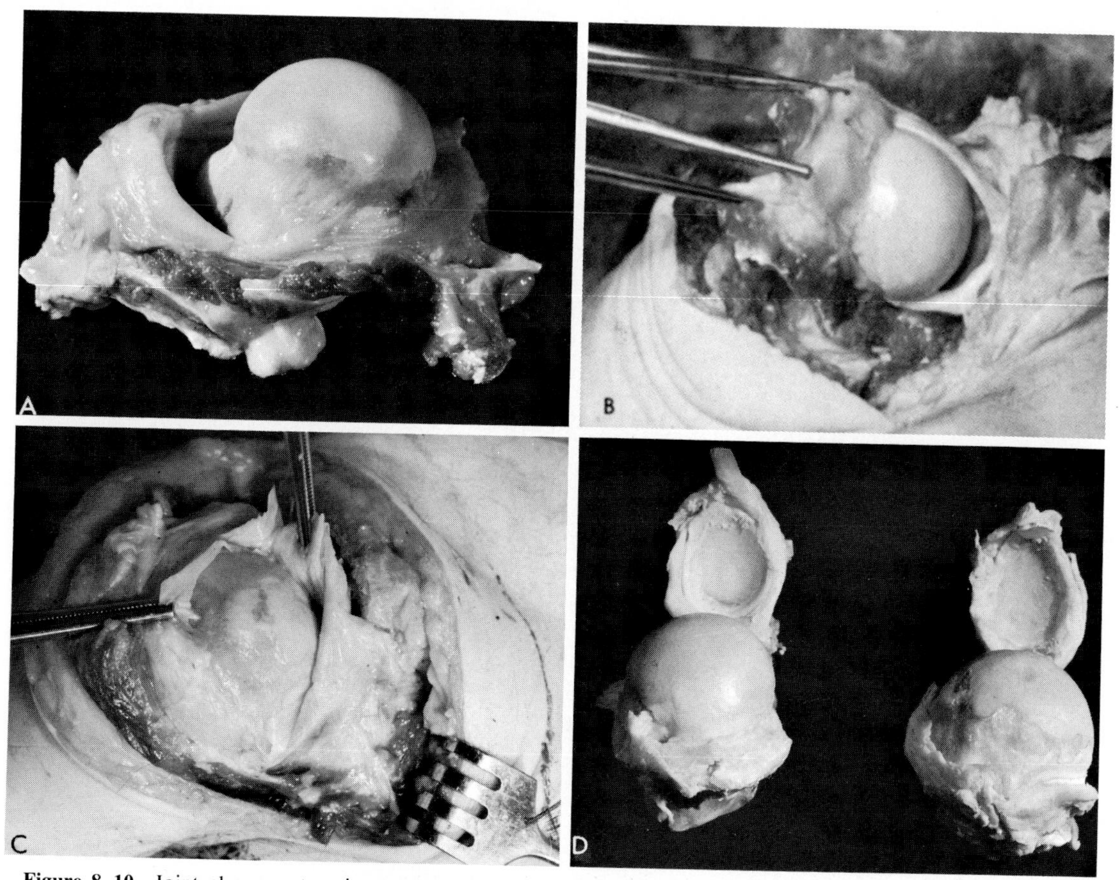

Figure 8–10 Joint changes at various stages of degenerative tendinitis. *A*, Normal head and capsule at age 50. *B*, Cracking and fraying of cuff, erosion of cartilage. *C*, More advanced changes in tendon and bone. *D*, Advanced changes in head and glenoid compared with normal.

TREATMENT

Degenerative tendinitis is a chronic process that usually can be treated quite successfully by conservative measures. The principles are to relieve the pain, preserve joint movement, and help the patient plan how to avoid obviously irritating activities. These patients have had shoulder pain for some time, and often fear they have some serious disease such as a malignant lesion or crippling arthritis. It helps considerably to explain the nature of this disturbance; patients are most grateful for having their fears allayed.

Injection Therapy

The quickest and most effective relief is obtained from injections of anesthetic agents into the subacromial bursa. One or several injections at intervals of one to two weeks are necessary. The author prefers 2 per cent Novocain, or a similar local anesthetic, with 5 to 12 ml injected as an office procedure; 1 ml of a steroid may be added. After receiving the injection, the patient moves the arm through as full a range as possible, assisted by the doctor if necessary. The relief of pain is always sufficient to increase the range. The probable duration of the maximum pain relief is explained, so that the patient will not be disconcerted by the return of some discomfort. Increased movement is encouraged within reasonable discomfort limits, and the patient is instructed in exercises and proper sleeping posture.

Since the principle of injection therapy is to decrease subacromial reaction, the injection is made into the subacromial bursa, not into the joint. It is much easier to do this from a posterior aspect, otherwise it is difficult to be certain that the injected material is placed subacromially so that it will bathe the irritated zones.

A point just below, and medial to, the angle of the acromion is selected, and a 21-gauge 1½-inch needle is used. It is insinuated under the acromion on top of the humerus until it comes to rest in the subacromial space, where it is discharged (Fig. 8–11). If the head of the humerus is hit with the needle, the needle is angled upward slightly to parallel the undersurface of the acromion. Injections into the deltoid insertion are ineffective, and sometimes made in error, because this is the point of pain as a result of the fiber conversions. The disease is not located here, but lies under the acromion. Similarly, injections from the front into capsule substance are ineffective because the solution fails to reach the zone of maximum irritation with certainty.

Local block of the suprascapular nerve has been recommended, but the author's experience has been that a more direct approach to the main disturbance by subacromial injection is much more effective.

Systemic Medication

Drug therapy, accompanying subacromial injections and physiotherapy, is extremely useful when the suitable drugs can be tolerated by the patient. Some form of steroid or phenylbutazone, or a combination of these, is the most effective. Phenylbutazone, preferably buffered, is given in sufficient quantities to produce an effective blood level. Such a routine usually includes two tablets three times a day for two days, then one tablet three times a day for three days, followed by one tablet twice daily for an additional period of approximately two weeks. The maintenance dose of one tablet twice daily may be continued for three to six weeks, depending on the response. Beyond this point, the blood state must be checked and the drug discontinued if there is any suggestion of leukopenia or anemia. Many other side-effects and allergic reactions must also be guarded against. The drug should be avoided in patients with hypertension, anemia, cardiovascular disease, gastric ulcer, or kidney disease. It is usually quite feasible to use the drug carefully.

Steroid preparations are similarly effective, particularly when there is extensive freezing or adhesive capsulitis. If cortisone is used, a useful dosage schedule is 25 mg three times a day for three to five days, then 25 mg once a day for nine or ten days. Proper precautions are also essential in the administration of this drug. Swelling of the feet and ankles is an indication for discontinuation of phenylbutazone or the steroid.

Medication

Some light sedation at night is used for a short while in support of injection therapy. A preparation containing acetylsalicylic acid, codeine, and phenacetin is best; however,

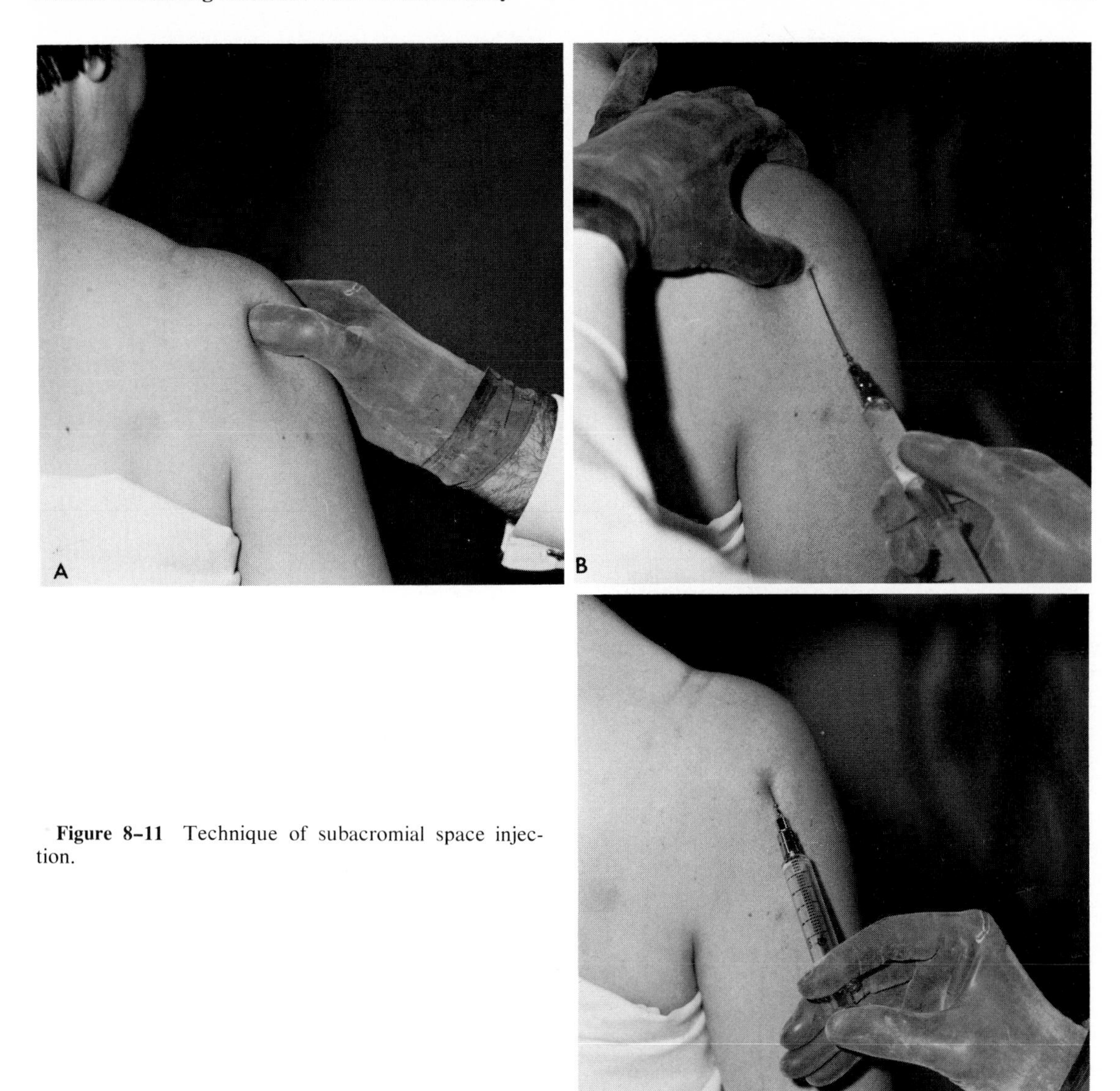

Figure 8–11 Technique of subacromial space injection.

this usually is not necessary when cortisone or phenylbutazone is being used. Injection or cortisone therapy should be accompanied by a program of active exercises. If possible, supervision by a physiotherapist is recommended, but if this is not available the physician can outline a program of home exercises, such as is given later in this chapter.

Physiotherapy

In the early stage of degenerative tendinitis, the most important function a therapist can perform is to re-educate the patient. Even if it is the patient's first attack, he must relearn normal shoulder patterns and how to protect the shoulder from stress in daily life. If it is the second or third episode, he will be especially receptive to a thorough explanation of the smoothly coordinated and intricately-tuned shoulder mechanism, and the extra importance that power assumes after minor trauma in this very mobile and architecturally unstable joint. If he understands that further trouble can be avoided only through building shoulder power and adopting protective measures, he will follow the therapist's instructions and apply them in his work, recreation, and home life.

Like the low back, the shoulder is a mostly ignored workhorse until it becomes painful. The sedentary life does not build the glenohumeral and shoulder girdle power required to lift heavy loads on weekends at home or at the cottage. Careful inquiry into life style will reveal the problem activities. The patient will seldom remember experiencing pain while performing the activity, but he can easily be shown how potentially stressful it can be:

1. to work without shortening the length of the lever when lifting heavy loads (perhaps the size of the object should be reduced);
2. to require the shoulders to lift more than one-quarter of body weight above shoulder level;
3. to work for prolonged periods above shoulder level with a weight in the hand, or to perform an activity requiring a pounding or pressing action.

The patient must learn not to force with his body weight against his locked shoulder mechanism, as, for example, when a window resists opening or a piano is being moved. When working above shoulder level, he can easily comprehend the necessity of either changing to a long-handled tool, or raising his body on a ladder or stepstool in order to use two hands and work below shoulder level, where he has power and control.

The most important basic principle the patient must learn is to use the most powerful and most functional pattern wherever possible—flexion, adduction, external rotation. He must adjust his body position to face the object being manipulated, turn the body, and keep the elbows forward and below shoulder level (see Fig. 8–12).

If supporting the weight of the arm lessens the pain, the patient can rest his shoulder in a sling or on chair-arms at the proper height. When sleeping, the arm may be rested in a comfortable position supported on pillows that will prevent the patient from inadvertently rolling onto the affected shoulder during the night.

In conjunction with injection therapy, the therapist can help reduce the inflammation by using pulsed ultrasound locally over the inflamed tendon daily. The patient is instructed to use ice, heat, or transcutaneous nerve stimulation applications if they prove helpful in relieving discomfort, and to move the joint through a full range of motion once daily to check that range is not becoming restricted. No forced motions or pulley exercises are taught.

Whenever discomfort has lessened to the point that isometric exercises will not ag-

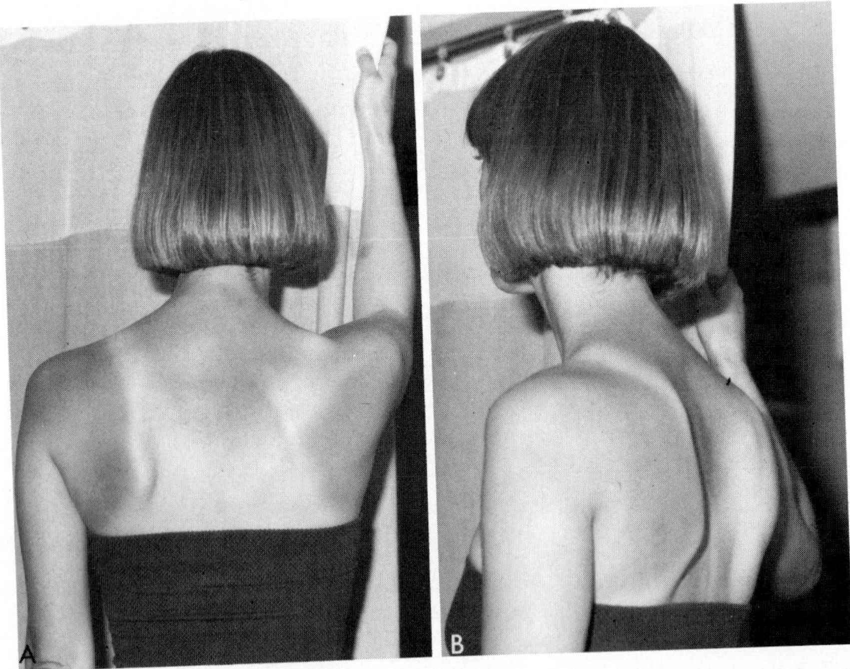

Figure 8–12 Patient working in front of the body rather than reaching to the side (flexion, *A*, rather than abduction, *B*).

gravate pain, the patient is taught these and a home program, as outlined, to continue independently.

In the subacute stage of degenerative tendinitis, the patient may demonstrate some loss of range of motion as well as visible muscle wasting. Any measure the therapist can use to relieve pain, and to help the patient relax, will help him regain this motion. Independently performed strengthening exercises for the shoulder girdle musculature can be begun immediately, and the therapist and patient can work while transcutaneous nerve stimulation or ice is applied to lengthen shortened structures with hold/relax and gentle mobilizations within the patient's tolerance (gentle traction or distraction is usually helpful during exercise). At no time should pain increase or continue after treatment, and the patient should try to maintain as much range of motion as possible.

In the treatment of a frozen shoulder, the therapist must encourage the patient to use hand and elbow as much as possible, and to maintain all the shoulder range of motion that is present. Any modality that produces relief of pain can be used. The range of motion should never be forced by the therapist or the patient.

Home Exercise Program for Degenerative Tendinitis

To Maintain Range of Motion. (Exercises to be done in lying, once daily, assisted with the other hand if necessary.) See instructions with Figure 8–13*A, B,* and *C.*

To Maintain Range of Motion and Produce Relaxation. (*No* weight in hand because gravity will provide the traction.) Bending over with forehead supported, allow arm and shoulder to relax, then swing:

1. forward and back;
2. side to side;
3. in a circular motion.

To Strengthen Shoulder Girdle. Sitting in front of the mirror, keeping the head facing straight ahead, bring the tips of the shoulders:

1. forward and up toward the nose;

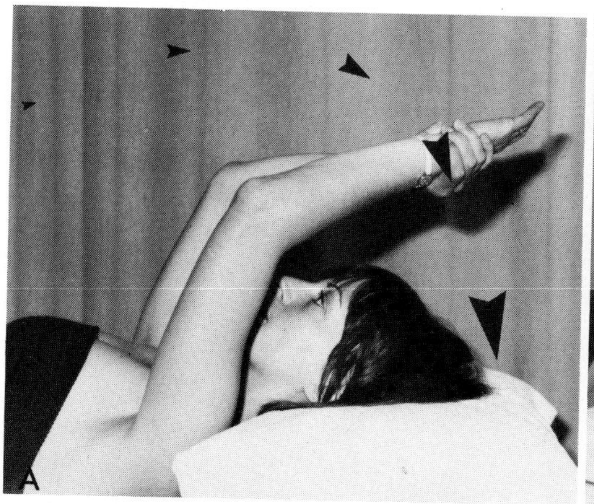

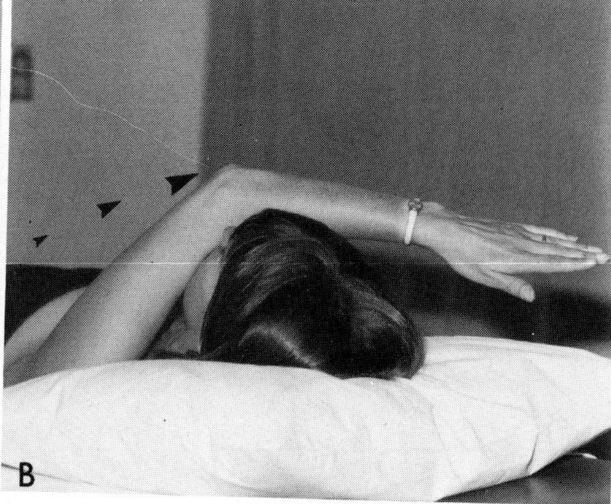

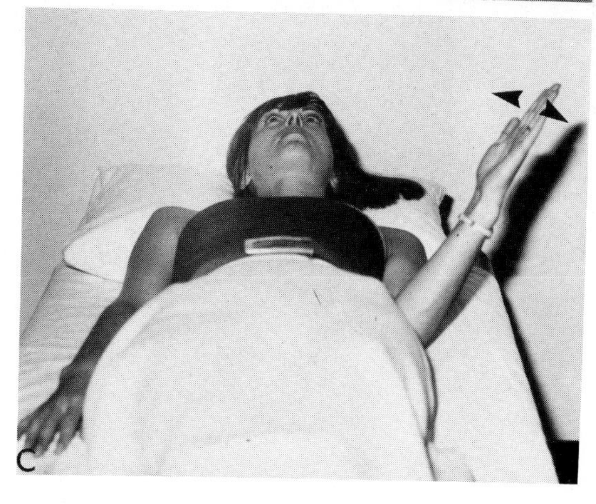

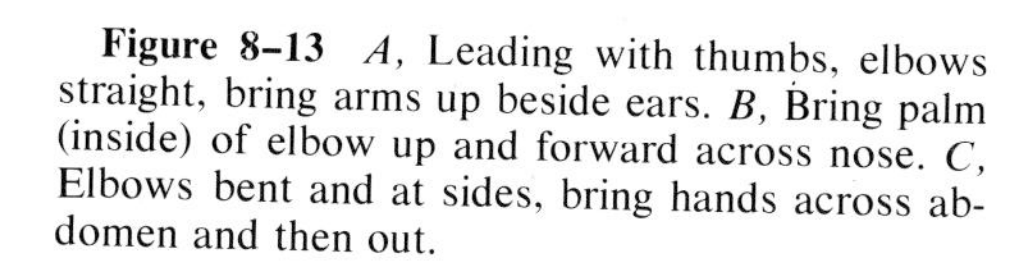
Figure 8–13 *A,* Leading with thumbs, elbows straight, bring arms up beside ears. *B,* Bring palm (inside) of elbow up and forward across nose. *C,* Elbows bent and at sides, bring hands across abdomen and then out.

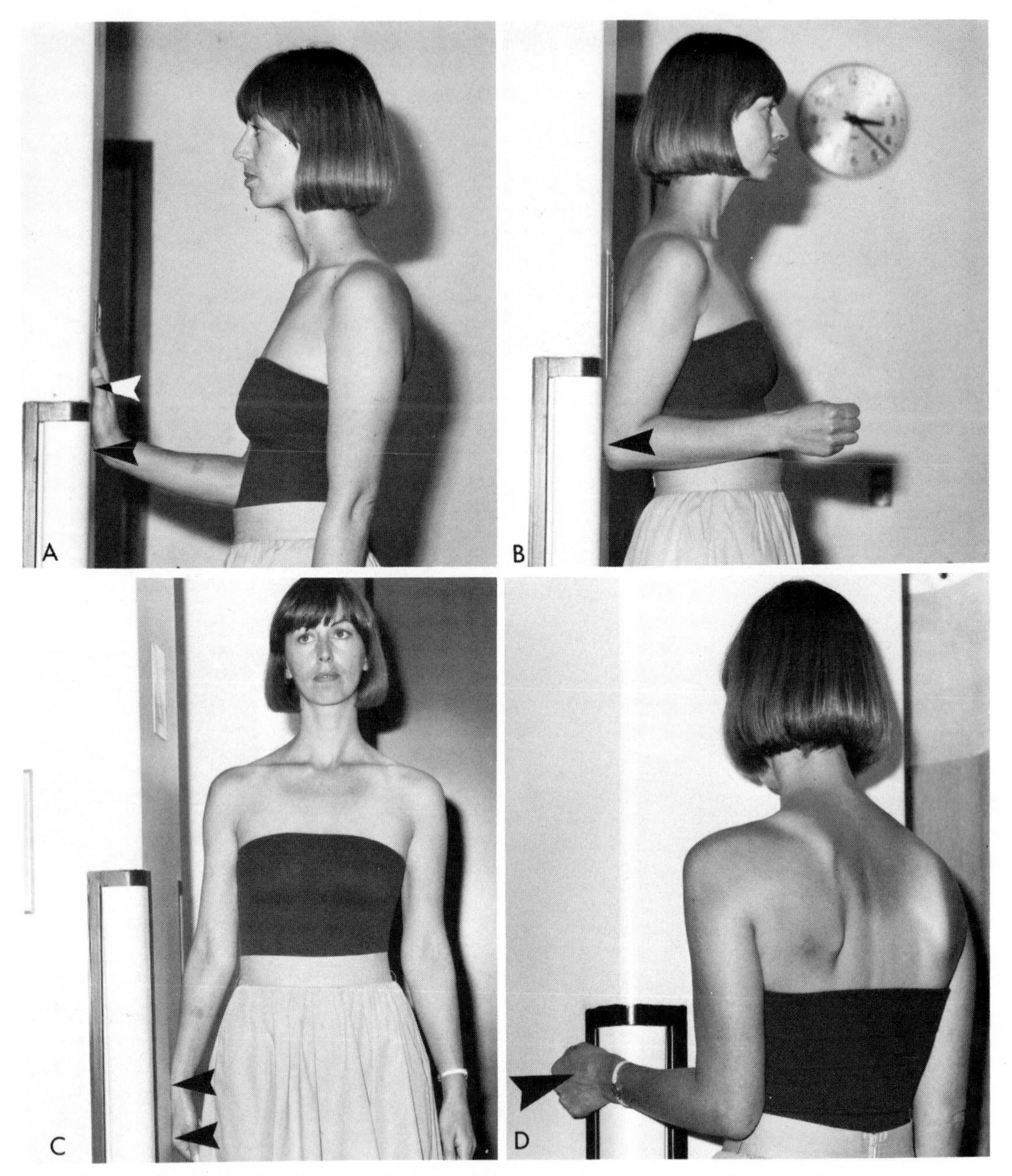

Figure 8–14 Self-resisted isometrics. *A*, Flexion against a wall. *B*, Extension against a wall. *C*, Abduction against a wall. *D*, Internal rotation against a pillar or door jamb.

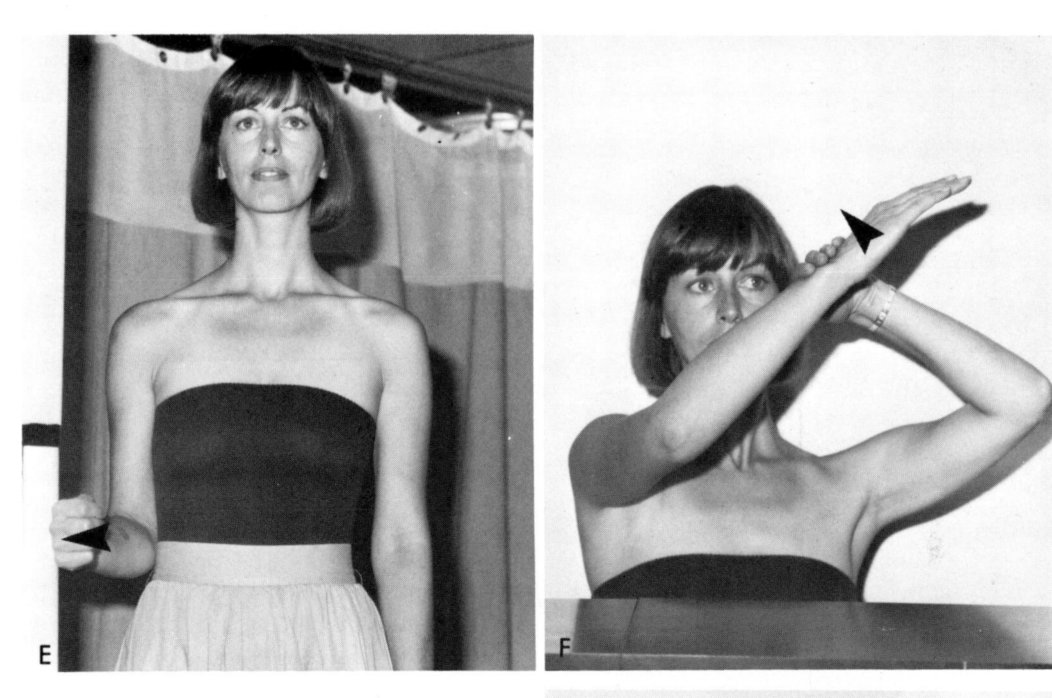

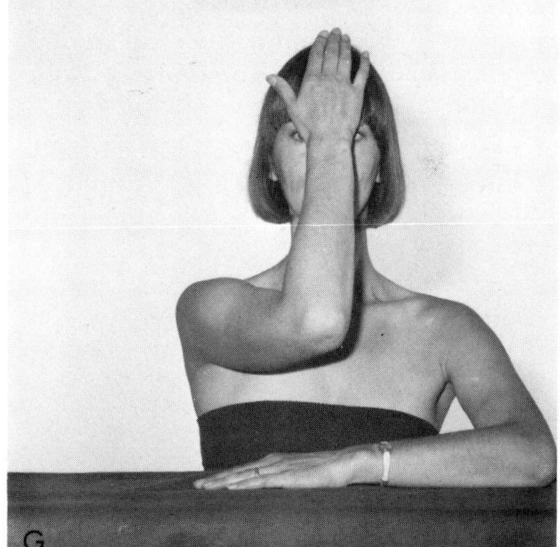

Figure 8–14 *Continued* *E*, External rotation against a pillar or door jamb. *F*, External rotation in a more functional range. *G*, Flexion-adduction in a more functional range.

2. down and back toward opposite hips (i.e., pull shoulder blades together in back);
3. up and back toward back of neck;
4. forward and down toward opposite hips.

To Strengthen Glenohumeral Muscles. Self-resisted isometric exercises (these should not produce pain). Using the wall or a belt to offer resistance, with elbow at the side, bend elbow to 90 degrees, push against wall, hold maximum force for six seconds, and relax. This should be done in the five positions illustrated in Figure 8–14*A* to *E*. As strength improves, the patient can work with elbows supported in front of him on flexion, adduction, and external rotation (Fig. 8–14*F*) until he can place palm of hand on forehead and resist all three components of motion with the opposite hand (Fig. 8–14*G*).

Operative Treatment

Eighty to 90 per cent of patients with degenerative tendinitis recover with conservative treatment. If, in spite of this, pain and limitation of movement persist and interfere with productive activity, surgical therapy should be considered. The most satisfactory procedure is exploration of the joint and débridement of the generative process in the tendon that results in mechanical obstruction of shoulder movement. Little can be done about the degenerative process, but the mechanics of the glenohumeral joint can be improved. This is accomplished by altering the overhanging coracoacromial arch so that less obstruction faces the greater tuberosity as it swings in abduction. The operation should not be performed routinely for all shoulder disabilities, but only when the diagnosis is clear and conservative treatment has failed. Indications will be clear for the small percentage of patients who require this procedure. Chronicity and economy are controlling factors; it seem unreasonable to expose patients to months of pain and limitation of movement, favouring onset of a frozen shoulder, when there is an operative procedure of benefit.

Recently, the author has discarded total excision of the acromion in favor of acromioclavicular arthroplasty, for several reasons. Acromionectomy, although effective in improving coracoacromial relations by decreasing overhanging obstruction, is usually too extensive a procedure. It is seldom that the whole acromion needs to be removed, since it is usually the medial portion that causes obstruction, rather than the whole or the lateral segment. An anteromedial quarter-inch can be removed to increase arch height and to serve as an arthroplasty of the

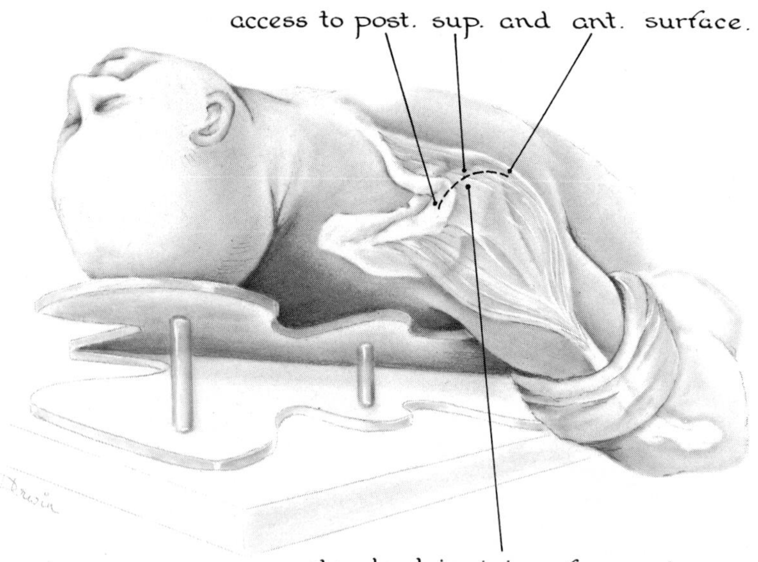

Figure 8–15 Table position for shoulder surgery.

acromioclavicular joint. More often, excision of the outer half-inch of the clavicle is done to produce the acromioclavicular arthroplasty. This increases the space beneath the arch quite adequately.

Repair of the deltoid after total acromionectomy is sometimes difficult and may be unsatisfactory. Acromioclavicular joint irritation is an extremely common concomitant lesion in these conditions, and the additional swinging space for the head of the humerus obtained in this fashion also removes possible irritation at the acromioclavicular joint. When rotation of the humerus is lost owing to capsular irritation, the patient cannot swing the humerus under the arch nearly so well, and he tends to supplement this defect by replacing glenohumeral motion with acromioclavicular action at a much earlier stage of the abduction swing. Such substitution wears the acromioclavicular joint, and irritation develops in this area as a secondary painful symptom. Arthroplasty of the acromioclavicular joint has been a very successful development in the technique of operative treatment for degenerative tendinitis and adhesive capsulitis, and in repair of massive cuff defects.

Incision. The utility shoulder incision is made, 3 inches in length, extending distally from the anterior aspect of the acromioclavicular joint along the direction of the deltoid fibers (Fig. 8–15). Once the disturbance within the joint has been identified and the operative management decided, the incision may be extended posteriorly over the clavicle to complete the arthroplasty, or distally to deal with disease located more inferoanteriorly.

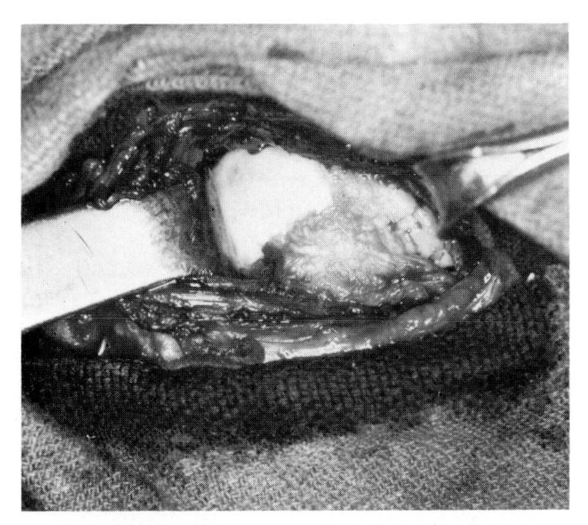

Figure 8–16 Deltoid fibers separated.

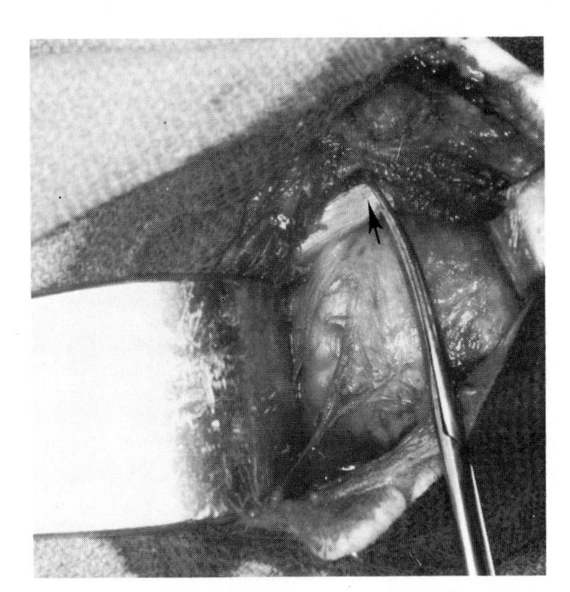

Figure 8–17 Incision of coracoacromial ligament to extend exposure proximally.

Exposure. Fibers of the deltoid are separated and the joint inspected (Fig. 8–16). Acromioclavicular arthroplasty is nearly always required, unless very minimal cuff irritation and bursal reaction are encountered. The incision is extended posteriorly over the joint for 1 to 1½ inches. The coracoacromial ligament is cut, and the bursa and cuff débrided (Fig. 8–17). The acromioclavicular superior capsule is incised and reflected medially beneath the outer half-inch of the clavicle, and this is cut with the reciprocating saw. The piece of clavicle is pulled out, usually leaving a strong posterior capsule intact as a stabilizing guard (Fig. 8–18).

When the major irritation embracing cuff margin and cortex of the humerus lies more laterally, or the tip of the acromion is beaked or spurred, acromioclavicular arthroplasty is accomplished by removing the anteromedial one-quarter- to three-eighths-inch of the acromion. The piece resected includes the articular facet (Fig. 8–19). This has a similar result as far as the joint is concerned, and does not jeopardize deltoid attachment nearly so much as total excision of the acromion. This maneuver is frequently used in repairing cuff tears that lie well lateral on the head of the humerus.

The clavicle or acromion should be cut cleanly with the saw, and not rongeured away or split with a bone-cutting forceps. Coagu-

Figure 8–18 Resection of the lateral end of the clavicle.

lant material such as Surgicel or Gelfoam is packed around the cut surface to prevent future spur formation.

Closure is effected with a synthetic suture such as Mersilene; catgut and silk are to be avoided because of frequent granuloma formation. The deltoid fibers are repaired with a light continuous suture, a few subcutaneous stitches are inserted, and the skin is sewn, preferably with an intracuticular running synthetic suture.

Postoperative Routine. The arm is suspended for 24 hours at the side (see Fig. 8–65*A*), and then placed in springs and slings (see Fig. 8–65*B*). Physiotherapy is as for Grade I rotator cuff repair, explained later in this chapter. Systemic medication is started at 48 hours (phenylbutazone) and continued for four to six weeks.

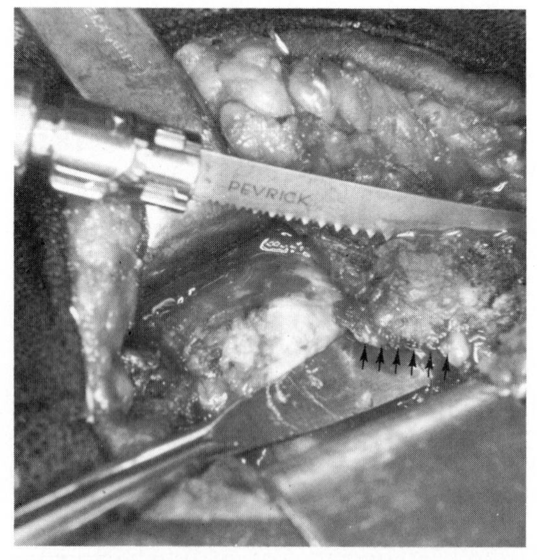

Figure 8–19 Resection of acromion; note its abnormal edge.

The patient is discharged when the postoperative reaction has subsided and the limb is comfortable. This is often five to seven days, but may take longer if the patient is reluctant to use the limb. Sutures are removed at three weeks, and supervision continues according to the patient's progress and limb control. The goal should be free motion, well above a right angle, with marked decrease in pain.

TENDINITIS WITH CALCIFICATION

The most painful affliction of the shoulder is acute tendinitis with calcification. It is a common condition usually encountered in younger, more active patients than those with degenerative tendinitis. The deposits occur in the rotator cuff, right in tendon substance. They are most often related to the supraspinatus area, but may occur also in relation to infraspinatus, subscapularis, and teres minor. Deposits may be present for years without causing trouble, but an acute disturbance may develop suddenly.

SIGNS AND SYMPTOMS

Patients seek attention for this disorder when the pain is acute, and present a typical picture. They often wear an anxious expression, and hold the afflicted extremity with the uninvolved arm as if it were a Ming vase. They have had sleepless nights and seek prompt relief. Pain is the dominating complaint, and they localize it quickly and accurately to the shoulder. Any movement of the arm is distressing, and they cannot use it to dress or undress. A sudden jar precipitates paroxysms of discomfort. There is limitation of movement in all directions because of pain and muscle spasms. If the patient can tolerate the movement, it is possible to demonstrate that the typical impingement arc from 70 to 100 degrees of abduction evokes maximum discomfort. The course of the disorder may be fulminatingly acute over a period of 48 hours, or, more commonly, a little less acute over a period of five to seven days. The pain starts as a slight catch or stab on lifting actions, and is followed shortly by a persistent

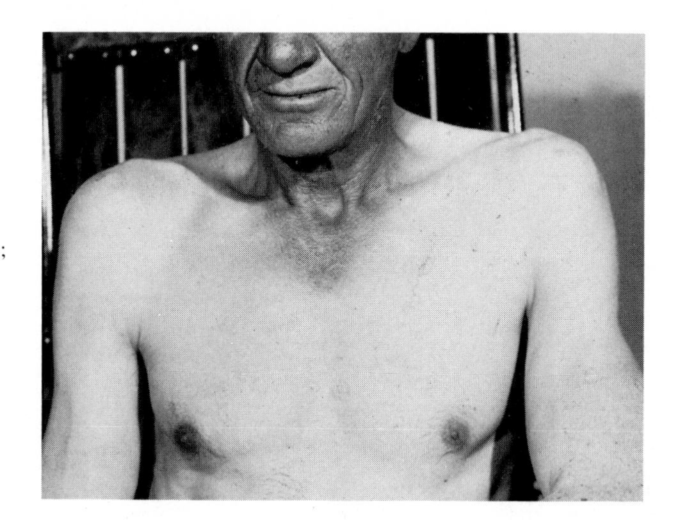

Figure 8–20 Acute tendinitis with calcification; note swollen right shoulder.

ache on all movements. In acute cases this quickly reaches a climax in which any movement is most distressing. The shoulder is swollen and warm (Fig. 8–20). The patient pinpoints an exquisitely tender area on the upper aspect. When the process is subacute, some pain is referred to the insertion zone of the deltoid. No gross changes are apparent in this zone, but the muscle feels a little tense. Patients may complain of a lump at this point, but examination invariably shows only a little tenderness and possibly a little prominence of the deltoid fibers as a result of the increased tension and spasm.

These patients are very uncomfortable and demand fast relief. Their period of disability varies with the efficacy of the therapy and the extent of the local disease process. Symptoms occasionally can be made to subside with no treatment at all other than keeping the shoulder immobilized at the side. Such examples are rare, however, and this management is apt to be followed by limitation of movement or complete freezing of the shoulder. Once the acute symptoms have started, the episode usually follows through its full distressing course. Peculiarly enough, recurrence is uncommon if the deposit disappears.

Clinical progress is not significantly altered by the appearance or position of the calcified deposit. The common location is on the superoanterior aspect. The size of the deposit bears little relationship to the severity of the symptoms. As seen in radiographs the deposits may vary from a stringy, crescentic formation to a sharply defined, billowy cloud (Fig. 8–21). The consistency of the deposit is related to the therapeutic result, since cloudy, diffuse deposits are easily aspirated, or tend to absorb quickly, whereas small, granular concretions are resistant. Night pain is an accompaniment of all shoulder disorders and is very prominent in calcified tendinitis. It begins as a vague, aching discomfort that makes it difficult for the patient to lie on the involved side. No position is comfortable and sedation is needed for relief. The patient may be awakened by the acute pain, due to pressure or irritation of the inflamed area in the tendon. During sleep there is a release of muscle spasms, allowing rotation; sudden movement or elevation brings the tender area into contact with the overhanging obstructing coracoacromial arch, producing a sharp twinge of pain.

ETIOLOGY AND PATHOLOGY

Periarticular calcification is found more often in the shoulder than in any other joint in the body. It occurs in a relatively young age-group, 25 to 50, so that it differs from degenerative tendinitis. The concretions are granules of calcium phosphate that develop right in tendon substance. They are not part of a generalized calcification process such as may develop in hyperparathyroidism; no profound metabolic upset occurs, and the reaction is independent of increased calcium in the blood. The precipitating factor appears to be local change in the tendon substance. Usually only one shoulder is involved acutely at a time, but both shoulders may be affected. The deposits vary in consistency from a watery paste to powdery granules; no bony elements are encountered. Strangely enough, deposits often rupture into the bursa, but

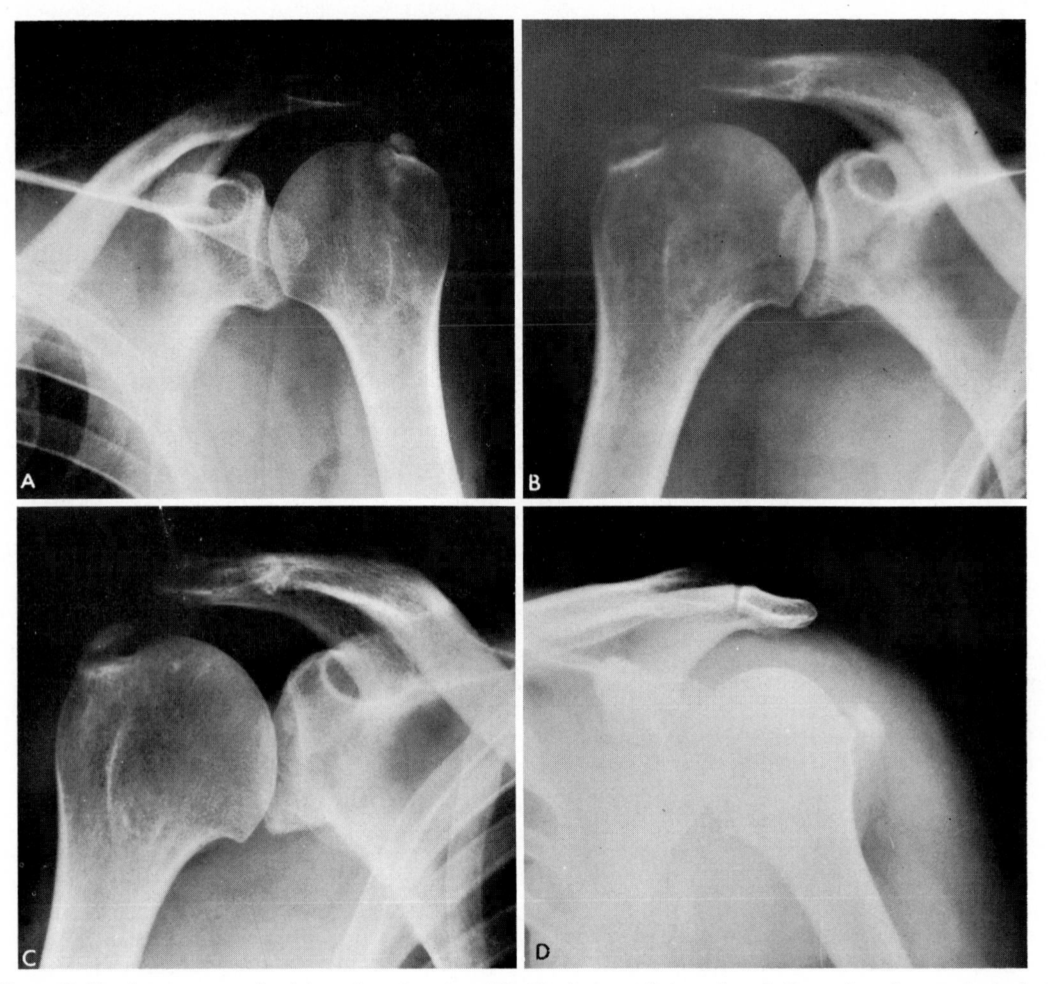

Figure 8–21 Appearance of calcium deposits. *A* and *B*, Typical small deposits. *C*, Deposit and acromioclavicular arthritis. *D*, Deposit in infraspinatus insertion.

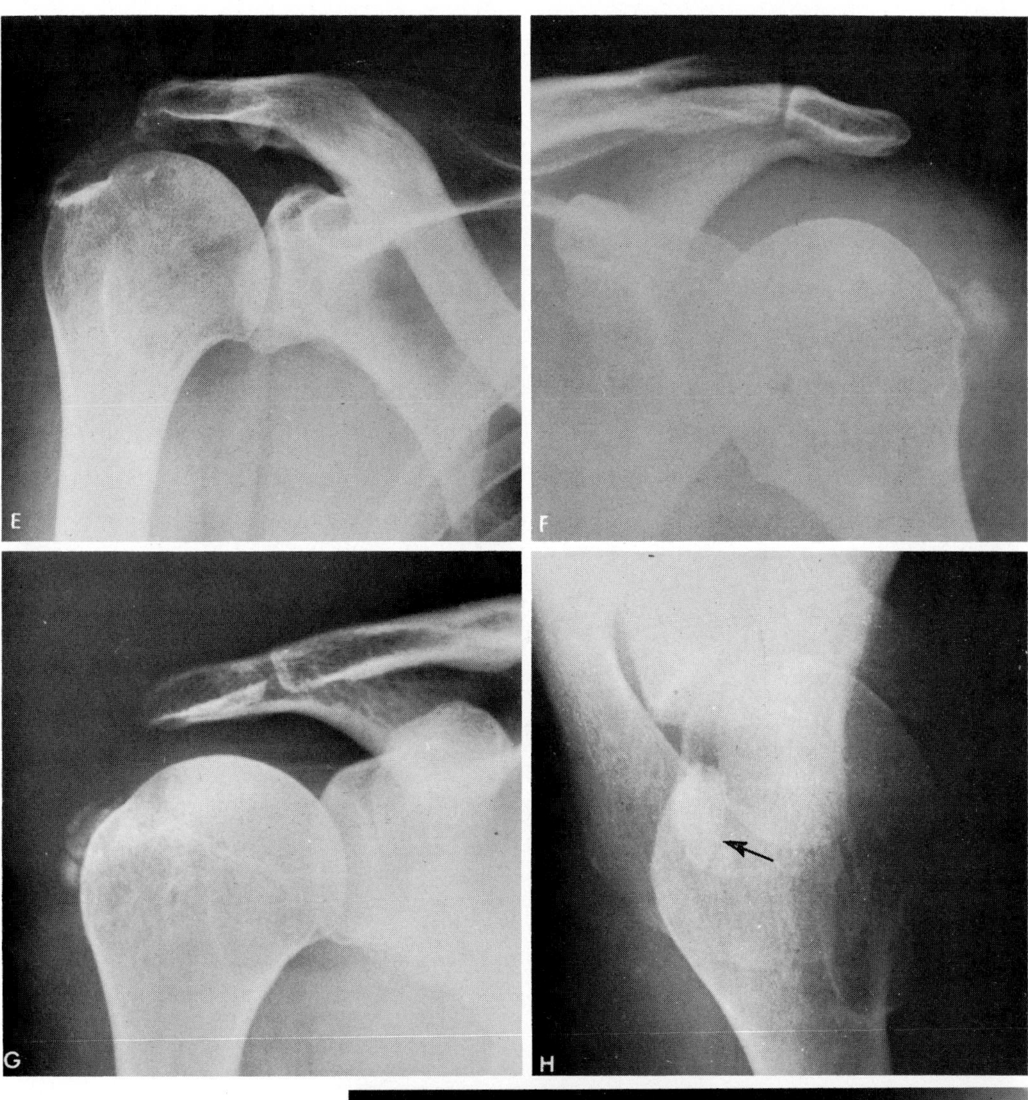

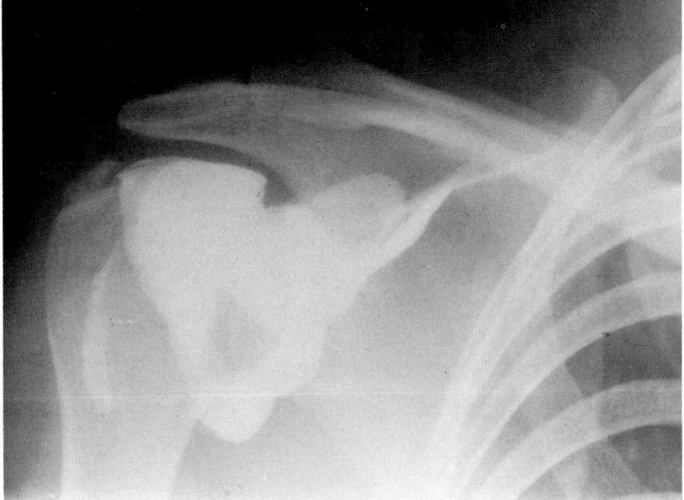

Figure 8–21 *Continued* Variations in calcium deposits. *E,* Linear "inspissated" type, difficult to locate at operation. *F,* Large deposit situated posteriorly. *G,* Multiple deposits anteriorly. *H,* Deposit in a more superior than usual location. *I,* Clear-cut definition of calcified deposit and intact cuff.

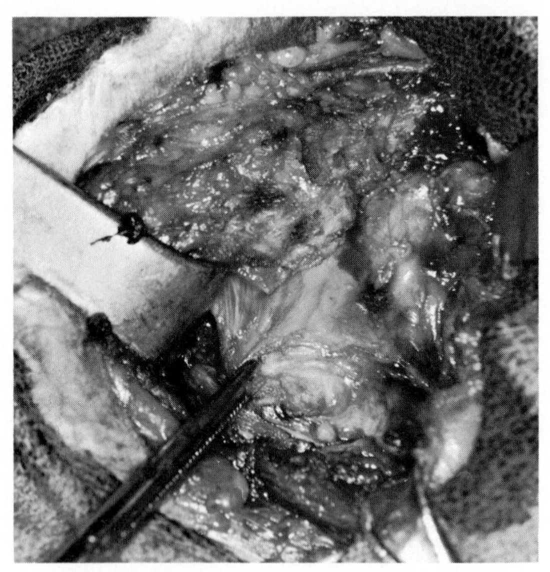

Figure 8–22 Débridement of thickened bursa.

rarely go the opposite way into the joint. The supraspinatus insertion is the zone most often disturbed, but deposits are found also in infraspinatus, subscapularis, and teres minor muscles.

The appearance at operation is characteristic. When deltoid fibers are retracted, a distended subacromial bursa is encountered (Fig. 8–22) and the surroundings are grossly injected, almost to the extent seen in an inflammatory process. Tissues are moist and edematous, contributing to the swelling of the shoulder. A small incision is used in exploring these lesions; the humerus is rotated, bringing into view the deposit on the floor of the bursa as a rounded, boil-like elevation. The peak has a yellowish-white center, like a pimple about to break open. The surrounding tissues are reddened, edematous, and injected. Cutting in to the deposit will permit 1 or 2 ml of whitish paste to escape as if under pressure (Fig. 8–23). Beneath and around this fluid center there is a zone of dry, granular powder that gradually fades into tendon substance. The deposits lie close to the tendon edge and may burrow into the cortex of the bone, but rarely enter the joint. The granules are firmly embedded, and need to be dug out with a curette after the more liquid part has been evacuated.

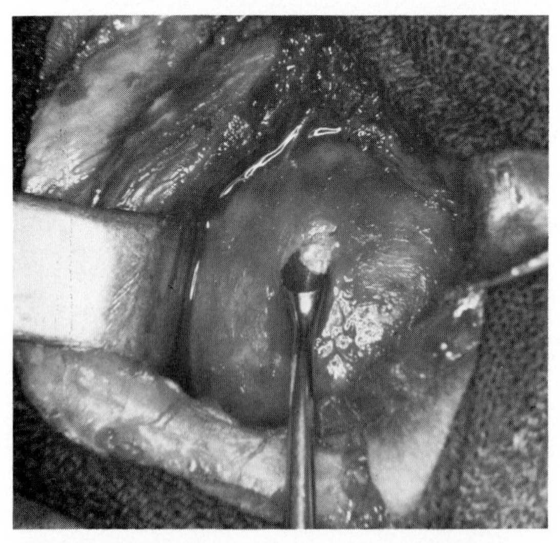

Figure 8–23 Calcified "paste" being excavated.

Microscopically, a small portion of the tendon has disappeared completely and is replaced by amorphous granules. These have been described by Codman as having a concentric, striated formation, somewhat comparable to pigment gallstones. The deposit is sharply demarcated from tendon. At one point there is apparently normal tendon, and at the next it is gone completely. There is no zone of gradual change. In many patients there is little inflammatory reaction except in the region of the bursa. There is a possibility that acute changes such as vascular dilatation, granulation tissue formation, and cellular infiltration come from the bursal layer, and develop only when the bursa has been involved.

Why these deposits occur and what provokes their eruption has long been a puzzle. They start in tendon substance toward, but not quite at the edge of, the common capsule cuff. At this point, over an area of one-half to three-quarters of an inch, the cuff has a homogenous collagenous structure, with blending and interlacing of fibers from all the muscles. It is relatively avascular and composed of tightly packed collagen fibers. To this zone forces from many directions are transmitted. In addition to rotatory and torsional stress, there is the constant function of stabilization by the capsule in holding the head of the humerus and the glenoid in contact. The cuff capsule remains efficient and strong for all acts under most circumstances. However, it is easy to visualize the development of areas of relative weakness from constant torsion strain or unbalanced forces focused continually on one zone. Presumably, abnormal aging of collagen fibers initiates the calcification mechanism.

The aging process in collagen has been studied as it occurs in the skin of patients with scleroderma. The fibers become hypertrophied first, showing evidence of swelling and edema. Later they become atrophied, spaces appear between them, and the nuclei are decreased. Atrophy progresses as a result of deficient blood supply. The collagen alters in degenerated fibers, with the process starting in a few fibers and gradually involving a wider area. In devitalized tissue faulty oxygenation occurs, reducing carbon dioxide formation and shifting the pH to the alkaline side. Precipitation of calcium in the more devitalized fibers is then favored. Chemical examination of the deposits shows that calcium carbonate and phosphate are the main constituents. The calcium formation occurs over periods of weeks or months; only after it is well established do signs and symptoms develop. Routine x-ray examinations have revealed a great many deposits that have not produced any symptoms; they may disappear without ever coming into clinical focus.

Changes in the deposit vary considerably: it may remain the same size or regress without symptoms; it may continue to enlarge and rupture into the subacromial bursa, producing the acute picture; it may be asymptomatic for a long time and suddenly produce acute pain. When this occurs, something new has happened to the deposit. From the pathologic standpoint, delineation of the activating mechanism is largely conjectural. It has been suggested that swelling or increase in size of the deposit occurs as the result of a liquefaction process or a vascular hyperemia that enlarges the zone, and so irritates the overlying bursa. Perhaps continued movement, after a little swelling has occurred, repeatedly squeezes or pinches the granular mass, favoring liquefaction. Such a process sets off the whole chain of clinical events, resulting in acute pain, mechanical obstruction, and reactive muscle spasm. The liquefaction process, with edema and increased blood flow, favors softening and erosion of the floor of the bursa, and the deposit ruptures into the subacromial bursa. This process is accompanied by exquisite pain, but sometimes, when it has occurred, calcium is absorbed and symptoms subside.

If the bursa is examined during the acute stage, the lining is red and injected. Microscopically there is vasodilation, cellular infiltration, and accumulation of granules in the synovial lining cells. Possibly the calcium acts as a chemical irritant of the bursa, calling forth a greatly increased vascular response, which speeds absorption. The deposit breaks its way into the bursal floor as a small, pinkish-white nodule. There is a yellowish-white apex and a button-like surrounding zone of dilated vessels. The synovium is irritated and injected. When the deposit is curetted, a small pit is left in the tendon, which later becomes filled in with fibrous tissue. The site rarely gives rise to future trouble: once the calcium has been absorbed, recurrences are unlikely. Rupture of the cuff is rarely encountered in this zone.

TREATMENT

Acute Cases

Injection Therapy. The quickest and most satisfactory procedure is infiltration of the subacromial area and aspiration of the deposit. Not all patients respond to this method, but an attempt should be made. When the deposit is a fluffy, cloud-like mass, satisfactory results usually follow aspiration. If it is a small, granular, inspissated deposit, aspiration is not so successful. The technique of local infiltration has been outlined previously. Two needles are used following local infiltration (Fig. 8–24). Number 22-gauge intramuscular needles are adequate. One needle is inserted from the side, and the other from the front toward the calcified deposit. Frequently the deposit can be withdrawn from the bursa through one needle as Novocain or saline is inserted through the other. When

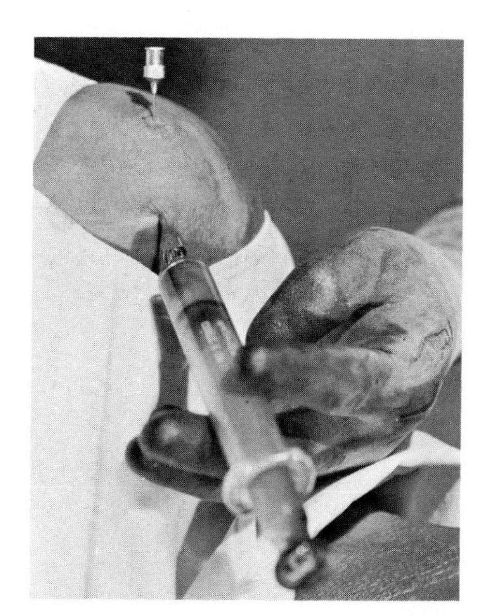

Figure 8–24 Two-needle irrigation technique for removing semifluid calcified deposit.

the deposit is localized and granular, it should be broken up as much as possible with the point of the needle to set it free into the bursa, so that it may be aspirated. As in degenerative tendinitis, injection of steroid subacromially may be successful if not repeated excessively. If the first injection is not effective, further injections will not help.

Medication. Most of these patients require sedation for the relief of pain, and this should be provided. A course of phenylbutazone or cortisone should be given if there are no contraindications.

Immobilization. During the very acute stage, the arm should be supported in a sling. However, even during this period, gentle active movement should be encouraged, such as is given in the first part of the Home Exercise Program for degenerative tendinitis (page 255). Repetitive motions are contraindicated as these will tend to irritate. The remaining parts of the Program may be added when the acute stage has subsided.

X-ray Treatment. There are conflicting reports in the literature on the effectiveness of radiation therapy. All stress the need of early application if satisfactory results are to be obtained. It is also apparent that only well-qualified radiotherapists should be entrusted with this procedure. The rationale is not clear, but it is assumed that x-radiation increases local vasodilation, and the active hyperemia speeds solution and absorption of the calcium deposit. This may be the initial response in the early case, but repeated radiation favors fibrosis, which is most harmful. It must be emphasized that x-radiation is detrimental if the lesion has progressed to a point at which there is any suggestion of freezing of the shoulder. A short course of only two to three treatments, or possibly a single treatment, should be used, but abandoned if there is no immediate improvement. Roentgenographic therapy should be accompanied by proper physiotherapy to achieve satisfactory results. Gradual decrease in pain may ensue, but movement must be retained and the muscles strengthened. Chronic cases do not respond well to radiographic treatment, and complete freezing of the shoulder may result from persistent use of this method.

Operative Treatment. Most of these patients do well on the conservative regimen that has been outlined, but there are some who do not respond, or in whom the pain is of such fulminating severity that it cannot be tolerated. When extremely acute symptoms develop and are not quickly relieved by conservative measures, patients should not be subjected to a prolonged course of pain and discomfort. The intense pain keeps the shoulder at the side, favoring capsular folds. Surgical excision of the deposit is the method of choice in those who do not respond quickly, and should not be delayed until a frozen shoulder has developed. The operation is not extensive, and results in immediate and dramatic relief. The period of disability is shortened considerably. Occasionally, young women will ask that conservative treatment be continued in spite of fulminating pain, to avoid even a minute scar on a glamorous shoulder, but this should not be the determining consideration.

TECHNIQUE OF EXCISION OF CALCIFIED DEPOSITS. General anesthesia is preferable, but the operation can be done under a local. When the latter is used, the surgeon must be certain of the site of the deposit and thoroughly familiar with the anatomy of bursa and cuff. This is a vascular region and one may be confused easily by bleeding, which adds to the difficulties if the operation is being done under a local anesthetic; light general anesthesia is preferable. A small longitudinal incision 1½ to 2 inches long is made in the direction of the deltoid fibers, starting just anterior to the acromioclavicular

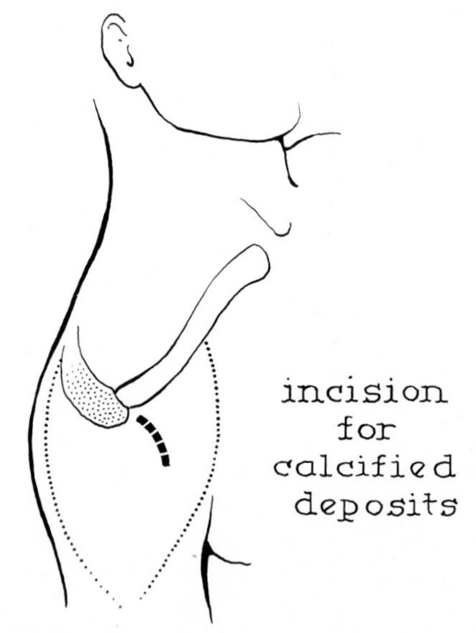

Figure 8–25 Incision for exposure of calcified deposits. A short superoanterior cut is used, which may be elongated to the usual utility incision length.

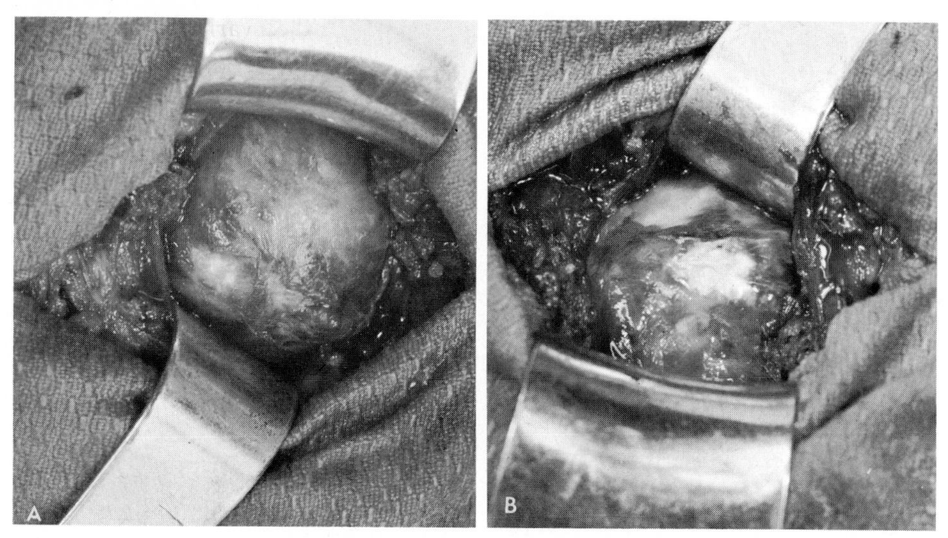

Figure 8–26 Appearance of deposits at operation. *A*, Small, inspissated deposit. *B*, Large, almost liquefied deposit.

joint and extending distally (Fig. 8–25). Skin towels are applied. Hemostasis is obtained, preferably by using the electric coagulator. The deltoid fibers are separated, and the incision is deepened until the bursa is reached. Small ribbon retractors are inserted. A moist filamentous sac is encountered. Bursal and subbursal structures are reddened and injected. The assistant rotates the head of the humerus, and the deposit comes into view as a small, pimple-like elevation (Fig. 8–26). It has a yellowish-white center and is surrounded by a tense, angry-appearing zone. Several deposits may be present, but only one appears acutely irritated. The bursa may contain white milk-like material or may be quite clear. When the projecting nubbing is incised, a toothpaste-like substance escapes under tension. This is sucked out, leaving an irregular cavity. Around this small hole is a granular or powdery ring of calcium, extending into the tendon substance. A small curette is necessary to remove this part. The deposit does not involve the whole thickness of tendon substance, and it is rarely necessary to penetrate into the joint in removing the deposit. Only the deposit should be excised, and the tendon should not be disturbed sufficiently to produce a significant defect. Sometimes a single suture is needed to pull the fibers together after removal of the deposit.

The deposit is usually apparent at once on incision of the bursa. When search is necessary, the best guide for orientation is the bicipital groove. When the elbow is at the side

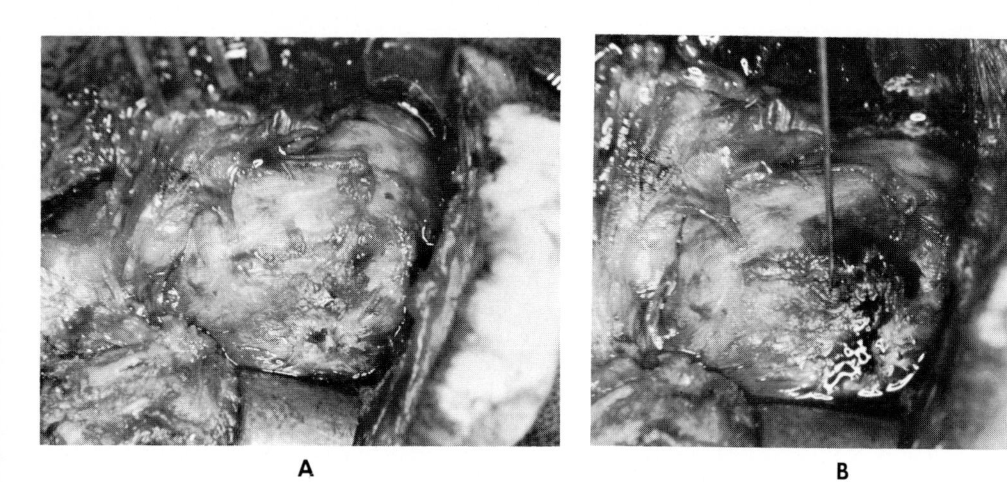

Figure 8–27 *A, B*, Identification of deposit by needling suspected area.

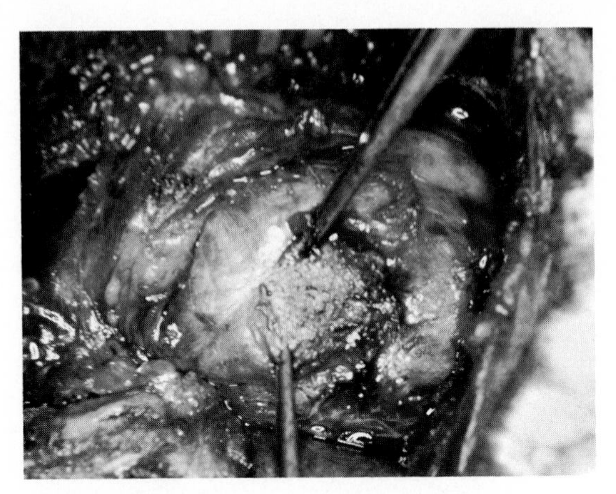

Figure 8–28 Deposit is identified and evacuated.

with the palm upward, the groove is felt at the inside border of the incision. This may be verified by palpation as the upper end of the humerus is rotated. The humerus is gently rotated through as complete a range as possible to restore movement. In this process, adhesions may be felt to give way. The cuff is inspected carefully for any extra deposits after the initial one has been removed.

LOCATING HARD-TO-FIND DEPOSITS. A deposit may be difficult to locate after opening the bursa, even when its position can be gauged by identifiable landmarks and it is quite visible in the x-ray study. Often this is due to a layer of cuff substance over the deposit. Under these circumstances, a 20-gauge 1½-inch hypodermic needle is used as a "seeker" (Fig. 8–27). The suspected zone is needled and, when the deposit is located, a gritty sensation will be felt as the needle is pressed into the cuff. Some granules will adhere to the point of the needle as it is withdrawn; these can be identified with careful scrutiny. The extent of the deposit can then be outlined (Fig. 8–28). Radiographs should always be taken shortly before surgery to ensure that the deposit has not been absorbed since the previous examination.

Postoperative x-ray studies frequently show a small amount of calcium remaining, but this is not significant and rarely causes further symptoms. After operation the arm is kept suspended for 24 hours (Fig. 8–65*A*), and then supported in slings and springs (Fig. 8–65*B*). Physiotherapy is as for Grade I rotator cuff repair, described later in this chapter. Systemic medication may need to be continued for four to six weeks, or until a good range of motion has returned.

ROTATOR CUFF TEARS

The most important lesions in the shoulder from a surgical standpoint are tears of the rotator cuff. Many of these have been overlooked in the past, an equal number have been disregarded, and new investigation has exposed further varieties that have long been unidentified. Pathology of the cuff also has long been misinterpreted on the basis of autopsy findings, rather than surgical or in vivo observations. Cuff tears have been mistakenly blamed for osteoarthritis when capsular loosening and subluxation are more often the cause. Codman's dictums were related to levels of clinical care employed nearly 50 years ago, and some of these do not qualify by present standards. Some of the apathy resulted from the tremendous powers of substitution and adaptation that the shoulder system possesses.

The dicta of modern society also constitute a new stimulus to restoring as much function as possible, rather than placidly accepting impairment of any degree. Our concepts of age relationship to repairable deformity have also altered. These considerations form a new background for management of rotator cuff defects.

PATHOLOGY

Most pathologists have regarded the changes identified in many cuff tears as being due to ischemia, but the proposition has not been precisely proved. The commonest change identified in analyzing a number of cuff tears is hyaline degeneration. The term "degeneration" assumes something that is unproved. Normal, closely-waved collagen becomes straightened out and widened with diffusion, but not diminution, of double refraction. Such a change is a very common one in connective tissue areas throughout the body.

A further stage is hyaline and chondroid change, which is a more advanced stage of the collagen degeneration, with greater separation of fibers and possibly deposition of chondroitin sulfates. This is probably an indication of an avascular environment plus movement or friction. There is avascular hyperplasia at the margins of hyaline and chondroid areas, similar to that encountered where vascular tissue surrounds the cartilage of intervertebral discs. The precise meaning of this change is not clear.

In analyzing the site of rupture, it appears

to have occurred in chondroid areas more frequently than in other zones. An analysis of the vascular pattern shows that the local arteries often show a longitudinal stripe of intimal muscle like arteries elsewhere that stretch, e.g., those in the heart or bronchus. The degree of occlusion is hard to judge in the contracted state, and in most cases it is not obviously marked; where there are these vascular changes, however, the change and focal necrosis appear more obvious. In many instances fissures are found in the capsule lined with fibrinoid, which serves as a glue mechanism to repair and stabilize damaged tissues.

The dynamic nature of the rotator cuff introduces an added aspect of abnormal tissue response that may best be referred to as biomechanical, as well as the standard gross and microscopic changes.

Biomechanical Pathology

An undeniable irritant to tissue stress is the multiplane trajectory of the humeral head, which is subject to further influences of power, speed, and control provided by the multiaxial muscle units. Evolution has further altered shoulder stamina, forcing the rotatory mechanism to act to a degree of mechanical disadvantage, with the arm at the side rather than in the forward-flexed plantigrade position. The "housing" for the enforced orthograde position will then also suffer some extra stress it was not designed for this new function. The coracoacromial overhead unit of ligament, acromion, and acromioclavicular joint, as the most frequently used ascending joint, is subject to extra stress and thus reflects persistent derangement of the cuff unit.

Force applications can be so varied that tissue response, understandably, is altered accordingly. Four main categories may be singled out as typical of the variations: gravity, lifting, vertical compression, and torsion (see Fig. 3–19).

Gravity. Forces of all types belong in this category. Since the long lever of the arm changes the ultimate brunt of the force, different tissue change patterns result.

FORWARD OR SIDEWAYS. The arm outstretched, usually midway between the side and the front of the body, focuses stress on the anterolateral quadrant of cuff. Some deep fibers can give way, or the whole cuff may separate.

BACKWARD. Extended arm exposes the whole anterior quadrant of the cuff, so that the zone is less protected because of the change in position of the overhanging arc. Such maneuvers are particularly common in the everyday activities of industrial workers and construction workers such as carpenters.

Lifting. This act is performed with the arm in front of the body, and the shoulder action is predominantly one of flexion. Sudden assumption of weight can avulse fibers, particularly at the front of the joint and in relation to the bicipital groove.

Vertical Compression. The "screw-home" use of the arm in the performance of many domestic tasks shoves the humeral head upward against the capsule and overhanging arch. Bursal action and protection ultimately can recede in efficiency, with tissue changes resulting from a chronic type of irritation. Persistent stress may then filter through to the anterior cuff segment, and corresponding changes of fissuring and cracking will develop. We are aware of the stress result on other crisscross fiber collagen structures, such as the annulus fibrosis, and it is reasonable to assume a similar process in the cuff. Fissuring and ultimate cracking results from constant, uncontrolled stress application.

Torsion. The torque stress of twisting force is a potent tissue insult. Rotatory stress developed by arm action focused at the shoulder fulcrum can be excessive. More extensive tissue disruption may then occur, or a summation of repeated stress may result in tendon bone junction loosening or frank fissuring.

Gross Pathology*

***Superficial Tears*†.** These occur chiefly near the margin of the cuff. There is a shallow erosion about the size of an almond, sometimes with a small flap of superficial layers or cuff at one side. Deep fibers are strongly intact without evidence of deep fissuring. No subjacent cortical or articular cartilage reaction ensues.

Full Thickness Tears. Configurations of this lesion are limitless, but some major patterns can be identified.

---

*See Figure 8–29.
†See Figure 8–30.

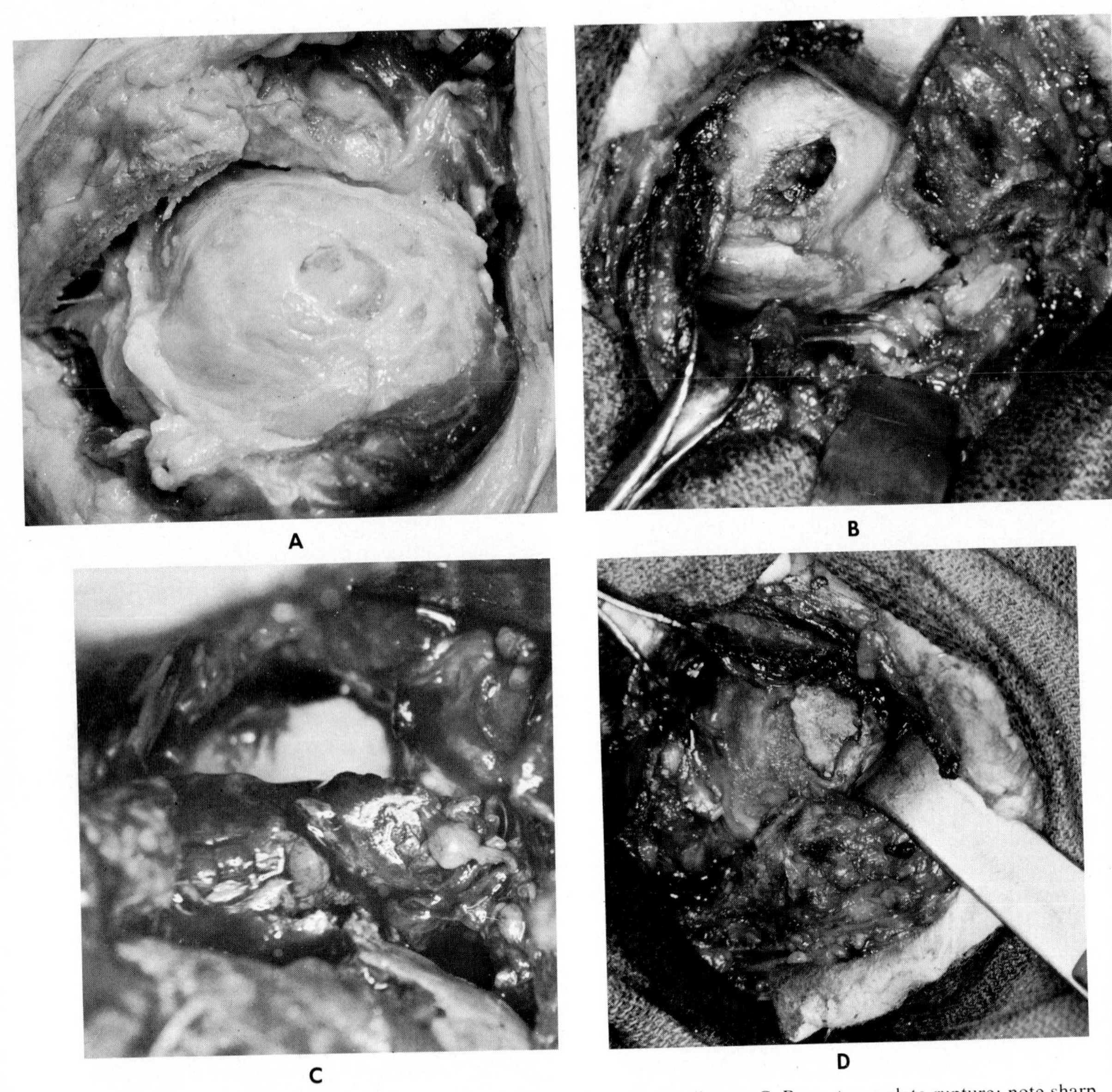

Figure 8–29 Pathology of cuff tears. *A*, "Erosion"-type tear. *B*, Small tear. *C*, Recent complete rupture; note sharp edge of defect. *D*, Marginal evulsion from bone.

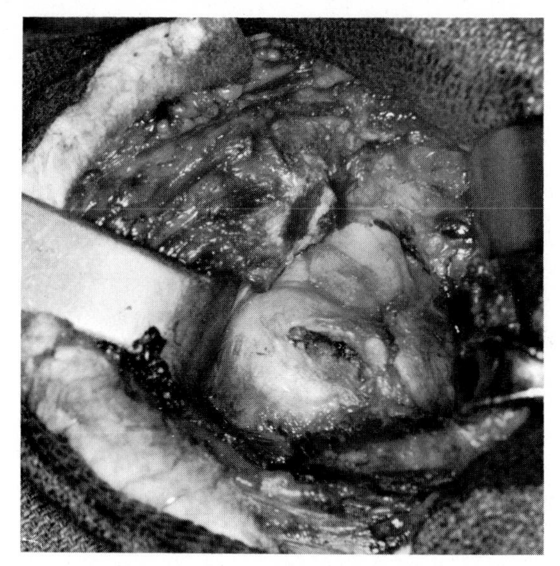

Figure 8–30 Superficial tear of cuff.

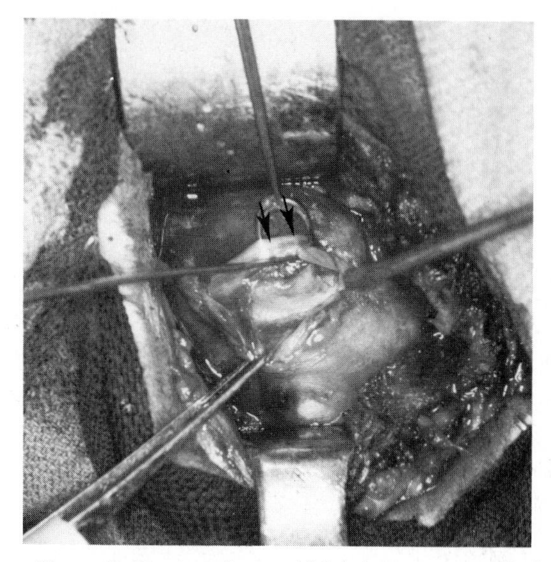

Figure 8–32 Anterior or bicipital tear; note lifted biceps tendon.

LATERAL TEARS.* These occur in relation to the greater tuberosity, and more frequently have an associated history of significant injury, so that there is an avulsion of tendon from the tuberosity.

ANTERIOR OR BICIPITAL.† In some instances the long head of biceps is an irritant to cuff action. Whether this begins as the result of fissuring in the deep layers of the cuff, or distortion of the bicipital trajectory, has not been established. However, it is not uncommon to encounter tears of the cuff that appear to have started in the region of the bicipital groove and extended proximally along the tendon. It is probable that, in some fashion, loosening of the tendon provides a "tenting" effect of the cuff, which is then subject to increased pressure and consequent wear.

HEMISPHERICAL TEARS.* More extensive defects involving at least one-half of the head result from detachment, usually at the anterolateral aspect over a broad crescent. A combination of factors probably produces such a tear. Initially, trauma may be involved,

*See Figure 8–31.
†See Figure 8–32.

*See Figure 8–33.

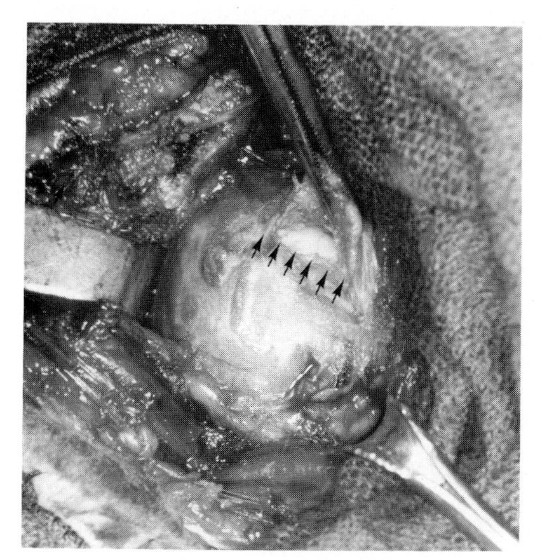

Figure 8–31 Lateral full thickness tear.

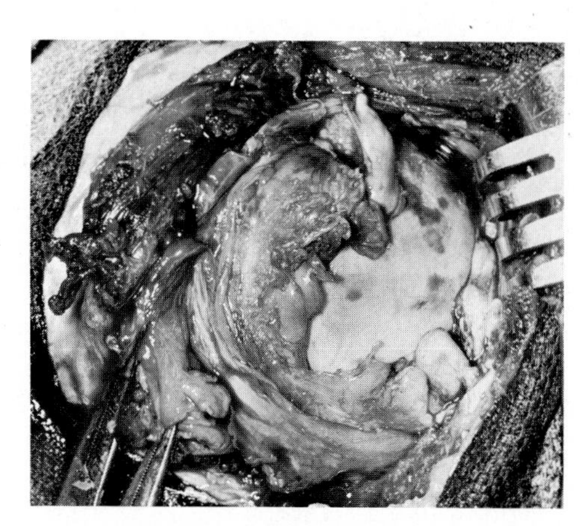

Figure 8–33 Hemispherical tear.

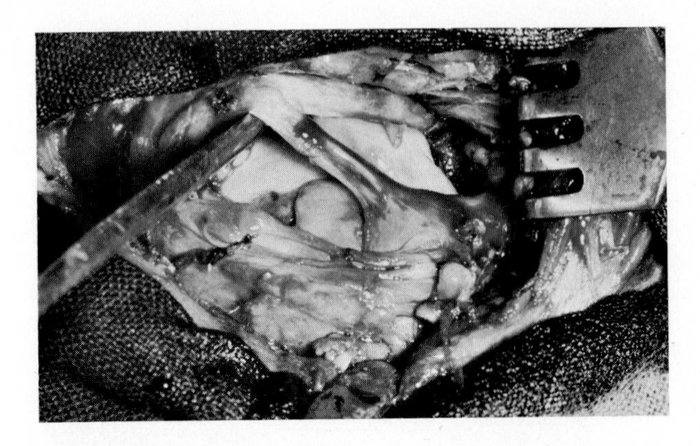

Figure 8–34 Fenestrated tear.

but a resultant small defect is enlarged by constant activity and further external stress.

FENESTRATED TEARS.* A variety of large defects is found where main loss is almost hemispherical, but there are superficial strands of tissue, usually crossing at an angle to the greater tuberosity zone. The strands are no more than one-third the normal cuff thickness, and of not much assistance in the repair process. The edges of the main tear are thin and vertical, and marginal tissue is firm. Subjacent cartilage and cortical changes are not extensive.

GLOBAL TEARS.† Massive tissue loss, allowing the head of the humerus to present as a bald head, may be classed as "global" in stature. Virtually no normal cuff tissue is left. The edges are sloping. Marginal tissue is poor in quality, and thickened by scar lobulations; it separates easily and does not hold a tension suture well. Bicipital tendon distortion is common. The tendon is not displaced, and thickens markedly, sometimes reaching as much as three times the normal diameter because it is assuming some of the function of the last cuff. Subjacent articular cartilage is always roughened and pebbled. Cortical areas are eburnated. Articular cartilage changes are confined to the anterolateral quadrant, with little involvement of main articular head cartilage or of the glenoid. These changes are in stark contrast to those seen with long-standing recurrent subluxation of the shoulder, in which articular changes are extensive on the humerus as well as the glenoid.

Microscopic Changes. In describing the microscopic changes, three important areas may be identified; changes at the edge, at the margin, and throughout the flap of the cuff.

The changes at the edge involve a straightening of the collagen fibers and some diminution in the vascular infiltration. Separation of layers of collagen is identified.

In progressing further into the tissue lining in the defect, the margin thickens gradually, the collagen fibers become less distorted, and the vascularity follows a normal pattern.

In the area of the flap that has been

*See Figure 8–34.
†See Figure 8–35.

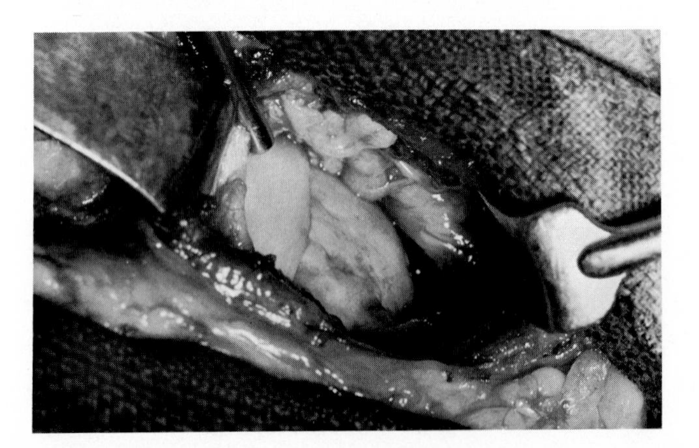

Figure 8–35 "Global" tear.

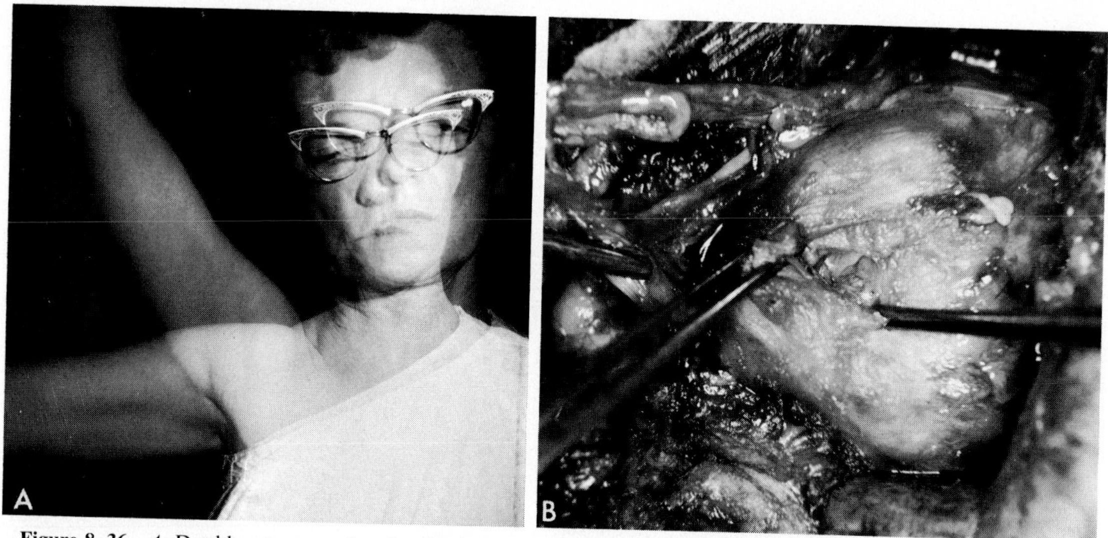

Figure 8–36 *A,* Double exposure showing impingement point causing lag in abduction in a case of cuff tear. *B,* The lesion as it appeared at operation.

separated, alteration in the collagen fibers is apparent toward the margin and the edge, and there may be areas of decreased vascular infiltration with some zones, with obliterated vessels.

DIAGNOSIS OF CUFF TEARS

The success rate in the accurate recognition of cuff tears has increased extensively, but there is now an awareness that these lesions are still much more frequent than previously appreciated. History and physical examination remain the foundations of assessment, but arthrography has made the greatest contribution; other aids, including arthroscopy, are not nearly so effective.

*SIGNS AND SYMPTOMS**

Pain localized by the typical shoulder clasp is the paramount presenting symptom. It may be ushered in by sharp or minor repeated trauma, or there may be no significantly related episode. For many years it was mistakenly thought that a prominent episode was necessary, but it has been well established that this is not so. The sudden reaching strain by a housewife, as well as that of a bricklayer, carpenter, or painter, can split the cuff. At some time later, not necessarily at the time of the episode, there may be increased pain followed by weakness and restricted range (Fig. 8–38*A*, *B*, and *C*). In some instances pain occurs only with use. In many others, there is a resting ache and discomfort in lying on the shoulder.

*See Figure 8–37.

Pain

As a result of a fall or similar incident, the patient often experiences a sharp twinge of pain related to the shoulder region. Subsequently, less acute aching discomfort appears that the patient can clearly localize to the joint area. Twinges of pain result from attempts to get the arm above the shoulder, causing the patient to let it drop limply to the side. The pain continues on effort and increases as weakness develops. The shoulder hurts at night, and it becomes difficult for the patient to lie on the involved side. In later stages, pain extends to the deltoid insertion, and at a still later period, if motion is restricted, discomfort in the shoulder-neck angle develops as the patient, in an effort to compensate for his weakness, puts extra stress on the suspensory muscles.

If the examiner passively moves the head of the humerus under the acromion, the patient frequently has a sharp twinge of pain. This sequence of weak, painless motion followed by a painful arc on passive motion, and then decreased pain as the arm is swung above the shoulder level, is referred to as a typical painful arc, or arc of impingement syndrome (Fig. 8–36).

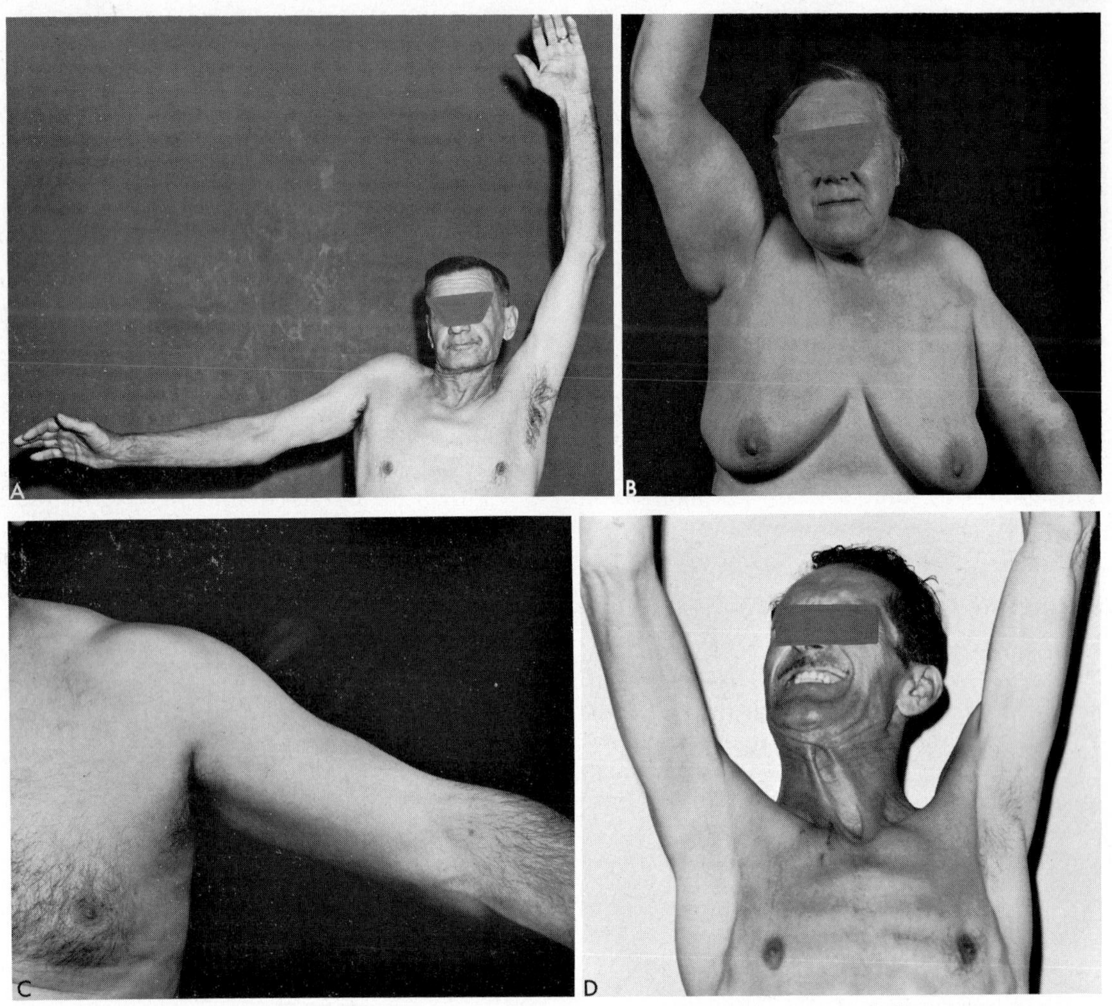

Figure 8–37 Signs and symptoms in cuff tears. *A*, Typical weakness in extensive tear. *B*, Cuff tears occur in women also. Gross weakness in a massive tear. *C*, Moderate weakness with considerable motion masking a full thickness tear. *D*, Full thickness tear in which extensive motion is possible if unresisted.

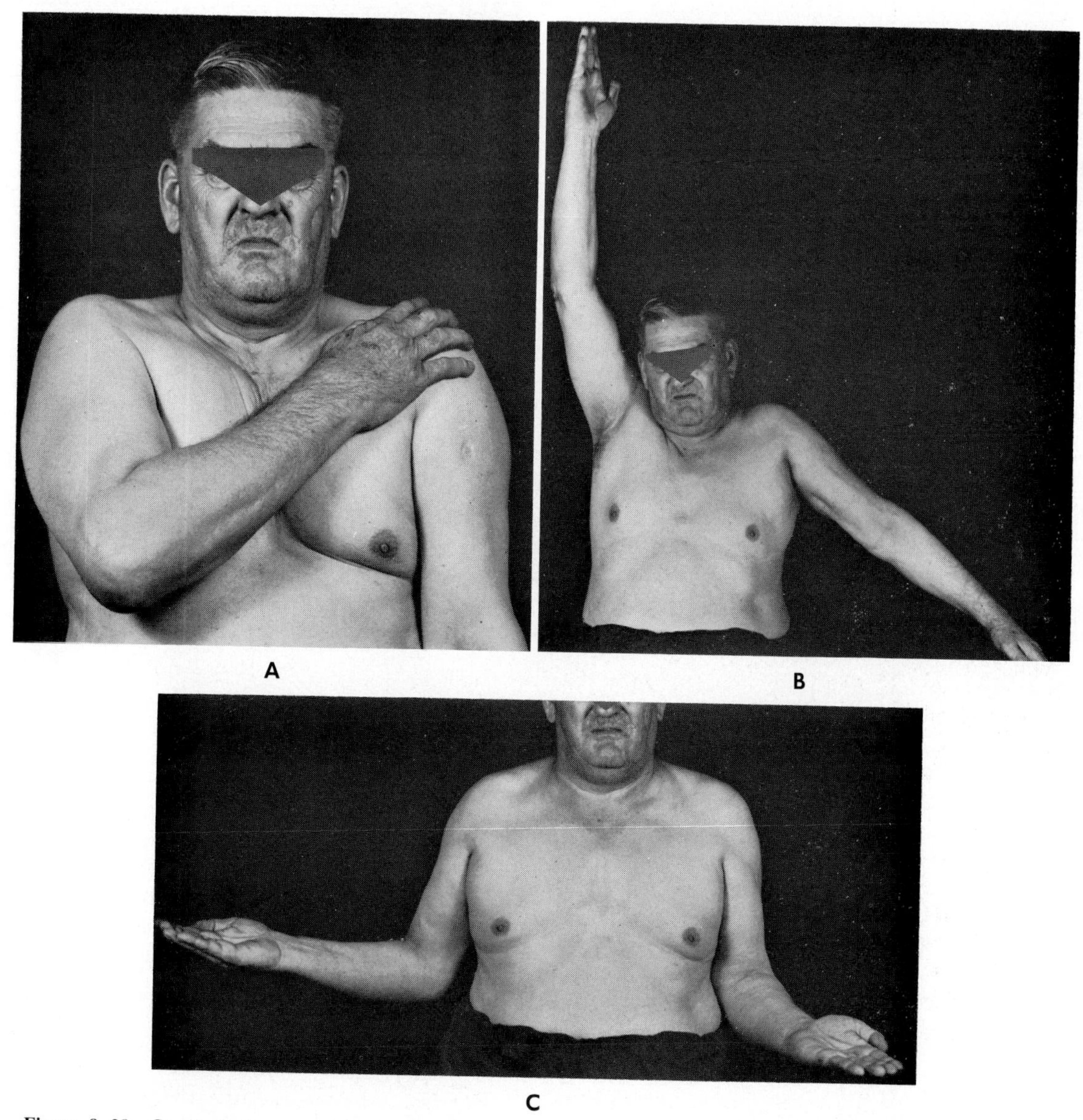

Figure 8–38 Cardinal signs – massive full thickness cuff tears. *A*, Shoulder joint pain. *B*, Weakness with "girdle" shrug. *C*, Restricted rotation.

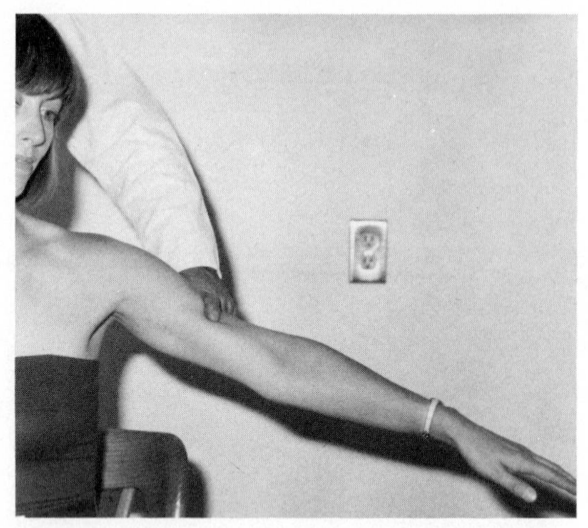

Figure 8–39 One-finger resistance test for cuff weakness.

Weakness

The cardinal sign of cuff rupture is persistent weakness. The patient may be conscious of this in his work, but often the examiner must demonstrate it, and sometimes it is easily overlooked. The patient may be able to lift the arm into full abduction or beyond when he has a full thickness cuff tear. However, if this action is slightly resisted sometimes by as little as the pressure of one finger, even a strapping patient may be unable to abduct or flex the shoulder well (Fig. 8–39).

The old-fashioned concept of the hunching girdle rhythm as the telltale mark of cuff rupture has been discarded. Without resistance, no decrease in range may be apparent, but it behooves the examiner always to assess motion against resistance. The presence of consistent weakness helps to differentiate a tear from a simple chronic tendinitis.

Muscle Atrophy

Some decrease in bulk of supra- or infraspinatus can often be seen, but this is not always apparent. In the later stages, four to six months after the tear has occurred, it can nearly always be identified. The deltoid shows some slight flattening also, but the loss of substance is much more apparent as related to the spinati (Fig. 8–40).

Tenderness

The torn cuff is always sensitive. The area chiefly to be palpated is the upper end of the humerus, holding the elbow in slight extension to uncover more of the cuff substance in front of the overhanging coracoacromial arch. It is necessary to press firmly to penetrate pressure through the deltoid to reach cuff substance. In thin people, a defect can sometimes be made out with firm pressure. Rotating the head of the humerus and palpating at the same time is also helpful. Some sensitivity of acromioclavicular joint is usually present in long-standing cases, too, because of the substitution of motion at this joint for the loss of rotation (Fig. 8–41).

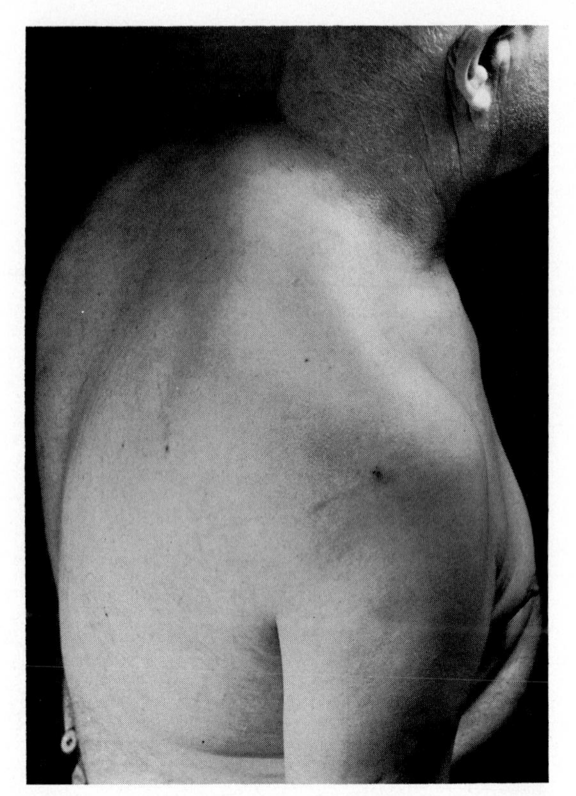

Figure 8–40 Atrophy of supraspinatus can often be identified when the tear is some months old.

In early cases only a few weeks old, soreness in the supra- and infraspinous fossa is found, in addition to tenderness over the end of the humerus (Fig. 8–42). When the tear involves the anterior quadrant, the bicipital sulcus may be implicated, in which case the maximum soreness is in this area. A less common rupture implicates the subscapularis, and tenderness can be localized quite precisely to the anteroinferior aspect. Localization of soreness more distally and inferiorly at the front is characteristic of this lesion.

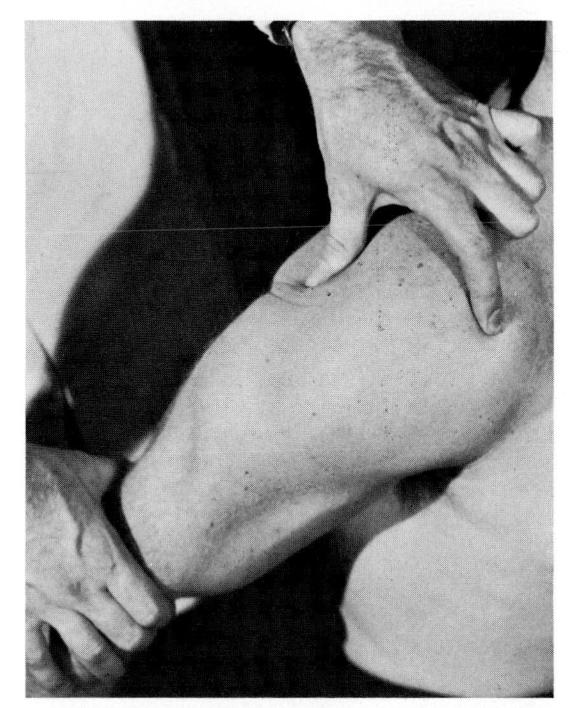

Figure 8–41 Examination of zone of most frequent cuff tears is facilitated by shoving the head of the humerus forward with the thumb and palpating with the index finger, with the subject's arm extended.

"Crepitus and Clicking"

A subjective clicking sensation is often experienced by the patient, principally on abduction or rotation. On examination it is possible to detect a coarse crepitus over the superoanterior aspect that is accentuated by passive swinging of the head of the humerus. Crepitus is not always diagnostic of a cuff tear, because chronic bursitis and tendinitis can also evoke this sign; however, in these latter the crepitus is of a softer nature, not so painful, and less likely to be a persistent point at which the maximum clicking is appreciated. In cuff tears, if the split is impinging, it is more apt to evoke a louder and coarser crepitus.

SPECIAL INVESTIGATION

Local Anesthetic Insertion

When the subacromial tissues are anesthetized, the patient may overcome overhanging arch "obstruction" as a result of oblieration of the pain. Ability to abduct, flex, or even circumduct after local instillation, however, is not a sign of an intact cuff; it is the persistence of weakness that is significant, and this can usually be shown in spite of the local injection. Since it has been apparent so often that the patient retains the power of abduction and even circumduction in the presence of the tear, the local anesthetic test can no longer be regarded as a reliable guide to diagnosis.

The primary wearing force is the constant rotatory shift of the head of the humerus in the capsule (Fig. 8–43). The coupling of a myriad of forces can be postulated, so that the position and extent of the rupture are subject to many influences. The universal mobility of the joint, in addition to the constant wearing process, allows a widespread acceptance of a passive stress; a contribution is also made by the long lever of the humerus, which acts as an avulsing force on capsular attachments, as well as stretching cuff substance in between its points of anchorage.

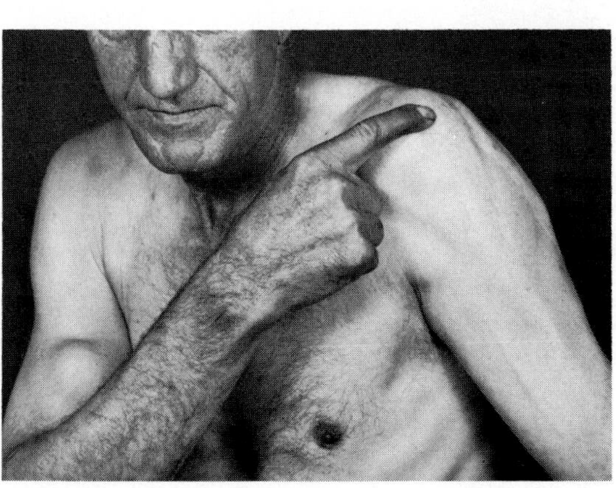

Figure 8–42 Point of tenderness in cuff rupture.

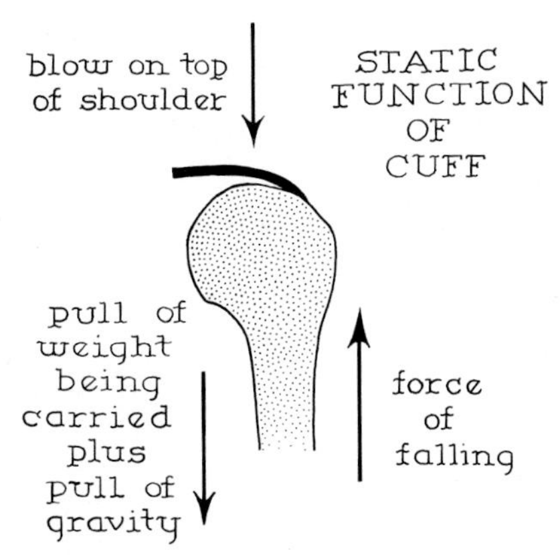

Figure 8–43 Forces acting on the upper end of the humerus and cuff area that favor rupture.

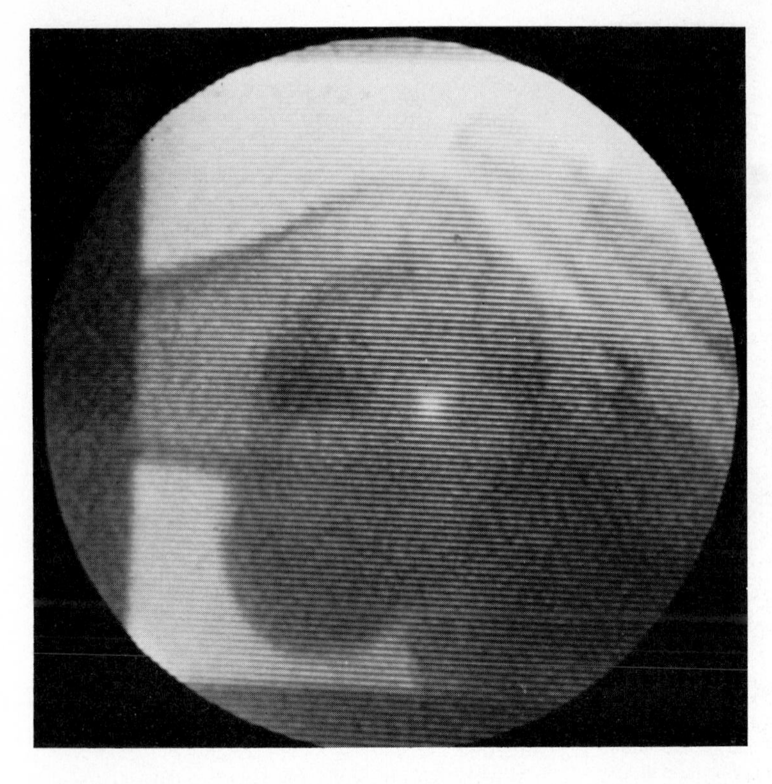

Figure 8–44 Arthrogram showing flow of dye and lubricant to the inferior aspect of the joint as the shoulder is abducted in the act of throwing. Note that a minimal amount of dye remains over the superior and critical contact aspect of the cuff and the head of the humerus with the coracoacromial arch.

For some time it was postulated that the blood supply played a part in the origin of cuff tears, but this aspect is only applicable to the erosion type of lesion, and plays no part in other configurations. At the time of surgical repair of a torn cuff, one is impressed by the amount of vascularity, rather than the degree of ischemia.

Recent investigation with contrast and video studies has thrown new light on the

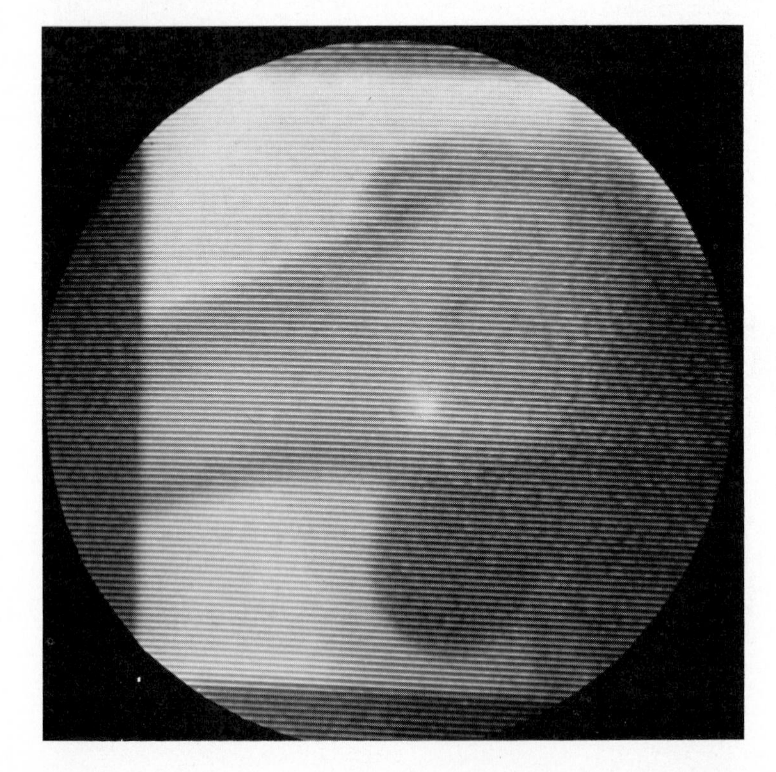

Figure 8–45 Flow of dye is free through the joint on adduction, with much less dye in the anterior aspect and much more dye over the upper end of the humerus.

hydraulics of joint lubrication. In the case of the shoulder, there appear to be some significant observations relative to the way the joint is lubricated. The motion studies show quite clearly that, as the arm is abducted and rotated, the major amount of contrast media collects in the inferior aspect of the cuff, as would the synovial fluid (Fig. 8–44). In contrast, in this active abduction and external rotation, a minimal amount of lubricating material remains in the superior portion of joint, so that during this phase of motion it would appear that less lubricating material is available to protect the structures at the top of the joint. This distribution of lubricant may favor the wearing process, and would also explain further the localization of wear and tear changes in this zone.

In Figure 8–45 it will be seen that, as the arm is brought to the side, much less of the

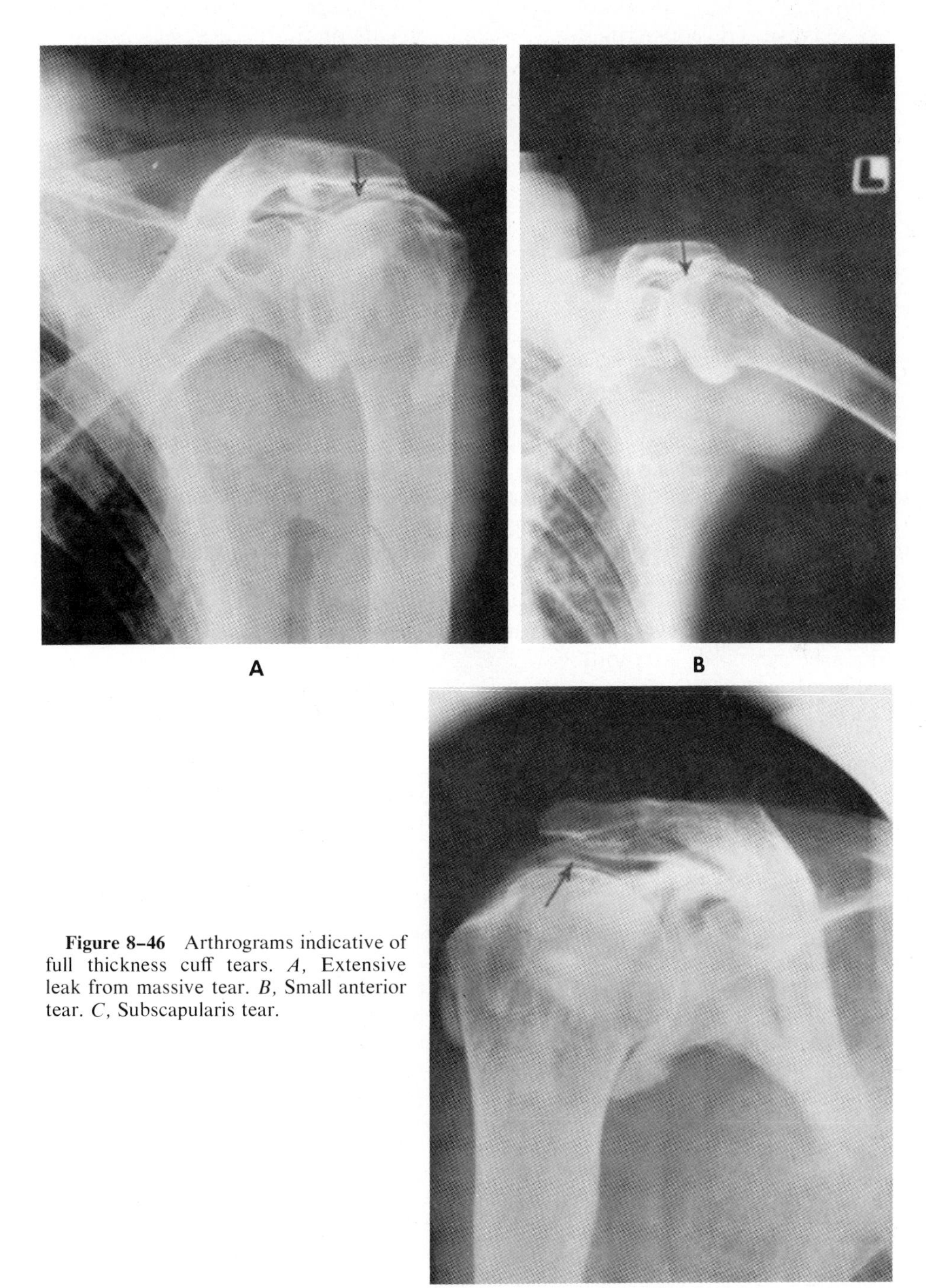

Figure 8–46 Arthrograms indicative of full thickness cuff tears. *A*, Extensive leak from massive tear. *B*, Small anterior tear. *C*, Subscapularis tear.

lubricant and contrast media is in the inferior aspect of the joint, and more is over the upper aspect of the humerus. It is apparently in this phase of shoulder motion that the major lubrication of the superior aspect takes place, but during the critical abduction–external rotation phase there is minimal protection from the lubricant.

With the help of arthrography many different types of tears are recognized, but most of these injuries can be considered under the heads of massive avulsions, rim tears, concealed tears, anterior or bicipital tears, and subscapular tears (Fig. 8–46).

TREATMENT OF RUPTURES OF THE ROTATOR CUFF

General Considerations

The best treatment for a torn tendon anywhere in the body is, first, restoration of its continuity, and then careful re-education of its action complex. These are also the principles applied in tears of the rotator cuff. Most of the confusion and many of the unsatisfactory results in treating these cases result from inaccurate diagnosis. If the cuff is not torn through its substance completely, recovery will follow good conservative treatment. If there is a definite defect completely through the cuff, such as may be demonstrated in the arthrogram, operative repair is the method of choice. Once these general principles are clear, it is possible to consider the various factors and situations that may modify this general plan.

Cuff tears occur most frequently in middle or later life, when the wear and tear degeneration of constant use has weakened the tendon. Workmen, particularly those in the vulnerable age-group, are susceptible to cuff ruptures. A considerable number of ruptures are encountered in those over the age of 60, so that the general condition of the patient, the extent and type of tear, the occupation, the age of the lesion, and the operative and postoperative facilities available must all be taken into consideration. Common sense application and interpretation of these factors is all that is necessary.

Type of Lesion. Most complete ruptures, i.e., those involving the whole thickness of the tendon, should be repaired when circumstances permit. Arthrography is of the greatest help in demonstrating the complete defect. If it is massive, the indications are clear; however, controversy may arise over therapy of the small defect. One has only to see a few of these lesions at operation to realize how easily small tears become big ones. The tension exerted by the rotators snubbing the head in the glenoid is a constant "pulling apart" traction, no matter where the defect starts. If shoulder level activity is not required, the therapy may take a different course.

Age of the Lesion. The earlier the operation is carried out, the easier it is to do a snug repair of the defect; it is infinitely easier to close the gap at six weeks than at six months. This is true no matter what the configuration of the tear may be, or where the defect is located. Delay allows the gap to increase. Of equal importance is the state of the tissues; in long-standing ruptures, the tissue of the edge of the defect is of poor quality, holding sutures poorly, and needles tear through it easily. For a distance of one-quarter to one-half of an inch there may be no good anchorage for the repair stitches. Constant tension retracts the edges, and the rotator muscles shorten and become glued down in their retracted position; mobilization to close the defect is immeasurably more difficult the longer the lesion is left unrepaired. This does not mean that no attempt should be made even at six or eight months, because much can still be accomplished, but is more difficult. The passage of time alone should not be the prime consideration. It is very rare that some improvement cannot be obtained by operation, but superior results are possible in earlier treatment.

Age of Patient. Age by itself is no longer the most important factor influencing surgical repair. It should be accorded reasonable consideration, but the general condition of the patient, the clinical status, the severity of the strength defect, and (most vitally) the amount of pain are more important factors. Attention is paid to chest and prostatic status, since the 48-hour postoperative supine position favors urinary stasis and chest complications. The complications are all preventable by reasonable postoperative care. In assessing the age of the patient, the physiologic rather than the chronologic figure should be considered. Some at 65 are a physiologic 55, others at 58 are close to 70, so that common sense must be used in gauging age and operability. In all doubtful instances, the opinion of a well-qualified internist is of inestimable value.

Occupation of the Patient. Cuff tears are

encountered most frequently in workmen such as carpenters, painters, bricklayers, paperhangers, machinists, laundrymen, or construction workers. Activity at the shoulder level or in the above-shoulder range is often vital to the occupation. Every effort and the best treatment possible should be made available to restore this function; the results of operative repair are superior, residual disability is less, and time loss is decreased. The office worker, salesman, or clerk, on the other hand, may be able to carry on relatively satisfactorily with residual weakness and considerable limitation of movement.

Persistent pain, however, is an indication for surgical treatment. Even in those instances in which extensive motion is not restored by repair, a significant decrease in pain may almost always be counted upon. Many patients reach a stage at which the persistent discomfort, particularly at night, is most troublesome. It is characteristic of these lesions that, if any improvement is effected by reconstruction, the pain is almost entirely obliterated.

Facilities Available. Attention should be given also to the facilities available for treatment. Proper operative repair is a major procedure requiring first-class operating room facilities and at least one assistant; more are necessary if fascia is to be used and an extensive defect to be repaired. Despite the described approach, strong retraction is needed for proper exposure. The facilities for postoperative care are of equal importance. Precise procedure is needed at operation, but the most perfect repair may end dismally if the postoperative program is not conscientiously supervised. This applies to the immediate, as well as the late, postoperative period. Once the immediate reaction has subsided, these patients are best handled at a center where a fully planned curriculum of physiotherapy and occupational therapy may be carried out.

Conservative Treatment

In those patients in whom the diagnosis of rupture of the cuff has been made but for whom the operation is not advisable, considerable help can be given by a conservative program. The arm may be held in a cantilever splint for three weeks, if the lesion is encountered early (Fig. 8–47). Supervised physiotherapy is essential, as these patients easily develop reflex dystrophy and contractures in elbow, wrist, and fingers, which can be much more disabling than the shoulder disease and must be prevented. This immobilization of the shoulder should be continued for a period of three weeks, but all movements of the elbow, forearm, wrist, and hand, and protected movements of the glenohumeral joint allowed by the cantilever splint are started immediately. At the end of three weeks, active motion from shoulder level up is started, and the arm may be lowered gradually. The shoulder muscles are strengthened as the splint is lowered by degrees and then discarded, usually at the end of six weeks.

Pain can be relieved by such modalities as ultrasound, microwave, and transcutaneous nerve stimulation. The patient may also be taught to use his body instead of his shoulder: for example, he can turn and reach forward in flexion, rather than to the side in abduction. Pain may also be relieved at intervals by local anesthetic injection, similar to the course followed in degenerative tendinitis.

If a cantilever splint is not used, active movemements of elbow, wrist, and hand are started, and active shoulder movements within the limits of pain. Isometrics for the shoulder musculature are very important to build strength and protect from further injury. Patient education in shoulder-sparing techniques is essential. Success in the conservative regimen depends on strengthening the accessory muscles, trapezius, biceps, and triceps, to replace the lost snubbing action of the cuff muscles, and on re-education of movement patterns. The cardinal principle in recovering shoulder function is to concentrate on the act of flexion, rather than abduction. Not too much should be expected of this routine, particularly if the long head of biceps is ruptured or displaced.

TECHNIQUES OF CUFF REPAIR

Anesthesia

The use of general anesthesia is preferred by the author. Electrocoagulation is used for hemostasis. Careful preoperative investigation for concomitant disability is essential in these patients, since many come to surgery after the age of 40. As the joint may be open for some time at operation, and considerable traction and pressure on the tissues may be necessary, the author has felt it best to use prophylactic antibiotics. Such a routine may be governed and altered by many consider-

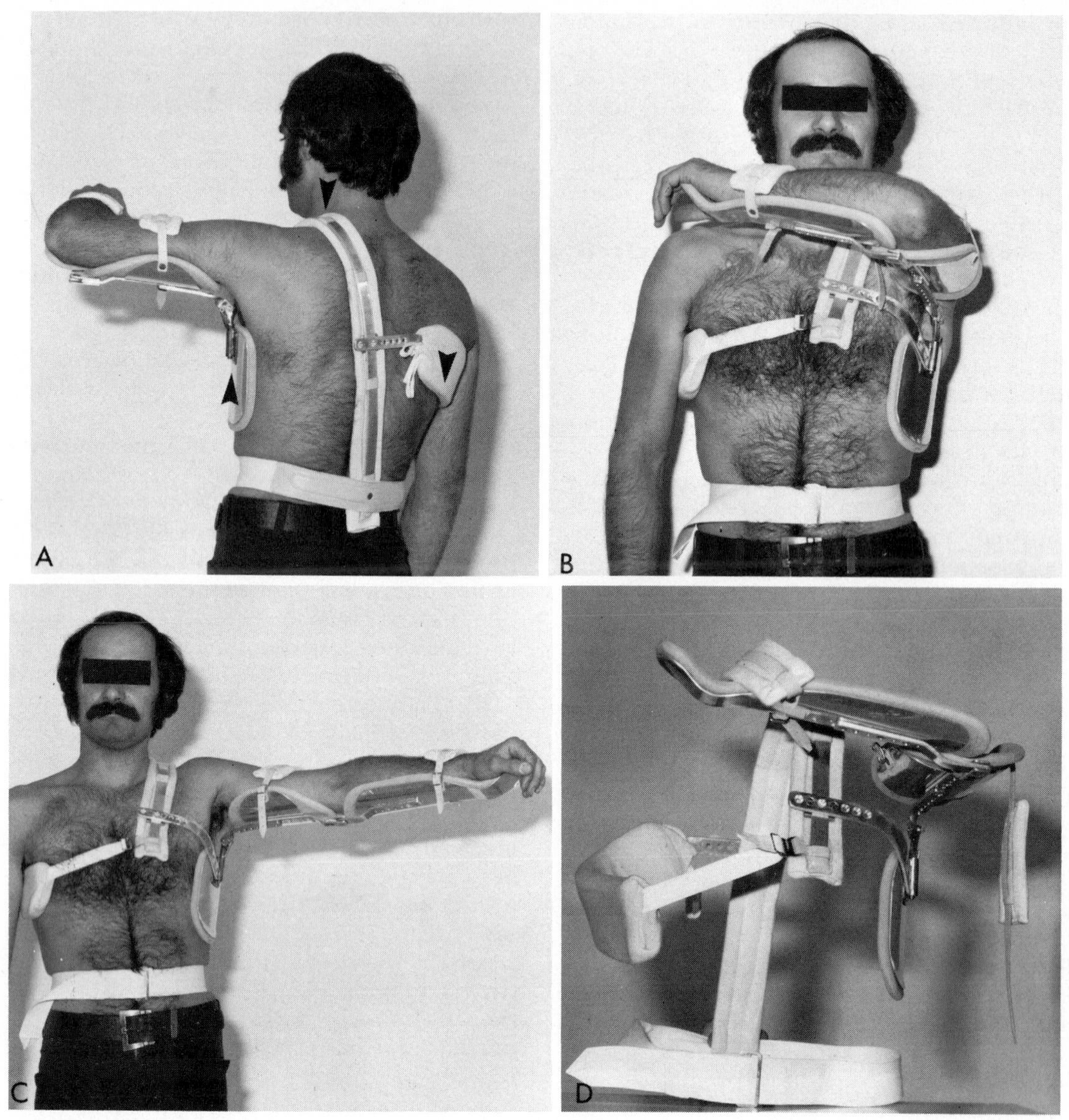

Figure 8–47 Cantilever brace useful in conservative treatment and postoperative program for cuff tears. *A*, From the back. *B*, From the front. *C*, Shoulder and elbow action. *D*, Brace for a left shoulder when not in use.

ations, but precise precautions must be observed in all open-joint surgery.

Position for Operation

The sitting shoulder position is of significant help in these operations. The patient should be elevated about 45 degrees, and so placed on the table that the arm hangs free at the side after it has been draped (Fig. 8–48). The shoulder should rise above the back of the rest so that there is access to the postclavicular and supraspinous fossae. The arm is prepared and draped with stockinette, and allowed to hang free at the side; this is essential to allow the traction and manipulation that assist significantly in exposure and repair.

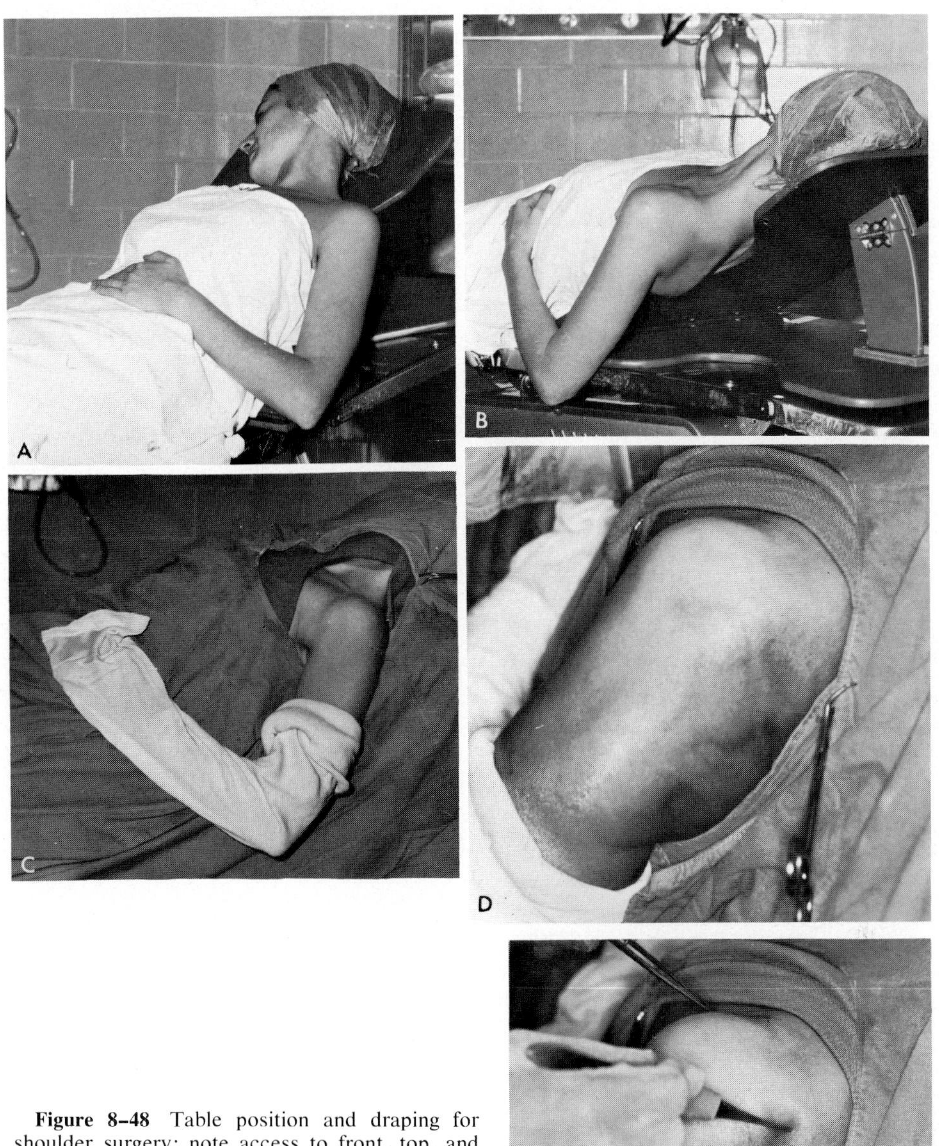

Figure 8–48 Table position and draping for shoulder surgery; note access to front, top, and back of shoulder.

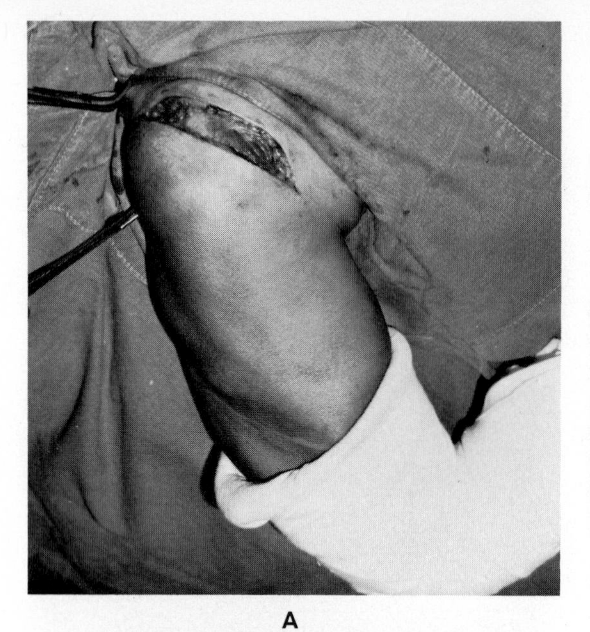

A

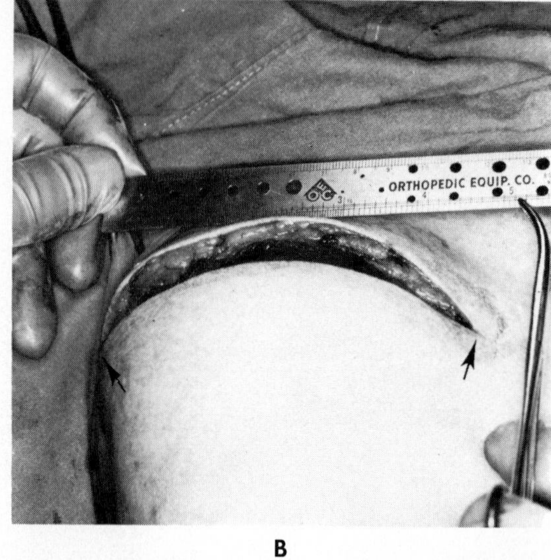

B

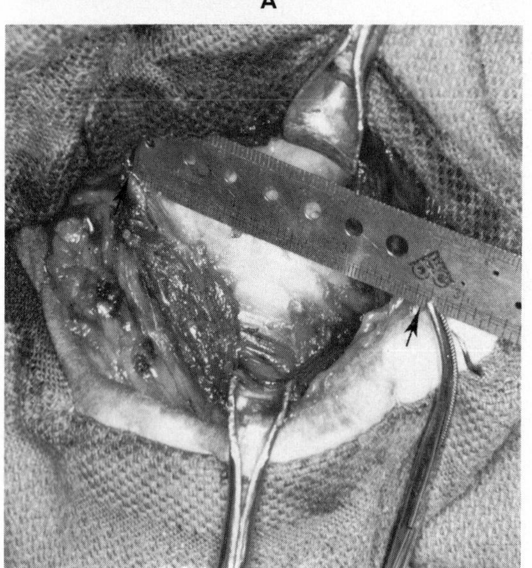

C

D

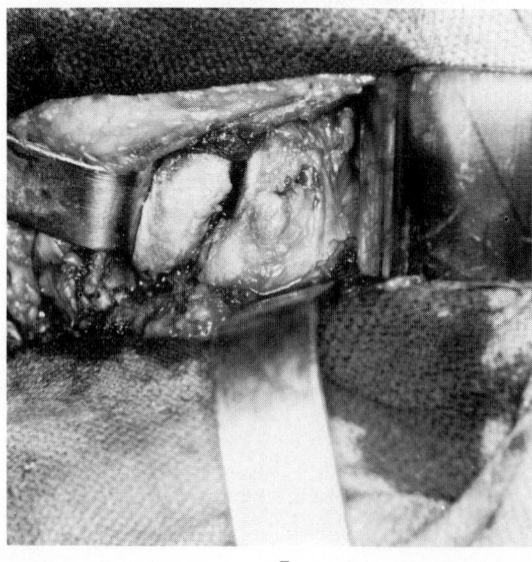

E

Figure 8–49 *A,* Position. *B,* Incision. *C,* Exposure. *D,* Special shoulder retractors. *E,* Use of special retractors at surgery.

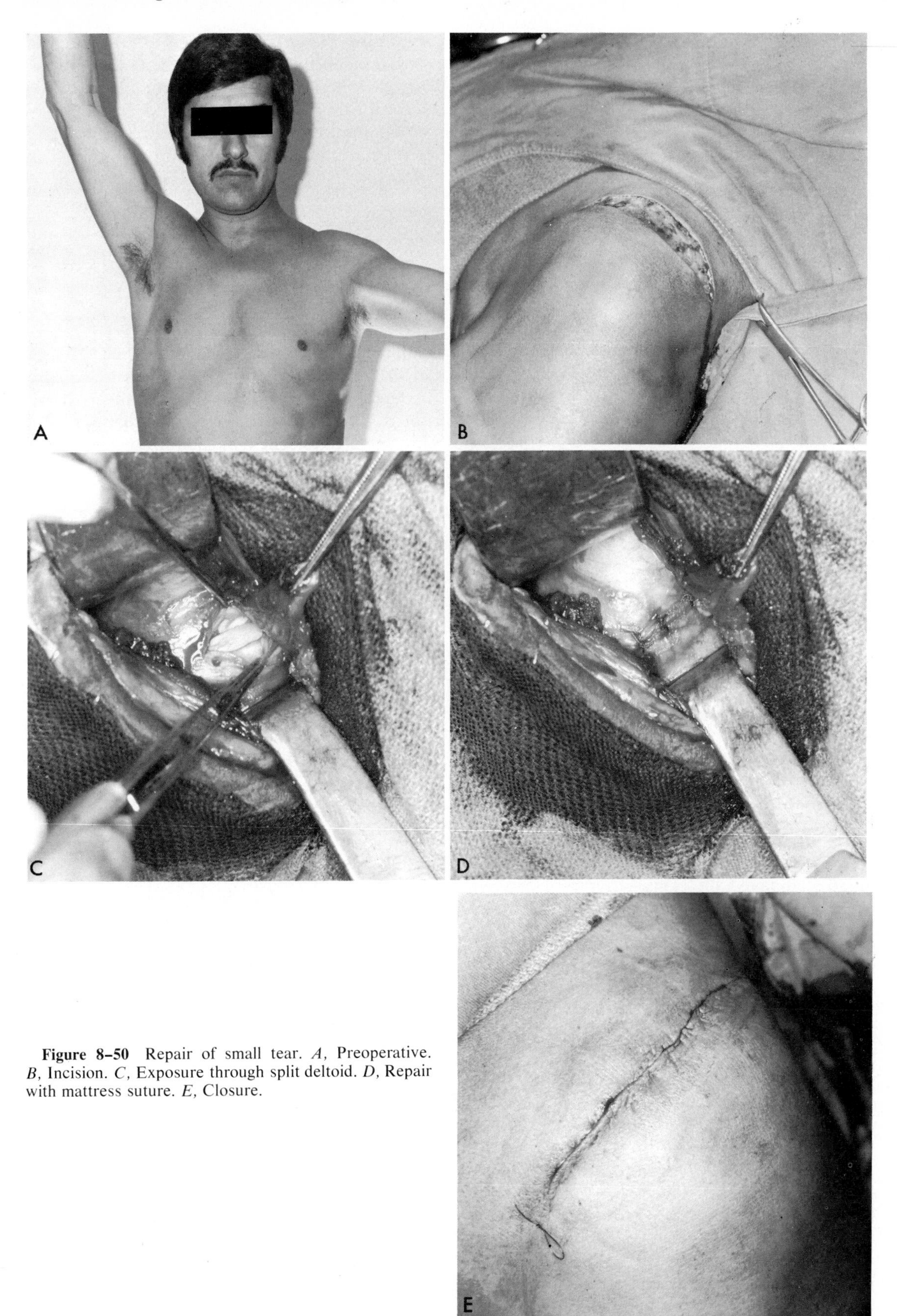

Figure 8–50 Repair of small tear. *A,* Preoperative. *B,* Incision. *C,* Exposure through split deltoid. *D,* Repair with mattress suture. *E,* Closure.

Incision and Exposure

The most useful approach for cuff repair is an incision that allows exploration and assessment of the disease first, and may then be easily enlarged as necessary to permit repair of the type of full thickness defect encountered. The complete skin cut is made, but the deeper exposure is not made until it has been decided whether it is needed laterally over the tuberosity, inferiorly over the subscapularis, or posteriorly into the supra- and infraspinous fossae (Fig. 8–49 *A*, *B*, and *C*).

A superoanterior utility incision is used, starting from 1 inch behind the acromioclavicular joint, extending distally for 3 inches, centered over the acromioclavicular joint and extending forward in the direction of the deltoid fibers. The upper anterior portion of this is deepened, and the deltoid fibers are separated by blunt dissection and retracted. The coracoacromial ligament comes into view superiorly, and the roof of the subdeltoid bursa appears just beyond this. The bursa is incised and retracted, but this is done in such a way as to preserve it if it is not extensively thickened and constituting a subacromial obstruction. A special curved humeral head retractor is helpful at this point, but ordinary right-angle retractors can be used to separate the deltoid fibers for complete inspection of the joint.

Exposure is completed on the basis of whether a massive tear, a lateral tear, a rim rent, a bicipital lesion, or a subscapular lesion has been encountered.

Small Complete Cuff Tears

The simplest tear to repair is the small slit or rim rent. It is found principally in two locations, the junction of the supraspinatus and subscapularis, or anterolaterally in the supraspinatus.

In either location the exposure, as outlined previously, is the same. Following the exploratory process, the coracoacromial ligament is resected, cutting it at its acromial attachment and retracting it medially (Fig. 8–50). A small artery of the thoracoacromial axis is almost always encountered in cutting this ligament, and must be electrically coagulated because it will continue to bleed. Sufficient exposure now is available to allow mobilization of the cuff. The assistant pulls on the arm, and the dissecting finger probes into the supra- and infraspinous fossae, loosening the cuff. These acts of traction and digital freeing usually are sufficient to let torn edges fall together, and repair may be accomplished with a few interrupted Mersilene mattress sutures. If possible, the bursa is then repaired and the wound is closed in layers.

Massive Tears

Repair of massive ruptures requires extensive exposure and special techniques (see Fig. 8–52, steps 1 to 12).

Use of Fascia. In 1927 the late Dr. W. E. Gallie first presented the use of "living suture" in shoulder surgery. This was a case of recurrent anterior dislocation of the shoulder that he successfully repaired using fascia, and reported in the transactions of the American Surgical Association.

Over many years, fascia was used for an expanding number of repairs, but the author was the first to make use of living suture in repairs of the rotator cuff. Fascia lata is ideally suited as an autogenous material that has a great deal of flexibility, is well tolerated by the shoulder tissues, and lends itself to a myriad of repair techniques. The author has had an opportunity of inspecting shoulders many years after insertion of the fascia, which can be seen to exist as a scaffolding still healthily in place and not absorbed, but rather assimilated in situ with the tissues through which it is woven. In repairing over 1000 cases of cuff lesions with fascia, the author has not had a single instance of rejection or any similar reaction in which the patient did not tolerate the living suture.

Preparation of fascia is easily carried out. The assistant makes a short transverse incision just a hand's breadth above the neck of the fibula on the lateral side over the palpated tensor band. Usually the center of the band is resected, making an incision about three-eighths of an inch transversely through it, and then using one of a number of fascia strippers to remove the fascia. The cylindric fascia stripper with the inner cutting tube blade is the one used by the author.

In some instances, fascia is somewhat frail, particularly in young women, and it may be more appropriate to make a longer incision and remove the fascia directly through this incision. In this way, one is certain not to strip or fragment the fascia.

The proximal edge of the incision in the fascia is closed with one or two stitches, and

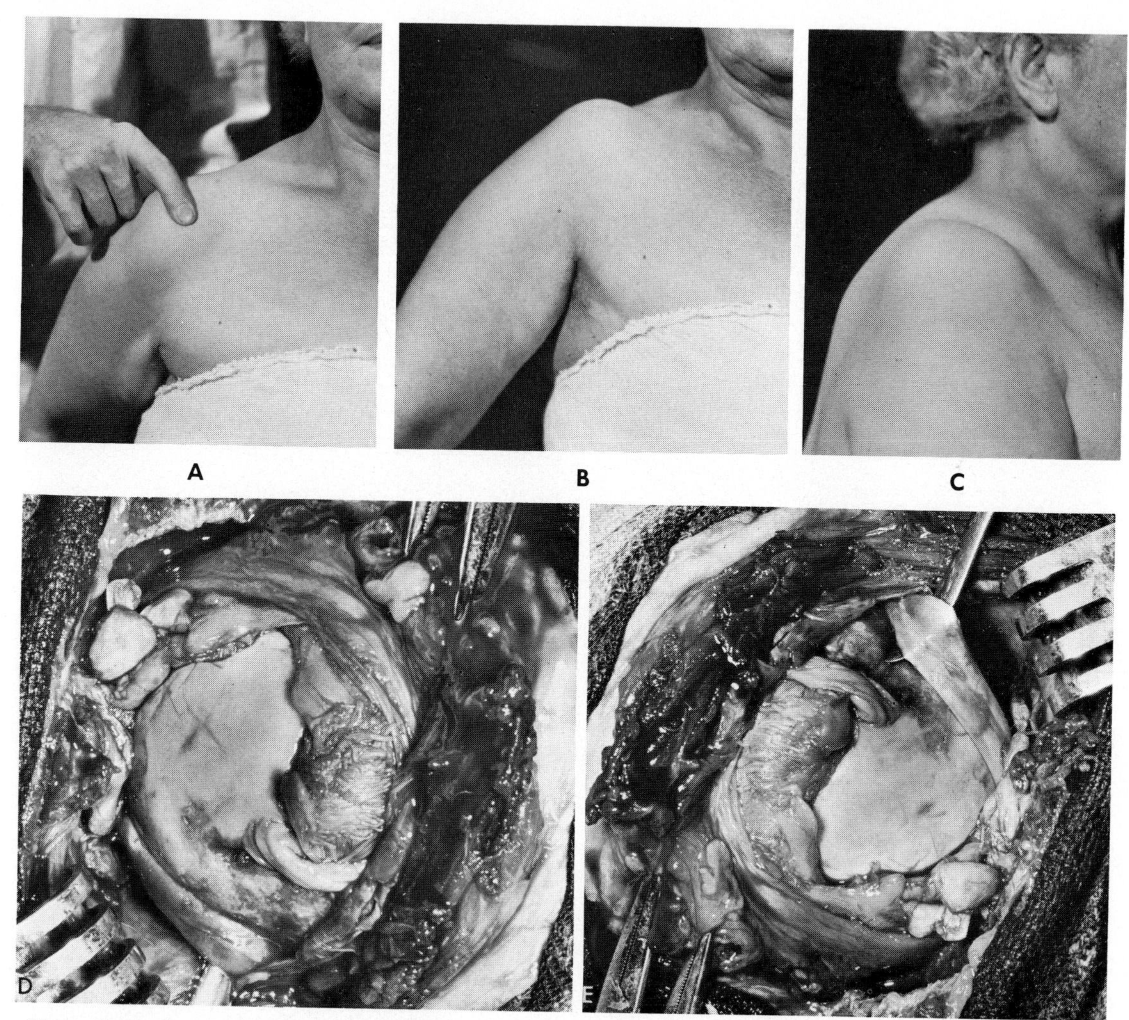

Figure 8–51 A massive tear with displacement of long head of biceps. *A,* Point of maximum tenderness superoanteriorly. *B,* Attempted abduction merely jumps the head of the humerus up in the socket when the depressor effect of the cuff or long head of biceps is lost. *C,* Obvious atrophy. *D,* Appearance at operation. *E,* The biceps tendon is dislocated medially. The bare head of humerus sticks up with a fringe of cuff about it. The cartilage is eroded at the bicipital groove.

the skin wound closed in a routine fashion. Using this technique a great deal, the author has not had a single instance of persistent complaint related to the donor region. It can happen that there is some prominence of the vasti if a much too wide piece of fascia is excised, but routinely it is completely asymptomatic.

The position, incision, and preliminary inspection are the same as described previously. When a massive defect is identified, the first step is a complete manipulation of the shoulder to release adhesions, particularly those resulting from infraglenoid contractures. It is an error to attempt to repair such tears without first carrying out this maneuver. Often the humerus is riding at a higher-than-normal level, squeezed to this point by the infraglenoid adhesions and the unresisted upward thrust of the head of the humerus, which occurs when the patient attempts to abduct it (Fig. 8–51).

When the capsule has been completely loosened, it is not uncommon to find that the cuff defect has decreased by as much as one-third. This allows insertion of the finger beneath the acromion and over the head to further free cuff substance.

Exposure is continued by resecting the coracoacromial ligament, and then perform-

Text continued on page 291

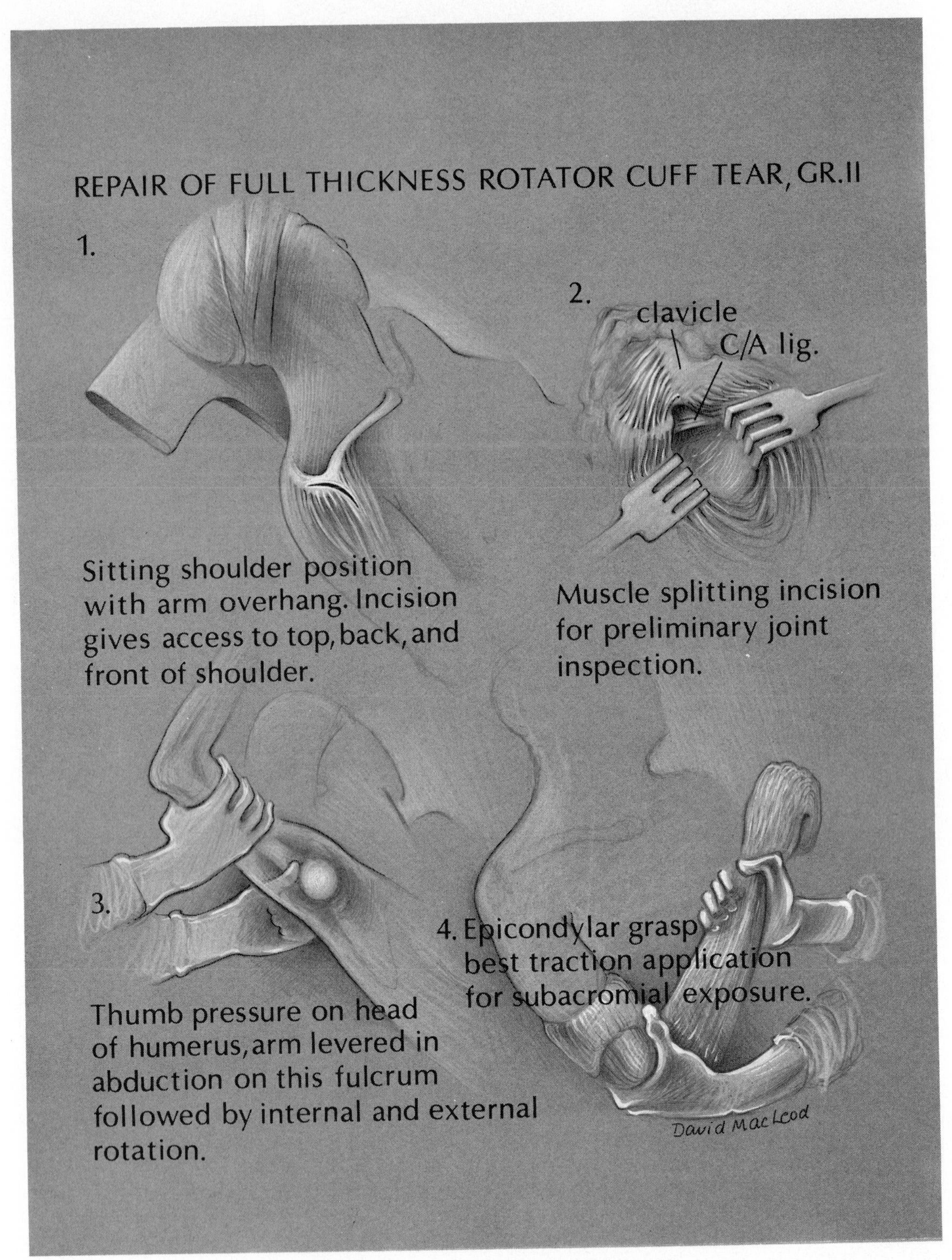

Figure 8–52 Repair of Grade II. Steps 1 to 12.

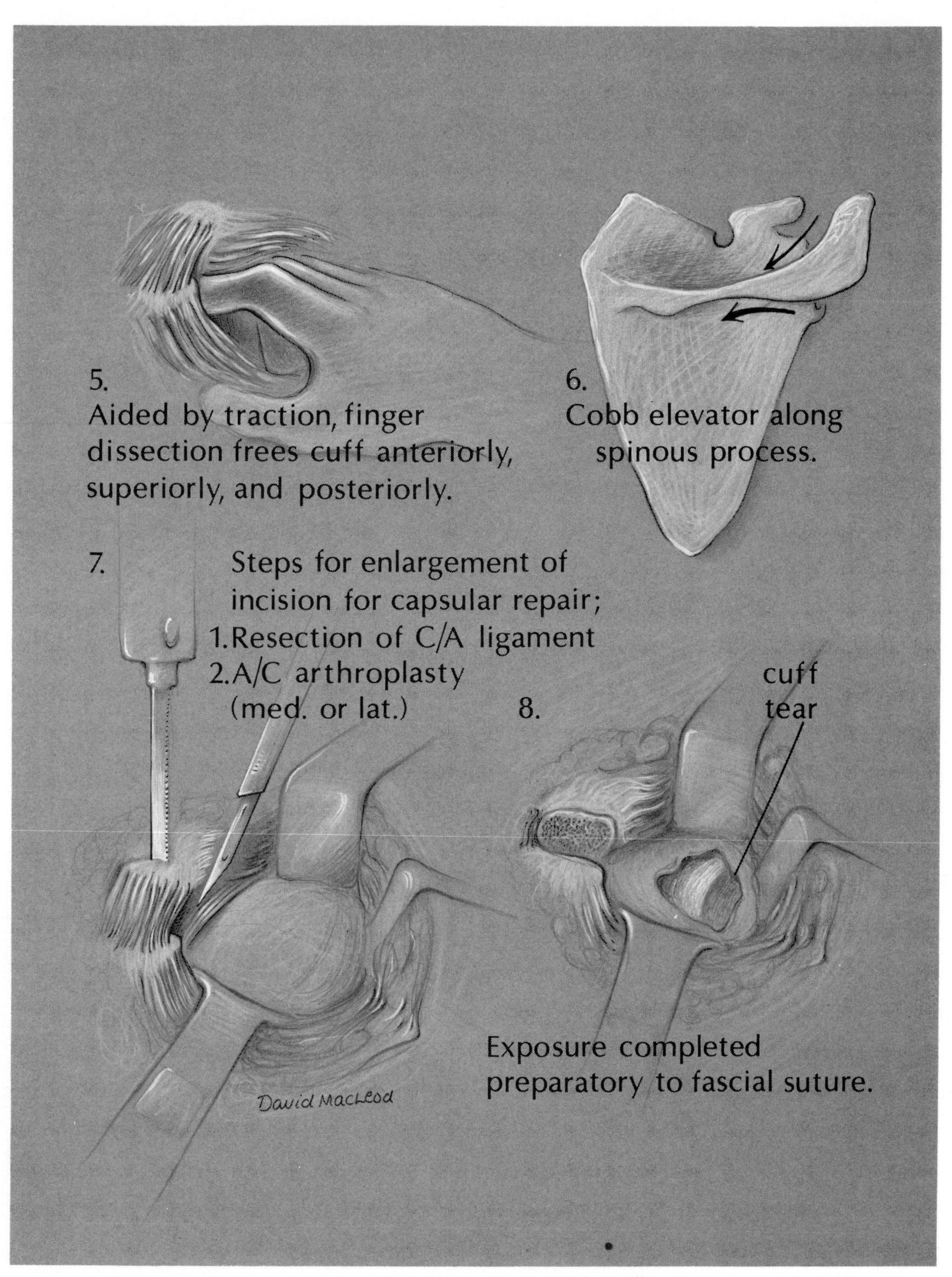

Illustration continued on following page

Figure 8–52 *Continued*

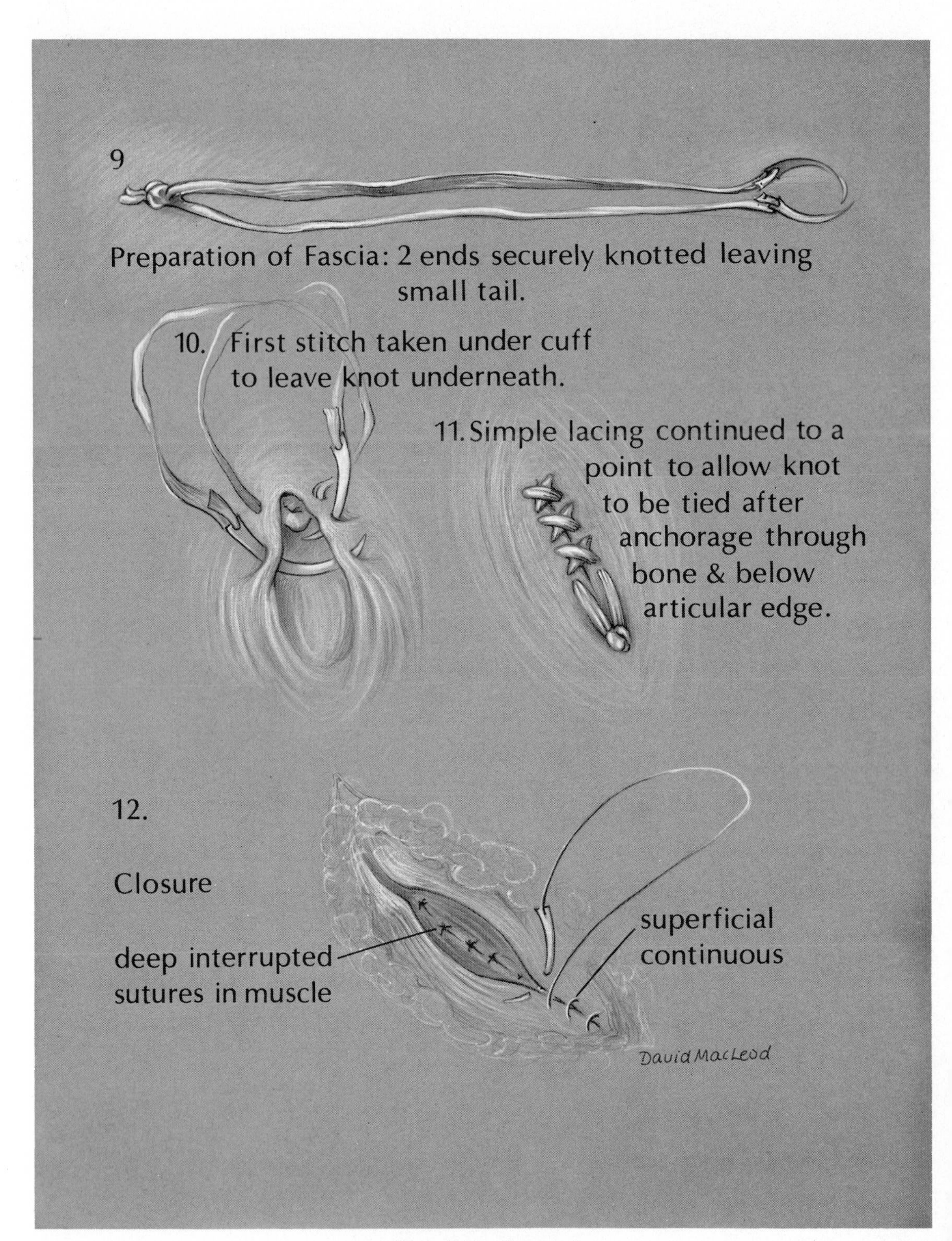

Figure 8–52 *Continued*

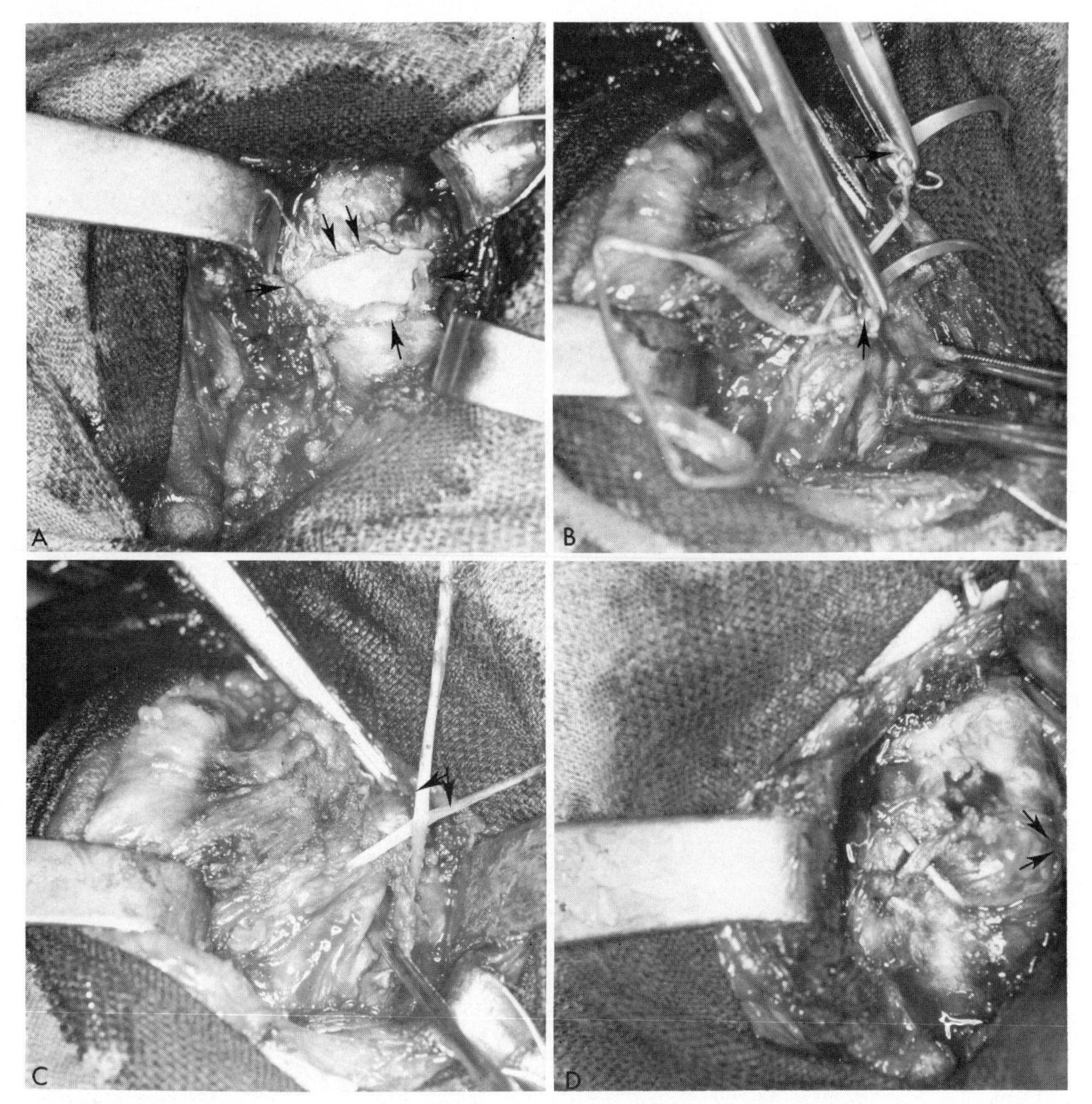

Figure 8–53 Edge to edge repair. *A*, Defect. *B*, Fascia strip with needle at each end. *C*, Crisscross lacing with fascia starting at top of defect. *D*, Repair completed with knot tied at bottom on side of head below articular edge.

ing an acromioclavicular arthroplasty. This last step makes feasible mobilization of the supra- and infraspinatus muscles well down to their origins in the fossae, and a further 15 to 20 degrees of abduction without rotation or acromioclavicular impingement. In all massive cuff repairs some decrease in rotation may be expected, so that this maneuver is extremely helpful and adds significantly to the range of pain-free motion subsequently obtained.

Some tears of considerable size are sufficiently obliterated by these manipulations to be approximated edge-to-edge (Fig. 8–53*A*, *B*, *C*, and *D*). In others, it is necessary to shorten the insertion by modifying the attachment into the upper end of the humerus (Fig. 8–54, steps 1 to 6). This is accomplished by cutting a face in the head of the humerus, appropriately angled to allow the cuff to be pulled over it and secured in place. The segment of humeral head removed will have some articular cartilage on it, and often is shaped like an orange segment (Fig. 8–55*A*, *B*, *C*, and *D*). The placing of this cut can only be determined by pulling the cuff over the head with the arm slightly abducted, marking with an osteotome the point of desired attachment, and then making the cut appropriately.

The edges of the tear are freshened and fastened to the humerus with fascia through

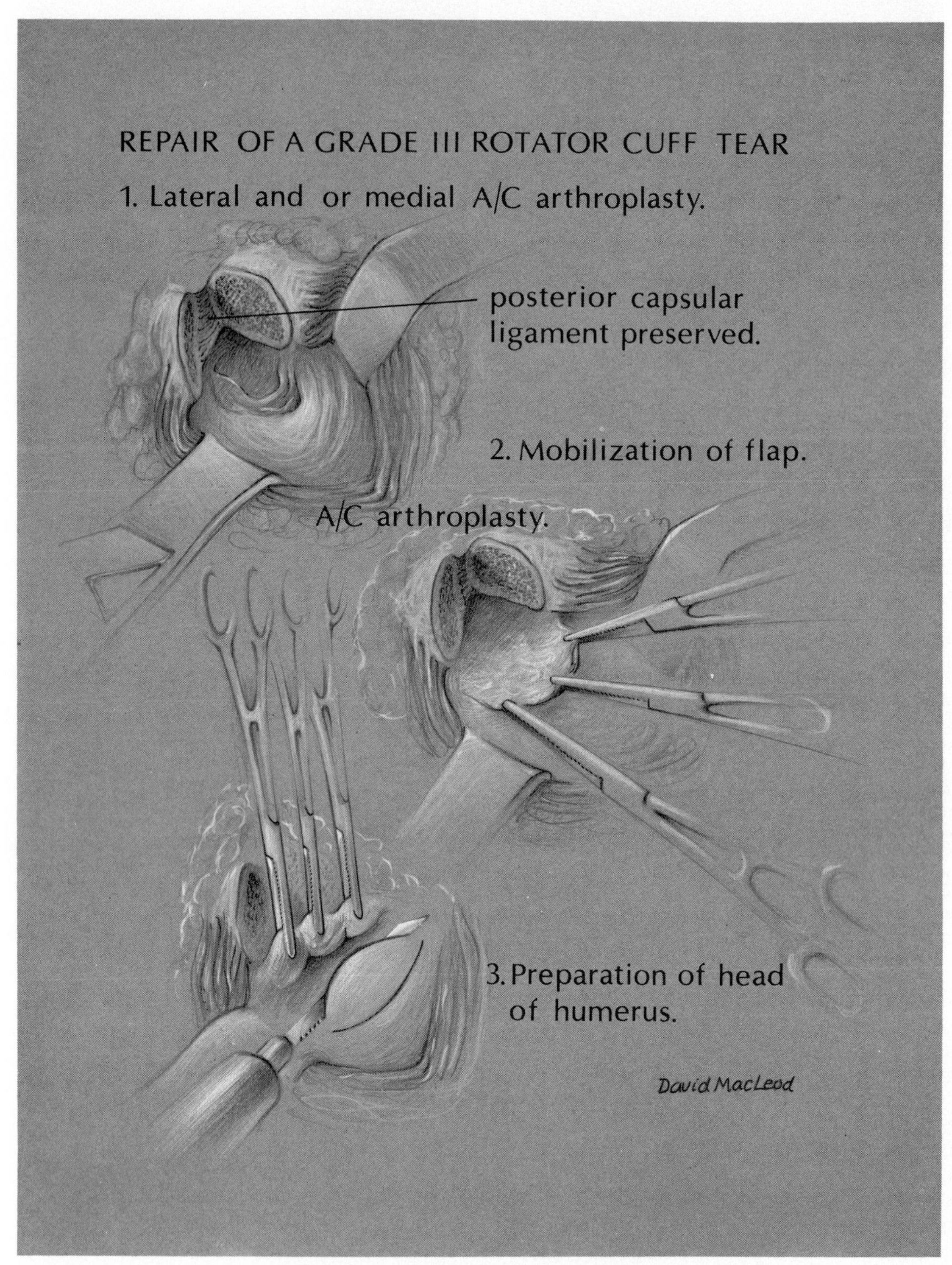

Figure 8–54 Repair of Grade III. Steps 1 to 6.

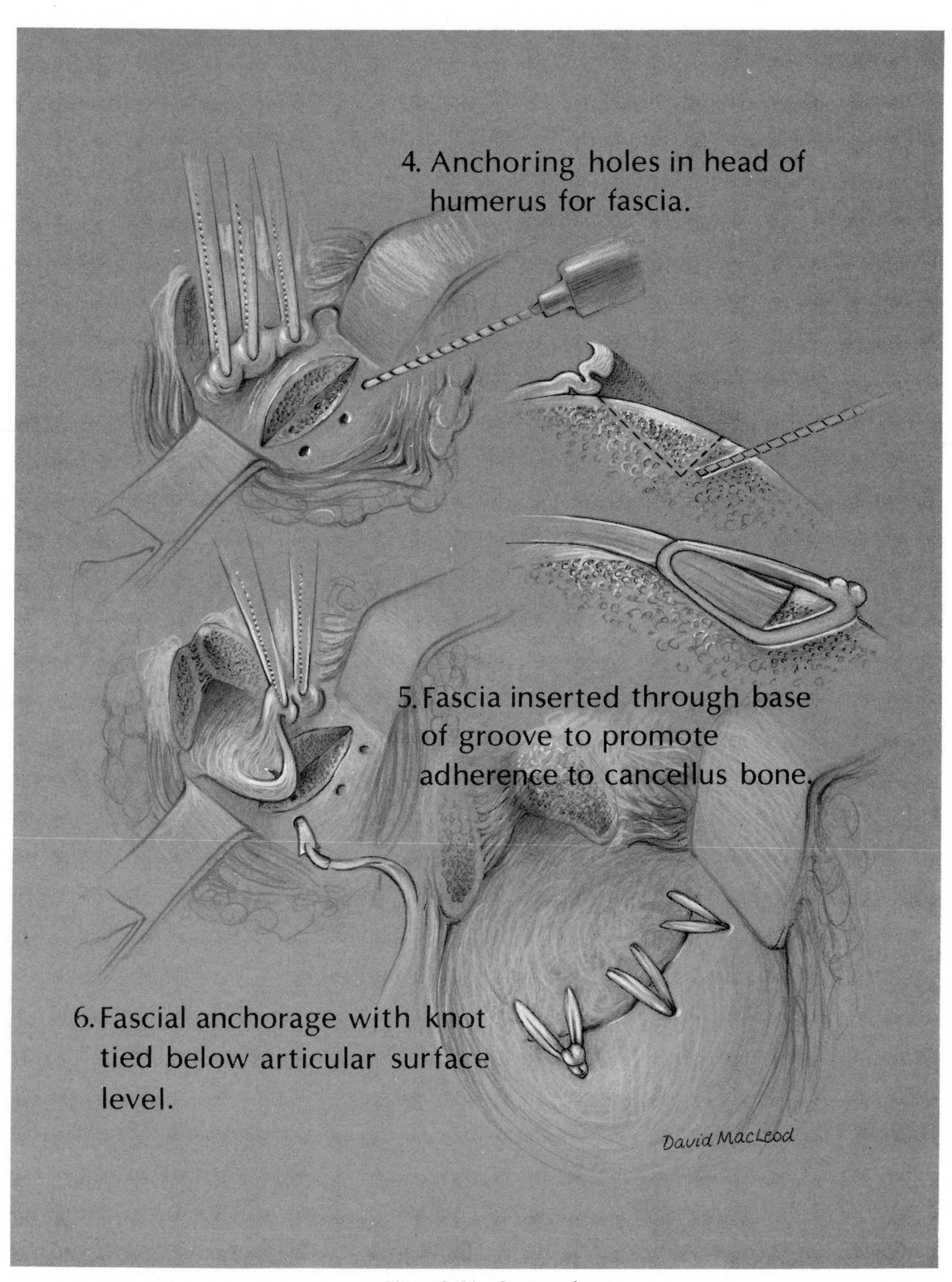

Figure 8–54 *Continued*

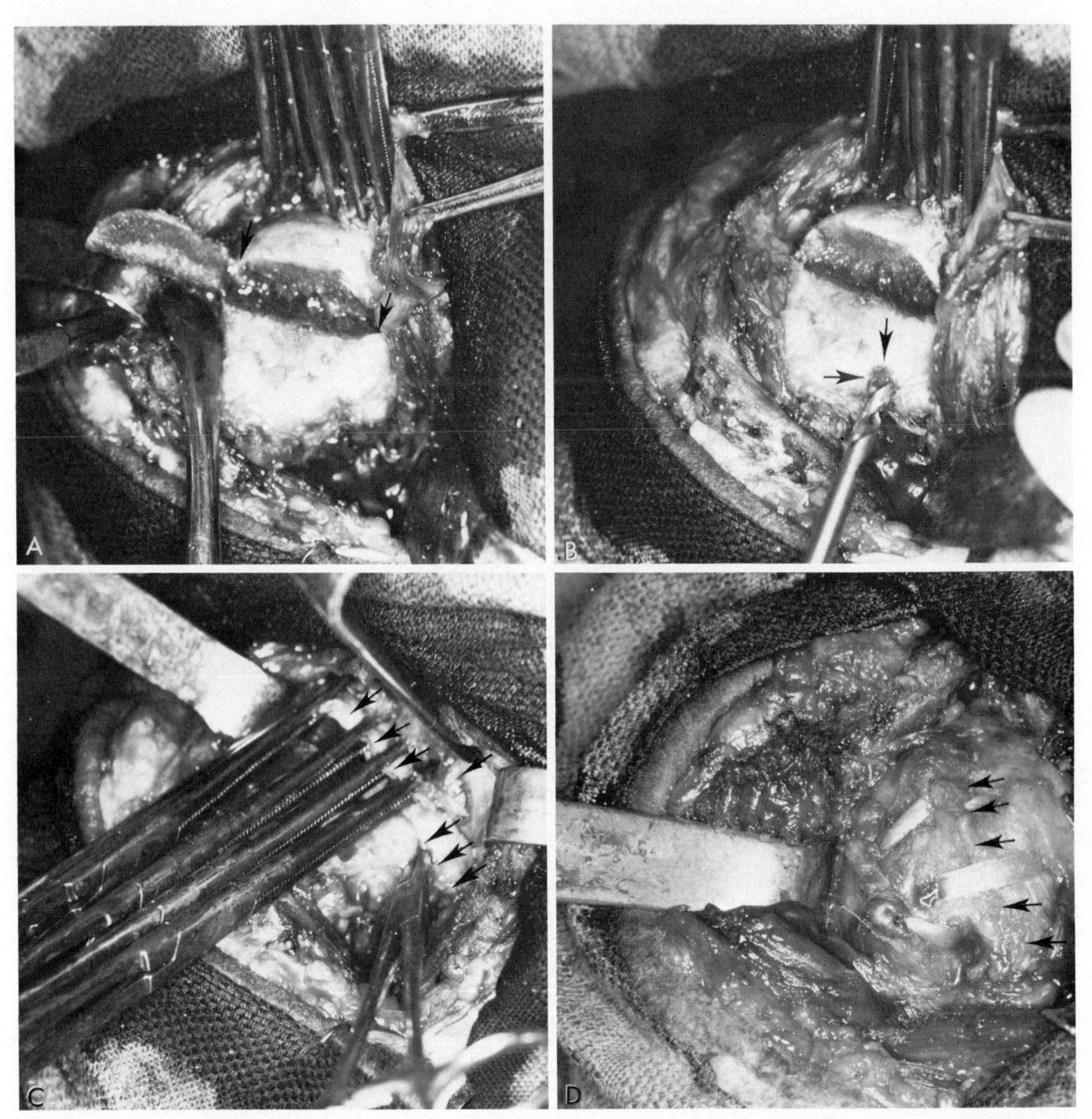

Figure 8–55 Detail of cuff anchorage to humerus. *A*, Wedge resected at point allowing shortening of insertion. *B*, Position of drill holes for fascia. *C*, Mobilization of cuff to reach prepared site. *D*, Defect obliterated.

small drill holes (Fig. 8–56*A*, *B*, *C*, *D*, and *E*). Some surgeons prefer to use a small staple at this point, but a form of firm bone fixation is necessary to retain a strong repair. In making this cut, one face will serve for cuff adhesion, and the other allows anchorage of the stitches. The incision is then closed in the routine fashion. When possible, the bursa is repaired over the zone of cuff attachment in the same way one closes the peritoneum in the abdomen.

Utilization of fascia allows broad flexibility in the mending technique of cuff defects. Two common techniques have been outlined above, but there are many variations of the same principles. One of the more common is a combination of these methods (Fig. 8–57) wherein the triangular defect of the cuff is enlarged by incising the base of the limb at the humeral attachment, so that a previous triangular defect becomes a linear defect that may be laced by snug approximation of the edges. Continuing with this skein of fascia, the whole segment is anchored through holes in the humerus, as described above.

Repair of "Global" Tears of the Rotator Cuff

A further classification of massive defects can be segregated, and perhaps is most descriptively termed as "global." In contrast to the previous configurations, the global tear presents virtually with little or no cuff remnant for reattachment, either edge-to-edge or to bone. All the principles outlined above, including manipulation and scapular spine dissection, are required even more vigorously to mobilize this cuff remnant. The steps are depicted in Figure 8–58.

In some instances the author has used a "darning" technique in which two pieces of fascia are used and woven across each other at right angles or somewhat obliquely. This provides for some approximation of the defect, but at the same time introduces a new strong replacement for it.

Lateral Tears

When examination through the exploratory segment of the incision indicates that the defect is extensive, but quite laterally placed, a slightly different routine is followed (Fig. 8–59, steps 1 to 8).

An acromioclavicular arthroplasty is done, but the medial five-sixteenths to three-eighths of an inch of the acromion is resected, including usually a little of the anterior point of the acromion. In this way better access is provided to the lateral side of the head of the humerus, and this makes the freeing of the cuff in this region much easier. Exposure of a superior site for humeral head troughing is available, and the cuff can be transfixed with greater facility. An arthroplasty is effected just as well by removing the medial acromion as by removing the lateral end of the clavicle, but the clavicle is left intact if the acromion is removed.

Total resection of the acromion is avoided because of the difficulty in reattaching the fleshy origin of the deltoid securely. In some instances it is quite feasible, but experience has been that the deltoid often pulls off the attachment, leaving an unsatisfactory repair. For this reason a partial acromionectomy, which will contribute all the advantages of an acromioclavicular arthroplasty, is greatly preferable.

Bicipital Tears

A further, quite different configuration of tear is not uncommonly encountered in the form of a split, extending along the course of the biceps toward, and sometimes implicating, the bicipital groove. It frequently happens that the intertubercular fibers are damaged in a tear such as this, allowing the long head of the humerus to dislocate medially. Often this leads to a most unstable shoulder, with extensive impairment to use.

When this lesion is found, the exposure involves extension of the deltoid separation a little further distally. The coracoacromial ligament is resected, and the acromioclavicular arthroplasty is carried out in the usual manner. The defect is repaired with fascia, using a lacing stitch made with two needles. The fascia is inserted at the top of the defect, and laced toward the intertubercular sulcus. The long head of biceps is replaced in its groove, and the fascia is anchored through two drill holes in the upper end of the humerus on either side of the intertubercular sulcus so that, as the fascia is tied, it forms a new roof of intertubercular fibers. The tendon can be firmly held in its proper position by this maneuver. Closure is effected in the usual way (Fig. 8–60, steps 1 to 5).

Text continued on page 304

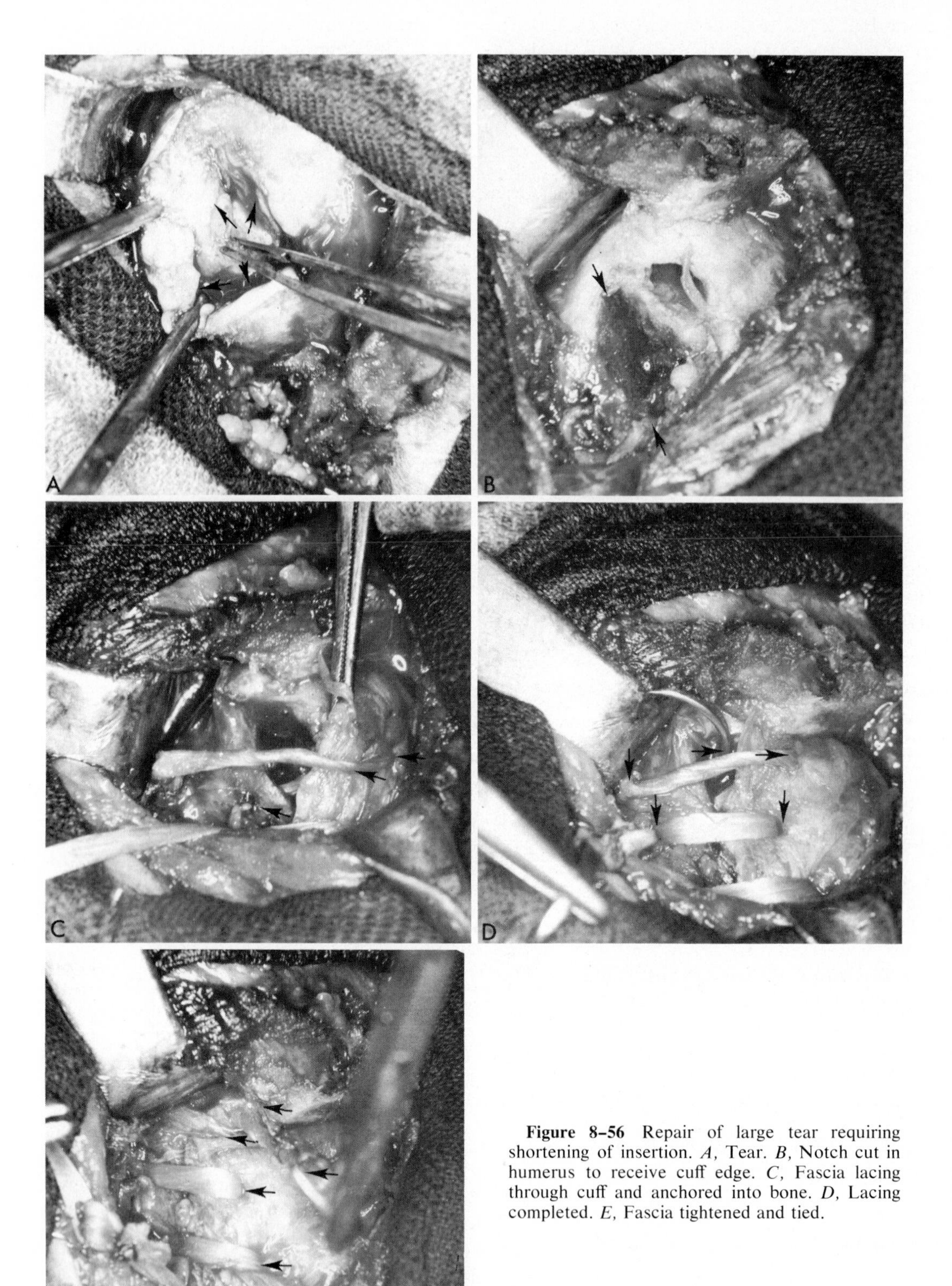

Figure 8–56 Repair of large tear requiring shortening of insertion. *A,* Tear. *B,* Notch cut in humerus to receive cuff edge. *C,* Fascia lacing through cuff and anchored into bone. *D,* Lacing completed. *E,* Fascia tightened and tied.

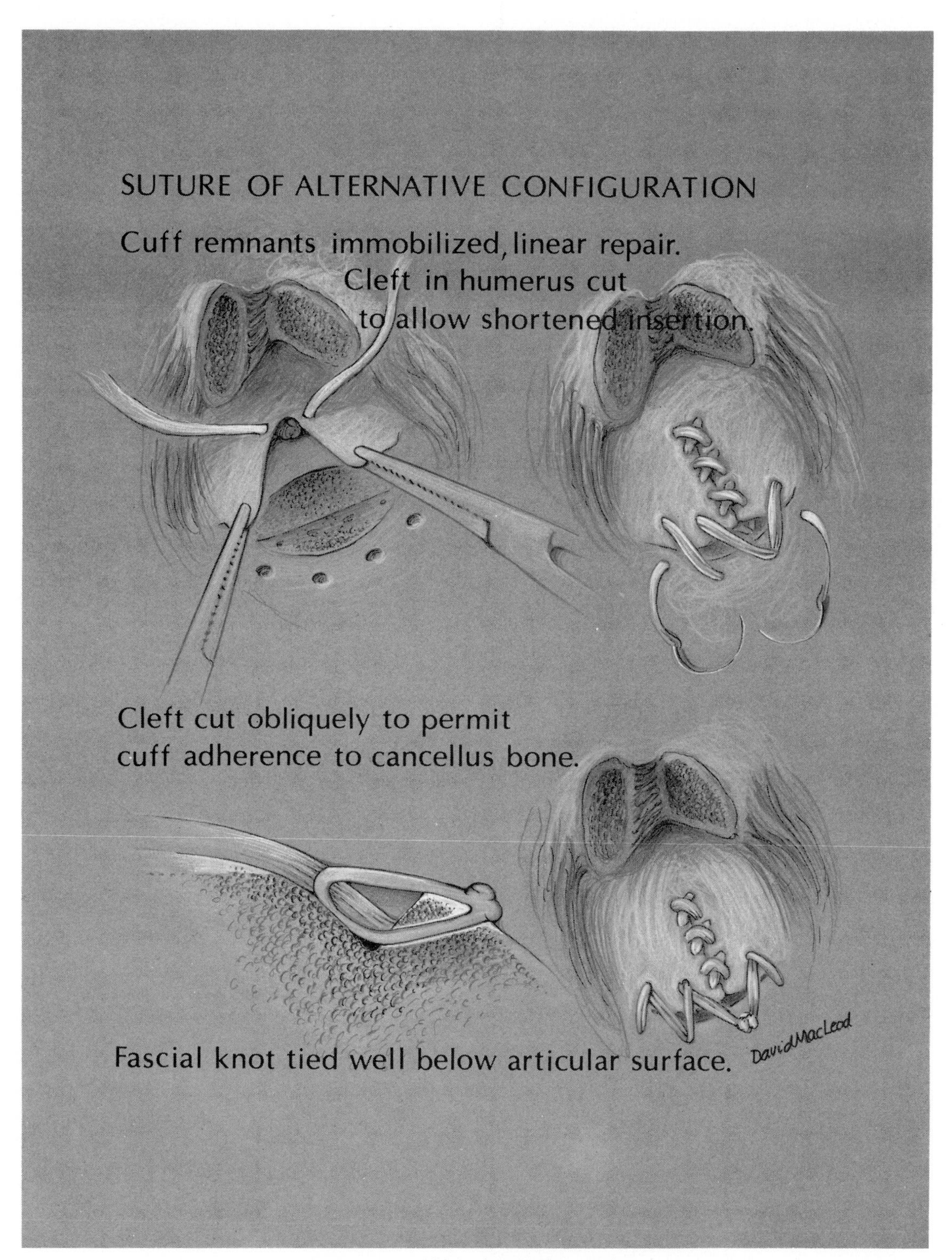

Figure 8–57 Alternative repair procedure.

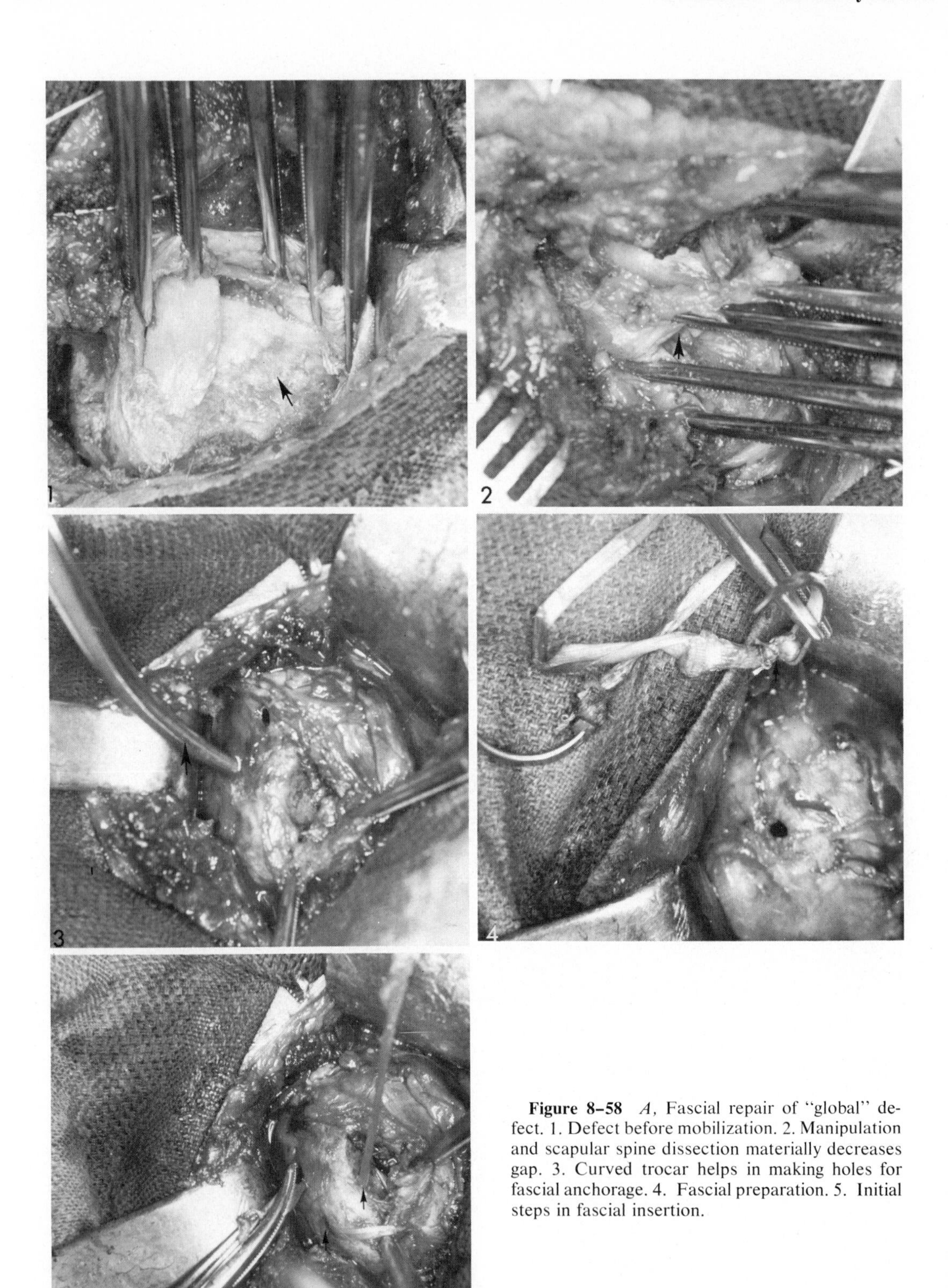

Figure 8–58 *A*, Fascial repair of "global" defect. 1. Defect before mobilization. 2. Manipulation and scapular spine dissection materially decreases gap. 3. Curved trocar helps in making holes for fascial anchorage. 4. Fascial preparation. 5. Initial steps in fascial insertion.

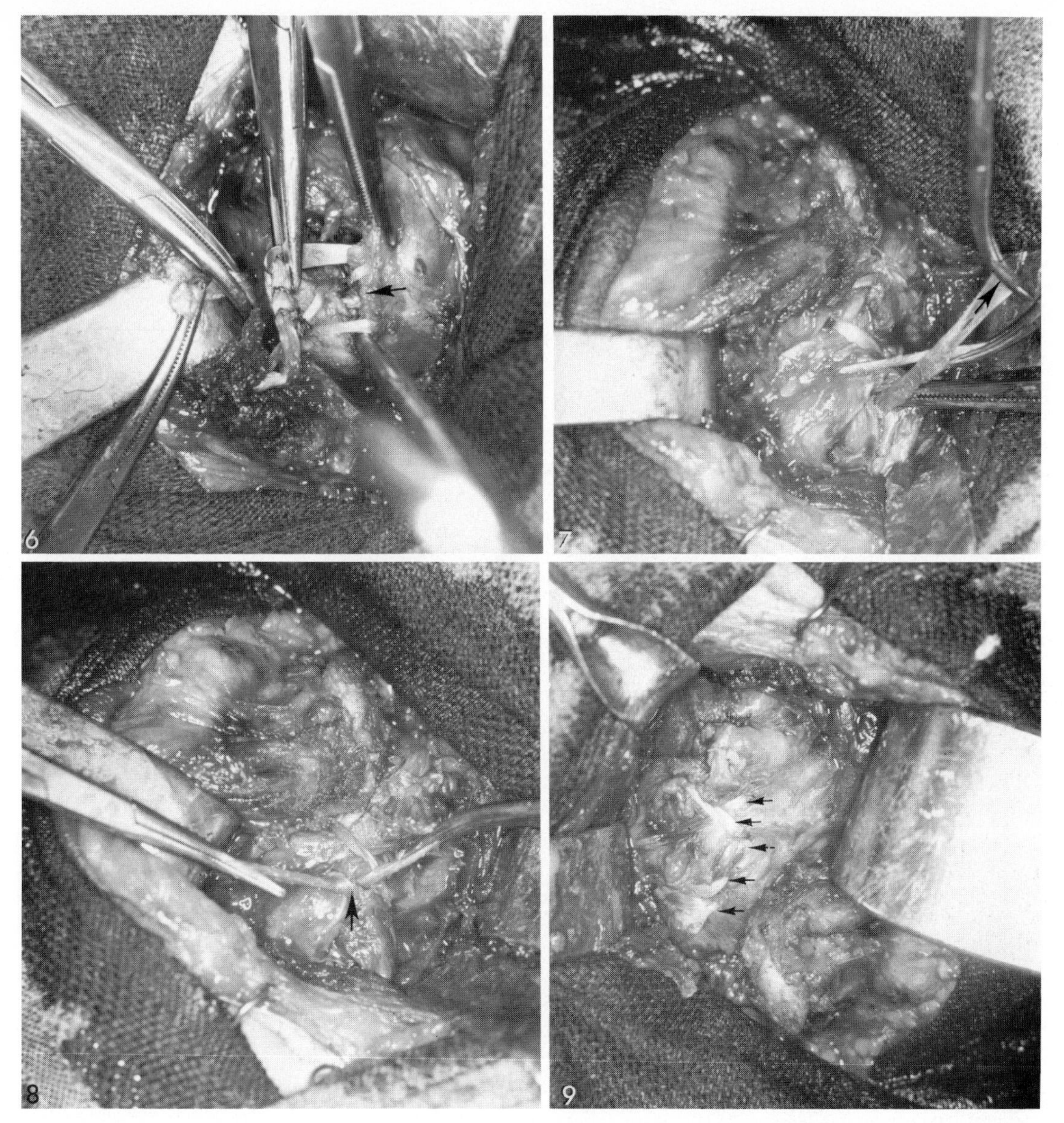

Figure 8–58 *Continued* 6. Completion of fascial insertion. 7. Needles removed for tying of fascia after tightening of repair. 8. Initial knot tied. 9. Global repair completed.

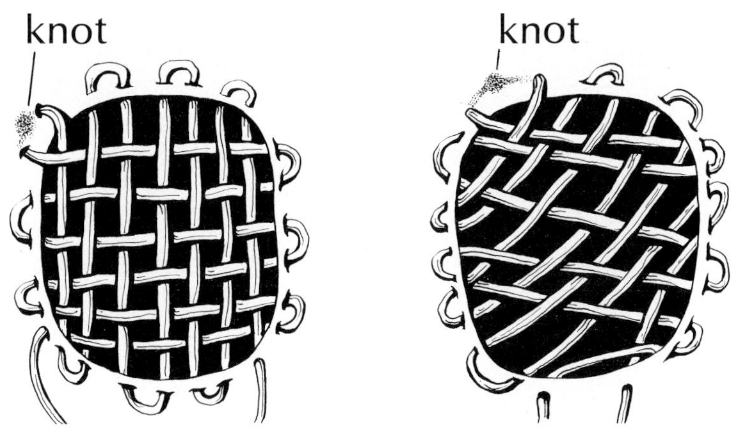

Figure 8–58 *Continued B,* Darning technique.

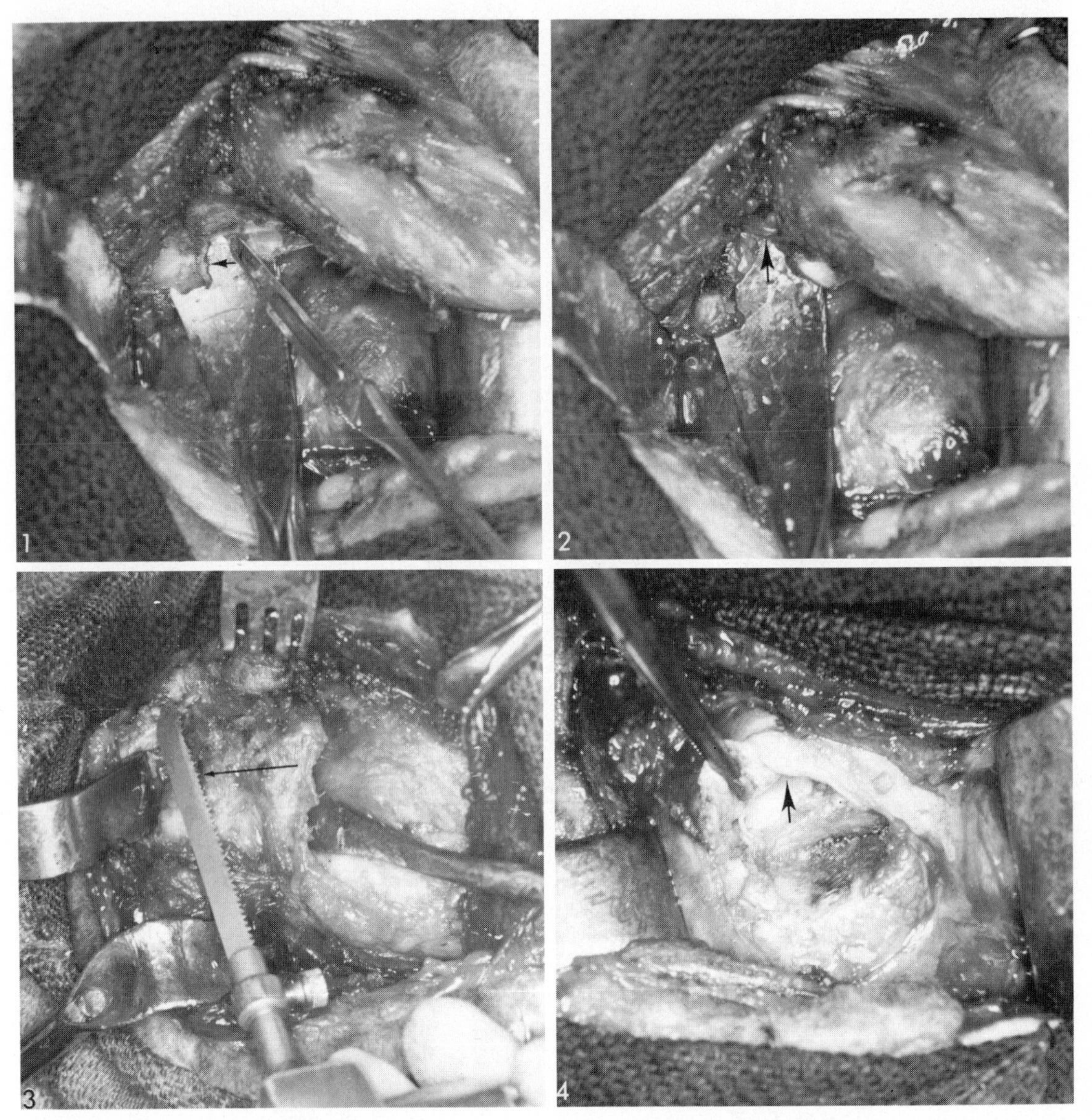

Figure 8–59 Repair of large lateral tear. 1. Coracoacromial ligament incised. 2. Coracoacromial ligament resection completed. 3. Acromion resected—"lateral" acromioclavicular arthroplasty. 4. Exposure of tear completed.

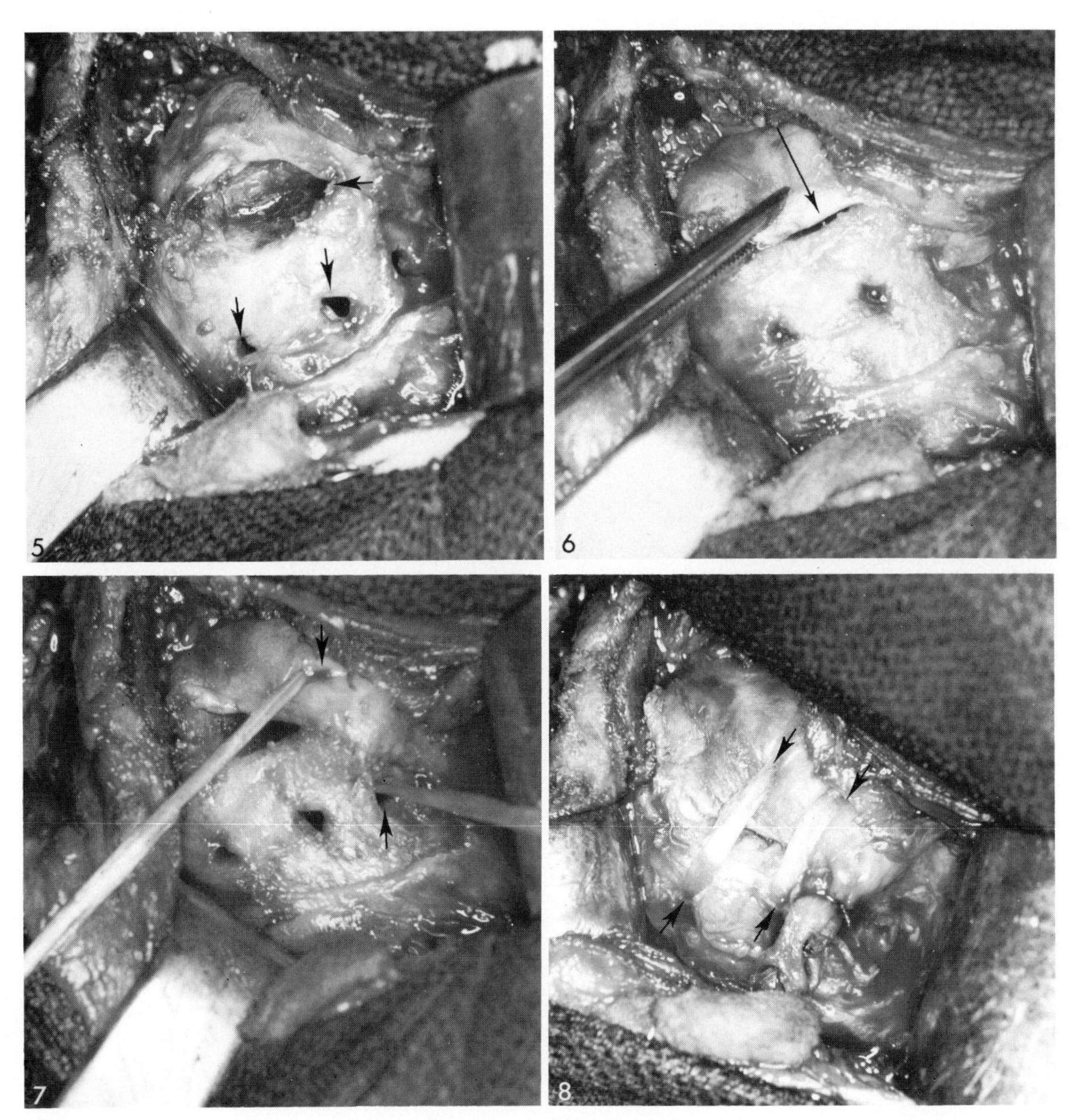

Figure 8–59 *Continued* 5. Wedge cut from humerus, anchoring holes drilled ½-inch below edge of defect for secure fixation. 6. Mobilized edge of cuff pulled into defect. 7. Fascial anchoring started. 8. Fascial repair completed.

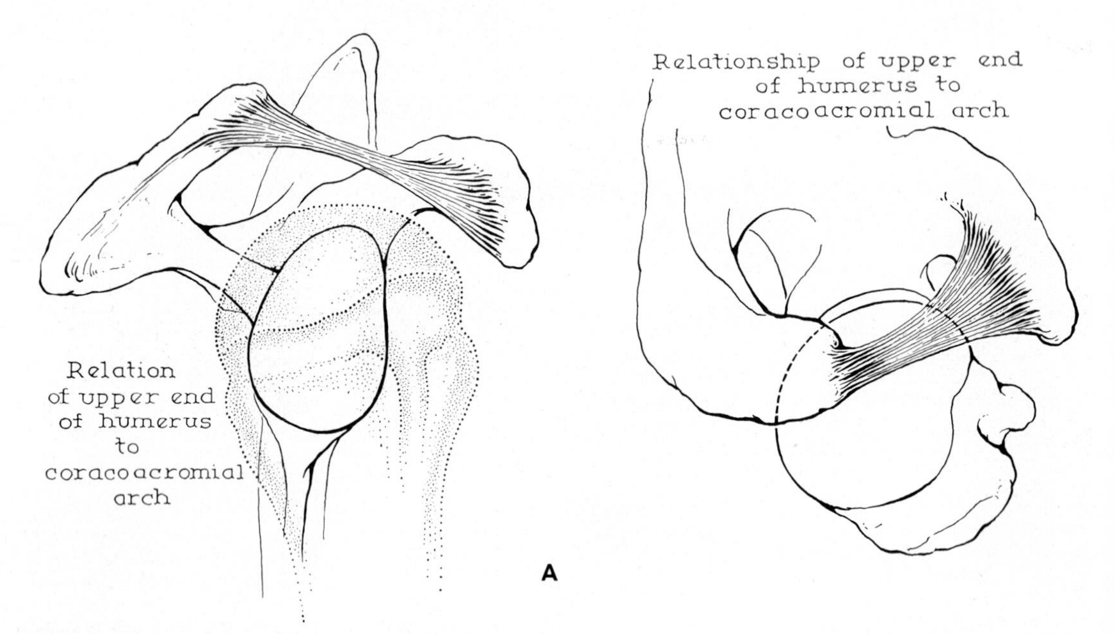

Figure 8–60 *A*, Superior aspect of the humerus and its relation to the coracoacromial arch. Note that a large part of the upper end of the humerus is unprotected.

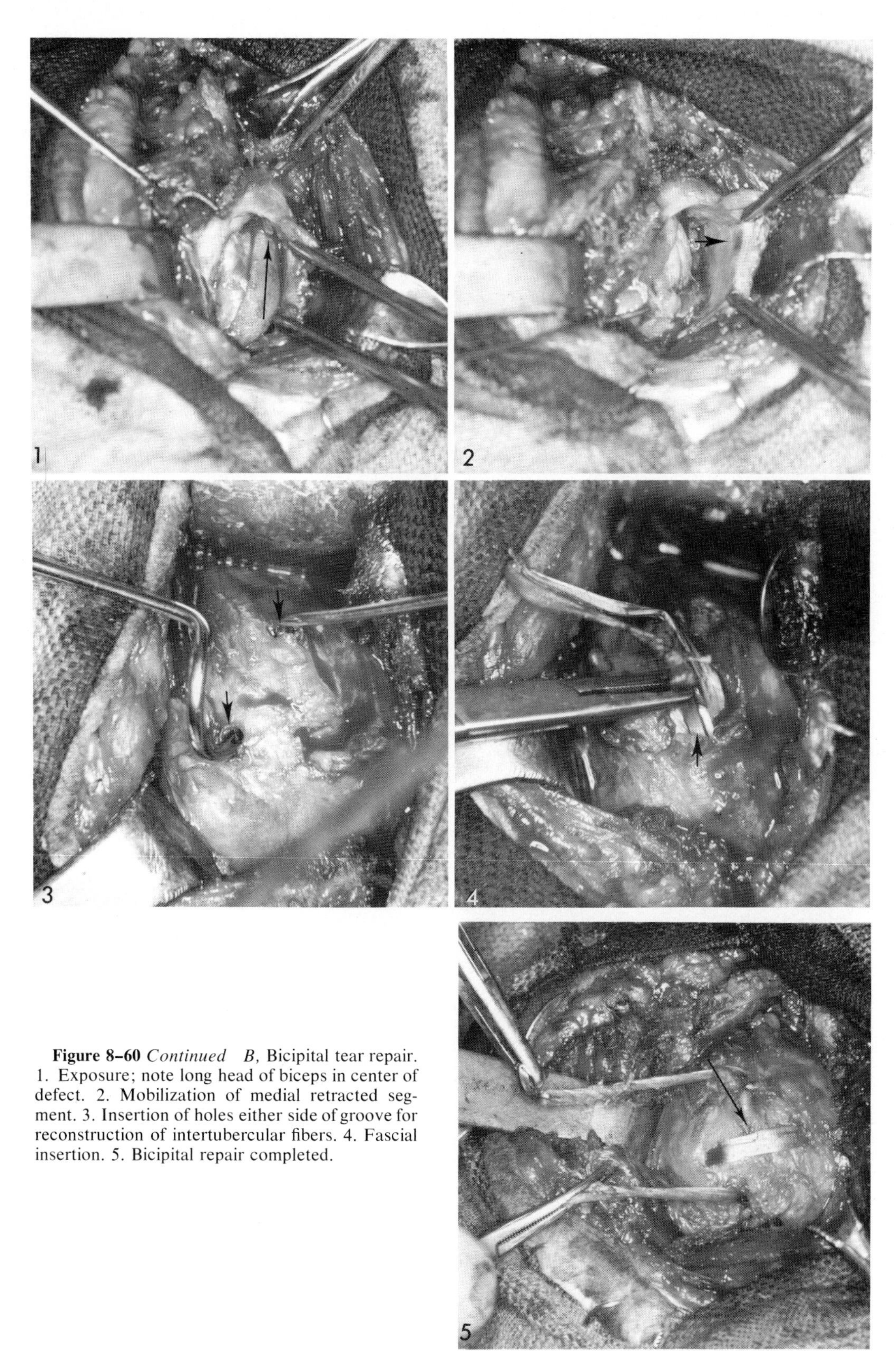

Figure 8–60 *Continued* *B,* Bicipital tear repair. 1. Exposure; note long head of biceps in center of defect. 2. Mobilization of medial retracted segment. 3. Insertion of holes either side of groove for reconstruction of intertubercular fibers. 4. Fascial insertion. 5. Bicipital repair completed.

Subscapular Tears

Powerful rotatory stress can split the subscapularis or avulse it from its moorings. The lesion is usually seen in young athletes or the younger age-group. Some suggestion of the location of these tears is obtained in the examination and contrast studies. The tenderness is anteroinferior, with the plane often extending toward the chest; in an arthrogram, the dye leaks medially instead of superiorly (Fig. 8–61).

When this tear is encountered, the incision is extended slightly distally; resection of the coracoacromial ligament and acromioclavicular arthroplasty are not required. As a rule, replacement of the tendon is not difficult, although reaching it is somewhat awkward. In some instances a tear such as this is best approached by the inferior axillary incision, which is used for repair of recurrent dislocation in women.

When exploratory incision superiorly indicates this type of tear, a further cut is made in the inferior axillary fold, extending across the roof of the axilla. The deep fascia is incised, and the principle is to retract the anterior wall of the axilla, consisting of pectoralis major and deltoid superiorly. When this has been done, dissection continues along the coracobrachialis and biceps on their lateral side, exposing the subscapularis. As a rule, the rupture occurs toward the medial aspect of this area, with the tendon being avulsed from the margin of the glenoid tuberosity. The tendon of subscapularis is mobilized in both directions and, with some internal rotation, it is usually possible to bridge this gap adequately. The repair is carried out with interrupted mattress sutures, but in long-standing defects it should be laced with fascia.

Preparation of Fascia. The use of fascia lata has been extremely helpful in the author's hands. In the repair of cuff defects it affords an autogenous suture material that has a degree of resilience after fixation, which is beneficial for many of the tears. In

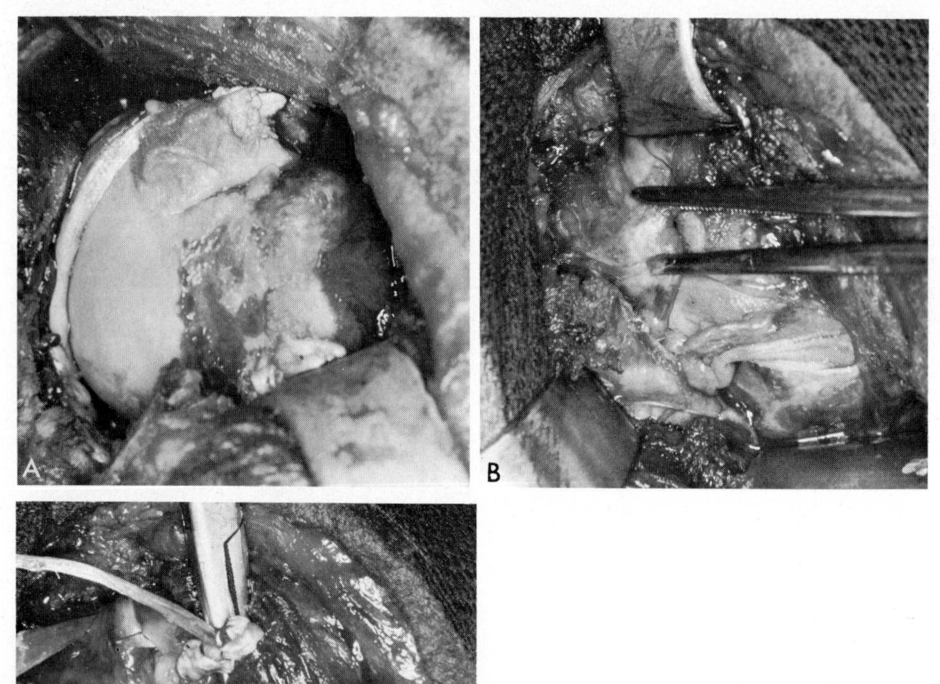

Figure 8–61 Repair of subscapularis tear. *A,* Defect. *B,* Mobilization of tendon from medial to lateral side; tendon is being pulled laterally with Kocher clamps. *C,* Repair completed with fascia; fascia needle is biting into bone anchoring tendon with the fascia.

addition, it forms a scaffolding of "living" suture, which is particularly helpful in large, massive tears. The lacing technique offers a method of obliterating defects effectively when there is considerable decrease in cuff substance.

A small transverse incison 2 inches long is made and centered over the tensor fascia lata, roughly a hand's breadth above the patella. The incision is carried down to the fascia, and the fat is separated from the tensor fascia lata, which can be easily palpated. A strip about five-sixteenths of an inch in width is cut with a scalpel, dissected free, and then removed with a fascial stripper. The stripper removes a piece of fascia approximately 9 to 10 inches in length, and this is fixed to a fascia needle, a stout one with an appropriately large eye. The fascia is sewn on with two separate binding stitches (Fig. 8–62*A*, *B*, *C*, and *D*). When it is desired to use a side-to-side lacing stitch, needles are sewn on each end. When a single stitch suture is required, an anchoring knot may be placed on one end and a needle on the other.

Concealed or Partial Thickness Tears

Symptoms from many of these tears subside with conservative treatment. Persistent

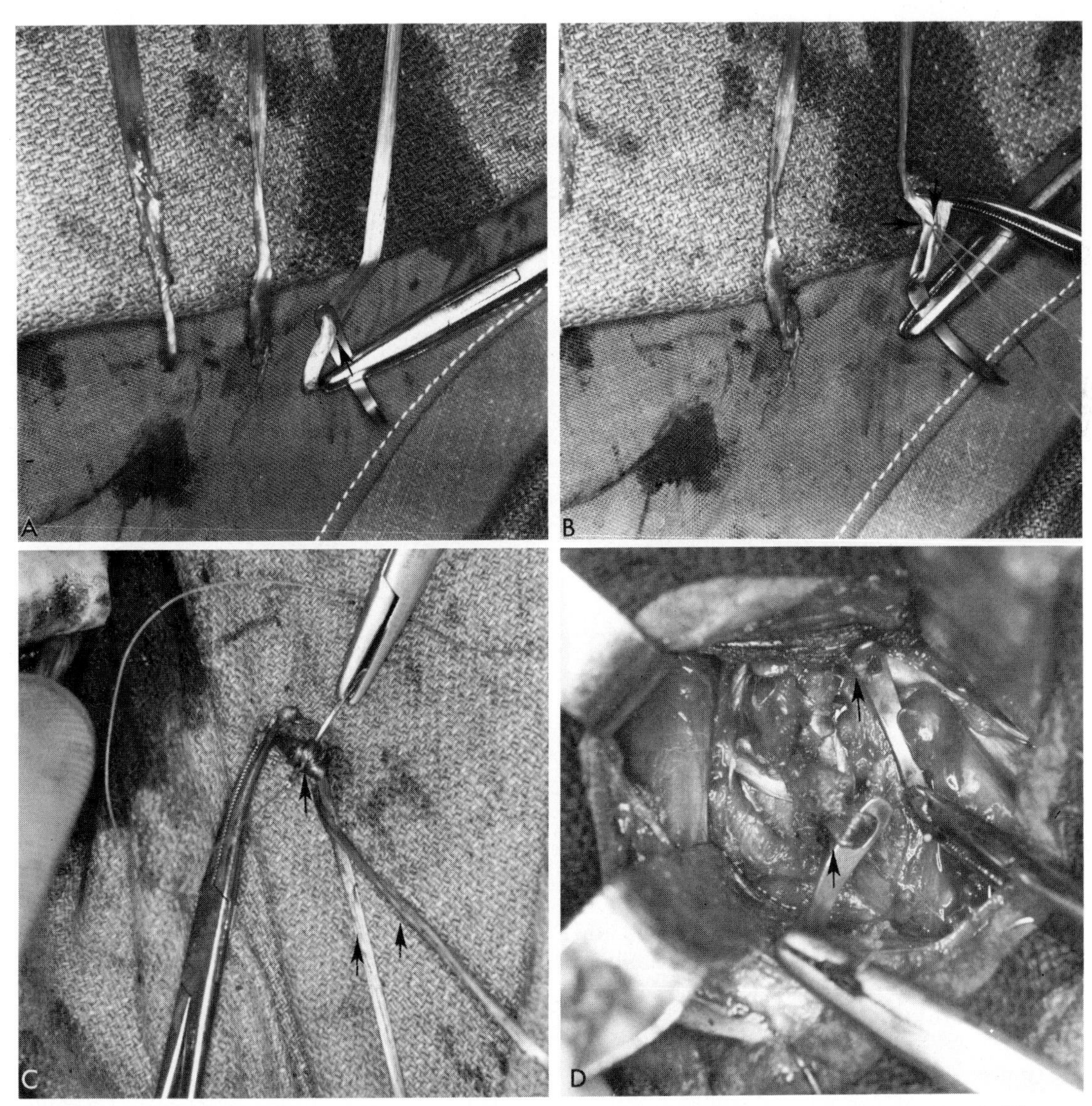

Figure 8–62 Fascia preparation. *A*, Strip inserted in Gallie needle. *B*, Double ligature to needle. *C*, Knot holding two strips together for a long suture strip with needles at each end. *D*, Two-needle strip suture completed.

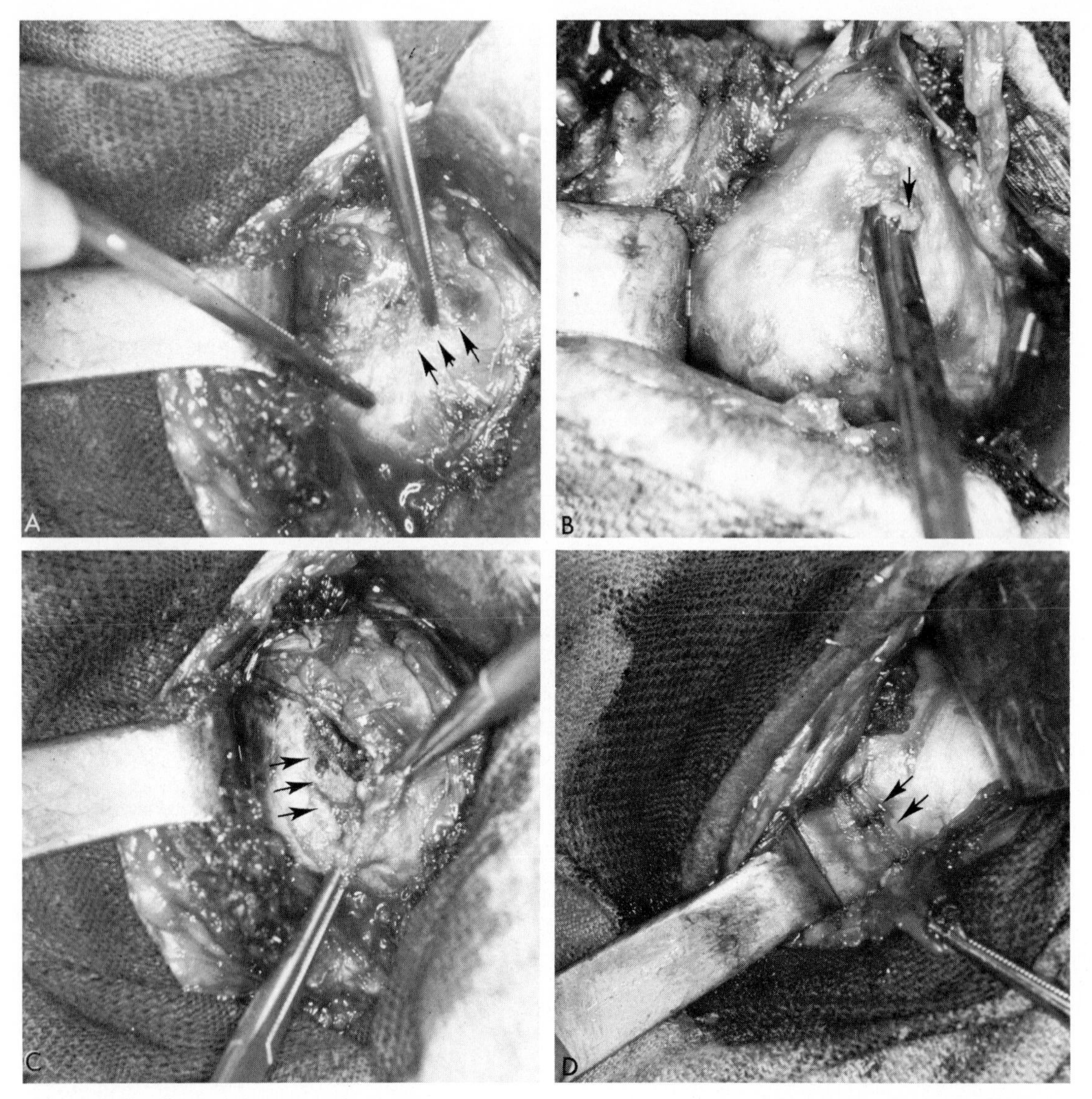

Figure 8–63 Concealed tear repair. *A,* Identification. *B,* Exposure. *C,* Resection to humeral cortex. *D,* Mattress suture repair.

trouble develops as a result of continued "overhanging arch impingement." Incision and exposure are carried out as described previously for the repair of small tears. Identification of the torn area is accomplished purely by palpation and observation. Nearly always it is a heaped-up zone, one-half to three-quarters of an inch in diameter, and lying near the lateral edge of the humerus. Impingement on the coracoacromial arch by abduction and rotation of the head can be demonstrated. The principle is to resect this elevated area, carrying the incision down to the cortex of the humerus. A wedge-shaped segment, about three-quarters of an inch, is removed, and the detached fibers are dissected; the edges are smoothed so that they may be tacked into place along the edge of the defect. In placing the defect in this fashion, the repaired edges lie without obstructing the overhanging arch. It is usually possible to carry out the repair with interrupted mattress sutures, although a small strip of fascia occasionally is required as suture (Fig. 8–63*A*, *B*, *C*, and *D*).

SALVAGE FOR IRREPARABLE CUFF TEARS

Salvage is sometimes necessary of irreparable cuff tears in which there is no residual cuff substance to obliterate the defect. As a rule these are very long-standing tears, but they may still present in people in the working age-group for whom some form of reconstruction is extremely beneficial.

The author has utilized three different procedures, depending on the conditions encountered at operation.

Acromial Tip Transfer With Coracoacromial Ligament

Following the exposure for inspection, after separating the deltoid fibers when such conditions are present, the coracoacromial ligament should be carefully preserved, and not dissected. When there is no long head of biceps, and the cuff is completely absent, a form of tenodesis can be carried out using the coracoacromial ligament.

As in the accompanying diagram (Fig. 8–64), the acromion is resected about one-half inch from its tip, care being taken to preserve the attachment of coracoacromial ligament. A trough, the appropriate size of the resected acromial segment, is made in the upper end of the humerus at a point where insertion of the tip will hold the head of the humerus in slight abduction. One should tend to place the ligament in the head of the humerus under a degree of tension. The trough is appropriately sculpted and then deepened to receive the acromial tip. The tip is held by one or two short Bateman pins. Postoperatively the arm is immobilized in a cantilever brace until the transfer is solidly fixated, as evidenced by the x-ray examination.

Shift of Biceps Tendon

In some cases of extensive cuff deterioration, the long head of biceps is present and serves as a snubbing apparatus. Evidence of this is seen in the tremendous hypertrophy that sometimes occurs in the tendon. The biceps tendon can be as much as three to four times its normal size when it assumes this role. Usually it has not dislocated medially, and has retained its normal position through impact into tubercular fibers.

It helps considerably to shift this mechanism laterally. A point is selected approximately 1 inch lateral to the bicipital groove, and this is approximately ground in the head of the humerus to receive the biceps tendon. The latter is then dissected free from the groove and shifted laterally. It should rest in the groove without any tendency to dislocation. The new groove needs to be directed slightly medially to accommodate the medial slant of the tendon as it is transferred laterally.

Two stitches of fascia anchored through holes are inserted to maintain the tendon in its new position. The fascia is taken through the holes across the groove in such a way that it forms a floor of soft tissue in which the tendon can glide in its new groove.

Postoperatively the arm is maintained in a cantilever brace with the shoulder abducted about 45 degrees. The tendon heals in its new groove over a period of six to eight weeks.

Shift of Subscapularis Tendon

There are some cuff tear configurations that lend themselves to the upward and lateral shift of the subscapularis tendon. The tendon is divided through its tendinous portion, taking as much of the tendon as possible, and the subscapularis is then swung upward and medially to be sutured edge-to-edge to cuff remnants. The feasibility of this procedure depends entirely on the configuration of the tear, and the vigor with which mobilization of any remaining fibers has been carried out.

Postoperatively the arm is maintained in a cantilever brace, and treated as a Grade III as far as the physiotherapy routine is concerned.

Freeze-Dried Grafts

A recent contribution comes from Dr. Julius Neviaser, who has successfully replaced extensive cuff defects with freeze-dried grafts.

The defect is exposed in the usual fashion, and a prepared piece of freeze-dried cuff obtained from the Washington Institute is carefully inserted. The shape conforms to the outline of supra- and infraspinatus, being broad at the musculotendinous junction and narrowing somewhat toward the tuberosity inserted. Repair is carried out in the routine manner, no effort being made to stretch the remaining fibers, but relying entirely on the graft material to replace the defect.

POSTOPERATIVE MANAGEMENT

Because of the variation in size, shape, and age of the cuff defects, and the different

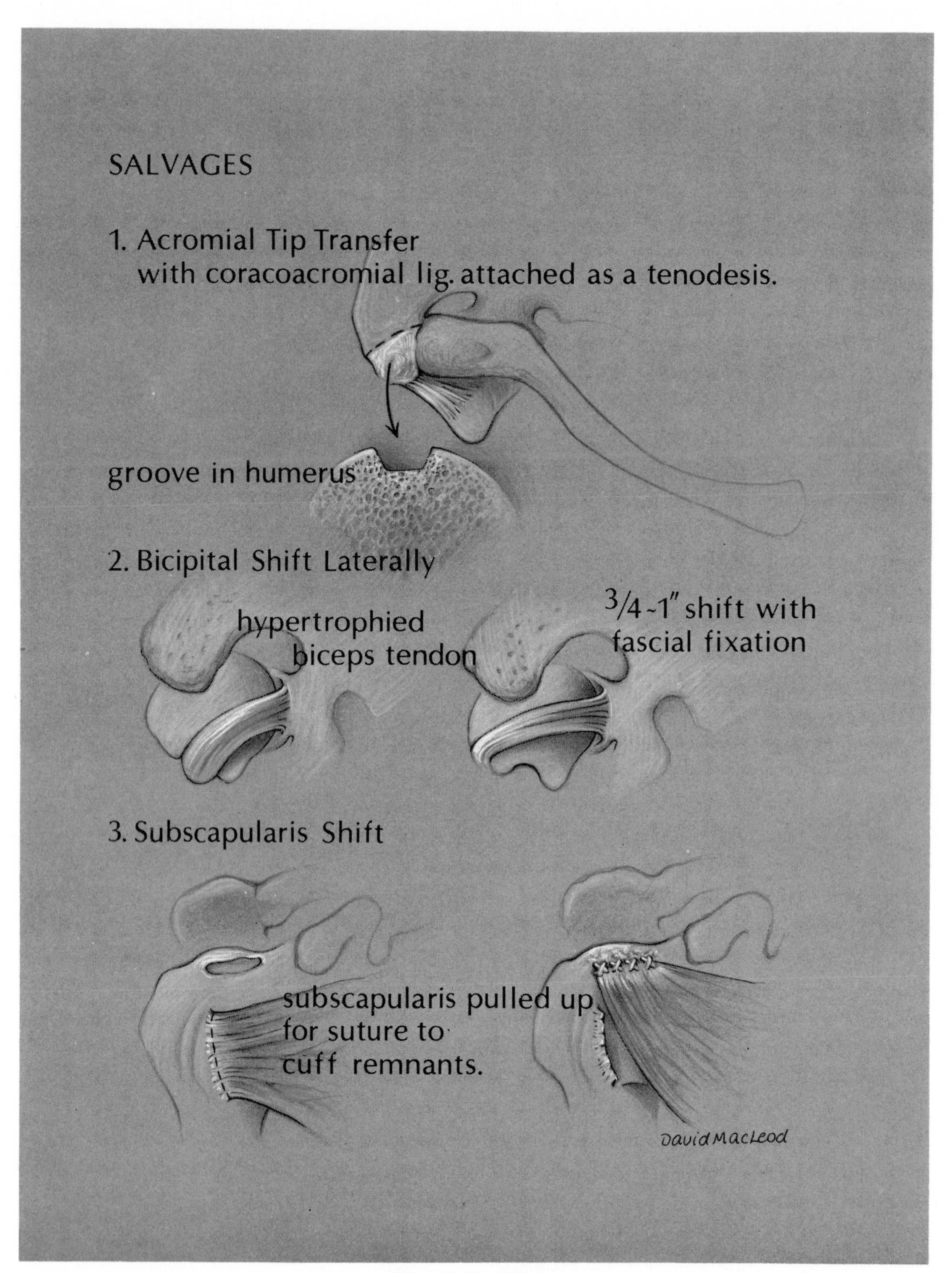

Figure 8–64 Salvages.

techniques required for repair, it has seemed advisable to establish a grading system so that a systematic postoperative routine can be instituted. Only in this way is it possible for physiotherapists and others to pace the patients intelligently. Three grades, based on severity, are recognized; nearly all tears fall clearly into one of these categories.

Grade I. Small and partial tears that have been repaired without the use of fascia, usually only with mattress sutures, constitute this group. Grade I lesions may include:

a. acromioclavicular arthroplasties;
b. removal of calcium deposits;
c. capsulotomy or capsuloplasty;
d. repair of a small or partial tear of the rotator cuff;
e. manipulation of adhesions under direct vision.

Grade II. This group includes tears of moderate size that have required an acromioclavicular arthroplasty and fascial repair. However, the repair will usually have been accomplished without resection of the humeral head or advancement of the insertion. Grade II lesions may include any of those listed under Grade I, and/or repair of full thickness ruptures of the rotator cuff one-half inch to 1 inch in diameter.

Grade III. Massive tears and most other extensive defects are included under this heading. The repair needs longer protection for healing, and the muscular weakness and imbalance are always more extensive. Grade III lesions may include any of those listed under Grade I, and/or repair of full thickness ruptures of the rotator cuff that are:

a. of massive dimension;
b. exceedingly difficult to repair; or
c. salvage procedures.

PHYSIOTHERAPY

Treatment Philosophy of Grade I Lesions

These patients often have long-standing, very painful periarticular inflammatory conditions, combined with one or more of the following: a small cuff tear; a calcium deposit; or adhesive capsulitis. The problem may have persisted for months or years despite unsuccessful attempts at conservative treatment (i.e., physiotherapy, injections, chiropractic manipulations). Range has gradually become restricted through disuse because of the inhibitory action of the pain and inflammation.

Postoperatively, reflex inhibition and acquired bad patterns of motion prevent the progression to normal glenohumeral function. Therefore, the patient must be carefully re-educated and paced by an understanding and knowledgeable physiotherapist.

Because of the long-term painful nature of the preoperative condition, the therapist must gain the confidence of the patient with careful support of the arm at all times. Emphasis is always on function—the most important patterns of movement are the most functional: flexion, adduction and external rotation and flexion, abduction and external rotation. The therapist must be careful to ensure that this is occurring in the glenohumeral joint, rather than through excessive compensatory scapular excursion. He must assist the relaxation of painful muscle spasm in tight muscle groups, such as intracapsular and extracapsular internal rotators, before he can begin to achieve results. The application of cold should be combined with the exercise techniques of rhythmic stabilization, hold/relax, and contract/relax in order to aid relaxation, greatly encourage isometric strengthening in the desired muscle groups, and help the patient gain power in the previously unattainable range.

The postoperative position of the shoulder joint is one of 90 degrees flexion and abduction and 15 degrees external rotation. This is shown with the patient lying, sitting, and standing with the arm supported by the wedge support in Figure 8–65*A* to *D*). This position will therefore maintain 0 to 90 degrees range of motion, and the object of treatment is to increase this. Care must be taken not to allow the shoulder to set in extension in the early postoperative period. If the arm is allowed to drift posteriorly, even though it is kept in a right-angle splint, it is extremely difficult to get it forward again to a point where it may be brought up to the mouth, which is the essential act. Guidelines for postoperative physiotherapy have therefore been established at the Orthopaedic and Arthritic Hospital.

First Day Postoperatively. In sitting.

1. Suspension of the arm in slings and springs in flexion and abduction and slight external rotation (see Fig. 8–66).
2. "Bouncing" of the shoulder in the above position.
3. Active exercises of the hand, wrist, and elbow.

Beginning Second Postoperative Day. In sitting and lying.

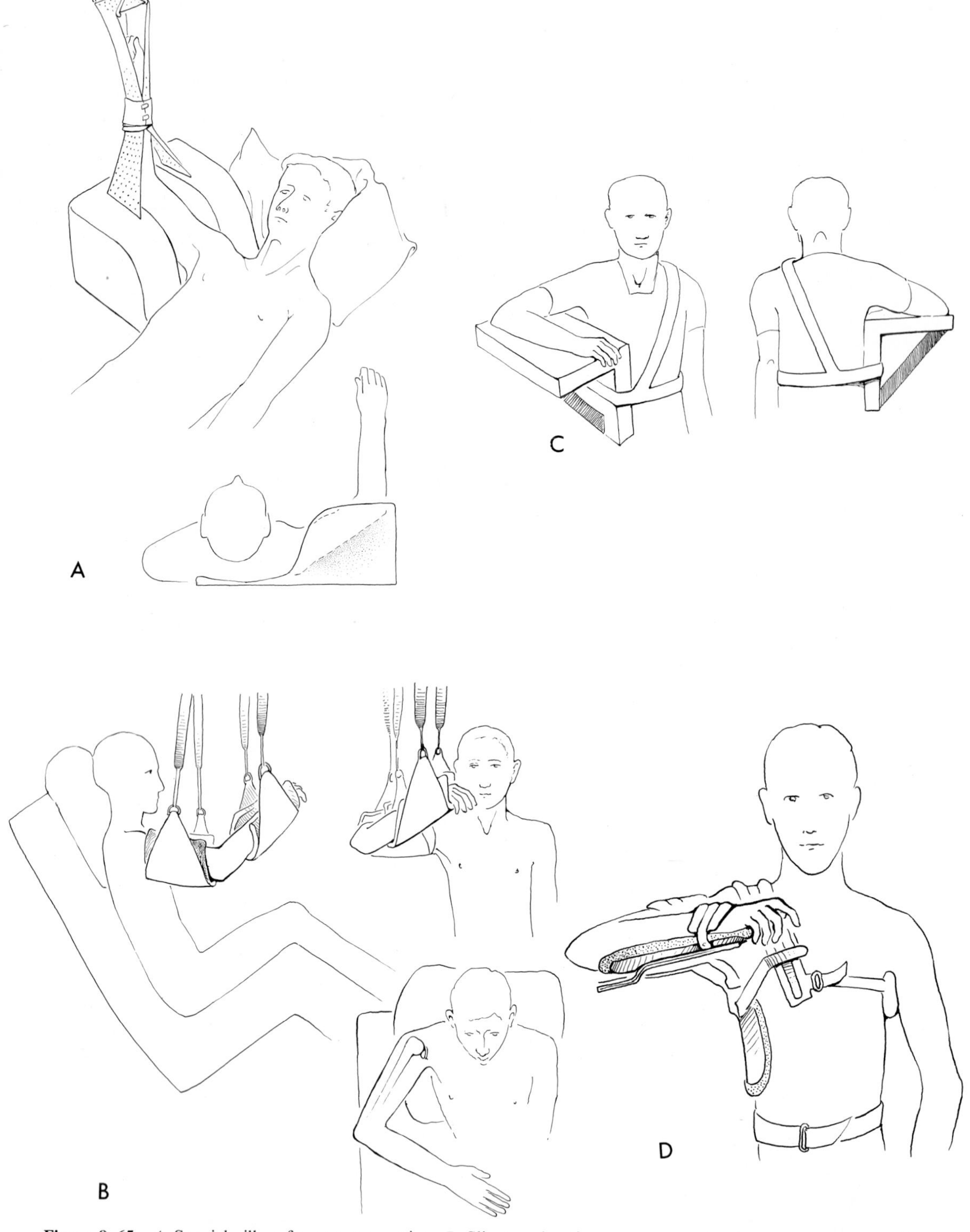

Figure 8–65 *A*, Special pillow for arm suspension. *B*, Slings and spring suspension. *C*, Abduction wedge. *D*, Cantilever brace.

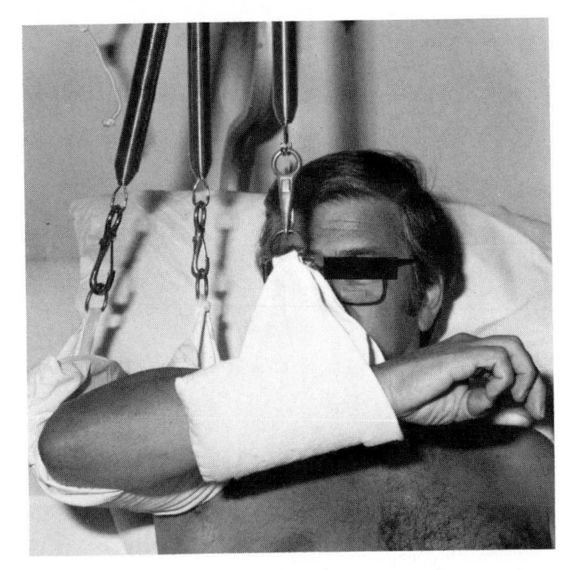

Figure 8–66 Slings and spring suspension, postoperative.

1. The position of the glenohumeral joint and shoulder girdle is extremely important. The patient must be taught to relax the shoulder girdle elevators in order to avoid hunching.

2. Isometric exercises for all muscle groups of the upper limb are started gently, along with isotonic exercises for the glenohumeral joint, assisted and supported in the comfortable range.

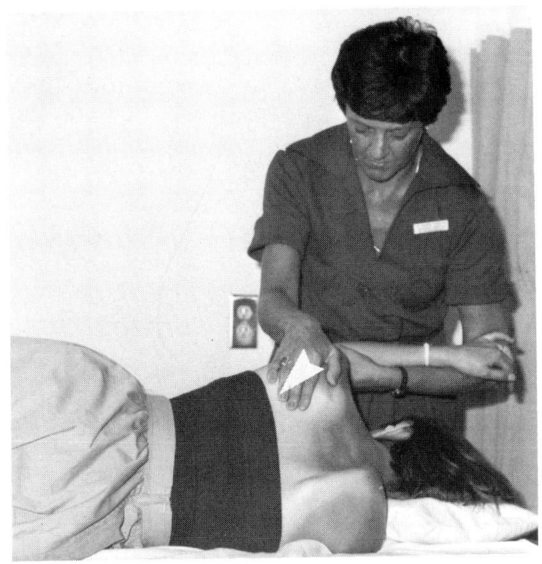

Figure 8–67 Scapular exercises in side lying. Therapist supports arm and resists posterior depression of the scapula.

3. Isometric and isotonic exercises to help the scapula increase its power and range (especially posterior depression and anterior depression range) are very important, because the scapula muscles are the power behind future glenohumeral strength (Fig. 8–67).

4. Emphasis is placed on strengthening, a combination of flexion–adduction–external rotation of the glenohumeral joint to strengthen biceps at elbow and shoulder (Fig. 8–68*A*).

5. Emphasize also the pattern of flexion–abduction–external rotation of the glenohumeral joint, as this is also very important for function (Fig. 8–68*B*).

6. Pool therapy may be commenced when the incision is healed.

7. Adduction to the side of the body is begun only when the patient can maintain the position of flexion and abduction against gravity and moderate resistance.

8. Use of the wedge support is gradually decreased and finally discarded at the discretion of the therapist. This decision is based on the ability to flex and abduct the shoulder almost fully against some manual resistance.

9. If the patient complains of "fatigue" or "pulling" on the deltoid when the arm is lowered to the side, he may wear the support illustrated in Figure 8–69 for a few days.

Treatment Philosophy of Grade II and Grade III Repairs

Because fascia has been used to repair the cuff tear, the resting position is very important. This position of 90 degrees flexion and abduction and 15 degrees external rotation of the glenohumeral joint (shown in Fig. 8–65) is one that will not place any tension on the repair, the anterior capsule, or the long head of biceps. As mentioned under Grade I lesions, care must be taken not to allow the shoulder to set in extension in the early postoperative period. Strength is usually the first priority of treatment with these patients, as passive range of motion is generally quite free. Isometric exercises, therefore, are used extensively. As strength and control improves, further active range of motion is encouraged through functional ranges (flexion, adduction, external rotation and flexion, abduction, external rotation), progressing to new ranges only as good control is attained.

First Day Postoperatively. In lying.

1. Isotonic exercises of the hand, wrist, and elbow.

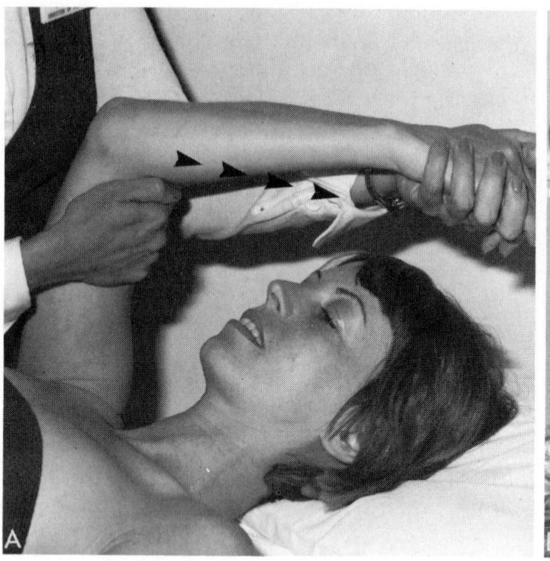

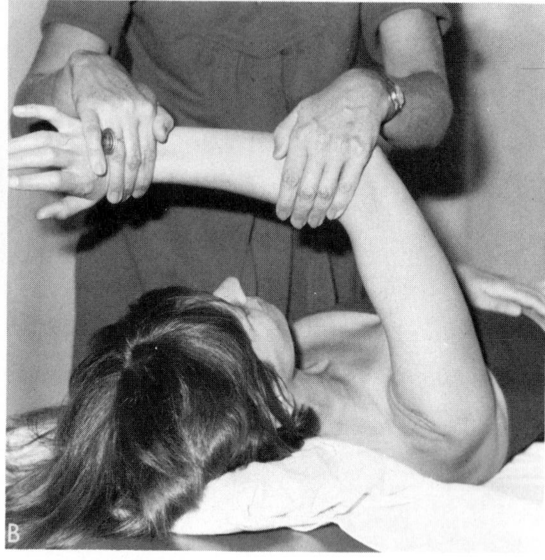

Figure 8–68 *A,* Therapist resisting flexion-adduction. *B,* Therapist resisting flexion-abduction external rotation of the glenohumeral joint.

2. Relaxation of neck and shoulder girdle musculature.

Beginning Third Day Postoperatively. In sitting.

1. Application of slings and springs to support the shoulder in a position of flexion, abduction, and slight external rotation (as close to shoulder level as the patient can comfortably tolerate—see Fig. 8–66).
2. "Bouncing" of the shoulder in the above position.
3. Active exercises of the hand, wrist, and elbow.

In sitting and lying.

1. Stress relaxation of the neck and shoulder girdle musculature in order to avoid hunching of the shoulder.
2. Begin and stress the combination of flexion, adduction, and external rotation of the glenohumeral joint from 90 degrees upward (to utilize biceps at elbow and shoulder).
3. Resisted isometric and isotonic exercises for the scapula (all diagonals).
4. Isometric exercises for all muscle groups of the upper limb, progressing to isotonic as tolerated.
5. As function is the aim, treatment begins with and emphasizes flexion adduction, external rotation and flexion abduction, and external rotation of the glenohumeral joint, and progresses to extension and internal rotation only when power and control in the functional direction is good.
6. Pool therapy may be commenced when the incision is healed; the buoyancy of the water is relaxing and supportive.
7. Adduction to the side of the body is begun only when the patient can maintain the position of flexion and abduction against gravity and moderate resistance.
8. To avoid stretching the fascial repair, the brace should not be lowered before six weeks postoperatively.
9. Lowering of the brace is ordered at the discretion of the therapist, a notch at a time as may be comfortable, when the patient can flex and abduct the shoulder almost fully against gravity and some manual resistance.
10. The brace is removed at the discretion of the therapist after consultation with the doctor. This is done for increasing periods through the day, then left off at night, and finally discarded entirely.
11. If the patient complains of "fatigue" or "pulling" on the deltoid when the arm is lowered to the side, he may wear the support illustrated in Figure 8–69 for a few days.

Home Exercise Program After Rotator Cuff Repair

Grade I. To maintain the increased strength and motion gained in treatment, the patient must exercise at home daily in front of a mirror, to observe how much glenohumeral action versus excessive shoulder girdle action is occurring.

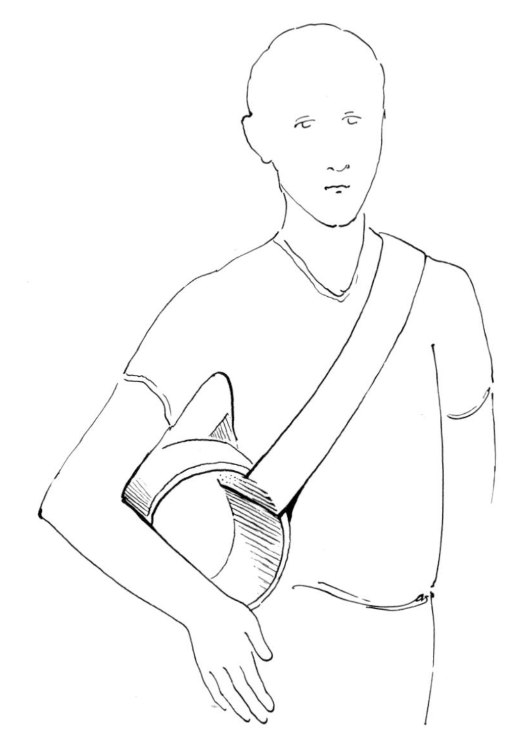

Figure 8–69 Temporary support after abduction wedge or cantilever brace discarded.

The exercises must be kept simple, and should be carefully taught so that the patient feels and sees the proper (as opposed to improper) pattern of motion. Sitting on a firm chair with a straight back, in close to a table with the upper arm supported on the table almost at the limit of available range, using the other hand to offer the resistance, he concentrates on: (1) flexion; (2) adduction; (3) external rotation (Fig. 8–70*A*, *B*, and *C*). Assisting the operated arm further into the range with the other hand, the patient holds the new position, and again offers gently increasing resistance with the opposite hand in the three components of the pattern. He progresses in the amount of resistance he offers, works further into the range, and adds the components of flexion–abduction–external rotation when the external rotation range will allow this to be done without discomfort. He can work with belt or strap, using his other arm as an anchor (Fig. 8–71*A* and *B*). Pendulum swinging and repetitive motion exercises are not encouraged; these patients have often had inflammatory processes for long periods preoperatively, and until motion is regained, with the corresponding power to control it, the recurrence of pain must be guarded against.

Grades II and III. These patients need to develop power for stability in the repaired shoulder. In most cases, regaining motion is not a problem, but the retraining of timing of shoulder patterns, especially the external rotation component, is imperative. The emphasis in physiotherapy and in the home program is on external rotation, first in flexion adduction, then in flexion abduction.

The patient will be discharged from the hospital before the use of the abduction brace is discontinued, so the glenohumeral joint must be protected at 90 degrees for the exercises. As in Grade I repairs, the patient works in a straight back chair close to a table in front of a mirror. He will have to work to gain control of available range, and should be taught techniques such as rhythmic stabilization for emphasis of the external rotator power. Next, combining the ability to "hold" against gravity in external rotation with the flexion and adduction component, the patient gains control higher in his available range of motion.

Using isometrics as for Grade I repairs, the patient will have to learn to pace his home exercise program, responding to his own muscular fatigue signs and muscle spasm indications, and to use relaxing positions and modalities to assist him. As in Grade I, he will need to strengthen all the scapular patterns of motion to provide the power and stability behind the glenohumeral joint. External rotation will tend to show a lag, and the patient must be taught to work to gain control of this at all times so that co-ordinated patterns of movement are re-established.

Because of the length of time that the repaired tissue is protected, the patient may find tightness resisting the adduction, extension, and internal rotation range required to reach the back pocket. This must not be forced, but can be done actively in standing or in prone lying by the patient, when the lag in the external rotators and power in flex adduction and flex abduction warrant this.

Cantilever Splint

The cantilever splint has been designed to maintain a position that keeps tension from the suture line but allows a forward and backward swing at this level, preventing capsular freezing. The weight of the injured arm is taken on the opposite axilla, not on the iliac crest of the same side. The fulcrum for the suspension of the injured shoulder is at the glenohumeral joint, not on the chest wall

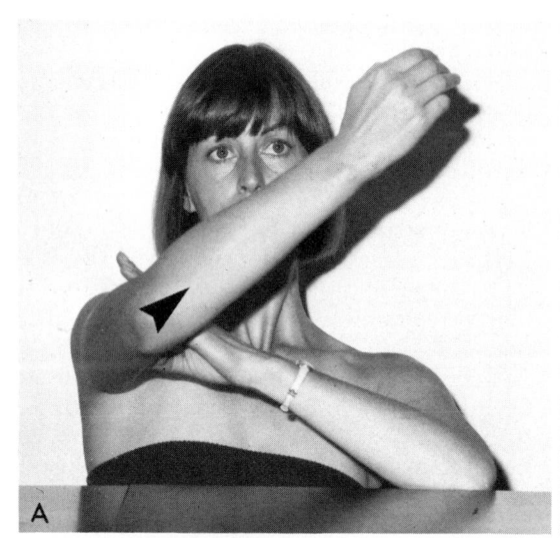

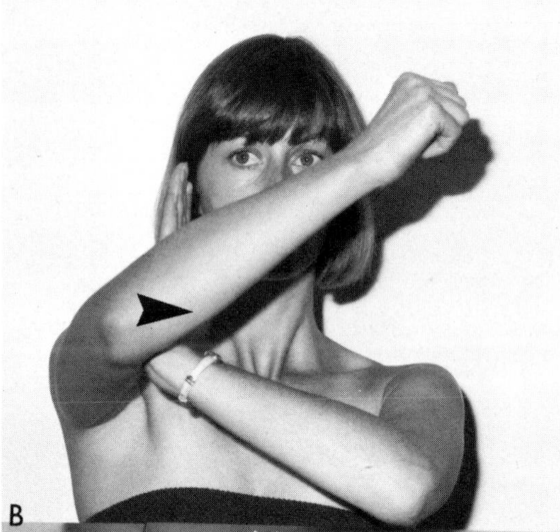

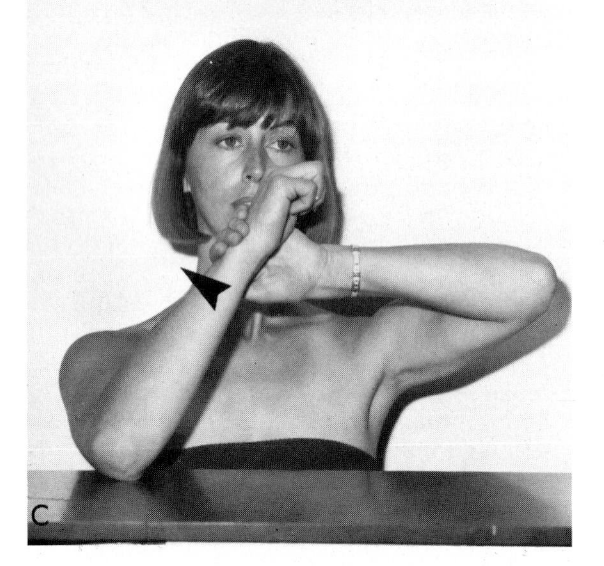

Figure 8–70 Self-resisted isometrics at table in front of mirror. *A,* Flexion. *B,* Adduction. *C,* External rotation.

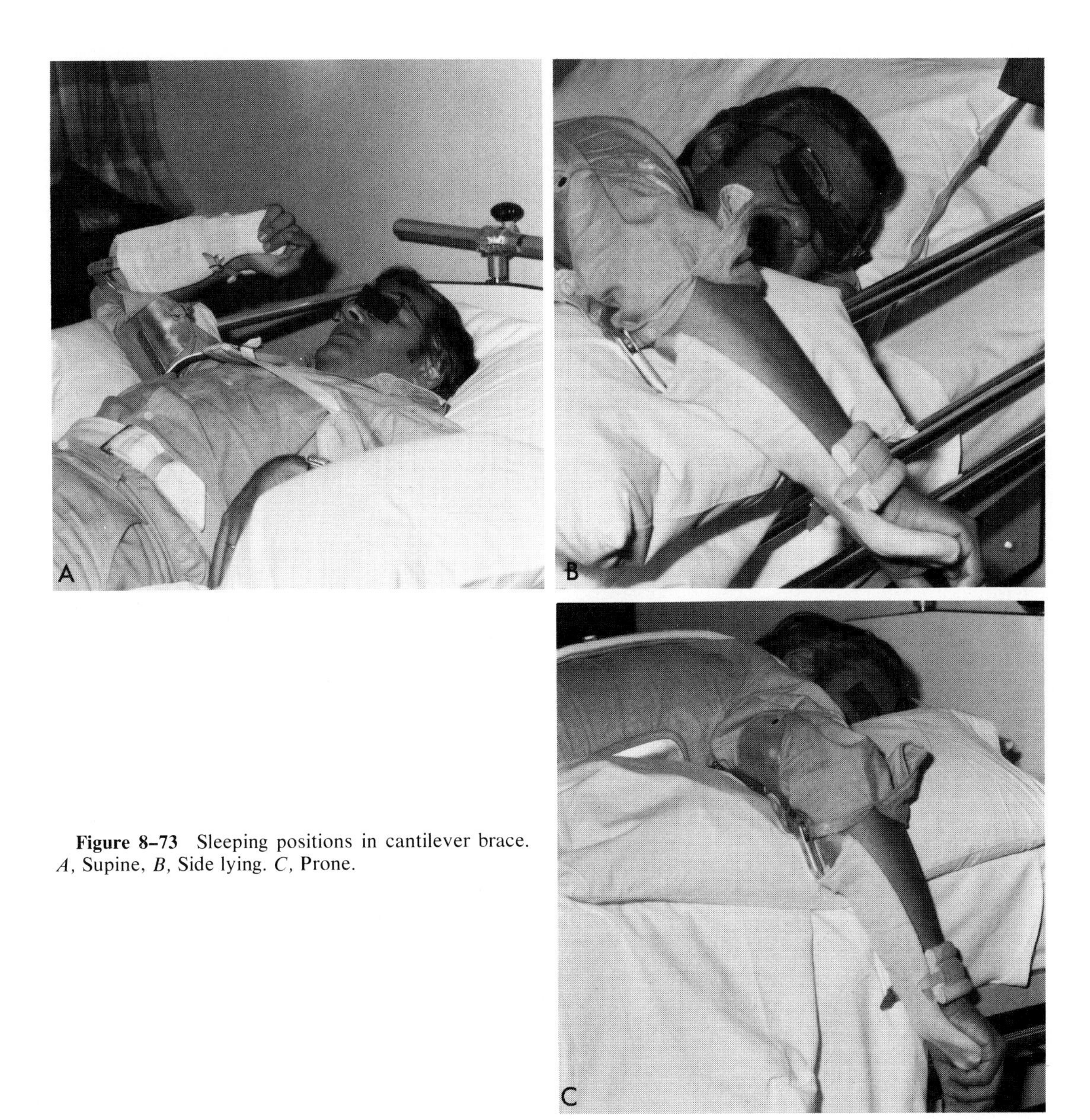

Figure 8–73 Sleeping positions in cantilever brace. *A*, Supine, *B*, Side lying. *C*, Prone.

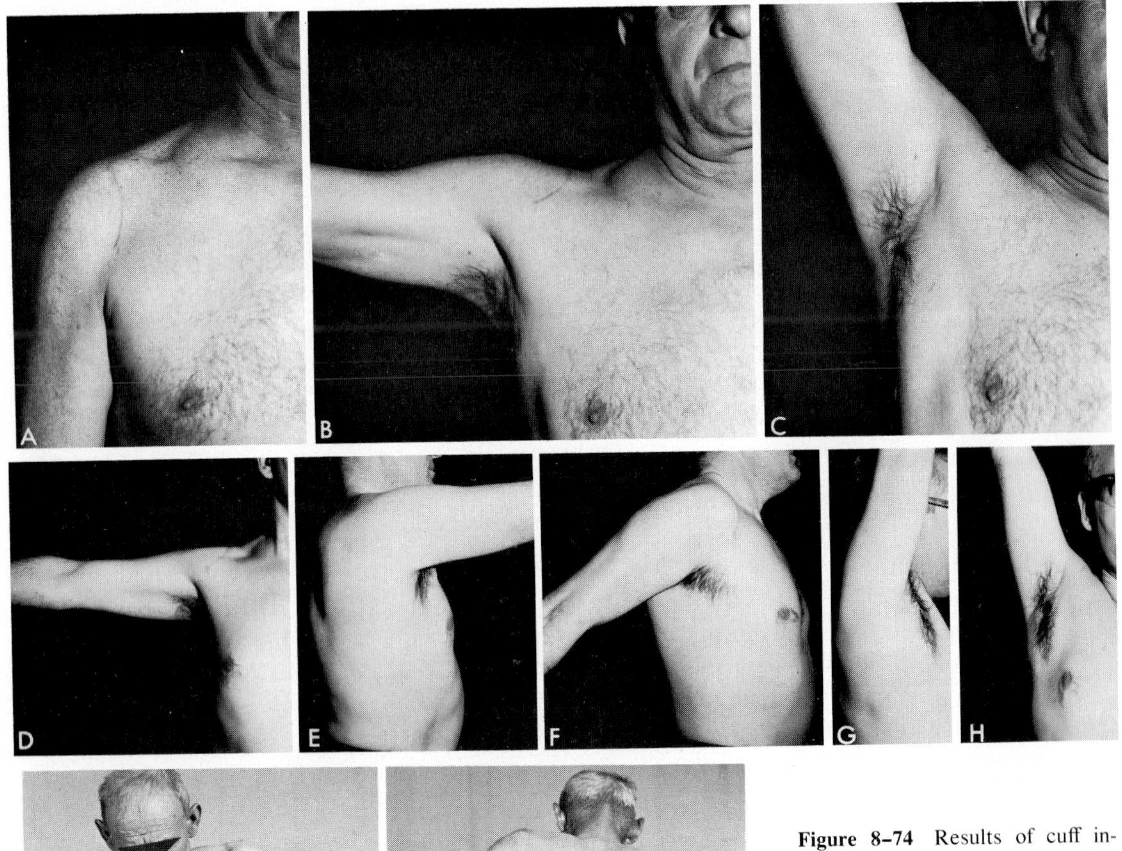

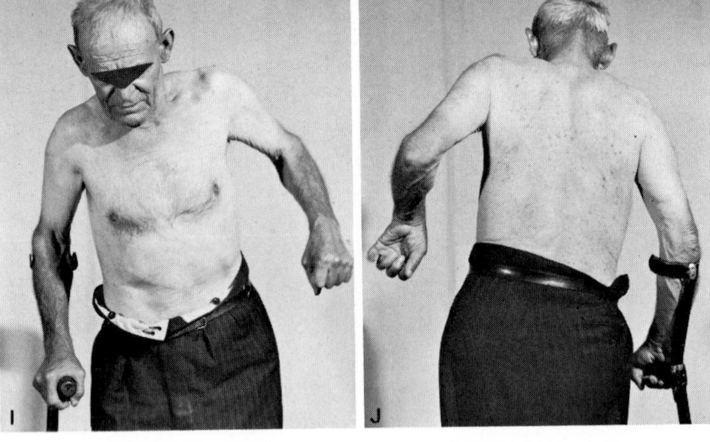

Figure 8–74 Results of cuff injuries. *A*, *B*, and *C*, Healed incision and full range of motion, three months after operation for a full thickness tear. *D*, *E*, *F*, *G*, and *H*, Result of repair of massive tear with fascia, four months after operation. *I* and *J*, Result eight months after conservative treatment only for a full thickness tear proved by arthrography.

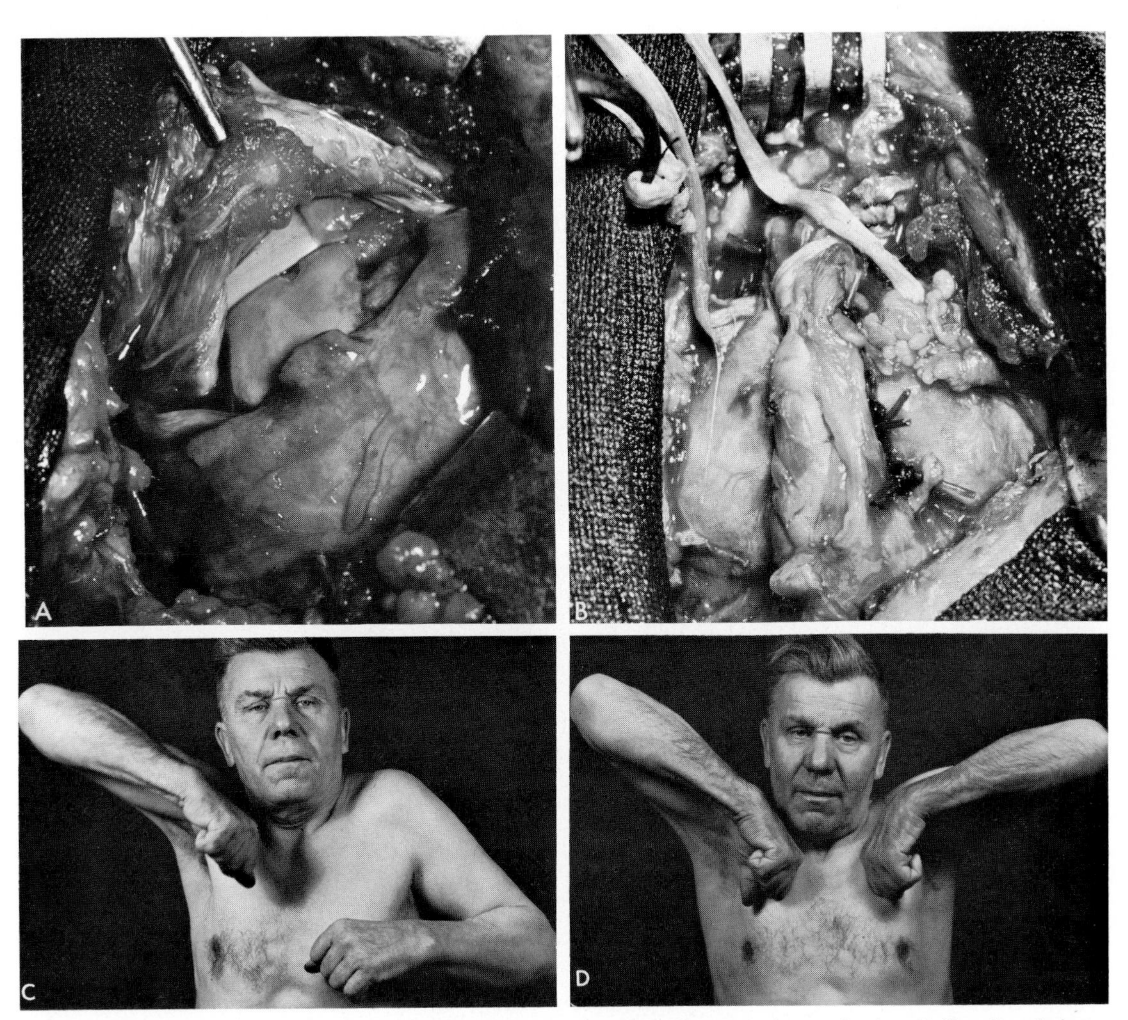

Figure 8–75 Anterior bicipital tear repaired by fascia, before and after operation. *A*, Lesion. *B*, Repair techniques. *C*, Range of motion preoperatively. *D*, Result four months postoperatively.

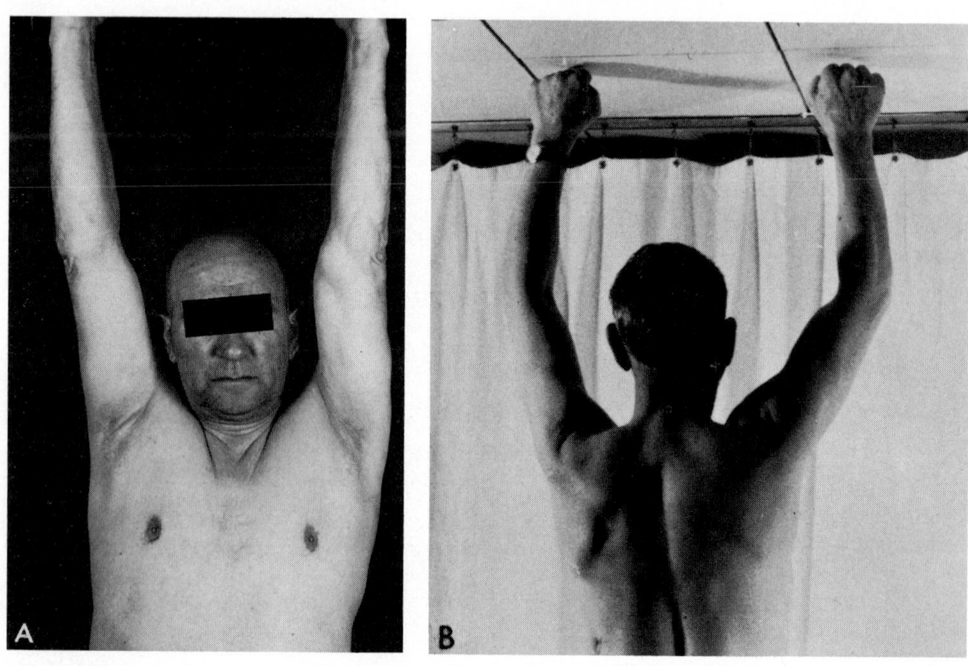

Figure 8–76 Postoperative results of bilateral cuff repairs. *A,* One shoulder, two months, and the other, eight months after operation. *B,* One shoulder, three months, and the other, one year after operation.

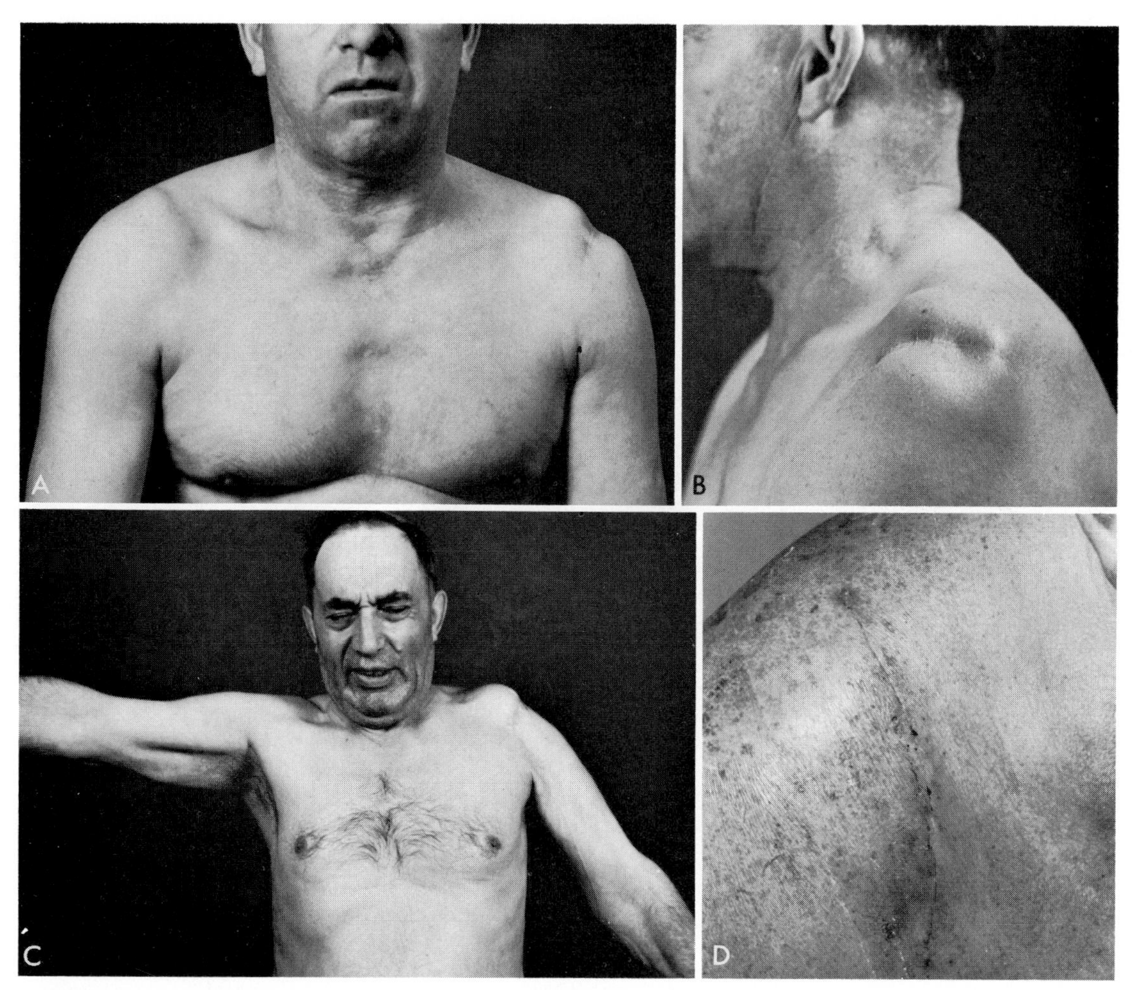

Figure 8–77 Result of cuff repairs. *A*, Repair using old method of complete acromionectomy. *B* and *C*, Note poor purchase for the deltoid, which mars the result. *D*, Present incision as it usually heals.

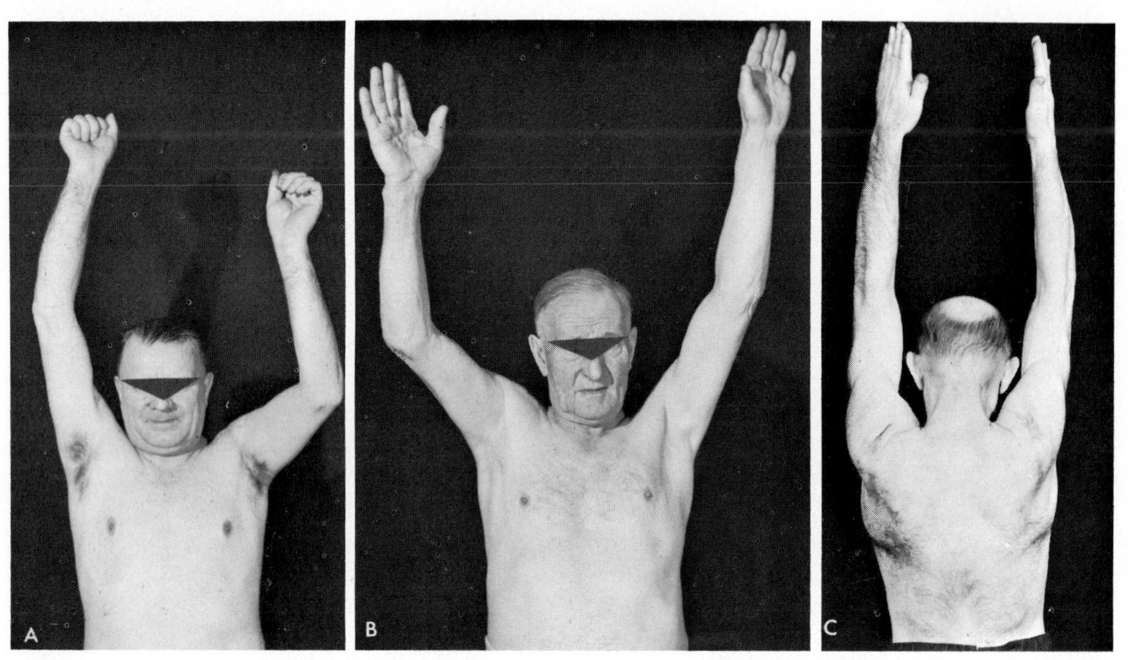

Figure 8–78 Results of repair: *A*, Three months; *B*, four months; and *C*, five months postoperatively in patients in a slightly older age-group.

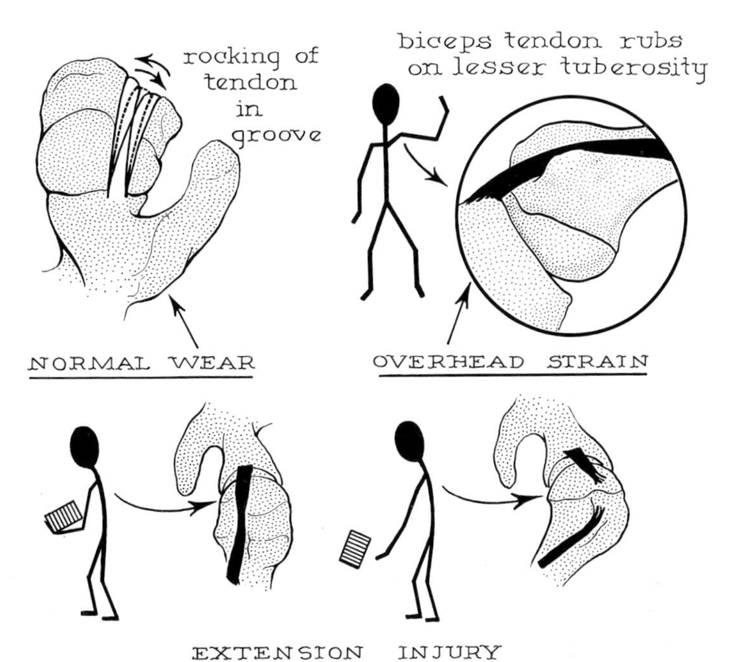

Figure 8–79 Mechanics of bicipital ruptures.

an unaccustomed repetitive motion, or may be a major injury. Apparently inconsequential details are often significant in determining the cause. A history of continued and unaccustomed use of a screwdriver; a sudden lift in the overhead position with the arm externally rotated, as in lifting a car hood; a sharp pain in holding a weight at arm's length; or an unexpected backward fall with the arm extended posteriorly to take the weight, are all significant examples. These patients complain of pain that is clearly localized to the shoulder and becomes identified with movements of the arm. It is not related to the neck or the shoulder girdle as a whole, nor are the forearm and the head implicated.

When the initial episode is clearly defined, a snapping sensation is often mentioned, or a feeling of something giving way in the shoulder action. It is sharply painful and is followed by a persistent, more general ache. Later in the process, weakness and limitation of movement become apparent. Some pain may radiate from the shoulder a short distance along the inside of the upper arm, and is related to the course of the long head of biceps. Still later, as pain and weakness continue, the patient often adopts a characteristic attitude, with the arm held close to the side and supported by the good hand; he has probably learned that the forearm and hand can be used with the arm in this position, because the painful tendon is splinted in the groove by keeping the arm at the side All rotatory movements are carefully avoided.

Examination discloses certain findings characteristic of these lesions. The tenderness in the shoulder is definitely related to the bicipital apparatus superoanteriorly over the bicipital groove (Fig. 8–80). The type of trauma that usually produces tenosynovitis (e.g., in the wrist) is one heavy blow or repeated blows resulting in constrictive adhesions. This is not the mechanism commonly encountered in the case of the long tendon of the biceps (Fig. 8–81). The bicipital area is not nearly so vulnerable to direct trauma as the more distal regions of the extremity, so that tendinitis and tenosynovitis may develop gradually without definite acute episodes of injury.

Signs and Symptoms of Bicipital Tendinitis and Tenosynovitis

Following an activity such as the first game of badminton or tennis of the season, or a jerking strain in lifting with the outstretched arms, discomfort is noted in the shoulder

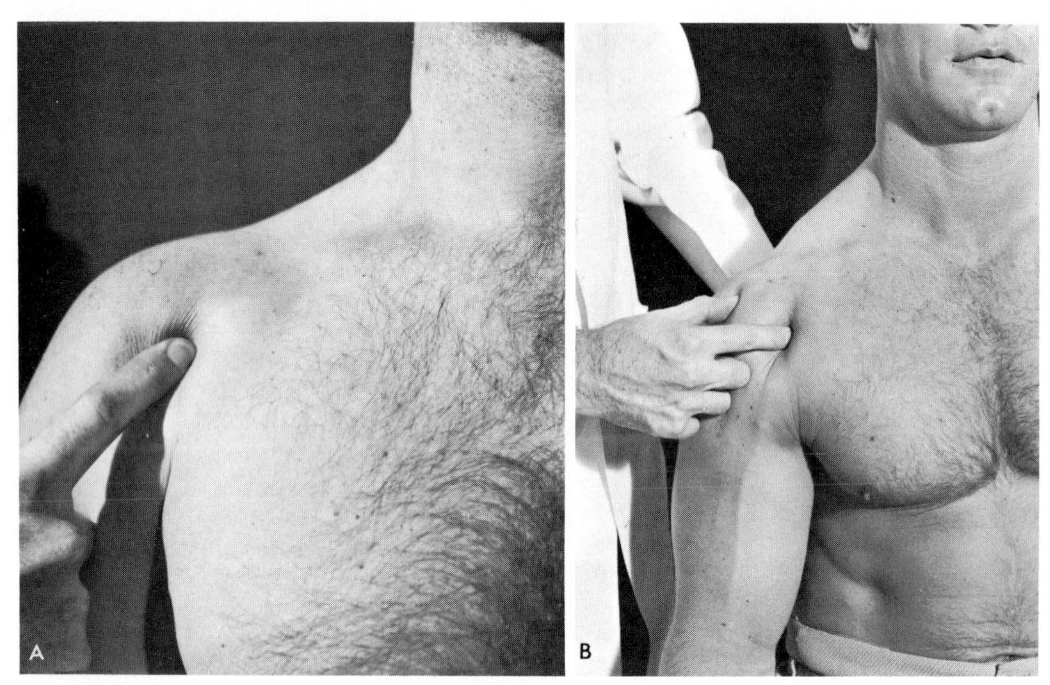

Figure 8–80 *A*, The bicipital point. *B*, The bicipital point (*index finger*) is compared with the tender point in cuff tears (*thumb*).

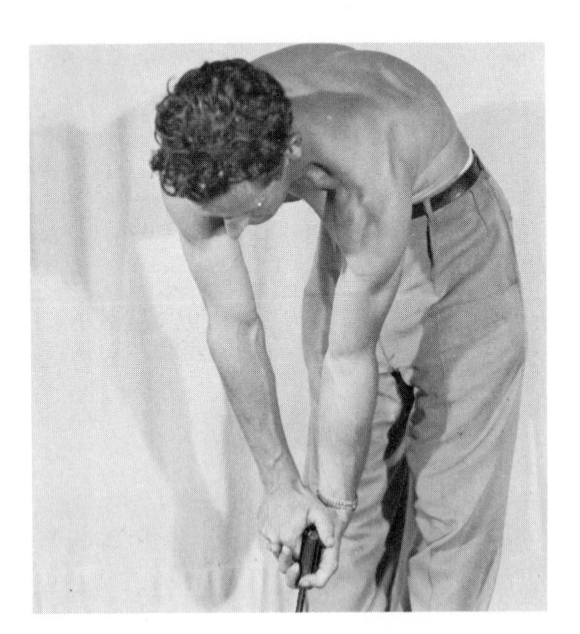

Figure 8–81 One common mechanism producing bicipital irritation: strong supination, as in using a screwdriver, or lifting and externally rotating the forearm in the extended position.

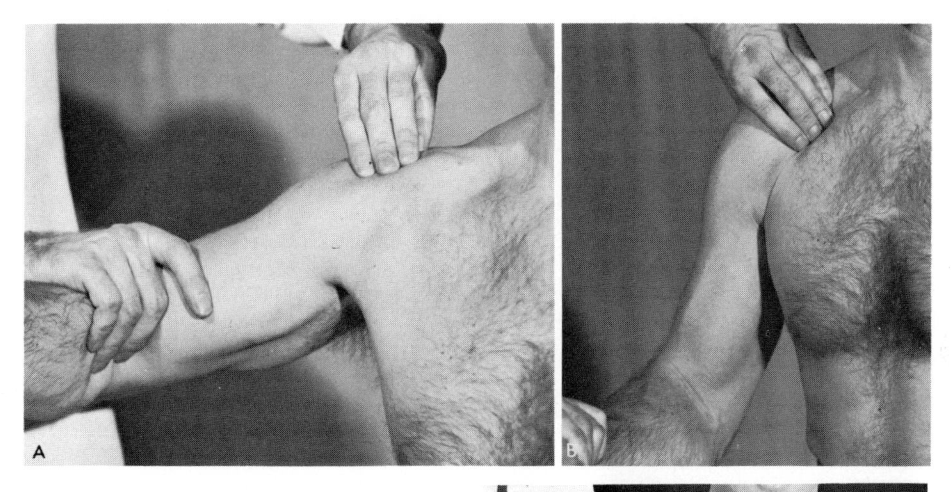

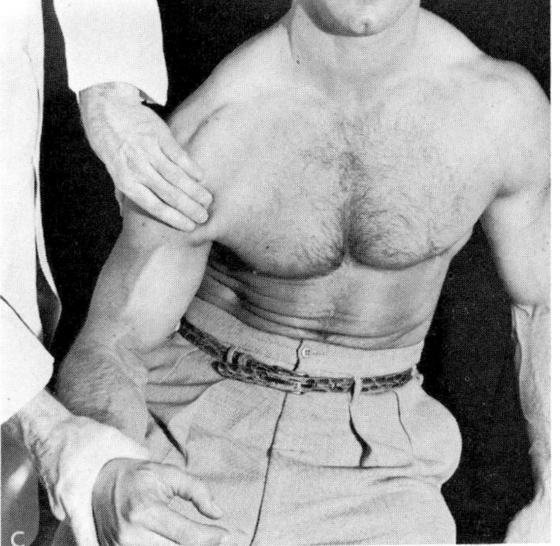

Figure 8–82 Points of tenderness in bicipital involvement. *A*, Over intra-articular part of tendon. *B*, Over groove and transverse ligament. *C*, Anteroinferiorly along the bicipital tendon.

(Fig. 8–82). An indefinite ache is present first, and is not plainly related to motions that use the biceps tendon. More acute pain develops, and the patient avoids lifting acts, keeping the arm at the side with the elbow flexed, since this is the position of maximum comfort.

Examination shows tenderness at the top and front related to the tendon course across the upper end of the humerus. It follows into the bicipital groove and along the tendon into the arm. Deep palpation at the medial border of the deltoid delineates tenderness on pressure along the tendon as the arm is rotated externally and internally. Flexion of the elbow and supination of the hand against resistance (Yergason's sign) may produce pain referred to the front and inner aspects of the shoulder (Fig. 8–83). In all shoulder lesions in which involvement of the biceps mechanism is suspected, special x-ray studies that show the groove in profile should be done (Fig. 8–84). In tendinitis or tenosynovitis, bony abnormalities are not usual, but any abnormal contour of the groove may set the stage for development of the disability. If the groove is too flat or shallow, the tendon may slip out (Fig. 8–85); if it is too deep, it may be roughened and squeezed; and if there is spur formation, it will become frayed.

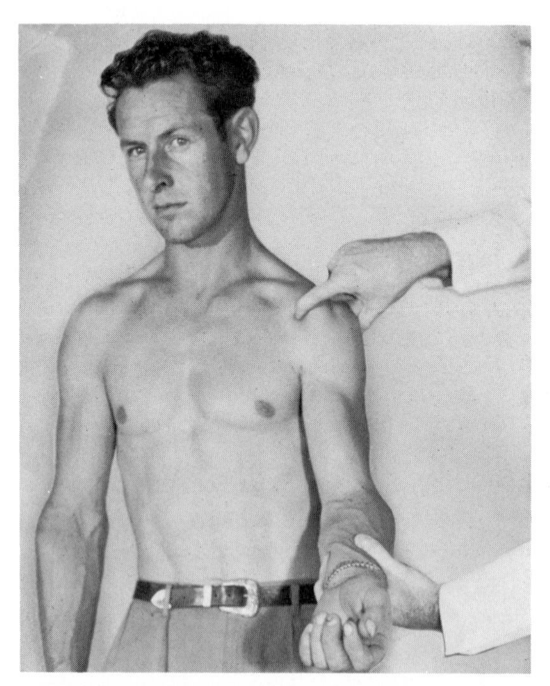

Figure 8–83 Testing for biceps action. Flexion and supination of the forearm against resistance.

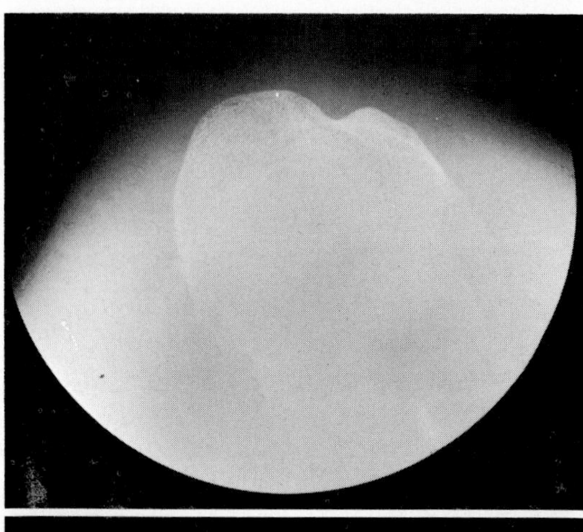

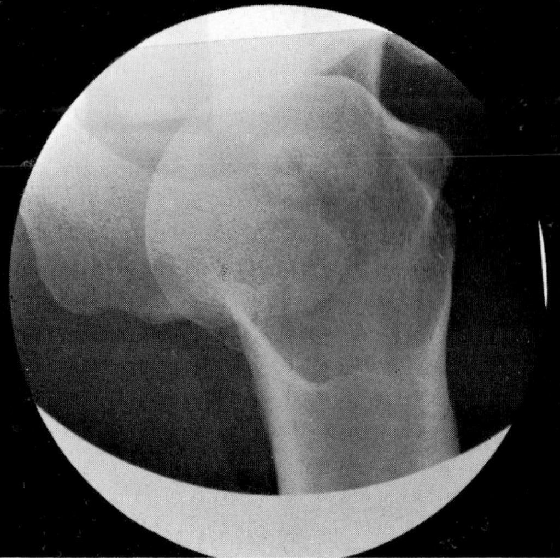

Figure 8–84 Radiographs showing the bicipital groove.

Treatment of Bicipital Tendinitis and Tenosynovitis

This is the mildest of the bicipital syndromes, and responds quickly to conservative treatment.

Local Anesthetic Infiltration. Using a 2 per cent solution of Novocain, infiltrate the groove and adjacent area of the capsule. Sometimes several injections are needed at five- to seven-day intervals. The first injection, if properly made, produces prompt relief.

Immobilization. During the acute stage, usually only a matter of days, the arm should be carried in a sling. Gentle movement is encouraged to prevent freezing of the rest of the shoulder structures.

Medication. Acute discomfort requires appropriate light sedation, such as an aspirin-codeine combination, to allow gentle

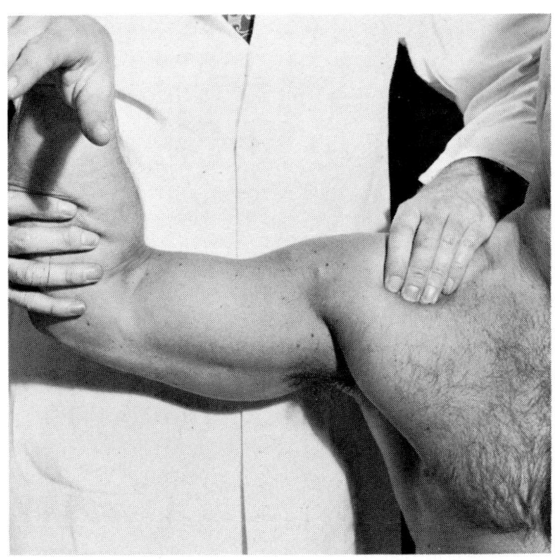
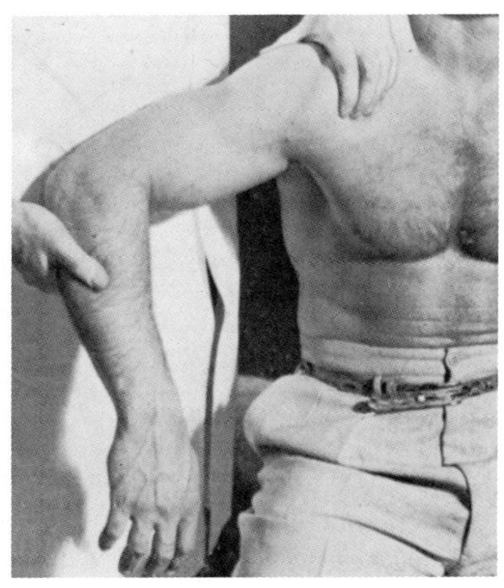

Figure 8–85 Demonstrating slipping of the long head of the biceps from the groove. The tendon may be felt to jump under the fingers as the head of the humerus is rotated.

movement. A course of an anti-inflammatory drug such as phenylbutazone also helps.

Active Exercises. Following subsidence of the acute discomfort, active movement is encouraged. If there is any reluctance, the patient must be placed under the care of a competent physiotherapist at once. Mobilization must be persisted in to prevent extensive freezing of the glenohumeral joint.

Persistent Signs and Symptoms

If the signs and symptoms continue or increase, the lesion is more than a simple tenosynovitis or traumatic tendinitis, and one of the severer grades of bicipital disturbance should be suspected, such as rupture of the intertubercular fibers or partial rupture of the tendon.

RUPTURE OF THE INTERTUBERCULAR FIBERS OR TRANSVERSE HUMERAL LIGAMENT

The long head of the biceps tendon is held in the intertubercular groove by a fascial roof strengthened at the top to form a transverse ligament, stretching between the greater and lesser tuberosities (Fig. 8–86). These are stout fibers that blend smoothly with the cuff capsule. They perform an important function in retaining the long head in position, contributing to the fulcrum function of the groove as the tendon changes course across the head of the humerus. These fibers may be ruptured by certain forcible movements when the tendon is placed under strong tension. The maneuver that places most strain on these fibers is abduction and external rotation, during which the tendency is for the long head to shift medially over the head of the humerus as the latter is rotated externally. In this motion, the tendon would slip out of the groove if the intertubercular fibers did not curb it. When abduction is added, the strain is increased, and any sudden external rotation of the humerus with the biceps flexed under tension will "spring" the intertubercular fibers (Fig. 8–87).

A similar result may occur when groove or tendon develops abnormally. The long head and the groove have a reciprocal relationship, so that alterations in the groove are frequently associated with variations in the tendon. A broad, shallow groove may be associated with a thick, fat tendon, favoring insecure fixation in the tunnel and placing extra strain on the intertubercular fibers. Similarly, a deep, narrow groove favors secure fixation, but an element of constriction is added that may irritate the tendon.

Signs and Symptoms

These patients present the general signs suggestive of damage to the bicipital appara-

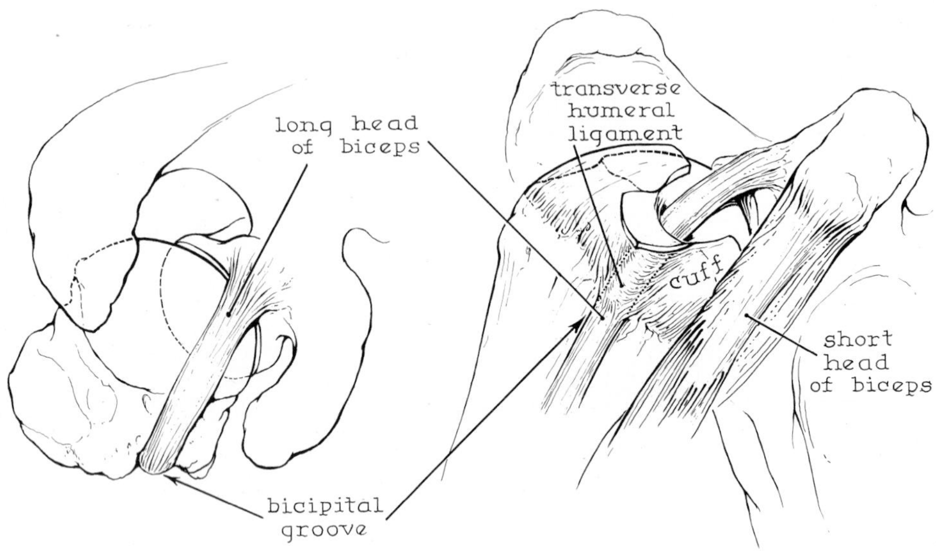

Figure 8–86 The bicipital apparatus.

tus, but there are further findings to distinguish this particular lesion. A history of injury is common, usually a twisting and lifting strain of the arm. The mechanism is an external rotation strain placed on the long head when it is taut. A typical example is the patient bending under the front of a car hood and lifting it with his abducted, externally rotated arm. A sudden catch is felt in the shoulder as the weight is increased. The twisting and rotation strain is added to an already tensed, flexed, supinated elbow and hand. With the arm in such a position the biceps is shortened, producing maximum bulk along the groove so that it may be easily "sprung," sliding medially as the head of the humerus continues external rotation. Frequently a snapping sensation is felt by the patient; sometimes, similar snapping is heard by the examiner later. This is due to the swinging back and forth of the tendon when it has been freed from the groove. The patient subsequently notices something jumping in the shoulder as he flexes his elbow and rotates his arm.

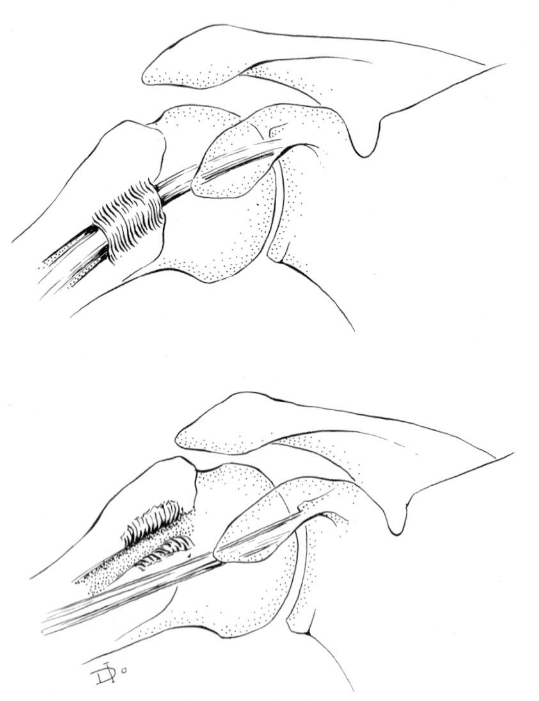

Figure 8–87 Diagram of mechanism of bicipital dislocation and rupture of the intertubercular ligament.

Examination shows tenderness along the tendon, but a point of acute and maximum tenderness exists over the tip of the bicipital groove. An important test in demonstrating a slipping tendon is to have the patient abduct and internally rotate the arm with the elbow flexed (Fig. 8–85). With the arm in this position, the examiner palpates the tendon with one hand, rotating the arm with the other. In this maneuver the tendon can often be felt slipping back and forth, free of its moorings. It can be restored to the groove and held in position by externally rotating and then extending the arm in supination. Radiographs of the upper end of the humerus, outlining the tuberosities in profile, may show a shallow groove, but the disturbance can occur when no abnormalities of the groove are apparent.

Treatment

Various degrees of this lesion are encountered, all the way from a mild strain to complete rupture, and the treatment varies accordingly.

Strain of Intertubercular Fibers. The intertubercular area is infiltrated with a local anesthetic, and the patient is instructed to avoid flexion and external rotation strains for ten days to two weeks. Immobilization of the arm in a sling for seven to ten days is necessary. The lesion is found most commonly in the younger age-group, so that any danger of immobilization producing stiffening is minimal, but the possibility must always be kept in mind. Active movement is encouraged as soon as the acute discomfort subsides.

Frank Rupture of Intertubercular Fibers. A flopping tendon, uncomfortable snapping sensation, and localized shoulder pain become quite disabling, so that operative treatment is the method of choice in this stage. The principles of the procedure are to expose and explore the intertubercular area, and deal with the tendon according to the extent of damage discovered. In some instances it is best to transfer the loose long head medially to the coracoid process. When there is obvious discrepancy in tendon and groove size, or the tendon is worn or frayed extensively, transfer of the tendon to the coracoid is made. However, with less extensive tendon damage, it may be feasible to replace it and to reconstruct the torn intertubercular fibers with fascia. There are occasions when rupture of the intertubercular fibers is a part of an anterior tear in the rotator cuff, in which case the cuff is repaired, and the intertubercular fibers are restored at that time.

Technique of Repair of Intertubercular Fiber Rupture. The patient is placed in the sitting shoulder position as illustrated in Figure 8–88*A*, *B*, and *C*. The superoanterior incision is used to approach the bicipital region, but the anterior limb is made a little long and the posterior limb is shorter. The incision extends from the tip of the acromion distally for 4 inches, just medial to the bicipital groove. The deltoid fibers are split longitudinally, exposing the sulcus. The tendon will be found loose in the groove or out of the groove completely, lying on the medial side of the head (Fig. 8–89*A* and *B*). The retaining intertubercular fibers are torn; sometimes only remnants of these fibers are left. The tendon of the long head of biceps may be frayed or it may be thicker than normal, appearing too bulky for a shallow groove. The long head is identified and pulled up into the wound. This elevates the capsule like a tent, and it is possible to follow along the tendon and cut it close to the glenoid rim. The severed tendon is then retracted to be transferred to the attachment of the short head.

The long head of biceps is pulled from its medially dislocated position into the bicipital groove, which sometimes needs to be deepened initially. Once the tendon is in place, it is anchored by a fascia suture that passes beneath the tendon and then on top of the tendon. Usually, two sutures are used to ensure that the retention is rugged (Fig. 8–90*A* and *B*).

Postoperative Regimen. The arm is placed in a sling and an adhesive or Elastoplast dressing applied, keeping the elbow flexed. This dressing is left in place for two weeks, and the patient carries the arm in a sling for an additional two weeks. Gentle active flexion of the elbow is started at the end of two weeks, and movements are increased gradually after the fixation is removed.

RUPTURES OF THE BICEPS TENDON

Ruptures of the long head of the biceps tendon are much more common than has been appreciated (Fig. 8–91). They can occur following moderately severe trauma in the younger age-group, but they result more often, and from less obvious injuries, in an older group. Ruptures are most commonly encountered in workmen, and sometimes the history of injury is sufficiently characteristic to indicate the diagnosis. The general findings are suggestive of involvement of the bicipital apparatus, but the symptoms can be more disabling than bicipital tendinitis or rupture of the intertubercular fibers.

Signs and Symptoms

A typical candidate for rupture is a middle-aged workman who lifts a heavy load in front of him with his hands supinated and his elbows extended. If a sudden jerking element is unexpectedly added to his burden, he almost lets go of what he is holding or the weight slips. A sharp stab of pain is experienced as the sudden, increased strain is applied to his arms in this extended position. Often there is a sensation of weakness, and

Text continued on page 334

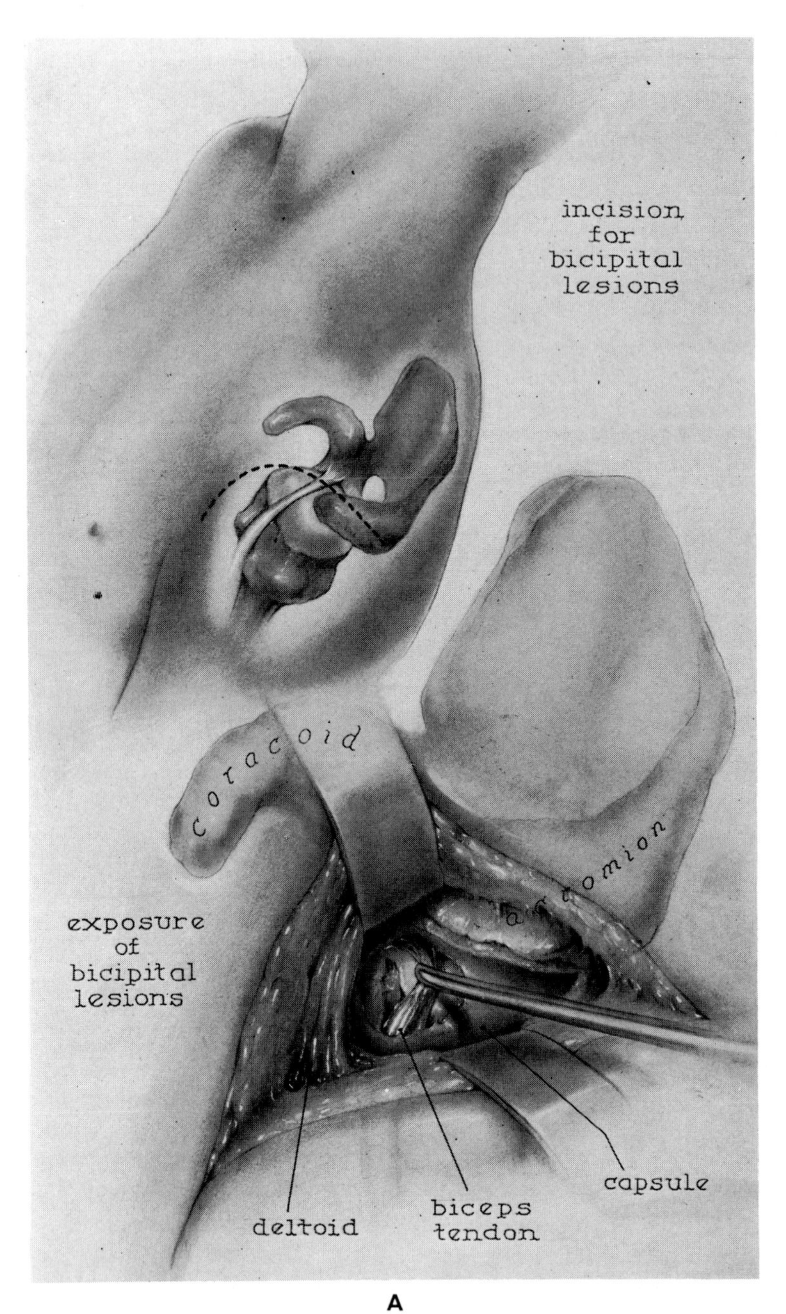

A

Figure 8–88 Operative technique for transfer of the long head of biceps to the coracoid process. *A*, Incision and exposure of the long head.

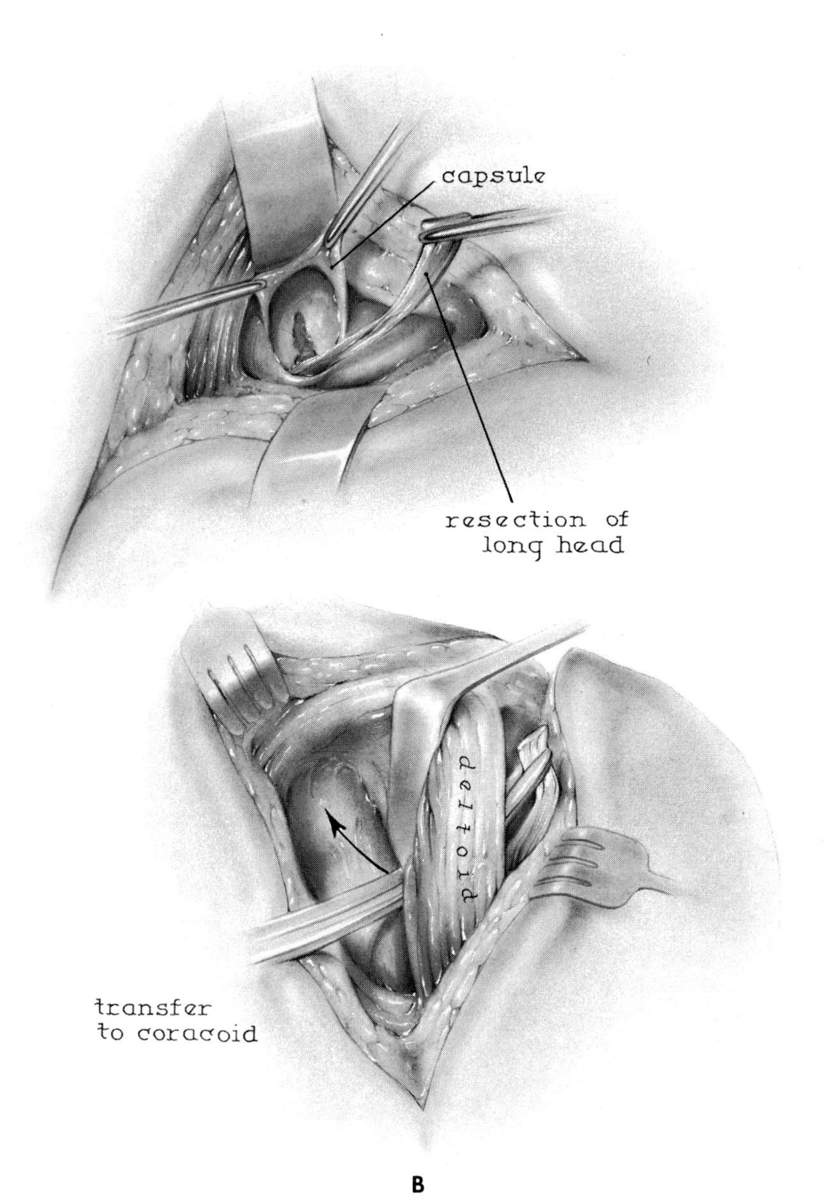

B

Figure 8–88 *Continued* *B*, Tendon transferred medially beneath the coracoid.

Illustration continued on the following page

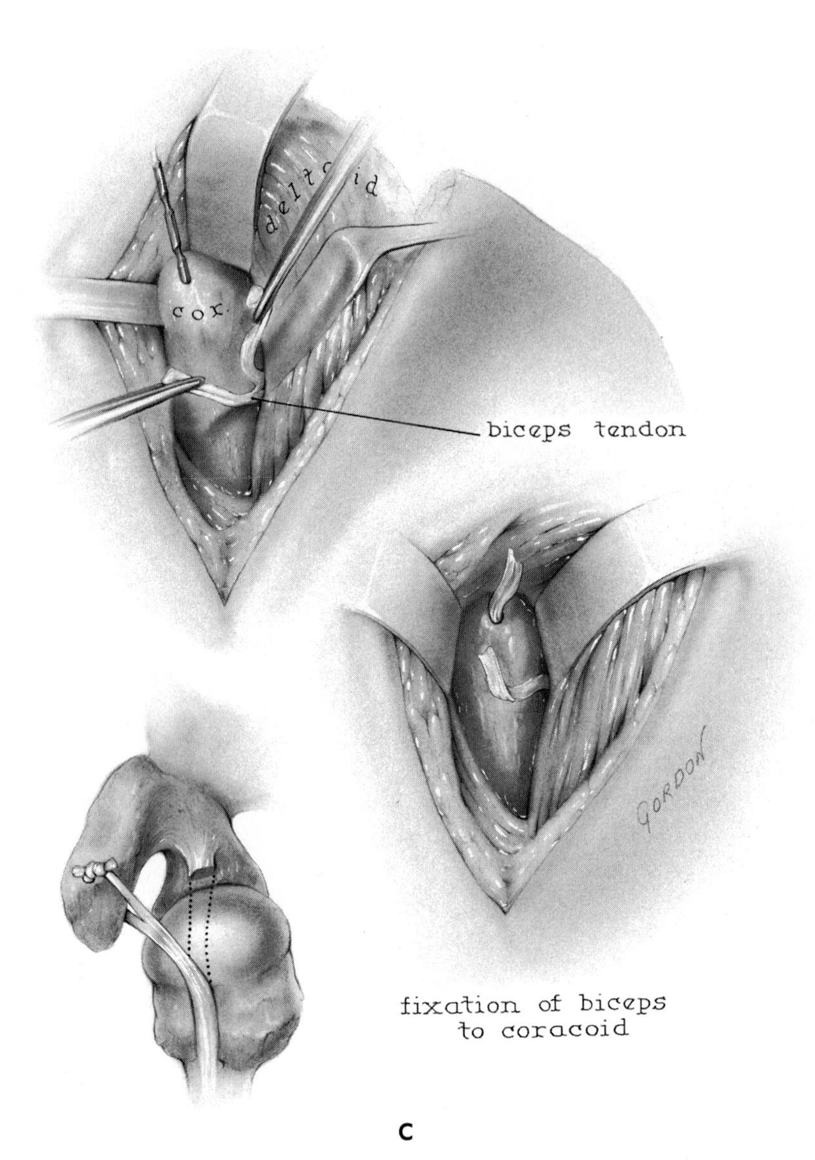

Figure 8–88 *Continued* *C*, The tendon is split in two and tied through a hole in the coracoid process under tension.

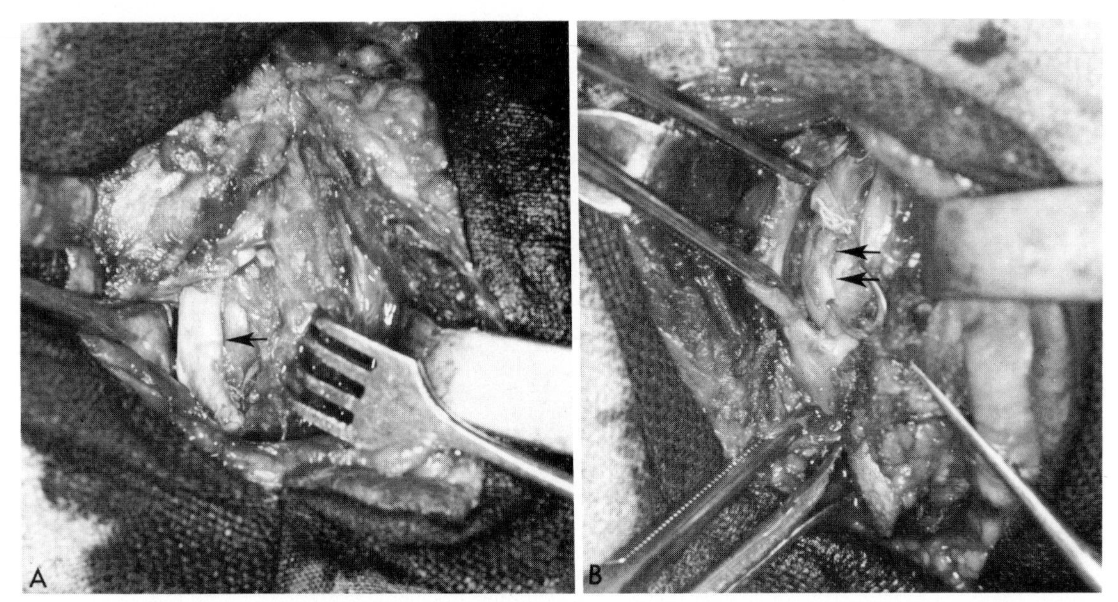

Figure 8–89 *A,* Bicipital dislocation. *B,* Long-standing bicipital dislocation; note articular erosion.

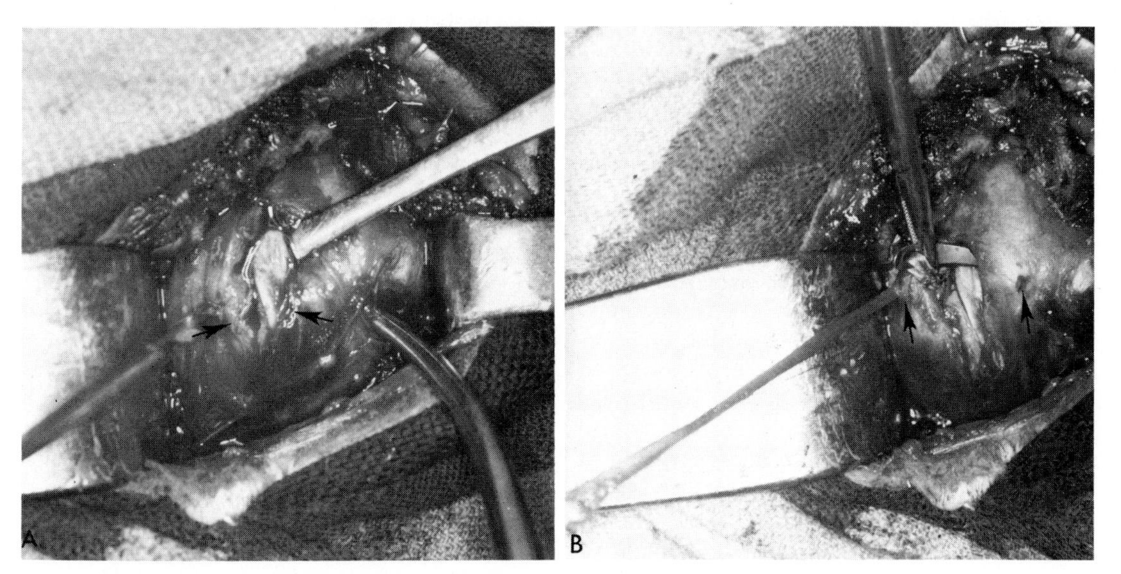

Figure 8–90 *A,* Repair of intertubercular ligament. *B,* Fascial repair of intertubercular ligament.

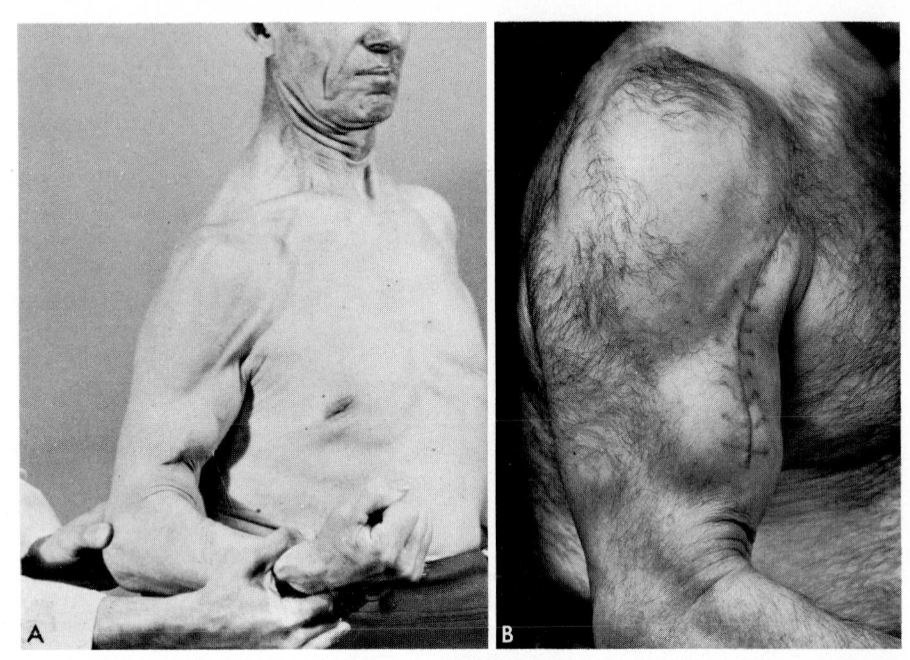

Figure 8–91 Ruptures of the long head of biceps. *A*, Note distal position of muscle belly of the long head, and distress on contraction. The short head is intact. *B*, An ineffective repair for rupture of long head of biceps. The tendon was fixed to the bicipital groove instead of being transplanted to the coracoid. Lack of power in the biceps is apparent, and the accessory function of the long head in abduction and flexion of the shoulder is lost when the long head is fixed to the humerus.

sometimes a snapping sound in the shoulder. The arm may "give way" completely and he may be unable to continue because of weakness and pain. Shortly, an unusual swelling or lump is noticed on the front of the arm, and just below the shoulder the arm seems thinner than usual; examination at this point demonstrates weakness in the biceps and pain referred to the forearm when the elbow is flexed and supinated against resistance (Fig. 8–91). There is limitation of shoulder rotation and abduction. Pressure over the bicipital groove is painful, and the tenderness extends down the arm along the groove. Palpation of the belly of the biceps shows it to be relaxed and moving ineffectively on flexion. It usually comes to rest just below the middle of the arm, producing a typical abnormal contour; this abnormality is not always obvious, however. Electrical stimulation of the biceps produces pain referred to the shoulder and demonstrates the decreased power.

Etiology and Pathology

The biceps is a powerful muscle, but the long head is subject to constant wear and tear from movement of the head of the humerus, in addition to the role it plays in flexing and supinating the forearm. The long head is fixed to the glenoid, and the intra-articular portion is relatively inert, so the humerus glides back and forth on the tendon more than the tendon shifts on the humerus. Because of its long course and intimate relationship to the head, it is affected by nearly all shoulder motion, whether or not the muscle belly is contracting actively. The tendon is a stout strap of tissue that helps to stabilize the head, improving its relation and approximation to the glenoid fossa. When its own intrinsic function of anchoring the powerful contractile mechanism is added to the stabilizing function, and to the exposure to the irritation of routine movement, it is amazing that it is not more often and more extensively involved in pathologic processes.

In its course through the joint from the supraglenoid tubercle, the tendon is lax and mobile; its first point of anchorage is as it turns into the tunnel around the corner of the lesser tuberosity (Fig. 8–79). At this point the intertubercular fibers and adjacent area of articular capsule blend, completing the retaining mechanism. Constant pressure can

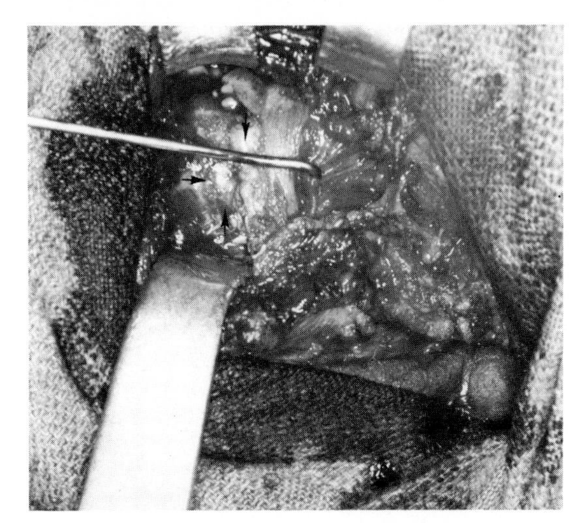

Figure 8–92 Articular changes in bicipital dislocation.

be exerted on different facets of this fulcrum. In some positions the strain and relationship are such as to place maximum force on the intertubercular fibers, as described previously; more commonly, constant pressure is exerted by the tendon inferiorly on the articular cartilage of the humeral head just above the bicipital sulcus. Constant use or irritating occupations, such as those involving much overhead activity, reaching, holding, or lifting, irritate the canal exit. The smooth cartilage becomes worn and roughened (Fig. 8–92). The tendon frays a little, and a vicious cycle is established. The wearing and erosion of the floor is increased by the fraying, and the roughening of the floor breaks more tendon fibers (Fig. 8–93). The tendon weakens and becomes a little lax. Greater play and laxity favor erosion, until bare cortical bone is uncovered.

The most important predisposing cause of bicipital disturbance is trauma, but abnormalities in the groove and tendon caused by developmental and structural changes also contribute. Monumental work by Bechtol and his associates has shown that variations in the contour of the superior bony margin of the bicipital sulcus are important. In the development of the animal scale, the bicipital groove is gradually deepened as the prehensile and climbing upper extremity is evolved. The suprasulcus tubercle is a property of man's upper extremity stabilization, and variations in individuals can reasonably be expected. Abnormalities in tendon groove

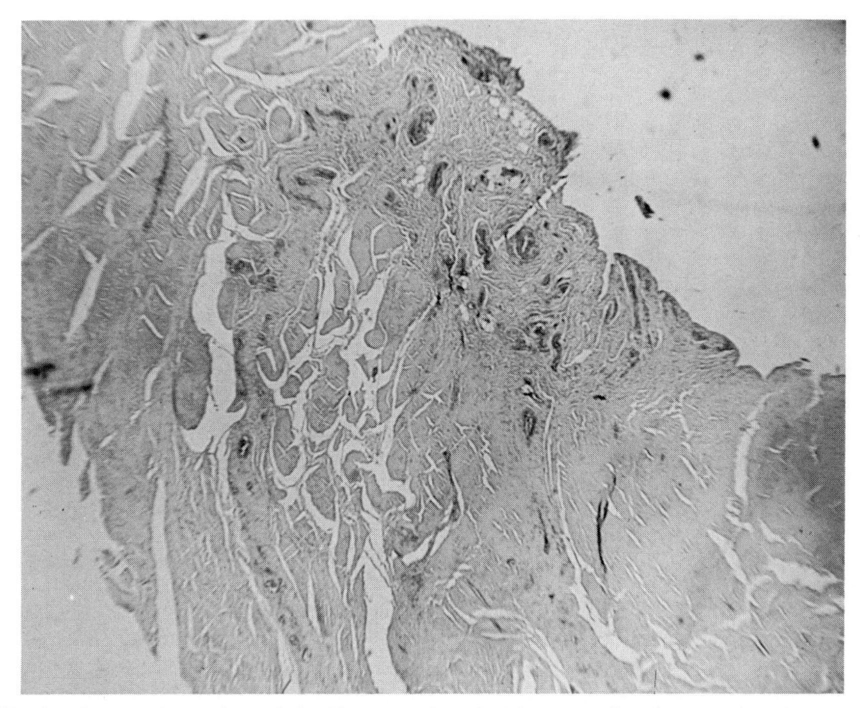

Figure 8–93 A microscopic section of the biceps tendon showing extensive degenerative changes. The collagen fibers are loose and poorly stained. Patchy areas of mucoid and fibrinoid change are apparent. Surface fibers are frayed and the zone is avascular.

relationship have been mentioned in Chapter 1. The reason why more symptoms are not apparent from bicipital changes is that the damage to the articular cartilage and the head of the humerus occurs at a point well away from the glenoid fossa, and in an area not often closely applied to the socket. The shoulder is a non-weight-bearing joint, so that articular damage is not so disturbing as in the hip, where weight transmission results in more complete disintegration of the joint. Rupture of the tendon is rarely encountered inside the joint or in the region of the muscle belly; it occurs in the region of the intertubercular fulcrum because this is the area exposed to maximum stress. The rupture sometimes occurs just above the sulcus, and the tendon becomes fixed by natural processes to the groove. The rupture in such cases has been a gradual tearing and weakening separation. In more acute ruptures the proximal tendon may retract into and produce an internal derangement of the joint.

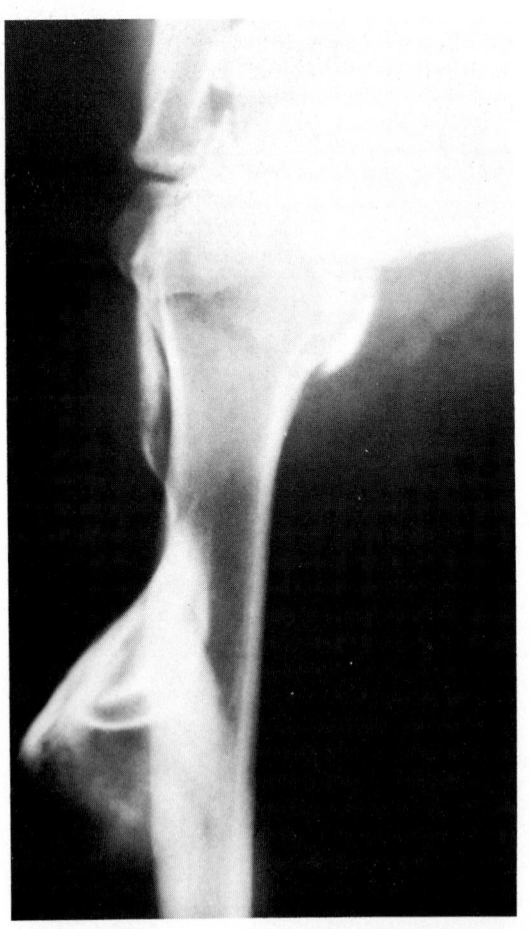

Figure 8–94 Arthrogram of rupture of long head of biceps.

X-Ray Examination

Few changes are apparent in the plain x-ray study. Sometimes there are abnormalities in the size of the groove, which may be much smaller and deeper than normal, contributing a type of constricting mechanism with resultant tendon attrition.

The arthrogram is of much greater significance and shows a very characteristic extravasation of contrast material (Fig. 8–94).

Treatment

The acute episode is usually a disabling one; the persistent weakness, limitation of movement, and shoulder pain, particularly in workmen, is often incapacitating and requiring immediate treatment. For those who need to use the arm to earn a living, surgery has proved best. The principles are exploration of the biceps and transfixion of the long head to the coracoid under suitable tension. Two methods have been advocated: fixation of the tendon in the groove, and transfer to the coracoid process; the author has found the latter procedure to be the more satisfactory. When the long head is fixed to the groove, insecure anchorage is often obtained, or the tendon is not fixed under proper physiologic tension. A further important consideration is that the biceps function of contributing some flexion to the shoulder is completely lost if the tendon is fixed to the humerus. Only when it is shifted to the coracoid, and again crosses the glenohumeral joint, will some influence of this tendon be retained in flexion of the shoulder.

Technique of Biceps Tendon Transfer. The operation should be done as soon as the rupture has been identified, because of changes that may occur in the torn tendon. The distal segment recoils to the upper portion of the arm and lies in a curled-up mass that becomes encysted, and the fibers subsequently degenerate (Fig. 8–95). Operation is best carried out within six weeks, if possible, so that there will be sufficient strong tendon without degeneration for the most satisfactory type of transfer. The proximal portion of the tendon retracts into the joint, and sometimes constitutes a source of internal derangement because it lies loose. At the time of transplantation of the ruptured portion, the bicipital groove should be explored and, if feasible, the proximal segment should be excised.

Surgical Technique. A longitudinal incision is made extending from just above the coracoid process along the bicipital groove to the midpoint of the arm. As this incision is deepened, palpation in the distal portion will identify the coiled-up biceps tendon. Care is taken in dissecting the tendon free from the encysting fibrotic reaction. The proximal portion of the belly of the biceps is carefully mobilized, because the fibrosis extends downward for some distance. It is important to avoid injury to the nerve supply of the biceps from the musculocutaneous nerve, which reaches it along the lateral bicipital groove.

Mobilization allows the tendon to be stretched and, with the elbow flexed, enough length is usually obtained to pull the tendon under the deltoid to be attached to the coracoid. The tendon is split, and a small hole is drilled in the coracoid through which one of the split segments is threaded and tied to the other.

Postoperative Care. Postoperatively the arm is placed in a sling. Shoulder motion is initiated early, but active use of the tendon is delayed for three weeks until the wound is healed and the anchoring sutures are solidly fixed.

Technique of Repair in Late Cases. Transplantation of the head to the coracoid is difficult when the lesion is of many months' standing. The process of fibrosis and encystment, which envelops the retracted distal segment of the tendon, usually makes it difficult to find sufficient substance to carry out the transfer. If it is wished to persevere with this maneuver, the tendon can be elongated by a piece of fascia lata removed from the thigh and laced into the musculotendinous junction. In this way prolongation of the tendon can be obtained, and it is then

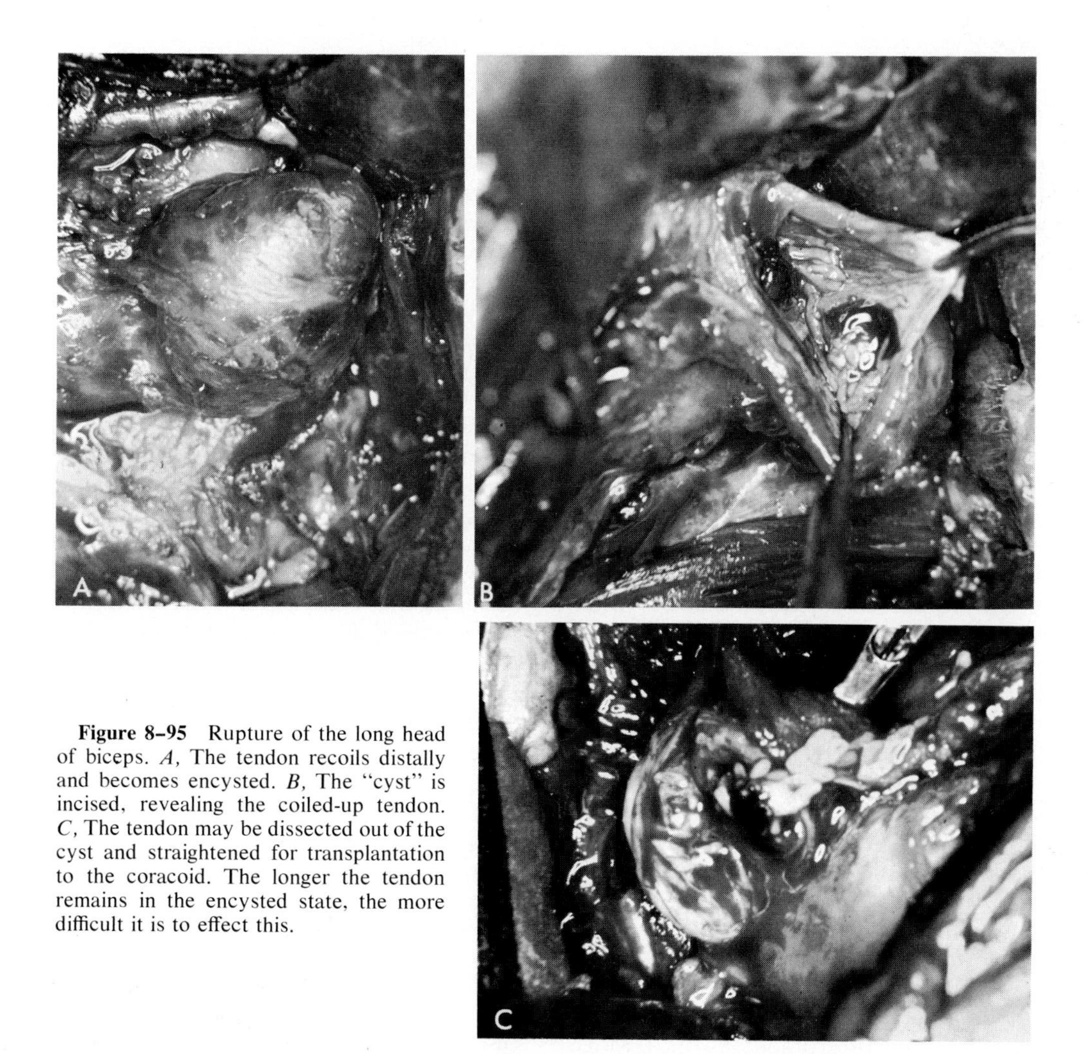

Figure 8–95 Rupture of the long head of biceps. *A,* The tendon recoils distally and becomes encysted. *B,* The "cyst" is incised, revealing the coiled-up tendon. *C,* The tendon may be dissected out of the cyst and straightened for transplantation to the coracoid. The longer the tendon remains in the encysted state, the more difficult it is to effect this.

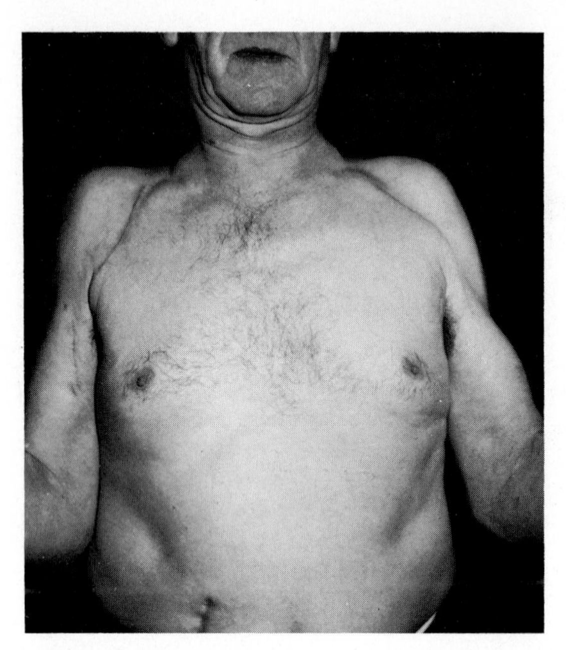

Figure 8–96 Bilateral rupture of the long head of biceps. The right side has been repaired, with consequent improvement in contour and power.

possible to reach the coracoid process for fixation in the same way. Such a repair is not nearly so strong as when there is enough length of biceps tendon, but it does provide a degree of improvement in strength and also improves the appearance (Fig. 8–96).

RUPTURES OF BICEPS TENDON AND ROTATOR CUFF PLUS NERVE DAMAGE

Attention is called to a serious injury belonging to this group of tendon cuff disturbances that has not been emphasized previously. It involves rupture of the biceps tendon, often extensive damage to the rotator cuff, and also a varying degree of brachial plexus paralysis. This syndrome is almost invariably encountered in an elderly patient. The history of injury is characteristic and frequently is the clue to the damaging process. The patient slips and, in losing balance, falls backward, so that the weight of the body is taken on the outstretched arm, which has been placed backward. This will have forced the head of the humerus forward and upward, so that it escapes the protection of the overhanging coracoacromial arch (see Fig. 3–19). The maximum stress is then taken on the long head of biceps, the shoulder capsule, and the anteromedial soft tissues. Sometimes the shoulder subluxes or partially dislocates. Invariably there is extensive ecchymosis over the anteromedial aspect of the shoulder and adjacent chest areas, indicating extensive soft tissue disruption. Examination shows damage to the rotator cuff, weakness or rupture of the biceps, and variable nerve damage. Paralysis of the deltoid and partial medial or musculocutaneous lesions are often found.

Treatment

Not only does the combination of tendon damage and paralysis produce a serious disability, but the interaction decreases the effectiveness of treatment of all components. The nerve damage is a stretching or bruising, a lesion in continuity, which recovers with adequate conservative treatment that includes electrical stimulation and muscle education. The cuff and tendon damage remain disabling, and operative treatment is directed toward these.

Acute Stage. Any dislocation or subluxation is reduced, and the arm is immobilized in a light shoulder spica. Care must be taken to ensure that the dislocation remains reduced, because the tendon and capsule damage leave a very lax joint, and it is possible for subluxation or dislocation to occur within the plaster. The importance of this complication in all dislocations cannot be too strongly emphasized, because it may increase the nerve damage. It is also important to look for nerve damage beforehand, rather than have to assume later that it happened beneath the plaster. At the end of two weeks the cast is bivalved and the upper half removed so that physiotherapy, including electrical stimulation and isometric exercises, may be started. Sometimes the age and activity of the patient are such that this conservative program is all that should be carried out. The plaster is removed at the end of six weeks and physiotherapy is continued.

Later Stages. When the circumstances and age of the patient are such that use of the arm is needed for carrying on an occupation, reconstruction of the capsule and tendon damage is carried out.

Technique. The shoulder is approached through the superoanterior incision, and the capsule-tendon region is exposed. As a rule the cuff is more extensively damaged than the biceps tendon. Attention is focused on restoring this as well as possible. Depending on the extent of rupture, it may be repaired by mobilization and the insertion of mattress sutures, or it may be necessary to use fascia, as outlined previously (see repair of ruptured cuff). Repairing the cuff and transplanting the biceps tendon is an extensive procedure that may tax the patient's general condition at one operation. The surgeon must be guided by the individual s reaction at the time. In repairing the cuff, if the biceps tendon is still intact but loose, the intertubercular fibers can be reconstructed so that the tendon is retained in its groove (see Fig. 8–60). This is an important step, since the stability afforded by the tendon improves the abductor power markedly. When there has been frank rupture of the tendon in addition to cuff damage, transplantation to the coracoid is recommended.

Postoperative Regimen. The postoperative immobilization of choice is the cantilever splint (Fig. 8–47), because this allows hand, wrist, forearm, and elbow movements as well as protected shoulder movements. If this splint is not available, a light abduction plaster may be applied. This plaster should be bivalved two to three days after surgery, and the upper half removed for isometric exercises of the arm musculature, so that reflex dystrophy (particularly in the older age-group) does not develop. If the tendon repair has not necessitated the use of fascia, the postoperative treatment is as outlined for Grade I rotator cuff repairs. If fascia has been used, the Grade III routine is followed.

ACROMIOCLAVICULAR ARTHRITIS

Pain localized to the shoulder sometimes arises from arthritis in the acromioclavicular joint; this is accompanied by a characteristic group of findings. Unless careful examination is made, acromioclavicular arthritis can be overlooked and cuff disturbances diagnosed in error.

SIGNS AND SYMPTOMS

The joint normally shows considerable variation in contour, but the two sides are usually the same. The joint line has varying degrees of obliquity, and often there is a large, bulbous end of the clavicle (Fig. 8–97). Injury and degeneration are the common causes of acromioclavicular disruption. There is aching pain in the general shoulder area which the patient usually does not recognize as coming from the top, but rather as implicating the general shoulder region. He is uncomfortable when sleeping on the sore side. Sharp pain is noted after the arm is raised to a right angle. Activities below the shoulder level do not cause discomfort, but, once the arm is elevated above the right angle, the pain is acute. The arc or zone in which this pain is felt contrasts sharply with that caused by cuff lesions such as degenerative tendinitis, in which the pain occurs at a lower level, just as the tuberosity is swinging under the arch.

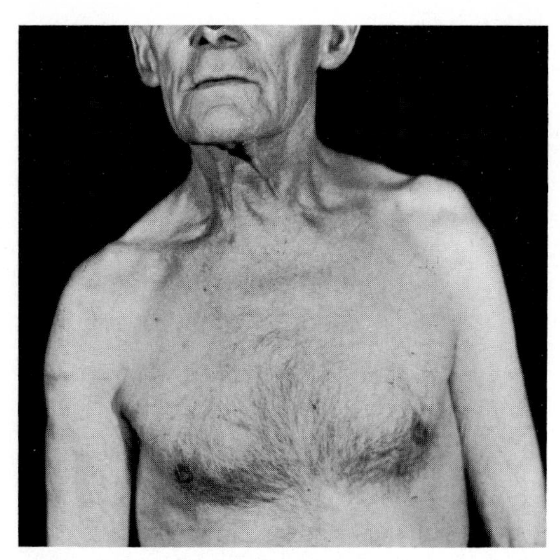

Figure 8–97 Marked distortion of the outer end of the clavicle in acromioclavicular arthritis.

Examination of the superior aspect of the shoulder elicits tenderness over the joint line; often there is some irregularity of the end of the clavicle. Sometimes crepitus can be felt as the arm is abducted above a right angle. Occasionally a jumping sensation is experienced as a result of the slipping of the lateral end of the clavicle. A characteristic sign is the production of pain by passive flexing of the arm across the chest at a right angle. This maneuver rubs the acromion and clavicle together as the acromion follows a crescentic course along the lateral end of the clavicle. Often, crepitus is also apparent as this is carried out, accompanied by pain. There may be considerable joint destruction without significant alteration in the skin contour. Some joints appear subluxed or dislocated when actually there is a little enlargement of the end of the clavicle only, without articular damage. Acute pain is reproduced by pres-

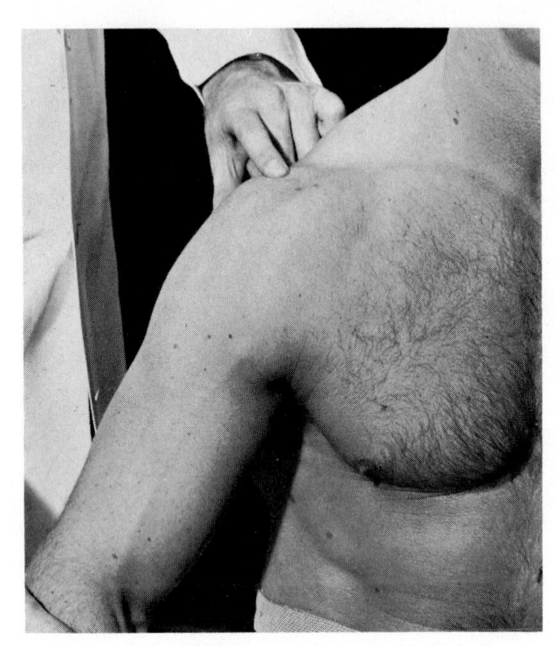

Figure 8–98 Tender point in acromioclavicular arthritis.

sure over the clavicle with one hand and elevation of the acromion by pushing up on the elbow with the other, thereby causing the joint surfaces to rub together (Fig. 8–98).

ETIOLOGY AND PATHOLOGY

The commonest cause of acromioclavicular discomfort is post-traumatic arthritis. As a part of the overhanging coracoacromial arch, the joint is exposed to trauma from above and from below. This region of the shoulder is used in carrying, holding, levering, etc., so that it is commonly susceptible to occupational stress. Blows on the shoulder tend to be taken in this general region, too, so that the joint is actually in a somewhat vulnerable area. Significant symptoms do not appear until roughening and narrowing of the joint are moderately well established. In elevating the arm, motion at this joint does not occur until the scapula starts to rotate with the humerus and the clavicle fixed; this occurs at about 85 to 90 degrees (see Figs. 3–5 and 3–6). For this reason, abnormalities of the joint cause maximum pain in the arc above a right angle, which helps to distinguish them from other shoulder disorders. Anatomically there is broad variation in the size of the contiguous facets, the angle of the joint, and the site of articulation. Structural abnormalities, which may show up on routine radiographs, are not significant unless accompanied by signs and symptoms (Figs. 8–99 and 8–100).

A somewhat similar clinical picture results from the congenital deformity of coracoclavicular bar (see Chapter 1). In these circumstances there is a bar of bone extending from the clavicle down to the coracoid process; somewhere along the bar there is an articulation at a point between the clavicle and the coracoid process. The strut acts as an obstruction to rotation of the clavicle during shoulder girdle circumduction, and discomfort arises in the later zones of abduction (see the section on congenital anomalies of the scapula, Chapter 1).

TREATMENT

The principle of treatment is to avoid irritation of the acromioclavicular joint. When overhead work and similar activities can be decreased, considerable relief is obtained. For those who wish to carry on without being hampered in movement or by pain, acromioclavicular arthroplasty is the most satisfactory solution. This operation was popularized by F. B. Gurd and provides effective relief. It is not an extensive procedure, and the period of incapacity is short. Obliteration of the acromioclavicular joint by arthrodesis is not recommended, because it hampers the movement of circumduction. During the phase of circumduction, movement occurs at the acromioclavicular joint; if the acromion has been fixed to the clavicle, the circumduction range may be decreased by 15 to 20 degrees.

Technique of Acromioclavicular Arthroplasty

The patient is given a general anesthetic and placed in the sitting shoulder position. A superoanterior incision 3 inches long is made just medial to the acromioclavicular joint. The acromioclavicular capsule is incised, and an osseoperiosteal flap is raised from the lateral three-quarters of an inch of the clavicle, and reflected medially. This flap is preserved for closure after the joint has been resected.

At this point the possibility of associated capsular contracture should be assessed. A frequent development with acromioclavicular arthritis is some degree of adhesive capsulitis. When this is present, gentle manipulation of

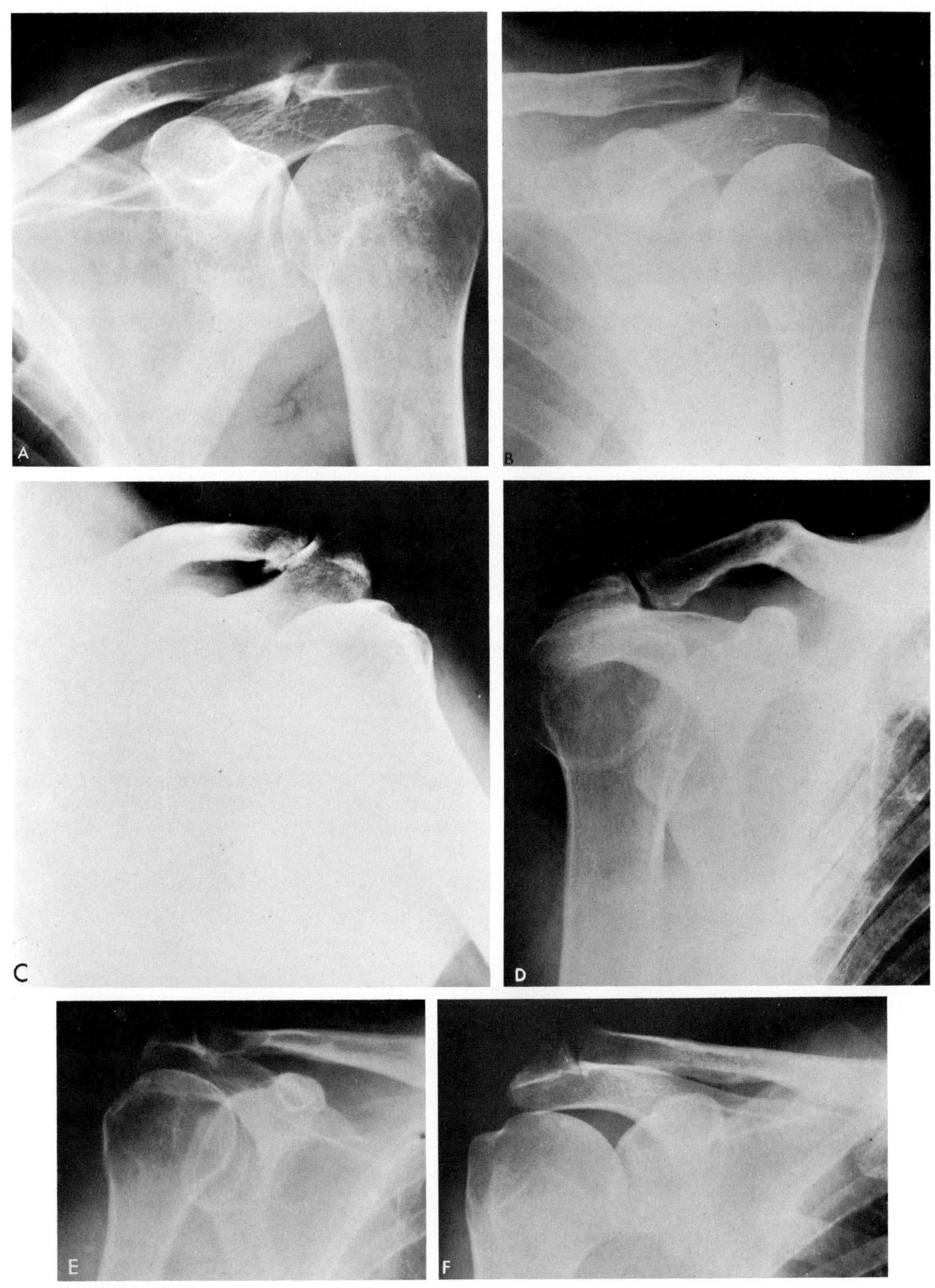

Figure 8–99 Abnormal acromioclavicular joints. *A*, Subluxation with arthritis. *B*, Post-traumatic arthritis. *C*, Osteoarthritis. *D*, Normal joint lines. *E* and *F*, Marked spur formation.

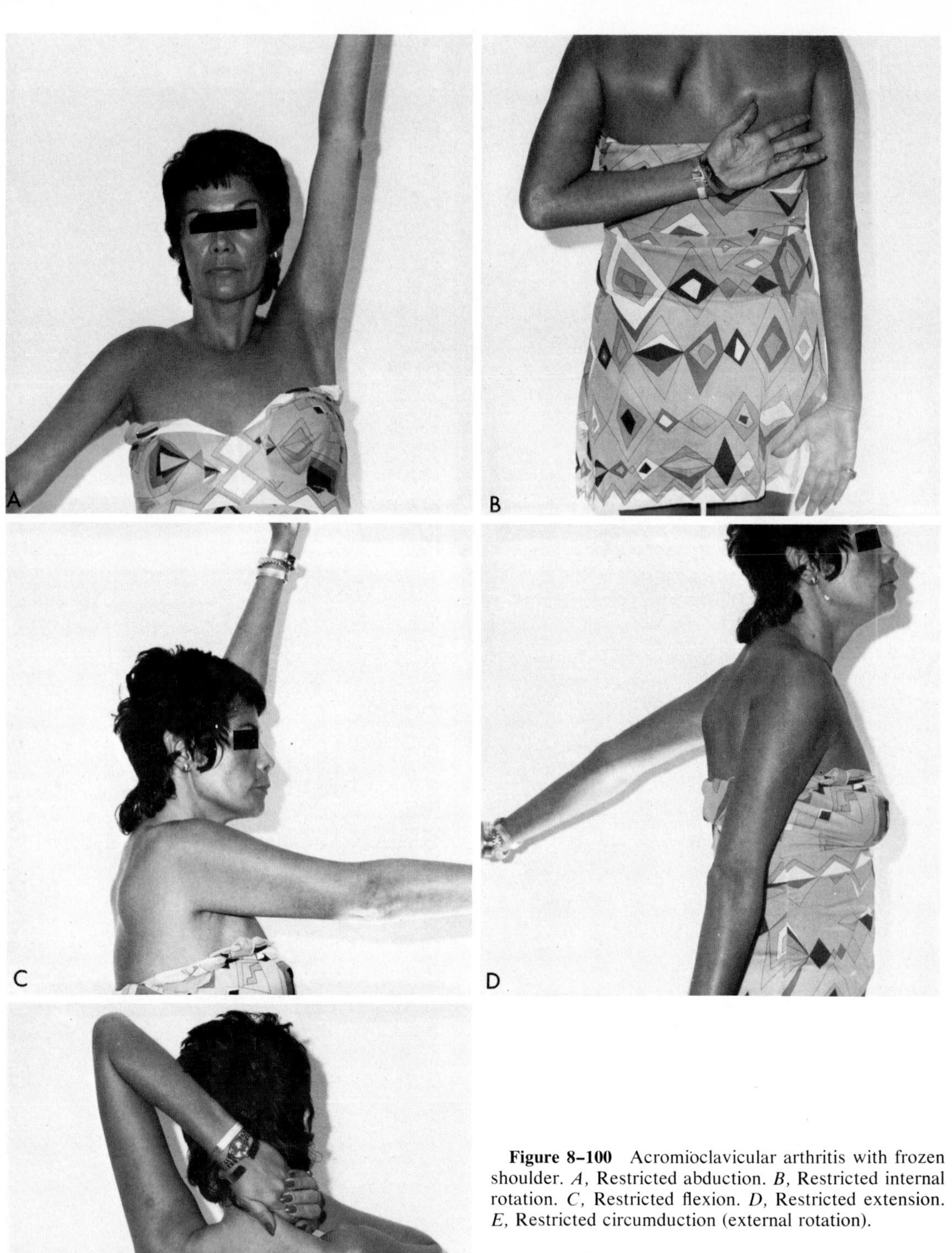

Figure 8–100 Acromioclavicular arthritis with frozen shoulder. *A*, Restricted abduction. *B*, Restricted internal rotation. *C*, Restricted flexion. *D*, Restricted extension. *E*, Restricted circumduction (external rotation).

the humerus in the glenoid is carried out, pressure being maintained on the head during careful passive rotation. By this process, it is possible to free adhesions gently and avoid rupture of the cuff. When the adhesions are extensive or if this maneuver is performed carelessly, the cuff may be ruptured, adding considerably to the impairment.

A general anesthetic is preferable, although the operation can be done under local anesthesia. The acromioclavicular joint and the outer half-inch of clavicle are exposed. The outer half- to three-quarters of an inch of the clavicle is denuded and freed by subperiosteal dissection. This piece of clavicle is excised cleanly. The principle is to put the acromioclavicular joint out of action and yet ensure that the clavicle remains stable. Stability is most important, and care is exercised to remove not more than the outer half- to three-quarters of an inch so that the suspensory coracoid and trapezoid ligaments are preserved. If the suspensory ligaments are cut, major disability results from shoulder laxity and instability. Coagulant gauze is packed along the outer end of the clavicle to diminish osteophyte formation (Fig. 8–101, steps 1 to 5).

After the outer half-inch of the clavicle has been cut free, it is pulled out of the capsule, usually preserving the posterior fibers of the capsule, which serve as a stabilizing factor and do not contribute obstruction to the overhanging swing of the head of the humerus.

Postoperative Regimen

The arm is suspended for 24 hours (Fig. 8–65*A*), and physiotherapy is as for Grade I rotator cuff repairs. Frequently there is a degree of adhesive capsulitis; in these cases the immediate initiation of active motion is of utmost importance, and longer supervision by the physiotherapist may be required. The patient with this complication will require systemic medication, such as phenylbutazone, for six to eight weeks.

Treatment of Coracoclavicular Joint

Congenital abnormality related to the coracoclavicular suspensory ligament region is occasionally found during a routine chest examination. A coracoclavicular bar, or a partial ossification of the coracoclavicular ligaments with a joint at the coracoid, is sometimes encountered (Fig. 8–102).

Symptoms include anterior shoulder pain, restriction of motion, and associated muscle atrophy. Injuries to the shoulder can initiate previously quiescent changes. As a rule, when this develops, considerable slcerosis of the articulation is apparent. The treatment of choice is excision of the bar of bone, including the joint (see Chapter 1).

Technique. The coracoclavicular articulation is approached through a linear incision parallel to, and just distal to, the middle third of the clavicle. By blunt dissection the coracoid process is exposed and the obstructing bar traced to the clavicle. The bar is exposed and an appropriate portion excised, care being taken again to preserve the suspensory ligaments. The site of excision is packed with Surgicel to minimize spur formation.

Postoperatively the patient is treated as for Grade I rotator cuff repairs.

ARTHRITIS OF THE GLENOHUMERAL JOINT

The shoulder joint is less frequently afflicted by the common forms of arthritis than are many other joints; however, it is susceptible to post-traumatic, osteo-, rheumatoid, and tuberculous arthritis. Acute infectious arthritis and metabolic arthritis are much less common. Arthritis of the shoulder produces pain that is well localized to the shoulder point and is aggravated by shoulder movement; tenderness is localized to the joint zone. These findings separate the arthritis from disturbances of the neck because of the lack of relation to neck movements, and from conditions causing radiating pain because of the distribution of the discomfort.

OSTEOARTHRITIS OF THE SHOULDER

As in all other joints, this type of arthritis develops from two sources: progressive wear and tear or the aging process of degeneration, and post-traumatic reaction (Fig. 8–103). The underlying changes are similar in both, but, because of the extreme mobility and lack of weight-bearing, symptoms do not appear so quickly or so severely as they do in hip and knee. The degenerative or true osteoarthritic process arises from progressive

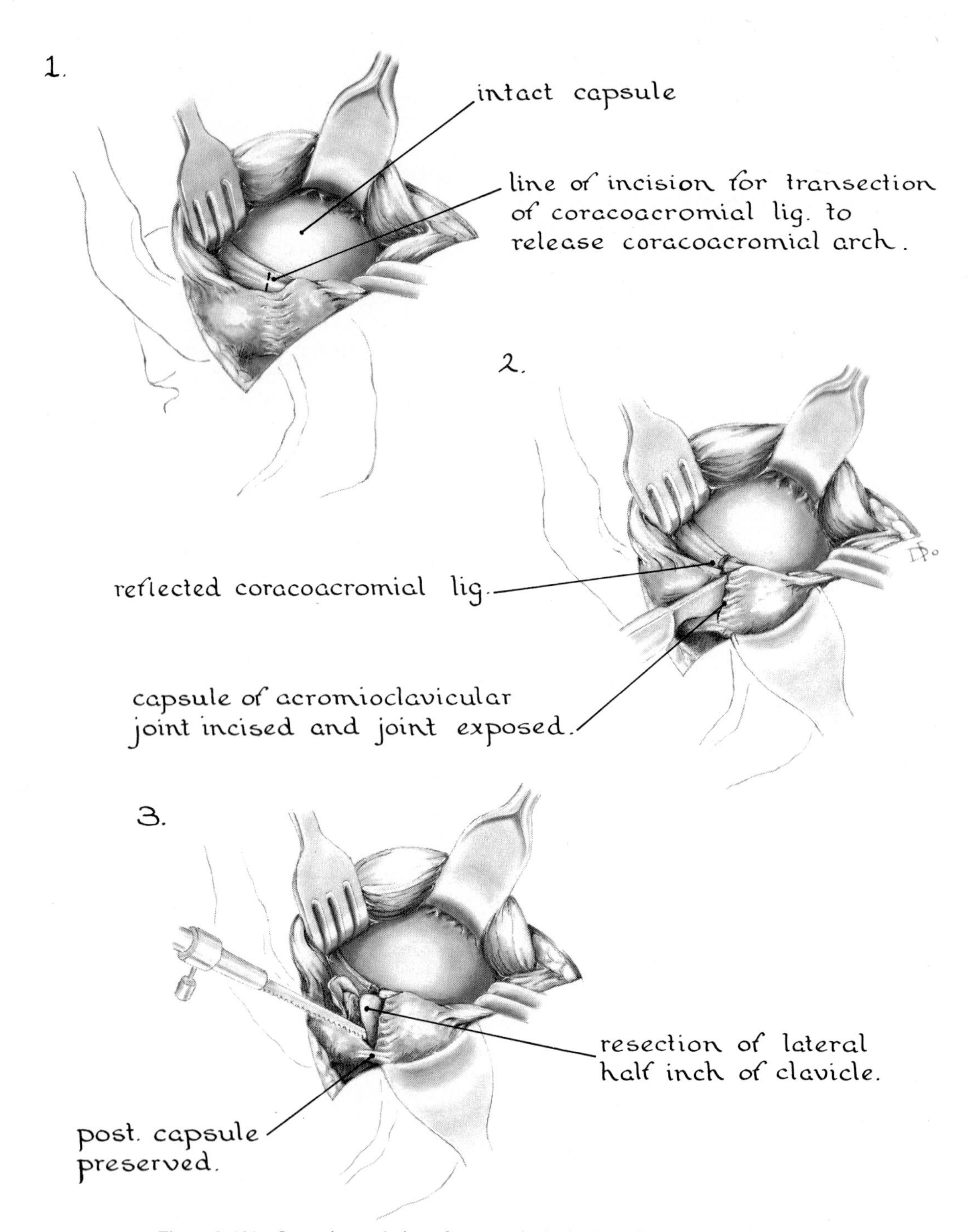

Figure 8–101 Operative technique for acromioclavicular arthroplasty. Steps 1 to 5.

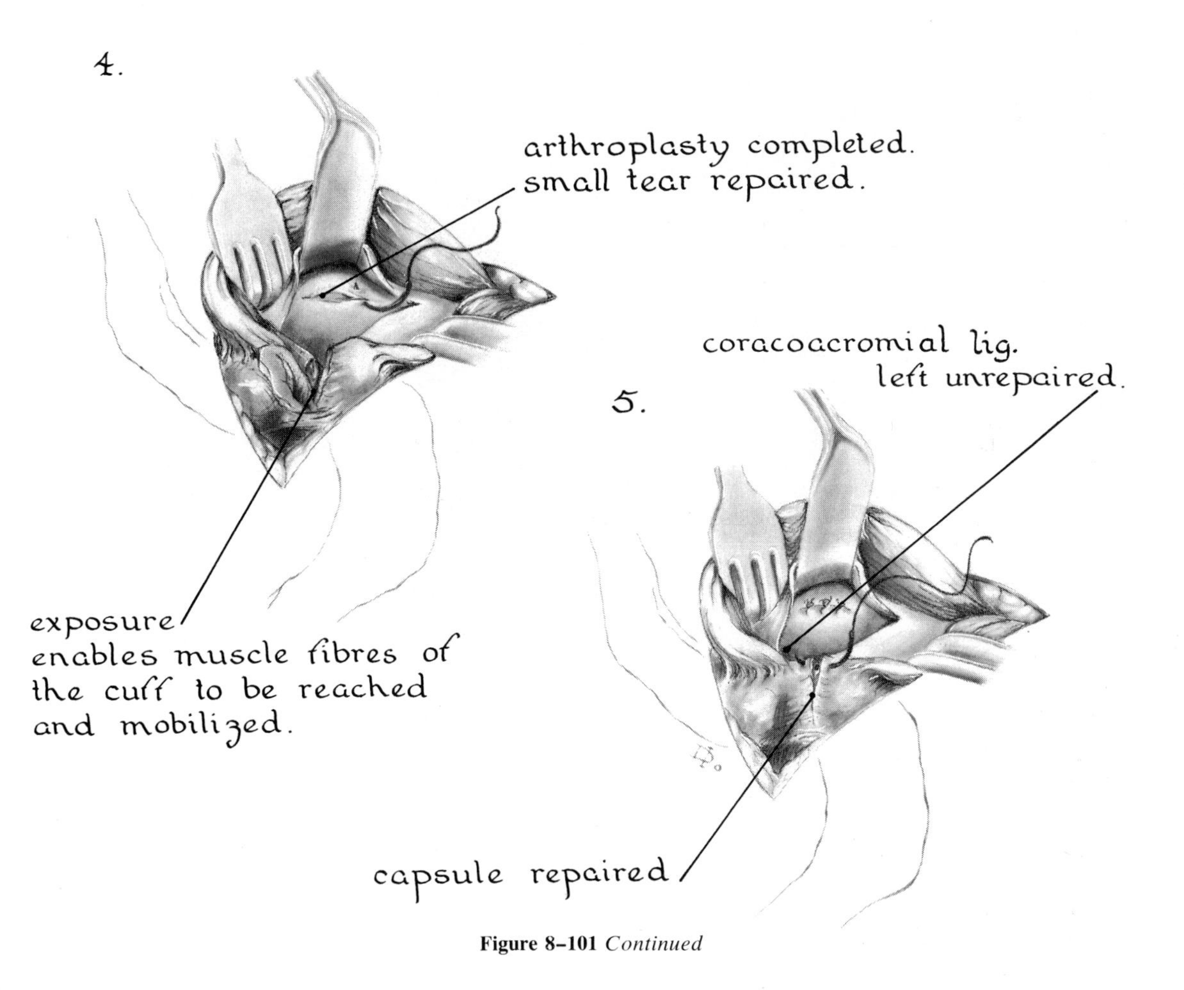

Figure 8–101 *Continued*

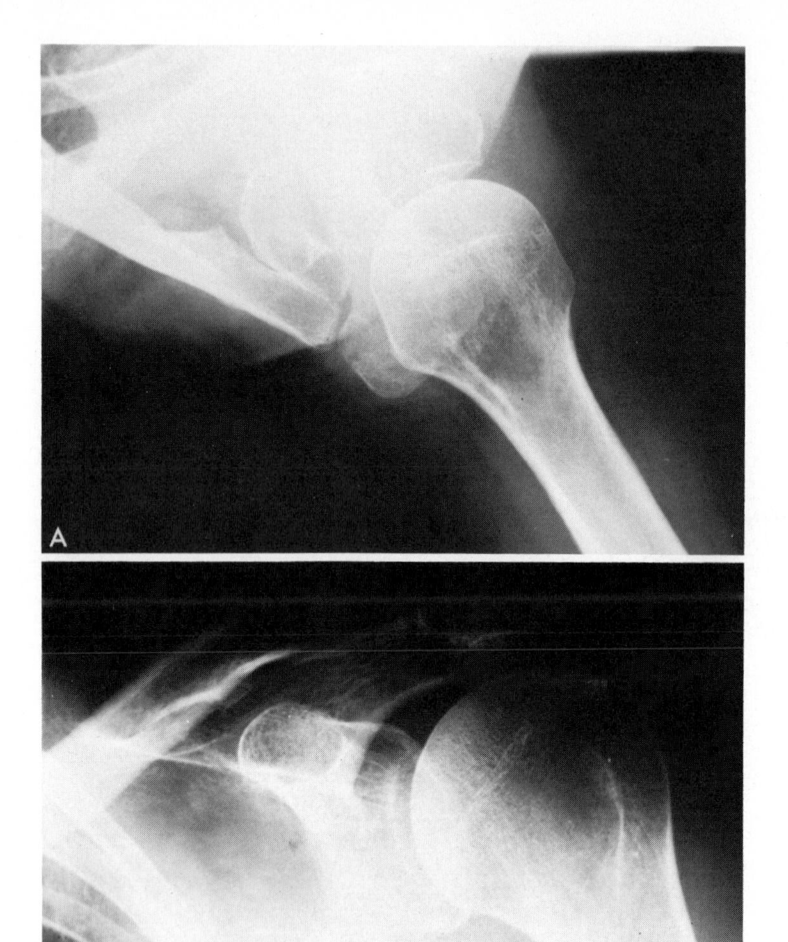

Figure 8–102 Coracoclavicular bar.

disturbance initiated by primary soft tissue injury. Wearing, tearing, and fraying of the cuff and biceps tendon scrape and roughen articular cartilage, interfering with movement (Fig. 8–104).

Signs and Symptoms

Osteoarthritis of the shoulder produces persistent localized shoulder pain that is aggravated by movement of the arm. It is not related to cervical movement, and significant radiating symptoms do not develop. There is gradual limitation of motion, increasing pain at night, a grating sensation, atrophy of the muscles, and eventual limitation of all movements. On examination, tenderness is present diffusely over the joint. Passive movement demonstrates altered articular contours and crepitus. X-ray studies usually show gross change in the articular surfaces, often with subchondral cystic formation, cartilage erosion, and teardrop osteophytes on the interior surfaces (Fig. 8–105).

Etiology and Pathology

The degenerative type arises from the progressive disturbance initiated by soft tissue injury. As indicated under "injuries of cuff and biceps tendon," damage to these soft tissues alters the normal function and introduces obstacles to movement. The frayed or ruptured cuff favors roughening of the smooth cartilage and gradual erosion. Abnormalities in the biceps fixation result in unaccustomed pressure on the humeral head, with blistering and pebbling of the adjacent articular surface. Because of the extensive mobility, the patient is able to avoid rubbing roughened surfaces together, so that the course of this disease is toward soft tissue

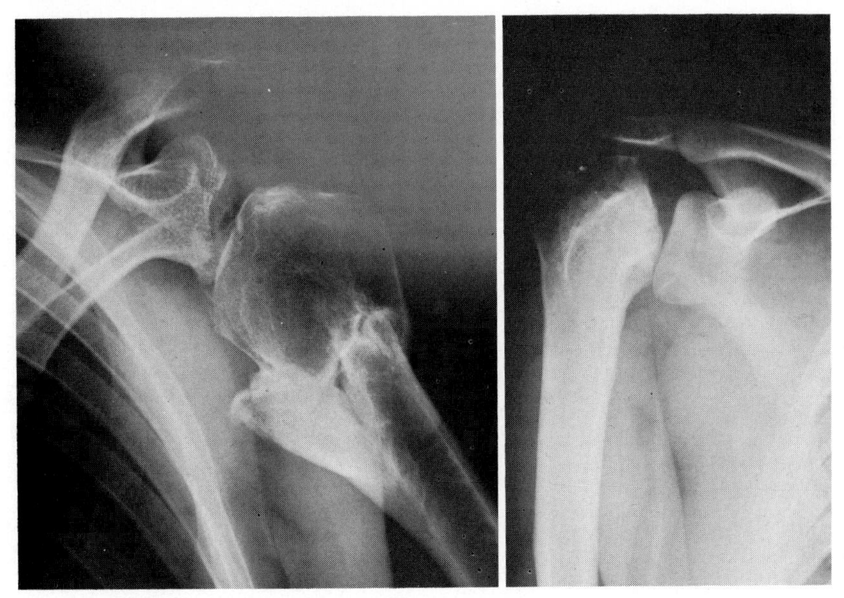

Figure 8–103 Examples of post-traumatic arthritis of the shoulder due to fractures through the head and neck of the humerus, and post-traumatic glenohumeral arthritis.

fixation and freezing, rather than extensive lipping and spur formation.

Treatment

Management depends a great deal on the occupation, age, and activities of the patient. In older patients who lead a sedentary existence, a conservative program is sufficient. Pain is avoided by limiting movement and activity, and a light sedative relieves any acute discomfort. Some movement is encouraged to prevent freezing (although it should be kept within the limits of the pain threshold), and is desirable also to prevent secondary vascular and reflex dystrophy changes in the hand and fingers.

New approaches have been made to the management of osteoarthritis of the shoulder over the past few years. The old adage of

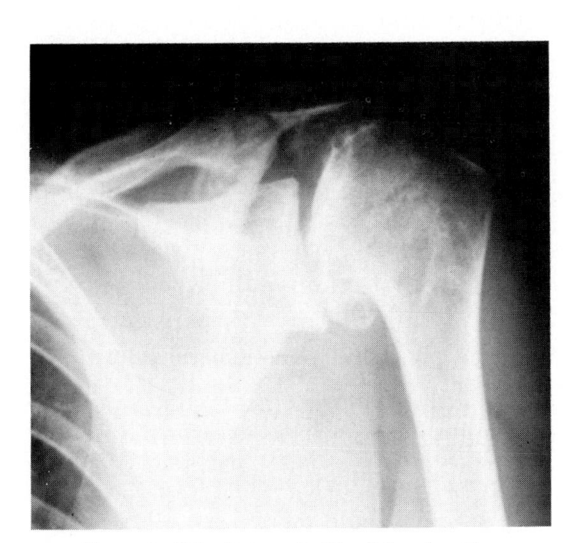

Figure 8–104 Osteoarthritis of the shoulder.

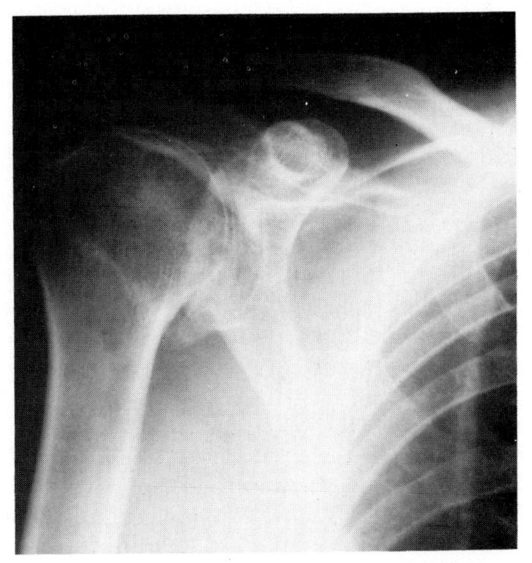

Figure 8–105 Osteoarthritis of the shoulder.

leaving the shoulder alone, anticipating that the patient will have sufficient supplementary motion to retain some mobility, but yet control the painful arcs, has gradually been discarded. Many more surgical reconstructions are carried out now on the arthritic shoulder.

CHEILOTOMY OF THE SHOULDER

Clinicians have now recognized the very progressive nature of arthritic irregularities in the glenohumeral joint, once established. In some instances these changes appear to involve a localized segment, or one arc of the head of the humerus, with relatively little involvement of the glenoid surface. The commonest site for this alteration is the inferior aspect, where a typical teardrop formation of new bone can be identified. These patients, particularly if the lesion is in the master arm, can receive considerable relief from a relatively conservative procedure: débridement of the joint, removing obvious osteophytes, smoothing the articular surface, and a concomitant acromioclavicular arthoplasty.

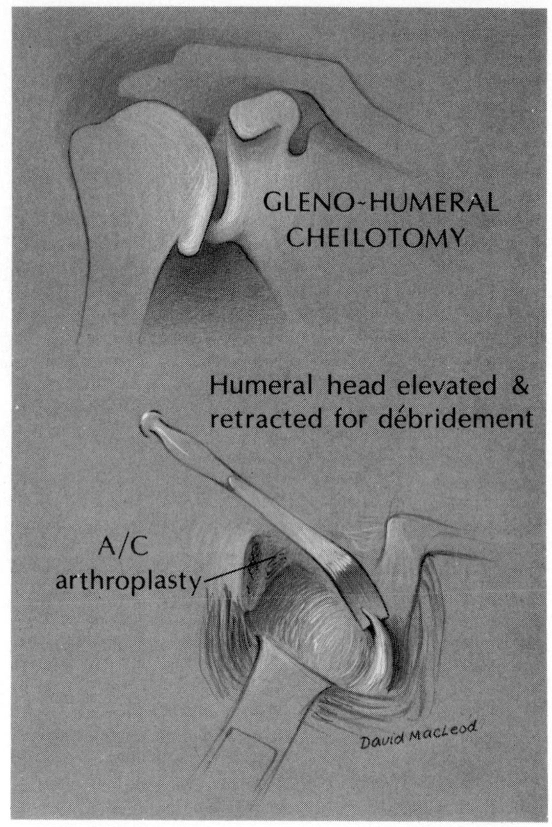

Figure 8–106 Cheilotomy of the glenohumeral joint.

Technique

The shoulder is approached through the usual superoanterior utility incision, with the patient in the sitting shoulder position. The fibers of the deltoid are split in longitudinal fashion, exposing the bursa and capsule. An inspection of the articular incongruities is carried out before specific resection is initiated. As a rule, the changes involve the anteroinferior and medial aspect of the head of the humerus.

An incision is made through the anterior capsule, medial to the long head of the biceps tendon. A portion of the subscapularis or all of the subscapularis fibers are cut, and the muscle is reflected medially. The capsule is incised and the joint exposed. It is usually possible to remove the major osteophytes with rongeurs, but a high speed burr that smooths the surface is extremely effective in producing a good articular face (Fig. 8–106).

An acromioclavicular arthroplasty is performed by removing the lateral half-inch of the clavicle, and the anteromedial corner of the acromion should exhibit significant changes. Pains are taken to manipulate the head of the humerus in the glenoid, carrying the joint through as full a range of motion as possible. In established arthritic cases it is very often difficult to force the joint into a complete range, and something short of this should be accepted. The capsule is closed, care being taken to preserve the intertubercular fibers for the long head of biceps.

Postoperative Care

It is extremely important to suspend the shoulder with the arm at a right angle, to prevent recurrence of freezing. After 48 hours the patient is placed in a cantilever brace, and the program continues as for Grade II or III rotator cuff repairs.

Arthroplasty of the Glenohumeral Joint

Significant improvements in operative technique, and new forms of articular surface replacement including total joint replacement, have spurred new interest in arthroplasty of the shoulder. The procedure is now of proved benefit in osteoarthritis, post-traumatic arthritis, rheumatoid arthritis, and certain miscellaneous arthritides such as the steroid arthropathies.

Types of Glenohumeral Arthroplasties

Prosthetic arthroplasty of the humerus was pioneered by Dr. C. S. Neer, who was responsible for the development of the successful operative techniques using this type of implant.

Neer Technique. A 5-inch incision is made over the deltopectoral interval, starting at the clavicle and curving outward sufficiently to avoid crossing the axillary skinfold. The deltopectoral interval is identified, and the cephalic vein ligated and removed. The anterior 2 inches of the deltoid are detached from the clavicle and retracted laterally; sufficient tissue is left on the clavicle to facilitate repair of this muscle. The coracoid may be divided for better exposure, but this usually is not necessary.

The subscapularis tendon is secured with a stay suture, and detached from the lesser tuberosity. The anterior half of the glenohumeral joint is exposed by blunt dissection, with great care to avoid injury to the axillary nerve, which lies against the capsule inferiorly. The anterior half of the capsule is then divided along with the glenohumeral ligaments. The long head of biceps is detached from the superior glenoid, and this tendon is withdrawn from the bicipital groove. The arm is then externally rotated, delivering the humeral head forward into full view. The portion of the head normally covered by articular cartilage is removed with a broad osteotome. Marginal excrescences, when present, are first removed to identify this level, otherwise osteophytes inferiorly tend to mislead the operator into excessive removal of the neck.

The medullary canal is identified with a long instrument, such as a Nicola gouge. A prosthesis is selected that permits seating to within 1 1/2 inches by hand. Reaming or gouging of the medullary canal is rarely necessary. The articular surface is placed in 20 degrees retroversion, and the prosthesis is protected from erosion with a saline sponge as it is driven into the medullary canal. Just prior to final seating, prominences may be trimmed from the neck for more accurate contact. The joint is then irrigated and the arm is internally rotated, causing the replacement virtually to disappear from view as it points backward toward the scapula. In osteoarthritis, although glenoid osteophytes are often seen radiologically, they have (with one exception) been left undisturbed. When the lesion is of long standing, no attempt is made to repair the capsule. The subscapularis is accurately sutured to the lesser tuberosity with chromic catgut. The biceps tendon is anchored in the bicipital groove, and the excess tendon removed. The deltoid is reattached to the clavicle, and the fascia is closed with interrupted sutures.

Alternative Approaches. Alternative operative approaches suggested by Neer include a deltoid splitting incision without detachment of the deltoid, and a superior approach in which the middle deltoid is detached and a 5-cm split is made between the anterior and middle deltoid. Neer includes in this approach the resection of the outer 2 cm of the clavicle if more exposure is required.

POSTOPERATIVE CARE. Immediately following surgery, the arm is placed in a sling and swathe, except where repair of the rotator cuff or tuberosity is difficult (in which case the arm is supported in abduction and external rotation in a light brace). Active assisted and isometric exercises are used exclusively for about six weeks. The sling and swathe are removed on the fourth or fifth postoperative day, and a removable sling is worn for comfort during exercise sessions until the eighth day. Exercises are begun in supine, and progress to the standing position. For six weeks postoperatively, the patient is cautioned not to actively flex or abduct the operated shoulder, to avoid stressing the repair of the anterior deltoid and rotator cuff. After six weeks the patient is given flexion exercises, and encouraged to increase the use of the operated extremity for activities of daily living.

(Comment: The author has used the Neer prosthesis, but has not found it necessary to remove the long head of biceps, preferring to repair the cuff carefully afterward.)

Bateman Technique. A sitting shoulder posture is used, and a utility incision is made extending over the shoulder just medial to the acromioclavicular joint. The incision is 5 inches long, starting 1 inch behind the clavicle, going over the lateral end, and extending distally along the line of the fibers of the deltoid muscle. The deltoid fibers are retracted, and joint surfaces are inspected to plan reconstruction. Further exposure is necessary and, as a rule, this is best obtained

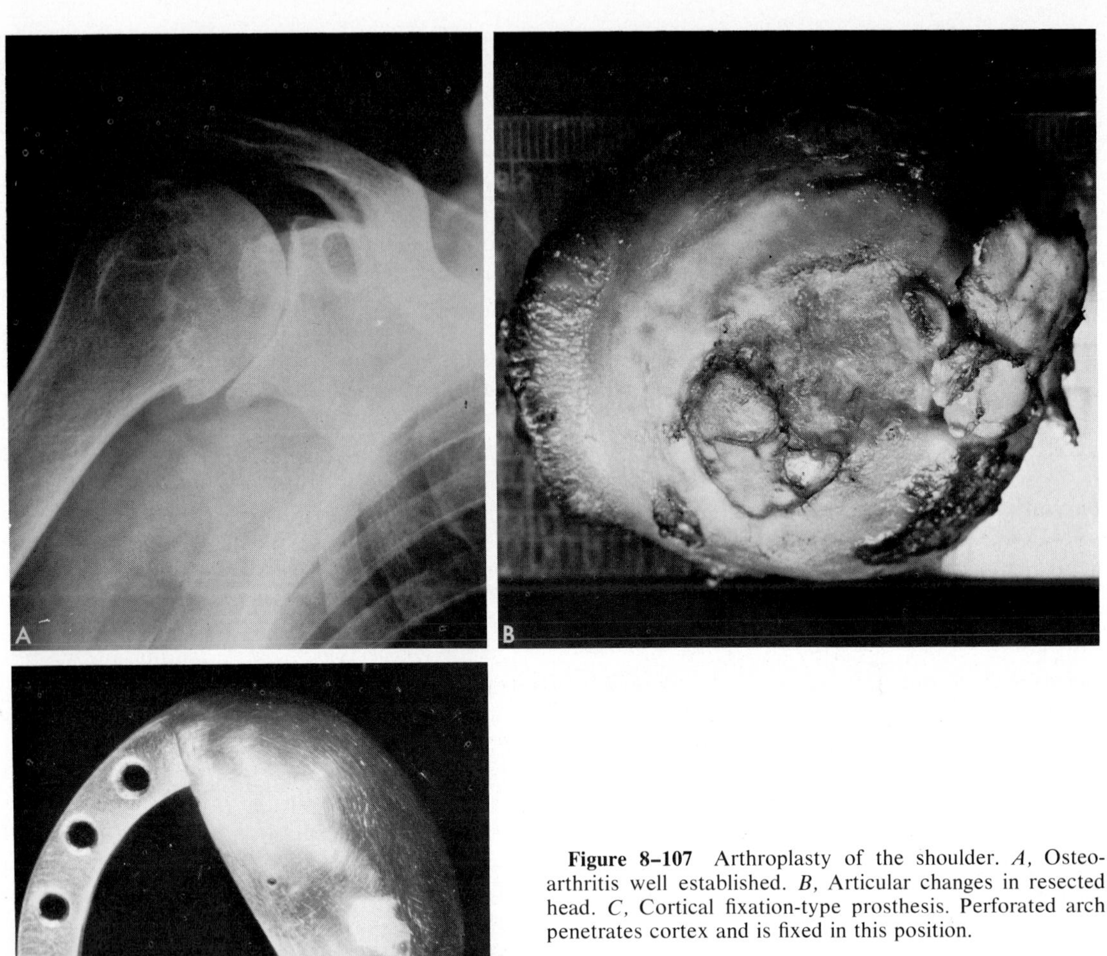

Figure 8–107 Arthroplasty of the shoulder. *A*, Osteoarthritis well established. *B*, Articular changes in resected head. *C*, Cortical fixation-type prosthesis. Perforated arch penetrates cortex and is fixed in this position.

by doing an acromioclavicular arthroplasty in routine fashion. The coracoacromial ligament is resected. An incision is made in the anterior portion of the capsule, medial to the subscapularis insertion and bicipital groove. This is extended distally far enough to allow the articular surface to be brought into view. As the humerus is externally rotated and abducted through this incision, the long head of biceps remains in its groove and is retracted superiorly.

The arthroplasty is started by carrying out the reconstruction of the humeral head first. Gross irregularities are removed with the reciprocating saw or the power grinder. The head is resected at a point gauged by placing the prosthesis beside the head, with the stem along the shaft of the humerus. Care is taken to stop the cut of the humeral head before it reaches the tuberosity and cuff insertions. Removal of the head allows free access to the glenoid. The glenoid is then débrided, but generally not much modeling is required. The surface can be smoothed with the power burr. When a stem prosthesis is used, a cut is made in the cancellous layer in the shape of the triangular stem to allow a start, and it is then pounded firmly into place. As a rule the stem proceeds through the cancellous layers without further resection; this also allows a firm grip by the bone on the stem. The capsule is then carefully sewn, and the wound is closed in layers.

Various models of prosthesis can be used.

The author has constructed a prosthesis with a shorter stem, and also designed one that can transfix the cortex (Figs. 8–107, 8–108, and 8–109) rather than be inserted into the medullary canal. The latter is much easier to insert and appears most useful in arthroplasty for arthritis. Fractures with extensive shattering of the head can be better handled with the stem type of prosthesis (Fig. 8–110). The approach, capsular repair, and postoperative management are the same regardless of the precise configuration of the prosthesis used.

POSTOPERATIVE ROUTINE. The arm is placed in suspension at a right angle for 48 hours (Fig. 8–65*A*), and then the slings and springs and cantilever brace are applied (Fig. 8–65*B* and *D*). The routine for Grade III rotator cuff repairs is followed by the physiotherapist.

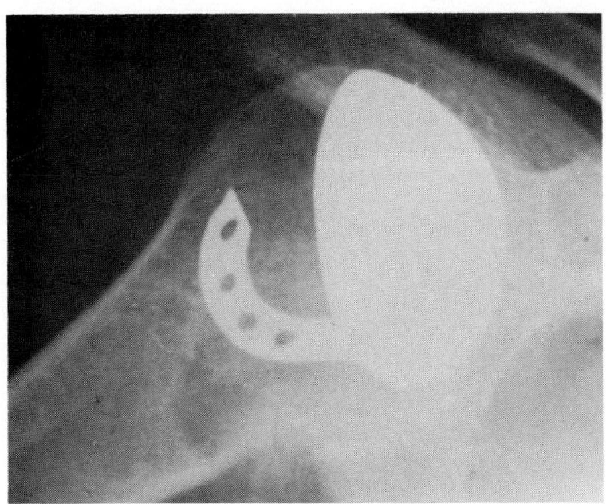

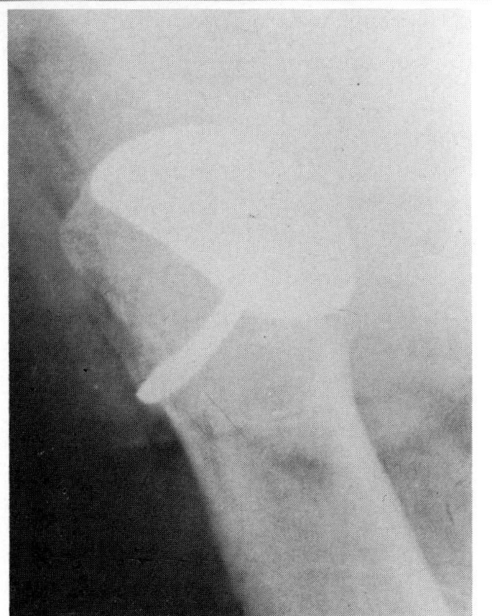

Figure 8–108 Radiographic appearance of prosthesis after insertion, in a case of osteoarthritis.

Total Shoulder Replacement

Successful replacement of the hip by a total prosthesis has spurred efforts to apply many of these principles to the shoulder. However, many of the precepts and technical considerations that have been applied to the hip are not relevant for the shoulder.

In the beginning, it should be recognized that the shoulder is a multiaxial joint. This is in direct contrast to the hip, which has a relatively fixed axis giving a very considerable degree of control to the condyle in the cup. In the case of the shoulder, however, there is not only the rotatory trajectory but also a superoinferior arc in which the head of the humerus moves and without which it is impossible to get the arm above a right angle. These primary physiologic considerations limit the effectiveness of certain types of total joint replacement. All the prostheses that are attached as a unit or hinge obliterate the superoinferior trajectory, and automatically limit the range of motion.

When both the head of the humerus and the glenoid surface are replaced, but the two are not connected together, a greater range of motion is possible.

Indications. Severe distortion of humerus and glenoid is the prime indication for total glenohumeral arthroplasty. Minimal involvement of the glenoid, however, lends itself quite effectively to prosthetic arthroplasty without replacement, because the head of the humerus is not as closely applied to the glenoid as the head of the femur is to the acetabulum.

Technique.* The shoulder is approached through the superoanterior incision, and an acromioclavicular arthroplasty carried out. The author prefers this approach to one in which the deltoid is detached, because it allows sufficient exposure and yet minimizes the weakness and deleterious effects following extensive deltoid flap resection.

The capsule of the shoulder is incised medial to the long head of the biceps tendon, extending through the subscapularis. The interior of the shoulder joint is exposed, and the assistant lifts the arm upward with pressure under the elbow to facilitate resec-

*(Author).

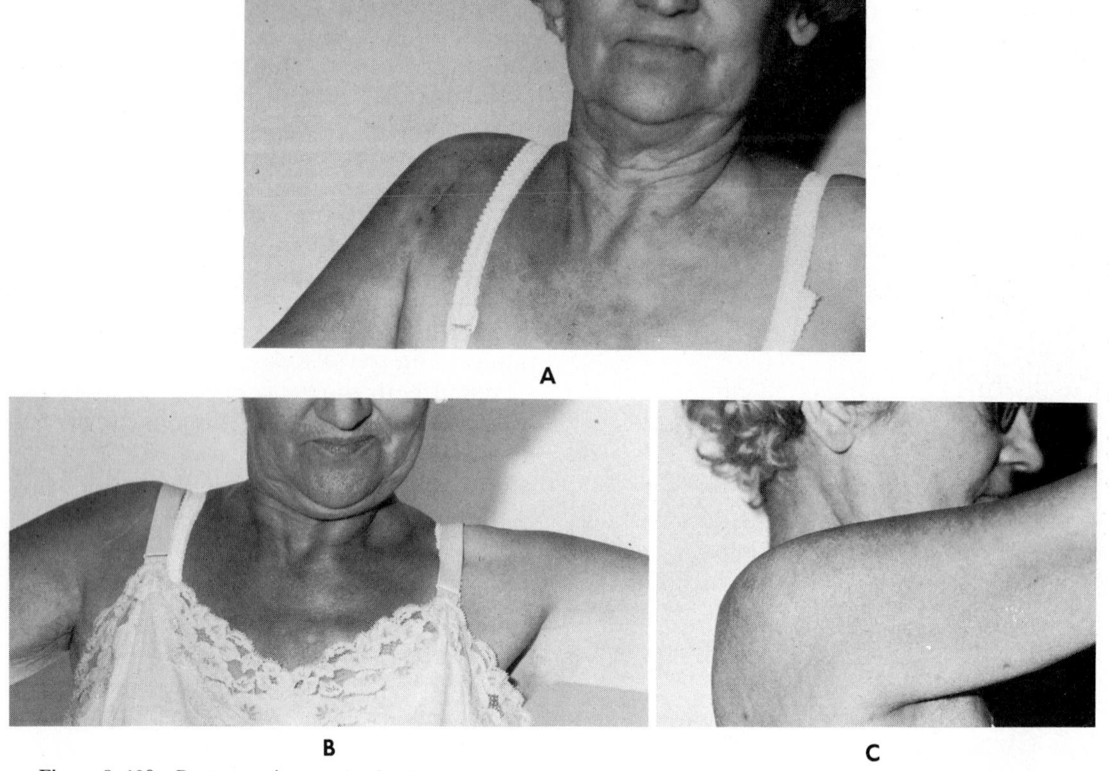

Figure 8–109 Postoperative result of arthroplasty. *A*, Healed incision (three weeks). *B*, Six weeks. *C*, 12 weeks.

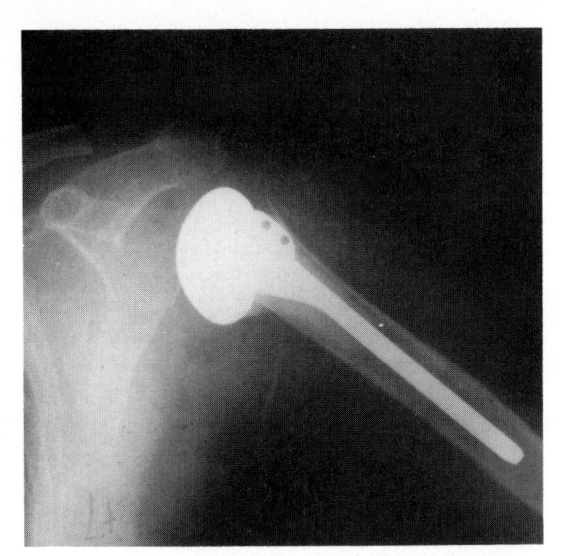

Figure 8–110 Neer II prosthesis in hemiarthroplasty.

tion of the neck, which is carried out in the usual fashion, the head being removed at a point appropriate for the humeral head replacement. Care should be taken in inserting the prosthesis that it is in a degree of posterior rotation or retroversion to avoid anterior dislocation. If the prosthesis is inserted with the head facing too much toward the front and with insufficient retroversion, it will have a tendency to ride in the position of anterior subluxation.

The glenoid surface is débrided and prepared for insertion of whatever type of surfacing is required; the author has preferred the Neer type. Care is taken to obtain a satisfactory grip of the glenoid element in the bone. Some attention should be paid to the angle in which the glenoid segment is inserted; if it is allowed to point superiorly extensively, there will be some lack of congruity of the prosthetic surfaces.

The author prefers to close the capsule as carefully as possible, preserving the intertubercular fibers to retain the biceps in its groove.

Postoperative Management. The author prefers to suspend the arm at a right angle for hours. The arm may then be placed in slings and springs for sitting (Fig. 8–65*B*) and in the cantilever brace for ambulation (Fig. 8–65*D*). Physiotherapy is as for Grade III rotator cuff repairs.

Other Types of Total Shoulder Arthroplasty

Many ingenious devices have been produced for shoulder arthroplasty, and the accompanying illustration shows a number of the designs that have been used by experienced operators (Fig. 8–111).

Neer Total Shoulder Technique*

Three different approaches are used: (1) the deltopectoral without detachment of deltoid; (2) the deltopectoral with detachment of the anterior deltoid; and (3) the

*See Figure 8–111*C*.

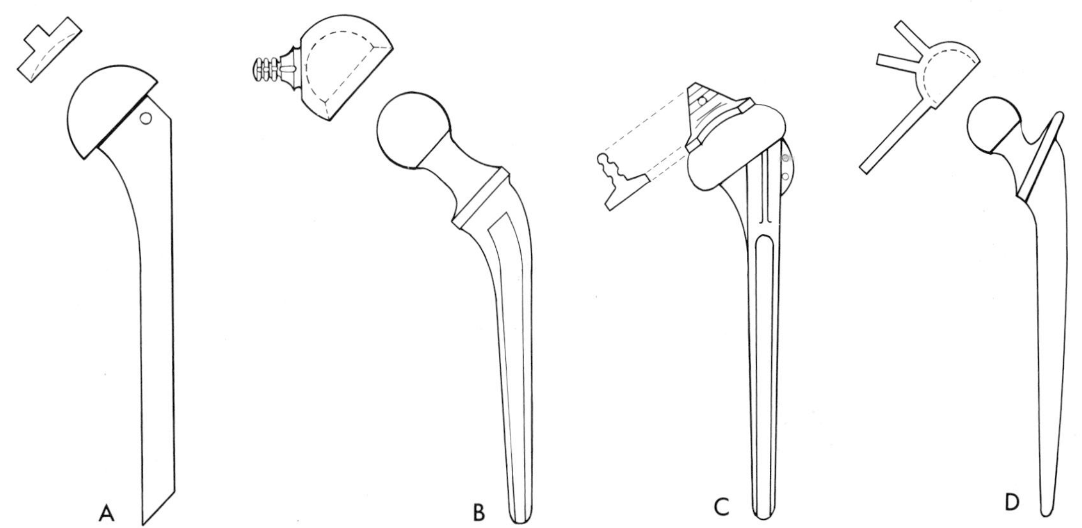

Figure 8–111 Varieties of total shoulder replacement.

superior approach in which the middle deltoid is detached and a 5-cm split is made between the anterior and middle deltoid. The latter provides a good view of the glenoid, preserves the attachments of the anterior deltoid, and is now used most frequently. If the acromioclavicular joint was arthritic, or if more exposure of the supraspinatus is needed, the outer 2 cm of the clavicle is excised. The soft tissue surgery around the implant is considered to be of equal importance to the orientation of the prosthetic components. The rotator tendons and glenohumeral joint are carefully mobilized. Osteotomies of the tuberosities are used routinely in treating old fractures, and the tuberosities are reattached with 0.8-mm wire. Thirty-five to 40 degrees of retroversion of the head and glenoid combined is preferred, and the orientation of the glenoid in the cephalic-caudal direction is also important. The humeral component is cemented in place in about 50 per cent of the operations. Power tools are used to decrease the risk of fractures of the glenoid, which at times is found to be distorted and shortened from wear or erosion. The cuff is meticulously repaired.

Single Assembly Total Shoulder Arthroplasty.* In a small number of cases, the author has used a single assembly type of prosthesis that essentially is the insertion of an "all-in-one" total joint without glenoid fixation. He has preferred to use this method in the severe types of articular incongruity, including steroid arthropathies.

TECHNIQUE. The shoulder is approached through the superoanterior incision in the usual fashion. After splitting the fibers of the deltoid longitudinally, the coracoacromial ligament is incised and an acromioclavicular arthroplasty carried out. The lateral half-inch of the clavicle is removed, and the adjacent corner of the acromion. Care is taken to preserve the deltoid attachment at both sites. The capsule is then incised at a point medial to the long head of the biceps tendon. The division of the capsule is carried down through the subscapularis (Fig. 8–112, steps 3 and 4). The assistant lifts the head of the humerus up, delivering it into the wound for resection (Fig. 8–112, steps 5 and 6).

There are two versions of the single assembly total shoulder (Fig. 8–113). One consists of a collar button type of prosthesis in which the female portion rests in the humerus, and the male portion is applied as part of the glenoid segment (Fig. 8–113*B*). The author has used both types with equal efficiency. It is probable that the use of the reversed type implant is easier to carry out technically, because of the minimum space available to allow replacement.

Care is taken in reaming the humerus for reception of the stem, because these patients invariably have poorly textured bone that breaks very easily (Fig. 8–112, steps 7 to 13). The stem is usually, but not always, cemented in place with methylmethacrylate; in some instances of severe steroid arthropathy, none has been used.

Recently the author has adapted the prosthesis so that it has a slot at the superior angle that can be fitted over the long head of the biceps tendon; if this is absent, a piece of fascia from the opposite thigh is laced through the overhanging coracoid process and through the slot in the prosthesis, to give it a degree of stability.

The capsule is repaired as snugly as possible, and the acromioclavicular junction is carefully reconstructed (Fig. 8–112, steps 14 and 15). The deltoid is sewn together in two layers.

Postoperatively, the patient is placed in suspension with a special abduction bed support (Fig. 8–65*A*), and at 48 hours slings and springs for sitting and the cantilever brace for ambulation (Fig. 8–65*B* and *D*) are applied (Fig. 8–112, step 16). Physiotherapy is as for Grade III rotator cuff repairs. If there has been no tendon repair, the brace may be gradually lowered after three weeks. The patient is seen three months (Fig. 8–112, step 17) and six months (Fig. 8–112, step 18) postoperatively.

POST-TRAUMATIC ARTHRITIS

An increasing number of serious intra-articular fractures have been found with comminution of the head or fracture dislocations that heal with a great deal of articular incongruity. In most circumstances the ideal treatment is prosthetic replacement following the injury, but established post-traumatic arthritis is also helped significantly by arthroplasty. The technique followed is as described for prosthetic arthroplasty in osteoarthritis. If at all possible, care is taken to repair the capsule and restore the position of the long head of biceps.

*See Figure 8–112, steps 1 and 2.

In some cases in which stability is essential and may be a significant consideration with reference to the patient's occupation, arthrodesis of the shoulder may be carried out. However, it may leave an awkward and sometimes unsightly extremity (Fig. 8–114*A* and *B*).

Recently, Dr. Carter Rowe has called attention to the desirability of using a position for arthrodesis, particularly in adults, that brings the arm closer to the side, thus facilitating many activities of daily living. The position should be determined with the arm at the side of the body, with enough clinically determined abduction of the arm from the side of the body (15 to 20 degrees) to clear the axilla, and enough forward flexion (25 to 30 degrees) and internal rotation (40 to 50 degrees) to bring the hand to the midline of the body, the face and head, the side and pants pockets, the back, the anal region, and the feet. When arthrodesed in this position, the arm will rest comfortably at the side, and the scapula will not protrude. The arm will also be nearer the center of gravity of the body, the position where strength is maximum for lifting, pushing, and pulling. However, if there is paralysis of the muscles of the shoulder girdle and arm, the position should be adjusted according to the specific muscle weakness. In younger people, fixation can be at a slightly higher angle in abduction because of their better scapular mobility.

Technique of Arthrodesis

As a rule, an intra-articular arthrodesis is done; the principles are excision of the cartilaginous surfaces, and adequate transfixion supported by bone grafts. There are many good methods embodying these principles (Fig. 8–115).

Watson-Jones Technique. This is an excellent method of arthrodesis (Fig. 8–115*A*). It involves preparing a bony flap of the outer portion of the acromion and the clavicle, which are partially fractured so that they may be bent down and fitted into a transverse trough, fishmouthwise, in the head of the humerus. Up to this point it is an extra-articular procedure, and may be supplemented by preparation of the humerus and glenoid cavity in the usual fashion.

Putti Procedure. This differs from the Watson-Jones procedure in that the flap from the spine and the acromion is fashioned by splitting the portion of the spine longitudinally, and sliding this separate posterior piece into a trough for the upper end of the humerus.

Gill Technique. This technique is similar to the foregoing procedures, but the acromion is prepared by roughening top and bottom surfaces. The joint surfaces are denuded of cartilage, and the upper aspect of the humerus is split to receive the tongue-like process of the acromion (Fig. 8–115*B*).

Brittain Procedure. This is an extra-articular scapulohumeral arthrodesis by an ingenious technique. It embodies the application of a massive graft from the tibia, which is fixed in a hole in the humerus and in a slot in the lateral border of the scapula. The procedure is done with the patient prone and the affected arm hanging over the edge of the operating table. An incision is made over the posterior axillary area in an L-shaped fashion. A hole is drilled in the medial aspect of the humerus, and an arrow-shaped graft is fashioned from the tibia. The graft is inserted in the slot in the scapula and wedged into the hole in the humerus (Fig. 8–115*C*).

Posterior Arthrodesis

In many conditions for which arthrodesis of the shoulder is required, the author has found it desirable to carry out the procedure from the posterior aspect. Significant advantages are apparent. Dr. Joseph Davis introduced a technique for posterior arthrodesis using a pedicle graft of acromion and inserting it posteriorly into the glenoid and head of the humerus. The author has used a similar technique, but has not used the pedicle graft.

Technique. The patient is placed on the operating table lying partly on his face and with the diseased side upward. The entire extremity is prepared, along with an area extending to the midline posteriorly. The shoulder is approached through a transverse incision, curved slightly forward but made along the upper border of the spine of the scapula, and extending from the root of the spine to beyond the acromion laterally; this incision is deepened. The muscular attachments are then retracted from the acromion and the adjacent spine of the scapula for a distance of 1 1/2 inches medially. The spine is osteotomized at this point, and the acromion and this part of the spine are then used as a graft to be inserted later.

A trough is then cut through the head of

Text continued on page 360

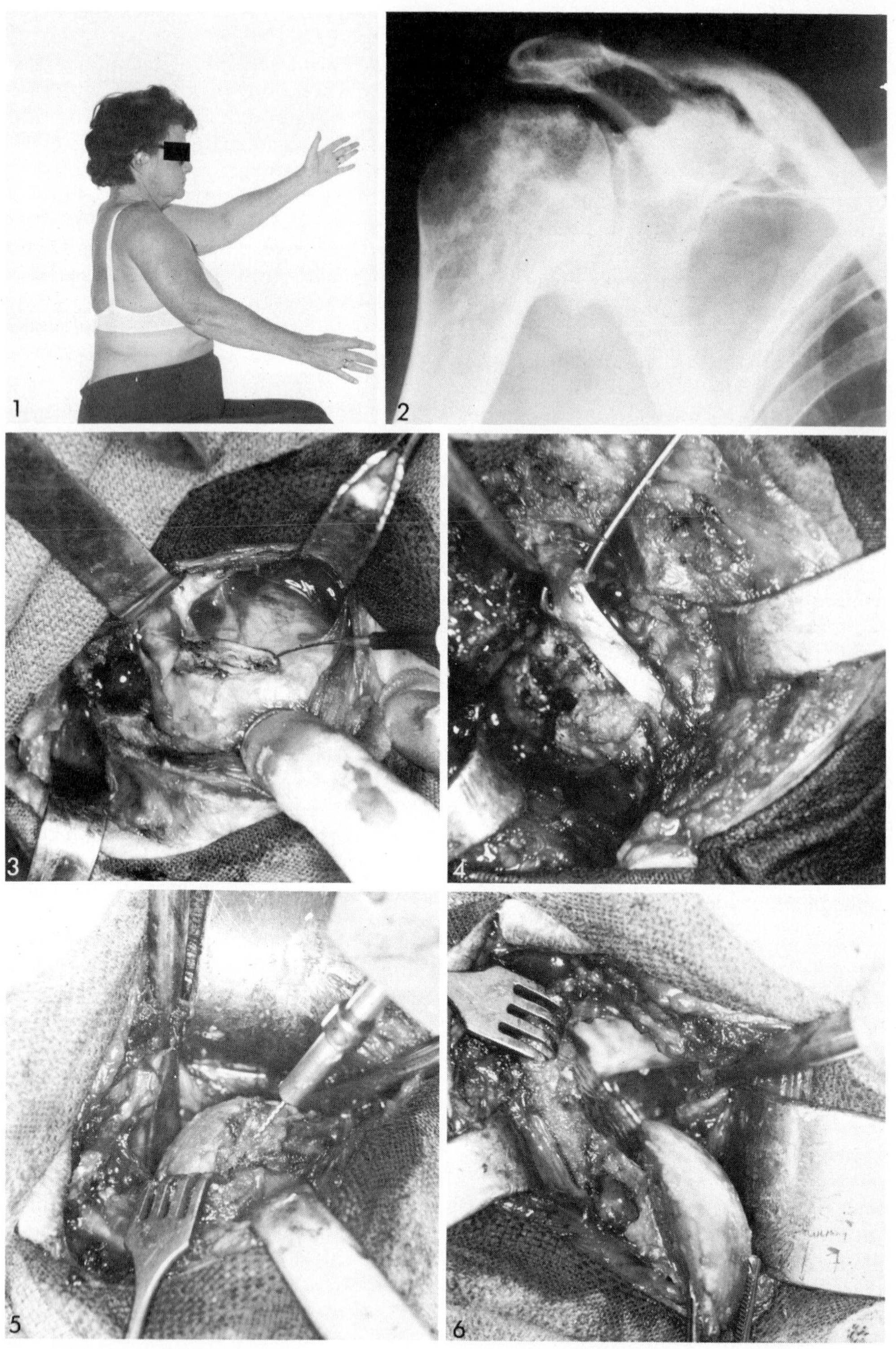

Figure 8–112 1. Diabetic arthropathy. 2. Radiographic appearance. 3. Steps in total shoulder arthroplasty. Incision in capsule medial to biceps tendon. 4. Retraction of biceps tendon. 5. Head of humerus elevated for resection. 6. Point of resection of head of humerus.

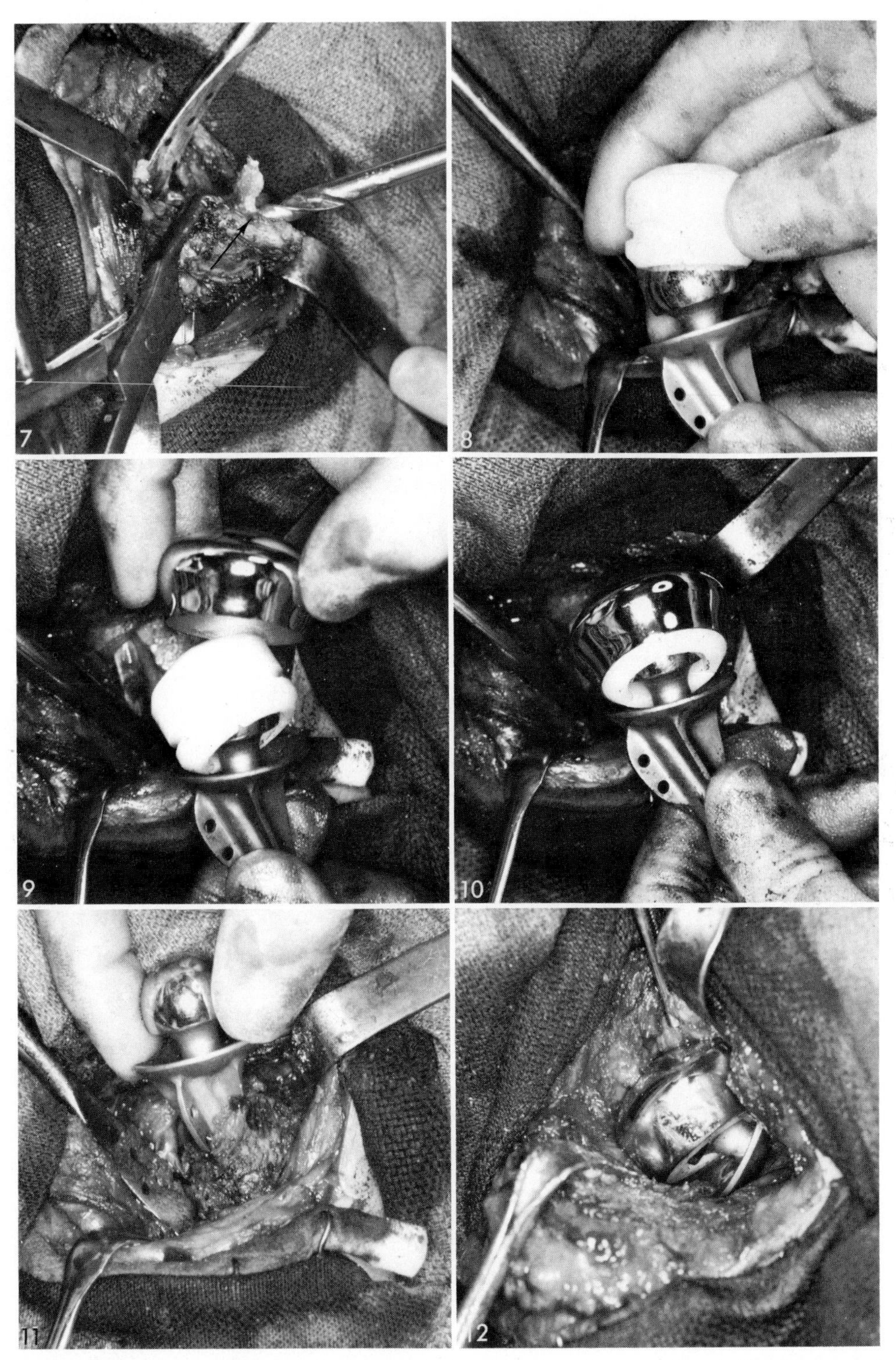

Figure 8–112 *Continued* 7. Drilling shaft of humerus. 8. Polyethylene insert applied. 9. Glenoid cap applied. 10. Assembly completed. 11. Stem insertion in humerus. 12. Reduction initiated.

Illustration continued on following page

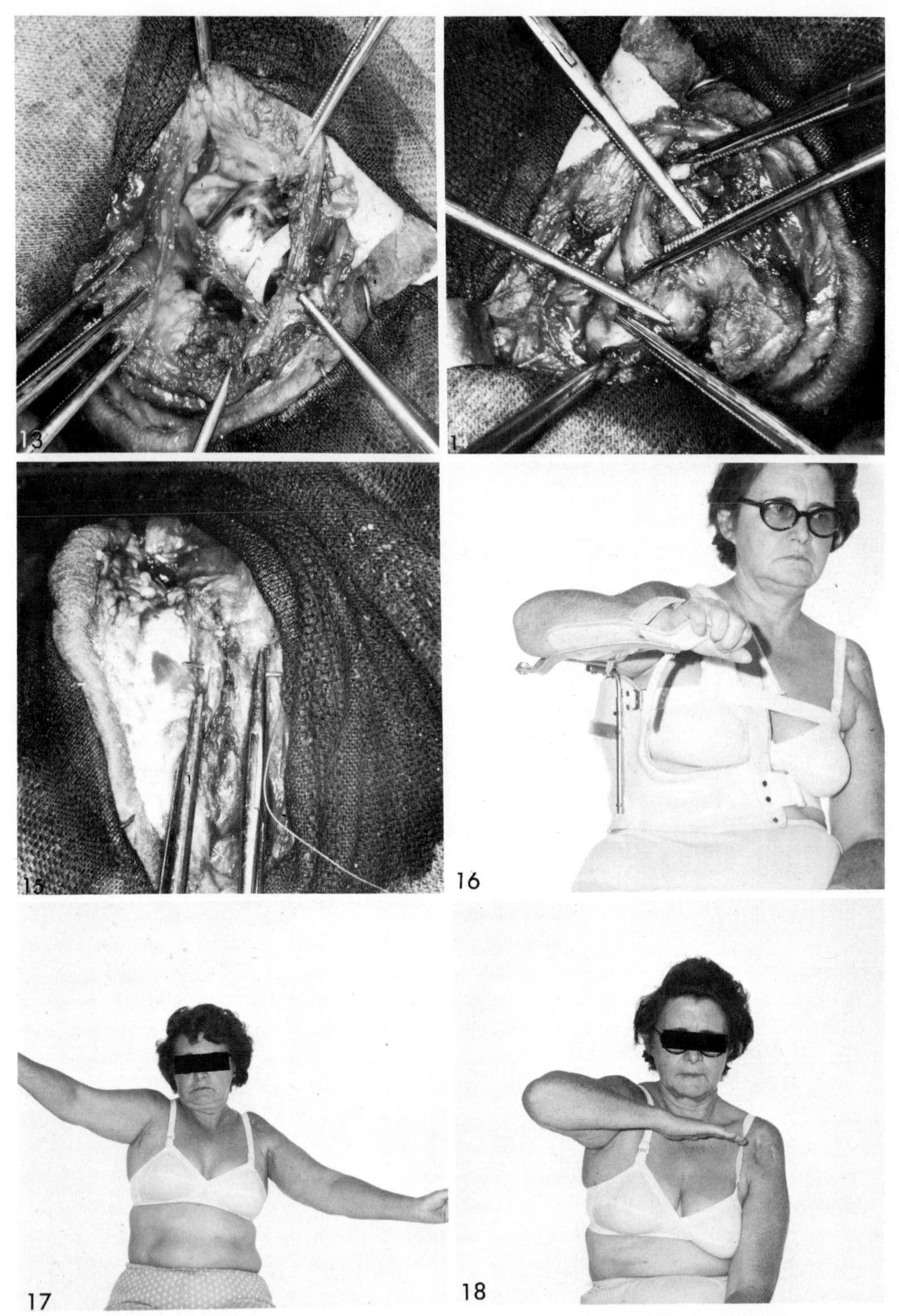

Figure 8–112 *Continued* 13. Reduction completed. 14. Note approximation of capsule. 15. Closure of capsule. 16. Postoperative brace fixation. 17. Healing and control at three months postoperatively. 18. Motion and power at six months postoperatively.

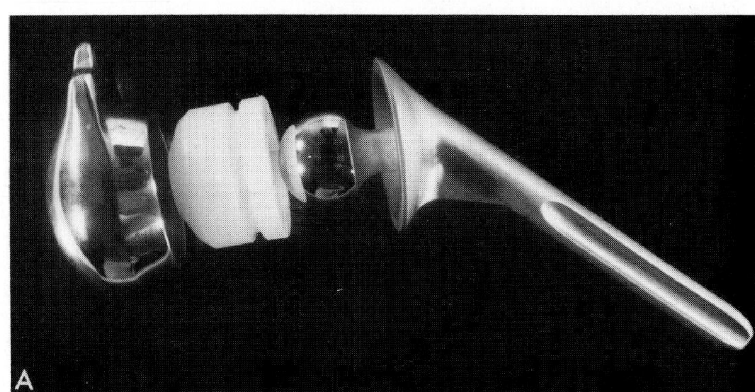

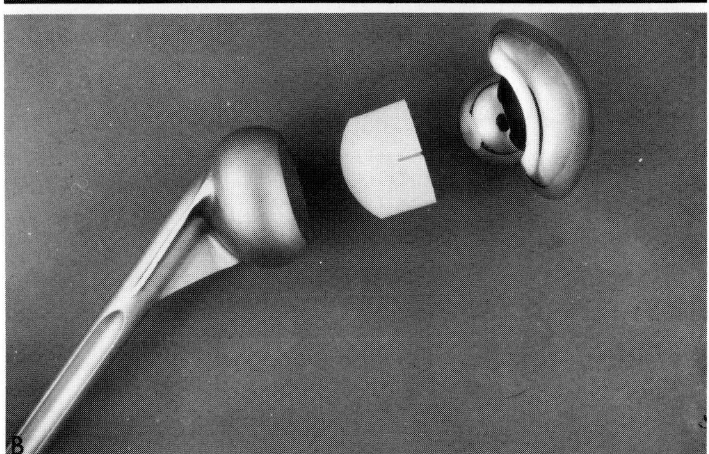

Figure 8–113 *A,* Single assembly total shoulder. *B,* "Collar button" modification of single assembly total shoulder.

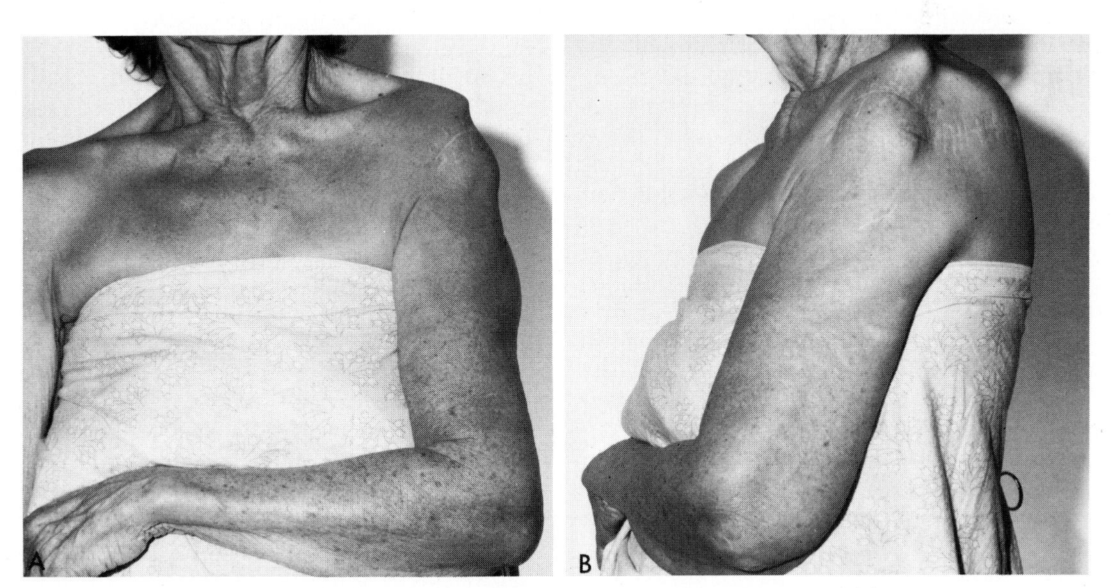

Figure 8–114 *A* and *B,* Long-standing arthrodesis, sometimes unsightly.

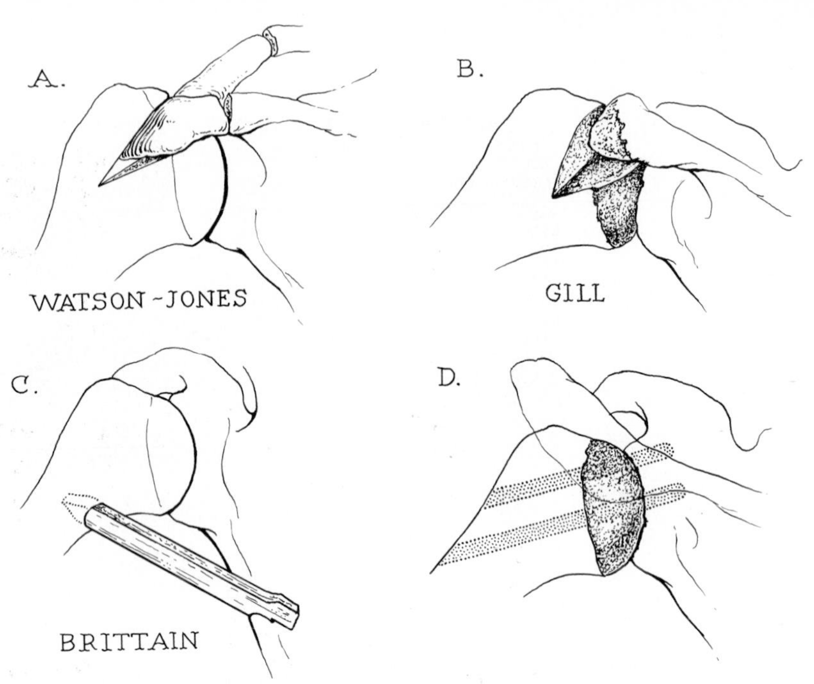

Figure 8–115 Techniques of arthrodesis of the shoulder.

the humerus and into the glenoid, which is now most adequately exposed with the removal of the acromion. Soft tissues are removed, and the trough is deepened to a sufficient length to receive the graft formed by the acromion. The trough is cut about five-sixteenths of an inch wide and should be about 2 inches in length. If there are extensive irregularities, the surfaces of the glenoid and the head of the humerus may be shaved and approximated to the proper angle in creating the trough for the graft.

The head of the humerus and the glenoid should be placed in proper apposition, 60 degrees abduction, 30 degrees forward flexion and neutral rotation prior to inserting the graft. Once the trough has been cut, the graft is fashioned to proper size and tucked into the trough, locking the head of the humerus to the glenoid. The outer half-inch of the clavicle is excised. The soft tissues are then closed firmly, and the arm is placed in a previously prepared spica at the desired angle of arthrodesis.

Postoperative Management. In all these procedures the shoulder is immobilized in a plaster spica at the desired angle, and fixation is maintained for 12 to 16 weeks (Fig. 8–116). Since the procedures are lengthy, it is preferable to have the plaster prepared beforehand, or to use prepared plaster patterns that can be applied quickly at the time of completion of operation (Fig. 8–117).

RHEUMATOID ARTHRITIS OF SHOULDER

The shoulder is not commonly involved in atrophic or rheumatoid arthritis; this is almost always a late complication after many other joints have been afflicted. The history and development are straightforward, with pain, tenderness, and limitation of movement developing. There is obvious involvement of other joints. Eventually, there is gross limitation of shoulder movement and atrophy of the muscles (Fig. 8–118).

Treatment

Systemic Therapy. See the treatment for rheumatoid arthritis outlined in Chapter 15.

Treatment of the Joint. During the acute phase the joint should be splinted in the position of function, 30 to 40 degrees abduction, with 40 degrees flexion and 30 degrees external rotation. The joint must not be allowed to become stiff at the side or fixed in internal rotation. A light plaster bivalved splint may be used, but the cantilever base is much better.

Reconstruction or arthroplasty is unsatis-

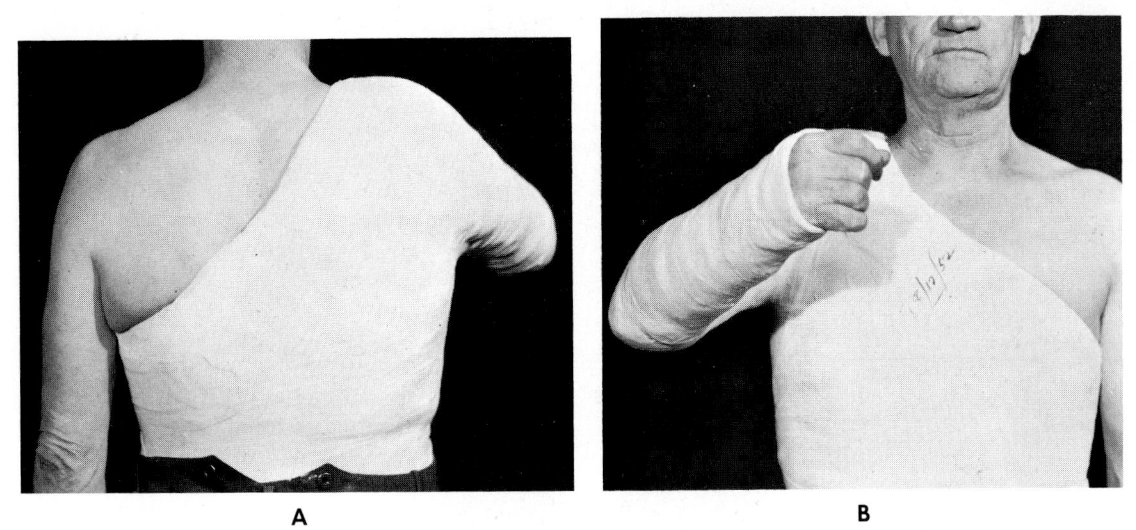

Figure 8–116 *A* and *B*, Shoulder spica fixation essential for postoperative immobilization.

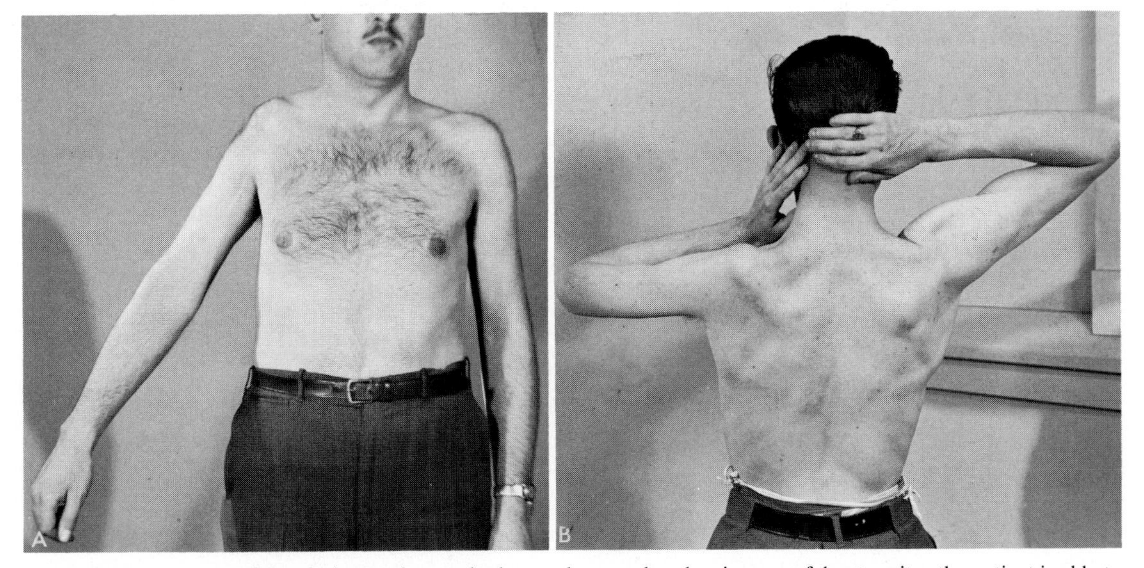

Figure 8–117 *A*, In adults, fusion angle may be lowered somewhat, leaving a useful extremity; the patient is able to reach his pocket and posteriorly more easily. *B*, Range of motion possible when arthrodesis is carried out at the standard angle.

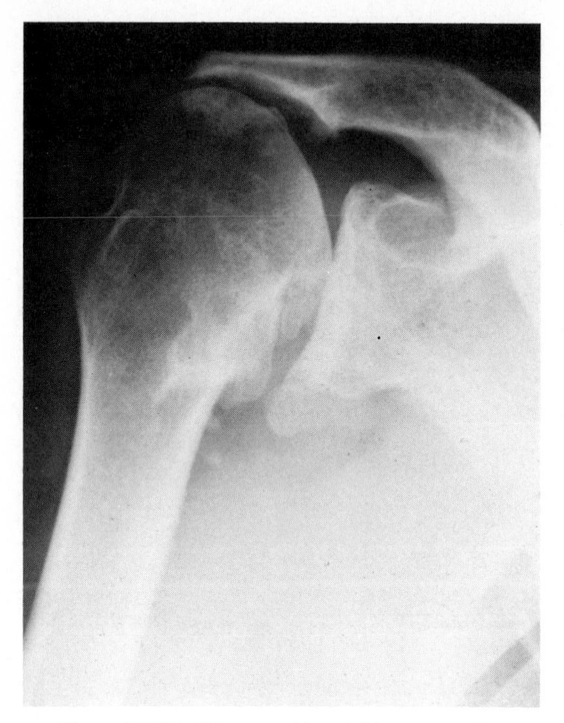

Figure 8–118 Rheumatoid arthritis (late stage).

factory unless it can be done at a very early stage after subsidence of the acute phase, provided the latter has been short. Shoulder movement is so dependent on muscle function that, as a rule, the motors are very poor after a prolonged period of immobilization. Replacement arthroplasty has not been extensively applied for the same reasons, but may prove to be of some use when there is more effective control of the acute stage.

Arthroplasty in Rheumatoid Arthritis

Following subsidence of the acute phase, some form of joint reconstruction may be required. The glenohumeral joint has an extensive property of adaptation, and, aided by the satellite joints such as the acromioclavicular and scapulothoracic, patients tolerate restricted motion extensively in the rheumatoid lesion. Perhaps one of the concomitant reasons is that the shoulder is almost always just one more area of involvement in an already well-established systemic disorder. Hips, knees, and feet often are in far greater need of treatment than the shoulder.

Technique. The patient is placed in the sitting shoulder position, and a superoanterior incision is made. The fibers of the deltoid are split, the coracoacromial ligament is resected, and acromioclavicular arthroplasty is carried out. The lateral half-inch of the clavicle is resected and also the adjacent anteromedial corner of the acromion. The capsule of the joint is incised medial to the long head of the biceps tendon. The redundant synovial tissue is removed. As a rule a single or hemiarthroplasty is sufficient, but if there is extensive articular distortion of the glenoid this may be replaced also.

The head of the humerus is resected appropriately, and attention is then directed toward the glenoid. Unless it is extremely distorted, it is preferable to retain the cortical surface of the glenoid without replacing it. Fixation of the glenoid element is difficult in the rheumatoid patient because of the concomitant atrophy and bone fragility. A stem-type prosthesis is inserted into the humerus at the appropriate angle and level. Care is taken to obtain appropriate retroversion of the head for satisfactory relationship with the glenoid. The capsule is closed in layers, and the intertubercular fibers are repaired to retain the biceps. Care is taken to repair the acromioclavicular region correctly and to avoid loss of deltoid attachment.

Postoperatively, the arm is placed in the special abduction suspension support (Fig. 8–65*A*). At 48 hours postoperatively, slings and springs and cantilever brace are applied (Fig. 8–65*B* and *D*). Physiotherapy is as for Grade III cuff repairs. It is extremely important to carry on appropriate systemic therapy at the same time; this is best regulated by the rheumatologist, who should continue to supervise the general treatment plan.

TUBERCULOSIS OF THE SHOULDER

(Caries Sicca)

This entity is now extremely rare. Tuberculosis does occur in the shoulder, but is not common; probably less than 1 per cent of cases of bone and joint tuberculosis involve the shoulder.

Cardinal Signs and Symptoms

Two distinct types are recognized. That most commonly encountered is caries sicca, which occurs in adults. It is ushered in by discomfort that gradually increases until any movement is painful. Pain is localized to the shoulder, without involvement of the neck or significant peripheral radiation; it is quickly followed by limitation of movement in all directions, and this continues until the joint is almost completely fixed. Extensive atrophy of the muscle occurs, and the only movement possible is a girdle type of action. The radiographs are characteristic, showing decalcification of the humerus and the scapula, narrowing of the joint space, cystic formation in the humerus, and absence of new bone formation (Fig. 8–119). The insidious progress of the changes is characteristic.

Pathology

The disease starts as a focus in the margin of the head of the humerus, producing cystic formation and erosion at the point of attachment of the capsule. This results in a characteristic punched-out appearance on x-ray studies. The process is not a suppurative one, which accounts for the term "sicca," indicating a low-grade, subacute, shriveling process. In children the disease follows a more acute and devastating course, with the development of swelling, pain, fever, and synovial thickening. There is extensive decalcification and the joint space is obliterated, but less cystic formation is seen than in the adult form.

Differential Diagnosis

Giant Cell Tumor. The cystic appearance sometimes encountered in caries sicca can be confused with giant cell tumor. The involvement of the glenoid, obliteration of the joint space, and extreme atrophy clearly differentiate the two lesions.

Infectious Arthritis. Staphylococcal arthritis or other pyogenic foci in the shoulder are rare, and run a much more acute course, in contrast to the extensive bone atrophy characteristic of tuberculosis. There is sclerosis and production of new bone in the pyogenic process. Usually there is little difficulty in distinguishing between these states.

Fibrocystic Disease. The cystic formation of fibrocystic disease may be confused with tuberculosis, but it is localized to the humerus without involvement of the joint or glenoid, and there are no systemic signs or symptoms.

Osteogenic Sarcoma. Sometimes, osteogenic sarcoma, particularly in the early stages, may resemble the acute tuberculosis process in children. The radiographic picture quickly differentiates the two; invasion of soft tissue by the neoplasm is characteristic.

Osteoarthritis. Long-standing wear and tear arthritis that involves the humerus and glenoid presents a picture very similar to caries sicca. The extensive atrophy, fixation of joint, and progressive course in tuberculosis distinguish it from osteoarthritis.

Treatment

General Treatment. Tuberculosis of the shoulder is secondary to a focus elsewhere, so that systematic investigation of chest, kidney, etc., should be carried out. The general

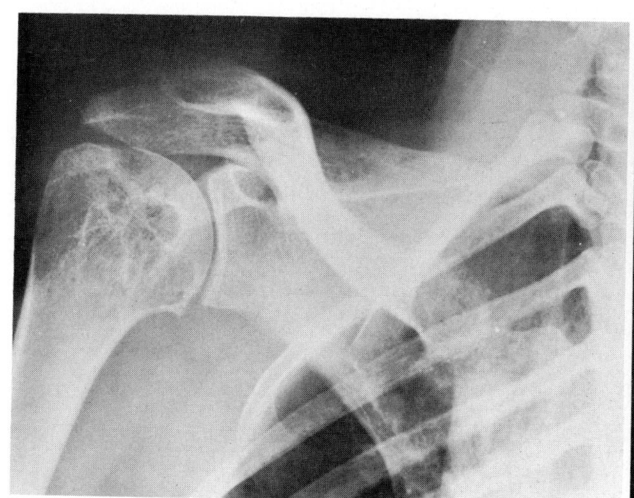

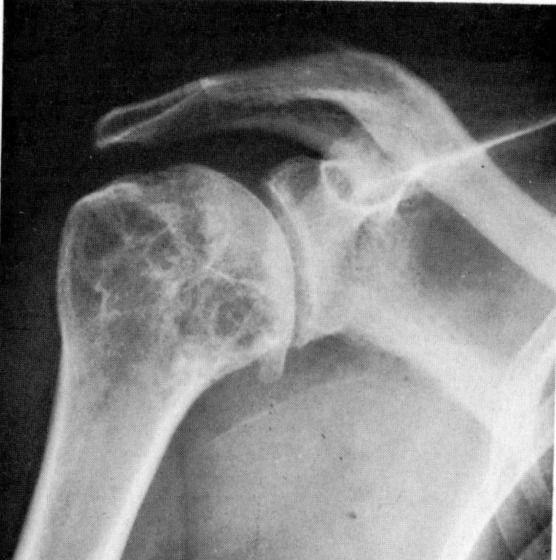

Figure 8–119 Tuberculosis of the shoulder.

condition of the patient must be bolstered as in all tuberculous processes. Chemotherapy now plays an important part in the management of all tuberculosis. In early cases it alone may effectively control the lesion, but in most instances it is used in conjunction with other accepted routines. A variety of agents are available, and new, more effective ones continue to appear. Streptomycin is of proved value when it is tolerated. It is administered, 1 gram a day, concomitantly with PAS. A course may be given over one to three months, depending on the severity of the lesion and the patient's tolerance.

Local Treatment

CHILDREN. The joint is immobilized in a position of function, which in a child is about 80 degrees of abduction and 20 degrees of flexion. The reason the arm may be placed so high is that young people show greater adaptation and are able to bring the arm to the side from this position, whereas adults find it difficult from such an angle. After the acute process has subsided, arthrodesis should be done. In this instance an extra-articular method, such as that of Brittain, is preferable.

ADULTS. Since the disease follows a less virulent and more subacute course in adults, arthrodesis can be performed at an earlier stage. The choice of the type of arthrodesis depends on the extent of joint involvement and the amount of bone destruction. The position desired is 20 degrees abduction and 15 to 20 degrees flexion. Adults do not accommodate themselves to a greater degree of abduction than this, and are unable to get the arm to the side because of limitation of scapular rotation. In this less virulent adult type, intra-articular arthrodesis may be done, but some prefer an extra-articular approach.

Arthrodesis in Tuberculosis. The shoulder is approached through a lateral longitudinal incision of 2 inches, which exposes the acromion, the upper end of the humerus, and the distal aspect of the shaft. The joint is opened and débrided. The upper end of the humerus and glenoid are denuded of cartilage and desquamated debris. They are fashioned so raw cancellous surfaces are accurately applied in the desired position. A heavy Kirschner or threaded wire is inserted from the lateral aspect, fixing the joint surfaces in satisfactory position. Above and below this wire, two holes are drilled and fashioned with chisels to receive grafts. Two cortical grafts are removed from the tibia, the ends are pointed, and they are inserted into prepared holes (Fig. 8–115*D*). Extra fixation by a large screw inserted between the grafts may be desired, but if possible this should be avoided in tuberculous joints. The acromion is cut at the junction of the spine; the undersurfaces are rawed and laid over the denuded humerus. Cancellous bone is packed around the articular surface. The arm is immobilized in a body spica in the desired position. It is most helpful in these cases to have the spica prepared beforehand or to use a prepared pattern; either reduces the operating time and insures consolidation of the position obtained at operation. Immobilization is continued until the shoulder is solid when checked by x-ray examination—usually four to six months. Concurrent systemic treatment is continued.

ACUTE INFECTIOUS ARTHRITIS OF THE SHOULDER

The shoulder is not often involved in acute infectious arthritis, but it can occur. The widespread and effective use of antibiotics has controlled infection following compound fractures and osteomyelitis of the upper end of the humerus, which were the usual sources of articular involvement. Contamination after penetrating wounds and compound fractures remain the common causes. Multiple joint involvement is rare.

SIGNS AND SYMPTOMS

The diagnosis is usually obvious, with exquisite pain localized unequivocally to the shoulder area. The pain persists on any action, and there is increasing limitation of movement because of muscle spasm and acute soreness. On examination, the whole shoulder contour is distorted by a generalized enlargement. Tenderness is present all over, but the superoanterior aspect is the most sensitive. The muscles are stiffly contracted, and the shoulder and arm are held close to the side. The signs and symptoms of an acute systemic process, fever, leukocytosis, and raised sedimentation rate, are present too. The x-ray studies show a narrowing of joint space and osteoporosis of humerus and glenoid.

TREATMENT

Aspiration. The joint should be aspirated, and as much exudate as possible removed. Penicillin or an appropriate antibiotic, depending on the susceptibility of the causative organism, is placed in the joint. Repeated aspiration and antibiotic injection may be necessary. Systemic antibiotic therapy is also given. The shoulder is immobilized in a sling or light abduction plaster, with the upper half removed. Immobilization is continued until the acute process has subsided, and then active movement is started.

Drainage. It is rare for the process to be so rapid and fulminating that it is not controlled by repeated aspiration and antibiotic injection. When this does happen, the joint must be drained. An incision is made over the superoanterior and posterior aspects. Through-and-through Penrose drains are inserted, and removed as soon as the discharge has stopped.

GOUT OF THE SHOULDER

The shoulder may be involved in a metabolic arthritis, but this is not common. Deposits of uric acid crystals occur at the articular margins in the region of the cuff insertion, and may simulate calcific deposits. This produces a localized, small cystic, or eroded area in the region of the greater tuberosity (Fig. 8–120*A* and *B*).

SIGNS AND SYMPTOMS

The signs and symptoms of systemic metabolic disorder are present, and diagnosis is made on the basis of these findings rather than on the local joint disturbance. Acute pain of rapid onset, without significant antecedent trauma, is the usual history. Pain is localized to the shoulder, without neck or peripheral radiation; it is sore to lie on and to move. At this stage the shoulder lesion closely resembles acute tendinitis with calcification. A diagnostic dose of colchicine, and laboratory tests that indicate a high uric acid level, settle the issue.

TREATMENT

Colchicine tablets, 0.5 mg (1/120 gr), three to four times a day, are given for two or three days, depending on the response. In recurrent severe attacks the drug may be needed more often. Chronic and refractive cases may respond to ACTH and phenylbutazone.

TYPHOID ARTHRITIS

This is a rare condition today, but the shoulder may be involved in severe cases, along with the spine. The systemic picture overshadows articular complications, and therapy is so directed. The joint is rested in the position of function. The lesion is seen more often as a chronic or long-standing disturbance that may give rise to diagnostic speculation when the shoulder is investigated for other conditions. The past history is usually sufficient to implicate the true nature of the disturbance.

NEOPLASMS OF THE SHOULDER

Tumors of the shoulder are mentioned at this point only to stress the fact that they may give rise to persistent shoulder pain. It is a continuing, gnawing discomfort localized to the shoulder, unrelieved by rest, and unrelated to activity. The pain may be most obvious at night and has a progressive character; frequently it keeps the patient awake because of a throbbing sensation. The whole subject of tumors is considered in detail in Chapter 17.

REFERRED PAIN

It is sometimes overlooked that lesions apart from the locomotor system may be reflected in the shoulder area. Pain interpreted in the shoulder, without radiation to the neck or arm, may arise from lesions some distance away. Some of the disturbances that produce such pain are common and serious. Myocardial infarction or tumors of the lung may first become apparent through pain in the shoulder. Any pathologic process that irritates the undersurface of the diaphragm may refer pain to the upper aspect of the shoulder, so that perforated ulcer, biliary disease, subphrenic abscess, or splenic abnormalities may produce localized shoulder pain.

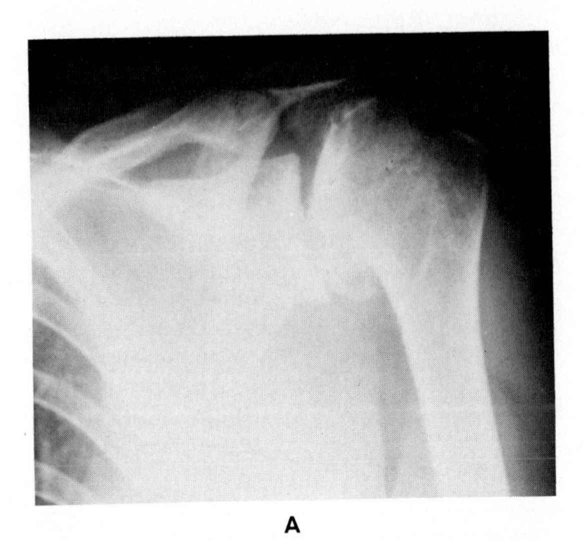

A

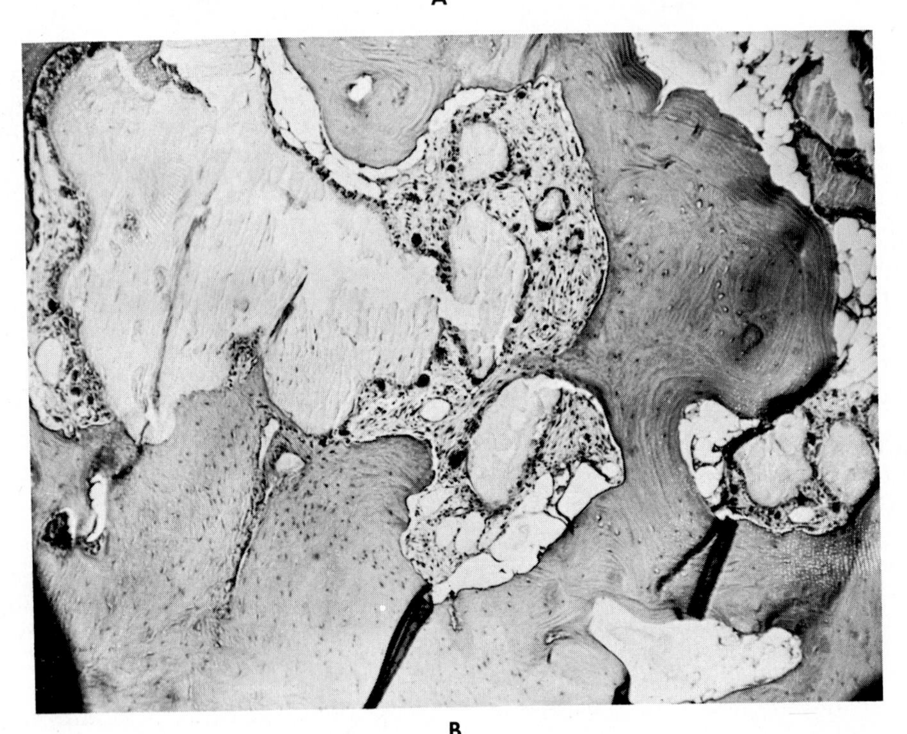

B

Figure 8–120 *A* and *B*, Gout of the shoulder.

FROZEN SHOULDER

(ADHESIVE CAPSULITIS, PERIARTHRITIS, PAINFUL CONTRACTED SHOULDER)

This condition has been left to the last for discussion under the head of shoulder pain, because it results from any of the foregoing states and must be considered as an end stage rather than a primary condition. It is a collective term, denoting a painful stiffening of the shoulder that has progressed to the point where all normal free action is lost, and the arm is elevated with a typical girdle hunching action (Fig. 8–121). For too long this term has served as a convenient "catch-all" for shoulder complaints, and it is apparent that efficient treatment of the condition depends on early recognition of the primary disorder. Older patients are most susceptible, and any relatively mild disturbance, from a simple bruise to supraspinatus tendinitis or bicipital lesions, may end as a frozen shoulder. The periarticular tissues become tight and stiff, and the joint gradually freezes. If the primary cause is treated properly, frozen shoulder can be prevented.

SIGNS AND SYMPTOMS

This condition is easily diagnosed, but the underlying cause is sometimes more obscure. The typical patient is 50 or over, and complains of pain clearly localized to the shoulder. This has usually been present for some weeks and has become increasingly troublesome at night. The pain is aggravated by arm movement, and relief is obtained by gradually decreasing the use of the extremity. A painful stiffening sets in and progresses until the normal free swing of the arm and shoulder is lost completely. The patient attempts to overcome hampered shoulder action by using accessory muscles, so that pain is subsequently prominent over the

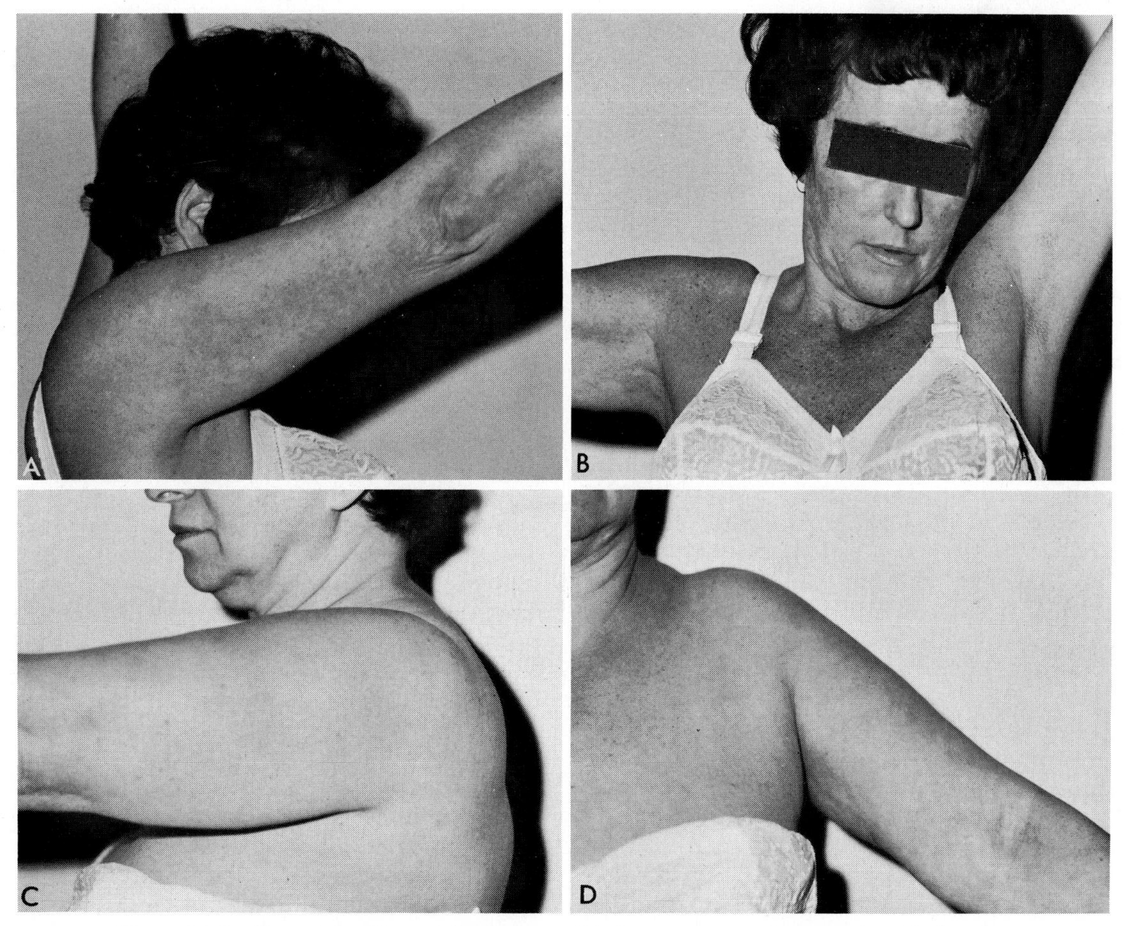

Figure 8–121 Frozen shoulders. Adhesive capsulitis is more commonly encountered in females.

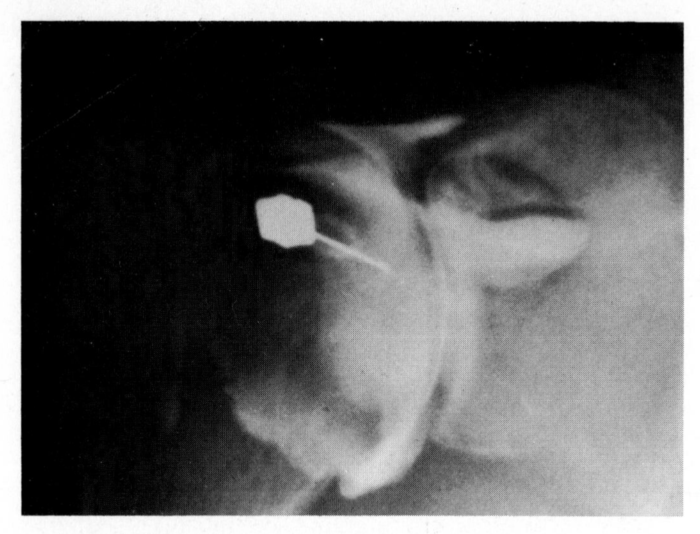

Figure 8–122 Arthrogram of a frozen shoulder. Note small amount of dye that can be injected, and shrunken inferior recess.

posterior aspect of the shoulder and in the neck-shoulder region, because of the increased strain on accessory muscles such as the trapezius.

Examination at this stage shows the humerus glued in the glenoid, all movement being lost; any remaining action is accomplished by shift of the whole girdle on the chest. Rotation and abduction are markedly affected. Depending on the length of establishment of the freezing process, there is atrophy of all muscles about the shoulder. The top of the humerus at the front and at the side is tender on palpation. Often it is difficult to localize the point of maximum tenderness because the whole region is sore.

X-ray examination shows no startling change beyond some osteoporosis of the glenoid and the head of the humerus. The humerus appears to be riding at a slightly higher level in the glenoid than normal. An arthrogram shows a typical picture (Fig. 8–122). There is loss of the normal redundant folds at the inferior aspect of the joint, and the articular shadow has a square, box-like appearance because of the contracted capsule.

PATHOLOGY

In the severest form of this disorder, profound changes occur in the intimate joint lining. The synovial layer alterations have been the basis for the term "adhesive capsulitis." In a relatively early and acute case, at operation the synovium is stuck to articular cartilage and needs to be pulled from the surface, giving way just as adhesive tape does from any smooth surface. Normal intra-articular space is almost completely obliterated, and the joint cavity is filled with the juicy, redundant, injected lining. The normal lax, pleat-like folding at the inferior aspect is lost as the synovial surfaces become glued together. The capsule is thickened and contracted, which also limits movement. The muscle layers, tense and spastic from pain stimulation, remain contracted, and later atrophy. As the joint structures contract layer by layer, the freezing process becomes complete. In later stages the adhesions become thick and fixed, tying capsule to bone. The joint cavity is dry and small, and the head of the humerus is drawn up close to the glenoid.

The changes are not indolent, passive degeneration, and are not the result of lack of movement only. The appearance of degenerative tendinitis differs profoundly from this lesion, and joints, the seat of the paralytic disorder, never appear like this even though movement may have been absent for a long time. There is some independent active change setting off the profound synovial condition, capsule and muscle response probably being secondary to lining irritation. Some antecedent episode can normally be found, but a percentage may be regarded as an idiopathic adhesive capsulitis. This term should be reserved for the condition, since it most accurately depicts the pathologic picture. "Periarthritis" is much too general and would include a multitude of lesions.

In the late stages, more profound changes are found in the capsular and extracapsular structures. The rotator cuff is thick and inelastic, the biceps tendon frequently is glued to its groove, and the normal synovial lining sleeve protection is completely obliterated. The subacromial bursa is thin, dry, and brittle. Tough adhesions traverse the subacromial space at the margins of the bursa. They are firmly implanted in the cuff, usually at the musculotendinous junction. These adhesions are so strong and firmly attached that they may pull pieces out of the cuff on rugged manipulation, just as one pulls up soil on the roots of a plant. Accessory ligaments become thickened, gluing joint structures together; for example, at operation on these shoulders the coracohumeral ligament appears as a tight checkrein, tautly stretched from the coracoid and holding the humerus in internal rotation.

TREATMENT

Prevention is the best therapy for this condition. If any painful shoulder condition is given early attention, the freezing process can largely be prevented.

Treatment of Primary Lesion

So many of these cases follow acromioclavicular arthritis, tendinitis, muscle tears, fractures, and bicipital lesions that the primary condition governs the treatment routine, which has been outlined previously. A recent survey shows that acromioclavicular irritation is an extremely common accompanying lesion. In some instances this is unquestionably the primary disturbance and, since it deters active abduction, capsular contracture then is favored. An important corollary is that, in a capsulitis from any source, loss of rotation means much greater acromioclavicular use because failure to swing the humeral head brings this joint into action at a much earlier phase in the circumduction swing than would ordinarily be the case.

Idiopathic Frozen Shoulder

There are some patients in whom the primary cause is obscure, or the process appears simply as progressive, painful limitation of movement, without significant implication of any one structure. Females aged 40 to 50 are the commonest sufferers; men in some age-groups are afflicted also, but less frequently. This has been labeled "idiopathic periarthritis" or "true adhesive capsulitis." It would appear that acromioclavicular joint, rotator cuff, or bicipital degenerative changes provide the impetus, but a more fulminating than normal sequence in synovial reaction occurs, resulting in the more intense adhesive process.

The principles of treatment are to relieve pain, restore movement, and improve muscle power.

Pain Relief

Relief of pain is an important adjunct to the treatment of all types of frozen shoulder. Some mild sedative such as salicylates and codeine compounds can be used. Anti-inflammatory medication is of considerable assistance and should be maintained during the entire treatment. Steroids, such as some form of cortisone, work well. The routine used by the author is 100 mg for two days, followed by 75 mg for three days; 50 mg for five days; and then 25 mg daily for two to six weeks.

Phenylbutazone in the buffered form also is effective. The author has prescribed two tablets three times a day for two days, followed by one tablet three times for three days, and then one tablet twice a day for four to six weeks. Should this drug be continued, it is mandatory that careful assessment of the blood structure be carried out after each course of treatment.

Physiotherapy

Good physiotherapy is the basis of treatment of this condition. Once reasonable relief from pain has been obtained, a competent physiotherapist should take over and direct a program of gradually increasing active movement and gentle passive assistance. Rugged manipulation is to be avoided; the best results are from gentle help at the end of the active range, and gradual increase in this. The good physiotherapist has a sense of "pace," so that the patient does not go beyond the pain threshold to stir up more muscle spasm and favor more reactive freezing.

Surgical Treatment

Most patients respond to physiotherapy, regaining sufficient painless motion so that they are not hampered. Some show very little change, despite adequate sedation, cortisone, and physiotherapy. This group needs something more radical because the adhesions have become too strong, the capsular contractions too rigid, and the muscles too firmly fixed. In the past the vogue was to manipulate the shoulder of such patients under anesthesia, and various results have been reported, depending on the enthusiasm of the operator. Undoubtedly some patients are helped, but it is felt that these are the ones who would do well under a conscientious, conservative routine in any case.

The author recommends a more direct approach in refractive patients, particularly in those who are not elderly and in whom there is no contraindication to a minor surgical procedure. All these patients should be treated conservatively first, but for those who do not improve in a reasonable time, say four to six months, surgical manipulation is desirable. It is much more effective to carry out manipulation with cuff structures under direct vision than as a blind procedure. Undesirable complications are avoided, and a better freeing of contractures is obtained. Accessory helpful procedures, such as acromioclavicular arthroplasty, can be carried out at the same time. It is possible to tear the shoulder capsule very easily in a blind manipulation, and the author has done this even under direct vision. However, when it is done with the joint exposed, any damage can be repaired. A further consideration is that, at the time of surgical manipulation, it is possible to depress the head of the humerus gently so that the tear, if it occurs, does not as a rule implicate the important part of the rotator cuff, which tends to be confined to the inferior aspect. In this zone, the tear is not nearly so serious.

So many of these cases are complicated by acromioclavicular irritation, either as a primary or a secondary reaction, that it appears extremely worthwhile to do an acromioclavicular arthroplasty at the same time. In this way greater leeway of abduction, some 15 to 20 degrees, is possible; this is important, particularly if there is any residual decrease in rotation.

Technique of Surgical Manipulation of Shoulder. Light general anesthesia is given, and the patient is placed in the usual sitting shoulder position. An incision 4 inches in length is made, extending from the posterior aspect of the acromioclavicular joint, and constituting the usual utility incision. The deltoid fibers are separated, and the coracoacromial ligament is resected. At this point the joint is inspected by retracting the fibers of the deltoid, and the operator gently maneuvers the upper end of the humerus. The elbow is grasped with the right hand, and the other hand depresses the head of the humerus as it is gradually abducted and externally rotated. At a point of about 80 degrees, considerable resistance is encountered, and capsular adhesions can be heard to give as the abduction rotation force is gently continued. In elderly patients, and in those in whom the contracture is of long standing, rotatory freeing is done first of all, aided by a periosteal elevator and digital dissection; adhesions are removed from around the cuff prior to the abduction type of rotation. By carrying out the manipulation under direct vision, it is possible to minimize the extent of cuff rupture, although it sometimes still occurs.

Postoperative Treatment

These patients are placed in springs and slings as in routine Grade I cuff repairs, and early active motion is instituted, along with continued systemic therapy, including adequate sedation and anti-inflammatory medication.

STERNOCLAVICULAR ARTHRITIS

Disease of the sternoclavicular joint is not common, but significant changes occasionally are encountered. Post-traumatic arthritis following fracture or dislocation is the commonest abnormality. Sometimes the joint is involved in a rheumatoid or osteoarthritic process, with tenderness in the sternoclavicular area. Often, patients have noticed a slight swelling that has increased gradually. Maximum discomfort occurs during the midrange of abduction or flexion. The clavicle elevates, rotates, and slides backward and forward at this point, so that acts such as pushing or shoving at shoulder level are particularly painful (Fig. 8–123).

TREATMENT

Surgical treatment is required only occasionally, chiefly for post-traumatic arthritis. When symptoms are sufficiently severe, the medial end may be excised. Sometimes, excision of exostoses and smoothing of joint margins is sufficient. When rupture of the

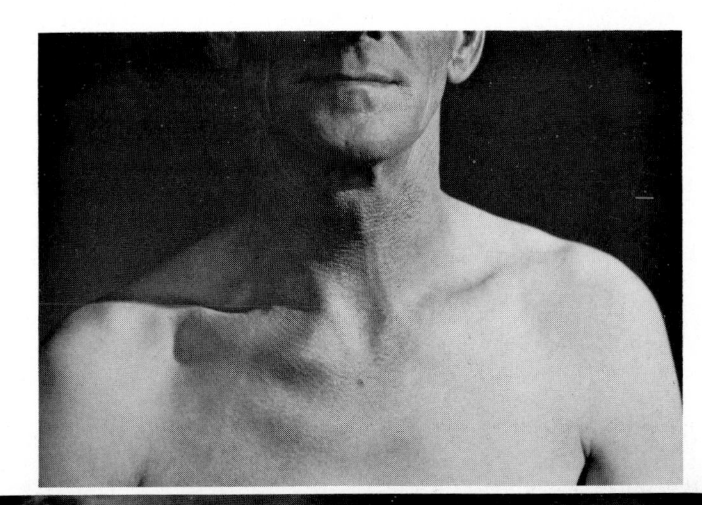

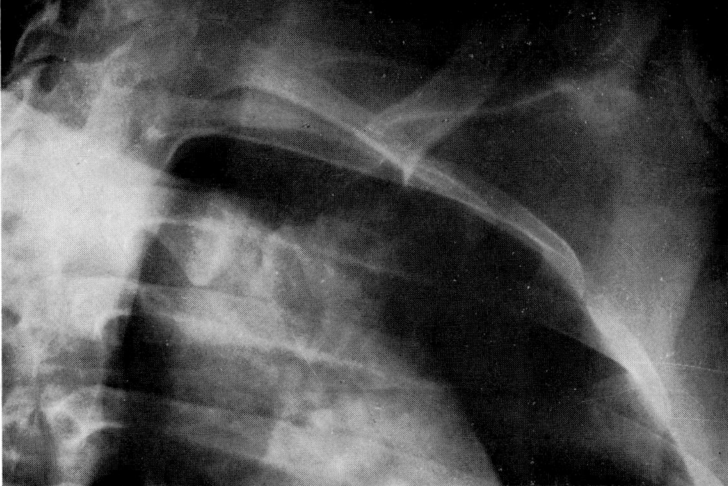

Figure 8–123 Osteoarthritis of right sternoclavicular joint. Note enlarged end of clavicle and joint dislocation in the radiograph.

intra-articular ligament has occurred, producing symptoms similar to an internal derangement, excision is advised (see Chapters 11 and 13).

TREATMENT SUMMARY FOR CONDITIONS WITH PREDOMINATING SHOULDER PAIN

DEGENERATIVE TENDINITIS

1. Inject subacromial area with a mixture of local anesthetic and steroid.
2. Administer systemic anti-inflammatory drugs.
3. Relieve night pain by light sedatives and hypnotics.
4. Illustrate a routine of exercises that may be done at home.
5. In chronic recurrent cases do an arthrogram, looking for cuff tears. Resect acromion.
6. This is a common chronic ailment, and patients are at once relieved if they can be assured no serious disease is present.

TENDINITIS WITH CALCIFICATION

1. This is an acutely painful process, requiring urgent attention.
2. Aspirate the deposit, if possible.
3. Relieve the pain.
4. Limit movement in the acute stage.
5. If radiographic therapy is used, avoid repeated application.
6. All remedies should be accompanied by exercises when acute symptoms have subsided.
7. Surgical excision is the method of choice in refractive or chronic lesions.

RUPTURES OF ROTATOR CUFF

1. Suspect cuff tears in workmen with history of injury that is followed by persistent shoulder weakness.
2. If in doubt, do an arthrogram.
3. Treat partial tears conservatively.
4. Operate on complete tears and those without improvement after six weeks.
5. Repair the cuff as early as possible.
6. Resect acromion and do a snug repair.
7. Use suspension (Fig. 8–65*A*), slings and springs (Fig. 8–65*B*), and wedge (Fig. 8–65*C*) or cantilever splint (Fig. 8–65*D*), rather than plaster fixation postoperatively.
8. Follow up with conscientious physiotherapy. See routines for Grades I, II, and III cuff repairs.
9. Do not operate on elderly sedentary patients
10. Do not permit haphazard physiotherapy regimen.

BICIPITAL LESIONS

1. Consider these lesions in patients with pain and tenderness at the front of the joint.
2. Recognize three grades: tendinitis; rupture of intertubercular fibers; and complete rupture of the tendon.
3. Treat tendinitis conservatively.
4. Transfer the long head to the coracoid process in slipping and ruptured forms.
5. Remember that combination injuries of tendon, cuff, and nerves are not uncommon.

GLENOHUMERAL ARTHRITIS

1. Post-traumatic arthritis and osteoarthritis:
   a. Do arthrodesis in workmen with persistent pain;
   b. Evaluate possibility of arthroplasty in more sedentary patients.
2. Rheumatoid arthritis:
   Treatment of primary disease and arthroplasty predominate.
3. Metabolic arthritis:
   Treatment of primary disease and arthroplasty predominate.
4. Tuberculosis:
   a. General measures;
   b. Chemotherapy;
   c. Arthrodesis.
5. Acute infectious arthritis:
   a. Chemotherapy;
   b. Aspiration.

REFERENCES

Bacevich, B. B.: Paralytic brachial neuritis. Case report. J. Bone Joint Surg. (Am.) *58(2)*:262, 1976.

Bateman, J. E.: The diagnosis and treatment of ruptures of the rotator cuff. Surg. Clin. North Am. *43*:1523, 1963.

Bateman, J. E.: Gallie technique for repair of recurrent dislocation of the shoulder. Surg. Clin. North Am. *43*:1655, 1963.

Bosworth, D. M.: Calcium deposits in the shoulder and subacromial bursitis. A survey of 12,122 shoulders. J.A.M.A. *106*:2477, 1941.

Branch, M.: My experience with acupuncture treatment. Nurs. Forum *12*:412, 1973.

Brickner, W. M.: Prevalent fallacies concerning subacromial bursitis. Its pathogenesis and rational operative treatment. Am. J. Med. Sci. *149*:351, 1915.

Caldwell, G. A., and Unkauf, B. M.: Results of treatment of subacromial bursitis in three hundred and forty cases. Ann. Surg. *132*:432, 1950.

Claessens, H., et al.: Incidence, treatment and outcome of ruptures of the cuff of the short rotator muscles of the shoulder. Acta Orthop. Belg. *32*:407, 1966.

Clein, L. J.: Can. Med. Assoc. J. *114(4)*:343, 1976.

Codman, E. A.: The Shoulder. Rupture of the Supraspinatus Tendon and Other Lesions in or about the Subacromial Bursa. Privately printed, Boston, 1934.

Codman, E. A.: Ruptures of the supraspinatus – 1834 to 1934. J. Bone Joint Surg. *19*:643, 1937.

Compere, E. L.: The painful shoulder. J.A.M.A. *189*: 845, 1964.

Connolly, J., et al.: The management of the painful stiff shoulder. Clin. Orthop. *84*:97, 1972.

Crenshaw, A. H., et al.: Surgical treatment of bicipital tenosynovitis. J. Bone Joint Surg. *48A*:1496, 1966.

Debeyre, J., et al.: Repair of ruptures of the rotator cuff of the shoulder. J. Bone Joint Surg. (Br.) *47B*:32, 1965.

Debeyre, J., et al.: Surgical treatment of ruptures of the rotator cuff of the shoulder. Technics, results, surgical indications. Acta Orthop. Belg. *32*:391, 1966.

Duncan, G. A.: Surgical treatment of calcific subacromial tendinitis. Va. Med. Mon. *95*:11, 1968.

Durbin, F. C.: Frozen shoulder. Nurs. Times *62*:743, 1966.

Editorial: Injecting the painful shoulder. Lancet *1(7949)*:27, 1976.

Fowler, A. W.: Letter: injecting the painful shoulder. Lancet *1(7954)*:298, 1976.

Garrett, T. R., et al.: Portable shoulder exercises. Phys. Ther. *46*:50, 1966.

Gildersleeve, S., et al.: A spring resistive exercise unit for shoulder depressors. Am. J. Occup. Ther. *26*:47, 1972.

Goldie, I.: Calcified deposits in the shoulder joint produced by calciphylaxis and their inhibition by triamcinolone. An experimental model. Bull. Soc. Int. Chir. *24*:51, 1965.

Goodman, C. R.: Ultrasonic therapy for chronic acromioclavicular separation with calcified deposits. N.Y. State J. Med. *72*:243, 1973.

Haguenauer, J. P., et al.: Scapulo-humeral periarthritis of the "frozen shoulder" type following cervical lymph node involvement. Rheumatologie *18*:231, 1966.

Hazleman, B. L.: The painful stiff shoulder. Rheumatol. Phys. Med. *11*:413, 1972.

Hitchcock, H. H., and Bechtol, C. O.: Painful shoulder. Observations on the role of the tendon of the biceps brachii in its causation. J. Bone Joint Surg. *30A*:263, 1948.

Hodgkinson, R.: Surgery for the painful shoulder. Med. J. Aust. *2*:318, 1966.

Hughes, M., and Neer, C. S.: Glenohumeral joint replacement and postoperative rehabilitation. Phys. Ther. *55* 850, 1975.

Inaba, M. K., et al.: Ultrasound in treatment of painful shoulders in patients with hemiplegia. Phys. Ther. *52*:737, 1972.

Jennekens, F. G., et al.: Inflammatory myopathy in scapulo-ilioperoneal atrophy with cardiopathy. A study of two families. Brain *98(4)*:709, 1975.

Joyce, J. J., et al.: Surgical exposure of the shoulder. J. Bone Joint Surg. *49A*:547, 1967.

Kingman, M. J.: Shoulder pain. Ned. Tijdschr. Geneeskd. *120(8)*:325, 1976.

Kummel, B. M.: Arthrography in anterior capsular derangements of the shoulder. Clin. Orthop. *83*:170, 1972.

Kummel, B. M., et al.: Shoulder pain as the presenting complaint in carpal tunnel syndrome. Clin. Orthop. *92*:227, 1973.

Leriche, R., and Jung, A.: Les calcifications sous-deltoidiennes de l'épaule. Rev. d'Orthop. *20*:289, 1933.

Liang, H. C., et al.: Comparative study in the management of frozen shoulder. J. Formosan Med. Assoc. *72*:243, 1973.

Lippman, R. K.: Bicipital tenosynovitis. N.Y. State J. Med. *44*:2235, 1944.

Lundberg, B. J.: The forzen shoulder. Clinical and radiographical observations. The effect of manipulation under general anaesthesia. Structure and glycosaminoglycan content of the joint capsule. Local bone metabolism. Acta Orthop. Scand. (Suppl.) *119*, 1969.

MacNab, I.: Rotator cuff tendinitis. Ann R. Coll. Surg. Engl. *53*:271, 1973.

McBeath, A. A.: The painful shoulder. Wis. Med. J. *72*:103, 1972.

McKenna, D. E.: Tendinitis of the shoulder. Med. Times *68*:295, 1940.

McLaughlin, H. L.: Muscular and Tendinous Defects at the Shoulder and their Repair. Lectures on Reconstruction Surgery of the Extremities. American Academy of Orthopaedic Surgeons. J. W. Edwards, Ann Arbor, 1944, pp. 343–358.

McLaughlin, H. L.: The selection of calcium deposits for operation: the technique and results of operation. Surg. Clin. North Am. *43*:1501, 1963.

McLaughlin, H. L.: Repair of major cuff ruptures. Surg. Clin. North Am. *43*:1535, 1963.

Miller, J.: Letter: shoulder pain from subluxation in the hemiplegic. Br. Med. J. *4(5992)*:345, 1975.

Moore, M. E., et al.: Acupuncture for chronic shoulder pain. An experimental study with attention to the role of placebo and hypnotic susceptibility. Ann. Intern. Med. *84(4)*:381, 1976.

Moseley, H. F.: Shoulder Lesions. 2nd ed. Paul B. Hoeber, Inc., New York, 1953.

Moseley, H. F.: The result of nonoperative and operative treatment for calcified deposits. Surg. Clin. North Am. *43*:1505, 1963.

Moseley, H. F.: The natural history and clinical syndromes produced by calcified deposits in the rotator cuff. Surg. Clin. North Am. *43*:1489, 1963.

Neer, C. S., II: Personal communication.

Parsons, J. L., et al.: DMSO, an adjutant to physical therapy in the chronic frozen shoulder. Ann. N.Y. Acad. Sci. *141*:569, 1967.

Pizio, Z., et al.: Posterior dislocation of the shoulder joint. Wiad. Lek. *21*:985, 1968.

Quigley, T. B., and Renold, A. E.: Acute calcific tendinitis and "frozen shoulder"; their treatment with ACTH. N. Engl. J. Med. *246*:1012, 1952.

Quigley, T. G.: The nonoperative treatment of symptomatic calcareous deposits in the shoulder. Surg. Clin. North Am. *43*:1495, 1963.

Quin, C. E.: Letter: injecting the painful shoulder. Lancet *1(7956)*:427, 1976.

Reeves, B.: The natural history of the frozen shoulder syndrome. Scand. J. Rheumatol. *4(4)*:193, 1975.

Richardson, A. T.: The painful shoulder. Practitioner *215(1285)*:27, 1975.

Richardson, A. T.: Ernest Fletcher lecture. The painful shoulder. Proc. R. Soc. Med. *68(11)*:731, 1975.

Roper, B. A.: External rotation palsy of shoulder. Proc. R. Soc. Med. *65*:375, 1972.

Rose, D. L.: Diagnosis and management of bursitis. Tex. Med. *64*:63, 1968.

Rowe, C. R.: Re-evaluation of the position of the arm in arthrodesis of the shoulder in the adult. J. Bone Joint Surg. *56A(5)*:913, 1974.

Roy, S., et al.: Management of painful shoulder. Lancet *1(7973)*:1322, 1976.

Schaer, H.: Tendinitis and Pseudobursitis Calcareanicht. Bursitis Subdeltoidea Calcarea. Zentralb. Chir. *66*: 1126, 1939.

Seze, S. de, et al.: Rupture of the tendinous cuff of the rotator muscles of the shoulder. Anatomical, radiological, and clinical study. Sem. Hop. Paris *41*:2375, 1965.

Sheldon, P. J.: A retrospective survey of 102 cases of shoulder pain. Rheumatol. Phys. Med. *11*:422, 1972.

Sumner, D. W.: Letter: management of painful shoulder. Lancet *2(7976)*:103, 1976.

Weiser, H. I.: Letter: injecting the painful shoulder. Lancet *1(7959)*:589, 1976.

Welfing, J., et al.: Calcifications of the shoulder. 11. The disease of mutliple tendinous calcifications. Rev. Rhum. *32*:325, 1965.

Worcester, J. N.: Osteoarthritis of the acromioclavicular joint. Clin. Orthop. *58*:69, 1968.

Chapter 9

LESIONS PRODUCING SHOULDER PLUS RADIATING PAIN

Shoulder pain accompanied by discomfort somewhere in the limb below the shoulder is a complaint that requires careful analysis. The description given by the patient is often misleading, because the shoulder joint is the most movable fulcrum, and may be blamed when it is a secondary irritant rather than a primary source. Some general rules can be applied in categorizing shoulder-arm pain. The patient needs to be questioned carefully to identify the radiation accurately. Organization, quality, incidence, irritance, and relief are important guides. The group of conditions producing this pain distribution includes spinal cord tumors, extruded intervertebral disks, foraminal root compression syndromes, scalene and cervical rib syndromes, and the broad group of clavipectoral compression syndromes (Fig. 9–1).

LOCALIZATION

The extent as well as the position of the pain distribution is important. In most instances, discomfort beyond the elbow is the hallmark of this group of disturbances (Fig. 9–2). Pain that extends only to the deltoid insertion does not come from these entities, but is characteristic of glenohumeral pathology. The whole forearm or whole hand is enlisted less frequently than individual finger groups. The latter type is typical of nerve root compression, the former of vascular and some cerebral or spinal neoplastic patterns.

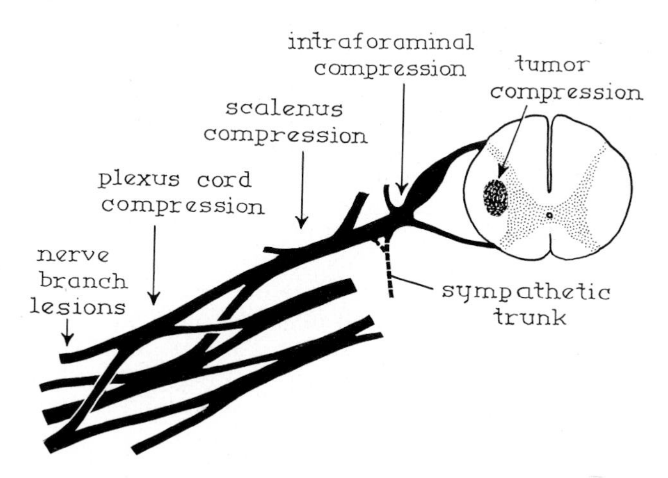

Figure 9–1 Sites of pathology evoking neural-type radiating pain.

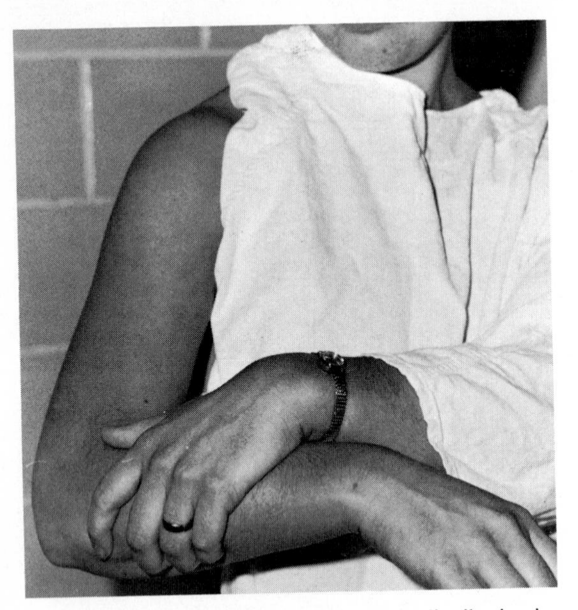

Figure 9–2 Typical designation of pain distribution in the group of patients with shoulder and radiating pain.

QUALITY OF PAIN

Pain arises from neural or vascular sources, or a combination of these. The extensive network of nerves in this region provides many sites for pathologic irritation—spinal cord, intervertebral foramen, brachial plexus, trunks above clavicle, and plexus cords behind and below the clavicle.

Regardless of the site, certain basic qualities of the pain characteristic of neural irritation can be recognized. Headache and shoulder-neck ache may usher in a disorder, but soon the pain is consistently extended below the deltoid insertion, reaching elbow, forearm, and fingers. One rough way of quickly assessing a presenting pattern is to ascertain its consistent extension below the elbow. In by far the majority of instances, such radiation means the source of the disorder is other than the glenohumeral mechanism.

Neural pain has a sharp tingling element, a sudden darting or lancinating quality, often of very sudden onset. In its extension to the periphery it will keep on involving one specific area, being more constantly at one side of the hand or the other, or in one group of fingers. It is intermittent, often disappearing quite completely until evoked again by the irritating disease mechanism. Paresthesia, tingling, and numbness, or a burning element, are common accompaniments. When this discomfort has been present for any length of time, the effect is to leave a constant imprint in the form of hypoesthesia or other altered sensation.

The great vessels of the limb also course through this region, and may be implicated by lesions that compress them or exert unusual traction, or by a combination of these forces setting up vascular symptoms. A type of radiating pain then results that has a quite different pattern and quality. Vascular pain has a less well-defined distribution and frequently involves the whole forearm, all the hand, or all the fingers. A sensation of fullness or bursting thickness may be experienced. Some pins and needles or a sleepy feeling is frequent, but it often is evanescent, disappearing completely and leaving no sensory imprint or aftermath. Sudden and simple changes in position alter this type of pain quickly and completely. Discoloration may occur, but usually only in long-established and severe disturbances. The pain from vascular irritation may be due to direct constriction or traction on a main vessel.

A further chronic, but less well-defined, discomfort develops as a secondary change, and results from interference with the metabolic processes; abnormal metabolites then act as an irritant in the area of supply. Ligation of a main artery alone does not cause pain, but if an irritating solution is injected it immediately causes discomfort as a result of constriction in the zone of peripheral distribution. Subsequently, a more vague discomfort in the area develops owing to the interference with nutrition and the resulting ischemia. Persistence of the phase of constriction keeps up the pain; ultimately, considerable dulling of all sensation ensues. These, however, are late changes following severe vascular obstruction.

INCIDENCE

Daily habits and some working acts often influence these pain patterns. Neck bending or twisting typically triggers the root syndromes. Sleep compression irritates vascular sources. Recumbency relieves root lesions. Work performed above shoulder level, in patients of short stature, aggravates the clavipectoral compression syndromes.

EXCEPTION TO THESE RULES

One disorder must be documented that contradicts these general dicta. Posterior arm pain, that which originates in the posterior scapular area, typically extends down the back of the arm to the back of the elbow, and along the dorsum of the forearm to the fourth and fifth fingers. Such distribution usually has a fibrositic or soft tissue background. It does not have as precise finger involvement, nor are the uncomfortable tingling qualities of the root syndromes present. There is no true hypoesthesia, and characteristically, hard pressure over a trigger area in the posterior scapular region reproduces the discomfort outlined.

CERVICAL ROOT SYNDROMES

TUMORS OF THE SPINAL CORD

Although tumors of the cervical cord are not common, they should be kept in mind because of their seriousness and the dramatically successful surgical treatment that is possible. The signs and symptoms are usually clear-cut, but it is important to be aware of these in investigating shoulder and radiating pain. When profound motor and sensory changes are encountered in addition to persistent pain, without a history of injury, the possibility of a space-taking lesion should be considered. In all other diseases of this group, neurologic findings are not nearly so definite as they are in a cord tumor. The pain starts in a gradual fashion, but continues in the shoulder and neck, and is followed later by sharper radiating discomfort to the periphery of the extremity. Characteristically, the patient complains of difficulty in finding a comfortable position, and pain may persist at night with a boring, aching quality.

Pathology, signs and symptoms, and treatment have all been covered in detail in Chapter 16, Neurologic and Dystrophic Lesions.

INTERVERTEBRAL DISK LESIONS

Nerve root compression resulting from intervertebral disk abnormalities evokes an aching type of shoulder pain, followed shortly by extension of a characteristic neural discomfort to the hand and fingers (Fig. 9–3). The recognition and proper treatment of this disturbance have helped considerably to clarify this broad class of shoulder and radiating pain. All necks are subject to some wear and tear change, and some signs of intervertebral pathology occur as early as age 35 in many people. In the cervical spine the root normally occupies one-third of the

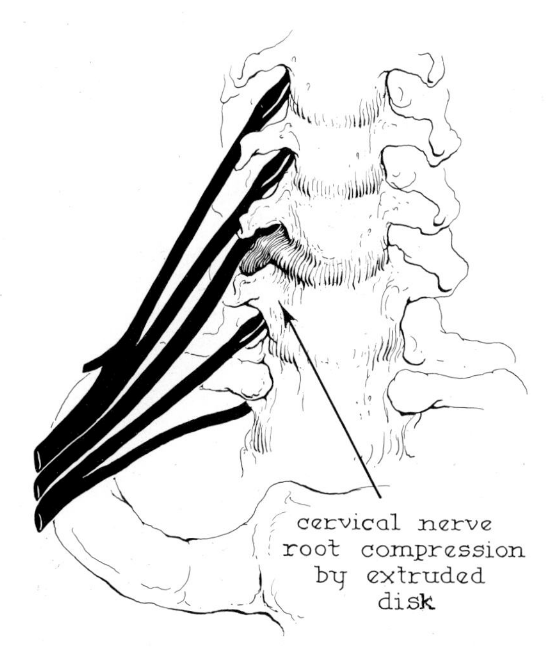

Figure 9–3 Nerve root pressure due to disk herniation.

foramen, so that considerable adjustment from encroachment by an extruded nucleus is possible. In addition to frank extrusion of the nucleus, narrowing of the intervertebral foramen as a result of spondylosis implicates nerve roots also. In this fashion one may distinguish an acute episode or trauma causing post-traumatic extrusion of a nucleus through the annulus from a so-called "hard" disk, which is a compression developing gradually from a combination of disk degeneration and osteophyte formation; in still more chronic states, cord compression may be added.

Etiology and Pathology

Foraminal compression of the nerve root is often a combination of slow disk extrusion along with growth of encroaching osteophytes. The deterioration of the intervertebral disks involves annulus, nucleus, and the cartilaginous plates (Fig. 9–4). In the annulus a cracking or fissure formation occurs as a result of trauma or the aging process, favoring some displacement of nuclear material from its usual confines. The tendency is for the cracks in the annulus to occur on either side, rather than in the midline, because of the bolstering strength of the anterior- and posterior-longitudinal ligaments, particularly in the midline. The effect of this tendency to lateral weakness is that the bulging is then

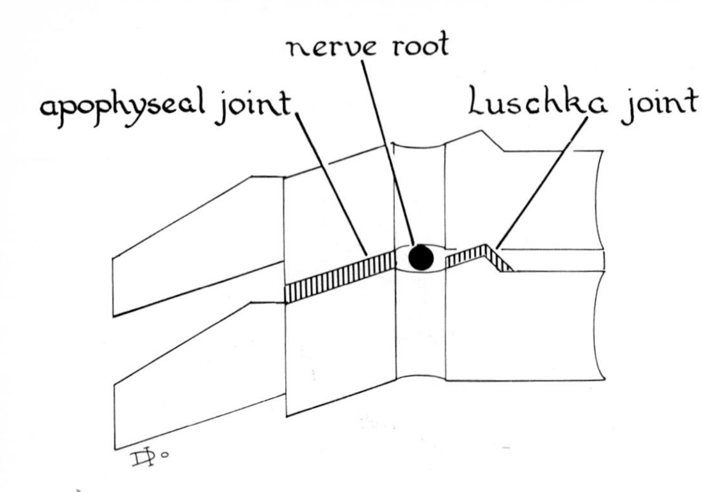

Figure 9–4 Circumferential articular relations of the nerve root.

closer to the foramen and the nerve roots. When the forces of vertical compression are added to this wandering of the nucleus, further extrusion occurs (Fig. 9–5).

The changes in the nucleus are toward a shrinking and dehydration, with loss of elasticity and resilience; some deterioration in its shock-absorbing and -supporting characteristics then results, so that it does not act so effectively as it ages. However, a wide margin of elasticity is retained, sufficient to last as long as necessary if changes in the annulus and cartilaginous plate do not further favor a diminution of the nuclear contribution. The third element in this mechanism, the cartilaginous plates, also exhibits progressive deformation. Cracking of the plate in the center portion of the disk may occur, but much greater changes take place around the edge. At the lateral edges of the vertebral bodies, from C.2 to T.1, a series of accessory joints, the joints of Luschka, have been identified. Much of the recent interest in this area has been aroused by the pioneering work of Compere. The joints of Luschka lie anteromedial to the nerve root, and posteromedial to the vertebral artery and veins (Fig. 9–6). They consist of small, spur-like lips on the upper surface, and constitute a type of accessory joint. These small islands are covered with cartilage, and a capsule with synovial tissue has been identified, making it appear that these represent a true arthrodial mechanism.

The significance of these zones is that they appear considerably more susceptible to wear and tear change than the rest of the cartilaginous plate because of their position and shape. They really constitute an accessory ball bearing type of mechanism principally concerned with controlling the gliding action of one vertebral body corner on the other (Fig. 9–7).

The action of flexion and extension in the

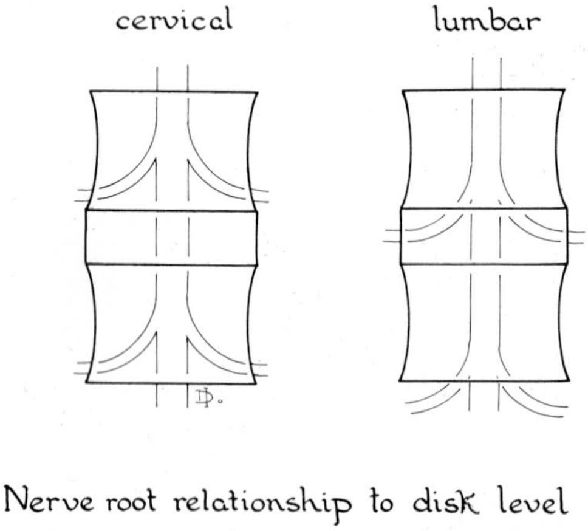

cervical lumbar

Nerve root relationship to disk level

Figure 9–5 The level at which the nerve roots arise from the spinal cord is slightly above the annulus in the cervical area, as compared to a lower level in the lumbar region.

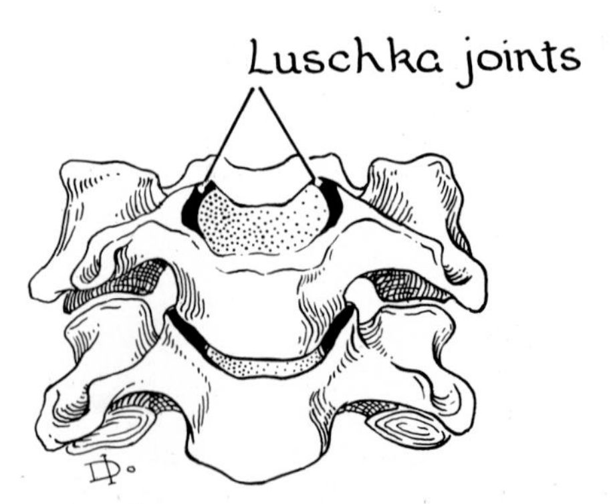

Figure 9–6 Joints of Luschka.

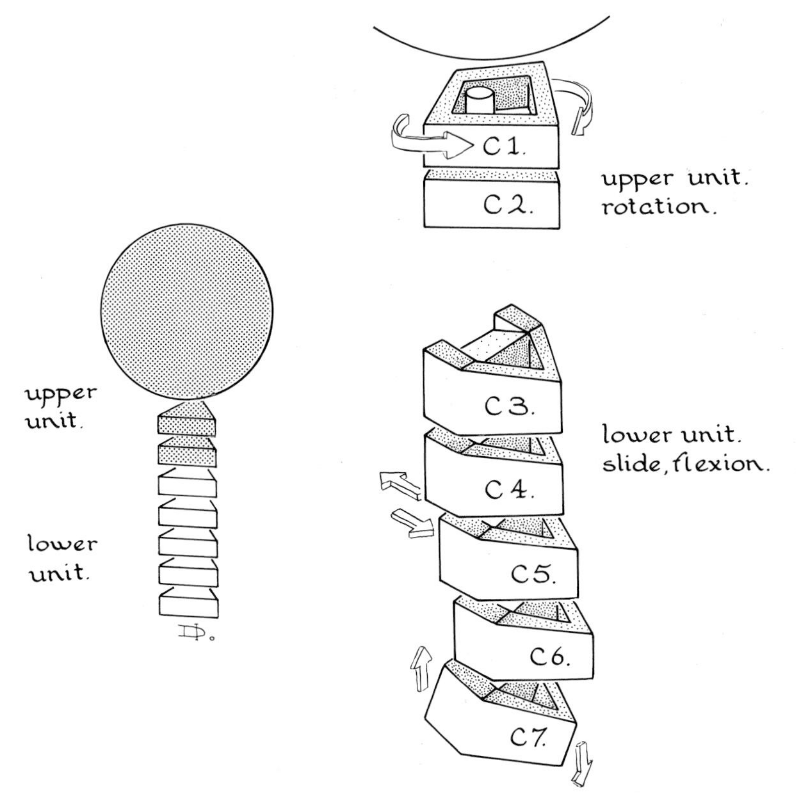

Figure 9–7 Action of cervical spine units.

cervical spine is not one of pure bending, but rather consists to a considerable degree of a gliding or sliding motion, with one cartilaginous plate really rolling to a controlled degree on the other. These lock at the corners and constitute a significant block or guard of this gliding element. In order to carry out this function, they require this corner type of seating, but this also brings them into contact with the intervertebral foramen, so that, if there is any reaction related to these joints, it may encroach upon the foramen, initiating spur formation (Fig. 9–8).

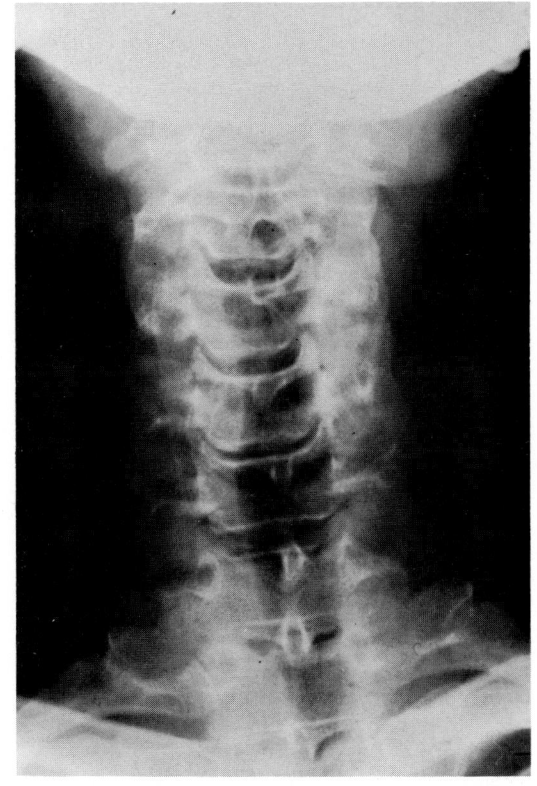

Figure 9–8 Spur formation at Luschka, articulation.

Signs and Symptoms of Root Syndrome Due to Disk Lesions

Acute Herniated Cervical Disk. Pain is the cardinal symptom, usually coming on after some definite injury. This may be a vertebral compression type of injury, such as a fall or diving accident, or one of severe voluntary muscular contracture, as in lifting a heavy object. The pain starts in the shoulder, but quickly extends to the upper arm, and then to the forearm and fingers. It usually involves only one nerve root, so that the involvement in the hand corresponds to the individual nerve root distribution. The common distribution is to the thumb and index finger from the sixth root, the middle fingers from the seventh root, and the fourth and fifth fingers from the eighth root. A great deal of variation in the peripheral distribution is encountered, and although the pain characteristics are quite definite, the anatomic distribution may be confusing. Shortly there is associated a feeling of numbness and tingling in the zone of the pain distribution, often brought on by positioning or moving the neck. The patient thus automatically learns to spare the spine, which results in considerable restriction of neck motion.

Signs of Motor Involvement. These follow very shortly after the acute pain. This is interpreted initially as difficulty in carrying out certain complete acts, such as lifting and holding a cup, or attempting to get the arm out to the side. After a while the patient more clearly localizes his weakness to the thumb, the index finger, the little finger, or all of the hand, depending on the nerve root involved. Alteration in the biceps and triceps jerk frequently occurs in this acute lesion. Electromyographic investigation will usually identify a zone of denervation, as well as alteration in the nerve condition times.

Chronic Extrusion or Hard Disk. The common development is a gradual onset of

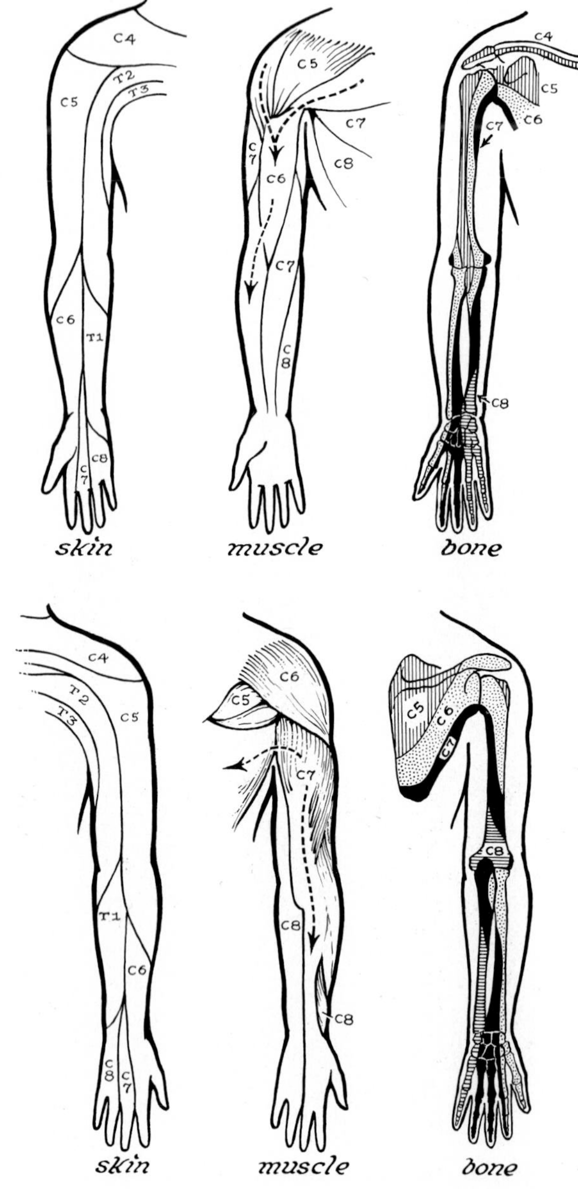

Figure 9–9 Comparison of segmental innervation of superficial and deep structures.

discomfort, starting with some pain in the neck, then extending to the shoulder, and eventually implicating the forearm and hand. The course may be punctuated by more acute exacerbations, but most often it follows a gradually progressive and persistent development. A definite history of injury or significant antecedent trauma is not usually obtained. On examination there is some restriction of neck motion, particularly in forward bending, and a complaint of pain in attempting to extend the neck. Movement to the side of the pain increases the root compression and reproduces the radiating symptoms. Decrease of discomfort is apparent when tilting the head away. Tenderness related to the midportion of the neck posteriorly, both in the midline and at either side, is common. Pressure on the posterior spinous processes sometimes initiates the radiating discomfort. Pain and tenderness sometimes implicate the front of the neck, with sensitivity involving the scalenus anticus particularly; in many instances pressure here initiates the radiating discomfort.

Extension of pain to involve the chest is a frequent complaint, as is also some headache and suboccipital pain. Signs of weakness and atrophy gradually develop in lesions implicating the space between C.5 and C.6, and the biceps and deltoid are involved; in lesions implicating the space between C.6 and C.7, the triceps is weak. Involvement of the small muscles of the hand suggests implication of the eighth cervical root. The pattern of cutaneous disturbance follows the individual nerve roots, weakness of the hands and clumsiness in certain motions being a frequent complaint. Sensory change is difficult to outline; alteration in appreciation of light touch and pinprick, involving the base of the thumb and lateral border of the forearm, usually results from involvement of the sixth root, C.7; the thumb and index finger, and sometimes the middle finger, are implicated. In C.8 compression it is the medial border of the palm, the fifth and (occasionally) the fourth finger that are involved (Figs. 9–9 and 9–10).

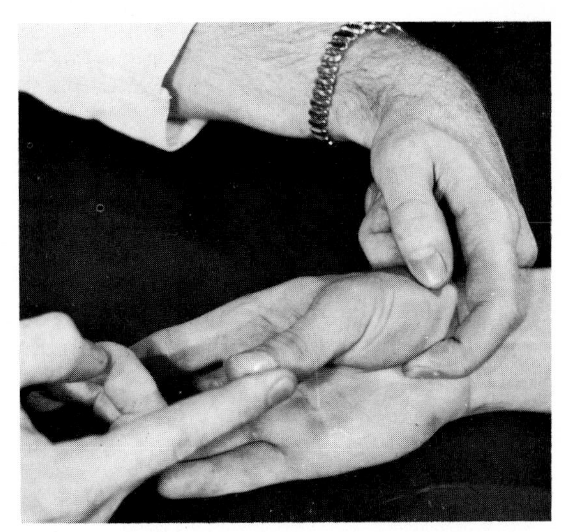

Figure 9–10 Testing for thenar weakness.

Electromyographic Studies. Electromyographic examination is extremely useful in diagnosing these lesions (Fig. 9–11). In addition to implication of the muscles in the forearm and hand, which results from pressure on the anterior root, it is possible in many instances to detect some involvement of

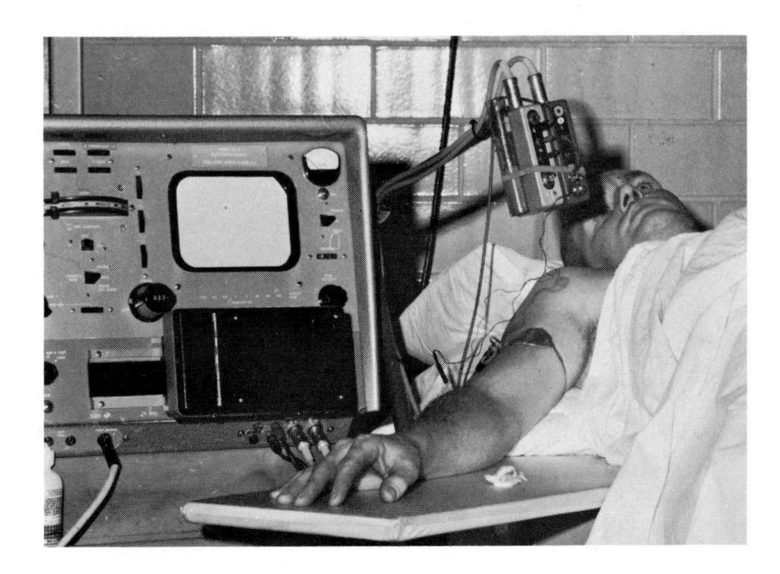

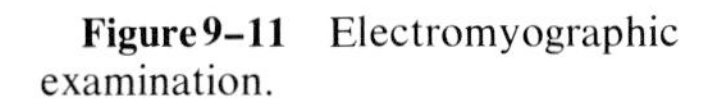

Figure 9–11 Electromyographic examination.

the segmental muscles in the paraspinal area, which would be allied to the posterior root. If an electromyographic examination of the erector spinae shows definite evidence of some denervation, such as fibrillation action potentials, it is highly suggestive of nerve root involvement. This test is of particular significance in differentiating the lesion from a carpal tunnel syndrome. When there is compression of the median nerve at the wrist in the carpal tunnel, precise involvement of the thumb, index, and middle fingers occurs with a quite constant sensory pattern. In addition, there will be alteration in the nerve conduction times at this level, but not at the elbow or elsewhere. There would be no evidence of denervation in the paraspinal muscles unless the nerve root had been implicated.

Spinal Stenosis or Cervical Compressive Myelopathy. Attention is called to a serious lesion of the neck that produces radiating discomfort in which an abnormally narrow spinal canal, congenital or acquired, is the basis of upper limb pain followed by serious lower limb dysfunction. A cardinal indication of cord involvement is the development of changes involving the lower limbs. This may be a slight degree of spasticity or some frank weakness in one limb or the other. Commonly, both lower limbs are involved. Neck discomfort is a frequent accompaniment in the well-established lesion.

The condition has been confused with many neurologic diseases such as amyotrophic lateral sclerosis, subacute combined degeneration, and (most frequently) multiple sclerosis.

Radiologic Findings.* Spinal canal dimensions measured on plain films are the prominent indicators of this lesion. A cervical spinal canal diameter of 15 mm or under, compared to the 17 to 26 mm measurement of most normal individuals, is highly suggestive of abnormality. A canal under 10 mm is indicative of severe cervical stenosis. Contrast studies are mandatory to identify the level of the lesion (Figs. 9–12, 9–13, and 9–14).

Pathology. Spinal stenosis has been identified for many years, but usually as an accompaniment of developmental abnormalities, such as achondroplasia, spina bifida, and spondylolisthesis. When the canal is abnormally narrow, herniated disks, thickened annulus fibrosis, or osteophytic lipping of the foraminal or body edges can constitute a significant compressive force. About 75 per cent of the patients are 75 years and older. In the younger patients, disk herniation is the precipitating factor; spondylosis is the cause in the older age-group. The usual picture in the lower limbs is spastic weakness, and this may progress to a frank Brown-Séquard syndrome of dissociated anesthesia. In cord involvement the signs of the upper limb are more severe, with weakness, atrophy, and electromyographic changes. The reflexes will be absent in the corresponding root area, but

*See Chapter 15.

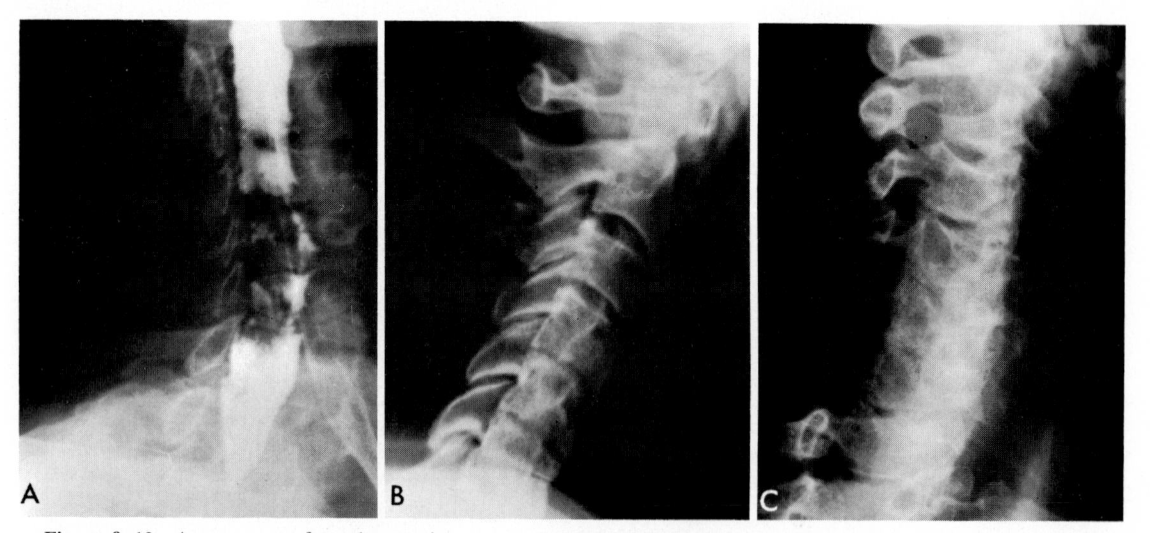

Figure 9–12 Appearance of myelogram in a case of extensive spondylosis producing myelopathy suggestive of a cord tumor (*A*). *B*, Posterior laminectomy to decompress the cords. *C*, Anterior interbody fusion for stability.

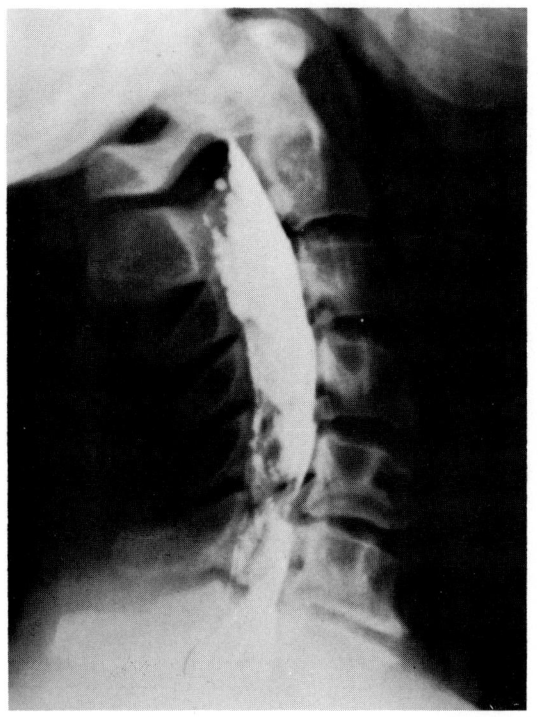

Figure 9–13 Myelogram in a typical extruded disc defect.

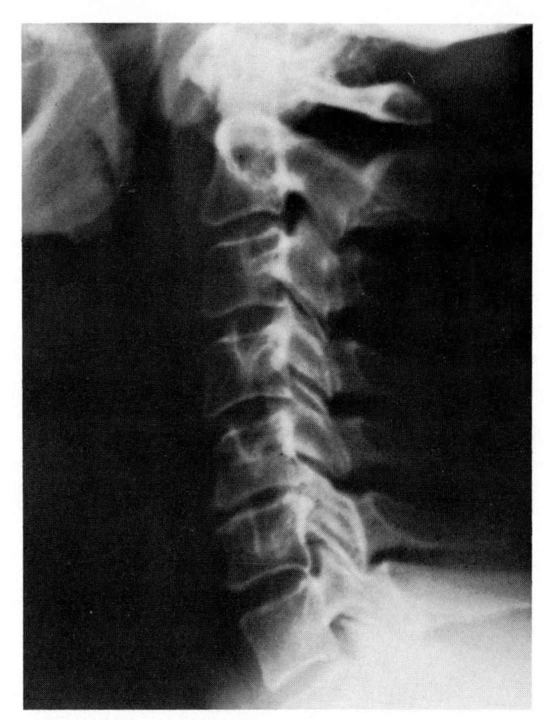

Figure 9–14 Typical interbody narrowing and posterior marginal spur formation producing cervical root syndrome.

in the lower limb they will probably be increased as a result of the spasticity. A positive Babinski response is also frequently obtained. A greater than usual number of these patients also have some narrowing of the canal in the lumbar region.

TREATMENT. See Chapter 15 for complete conservative and surgical management.

CERVICAL NEUROVASCULAR SYNDROMES

CERVICAL RIB AND ABNORMALITIES OF THE FIRST RIB

As the evolutionary scale is ascended from reptiles to man, the cervical spine gradually loses its outrigging rib elements. This has enabled man to have a movable neck, and has paved the way for specialization of the upper extremity. Abnormalities in this zone are to be expected, just as they occur in the transitional area related to the lower limb, the lumbosacral region. In addition to developmental abnormalities, similar symptoms result from derangement of normal elements, so that consideration must be given to (1) extra or abnormal first ribs; (2) disturbances of normally placed first ribs; and (3) abnormally positioned first ribs.

Abnormal development of the costal element on the seventh cervical vertebra is found in roughly six patients per 1000. In one-half of the patients the condition is bilateral. When there is a unilateral rib, a supernumerary costal tubercle frequently exists on the opposite side. Most cervical ribs are found incidentally during routine x-ray examination for other conditions (Fig. 9–15).

Cardinal Signs and Symptoms

Pain is the cardinal symptom and is frequently initiated as aching in the shoulder, but quickly extends to the inner border of the forearm, the hand, and the fingers; tingling, numbness, and a pins and needles sensation develop, aggravated by sudden, jerking movements of shoulder and neck. Such activities as lifting, reaching, sweeping, craning, and cleaning bring on the pain. It is the lifting motion of the arms to the front, side, or above the head that causes vascular constriction by the first rib. Patients learn that keeping the arm by the side and supporting it

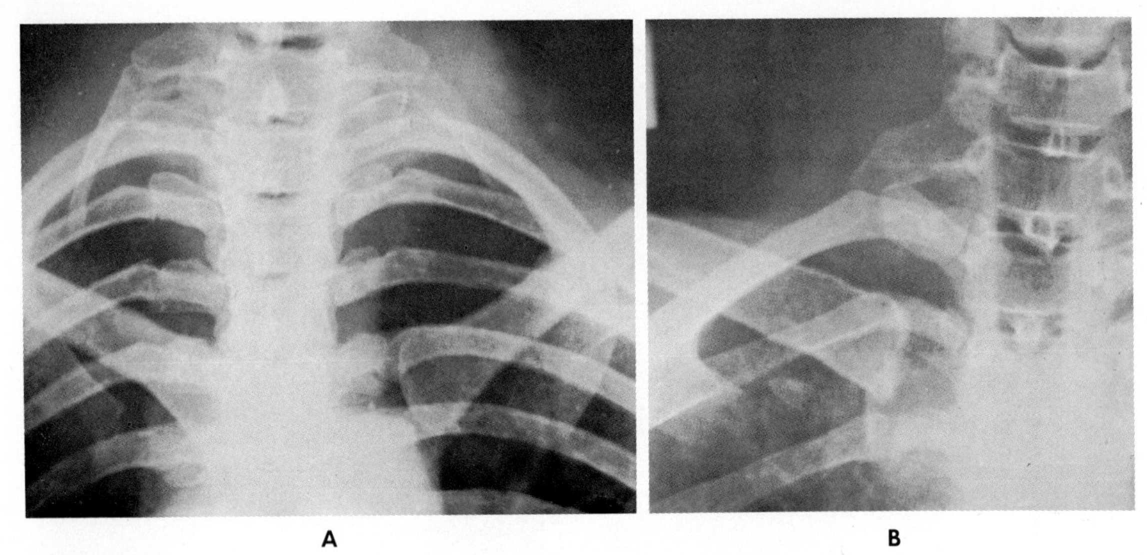

Figure 9–15 Cervical ribs. *A*, Typical complete rib on both sides. *B*, Elongated process only where a complete osseofibrous bar is indicated by the small calcified point below the clavicle, indicating the tip of the extra rib.

alleviates the discomfort. In long-standing cases, more severe symptoms develop; the whole hand has a bursting tense feeling, and is discolored, clammy, and cold. The weakness of the hand, particularly on gripping, becomes apparent, and typical intrinsic muscle atrophy develops much later. Sometimes, signs and symptoms develop very rapidly; it is possible for a patient to retire one night quite free of discomfort, apart from some vague shoulder ache, and awake the following morning with intense pain in the hands and fingers. Chest movement, particularly inspiration, intensifies the symptoms. Palpation of the neck will often demonstrate the rib.

Examination in the early stages shows very few changes in shoulder, arm, or hand. The most significant finding is the reproduction of the radiating symptoms by compression of the vascular bundle above the clavicle. Adson has called attention to a most useful test: the patient lifts his chin and tilts it to the affected side; this is done with the patient sitting upright, arms resting on knees. At the same time, the radial pulse or blood pressure is checked. Obliteration or significant weakening of the pulse is indicative of subclavian vascular compression due to rib abnormality or scalenus anticus constriction. X-ray examination demonstrates the rib abnormality and, with the above reaction, is diagnostic of this disturbance. Any abnormal calcification above the first rib should arouse suspicion of a cervical rib. Identification of a cervical element versus a first dorsal transverse process is aided by the observation that the cervical rib points downward, whereas the first thoracic is frankly transverse.

Late in these cases, signs of nerve trunk compression appear in the form of motor and sensory changes in the hand. The inferior trunk of the plexus that springs from C.8 and C.7 nerve roots is the most often stretched or compressed. This results in weakness or paralysis of the muscles supplied by the ulnar nerve, interossei, hypothenar group, flexor carpi ulnaris, and flexor digitorum profundus to the fourth and fifth fingers. More extensive muscle involvement is rarely encountered, which serves to differentiate the lesion from progressive muscular atrophy, in which a wider group of intrinsic muscles, both thenar and hypothenar, are involved. Sensory changes, consisting of hypoesthesia and, rarely, anesthesia, also follow the ulnar distribution. Vascular changes, including cyanosis, sweating, and fullness of superficial veins, also occur later. Trophic changes, minute ulceration, may occur. The diagnosis rests on the radiographic demonstration of the cervical bony anomaly and the radiating signs and symptoms. Other neurovascular syndromes resemble it closely, but with these findings, the diagnosis is clear-cut.

Etiology and Pathology

Cervical rib has been an interesting anatomic and embryologic study for a long time.

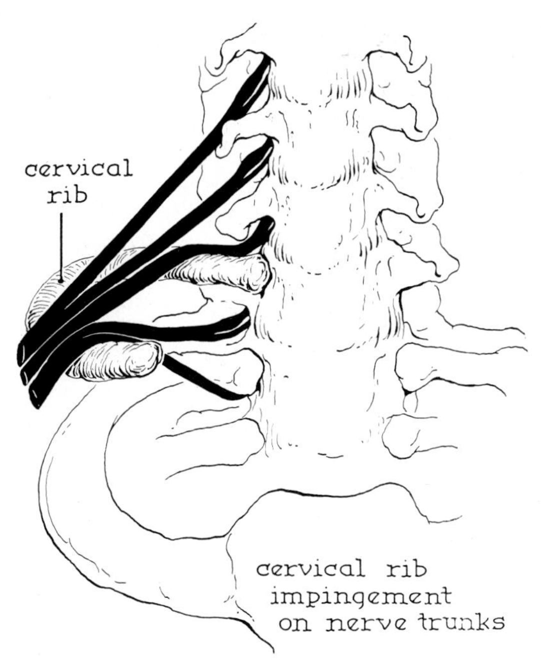

Figure 9–16 Cervical rib relation to brachial plexus.

Eminent authorities have differed on some aspects of the precise mechanism of production, but the general principles have been well accepted. Wood, Jones, and Todd, in particular, have made extensive studies. The origin of this anomaly has been traced to the reptilian class, in which lower forms such as snakes have ribs on all vertebrae. Ribless regions gradually appear as the scale is ascended to lizard forms, where elements of limbs appear. The more complicated the limb replica becomes, the more complete do the ribless zones become to allow freedom of movement of the limb. In the early embryo, segments and nerves to segments are well defined. The neural element is dominant, but there is segmental bone and rib development (Fig. 9–16). This arrangement of symmetric nerve and bone contribution persists in snakes, but as limb buds appear there must be a coalescence of elements in the limb bud zone to innervate and support an appendage. The dominant neural element streams into the limb bud, blocking or discouraging corresponding intersegmental bony elements such as ribs.

The limb bud grows at right angles to the vertebral column as a derivative of several body segments, funneling and drawing nerve roots of several segments into it (see also Chapter 1). These roots form a plexus at the base of the limb, preventing costal development (Fig. 9–17). In the cervical region, the brachial plexus is formed, and the ribless vertebral zone follows. Lower in the body, the lumbosacral plexus similarly favors a ribless lumbar region. If the limb bud fails to develop exactly at the proper segmental level, variations in the elements extending into it may be expected. When it takes off at a segment higher than normal, the main plexus contribution starts from C.4, and consequently less comes from T.1. It is argued that, in such circumstances, the minute T.1 strand offers less-than-normal resistance to development of the costal element, and a cervical rib appears. This is a so-called prefixed plexus. A postfixed plexus is composed of major contributions, starting at C.6 and extending to T.2. It is not settled whether such a construction occurs and prevents growth of a normal first rib. Presumably, however, nature does recognize neural development as more important than rib, and it becomes the controlling force. One remnant of nerve pressure can still be seen in the cervical

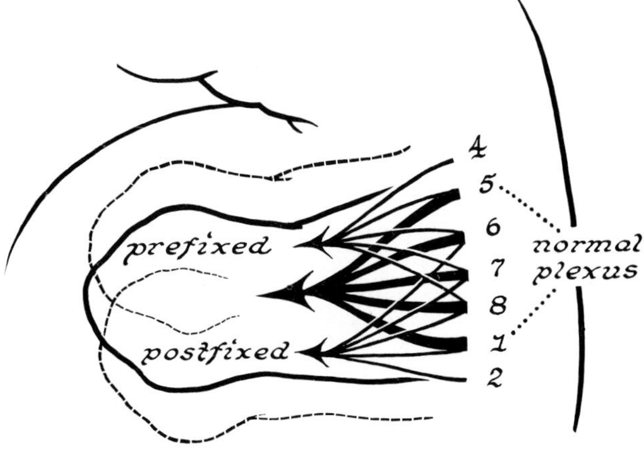

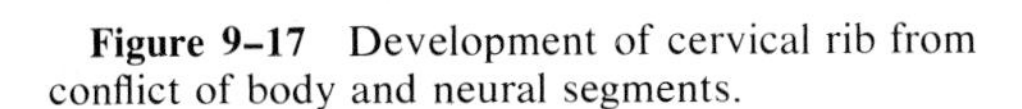
Figure 9–17 Development of cervical rib from conflict of body and neural segments.

region in man in the form of the groove on the upper surface of the first rib. This is interpreted as arising from pressure of the lower trunk of the plexus against the rib in the nerve conflict described. The depth of this groove increases as the extent of contribution to the brachial plexus from T.1 increases, which supports this theory of primitive nerve dominance. The signs and symptoms arise from pressure on the neurovascular bundle in the neck. The abnormal bone is an obstruction or elevation projecting laterally, lifting up the lower trunk and subclavian vessels.

Treatment of Cervical Rib

Many cervical ribs are found that have caused no symptoms, and no treatment is needed. Many of these patients having trouble with a demonstrable abnormality need no more than advice and an explanation. Those with persistent signs and symptoms require surgical treatment.

Conservative Treatment.

EXPLANATION AND REASSURANCE. Many patients become alarmed when told they have an extra bone in the neck, and unlimited disability is imagined. A simple explanation and reassurance that it is a controllable, well-understood disturbance helps considerably.

EXERCISE AND POSTURAL INSTRUCTION. Significant signs and symptoms usually do not develop until past middle life, and may be initiated by general debility, a recent illness, or a postural habit that has favored atony of the suspensory muscles. It may be a transient systemic disturbance that brings the signs and symptoms into focus, and once this has been controlled, the cervical rib manifestations subside. Unless signs and symptoms persist and increase, proper postural instruction and exercises should be tried. Development of the muscles that pull the shoulder back is helpful, since this will decrease the forward drop of the arm.

Surgical Treatment. Persistent pain, increasing signs of nerve pressure, and sympathetic irritation after a conservative trial has proved unsuccessful are indications for operative removal of the obstruction.

TECHNIQUE. A collar incision is made across the posterior triangle from the sternoclavicular joint (Fig. 9–18). Dissection is continued deeply through the platysma, exposing the sternomastoid muscle. The attachment of this muscle may need to be divided, or it can be retracted medially, exposing the omohyoid muscle. Transverse cervical and suprascapular arteries appear in the field at this point, and usually need to be ligated and divided. The scalenus anterior is now exposed with the phrenic nerve on its surface. The subclavian artery will then be apparent, compressed by the scalenus against the cervical rib and brachial plexus. The phrenic nerve is retracted and the scalenus anticus is dissected free from the pleura with special care, particularly at the inner border. The muscle is cut obliquely and the fibers retract, decompressing the artery. Sometimes the artery needs to be gently dissected free from the lower roots of the plexus. Frequently the muscle is thick and bulky, and it must be divided carefully, sometimes excising a centimeter or two from the lower attachment.

When there is a large, well-formed cervical rib, it compresses the lower trunk of the plexus, compelling it to ride up over the top before continuing laterally. The rib is removed by separating the trunk of the plexus, holding the lower trunk down and the middle trunk upward. Adson has suggested reflecting a flap of muscle between the brachial plexus and the subclavian artery to minimize adhesions and scarring. Suture of the omohyoid tendon is done if this has been divided. Postoperatively, the patient is allowed up the day after the operation, and is discharged as soon as the wound is healed.

DISTURBANCES OF A NORMAL FIRST RIB

Several abnormalities of the first rib belong to the group of neurovascular disturbances; these are uncommon, but will be encountered in clinical practice. They include fractures or an abnormal configuration or position of the rib. These are in contrast to a group of disorders in which the disturbance, although related to the first rib, really results from alteration in the space between the clavicle and the first rib.

The sudden onset of pain in the shoulder, with radiating symptoms, following strenuous unaccustomed activity may sometimes be traced to a fracture of the first rib. It has been suggested that there are predisposing sources, such as the groove for the neurovascular bundle and the point of the scalene muscle attachment to the rib. Strong muscle tow, with the scalenus attached posteriorly and the subclavius anteriorly, may produce

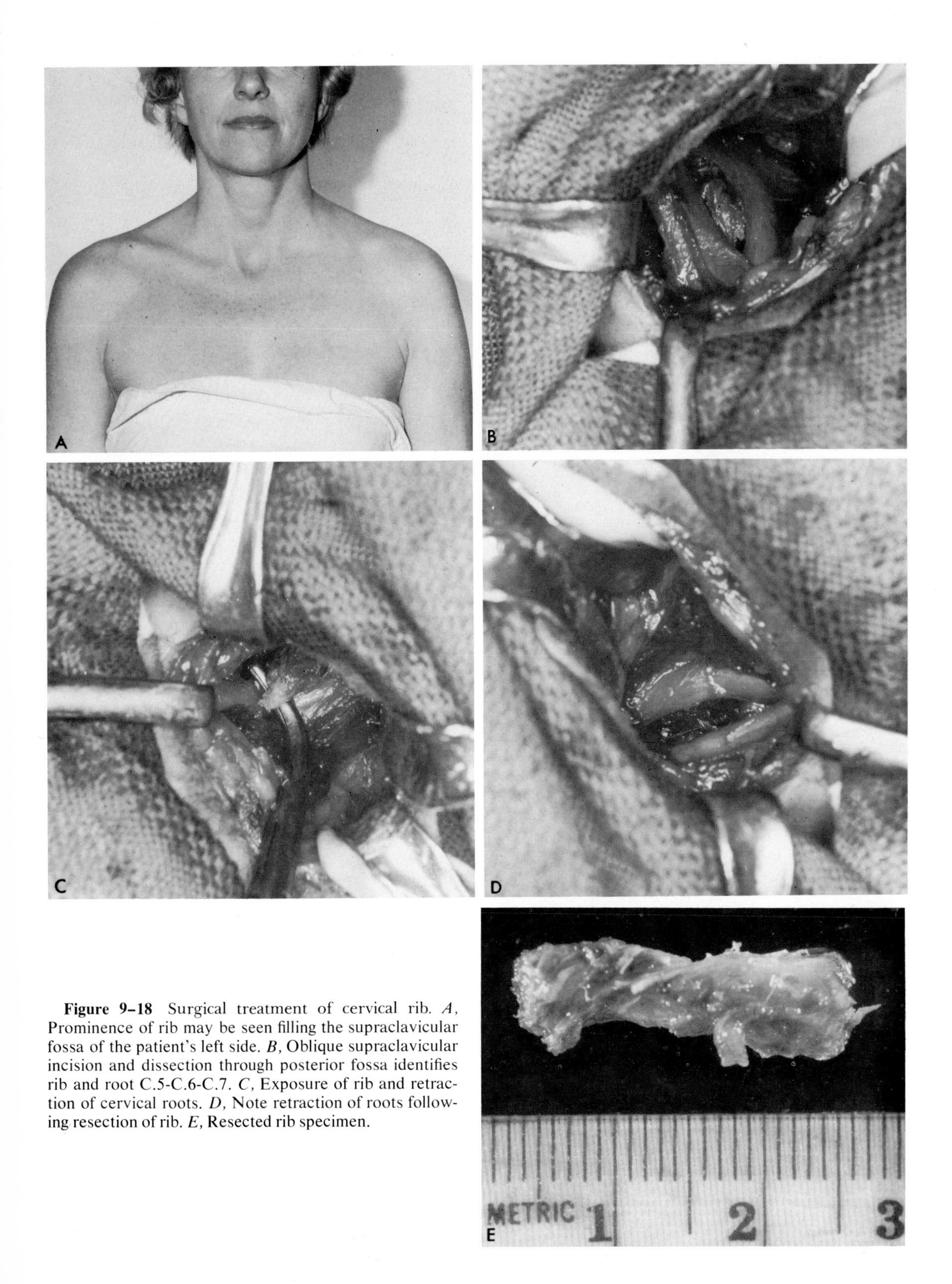

Figure 9–18 Surgical treatment of cervical rib. *A*, Prominence of rib may be seen filling the supraclavicular fossa of the patient's left side. *B*, Oblique supraclavicular incision and dissection through posterior fossa identifies rib and root C.5-C.6-C.7. *C*, Exposure of rib and retraction of cervical roots. *D*, Note retraction of roots following resection of rib. *E*, Resected rib specimen.

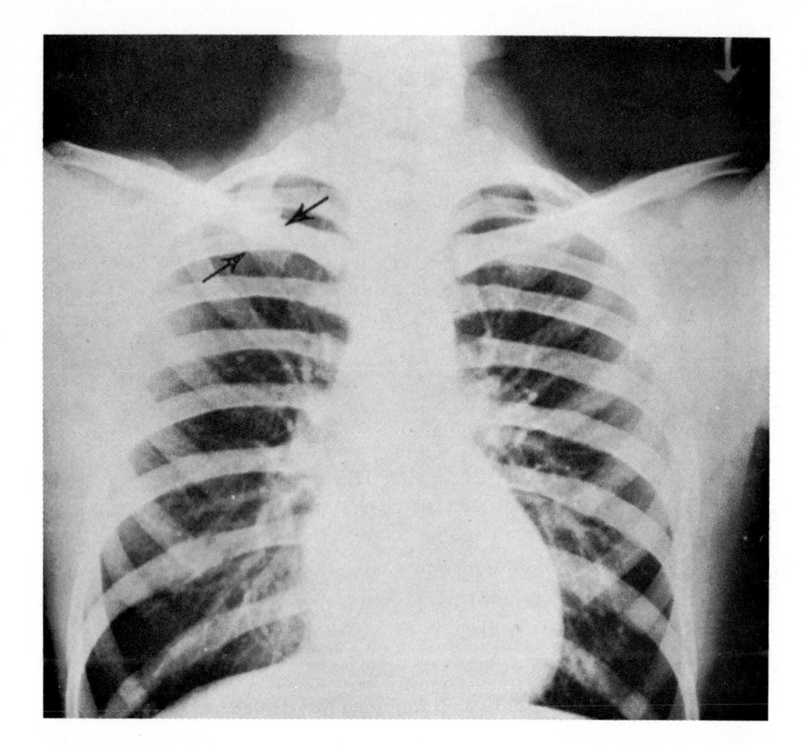

Figure 9–19 Fracture of first rib.

sufficient torsion stress reflected to the groove in the bone to result in a fracture. X-ray examination initially may appear negative, but close scrutiny will show a faint line that later becomes much more apparent as healing progresses, and callus formation develops much like that seen in a stress fracture in the foot (Fig. 9–19).

Treatment

No specific therapy is required other than limitation of activity until symptoms have subsided. Sometimes, wearing a sling for a period of three weeks reduces the discomfort.

ABNORMAL POSITION OF THE FIRST RIB

A normally developed first rib may be altered in position so that it interferes with the neurovascular bundle. Frequently, improper posture or associated congenital deformities of the cervical spine usher in this disturbance (Fig. 9–20). The A-frame-shaped shoulder is a characteristic configuration of this abnormality (Figs. 9–21 and 9–22).

The normal axis of the first rib is down and forward. When this plane is altered so that the anterior end is tipped up, the rib becomes more horizontal, and abnormal stress on the neurovascular bundle develops as it goes over the top of the horizontal rib. Cervical scoliosis contributes to such a disturbance, as does a congenital hemivertebra. The rib on the convex side of the curve would be higher, with resultant traction on the neurovascular bundle. Shoulder and radiating symptoms develop, but may not be apparent until middle life because of early body adaptation. Sometimes, symptoms from this disturbance follow a debilitating illness or injury, especially in women. Conservative

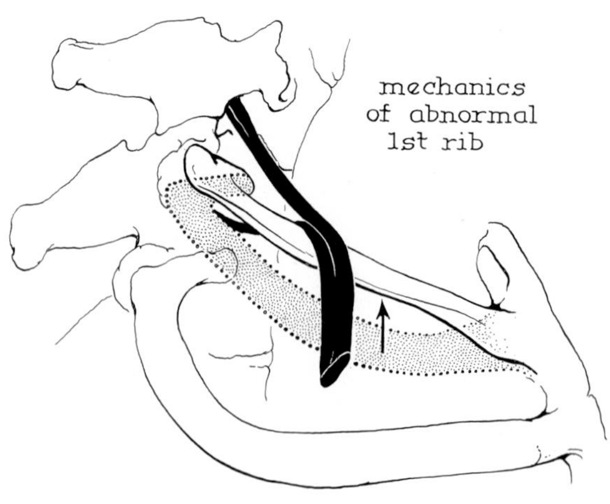

Figure 9–20 Abnormal angle of normal first rib causing pressure on nerve trunks.

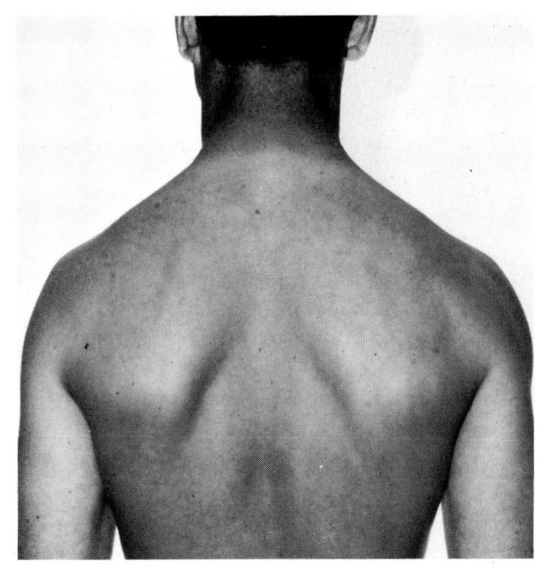

Figure 9–21 "A" frame shoulders favor relative prominence of first rib.

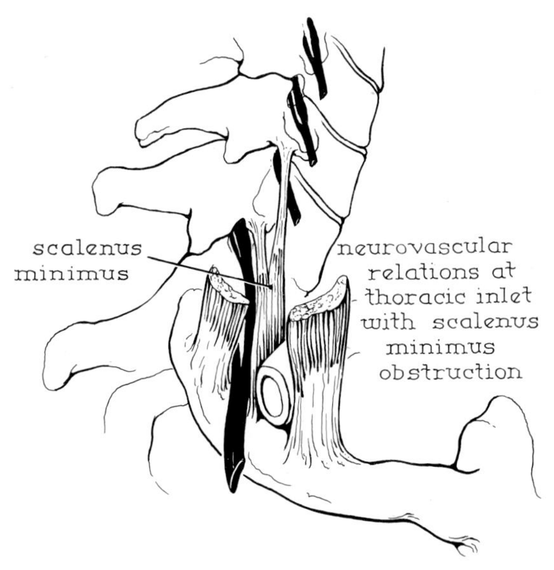

Figure 9–23 Attachments of the scalene group.

treatment is usually sufficient, but occasionally resection of the first rib or scalenotomy is necessary.

SCALENE SYNDROMES

Many anatomic studies have established the variation in the contour, size, incidence, and attachment of the scalene muscles (Fig. 9–23). A short hypertrophic muscle can compress subclavian vessels and the lower nerve trunk, resulting in significant symptoms almost identical with those of a cervical rib. There has been a tendency to lump many disorders under this heading, which accounts for some of the unsatisfactory results of scalenotomy. However, careful attention to the symptomatology of this disturbance identifies a precise syndrome that can be materially helped by scalenotomy (Fig. 9–24).

Treatment

Conservative Treatment. In many patients proper postural training, exercises,

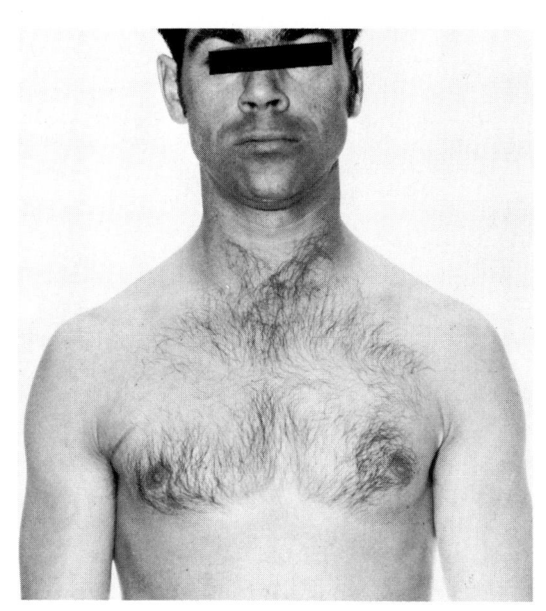

Figure 9–22 Fullness of left supraclavicular fossa from relative prominence of a normal first rib.

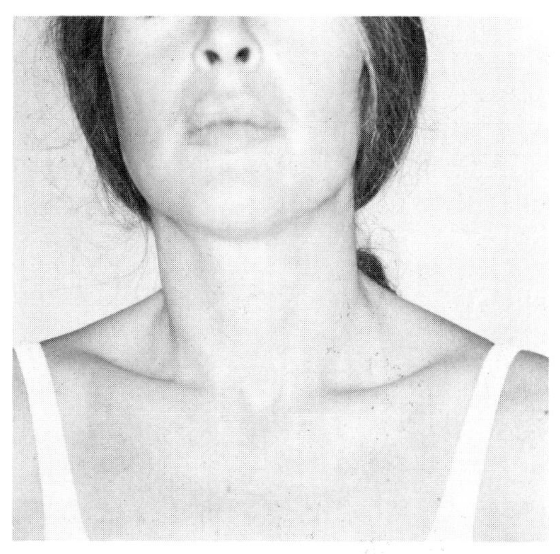

Figure 9–24 Tight scalene muscle standing out on patient's left side.

and avoidance of irritating positions will produce sufficient relief. The extended position of the neck and shoulder aggravates the radiating symptoms, so that resting with a pillow under the head, lifting up the involved shoulder, produces relief (Fig. 9–25*A* and *B*). Injection of the scalenus with a local anesthetic relieves acute symptoms, and repeated careful injection reduces further discomfort. If desired, a foam contour pillow can be used.

Surgical Treatment. Persistent symptoms are relieved by scalenotomy. A 2-inch transverse incision is made over the clavicle, about one finger's breadth and 1 inch from the sternal end (Fig. 9–26). The platysma and deep fascia are divided, and supraclavicular nerves that may be encountered are retracted. The external jugular vein may course across this incision; if it appears to complicate the exposure, it is resected, but it often may be retracted medially. Dissection at this point brings into view the posterior border of the sternocleidomastoid muscle. This is elevated gently and retracted medially, bringing into view the subjacent scalenus anticus. On the anterior surface of this muscle, the phrenic nerve crosses in a diagonal fashion. Immediately lateral to the scalenus anticus, digital palpation will identify the upper roots, C.5 and C.6, of the brachial plexus. Frequently the transcervical vessels course across this field just lateral to the border of the scalenus anticus, and they may need to be clamped and resected; if not controlled they may bleed quite vigorously. Retraction of the vessels occurs rapidly, and it may be difficult to find them,

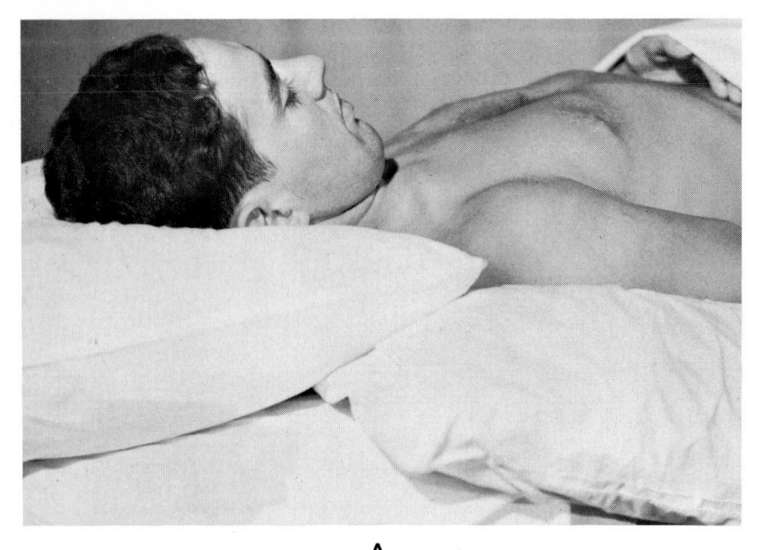

A

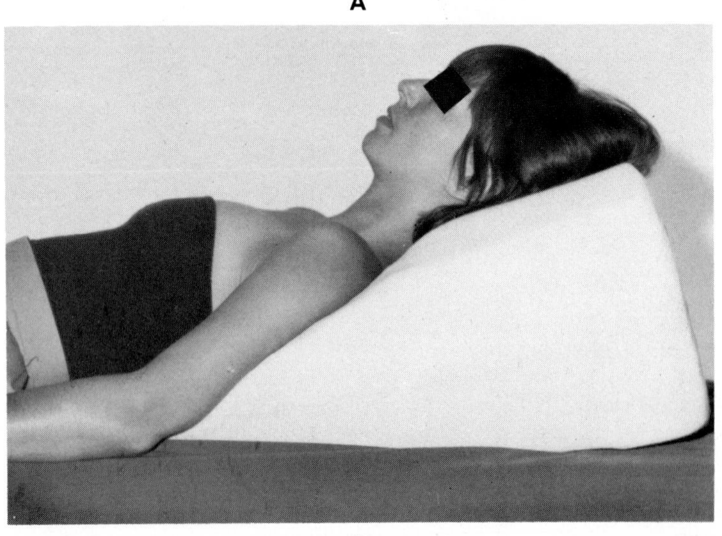

B

Figure 9–25 · *A*, Pillow position to relieve scalene tension. *B*, A special foam contour pillow.

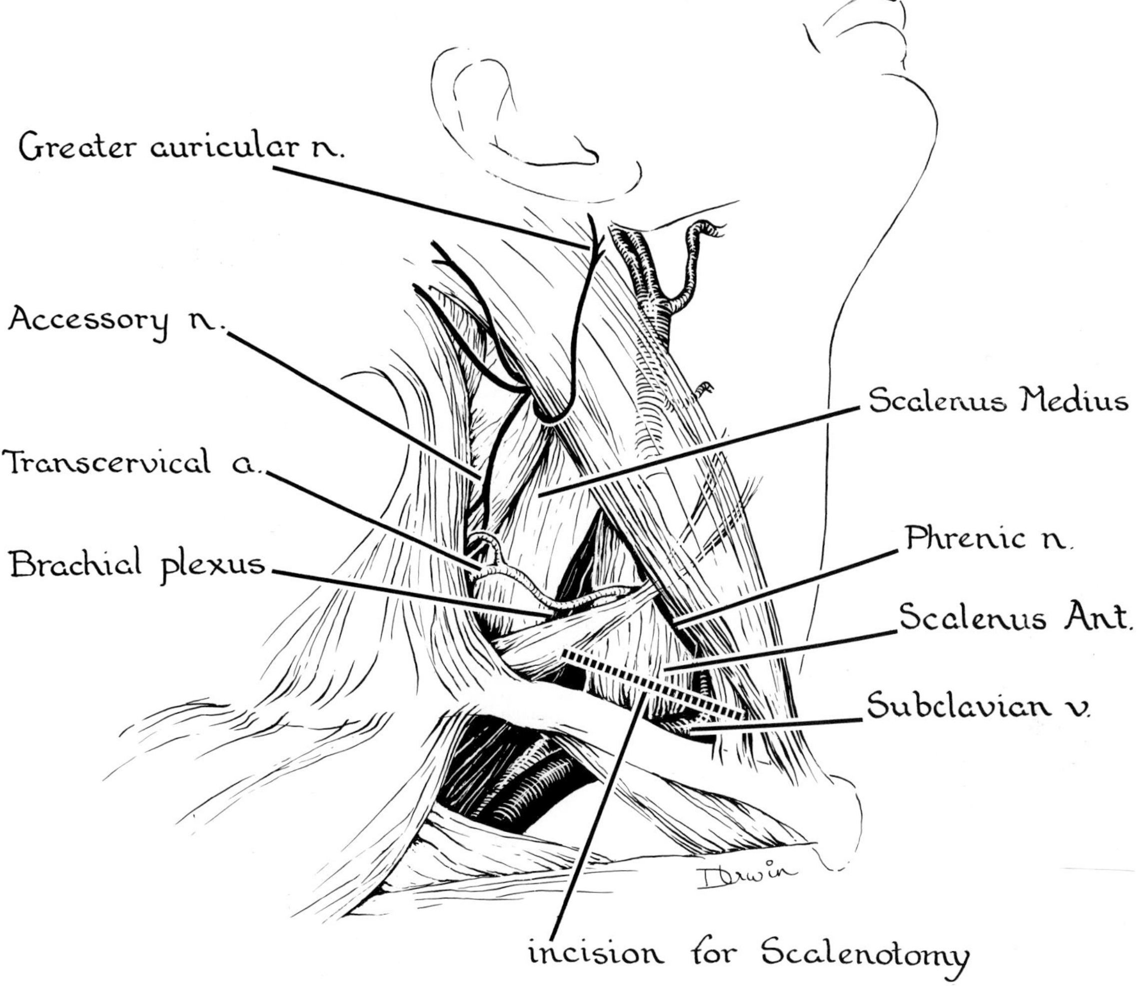

Figure 9–26 Operative technique for scalenotomy.

considerably complicating the exposure. For this reason, if encountered, they should be clamped and tied meticulously as one advances deeper into the incision.

The author believes it is extremely important to identify and retract the C.5 and C.6 roots before cutting the scalenus anticus. Considerable variations in the normal anatomy of the scalenus anticus may be encountered; it may be thicker, shorter, much broader, or thinner than normal. The significance of the variations is that they often implicate the brachial plexus, and the roots C.5 and C.6 may run directly through the scalenus substance. This means that, if the nerves are not identified initially and retracted, they could easily be cut as the scalenus anticus is severed.

Once the plexus has been carefully identified and retracted, a curved hemostat or a Luer forceps is inserted posteriorly and medially, and the scalenus anticus is gradually elevated so that it may be cut under direct vision. This will help to prevent damage to adjacent structures, particularly the jugular vein or carotid artery.

THORACIC INLET OR CLAVIPECTORAL COMPRESSION SYNDROMES

In addition to the well-recognized and clearly described disturbances from cervical ribs and tight scalene muscles, it is apparent that there is a large group of similar but, as a rule, less severe disorders not explained by these two entities. They arise from abnormalities along the course of the nerves and vessels as they pass from thorax to arm, and have been variously described as "inlet" or "outlet" syndromes. Actually, cervical, rib, and scalene disturbances form a part of this group, but the terms "inlet" and "outlet" are used to describe those cases not adequately explained by such abnormalities. In the past they have probably been called scalene disturbances, which may explain many of the unsatisfactory results that have occurred from scalenotomy.

One thinks of the outlet as the inferior margin of the opening, as of the pelvis, for example, but these disturbances really have to do with the upper margin or limit of the arm segment much more than with the exit from the thorax. Symptoms come about as a result of brachial activities, rather than thoracic function, so that the term "inlet syndrome" would appear to be more appropriate. A more accurate description still is "clavipectoral compression syndromes."

The cases under consideration do not fit well into the previous classifications since they are not the result of disk pathology or cervical, rib, or scalene disturbances, even though they have a somewhat similar symptomatology. Certain distinguishing characteristics of the group can be recognized. The patients have a little shoulder pain, but forearm, hand, and finger discomfort is much more prominent; it is vague and indefinitely localized, rarely severe, and frequently bilateral. No history of injury or sudden onset is obtained, as a rule. Middle-aged and older persons are affected mostly, and women are involved more often than men; they seek attention after the disability has been noted for some time. There are no clear-cut neurologic signs, and disturbances rarely progress to such severity. The subjective discomfort, however, is very real; remissions often occur, to be followed by the return of the same symptoms with similar or increased intensity.

The in-depth studies by Wright, Eden, Leday, Kelford, Todd, and others have brought these abnormalities into clearer focus. They result from disturbance of the axillary or brachial inlet area, and implicate the neurovascular bundle. A multitude of names have been used, some of which are appropriate to a degree, but none embraces the group as a whole. Outlet syndrome, inlet syndrome, nocturnal dysesthesias, costoclavicular disturbances, pectoralis minor lesions, postural disturbances, posterior triangle lesions, sleep palsy, awakening numbness, and sleep tetany are terms that

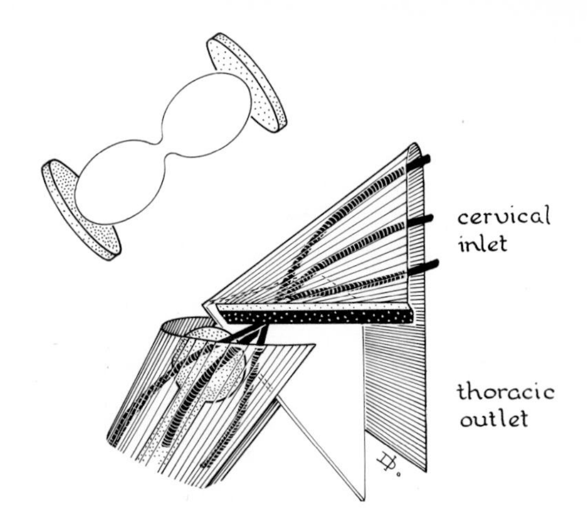

Figure 9–27 Constricting role of clavicle on the neurovascular bundle.

have been variously used. Out of this large assortment several distinct groups are recognized: (1) costoclavicular disturbances; (2) postural syndrome group; (3) hyperabduction syndrome; and (4) sleep dysesthesias. Since the maximum disturbance arises along the course of the neurovascular bundle as it passes under the clavicle and the pectoral muscles, the author has referred to these disorders as a whole as the clavipectoral compression syndromes (Fig. 9–27).

Etiology and Pathology of the Group as a Whole

The vascular bundle follows a tortuous course from the mediastinum to the arm. Halfway through, it becomes associated with the major nerve trunks, and it is from this point on that neurovascular bundle may be disturbed. Of necessity there must be a mobile segment in the root of this bundle to allow for the activities of the arm. The function of the upper extremity, having progressed to extensive mobility and prehension, demands much more freedom than was necessary in former plantigrade or weight-bearing duty. This mobile area occurs in a zone from under the clavicle to below the pectoralis minor border. Above and below this segment the bundle is anchored so that movement of the arm does not transmit movement to the vessels. The scalenus anterior lies above this area and does not take part in this zone, so that it is

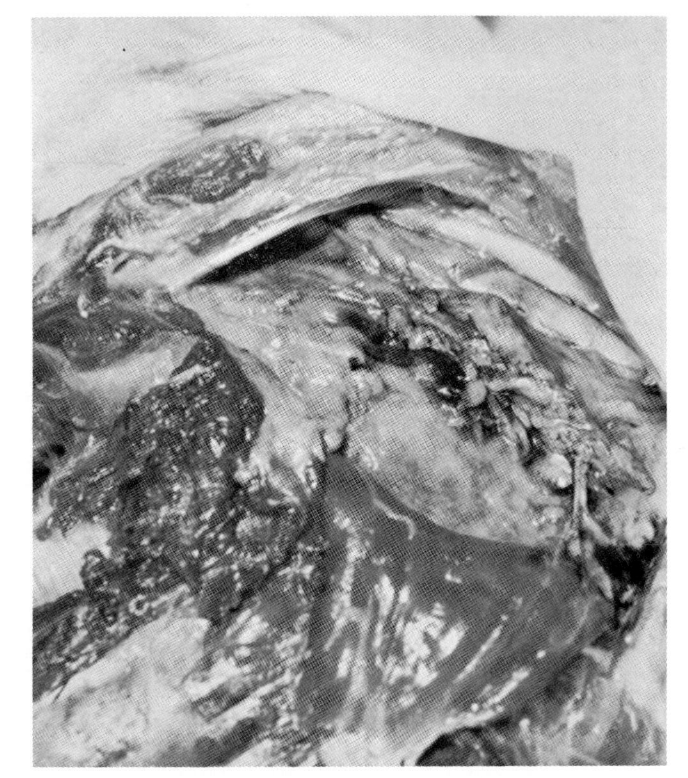

Figure 9–28 Dissection of clavipectoral area of left shoulder, showing relation of subclavicular structures to the neurovascular bundle. The subclavius muscle is at the top below the clavicle, and arches over the nerves and vessels. It has a stout, sharply-defined tendinous lower border. The pectoralis minor has been reflected in the lower part of the field.

not a factor in the present group. The channel that the neurovascular bundle follows is roofed by the clavicle, the clavipectoral fascia, and, finally, the pectoralis minor (Fig. 9–28). This zone lies opposite the shoulder joint, so that both nerves and vessels crossing are irritated more by movement here than either above or below (Fig. 9–29).

The interval between clavicle and pectoralis minor is bridged by the costocoracoid membrane, which is a remnant of the precoracoid (Fig. 1–6). This membrane may be thickened at the lower edge or rolled into a taut string at its margin as it arches onto the chest. Cadaver studies have shown considerable variation in this structure. It may be a thin filamentous layer, or a snug band that hampers and constricts the vascular bundle when the arm is abducted and rotated (Fig. 9–30).

Confusion exists as to the role of the clavicle. Ordinarily it would appear that ample room remains for the exit of the vessels underneath, and this is increased on abduction of the arm because the clavicle rolls upward, allowing the curved medial portion to lift and providing more room over the vessels (Fig. 9–28). It is conceivable that on extension, direct backward traction of the shoulder without rotation or abduction of the arm, the space occupied by the subclavian vein is decreased. Further along the course, it can be demonstrated that the bundle is embarrassed by abduction and external rotation in the region of the head of the humerus and beneath the pectoralis minor. At the extreme of abduction and rotation, the vessels are hooked around the coracoid process and the pectoralis minor (Fig. 9–29). When there is a strong costocoracoid ligament, this structure compresses the vessels first, at a higher level (Fig. 9–30).

COSTOCLAVICULAR DISTURBANCES

The cleft behind the clavicle may be encroached upon by distortion of the clavicle, and this may occur either as an acute process or as a complication some time after a fracture of the clavicle.

Pathology of Subclavicular Lesions

Acute Injury. Tremendous force is needed to break the clavicle in the area directly above the nerves and vessels. In this region the clavicle has its strongest construction, being tubular in section, so that it serves as a rugged overlying protection to the important ele-

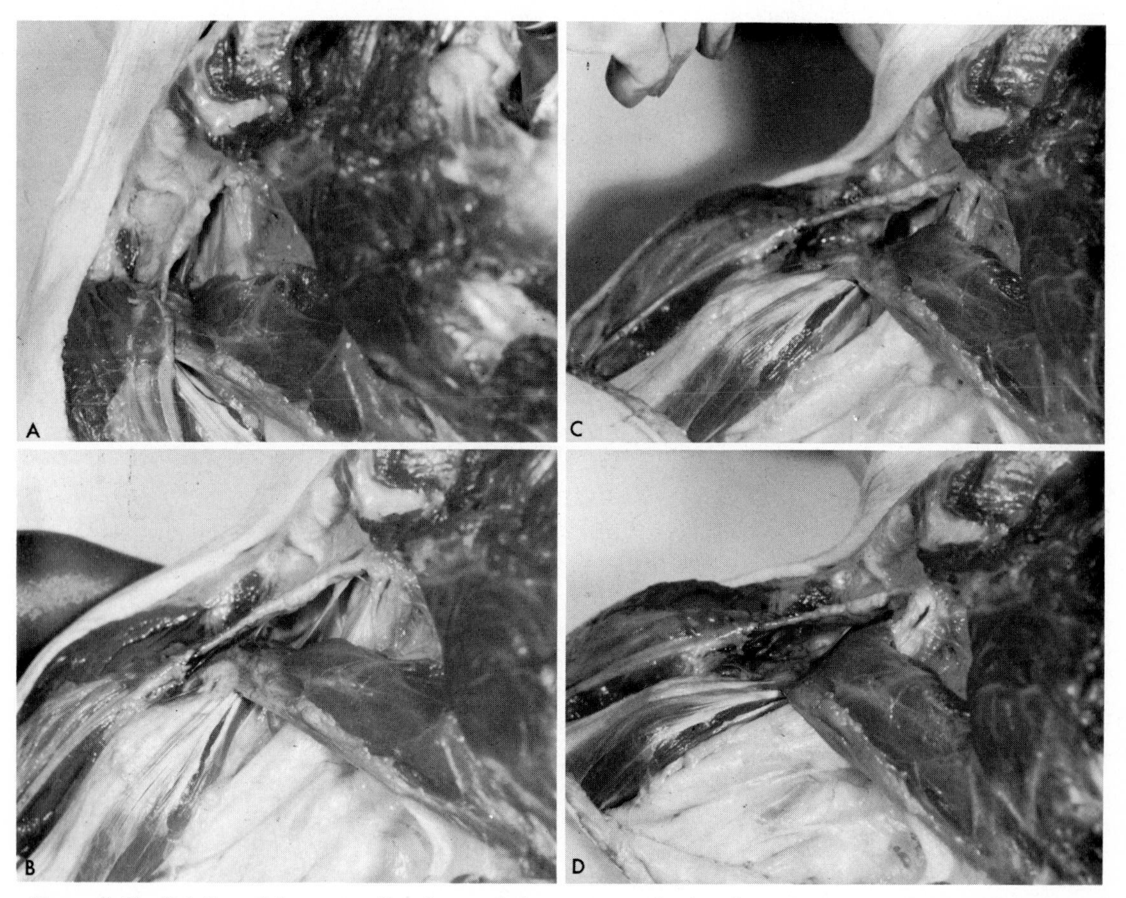

Figure 9–29 Relation of the pectoralis minor and the neurovascular bundle on arm movement. *A,* Dissection of pectoralis minor relaxed and slack when the arm is at the side. *B,* As abduction is started, the pectoralis minor tenses and the neurovascular bundle becomes tensed. *C,* Increased tension is apparent as the arm reaches 70 degrees. *D,* At a right angle, with the elbow extended, the pectoralis minor is taut and wraps around the neurovascular bundle.

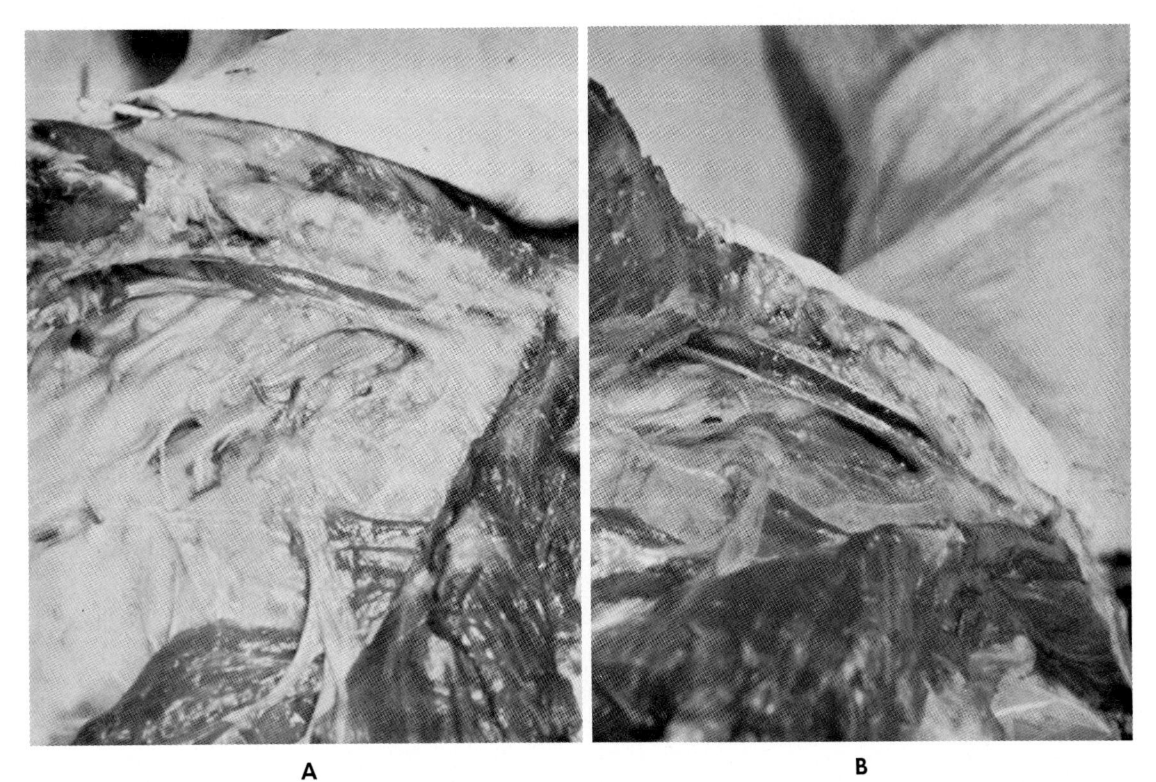

Figure 9–30 Relation of costocoracoid membrane to the neurovascular bundle. *A*, The fascia is prolonged around the bundle from subclavicular structures. *B*, The costocoracoid ligament is intimately related above.

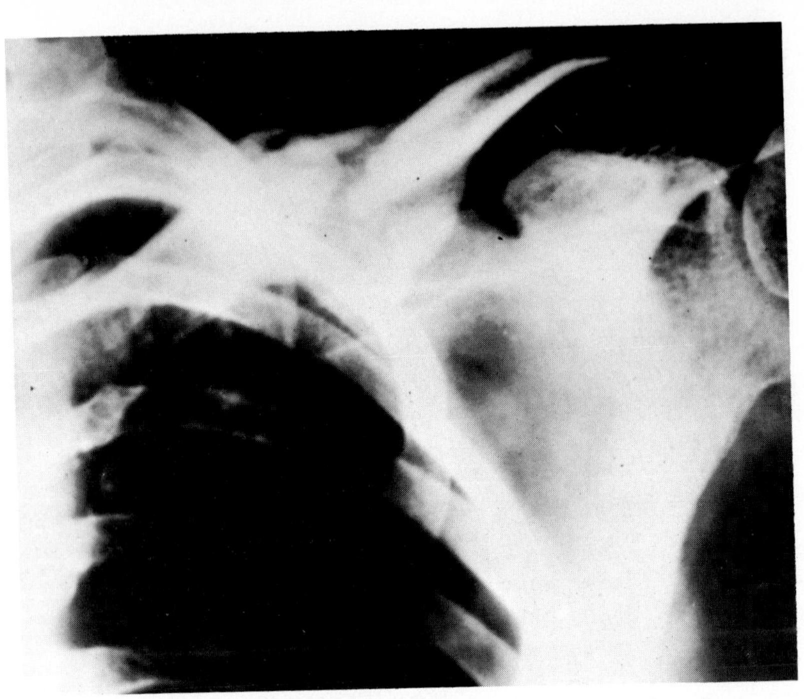

Figure 9–31 Costoclavicular pressure behind clavicle caused by callus.

ments beneath it. Fractures of the medial third, or sometimes at the junction of the inner middle thirds, result from an overpowering application of force, such as heavy weights falling on the shoulder. The vessels and nerves may be injured as the clavicle is shattered. In some instances a crushing injury creates sharp segments that lacerate the structures after the clavicle has largely dissipated the force of the impact. In other cases the force of the impact continues and acts as a dragging traction mechanism, further traumatizing the subjacent structures. In this fashion the great vessels may be torn or lacerated as they are pulled over the first rib, which then acts as a fulcrum in this injury process. In the acute phase, the clinical picture is a dramatic one, with extensive swelling above the clavicle, and formation of a large hematoma in the axilla and anterior chest region. Arterial rupture may be apparent from the very extensive swelling and the compromise of the blood supply to the rest of the extremity. Sometimes it is the vein which is involved, and this leads to a considerable swelling, but much less than when the artery is punctured; the gradual formation of a large hematoma indicates the source.

In some instances an arteriovenous aneurysm will develop from a puncture wound of the artery and vein. Few symptoms may be apparent in the initial stage, but within a matter of days radiating discomfort develops as a result of the compression of the nerve elements. Intractable pain of the radiating variety, with altered sensation in the hand, as well as the local changes, is characteristic of this stage. An anterior venous aneurysm at this site can quickly erode the nerves; once it has been identified, it constitutes a surgical emergency.

In the chronic process, exuberant callus developing at the seat of what usually has been a comminuted fracture gradually implicates the subjacent structures (Fig. 9–31). In these instances radiating symptoms are a gradual development, with symptoms of the vascular compression appearing first, and disturbances of the neural elements developing afterward. Peripheral pain, intermittent whole hand numbness, frequent color change, and, eventually, intermittent swelling are encountered.

Treatment

Acute Injuries. Immediate exposure of the subclavicular structures is essential, with sufficient extension of the incision to enable mobilization of the neural and vascular trunks above and below the clavicle. The fracture fragments are retracted and the vascular lesion identified. In most cases it is possible to repair the arterial damage. A bayonet type of incision is employed; this begins above the medial end of the clavicle, extends in transverse fashion along the clavicle to its midpoint, and then distally for about 6 inches below the clavicle.

Chronic Disorders. Chronic subclavicular compression is a much less formidable lesion to control. Surgical measures are required, and involve exposure and resection of the zone of exuberant callus. In some instances it is necessary to transect the clavicle completely and remove a portion for adequate decompression. This has a beneficial effect on the neurovascular bundle, in that it decompresses both the nerves and the vessels. Resection of the first rib has recently been suggested for cases such as this. This could be done through a posterior axillary approach, with removal of the segment of the rib, which would increase the space in the cleft between the clavicle and first rib.

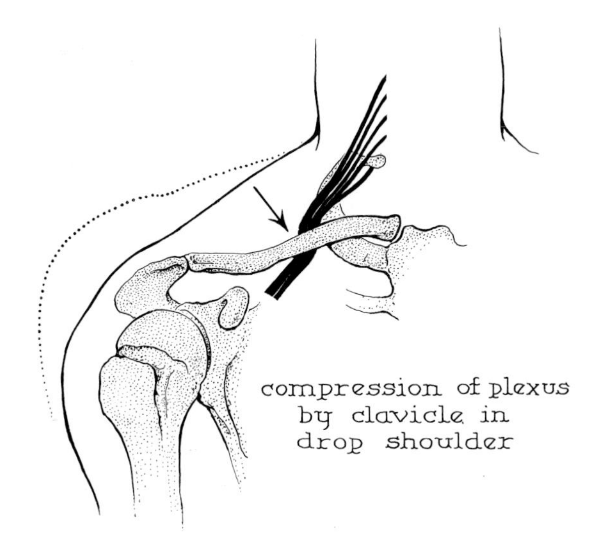

Figure 9–32 Compression behind the clavicle.

POSTURAL LESIONS

Altered relative position of the shoulder girdle to the neurovascular bundle, or vice versa, is a common element in all these disorders. However, a group may be separated in which there is a relatively static process, or one that comes on gradually as a more general development without specific, separate, irritating incidents. These are labeled "postural" because of the alteration of the normal shoulder girdle relationship to the rest of the body. This group of patients should be distinguished from those who experience discomfort from a specific action, but have no structural abnormality.

Clinical Picture

Thin, middle-aged, or elderly women are most frequently affected. They complain of bilateral numbness and tingling in the fingers, and a vague, aching shoulder-neck discomfort. Symmetric sagging of both shoulders is apparent, the result of muscle atony and the aging process. Paralytic disorders develop this same sensation. Loss of the suspensory muscle tone, as in complete paralysis of trapezius and levator scapulae, allows the shoulder girdle to drop, embarrassing the neurovascular bundle (Fig. 9–32). Relative, or nonstructural, decompensation is seen in patients after a serious illness in which debilitation and general poor body development favor an extremely slouched posture. Those who have changed their work to a more strenuous activity, with altered postural requirements, may have similar transient symptoms. Motor and sensory signs rarely develop, but the subjective paresthesias are very real. A common error is to blame the symptoms on the normal bone changes in the cervical spine. The vascular symptoms of a feeling of fullness in the fingers, fingertip tingling, and involvement of the whole hand usually are distinguishing features.

Treatment

Local. Any obvious predisposing disorder is eradicated. Drop shoulder, paralytic lesions, and so forth are treated. In permanent paralysis, suspensory operative procedures (see Chapters 7 and 14) are necessary. Sling support for both arms for four to six weeks is advised in the acute or convalescent postural group. Physiotherapy aided by electrical stimulation is started, with attention to developing suspensory muscles. Proper working and sleeping postures are outlined.

Systemic. Often a general body-building program is needed. Nutrition is improved by proper diet and food supplements. The assistance of a skilled internist is indicated to correct and regulate any associated cardiac, thoracic, or renal abnormalities. This group of patients may be confused with those with the acroparesthesias, discussed later.

HYPERABDUCTION SYNDROMES

The neurovascular bundle may be compressed in the zone distal to the clavicle as it passes beneath the costocoracoid membrane and pectoralis minor. I. S. Wright has called particular attention to the contribution of the pectoralis minor in this mechanism, and it appears as a significant factor in this broad group with shoulder and radiating symptoms.

Clinical Picture

This syndrome is seen most frequently in young male adults of short, thick-set, stocky stature. It is a more acute condition than the preceding disorders. Shoulder discomfort is related chiefly to the front and in the region of the coracoid process. Numbness and tingling in the fingers, a feeling of the hand going to sleep, and a sense of fullness are the chief complaints. These symptoms may be noted on awakening, but the greatest discomfort occurs during working hours. Investigation frequently shows that the patient is working with his arms in the overhead or above-shoulder position, or that his duties require much lifting and tension in the shoulder-flexed position. Abduction usually is a most irritating maneuver, and the patient obtains relief by keeping the arm at the side.

Tenderness over the coracoid is a frequent finding. The cardinal sign is reproduction of the discomfort by pressure over the pectoralis minor just below the coracoid. At this point deep pressure compresses the neurovascular bundle against the chest, reproducing the radiating signs (Fig. 9–33). Definite motor, sensory, or reflex changes are lacking. The hand may be a little swollen at times, and all fingers will be involved. Frequently the patient himself has observed the position that initiates the discomfort. As a rule, the radial pulse is obliterated on abduction or manipulation of the arm much more easily than on the uninvolved side. Wright has pointed out that, in 80 to 90 per cent of normals, the radial pulse is obliterated on hyperabduction, but there are some in this group in whom the obliteration is produced much more easily and with less extensive change in posture. Not many patients normally retain this posture for any length of time.

Treatment

1. Remove the occupational strain or postural habit initiating the discomfort. Some-

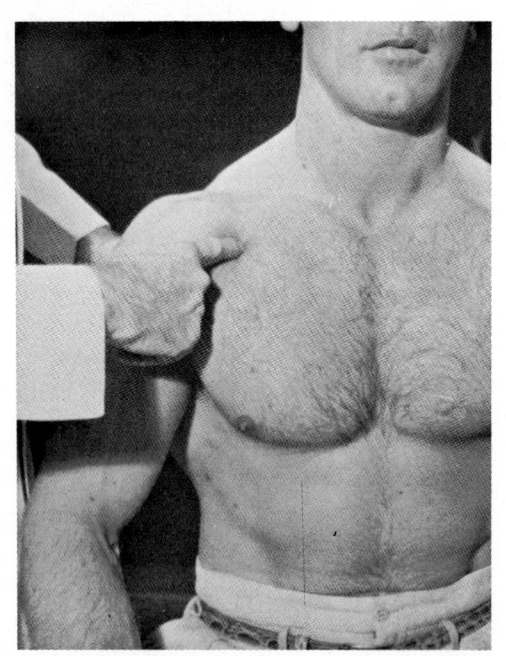

Figure 9–33 Testing for subcoracoid compression of the neurovascular bundle.

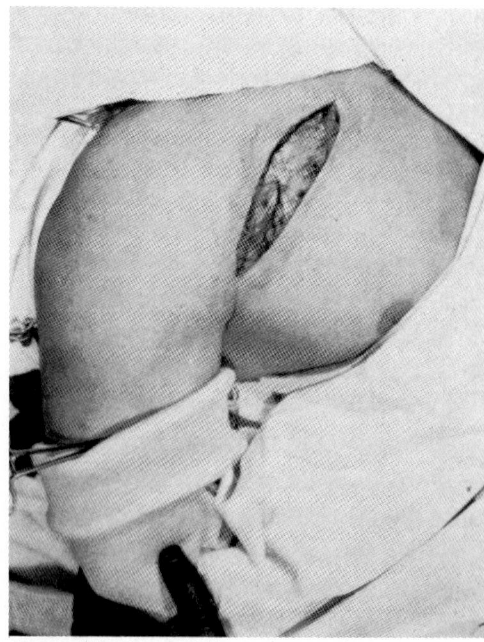

Figure 9–34 Incision for exposure and cutting the pectoralis minor.

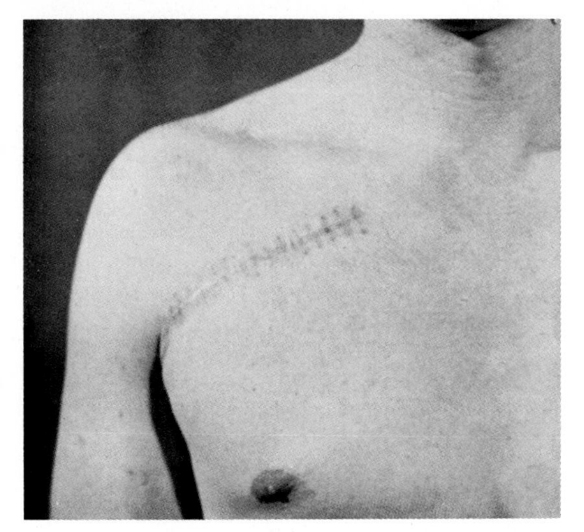

Figure 9–35 Healed incision, postoperatively.

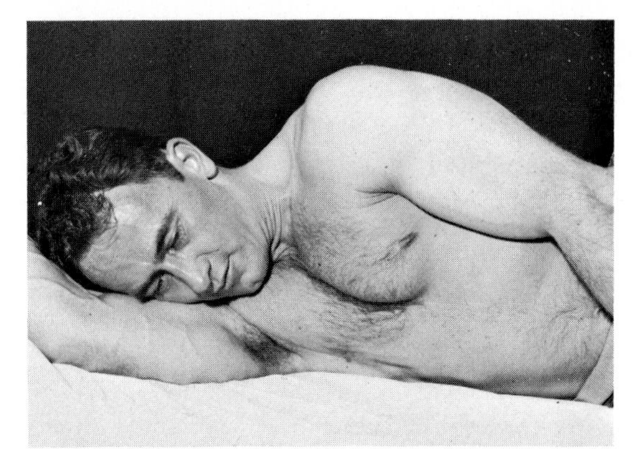

Figure 9–36 Sleep compression of the neurovascular bundle. Note venous distention of the forearm and arm after three minutes in this position.

times, patients work out a satisfactory routine themselves once the disturbance is explained.

2. In long-standing problems, tension on the pectoralis minor may become sufficiently severe to warrant cutting the muscle close to the coracoid. When conservative measures fail, and the symptoms are definitely related to hyperabduction, this is a satisfactory procedure.

Surgical Technique. The arm, axilla, and shoulder area are suitably prepared. The patient is placed in the supine position. The neurovascular bundle is approached through a linear incision 6 inches long, just below the coracoid and centered over the pectoralis minor insertion (Figs. 9–34 and 9–35). The pectoralis major is split in the direction of its fibers. Beneath this muscle, the pectoralis minor can be identified at its attachment to the coracoid process. The muscle is cut close to the insertion, between a pair of inserted clamps. It is retracted medially, exposing the neurovascular bundle. By gentle dissection, the bundle is freed of any adhesions. The pectoralis minor is allowed to retract as it will. Sometimes a thick costocoracoid ligament is encountered, and this is cut also. Any obvious adhesions involving the neurovascular bundle are excised.

SLEEP DYSESTHESIAS OR NOCTURNAL ARM DISTURBANCES

The final group of patients manifesting radiating discomfort due to neurovascular compression consists of those whose symptoms are associated with sleep or recumbency. This is a common disturbance, and many descriptive terms are applied, such as nocturnal dysesthesia (Wartenberg), sleep tetany, waking numbness, nocturnal palsy, and morning numbness. The experience of awakening with the arm and hand asleep is common to all. For example, the neurovascular bundle may be compressed by lying on the side with the arm under the body. Resting with the arm in the abducted and externally rotated position may stretch the nerves and vessels, leading to the typical tingling discomfort in hand and fingers. This may assume pathologic proportions if the irritation is prolonged. One of the most interesting clinical experiments ever reported is that of T. W. Wood, who produced the signs and symptoms of this group by sleeping with the arm in the abducted position (Fig. 9–36). Numbness, tingling, paresis, and even trophic changes appear to be dramatically relieved by the assumption of a normal posture.

Clinical Picture

These patients are usually between 40 and 60 years of age, and complain of some mild shoulder ache, but the dominant discomfort is in hand and fingers. It is noted chiefly on awakening in the morning or after resting for a period. It often wakes the patients at night and they get up and walk around the room, flicking the hand and arm to restore feeling and circulation. The discomfort goes quickly, since almost any movement brings relief. They may return to bed and go through the same performance again. Often they learn to sleep with the arm hanging over the side of the bed, or in some other unusual position. A common cause is some change in normal sleeping habits because of a different bed, new surroundings, or having to lie in the same position to avoid irritating some sore part of the body. It is not a serious disorder and almost never progresses far enough to produce motor, sensory, or trophic disturbances. Paresthesias involve the whole hand, but the medial border more prominently. This has been ascribed to traction on the inferior cord of the plexus, which produces discomfort in the ulnar nerve distribution.

Treatment

Avoiding the irritating position relieves the discomfort. Patients often are a little incredulous when this is suggested as a remedy. Some study and effort may be needed to break sleep habits, since the positions that cause the provocation vary widely. A short or too-small bed is a common cause, since it forces the patient to sleep in a cramped position or to keep the arm at an unusual angle. It may be necessary to keep the arm at the side by tying the wrist to the side of the bed. Sedation is to be avoided because deep sleep aggravates the condition.

RAYNAUD'S DISEASE, ACROPARESTHESIAS, THROMBOANGIITIS OBLITERANS

Mention is made of these disorders because they may be confused with some of the preceding conditions. They differ profoundly in that there is no aspect of shoulder discomfort, no relation to arm or shoulder movement, and body posture has no effect. The peripheral symptoms are very similar, however, accounting for the confusion. Raynaud's disease is manifested by profound peripheral vasomotor upset. Blanching of the fingertips occurs in spasm, followed by painful reddening or cyanotic suffusion of the same zone. Exposure to cold precipitates these attacks, both hands usually being involved. Acroparesthesia is a much milder disorder, encountered chiefly in women about the menopausal age. Painful reddening of the fingers is the common finding and is sometimes, but not always, related to exposure to cold. Alleviation of symptoms has been reported following proper hormonal therapy. Acrosclerosis or acroscleroderma is a condition with similar finger and hand discomfort, distinguished by skin disturbances such as excess corneal layers and thickening. Thromboangiitis obliterans involves the upper extremity, producing finger discomfort also. The altered radial pulsation, the progressive nature of the disease, the usual relationship to smoking, phlebitic episodes, and trophic ulceration are distinctive.

REFLEX DYSTROPHY OF THE UPPER EXTREMITY (SHOULDER-HAND SYNDROMES)

The shoulder is linked with the hand in a symptom complex presenting the features of a reflex sympathetic disturbance. This is a picture of neurovascular upset that develops as a result of sympathetic stimulation. In most cases it is secondary to some other factor, but the reflex dystrophy phenomenon becomes so predominant that common usage has labeled it a cause when it is really a result (Fig. 9–37).

We are familiar with reflex sympathetic dystrophy in the lower extremity, such as that established by Sudeck's classic description of post-traumatic osteoporosis. It is reasonable to anticipate that a similar disturbance may occur in the upper extremity. Recent observations show clearly that, in addition to injury, other disorders occur of a purely medical nature, resulting in a dystrophy involving shoulder and hand. The underlying construction of the upper extremity is such that reflex sympathetic disturbances will draw together the shoulder and hand if there is involvement of either as a primary episode. The swollen hand following a Colles' fracture in the elderly female is a classic example; the shoulder movement is unconsciously limited when the peripheral grasping end is thrown out of kilter. The stimulus for use of the whole extremity is no longer active, so that parts at a distance are affected. Similarly, by the same mechanism, a shoulder bruised by a fall on a slippery kitchen floor may result in a painful swollen hand.

The shoulder-hand syndrome is a clinical complex that can arise following heart disease, hemiplegia, herpes zoster, thoracic disease, thrombophlebitis, and trauma. In addition, there is a group of cases in which no

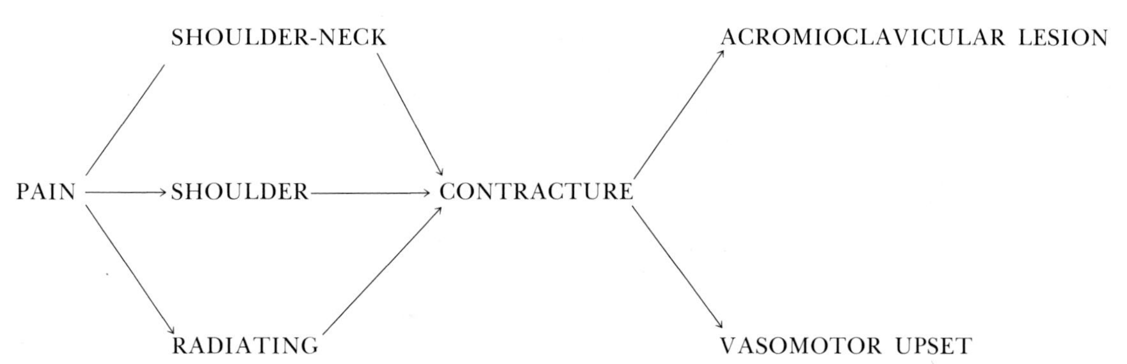

Figure 9–37 Stages in the development of reflex dystrophy.

clear incident or primary factor may be found. These patients have the typical dystrophic hand with profound shoulder involvement, and constitute the so-called idiopathic group; however, they are a minority. Budeck, Steinbrocker, and De Takats have done outstanding studies of this whole group of disorders. In many cases, when primary etiology is not apparent, more careful search will show trauma as the cause.

Signs and Symptoms

Pains begin in the shoulder area, but shortly shift to the periphery, accompanied by limitation of movement, swelling, and a dusky hue to the skin (Figs. 9–38, 9–39, and 9–40). The hand is warm at first, but later becomes cold, and sweating is increased. The pain is diffuse and does not conform to isolated nerve patterns. The part is sensitive to pressure or manipulation, and the sensitivity increases to a point at which the patient wears an anxious expression and is fearful of the slightest movement. The complex obviously involves the shoulder, but the most painful aspect develops in the hand. The elderly patient with a fracture of any kind that must be immobilized in a plaster cast or sling may develop the whole complex, which becomes far more difficult to treat than the initial injury. Since not all cases of stiff shoulder develop the severe vasomotor upset in the hand, the controlling causes are not quite clear.

There is limitation of shoulder movement in all directions. The pain is a dull, burning ache rather than a lancinating, sharp discomfort of nerve root irritation. The hand is uniformly swollen, painful, and tender. The important aspect of diagnosis is to determine the source of the primary disturbances, rather than be satisfied with recognizing the secondary syndrome. The

Figure 9–38 Shoulder-hand syndrome. Note limitation of shoulder motion and the swollen right hand.

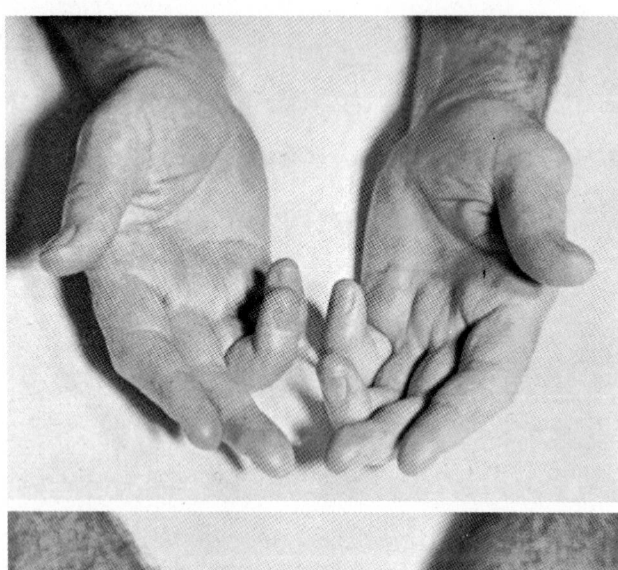

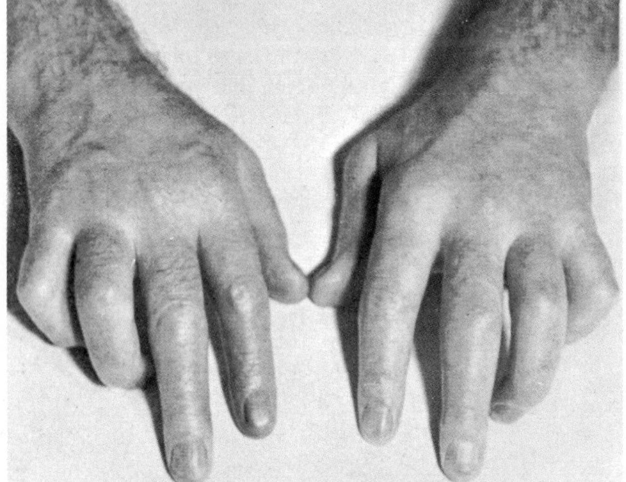

Figure 9–39 Shoulder-hand syndrome. Note swollen fingers with shiny tips.

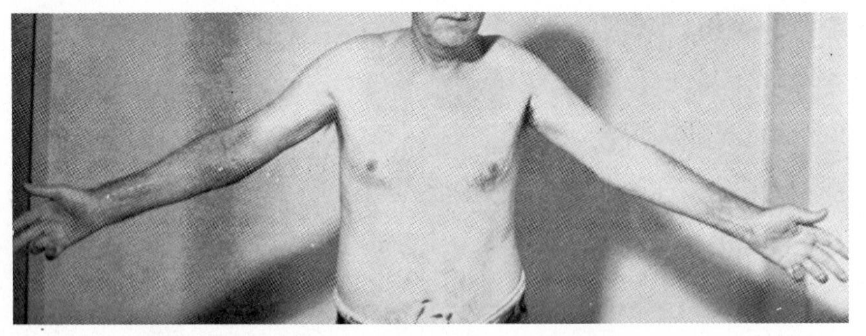

Figure 9–40 Example of bilateral shoulder-hand syndrome.

presenting reflex dystrophy often masks the underlying disturbance; danger lies in treating this syndrome and not recognizing it as a result, rather than a primary cause. For instance, a heart problem may be neglected while the hand and shoulder are treated. The common causes of this syndrome are found in: (1) the shoulder; (2) trauma to any part of the upper extremity; (3) the heart; (4) the chest; (5) the neck; and (6) the nervous system.

Etiology and Pathology

Sympathetic stimulation is presumed to be the cause of this disorder. Clinical observation and response to therapy, rather than a definite physiologic demonstration, are the basis for this conclusion. Similar disorders elsewhere in the body, like Sudeck's atrophy, are explained on the same grounds. It is a profound neurovascular upset, but the various trigger mechanisms setting it off are not all clearly understood. One form of sympathetic upset that has a proved neural association is the symptom complex known as causalgia. Its features are burning pain, swollen hand, glassy skin, and a trigger-like response to certain stimuli. An over-irritated sympathetic reaction is the suggested cause of this condition, and possibly somewhat similar mechanisms operate in the shoulder-hand complex. A course of afferent stimuli is set up that calls forth both a peripheral and central response that, in turn, develops hyperreactive or hypersensitive properties, and a vicious cycle is established. A study of this mechanism involves analysis of both the central and peripheral contributions.

Central Mechanism. In the spinal cord a network of connecting neurons is present in the gray matter. It extends up and down the cord, connecting many segments, and is described as the "internuncial pool" (see Fig. 3–27). Trauma to the upper extremity produces painful sensation or afferent impulses that are recorded in this area. Such impulses may connect with sympathetic or anterior horn motor neurons and be reflected as neurovascular signs and symptoms. Pain is set up in the usual fashion by irritation of afferent receptors in the injured area. Normally this subsides, but if a state of hyperexcitability or hyperacceptability occurs in this central connecting network, there will be a continued or persistent source of irritative impulses bombarding neurovascular connections. Why this imbalance should persist has many conjectural explanations. It has been postulated that persistent pain impulses are due to scar and fibrosis about the injured area, producing the hyperexcitable internuncial pool. If the reflex is interrupted at any point, the cyclic persistent chain of symptoms is broken. Apparently the result of this persistent pain irritation is the production of a preliminary sympathetic paralysis, which would account for the vasodilation seen clinically, which, in turn, is followed by a sympathetic overactivity, resulting in vasoconstriction. The late changes in the disorder are caused by vasoconstriction. The osteoporosis is due to the hyperemia that occurs in the early stages.

Peripheral Changes. These are a little more clearly defined because sweating, congestion, blushing, and swelling are mediated by sympathetic fibers. In the main nerve trunks lies the vasoconstrictor control from which fibers are distributed to the periphery. The arterioles are principally supplied, and there is a greater concentration of these in the hand than in the shoulder, which explains the profound involvement of the hand in a sympathetic upset. Normally a restraining constrictor tone is maintained, and when this is cut or released, vasodilation occurs. Sympathetic irritation also increases sweating because the sweat glands have sympathetic supply. A local axon reflex is also at work, because local pain stimuli produce vasodilation that may persist as long as the pain lasts. The reaction in the shoulder follows the appreciation of pain. Possibly in an effort to avoid any stimuli, the joint is kept still, and secondary changes develop in synovium and capsule. Movement at the shoulder then initiates further pain, which falls on a system already hyperactive to such stimuli, so that the whole process is reinforced.

SHOULDER DISORDERS INITIATING REFLEX DYSTROPHIES

This syndrome can develop in almost any of the shoulder disorders that have been discussed. The onset of pain sufficiently severe to cause the patient to immobilize the shoulder, and hence the extremity, can be followed by sympathetic upset. The peripheral pain may quickly dominate the situation, and the shoulder becomes of secondary importance.

What produces the sympathetic disturb-

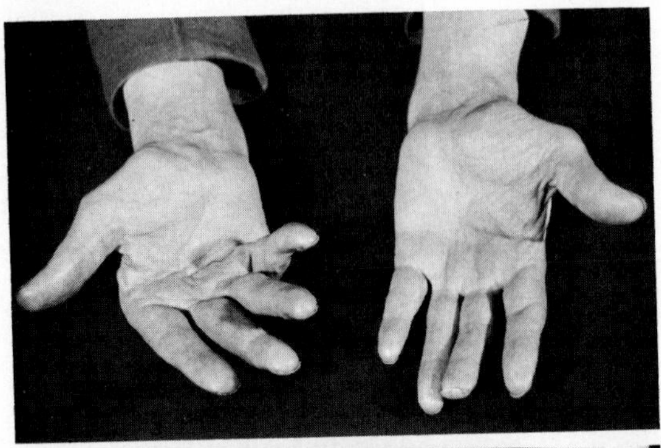

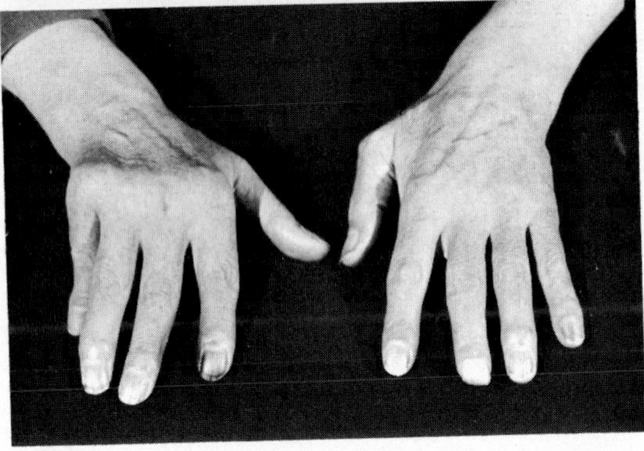

Figure 9–41 Late changes in shoulder-hand syndrome; contracture of the fingers is almost like Dupuytren's contracture.

ance in one patient and not in another is not clear. Thus, tendinitis, calcific tendinitis, cuff rupture, bicipital lesions, cervical disks, cervical arthritis, scalenus disturbances, cervical rib, and so forth, can all be followed by this sympathetic upset. In general, the shoulder conditions that result in reflex dystrophy occur in the older age-group. Reflex dystrophy is not seen in the disorders of industry and occupation unless some other factor, such as indiscriminate immobilization, has been added.

Trauma. In the older age-group, almost any injury to the upper extremity may be followed by limitation of shoulder movement and a painful swollen hand. A Colles' fracture or sprained wrist may be followed by a profound sympathetic upset. Carrying the arm in a sling for two weeks in treatment of a sprained wrist may be enough to set off a full-blown reflex dystrophy. The mechanism in this instance is that of synovial and capsular contraction at the inferior aspect of the joint as the beginning of the freezing process. This restricts shoulder movement, and when an attempt is made to break down this process the pain occurs, which the patient instinctively interprets as an indication to keep the arm tight at the side, so that the whole process starts over. We are all familiar with such a shoulder lesion arising from a slight sprain in older people. The late changes of soft tissue contracture are similar to those resulting from immobilization, but in this instance the immobilization is produced by the pain. The ulnar supply to the forearm is chiefly involved, possibly owing to the greater susceptibility of the inferior cord, along with the vessels, to irritation (Fig. 9–41).

Cardiac Etiology. It has long been known that this syndrome can develop after myocardial infarction. A stiff painful shoulder is noted three to four weeks after a cardiovascular accident, to be followed later by changes in the hand. Sometimes, after subsidence of the acute symptoms, atypical ulnar, nerve-like flexion contracture of the hand remains. All the structures, periarticular as well as soft parts, are involved and may become fixed.

Myocardial damage can be reflected in the internuncial or spinal cord connecting network through superior, middle, and inferior cardiac nerves. Impulses passing along these nerves to the pool radiate to sympathetic synapses, initiating the characteristic vasomotor changes. The cardiac infarction may heal, but it is presumed that the internuncial pool continues to reflect afferent impulses that perpetuate the sympathetic stimulation. It is more probable that the sympathetic upset, once initiated, is difficult to correct and that, under some circumstances as yet not understood, it may be a self-perpetuating process. Added to this chain is the damage from immobilization and disuse, which augments the whole process. The hand signs frequently appear on both sides in the postmyocardial group, but the left predominates. This is, as would be expected, the result of the central location of the primary disorder. Cardiac infarction is not needed to produce the syndrome, since other heart abnormalities, such as persistent angina and auricular fibrillation, have been recorded as being followed by the typical reflex disturbances.

Cerebral Lesions. The paralyzed extremity of the hemiplegic often presents the typical picture of sympathetic dystrophy. The cerebrovascular accident interferes with autonomic control, in addition to disrupting motor function. The paralytic extremity is fertile ground for the development of reflex abnormalities from the process of immobilization. It does not seem necessary to postulate a separate cerebral mechanism. Disuse atrophy and capsular contraction are common unless specific steps are taken early to prevent them.

Miscellaneous Disorders. Many other conditions have been reported as causing the shoulder-hand syndrome. Herpes zoster affecting the neck-shoulder zone is frequently followed by the sympathetic changes. Once the primary disorder comes under control, the sympathetic disturbances usually subside.

Treatment of Shoulder-Hand Syndrome

Treatment of the Underlying Condition. It should be emphasized that this is a symptom complex arising from a great many completely unrelated disorders. All these conditions must have appropriate treatment first, and if this does not improve the sympathetic dystrophic disturbance, attention is paid to the local condition. If the syndrome is recognized, it may be possible to treat the primary and the complicating condition at the same time.

Treatment of Predominant Hand Deformity. In some instances, even though the shoulder is implicated, the ongoing and more serious impairment is the severe contracture in the hand. A method of dealing effectively with this aspect has been introduced by Wiley, and consists essentially of regional intravenous anesthesia, followed by manipulation of the joints.

The technique is to start an intravenous injection in the involved forearm; a double tourniquet should be applied, if available, but a single one can be used. A local anesthetic such as Xylocaine, 20 to 30 ml of a 1/4 to 1/2 per cent solution, is injected into the forearm. The proximal tourniquet is then released while the distal tourniquet remains intact, but it is now less painful because of the local anesthetic injection. Forty to 80 mg of intravenous steroid (Solu-Medrol) may be used. Allowing a few minutes for this to diffuse through the extremity, the operator then manipulates the contracted joints very carefully, taking the fingers through a full range of motion. The tourniquet remains in place to allow the Solu-Medrol to remain diffused into the interstices of the extremity.

Treatment of Sympathetic Upset. Interruption of the sympathetic supply by stellate ganglion injection has been the most effective therapy. The injection may be made with a local anesthetic, thereby changing the sympathetic imbalance. It must be done with great care under the best of conditions. It is a safe procedure in skilled hands, but serious complications can develop. It is preferable to perform it in the hospital or in the outpatient department since oxygen and resuscitation facilities are available if needed. Depending on the response, it may be repeated at three- to seven-day intervals.

TECHNIQUE OF STELLATE BLOCK. Most of these techniques are based on the anatomic relationship of the stellate ganglion to cervical prevertebral fascia. The ganglion lies behind the tough prevertebral fascia in front of the transverse process at the level of C.7 and T.1. The fascia is penetrated above the ganglion zone, and the local anesthetic is allowed to run down, diffusing over the sympathetic trunk and the ganglia. The fascia prevents a superficial leak of the solution. Caldwell and associates have presented a most careful study on the "short-needle" technique, which is safer, quicker, and more effective than those previously described. The simplest approach is that of Patzer. With the patient lying down, the chin is tilted up and away from the sore side. The thumb of one hand displaces the transverse process of C.6. This is felt by noting the prominent C.7 spine posteriorly and the cricoid cartilage lower border anteriorly. The needle is inserted just behind the thumb, and angled medially until the transverse process is felt. It is then slid over the anterior aspect a little, ending medially to the scalenus anticus muscle. Before injection of the solution, the needle is observed for cerebrospinal fluid regurgitation. One milliliter of 2 per cent Novocain is inserted slowly; after a short pause to observe any response, a further 4 ml is inserted. A good block produces ptosis, enophthalmos, myosis, and ipsilateral anhydrosis, in addition to pain relief and increased warmth of the extremity.

Complications may occur such as pneumothorax, hemothorax, subarachnoid injection, and reaction to the anesthetic agent. It is well for the procedure to be carried out in a hospital where oxygen and resuscitation are immediately available; only those completely familiar with the technique should use it. Intravenous administration of Pentothal or other barbiturates counteracts anesthetic reaction. Despite this formidable list of possible accidents, they are infrequent, and should not constitute a contraindication if reasonable precautions are taken. There are other techniques, for which the reader is referred to the listed references.

Specific Physiotherapy in Shoulder-Hand Syndrome

Since both shoulder and hand are involved, this is a painful condition, and exercise therapy must be initiated gradually, with care to avoid the brusque approach. More tact is needed to deal with these patients because they are older and a little less pliable, and other disorders often complicate the picture. Cooperation is essential in all exercise programs, and a special effort is needed in this syndrome. The usual program is to give the stellate blocks at weekly intervals. It is in the period shortly after the block, when pain is most effectively relieved, that exercise should be started. Once there has been some relief of pain, much of the limiting spasm disappears, and the patient reports a sense of freedom.

Hand Exercises. Opening and closing the hand as a whole is started. This is repeated until a rhythm is developed, and the same routine is carried out with the opposite hand, which reinforces the movement pattern. This movement is done 10 to 15 times, depending on the patient's response and tolerance. A short rest period is allowed, followed by a similar effort. When the fist is opened, the fingers are fanned. In clenching the fist, the thumb is brought alternately inside and outside the fingers. Attention is paid then to strengthening the finger action, to individual finger action, and to increasing wrist movement. If finger movement is particularly sluggish, or if the stellate block effects have worn off, hydrotherapy may help. An ordinary basin of warm water or a whirlpool bath seems to ease the pain and spasm, and the buoyancy favors movement. Some gentle passive assistance can be added, but movements must be kept within the pain threshold. One suggested routine is five minutes of exercise every hour, then ten minutes every two hours, followed by 15 minutes four times a day.

Shoulder Exercises. The nature of the underlying lesion governs the amount and extent of the shoulder exercise. In most patients it is preferable to start in the supine position. The elbow is flexed and the arm is lifted forward. This exercise is repeated until rhythmic movement is possible. With the confidence gained on flexion, abduction then is attempted, repeated, and carried to the pain limit. Keeping the elbow flexed aids this movement. Rotation is then started with the forearm at a right angle and the hand resting on the bed. External rotation is attempted and gradually increased over a week, after which some improvement should be noted and some confidence restored. The shoulder routine is alternated with the hand routine, and done for the same periods.

Sitting, pendulum, or standing exercises are started next. These also are not so extensive as in other shoulder routines, because of the pain and the usual general condition. Flexion with elbows flexed is started, and then abduction with elbows flexed is added. Rotation is started with the arm at the side. Later, with elbow extended, flexion and abduction are initiated. Gradually these fundamental movements are put together in composite acts, such as touching the back of the neck, reaching the hand behind into the back pocket, and crawling up the back to the shoulder blade. When pain is controlled, gentle passive stretching is added in acts such as placing both hands behind the head and pushing elbows backward. Heavy resistance and powerful pulley exercises are not used in these conditions. Over a period of three to four weeks, stellate blocks are continued, along with the exercise instruction. After six weeks, the patient is encouraged to carry on the routine without assistance, but supervision for a longer period is necessary in refractive cases. Exercises done in conjunction with transcutaneous nerve stimulation are extremely helpful.

Physiotherapy. Supervised physiotherapy is most important, and should be combined with the other techniques. There is little use in paying attention to the vascular disturbance alone, unless the supporting muscle function keeps pace with it.

Surgery. In intractable cases, surgical sympathectomy may be considered when not contraindicated by serious primary disease or primary disturbances.

Drug Therapy. Sympathomimetic drugs such as Priscoline (tolazoline hydrochloride) can be used to support the other measures.

Cortisone. The use of cortisone in relatively small dosage is effective in this disorder when primary conditions do not contraindicate. The cortisone relieves the pain and improves muscle function, counteracting the sympathetic upset. It may be started with 5-mg tablets, and the patient may be carried on this as a maintenance dose for two to three weeks. As with the other methods, treatment of the primary cause and physiotherapy to the affected part are applied at the same time.

TREATMENT SUMMARY FOR SHOULDER AND RADIATING PAIN

CERVICAL ROOT SYNDROME

1. Recognize the common cause as intraforaminal compression, but remember that more serious lesions such as tumors are possible.
2. Remember special methods of investigation: oblique x-rays; contrast studies; cerebrospinal fluid analysis.
3. Excise tumors, but treat other lesions conservatively, as a rule.
4. Apply traction by hospital or home apparatus (see cardinal rules for application of cervical traction given in Chapter 15).
5. Follow with a plaster collar or light chin splint if necessary.
6. Instruct patient in proper sleeping routine, with a small pillow and firm bed, as per conservative neck care routine.
7. Cases unrelieved by conservative means are few, but in these few, cervical laminectomy or foraminal decompression is indicated.

CERVICAL RIBS

1. Recognize this lesion by the neurovascular character of symptoms, often bilateral, and the typical x-ray studies.
2. Try a conservative program of exercises first; avoid irritating positions and occupational strain.
3. In patients with persistent symptoms, do scalenotomy with or without resection of the rib, depending on the condition found at operation.
4. Remember that vascular anomalies frequently accompany the rib disturbance, and unusual formations may be encountered at operation.

SCALENE SYNDROME

1. Remember this possibility when symptoms and signs are suggestive of a cervical rib but radiographs are negative.
2. Special signs of scalene irritability include local tenderness, and reproduction of symptoms on tilting head away from the sore side. These are relieved by local anesthetic infiltration.
3. Try a conservative regimen first; if this is unsuccessful, do a scalenotomy.

CLAVIPECTORAL COMPRESSION SYNDROMES

1. Think of this group of disorders as an explanation for cases not fitting well into cervical rib or scalene categories.
2. Recognize the common pattern of neurovascular radiating discomfort of moderate severity, and then consider the subgroups of costoclavicular, postural, hyperabduction, and nocturnal disorders.
3. *Costoclavicular Lesions.* Prevent irritating activities, improve muscle tone and power of suspensory group. Eradicate obvious structural abnormalities of clavicle.
4. *Postural Group.* In the acute phase, use sling support for both arms, rest, and physiotherapy. Improve general systemic health. Treat any obvious irritating lesion such as trapezius paralysis.
5. *Hyperabduction Syndrome.* Think of this disorder in young, active men of stocky stature who perform heavy labor. Correct the work or recreational habit that initiates the symptoms: usually, unaccustomed or excessive hyperabduction. Cut pectoralis minor in refractive cases.
6. *Sleep Disturbances.* This common complaint is often initiated by a change in sleeping position or surroundings. Break the habit of compressing the shoulder or upper arm region during sleep.

SHOULDER-HAND SYNDROMES

1. Recognize this as a symptom complex that may be started by many disorders; trauma and cardiac and cerebral disturbances are the commonest.
2. Treat the primary disorder appropriately.
3. Treat the sympathetic upset by stellate blocks or sympathomimetic drugs.
4. Give cortisone in relatively low dosage when there are no systemic contraindications.
5. Good physiotherapy to both shoulder and hand should accompany all measures.

TESTS FOR SHOULDER AND RADIATING PAIN

Disks.

Tilting head and neck to the painful side produces pain.

Scalenus Anticus.

Tilting head and neck away from painful side produces pain.

Costoclavicular Test.

Backward and downward pressure on shoulders produces discomfort.

Hyperabduction Syndrome.

Abducted position of the arm reproduces the discomfort and the obliteration of radial pulse; these are relieved by the arm hanging down.

CERVICAL FORAMINA STENOSES

The three foramina of the cervical spine, its nerve roots, and the vertebral artery may become obstructed partly or completely by exostoses. For many years these changes were regarded as completely innocuous, but more recent assessment has shown that this is not so.

Irregular bony overgrowth may develop as a degenerative change, as the result of metabolic abnormalities, as congenital aberrations, from trauma, or from a combination of these disturbances. Depending on the location, size, and contour, symptoms run the full gamut from headache to paraplegia. The vital contents of these foramina of the spinal cord, nerve roots, or artery may be seriously involved by the resulting distortion when there is added cervical spine motion on either a natural or pathologic basis.

Many factors add to the propensity for foraminal encroachment, and none of the major foramina are immune to these influences. The site, extent, and rapidity of formation comprise one segment of the cause; the other irritant is the movement of the cervical spine and its segments. Variants of location include site and level; variants of severity include local and systemic disease; variants of progression include trauma, metabolic aberrations, and degenerative processes (see also Chapter 15).

Historical Development

Parts of this general entity have been identified and the process recognized principally in relation to cervical nerve root pressure. From this the realization has gradually developed that the spinal cord also may be involved in almost identical processes, and it has been a natural corollary to appreciate that the vertebral artery also may be afflicted.

In 1943, Simms and Murphy reported the surgical treatment of cervical disk protrusion causing nerve root compression. In 1892, Gowers had alluded to vertical body changes in rheumatoid arthritis as potential cord irritants. More recently Stookey, Elsberg, and Buoy identified these changes as chondromas, and presented meticulous studies of their neurosurgical management. Frykholm described changes of this nature in 1951, and presented foraminotomy as a solution. A monumental study by Keys and Compere more accurately interpreted the primary pathology of these lesions, relating them to intervertebral disk distortion. Bain and associates in 1951 and 1954 reported extensively on clinical spondylosis, and more recently Brain and Wilkinson have contributed excellent monographs, including reference to the vertebral foramen complications involving the vertebral artery.

Basic pathologic changes are common to all three of the major foramina, but the relative extent of involvement in each instance may produce a completely different syndrome, so that from a practical standpoint it seems reasonable to refer to the general process as "foraminosis," and then elucidate the common changes relative to the vertebral canal, nerve root canal, or vertebral artery foramen.

VERTEBRAL FORAMINOSIS

Osteophyte formation on the margin of the vertebral bodies is an accepted development with increasing age. These changes so commonly seen in x-ray examinations may never be the source of clinical disturbance, but a variety of factors imposed after they have developed may usher in a clinical state. The cervical cord is able to adapt profoundly to encroachment on the foramen, but should the canal be smaller than normal, the developing ridge or bar can encroach abnormally and cause spinal cord pressure.

In this connection, the significance of the width of the vertebral foramen has been appreciated, and careful studies carried out estimating the normal size. The spinal cord has considerable leeway for displacement. The average segmental dimension has been estimated at 17 mm, and the average anteroposterior dimension of the cord as 10 mm. Those patients presenting symptoms of myelopathy have been estimated to have an anteroposterior measurement of 14 mm (Payne and Spillane, 1957). The critical measurement has been estimated by Brain and Wilkinson at 11 mm. If the canal measurement is 11 mm or less, encroachment on the cord is possible.

Stenosis of the cervical canal of sufficient severity to produce neural signs and symptoms is encountered in a variety of states, the commonest entities including degenerative changes, rheumatoid disease, congenital abnormalities, Strümpell-Marie spondylitis, Paget's disease, and disk protrusions.

Clinical Manifestations

Regardless of the precipitating entity, a common picture may be recognized featuring profound neurologic disturbance. Some variations according to the individual disturbance then may also be identified.

The outstanding feature is the creeping or insidious onset of symptoms that for some time may not be identified as coming from cervical cord involvement. Weakness in the lower limbs and a creeping spasticity that gradually interfere profoundly with gait are salient findings.

In contrast, sensory changes are sparse. A sign of importance is Lhermitte's sign, a test in which passive flexion of the neck initiates a lightning-like pain through the spine. A startling finding is that the structural changes can progress to the point where there is a complete block in the myelogram, and yet there may be relatively little clinical change. In many instances upper limb symptoms are present, but in the entity under discussion, vertebral canal spondylosis, these are of secondary prominence; the two conditions can coexist in varying degrees. Trauma often precipitates the clinical picture, and may either incite an acute reaction or be only an insult that speeds changes to a climax one or two years later.

Myelography is essential to identify the lesion, and electromyography is extremely helpful in depicting the complete pattern of the neural involvement. It also assists considerably in sorting the cord and root involvement (see also Fig. 15–22).

The changes as a whole are less severe than cord compression caused by tumor, and differ particularly in not having the profound sensory loss or interference with sphincters, except in the very late stages.

Strümpell-Marie Spondylitis. Ankylosing spondylitis predisposes to a type of cervical instability that encroaches upon the vertebral canal, particularly at the level of the atlantoaxial joint. Subluxation of the atlas on the axis is now recognized as a frequent complication of this disease, and may lead to significant cord signs. Stabilization of C.1 and C.2 has become the treatment of choice.

Rheumatoid Arthritis. When the cervical spine is involved in rheumatoid arthritis, subluxation of the vertebral bodies may develop at various levels. Narrowing of the interbody space and osteophyte formation contribute to possible foraminal encroachment.

Congenital Anomalies. A variety of these may progress so as to encroach upon the spinal canal. A common vertebral body anomaly, fusion of two or more adjacent vertebrae, may constitute a mechanical disturbance as aging progresses. Coalescence of the vertebral bodies focuses greater motion at the mobile level above and below the fused area, and enhances wear and tear changes. In most instances symptoms do not arise from such a development, but it can happen that the addition of trauma or systemic disease to this state may favor vertebral foramina encroachment.

REFERENCES

Amick, L. D., et al.: The holistic approach to the shoulder-hand syndrome. South. Med. J. *59*:161, 1966.

Baer, R. D.: Shoulder-hand syndrome: its recognition and management. South. Med. J. *59*:790, 1966.

Bailey, R. W., and Bedgeley, C. E.: Stabilization of the cervical spine by anterior fusion. J. Bone Joint Surg. *42A*:565, 1960.

Bielecki, A., et al.: A case of cervical rib with compression of the neurovascular bundle of the right arm. Chir. Narzadow. Ruchu Orthop. Pol. *30*:405, 1965.

Bozyk, Z.: Shoulder-hand syndrome in patients with antecedent myocardial infarctions. Reumatologia *6*: 103, 1968.

British Association of Physical Medicine: Pain in the neck and arm: a multicentre trial of the effects of physiotherapy. Br. Med. J. *5482*:253, 1966.

Cailliet, R.: Pain in neck and arm. Diagnosis by history and examination. Calif. Med. *108*:99, 1968.

Cailliet, R.: The diagnosis of neck and arm pain by examination. Ill. Med. J. *133*:277, 1968.

Cinquegrana, O. D.: Chronic cervical radiculitis and its

relationship to "chronic bursitis." Am. J. Phys. Med. *47*:23, 1968.
Claessens, H., et al.: Vasculo-nervous reflex changes in the upper limb. J. Belg. Rhum. Med. Phys. *20*:83, 1965.
Cloward, R. B.: The anterior approach for ruptured cervical disks. J. Neurosurg. *15*:602, 1958.
Connolly, E. S., et al.: Clinical evaluation of anterior cervical fusion for degenerative disk disease. J. Neurosurg. *23*:431, 1965.
De Villiers, J. C.: A brachiocephalic vascular syndrome associated with cervical rib. Br. Med. J. *5506*:140, 1966.
Duplay, S.: On scapulohumeral periarthritis. Med. Press *69*:571, 1900.
Editorial: Shoulder-hand syndrome. Lancet *1*:850, 1974.
Flat, A. E.: Shoulder-hand syndrome. Letter. Lancet *1*:1107, 1974.
Freiberg, J. A.: The scalenus anterior muscle in relation to shoulder and arm pain. J. Bone Joint Surg. *20*:860, 1938.
Friedenberg, Z. B., Edeiken, J., Spencer, H. N., and Tolentino, S. C.: Degenerative changes in the cervical spine. J. Bone Joint Surg. *41A*:61, 1959.
Gregorius, F. K., et al.: Cervical spondylotic radiculopathy and myelopathy. A long-term follow-up study. Arch. Neurol. *33(9)*:618, 1976.
Hadley, L. A.: The co-vertebral articulations and cervical foramen encroachment. J. Bone Joint Surg. *39A*: 910, 1957.
Hantz, E., et al.: Bilateral cervical rib syndrome complicated by osteolysis of the distal phalanges. Bull. Soc. Chir. Paris *56*:38, 1966.
Harris, J. D., et al.: Vascular complications of cervical ribs. Aust. N. Z. J. Surg. *34*:269, 1965.
Honet, J. C., et al.: Cervical radiculitis: treatment and results in 82 patients. Arch. Phys. Med. Rehabil. *57(1)*:12–16, 1976.
Howard, L. G.: Neck and shoulder pain syndromes. Med. Clin. North Am. *36*:1289, 1952.
Hunt, J. C., et al.: A convalescent cervical collar. Am. J. Orthop. 7:109, 1965.
Kirkaldy-Willis, W. H., et al.: Surgical approaches to the anterior elements of the spine: indications and techniques. Can. J. Surg. *9*:294, 1966.
Korst, J. K., van der, et al.: Phenobarbital and the shoulder-hand syndrome. Ann. Rheum. Dis. *25*:553, 1966.
Kosina, W., et al.: Neurological disorders and radiological diagnosis of developmental abnormalities of the cervical spine. Reumatologia *3*:135, 1965.
Kucik-Scherffowa, Z., et al.: Three cases of hand-shoulder syndrome with degenerative changes of the cervical spine. Wiad. Lek. *19*:143, 1966.
Laurin, C. A.: Cervical traction at home. Union Med. Can. *95*:80, 1966.
Lippman, R. K.: Frozen shoulder: bicipital tenosynovitis. Arch. Surg. *47*:283, 1943.
Maldyk, H., et al.: The cases of shoulder-hand syndrome treated satisfactorily with griseofulvin. Reumatologia *4*:97, 1966.
Mayfield, F. H.: Cervical spondylosis. Observations based on surgical treatment of 400 patients. Postgrad. Med. *38*:345, 1965.
McLaughlin, H. L.: On the "frozen" shoulder. Bull. Hosp. Joint Dis. *12(No. 2)*:383, 1951.
McMillan, J. A.: Therapeutic exercises for shoulder disabilities. Phys. Ther. *46*:1052, 1966.
McRae, D. L.: The cervical spine and neurologic disease. Radiol. Clin. North Am. *4*:145, 1966.
Michelsen, J. J., and Mixter, W. J.: Pain and disability of shoulder and arm due to herniation of the nucleus pulposus of cervical intervertebral disks. N. Engl. J. Med. *231*:279, 1944.
Murphey, F., et al.: Ruptured cervical disk. Experience with 250 cases. Am. Surg. *32*:83, 1966.
Neviaser, J. S.: Adhesive Capsulitis of the Shoulder. Instructional Course Lectures of American Academy of Orthopaedic Surgeons. Vol. VI. The C. V. Mosby Co.; St. Louis, 1949, pp. 281–291.
Robinson, R. A., and Smith, G. W.: Antero-lateral cervical disk removal and interbody fusion for cervical disk syndrome. Bull. Johns Hopkins Hosp. *96*: 223, 1955.
Robinson, R. A., Walker, A. E., Ferlic, D. C., and Wiecking, D. K.: The results of anterior interbody fusion of the cervical spine. J. Bone Joint Surg. *44A*:1569, 1962.
Roos, D. B., et al.: Thoracic outlet syndrome. Arch. Surg. (Chicago) *93*:71, 1966.
Rosenberg, J. C.: Arteriographic demonstration of compression syndromes of the thoracic outlet. South. Med. J. *59*:400, 1966.
Rovira, M., et al.: Some aspects of the spinal cord circulation in cervical myelopathy. Neuroadiology *9(4)*:209, 1975.
Rubin, D.: An exercise program for shoulder disability. Calif. Med. *106*:39, 1967.
Saadi, M. H.: Unilateral cervical rib with exostosis of the first rib and pseudoarthrosis. Br. J. Clin. Pract. *20*:93, 1966.
Scoville, W. B., et al.: Lateral rupture of cervical intervertebral disks. Postgrad. Med. *39*:174, 1966.
Scoville, W. B.: Types of cervical disk lesions and their surgical approaches. J.A.M.A. *196*:479, 1966.
Servelle, M.: The thoracic approach in vascular complications of cervical ribs. Ann. Chir. Thorac. Cardiovasc. *5*:692, 1966.
Shenkin, H. A., et al.: Scalenotomy in patients with and without cervical ribs. Analysis of surgical results. Arch. Surg. (Chicago) *87*:892, 1963.
Simmons, E. H., and Bhalla, S. K.: Anterior cervical discectomy and fusion. A clinical and biomechanical study with 8 year follow-up. J. Bone Joint Surg. *51B*:225, 1969.
Smith, G. W., and Robinson, R. A.: The treatment of cervical spine disorders by anterior removal of the intervertebral disk and interbody fusion. J. Bone Joint Surg. *40A*:607, 1958.
Steinbrocker, O.: The shoulder-hand syndrome: present perspective. Arch. Phys. Med. *49*:388, 1968.
Ware, C.: Cervical dumb-bell neurilemoma. Proc. R. Soc. Med. *59*:425, 1966.
Wiley, Murray: Personal communication.
Wright, I. S., et al.: The subclavian steal and other shoulder girdle syndromes. Trans. Am. Clin. Climatol. Assoc. *76*:13, 1964.
Wright, V.: The shoulder-hand syndrome. Rep. Rheum. Dis. *24*:1, 1966.

Section IV

TRAUMA TO THE NECK AND SHOULDER

Chapter 10

INDUSTRIAL INJURIES

The many facets of the industrial accident warrant special attention to injuries sustained by workmen, which so often menace their earning capacity that there is always a greater element of fear to overcome. Because a workman's limbs are so frequently his tools, it is mandatory that the most skillful reconstruction possible be obtained. After this has been done, more particular attention to relearning limb action is essential because of his special needs. Finally, it is vital to recognize all the problems involved, taking into account the victim's morale and mental trauma as well as the physical injury. Truly, we must be physicians of the psyche as well as the body.

INJURY MECHANISMS COMMON OR PECULIAR TO INDUSTRY

Consideration of the way in which the workman sustained injury not only provides a lead as to the structures that may be involved, but frequently allows a quick classification of disturbances. There are also special properties of the injury mechanisms as related to the neck and shoulder that merit study, not only of the lesion, but also of its extent and of possible complications. Analysis of the injury mechanism lends itself to consideration under two main headings: (1) those lesions that result from primary action of the body, so-called direct injuries; and (2) those inflicted primarily as a result of some external force working on the inactive fixed body.

PRIMARY OR DIRECT INJURY MECHANISM

Stumbles. The workman stumbles because some unexpected obstacle is encountered and he does not have time to protect his body adequately. It may be a protruding beam at the head or shoulder level, or a carelessly placed object at toe level. He may fall on the shoulder point or on the shoulder-neck angle. In one instance he damages the head of the humerus cuff mechanism; in the other he may stretch the brachial plexus. The element of unpreparedness usually means a more severe injury. If he takes his weight, or the brunt of the fall is borne on the point of the shoulder, he may so stretch the acromio-mastoid dimension that the brachial plexus is implicated. If the shoulder is well padded, some cushioning is obtained and the point of the shoulder bears the brunt, so that he may avulse a small portion of the tuberosity of the humerus or split the insertion of the rotator cuff (Fig. 10–1).

If purely local discomfort and impairment ensue, there has been only a bruising of the involved tissues. Rapid recovery, apart from local tenderness, is the rule. When there is involvement of other elements in the shoulder-neck complex, evidenced by weakness in lifting the arm, more than simple contusion of the tissues has occurred, and investigation of the cuff, or plexus, is required.

Falls. Most falls involve some element of preparedness so that, in addition to possible

Figure 10–1 Some common injury mechanisms in industry.

local contusion, there is the element of damage to the lever that is brought into action to protect the body in the fall. In the case of the shoulder-neck region, the usual protecting mechanism is the outstretched arm, either at the side or at the front of the body. Frequently the protecting lever bears the brunt and suffers most damage. Fracture of the surgical neck of the humerus or of the clavicle, for example, may result when the force has been precipitous. When it has been less severe, it means that the soft tissues have accepted the brunt of the insult and that these may be damaged. In the case of the shoulder, the superior and anterior capsule is most often implicated.

Slips. The action of slipping involves body imbalance that most often brings the body into the extension phase, because the slipping force propels the lower part forward and the upper portion of the body backward. As related to the shoulder-neck region, the common performance is a fall with the arm and hand stretched backward to protect the head from striking the ground. Again, when the forces involved are of sufficient severity, the hard structures may give way, but often the soft parts bear the brunt. Such a mechanism affects the anterior portion of the shoulder, the capsular zone, the related bicipital zone, and sometimes the neurovascular bundle.

APPLICATION OF DIRECT FORCE

Falling Objects from Above. The neck and shoulder are prime targets for this type of injury. A falling object may hit the head and upper portion of the neck before it slides off the shoulder. Often the workman has some warning, perhaps just enough to allow him to flex his head and neck a little, so that the brunt of the falling object is taken directly between the shoulder and neck as he tries to escape.

Construction Industry

The major hard tissue skeletal injuries are considered in separate sections under "Fractures and Dislocations," but reference will be made here mainly to common soft tissue injuries. These will be indicated at this point, but the reader is referred to the various sections for a detailed description of diagnosis and treatment.

Contusions of the Shoulder. One of the common industrial injuries involves the posterior aspect of the shoulder when the workman exposes this area to falling debris or other articles. In fleeing from falling objects, one automatically exposes the posterosuperior aspect of the shoulder to take the brunt of the impact, not the anterior or fascial aspect. Heavy hematoma formation in the supraspinatous, scapular spine, and posterior deltoid region is a common result of the contusion-type trauma from falling objects.

Shoulder Tip Contusions. The point of the shoulder is frequently exposed in heaving actions by the workman, and the central and anterior portion of the deltoid fibers may be involved. As a rule a large hematoma follow the crushing-type insult, but sometimes the contusion may be sufficiently severe to detach fibers from the origin of deltoid from the acromion or clavicle. A period of rest, along with an anti-inflammatory medication, assists consderably in preventing hard scar and adhesion formation following the absorption of the hematoma.

Glancing Angle Blows. In the exposed position the shoulder can sustain a glancing-type trauma that is of a sharper, more penetrating nature, and that may extend through the soft tissues to insult the periosteum. In some instances a painful periostitis may result that significantly prolongs disability. The measures used for a simple hematoma are indicated, but more prolonged rest is required to diminish the periosteal reaction.

Cuff Injuries. Construction workers frequently damage their rotator cuffs. Heavy lifting acts can produce tears of the cuff, and falls on the outstretched arm are a common source. These injuries are considered in detail in Chapter 8.

Bicipital Injuries. Workmen frequently are called upon to carry out heavy lifts, and the action of assuming the weight while the partner relinquishes his share favors a jerking-type trauma with the forearm flexed at the elbow, and may rupture the long head of the biceps. Management of bicipital ruptures is considered extensively in Chapter 8.

Acromioclavicular Irritation. The shoulder frequently is used as a shelf for carrying articles, lumber, logs, beams, etc., and in this act the acromioclavicular joint can be implicated. The superior surface of the acromioclavicular area is not well padded, and heavy objects on the shoulder in the form of repeated loads can irritate this region significantly. The patient complains of soreness on the top of the shoulder, but also shortly has difficulty in using the arm because of the restriction of abduction. Acromioclavicular pathology is discussed in detail in Chapter 8.

Factory Workers

In industry a type of trauma different from that sustained by construction workers is common. Contusion lesions and injuries from falling objects are not nearly as frequent. In contrast, the traction-type trauma is sustained more often and is the main damaging force involving the shoulder in factory accidents.

Cuff Sprains. Lifting and twisting, as in shifting heavy weights, is a frequent responsibility of the factory worker. In this act, considerable traction as well as torsion can be applied to the upper end of the humerus, with resultant stress on the rotator cuff. This force may not be of sufficient magnitude to tear the cuff or even fray it, but it can sometimes sprain the mechanism consistently. A cuff sprain at first shows signs and symptoms almost identical to those of a cuff rupture. The lesion must be treated carefully with injection therapy, good physiotherapy, anti-inflammatory medication, and relief of all lifting or twisting trauma.

Bicipital Tendon Lesions. Ruptures of the bicipital tendon can occur from unprotected lifting activities, but a more frequent injury in the factory worker is bicipital tendinitis arising from persistent twisting and lifting. Stress on the long head of the biceps can become so severe that the intertubercular fibers are ruptured, and this may be followed by its frank dislocation. The mechanism and treatment of this lesion are considered in depth in Chapter 8.

Nerve Injuries. The most severe type of trauma to the brachial plexus area can occur in injuries among factory workers in the machine shop. Machine belt trauma is an extremely damaging force. The usual mechanism of injury is that some part of the clothing, e.g., the sleeve, is caught in a flywheel, which then draws the forearm and the rest of the extremity into the wheel or belt. Sometimes this trauma is of sufficient force to fracture the forearm and humerus, but it always extends significant stretching trauma to the soft tissues, frequently producing a severe traction lesion of the brachial plexus. The injury is all the more serious, since damage to the nerve bundles at multiple levels occurs because of the multiple level application of force from the flywheel or belt mechanism (Fig. 10–2). The management of these nerve injuries is considered extensively in Chapter 14.

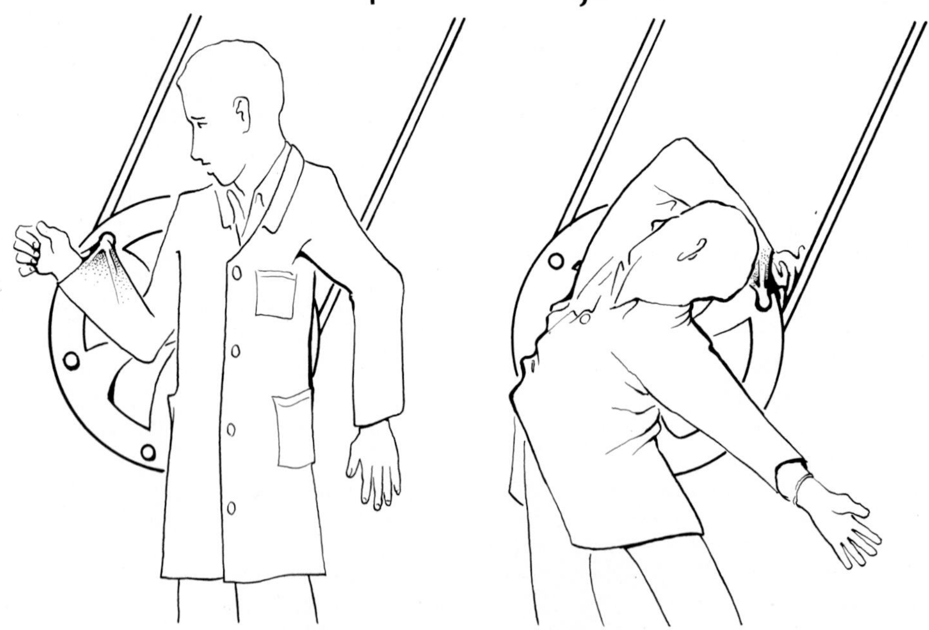

Figure 10–2 Machine-belt multiple level injuries.

Office Workers

Shoulder injuries in this group are in a different category from those in either of the preceding groups. The type of lesion most often encountered arises from repetitive and less severe trauma than is the case in construction or factory workers.

Subacromial Bursitis and Supraspinatus Tendinitis. The repetitive action of lifting or reaching may produce a friction-type lesion that initially is a mild bursitis, but may develop into a friction-type tendinitis as the irritant persists. At first the symptoms are relatively innocuous, but if they persist and are untreated the complication of adhesive capsulitis or freezing of the shoulder may develop, which introduces significant impairment. For this reason it is important to treat these lesions early and vigorously with conservative measures.

Clavipectoral Compression Syndrome. In this group of workers, lifting and reaching acts (not heavy transportation) performed in a consistent fashion, sometimes by people of short stature, can implicate the shoulder in a form of neurovascular bundle compression. Heavily muscled short individuals who are required to reach on a regular basis develop easy fatigue related to the shoulder, and sometimes, with persistence of the activity, intermittent compression of the neurovascular bundle by the pectoralis minor ensues. Such a lesion is discussed very fully in Chapter 9.

"Tennis Elbow." Mention is made of this lesion at this point because the office worker seems more susceptible to it than the other working categories. Frequently a repetitive type of insult involving lifting and twisting of the forearm, with constant consequent stress on the attachment of the muscles to the lateral epicondyle, produces this lesion. In by far the greater percentage of cases, the lesion is confined to the elbow and responds to appropriate conservative measures of injection therapy, ultrasound or microwave, or TNS and friction administration and anti-inflammatory medication.

There is a group of patients, however, who although they may implicate the elbow complain of pain in the shoulder and some shoulder-neck discomfort, frequently accompanied by neck stiffness. These people may interpret their maximum site of discomfort as being in the region of the elbow. Attention to the local condition of the elbow under these circumstances is ineffective. It should be kept in mind that some patients have a degree of cervical foraminal nerve root irritation that produces signs and symptoms somewhat similar to those of tennis elbow. These are identified by carrying out cervical x-ray examinations in patients with apparent tennis elbow who seem refractory to ordinary conservative treatment, and sometimes also electromyographic studies to further identify the true nature of the lesion.

HOUSEHOLD AND DOMESTIC INJURIES OF THE SHOULDER AND NECK

Environment affects the head of the household (the mother) with as much frequency as ice does the hockey player or turf the football player, but scant attention is paid because her "salary" is usually much less than that of a star athlete. Because of the frequency of household injuries, these lesions are considered separately.

NECK INJURIES

Twisting Sprains

The mobility of the neck is often used to accommodate the body to small spaces and angles about the house. A common example is cupboard cleaning. To clean inner areas under shelves, the neck is used constantly. The rotatory element, combined with flexion to a degree that allows this action to take place is the irritant. This unheeded maneuver easily takes an apophyseal joint beyond its usual range, and a sprain results.

Acute localized posterior soreness with unilateral muscle spasm usually identifies the lesion. As a rule there is a stressing episode, but also it can assume gradual development. When a falling or stretching force is related, subluxation or partial subluxation of the apophyseal facet may result. This is characterized by more severe pain, bilateral muscle spasm, and marked restriction of motion.

Treatment. 1. Ice bag to neck or ethyl chloride spray centered at the point of maximum tenderness. 2. Rest at night with a butterfly pillow. 3. Aspirin or similar mild sedative combination. 4. Cervical collar (felt) if pain persists. 5. Anti-inflammatory medication if stiffness persists. 6. Cervical traction (home traction) if symptoms continue.

Reaching Strains

A different action is involved in reaching, which usually implicates extension stress with a minimum amount of torsion strain. Stretching and balancing on tiptoe to reach or see over the top of a shelf stresses the cervical area, which is not able to give or accommodate to the demanded action. Soreness and tenderness at the cervicothoracic junction, or in the suboccipital area, results. Sometimes the addition of a lateral or side-to-side stress focuses the strain unilaterally. When this occurs, the cervicocostal junction at the side of the neck may be involved. On examination, exquisite tenderness can be identified by palpating the base of the neck first rib area. Some penetration is needed to dig down between the muscle layers at this point, but this can usually be accomplished without difficulty.

Treatment. 1. Rest with application of cervical collar (this helps most). 2. Sleep with a butterfly or other supporting pillow. 3. Anti-inflammatory medication.

Jarring or Falling Insults

Vertical compression accidents about the house are not uncommon, Unexpected drops, as in missing a step or jumping down off a chair or stool, favor this type of stress on the neck. Principally the interbody elements are implicated in this action at the point of the midcervical spine curve; the annuli of C.5-C.6 or C.6-C.7 are the areas most often stressed. It takes more force than that involved in such an episode to break an annulus, but if the stress falls on fertile ground, with a history of possibly more severe insults, rupture can occur, with consequent nerve root pressure signs and symptoms. On examination, local neck soreness, mild bilateral muscle spasm, and some reduction of anteroposterior motion will be apparent.

Treatment. 1. Cervical collar. 2. Cervical traction. 3. Anti-inflammatory medication. 4. Proper sleeping posture. Should radiating pain suggestive of nerve root pressure persist, contrast studies should be done.

Static Fatigue Stress

"My aching shoulder" is a frequent domestic complaint. A number of irritants combine to produce this result. The lesion is primarily a suspensory tendinitis, with constant stress focused at the shoulder-neck angle and aggravated by activities such as vacuuming, bedmaking, and dishwashing. All these acts initiate a forward-stooped posture that increases the angle of dependency. Predisposing factors include the "A"-shape frame of extreme sloping shoulder, heavy breasts to support, upper thoracic kyphosis, and chronic asthenic musculature.

Treatment. 1. Strengthen suspensory muscles. Initiate skilled physiotherapy for shoulder-neck musculature and the development of accessory muscles like the serrati and deltoids.

2. Do something to diminish the primary preparatory irritant. Strapless and properly supportive brassieres should be worn for at least some part of the working day. Use a light vacuum cleaner, and adjust wheels and rollers to facilitate operation. Avoid corner-placed beds so that less stooping will be required, and use a new type of bed coverings, such as fitted sheets, that need less reaching to adjust. Prepared comforter covers in place of old sheets and quilts lessen the daily strain on shoulder and neck. Higher kitchen counters or work areas help considerably also.

3. Avoid reliance on sedative mixtures. Use anti-inflammatory medication initially, and gradually dimish the dosage. Take the preparation long enough to obtain a reasonable effect, 10 to 12 weeks at least, but properly monitored with blood studies. This should be continued for up to six months or longer on a low maintenance dose, if necessary, and again properly monitored.

SHOULDER INJURIES

Housekeeping incidents involving the shoulder system are frequent, and more disabling than usually appreciated.

Contusions

The front of the shoulder is easily exposed striking cupboard corners, door jambs, overhanging shelves, and outcropping standards of all sorts. The shoulder promontory also fends off falling objects from above and posteriorly as the patient flees a falling object, unconsciously exposing the posterior point of the shoulder region.

Vertical and Posterior Vertical Contusions. The acromion and acromioclavicular joints bear the brunt of vertical striking forces. If a blow lands lateral to the acromion, the deltoid cushions the impact. Acromion and clavicle have no superficial padding, and a painful periosteal type of bruise results when these zones are involved.

Another and not uncommon injury involves the more posterior region. In attempting to evade a falling object from above, the patient exposes the thin skin and spine of the scapular region, and a periosteal type of contusion results; if force is considerable, the spine of the scapula can be fractured.

TREATMENT. Use ice bags on the area, analgesics for pain relief, and ultrasound if there is extensive hematoma formation.

Lifting and Holding Injuries

In these insults, force falls on the flexed forearm and is transmitted to shoulder, with the whole arm as a right-angled lever. The damage occurs at the time of abrupt impact, as when the weight held by a partner suddenly is assumed by the patient. A stretching force occurs on the tensed biceps, which may give way, slip from its groove, or (very rarely) avulse the distal end from the radius. The result is pain, with swelling and tenderness along the tendon.

TREATMENT. The arm should be put in a sling, anti-inflammatory medication provided, and physiotherapy started if signs and symptoms persist.

Pushing and Reaching Shoulder Strain

More shoulder complaints develop from these actions than from all other forms of insult. A myriad of domestic actions entail upward or forward pressure on the outstretched arm, so that force is directly transmitted to the base of the limb, skipping the elbow. Some external rotation motion also is associated because the hand tends to be supinated for force application. Activities like ironing, baking, polishing, and all forms of grinding stress fall in this category and implicate the subacromial cuff zone. A sudden and extra push may tear, instead of stretching, the cuff fibers. The common resulting change is a supraspinatus tendinitis, possibly with some traumatic subacromial bursitis. On examination, pain on abduction at the impingement arc, decreased external rotation, and sensitive subacromial swelling may be evident.

TREATMENT. Injection therapy, physiotherapy, anti-inflammatory medication, and a continued exercise program to strengthen accessory muscles. Persistent pain and weakness require contrast studies.

COMMON NECK INJURIES

ACUTE NECK STRAIN

Only the most minor type of neck disturbances are considered under this heading. They are seen more commonly in the age-group below 45. Typically, the patient is seized with acute pain in the neck while straightening from a forward-bent or slightly forward and rotated position. This often happens in straightening up from bending beneath a desk or workbench. The patient holds his neck rigidly, but in the forward-bent position. Tenderness can be elicited over the erector spinae on both sides, usually at the midlevel, and in neck motion both rotation and flexion-extension are implicated.

As a rule, such an episode results from a catching of one of the apophyseal joints and pinching of a piece of synovium. The condition is effectively treated by cervical traction, with the patient recumbent in his comfortably flexed and rotated position. Gentle manual traction will usually relieve the condition dramatically, but when this is not available, halter traction using 10 to 15 pounds for 15 to 20 minutes can be used. This is followed by massage and application of deep heat. The symptoms persist for some days, and the program of local treatment should be supported by administration of muscle relaxants or some form of anti-inflammatory drug, if this is tolerated. In the older age-group, the onset is less acute and the course somewhat more chronic. Longer irritation stems from the reaction, implicating the neurocentral joints rather than the apophyseal joints above. Disk degeneration may help to precipitate irritation of these accessory joints.

The usual complaint is of neck soreness, again following a forward twisting motion, followed during the next several days by persistent stiffness, rather than acute "locking" of the neck. X-ray investigation identifies already established interbody changes, suggesting the source of the acute symptoms. Manual manipulation or traction is not likely to help this less acute lesion, but recurrent halter traction with heat, systemic medication, and avoidance of further similar irritating motions does bring this episode under control.

ACUTE TORTICOLLIS

A somewhat different lesion from the acute neck strain is that described as acute wryneck.

This condition arises from another type of injury in that it is a stretching of both the neck and the shoulder girdle in opposite directions, rather than simple neck twist. A twisting and turning action of the neck, accompanied by a stretching outward or sideways of the arm, focuses stress to the medial shoulder-neck angle, sometimes stretching ligamentous or muscle attachments. The chin and head are held away from the side of the injury in the wryneck position. Marked muscle spasm is present, and a point of quite definite maximum tenderness can be identified in the shoulder-neck zone.

Manual manipulation is not much help to this lesion. Halter traction assists, but does so from the standpoint of neutralizing the muscle spasm, rather than correcting any primary alteration of the neck contents. Therefore, it should be relatively light, with less weight used than in the more acute flexion strain. The condition is brought under control with the application of a cervical collar, systemic medication, and physiotherapy, including heat and massage. If an acutely tender point is identified, injection with a local anesthetic or superficial skin analgesia with a topical freezing agent is effective.

NECK SPRAIN OR FLEXION INJURY

Under this heading are considered entities of deeper severity and greater significance than the so-called neck strain. We consider a strain as a reaction to overuse of a muscle or excess stress placed upon a ligament. Sprain, in comparison, is the reaction from the taking of a joint beyond its normal range of motion, with resultant reaction set up in the retaining structures. In the neck this often results from so-called indirect or passive injuries, that is, the application of force apart from purely voluntary acts. In contrast, most neck strains implicate a voluntary mechanism only. The notorious whiplash injury is an indirect or passive type of lesion, in that force is applied apart from the voluntary range of action of the neck.

Neck sprain chiefly involves the interspinous elements, because these are the farthest away from the common fulcrum of motion, so that greater leverage is applied to these than to other cervical structures. The blow on the back of the head or neck, forcing it forward, bends the neck at its usual fulcrum, but the transmission of the force will implicate the structures at the end of the posterior lever more than those in the center. The workman rising suddenly from a crouched position, and hitting the back of the head unexpectedly on an overhanging object, sustains this type of flexion injury.

Examination of a patient with this injury shows local tenderness in the midcervical region; he holds his head and neck quite stiffly, but in the extended, not forward-flexed position. Frequently the point of maximum tenderness can be identified directly between the posterior spinous processes of C.6 and C.7. Treatment includes local injection of the damaged ligament, application of a cervical collar, and adequate systemic medication. Traction or manipulation is of no help in this type of injury. A light fabric type of collar is usually best, but the patient will need to wear it for six to eight weeks. During this period of immobilization, the patient should be taught isometric self-resisted exercises, with the head in a neutral position to maintain muscle power and bulk while soft tissue healing is taking place. A more severe form of this flexion injury is one in which the force has been of sufficient severity to pull off a portion of the posterior spinous process. Instead of the interspinous ligaments giving way, a portion of the tip of the spinous process can be avulsed. When this has happened, the initial management is the same, but the collar is worn for a period of 12 weeks. Delayed union or nonunion of the avulsed piece is common, and when this occurs it should be removed surgically. The application of flexion trauma may be of much greater severity, resulting in more serious bone and joint abnormalities. These are considered below.

ROTATORY INJURIES

Severe rotatory injuries are not common in industry because they usually occur when rotatory stress is applied externally, as in a football tackle, rather than from voluntary action of neck structures.

Rotatory Sprain. Active and violent rotation of the head and neck can result in a sprain, with stretching or partial tearing of the ligaments holding the apophyseal joints. Severe muscle spasm results in a pulling of the head toward the involved side, which is in direct contrast to the so-called wryneck, in which the head and neck are tilted away from the side involved. Other differences of this injury are the point of maximum tenderness, which is much nearer the back, and implicates the cervical spine rather than the shoulder-neck angle. Light cervical traction followed by the application of a soft collar, systemic medication, and rest of the involved area bring this injury under control.

APOPHYSEAL SUBLUXATION

When sufficient force is applied, the articular process may slide partially off and become locked in this position. If this occurs, the head and neck are locked in a position turned to the opposite side. The state of subluxation is recognized by the more powerful forces that were involved initially, the greater rigidity of the head and neck, the point of tenderness related to the cervical spine posterolaterally, and the persistence of these changes.

Traction is essential to alleviate this condition, preferably the gradual application of halter traction. The patient should be in bed, with the traction applied continually or as often as may be tolerated at intervals until the luxation is overcome. Sedation and systemic medication, followed by the application of a firm collar, are required. The immobilization should be continued for 12 weeks to allow periarticular ligaments to heal as much as possible.

ATLANTOAXIAL SPRAIN

A less common lesion may be recognized that is characterized by suboccipital pain and restricted rotation of the head and the neck; side bending, however, is not implicated.

Ordinarily the occipitoatloid and atlantoaxial articulations have such powerful ligamentous protection that luxation or derangement, apart from the application of strong external force, does not occur. However, in the older workman in whom there may already be some existing articular irregularity, this type of sprain may arise. The lesion is identified by the position of the pain, the local tenderness related to the upper portion of the cervical spine, and the rotatory restriction of motion, rather than pain of flexion or extension. X-ray examination shows some pre-existing irregularity.

Halter traction is required, followed by the application of a soft collar and its continued use during sleep. A program of physiotherapy including deep heat and systemic medication are added as the acute reaction subsides.

EXTENSOR INJURIES

The application of backward force on a passive basis is much more frequent in athletics than it is in industry. Powerful backward push strains the anterior attachments of the vertebral bodies and the anterior-longitudinal ligament. If this force is continued, extremely serious involvement of the cord will result from dislodgement of the body from its anterior anchorage.

The common episode in the workman results from slipping down a step or short depth and striking the chin or head forcibly, so that the neck is tilted backward. The structures at the anterior aspect of the neck are put on tension, particularly the anterior-longitudinal ligament. This ligament resists more rigidly than the soft substance of the viscera and vessels, which would give way before such a force. The attachment of the ligament to the top of the respective bodies may be avulsed, carrying a small spicule of bone with it. In older workmen, whose cervical spines are already the seat of osteophytic formation, the frequent lesion is a fracture of an osteophyte. The injury is recognized primarily from the description of the damaging force. There is considerable muscle spasm at the side of the neck, anterior tenderness, and extreme discomfort on lifting the head and neck backward.

The injury is treated by immobilization in slight flexion with a cervical collar, and a soft collar at night, for a period of eight to ten weeks. This length of time is the minimum required for adequate healing in this type of injury. The more severe and extremely serious sequelae of violent extensor injury are considered under "fractures and dislocations of the cervical spine."

ACUTE EXTRUDED CERVICAL INTERVERTEBRAL DISK

Workmen seldom have acute nuclear extrusion in the cervical region, in contrast to the extremely vulnerable lumbar zone. When it does occur, a pertinent history of injury most often reveals a drop or fall from a height, involving the application of a jarring force in the vertical position. In contrast to the lumbar area, where heavy lifts and extension action from the forward-bent position are the sources of annulus rupture, the common protusion in the neck is to the lateral side. When this develops, there is much more likelihood of implication of a nerve root than is the case in the lumbar region.

Neck pain and stiffness result, but very quickly these are overshadowed by pain radiating to the shoulder and down the arm to the hand. The feature of these lesions is the burning, tingling pain below the elbow. The precise distribution of the dominant pain will vary according to the level involved. The acute lesions occur much more frequently between C.5–C.6 and C.6–C.7, so that the clinical distribution varies. Persistent shoulder pain unrelated to shoulder movement, weakness of the deltoid, sensory changes over the lateral aspect of the arm, and alteration of the biceps jerk as compared with the opposite side implicate the fifth cervical root.

Involvement of the sixth cervical root favors atrophy of the upper arm, with weakness of pectorals, biceps, and triceps, and hypoesthesia along the lateral aspect of the arm and forearm as far as the thumb. Either or both biceps and triceps reflexes may be altered. Involvement of the seventh root is usually indicated by more precise hypoesthesia and subjective numbness in the thumb and index finger, weakness and wasting of the triceps, alteration of the triceps reflex, and sometimes by weakness in the extensors of the wrist.

These lesions are treated by cervical traction, application of a cervical collar, systemic medication, and adequate sedation. This should be preceded by contrast studies of the cervical spine, which will assist in determining whether an anterior or posterior approach to the interbody area should be carried out if surgery becomes necessary. When there is evidence of an extensive extrusion, particularly one large enough to implicate the spinal cord in the midline, posterior decompression probably is preferable. In the common lesion, the trend is to approach it from the anterior aspect. In contrast to lesions in the lumbar spine, the extruded disk material does not often pass up or down from its site of extrusion through the posterior-longitudinal ligament. For this reason it often is feasible to "fish it out," as it were, from an anterior approach. Sometimes this can be accomplished with greater delicacy and more finesse, producing less trauma to the cervical cord, than is the case with the posterior approach.

In the lumbar spine, adequate space exists following laminectomy to lift the spinal cord to one side and deal with the extrusion without embarassing the dural contents. Such is not the case in the cervical spine, where the cord occupies a relatively much larger space within the canal. Greater traction and pressure on the cord are necessary, and hence there is greater possibility of damage. These considerations favor the anterior approach.

A further reason for dealing with these lesions from the front is that interbody stabilization may be carried out effectively at the same time and with ease. The standard procedure is to insert a small corticocancellous graft in such a way that it can be locked in place between the intervertebral bodies. A period of immobilization in a cervical collar will firmly stabilize the involved areas (see Chapter 16 for detailed operative technique).

SUBACUTE OR CHRONIC CERVICAL DISK INJURY

A much more common entity resulting in the gradual development of neck, shoulder and radiating pain occurs from degenerative disk disease without actual nuclear protrusion. In industry the older workman is a frequent sufferer from this disturbance. The relationship of the accident at work usually is that some episode of more than usual severity, such as a fall, stumble, or slip, jerks the neck, thereby initiating this whole group of signs and symptoms. The underlying pathology is a loss of the normal disk turgidity, followed by bony proliferation at the periphery, which favors a foraminal encroachment on the nerve roots. In contrast with the lumbar region, the cervical roots have much less reserve space in the foramen with which to shift and accommodate to any intrusion of the nucleus, so that impingement can develop from a much smaller bony change.

Injury frequently precipitates the syndrome, which commonly is first noted as a burning, tingling, or clumsiness in the hand, particularly the thumb and index finger. Some general neck stiffness and shoulder discomfort may precede this, but the persistent element usually is related to the hand.

The dominating discomfort is the radiating pain, but because of the chronicity and the innate, often slow-developing nature of the lesion, a whole group of secondary phenomena, particularly a referred type of pain, is associated with this lesion. It is the development of these secondary pain patterns that often makes diagnosis difficult or the recognition of the true source of the primary state obscure. Aching pain in the shoulder, pain between the scapulae, and sometimes headache or occipital discomfort are associated. Areas as far away as the face, the temporal zone, and even the eye have been implicated in the process. The discomfort in these areas in unaccompanied by motor and sensory changes, and it is largely a subjective burning, tingling, or numbness that is identified.

The most effective treatmnt for this state is a program of cervical traction in the slightly flexed position, with the neck then immobilized in a properly fitting collar between the periods of traction. If relief is not obtained from the radiating symptoms within a short while, the traction should not be persisted with; the emphasis should be shifted to more complete immobilization of the neck. Physiotherapeutic measures such as those described in Chapter 15 assist considerably and should accompany the traction-rest program as required. Adequate sedation, particularly for rest at night, and use of a soft collar or special cervical pillow, followed by a program of systemic medication, such as phenylbutazone, are included in the routine.

In the workman in early middle-age whose symptoms develop and are unrelieved by conservative treatment, careful identification of the levels involved by contrast studies is required, sometimes assisted by diskography. Anterior interbody fusion, with removal of the degenerated disk, is then the procedure of choice (see Chapter 15).

REFERENCES

Abrol, B. M., et al.: Penetrating neck injury (an unusual automobile accident). J. Laryngol. Otol. *86*:1253, 1972.

Bernageau, J., et al.: Preoperative radiological evaluation of scapulo-humeral periarthritis. Value of arthropneumotomography. J. Radiol. Electrol. Med. Nucl. *53*:432, 1972.

Boruchow, I. B., et al.: Control of severe haemorrhage from stab wound of the neck. A case report. J. Trauma *12*:174, 1972.

Bunchman, H. H., 2d, et al.: Prevention and management of contractures in patients with burns of the neck. Am. J. Surg. *130(6)*:700, 1975.

Cohn, D., et al.: Post-traumatic thrombosis of cerebral and neck blood vessels. Bull. Los Angeles Neurol. Soc. *39*:60, 1974.

Elson, R. A.: Costal chondritis. J. Bone Joint Surg. *47B*:94, 1965.

Enker, W. E., et al.: Experience in the operative management of penetrating injuries of the neck. Surg. Clin. North Am. *53*:87, 1973.

Feraru, F.: Wounds of the neck. Treatment by prompt exploration. N.Y. State J. Med. *73*:1789, 1973.

Flax, R. L., et al.: Management of penetrating injuries of the neck. Am. Surg. *39*:148, 1973.

Gee, D. J.: Two suicidal transfixatons of the neck. Med. Sci. Law *12*:171, 1972.

Getzen, L. C., et al.: Should all neck, axillary, groin or popliteal wounds be explored for possible vascular or visceral injuries? J. Trauma *12*:906, 1972.

Heilbrun, M. P., et al.: Multiple extracranial vessel injuries following closed head and neck trauma. Case report. J. Neurosurg. *37*:219, 1972.

Herberts, P., et al.: A study of painful shoulder in welders. Acta Orthop. Scand. *47(4)*:381, 1976.

Knightly, J. J., et al.: Management of penetrating wounds of the neck. Am. J. Surg. *126*:575, 1973.

Landeen, J. M.: Firearm wounds of the head and neck. Eye Ear Nose Throat Mon. *51*:222, 1972.

Lane, P. W., et al.: Synovial rupture of the shoulder joint. Br. Med. J. *1*:356, 1972.

Mant, A. K.: Traumatic subarachnoid haemorrhage following blow to the neck. J. Forensic Sci. Soc. *12*:567, 1972.

Marks, R. L., et al.: Non penetrating injuries of the neck and cerebrovascular accident. Arch. Neurol. *28*:412, 1973.

Masson, C. L., et al.:Dento-maxillo-facial deformity following cicatricial retractions of the neck, sequelae of burns in childhood. Ann. Chir. Plast. *17*:254, 1972 (Engl. Abstr.).

May, M., et al.: Penetrating wounds of the neck in civilians. Otolaryngol. Clin. North Am. *9(2)*:36, 1976.

McInnes, W. D., et al.: Penetrating injuries to the neck. Pitfalls in management. Am. J. Surg. *130(4)*:416, 1975.

Najenson, T., et al.: Rotator cuff injury in shoulder joints in hemiplegic patients. Scand. J. Rehabil. Med. *3*:131, 1971.

Rinsky, L. A., et al.: A cervical spinal cord injury following chiropractic manipulation. Paraplegia *13(4)*: 223, 1976.

Saletta, J. D., et al.: Trauma to the neck region. Surg. Clin. North Am. *53*:73, 1973.

Saletta, J. D., et al.: Penetrating trauma of the neck. J. Trauma *16(7)*:579, 1976.

Scher, A. T.: Cervical spinal cord injury without evidence of fracture or dislocation. An assessment of the radiological features. S. Afr. Med. J. *50(25)*:962, 1976.

Schneider, R. C.: Concomitant craniocerebral and spinal trauma, with special reference to the cervicomedullary region. Clin. Neurosurg. *17*:266, 1970.

Schneider, R. C., et al.: Blood vessel trauma, following head and neck injuries. Clin. Neurosurg. *19*:312, 1972.

Sheely, C. H., 2d, et al.: Current concepts in the management of penetrating neck trauma. J. Trauma *15(100)*:895, 1975.

Smith, R. F., et al.: Acute penetrating arterial injuries of the ncek and limbs. Arch. Surg. *109*:198, 1974.

Teal, J. S., et al.: Aneurysms of the cervical portion of the internal carotid artery associated with non-penetrating neck trauma. Radiology *105*:353, 1972.

Thavendran, A., et al.: Penetrating injuries of the neck. Injury *7(1)*:58, 1975.

Zial, M.: A ncek injury. Clin. Pediatr. (Phila.) *11*:249, 1972.

Chapter 11

ATHLETIC INJURIES

Interest in athletic injuries as a separate group of lesions has gradually come to the fore because of the special considerations surrounding the management of disorders suffered in sports. Athletic injuries differ profoundly from those received under other conditions. Differences can be identified not only in the type of injury and the mechanism by which this is produced, but also in the participants. The responsibilities entailed in handling these incidents have varied. For years the goal in treating the injured athlete was to keep him playing regardless of the precise pathologic state. All this has changed now, with the increase in knowledge and improvement in care available for the sports participant.

The enlightened approach involves emphasis on prevention as well as on treatment. The goal is complete recovery because, if this is not attained, the patient may no longer be an athlete. The significance of professional sports has also increased; the spread of spectator interest in professional football, basketball, and hockey has been tremendous, but probably has been even further outpaced by the increased number of active participants in sports.

Interest at the amateur level in our schools has broadened, and good programs of athletic development now begin at an early age; organized sports have come to be recognized as important ingredients of a comprehensive education.

Athletes differ in several ways. As a rule, they are young, in first-class physical condition, and with tissues that heal readily. Perhaps the most important difference is the tremendous incentive to get well, and to make the injured part not only perform a job, but do it as well as before the injury.

PREVENTION OF INJURIES ABOUT THE SHOULDER-NECK REGION

The program of supervision of injuries sustained in sports now includes emphasis on conditioning programs and provision of proper protective equipment.

CONDITIONING PROGRAM

The concepts of total body conditioning are accepted but, in addition, now embrace exercises and training to improve specific areas. Of necessity, certain sports place more strain in some regions than others. The throwing arm of the pitcher or passer merits very special consideration. The swing of the golfer is absolutely vital, and in a professional is the basis of his livelihood.

The program of regional conditioning is thought of principally in terms of sports like football and hockey, where it is aimed at producing sufficient strength and basic control to ward off injury. A much more specific program is required for the athlete such as a baseball player who has to use the shoulder, for the limb constitutes the vital offensive entity. For this reason, no across-the-board group of exercises can be specified, and it is best to consider special problems in discussions of the individual sports.

PROVISION OF PROTECTION

Head gear, neck guards, and shoulder pads constitute a front-line protection against injuries in this area. Many improvements have been made in the production of these appliances, but they are principally of a defensive nature. The discus thrower, the tennis player, and the shot putter have equally important needs, but these are met by proper management of the act and the material used, rather than defensive protection.

Competitive sport now involves such a broad spectrum of skilled activities that it has seemed best to discuss the common injuries in the context of the various sports. In considering activities that involve the shoulder-neck region, it is possible to divide them into two broad groups, the throwing sports and the body contact sports.

INJURIES IN THE THROWING SPORTS

The contribution of the shoulder has often been taken for granted in throwing sports, in which it really has a particularly important function. In these activities, emphasis has often been focused at the opposite end of the limb, with attention paid to the grip of the ball or the racket, or the stance during the delivery phase of an action, rather than to the shoulder, which is the fulcrum and base of the whole act.

Virtually all games involve a degree of throwing, but this act dominates baseball, softball, football, and bowling. In less strenuous, but highly scientific and meticulously precise forms of sports such as golf, the shoulder has a critical role. In sports like discus throwing, shot putting, and hammer and javelin throwing, great stress is again focused on the forequarter zone. Basketball involves a throwing action, but it is a somewhat different maneuver from the others. Such sports as horseshoe pitching, bowling, and even darts implicate the shoulder in such a fashion that its injury or abuse may easily mar performance. In order properly to understand athletic injuries in the throwing sports, the throwing mechanism should be precisely understood. By and large, the neck does not play in important role in these endeavors, so that attention is focused on the shoulder girdle and the way it functions.

MECHANISM OF THE THROWING ACT

Throwing is a beautifully coordinated act that may involve the whole body, as in the hammer throw, or only the wrist and fingers, as in the flip shot of a basketball through the hoop. Since the act involves the transfer of momentum from the body to the object to be propelled, the heavier the object, the more use of the body that is required. Arm, shoulder, and trunk come into play to overcome the inertia of the object. When it is desired to add speed and distance, as in propelling a light object such as a baseball, more segments are successively brought into play and are coordinated throughout the act.

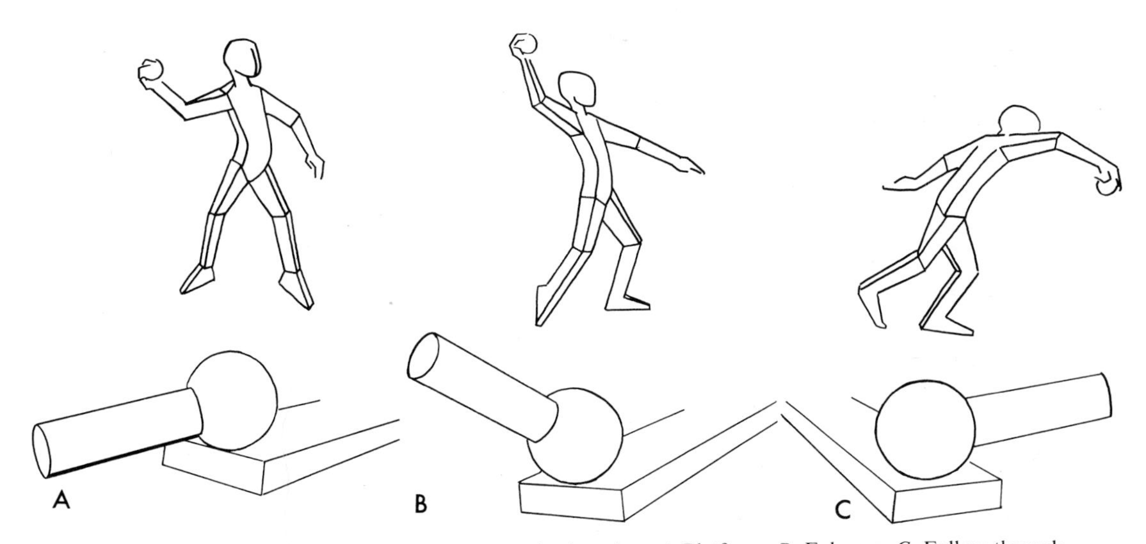

Figure 11–1 Basic functions of the shoulder in throwing. *A*, Platform. *B*, Fulcrum. *C*, Follow-through.

In all throwing or swinging activities involving the upper limb, two principles or distinct contributions of the region may be identified. The shoulder girdle first acts as a base or platform for the arm to be used as a lever. Secondly, a portion of it then serves as a fulcrum on which the whole lever of the arm may be swung (Fig. 11–1). The combination of the platform as a base for the take-off or fling of the arm has been likened to the handle of a whip in the whiplash action. The fulcrum not only allows the swinging motion, but affords a zone for direction and control to be inserted at the base of the lever, setting the stage for finer and more intricate influence at the end of the lever by the fingers. The finest elements of control are contributed at the ends of the lever, either at the shoulder or at the fingertips. The portion of the arm in between is really a lengthening and shortening mechanism that serves as a means of adding momentum under control.

The coordinated act involves foot work, leg action, hip motion, and trunk rotation, plus some action of the opposite arm (Fig. 11–2). Some momentum is gained on the initial act of the throw by taking a few steps or a hop forward, or sometimes by elevating the leg opposite the throwing arm. This forward motion is then enhanced by a twist of the trunk away from the throwing arm. This "step and twist" phase is also used to align the direction of the throw. As this motion flows from legs to hip to trunk, the shoulder falls into the swing and winds up for the flail motion of arm and forearm; the momentum is increased by the follow-through extension of the elbow, and finally passes out through the forearm and fingers.

Mechanism of the Shoulder in Throwing

The act of clasping an object with the hand leads to extension of the wrist, supination of the forearm, and internal rotation of the shoulder. From this position the upper arm is abducted horizontally and rotated externally, which brings the extended wrist and the elbow above the head preparatory to the powerful downward flexion flail of the follow-through motion (Fig. 11–3). The combination of these forces is along a diagonal axis. Two separate sets of muscle motors may be identified in each phase of the complete act: (1) the coarse heavy group of "external muscles" such as the deltoid, the pectorals, the biceps, and the triceps; and (2) the finer internal group made up of the rotators, supraspinatus, infraspinatus, teres minor, and subscapularis.

During the preparatory or "wind-up" phase (Fig. 11–4), the posterior and the middle fibers of the deltoid, along with the triceps, provide the "coarse" action, while the spinati produce the external rotation. In the normal shoulder, little dysfunction develops during this phase, and not many derangements occur. However, difficulty arises if there has been any previous damage to the vital rotator cuff. Few injuries affect the coarse or heavy muscles participating in this act, but if the cuff has been stretched or roughened, obstruction will hamper the external rotation so that there is serious interference with the preparatory phase of an overhand delivery. The thrower with a roughened or irritated cuff, because of pain, cannot or will not rotate the head of the humerus as far externally as he should. The result is that his wind-up is cut short and the force of his delivery phase is diminished (Fig.

Figure 11–2 Body mechanism in throwing.

Figure 11–3 Upper limb action in throwing.

11–5). Minor changes or roughening in the cuff lead to discomfort right at the end of the backward external rotation swing of the wind-up. Sometimes this is not apparent during the preliminary or warm-up phase, and sometimes, once the muscle action is going smoothly, the player may be able to control the external rotation, stopping it just short of the painful arc. When this happens, there may be only a small amount of interference with the external rotation, but it may be enough to mar the performance and jeopardize effectiveness.

Sometimes so much leverage is applied during the external rotation swing that the head of the humerus impinges repeatedly against the glenoid posteriorly, producing a crease in the humeral head. When this is continued, an element of "rocking" motion develops that frays the cuff and roughens or creases the humeral head.

The downward flexion or initial phase of the follow-through (Fig. 11–6) is a powerful maneuver, and the more severe and acute injuries occur during this phase. These actions are motored by the anterior deltoid and pectorals, which pull strongly forward and downward on the head of the humerus, aided by the internal rotators of the cuff group.

The final segment of the act is the braking of the follow-through flail. When power and

Figure 11–4

Figure 11–5

Figure 11–6

force are devleoped in a pitch, there is a tremendous drag or pull on the head of the humerus to prevent its being pulled away from the glenoid as the extremity is flung with all momentum possible; this stretches the casing that keeps the head of the humerus in the glenoid. The stress is focused at the capsule and its covering, which are attached principally to the glenoid posteriorly. The pull strains the periosteal tendinous union, leading to a heaped-up marginal type of lipping or bone formation. The changes are seen much more frequently in a hallux rigidus, where lipping of the dorsal surface of the head of the metatarsal is encountered. These periosteal pieces may be dislodged by further stress, introducing an acute phase of disability.

DIAGNOSIS AND INVESTIGATION OF THROWING INJURIES

When the throwing mechanism is understood and the specific function of the vulnerable structures is correlated properly, the diagnosis of the likely abnormalities is straightforward. The history, combined with a systematic examination and testing of the shoulder structures, usually pinpoints the source of trouble. Some special aspects in this routine may be emphasized. The time in the throwing act that maximum pain occurs is significant. Constant pain at the start of the delivery usually means well-established change due to wearing or roughening of the head of the humerus from leverage on the posterior glenoid. Discomfort at the end of the pitch, in contrast, generally indicates capsular or soft tissue damage that is more likely to be recent and superficial. Pain posteriorly and inferiorly in the follow-through mechanism implicates the long head of triceps and related structures at the posteroinferior margin of the glenoid. Sharp localized discomfort midway in the delivery indicates irritation of the midzone of the cuff and subacromial bursa. Precise localization of the points of tenderness is important. It matters a good deal whether tenderness is over the supraspinatus insertion, or whether it is directly at the front of the joint, which would implicate the anterior capsule and subscapularis. The relationship of a tender area to the position of relative rotation is also significant. Is it necessary to rotate the head of the humerus internally and localize a tender zone at the back of the head or to feel a linear defect? Is the zone of tenderness more medial and inferior, and related to the origin of the long head of triceps rather than the head of the humerus? Is it constant and not altered by rotating the head of the humerus?

Good radiographs should be taken of the shoulder, including views in external and internal rotation, superoinferior views, and shots of the acromioclavicular joint, bicipital groove, and special glenoid labrum. The one form of special investigation that should be kept in mind is the use of contrast studies. Arthrography has proved to be the most reliable means available of diagnosing internal derangements of the shoulder. Arthroscopy is a further approach for which the special indications are outlined in Chapter 4.

Throwing can be so strenuous that it can produce a full thickness tear of the cuff; this is uncommon, but must be kept in mind. Smaller tears and incomplete defects are more usual. The lesion more frequently encountered is a partial tear of the cuff in which a few fibers of the deep layers are avulsed from the tuberosity. The arthrogram can show this defect, which often is an explanation for persistent or recurrent pain on throwing.

BASEBALL INJURIES

Baseball is the major throwing sport, and injuries to players are many and varied. Two types of injuries may be identified: (1) an acute group consisting largely of soft tissue irritations; and (2) a chronic and recurrent collection in which more permanent structural change occurs, causing repeated trouble.

Soft Tissue Baseball Injuries

By far the commonest injury is a partial tear of one of the muscle attachments about the shoulder. The vulnerable area is the posterolateral anchoring zone that bears the brunt of the follow-through of the delivery. Tearing and avulsion of a few fibers in this area can result from an uncontrolled "hard pitch." Repeated throwing then keeps these fibers avulsed, and they fail to heal. If the shoulder is rested adequately at the first indication of injury, the muscle tear will heal. Recurrent strains initiate a periosteal reaction at the osseotendinous junction; minute streaks of calcium appear in the early stages, to be followed later by frank osteophyte formation.

Recurrent Injuries

The real problems are the recurrent or repeated disturbances; almost always these are based on a demonstrable structural change.

Posterior Osteophytes. Extensive osteophyte formation related to the triceps on the posterior capsule is a common lesion. Recurrent stretching trauma produces minute osseotendinous ossification that often becomes enlarged and increased with continued stress. Spur-like formation then develops, spreading from the region of the triceps attachment along the posterior aspect of the capsule (Fig. 11–7). Sometimes, fragments of these spurs are dislodged and come to lie inside the joint, eventually constituting loose bodies.

In some instances the joint needs to be explored. The posterior aspect is exposed

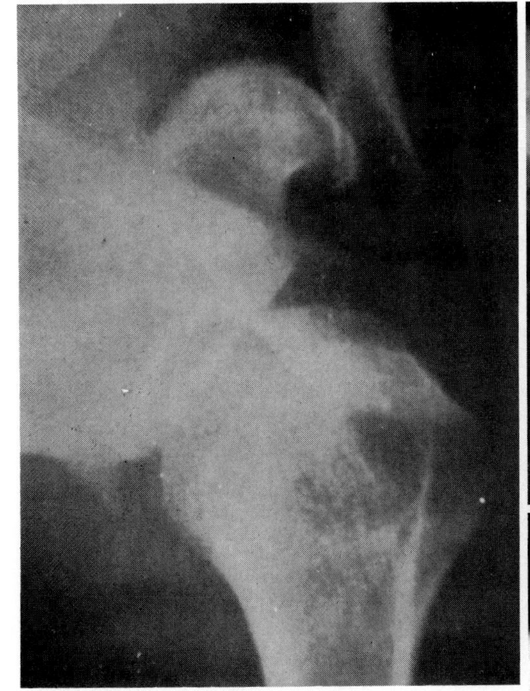

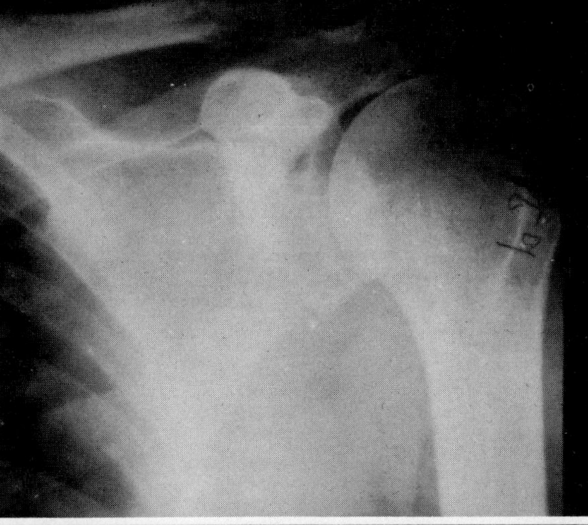

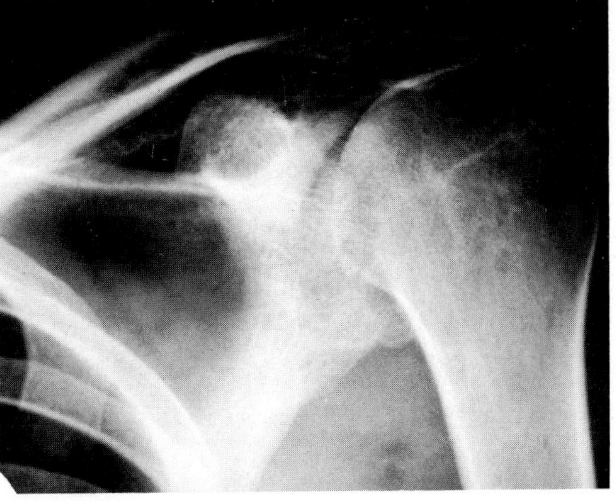

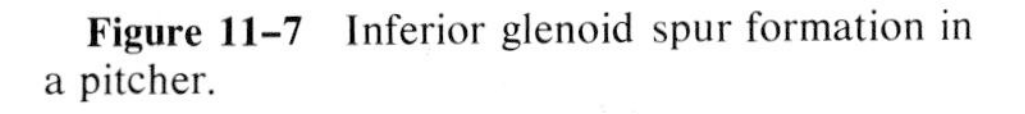

Figure 11–7 Inferior glenoid spur formation in a pitcher.

and the fragments are excised. This may be done with a minimum disturbance of muscles and capsule, favoring a good result. If extensive dissection and disruption of muscles is carried out during the exposure, the chances of returning the shoulder to a full-time pitching responsibility are greatly decreased. Fortunately, in throwing, the usual injury is a partial avulsion of some of the deep cuff fibers.

Cuff Tears. A partial avulsion or roughening of some of the fibers in the deep aspect of the cuff is not uncommon. A degree of healing will occur with rest for a period of four to six weeks, but if hard throwing is started too soon, the scar will break down again. When the discomfort is prominent during the middle phase of pitching, rather than during the wind-up or follow-through, the irritation is likely to be in the rotator cuff. Sometimes, after the initial lesion has healed, irregularity of the cuff will stir up a subacromial bursitis, but this responds quickly to simple conservative therapy. The regimen should include a period of rest, another of skillful physiotherapy, and systemic administration of phenylbutazone. Full thickness cuff ruptures also occur in shoulders used for hard throwing. Players such as catchers and shortstops, in contrast to pitchers, need a maximum stress or a quick powerful wind-up to deliver a fast throw in a hurry. Stress in these circumstances is borne by the anteroinferior capsule, which may rupture as in acute subluxation of the shoulder. In some instances massive avulsion occurs, requiring precise surgical reconstruction.

New studies on the lubrication mechanism of the shoulder joint have been carried out with the aid of contrast and motion studies (Fig. 11–8). In the throwing act, as the arm is abducted and externally rotated, it can be seen that a major amount of joint lubricant flows to the inferior aspect of the joint, and this zone becomes filled. At the same time nearly all the lubricant is drained out of the superior aspect of the joint, so that during the act of impingement on the coracoacromial arch there appears to be a minimal amount of lubricant working. As the arm comes down to the side in the follow-through act, fluid can be seen to move from the inferior recess to the upper part of the head of the humerus, bathing the upper aspect. Possibly this diminution in the amount of lubrication at a critical point favors wear and tear changes in this zone to a greater degree than in other areas that appear to be more evenly lubricated.

Posterior Articular Changes. The posteroinferior aspect of the joint, the lower margin of the glenoid, and the adjacent area of the head of the humerus bear the brunt of wear and tear changes of prolonged use. Some of this develops from continued pressure in the wind-up, where the head of the

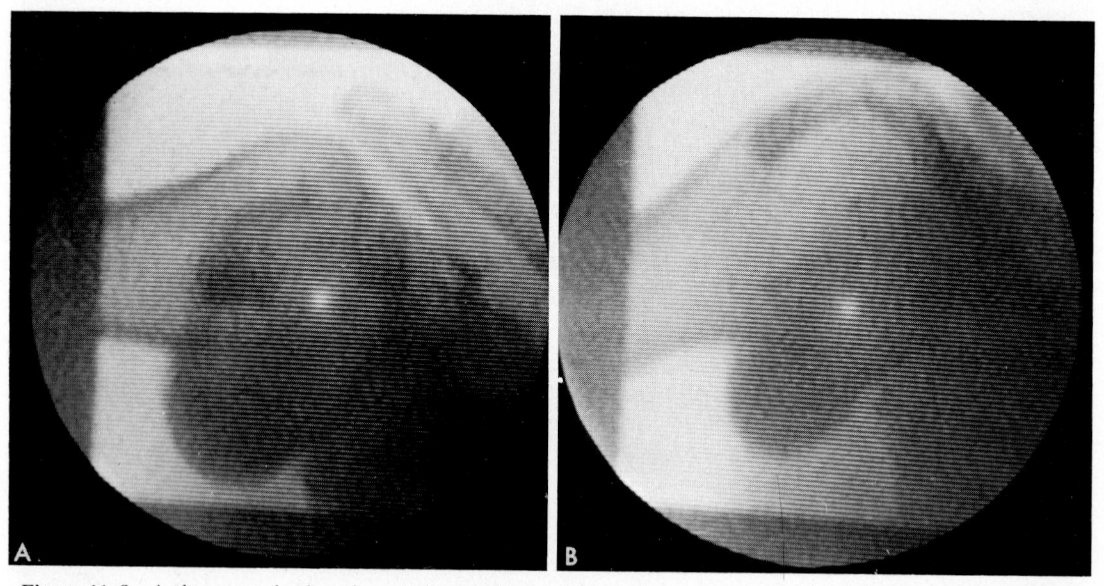

Figure 11–8 Arthrograms in throwing. *A*, In the wind-up phase, dye and lubricant accumulate inferiorly, with little dye over the upper end of the humerus. *B*, At the end of delivery, with the arm at the side, more fluid flows over the upper surface of the humerus.

humerus rocks against the glenoid. To this is added the stretching stress of the anchoring function of the capsule, which comes into play in the follow-through braking motion. Sometimes a groove is produced on the posterior aspect of the head, rather like that seen in recurrent dislocation of the shoulder, but in a slightly more inferior position.

Roughening of the articular cartilage, with chipping and fragmentation, is the usual sequela. The osteophyte may have sufficient vitality to remain anchored, but as it grows, further uncontrolled pressure may snap it, increasing the friction distortion considerably. The final picture is one of a typical post-traumatic osteoarthritis. Under these circumstances operative treatment may be the only solution, but it is difficult to produce a shoulder effective for heavy activity. The major hope lies in localizing the disturbance sufficiently for a precise local débridement to be carried out without much tissue disruption.

FOOTBALL PASSING INJURIES

Football is basically thought of as a body contact sport, and injuries result from the mechanism of the contact. However, considerable throwing is involved, and this is of a different nature from that used in playing baseball. The basic mechanism is the same, but there are significant differences in the over-all act that influence the type of injury that may occur. The wind-up is less extensive, the forward fling is shorter, and the follow-through is in a different arc and not so powerful. The football is a heavier and bulkier object so that, to a degree, there is a forward-pushing element in this propelling act, rather than a wholly flinging motion as in the case of a baseball (Fig. 11–9). The football passer takes his arm into a position that is vulnerable to a severe contusion type of strain. The passer often is hit in the act of throwing, so that force is applied to the upper arm just as it is going through the initial phase of the throwing motion. There is also a blocking or contusion element that leads to a bruising and tearing of muscles, as well as some force of avulsion. It is usually the posterior aspect of the shoulder, particularly the quadrilateral space, that is implicated.

The contusion type of sprain occurring in an area with a copious blood supply and a large plexus of veins favors myositis ossificans. Football passers often develop large zones of calcific plaques implicating the posteroinferior aspect of the shoulder.

*SHOULDER INJURIES IN GOLF**

Shoulder action contributes significantly to the golf swing. In contrast to the throwing act, tremendous power of swing is developed from a stationary stance, so that body weight follow-through implicates particularly the upper half of the body. The initiation of the swing phases into extensor action and abduction, with maximum stress focused at the horizontal or above the horizontal level. This is in marked contrast to the throwing act. The golf swing involves a beginning synchronous action of both shoulders, with a counterpull developing in the shoulder toward which the swing is completed. The significant element is that the crucial application of force and swing

*See Figure 11–10.

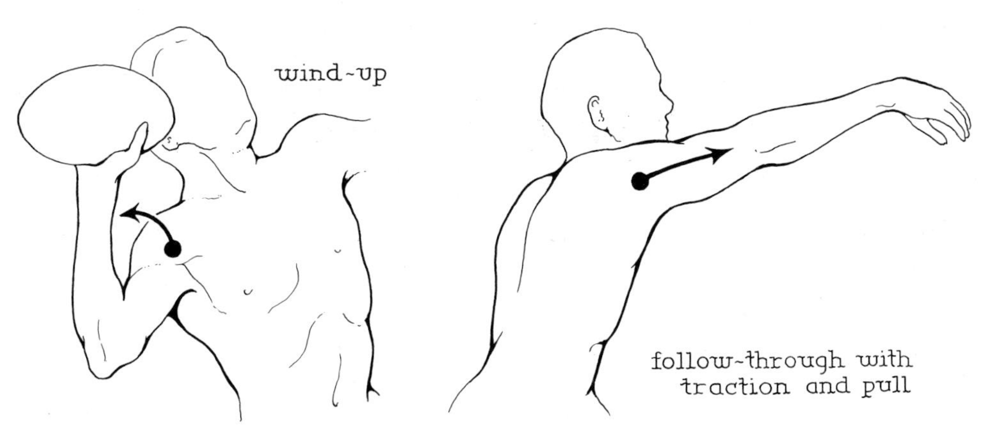

Figure 11–9 Shoulder action in passing. Greater stability is required in this act because of the pushing element in the throw.

Figure 11–10 *A,* Golf swing is primarily a girdle action. The clasped hands lock the two arms into one, as shown here by Al Balding. *B,* Shoulder girdle action reinforced by body swing. *C,* At the end of back swing, shoulder fixators work prominently. *D,* Powerful delivery, as demonstrated by Balding, is dominantly a girdle action. *E,* Follow-through shows across chest thrust with fulcrum at acromioclavicular joints.

comes at the horizontal level, or in traveling toward it.

The back swing is initiated by the muscles of the arms and shoulders. The club is swung upward and backward, with the head held as nearly in the line of flight as possible, until the rotation of the body carries it back and inside. The completion of the back swing lifts the shoulder above a right angle. The wind-up in the case of the golf swing is taken through the body; in baseball the wind-up is in the limb. As the swing is continued, the club retraces the path of the back swing. The completion of the follow-through then brings the club back over the shoulder. For the most part, the large muscles about the shoulder are the ones involved, such as the pectoralis major, deltoid, coracobrachialis, and triceps. The rotators play a less significant role than in the case of the baseball pitcher, because there is less need for finite control at the end of the swing. The implication of the heavy muscles about the shoulder, including trapezius and latissimus, focuses stress on the girdle as a whole, rather than on the glenohumeral joint. Because of the force disposition from back swing to percussion point to follow-through, the transmission of force is primarily in the coronal plane of the body. The maximum effect of this is focused at the horizontal level.

Acromioclavicular Lesions — "Golfer's Shoulder." The commonest chronic golfing disorder about the shoulder implicates the acromioclavicular joint. This is because the disposition of the swing focuses stress at a horizontal level from the position of abduction and extension to abduction and flexion across the chest. In the case of the right-handed golfer, there is added to the act of propulsive effort of the right shoulder zone the pull of the follow-through from the opposite side, which reaches its maximum at a horizontal level. Minor disturbances are alleviated by a period of rest, Novocain, and steroid injection of the joint, plus systemic medication. The lesion can be identified by a point of maximum tenderness over the acromioclavicular joint, and the discomfort can be reproduced by swinging the arm across the chest at the horizontal level.

Cuff Injuries. Golf swing so much implicates the shoulder girdle that the distribution of forces is much broader than the glenohumeral capsule (Fig. 11–7). For this reason, golfing ailments do not implicate the rotator cuff as frequently as they do the acromioclavicular joint, which is a "girdle stress" point.

Tendinitis. Friction tendinitis or minute fiber avulsion may occur related to the rotator cuff, and these respond in the usual fashion to conservative measures.

Cuff Tears. Golfers do not usually tear their cuffs from an initial episode of the game, but more often because of some unrelated episode of stress, which then is aggravated by the continued heavy swing. A corollary is that the golfing athlete keeps his accessory muscles in sufficiently good shape to mask "cuff deficiency." However, it should be emphasized that golfers *can* have serious cuff defects that will progress to incapacitating proportions if not repaired.

All golfers with chronic shoulder complaints in which the acromioclavicular lesion has been ruled out should have contrast studies done. These have proved more efficient than arthroscopy for this type of lesion, in the author's experience.

Surgical treatment of the golfer's shoulder is extremely successful. In most instances, when the lesion is accurately identified, surgical reconstruction allows the golfer to return to his previous activity without jeopardizing his peak form. Refer to Chapter 8 for the precise operative details.

"TENNIS" SHOULDER

Significant studies by James A. Priest have illuminated a group of specific changes in the shoulders of topnotch tennis players. These include apparent dropping of the shoulder point and hypertrophy of the playing arm. The latter change embraces bone mass as well as muscles. Dr. Priest and associates have illustrated these properties very graphically.

A further abnormality that is regularly identified in experienced tennis players involves changes in the sternoclavicular joint. Dr. Robinson of Portland, Oregon, a lifelong tennis enthusiast, was the first to call attention to this consistent abnormality. In addition to hypertrophy and drooping of the playing arm, enlargement of the medial end of the clavicle is encountered with what appears to be a degree of luxation of the sternoclavicular joint. Unusual as it may seem, clinical states related to this area rarely come into focus, but it is a strong indication of the stress applied to the shoulder girdle. In some instances, of course, stress in playing may irritate a sternoclavicular joint already hypertrophied.

These changes appear largely as a primary or physiologic alteration, since not all consistently produce symptoms. Clinical states afflicting tennis players more frequently are related to cuff derangements or sprains of the scapular fixator muscles, and include supraspinatus tendinitis, sometimes with calcification, cuff tears, bicipital lesions, anterior subglenohumeral subluxation, and scapulocostal lesions, and sometimes the sternoclavicular abnormality.

Etiology

"Physiologic" Tennis Shoulder. The overhead tennis swing, with the concomitant development of tremendous power, unquestionably is the source of these basic changes. Some important dynamic factors merit assessment to ensure a full understanding of this process. A dropping of shoulder point has been suggested, but analysis shows also rotation of the scapula, which must follow the chest wall, and the tip will then appear to have dropped when viewed posteriorly. Possibly the rotation on the diagonal axis contributes to this impression. Associated with this posterior change is the hypertrophy of muscles at the front.

Symptomatology

These changes do not create disorder, but are alterations that persist indefinitely.

Treatment

No treatment is required. Rarely, the anterior hypertrophy can be associated with pectoralis minor contracture, which then can initiate coracoid vascular compression in some maneuvers. Occasionally it may be necessary to alter a portion of the swing, as is sometimes necessary in golfers.

Symptomatic "Tennis" Shoulder. Clinical disorder in tennis players arises from upset related to glenohumeral mechanism, rather

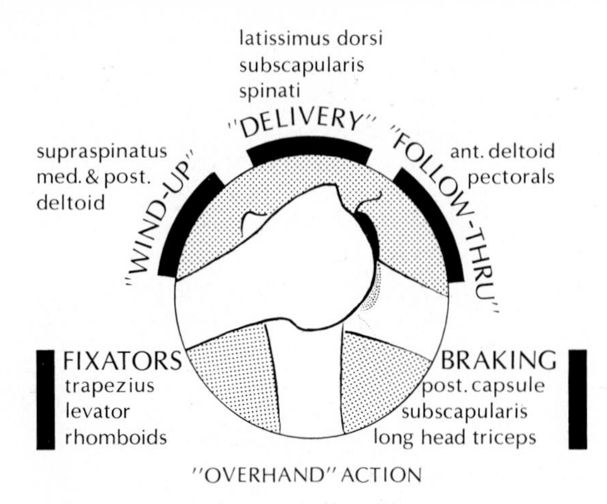

Figure 11–11 Composite circumduction motor analysis of the overhead swing.

than total girdle action. These changes commonly include supraspinatus tendinitis, bicipital disorders, and cuff tears (Fig. 11–11).

The common irritant is a forced, poorly balanced, or fatigued overhead swing. In the service delivery the extended arm is first abducted, then externally rotated, and then flexed and internally rotated. The resultant of these forces is applied on a diagonal axis that ends up toward the opposite hip.

Excess pressure forward on the head of the humerus from the extensor abduction maneuver can stretch the anterior capsule, just as when the older pitcher "rocks" the humeral head posteriorly, creating glenoid impingement. From this position, the delivery follow-through, with the lever weighted at the end by the tennis racket, powerfully and precipitately rotates the humeral head. Mounting torque results in passing from abduction extension to flexion internal rotation, with consistent capsular stress. Some 400 such trajectories a day are performed by a participant in major competitive tennis, and this easily constitutes significant stress if there is any imbalance.

Under these circumstances, any minute derangement of subacromial area may cause symptoms. Pain in mid-delivery phase, aggravated by extensive activity, aching shoulder, and soreness at rest, are sometimes the dominant symptoms. By and large, the shoulder is better conditioned than the elbow for tennis stress, and comes into clinical focus with much less frequency.

Treatment

Management of all these lesions is the same as discussed in Chapter 8, with the exception of the advice regarding resumption of playing. In the author's experience, rest from the game for three weeks, along with steroid injection, anti-inflammatory medication, and physiotherapy, has provided significant relief.

SWIMMER'S SHOULDER

As a rule, only competitive swimming contributes to shoulder disorders. Specific strokes favor particular derangements, as might be anticipated.

Crawl or Overhead Stroke

Somewhat similar to all overhead patterns, the "crawl" can produce a friction tendinitis primarily implicating the supraspinatus area.

Symptomatology. Aching, localized shoulder pain, with a more acute element arising from use, is the typical complaint. Superoanterior tenderness, and sometimes crepitus in passive manipulation, is identified.

Treatment. As in other sports that require excessive overhead action, rest, subacromial injection medication, and physiotherapy give relief. The time needed for abstinence from swimming is debatable. Complete rest from overhead activity is mandatory for a short period, but this is usually less than that required in tennis or baseball. Seven to ten days usually suffice, but the anti-inflammatory medication should be continued for four to six weeks.

Back Stroke

The back stroke expert can develop anterior recurrent subluxation. An analysis of the trajectory and evolution of this stroke makes clear the anteroinferior stress involved (Fig. 11–12).

Symptomatology. Anterior shoulder pain, aggravated by swimming, is the introductory phase. As pressure continues, the element of subluxation is gradually introduced. The patient complains of episodes following use, or often during swimming, consisting of painful catching in the shoulder as the stroke is completed. As the subluxation increases, these episodes become extremely painful, triggering significant limitation of motion and a sensation of weakness. In many instances, the subluxation development is

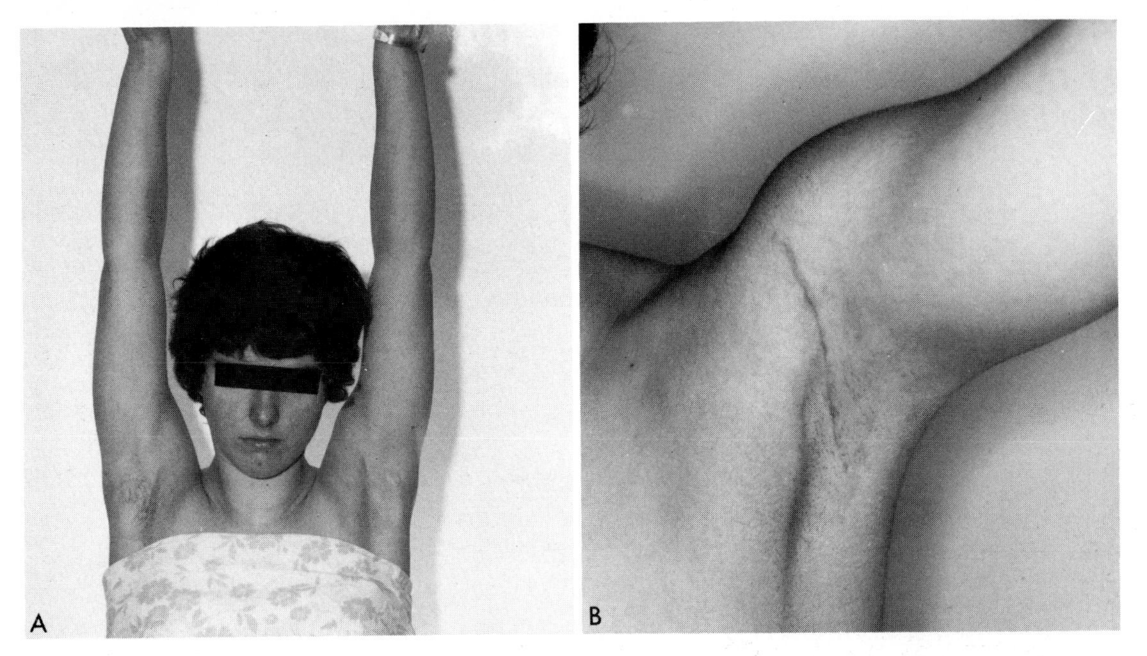

Figure 11–12 *A*, Anterior subluxation in competitive swimmer. *B*, Incision used for axillary approach.

ushered in by a tumble or other similar injury not related to the swimming act.

Treatment. The easy solution, but an unsatisfactory one, is to quit swimming. Some patients just cannot relinquish this activity after so many years of preparation. Under these circumstances, the author has carried out anterior capsular repair with fascia, using the axillary approach. This approach is preferred because the pathology is at the anteroinferior aspect of the joint, and also it is possible to reach the area with a minimal disturbance of other tissues. This route is highly dangerous, however, because of the possibility of damage to the circumflex nerve. When the dissection is done along the muscle planes, virtually no bleeding is encountered (see Chapter 13).

SURGICAL TECHNIQUE.* The patient is placed on the operating table in the supine position, with the entire upper extremity prepared up to the base of the neck. An assistant holds the stockinetted arm at a right angle, with the elbow flexed slightly. The incision is across the anterior axillary fold about 1 inch from the chest wall, extending for a distance of 4 inches across the floor of the axilla. Following penetration of the deep fascia, the pectoralis major is elevated by a retractor. The assistant continues to hold the shoulder at a right angle with the elbow flexed. Dissection is continued through the floor of and deeply into the axilla, with progress related to the lateral border of the conjoined tendon of biceps and coracobrachialis.

As far as possible, the lateral aspect of the conjoined tendon is followed in order to protect the neurovascular bundle. Required blunt dissection extends to the glenoid region, and by digital palpation the anterior aspect and the edge of the glenoid are identified. At this point, a deeper retractor is inserted that will extend to the subscapularis; this is done with considerable care to avoid the circumflex nerve, which curves into the field at this time. Usually the nerve can be identified and retracted gently to one side so that damage is avoided. When this maneuver has been accomplished, the anteroinferior capsule of the shoulder is apparent. Sometimes a frank tear in the capsule, with separation of the labrum, can be identified.

Repair of the defect, or the taking of a "tuck" in the inferior capsule, is done with the use of a narrow skein of fascia. A piece of fascia not more than one-quarter of an inch wide is sewn to a Gallie needle and used to repair the casing. Sometimes a simple mattress stitch of the fascia is all that is required. In other cases, two or three lacing stitches may be needed. It may be difficult to separate the capsule precisely at this point, and a stitch or two through the subscapularis may be necessary to complete the tying down of the

*See Figure 11–13.

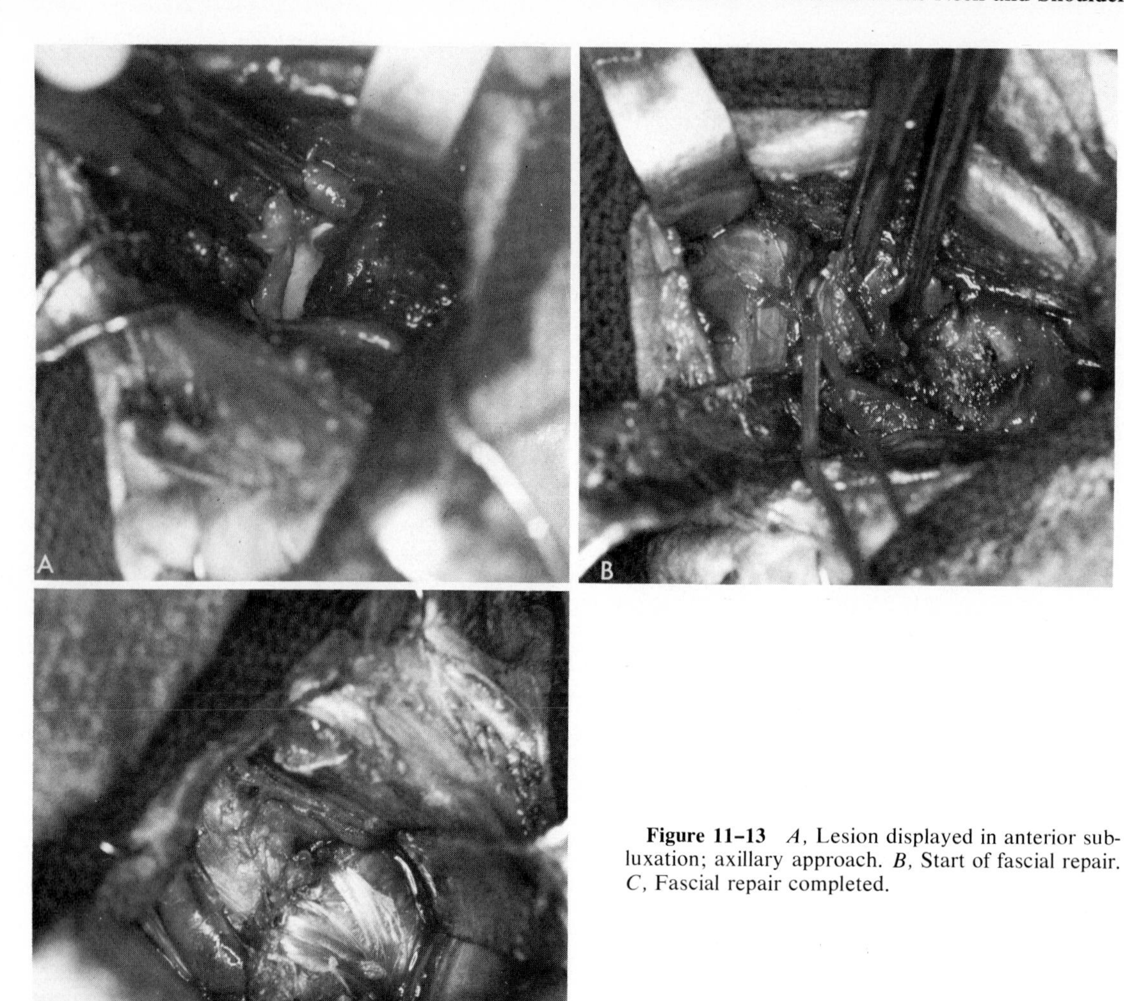

Figure 11–13 *A*, Lesion displayed in anterior subluxation; axillary approach. *B*, Start of fascial repair. *C*, Fascial repair completed.

anterior capsular defect. At the end of the operation, abduction and stability are tested to make sure that no significant inferior contracture will result and that the patient will retain a good range of motion.

Postoperatively the arm is kept carefully at the side for a period of four weeks, following which a program of physiotherapy and gradual resumption of activity is initiated (Fig. 11–14). Anti-inflammatory medication is carried on through the period of rehabilitation for a period of six to eight weeks.

SKI INJURIES OF THE SHOULDER

Ski injuries involving the upper extremity comprise less than 20 per cent of total incidents. Factors such as age, experience, proper equipment, and adequately prepared slopes have been identified as important influences in the occurrence of these injuries.

In the author's experience, the following lesions have been identified as a result of skiing accidents:

1. Fracture of the clavicle;
2. Acromioclavicular dislocation;
3. Fracture and fracture dislocation of the upper end of the humerus;
4. Tears of the rotator cuff;
5. Axillary injuries.

The first four listed are considered in detail in Chapters 8 and 13. Attention is called particularly to axillary injuries, because of the peculiar exposure of this area in this sport.

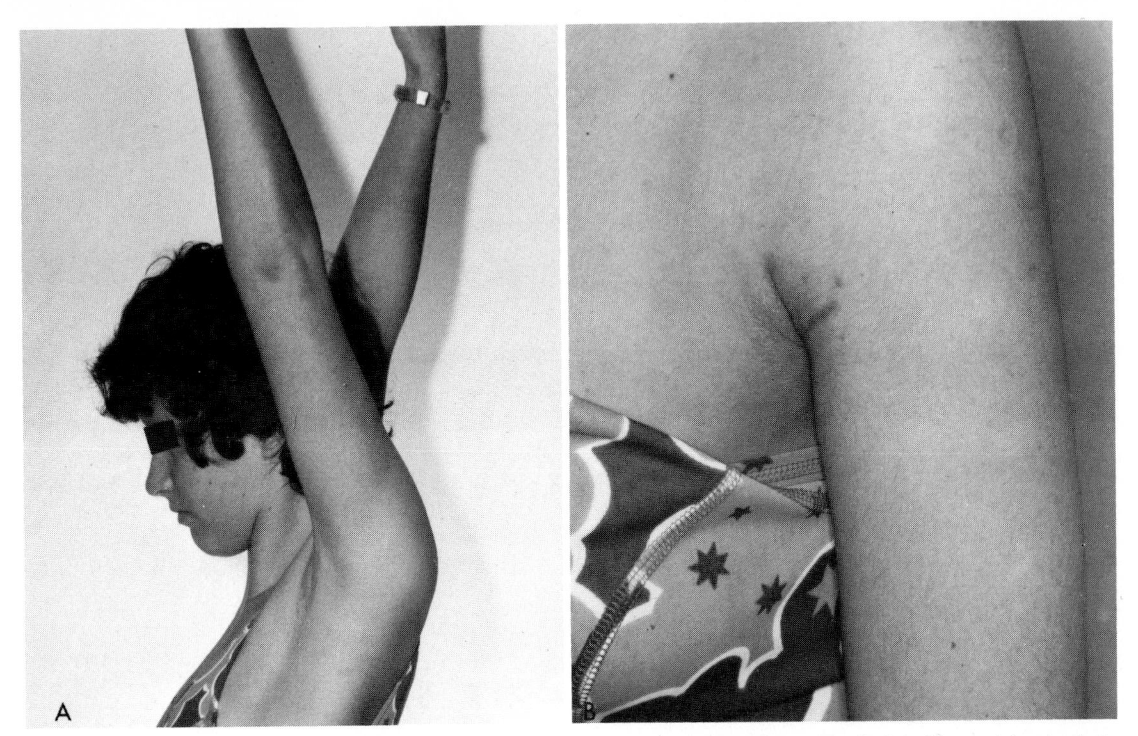

Figure 11–14 *A*, Postoperative result: slight restriction of back swing; subluxation controlled. *B*, Scar as it has healed.

Axillary Injuries

Unlike almost all other sports, the axilla is unusually exposed to injury in skiing activities. A number of mechanisms contribute to this, usually in the course of a projectile fall. Use of the ski poles automatically favors abduction of the arm, and in precipitate falls uncontrolled or poorly controlled abduction can occur without external rotation. Injuries of the cuff or impingement fracture of the greater tuberosity are common results.

Projectile falls may entangle equipment, and sharp ends of pole or skis or adjacent vegetation can impale the axilla, seriously

Figure 11–15 Skiing.

damaging the neurovascular bundle. As a rule the artery and vein at the axillary level and predominantly the posterior cord of the inferior plexus at this level are involved (Fig. 11–15). However, the addition of traction stress may involve all three main cords of the infraclavicular plexus.

Treatment. Serious vascular injury, rupture of axillary artery and vein, requires emergency attention. Early exploration and repair of the vascular damage takes precedence over all other management.

At the time of the vascular repair, if at all feasible, some precautions should be taken to separate the involved plexus from the artery and vein reconstruction. As a rule, the damage to nerve elements is sufficient to require surgical exploration. This is carried out as soon as (1) local conditions allow, (2) the wound caused by the vascular repair has adequately healed, and (3) the survival of the limb has been established.

Some protection of the artery or vein at the time of primary surgery is desirable, so that the subsequent nerve exploration does not jeopardize the repair. It frequently happens that the nerve elements become involved in the vascular repair scar, so that their separation and dissection is a very meticulous maneuver that can further damage the artery.

The approach and surgical technique for infraclavicular plexus repair is considered in detail in Chapter 13.

HEAVY THROWING SPORTS AND FIELD EVENTS

Included in this group are activities such as discus throwing, shot putting, and javelin throwing.

The propelling mechanism in these sports implicates the shoulder in a fashion quite different from baseball or golf, and acute episodes, rather than chronic disabling entities, are the more frequent source of injury. The mechanism of the throw places tremendous traction and pull on the follow-through phase, affecting principally the large anchoring muscles about the shoulder. Certain lesions are peculiar to these sports.

Interscapular Muscle Tears

The pull of the heavy weight places stress on the anchoring structures, and muscle tears occasionally occur in the interscapular zone. An area of tenderness and swelling localized to this region can be identified. The injury is treated successfully by local anesthetic blocks, physiotherapy, a period of rest, and systemic medication.

Scapulocostal Injuries

Javelin throwers are subject to recurrent attacks of sharp discomfort related to the medial border of the scapula. There are recurrent minute muscle tears, and with slow healing a tendinitis develops. Zones of tenderness related to the medial border of the scapula, accompanied by considerable crepitus, can be identified. If untreated, the complaint tends to become chronic, and also may be aggravated by cervical spine action.

In the initial acute stage, the shoulder girdle should be immobilized in a figure-of-eight shoulder strap splint for two weeks, followed by gradual use, physiotherapy, and systemic medication.

BOWLING, CURLING, SOFTBALL

These activities are linked by a common mechanism, in that the shoulder action involves underarm pitching action. This largely flexion delivery focuses stress on the anterior aspect of the shoulder, and the typical disturbances appear to be quite different from those acquired in sports using overhead delivery. The structures involved are principally the anterior capsule and the bicipital apparatus. The biceps is particularly vulnerable, because the forearm action further increases tension and stress on the biceps in the motion of supination. A jerking type of delivery, or a slipping of the ball from the hand, favors uncontrolled stretch focused on the anterior aspect of the shoulders. The strong internal rotation with flexion stretches the long head of biceps in its groove. Such acts irritate the bicipital sheath and initiate tenosynovitis, or even a fraying of the capsular structure, if the act is repetitive.

Bicipital Tendinitis

Sometimes an unusually forceful supination strain is the irritant. In all underhand deliveries there is a supination-flexion element; it is the supination that may be taken beyond the normal range. When this is coupled with arm and forearm flexion, it may spring the intertubercular fibers, anchoring the long head of biceps in the humerus and allowing it to swing more freely in its trough. When extreme force has been used, the tendon may slip right out of the groove, leaving a slipping biceps tendon.

In its initial stages, this lesion is cured by rest and avoidance of the irritating activity. When the force has been sufficient to weaken the intertubercular fibers, allowing the tendon to slip, operative repair is the cure. If the intertubercular fibers are properly restored, a full return of function may be anticipated. This is not a disabling procedure, and can be accomplished without jeopardizing important structures.

INJURIES IN BODY CONTACT SPORTS

Many serious injuries occur in the heavy body contact activities such as football, hockey, basketball, and soccer.

Mechanism of Injury

In these sports the cause of the injury is quite apparent, and one does not have to look for an intricate explanation. The commonest offending act is application of a heavy force from the side, a sideways fall on the shoulder, a rugged block, or a heavy boarding action. The back and front of the shoulder-neck region may be well protected, but the damage is often caused by application of force from the side. When contact with the lateral aspect of the shoulder is unobstructed, the brunt is transferred to the suspensory mechanism of the clavicle. Force may be dissipated at the acromioclavicular junction or along the shaft of the clavicle, or it may penetrate deeply and implicate the suspensory ligaments. The angle and level of application, the degree of violence, and the instrument involved control the damage that results. Unprotected falls or sideways contacts in the coronal plane nearly always implicate the acromioclavicular mechanism. Recurrent minor episodes then serve as a constant irritant to this joint. Instantaneous application of violent force is more likely to shatter the bony strut of the clavicle, without the force being dissipated in the suspensory mechanism. In this way the strut crumples under the impact.

When force is applied in a more downward direction, but is not of shattering dimensions, the suspensory ligaments bear the brunt and may give way, allowing dislocation of the acromioclavicular joint. In assessing the damage roentgenologically, views of the opposite joint should be made for the sake of comparison.

Severe soft tissue injuries are encountered in the body contact sports, and almost all the fractures and dislocations implicating the shoulder girdle are derived from these activities. Dislocations of the glenohumeral joint, subluxation of the joint, and recurrent dislocations are common in these sports.

Investigation and Diagnosis of Contact Sport Injuries

The neck and shoulder region is a critical area in which all injuries require special attention and investigation.

On the Field Investigation. The trainer is the one who gets to see injuries first in most team activities, so he should not only work closely with the team physician, but have a good working knowledge of the principles of this region in particular. He receives the most accurate description of what has happened, how the injury occurred, and how much force or how many bodies were involved. When there is the slightest suggestion of involvement beyond the superficial tissues, the doctor should be brought on to the field before the patient is moved. The most critical area is the neck, and if there is any question of a neck lesion, the patient should be moved on a stretcher on his back, with the head sandbagged or held carefully; any complaint involving the neck demands that the player be taken completely off the field and a meticulous examination carried out. If he is lying prone, he must not be allowed to sit up; if he is sitting or standing, the head must be supported in extension as he leaves the playing area. A stretcher is also required if the shoulder is obviously deformed, because then the body and stretcher effectively splint the whole area comfortably to allow transportation.

Hospital Investigation. The place to examine and assess these patients properly, if a serious injury is suspected or there is obvious deformity, is in the hospital, not the dressing room. Only preliminary assessment should be made until the patient is in a place where everything necessary for his care can be provided instantly. When the dressing room assessment indicates that there is no implication of the deep structures, bones, joints, or nerves, preliminary care can be carried out. When the lesion implicates these categories, the patient should be taken to the hospital.

Clinical Assessment. The neck should be assessed initially, particular attention being paid to any sharply localized tenderness, fear of motion, stiffness, or fixed deformity. When any of these are present, a radiograph should be taken immediately with the head and neck carefully protected, preferably in a chin halter with gentle traction in extension. Attention is paid to the shoulder after neck complications have been ruled out.

ACUTE SOFT TISSUE INJURIES

Acute Anterior Sprain of Shoulder

The area about the shoulder susceptible to soft tissue injuries in contact sports is the anteroinferior aspect. This is because the axillary zone is opened up in abduction and external rotation, so that considerable force may be applied directly to the axilla or on the lever of the arm, with force transmitted to the anterior capsular elements. A hard-driving helmet, knee, or shoulder can implicate the axillary region, or the abducted externally rotated arm may be forced backward in the attempt to tackle an on-rushing runner. Impacts of this kind stretch the subscapularis and anterior capsular region. They may be of sufficient severity to subluxate the head of the humerus or tear the muscle completely (Fig. 11–16).

In such injuries the patient has immediate pain on the anterior aspect, and a zone of definite tenderness can be identified that becomes more apparent when the examining fingers are placed in the axilla and pushed upward and inward. Considerable swelling often ensues; there is weakness on internal rotation and forward flexion of the humerus in the glenoid. Recurrent anterior capsular sprains lead to recurrent subluxation.

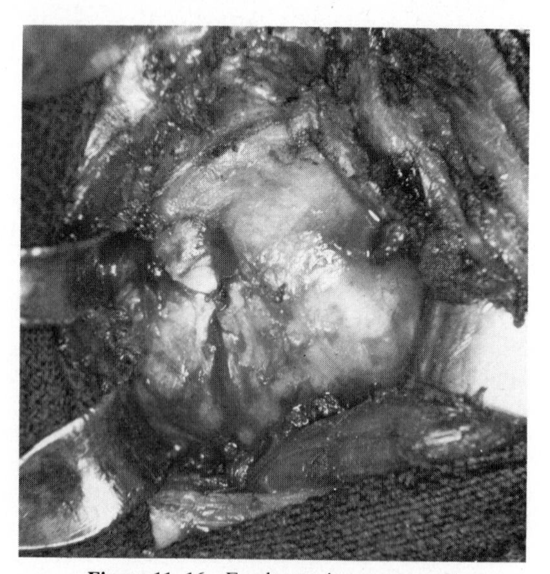

Figure 11–16 Fresh tear in rotator cuff.

Treatment. The injury is treated conservatively by immobilization in a sling or body swathe for four weeks. On occasion, definite anterior luxation will persist, and can be identified by lateral views showing the relation of the head of the humerus to the glenoid. Contrast studies will identify the continuity of the anterior capsule and its relationship to the glenoid. When a defect can be demonstrated, surgical repair with reattachment of the anterior capsule is required, as in a recurrent dislocation.

Ruptures of the Rotator Cuff

Acute rupture of the superior rotator cuff in the young athlete is rare, unless there has been a fracture of the greater tuberosity. It can happen that strain so placed, carrying the arm into abduction passively and yet preventing external rotation, avulses the greater tuberosity, carrying with it a piece of the rotator cuff. Surgical treatment is required for this injury when there is visible displacement. Football and hockey players rarely suffer acute cuff ruptures, because the tendons at this age are strong and only minimal degenerative changes will have set in.

Bicipital Injuries

Disturbances of the bicipital mechanism are not so frequent in body contact activities as in the throwing sports. Three primary entities of bicipital disturbances may be encountered, however: bicipital tenosynovitis, bicipital luxation, and rupture of the long head of biceps tendon.

Bicipital Tenosynovitis. Traumatic tendinitis implicating the biceps tendon is occasionally seen. As a rule, the disturbance implicates the upper portion of the tendon close to the intertubercular zone. The anterior aspect of the shoulder is exposed in line-blocking, body-checking, and boarding activities, so that it can be implicated in a contusion type of disturbance. It is really a crushing type of injury that occurs, not the chronic irritating mechanism commonly seen in other sports. Contusion causes a degree of fraying of the tendon, and a friction type of synovial reaction develops, implicating the length of the tendon in the groove. Treatment as for a contusion elsewhere is all that is required, with rest, systemic phenylbutazone, and gradual resumption of activities.

Subluxation of Biceps Tendon. The contusion type of trauma may so implicate the bicipital mechanism when there is a congenitally shallow groove in the humerus that the tendon may burst its intertubercular fibers. Almost always this develops where there is a large tendon with a shallow groove. Football passers sometimes suffer this injury, because the abducted externally rotated arm may be struck forcibly while the player is in the act of passing, thereby throwing sudden stress on the intertubercular zone and causing the tendon to jump from the groove.

If the fibers are sprained, rest and treatment will suffice, as for a tenosynovitis. If a frank rupture is suspected, surgical repair is required (Fig. 11–17). The dislocation of the tendon can be identified on clinical examination by feeling the tendon slip from its groove on passive external rotation in the horizontal position. It is an extremely painful episode, with the discomfort localized in the anterior shoulder.

Acute Rupture of Long Head of Biceps. Rupture of the long head, like rotator cuff injuries, is not frequent in this group of patients because of the minimal degenerative changes. Severe contusions of the muscle belly, and avulsion at the musculotendinous juncture, may occur. These also are usually a contusion or crushing type of traction injury, rather than rupture of the tendon in the groove.

Figure 11–17 Subluxation of biceps tendon.

TREATMENT. This is a significant injury in an athlete, and should be treated by surgical means (Fig. 11–18). The earlier it is carried out, the better, because delay militates considerably against a successful result. The tendon should be transferred to the coracoid and plicated to the short head, or fastened to the coracoid if sufficient length of the long head tendon remains. Unless this is done, considerable power of flexion at the shoulder will be lost, and there will be a decrease in flexion and supination of the forearm. The operation of tacking the long head of the tendon to the groove is inadequate, because this tendon then no longer plays across the shoulder joint, and the flexion contribution is entirely lost. So significant is this action that, if insufficient length of tendon remains, an effort should be made to use a strip of fascia from the thigh, imbricating it into the proximal portion of the muscle and then attaching it to the short head and coracoid.

BONE AND JOINT INJURIES

Included in this group are acromioclavicular dislocation, fractures of the clavicle, ruptures of the suspensory ligaments, dislocations of the glenohumeral joint, and dislocations of the sternoclavicular joint. Fractures of the scapula and upper end of the humerus also may be encountered, but these are unusual.

Acromioclavicular Injuries

Perhaps the commonest injury about the shoulder in athletes is damage to the acromioclavicular joint. This may be a subluxation, a dislocation, or a dislocation with rupture of the the suspensory ligaments. In identifying these injuries, it is desirable to discuss these three separate phases of involvement. Force in the coronal plane of the body is involved in many positions and activities of body contact sports. Application of force to the lateral aspect of the humerus results in transfer through the suspensory ligaments, the acromioclavicular joint and the clavicle to the sternoclavicular joint and central portion of

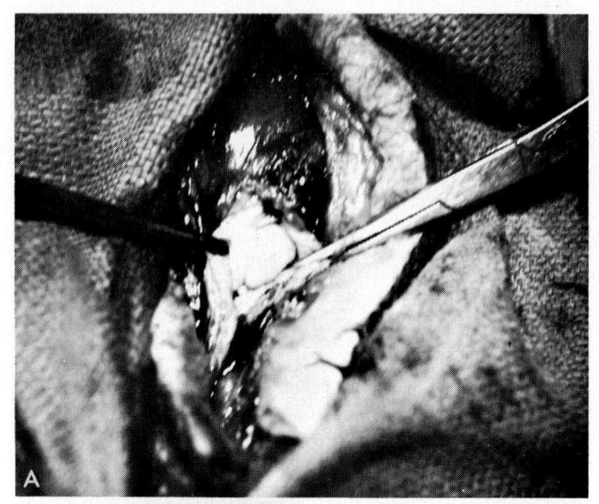

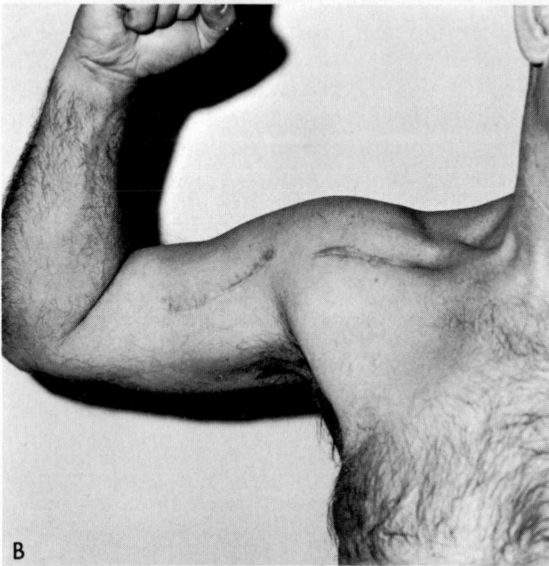

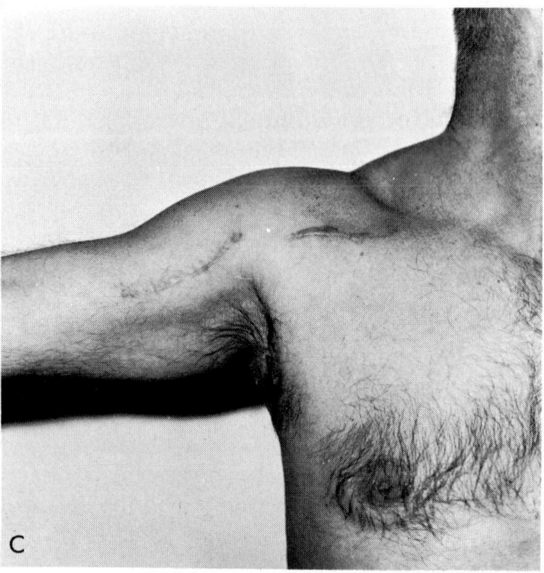

Figure 11–18 Rupture of the long head of biceps. *A*, Incised lesion. *B* and *C*, Incisions and healing following transfer to the coracoid process after surgical repair.

the body. The myriad patterns of such force application explain the frequency of these injuries. Opposing players, the ground, the ice, the boards—all may be used as a bouncing post by the player, who instinctively turns to avoid head-on application of force.

Acute Sprain or Acromioclavicular Subluxation

In such an injury, some stretching or tearing of the acromioclavicular ligaments has occurred. Tenderness over the acromioclavicular joint, but not necessarily extensive mobility of the clavicle, can be demonstrated. On pressure the clavicle may appear to ride down a little farther than normal, but the gross relationships of the joint are rarely distorted.

Treatment. The arm should be kept in a sling or strapped to the side, preferably with adhesive strapping, with the fulcrum over the middle or inner third; lifting the arm in the region of the elbow is also desirable. A useful clavicular sling is one that lifts the humerus by pressure through forearm and elbow, with a strap placed more medially over the clavicle so that, when tightened, there is upward pull on the acromion and downward pull on the clavicle. The lesion requires four to six weeks to heal satisfactorily. This program is supported by local anesthetic block and systemic medication. The active treatment program is followed by the gradual resumption of activity and avoidance of further similar stress.

Dislocation of the Acromioclavicular Joint

When true laxity of the clavicle on the

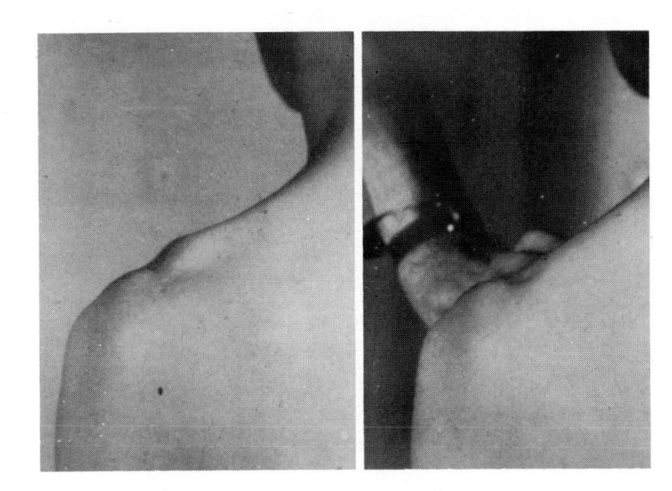

Figure 11-19 Dislocation of acromioclavicular joint.

acromion can be identified, much more extensive injury has occurred. The horizontal fibers extending across the superior aspect of the joint have been ruptured, and the coracoclavicular or suspensory ligament has been stretched, allowing upward displacement of the clavicle, and a downward and lateral displacement of the acromion (Fig. 11-19).

Treatment. This is a significant injury, and by far the best management, particularly in an athlete, is some form of internal fixation. It is preferable to do this under a general anesthetic, inserting wires or a threaded wire through the acromion into the clavicle in the reduced position. Fixation is carried out for a minimum of six weeks, and is followed by a program of rehabilitation and gradual use.

Dislocation with Rupture of Suspensory Ligaments

This is an extremely disabling injury, the severity of which is often unrecognized. The typical finding is frank upward displacement of the clavicle for at least the distance of the clavicular thickness, along with some dropping downward and forward of the acromion, so that the acromioclavicular joint dimension is grossly widened (Fig. 11-20). The distance between the clavicle and the coracoid also is greater on the injured side than on the uninjured side. In such a lesion it is not enough to restore the acromioclavicular relationship; the suspensory ligament must also be repaired. If this injury is strongly suspected, but not certain, the patient should be examined under anesthesia. When the patient relaxes, the clear nature and extent of the lesion immediately become apparent. The acromion and the shoulder will drop downward and forward to a surprising degree, leaving no doubt that the suspensory mechanism has been torn. Sometimes it is sufficient to take x-ray studies of the weighted shoulder, but this is not so complete as an assessment under anesthesia.

Treatment. By far the most satisfactory solution is open reduction and repair of the ligaments. Reduction of the clavicle is maintained by the insertion of pin fixation. In some instances it is possible to sew the coracoid and trapezoid ligaments together adequately, once the dislocation has been

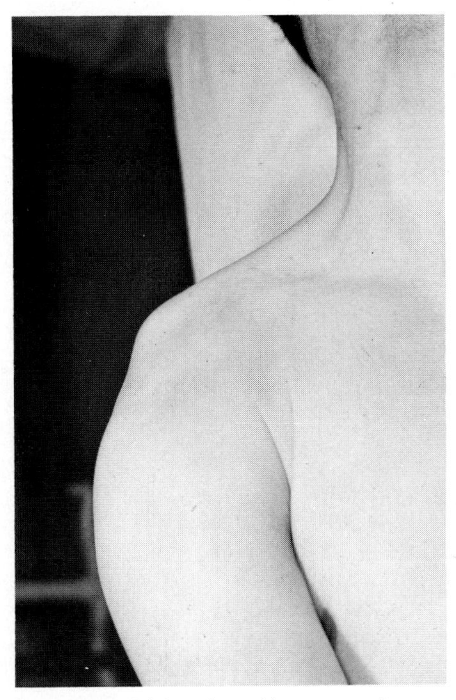

Figure 11-20 Dislocation with rupture of suspensory ligaments.

reduced. In most cases it is preferable to restore the ligament by insertion of a new fascial band from the acromion across the clavicle and into the spine of the scapula; this does more to restore the acromioclavicular relationship to normal than merely attaching the coracoid to the clavicle, and this is apparent when viewed from above. The operative technique is discussed in Chapter 13.

Recurrent Acromioclavicular Subluxation or Internal Derangement of the Acromioclavicular Joint

In young athletes, especially teenagers, a somewhat uncommon entity may be encountered in the form of an internal derangement of the acromioclavicular joint. Young athletes sustaining repeated sagittal injuries may damage the small intra-articular disk within the acromioclavicular joint (Fig. 11–21).

Typically, the patients complain of pain in the shoulder and a catching sensation in certain motions, particularly abduction and flexion. They are not able to locate the source of the clicking action precisely, since it is not a consistent result of movement of the arm.

On examination, tenderness can be identified related to the acromioclavicular joint, and as the patient lifts his arm into abduction, and then across the joint flexion, the discomfort may be produced. At the same time, a minimal degree of subluxation or incongruity of the acromioclavicular joint margins can be identified. A further test is to shift the acromion on the clavicle manually, holding one bone in each hand. This frequently produces the clicking sensation and the pain of which the patient has been complaining.

Figure 11–21 Rupture of the intra-articular disc in the acromioclavicular joint.

Fractures of the Clavicle

Particular attention is required for clavicular injuries, especially in professional athletes, because unsatisfactory treatment will so often permanently mar performance or interfere with livelihood. As a rule, some form of rigid internal fixation is required, and if there is much comminution, the fragments should be replaced accurately at open reduction and suitably held.

Fractures of the Outer Third of the Clavicle. Two separate types of injury of importance in this zone may be recognized.

1. The first is a splintered type of injury sustained from direct violence that cracks the outer third of the clavicle, distorting the acromioclavicular relationship. When there is significant displacement, implication of the joint is inevitable, and eventual acromioclavicular arthritis can be anticipated. When the joint has been involved, resection of the outer half-inch of the clavicle, really an acromioclavicular arthroplasty, is highly desirable.

2. Fracture through the distal or lateral inch of the clavicle may be of the same proportions or configuration as a rupture of the suspensory ligament, in that the medial fragment is displaced upward and the lateral fragment is displaced downward. This is a serious injury and also requires open reduction and internal fixation. The suspensory ligament should be inspected at operation after the fracture has been accurately reduced and transfixed. If the ligament has been damaged, it should be reconstructed or repaired (see Chapter 13).

Fractures of the Middle Third of the Clavicle. Similar considerations apply to this fracture, no matter what type of patient is involved, but the dictum of extremely accurate reposition is especially appreciable in athletes. By far the most satisfactory treatment is open reduction and internal fixation. Fixation can be obtained by a threaded wire inserted through the medial fragment and then out through the lateral end. If a threaded wire is not used, the end of the wire should be turned so that it cannot wander. In some instances an extremely useful form of internal fixation is a Knowles pin; this may be inserted in such a fashion that rigid internal fixation is provided, and it may be left in situ.

Fractures of the Inner Third of the Clavicle. Fractures of the inner third are rare in athletic activities, since they usually result from an extremely severe, overhead crushing type of trauma. Neurovascular complications are frequent and often overshadow the bone injury. Occasionally there will be an oblique fracture at the sternal end, which is really a part of subluxation. Conservative methods, as a rule, provide satisfactory results unless there has been significant displacement. If a fragment is widely separated, excision is desirable.

Retrosternal Dislocations

A more serious dislocation develops if the clavicle is shoved behind the sternum. If such an injury is seen shortly after the episode, the clavicle may be gently elevated into place by grasping the medial third with the fingers and pulling upward and laterally.

Special care must be taken in such reduction if implication of retrosternal structures is apparent. In some instances, as advocated by De Palma, a towel clip may be used to lift the clavicle slowly and carefully into its notch. In easy standing dislocations of this type, fascial repair that resects a figure-of-eight sling through the clavicle and into the sternum should be added to maintain stability.

Sternoclavicular Injuries

Powerful force applied in the coronal plane may implicate the medial end of the strut when a somewhat oblique or downward pressure from behind is added. The medial end of the clavicle may jump upward, or if the blow is from the front, it may be forced retrosternally, and then ride superiorly or inferiorly.

Treatment. Closed reduction of the uncomplicated anterior dislocation can be accomplished in the early post-injury period by backward pressure on the shoulder and pressure over the medial end of the clavicle. In longer-standing injuries, open reduction is required. Under these circumstances there is often a tendency for the medial end not to sit securely in the notch, and the ease with which the dislocation may recur is apparent. In this case, fascial repair of the capsular ligaments and costoclavicular band is carried out (see Chapter 13).

Fractures of the Acromion

Mention is made of this injury here so that it will be kept in mind in the investigation of athletic injuries about the shoulder. It usually results from a contusion type of trauma, with a heavy body falling on the superior aspect. Commonly it is a crack or almost a greenstick type of injury, without extensive displacement. Conservative measures usually suffice. If the lateral end has been bent down, it may be pried into quite accurate alignment by manipulation under a general anesthetic, without open reduction. The fracture will heal if the arm is immobilized in a body swathe, but most of these patients are much more comfortable in a properly applied shoulder spica that is worn for six weeks. When this extensive immobilization is employed in an athlete, however, a vigorous program of rehabilitation is essential afterward.

Rarely, a fracture of the acromion displays a considerable displacement. When this is the case, open reduction can be carried out, with internal fixation by a circular wire loop or a single small Knowles pin. Little reaction ensues from such an open reduction, and the injury heals rapidly.

Fractures of the Body of the Scapula

Occasionally, contusion injuries break the body of the scapula. These lesions may be treated conservatively with immobilization in a sling or body swathe for six weeks.

Dislocation and Subluxation of the Glenohumeral Joint

Body contact sports produce more dislocations of the shoulder than any other activity. All the common and uncommon varieties of subluxation and dislocation can be encountered in sports (Fig. 11–22). These include simple anterior dislocation, anteroposterior subluxation, posterior dislocation, inferior dislocation, recurrent anterior dislocation, and recurrent posterior dislocation. The management of all the various phases of these injuries is the same in athletes as in others, and has been considered extensively in Chapter 13 under "Fractures and Disloca-

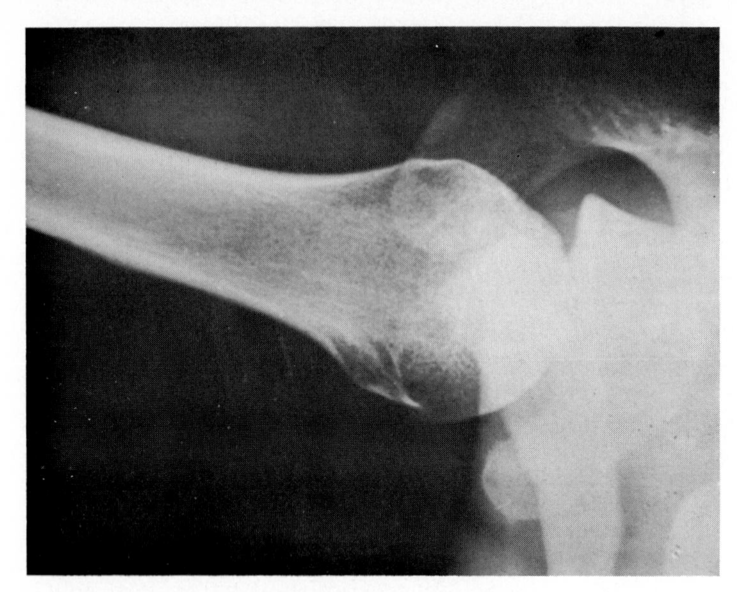

Figure 11–22 Recurrent anterior subluxation in an athlete (courtesy D. L. MacIntosh).

tions." The one different consideration for the athlete is the patient's enthusiastic desire to have as complete a return of function, and as quickly, as possible.

In the initial anterior dislocation, the arm should be kept in a sling at the side for at least six weeks. This should be followed by a skillfully paced program of resumption of function, carried to a point at which a full range of motion is obtained, so that there is no limiting rotatory deficiency to mar performance. In recurrent dislocation, it is strongly recommended that surgical repair be carried out at an early date. The question often comes up of how long the athlete should be kept out of active participation after the initial dislocation. The author believes that the shoulder should be protected for six weeks under these circumstances, and most of the time this means he cannot play until the following season. If it is a recurring episode, the second or third dislocation should be treated operatively.

The prime reasons for conservatism are, first, to complete healing as securely as possible, thereby avoiding recurrence. Second, a shoulder so insulted is in poor condition to withstand a further episode that might be of more severe proportions (for example, complicated by a stretch lesion of the axillary nerve and resultant deltoid paralysis).

NECK INJURIES IN SPORTS

Body contact sports are a potential source of neck injuries, and some may be extremely serious. Knowledge of emergency handling is therefore essential when a neck injury is suspected. The time for the most critical precautions may occur directly on the playing field, so that it behooves trainers and handlers in particular to have some special understanding of the seriousness of neck injuries. As a rule, the trainer reaches the injured player first, and he should be taught that if there are symptoms suggestive of neck involvement the patient should not be moved or disturbed until the physician has come on to the field. It takes but a short time to determine whether there has been a serious accident with cord involvement. The patient should be moved to a stretcher, special care being taken in placing him on the stretcher to prevent significant excursion of the neck. Preferably he should be put on his back, with the neck held in the midposition by an attendant. Once the player is in the dressing room, the physician can make a more detailed examination and decide whether the injury had penetrated to deep structures.

Particular care must be taken to prevent the patient from sitting up and to stop handlers, technicians, or anyone else raising him into the sitting position. Once the degree of severity has been identified by physical examination and, if deemed necessary, x-ray examination, proper management may be instituted. The collection of neck injuries may best be considered according to the depth of injury, whether it has been confined to the soft tissues only, or whether bone or joint involvement has occurred.

SOFT TISSUE INJURIES

Contusions of the Neck

As a mobile zone the neck is relatively unprotected, so that in athletic activities, particularly body contact sports, it remains a vulnerable zone.

Blows from the Front

As a rule, the vital larynx and trachea are protected by the instinctive lowering of the head, but this does not always protect the throat zone. Sharp blows may interfere with breathing and speech. Spasm of the larynx may leave the player speechless and extremely short of breath. The combination of difficulty in breathing and momentary loss of speech is a frightening one. Fractures of the trachea, thyroid cartilage, or hyoid can happen, but they are rare in young athletes.

If the symptoms persist, the patient should be taken to a hospital at once. In by far the majority of cases, the victim is only stunned or bruised, the interruption of functions is transient and the player recovers quickly.

When some doubt exists as to the state of the vital structures, continued supervision in the hospital, where suction and oxygen therapy are available, is essential. The neck should be splinted with a soft collar, and activities resumed very gradually.

Blows from the Back

Direct contusion of the back of the neck produces bruising of the muscles, sometimes hematoma formation, and, rarely, a splintering of the spinous processes. In the acute stage, freezing to a very superficial degree of the overlying painful skin area produces immediate relief and relaxes the muscle spasm. This should be followed by physiotherapy and the application of a light fabric collar until the soreness has subsided.

Lateral Contusions

The side of the neck is much better protected than the back, but direct blows here may produce an additional element of discomfort from trauma to the brachial plexus. In addition to the usual muscle-bruising syndrome, the patient may experience the feeling of burning numbness and shock-like extension down the arm. The arm may momentarily be numbed, and he will be unable to move it. As a rule, after just a few seconds he is once again able to shrug, lift, and use it, and the unpleasant sensation disappears. Should there be a persistence of the paresthesia, more extensive investigation is required. When only muscles are involved, the contusion is handled in the same fashion as those sustained from the posterior aspect.

Neck Sprain

Precise separation of the various degrees of soft tissue insult is difficult, since one tends to merge into another. The common ligamentous injury in the neck that may be called a sprain is involvement of the posterior elements, the interspinous ligaments and the ligamentum nuchae. The commonest and severest insult is a flexion type of injury, with the force so applied that the posterior spinous elements are torn apart. Various degrees of this force, in turn, implicate the apophyseal joint structures, which then, with a further continuation of the force, may separate the articular processes and shift the vertebral bodies forward.

The common injury is contained within the posterior elements. Following the forward flexion strain, the neck has a lax feeling, and quite definite posterior tenderness can be identified, usually related to one set of posterior spinous processes. Shortly all the erector spinae muscles become spastic, and the patient holds his neck rigidly, being unwilling to allow it to bend foward.

In the acute phase, if a precise point of ligamentous separation can be identified, it should be injected with a local anesthetic and a soft cervical collar applied. The neck is kept at rest, both night and day, for a period of six weeks until the ligament has healed.

When the force has been of sufficient severity to avulse the spinous processes, the most satisfactory management is surgical excision. Failure of an avulsed process to unite is common, so that all these injuries should be radiographed and the depth of the damage identified as accurately as possible (see Chapter 13).

BONE AND JOINT INJURIES

Sprain Subluxation

When the flexion force has been of sufficient severity to extend to the articular elements, some luxation of the facets occurs. This may be enough to allow complete sliding

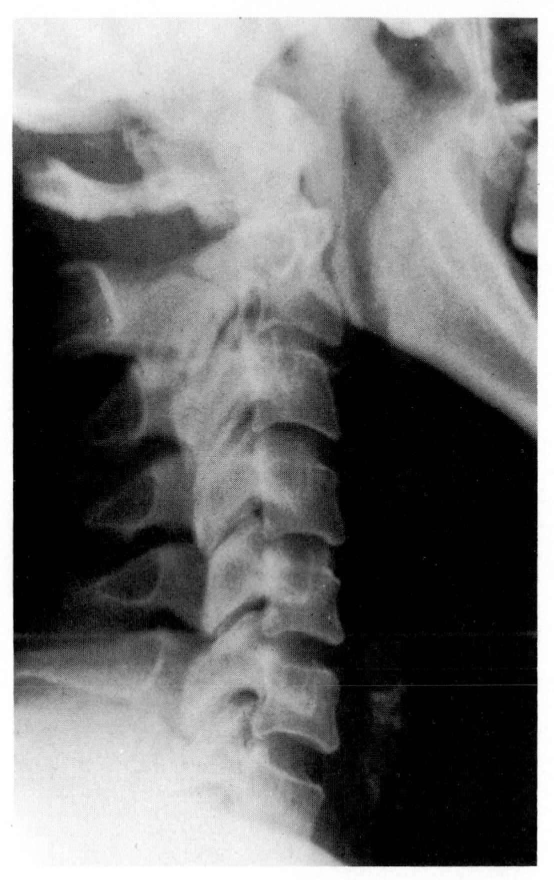

Figure 11–23 Straight spine due to muscle spasm in cervical subluxation.

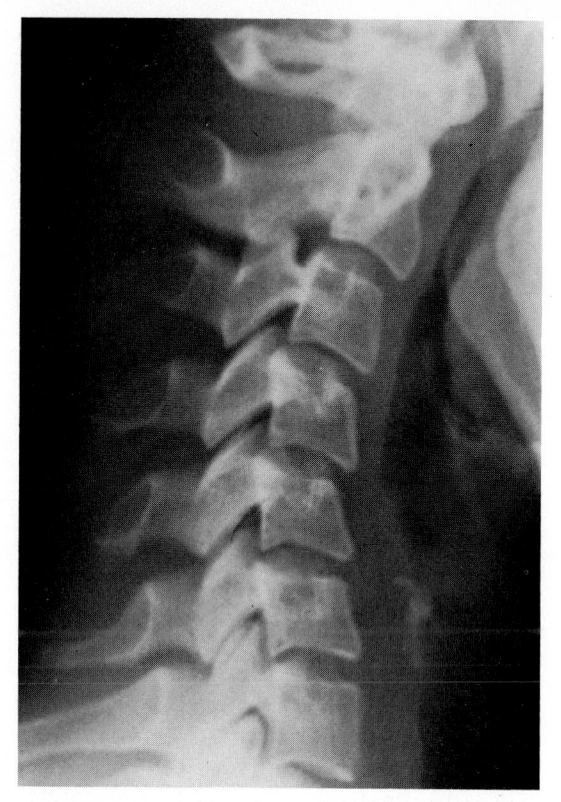

Figure 11–24 Subluxation at C.4–C.5 indicating ligamentous damage.

forward of one vertebral body, or merely a loosening with some instability. In the absence of obvious alteration in the alignment of the articular processes, the injury just appears as a very bad sprain. Extreme spasticity of the muscles, almost a rigidity, results, and there is so much pain that it is difficult to identify a precise level. X-ray examination will show a straight spine, and sometimes sufficient spasm to reverse the normal curves (Fig. 11–23). Careful flexion and extension films may suggest the level of luxation, but this is generally difficult to pick out. It usually is quite apparent from the local findings that much more than a tear of an interspinous element has occurred (Fig. 11–24). The neck must be put at rest, initially in light cervical traction in the midposition, followed by the application of a plaster collar. The ordinary soft cervical or other mechanical collars are inadequate in an injury of this severity. Eight to ten weeks is required for satisfactory healing and stability following this type of injury.

In some instances, the aftermath of subluxation is a post-traumatic arthritis and chronic instability that requires bony stabilization. Cervical subluxations are often overlooked, and it is not until the chronicity of symptoms demands more careful investigation that the true identity is revealed.

Rotatory Subluxation

The extreme mobility of the neck makes it vulnerable to twisting injuries also. The common injury is a forcible turning of the head and neck beyond the normal range. Normally the head and neck can rotate through 120 degrees, or 60 degrees on either side of the neutral frontal plane. Some elements of flexion stress are involved in this as well as the pure rotation, but the damaging element is the excess rotation.

Many degrees of this injury can be identified, but the significant ones are those in which the force has been sufficient to implicate the capsular structures, stretching and tearing the ligaments of the apophyseal joint.

The nature of these injuries is identified by

the production of pain on the reproduction of the rotatory stress. A point of tenderness over the involved joint can be identified on the side of the neck opposite to the one to which the head and neck are turned. Most often this constitutes a true sprain, without any persistent dislocation of the articular facets. Following the initial acute stage, there is a tendency for the patient to protect the side on which the sprain has occurred, so that he tends to tilt the head and neck toward that side but does not rotate the chin significantly (Fig. 11–25). There is an element of flexion in this, since it is in this position that he is best able to protect the joint. Initially this may look like a wryneck or torticollis, but it is quite different; the torticollis is a sprain or strain of the sternomastoid, rather than the apophyseal joints. These injuries require careful treatment, which include gentle manual traction, deep heat to relax the muscle spasm, and muscular relaxants, followed by the application of a soft collar. The ligamentous injuries require four to six weeks for satisfactory healing, and the player should not be in competition before that time. It is permissible for him to participate in practice, but only if he is wearing a protective collar (see also Fig. 12–5).

DISLOCATIONS

Bilateral Rotatory Dislocation

Severe rotatory force continuing beyond the level of simple sprain of the joints and ligaments may progress to true dislocation as an apophyseal joint slides off, becoming locked in this position. In the rotatory dislocation the displacement has little of the flexion element, which separates it from the bilateral dislocation. The head and neck are twisted to the opposite side, allowing the articular process to slip off on the involved side (Fig. 11–26). This force may be extended to the opposite side, so that there is some chipping or fracturing of the articular process on the side away from the dislocation.

These injuries are serious and require immediate hospitalization. Cervical traction, usually by the halter method, is applied, and muscle relaxants and adequate sedation are given. In the initial stages, the carefully controlled intravenous injection of a relaxant is extremely helpful in allowing quick and painless reduction of the dislocation. Following reduction of the luxation, the head is immobilized in a Minerva jacket for eight to ten weeks.

As a rule, with adequate relaxation, both

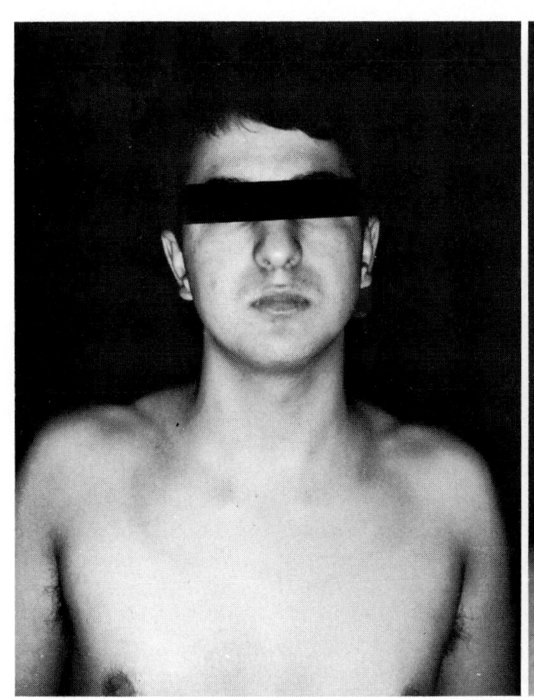

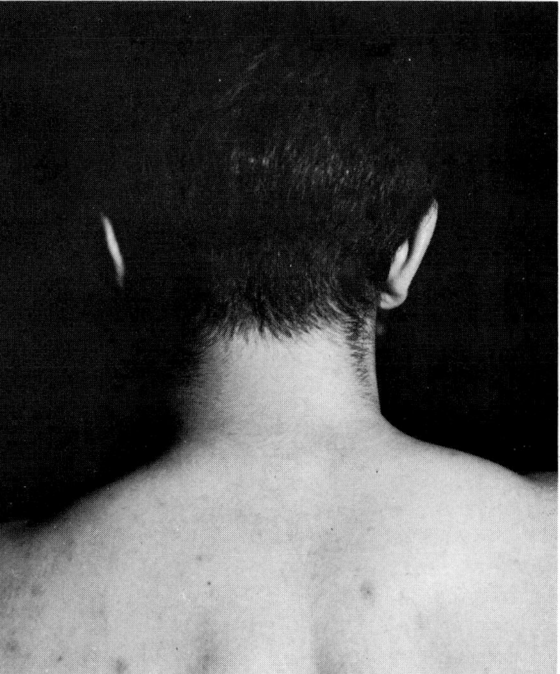

Figure 11–25 Rotatory sprain of the cervical spine. There is a barely perceptible tilt of the head to one side with a little rotation of the chin.

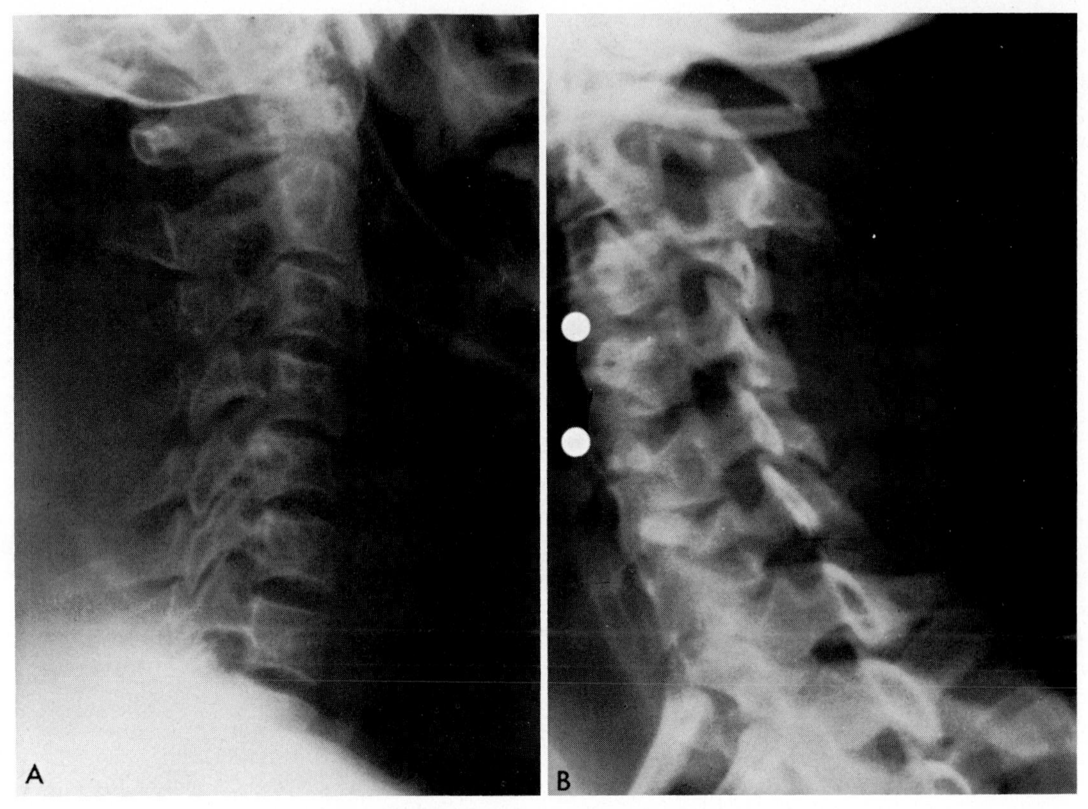

Figure 11–26 Rotatory subluxation of the cervical spine. *A*, Routine lateral view does not show extensive displacement. *B*, Oblique view shows the true state, with C.6–C.7 facets locked out of alignment.

the subluxation and the rotatory dislocation will be reduced satisfactorily. Occasionally this is not so, particularly when the injury has not been identified at an early stage. Those skilled in the management of these injuries may attempt gentle manual traction under anesthesia. The head is gently flexed and rotated in the direction to increase the deformity until the facet is unlocked. At the same time as the neck is flexed, traction is increased, and the head is carefully turned and tilted toward the injured side. Once the facets have become unlocked, the head is tilted away from the lesion and the chin then rotated toward the side of the lesion. The neck is then pulled into gentle extension to maintain the reduction. If there is any obstruction in the last maneuver, or any resistance to the gentle extension, the facet has not become unlocked. Repeated attempts to obtain reduction by closed manipulation are to be condemned, and there is some question whether it should be attempted if the lesion is even of several days' duration. Operative reduction can be accomplished without the risk of cord damage, and is probably the preferable maneuver if traction and proper muscle relaxation and sedation are unsuccessful. As a rule, once these dislocations are reduced, they are stable, so that internal fixation or stabilization is not often so necessary as in the more serious forward bilateral dislocations (see Chapter 13).

Hyperextension Subluxation Dislocations

Football injuries are the common source of these lesions. Violent application of force to the face, jaw, and head can result in forced extension injuries that can be of sufficient severity to produce subluxation or dislocation.

One of the more serious aspects of these injuries was once caused by the type of helmet used. For a time the football helmet had a hard edge at the back on which there was little padding. When the neck was pulled or bent backward forcibly, this could dig into the back and, with the spinous processes serving as a fulcrum, produce complete dislocation, sometimes with cord severance.

The covering of the back of the helmet with a soft material has altered this situation so that the leverage force can no longer be brought into action, thereby removing this grave danger.

As in the flexion injuries, various degrees of the extensor stretching damage can be identified. When the head and neck are forced backward, the posterior spinous processes impinge as the force is continued, and eventually may break on each other. Sometimes the leverage is applied in such a way that the spinous process does not give way, forcing greater pressure on the cord elements anteriorly, and the cord may be sheared directly across.

Anterior-Longitudinal Ligament Strain

Perhaps the mildest form of this extensor injury results in a stretching or tearing of the anterior-longitudinal ligament. The injury is recognized by reproduction of the pain on extension, and anterior tenderness. Often a small detached fragment from the anterior aspect may be identified in a lateral radiograph.

These injuries should be treated by traction in the prone position, sufficient weight being used to hold the head steady without distraction of the articular elements. The traction will be most comfortable with the head flexed slightly. Following subsidence of the initial muscle spasm, a cervical collar (preferably of firm felt) is applied; this keeps the head and neck in gentle flexion, rather than extension. Most of these injuries heal satisfactorily, and surgical measures are not required.

Posterior Dislocation

The extreme form of extensor injury is followed by posterior dislocation or subluxation of one body on the other. This is an extremely serious injury, and quite often is followed by complete cord paralysis. Transient cord and nerve root symptoms may occur without extensive posterior displacement of the vertebral bodies, but this is one of the most dangerous injuries in the neck. Extensive ligamentous rupture may occur, with sufficient displacement of the bodies for the damage to be identified in the x-ray studies. Even minute posterior subluxation should be interpreted as having caused extensive ligamentous damage, and should be treated by plaster immobilization for eight to ten weeks to allow adequate healing. In some instances the persistence of root symptoms, which indicates damage to the interbody structures favoring interbody instability, will require stabilization, preferably by the anterior route.

Fracture Dislocation

When the force has been of massive proportions or the mechanical application of great severity, fracture dislocation may result from either the flexion or extension type of application. This is an extremely serious lesion and is almost always accompanied by cord damage, sometimes causing complete quadriplegia. These are all serious injuries not often encountered in sports, and are more appropriately considered under the discussion of fractures and dislocations in Chapter 13.

Fractures of the Cervical Spine

Penetration of force to the bony structures of sufficient severity to produce fracture is not common in body contact or throwing sports. In some instances, fractures occur in the lateral mass that are difficult to identify by routine radiographs. Laminagrams should always be carried out on any zone in which persistent tenderness and reduced motion are apparent.

DIVING INJURIES

The most serious injuries of all involve diving accidents, although this rarely happens as a part of competitive sport. Normally in diving, the head precedes the body into the water. This is followed by flexion of the spine and head, with continuation of the flexion force to the rest of the thoracic and lumbar spine. Added impetus is given to the dive by the springboard, or by the height from which the dive is made, and a voluntary hurtling force is added, which makes the body contact with another surface one of much greater force than in ordinary falls or tumbles.

Diving into shallow water, carelessly heading into a pool that has been emptied, or diving into unknown waters is the usual source of these tragedies. It is extremely rare for serious accidents to occur under normal conditions. Almost all these injuries are severe compression fractures of the cervical spine or more serious fracture dislocations.

When any of these lesions occur, extensive cord damage is possible, and the management of the injury dictates attention first to the preservation of life because of possible interference with the vital centers. It is the disruption of bulbar control that causes the fatalities, so this needs to be brought under control first if at all possible. Resuscitation, tracheostomy, and artificial breathing apparatus may all be required in treatment of extensive cord damage. Anyone with such an injury should have the head and neck held in the midposition to avoid exacerbating any cord damage already present. Skeletal traction is applied before any further treatment is given.

Compression Fractures Only

The average compression fracture can be treated by skeletal traction for a period of one to two weeks and should be followed by the application of a Minerva jacket. Manipulation or surgical treatment is not required unless there are associated neurologic changes. However, if neurologic abnormalities improve in a matter of days, surgical treatment is not necessary. The Minerva jacket is worn for 12 to 16 weeks.

Fractures with Cord or Nerve Root Involvement

Fractures of the articular processes and laminae or pedicles may complicate the compression injury, producing neurologic changes. The initial management is with a period of cervical traction, but if the initial neurologic abnormalities have not decreased at the end of two weeks, laminectomy should be carried out. The need for surgical intervention is not nearly so great when there has been no dislocation.

Cervical Dislocation and Fracture Dislocations

Following satisfactory handling during the acute post-injury phase, the traction is increased from 12–15 to 25–30 pounds to restore the dislocation. Frequent x-ray examinations, usually simple lateral plates, are taken to judge the effectiveness of the traction and the likelihood of reduction by closed means. If reduction is not obtained over a period of three to four days, or if there is any suggestion of neurologic defect still present or increasing, open reduction should be carried out, with the traction in place. Care is taken in administration of the anesthetic to prevent application of any extension force that could damage the cord.

Fracture dislocations require some form of internal fixation. If the reduction seems stable, wire fixation may be used; if there is any question about the stability, arthrodesis should be done at the same time, providing the patient's condition will permit. Skeletal traction is continued to postoperatively, and, when the patient's condition allows, the Minerva jacket is applied and left in place for four months. Weight-bearing in the plaster is not allowed for eight to ten weeks after operation, and the paient uses a cervical collar for a further three to four months following removal of the Minerva jacket. The "halo" apparatus may be used in preference to skeletal traction.

Injuries of the Atlas

Fractures or fracture dislocations of the atlas are primarily treated conservatively, with use of skeletal traction. When there is an increase in neurologic changes, laminectomy and stabilization are required. In some instances the fractures heal with instability, necessitating occipitocervical arthrodesis.

Fractures of the Axis. Fractures of the odontoid are not uncommon, and frequently are accompanied by dislocation of the atlas, so that there may be serious cord involvement. These injuries are also treated conservatively, with the application of skeletal traction maintaining the head in the midposition. Repeated x-ray examination is carried out to judge the appropriate weight required. Attention is paid to keeping the head and neck in the midline, to favor early union of the odontoid. Many of these fractures heal well without serious residual symptoms. If the fracture appears stabilized in position at the end of six to eight weeks, a Minerva jacket may be carefully applied and left in place until union has occurred. Sometimes this requires longer than the usual 12 weeks, four to six months being necessary. Failure of union of the odontoid leaves a precariously unstable cervical spine and requires occipito-atlantoaxial stabilization.

The techniques of open reduction of the cervical spine and stabilization are delicate and difficult, and should be carried out only by the experienced orthopedist. When there

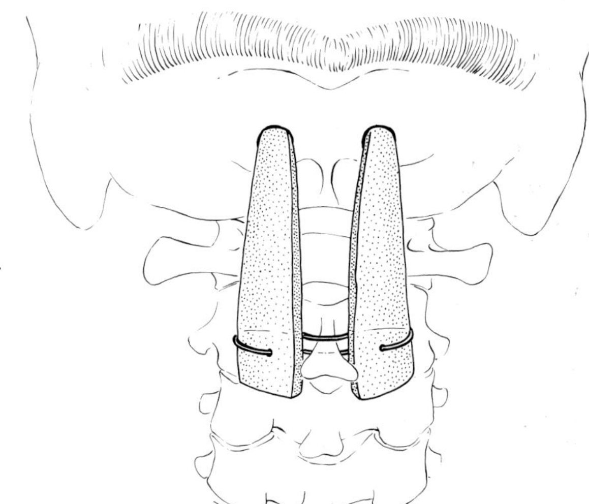

Figure 11–27 Occipitocervical fusion.

are signs of extensive cord involvement, management of the case should be a team effort, and should include a neurosurgeon. For the technical details of these procedures, the reader is referred to the pioneer works of W. A. Rogers, W. E. Gallie, and Robinson and Southwick.

Occipitocervical Arthrodesis

Post-traumatic instability of the occipito-atlantoaxial articulation comprises the most frequent indication for occipitocervical arthrodesis (Fig. 11–27). In most instances, at least transient neurologic changes involving both the upper and the lower limbs are present. These include ataxia, spasticity, some cervical nerve signs, and posterior columnar involvement.

Similar disturbances arise in platybasia with foramen magnum cord compression and in rheumatoid arthritis with atlantoaxial subluxation. The problem may be complicated acutely by the necessity for decompression laminectomy to relieve cord disturbance.

TECHNIQUE. Certain preparatory precautions are mandatory and vary with the severity of the neurologic complications. Skull tong traction is applied, and a cerebellar head rest is used to maintain stability during the operation.

A 6- to 8-inch longitudinal incision is made distally from the external occipital protuberance. Using the electric knife, the muscles and nerves are detached from occiput to C.3 and C.4, including a portion of the upper laminal and cortex processes. The occipital bone is excised below the occiput. Various methods of preparing a bed for grafts have been developed. The principle is to expose an area of the occiput below the nuchal line, and then drill holes in the occiput. Grafts are fixed with wire around the posterior spines, or around the arch of the atlas. Cancellous bone chips are packed about the area, with the iliac crest used as the donor site.

Postoperatively, skeletal traction is retained and the patient is treated on a Stryker or other turning frame for four to six weeks. A prepared neck-chest brace is then applied, and fixation is continued for six months.

REFERENCES

Allman, D.: The little league again. Pediatrics *50*:824, 1972.

Allman, F. L., Jr.: Fractures and ligamentous injuries of the clavicle and its articulation. J. Bone Joint Surg. *49A*:1502, 1967.

Bailey, R. W., et al.: A dynamic method of repair for acute and chronic acromioclavicular disruption. Am. J. Sports Med. *4 (2)*:58, 1976.

Bakalin, G., et al.: Surgical treatment of rupture of the rotator cuff tendon. Acta Orthop. Scand. *46(5)*:751, 1975.

Bateman, J. E.: Cuff tears in athletes. Orthop. Clin. North Am. *4*:721, 1973.

Blazina, M. E.: Shoulder injuries in athletics. J. Am. Coll. Health Assoc. *15*:143, 1966.

Boyer, D. W., Jr.: Case report. Trapshooter's shoulder: stress fracture of the coracoid process. J. Bone Joint Surg. (Am.) *57(6)*:862, 1975.

Cahill, B. R., et al.: Little league shoulder: lesions of the proximal humeral epiphyseal plate. J. Sports Med. *2(3)*:150, 1974.

Clarke, B. M.: Letter: shoulder-cuff lesions. Br. Med. J. *1(6022)*:1402, 1976.

Coughlin, E. J., et al.: Management of shoulder injuries in sport. Conn. Med. *29*:723, 1965.
Dolan, K. D., et al.: Neck injuries in football players. Am. Fam. Physician *12(6)*:86, 1975.
Drez, D., Jr.: Suprascapula neuropathy in the differential diagnosis of rotator cuff injuries. Am. J. Sports Med. *4(2)*:43, 1976.
Drill, F. E.: Injuries of the shoulder in athletes. Minn. Med. *48*:1665, 1965.
Editorial: Shoulder-cuff lesions. Br. Med. J. *1(6011)*:672, 1976.
Froimson, A. I., et al.: Keyhold tenodesis of biceps origin at the shoulder. Clin. Orthop. *112*:245, 1975.
Gal, A. J.: Severe cervical spine injuries. Trauma *5*:379, 1965.
Hoyt, W. A., Jr.: Etiology of shoulder injuries in athletes. J. Bone Joint Surg. *49A*:755, 1967.
Injuries to the neck and upper extremity in sports. J. Sports Med. *1(2)*:38, 1973.
Kenefick, T. C.: Gunshot wounds to the head and neck. J. Laryngol. Otol. *90(4)*:335, 1976.
Kerlan, R. K., et al.: Throwing injuries of the shoulder and elbow in adults. Curr. Pract. Orthop. Surg. *6*:41, 1975.
Kessel, L.: Early diagnosis of ruptures of the rotator cuff of the shoulder joint. Proc. R. Soc. Med. *65*:1030, 1972.
McDonald, E. J., et al.: The value of repeat cerebral arteriography in the evaluation of trauma. Am. J. Roentgenol. *126(4)*:792, 1976.
Melvin, W. J., et al.: The role of the faceguard in the production of flexion injuries to the cervical spine in football. Can. Med. Assoc. J. *93*:1110, 1965.
Nelson, C. L.: The use of arthrography in athletic injuries of the shoulder. Orthop. Clin. North Am. *4*:775, 1973.
Nelson, C. L., et al.: Athletic injuries of the shoulder. Cleve. Clin. Q. *40*:27, 1973.
O'Donoghue, D. H.: Subluxing biceps tendon in the athlete. J. Sports Med. *1(3)*:20, 1973.
Pictrowski, W.: Diving injuries of the cervical vertebrae. Langenbecks Arch. Klin. Chir. *313*:575, 1965.
Priest, J. D., et al.: Tennis shoulder. Am. J. Sports Med. *4(1)*:28, 1976.
Quigley, T. B.: Injuries to the acromioclavicular and sternoclavicular joints sustained in athletics. Surg. Clin. North Am. *43*:1551, 1963.
Sandrom: Another sports fatigue fracture. Stress fracture of the coracoid process of the scapula. Radiology *117(2)*:274, 1975.
Schinbein, J. E.: Athletic injuries. Med. Serv. J. Can. *19*:881, 1963.
Smart, M. J.: Traumatic osteolysis of the distal ends of the clavicles. J. Can. Assoc. Radiol. *23*:264, 1972.
Symposium on Sports Medicine. American Academy of Orthopaedic Surgery. The C. V. Mosby Co., St. Louis, 1969.
The shoulder in sports. J. Sports Med. *2(1)*:47, 1974.
Torj, J. S., et al.: The effect of competitive pitching on the shoulders and elbows of preadolescent baseball players. Pediatrics *49*:267, 1972.
Tullos, H. S., et al.: Little league shoulder; rotational stress fracture of proximal epiphysis. J. Sports Med. *2(3)*:152, 1974.
Warrick, G. K.: Posterior dislocation of the shoulder joint. Br. J. Radiol. *38*:758, 1965.
Weaver, J. K., et al.: Treatment of acromioclavicular injuries, especially complete acromioclavicular separation. J. Bone Joint Surg. (Am.) *54*:1187, 1972.
Weseley, W. S., and Barenfield, F. A.: Ball thrower's fracture of the humerus. Six case reports. Clin. Orthrop. *64*:153, 1969.
Wirtz, P. D.: Head and neck injuries in football. J. Iowa Med. Soc. *66(3)*:89, 102, 1976.

Chapter 12

AUTOMOBILE INJURIES

The shoulder and neck are importantly involved in automobile accidents. For some time "the war" on the highways in a single year produced a casualty list of 50,000 dead, 3,500,000 injuries, and billions of dollars in property damage. The value of enforced legislation for protective car designs has been proved in the United States, where the benefits have been shown to far exceed the costs.

Although the statistics unquestionably show a very considerable improvement in the control of serious injuries, particularly of the neck, there are new problems arising related to the design of restrictive apparatus and the precise function of seat belts and head rests.

MECHANISMS OF INJURY

The manner in which people are injured in car accidents has become of extensive scientific interest. New emphasis has been focused by governing authorities on ways and means of preventing accidents, and this has led to improved car construction, better highways, and stricter assessment and control of the driver. Serious injuries can be minimized by improved steering columns, instrument panels, dashboards, seat contours, and shoulder and body harnesses, but the ultimate dimension remains the driver's control of his vehicle. The design of seats with head rests represents a significant step toward minimizing neck injuries. Bucket seats and shoulder harnesses are deterrents to body commotion, and therefore provide similar assistance.

An analysis of the mechanism of injury has an important place in the precise diagnosis and therapeutic management of all these problems. The rear end collision is a common event, but it is ironic that it is the vehicle struck, rather than the one striking, in which the occupants receive injuries of more widespread medicolegal, time-consuming interest rather than pathologic severity (Fig. 12–1). In contrast, the striking vehicle is the one in which the occupants may have the most severe injuries, and yet this contributor to the impact is less likely to be medicolegally significant. These contrasting states highlight two dominant injury processes: an extension-flexion trauma to the neck and a pre-

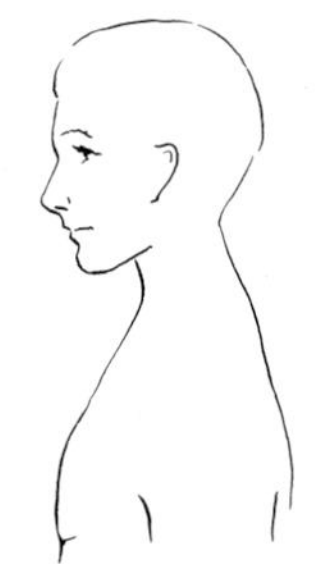

Figure 12–1 Extension-flexion injury.

dominantly flexion-extension process—one an injury of acceleration and the other an injury of deceleration (Fig. 12–1).

INJURY PATTERNS OF REAR END COLLISIONS

EXTENSION-FLEXION PATTERN OF DIRECT REAR END IMPACT

The impact of the vehicle striking from behind thrusts the seated lower portion of the body forward and tilts the unsupported head backward (Fig. 12–2*A*); the head (weighing approximately 10 pounds) as a posterior swinging force strongly extends the neck. The second phase is a decelerating or arresting one, throwing the weighted neck forward. The force of the impact governs the backward phase, but does not necessarily control the forward phase. The weight of the car being struck, the position of the body on the seat (driver or passenger), the time of braking application, and additional braking

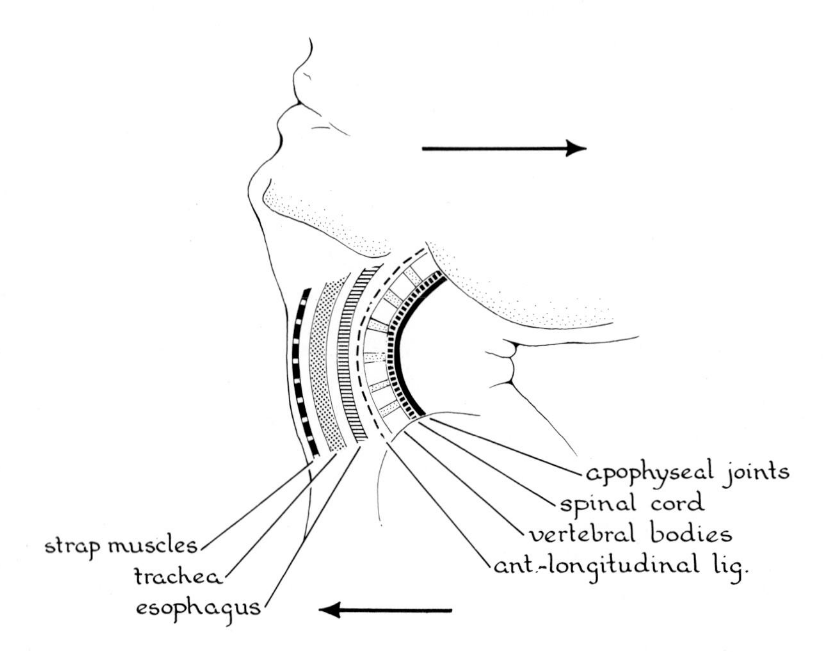

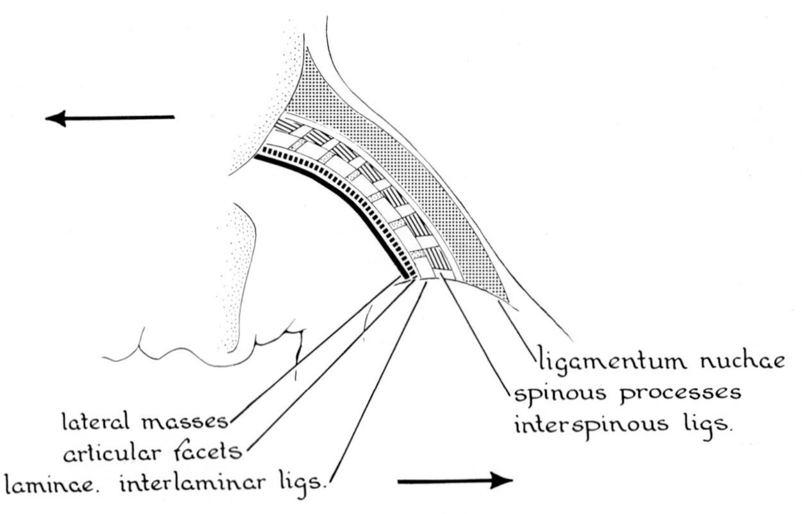

Figure 12–2 Structures involved in reaction to rear end collision. *A*, Primary extension phase. *B*, Secondary or flexion phase.

forces (backward, forward impact) influence the secondary phase (Fig. 12–2*B*).

The involved tissues are damaged by two phases, since changes are encountered both at the front and the back of the neck. The sites of likely tissue damage therefore, will vary to a considerable degree according to the influencing factors. The backward swing may be so free that the head hits the back of the seat. The forward swing may be stopped by the patient's muscle contractions or by his striking some part of the vehicle in front. In the case of the driver, the steering wheel provides protection, limiting the forward excursion significantly. In the case of the passenger at his side, the sweep before contact-producing injury is much greater, extending to the dashboard or windshield in front.

The primary or extensor phase tenses all structures in front of the sagittal fulcrum of the cervical spine (Fig. 12–2*A*). The varying position of the fulcrum form the base of the skull to the cervicothoracic junction explains to a considerable degree the localization of many tissue changes resulting from the whip or extension phase of whiplash. The structures sustaining the stress in front of the sagittal fulcrum include the strap muscles, trachea, esophagus, anterior-longitudinal ligament, and vertebral body. As this force is continued, compression then falls on the apophyseal joints and lateral masses, and, with extreme application of force, the spinal cord can be involved.

In a secondary or flexion phase, structures behind the fulcrum are implicated, including laminae, interlaminar ligaments, interspinous ligaments, spinous processes, and ligamentum nuchae (Fig. 12–2*B*). Nature has provided protective zones for the soft neural tissue, and the consistency itself allows a degree of flexibility that is a further protection. The dura mater and cord linings, along with the space within the spinal column, act as zones of cushioning. In a similar way, the nerve roots are snubbed by an enveloping sheath as they extend through the intervertebral foramen. Sufficient space and leeway are available to ensure that direct damage to these structures, apart from overpowering force, is unlikely, but they may be implicated in secondary reactions initiated by the injury process. In the latter or flexion phase, the main zones of protection are: (1) ligamentum nuchae and erector spinae muscles; (2) ligaments about the apophyseal joints; and (3) vertebral bodies and interbody elements. To

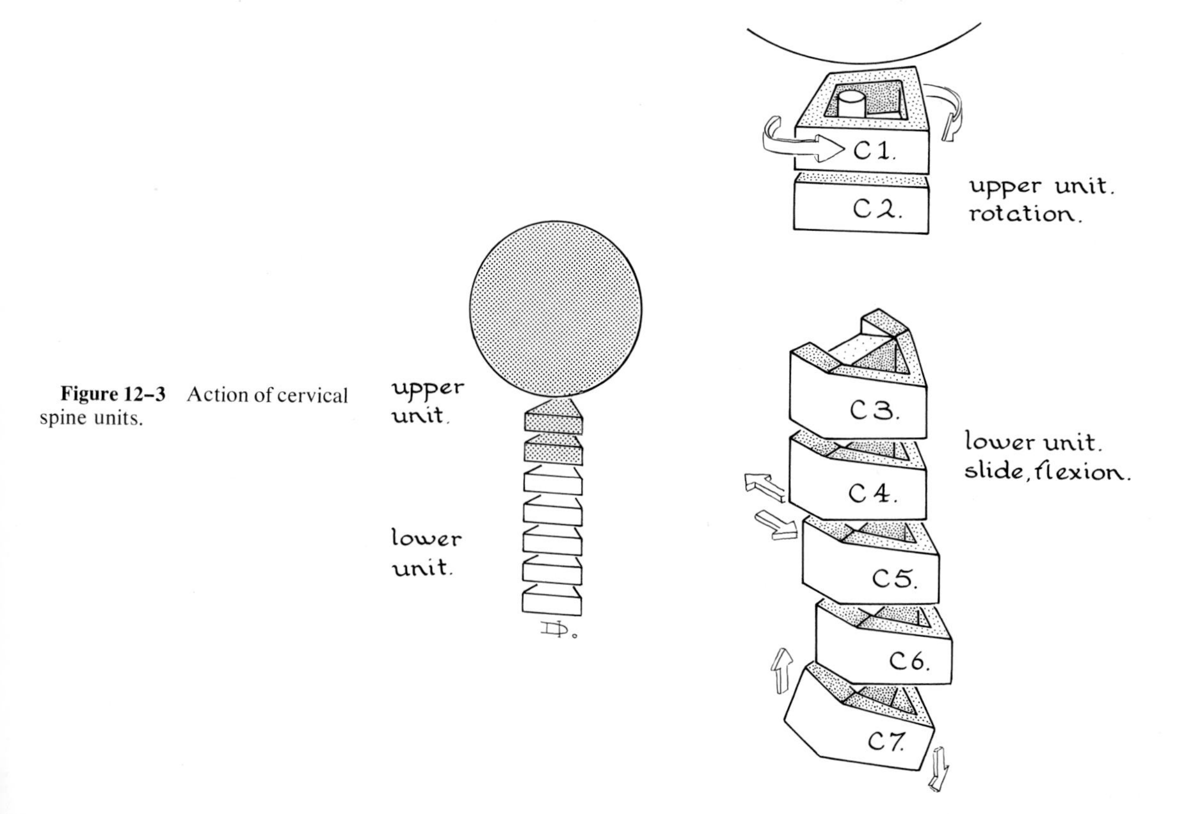

Figure 12–3 Action of cervical spine units.

some degree the recognition of these zones of defense serves as a practical classification for the types and degrees of injuries encountered. The infinite number of force applications, along with the varying severity, make precise identification of the changes difficult, but some appreciation of the tissue response to the force is helpful. The large majority of these injuries implicate soft tissues only, and when there is severe bone and joint involvement, it is usually the result of overwhelming force.

In interpreting the site of tissue change it is important to remember that the neck extension-flexion, although it is usually depicted as a free swinging action, is actually a compound movement including a sliding or gliding element. The shape and structure of the bones make this the only way in which these bones may move, one on another (Fig. 12–3). It is the summation in the gliding arc that makes it look like a swinging arc.

Some further structural properties related to the cervical spine are of importance in swinging types of trauma. The size and shape of the vertebral bodies vary (from the smallest to the largest) from above downward, so that greater damage can be caused to the more delicate upper segments than the more sturdily constructed lower ones. As one looks at the cervical spine from the front, the gradation in size is pyramid fashion from the top to the bottom (Fig. 12–4). Similarly, the posterior outrigging cervical spines provide a natural zone of protective restriction of motion at the bottom, because of impingement; the longer the lever, the greater the protection, so that once again the lower portion is better buttressed. The area of C.4-C.5, with a smaller posterior spinous process, exhibits the greatest range of motion.

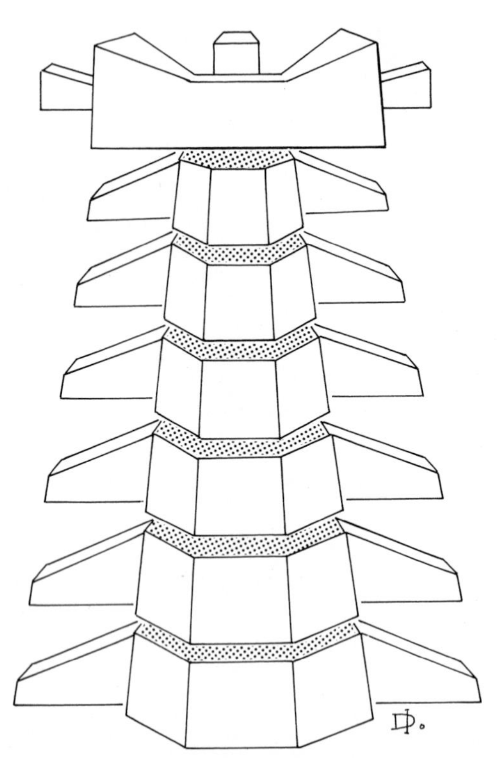

Figure 12–4 Cervical vertebrae. Note wide angle atlas and progressive increase in size of the remaining vertebrae to C.7.

A further structural element of importance is that in extension, as the spine shifts backward, there is very little obstruction to the posterior gliding swing. It depends almost entirely on the security of the ligamentous attachments, including the longitudinal ligaments and interbody mechanism of annulus and disk. The central nucleus does not contribute to braking action because of its innate function in providing a rolling, gliding action. However, the ligaments and annulus are so constructed and attached that they do provide a strong braking force.

TANGENTIAL AND TORSION INJURIES

Many accidents occur in which the application of force is from the side, and this constitutes a significant variation. One of the important facets of so-called "sidelash" is that some of the stress from such an impact is converted into a torsion or tangential element because the cervical spine is so constructed that a degree of rotatory reaction ensues from sidewise force application (Fig. 12–5). Furthermore, the angle of application is likely to be at a variant from the center, in contrast to rear end collisions where the force application is so often directly in an anteroposterior direction. Somewhat similar considerations apply in a rear end collision in which the occupant's head and neck or body are in a partially turned position. The result is that the stretching forces fall on structures already under a degree of tension. With the head and neck turned in one direction, some stress is already on the periarticular ligaments (Fig. 12–5*A*). When additional force of an unexpected nature is applied, it catches these elements already on the stretch, and there is likelihood of damage to other areas of the vertebra.

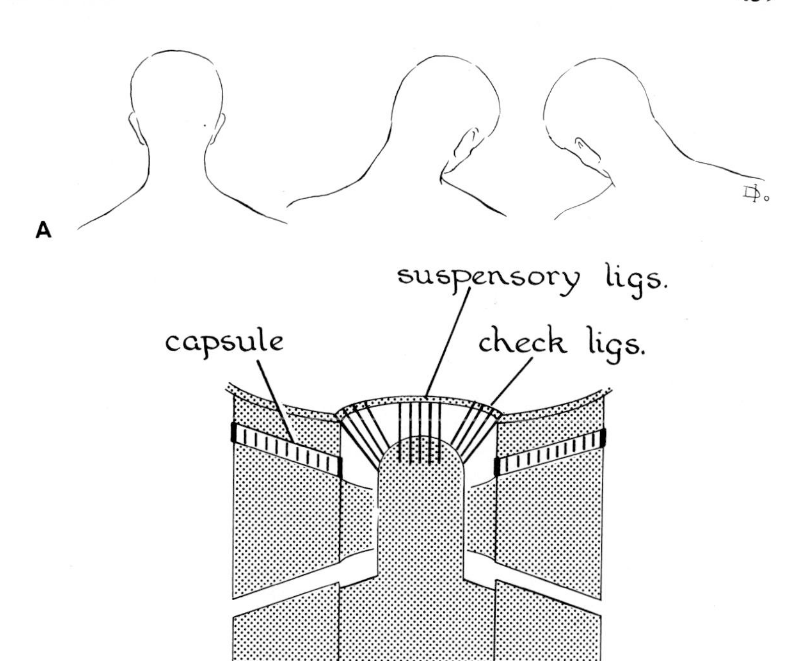

Figure 12–5 *A*, Motion of head in side lash. *B*, Ligaments limiting rotation at occipitocervical junction.

COMPOUND IMPACTS

Another force to be assimilated is often that, in addition to the rear end impact, the struck vehicle may collide with another obstacle in front. This mechanism adds a further element, in that there is an accentuation of the phase of braking and accentuation of the flexion-deceleration element already begun. In some instances a third phase of forced extension ensues. The effect of these forces is to magnify the damage, particularly as applied to the posterior soft tissues. The variations of tissue damage that result from these mechanisms are infinite, but for practical purposes, they may be considered under four main headings: (1) soft tissue injuries; (2) nerve root implications; (3) aggravation of pre-existing pathologic changes; and (4) fractures and dislocations.

Soft Tissue Injuries

The effects of extension-flexion and flexion-deceleration forces may be entirely confined to the soft tissues producing: (1) musculoligamentous injuries; (2) ligamentum nuchae injuries; or (3) torsion and combination injuries.

Musculoligamentous Tears. The commonest result of a rear end jolt is stress diffused through the soft tissues, extending to structures both at the front and the back of the sagittal fulcrum. The normal extension-flexion range is through 90 degrees, 45 degrees in extension and 45 degrees in forward flexion from the midline. The impact from behind throws the neck through an increased range posteriorly; as much as a further 45 degrees may result from a rear end impact, focusing a wrenching stress on soft tissue attachments. The anterior-longitudinal ligament bears the brunt of this extensor stress, but, as the force penetrates, extension occurs to involve the strap muscles at the front of the neck, the prevertebral fascia, longus capitis and longus colli muscles, and trachea. The braking action is effected by the ligamentum nuchae, the interspinous ligaments, and the capsular ligaments about the apophyseal joints. Since so many of the force applications are directly in an anteroposterior direction, the apophyseal joints do not play so important a part as the associated ligamentous structures (Figs. 12–6 and 12–7).

Radiologic Findings. Proper x-ray examination and interpretation are of considerable importance in all such injuries. Good films are essential and special views are often required. In patients with significant signs and symptoms, repeat films should be carried out at six- and 12-week intervals because of the difficulty in identifying many of the so-called "occult" fractures. The standard assessment radiologically should include an

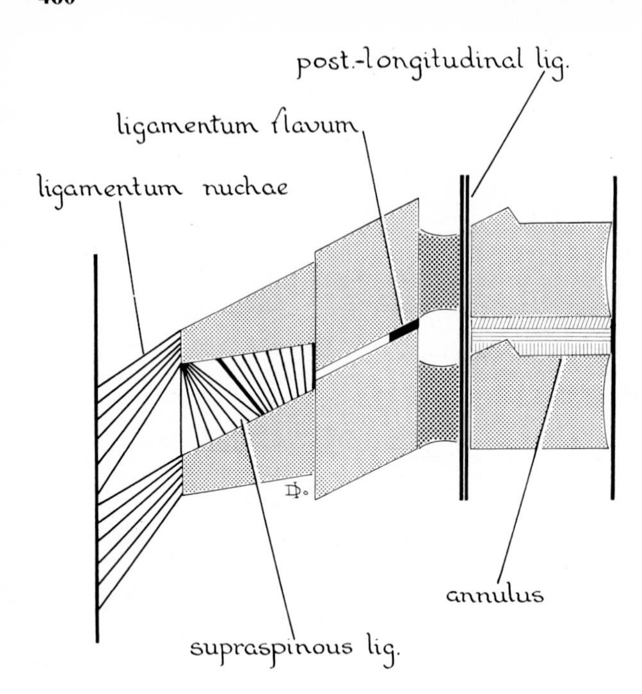

Figure 12–6 Ligamentous layers of cervical spine involved in whiplash injuries.

anteroposterior view supine, odontoid process (open mouth), lateral views in neutral maximum flexion and maximum extension, and right and left oblique views of the foramina. Two further views also are extremely useful: a caudal view of the foramen magnum and a "facet" view that is a 30-degree angled anteroposterior view (see Chapter 4).

As indicated by Zatzkin, the assessment of these views allow identification of certain precise changes resulting from whiplash trauma. The findings of significance include: (1) loss of normal cervical lordosis; (2) decrease in flexion range; (3) a rigid spine with loss of both flexion and extension; (4) narrowing of interbody space in association with evidence of extreme spasm; (5) additional lateral curvature of the spine; and (6) alteration of what appear as pre-existing changes, such as fractured spurs or displacement producing foraminal encroachment.

Clinical Picture. The onset of symptoms shows considerable variation, but the most frequent story is of some immediate soreness, followed in a matter of hours by neck stiffness and headache. Commonly, these all increase the following day, particu-

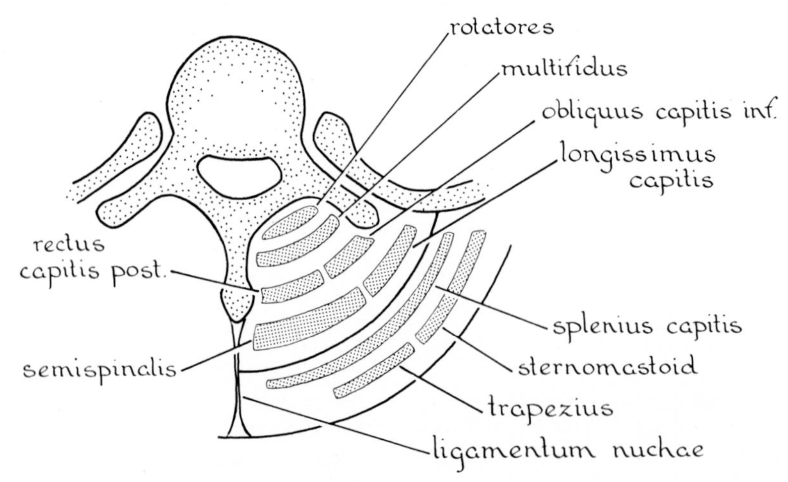

Figure 12–7 Six layers of muscles pad the cervical region, all with firm bone attachment.

larly the stiffness. From then on the patient may become conscious of more widespread symptoms.

Neck Pain. Discomfort at the back of the neck, at the sides, or at the front, frequently extending to the shoulder-neck angle, is common. It is aggravated by motion, and minimized by keeping the neck still. Some extension may be present to the anterior chest or to the area between the scapulae posteriorly. Initially the discomfort is diffuse, but over a period of about 72 hours it commonly settles into a more discrete pattern.

Headache. Extension of the pain up the back of the neck to the suboccipital, occipital, and parietal zones is frequent. As a rule, it involves both sides of the head to start with, but subsequently may localize to one side. There may be a pattern of direct extension from the suboccipital region, or some soreness in this area associated with frontal headache or forehead discomfort. It is usual for the pure headache element shortly to become intermittent, the frequency of the headaches decreasing progressively over a period of months. The acute soreness that accompanies the headache subsides fairly quickly.

A group of patients may be identified who have a more persistent and somewhat different form of headache. They complain of suboccipital discomfort on one side or the other that is of greater severity, and frequently extends up the back of the neck to the vertex and frontal region. This pain is in addition to the generalized neckache and headache. The discomfort is present intermittently, occuring in somewhat spasmodic fashion, and, with increase in the severity, appears to involve both sides. Manipulation of the greater occipital nerve area initiates the discomfort; sometimes, extension with lateral bending toward the side of the pain also aggravates it. In some instances a zone of hyperesthesia can be identified corresponding to the distribution of the greater occipital nerve.

F. H. Mayfield has called attention to the vulnerability of the entire second nerve root, which supplies sensation to most of the scalp. He has suggested that as the nerve emerges from between the laminae of C.1 and C.2 it may be more vulnerable to extension-flexion trauma than the other roots (Fig. 12–8).

The author has found local injection and alcohol block of the greater occipital nerve to be helpful, both in decreasing symptoms and in identifying the source of this extra discomfort. Mayfield, on the basis of extensive experience, has advocated section of the entire second nerve root through a midline incision, identifying the nerve as it passes upward from between the laminae of C.1 and C.2. The nerve is sectioned, but not avulsed at this point. However, complete relief of pain has not been noted in more than 50 per cent of the patients so handled. The author's colleague, Dr. J. C. Colwill, has reported similar success through avulsion of the greater occipital nerve, using the technique described (Fig. 12–9).

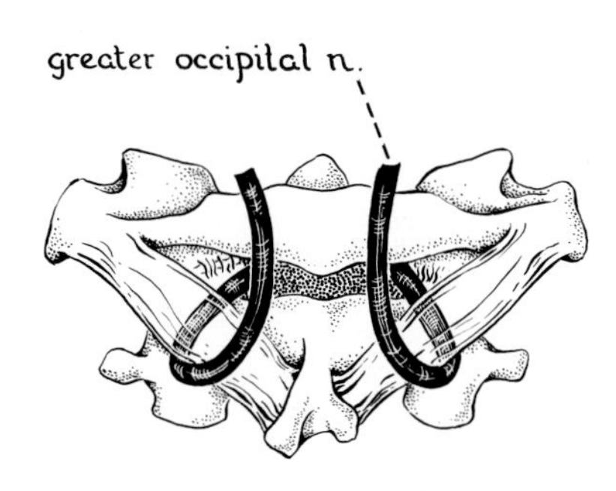

Course and relations of greater occipital nerve

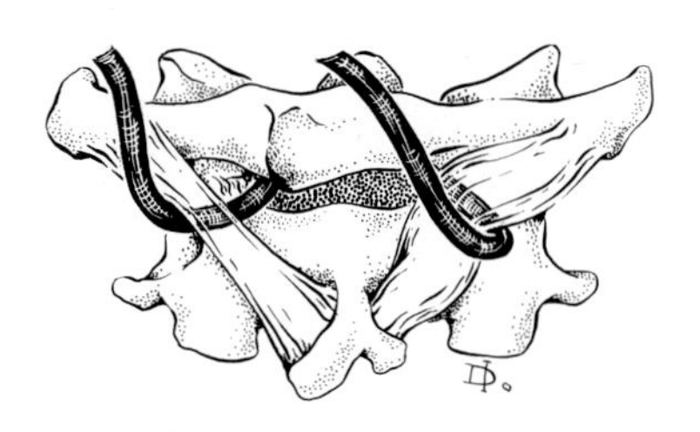

Potential stress in injury process

Figure 12–8

Limitation of Motion. Stiffness of the neck is the commonest sensation, and it sometimes antedates neckache, but in all except the more extensive injuries it progressively subsides until, at the end of a week, only a portion of any given range of motion is implicated. It is usual for the stiffness to be much more apparent for several days following the accident in the straightforward anteroposterior type of injury, reaching a maximum at about a week or ten days and then gradually subsiding.

Cerebral Symptoms. Many whiplash incidents are followed by mental upset of varying degrees. Often this reaction is considerably

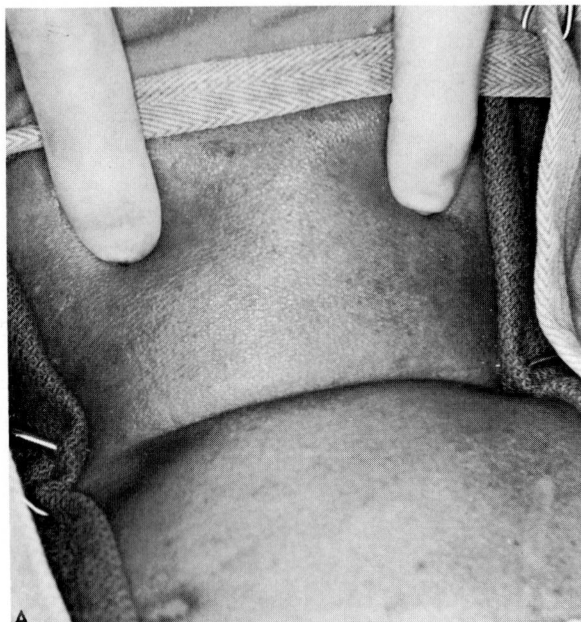

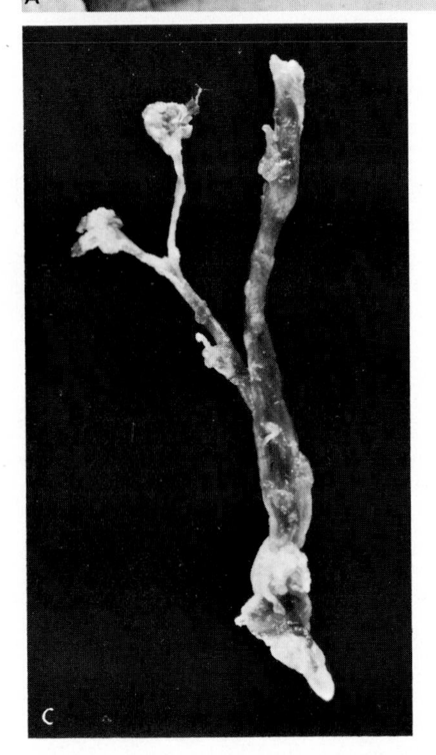

Figure 12–9 Resection of occipital nerve. *A*, Operative field. *B*, Exposure and removal of nerve. *C*, Specimen of nerve resected.

out of proportion to the violence involved in the impact. Female patients complain more often of these changes, but this is not always so. The symptoms include headache, dizziness, difficulty in remembering and concentrating, emotional lability, fatigue, and generalized weakness.

Much of such reaction is understandable, because the episode can be very upsetting owing to its total unexpectedness and the lack of preparation. The average patient going to the hospital for the treatment of other lesions has had a considerable period of preparation and emotional adjustment that is a steadying factor, but such adjustment is entirely lacking in automobile injuries. Variable instability is apparent in patients requiring emergency surgery, such as having a fractured wrist set, but their calmness and control are often in marked contrast to the befuddled and distraught condition of the individual who suddenly finds himself in the emergency treatment room of a hospital following a rear end collision.

The absence of serious structural change should not be interpreted as a factor lessening the upset of such a patient. Many aspects of the episode—fear, unpreparedness, concern over property, injury to others—are all legitimate irritants, in addition to the unexpected physical insult. Of further constant significance is the fact that the patient is usually completely innocent of misjudgement or mismanagement, and yet has been unceremoniously upset while law-abidingly minding his own business.

Although it is proper to recognize these symptoms as legitimate results of the accident that may last for a reasonable time, it is also correct to interpret their progress in the light of known healing processes appropriate to other circumstances. There are established ranges of time in which such abnormalities arising from other sources usually quiet down and in which the reaction subsides. This means that disproportionate prolongation of these complaints may be unreasonable. Similarly, permanent or likely residual effects may be properly gauged in the light of the known results of similar upsets in other phases of disease. These experiences serve as a baseline for assessment of disability of these injuries. Occasionally, emotional upset is prolonged, necessitating neuropsychiatric assessment.

Dizziness. Transient subjective giddiness or dizziness is common, but usually passes off in a matter of days. Persistent vertigo may be due to labyrinthine irritation or to vertebral basilar ischemia when there are extensive spondylitic changes and atheromatous changes in the vertebral arteries. True labyrinthine damage can be identified by special studies that compare responses to body rotation and to head rotation alone. Tinnitus and hearing deficiency also may be present when the force has damaged the labyrinth.

Persistent attacks of vertigo related to sudden head and neck motion can stem from disturbance of the vertebral basilar artery system. Atheromatous changes in these vessels are the predisposing elements, but it is assumed that any spondylosis may involve the course of the vertebral arteries, and when trauma is added to such a system, these attacks are possible.

Ocular Lesions. When the body has been subjected to considerable violence, the commotion can reasonably involve the ocular apparatus. Horwich and Kasner have carefully studied these changes, which include transient diplopia, eyeball ache, and difficulty in focusing on near objects. As a rule, they are temporary.

Vasomotor Upset. Concussion of vital centers and cerebral ganglia have been postulated as the source of vasomotor changes that occur in some of these patients. Cold and sweating hands and feet may be present for a matter of weeks. However, persistence of such problems is not likely from this mechanism; if they do persist, other explanations should be sought.

Difficulty in Swallowing. The posterior swing of the neck may reasonably implicate the anterior structures, sometimes tearing strap muscles and irritating the trachea. Tearing of the anterior-longitudinal ligament may be followed by a retropharyngeal hematoma of considerable size, which will contribute hoarseness and huskiness, as well as difficulty in swallowing, for some time.

Chest Pain. A few days following the injury many patients mention discomfort in the anterior chest that is aggravated by breathing. In some instances, this is the result of direct contact of the chest with a hard object in the flexion or secondary phase of the injury; in others, it is a referred pain and is due to transient nerve root involvement. These changes are more likely to be present when there is extensive spondylosis, to which has been added the extension-flexion injury.

TREATMENT. The usual management of these patients is initiated in the emergency treatment room of the hospital, where x-ray examination is made, sedation provided, and (if possible) the patient is returned to the care of his personal physician. Further management includes the following.

Splinting. These are painful lesions, and some form of cervical immobilization is usually required for a period of weeks. A firm splint by day and a soft collar by night works best. Immobilization is continued as long as muscle spasm is present. A contour pillow is recommended after the night splint is discarded, and often is used for some months.

Traction and Physiotherapy. When the patient is suffering from acute post-whiplash symptoms, the physiotherapist must carefully instruct the patient how to protect his neck.

This includes advice on the wearing of a firm collar such as Plastozote or acrylic, with the head and neck resting in a position of comfort, encouraging a neutral position with respect to cervical flexion-extension. A softer collar, such as felt, may be worn at night. As symptoms subside, the patient must be told how to gradually discard the support. Instruction in basic principles of neck care and posture is important at this stage, especially sleeping and resting positions with proper support. Ice application will aid in relaxation. Gentle, self-resisted isometric exercises should be begun within the limits of pain to maintain strength and help relaxation.

After acute symptoms subside, residual disturbances associated with chronicity—e.g., muscle spasm, headache, and restriction of range—may respond to gentle manual traction, as referred to in the section "Cardinal Rules for the Application of Cervical Traction." This can be done in conjunction with other pain- and spasm-relieving modalities such as ice, heat, transcutaneous nerve stimulation, or ultrasound.

Medication. Mild medication, both daily and at night, is needed in the immediate post-injury period. Anti-inflammatory drugs such as phenylbutazone materially decrease tissue reaction, in addition, some light sedation for pain relief should be provided.

Injection of Trigger Areas. One of the most effective aids beyond the immediate injury period is the local infiltration of residual trigger zones. In the soft tissue injuries, these are commonly related to the suboccipital area, where particularly tender zones on one or other side may be identified. A local anesthetic is injected, sometimes with the addition of a small amount of absolute alcohol; about 1 ml of alcohol in 5 ml of 2 per cent anesthetic solution is extremely effective.

Surgical Measures. Definitive surgical measures are not required for injuries in which the symptoms are confined to soft tissues, but in other degrees of this injury, such as ligamentum nuchae injuries with fracture of spinous process, excision of the avulsed spinous process may be required, and sometimes section of the greater occipital nerve is necessary. In the more severe form with persistent nerve root pressure, diskotomy and anterior interbody fusion may be needed, but all these surgical measures are discussed under the headings of more extensive pathology.

Ligamentum Nuchae Injuries. A more severe degree of soft tissue damage is distinguished from the general extension-flexion injuries in that more force has been applied, of sufficient severity to produce either minute tears in the ligamentum nuchae or other lesions of the posterior spinous processes. In the forward or flexion swing of the whiplash, the principal force is focused at the top and bottom of the neck, representing the points of anchorage of the ligamentum nuchae (Fig. 12–10). In most instances, greater pull is focused in the suboccipital zone, so that there is avulsion of the inserting fibers in this region. Clinically this is demonstrated by points of maximum tenderness in the suboccipital zone at the tendon-bone junction, and by the persistence of soreness over the individual posterior spinous process tips. The opposite end of the ligamentum nuchae attachment is to the spine of C.7, and it also sustains considerable avulsing stress. The intervening posterior spinous processes have less secure attachments to the heavy central strand of the ligamentum nuchae, so that it is at either end that the ligament damage principally accumulates. The force applied

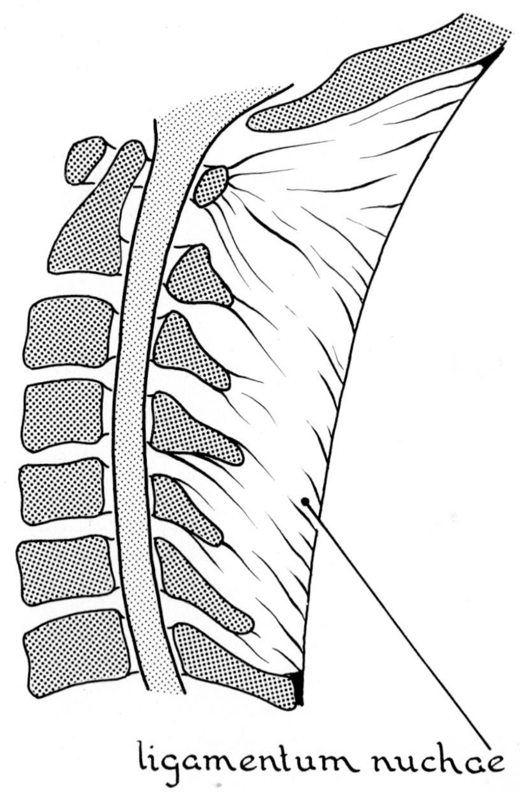

Figure 12–10 Ligamentum nuchae and its anchoring points.

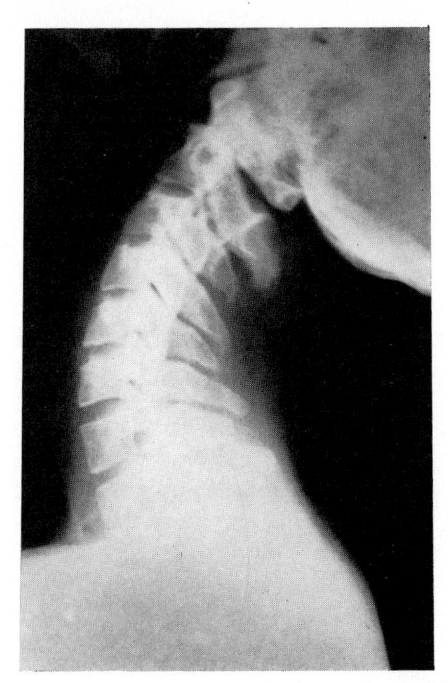

Figure 12–11 Avulsion of spinous process of C.7 in flexion-extension injury.

may be sufficiently severe to pull off the tip of the spinous process of C.7, somewhat similar to the clay-shoveler's injury (Fig. 12–11).

TREATMENT. These injuries respond to the same modalities as the musculoligamentous injuries, but more frequently require local injection of the trigger points or zones of ligamentous avulsion. A longer period of fixation in a splint, more extensive physiotherapy, and systemic medication is the rule.

Torsion Injuries. The group of injuries in which application of force is from the side is considered separately, because of additional symptoms commonly seen in these patients. The oblique application of the force, whether it be due to the angle at which the car has hit the patient's vehicle or to the patient being turned to one side or the other at the moment of a rear end impact, is focused on the periarticular structures, because these are the main zone of resistance to such a force mechanism. Commonly, the force penetrates to a deeper level because there is lack of the protecting element from the strong longitudinal ligaments that guard the front and the back.

Characteristically, these patients complain of soreness at the side of the neck, and have considerable restriction in rotatory motion. The pain lasts for a long time, and they are likely to retain some rotatory limitation for a matter of months. Many of these patients suffer occult fractures, implicating the lateral masses related to the articular processes, so that recheck x-ray studies should be done at six and 12 weeks. These patients also benefit from traction therapy, but require the application of a brace for a longer period than do those with routine anteroposterior injuries.

Nerve Root Injuries

Separate consideration must be given to those patients who present clear-cut signs implicating nerve roots, in addition to the symptoms presented above relative to soft tissue injuries. Two distinct phases may be identified, the acute and the chronic.

Acute or Transient Nerve Root Pressure. The acute injury is the one of greater concern because it is more precisely related to the incident in question. The chronic lesion is perhaps more often an aggravation of a pre-existing state, and nerve root irritation develops in a spine already the seat of degenerative changes, but which has been further insulted by this accident.

Following what is usually quite sharp extension-flexion trauma, the patient experiences pain extending from the neck to the shoulder and down the arm to the hand and fingers. This pain has a burning or shooting quality, and is accompanied by a sensation of numbness and tingling. Quite precise localization in the hand is much more characteristic of root involvement than is the complaint of a general whole hand involvement. Sometimes a period of stiffness in the neck precedes the onset of radiating symptoms, but often the patient continues to experience the lancinating discomfort that was noticed a matter of minutes after the accident. Commonly, there is extension of pain to the interscapular area and to the front of the chest. All elements are aggravated by cervical spine motion, and are accentuated by vertical compression of the head on the neck. Similarly, bending toward the side of the pain accentuates it, but bending to the opposite side tends to diminish it.

Transient nerve root symptoms are common in extension-flexion injuries. Numbness and tingling may be experienced for a matter of days and then subside completely. It is in those patients in whom the radiating discomfort persists and ultimately becomes the dominating complaint that the nerve root has been compressed, possibly by disk herniation rather than simple jarring. In analyzing extension-flexion injuries, the mechanism suggests that it is in those instances in which the second phase, the forward flexion phase, is powerful that nuclear herniation is likely to be sustained. To produce nerve root symptoms, nuclear herniation must be posterior, but it requires considerable force to do this because of the double layer protection of the posterior-longitudinal ligament. In contrast to injuries in the lumbar spine, in which the ligament is, by comparison, not so thickly protective, the squeezing of nuclear tissue is less apt to occur. Severe extension force, although it will implicate the nucleus, favors anterior herniation; it is felt that a loosening of the anterior-longitudinal ligament from the compressed disk pressure is common, but rupture is still prevented by the ligament's strength. A further protective mechanism is that the fulcrum, of bend or glide, of one body on the other in the interbody area lies farther posteriorly than in the lumbar region.

Where there is involvement of nerve roots, alteration in biceps and triceps jerks, weakness in these muscles and sensory changes in the hand can be demarcated. In most instances it is subjective change that is retained, usually in the thumb or index finger or the second and third fingers.

TREATMENT. Such patients are significantly disabled and have difficulty carrying on their work. Application of a properly fitted cervical splint is required, along with daily cervical traction. The amount and length of traction depend on the size of the patient, and are an individual response. In most instances, traction for 15 to 20 minutes, using 5 to 12 pounds, is sufficient to relieve the radiating discomfort. Traction must be applied in a slightly flexed position, with the amount and length of application guided by the relief attained. The patient can be taught to use a cervical halter at home in most cases, and to increase the period of traction himself. The cervical collar needs to be worn for three months, and during the acute stages should be replaced at night by a light felt collar.

Surgical Treatment. Not many of these acute episodes require surgical treatment, and it is usual for the radiating symptoms to be relieved by conservative measures. In some instances stiffness and cervical discomfort persist for a matter of months. The neck pain will gradually subside also, and its persistence usually does not constitute an indication for surgical treatment.

In those cases in which the radiating pain persists for a period of six months, there usually will also be persistence of sensory changes and some motor weakness. The latter may take the form of atrophy of the upper arm, with weakness in either of the anterior or posterior groups or atrophy of the intrinsic muscles of the hand. When this occurs, diskotomy and interbody fusion by the anterior approach is the treatment of choice (see Chapter 15).

Persistent or Chronic Nerve Root Pressure. In contrast to the acute episode just described, the chronic lesion is evidenced by a more gradual onset of the radiating discomfort, sometimes a matter of weeks or months after the inciting trauma. Under these circumstances, there have nearly always been pre-existing interbody or foraminal changes to which a new insult has been added. Sometimes a history is obtained of frank pre-existing nerve root involvement. The signs and symptoms are the same as in the acute episode, but take longer to develop. As a rule, this occurs in the older age-group, patients in the fifth and sixth decades. Because of the chronicity of their complaints, they are usually controlled by conservative measures; it is reasonable to persist with conservative management for a longer period than in the acute episode. In those instances in which there has been a pre-existing nerve root irritation, surgical treatment may be necessary, provided the patient is not too old for such a procedure.

Injury Added to Previous Pathology

For many reasons, it is necessary to consider separately the effects of new injury to a neck already the seat of degenerative changes. After age 50 most cervical spines show radiologic evidence of wear and tear, so that the pattern of symptoms may follow a previous course or may be significantly influenced by these changes in addition to the specific effects of the new insult. Such changes modify impairment of function, length of disability, programs of treatment, and degree of legal responsibility. The states to be evaluated include: (1) vertebral body changes; and (2) interbody and foraminal changes.

Vertebral Body Changes. Some degree of cervical spondylosis is present in well over 50

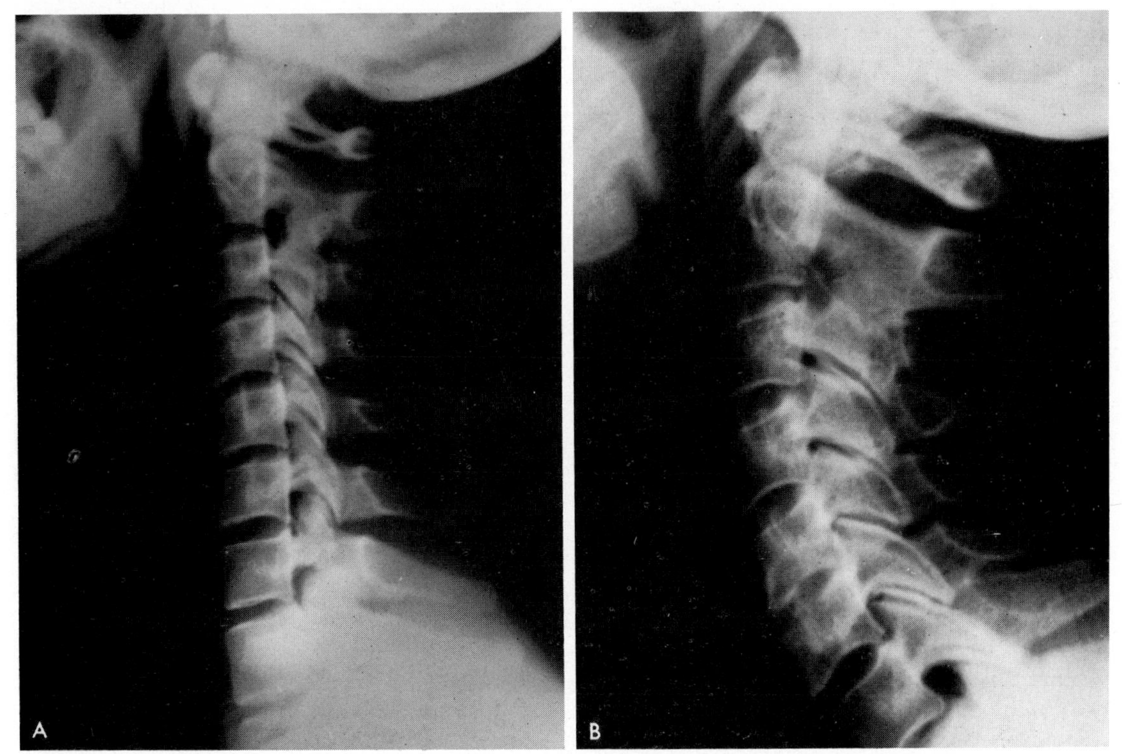

Figure 12–12 Interbody narrowing is accentuated following whiplash injury. *A*, At time of injury. *B*, Four years later.

per cent of the population over 50 years of age. Commonly, these changes are osteophytes on the vertebral borders, projecting anteriorly and posteriorly. The changes reduce the flexibility of the neck; therefore, bony resistance to the shock of injury is encountered earlier and to a greater degree than in undamaged spines in which soft tissue resistance is more prominent. The likelihood of fracture is thus increased. Fracture of the anterior spur results from predominantly extensor force, with avulsion of the posterior edges occurring from the flexion stress. The cracked osteophyte must be differentiated from congenital and developmental changes such as an intercalary bone. This is accomplished by recognition of an oblique defect of the margin with a smoother contour, in contrast to the sharp protruding spur that has been broken. All such changes indicate more extensive injury and the likelihood of longer impairment.

In spines such as this, the application of torsion or tangential force is also more likely to produce bone damage. The general loss of resilience adds to the resistance of the sidelash thrust, and the joints of Luschka also serve as a deterrent to lateral displacement. In this age-group, spur formation and trauma to this projection will be greater (Fig. 12–12).

Interbody and Foraminal Changes. Degenerative changes implicate the foramina also, and are a composite result of disk thinning, marginal osteophyte formation, and joint changes. A study has indicated that changes at the C.5-C.6 and C.6-C.7 levels are present in over 50 per cent of patients over 40 years of age. Fractures of the uncinate processes may create osteophytes that will encroach on the foramina, and hence may implicate the nerve roots. Ruth Jackson has called attention to the protected course that the cervical nerve roots run as they extend from the spinal cord downward and laterally. They lie over the central portion of the vertebral body, and it is not until they reach the foramen zone that they become related to the disk spaces. In this anatomic pattern lies the explanation for the type of neurologic changes frequently seen in extreme spondylosis (Fig. 12–13). The intervertebral body reaction, with the lipping and spondylosis, may implicate the spinal cord, with a myelopathic process developing more extensively than root irritation.

Fractures of the uncinate processes can be

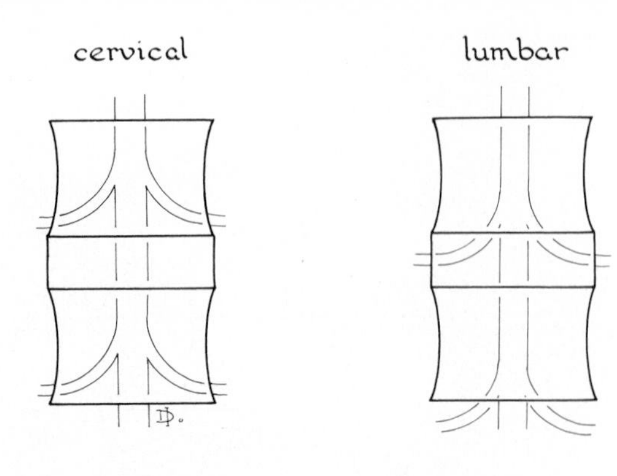

Figure 12–13 The level at which the nerve roots arise from the spinal cord is slightly above the annulus in the cervical area, as compared to a lower level in the lumbar region.

shown only by very careful examination. Sometimes x-ray examination repeated at eight to ten weeks after an injury is necessary to identify changes suggestive of fracture healing of one of these spurs (Fig. 12–14).

In patients in whom no fracture is seen, the narrowed foramen is still more likely to produce nerve root irritation than is the case with the normal spine. The spurs visualized in the foramen on the anterior aspect result from uncinate process distortion; on the posterior aspect, they are the curled-in edges of the inferior articular process of the corresponding apophyseal joint. Since some increase in the size of the foramen occurs from above downward, the constriction from these changes is likely to be greatest at the C.4-C.5 and C.5-C.6 level, rather than at the C.7 to T.1 levels.

TREATMENT. Stiffness, neckache, and headache last longer in these patients, and there is greater likelihood of nerve root irritation. A firm cervical brace, preferably of the Plexiglas type, is required because a soft collar does not provide sufficient immobilization (Fig. 12–15). Sometimes plaster immobilization is required. More sedation is necessary, as well as muscle relaxants and anti-inflammatory drugs.

Physiotherapy is given after the acute reaction has subsided, and the judicious application of traction is necessary if there are persistent root symptoms. In some instances traction may aggravate the discomfort, and for this reason it should be initiated

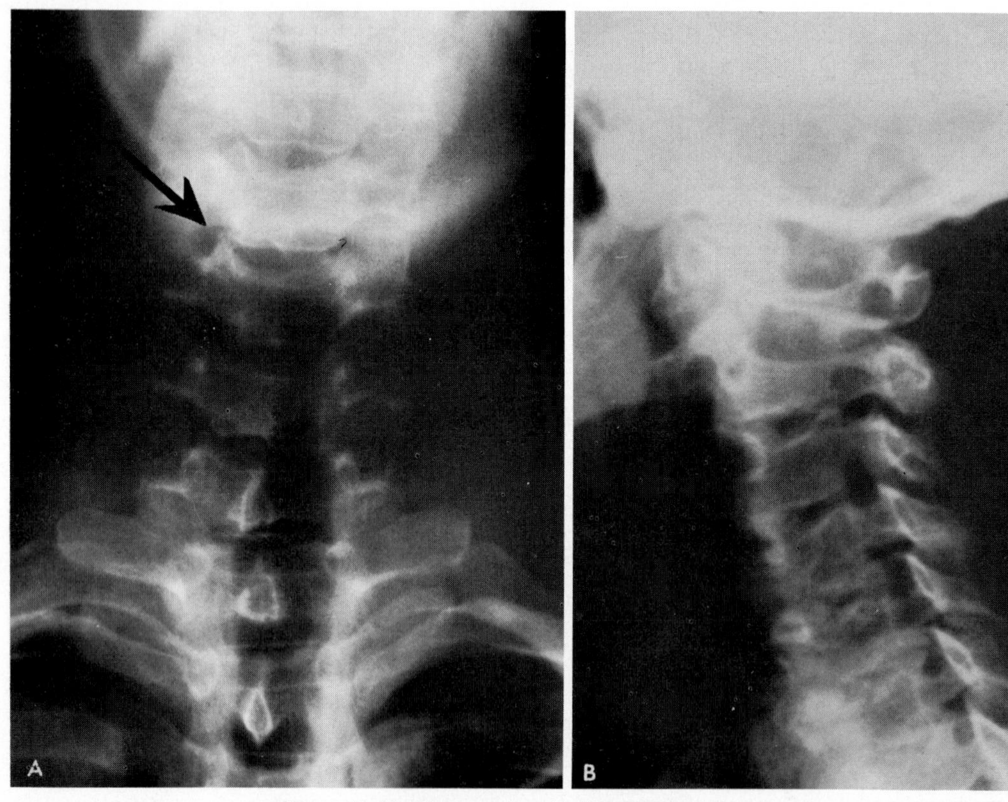

Figure 12–14 Fracture through the spur of uncinate process.

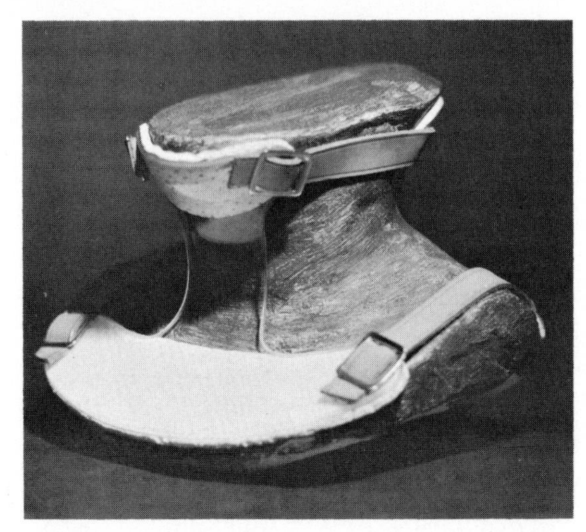

Figure 12–15 Plexiglas collar for cervical fixation.

gradually and with careful adjustment of the amount of weight that can be tolerated. When the traction cannot be accepted, more secure immobilization for a prolonged period is required.

A large number of these patients may be candidates for diskotomy and anterior interbody fusion, because of persistent root symptoms. When the clinical state embraces pain and sensory changes only, without motor or reflex signs, there is a good possibility of subsidence over a period of four to six months without surgical treatment. When the symptoms persist and signs of motor involvement develop, with either definite weakness and atrophy or consistent electromyographic evidence of denervation, stabilization should be carried out if there are no general systemic deterrents or contraindications (see Chapter 15).

Fractures and Dislocations in Whiplash Injuries

Rear end collisions have resulted in a number of less obvious bone and joint injuries that are difficult to define and require special consideration. These "occult" fractures are quite apart from the more severe and quite obvious fractures and dislocations of the cervical spine that have been considered elsewhere, and which require the same management as similar lesions sustained under any circumstances. As one investigates the effect of rear end collisions, a greater number of these occult injuries come to light.

Subluxations. Severe extension-flexion episodes may so damage supporting ligaments that distraction or malalignment results that is just short of a dislocation. In some instances, perhaps, there have been momentary dislocation and immediate reduction. The result is abnormal laxity at one level, usually in the midspine, and this can be demonstrated radiologically.

Such patients have more acute and persistent local tenderness, frank muscle spasm, more pronounced and persistent headache, and greater restriction of spine motion. The older patients who already have degenerative changes are prone to develop radiating symptoms if the subluxation type of injury has occurred. The luxation may be either anterior or posterior, depending on the preponderance of force application.

When such injuries are suspected, flexion and extension films are done with caution. The maximum change tends to be focused at one level, where there is a sharp angulation of the usually smooth line of projection of anterior and posterior vertebral body margins. The subluxation, when identified, calls for immobilization for at least three months (Fig. 12–16).

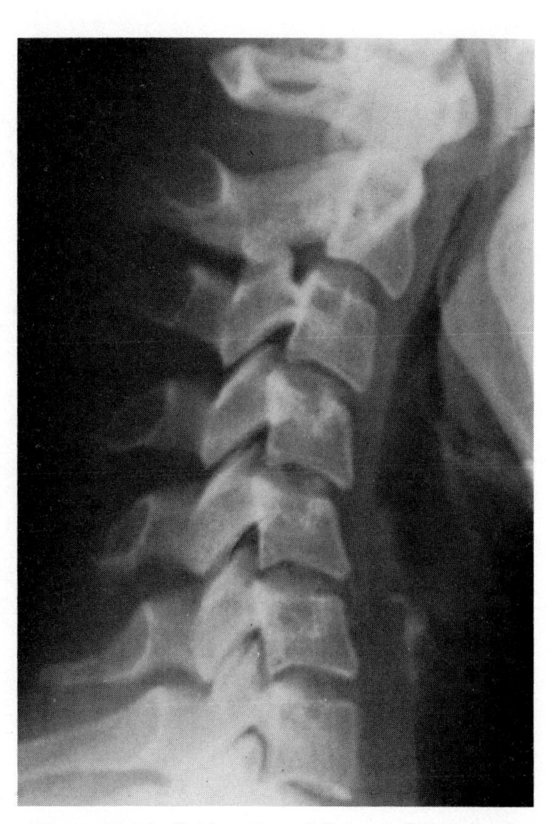

Figure 12–16 Subluxation of C.4 and C.5, indicating ligamentous damage.

Dislocation. The force may be severe enough to allow forward slipping of an inferior or a subjacent superior facet to a degree that it locks in this position (Fig. 12–17). Sometimes there is an associated compression fracture of the lower vertebral body. When it is an extensor injury, force may extend to the arch and fracture it. Rotatory dislocations are more commonly seen in other injuries, and have been considered in Chapter 13 under "Fractures and Dislocations."

Lateral Mass or Occult Fractures. Torsion strain from lateral force application is a common complication of these injuries. When a car is struck broadside, or when the passenger is turned sideways at the moment of impact, the head and neck are bent laterally in addition to receiving an element of extensor-flexion injury. Under these circumstances, fracture in the lateral mass or the intra-articular zones may result. The uncinate process also may be broken.

Such damage should be suspected from a history of this type of injury in which there is persistent tenderness of the lateral aspect of the neck, pain on lateral flexion, and often spasm of the lateral muscles.

Special x-ray studies to show the posterior elements of the arch and articular processes should be done in such patients. When signs and symptoms persist, x-ray examination should be repeated in eight to ten weeks, because then the healing process about an occult fracture can often be seen (Fig. 12–18).

Upper Segment Occipitoaxoid Atlas Injuries. Maximum application of force tends to be focused on the central and lower area of the neck in these particular injuries, but the upper unit may also be implicated.

ATLAS FRACTURES. Sufficient force may be generated in a projectile fashion to produce vertical compression on the top of the head that is severe enough to fracture the lateral mass of the atlas (Fig. 12–19). Cord symptoms are frequent, requiring skull traction and application of halo fixation or a Minerva

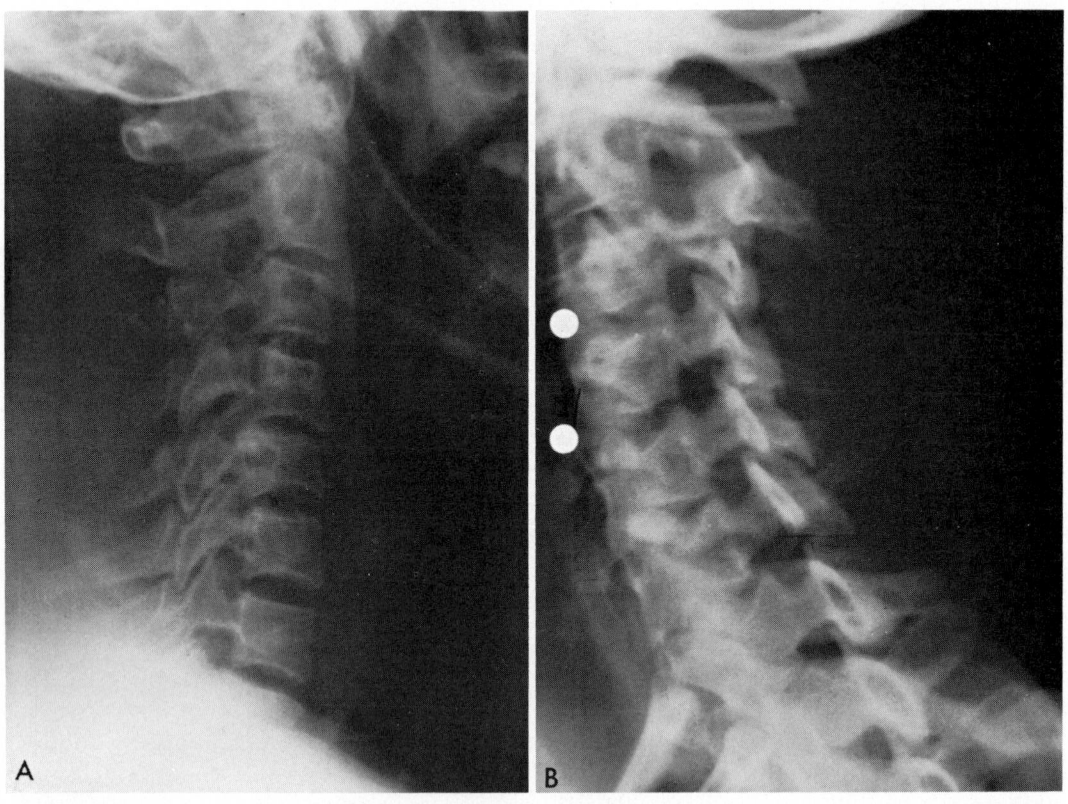

Figure 12–17 Rotatory subluxation of the cervical spine. *A*, Routine lateral view does not show extensive displacement. *B*, Oblique view shows the true state, with C.6–C.7 facets locked out of alignment.

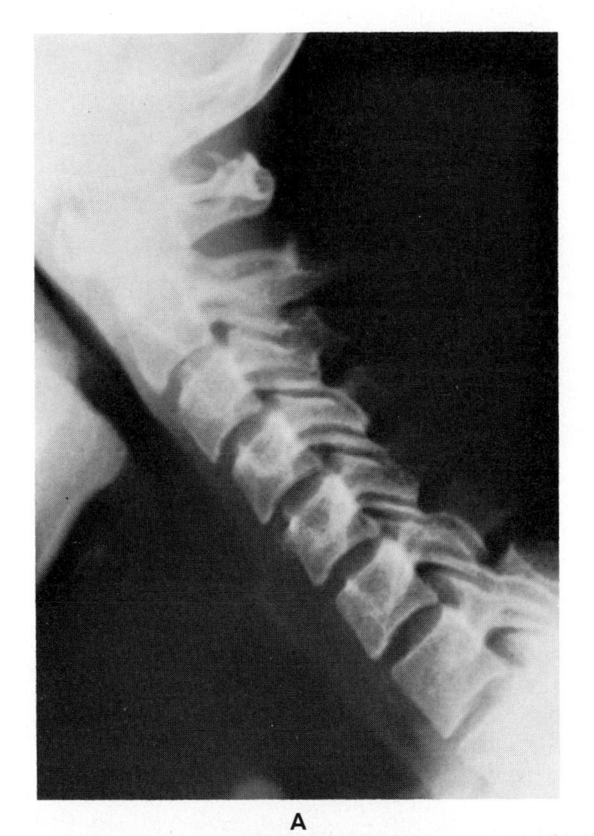

A

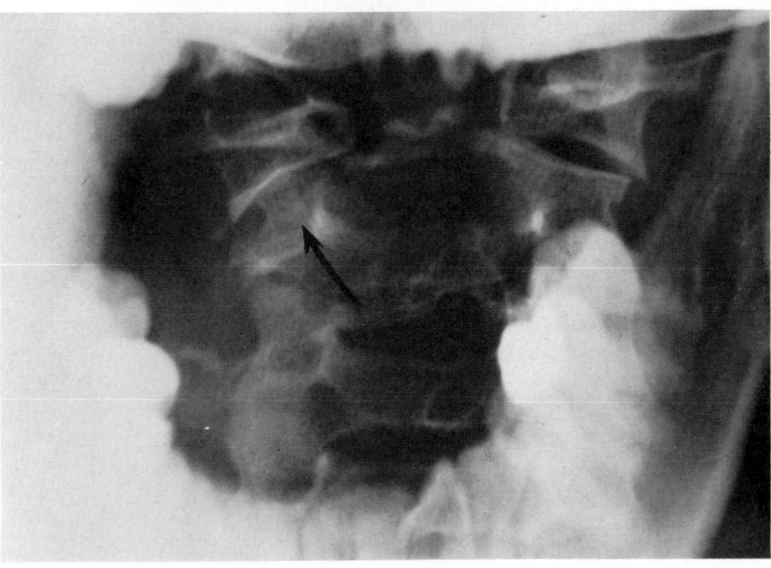

B

Figure 12–18 Occult or hidden fracture. *A*, Not visible in routine view. *B*, Special view necessary to demonstrate it.

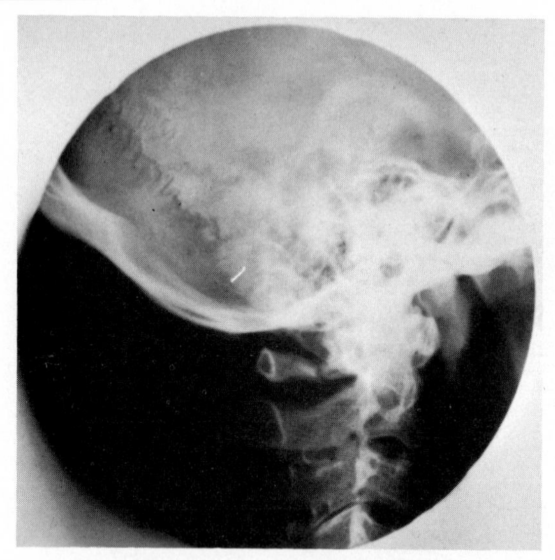

Figure 12–19 Fracture of atlas.

jacket until the fracture is healed. A firm cervical splint is worn for a further four to six months.

Fracture of the posterior arch of the atlas may occur, but usually results from injuries received under different circumstances, and has been considered in the chapter on fractures and dislocations.

AXIS FRACTURES. Fracture of the odontoid usually is not encountered unless there has been considerable force of a projectile nature. The hurtling of the body out of the car, for example, may involve the cervicothoracic or occipitocervical zone in such a fashion that the odontoid is fractured at its base. The management of these injuries has been considered in the previous section on fractures and dislocations.

Lateral Mass and Processes of Axis. The body and articular elements may be fractured as the result of severe trauma involving a direct contact force on the upper segment, such as the head striking the windshield or the roof. Skeletal traction is required, followed by plaster fixation for four to six months.

Posterior Spinous Process Fracture. When the flexion element of the extension-flexion mechanism is severe, sufficient pull may be exerted on the base of the ligamentum nuchae to avulse the posterior spinous process of C.7. The management of this fracture has been considered under ligamentum nuchae injuries. When local tenderness persists and is accompanied by pain, excision of the detached fragment and repair of the defect is indicated (see the discussion of ligamentum nuchae injuries).

SEAT BELT INJURIES

Application of restraining devices in autos has materially reduced mortality and morbidity in automobile accidents. Concomitant with the introduction of these devices, there has been progressive alteration in patterns and habits of their use. The across-the-lap belt focused force on the lower spine, whereas the introduction of the diagonal or sash element materially changed this trajectory to a line across the anterior chest extending to the cervical region. A further result of the diagonal axis response is accentuation of the element of rotation, so that there can be a freeing of the opposite shoulder to strike laterally or anteriorly placed obstacles almost in a spinning fashion. The addition of the diagonal or sash element has led to new types of seat belt injuries that primarily affect the upper portion of the body, and in particular the shoulder-neck region (Fig. 12–20).

SEAT BELT FRACTURES OF THE CERVICAL SPINE

Analyses of severe automobile injuries have

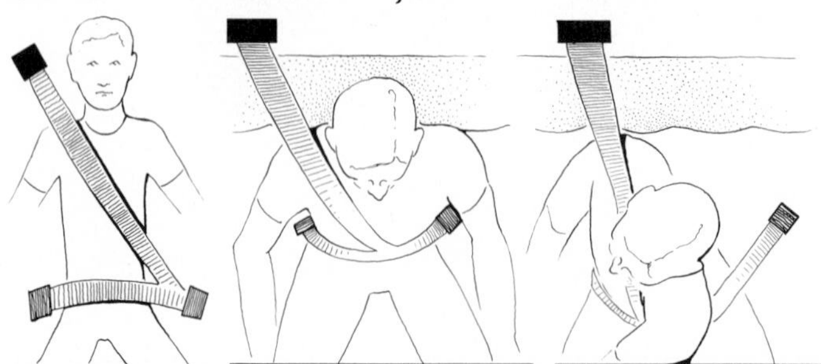

Figure 12–20

indicated an unusual mechanism of force application that can seriously implicate the cervical spine. The use of the over-the-shoulder strap introduces a diagonal axis and also shifts the fulcrum of impingement to a higher level. In frontal deceleration collisions, the forward pitch can be angled by the seat belt, which can also raise the level of the fulcrum from abdominal apron to shoulder-neck level. An obvious variable is the stature of the passenger.

There are a number of injury patterns arising from the mechanics of this retaining apparatus. Fractures of the midcervical spine in the region of C.5-C.6, with anterolateral subluxation and lateral mass crushing on both sides, have been reported. Effects of the rotatory force are recorded in fractures of the base of the odontoid as well as in the hangman's type of lesion of C.2.

Treatment. Skeletal tong traction with reduction followed by stabilization is usually necessary. In the case of the midcervical lesions, anterior interbody fusion is feasible. In atlantoaxial lesions posterior wire fixation is required following reduction. Odontoid injuries may be handled with halo or Minerva jacket fixation until solidly healed.

SEAT BELT SHOULDER

The diagonal sash usually controls one shoulder well, but leaves the opposite one unprotected. The rotatory stress that can evolve them may catapult the opposite shoulder tip onto inferior obstacles with considerable force. A number of injuries have been identified from this mechanism.

Fractures of the Clavicle

In some instances, the side on which the seatbelt has been applied is injured, with the seat belt acting as the fulcrum cracking the center part of the clavicle. In other cases, the rotatory stress throwing the opposite side of the body against interior obstacles evolves a coronal stress that cracks the opposite clavicle. These are treated as outlined in Chapter 13.

Acromioclavicular Dislocations

The same mechanism of hurling the unprotected shoulder can result in acromioclavicular dislocation.

Shoulder Tip Fractures

The tip of the shoulder can bear the brunt of this rotatory stress, with consequent crushing-type fracture of the tuberosity. When a large fragment is displaced, the maximum force probably has been dispersed in relation to the skeleton. When this small chip has been avulsed, involvement of the cuff may have occurred; if so, contrast studies should be done. The management of such fractures has been detailed in Chapter 13.

Cuff Injuries

A similar mechanism operating with lateral tangential stress can tear the rotator cuff from the greater tuberosity. Patients who continue to have pain, weakness, and restriction of motion following such collisions should have contrast studies done in order fully to identify internal damage.

REFERENCES

Abbott, K. H.: Anterior cervical disc removal and interbody fusion. A preliminary review of 101 patients followed for one to three years. Bull. Los Angeles Neurol. Soc. *28*:251, 1963.

Aufranc, O. E., et al.: Comminuted fracture dislocation of the proximal humerus. J.A.M.A. *195*:770, 1966.

Burke, D. C.: Spinal cord injuries and seat belts. Med. J. Aust. *2*:801, 1973.

Cameron, B. M.: Cervical spine sprain headache. Am. J. Orthop. *6*:9, 1964.

Cave, E. F.: Immediate fracture management. Surg. Clin. North Am. *56*:771, 1966.

Colwill, J. C.: Personal communication, 1969.

Cooke, D. A., et al.: A simple "Plastazote" splint for the treatment of cervical and high dorsal injuries at the roadside. Practitioner *213(1273)*:65, 1974.

Dehner, J. R.: Seat belt injuries of the spine and abdomen. Am. J. Roentgenol. *111*:833, 1971.

Gal, A.: Severe cervical spine injuries. J. Trauma *5*:379, 1965.

Garrett, J. W., and Braunstein, P. W.: The seat belt syndrome. J. Trauma *2*:220, 1962.

Gissane, W.: The causes and the prevention of neck injuries to car occupants. Ann. R. Coll. Surg. *39*:161, 1966.

Gjores, J. E., et al.: Prognosis in primary dislocations of the shoulder. Acta Chir. Scand. *129*:468, 1965.

Halliday, D. R., et al.: Torn cervical ligaments: necropsy examination of the normal cervical region of the spinal column. J. Trauma *4*:219, 1964.

Hamilton, J. B.: Seat belt injuries. Br. Med. J. *4*:485, 1968.

Henderson, M.: Personal communication, 1975.

Henderson, M., and Wood, R.: Compulsory wearing of seat belts in New South Wales, Australia. An evaluation of its effect on vehicle occupant deaths in the first year. Med. J. Aust. *2*:797, 1973.

Henderson, M., and Wyllie, J. M.: Seat belts—limits of protection: a study of fatal injuries among seat belt wearers. Proceedings of the 17th Stapp Car Crash Conference, Oklahoma. N.Y.: Soc. Aut. Eng., Inc. 35–66, Dec. 12–17, 1973.

Herbert, D. C., and Lettis, V.: Sash discomfort in seat belts. Research Paper, Traffic Accident Research Unit, Dept. Mot. Transp., New South Wales, 1973.

Hohl, M.: Soft tissue injuries of the neck in automobile accidents. Factors influencing prognosis. J. Bone Joint Surg. (Am.) *56A(8)*:1675, 1974.

Hohl, M.: Soft tissue injuries of the neck. Clin. Orthop. *109*:42, 1975.

Holdsworth, Sir F.: Fractures, dislocations, and fracture-dislocations of the spine. J. Bone Joint Surg. *52A*:1534, 1970.

Horwich, H., and Kasner, D.: The effect of whiplash injuries on ocular functions. South. Med. J. *55*:69, 1962.

Howard, F. M., et al.: Injuries to the clavicle with neurovascular complications. A study of 14 cases. J. Bone Joint Surg. (Am.) *47*:1335, 1965.

Jackson, R.: The Cervical Syndrome. Charles C Thomas, Springfield, Ill., 1966.

Jung, A., et al.: The auricular disorders of unco-vertebral cervical arthrosis. Their treatment by uncusectomy and decompression of the vertebral artery in 15 cases. Ann. Chir. *20*:181, 1955.

Kahn, E. A., et al.: Acute injuries of the cervical spine. Postgrad. Med. *9*:37, 1966.

Kline, D. G.: Atlanto-axial dislocation simulating a head injury. Hypoplasia of the odontoid. Case report. J. Neurosurg. *24*:1013, 1966.

Maurer, W., et al.: A skull holder with interchangeable security pins in the treatment of recent cervico-vertebral injuries. Chirurg *36*:324, 1965.

Mayfield, F. H.: Clinical neurosurgery. Symposium on Cervical Trauma. Chapter 6, Neurological Aspects. New York, 1954.

Meyer, R. R.: Cervical diskography. A help or hinderance in evaluating neck, shoulder, arm pain? Am. J. Roentgenol. *90*:1208, 1963.

Murphey, F., et al.: Ruptured cervical disc. Experience with 250 cases. Am. Surg. *32*:83, 1966.

Nicoll, E. A.: Fractures of the dorso-lumbar spine. J. Bone Joint Surg. *31B*:376, 1949.

Roberts, C. D., et al.: Letter: automobile head restraints. Am. J. Public Health *64(11)*:1032, 1100, 1974.

Saldeen, T.: Fatal neck injuries caused by use of diagonal safety belts. J. Trauma *7*:856, 1967.

Sandor, F.: Diaphragmatic respiration: a sign of cervical cord lesion in the unconscious patient (horizontal paradox). Br. Med. J. *5485*:465, 1966.

Schaerer, J. P.: Cervical discography and whiplash injury. Med. Trial Tech. Q. *11*:53, 1965.

Sheely, C. H., 2d, et al.: Management of acute cervical tracheal trauma. Am. J. Surg. *128(6)*:805, 1974.

Silvernail, W. I., Jr., et al.: Carotid artery injury produced by blunt neck trauma. South. Med. J. *68(3)*:310, 1975.

Smith, W. S., and Kaufer, H.: Patterns and mechanisms of lumbar injuries associated with lap seat belts. J. Bone Joint Surg. *51A*:239, 1969.

Taylor, T. K. F., Nade, S., and Bannister, J. H.: Seat belt fractures of the cervical spine. J. Bone Joint Surg. *58B*: , 1976.

Williams, J. S., and Kirkpatrick, J. R.: The nature of seat belt injuries. J. Trauma *11*:107, 1971.

Zatzkin, H. R., and Kyeton, F. W.: Evaluation of the cervical spine in whiplash injuries. Radiology *75*:577, 1960.

Chapter 13

FRACTURES AND DISLOCATIONS

FRACTURES IN ADULTS

Most fractures of the upper end of the humerus have less than 1 cm displacement of the fragments. Of the remainder, probably not more than 15 per cent present problems because of displacements or the shattering effect that creates the multiple fragments. C.S. Neer has contributed a practical working classification that assists materially in the treatment of these injuries.

*PRINCIPLES OF THE CLASSIFICATION**

In this classification, attention is paid to the displacement of one or more of four major segments, and further separation depends on the number of fragments (one, two, or three) that are involved. The fracture dislocations are considered as a separate group.

*See Figure 13–1.

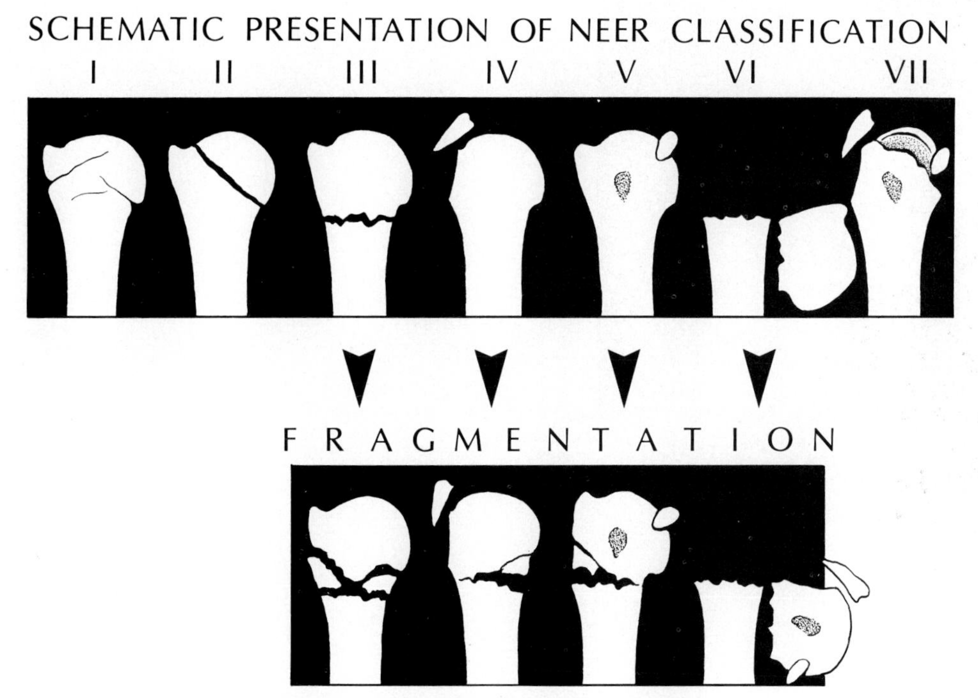

Figure 13–1 Schematic presentation of Neer classification.

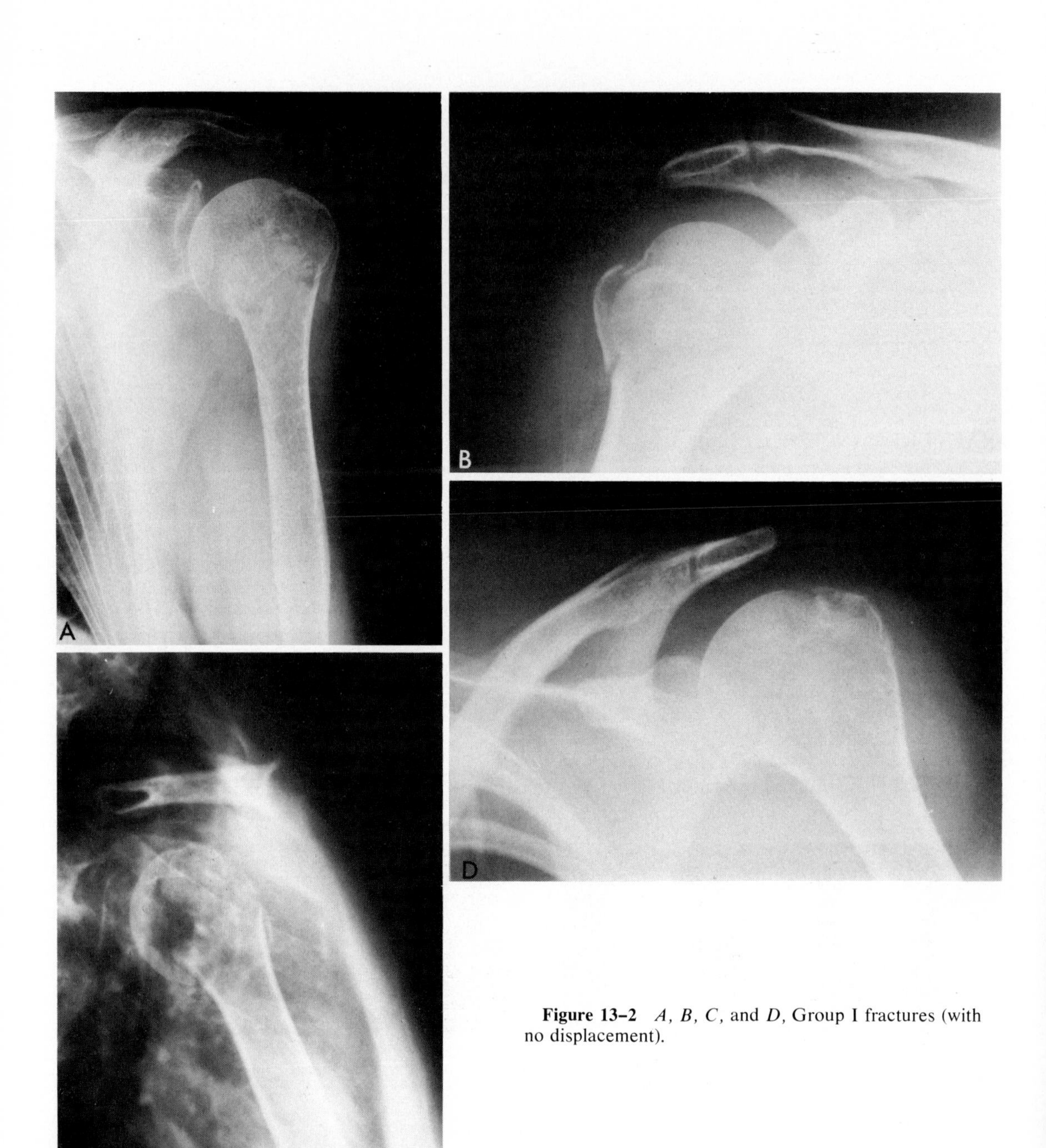

Figure 13–2 *A*, *B*, *C*, and *D*, Group I fractures (with no displacement).

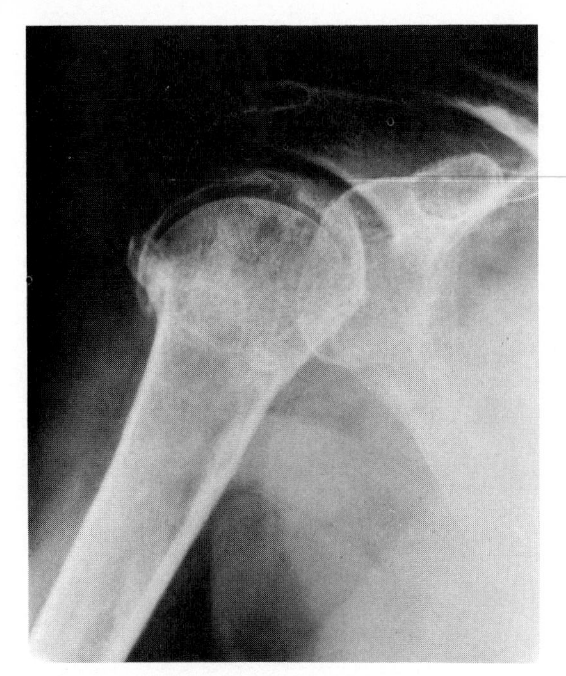

Figure 13–3 Group II fractures.

Group I (Fig. 13–2*A*, *B*, *C*, and *D*). Fractures with minimal displacement, regardless of the level or of how many fragments, are all included in this group. Displacement is considered to have occurred when there is the change of 1 cm or more or the angulation of 45 degrees or more at the fracture site.

Group II (Fig. 13–3). These are essentially the fractures through the anatomic neck of the humerus, without any combination of fragmentation. This is an important and significant injury because of the frequency of devitalization that involves the separated fragment.

Group III: Surgical Neck or Shaft Displacement Fractures (Fig. 13–4*A*, *B*, and *C*). Three common subcategories are identified in this group:

a. Angulated surgical neck fracture, which is usually an impacted fracture;

b. Displaced surgical neck fractures with an extra fragment;

c. Displaced surgical neck fractures with more than one fragment.

GROUP IV: Fractures involving the greater tuberosity (Fig. 13–5*A* and *B*). Three different configurations are identified in this group:

a. Single fragment at more than 1 cm displacement;

b. Two fragments at displacement;

c. Three fragments at displacement.

Group V: Fractures of lesser tuberosity (Fig. 13–6).

a. Single fragment with more than 1 cm displacement;

b. Two fragments with displacement;

c. Three fragments with displacement.

Group VI: Fracture dislocations (Fig. 13–7). Fractures falling into this group have a definite dislocation of the head from the glenoid. This may be either anterior or posterior:

a. Single fragment;

b. Two fragments;

c. Three fragments.

Group VII: Articular surface fractures (Fig. 13–8). Multiple fragments with displacement, but without significant humeral shaft shift.

Treatment

Group 1. Elderly patients commonly sustain this type of fracture. Manipulation and plaster application is rarely necessary. The arm may be placed in a sling and bandaged to the body with a pad in the axilla. At the end of a period of two to three weeks, depending on the extent of displacement, the body bandage is removed and movement started with the arm supported by the sling. At the end of another week the sling is discarded. Attention should be paid to the hands and fingers during the period of fixation in order to prevent the development of stiffness at the small joints.

The author has consistently given a course of anti-inflammatory medication during the period of fracture healing, feeling that this militates against capsular contracture.

Group II. Fractures in this group are those with the fracture line going through the anatomic neck of the humerus. Frequently there is involvement of one or other of the tuberosities, but the articular segment of the upper end of the humerus can be shifted significantly without shattering. Under these circumstances the tendency toward avascular necrosis is frequent, so that resection of the displaced piece and prosthetic replacement is the method of choice (Fig. 13–9*A* and *B*).

Group III—Fractures Through the Surgical Neck. Angulation and comminution both may occur at this level.

In the angulated and impacted variety, closed manipulation is usually effective. Manipulation under anesthetic with the application of a shoulder spica is desirable to maintain the alignment satisfactorily. The upper half of the plaster spica is bivalved at the end of six weeks, and assisted active

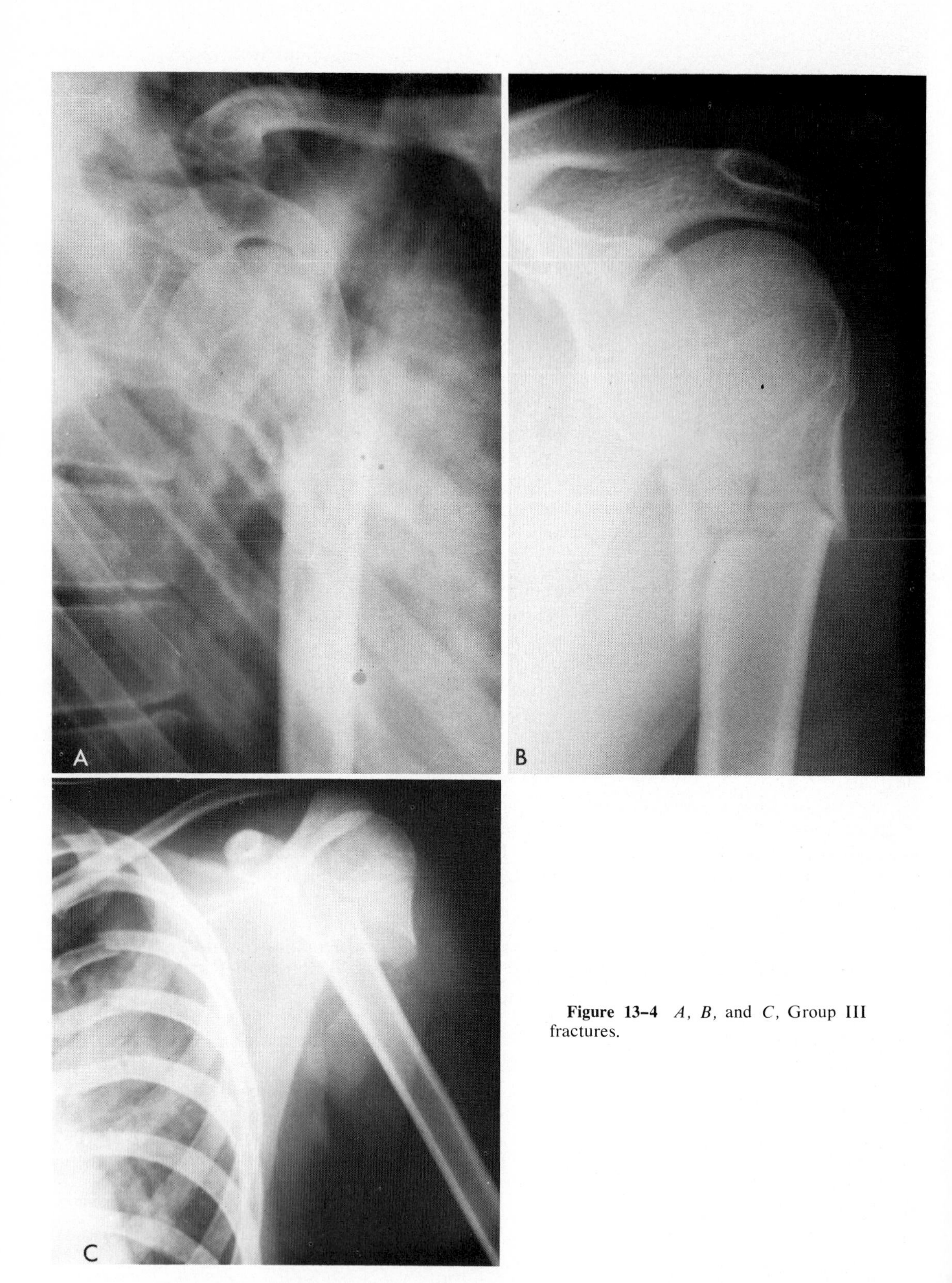

Figure 13–4 *A*, *B*, and *C*, Group III fractures.

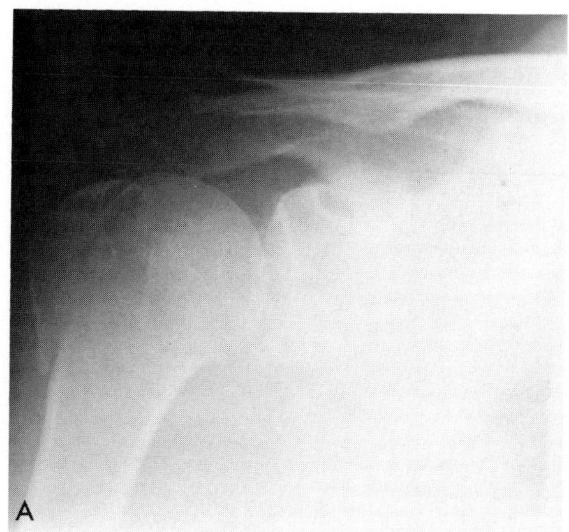

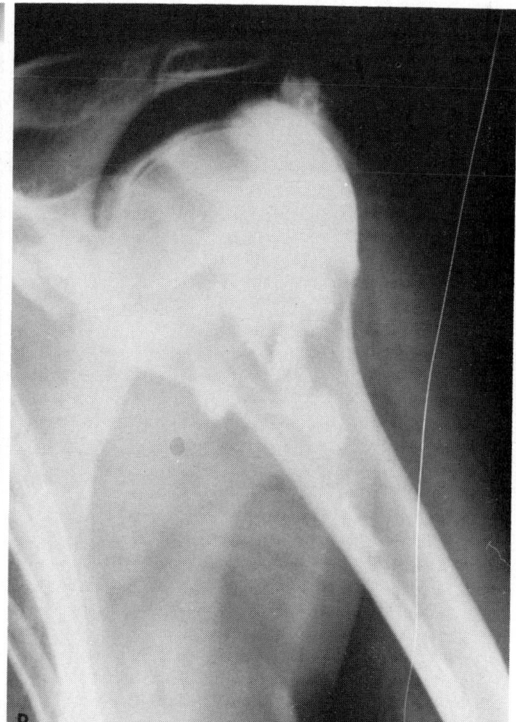

Figure 13–5 *A*, Group IV fracture. *B*, Group IV fracture of greater tuberosity, cuff damage.

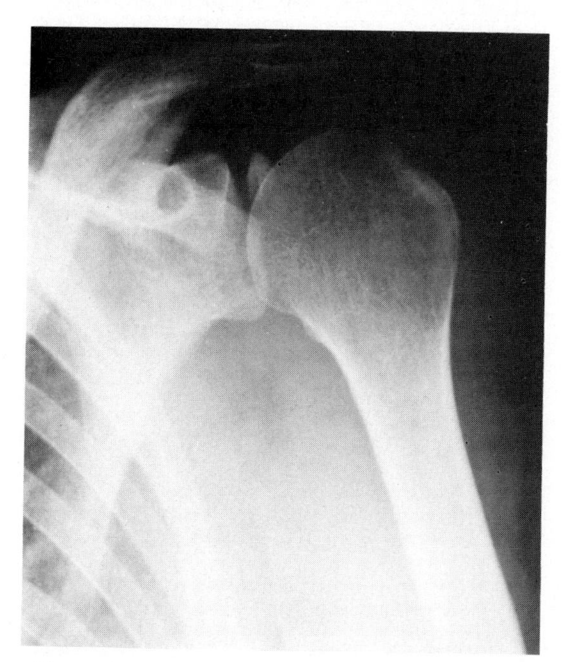

Figure 13–6 Group V displaced fracture of lesser tuberosity.

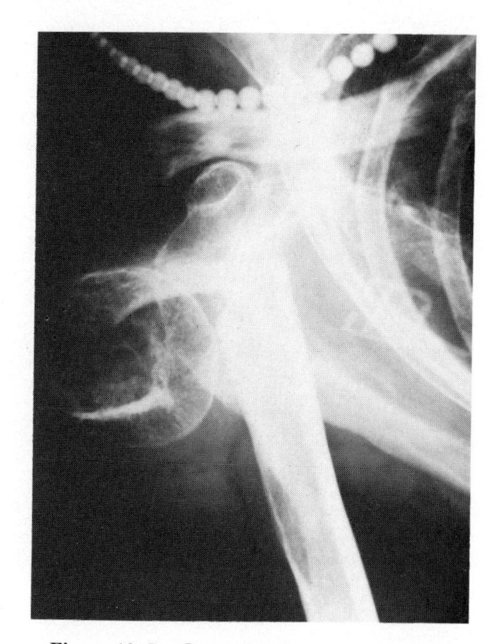

Figure 13–7 Group VI fracture dislocation.

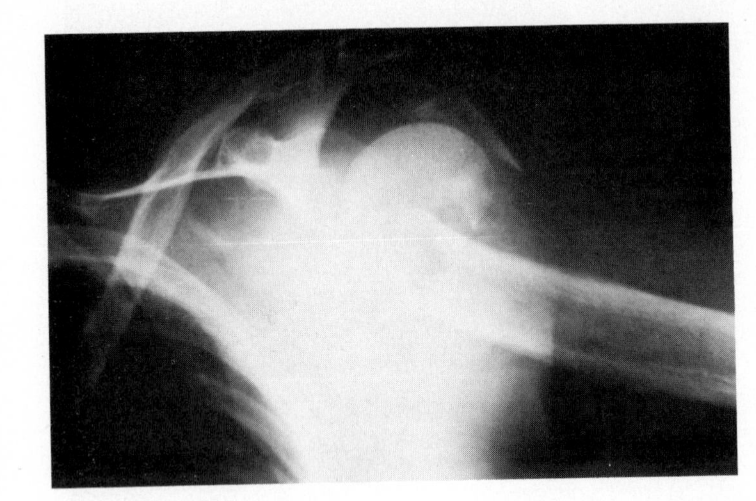

Figure 13–8 Articular surface fracture.

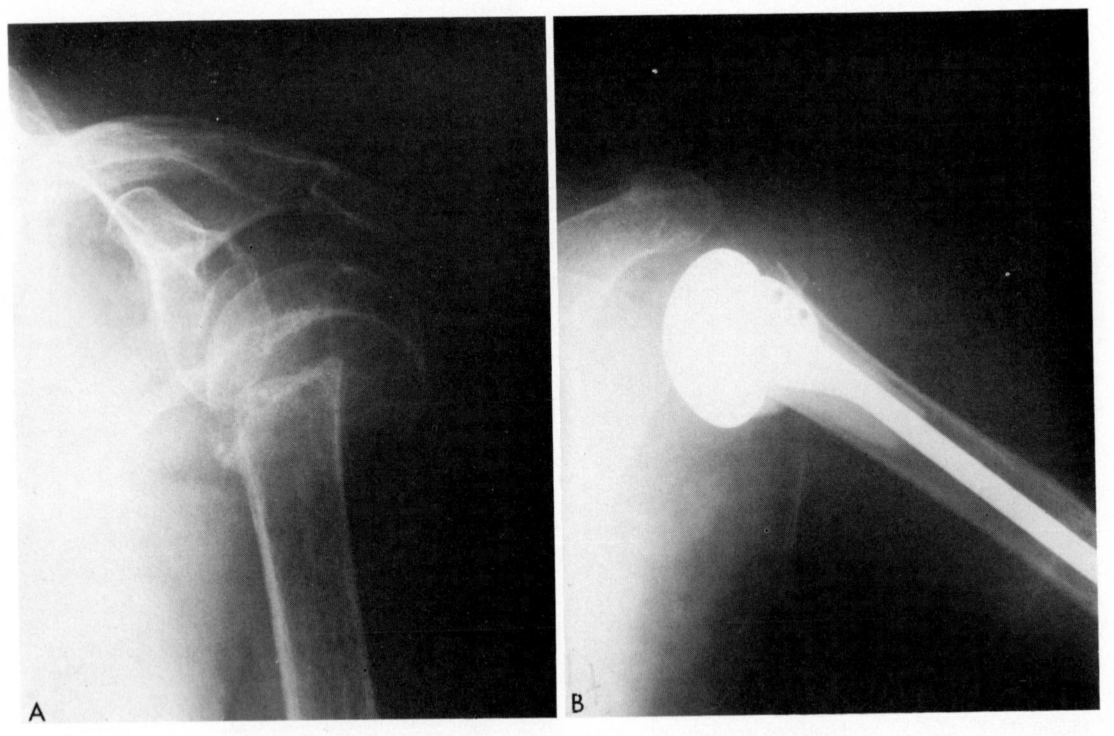

Figure 13–9 Group II. *A*, Before treatment. *B*, After treatment.

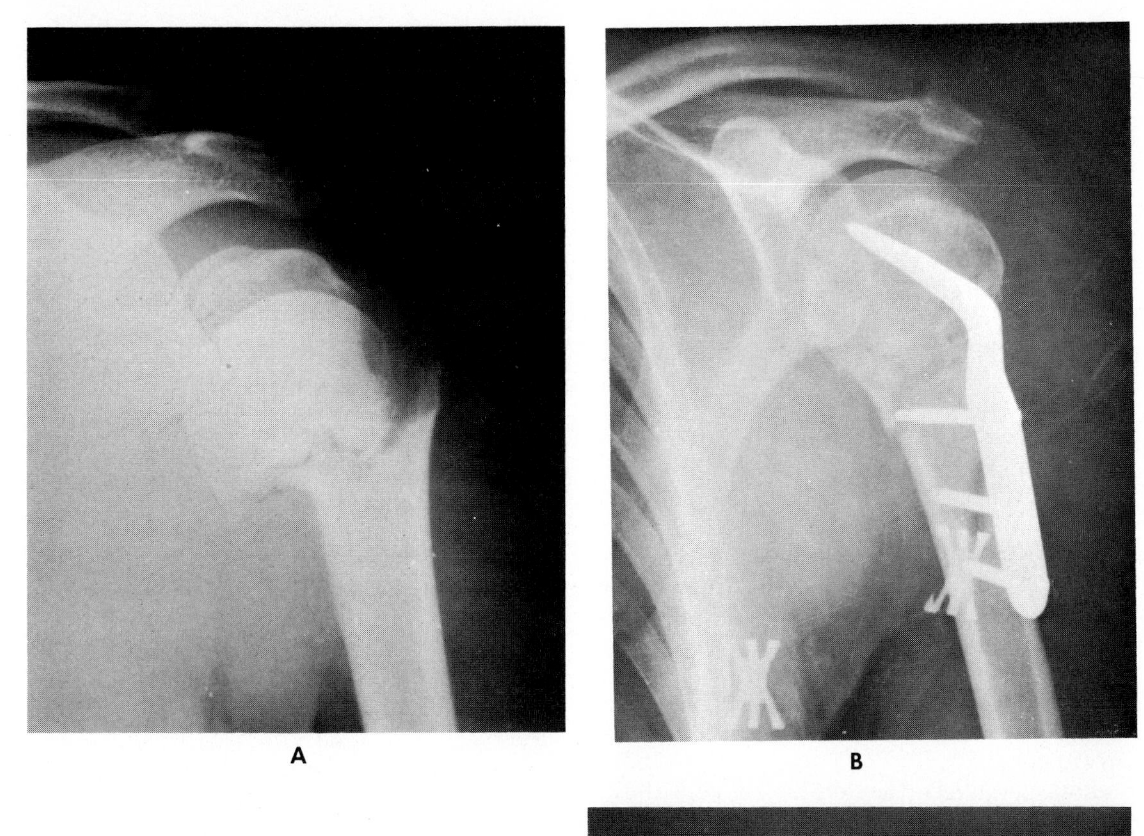

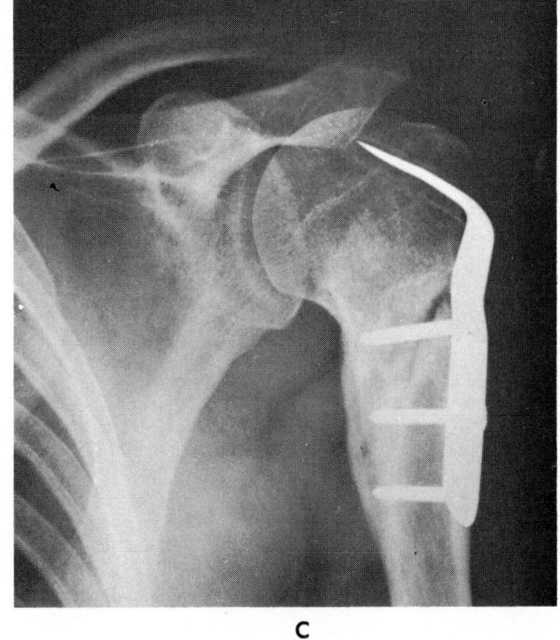

Figure 13–10 *A, B,* and *C,* Group III.

motion is started. The range is gradually increased, and the plaster is removed at the end of a further two weeks.

Some fractures at this level are extremely unstable, usually because of a degree of displacement, not extensive comminution. Under these circumstances, closed manipulation and plaster fixation can lead to a degree of malunion, so that some form of internal fixation is often required. The accompanying photographs show such a fracture that has been satisfactorily controlled by the use of a blade plate and screw fixation (Fig. 13–10*A*, *B*, and *C*). A third category of surgical neck fracture in this group is identified in which there is more comminution than in the previous type. It is an extremely unstable fracture, and simple across-the-chest immobilization distorts the alignment significantly. A preferable method of management is the application of a shoulder spica, with the arm placed in the neutral position and sufficient immobilization provided for the comminuted elements. In most instances open reduction is not helpful because of the extensive comminution, the instability, and the frailty of the fragments available for fixation (Fig. 13–11*A* and *B*).

Group IV—Fractures of the Greater Tuberosity. When displacement of the greater tuberosity is 1 cm or more, significant internal derangement results from tear or separation of the rotator cuff. Open reduction, with replacement of the detached fragment and repair of any laceration of the cuff, is mandatory.

Postoperatively, the author has kept these fractures at rest for a period of three weeks in a cantilever brace, with motion starting gradually from the 60-degree abducted position (Fig. 13–12*A* and *B*).

Along with greater tuberosity displacement, there can be a fracture through the surgical neck as well as some comminution. For the most part these fractures require open reduction with internal fixation of the separated fragments, preferably by tied wire fixation. If there is any suggestion of instability in such a fracture, postoperative mobilization in a shoulder spica is required.

Group V. Most fractures that involve the lesser tuberosity can be controlled by conservative means, but a problem arises when there is associated fracture through the surgical neck with some comminution. An extremely unstable system then results, with the intact rotator cuff superiorly abducting and externally rotating the head of the humerus. Open reduction is usually required to obtain a satisfactory alignment in this fracture. Attention must be paid at operation to repairing the rotator cuff. Often the defects spreads above the attachment of the lesser tuberosity, necessitating careful replacement of the long head of biceps.

These fractures can all be approached

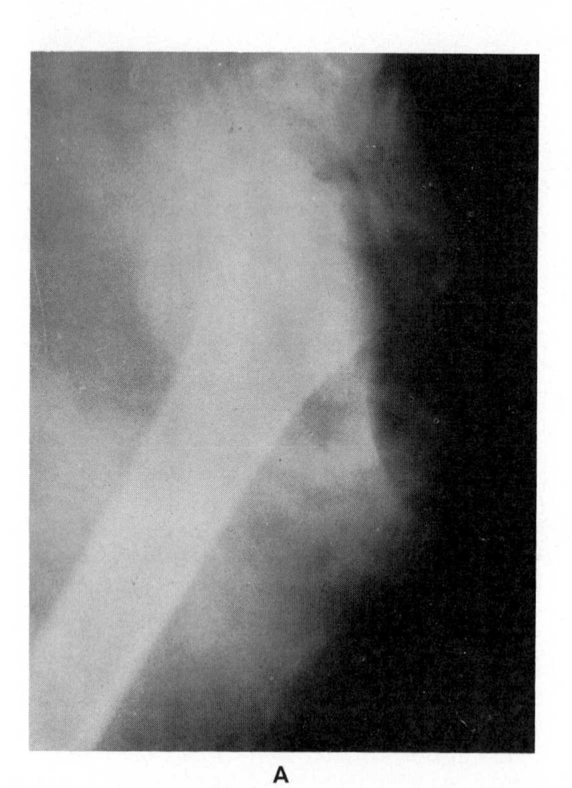

A

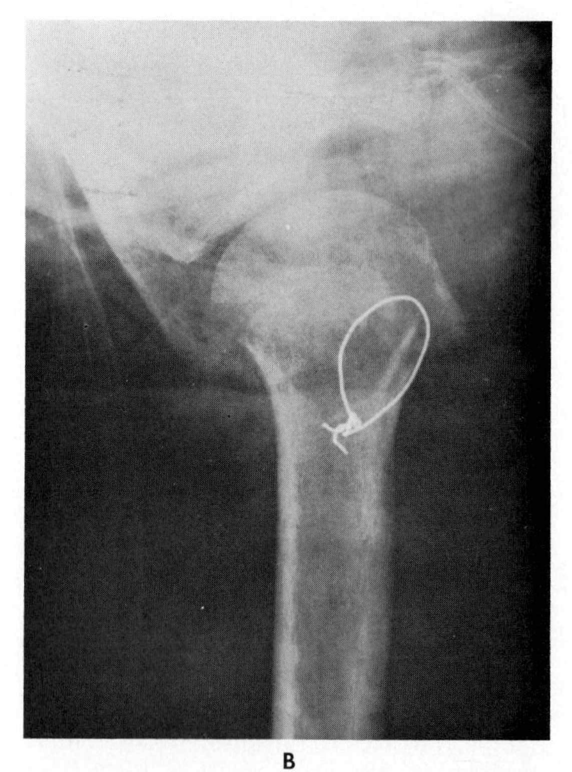

B

Figure 13–11 *A* and *B*, Group III. Unstable fractures requiring operative treatment.

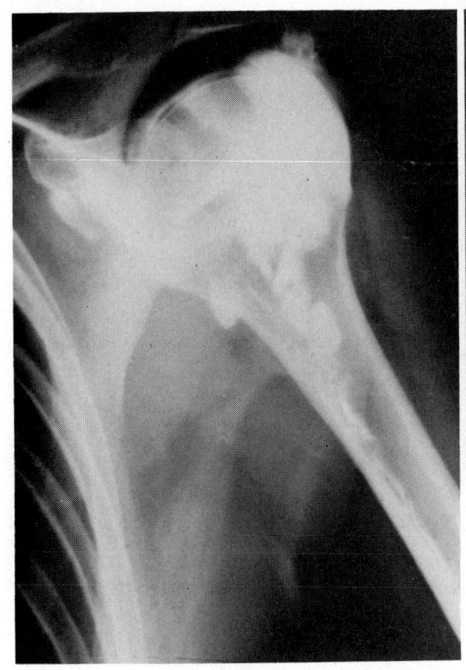

A

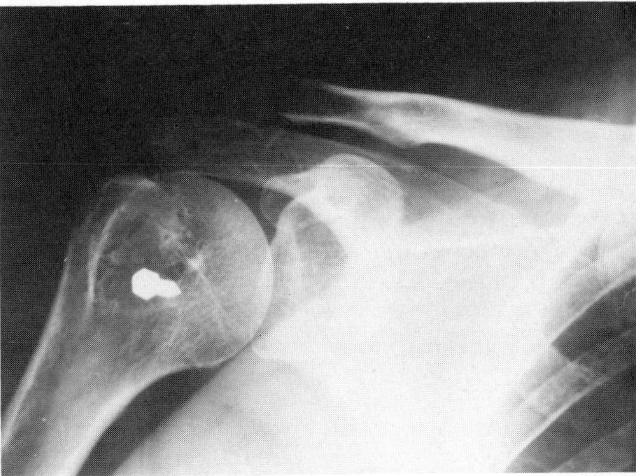

B

Figure 13–12 Group IV. *A*, Arthrogram. *B*, Postoperative.

through the superoanterior utility incision. The access from the top affords superior control of the rotated head fragment. A minimal amount of internal fixation should be used to control the fragments (Fig. 13–13).

Following surgery, the arm is immobilized in a shoulder spica or cantilever brace for four weeks, and anti-inflammatory medication also is provided during this period.

Group VI—Fracture Dislocations. Dislocation with fracture of the greater tuberosity is not an uncommon variety when the arm is abducted precipitately without external rotation above a right angle with considerable force. The greater tuberosity can be sheared off the top of the humerus, and violence forces the head downward and forward out of the glenoid.

Immediate reduction of the dislocation is essential and is accomplished by traction and levering of the head into the glenoid. After this maneuver the detached fragment should be back in good position, and the arm is immobilized in a bandage and sling. If it is a large fragment, a shoulder spica is applied. When plaster is used after dislocation, extreme caution must be taken to avoid redislocation of the shoulder under the plaster.

The position is checked by radiograph immediately after reduction and at one- and three-week intervals thereafter, because it is possible for the head to dislocate when the spica becomes loose. If this happens, serious pressure of the neurovascular bundle can ensue.

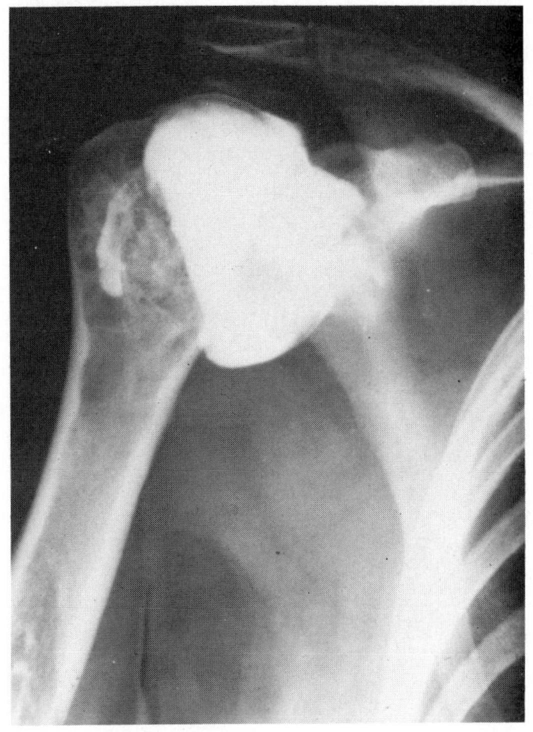

Figure 13–13 Group V. Postoperative arthrogram; minimal leakage from excision site.

When there is any doubt regarding the accuracy of reduction of the detached fragment, open reduction should be done. The fragment is exposed in the usual fashion and held in place with a wire suture. Any associated damage to the cuff is repaired at the same time. Postoperative immobilization in a sling is usually all that is necessary, and gentle movements are begun as soon as the wound is healed. Fixation usually is not needed for more than three to four weeks.

A similar plan of management can be followed when the displacement has occurred posteriorly with separation of the lesser tuberosity.

If quite some time has elapsed since the injury, with the displacement still present, open reduction and internal fixation are mandatory (Fig. 13–14*A*, *B*, and*C*).

TWO- AND THREE-PART SEGMENTS WITH FRACTURE DISLOCATION. Operative treatment is required in the management of these fractures. The joint is exposed in the usual fashion and, if possible, the fragments are

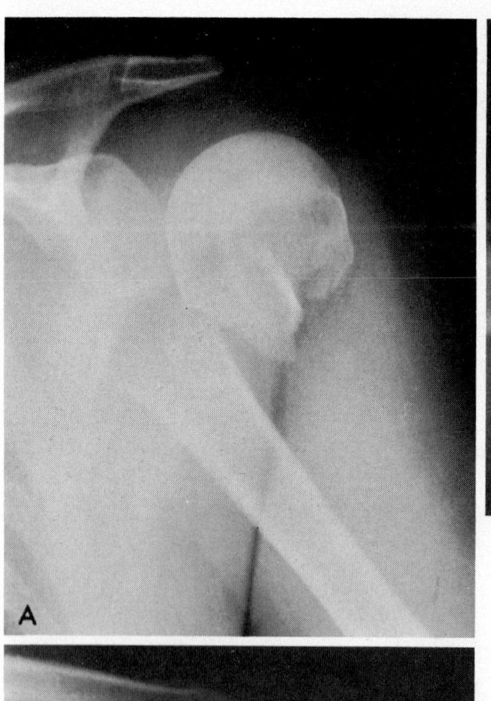

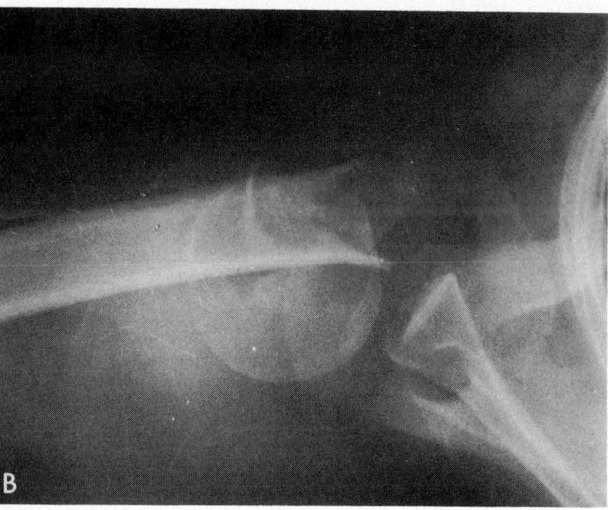

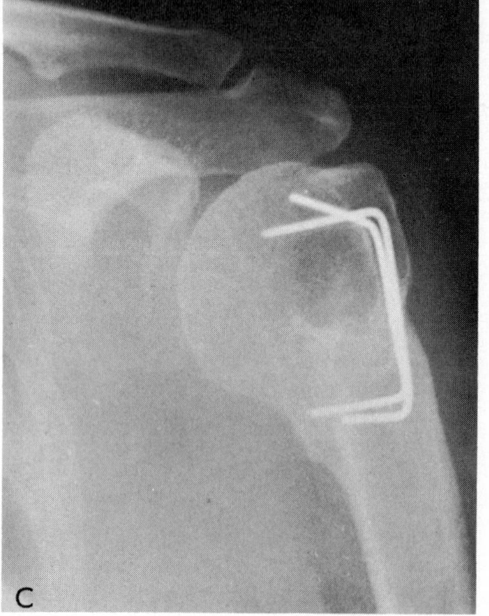

Figure 13–14 *A*, *B*, and *C*, Group VI. Reduction and internal fixation fracture dislocation. (Courtesy Dr. J. S. Neviaser.)

controlled with simple fixation. In many instances, the comminution of the head from the multiple fragment involvement is such that it is preferable to excise the head and insert a prosthesis.

Technique of Replacement Arthrosplasty. The sitting-shoulder position is used, and the joint is approached superoanteriorly. If the cuff is intact, the author prefers to approach the joint more from the back, preserving the anterior capsule. If the latter has been torn, it is logical to proceed through the defect to replace the humeral head. The acromion is partly removed, as previously described, after carefully preparing an osteofascial flap for reattaching the deltoid.

The capsule is incised sufficiently to allow replacement of the head. The incision is made a little medial to the tuberosity so that enough cuff is left to allow a firm repair. The level of resection of the humeral head must be done carefully. Depending on the implant used, the cut is made obliquely, so that the head sits on the neck at the correct angle and is firmly supported. Care should be taken to ensure that sufficient internal rotation remains.

The hole for the stem should be started a little more toward the lateral cortex so that, as the appliance sinks in, some cancellous bone remains medially to support the head. If this hole in the shaft is made too far medially, the stem can retain a degree of looseness.

A little more neck should be resected, approximately one-eighth inch more than appears necessary, to allow easy passage beneath the coracoacromial arch. The cuff is then carefully sutured, either to the prepared edge of the capsule or into the tuberosity beyond the prosthesis. The security of the capsule repair governs the type of postoperative fixation. When the cuff has been only slightly damaged, abduction traction as in cuff tear is satisfactory. If the cuff has been

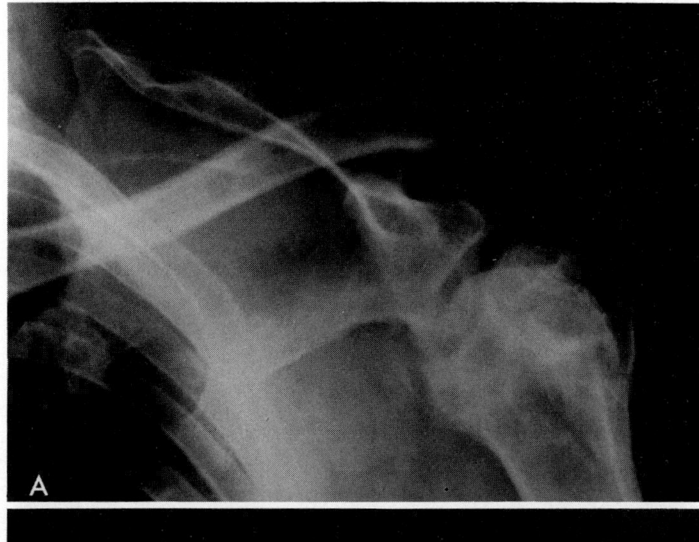

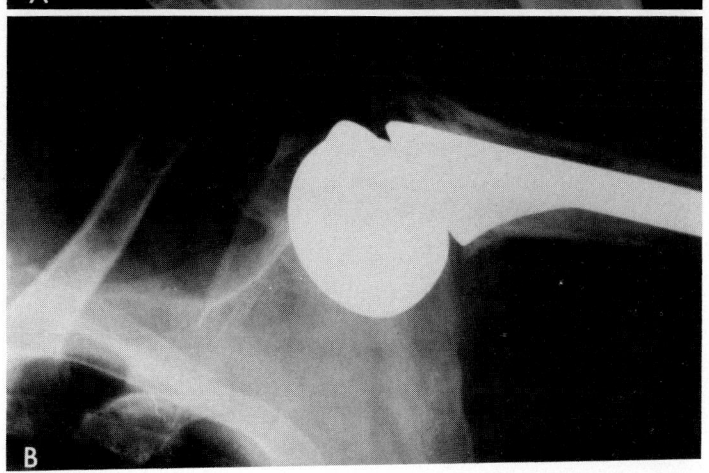

Figure 13–15 Group VII. *A*, Preoperative. *B*, Postoperative.

extensively damaged, the author prefers plaster or cantilever brace fixation.

The fixation is worn for four to six weeks, during which time anti-inflammatory medication is administered.

Replacement arthroplasties of the shoulder are approached by the physiotherapist as for Grade III shoulders. Isometric strength is stressed.

Group VII. A separate category can be recognized containing those fractures that have extensive articular comminution. For a long time the management of these was simply to treat them very conservatively, allowing the fracture fragments to heal without any effort at reorganization.

The modern trend with the improvement in standards and techniques clearly indicates that these should be treated surgically with excision of the multiple fragments and replacement by a prosthesis (Fig. 13–15*A* and *B*).

NONUNION UPPER END OF HUMERUS

In spite of much-documented opinion to the contrary, nonunion of the upper end of the humerus is not a rarity. In most instances the source is improper treatment, but sometimes a combination of circumstances, along with predisposing factors such as extreme violence or poor circulation of the head of the humerus, contribute to the condition. Manipulation with extensive foreign body insertion is a frequent source of the devitalization of the head. In some instances infection ensues following the open reduction, and this materially contributes to the devitalization of the fragments.

TREATMENT

In young people, provided any inflammatory reaction can be brought under satisfactory control and there has not been progressive necrosis of the head of the humerus, an effort can be made to salvage the head by intramedullary bone grafting.

It is quite feasible to expose the upper end of the humerus through the usual utility incision and to insert a heavy cortical graft from the tibia as an intramedullary plate along with cancellous bone. The dissection should be carried out with particular care to avoid separating the proximal fragment of the humerus from its soft tissue attachments.

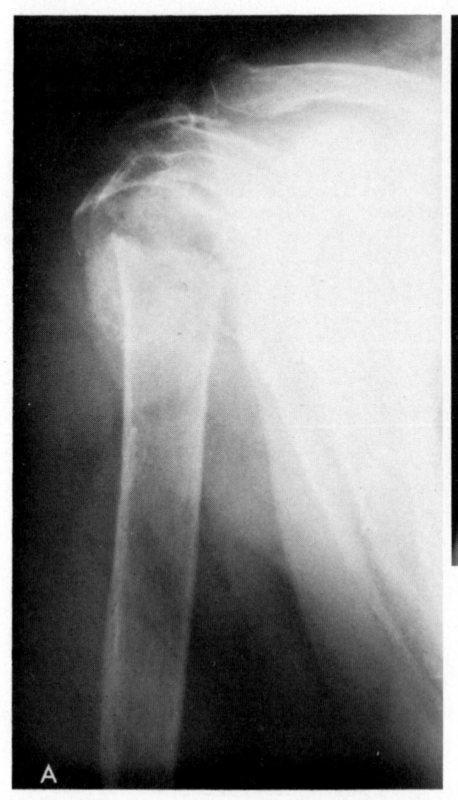

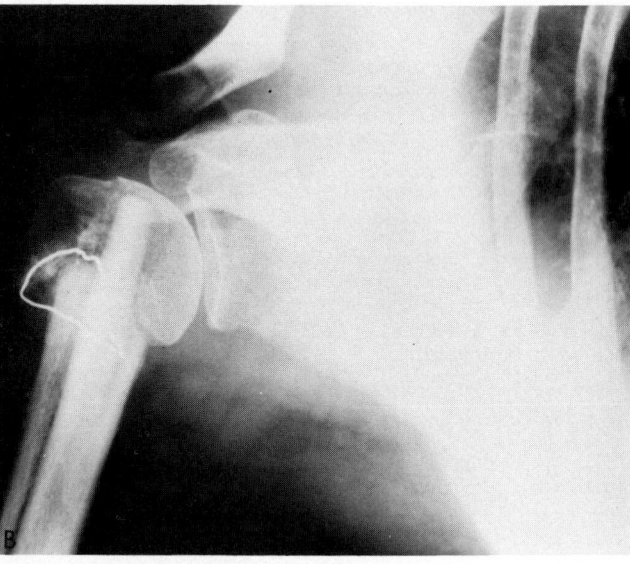

Figure 13–16 Nonunion of the humerus of a young woman, treated by intermedullary fixation. *A*, Preoperative. *B*, Postoperative.

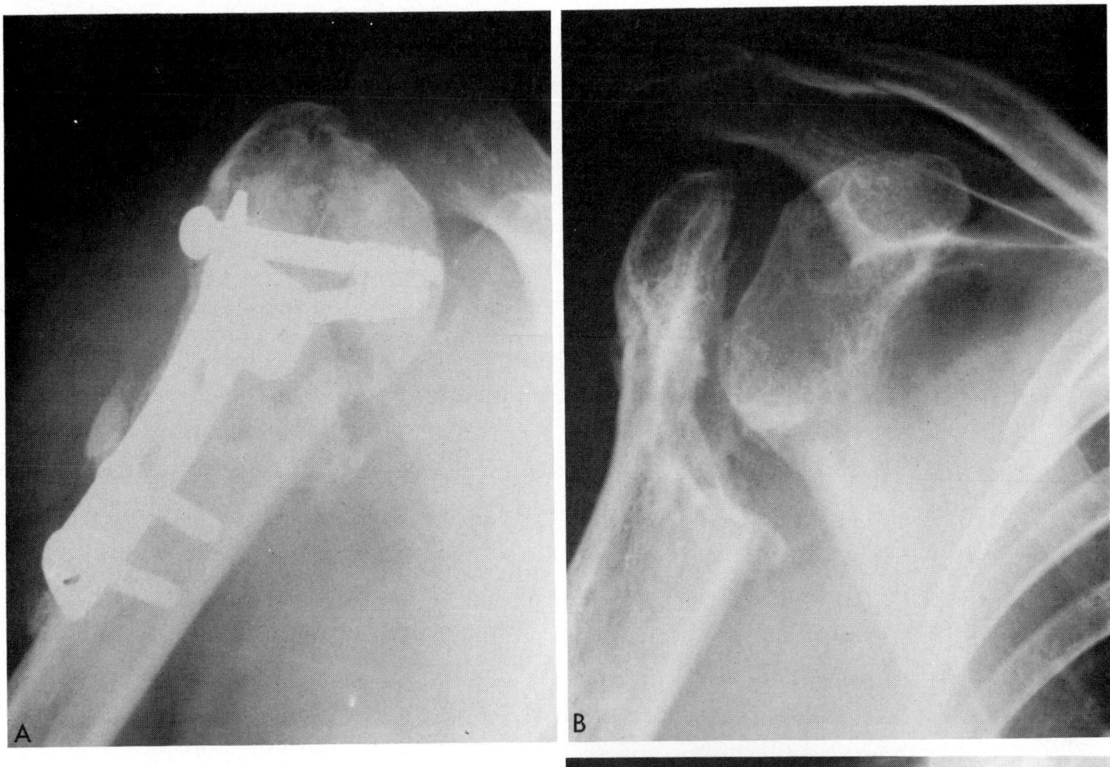

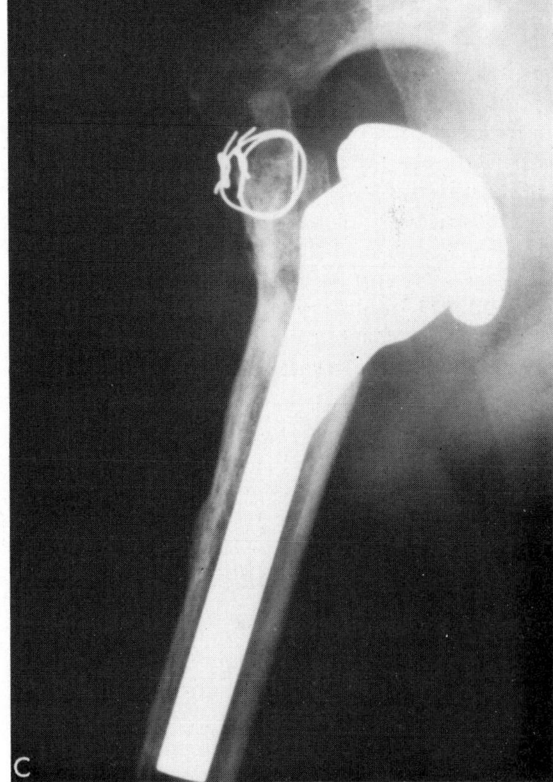

Figure 13–17 Infection, necrosis, and nonunion of the upper end of humerus. *A*, Infection following open reduction. *B*, Infection following sequestrectomy. *C*, Following replacement arthroplasty.

As a rule, a ring of cuff will have survived at the lateral and posterior aspects, and if this is preserved the blood supply may remain in continuity sufficiently well to promote revascularization or maintain satisfactory circulation in the separated segment (Fig. 13–16*A* and *B*).

The alternative in patients with considerable infection is to carry out a stage procedure. At the initial exploration, a débridement and sequestrectomy is done of the proximal end of the femur, and the wound is closed with heavy antibiotic control. At a later date, not less than four to six months, reconstruction can be carried out in the form of insertion of a prosthesis in the proximal end of the humerus. The application of these principles of stage reconstruction can work out most satisfactorily (Fig. 13–17*A*, *B*, and *C*).

FRACTURES OF THE NECK OF THE HUMERUS

*EPIPHYSEAL INJURIES**

The common injury in the upper end of the humerus in children is a fracture of separation through the epiphysis. These injuries are seen in infants and older children, occurring most frequently between the ages of eight and 18. The three centers of ossification appear about the third year, so that x-ray studies are of little help in children under three. The mechanism of injury is a fall on the point of the shoulder or a fall with the arm outstretched behind and the elbow extended. Similar damage may occur in infants from traction on the arm or pressure in the axilla. The common injury is a fracture through the epiphysis that includes a small corner of the diaphysis. The usual deformity is displacement of the upper end of the shaft anteriorly, with the head rotated into a position of flexion with the shaft. Often the periosteum is not torn completely, but is stripped up and down the shaft, leaving a tubular type of continuity of the epiphysis with the upper end of the humerus. This mechanism probably explains some of the dramatic healing processes and remodeling that go on in the upper end of the humerus after the extensive epiphyseal separations.

In infants the diagnosis is based on decreased shoulder movement, deformity, tenderness, and some shortening of the arm. Sometimes there is distortion of the anterior axillary fold. In every instance of suspected fracture, both shoulders should be radiographed. A slight variation in the position of the diaphysis as related to the glenoid on the suspected side may be all that can be seen that is suggestive of the injury. Other varieties of the epiphyseal injury include a vertical fracture line that may proceed through the epiphysis, stopping at the epiphyseal plate, or continue, shearing off a portion of the head to the small corner of the diaphysis.

A. P. Aitken has called attention to the mechanism by which these injuries occur. The weakest link of the epiphyseal cartilage plate is at its junction with the diaphysis, where there is a zone of degenerating cartilage cells and osteoid tissue through which capillaries grow and osteoblasts appear, with the progressive absorption or replacement of cartilage by osteoid tissue. Displacement through this layer does not involve the zone of resting cells, which is at the top of the epiphyseal plate and just under the epiphysis. In this way, distortion of this layer is largely avoided, so that serious deformity does not occur.

Treatment

The vast majority of these injuries in which displacement is not extensive can be treated by immobilization at the side in a sling, with the arm bandaged to the chest wall. When there is palpable deformity, displacement is significant, and this should be treated by manipulation under general anesthesia. The fingers of one hand are placed in the axilla, with the thumb over the distal fragment. Pressure is exerted up and laterally with one hand and downward and inward with the thumb; at the same time the arm is gently abducted and pulled with the other hand, and the fragments can be felt to slide into position. When the reduction feels secure, and it usually is because of the transverse angle of the fracture line, the arm is immobilized in a bandage at the side for a period of three weeks. When the reduction feels insecure, it should be immobilized in a light plaster spica, with the arm in slight forward flexion and about 45 degrees of abduction. In some instances the reduction appears unstable, and it may be necessary to immobilize the arm in flexion above the shoulder level

*See Figure 13–18.

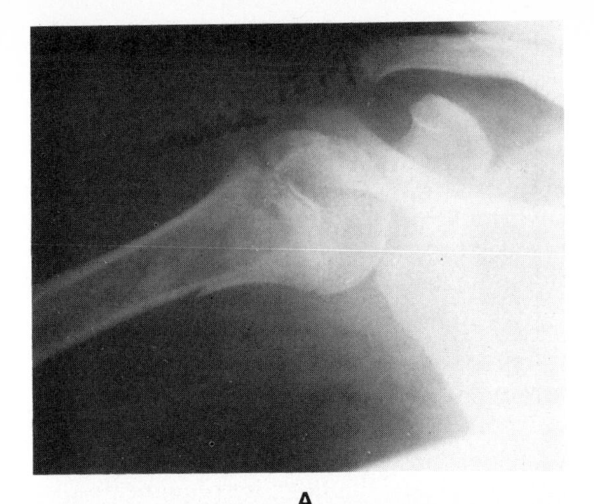

Figure 13–18 Fractures through epiphyseal plate. *A*, No manipulation required. *B*, Before manipulation. *C*, After manipulation. *D* and *E*, Unstable fracture requiring staple fixation. (Courtesy Dr. J. S. Neviaser.)

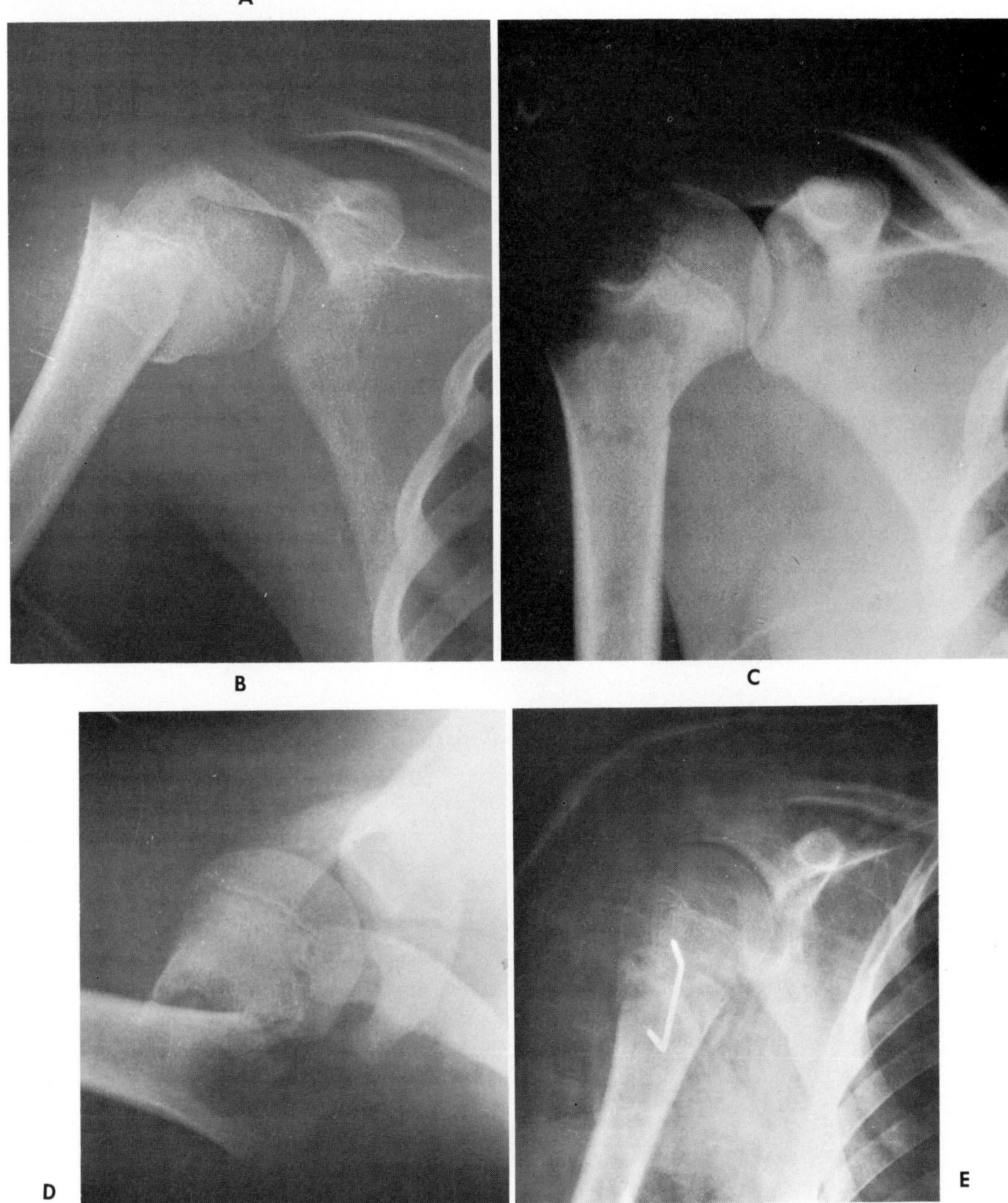

and in full internal rotation. Rarely, in long-standing cases, traction through Kirschner wire in the olecranon is applied in overhead fashion for a week to ten days, followed by the application of a plaster in the same position. Open reduction is not recommended in these injuries.

The question often arises of deformity resulting from involvement of the growing centers. Young children in particular display a remarkable ability for complete remolding, even in cases of extensive dislocation. It is rare, even in completely displaced epiphyses, that significant distortion accrues, although there may be some diminution in growth. Repeated attempts at rugged manipulation are to be discouraged, because many examples can be cited of fractures through the epiphysis, with extensive displacement not reduced by manipulation, in which the molding has progressed so effectively that no residual bowing of significance has developed.

DISLOCATIONS OF THE SHOULDER JOINT

One of the tributes exacted for the superb mobility of the shoulder is frequent dislocation (Fig. 13–19). It is an injury of youth,

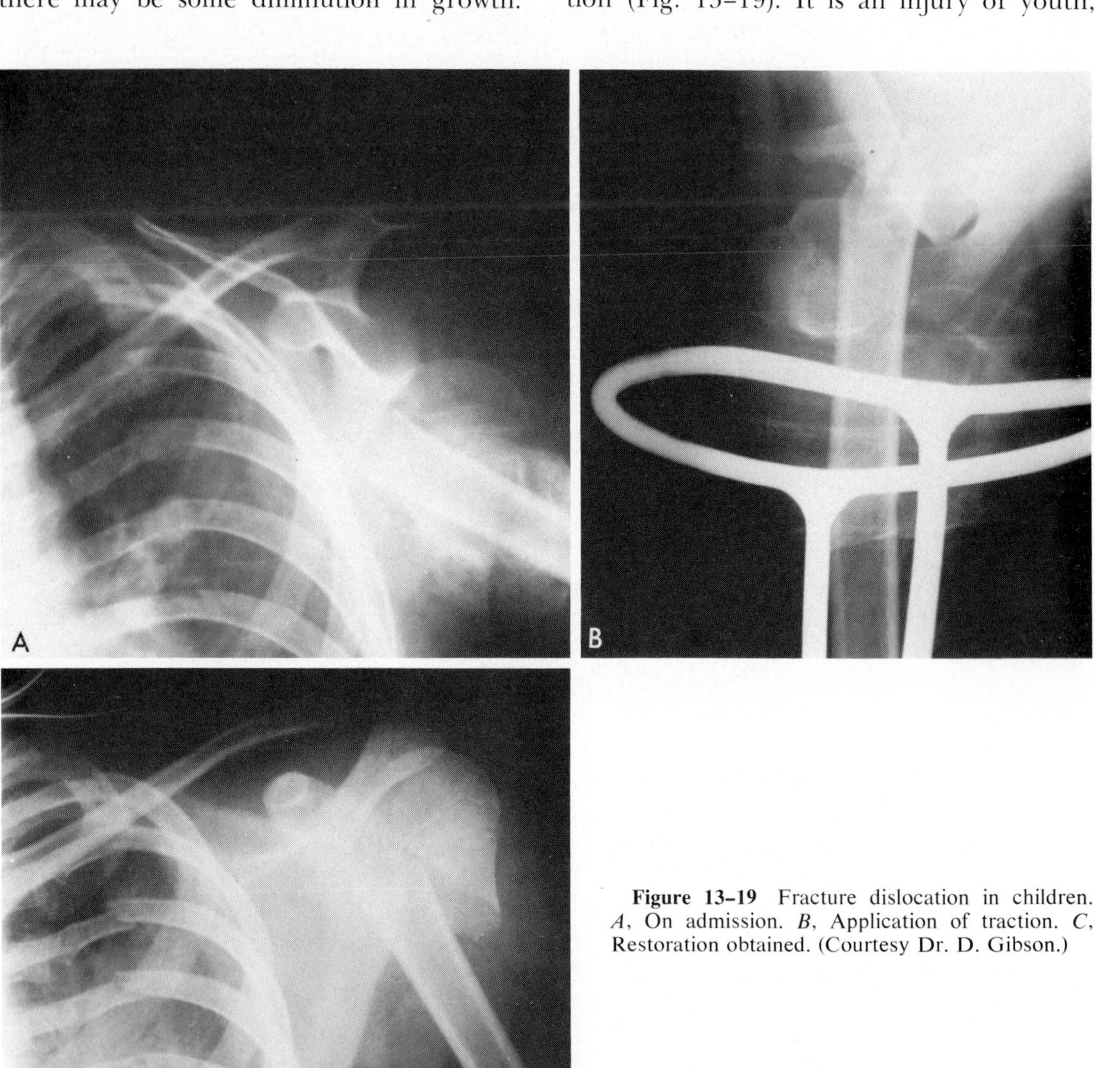

Figure 13–19 Fracture dislocation in children. *A*, On admission. *B*, Application of traction. *C*, Restoration obtained. (Courtesy Dr. D. Gibson.)

when it occurs more often than fracture of the neck of the humerus. Solid healthy bone withstands powerful abduction twisting strain, and the weak capsule gives way. Later in life the bone is soft and the capsule contracted, so that the shaft breaks while the joint remains intact. Young adults suffer this injury often. The common accident is a fall with the arm outstretched for protection. The contribution of the elbow and body weight have been somewhat overlooked in explaining the mechanism of this injury. The essential episode is when the head of the humerus is forced against the weak anterior or anteroinferior capsule. In a headlong fall, the outstretched hand takes the impact with the elbow extended. As long as this relation of extension is retained, a solid strut transmits the force, and the superior or posterosuperior joint structures bear the brunt. In a fall, the weight of the body alters this situation; as the weight is applied in full, a momentary giving way or buckling of the elbow is inevitable. This breaks the solid strut and the elbow must flex, which tilts the upper end of the humerus downward and forward. As the fall continues, the head slips off the glenoid rim easily. At this point the extremity is in abduction and external rotation, exposing the posterosuperior part of the humeral head to the glenoid rim, and it may be cut or creased. It is understandable that, with repeated similar trauma, less and less force is needed to dislocate the head. The head commonly comes to lie at the front of the glenoid, resting on the rib. Occasionally it lies higher, just below the clavicle.

Diagnosis of Dislocation

The signs and symptoms of dislocation are characteristic. The normal, rounded contour of the shoulder is replaced by a sharp, angular outline. The patient sits in pain, nursing the forearm with the elbow angled outward (Fig. 13–20). Palpation demonstrates a fossa or depression beneath the acromion where the fullness of the tuberosity should be felt. The deltoid is tense and is difficult to indent with the fingers, but just under the acromion at the posterolateral aspect there can be no mistaking the defect. The radiographic appearance is diagnostic (Fig. 13–21), but lateral views should be insisted upon in suspected dislocations. When such suspicion exists, the possibility of damage to nerves and vessels should be considered automatically.

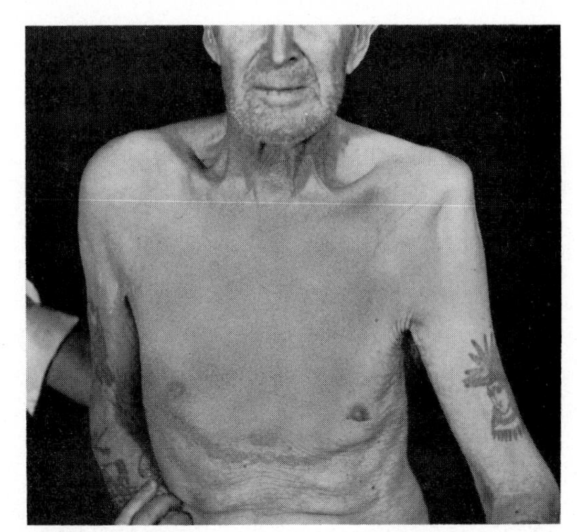

Figure 13–20 Acute anterior dislocation of the shoulder.

The axillary nerve and posterior cord of the plexus may be stretched as the head slips from the socket. Action of deltoid and wrist extensors should be tested.

ACUTE ANTERIOR DISLOCATIONS

Treatment of Acute Dislocation. Dislocations are reduced as soon as possible. X-ray examination is done to verify the diagnosis and to rule out fracture of the neck or tuberosity.

TECHNIQUE OF REDUCING ANTERIOR DISLOCATION. The Kocher maneuver is a satisfactory method of manipulation. When it is the initial dislocation, a general anesthetic or heavy sedation is usually required. There are three definite movements in the manipulation. The operator stands on the same side as the dislocation, grasping the arm at the elbow with the forearm flexed (Fig. 13–22). In *A*, traction and adduction are applied. One hand pulls downward, and the other gently lifts the elbow toward the chest. In *B*, external rotation is done with the opposite hand, using the forearm as a lever. The adduction and external rotation are continued gently. As the arm is carried across the chest, the head slips into the socket. At this point the third element, internal rotation (*C*), is applied to complete the reduction (*C*). Sometimes, pressure is needed on the head anteriorly to complete the reduction as the elbow is being brought across the chest. The reduction should be checked by x-ray examination, and a sling applied for 14 to 21 days.

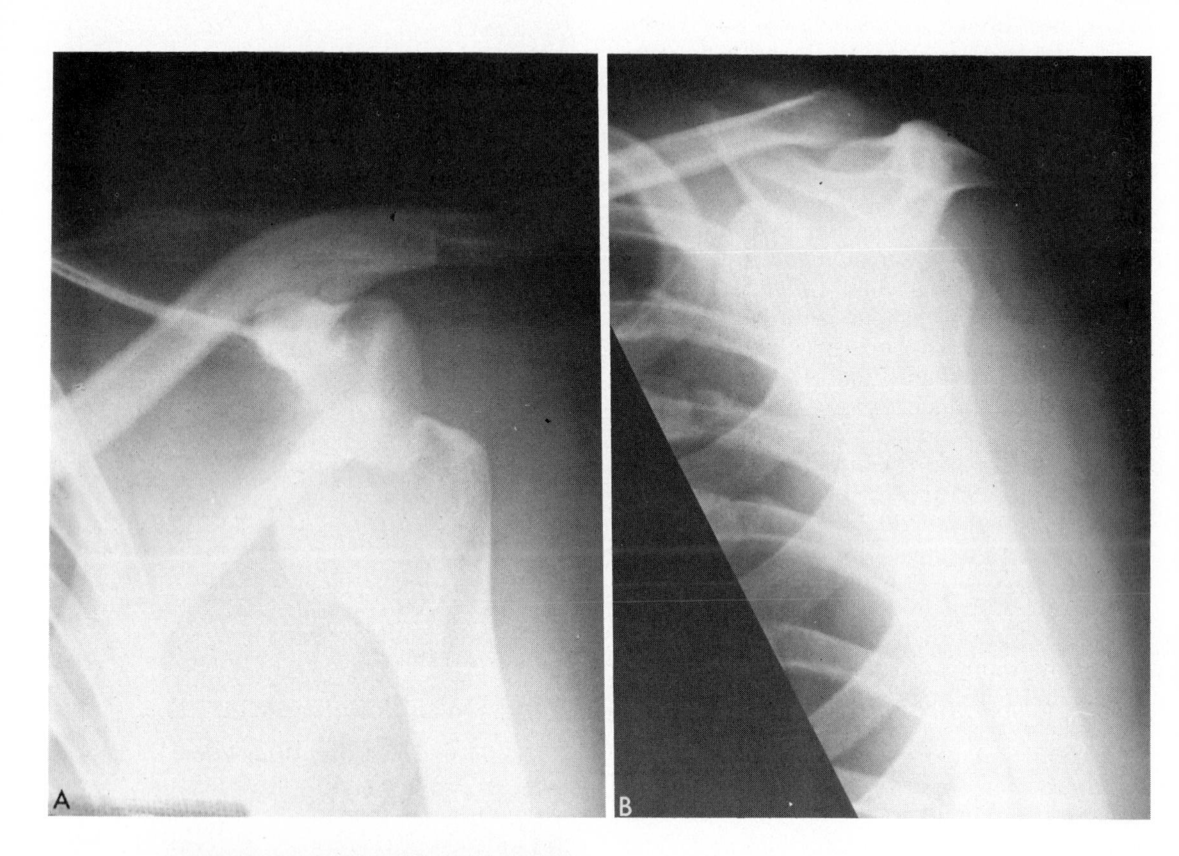

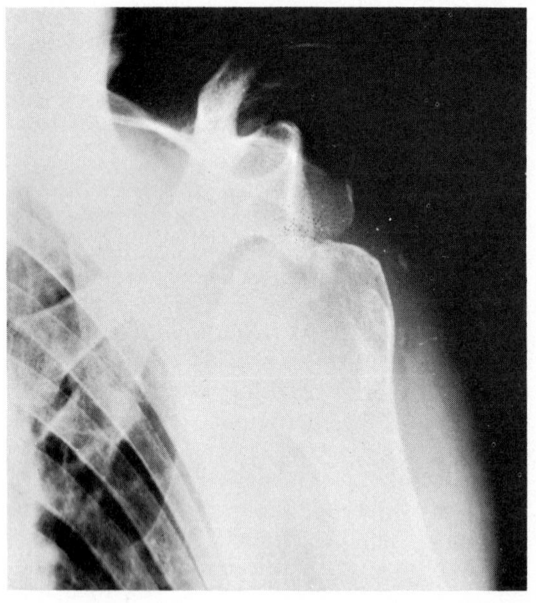

Figure 13–21 *A* and *B*, Anterior dislocation. *C*, An initial dislocation of the shoulder. Note the groove in the head of the humerus, and minute fragments gouged from the head.

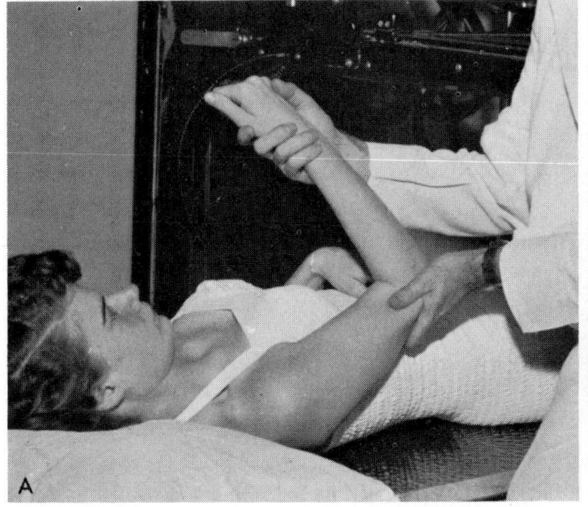

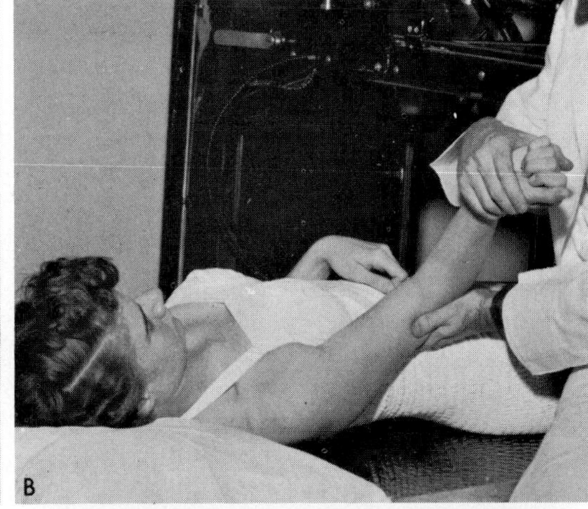

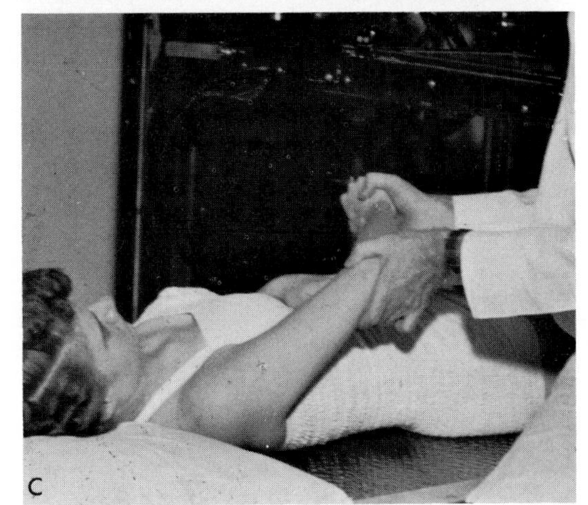

Figure 13–22 Kocher method of reducing acute anterior dislocation. *A*, Traction and adduction applied. *B*, Adduction continued with external rotation. The head is usually felt to slip back into place during this phase. *C*, Reduction completed by quick internal rotation to fix the head in place.

Gentle movements are started at this time, but attention is paid to elbow, wrist, and finger movement from the beginning. An example of deltoid paralysis following dislocation is shown in Figure 13–23.

HANGING METHOD OF REDUCTION OF DISLOCATION. An alternative method to the Kocher maneuver is sometimes useful, particularly in the elderly. The patient lies prone on the examination table, allowing the affected arm to rest toward the edge. The patient then takes up the position of lying as close as possible to the edge, with the shoulder overhanging itself. The patient is lying on his face at this point, with the arm gently hanging over the edge of the stretcher or table.

The arm is allowed to gently take up the vertical aspect, and then the surgeon gently increases traction in a downward direction; he maintains this traction for five to ten minutes, at which point the muscles can be felt to relax and the head of the humerus to slip back into place. Some assistance can be obtained by putting the opposite hand in the axilla, and gently prying the humerus upward and outward toward the glenoid cavity.

The maneuver is assisted by light analgesia, but anesthesia is almost never required. The postreduction management is the same as detailed elsewhere.

Old Dislocation of the Shoulder

Persistent unrecognized dislocations of the shoulder crop up with unexpected frequency (Fig. 13–24). Anterior deformity is more common, but the percentage of posterior dislocations that are overlooked is greater. In both instances, when the head has been out of the socket for a matter of weeks, the soft parts become adherent, and the notch at the point of impingement of the head in the glenoid makes reduction difficult. Attempted closed reduction at this stage does more harm than good.

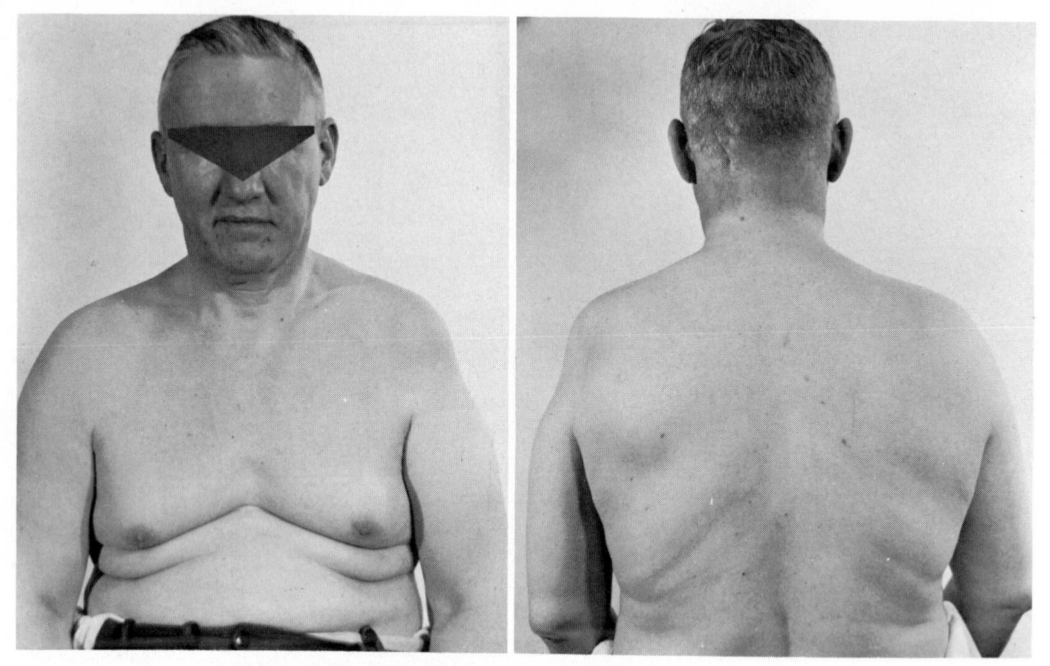

Figure 13–23 Deltoid paralysis following anterior dislocation.

Unreduced Anterior and Posterior Dislocations

These injuries often come to light in a matter of weeks after an accident. At this point, pain and limitation of movement have become progressively worse. The shoulder is stiff, active and passive motion are grossly restricted, and the usual signs of anterior dislocation are present (Fig. 13–25).

Operative Technique. The shoulder is approached through an anterior incision, with deltoid fibers split as in repair for recurrent dislocations. The capsule is exposed and loosened from the displaced head. When this has been done, reduction is usually possible; if not, the joint is opened anteriorly and the head levered back into place. As a rule, it stays in place if soft parts are adequately separated. The arm is kept in sling

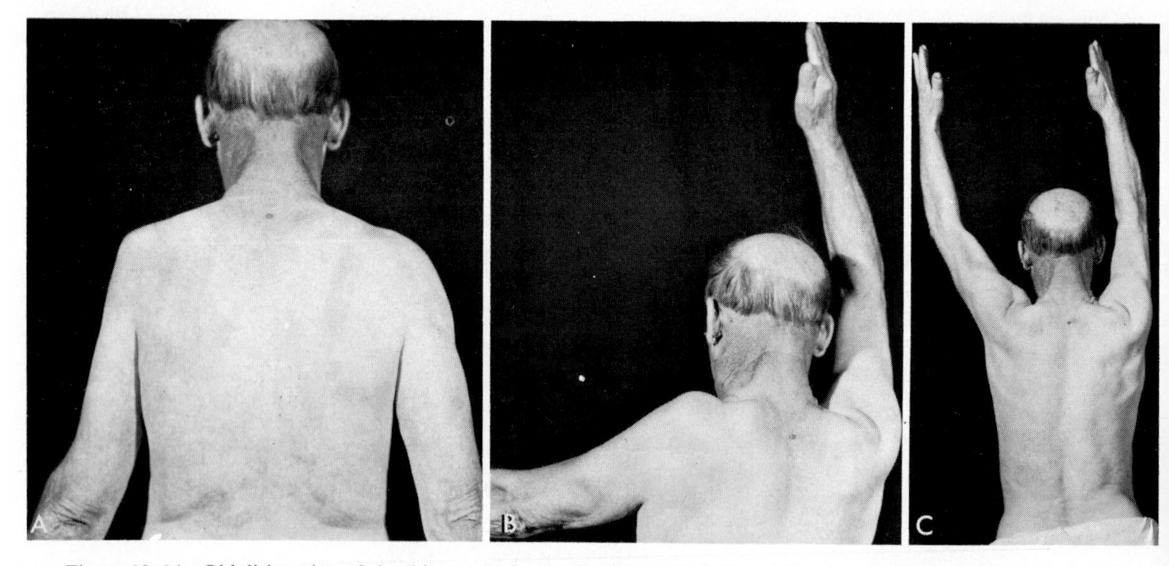

Figure 13–24 Old dislocation of shoulder. *A,* Before reduction; note flattened shoulder point. *B,* Limitation of motion before reduction. *C,* Three months after open reduction.

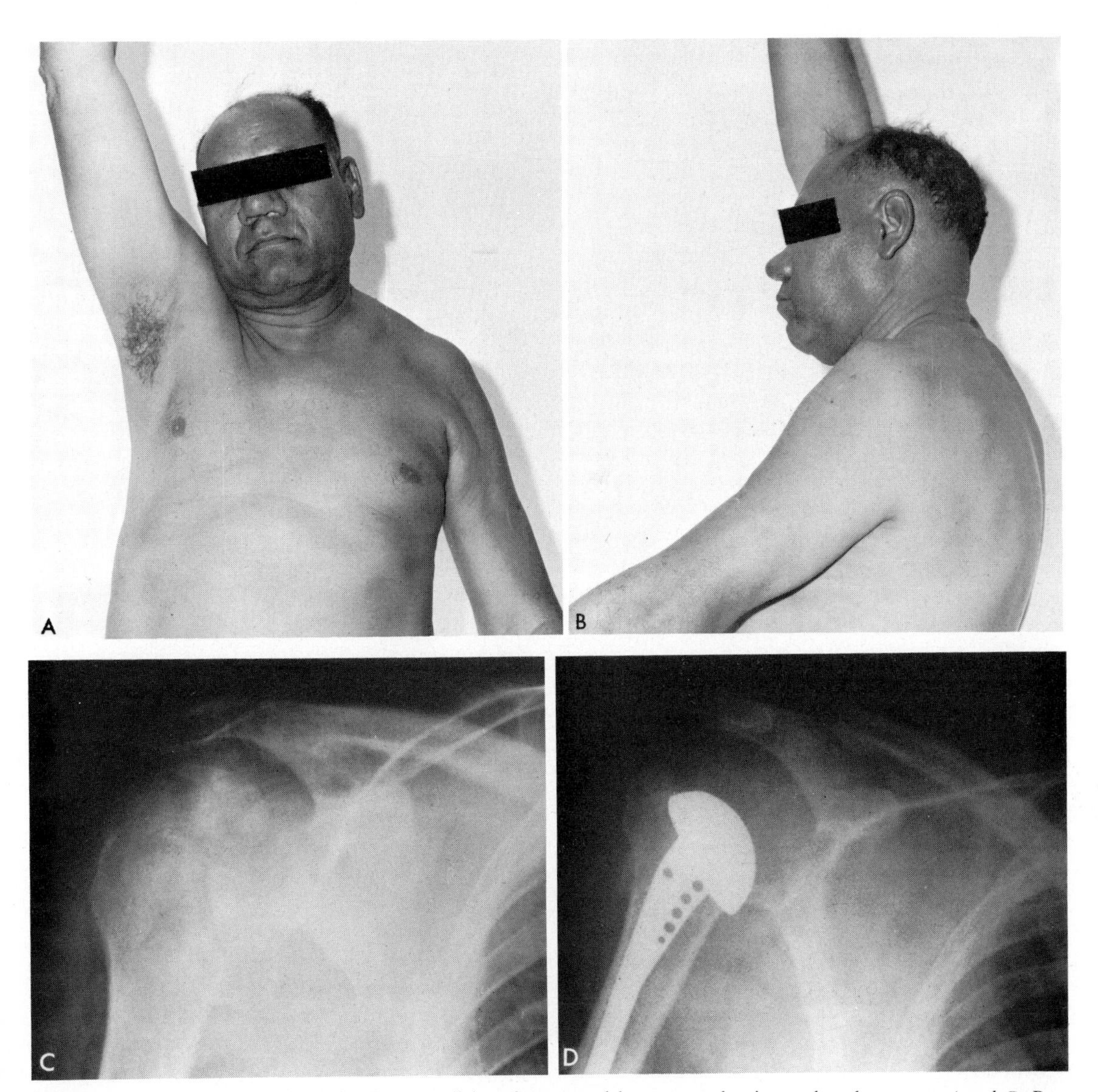

Figure 13–25 Unreduced posterior fracture dislocation treated by open reduction and replacement. *A* and *B*, Preoperative appearance. *C*, Preoperative radiograph. *D*, Postoperative radiograph.

fixation for four to six weeks. This treatment is followed by physiotherapy (Fig. 13–25).

RECURRENT DISLOCATION OF THE SHOULDER

The purposeful evolution of the anterior appendage from static weight-bearing to mobile prehension has few imperfections, but one is a susceptibility to habitual or recurrent dislocation under certain conditions. The commonest predisposition is found in healthy young athletes engaged in rugged activities, but it does occur in women, and can happen past the age of 60. The series of dislocations starts with a fairly violent episode, such as a fall or tumble, but subsequently less and less force is needed, until routine motions such as combing the hair slip the head off the glenoid rim. So much has been written on this subject that both student and practitioner may be a little bewildered. The diagnosis is straightforward and the indications for treatment clear-cut, but there are endless suggestions as to operative technique. Interest in this subject stems not from the incidence or urgency of the condition, but rather from the fact that it represents a classic problem handed down as a real challenge to those interested in reconstructive surgery.

Etiology. One of the most comprehensive considerations of this whole subject appears in the British edition of the Journal of Bone and Joint Surgery, Vol. 30, No. 1. Many pertinent observations may be drawn from this contribution. The work of Hermodsohn, as translated by Moseley, is also a monumental one.

In studying the origin of this condition, there is a tendency to interpret some of the pathologic findings as a *cause* when actually they are a *result* of a primary established state. The fundamental disturbance is a slipping of the head of the humerus off the glenoid rim, which demonstrates the natural tendency of a spinning ball to slip from a shallow saucer if control is momentarily lost. The structure of this ball and socket is such that in the dislocation the ball may be chipped or the casing torn, so that the repair heals insecurely. When this happens the slip is easier the next time, and a vicious cycle of abnormal mobility with gradual loss of control is established. Both the initial and the habitual episodes are true dislocations, and the first may lead to the second if there is sufficient critical damage and poor repair, or if the individual repeatedly exposes the shoulder to the same dislocating force. Apart from the unalterable anatomy and physiology of the shoulder, some pre-disposing variations and clinical states are noted as favoring habitual dislocation. The glenoids may be abnormally long, narrow, and shallow. The middle glenohumeral ligament may be poorly developed, or an unduly large head may articulate within a stunted glenoid. Epileptics, as might be expected, are prone to recurrent dislocation. The lesion may be bilateral, and several members of one family may be afflicted, with very little trauma initiating the condition.

Pathologic Findings. The interpretation of the cause of this disturbance is based on appreciation of the pathologic changes recorded at operation and in the autopsy room. Those documented at operation are most significant, since it is possible in a measure to reproduce the dislocating act without harm, and to assess the respective contribution of the various changes. The critical act is abduction, external rotation, and a little extension. When this is done at operation, the head is felt to jump off the side of the glenoid; it may catch in this position. Further examination then shows changes in the head of the humerus, the capsule, the glenoid rim, and the labrum. There is a give and take in the incidence of damage to capsule, labrum, and head; they are always present in some combination, but all three may not be present in every case.

THE HEAD OF THE HUMERUS. A notch or crease is commonly found on the posterolateral surface of the head, or this zone is flatter than normal (Fig. 13–26*C*). For some time this finding has been overlooked because x-ray studies in full internal rotation are needed for its demonstration, and it is hard to see or feel at operation. One clue to its presence at operation is the jerky trajectory of the head on full external rotation. When search is made for the defect, it will be found over 80 per cent of patients, as reported by J. C. Adams. The significance of this change is further emphasized by the observation that it is found constantly when there is no defect in the labrum; therefore, it may be interpreted as an important contributor to recurrent dislocation.

THE LABRUM. The lip of the glenoid lies in the way of the skidding head, and so may

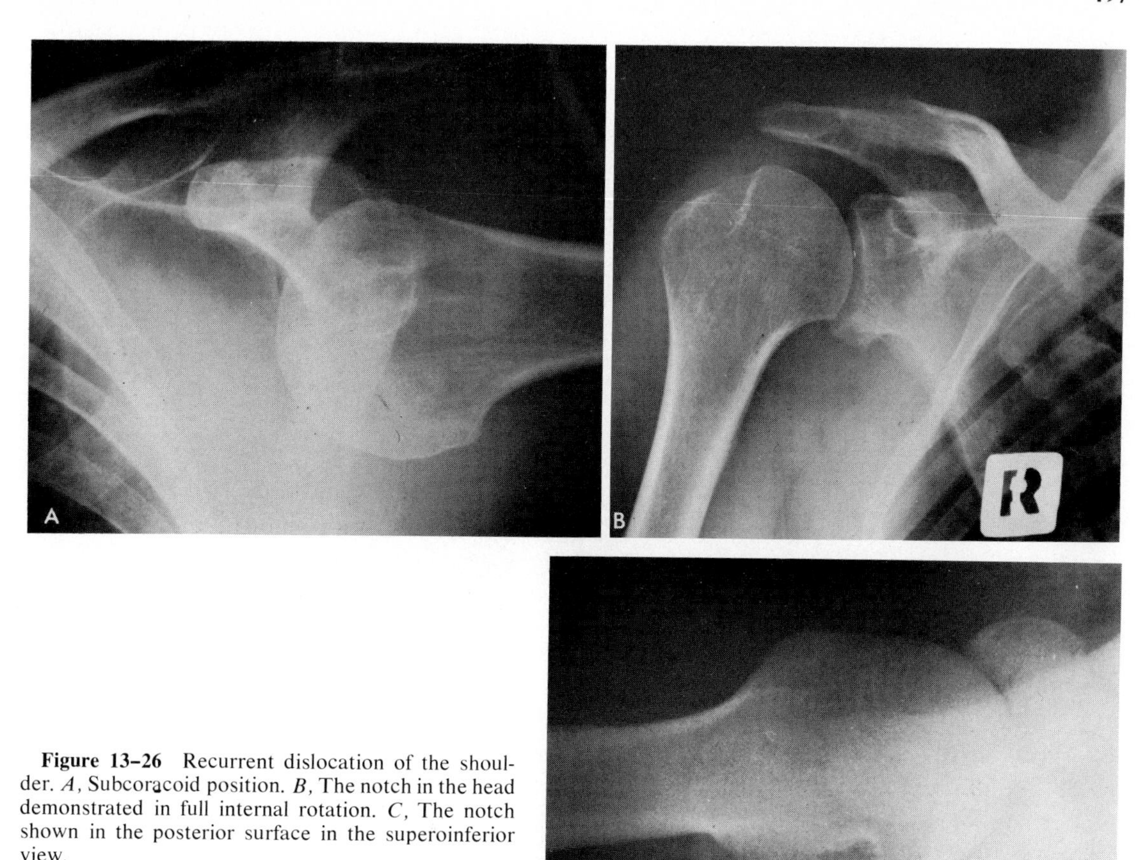

Figure 13–26 Recurrent dislocation of the shoulder. *A,* Subcoracoid position. *B,* The notch in the head demonstrated in full internal rotation. *C,* The notch shown in the posterior surface in the superoinferior view.

be detached, frayed, or torn as dislocation occurs. Some damage to the labrum is found in a high percentage of cases but is often insufficient to explain the dislocation; it is only a part of the problem, being combined with head and capsular changes. It can be demonstrated often at operation (Fig. 13–27). The labrum may be lifted up free from the scapula and capsule. The adjacent edge of the glenoid frequently has a palpable notch at this point, as evidence of the splintering trauma of the head against the rim. The labrum may be fractured (Fig. 13–28), with a piece lying loose within the joint. It should be borne in mind that separation of the labrum may occur without any dislocation history; it is common to find it loose and frayed as a result of the wear and tear of general joint use. Abnormalities of the labrum are more easily demonstrated than those of the head and, although often found, are not constantly present. The author has operated on patients in whom no significant changes in the labrum were present, but changes in capsule and head could be demonstrated.

Changes in the Capsule. Normally the capsule is attached firmly to the neck of the scapula, but just beyond the labrum. In this middle zone it is not continuous with the labrum. In recurrent dislocation, the capsule is lax and ballooned under the subscapularis. The subscapular recess is more spacious than normal. The middle glenohumeral ligament varies considerably in strength; in recurrent dislocation it is commonly weakened or poorly developed. Laxity of the capsule due to stretching and tearing with fibrotic healing reaches the point where the head is easily accommodated in the dislocated position under the subscapularis. The ballooning is well demonstrated by an arthrogram (Fig. 13–29).

Mechanism of Recurrent Dislocation. The

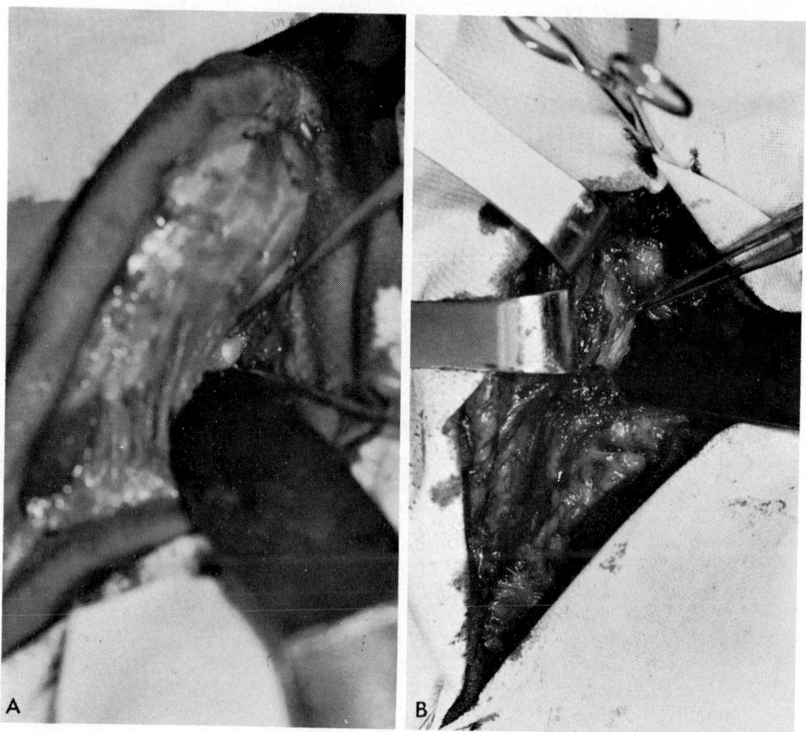

Figure 13–27 *A*, Detached labrum demonstrated at operation for recurrent dislocation of shoulder (exposure as for Gallie repair). *B*, Tear of the capsule.

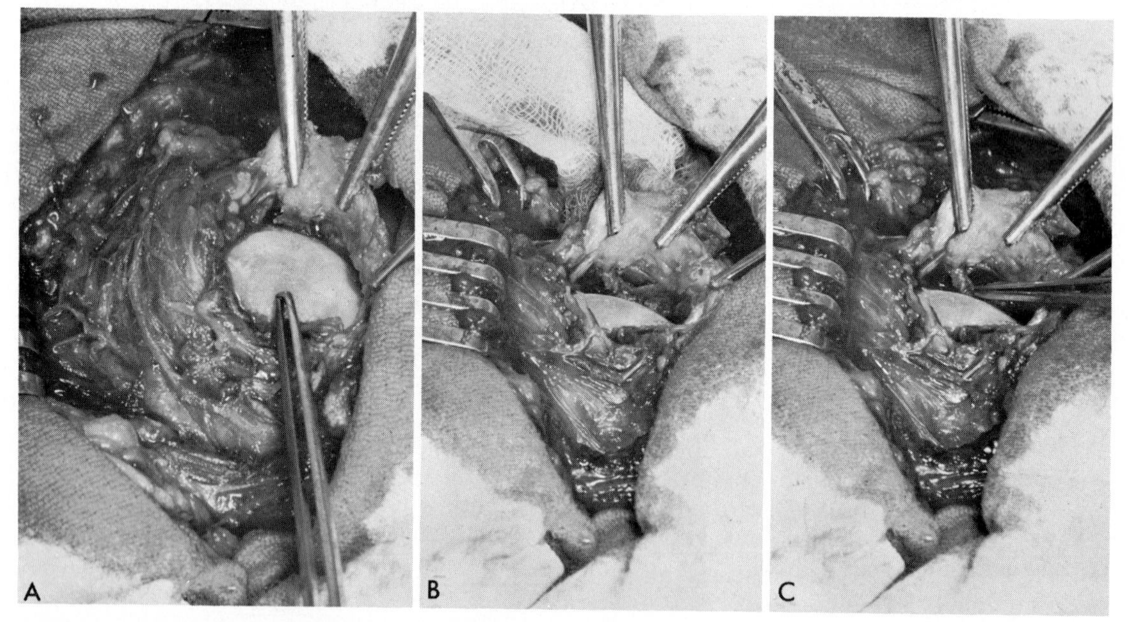

Figure 13–28 Putti-Platt exposure showing defect in the labrum. *A*, Head of humerus. *B*, Subscapularis being pulled medially. *C*, Forceps is in the defect of labral separation.

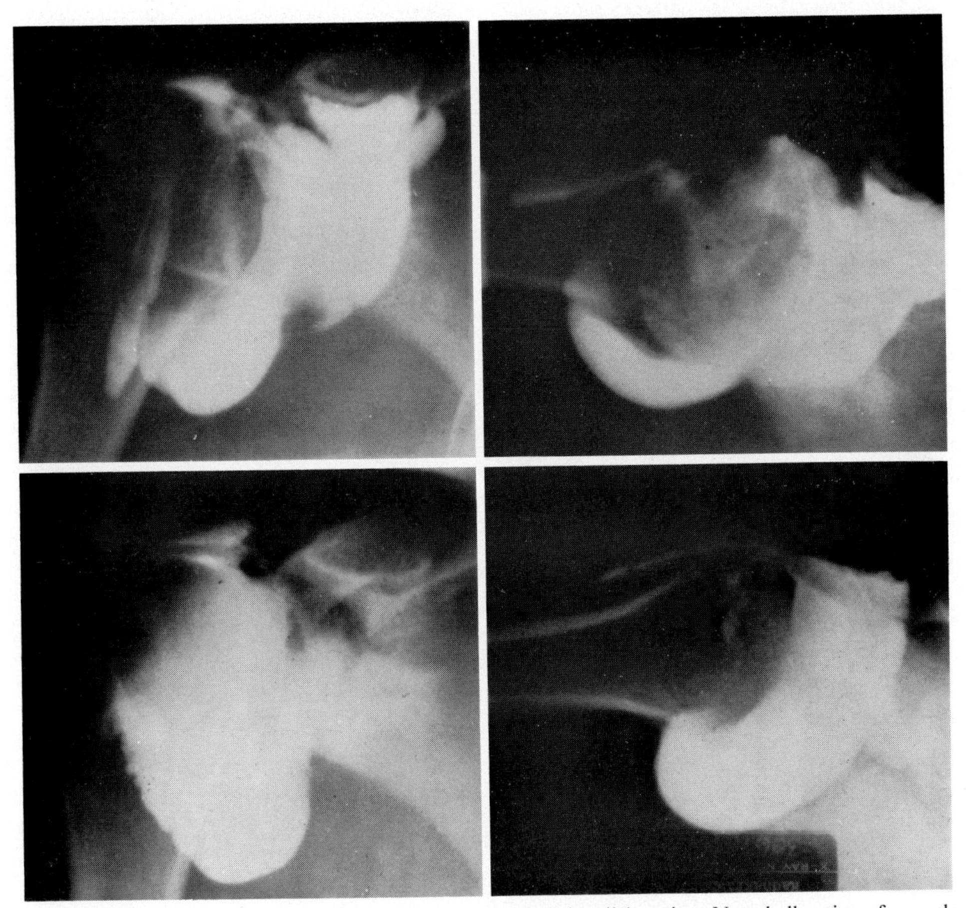

Figure 13–29 Arthrogram in a patient with recurrent anterior dislocation. Note ballooning of capsule.

complete mechanism includes both initial and habitual dislocations. Both are true dislocations, but changes resulting from the early episodes predispose to the recurrent state, and presumably alter the way in which dislocation occurs.

INITIAL EPISODE. The critical act is abduction, external rotation, and a little extension of the arm. Force may be applied in many ways in reaching this position, or after it has been taken up, to complete the dislocation (Fig. 13–30).

Fall on Outstretched Arm. Force is transmitted up the arm from a forward fall, as in stubbing the toe, and has a shearing effect as it reaches the shoulder joint, unless the elbow is kept rigidly extended. The forward fling of the body weight as the fall is completed buckles the elbow, so that the arm is momentarily extended behind the body, and the head of the humerus is thrust against the anterior edge of the glenoid, labrum, and related capsular structures. The head does not meet the glenoid face to face, but with the angle open anteriorly, so that the posterior aspect is rotated against the glenoid face (Fig. 13–30). The amount of rotation possible by the scapula is limited in this position, and it cannot keep pace with the head going into extension, so that the head is levered out at the anteroinferior margin.

It is reasonable to expect damage to the head and glenoid when force is applied in this manner. The head may be creased and the glenoid lip fractured. If the elbow flexes quickly, the force is dissipated more anteriorly, and the labrum or capsule then takes the force rather than the glenoid. If moderate resistance is maintained and the force is transmitted more in extension, impingement on the rim results, and consequently bone damage may be greater.

Forcible Movement Without Falling. A fall is not necessary to accomplish dislocation; powerful muscle contraction alone may dislocate the shoulder. Violent action such as is seen in epileptics, may be cited as an example. In such a paroxysm of muscle contraction, the backward flail of the arm into extreme external rotation and abduction may spin the head from the socket, rupturing the capsule. Of course, falls also contribute to dislocation in epileptics, but the crescendo of the convulsion usually occurs in the horizontal position, where internal rotation beyond body line is resisted, but the backward flail of the arm, weighted by forearm and hand, is still possible. Once predisposing changes are established, uncontrolled muscle forces in subsequent attacks easily produce habitual dislocation.

Backward Falls With The Arm in Extension. When the body falls backward, the arm instinctively reaches behind to break the fall. Stress travels up the extended arm, forcing the head against the unprotected front of the joint. Dislocation may occur, but there is a difference in the damage produced. The capsule may be wrenched

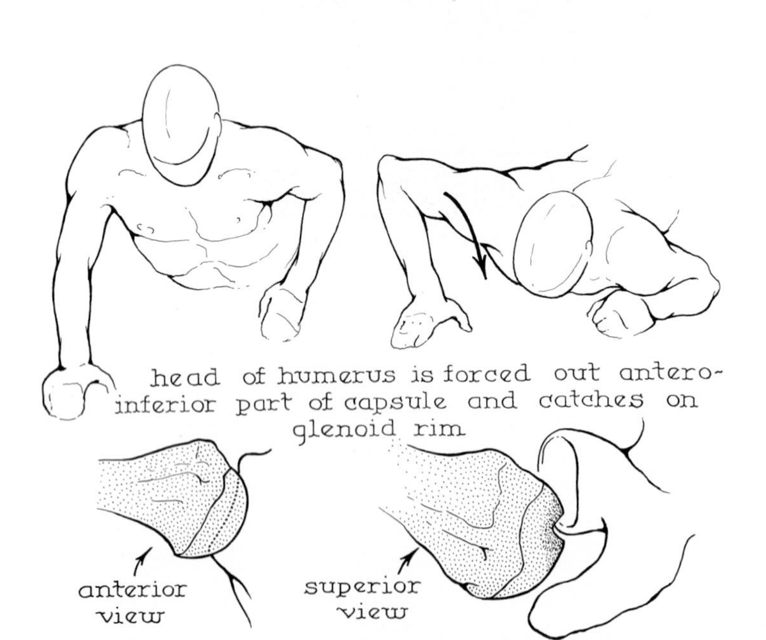

Figure 13–30 Recurrent anterior dislocation mechanism.

from its anchorage and the biceps tendon ruptured. There is less damage to glenoid and humeral head because the force is at right angles to the glenoid, and the shearing stroke on the glenoid is avoided (see Fig. 13–26).

Recurrent Episodes. All recurrent dislocations start with an apparently simple dislocation, and it has not yet been possible to tell which episodes will be followed by habitual recurrence. More attention to simple dislocations, careful inspection for any bone defect, or demonstration of the capsular abnormalities by arthrography will probably help. The amount of damage resulting from the initial dislocation appears to be the important determining factor. When there are established changes, many mechanisms operate. A defect or crease in the head presents an obvious cleat or take-off, which locks the head on the glenoid rim (Fig. 13–31). Only the muscle action of abduction and external rotation is needed to slip the head into the notch gripping the rim. Leverage of the falling arm then pries the head out of the joint. A detached labrum or lax capsule allows slack control when the arm is flailed into abduction and external rotation, and the head slips out under the subscapularis.

Successful methods of repair are based on such an interpretation of the dislocating mechanism. External rotation is limited a little; the anterior or subscapular zone of dislocation is buttressed; the labrum is reanchored and the capsule repaired; or new ligaments are fashioned across the anteroinferior aspect.

Treatment. At the start the dislocating episodes are incapacitating and require medical attention. Later, patients learn to slip the head back into the joint themselves. The designation "recurrent dislocation" should be reserved for those conditions presenting clear-cut displacement of the head. There is a condition of subluxation or lax joint that is merely a slack articulation, without the history or pathologic changes of true dislocation. The initial dislocation is reduced as outlined previously for simple dislocations.

The question arises as to the point at which dislocation becomes habitual. The author has classed those patients who have had three dislocations as having recurrent dislocation, and these are the ones requiring operative treatment. From this point on the disturbance is not effectively controlled by conservative measures, and patients should be advised to have the shoulder repaired. Dislocations occur with increasing ease and may happen in a critical situation such as swimming or climbing, jeopardizing the patient's safety.

Operative Techniques for Repair of Recurrent Dislocation. Nearly 100 different operations have been described, many with very successful results in the hands of the originator. All successful techniques take cognizance of the dominant pathologic changes, and, in various combinations, limit external rotation, buttress the capsule and subscapularis, or introduce new protecting ligaments. The methods of Bankart, Putti-Platt, Gallie, Nicola, and Henderson, all with many modifications, have been used extensively. The most successful techniques are those of Putti-Platt, Bankart, and Gallie, which are described below.

Putti-Platt Technique. The shoulder is approached through an anterior incision similar to that used in all these operations. The cephalic vein is used as a landmark. The deltoid is retracted laterally, the coracobrachialis and the short head of biceps me-

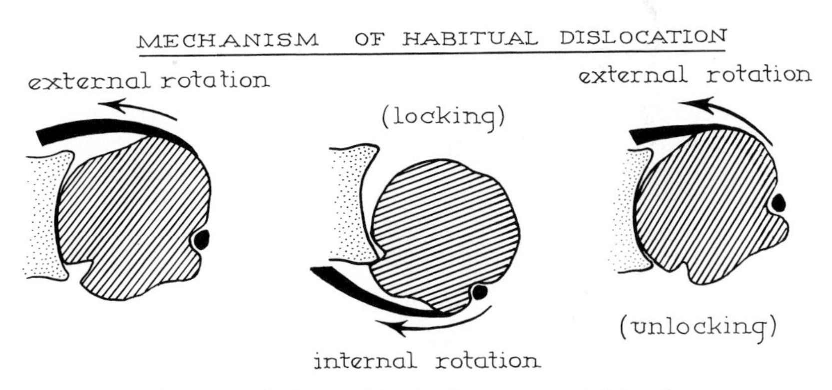

Figure 13–31 Humeral head action is recurrent dislocation.

dially. The subscapularis then comes into view. The muscle is cut vertically about one-half inch from the musculotendinous junction through the muscle fibers (see Fig. 13–32). The stump is pulled laterally, exposing the anterior capsule; the capsule is repaired, and the medial portion of the subscapularis is then anchored to the humerus with the shaft in full internal rotation. The lateral stump is sutured in overlapping fashion to the medial end. The arm is fixed in internal rotation in a sling for three to four weeks.

Bankart Technique. The principle of this operation is exposure of the capsule attachment to the glenoid from the front, and repair of the detached capsule (Fig. 13–33). The joint is approached through an anterior incision. The deltoid fibers are split and retracted, and the subscapularis is exposed. The muscle is cut at the center of this tendon, and retracted medially. The anteroinferior aspect of the capsule is then in view. The detached capsule or labrum is reattached to the glenoid margin. There are various methods of reanchoring the labrum and capsule. Staples or fascia may be used or holes may be drilled in the glenoid and catgut inserted. The subscapularis is then

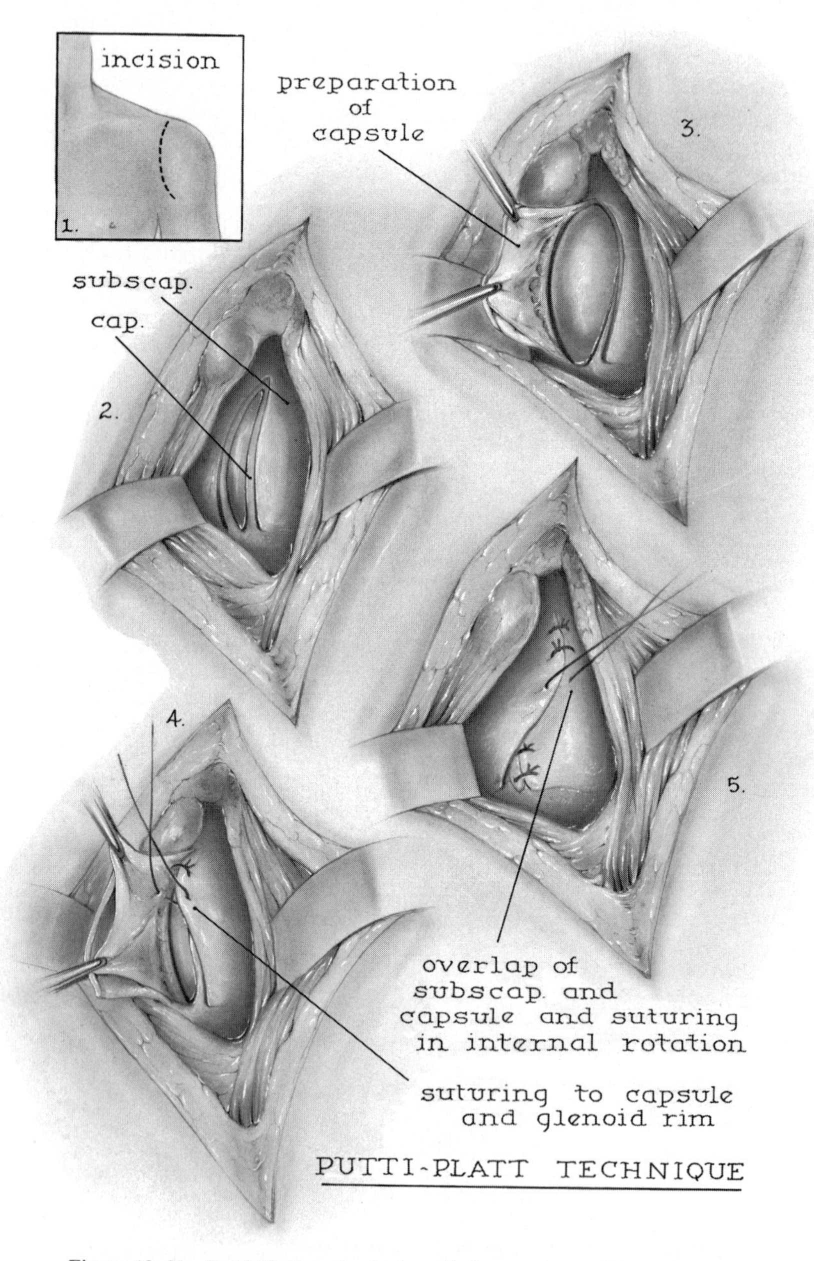

Figure 13–32 Putti-Platt method of repair for recurrent dislocation.

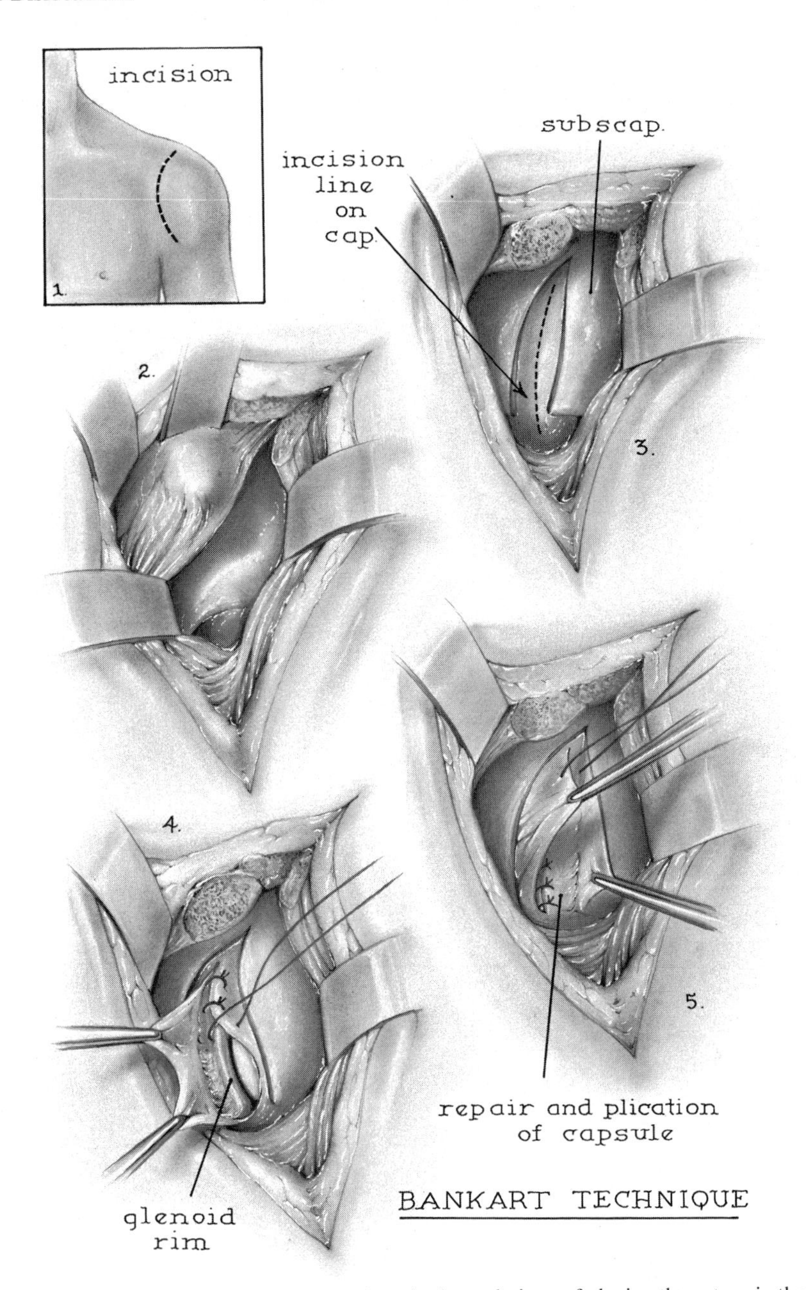

Figure 13–33 Bankart technique. Ingenious variations in the technique of placing the suture in the glenoid edge have been made by Eyre-Vrook and Rowe, and have added to the effectiveness of this operation.

repaired and the arm kept in a sling afterward, as with the Putti-Platt method.

Gallie Technique. This method was used by Dr. W. E. Gallie for 20 years and, with slight modifications, has proved very satisfactory. The principle is to insert new ligaments across the anteroinferior aspect of the capsule and humerus. With a slight change, the principle of Bankart may be embodied (Fig. 13–34).

The shoulder is approached through an anterior incision, along and angled slightly at the deltopectoral groove. The fibers of the deltoid are separated, the cephalic vein is retracted medially, and the deltoid is retracted laterally. This exposes the coracoid process, the subscapularis, and the upper aspect of the humerus. The lower margin of the subscapularis is then defined. A linear slit is made in the muscle about one-quarter inch above the inferior aspect of the glenoid. A hole is then drilled through the neck of the scapula. A protecting retractor is used, and the hole comes out just below the spine of the scapula posteriorly. A piece of fascia is removed from the thigh, 10 inches by three-quarters to 1 inch. A thick knot is tied in the end. This is threaded through the hole in the scapula so that the knot impinges posteriorly, anchoring the new ligament. The fascia is then split in two, and one strand is used to take a stitch through the capsule, plicating the redundant anteroinferior aspect. A knot is tied after this suture. The ligament is pulled across the anteroinferior aspect to the region of the bicipital groove. Two drill holes are inserted and connected with a curved trocar. The fascia is extracted through this and carried over to the coracoid process. A hole is drilled in the latter, and the fascial strips are pulled through and tied snugly. The tension on the ligament is adjusted so that it is snug but not tight. The wound is closed in layers. The arm is in a sling and at the side for four weeks. At the end of this time, active movement is initiated.

Treatment Rationale After Gallie Repair. Because most of these patients are young and athletic, regaining range of motion after immobilization is not a problem. The emphasis should be on strengthening and regaining the balanced mechanics in these previously hypermobile shoulders. In multiaxial dislocations especially, the functional stability of the shoulder will be directly related to the power developed in the short cuff muscles, and in their ability to snub the stabilized head of the humerus into the glenoid to allow the long movers to operate. In the very tightly repaired shoulder, full range of motion may not be regained, but a pain-free, strong, stable shoulder will be the result if strength, not range, is stressed. The small lack of range will be so minimal that it probably will never be perceived by the patient. Immediately after surgery, the therapist must instruct the patient carefully in the isometric exercises that will produce the desired strength.

Postoperatively, when the glenohumeral joint is immobilized in the appropriate position for the particular repair, the patient may begin gentle isometric exercises, at first resisted by the therapist and then by the patient using his other arm (abduction, flexion, adduction, extension, internal and external rotation). Since these muscles have not been interfered with surgically, the iso-

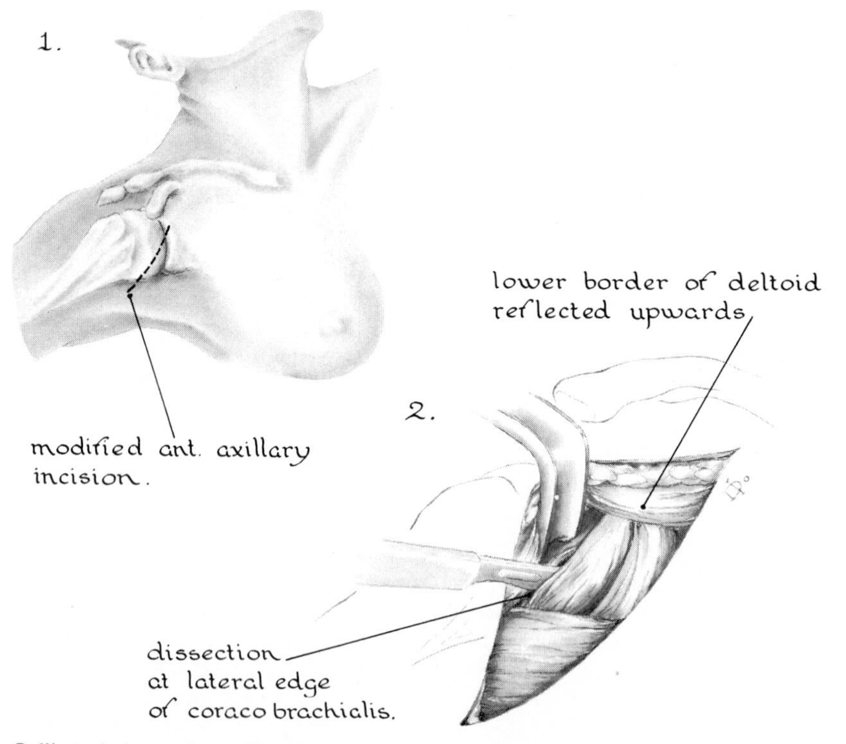

Figure 13–34 Gallie technique using axillary incision. 1 and 2. Incision exposure and placement of special retractor for insertion of the drill.

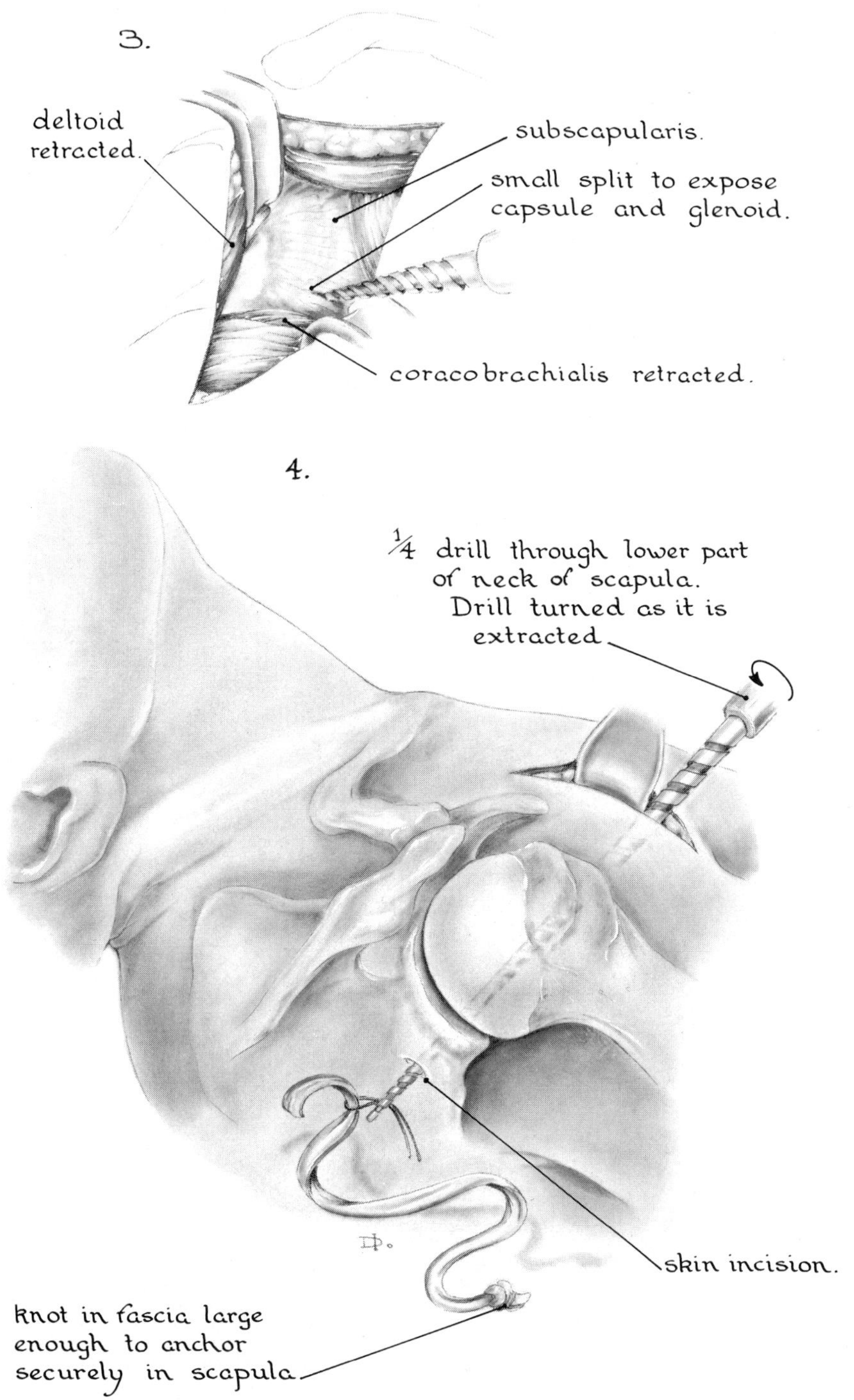

Figure 13–34 *Continued* 3 and 4. Drill with special spiked point comes out posteriorly for attachment of fascia to be pulled through.

metrics will not be painful if the patient is instructed to contract slowly and steadily, hold, and then relax slowly. Isometric exercises for triceps and biceps, and isotonic forearm, wrist, and hand exercises should be given to maintain power. When the immobilization period is terminated by the surgeon, the therapist can teach the patient isometrics in the available range of motion, stressing always the functional motions first (i.e., flexion, adduction, external rotation and flexion, abduction, external rotation—please see Chapter 8). The patient must continue to sleep in a sling until mus-

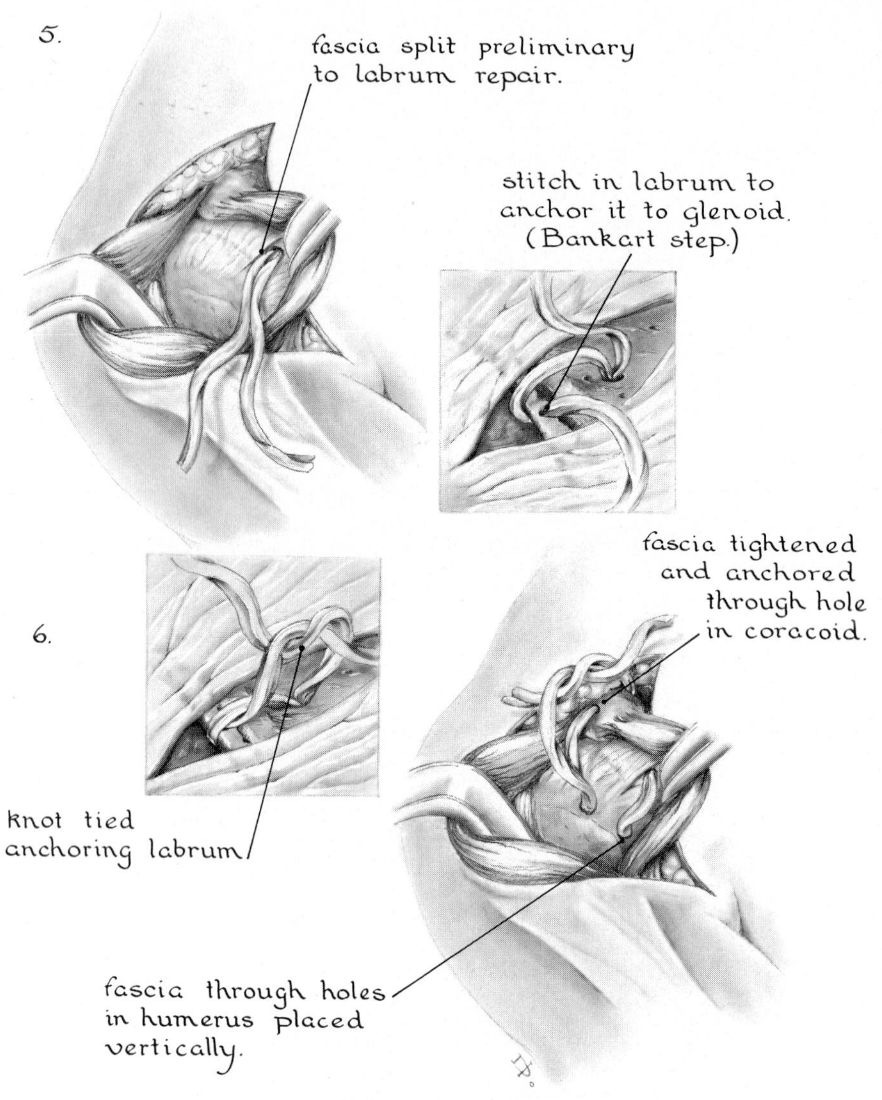

Figure 13–34 *Continued*

cular control is sufficient to protect the shoulder at night. He will need only occasional supervision and encouragement on a recheck basis until power and range are regained.

Results. The incidence of recurrence after using the Gallie technique has been very low. Some slight limitation of external rotation and abduction usually results. Sometimes this is so small that only the examiner notices it, and the patient is not aware of the disability. At other times a few activities may be hampered. The pitfalls in the operation are few, apart from the usual possible but unlikely operative complications. The hole in the scapula must be made low enough, and the fascial strip must not be pulled too tightly, or too much limitation of movement will result. The holes in the bone must be placed with care.

RECURRENT SUBLUXATION OF THE SHOULDER

The glenohumeral joint may be the seat of recurrent subluxation, a not uncommon entity quite apart from recurrent dislocation. The work of Blazina and Saltzman has highlighted the increasing incidence of this condition. The disturbance is most often seen in young athletes, and its true nature may go unrecognized for some time. The usual history is of recurrent, painful, catching episodes in the shoulder in which the patient momentarily loses control because of sudden, acute, paralyzing pain.

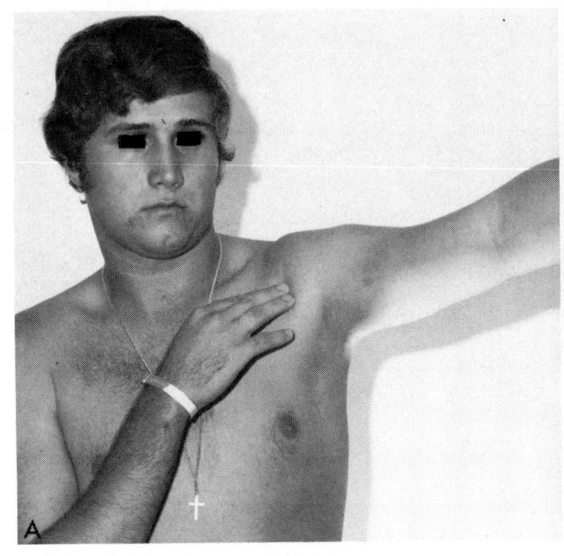

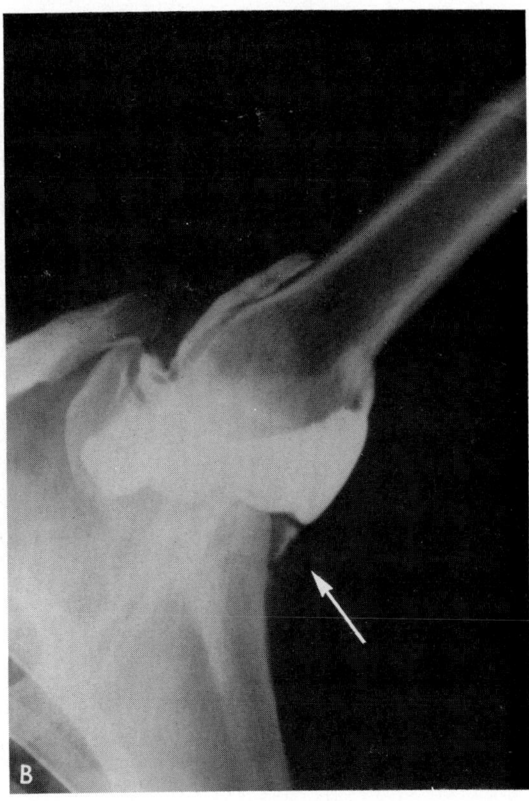

Figure 13–35 *A,* Anterior tenderness, anteroinferior fullness. *B,* Anteroinferior subluxation. Arthrogram showing typical dye leak.

Often a sense of slipping or catching in the shoulder is described. The pain frequently extends down the whole arm, so that the individual may drop or let go of an object that he is catching or holding. Strenuous activity is not necessary to cause the subluxation; often a simple forward flexion act, is sufficient as, for example, a young goal tender reaching forward with his stick, a quarterback starting to wind up for a pass, or a workman steadying a weight in front of him. The discomfort passes off immediately, and the patient has a sensation of something slipping back into place in the shoulder (Fig. 13–35). Often the description of these episodes is vague, the only sensa-

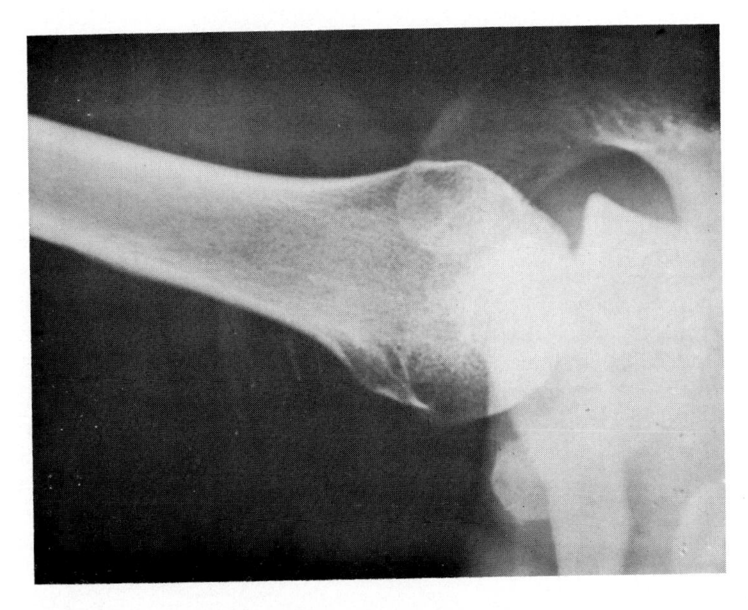

Figure 13–36 Superoinferior view of the shoulder showing subluxation. (Courtesy Dr. D. MacIntosh.)

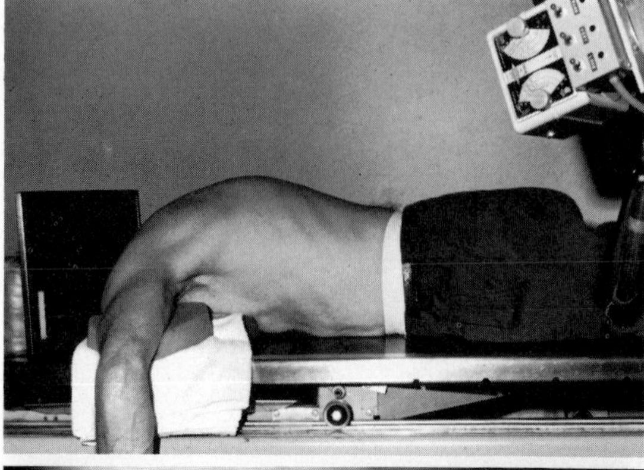

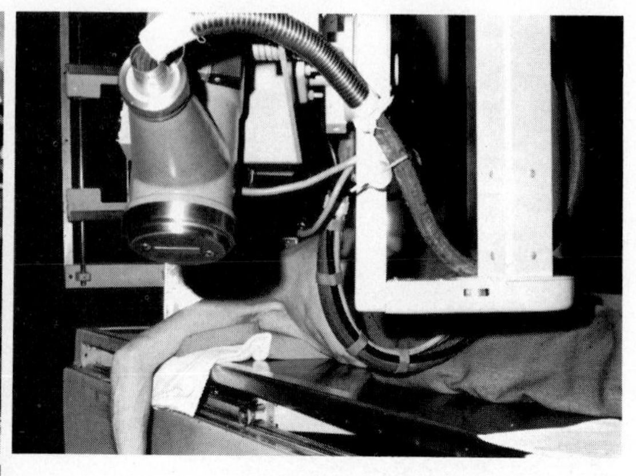

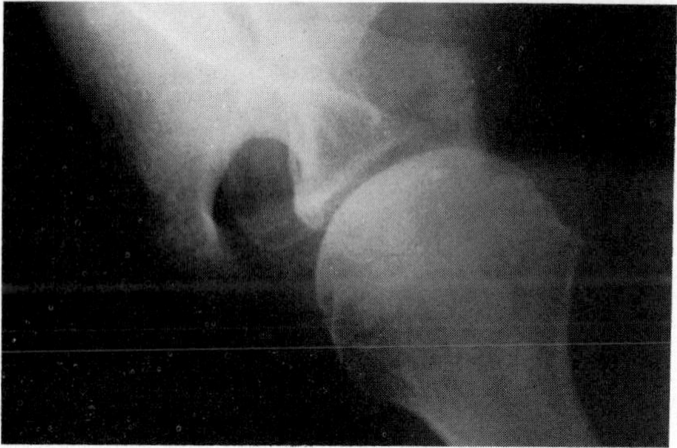

Figure 13–37 Axillary glenoid view sometimes will show a fracture of the glenoid rim in recurrent subluxation.

tion being one of sudden, acute pain followed by some general soreness but no continued apparent malfunction of the joint.

When a history such as this is presented, further careful investigation is required. Frequently, undue laxity may be demonstrated on examination. The head of the humerus can be shoved forward almost half its own width. There is no true locking or dislocation, and no persistence of the deformity when the episodes occur. The patient may have the feeling of fullness anteriorly, but this is not always so. Tenderness is present over the upper end of the humerus and the anterior aspect of the capsule in the acute episodes, but in the interval there may be very few signs indicative of the condition, apart from laxity of the capsule.

Superoinferior x-ray studies should be made with the head of the humerus under pressure from the back, and the relative laxity of the two sides compared (Fig. 13–36). No crease in the head of the humerus will be be demonstrable, as is the case with recurrent dislocation (Fig. 13–37). Contrast studies are extremely helpful and show an abnormal anteroinferior ballooning of the capsule (Fig. 13–38).

Treatment. Operative measures are required to control this condition. Although the initial episodes are not so incapacitating as in a recurrent dislocation, persistence of the condition is disabling. The most satisfactory management is correction by one of the methods of repair for recurrent dislocation.

ACUTE POSTERIOR DISLOCATIONS

The head of the humerus may be dislocated posteriorly also, but this occurs with much less frequency than anterior dislocation. It results from force suddenly applied with the arm adducted and internally rotated so that the head of the humerus slips off the posterior rim of the glenoid. In this fashion, the anterior aspect of the head of the humerus rests on the posterior lip of the glenoid, and a crease may be formed in the head in this area similar to that seen in anterior dislocation, but in the opposite quadrant (Fig. 13–39).

Diagnosis. The condition is seen more often in the older age-group; the history is of injury followed by pain and limitation of motion. The patient may not be conscious of any deformity, but on inspection there is a posterior bulging that is obvious when the patient is viewed from the side. Anteriorly there is a fossa with a prominent coracoid process, but the head of the humerus cannot be felt in its usual position.

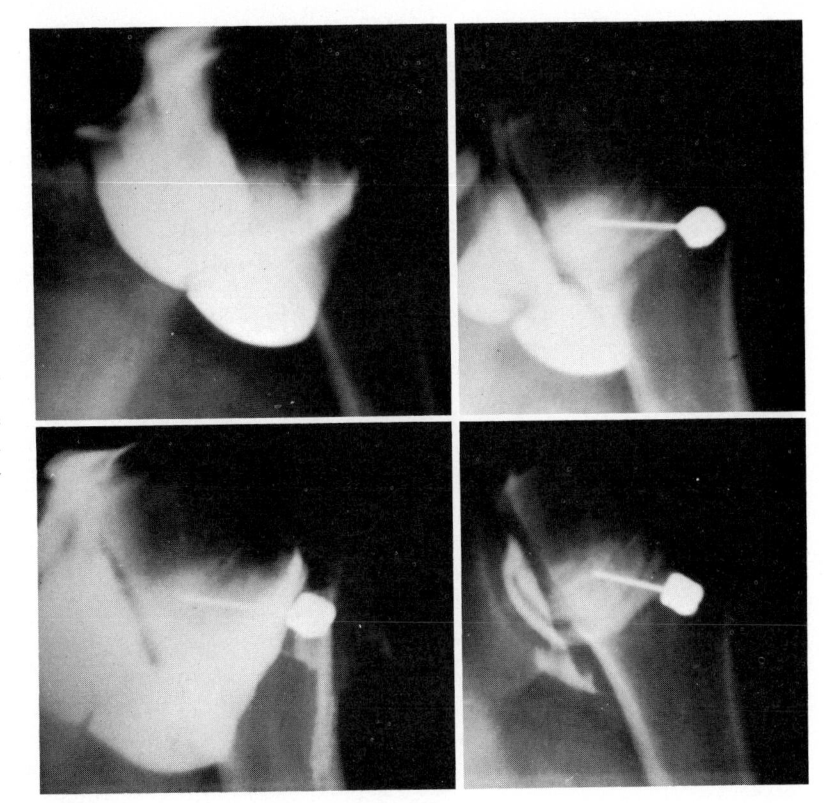

Figure 13–38 Arthrogram in recurrent subluxation of shoulder. Note ballooning of capsule anteriorly and inferiorly, which is almost as extensive as in a recurrent dislocation.

The true nature of the condition may not be recognized immediately, because of swelling and soft tissue overlay. It is not uncommon to have the patient present a week to ten days after a fall because of the continued restriction of motion. Supero-inferior and lateral radiographs identify the lesion definitively.

Treatment. If the dislocation has not been present for too long, closed reduction is feasible under a general anesthetic. Traction is applied to the arm, and forward pressure made on the region of the head posteriorly; as the patient is relaxed, a gently twisting motion will slip the head back into the socket. The arm is immobilized at the side, with the arm in slight external rotation to prevent the head from slipping back off the posterior aspect of the glenoid fossa. One method of doing this is to fix a light bandage around the arm in such a way that it is pulled into slight extension so that the forearm then comes to rest opposite the body; internal rotation, which may cause a recurrence of the dislocation, is then no longer possible. The fixation is maintained for four weeks and motion gradually instituted.

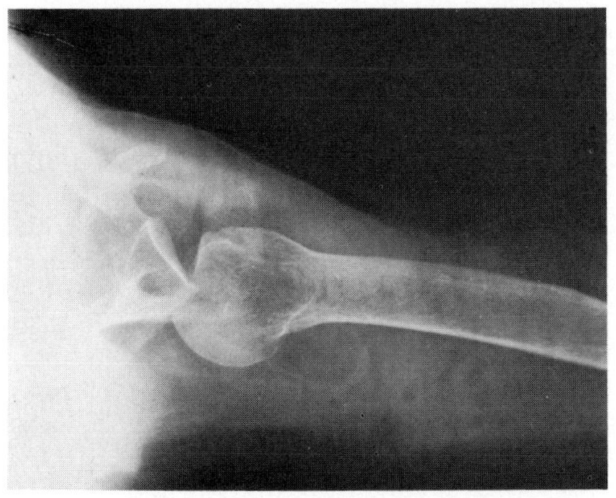

Figure 13–39 Posterior dislocation.

Unreduced Posterior Dislocation

In neglected cases, closed reduction is difficult and surgical treatment is required. Once the dislocation is fixed in the unreduced position for a matter of weeks, forceful attempts at closed reduction are ineffective and may be harmful (Fig. 13–40).

Neviaser has emphasized the problems in reducing old dislocations. Considerable difficulty may be encountered in replacing the

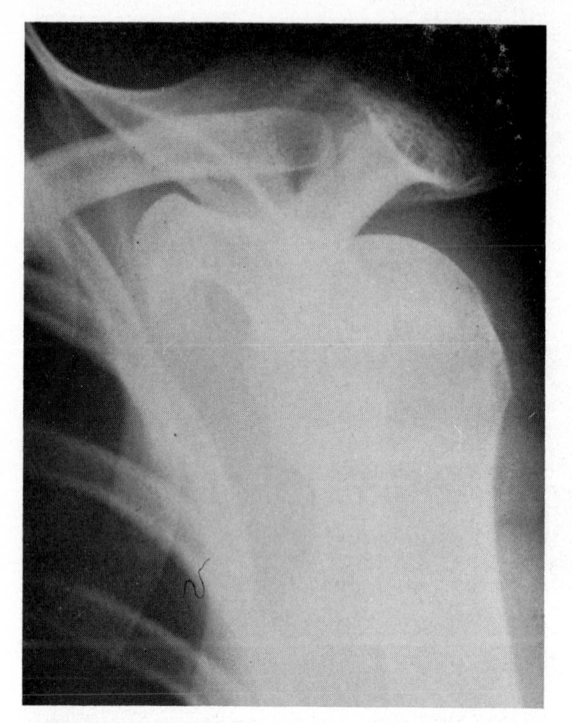

Figure 13–40 Old unreduced posterior dislocation. Note prominence of head of humerus posteriorly.

head of the humerus because of the fibrosis and shortening of muscles. The capsule becomes taut in a bowstring fashion and, with the head remaining fixed against the edge of the glenoid, a notch or wedgeing develops in it, locking it into place.

Operative Technique. The superoanterior incision is used, providing access to the top and front of the joint. The deltoid fibers are separated in the usual fashion, extending from the acromioclavicular joint distally. The coracoacromial ligament is incised and the joint capsule exposed. An effort may be made at this point to lever the head of the humerus gently back into position, but as a rule this is unsuccessful.

An incision about 1 inch long is made in the superoanterior aspect of the capsule, sufficient to allow a periosteal elevator to be inserted within the joint to strip the adhesions.

Some method for retaining the head of the humerus in the reduced position is necessary. If the dislocation has been accomplished without extensive soft tissue resection, a Kirschner wire may be inserted through the head into the glenoid to maintain the position and the capsule then closed satisfactorily (Fig. 13–41).

When more extensive exposure has been necessary, the method advocated by McLaughlin is suggested. In this technique, the tendon of the subscapularis is separated from its attachment to the humerus, and then inserted into the defect in the head of the humerus caused by the dislocation. The tendon is transfixed to the bone by heavy sutures run through drill holes.

Postoperatively, the arm is maintained at the side in slight external rotation in a dressing similar to that described for closed reductions. The position of slight external rotation, or one by which internal rotation is prevented, is maintained for four to six weeks (Fig. 13–42).

RECURRENT POSTERIOR DISLOCATION

Attention is called to this entity because some confusion has surrounded its interpretation in the past. The lesion is encountered most often in children and young adults, and the condition in these instances is true recurrent dislocation. It differs profoundly from the anterior counterpart in that very rarely does a specific episode of injury usher in the condition. Nearly always it is a gradual development, with the patient almost imperceptibly becoming conscious of the laxity and instability of the joint in carrying out certain motions, particularly those involving flexion of the shoulder. Such a process contrasts with anterior recurrent dislocation in which, typically, there is a single episode followed by reduction and then recurrent similar episodes, again with intervals of control. In recurrent posterior dislocation, once the abnormality is established, it is a constant derangement.

Clinical Picture. The condition is encountered most often in children and young adults, and one or both shoulders may be involved. The patient becomes gradually conscious of a feeling of instability in the shoulder and has a sensation of something slipping out of place as the arm is lifted to the front. Eventually almost any act that involves flexion of the shoulder produces the uncomfortable change and the sensation of instability (Fig. 13–43). In contrast to anterior dislocation, this is really a subluxation or much more gradually developing instability. When the arm hangs at the side the patient does not have a feeling of instability or subluxation, but the minute it is lifted into flexion and carried into internal

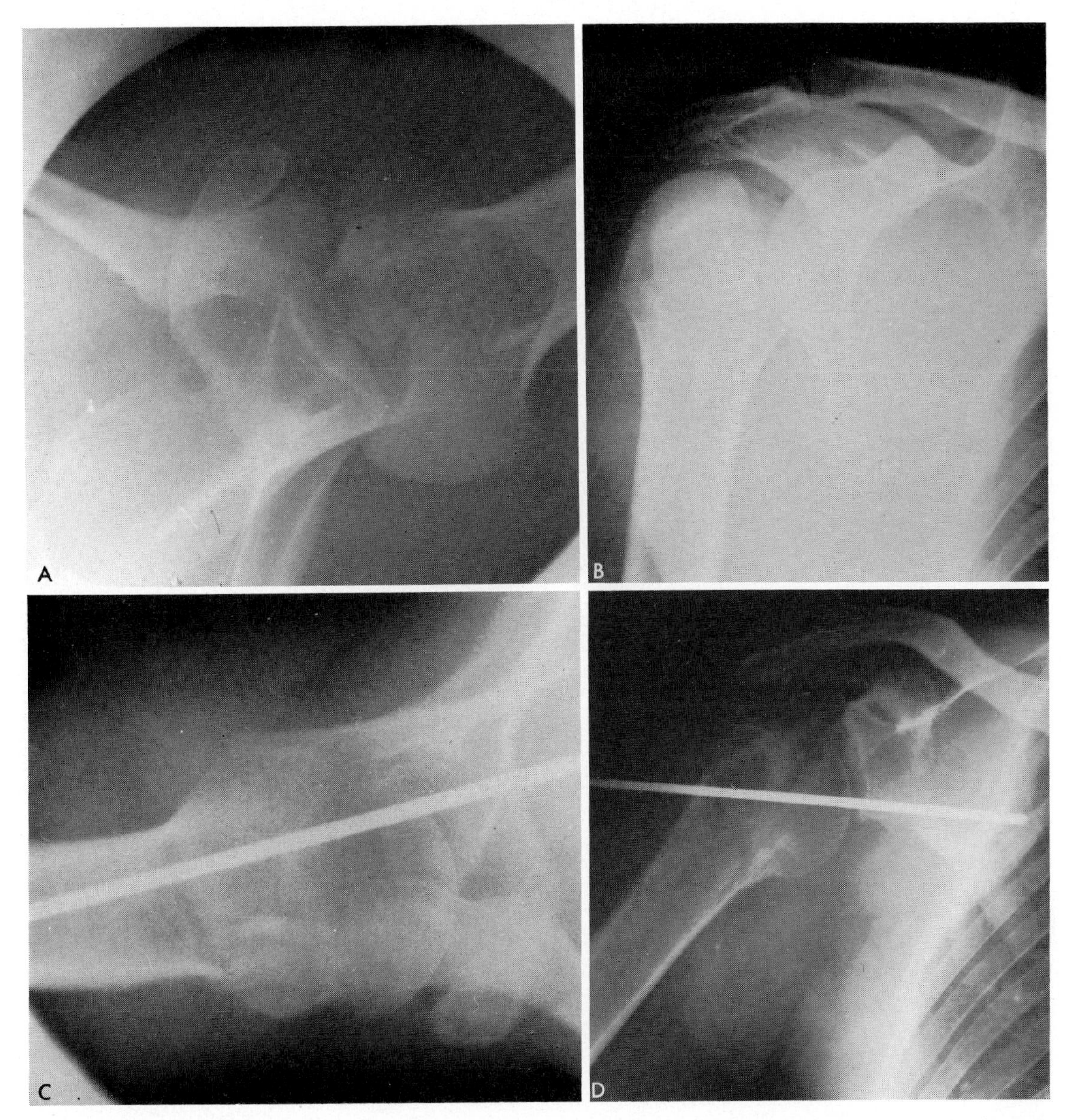

Figure 13–41 Old posterior dislocation of the shoulder. *A*, Prereduction superoinferior view. *B*, Anterior view prereduction. *C* and *D*, Postreduction with Kirschner wire to maintain reduction. (Courtesy Dr. J. S. Neviaser.)

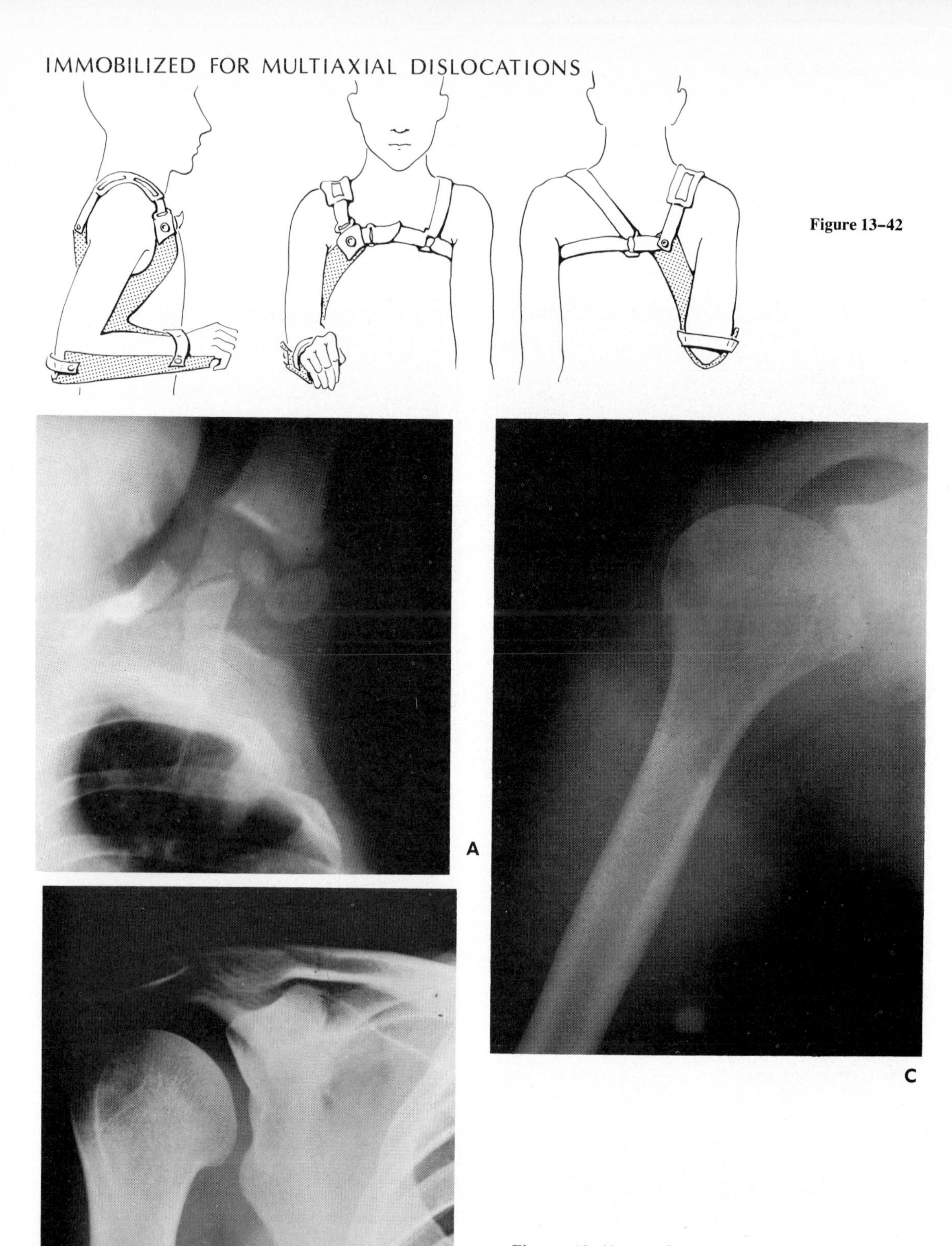

Figure 13–42

Figure 13–43 *A*, Congenital posterior dislocation. *B*, Congenital posterior dislocation of the humerus. *C*, Recurrent posterior dislocation.

rotation the posterior luxation develops. In some instances it is a developmental abnormality that gradually becomes apparent from the age of five onward. As the child matures the luxation is more noticeable, and by the age of nine or ten the condition is progressively incapacitating.

On examination, the cardinal change is the prominence of the head of the humerus as the arm is lifted into forward flexion and internally rotated. This may be seen and felt. Considerable laxity of the capsule is also apparent on grasping the head of the humerus and forcibly shifting it forward and backward in the glenoid.

Radiologically, little abnormality is apparent on routine films, but in the superoinferior view forced internal rotation demonstrates greater prominence of the head posteriorly than is normally encountered.

Treatment. Surgical measures are necessary to correct this abnormality effectively. In some instances the derangement does not become apparent until the late teens or early twenties; often, in girls particularly, when it is unilateral, considerable accommodation to the deformity is effected. Sometimes the voluntary control and accommodation is such that the patient does not consider it a sufficient disturbance to require surgical measures. In most instances when the deformity becomes apparent at an early age, correction is required.

Many methods have been suggested. The approach favored by McLaughlin is a type of posterior bone block in which the posterior aspect of the shoulder is exposed through an oblique incision just medial to the medial border of the deltoid. The deltoid muscle is retracted superiorly, and the posterior aspect of the shoulder joint is exposed. An osteotomy is performed along the posterior aspect, wedging a segment of bone forward about three-sixteenths of an inch from the edge of the glenoid. In this defect a wedge-shaped graft cut from the iliac crest is inserted. In this way the posterior aspect of the glenoid is reflected in a curled fashion, anteriorly creating a buttress to block the posterior subluxation. Such a procedure may prove ineffective in some patients, since it does nothing to control the excessive internal rotation of the shaft of the humerus.

An alternative method is posterior capsular plication, with the posterior aspect of the shoulder joint exposed in the same fashion and the capsule firmly plicated with fascia to the neck of the scapula in a fashion similar to the Bankart procedure for anterior repair.

Recurrent Posterior Dislocation in Children

The author feels that the significant abnormality of this derangement, particularly in young people is retroversion of the head of the humerus, and that, unless this is corrected, some degree of recurrent posterior luxation can be anticipated.

Osteotomy Technique. Correction of the persistent retroversion of the head of the humerus can be obtained only by a rotation osteotomy, carried out just below the neck of the humerus (Fig. 13–44, *B*, and *C*). The distal shaft of the humerus is carried to 20 degrees internal rotation, and fixed in this position. When this has been done, the natural tendency to lift the arm in flexion automatically turns the head of the humerus into a little external rotation, correcting the persistent retroversion.

A longitudinal incision is made anterolaterally, care being taken to preserve the circumflex nerve; the shaft of the humerus is exposed and a transverse osteotomy is performed. Fixation internally is obtained with a contact plate, and the arm is immobilized postoperatively in a shoulder spica.

In the author's hands this form of correction has given the most consistently satisfactory results. Posterior bone block and capsular fixation may be effective in minor degrees of this derangement (Fig. 13–45), but sometimes are followed by recurrent luxation or undesirable intra-articular changes.

Recurrent Posterior Dislocation in Adults

In some cases, persistent sysmptoms of recurrent posterior dislocation do not become troublesome until adulthood. The disturbance appears to involve women more than men. A degree of accommodation occurs in many instances, and the individual continues with the abnormality, feeling that it is not of sufficient severity to warrant extensive treatment. In other cases the recurrent posterior protrusion of the head of

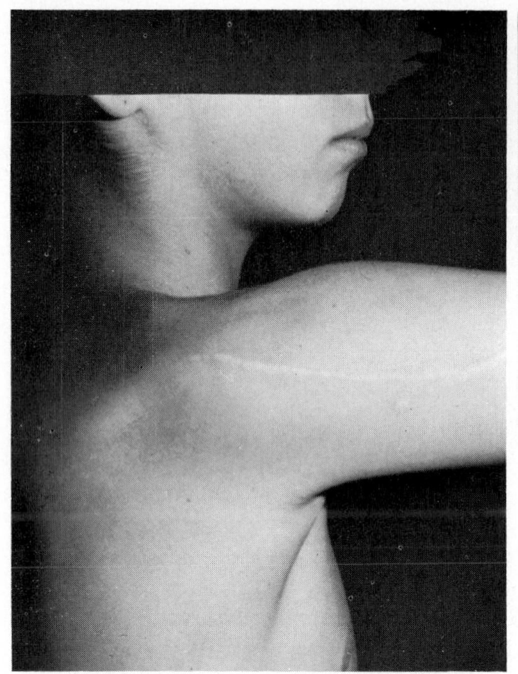

A

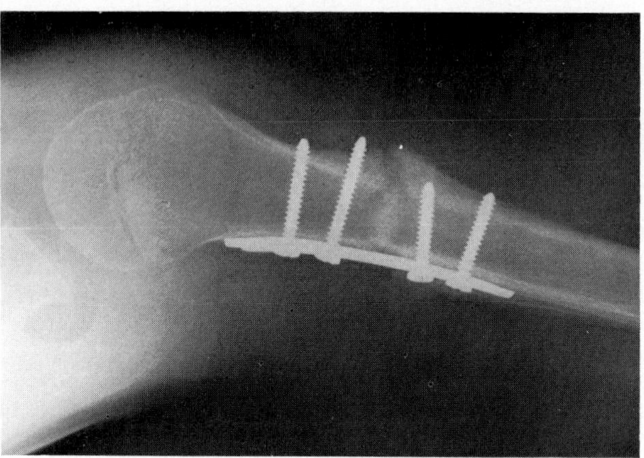

C

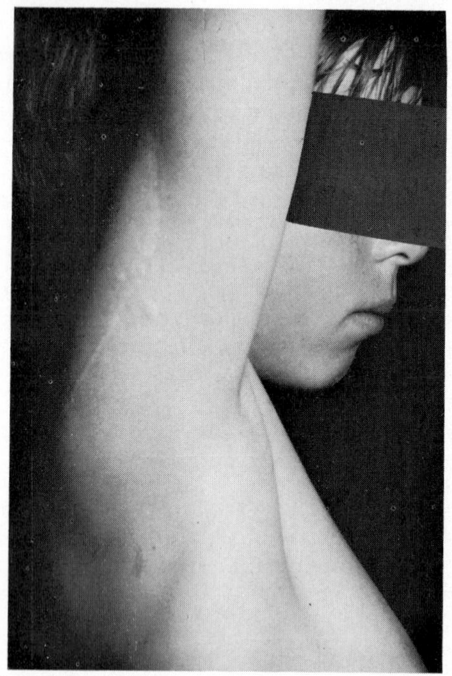

B

Figure 13–44 Rotation osteotomy for recurrent posterior dislocation. *A*, Control of dislocation. *B*, Excursion and stability. *C*, Healing.

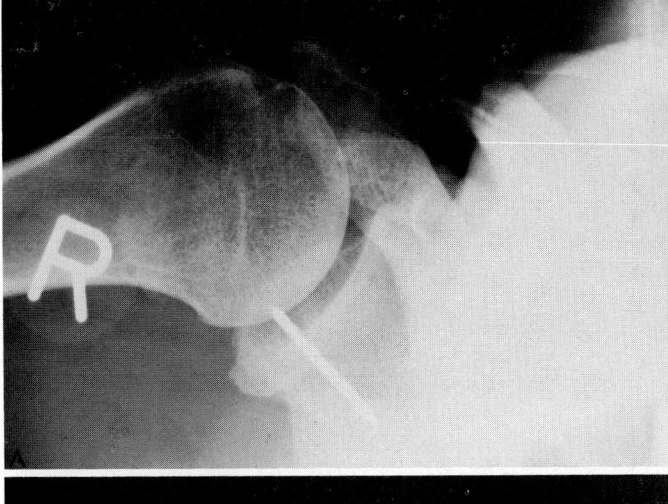

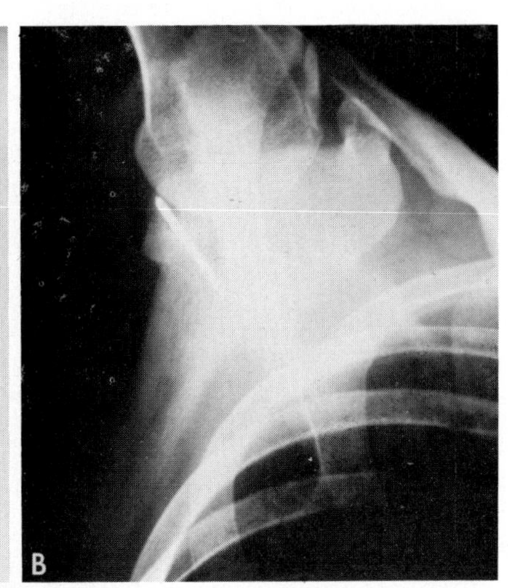

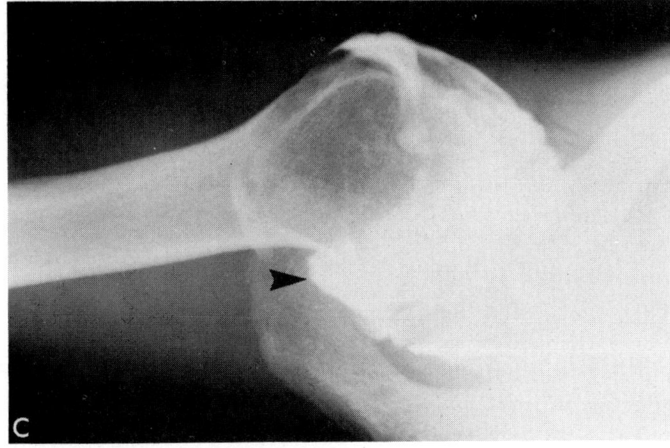

Figure 13–45 *A*, Posterior bone block. *B*, Superoinferior view of posterior bone block. *C*, Persistent capsular fullness after posterior bone block.

the humerus is uncomfortable, favors considerable weakness in the limb, and may be accompanied by increasing pain. The author has found that a modification of the Gallie fascial technique is a relatively simple method of improving this condition.

Operative Technique (Reverse Fascial Repair). The incision and approach are carried out as for a Gallie repair through the anterior aspect. The fascia is anchored to the back and then brought to the front. In this instance no stitch is taken through the capsule because it is not desired to hold the humerus in internal fixation or to hamper external rotation (Fig. 13–46).

A transverse hole is drilled in the neck of the humerus just below the articular surface. Through this hole the fascia is threaded first anteriorly and then taken out through the back so that when it is pulled to the front it embraces the undersurface of the head of the humerus in crisscross fashion. As it is tensed it pulls the head of the humerus upward, snuggling it against the glenoid and preventing excessive internal rotation. The fascia is then carried up to the coracoid and anchored firmly, maintaining a point of external rotation. In this fashion a checkrein is provided, limiting internal rotation and excessive flexion as the arm is lifted forward (Fig. 13–47).

Postoperatively the arm is maintained at the side in slight external rotation with the elbow pulled slightly posteriorly so that the body serves as an obstruction to internal rotation, thereby preventing tension on the new ligament (Fig. 13–43). It is kept in this position for four weeks and a further two weeks in a sling.

RECURRENCE OF ANTERIOR AND POSTERIOR OR VOLUNTARY DISLOCATION OF THE SHOULDER

An important but uncommon glenohumeral dislocation should be recognized and separated from the routine anterior or posterior lesions. It comprises marked instabil-

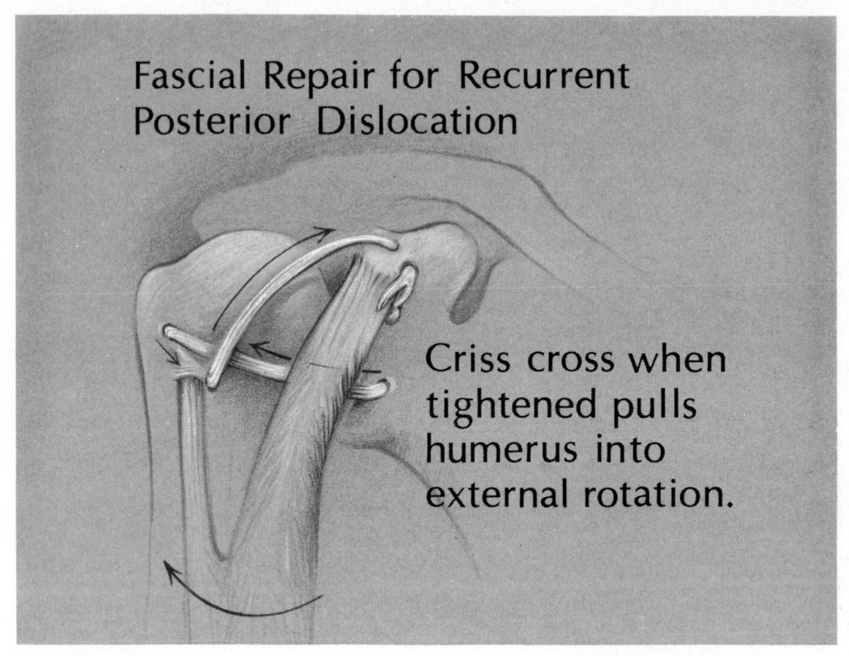

Figure 13–46 Diagrammatic presentation of technique for fascial repair of posterior dislocation.

ity, with luxation occurring on a voluntary basis, both anteriorly and posteriorly. The condition is a pitfall for the inexperienced or unwary.

Clinical Picture. The typical patient is in the teens or early twenties. The ability to shove the humeral head forward has been learned at an early age, and can be accomplished voluntarily without any pain. The posterior shift is less obvious because it is masked by the need to lift the arm forward, but the arm feels unstable also in this position. A simple shrug can shift the head either anteriorly or posteriorly.

Various influences promote the process. Behavior attitudes—sometimes occupational responsibilities or athletic stresses—appear as irritants. Regardless of the situational influences, if the habit persists the shoulder progressively loosens until it presents as a very unstable joint in many simple acts.

On examination, frank luxation anteriorly and posteriorly is demonstrable, but the most important change is the downward drop of the humeral head in relation to the glenoid. The weight of the arm produces a definite furrow below the acromion as the arm sags at the side. Often both shoulders are involved, but the master arm shows the greater change.

These patients can keep humping themselves into a state of decompensation, with the inferior luxation initiating signs and symptoms of neurovascular irritation, arte-

Figure 13–47 Operative technique for fascial repair of recurrent posterior dislocation in adults. *A*, Anterior pouch. Hole has been drilled in the medial glenoid margin anchoring fascia as in anterior repair. *B*, Holes drilled at the base of the neck of the humerus ¾-inch apart, one hole ¼-inch above and lateral to the other. The wire may be seen in place preparatory to pulling the fascia through the neck of the humerus. *C*, Fascia has been pulled through and is crisscrossed to pull the humerus toward the glenoid slightly, and twisted into slight external rotation to prevent internal rotation. *D* and *E*, Fascia is pulled up and tied through a hole in the glenoid.

rial spasm, and pins and needles extending to the hands.

One clinical picture is seen in the very serious problems created by unsuccessful surgical treatment. In many instances these cases are handled as a simple recurrent anterior dislocation and treated with any one of the various surgical procedures. Usually this makes the condition much worse. If the anterior luxation element only has been treated, posterior luxation is increased, and vice versa. In some patients the condition still persists despite seven operations.

Pathology. The usual capsular lesions are not present, but rather there is a total laxity frontward, backward, and downward; in severe cases, the upper end of the humerus virtually rides on the inferior length of the glenoid (Fig. 13–48). In some instances there is apparent flattening of the glenoid, the humerus may seem somewhat smaller than normal, and characteristically there is no posterior crease in the head of the humerus as encountered in the ordinary recurrent anterior dislocation.

A further element sometimes found is a degree of the Ehlers-Danlos syndrome. Patients often show multiple large joint laxity, due to a degree of congenital deficiency in the elastic elements that is characteristic of this syndrome. However, these findings are not consistently present.

Treatment. BEHAVIORAL. Some patients eventually can control this condition, when it is properly explained and they learn to avoid all the triggering positions. Control of situational problems, stress, and psychotic upsets helps immeasurably. The voluntary element is a consistent one in all these cases, so that some intelligent patients can learn to control the habit adequately. It is interesting that the condition is almost never found in an epileptic despite the incidence of dislocation in these patients.

PHYSIOTHERAPY. Carter Rowe has made an important contribution to this phase, demonstrating improvement and control by efficient and conscientious muscle development. Such an approach can be tried first in those patients who have not had complicating surgical procedures. It is of little avail if the balance in any direction has been aggravated.

Surgical Treatment. Two groups of these patients require surgical treatment, those who have an uncontrollable luxation and those who have had distorting surgical procedures.

FRESH CASES. Many procedures have been suggested, but none have been based on the realization of the true pathology. The main afferent is the inferior sag; unless this is controlled, the state largely persists. The one successful method the author has used to this end is a fascial sling procedure that is a modified Gallie technique.

Incision. The usual incision for recurrent anterior dislocation is made, with the deltoid split to expose the subscapularis.

Fascial Insertion. A strong piece of fascia three-quarters of an inch wide and at least 9 inches long, is used to provide new ligament control of the glenohumeral joint. It is locked through a tunnel in the glenoid, just

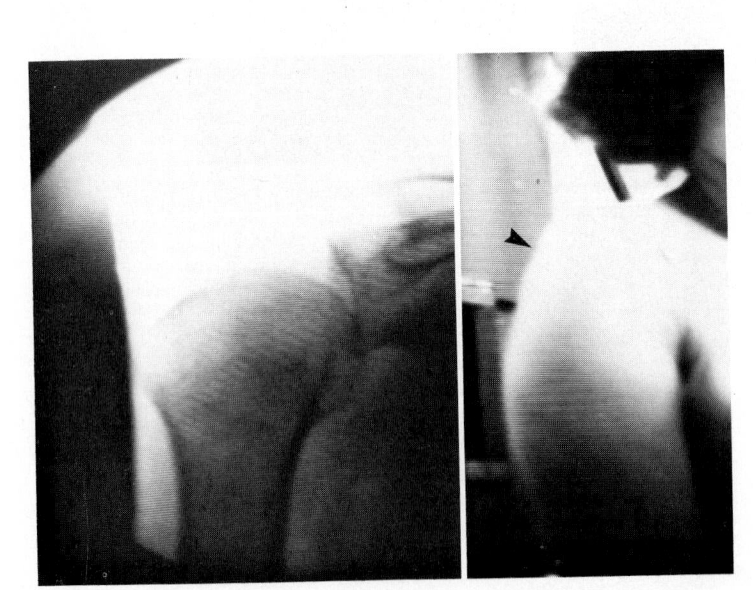

Figure 13–48 Split screen study showing inferior subluxation typical of condition.

as in the original Gallie procedure. The capsular repair is not carried out unless this is indicated to improve the anterior luxation balance. The fascia is then taken through the humerus, but is placed in such a way that obliquely vertical drill holes are used, so that, when the fascia passes through these on the medial side of the bicipital groove and is then attached to the coracoid, the humerus is lifted up to restore the glenohumeral alignment. Care is taken to place the tunnel in the humerus so that it does not block more external rotation than internal rotation, but rather contributes a degree of limitation of both external and internal rotation (Fig. 13–48).

Postoperative. It is important to keep the arm immobilized at the side for a period of six weeks. The immobilization applied is one that lifts the shoulder up, so that the head of the humerus is not allowed to sag and thus permit the ligaments to become firmly set in the position of tension in which they have been inserted (Fig. 13–43). Mobilization is never a problem with these patients, because they have an inborn tendency to move this joint.

SURGERY FOLLOWING MULTIPLE SURGICAL PROCEDURES. A set formula cannot be documented, but certain principles can be applied. Excessive restriction of rotation, either internal or external, must be nullified to allow a return to a balance of humerus in the glenoid. If an overly tight anterior repair has been made, limiting external rotation, this needs to be slackened, and vice versa.

The inferior luxation should be controlled by a heavy fascial sling as described above, with particular attention directed toward pulling the head of the humerus upward so that the balance with the glenoid is restored. The postoperative management is the same as in the fresh cases (Fig. 13–49).

FRACTURES OF THE CLAVICLE

The clavicle has been designated the shock absorber of the shoulder, since it acts as a strut, holding the upper extremity up and out from the side. In this position it takes the brunt of force transmitted through falls on the outstretched hand or on the point of the shoulder. In most instances the force that shatters the clavicle is one applied from the lateral direction, transversing the width of the body.

BIRTH INJURIES

The clavicle is the bone most commonly fractured at birth. Complications of uterine presentation and unusual size and weight of the body have been the usual causes. The fracture is easily overlooked at birth, but suspicion should be aroused by any abnormal contour, shortening of the neck line, or the child's inclination to use one extremity much less than the other. The mother or nurse notices that the baby cries when the affected side is handled in turning or lifting. There is considerable deformity and displacement in these factures. Sometimes during delivery the bone is heard to crack, and an x-ray film then shows the fracture.

Treatment. The earlier the diagnosis is made, the easier are reduction and fixation. Callus forms rapidly, and a mass of exuberant callus may be interpreted as being indicative of a more serious lesion. The fracture is handled by a flannel bandage or elastic yoke applied in figure-of-eight fashion. This is removed and reapplied every three or four days, or as it becomes loose. The baby's delicate skin requires care and protection, so that rigid apparatus is not normally used. Two weeks is long enough to produce binding callus, and what appears as a gross deformity will ultimately become smooth and satisfactorily aligned.

FRACTURES IN CHILDREN

Fractures of the clavicle are common in children: nearly half occur before the age of seven. Usually it is a greenstick fracture without serious displacement. The diagnosis often is not obvious, but a history can usually be obtained. The mother has noticed that the child is crying after being picked up from a fall and that he appears hurt. The child does not use the arm naturally, and cries when moving it. Examination is sometimes difficult, and the child may have to be held by the parents. Investigation demonstrates a little unevenness along the upper border, but there is not the characteristic deformity or extensive displacement commonly seen in adults.

Treatment. The fracture is treated by reduction and fixation as in adults, but extensive physiotherapy is not needed, since

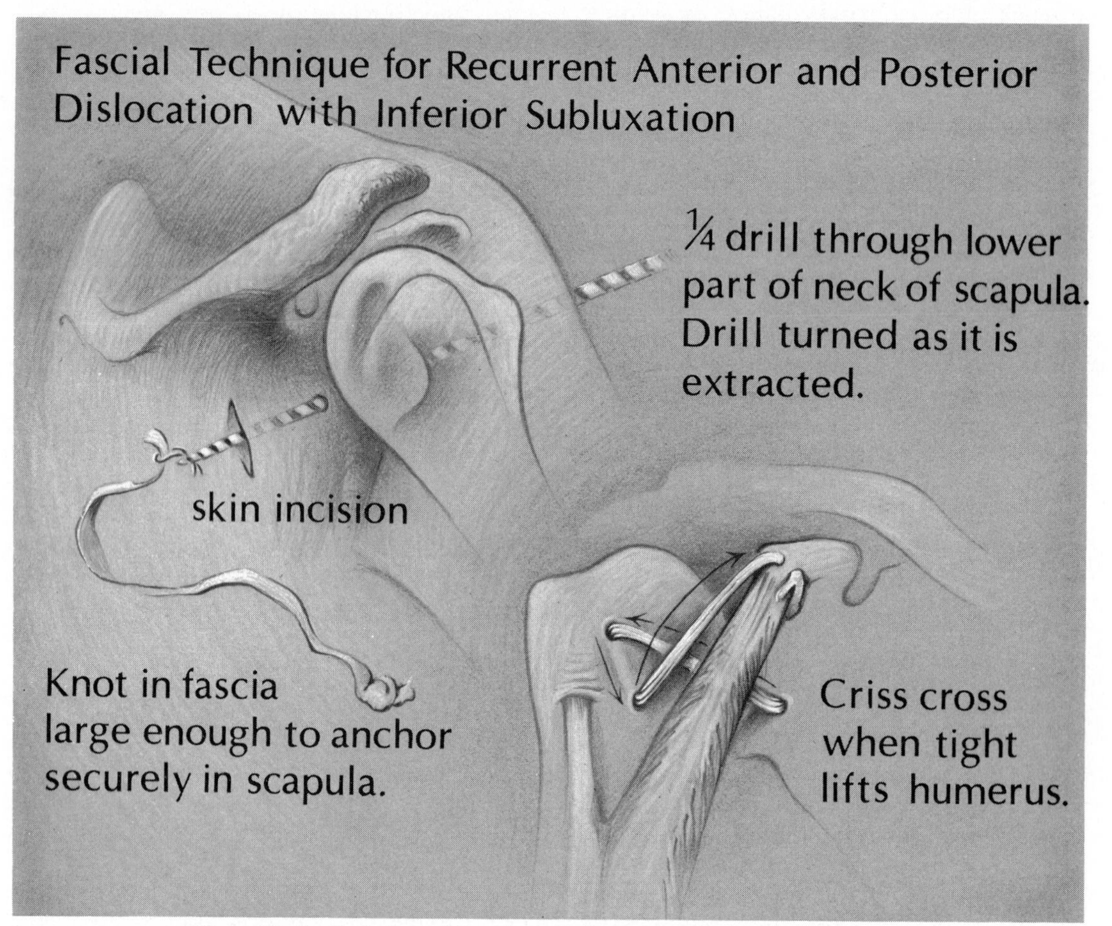

Figure 13–49 Technique of fascial repair of anterior and posterior dislocation.

there is no difficulty in restoring function at this age. If displacement is minimal, a well-protected plaster cross is applied. If there is any significant displacement, it is preferable to give a light anesthesia and gently lever the fragments into the position, holding them with crisscross plaster. It is not necessary to have the accurate alignment that is sought in adults; the fracture in children heals readily and without residual deformity. Fixation is not necessary for longer than three weeks. A large, massive callus may form, but it fades quickly without significant sequelae.

FRACTURES IN ADULTS

The clavicle derives its name from "clavis," or key, because it is double-curved. This configuration plays an important part in localizing the fracture site. Fractures result from falls in which weight has been taken on the outstretched arm or on the point of the shoulder. Force tends to follow the curves, changing as the bone shape alters at the junction of outer and middle thirds. The crisscross shape shifts from flat to cylindric at this point too. These two properties favor force dispersal, and the bone shatters in this zone, accounting for the typical localization of fractures in this region (Fig. 13–50). The usual displacement results from pull of the muscles at either end; the inner fragment is pulled up, and the outer fragment downward and forward.

Diagnosis and Treatment. There is little difficulty in diagnosing this injury. Deformity is obvious, and often out of proportion to the amount of discomfort. The principles of treatment are reduction, fixation, and restoration of function. No matter what forms of reduction and fixation are followed, the last consideration is equally important, although it tends to be overlooked in many fractures. It is not good enough to have the clavicle heal solidly if the patient is left with a painful stiff shoulder or hand. The stability of the shoulder girdle is important, but the vital contribution of shoulder motion to normal use of the hands must always be kept in mind.

EMERGENCY TREATMENT. A triangular sling is applied to support the extremity, with the elbow flexed at a right angle. The strap of the sling is carried over the opposite shoulder. If available, a cotton pad is placed in the axilla, and a bandage is placed around the pad, holding the arm at the side. In all injuries to the upper extremities, the function of the nerves and vessels of the

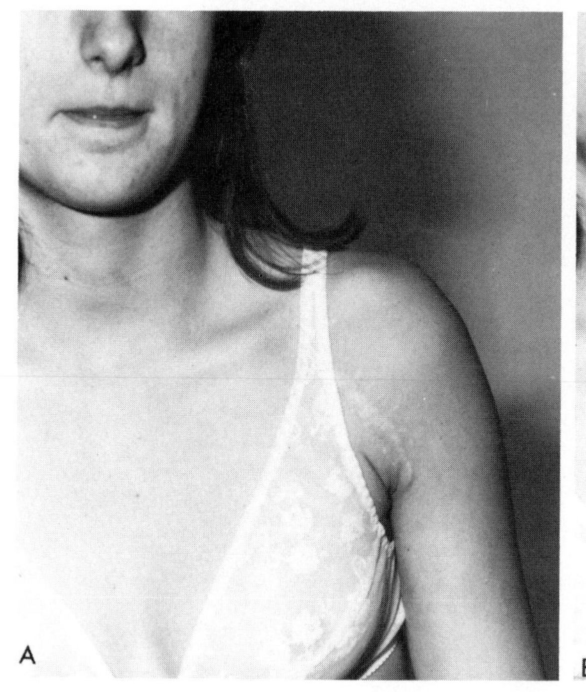

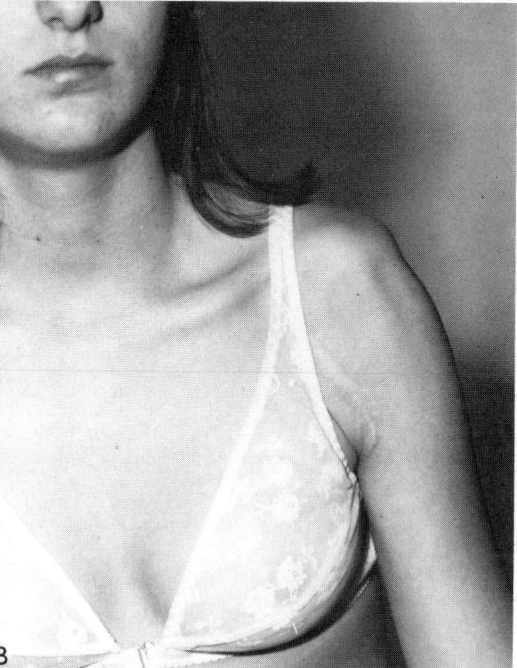

Figure 13–50 *A*, Recurrent luxation following anterior only repair. *B*, Recurrent luxation. Note inferior shift.

hand should be established before any treatment is started. Methods of treatment available include: (1) clavicular cross; (2) plaster support; (3) open reduction (medullary wires, tied wires); and (4) recumbency.

Reduction. The mechanisms of injury and deformity are the clues to this method of reduction. The shoulder is lifted back and up to restore the alignment. So often the upward lift is the only effort, and the need for backward pull is overlooked. Using a local anesthetic, after widely infiltrating the area, the operator gently elevates the girdle under the elbow, and with the opposite hand holds the point of the shoulder backward. In this way the clavicle is molded into position by pressure on the inner fragment. Fixation is then applied. In the case of operative reduction, the same maneuver of elevation and backward angulation reduces the deformity.

Fixation

Yoke Dressing. Some form of yoke dressing has been a standard method of fixation. A figure-of-eight bandage is applied about the shoulders, but must be pulled tight to exert enough leverage to retain reduction. In many cases this must be so snug that it produces uncomfortable pressure in the axillae. If it is not snug, the fracture is not held well. Frequently the bandage needs to be reapplied every four or five days and held by adhesive, or it becomes loose. It is considered that this method is applicable only in patients with minimal displacement. If this type of fixation is used, plaster is preferable.

The reduction is carried out as just outlined, and a bandage applied. This is then supported by a plaster dressing carried a little way up the neck as a collar, so that the shoulder tip is held back properly in the reduced position (Fig. 13–52). The fixation is left in place until the fracture is solid; in children three weeks are sufficient, but in older people four to six weeks are needed. The extent of union is judged by the patient's comfort, by lack of crepitus, and by satisfactory radiographic evidence. At about four weeks the plaster dressing becomes loose, and the examiner can palpate the clavicle, feeling along its length through the skin. If it can be pressed upon or gently moved without pain or crepitus, it is sufficiently firm to allow removal of the cast.

Plaster Platform. An alternative method

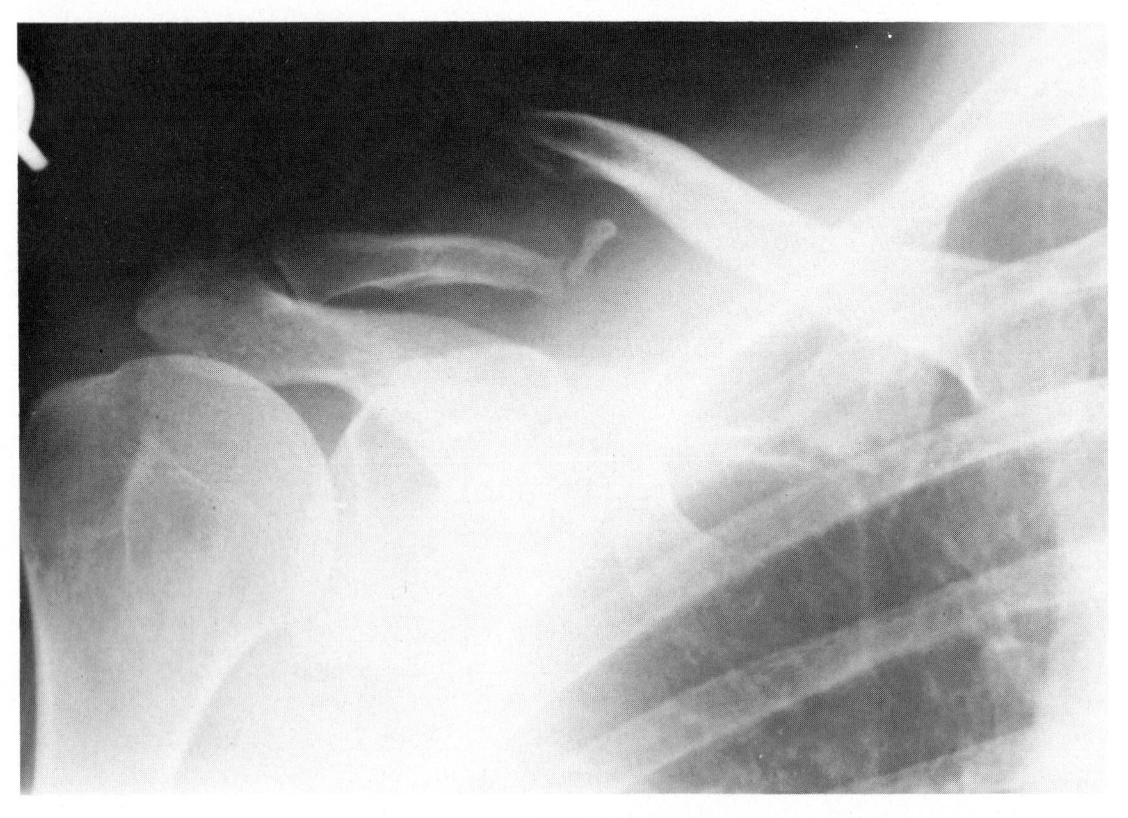

Figure 13–51 Typical midshaft displacement.

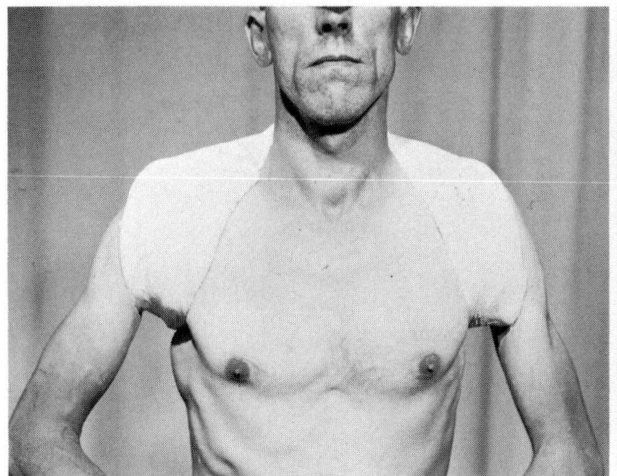
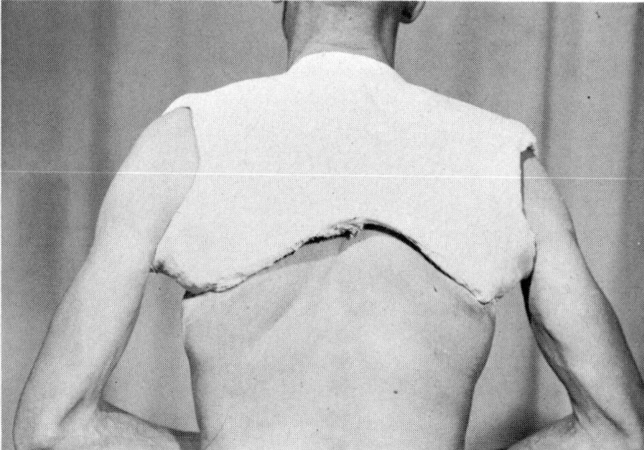

Figure 13–52 Plaster yoke dressing.

used in some cases with more severe displacement is the plaster platform. This technique is applicable when the lateral fragment is grossly depressed and there is considerable deformity. The principle is to immobilize the shoulder by fixing the arm to the body at the level of the iliac crest. In this way, deformity is corrected and the clavicle is securely immobilized. Ordinary methods such as a shoulder spica do not hold the clavicle still. If a secure hold about the iliac crest is provided, it is possible to anchor the arm and forearm to it in the correct position so that the clavicle is securely fixed (Figs. 13–52 and 13–53).

The plaster platform is constructed by starting with a snug band of plaster applied across the iliac crest like a belt, about 12 to 18 inches in width. This band is broad enough to grasp the iliac crest snugly, and is molded to fit firmly. The fracture site is infiltrated with a local anesthetic, and the arm is gently lifted by pressure under the elbow. In this position the point of the shoulder is hoisted upward and the deformity is corrected. At this level a platform or ledge is applied to the prepared body portion so that the arm is held at the desired level. When this is in place, two holes are cut in the belt on the opposite side close to the top, front and back. Through these a fabric strap is inserted. The strap passes over the shoulder on a pad directly over the inner third of the clavicle and is tightened in this position. When the strap is tightened, it shoves the inner third of the clavicle down and pulls the outer third of the clavicle up because of its grip through the plaster platform on the elbow and shoulder. The advantages of this method are that a good reduction can be obtained; the immobilization is relatively comfortable; and the wrist and fingers are free, preventing stiffness. The disadvantage is that the appliance is somewhat cumbersome, and it is difficult to fit ordinary clothes over it without some little inconvenience.

The fixation is left in place for four to six weeks. Sometimes it is necessary to adjust the tension a little if the plaster slips on the iliac crest. This is easily done by inserting another layer of felt under the elbow or tightening the shoulder strap.

Recumbency. In young women and in fractures without comminution or disfiguring deformity, a good result can be obtained by simple recumbency. The patient is kept in bed with a small sandbag between the shoulders, which allows the point of the shoulder to settle downward and backward. It is important to remember, if one embarks on this program, that a full three weeks of recumbency is necessary, and the rules must be followed strictly. Difficulty arises in keeping the patient in bed for this length of time and retaining the initial satisfactory reduction. The tendency is to allow the patient up too soon, which results in recurrence of some deformity.

Operative Fixation. All simple fractures of the clavicle may be treated by closed reduction. Those cases with considerable comminution or delay in fixation should be treated by operation and internal fixation. There are several methods available, depending on the extent of the comminution and the surgeon's preference and experience.

Medullary Wiring. This is a good method

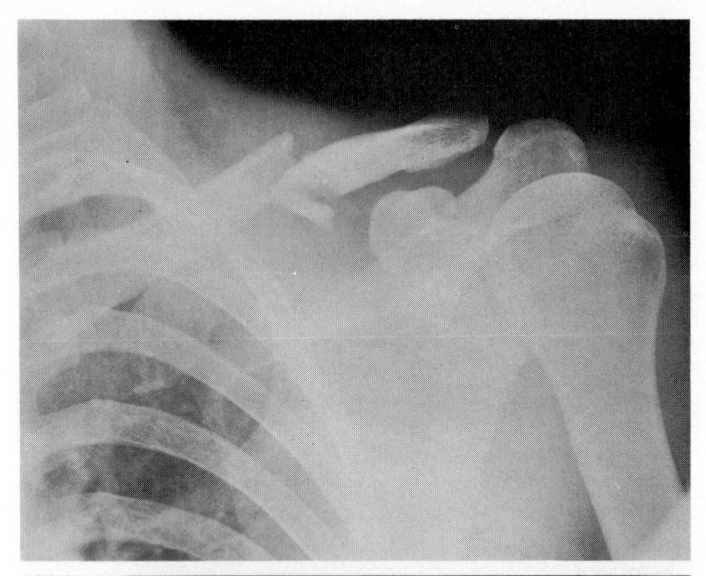

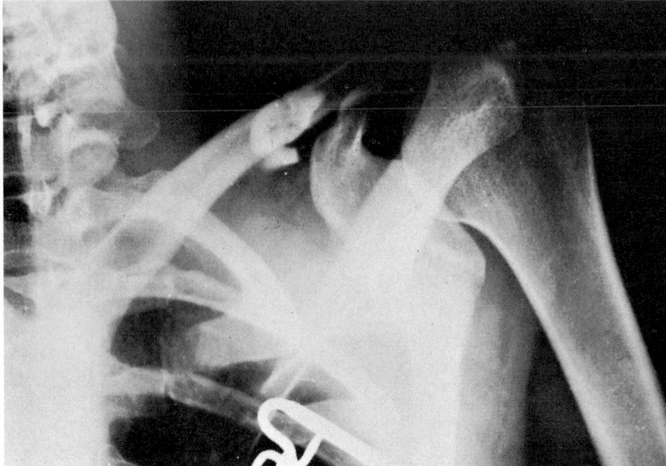

Figure 13–53 Midshaft fracture of clavicle before and after reduction using plaster platform technique.

of treating fractures of the clavicle, but one should have some experience in the use of wires. The principle is to reduce the fragments as outlined previously and to transfix the fracture with a stout Kirschner wire. The wire is fixed in the cortex at either end, rather than lying loose in the medullary cavity (Fig. 13–54). Only those who are expert in the technique can do it under local anesthetic blindly or with the aid of radiography. Considerable experience is necessary to use it in this way. It is preferable to do an open reduction under the usual operating room conditions and to expose the fracture properly. A suitable Kirschner wire is inserted through the outer fragment so that it comes out of the skin laterally. The fragments are then accurately reduced and held by the assistant with a clamp. The surgeon then drills the wire back across the fracture line until it is fixed in the medial fragment. The wire may be left protruding through the skin to be removed at a later date, or it may be cut flush with the bone so that it does not need to be removed. The advantages of this method are that it provides secure fixation and accurate reduction and avoids immobilization of the rest of the extremity. The disadvantages are that it is an operative procedure and requires considerable skill to carry it out properly (Fig. 13–55).

Tied Wire Fixation. The alternative and sometimes preferable method is to expose the fracture site, reduce the fragments accurately, and then fix them by a No. 20- or 22-gauge wire tied snugly (Fig. 13–56). If there is any degree of comminution, this is the procedure of choice, because small fragments may be aligned accurately and firm

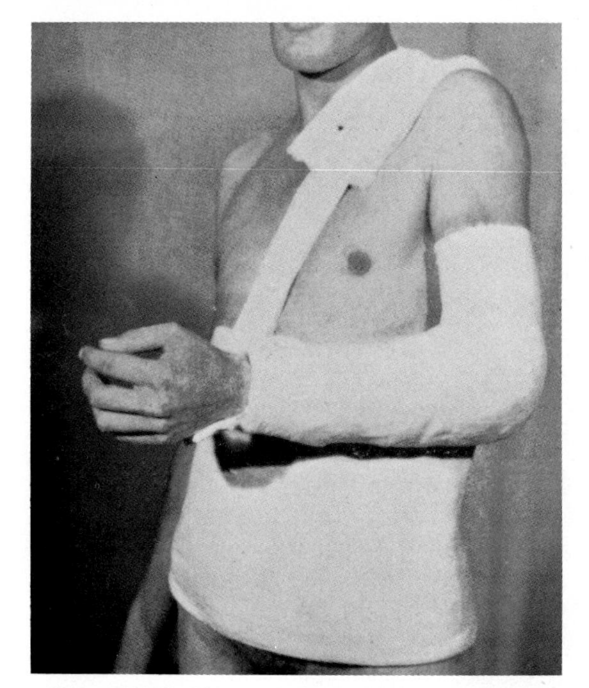

Figure 13–54 Plaster platform technique for fracture of the clavicle.

fixation provided. The disadvantages are those of an open operation and a small scar. The cosmetic appearance, however, is a consideration only in the young female.

COMPLICATIONS OF FRACTURES OF THE CLAVICLE

Early Complications

In very severe injuries, usually in patients whose clavicle has been broken by direct contact violence, there may be damage to the brachial plexus and subclavian vessels. The neurovascular bundle streams out of the thoracic outlet under the clavicle on top of the first rib. At this point as it goes under the clavicle, it is protected by a strong cylindric medial bar of the clavicle, so that considerable trauma is necessary to damage the plexus and break the clavicle at the same time. Sometimes direct violence, in breaking the clavicle, also fractures ribs, so that pneumothorax or hemothorax is an added complication. When the force is severe enough to break the clavicle and damage the plexus, injury to subclavian vessels is common. This combination is a grave injury to the extremity.

PATHOLOGY OF COMBINED BONE AND VESSEL INJURY. The force comes from above or from the front and above to strike the clavicle. If it is applied from above and posteriorly, the brunt is taken on the scapula and the thick padding of posterior scapular muscles. This is a more common injury because workmen or others, seeing the po-

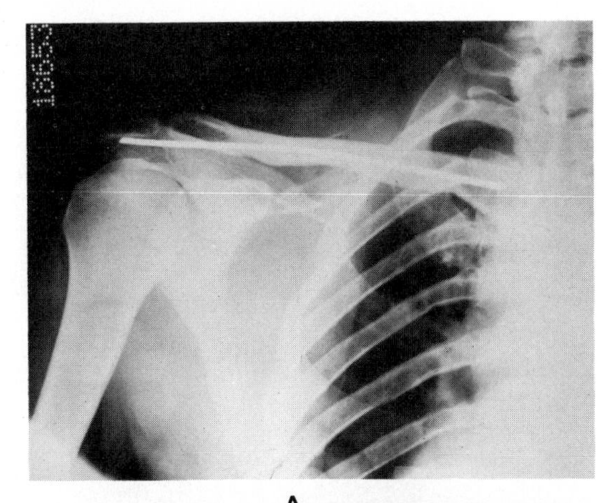

A

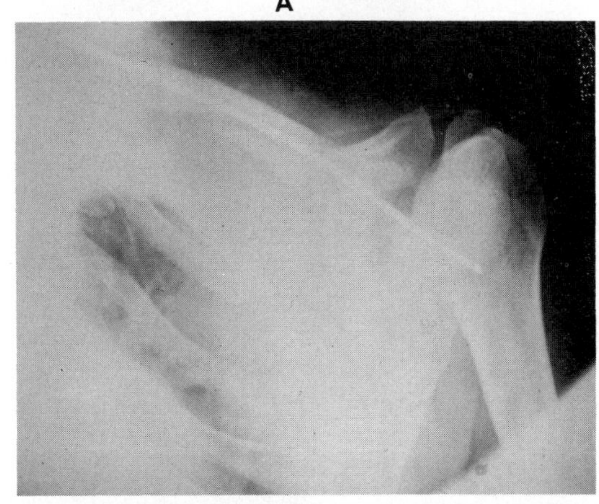

B

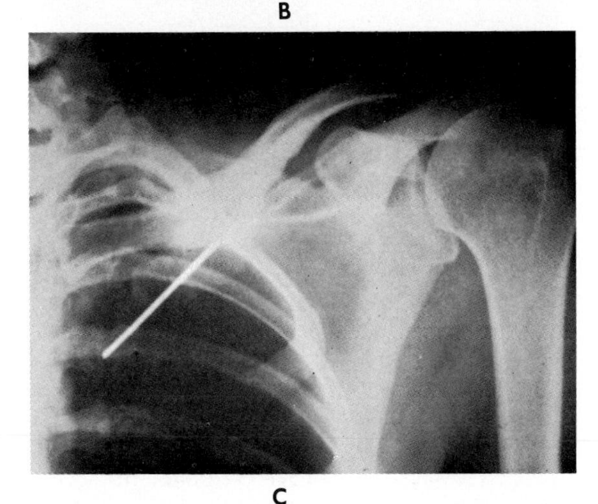

C

Figure 13–55 Single wire used in fracture of the clavicle. *A* and *B*, In position. *C*, Wire has wandered because the end was not turned or a threaded wire was not used.

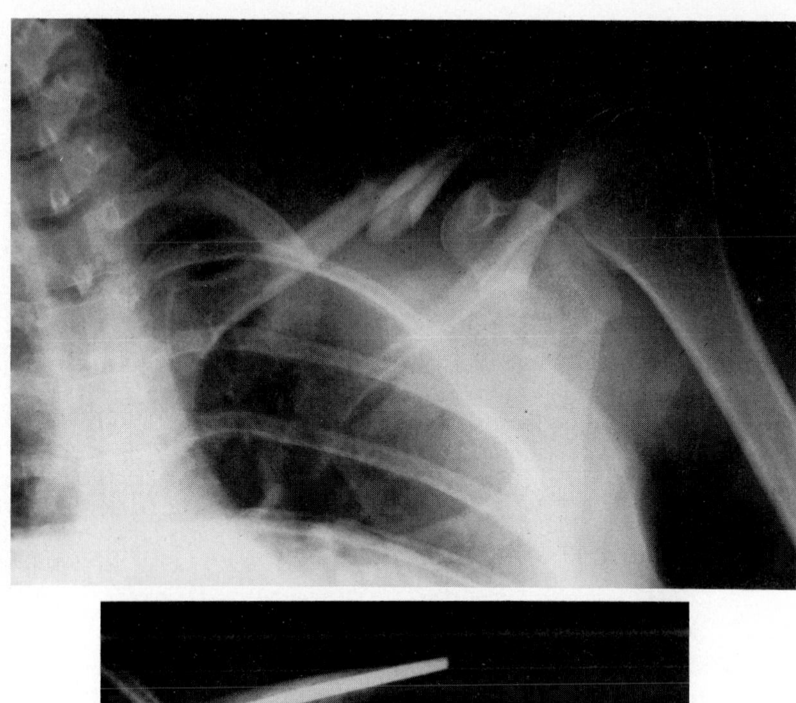

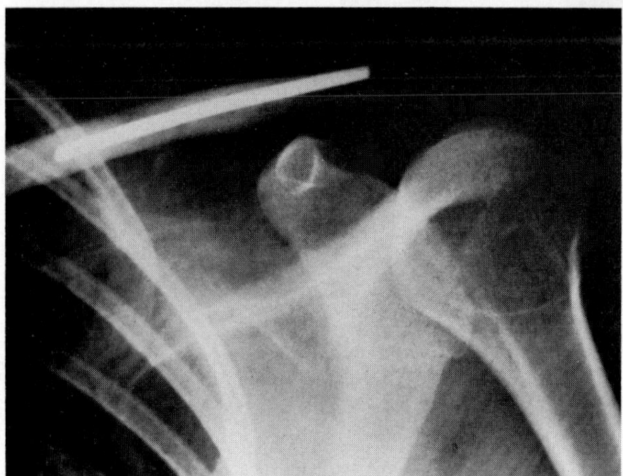

Figure 13–56 Open reduction and threaded wire fixations of the clavicle.

tential injury from a falling object, run away and thus expose the posterior aspect. The clavicular injury is different. The bone breaks the force, but as the force continues the subclavian vessels are torn as they arch over the first rib, which is used as a fulcrum (Fig. 13–57). The nerve damage, however, is at a higher site. As the force is applied, the acromiomastoid dimension is increased so that the nerves are stretched along their length, the fulcrum of maximum tension then being the transverse process of the cervical vertebrae. The roots are torn above the clavicle, or may be avulsed from their attachment to the cord (see Chapter 14).

Treatment. The most serious component is the vascular damage, and this should

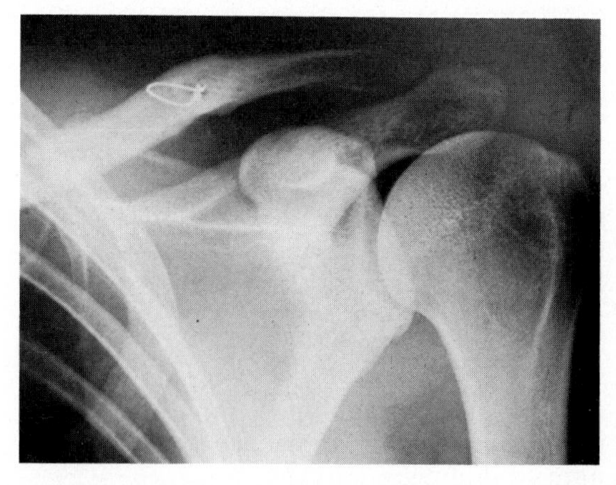

Figure 13–57 Comminuted fracture of the clavicle treated by open reduction and tied wire fixation.

be attended to first, leaving the fracture and nerve injury until later. In many of these the vessel injury is brought under control by conservative measures, including complete bedrest, sedatives, strapping the arm at the side, and the usual antishock treatment. The general condition (as indicated by pulse, blood pressure, and general shock symptoms) and the swelling are indications of the progress or control of the bleeding. The pulse is often lost, but sufficient collateral circulation is usually established to nourish the extremity. Indications for exploration of the vessels are progressive swelling and shock that occur early. The first part of the subclavian artery is exposed and ligated. If the patient's conditon allows, the fracture is fixed with a tied wire suture at the same time.

The nerve damage is left for later consideration for several reasons. Since the site of nerve damage is usually much higher, the neck needs to be explored. This is not possible at the time of injury because of the patient's condition. Meticulous dissection is necessary for nerve freeing or suturing, and the extensive hematoma makes this difficult in the early stages. When the acute reaction has subsided, it is possible also to obtain a more accurate impression of the specific roots involved, and so plan exploration more minutely. For these reasons, exploration is better left for three or four weeks. The technique has been described in the chapter on nerve injuries.

Late Complications

These are more common and include malunion and pressure from excessive callus.

Malunion of the Clavicle. Many fractures of the clavicle unite with a little alteration of normal alignment and some shortening (Fig. 13–58). The results from the point of the shoulder falling forward, buckling the fracture line. The disability is a cosmetic one only. There is rarely significant interference with function. If recognized early, it may be adjusted by manipulation of the fracture fragments. Later, osteotomy is performed if the deformity warrants. When this is done, the fracture should be sup-

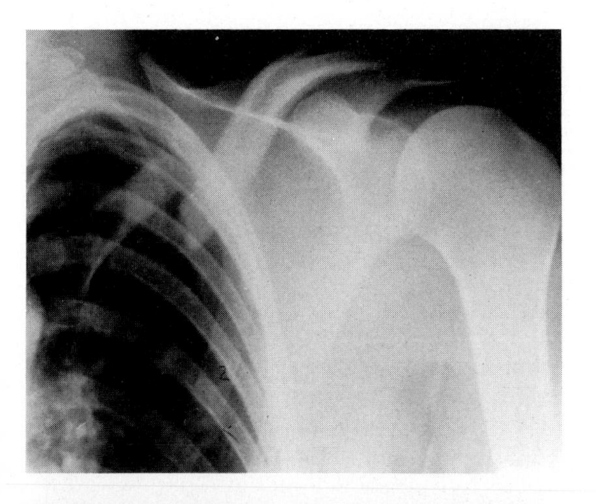

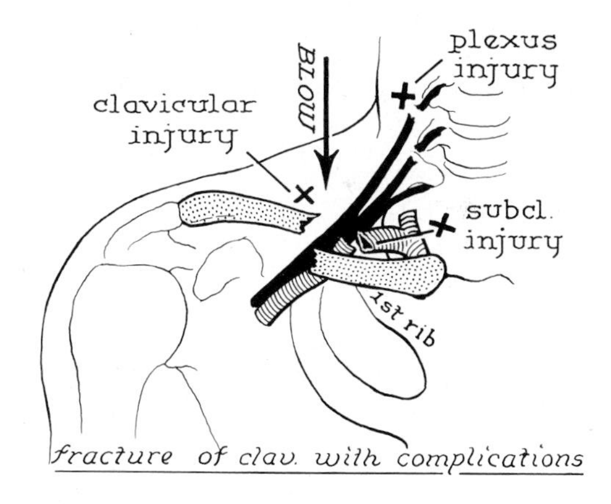

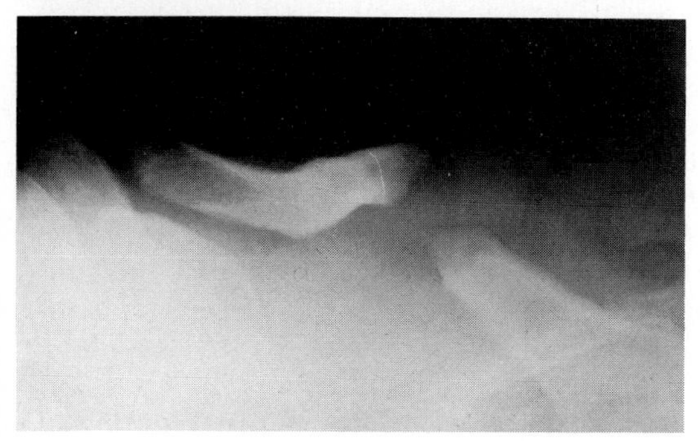

Figure 13–58 *A* and *B*, Fracture of medial third of clavicle from major violence. *C*, Mechanism of neurovascular involvement.

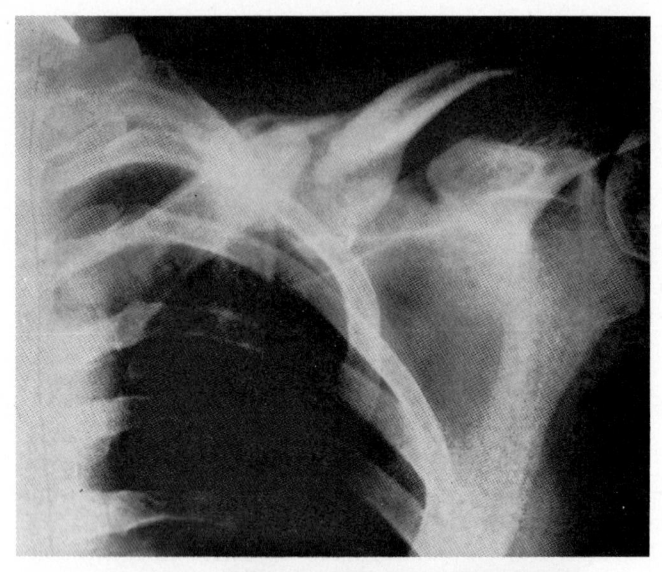

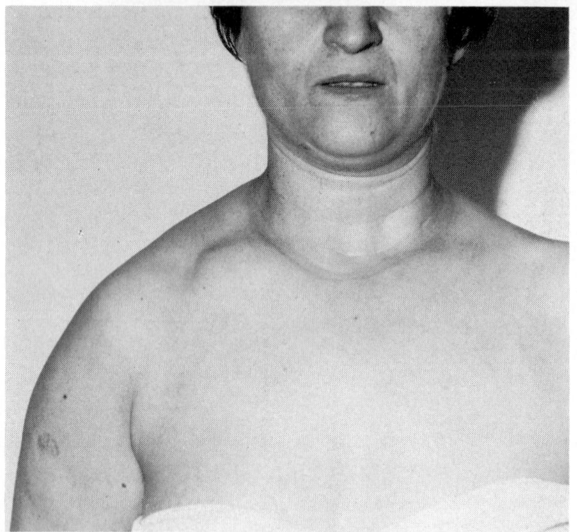

Figure 13–59 Malunion of the clavicle with excess callus formation.

ported with a bone graft similar to that described in the treatment of nonunion. Exuberant callus is common but rarely of sufficient severity to necessitate removal. Shortly after solidification of the fracture most of the excess callus gradually disappears, and some months later it is common to have very little remaining of a once obvious knob.

Nonunion of the Clavicle. Nonunion of the clavicle has long been regarded as a rare complication, possibly because of the greater frequency of this fracture in young people. As more of these injuries have been encountered in the older age-group, the incidence of nonunion has increased. Secure immobilization apart from open reduction is hard to obtain in the clavicle; accurate assessment of union is also difficult; and these two factors contribute to the increase of this complication (Fig. 13–59).

TECHNIQUE OF BONE GRAFTING OF CLAVICLE. The fracture site is approached through a transverse incision parallel with the clavicle on the superior surface. The fragments are exposed by subperiosteal dissection and aligned satisfactorily. The abnormal position usually encountered is downward and forward slipping of the outer fragment. This is corrected by levering this piece backward and lifting it up. The fragments are wedged into position and held by bone-holding forceps. Débridement and alignment of the fragments are done carefully to avoid damage to the subclavian vessels lying directly below. In compound

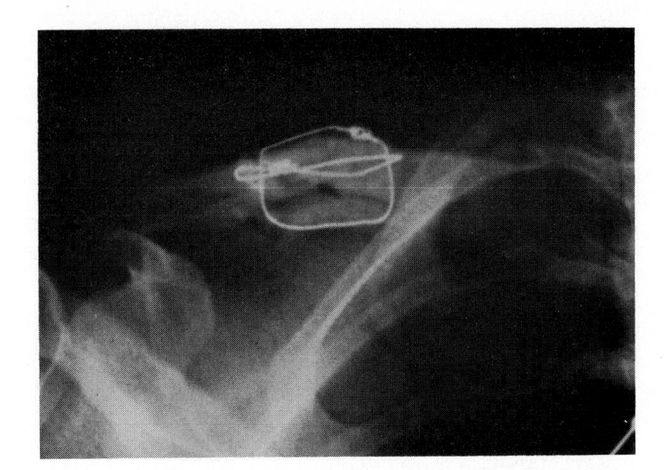

Figure 13–60 Nonunion of the clavicle treated by iliac graft and wire fixation.

injuries—gunshot wounds, for example—the scar must be separated very carefully. It is not unusual for callus on the inferior aspect to become adherent to the adjacent soft tissue, and it is possible to tear the subclavian vessels on elevating or freeing the fracture fragments. After suitable alignment is obtained, a graft is removed from the iliac crest, which the author prefers to fix to the fragments with a tied wire suture. The graft is applied along the posterior or posteroinferior surface, and, as the knob is tightened, the fragments are accurately aligned, with the graft becoming snugly applied along the prepared ends. Placing the graft away from the subcutaneous surface avoids exuberant callus. The technique of insertion of the wire suture is carried out carefully. Holes are drilled through the fragments and the graft so that the single loop holds both. Use of a perforated Kirschner wire facilitates this act. A single square knot is sufficient. The first portion of the knot is held with a needle driver while the second part is applied and drawn taut. As the knot is tightened, the graft becomes snug and acts as a splint, contributing to the fixation of the fracture site. The arm is fixed in an iliac forearm type of plaster or body swathe. Fixation is continued until the fracture is solid, usually eight to 12 weeks.

Complete Defects in the Clavicle

Compound injuries, gunshot wounds in particular, may leave segments of the clavicle missing. In some instances this does not constitute significant impairment, since the scar tissue forms a degree of support (Fig. 13–60). In others an excessive degree of mobility is contributed, requiring bridging of the gap. The lesion occurs most in the middle third of the clavicle, with a gap of one-half inch or more between the ends (Fig. 13–61). The pseudarthrosis that remains may cause little disability, but weakness and instability usually necessitate reconstruction.

Technique. Dual iliac grafts are satisfactory and are applied in onlay fashion at

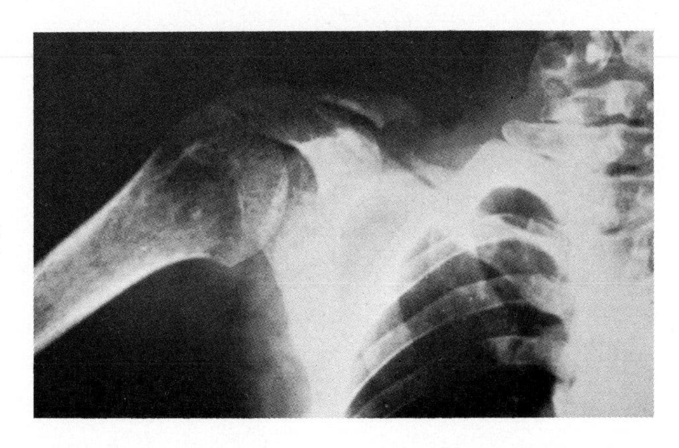

Figure 13–61 Traumatic defect of clavicle left untreated. No excessive instability in an elderly patient.

each end to bridge the defect (Fig. 13–61). The ends are secured with tied wire sutures, and immobilization is in an iliac arm plaster. Fixation is necessary for at least 16 weeks. Tibial cortical grafts with screw fixation may also be used and form a satisfactory alternative.

Fractures of the Outer End of the Clavicle

Fractures of the outer end of the clavicle are seen next in frequency to those of the midshaft zone. They usually result from direct violence, and comprise a group of several specific types. A common deformity is a splintering of the lateral tip of clavicle. Very little displacement of the fragment occurs, and there is no instability of the acromioclavicular zone (Fig. 13–62). A further type of greater importance is a transverse fracture, which really simulates acromioclavicular dislocation (Fig. 13–63). In some instances, considerable instability results from this type of fracture.

Treatment. When there is minimal displacement, all that is necessary is to support the arm in a sling for two to four weeks. When the fracture line is of the transverse type, simulating suspensory ligament impairment, the fracture should be stabilized by wire or screw fixation to avoid recurrent instability. In some cases a small separated fragment that involves the acromioclavicular joint and which is well lateral to the suspensory ligament area may be excised, correcting the deformity and preventing any further acromioclavicular complications (Fig. 13–64).

Fractures of the Sternal End of the Clavicle

These fractures are uncommon, and result from direct force supplied at an angle from the lateral side, causing splintering of the sternal end. It may be recalled that the sternal end is a thick, strong, cylindric tube, so that considerable trauma is necessary to break the clavicle at this point. It is more common to encounter severe crush or "stave-in" injuries in which the adjacent portion of the sternal notch, sternum, and rib elements are depressed, rather than those in which the inner end of the clavicle is broken. These constitute serious injuries. Fractures result in minimal deformity because of the splinting effect of the costoclavicular ligament below and the fascial suspension of the sternomastoid above and in front. These two forces tend to control the deformity.

Treatment. When there is significant deformity, such as displacement of the splinters, these are replaced by gentle pressure, with the patient under a general anesthetic. Adhesive or Elastoplast dressing is sufficient fixation. If any pieces are grossly displaced they should be excised.

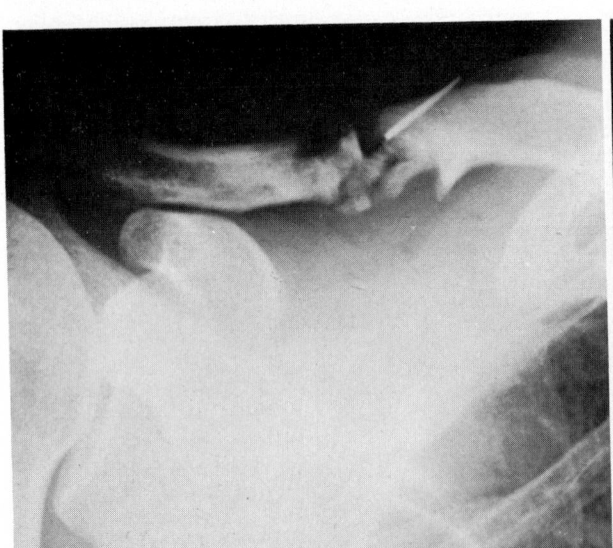

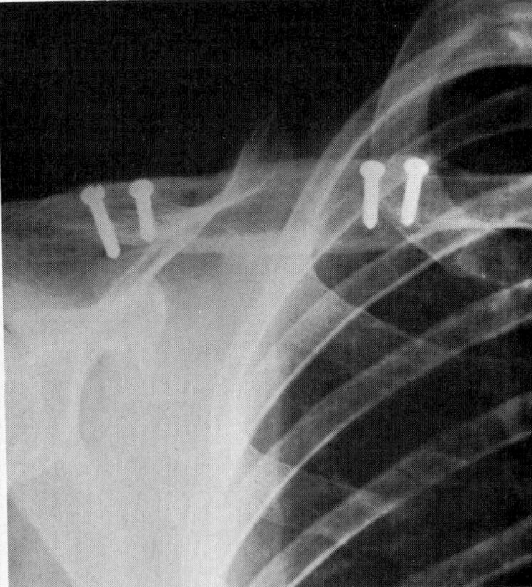

Figure 13–62 Complete defect of the clavicle treated by dual tibial grafts and screw fixation.

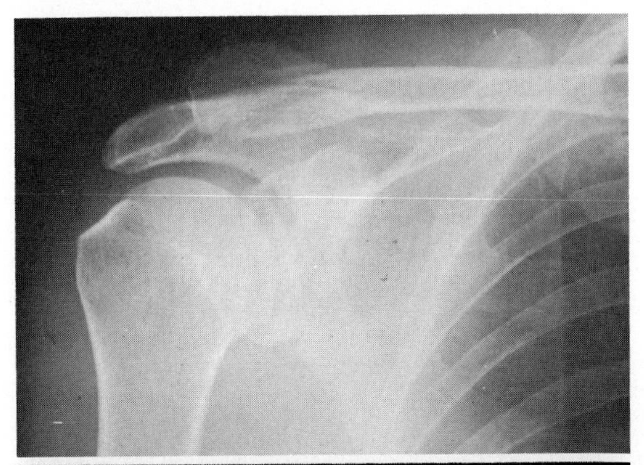

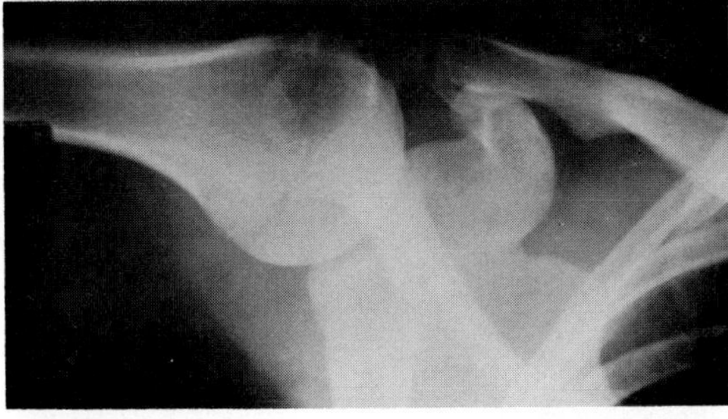

Figure 13–63 Outer tip fracture with little displacement.

DISLOCATIONS OF THE ACROMIOCLAVICULAR JOINT

Dislocation of the acromioclavicular joint is not an uncommon injury, particularly in athletes. Three separate grades may be identified: (1) acromioclavicular subluxation; (2) acromioclavicular dislocation; and (3) acromioclavicular dislocation with rupture of suspensory ligaments.

Acromioclavicular Subluxation. In this injury, the outer end of the clavicle wrenches free of its capsular attachments and comes to ride slightly above the acromion. After a fall a sudden pain is experienced, followed by a swelling in the joint area and limitation of motion. Tenderness may be localized at the acromioclavicular joint, and there is increased mobility both superoinferiorly and anteroposteriorly, verifiable radiographically. However, the displacement is not to a degree equal to the thickness of the clavicle, which separates this group from the succeeding type of dislocation. The clavicle has a springy action when pressed with the examining finger, but this is not excessive (Fig. 13–65).

TREATMENT. Such injuries may be treated conservatively by use of a soft tissue type of dressing that applies pressure over the lateral end of the clavicle and under the elbow, towing the elbow up and pressing the medial aspect. This may be supplied by adhesive strapping or by one of the commercial devices that is a fabric strap type of sling.

Acromioclavicular Dislocation. The more severe degree of acromioclavicular injury is one in which there has been sufficient disruption of the joint to allow the clavicle to be displaced in a superior fashion to approximately its own thickness, indicating that the retaining capsular structures have been ruptured. X-ray examination shows the lateral end of the clavicle to be clearly popping up above the acromion.

These injuries are identified by the deformity, the pain at the acromioclavicular site, and the bouncing looseness of the lateral end of the clavicle in a superoinferior fashion. A further element is some slight anteroposterior instability of the clavicle, but this is not extensive.

TREATMENT. Most of these injuries are best treated by some form of wire fixation. In this fashion, secure immobilization is provided.

Technique. A light general anesthetic is preferable, but a local can be used if desired. The patient is placed in the supine position, and two wires are threaded through the acromion, across the joint into the clavicle. The wires are inserted in crisscross fashion (Fig. 13–66). The first wire starts a little toward the posterior surface of the acromion at a point where a good pur-

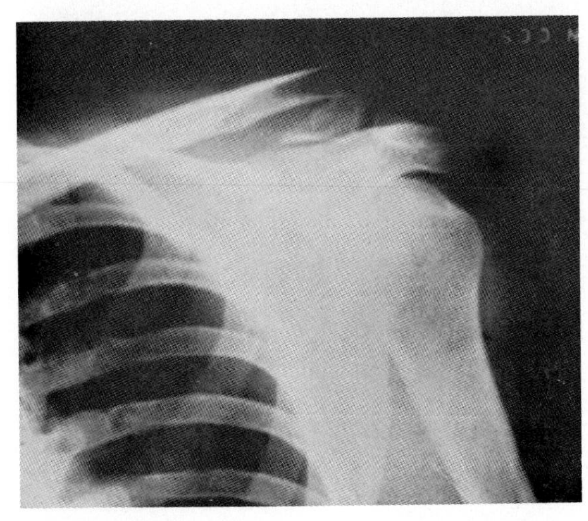

Figure 13–64 Amount of displacement in tip fractures is deceptive unless multiple views are taken.

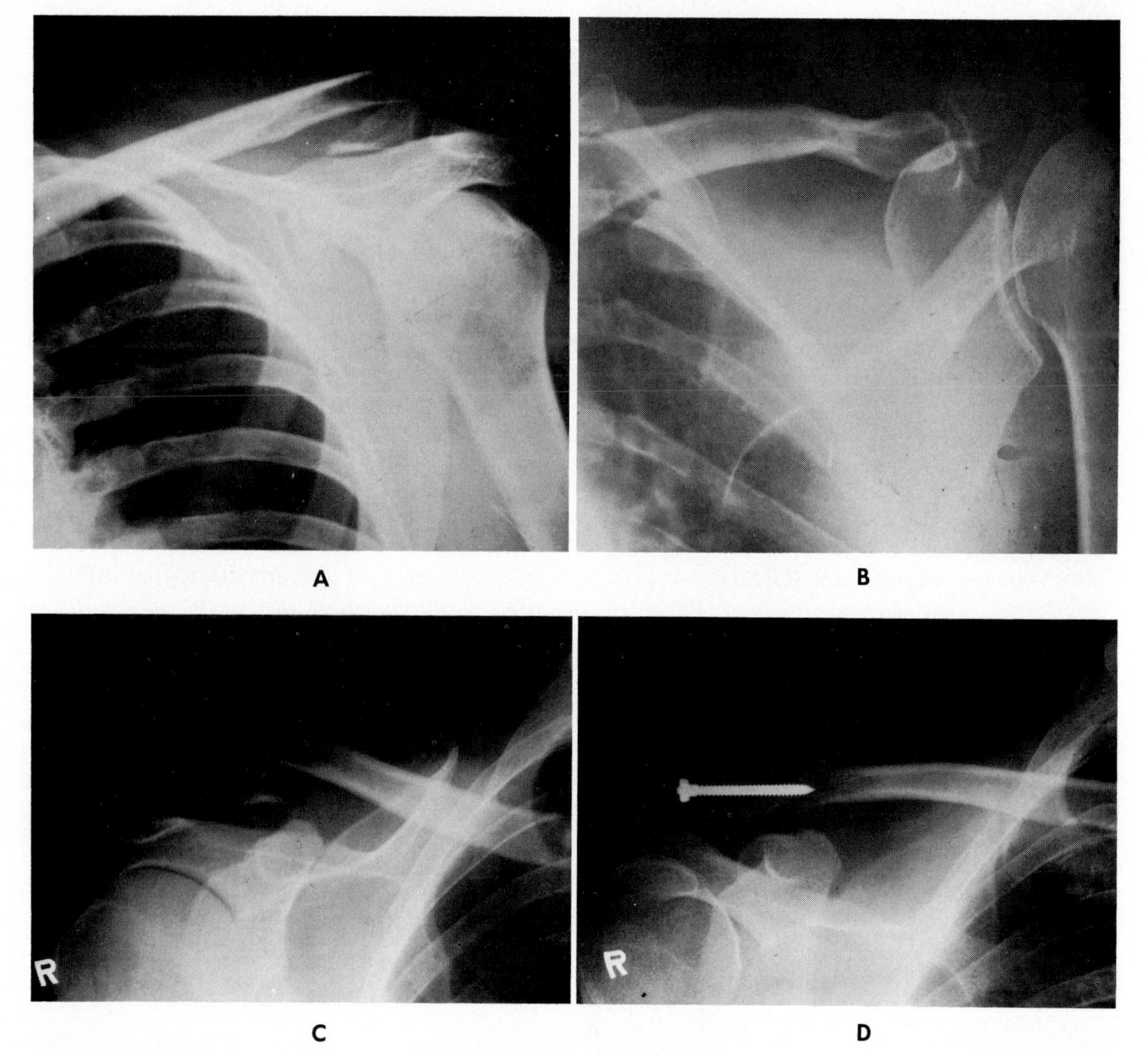

Figure 13–65 *A* and *B*, Fractures of outer end of clavicle with displacement requiring operative reduction. *C*, Displacement before reduction. *D*, After reduction and screw fixation.

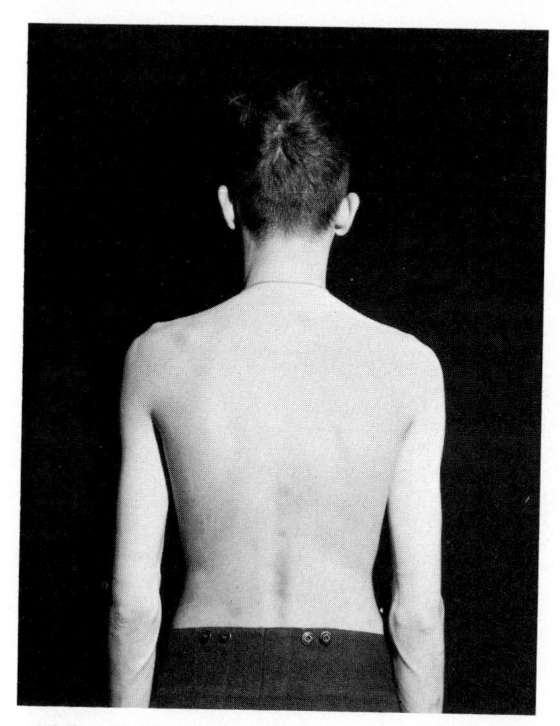

Figure 13-66 Acromioclavicular subluxation. Only conservative treatment is required.

chase in the bone may be obtained. The clavicle is held in a reduced position by the assistant, and the wire is drilled into the cortex. The first wire usually just holds the dislocation, and may catch only one-quarter of the clavicle. This is used as the fixing wire. Second and third wires are then inserted more accurately to extend a little farther along the clavicle. They are carried along for 1½ to 2 inches. Care must be taken in guiding them. They are inserted from below upward, rather than from above downward, to avoid the great vessels. It is never necessary to insert the wires so far along the clavicle that the vessels might be damaged. The first wire is removed, leaving the second and third wires in place in the clavicle. If threaded wires are used, they may be left just under the skin. If ordinary Kirschner wires are used, they should be left outside the skin and the ends bent at a right angle or fixed with a small cross-bar, such as is used on external fixation apparatus for jaws. Four weeks is usually sufficient fixation time. Just as in intramedullary wiring for fractures of the clavicle, fixation of the end of the wire to prevent wandering is most important if a threaded wire is not used.

Complete Acromioclavicular Dislocation. A more severe degree of this injury may be recognized in which there is a frank dislocation of the lateral end of the clavicle with partial or complete rupture of the suspensory ligaments. This is recognized by the greater deformity and the dropping down of the shoulder (Figs. 13-67 and 13-68). More important, considerable anteroposterior instability can be demonstrated in these injuries by grasping the acromion and clavicle, and exerting alternate anterior and posterior pressure. When the suspensory ligaments are torn, not only is there an upward displacement of the clavicle, but there is a downward and forward displacement of the acromion, carrying the upper limb with it.

Frequently the radiographs show some calcification along the upper aspect of the coracoid due to trauma involving the suspensory ligaments avulsing periosteum.

TREATMENT. More precise treatment is essential in these injuries, and some form of internal fixation is required.

Two methods have been advanced that are effective in providing improved fixation. One is the method of Bosworth, which is a lag screw fixation from the clavicle to the coracoid; the other is suggesed by Aldredge, and consists of tied wire fixation of the clavicle and coracoid.

Technique. A superior incision is used, starting behind the acromioclavicular joint and extending over the clavicle to the coracoid. The acromioclavicular joint is explored, any debris is removed, and the acromioclavicular capsule is repaired. If feasible, the conoid and trapezoid ligaments are identified and sutures inserted, which are tied after either the screw or the wire has been inserted. Using the Bosworth screw, a 3/16 inch hole is drilled from the clavicle into the base of the coracoid; a lag screw is inserted and tightened until the clavicle is at the level of the acromion, and then the sutures of the suspensory ligament are fixed.

In using the tied wire suture, the loop is inserted around the clavicle and under the coracoid, two loops being inserted and then tightened with a pair of wire tiers, thereby effectively reducing the acromioclavicular dislocation.

In all instances the Bosworth screw needs to be removed some eight weeks after insertion to avoid fracture of the clavicle (Fig. 13-70). Frequent examples of fracture have

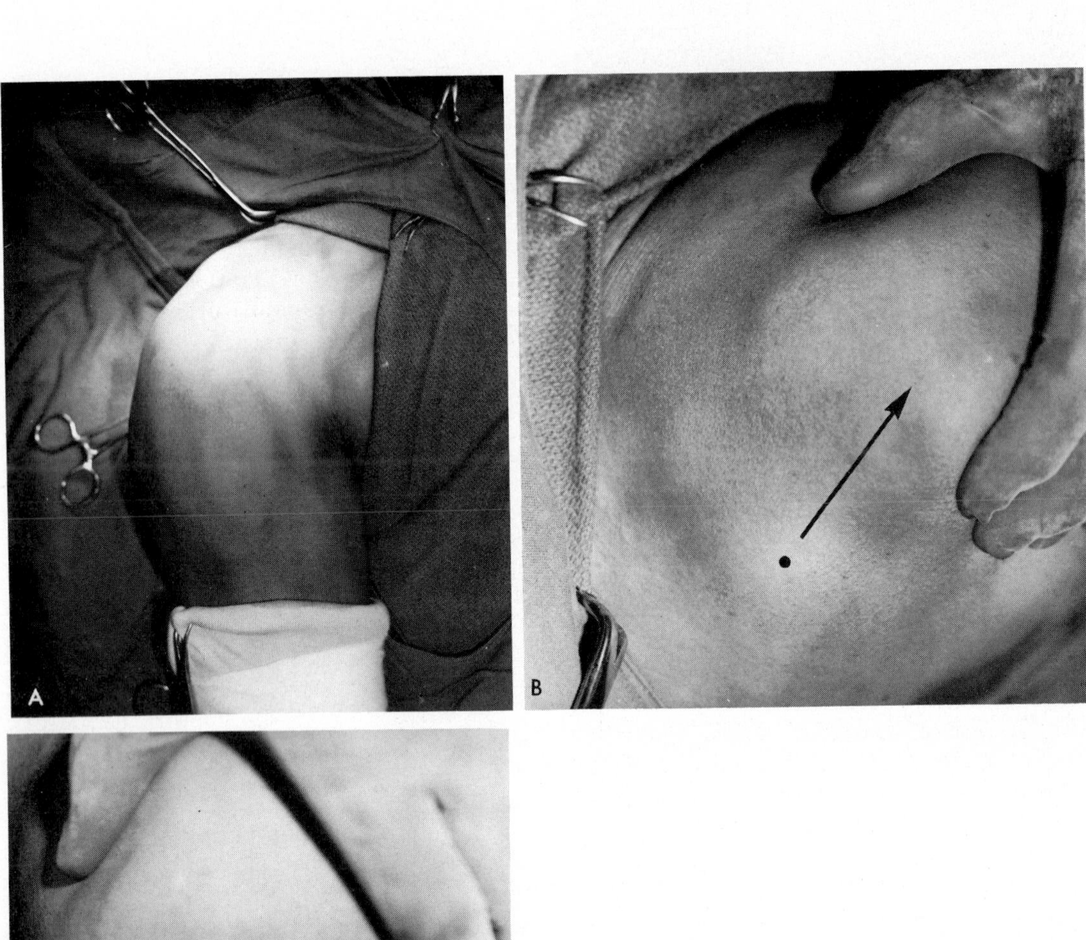

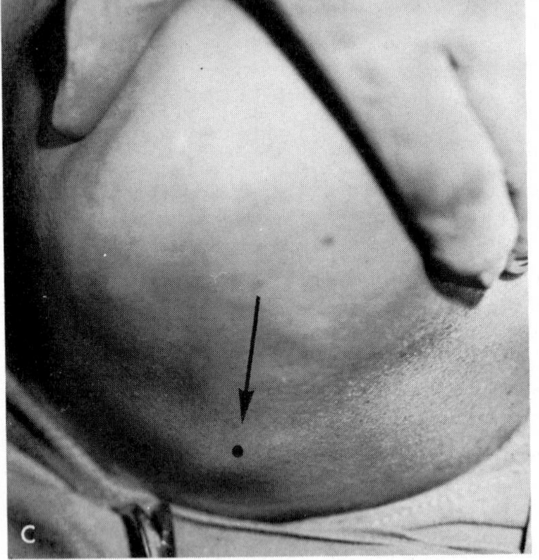

Figure 13–67 Complete acromioclavicular dislocation showing (*A*), vertical luxation, (*B* and *C*), anteroposterior instability.

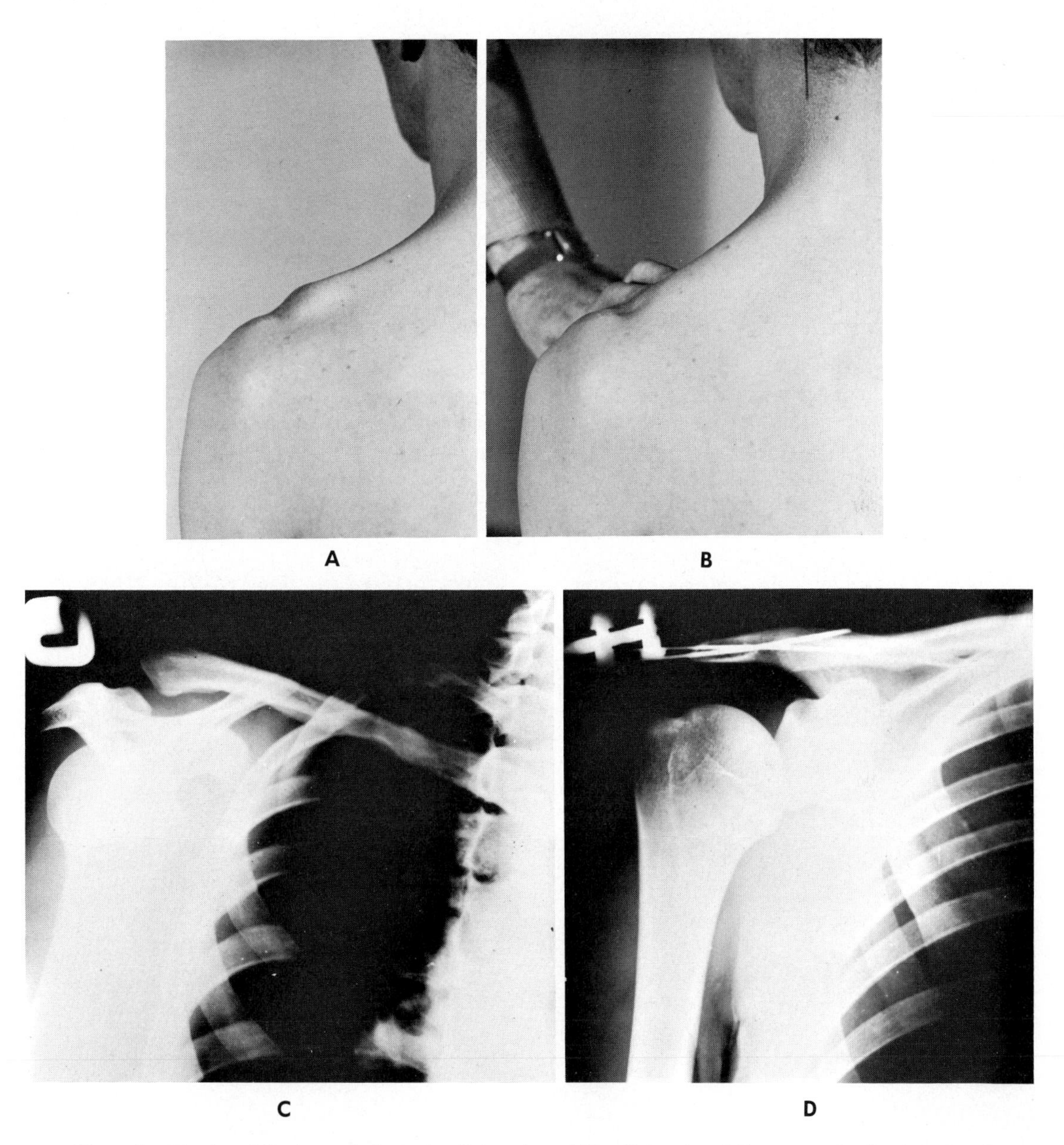

Figure 13–68 *A* and *B*, Acromioclavicular dislocation with sufficient instability to require fixation. *C* and *D*, Before and after reduction.

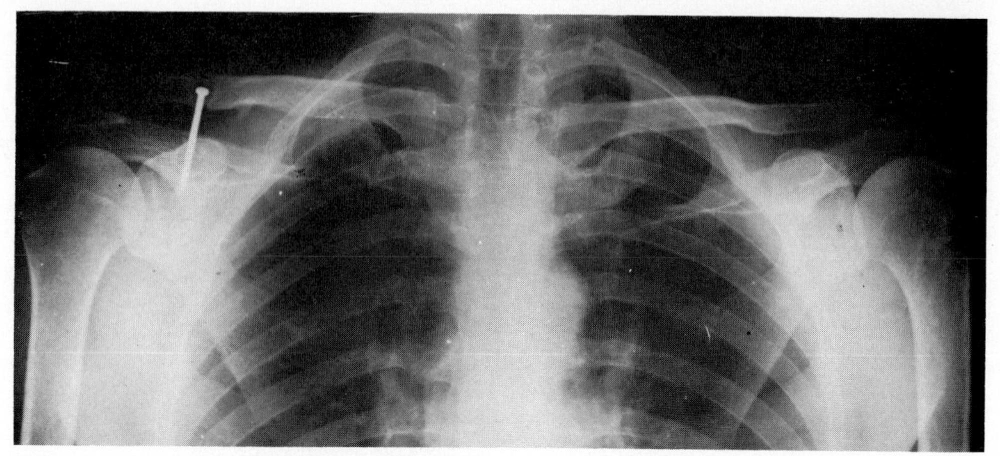

Figure 13–69 Screw fixation for acromioclavicular dislocation. Note fracture through clavicle. Screw should be removed postoperatively (Bosworth screw).

been seen when the screw has been retained because of the rotatory stress that abduction and circumduction place on the clavicle. In most cases the tied wire fixation is also removed because of its limiting effect on the clavicular rotation, although this may not always be essential.

When there has been disruption of the suspensory ligaments, the author prefers to replace the ligament by a new fascial ligament extending from the coracoid to the clavicle and to the spine of the scapula. The method is applicable in acute injuries in which there has been rupture and is also effective in chronic or recurrent acromioclavicular dislocation. This method is described in the next section.

Chronic or Recurrent Acromioclavicular Dislocation. Most injuries of this type heal well with the methods that have been outlined. When the suspensory ligaments do not heal or the dislocation persists because of inadequate treatment, considerable disability may result (Fig. 13–70). When these ligaments are torn, the strut effect of the clavicle is lost so that the point of the shoulder drops downward and inward. After a time, both local and radiating discomfort may develop. Local pain and limitation of movement arise from the distortion

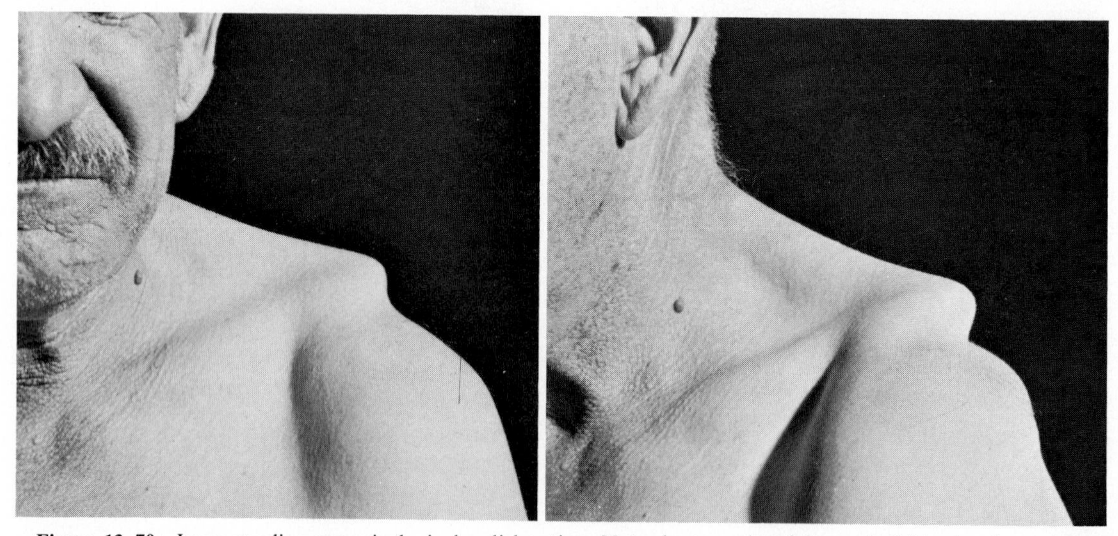

Figure 13–70 Long-standing acromioclavicular dislocation. Note downward and forward dislocation from suspensory ligament rupture.

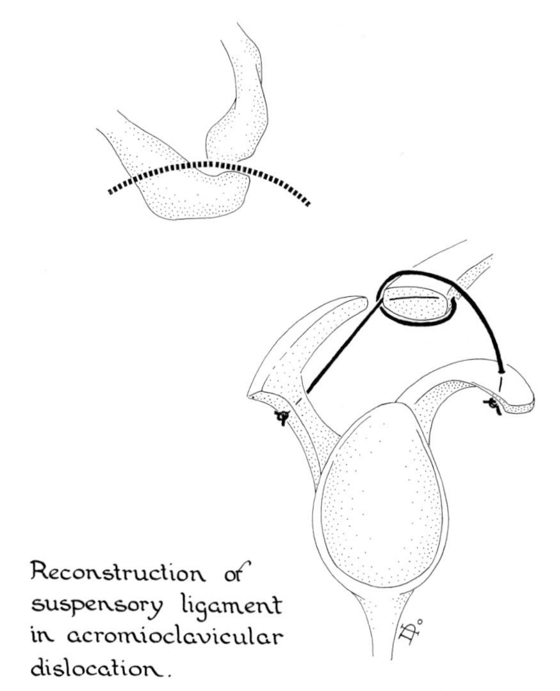

Figure 13–71 Plan of repair of suspensory ligaments with fascia and restoration of anteroposterior relationship of the clavicle in grade III dislocation.

of the acromioclavicular joint. Radiating symptoms develop from pressure traction of the neurovascular bundle beneath the coracoid. For these reasons, it is desirable to reconstruct the ligaments and restore the suspensory effect (Fig. 13–71). A number of techniques are available, including those described by Neviaser, Vargas, and the author.

Fascial repairs of the acromioclavicular joint are approached by the physiotherapist as for a Gallie repair. Isometric strengthening is begun during immobilization, and continued. When immobilization is discontinued, range returns quickly, and the patient can be supervised on a recheck basis.

Coracobrachialis Tendon Fixation

Vargas Technique. An ingenious and effective procedure has been introduced by Vargas in which the principle is to restore the coracoclavicular strut by utilizing the fascial covering of the coracobrachialis or the short head of biceps.

The acromioclavicular region is approached through an anterior-longitudinal incision, extending from the top of the clavicle distally over the coracoid and along the inner margin of the biceps for 6 inches (Fig. 13–72). The subjacent clavicle and the coracoid process are exposed. The coracobrachialis and the short head of biceps are identified; these muscles are traced distally, and a band of fascia separated from the anterior surface. The band is about 1 inch wide and is cut as far distally as good fascial tissue is available. This strip is then reflected proximally, preserving its attachment to the coracoid. A hole is then drilled through the clavicle just above the coracoid, and in the area of the conoid and trapezoid ligaments. The prepared strip is then split in two, and half is threaded through the clavicle. The acromioclavicular dislocation is reduced and, as it is held in this position by the assistant, the two strips are tied together, restoring the ligament. Usually the fascial fixation is supported by insertion of two Kirschner wires through the acromion into the clavicle, such as is carried out in fresh dislocations. This technique allows freedom of movement of the arm and hand during the period of immobilization. Fixation is carried out for six weeks (Fig. 13–73). The one disadvantage of the technique is that the strip of fascia obtained from the anterior surface of the biceps sometimes is short or may be somewhat deficient, or difficulty may be encountered in stripping it.

Neviaser Technique. An ingenious and very satisfactory method of controlling acromioclavicular dislocation has been suggested by Dr. Neviaser. The principle is to use the coracoacromial ligament, which is separated from its coracoid attachment and reflected proximally to be sutured into the clavicle under tension. As indicated in Figure 13–74, the fixation is then held in place with a Kirschner wire.

Bateman Technique. In some instances of complete dislocation with rupture of the suspensory ligaments, the anterior luxation in addition to the superoinferior displacement is considerable. In these circumstances the likelihood of neurovascular compression is greater (Fig. 13–75). For this reason, the author prefers a method in which there is reconstruction of the conoid and trapezoid ligaments with a piece of fascia; in turn, the fascia, after being attached to the clavicle, is carried posteriorly to the spine of the scapula so that the alignment of the clavicle is restored by being pulled backward as well as downward.

In these injuries, particularly when acute, the degree of anterior luxation is surprising if assessed under anesthesia. In the method

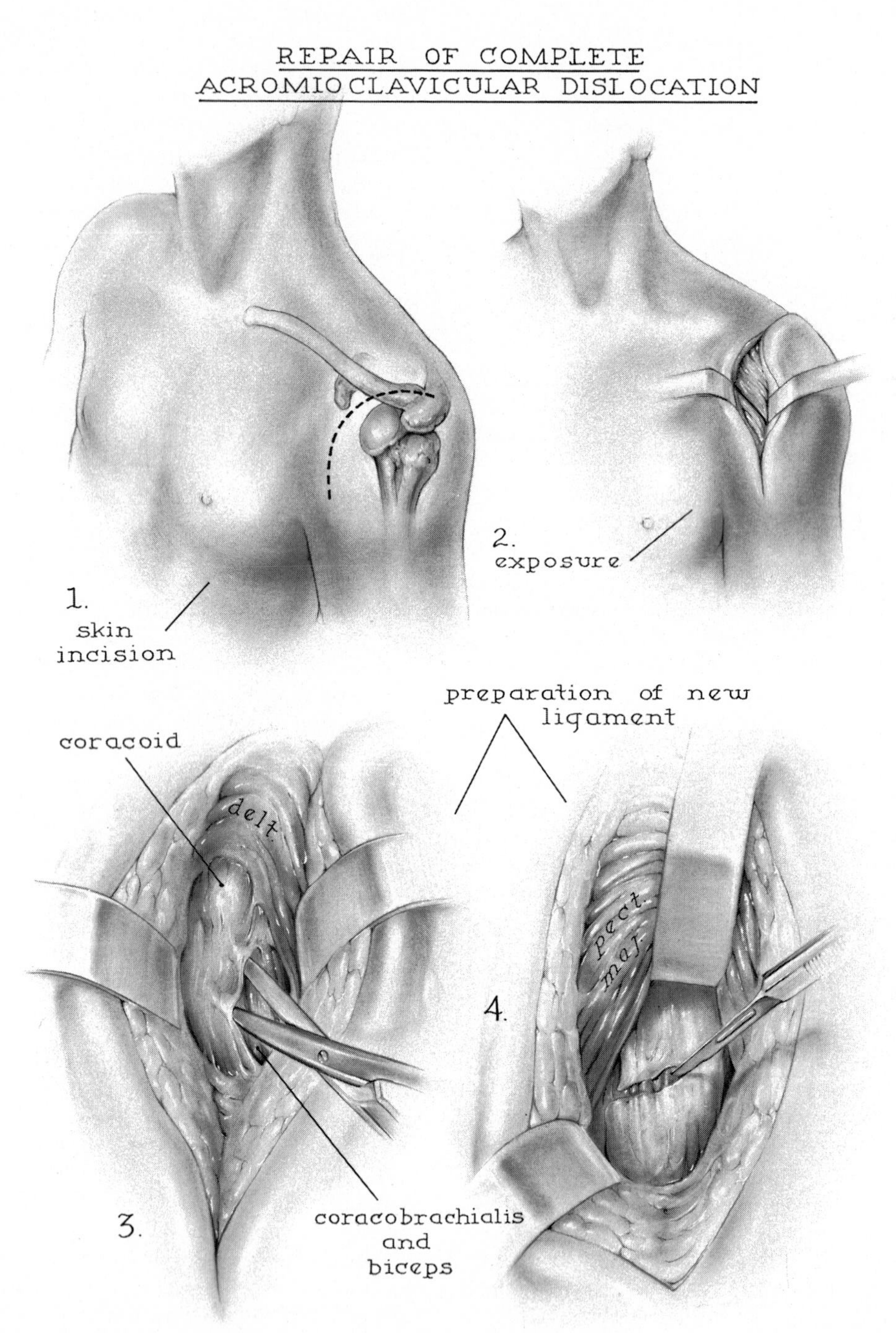

Figure 13–72 Vargas technique. 1, Incision. 2 and 3, Exposure of superficial aspect of coracobrachialis and short head of biceps. 4, Preparation of the new ligament from the common tendon. 5 and 6, The new ligament is reflected proximally. 7 to 11, The new ligament is anchored in the clavicle.

Illustration continued on opposite page

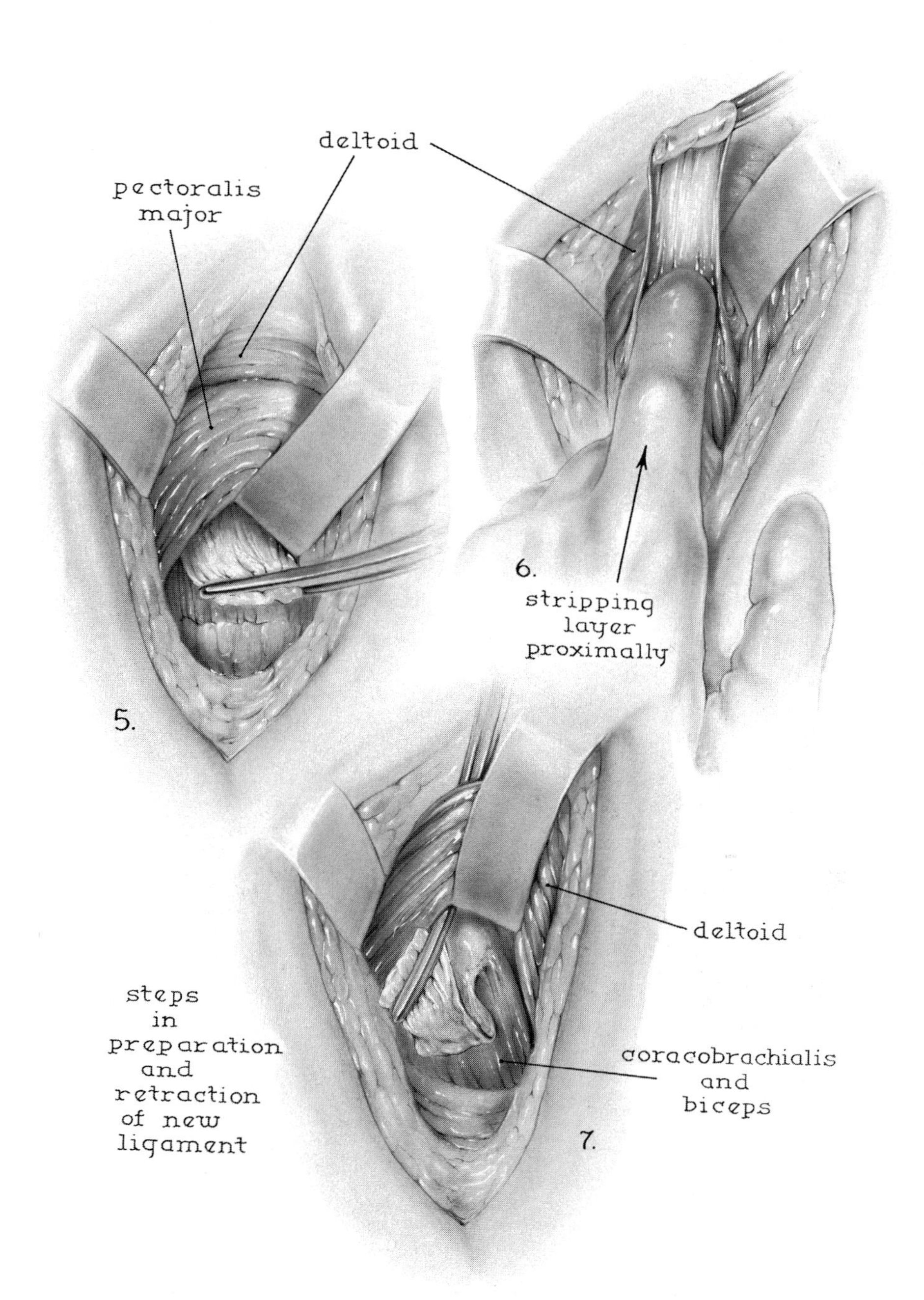

Figure 13–72 *Continued* See legend on opposite page.

Illustration continued on following page

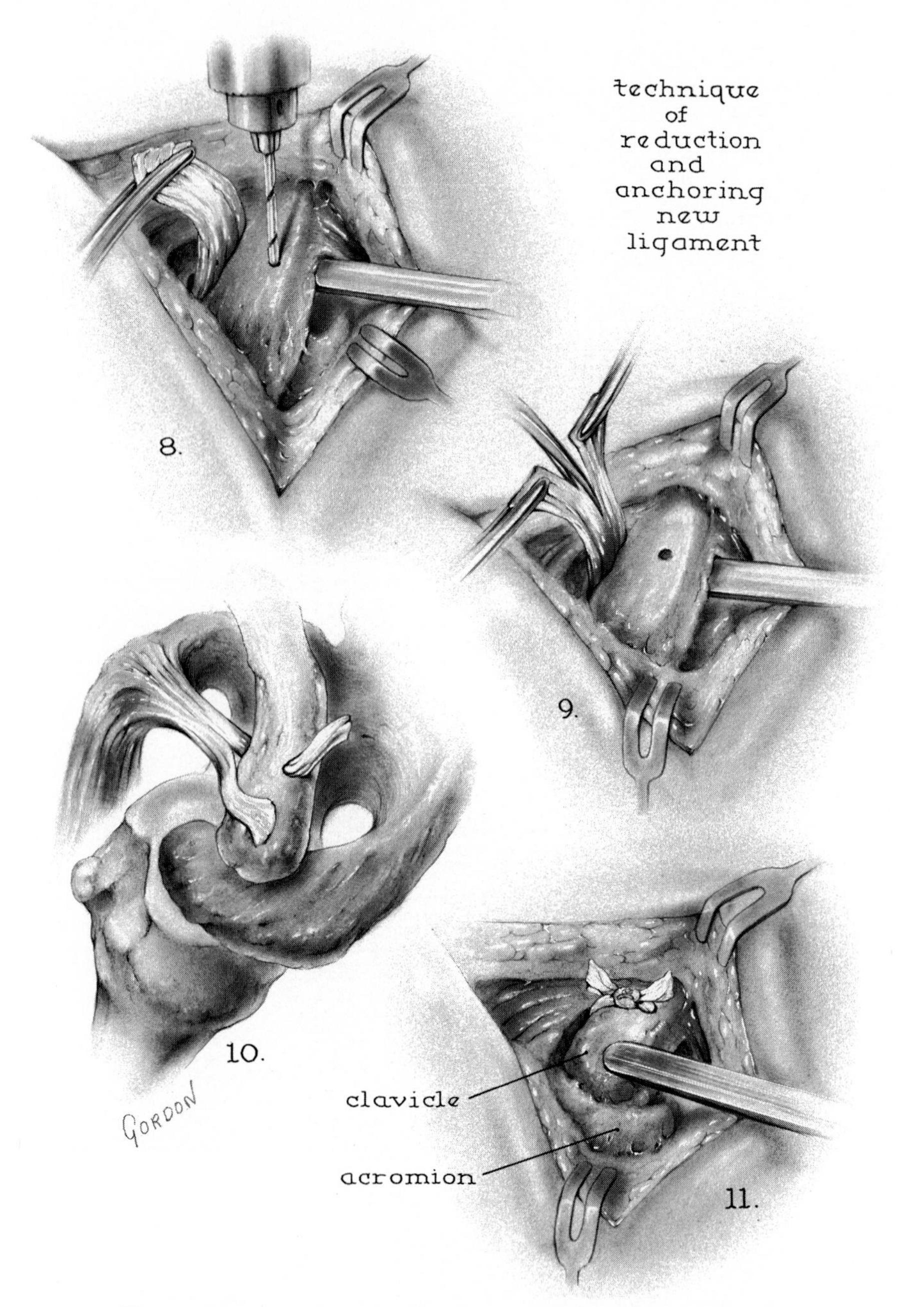

Figure 13–72 *Continued* See illustration and legend on pages 538–539.

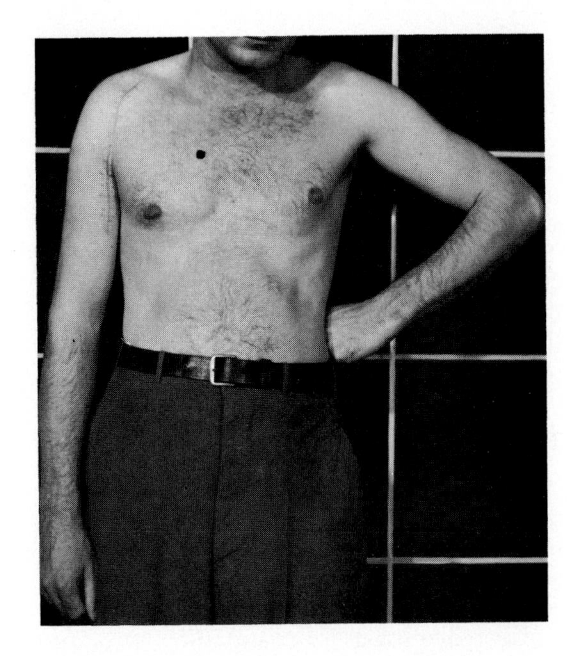

Figure 13–73 Postoperative result of Vargas procedure.

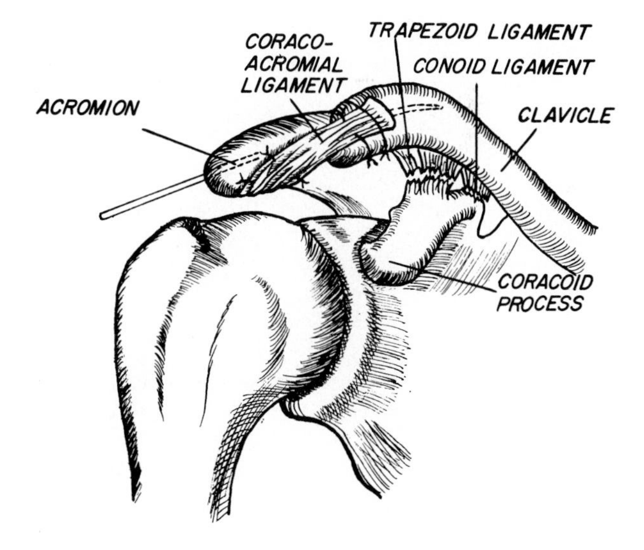

Figure 13–74 Technique devised by Dr. J. S. Neviaser.

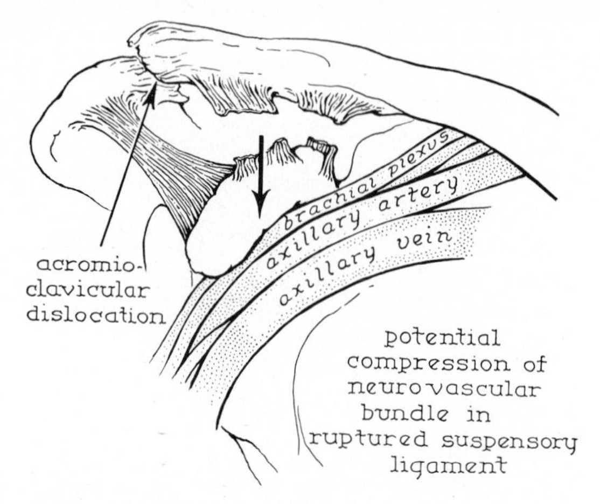

Figure 13–75 Pressure may develop on the neurovascular bundle from persistent suspensory ligament rupture.

of Bosworth, or any other procedure that pulls the clavicle forward, this anteroposterior luxation is ignored.

A superoinferior incision is made in the usual fashion, just medial to the acromioclavicular joint and extending from one-half inch above the spine of the scapula across the clavicle to the region of the coracoid. Through this incision, the spine of the scapula is exposed over a distance of about one-half inch mediolaterally; the coracoid process is exposed, and the scapula is denuded of soft tissue over a half-inch region at about the point of the suspensory ligament attachment.

A piece of fascia three-quarters inch wide and at least 6 inches long is removed from the opposite thigh. A knot is tied in the piece of fascia, and it is anchored through the spine of the scapula. The fascia is then brought beneath the muscle up over the clavicle, wrapped around the clavicle, and taken through the 3/16-inch hole drilled in the clavicle. The fascia is then brought downward and forward to the coracoid, and anchored through a further hole in the coracoid. In this fashion the suspensory ligaments are restored, the acromioclavicular dislocation is reduced, and the anteroposterior luxation of the clavicle is corrected (Fig. 13–76).

In chronic or recurrent dislocations there has often been deterioration of the joint, so that it may be necessary to excise the outer half-inch of the clavicle, carrying out an acromioclavicular arthroplasty in the usual fashion. It should be emphasized that simple excision of the outer end of the clavicle in this grade of acromioclavicular dislocation is not enough. As a rule, the instability from the loss of the suspensory ligament creates a deformity that is a significant impairment (Fig. 13–77); it should be repaired appropriately (Fig. 13–78).

DISLOCATIONS OF THE STERNOCLAVICULAR JOINT

The medial end of the clavicle is much more securely fixed than the lateral end, so that dislocation is not nearly so frequent. The mechanism of injury is a blow applied from the back and laterally, so that the medial end is shoved upward and outward (Fig. 13–79). Very rarely the medial end may be pushed beneath the sternum.

Treatment

Fresh Injuries. The principle of reduction is to apply sufficient leverage to lift the bulbous medial end back into the socket. A general anesthetic is necessary. The shoulder is pulled backward, and pressure is exerted on the front and the top of the clavicle with the opposite hand. Usually it slips back into place with a thud. The reduction is retained by application of a clavicular cross, keeping the point of the shoulder in the extended position. A compression dressing is applied over the medial end of the clavicle. Fixation is continued for four weeks (Fig. 13–78).

Old Injuries. Neglected and recurrent dislocations may cause no more disability than that resulting from an altered appearance (Fig. 13–80). In most instances some post-traumatic sternoclavicular arthritis develops. When symptoms warrant it, the medial end of the clavicle may be resected; if there has been no progressive joint damage, the medial end may be replaced in the socket and a fascial sling inserted to snub it into place (Fig. 13–81).

TECHNIQUE. A transverse incision, 3 inches long, is made and centered over the sternoclavicular joint. The scar tissue and capsular debris are removed, and the sternal end of the clavicle is returned to the socket in the sternum. A piece of fascia three eighths inch wide is removed from the opposite thigh, and inserted in figure-of-eight fashion through drill holes in the clavicle and sternum. Drill holes, three-sixteenths

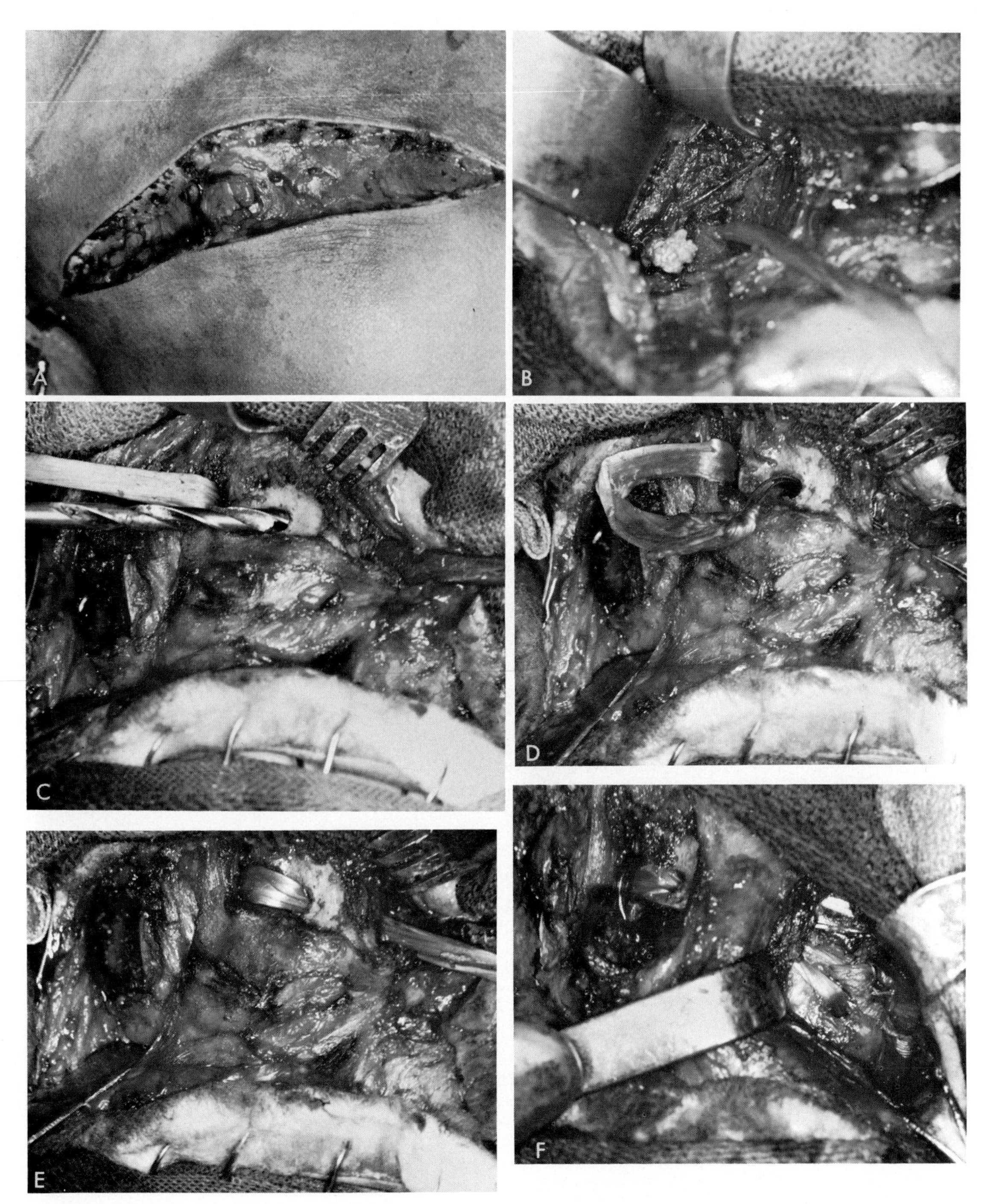

Figure 13–76 Steps in fascial reconstruction of acromioclavicular dislocation and suspensory ligament rupture. *A*, Superoanterior incision. *B*, Fascia is anchored by a knot in the spine of the scapula and pulled up over the clavicle. *C*, Preparation of hole in clavicle. *D*, Insertion of fascia through and around the clavicle from the back to the front. *E* and *F*, Fascia fixed through the coracoid anteriorly, restoring the ligament.

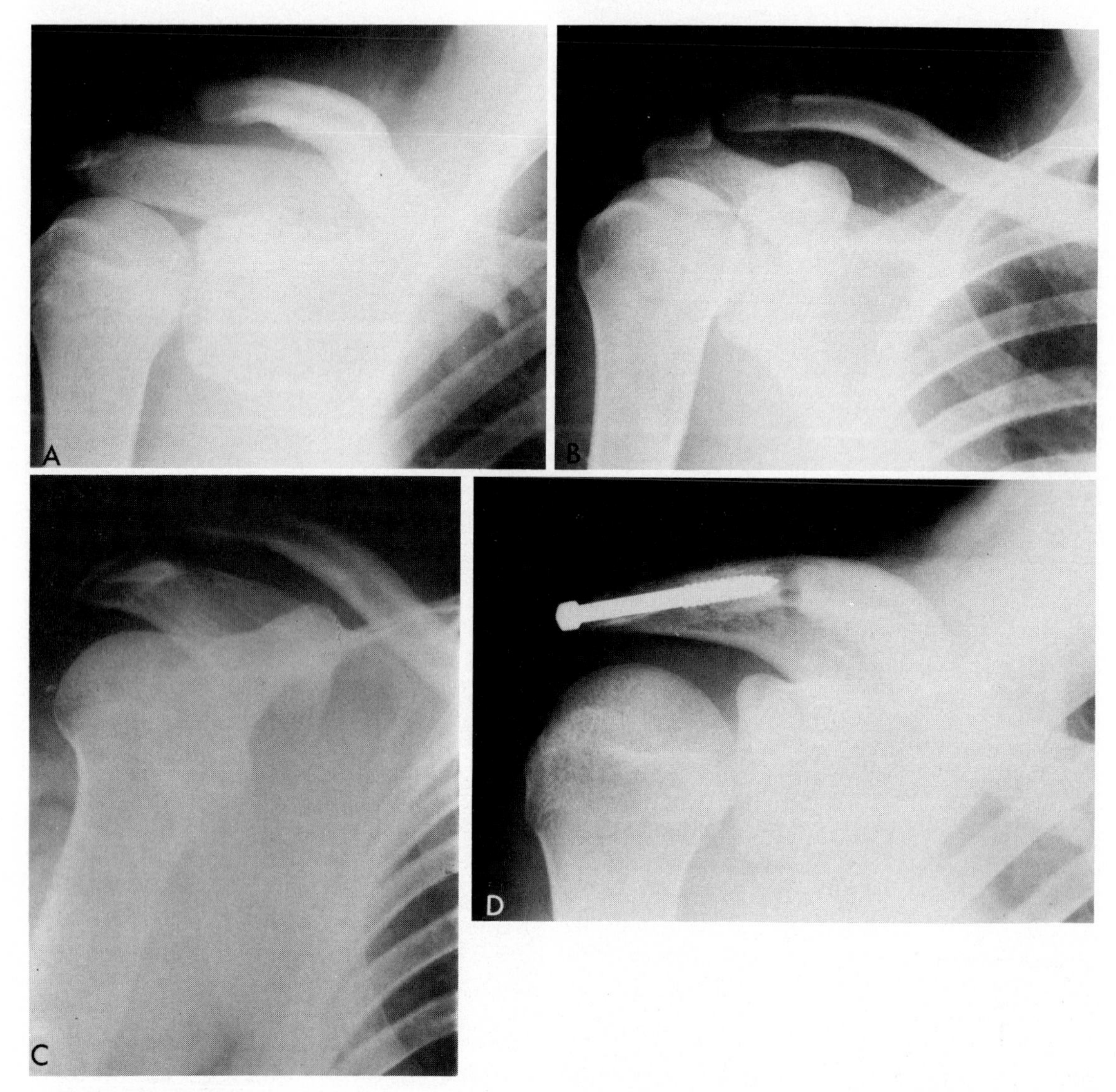

Figure 13–77 *A* and *B*, Before and after fascial reconstruction of suspensory ligament. Grade III acromioclavicular dislocation. *C* and *D*, Before and after fascial reconstruction of suspensory ligament with screw fixation. Grade III acromioclavicular dislocation.

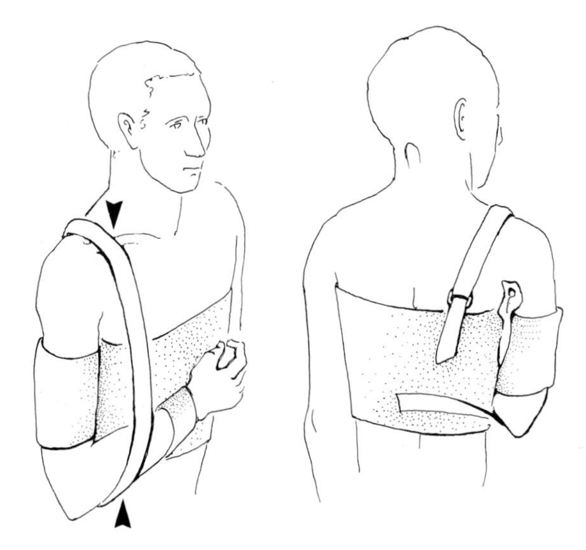

Figure 13-78 Immobilizer used after repair of acromioclavicular dislocation.

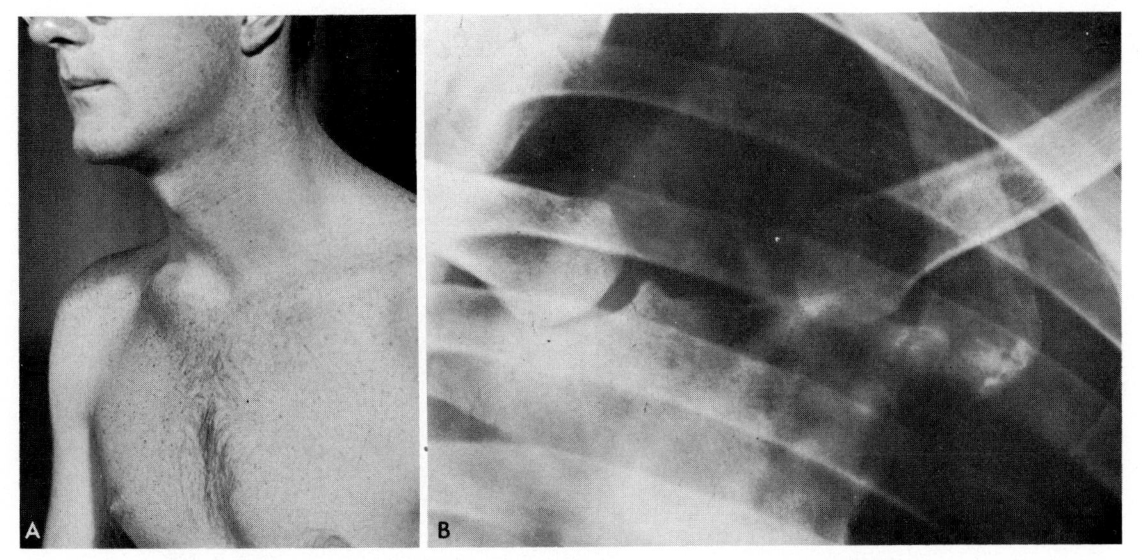

Figure 13-79 *A*, Acute sternoclavicular dislocation. *B*, Radiographic appearance.

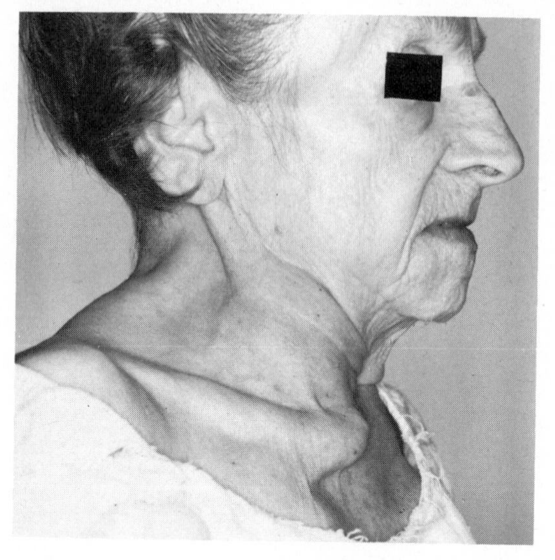

Figure 13–80 Old unreduced sternoclavicular dislocation.

of an inch, are inserted in the sternum with care and extended obliquely from the midline toward the socket. A periosteal elevator is inserted to prevent the drill from progressing too far. A transverse hole is drilled in the medial end of the clavicle, approximately one-quarter inch from the end and about one-quarter inch below the cortex. The fascia is inserted through the drill holes in the sternum with the loop medially, and the two ends are brought out through the joint and then criss-crossed and tied through the hole in the clavicle. In this way pressure is exerted downward and inward, snubbing the clavicle in place. Fixation, as shown in Fig. 13–79, is continued for a period of six weeks.

Omer Technique. Some authors have recommended that, in addition to the fascial reconstruction of the ligaments, a step osteotomy be cut in the clavicle as described by Omer. In this technique, a horizontal step osteotomy is made at the clavicular attachment of the sternocleidomastoid muscle, and the sternomastoid is detached from the medial segment. The osteotomy reduces the stress of the long lever on the healing sternoclavicular joint and favors the solidification of the ligamentous reconstruction. The shortening of the clavicle reduces stress on the long lever arm.

INTERNAL DERANGEMENT OF STERNOCLAVICULAR JOINT

Rupture of the intra-articular disk may occur particularly in young athletes, in injuries of less severity than those causing sternoclavicular dislocation. The disk may be wrenched free of the sternal attachment, or torn so that it protrudes into the joint in a fashion similar to meniscus tears in the knee. The symptoms are local pain, a catching sensation on flexion or circumduction of the arm, and a clicking sensation felt by applying the palm of the hand over the sternoclavicular joint. When symptoms are persistent, the joint may be explored and the fragments

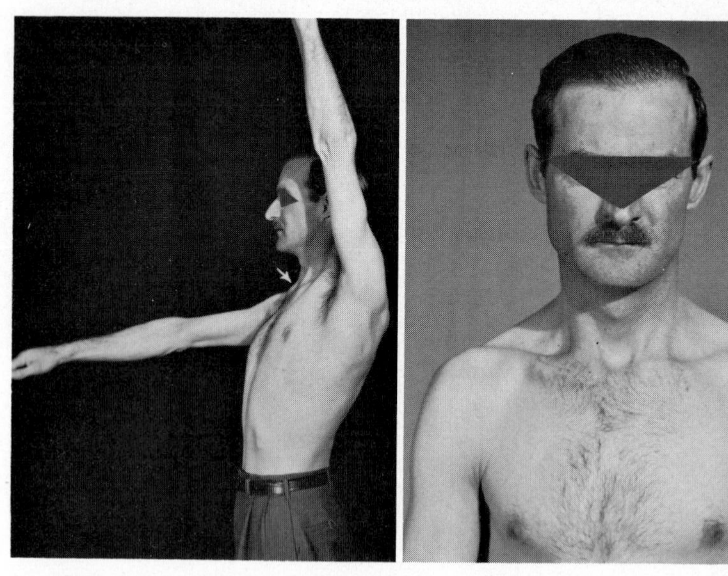

Figure 13–81 Before and after operative repair for sternoclavicular dislocation.

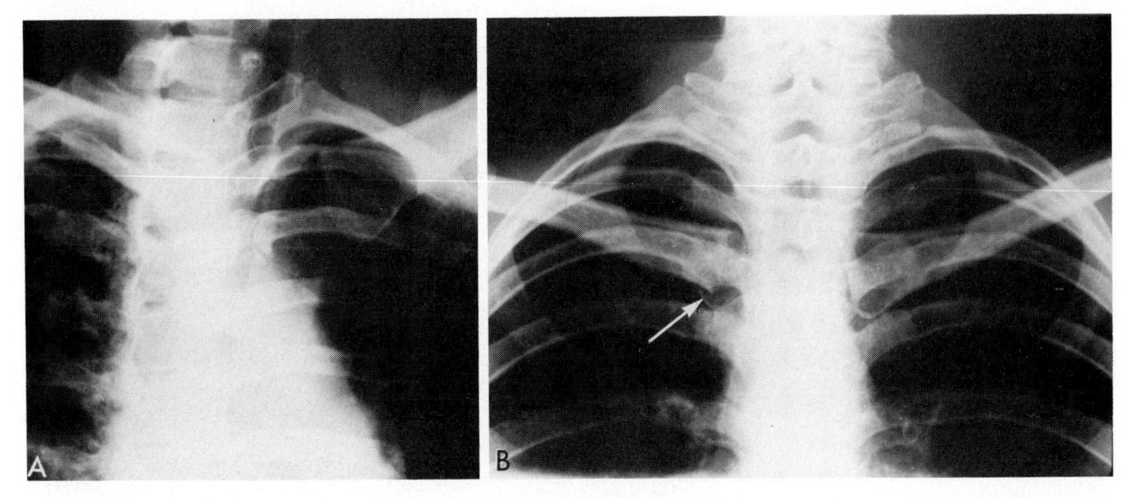

Figure 13–82 *A*, Dislocation of sternoclavicular joint. *B*, Fracture dislocation of sternoclavicular joint.

removed. The capsule should be repaired carefully, and fascial reinforcement is required in some cases because the ligament exerts a snubbing effect on the medial end of the clavicle and a degree of subluxation may ensue following its fragmentation (Fig. 13–82).

FRACTURES OF THE SCAPULA

The scapula is not injured nearly so frequently as are the other two components of the shoulder girdle, the clavicle and the upper end of the humerus. The distribution of fractures commonly seen are those of the neck and body, of the acromion, and of the coracoid process (Figs. 13–83, 13–84, and 13–85).

FRACTURES OF THE NECK OF THE SCAPULA

The commonest fracture is that of the neck, which occurs as a result of falls in which the patient lands on the point of the

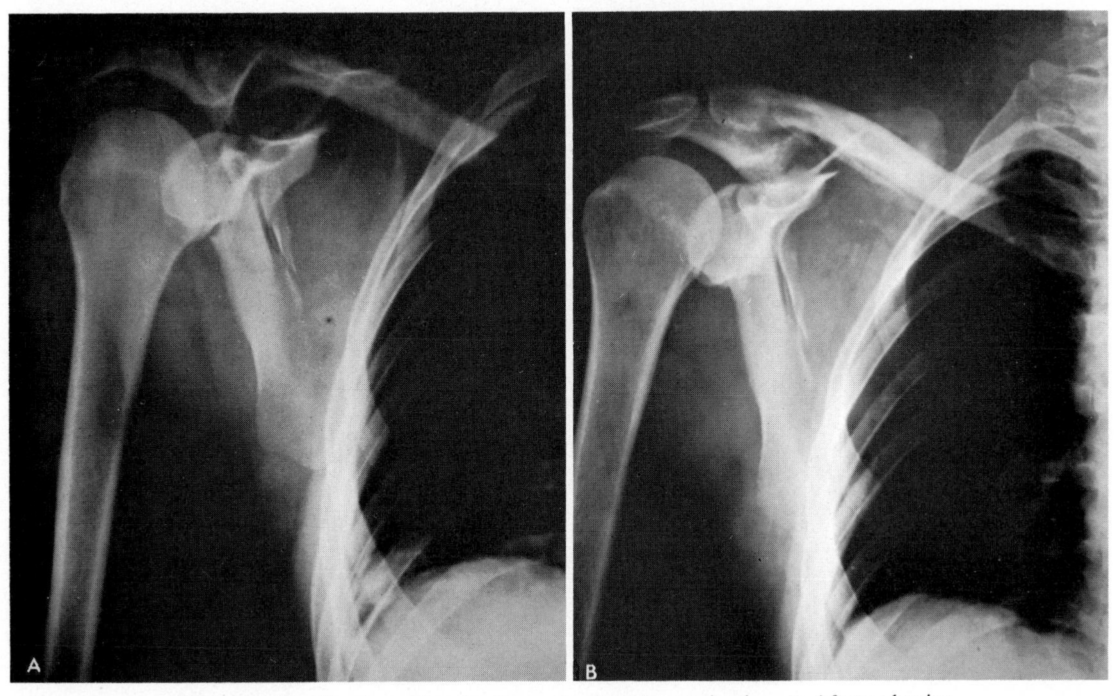

Figure 13–83 Fracture of neck of scapula. *A*, Before reduction. *B*, After reduction.

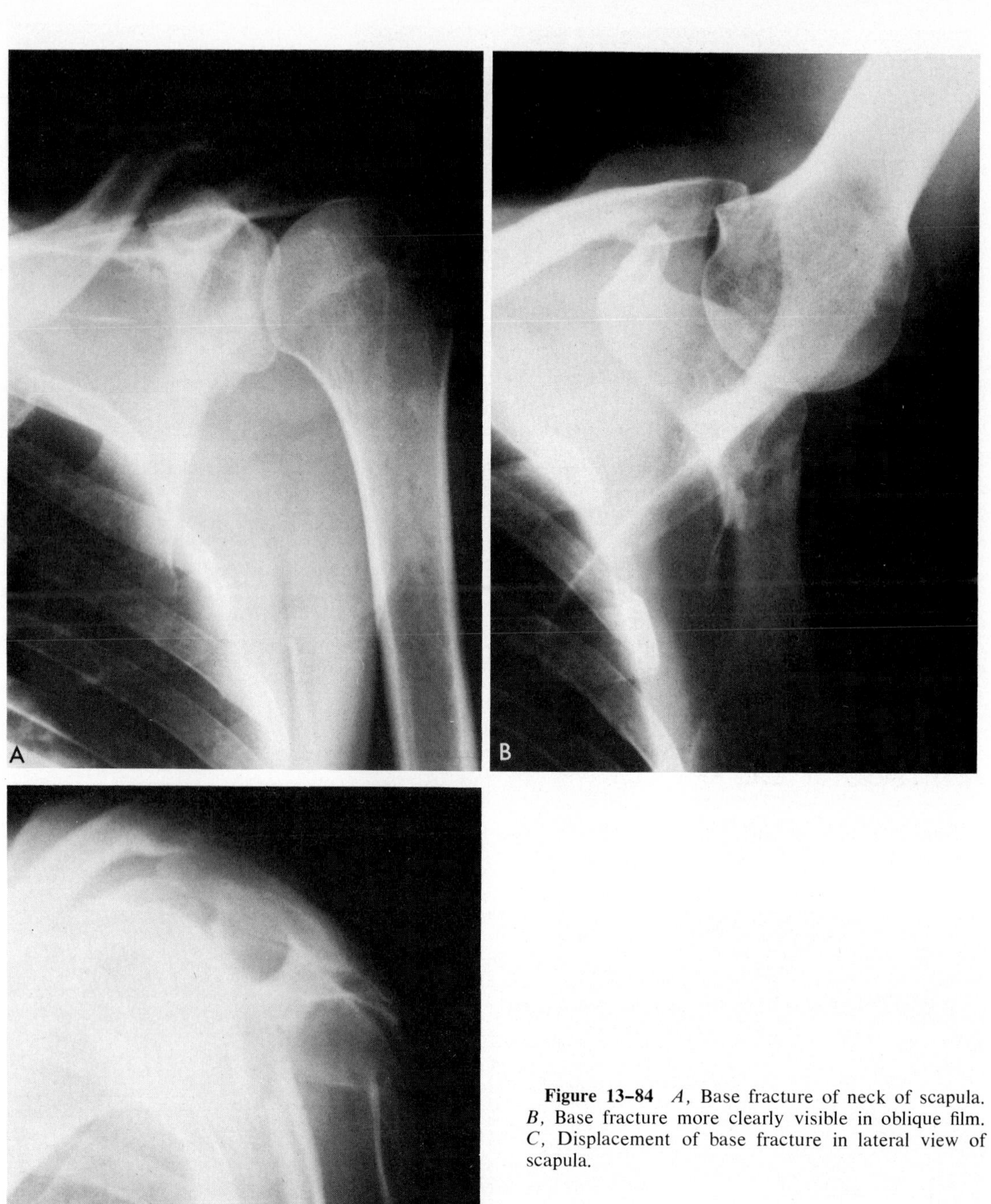

Figure 13–84 *A,* Base fracture of neck of scapula. *B,* Base fracture more clearly visible in oblique film. *C,* Displacement of base fracture in lateral view of scapula.

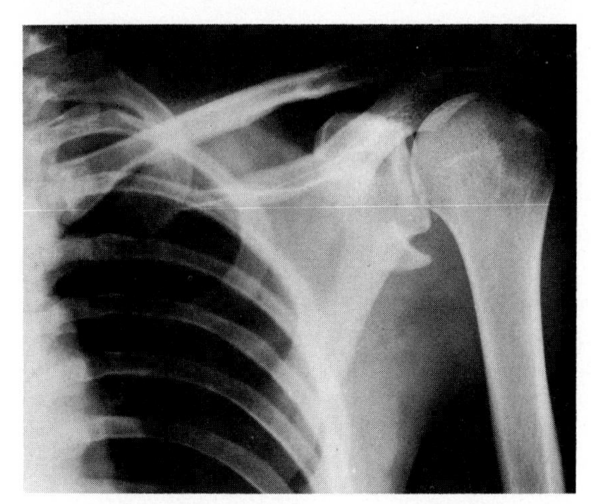

Figure 13–85 Chip fracture of the glenoid.

shoulder. The bone may give way at the base of the neck, impacting the neck into the body and leaving the glenoid intact, or the glenoid may be shattered and the fracture may extend into the head and the base of the neck. The fracture is suspected by the history of injury, local pain and tenderness, and some deformity of the shoulder. When there is comminution of the neck, the point of the shoulder is flattened as a result of the medial displacement.

Treatment. In the impacted fracture, manipulation and reduction are not necessary unless shortening of the neck is sufficient to favor subluxation or interfere with abduction. These fractures are immobilized in a well-fitted shoulder spica, with the arm abducted in the midposition. In cases with deformity and considerable shortening of the neck, reduction should be attempted. This is accomplished by placing traction on the humerus, the principle being to bring the broken glenoid and neck back into place by tension exerted through the attachment of the shoulder capsule. The fist is placed in the axilla and used as a wedge. The point of the shoulder is levered outward over it. It may be necessary to apply a little controlled traction with the arm abducted, holding the humerus at a right angle. Fixation is carried out by application of a shoulder spica, with the assistant maintaining the lateral traction. Immobilization is necessary for six to eight weeks.

Comminuted fractures of the scapula are not common, but if there is gross displacement of the articular surfaces, open reduction should be carried out.

TECHNIQUE. The shoulder is approached from the posterior aspect, a longitudinal incision being made and extending from the spine distally for 4 inches. The deltoid is retracted anteriorly and laterally. The fibers of the infraspinatus are split longitudinally, exposing the posteroinferior aspect. As a rule, the fragments of the glenoid can be levered and pressed into satisfactory position. If they are unstable they may be fixed by a tied wire suture. Fixation is obtained by a shoulder spica with the arm abducted to 75 degrees. Sometimes the fragments are too small and fragile to be held adequately. Since the articular surfaces of the shoulder are not a weight-bearing joint, a good result with satisfactory range of motion can be expected even with considerable articular damage. The arm should be fixed in abduction to favor return of function of the abductors and rotators, and to avoid inferior capsular contraction.

Restoration of Function After Fractures of the Scapula. If the shoulder has been maintained in proper position, restoration of abduction and rotation is considerably facilitated. Nonunion in these fractures is most uncommon, and six weeks' immobilization normally is sufficient. The plaster is removed, the arm is carried in a sling, and assisted active movements are initiated and gradually increased.

FRACTURES OF THE ACROMION

The acromion serves as a protecting overhang, effectively guarding the upper angle of the humerus and rotator cuff structures. It is damaged by force applied from the back, or from the back and above. Backward falls with the shoulder landing on sharp edges will produce these fractures. The usual site is at the junction of the acromion with the spine (Fig. 13–86). These fractures rarely require manipulation, and heal following six weeks' immobilization in a shoulder spica. A persistent epiphyseal line may be erroneously interpreted as a fracture (Fig. 13–87). The line is definitely in the acromion; there is no displacement, and often the opposite shoulder shows the same deformity. Sometimes the acromion may be sufficiently depressed to impinge on the greater tuberosity in abduction of the arm. Under these circumstances, the acromion should be gently levered upward by pressure on the elbow, using the head of the humerus as a buttress. This

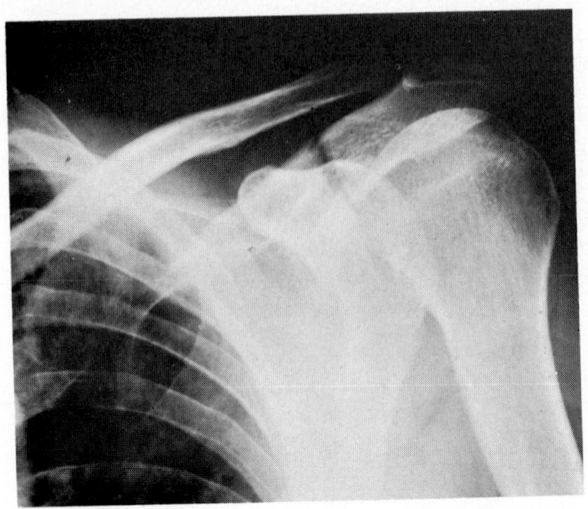

Figure 13–86 Base fracture of acromion.

corrects the depression. The arm is then immobilized in an abduction plaster. It is important to immobilize the arm in full abduction in these injuries so that impingement on the coracoacromial arch is avoided. In the neglected cases in which the acromion has formed a bent-over, beak-like obstruction, partial acromionectomy may be carried out.

FRACTURES OF THE CORACOID

The coracoid process may be avulsed by a strong muscle pull (Fig. 13–88). The attachments of the coracobrachialis, short head of biceps, and pectoralis minor exert powerful tension so that the tip is displaced downward and medially. The resulting disability is weakness in these structures and also in the suspensory ligament; considerable disability results from the latter. If the ligaments are involved, the injury is treated by fixation and a shoulder spica or by transfixion of the acromioclavicular joint to control subluxation. A rare complication is pressure on the neurovascular bundle, which is an added indication for open reduction and restoration of the suspensory ligaments.

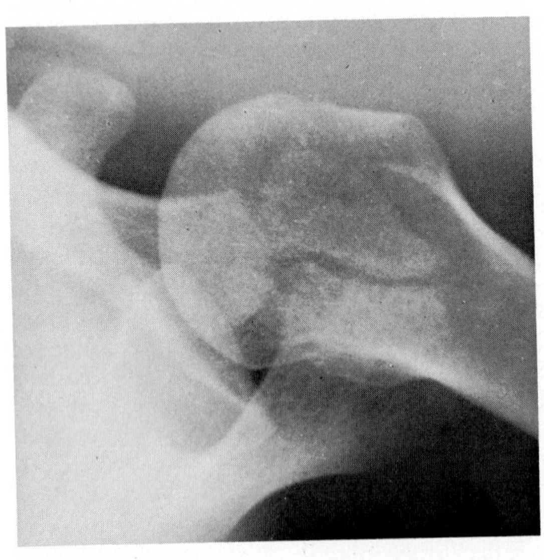

Figure 13–87 Persistent epiphyseal line of metacromion may be mistaken for a fracture. Usually the condition is bilateral.

Usually, direct violence has fractured the coracoid. If the fracture is at the base, immobilization in a shoulder spica for six weeks is sufficient. When the damage is closer to the tip, the trauma has been applied more anteriorly, and there is much greater likelihood of damage to the neurovascular bundle. The treatment of this complication dominates the situation. A splintered tip is a secondary consideration. Exploration of the nerve lesion is indicated after the post-traumatic reaction has subsided, when motor and sensory systems warrant. The technique is considered in the chapter on nerve injuries.

FRACTURES OF THE CERVICAL SPINE

Many factures of the cervical spine have serious connotations, but the gamut runs from body chips to avulsed posterior spinous processess. The serious lesions are those complicated by spinal cord or nerve root damage, so that the consideration of these fractures falls largely into two groups: those without cord implication, and those with cord or nerve root involvement.

FRACTURES OF THE SPINE WITHOUT NEURAL INVOLVEMENT

Fractures of the Posterior Spinous Processes

Fractures of the posterior spinous processes (Fig. 13–89) are avulsion injuries, in that the tremendously strong ligamentum nuchae may withstand the damaging force better than the bone to which it is attached. The usual mechanism is an unguarded flexion act, or one carried out with application of excessive extension force first. The clay-shoveler's fracture is a good example of the unguarded

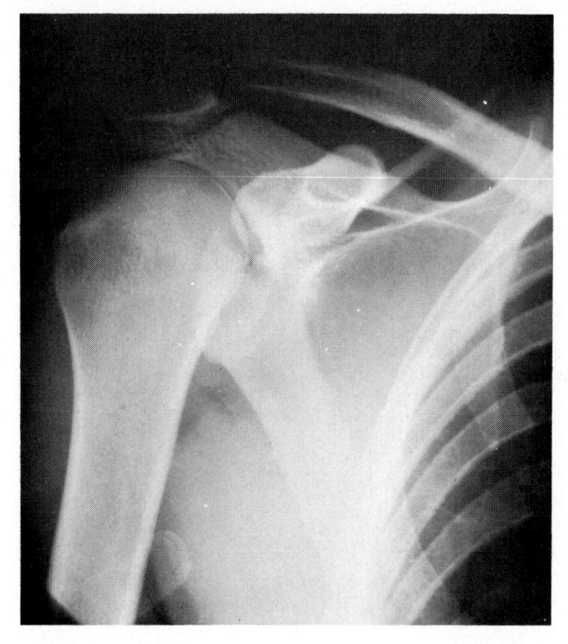

A

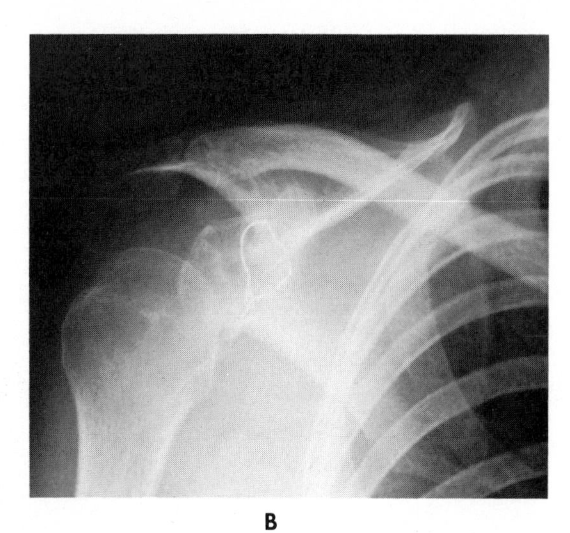

B

Figure 13–88 *A*, Fracture of coracoid. *B*, Healing following internal fixation.

application of force. This injury results from an unexpected forward jerk for which there has been inadequate preparation. The workman lifting a load of clay and throwing it sideways or backward over his shoulder expects the load to have left the spade, and hence his burden to be lightened. Unexpectedly the load clings to the shovel so that, as he brings it backward in preparation for the next scoop, there is a forceful, unexpected dragging application that jerks the head forward and, if sufficiently severe, pulls loose one of the lower spinous processes (Fig. 13–90).

The commonest site is the posterior spinous process of C.7. There are several reasons for this. At the lower point of the cervical spine, relative fixation occurs, in that there is less motion here than in the midcervical area. The long and heavy ligamentum nuchae is firmly attached to the tip of this process, but is much less firmly attached to the other posterior tips. The relative immobility of this spine, the strong attachment, and the elongated lever combine to pull the tip off at this point more frequently than elsewhere.

Treatment. Sometimes this injury is accepted as a simple sprain, and it is not until x-ray studies show the avulsed tip that the true damage becomes apparent. Initially a soft cervical collar is applied to ameliorate the acute discomfort; this is quite a painful injury. A high percentage of these patients continue to have discomfort if the tip is not excised. Often it is a relatively small fragment.

When the fracture is closer to the base, or even extends to the lamina, a much broader contact is possible, and immobilization for six or eight weeks is often followed by good healing. With the smaller fragments, excision and repair of the ligament has become the method of choice.

Chip Fractures of Vertebral Bodies

Two distinct types may be recognized under this heading. The commonest is separation of a small bony spur or osteophyte in a spine that is already the seat of degenerative changes (Fig. 13–91). Spur formation is commonest at the C.5 and C.6 area, near the middle of the cervical spine excursion. Flexion and compression forces tend to be focused more at this level than elsewhere in the spine. An incomplete compression- or flexion-type injury may dislodge a small bony spur.

Treatment. This lesion should be treated as a cervical sprain, with adequate immobilization for at least six weeks until the acute symptoms have subsided. Sometimes the fragment will unite satisfactorily, but often it remains apparently separated. The real significance of identifying the fragment is that it serves as an indication that significant trauma

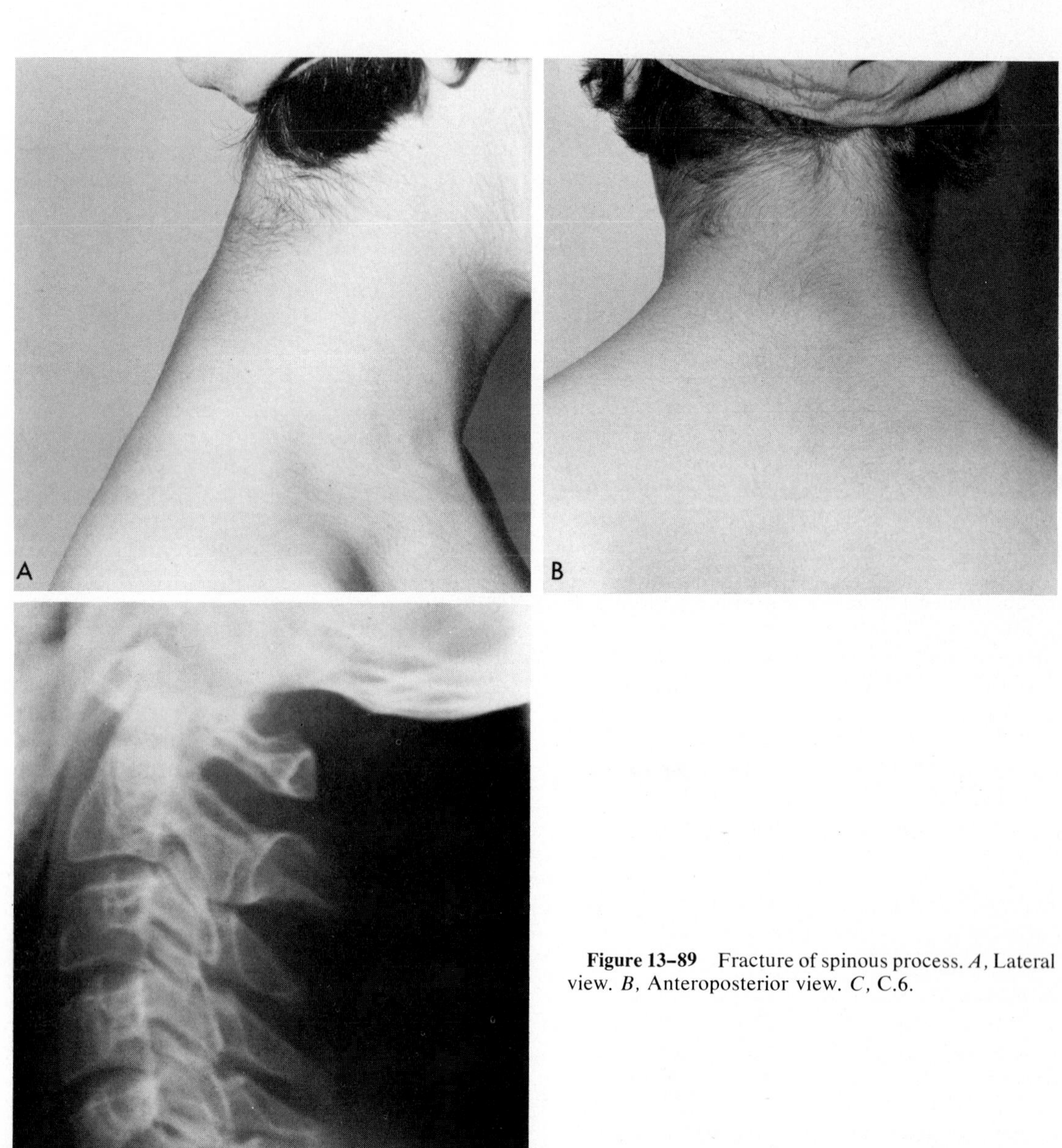

Figure 13–89 Fracture of spinous process. *A*, Lateral view. *B*, Anteroposterior view. *C*, C.6.

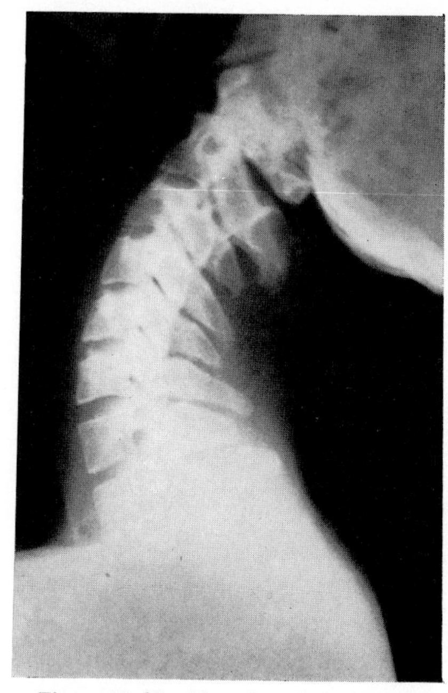

Figure 13–90 Clay-shoveler's fracture.

has been applied to the area, sufficient force having been used to produce more than a purely soft tissue involvement. The spicule may appear not to unite, but this does not seem to be of significance.

Extension Injuries

Forced backward bending or extension of the cervical spine places stress on the anterior-longitudinal ligament. With distraction force focused anteriorly, tearing of the ligament can occur, or a small chip may be pulled from the anterior edge of the vertebral body. As a rule, this is more painful and more significant than the osteophyte chip; more force has been involved and more damage has been done. For this to take place, significant stretching of the anterior longitudinal ligament has occurred; such a force, if increased, could favor subluxation of the facets.

X-ray examination will show the avulsed fragment, but careful assessment often de-

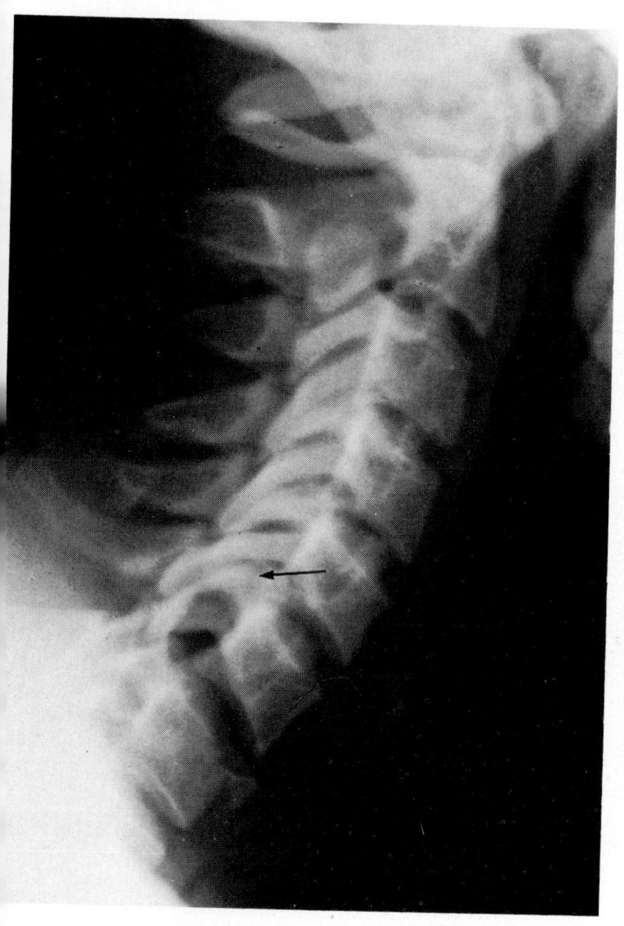

A

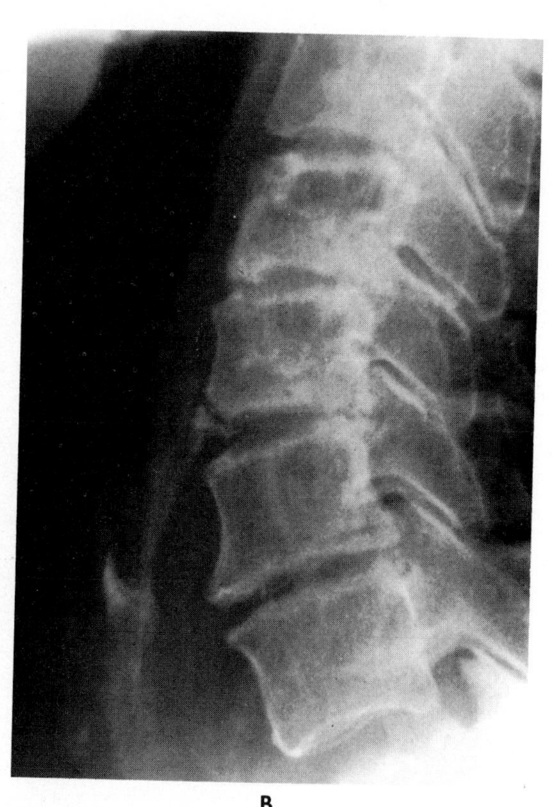

B

Figure 13–91 *A*, Chip fracture of posterior aspect of vertebral body C.5. *B*, Chip fracture of vertebral body. Note clear-cut edges indicative of fracture.

lineates swelling in front of the anterior limit of the vertebral bodies, indicative of a large hematoma. Some of these lesions require cervical traction during the acute symptoms, followed by the application of a hard cervical collar or a plaster collar. The discomfort and incapacity resulting from these injuries is usually more extensive than from the chipped osteophyte. A period of eight to 12 weeks' immobilization is often necessary for subsidence of the discomfort.

Vertebral Body Fractures

Fractures below the atlas and axis without dislocation are of the flexion-compression type (Fig. 13–92). In the absence of cord involvement, or any suggestion of dislocation or subluxation, 48 to 72 hours of halter traction followed by the application of a Minerva jacket will usually be sufficient. The jacket is worn for 12 to 16 weeks and a firm cervical collar for an additional two months

The management of the fractures complicated by dislocation or cord damage is much more complex, and is considered in the next section.

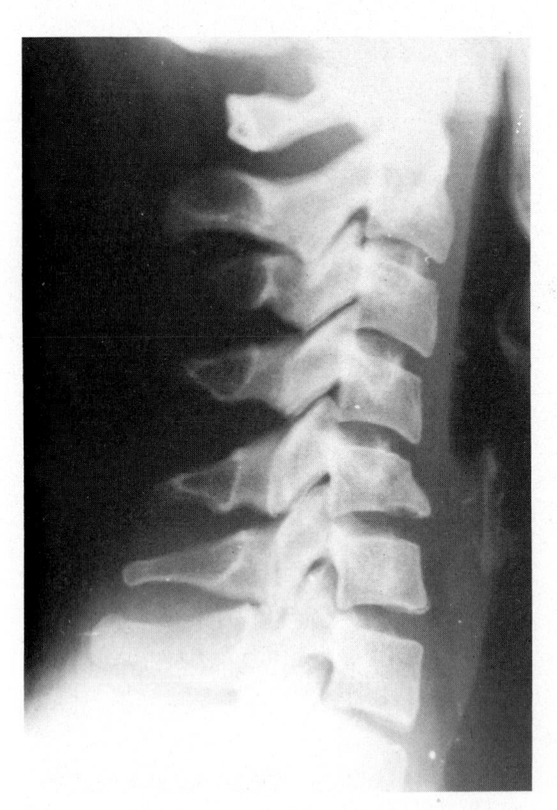

Figure 13–92 Compression fracture of vertebral body C.5.

Fractures of Laminae Pedicles and Articular Processes

As a rule, fractures of the process are sometimes seen complicating a dislocation. Rarely, a linear crack may be identified without significant displacement, and such a fracture is handled in the same way as a compression fracture of the vertebral body. A period of preliminary chin traction may be necessary to relieve the muscle spasm, but often this is not necessary, and a Minerva jacket may be applied directly. These fractures heal in about 12 weeks, but a cervical collar should be used for a further two months. The more complicated aspect of these fractures occurring with dislocation is discussed later.

Fractures of the Atlas

The atlas is subject to two separate types of injury, one a compression type of injury from falls on the head, and the other a hyperextension type of compression that implicates the posterior arch (Fig. 13–93). Either of these injuries may be accompanied by extensive cord damage and considerable dislocation of fragments, but this is not common.

Usually, fractures of the atlas are not

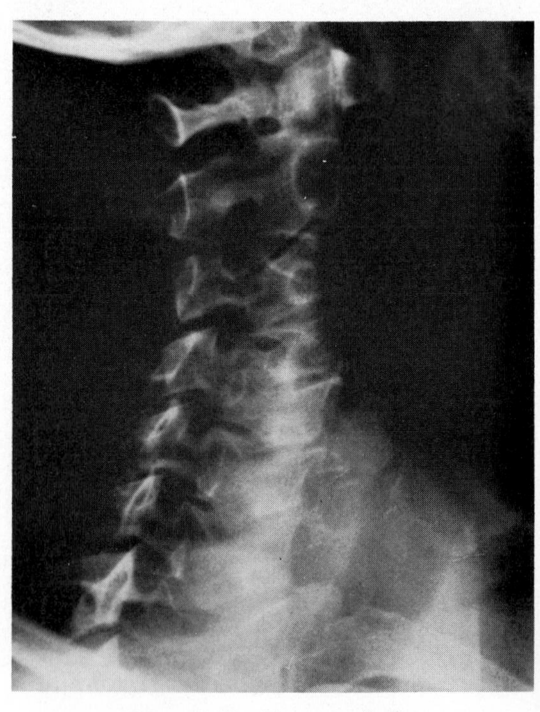

Figure 13–93 Fracture of atlas.

extensively displaced, and may be treated satisfactorily by closed methods. A preliminary period of light traction may be necessary to steady the head, but prolonged application is unnecessary. As soon as the patient is comfortable, a Minerva jacket should be applied and worn for a period of 12 weeks.

Fractures of the Axis

The odontoid process is the vulnerable zone of the axis, but fractures can also occur through the lateral masses (Fig. 13–94).

Treatment. Fractures of the odontoid without cord involvement are treated by preliminary cervical traction; sometimes, skeletal traction is preferable to halter traction in these lesions. The traction is continued until satisfactory position of the displaced odontoid has been obtained. When it is in good position and the post-injury reaction has subsided, a Minerva jacket is applied and left in place for 16 weeks. At this point, radiographs should be taken to determine the likelihood of union. If there is any doubt, immobilization should be continued for a further two months. After removal of the plaster, a cervical collar is worn for an additional three months.

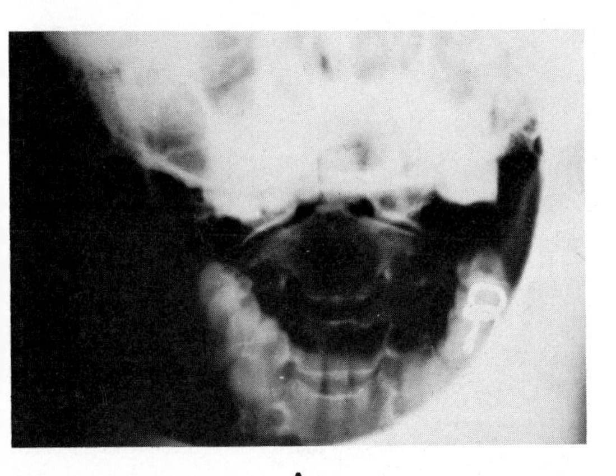

A

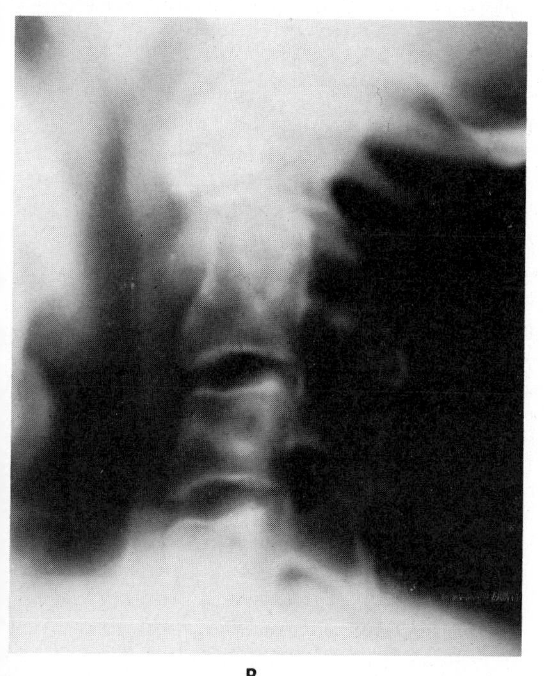

B

Figure 13–94 *A* and *B*, Fractures of odontoid process.

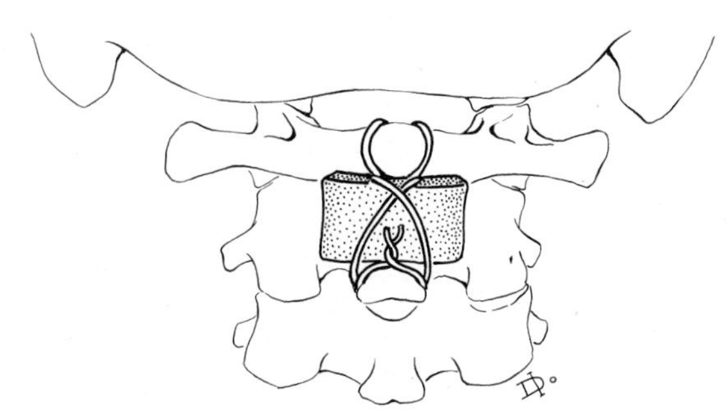

Figure 13–95 Gallie technique for atlantoaxial arthrodesis.

Some authorities advocate open reduction and internal fixation of these injuries because of the considerable instability of the axis. This should not be carried out as a primary procedure, or during the early post-injury period. When difficulties arise in obtaining a satisfactory reduction or in realigning the odontoid, consideration should be given to surgical therapy.

The technique employed is to leave the cervical traction in place during the exposure, and carry out wire fixation of the axis and atlas, with a wire loop passed underneath the posterior arch of the atlas, and then tied in wrap-around fashion about the spine of the axis (Fig. 13–95). This exerts a posterior pull on the atlas, favoring accurate realignment of the odontoid process. In an early case, wire fixation appears to be all that is necessary. If the patient presents at a later period, say some six to eight weeks after injury, the addition of some means of stabilizing the atlas to the axis is desirable. An iliac bone graft may be inserted between the posterior arch of the atlas and the axis, with the wire loop so applied that it wedges the bone back into place, favoring snug fixation (Fig. 13–96).

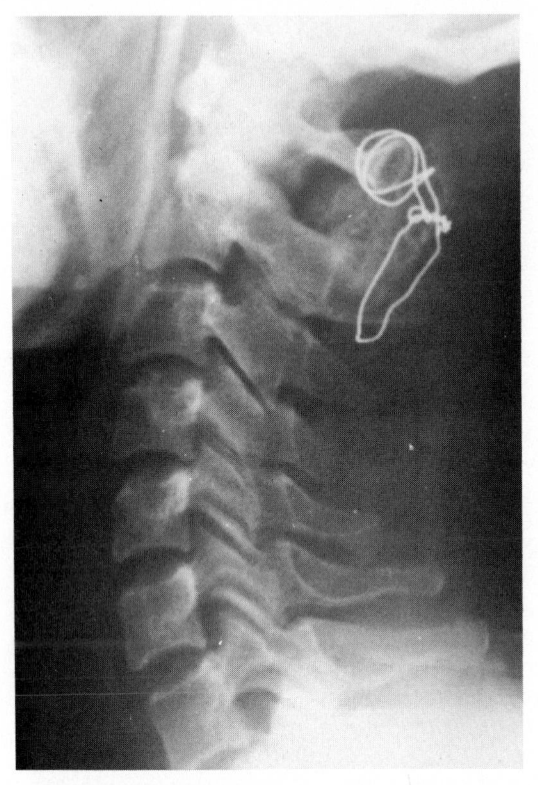

Figure 13–96 Postoperative appearance after atlanto-axial arthrodesis.

Fractures of the Lateral Mass of the Axis*

When such a fracture occurs without dislocation, it is usually a forced extension type of injury, or one involving extension plus some compression force from above, so that dual forces apply. The atlas may be damaged at the same time. As a rule, there is not much displacement (unless there is accompanying cord damage), and open reduction or manipulation is not required.

Treatment. These injuries are treated by a preliminary period of light traction, followed by application of a Minerva jacket for 12 to 16 weeks. A firm cervical collar is worn for a further two months.

Atlantoaxial Dislocations

Several different types of dislocation are encountered between the occiput and the atlas and the axis. These are discussed under the heading, "Dislocations of the Cervical Spine."

*See Figure 13–97.

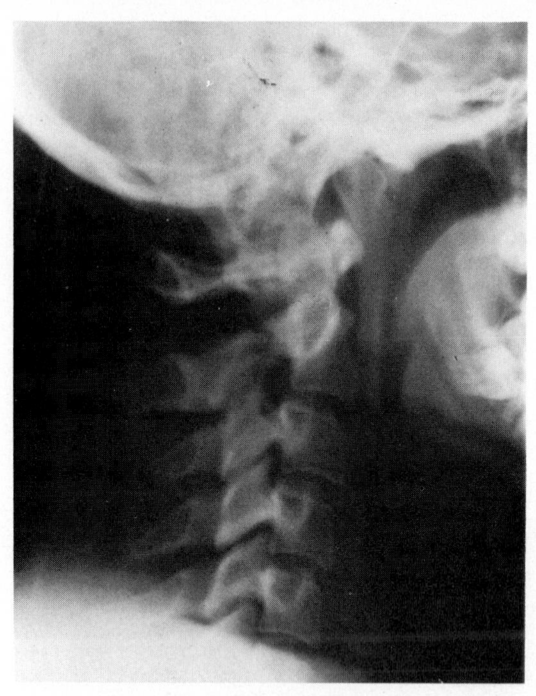

Figure 13–97 Fracture extending into lateral mass C.2.

FRACTURES OF THE CERVICAL SPINE WITH CORD IMPLICATIONS

A cardinal consideration in the managment of all neck injuries is the prevention of cord or nerve root damage. No matter where the injury has occurred, the neck should be immobilized with the head and neck in the midposition, and unwarranted movement in all directions should be prevented. The management of these cases requires skill and experience, and the team approach with the cooperation of orthopaedist and neurosurgeon often provides the best therapy.

Many patients do not survive such injuries more than a matter of hours. Following transportation to a hospital, the initial step should be the insertion of head tongs for skeletal traction and control of the deformity. This procedure can be carried out without menacing the patent's general condition, with the use of only a few milliliters of a local anesthetic. The type of skeletal apparatus used depends largely on the surgeon's preference. There are many advocates of the Crutchfield tongs, because of the security of fixation and maneuverability obtained. Another good type of tong is that designed by K. G. McKenzie, which as the virtues of extreme simplicity of insertion and reliability of fixation. The McKenzie tongs are inserted at a point about 1 inch above and behind the ear, where a small area may be shaved; 2 ml of 2 per cent Novocain injected, a small puncture made in the skin, and the tongs applied with one or two gentle taps of a hammer while the opposite side is held with a weighted resistance. Initially, 7 to 10 pounds of traction is applied, pending the decision on further management.

Opinions have long differed as to the necessity for operation in these cases. For a very extensive presentation of the technical considerations, the reader is referred to Crenshaw's Campbell's Operative Orthopaedics, 4th edition, from which many of the following observations have been drawn.

The principles followed are dictated predominantly by the extent of neural involvement. Special consideration must also be given to dislocations in which there has been no neural involvement, but which are not easily reduced.

Contraindications to Operative Treatment. Surgical treatment is not indicated in the following circumstances: (1) steady improvement of paralysis during the first 24 hours; (2) a negative manometric test, despite malalignment of the vertebrae; and (3) when complete paralysis has been immediate and has lasted more than 24 hours. Although these criteria have strong advocates, they require in-depth assessment. One can never rely implicitly on an apparent history of complete paralysis; some authorities believe that many more of these patients should be explored.

Indications for Operative Treatment. Operation is performed: (1) when the paralysis in incomplete initially and shows some increase over the first 24 hours; (2) when there is a positive manometric test, regardless of partial or complete paralysis; and (3) when there is no improvement of the paralysis over a period of 24 hours, even though it was initially incomplete, and despite realignment of the dislocation.

Considerable judgment is required in deciding the time of surgical intervention. These patients are critically injured and in extensive shock, and do not stand the operative procedure well.

The patient with a fracture-dislocation and transient or no cord signs whose fracture is not appropriately reduced within four or five days in spite of the use of skeletal traction requires open reduction of the dislocation, but laminectomy or cord decompression is not usually necessary.

FRACTURE DISLOCATIONS OF THE CERVICAL SPINE

In the early case, the application of skeletal traction restores good alignment in a high percentage of patients. When this is accompanied by a diminishing neurologic deficit, operative intervention is not necessary. If the reduction of the deformity does not improve an incomplete paralysis, surgical intervention with decompression is required. (Fig. 13–98).

W. A. Rogers, pioneer in the management of cervical spine injuries, has been an advocate of the operative management of these lesions. He found that incomplete reduction by skeletal traction was likely to be followed by deformity and luxation at a later date and possible further cord injury. When there is any doubt regarding stability, exploration and stabilization should be carried out. The operation is done with the skeletal traction in place. Traction is continued for eight to ten weeks, at the end of which time a Minerva jacket may be applied for a further three months. The patient should be approached from the posterior aspect, so that the dislocation may be properly realigned and cord decompression carried out if necessary. Sometimes the anterior approach to the vertebral bodies in these injuries is unsatisfactory.

Instability of cervical spine fractures with any element of dislocation is a major complication. The "layer" theory with reference to these injuries postulates that, in any fracture dislocation, the zone of disruption can be followed layer by layer, through the posterior elements of adjacent vertebrae and/or into the soft tissues. As one analyzes the mechanism of injury in these instances, the multiple layer disruption becomes understandable.

The ensuing x-ray studies demonstrate the progression of the injury from the level of anterior body dislocation through pedicle and posterior spinous process in serial fashion, eventually implicating soft tissues also. Such a fracture is extremely unstable and requires firm skeletal traction for reduction, followed by stabilization. In some cases it is possible to stabilize the "key" displacement site, which in this instance (Figs. 13–99 and 13–100) the

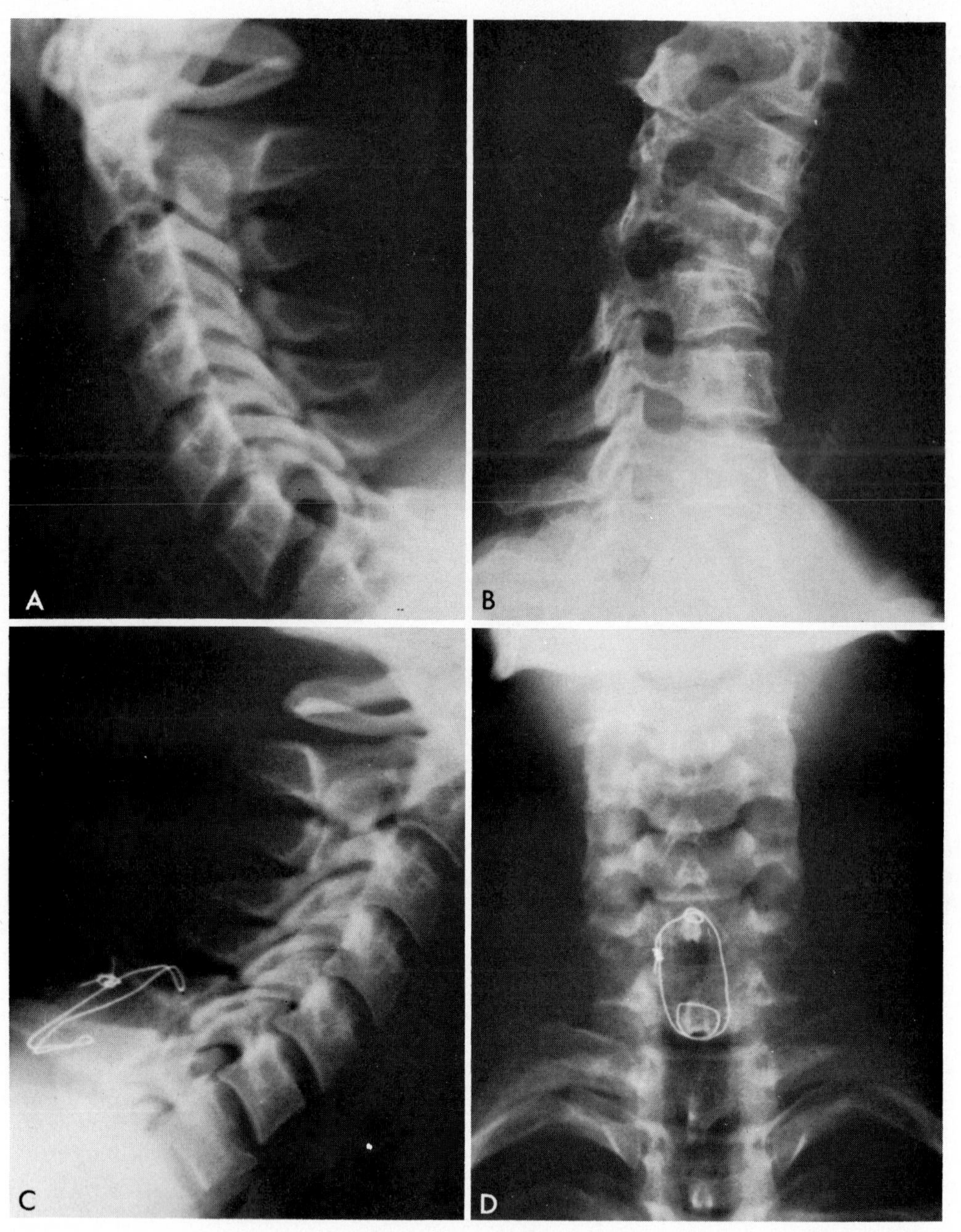

Figure 13–98 Fracture dislocation of cervical spine. *A*, Routine lateral view shows fracture only. *B*, Oblique view shows dislocation. *C* and *D*, Views following operative reduction and wire fixation.

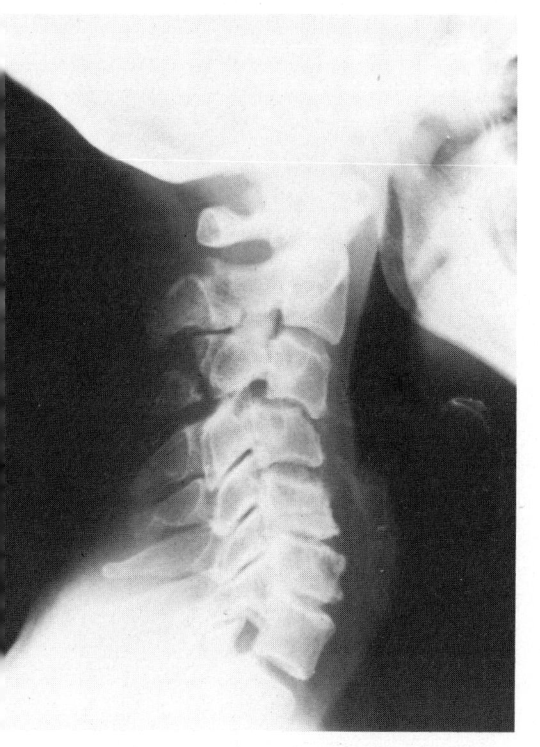

Figure 13–99 Layer effect of unstable fracture dislocation, with serial involvement at different levels from vertebral body to soft tissues.

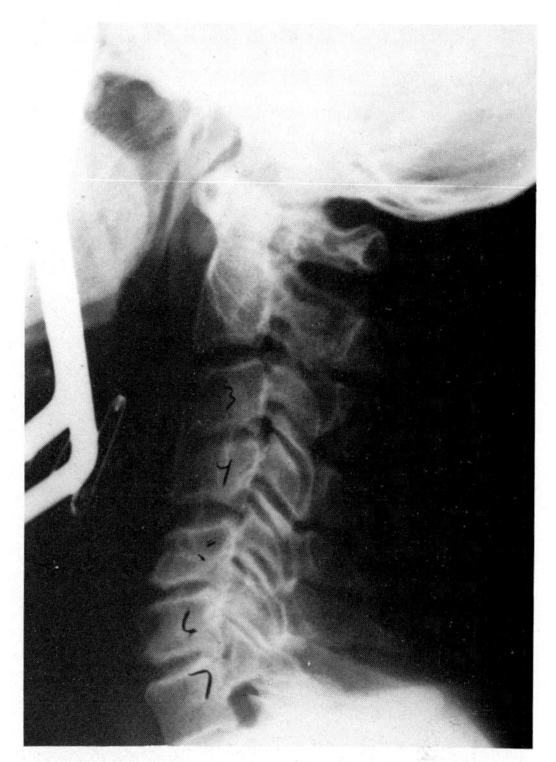

Figure 13–100 Reduction following anterior stabilization of C.3–C.4.

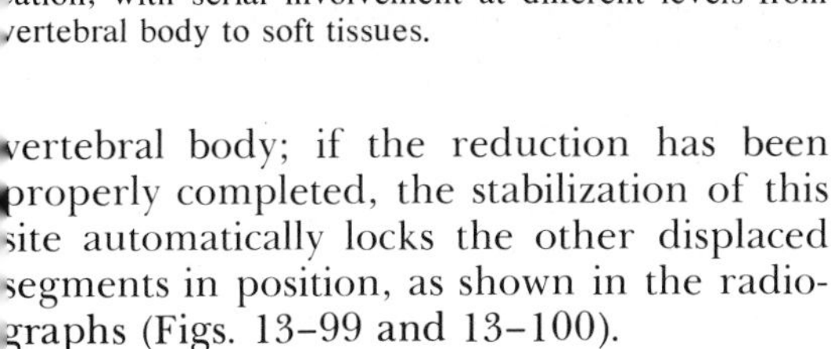

vertebral body; if the reduction has been properly completed, the stabilization of this site automatically locks the other displaced segments in position, as shown in the radiographs (Figs. 13–99 and 13–100).

DISLOCATION OF THE CERVICAL SPINE

Not all dislocations are accompanied by cord damage, but it occurs in a high percentage.

Dislocation of the Atlas

Spontaneous dislocation of the atlas has been encountered frequently in rheumatoid arthritics, and occasionally in patients with severe nasopharyngeal infection. The mechanism of dislocation is that the transverse ligaments of the atlas becomes slack as a result of its attachment to the atlas, such as may occur in the extreme osteoporosis of rheumatoid arthritis, or in the case of hyperemic decalcification associated with extensive local infection.

Treatment. Sedation and gentle extension, followed by halter traction, usually produce satisfactory reduction. Often these patients are extremely frail and fragile and have respiratory complications, so that a heavy Minerva jacket of plaster is undesirable. A preferable arrangement is a type of thoracic brace, with a fiberglas or plexiglas chin and suboccipital extension.

Dislocation of the Atlas Without Fracture of the Odontoid

When this is the result of injury, extensive cord damage almost always occurs, and often the lesion is fatal. If the odontoid does not crack across its base, and the atlas shifts forward, it must crush the spine between it and the odontoid. If the patient survives, skeletal traction is applied, followed by plaster fixation for three months. Considerable instability may result from this injury and require atlantoaxial stabilization. However, cases have been reported in which traction and skilled manipulation have reduced a complete atlas dislocation.

Dislocation of the Cervical Spine

Severe flexion force with mingled rotatory

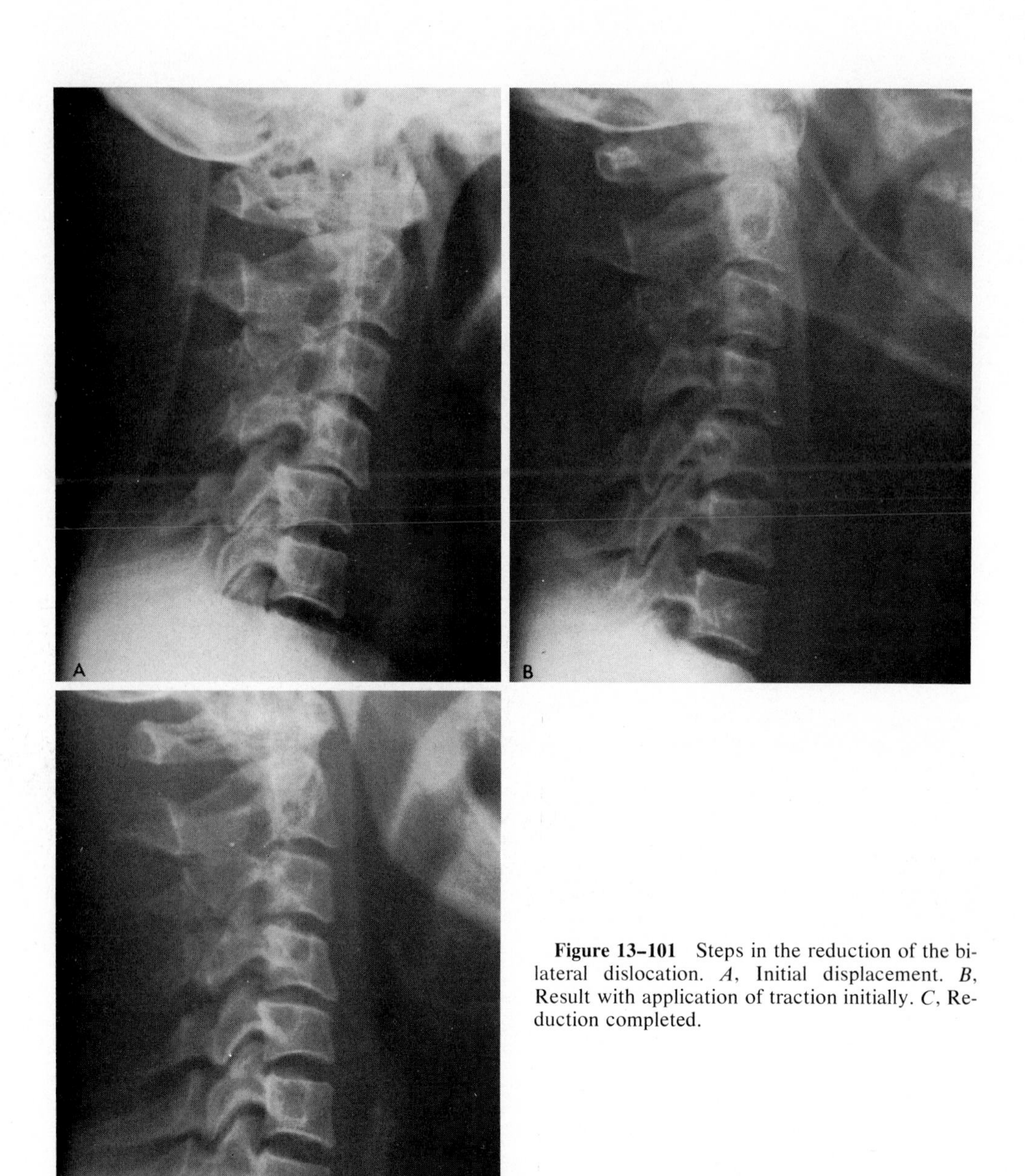

Figure 13–101 Steps in the reduction of the bilateral dislocation. *A*, Initial displacement. *B*, Result with application of traction initially. *C*, Reduction completed.

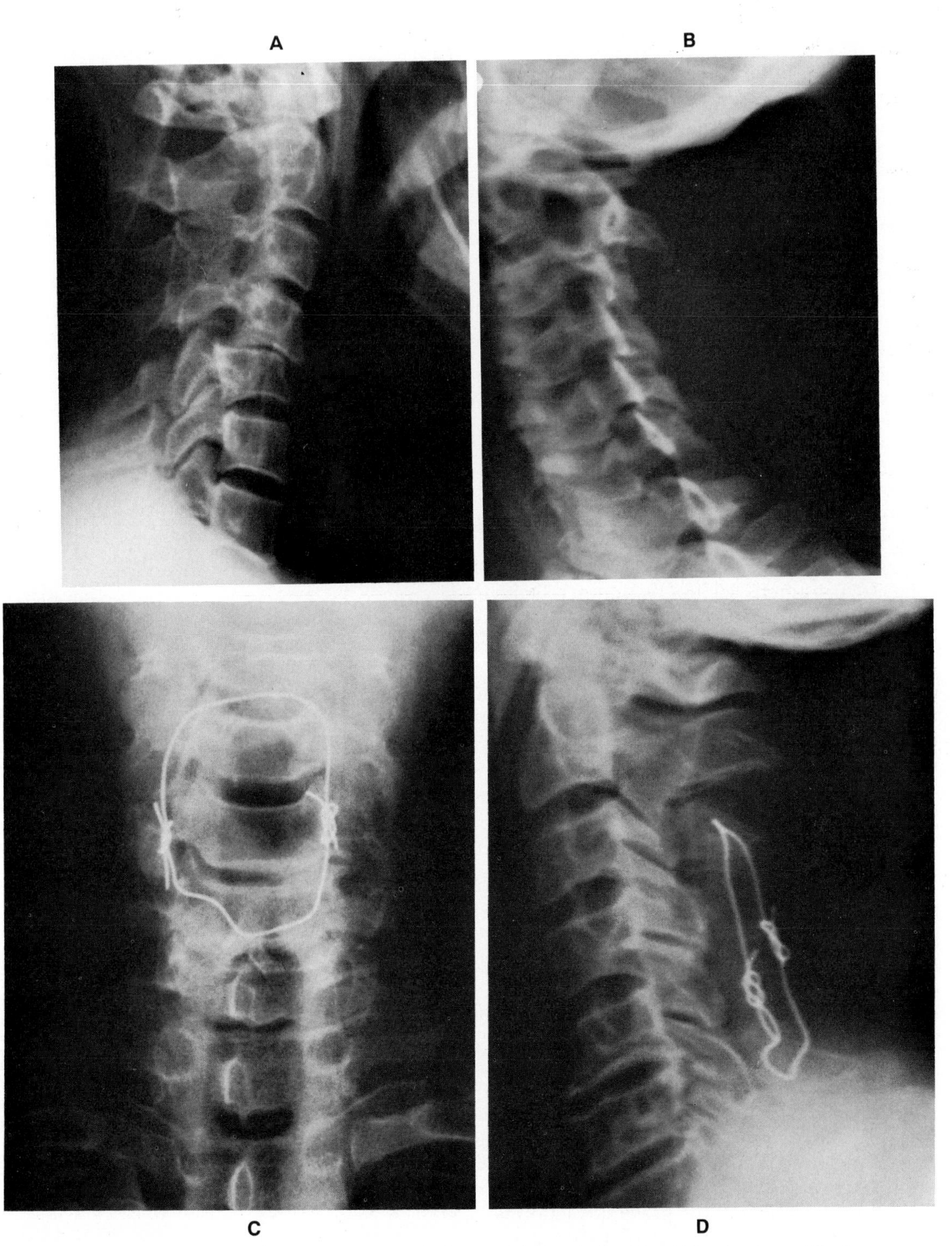

Figure 13–102 Dislocation of cervical spine before (*A* and *B*) and after (*C* and *D*) reduction and fixation.

compression may produce a unilateral dislocation, so that the apophyseal facets overlap and lock on one or, sometimes, both sides.

T. R. Beatson has called attention to the difficulties in identifying subluxation, unilateral dislocation, and bilateral dislocation in routine x-ray investigation. Experimental and clinical study was made of the significance of the degree of displacement of one vertebral body on the other as seen on the routine lateral views, as a possible guide to the extent of facet involvement. By reproducing various degrees of dislocation experimentally, it was found that a unilateral dislocation could be anticipated if the amount of displacement was less than half of the vertebral body's anteroposterior depth. Bilateral facet dislocation should be suspected when the displacement is greater than half the anteroposterior dimension.

Unilateral Dislocation. The usual configuration is a sliding forward of the lower facet of the upper vertebra on the superior facet of the lower body. Cord or nerve root signs may accompany these lesions.

TREATMENT. Skeletal traction with head tongs is instituted, 15 to 20 pounds being applied gradually. X-ray examination is carried out every hour or so to assess the response to the pull. It may be necessary to double the amount of weight, which can be done quite safely if the tongs have been properly introduced. Most dislocations can be reduced over a period of six to eight hours with increases in weight.

When closed methods fail after a reasonable trial (three to four days), and the patient's general condition warrants, open reduction should be carried out with the cervical traction in place (Fig. 13–101).

Bilateral Dislocation. Many of these produce extensive cord damage and require open reduction, sometimes with laminectomy (Fig. 13–102). Some form of fixation should then be introduced. In the simple dislocation, wire fixation to the spinous processes is adequate. When there is considerable instability, or if extensive laminectomy has been required, it is preferable to add a bone graft after the method of Robinson and Southwick.

Following reduction, the skeletal traction is left in place for four to six weeks, followed by the application of a Minerva jacket or special neck and shoulder brace for a further three months.

REFERENCES

Adams, J. C.: Recurrent dislocation of the shoulder. J. Bone Joint Surg. *30B*:26, 1948.

Aitken, A. P.: Fractures of the proximal humeral epiphysis. Surg. Clin. North Am. *43*:1573, 1963.

Antal, C. S., et al.: Injuries to the axillary due to anterior dislocations of the shoulder. J. Trauma *13*:563, 1973.

Artz, T., et al.: A major complication of the modified Bristow procedure for recurrent dislocation of the shoulder. A case report. J. Bone Joint Surg. (Am.) *54*:1293, 1972.

Aufranc, O. E., et al.: Bilateral shoulder fracture dislocations. J.A.M.A. *195*:1140, 1966.

Aufranc, O. E., et al.: Unilateral rotary subluxation of C3 on C4. J.A.M.A. *185*:1031, 1963.

Aufranc, O. E., et al.: Comminuted fracture dislocation of the proximal humerus. J.A.M.A. *195*:770, 1966.

Bailey, R. W., et al.: A dynamic method of repair for acute and chronic acromioclavicular disruption. Am. J. Sports Med. *4(2)*:58, 1976.

Bailey, R. W.: Acute and recurrent dislocation of the shoulder. J. Bone Joint Surg. *49A*:767, 1967.

Baker, D. M., et al.: Fracture dislocation of the shoulder—report of 3 unusual cases with rotator cuff avulsion. J. Trauma 5:659, 1965.

Bänninger, J., et al.: Late results of the combined putti-platt and operations for habitual shoulder dislocation (author's transl.). Ther. Umsch. *31*, #4 p. 222–226, Apr. 1974.

Bearden, J. M., et al.: Acromioclavicular dislocation: method of treatment. J. Sports Med. *1(4)*:5, 1973.

Beatson, T. R.: Fractures and dislocations of the cervical spine. J. Bone Joint Surg. (Br.) *45B*:21, 1963.

Bell, H. M.: Posterior fracture-dislocation of the shoulder—a method of closed reduction: a case report. J. Bone Joint Surg. *47A*:1521, 1965.

Blazina, M. E.: Letter: acromioclavicular dislocation. J. Sports Med. *2(1)*:58, 1974.

Blazina, M. E., and Saltzman, J. S.: Recurrent anterior subluxation of the shoulder in athletes. Proceedings of the American Academy of Orthopaedic Surgeons, Jan., 1969. Bone Joint Surg. *51A*: pg , 1969.

Bloom, M. H., et al.: Diagnosis of posterior dislocation of the shoulder with use of Velpeau axillary and angle-up roentgenographic views. J. Bone Joint Surg. *49A*:943, 1967.

Blush, K.: Post-op therapy for recurrent dislocation of the shoulder. Am. Correct. Ther. J. *30(1)*:21, 1976.

Boyd, H. B., et al.: Recurrent dislocation of the shoulder. The stable capsulorrhaphy. J. Bone Joint Surg. *47A*:1514, 1965.

Boyd, H. B., et al.: Recurrent posterior dislocation of the shoulder. J. Bone Joint Surg. (Am.) *54*:779, 1972.

Braun, R. M., et al.: Surgical treatment of the painful shoulder contracture in the stroke patient. J. Bone Joint Surg. (Am.) *53*:1307, 1971.

Bruckner, H.: Evaluation of 216 primary and 50 habitual shoulder joint luxations. Mschr. Unfallheilk. *69*:324, 1966.

Bryan, R. S., Dimichele, J. D., Ford, G. L., and Gary, G. R.: Anterior recurrent dislocation of the shoulder. Report of a series of Augustine variations of Magnuson-Stack repair. Clin. Orthop. *63*:177, 1969.

Burton, M. E.: Operative treatment of acromioclavicular dislocations. Bull Hosp. Joint Dis. *36(2)*:109, 1975.

Cave, E. F.: Immediate fracture management. Surg. Clin. North Am. *46*:771, 1966.

Chakrabarty, R. P.: A new surgical approach for recurrent dislocation of the shoulder. J. Indian Med. Assoc. *47*:542, 1966.

Ciugudean, C.: A new procedure for treatment of acromioclavicular luxation. Rev. Chir. Orthop. *52*:485, 1966.

Cobey, M. C.: Letter: bone graft stabilization for recurrent dislocation of the shoulder. Clin. Orthop. *114*:374, 1976.

Crenshaw, A. H. (ed.): Campbell's Operative Orthopaedics. 4th ed. The C. V. Mosby Co., St. Louis, 1965.

Dameron, T. G., and Reibel, D. B.: Fracture involving the proximal humeral epiphyseal plate. J. Bone Joint Surg. *51A*:289, 1969.

Danis, A.: A new technique for the treatment of recurrent dislocation of the shoulder. Acta Orthop. Belg. *32*:729, 1966.

Deerhake, R. H., et al.: Stabilization in acromioclavicular disruption. J. Sports Med. *3(5)*:218, 1975.

Delitala, F., et al.: Shoulder of Winston Churchill (Churchill W.). Chir. Organi Mov. *60*:63, 1971.

DePalmer, A. F., et al.: Acute anterior dislocation of the shoulder. J. Sports Med. *1(2)*:6, 1973.

Detenbeck, L. C.: Posterior dislocations of the shoulder. J. Trauma *12*:183, 1972.

Dewar, F. P., et al.: Fracture dislocation of the shoulder. Report of a case. J. Bone Joint Surg. *49B*:540, 1967.

Dimon, J. H., 3rd: Posterior dislocation and posterior fracture dislocation of the shoulder: a report of 25 cases. South. Med. J. *60*:661, 1967.

Drummond-Rees, A.: Cervical collar. Physiotherapy. *60(4)*:107, 1974.

Dubousset, J.: Posterior dislocation of the shoulder. Rev. Chir. Orthop. *53*:65, 1967.

Elting, J. J.: Retrosternal dislocation of the clavicle. Arch. Surg. *104*:35, 1972.

Eyre-Brook, A.: Posterior dislocation of the shoulder. Proc. R. Soc. Med. *65*:1030, 1972.

Fahey, J. J., et al.: Fractures and dislocations in children. Postgrad. Med. *36*:39, 1964.

Figiel, S. J., et al.: Posterior dislocation of the shoulder. Radiology *87*:737, 1966.

Fontaine, R., et al.: Arterial complications in shoulder dislocations and their sequelae. Apropos of 6 personal cases. Ann. Chir. *20*:1048, 1966.

Gal, A.: Severe cervical spine injuries. J. Trauma *5*:379, 1965.

Geneste, R.: Recurring dislocations of the shoulder treated by Bankart's operation. Rev. Chir. Orthop. *52*:665, 1966.

Gilchrist, D. K.: A stockinette-Velpeau for immobilization of the shoulder-girdle. J. Bone Joint Surg. *49A*:750, 1967.

Gosset, J., et al.: Technic and late results in the treatment of recurrent dislocation of the shoulder by anterior shelf procedure (Reinforced costal graft). Ann. Chir. *25*:1171, 1971 (Engl. Abstr.).

Gronmark, T.: Surgical treatment of acromioclavicular dislocation. Acta Orthop. Scand. *47(3)*:308, 1976.

Howard, R. C.: Treatment of severe fracture-dislocations of the shoulder. Proc. R. Soc. Med. *65*:1032, 1972.

Jacobs, B., et al.: Acromioclavicular joint injury. An end result study. J. Bone Joint Surg. *48A*:475, 1966.

Jardon, O. M., et al.: Complete avulsion of the axillary artery as a complication of shoulder dislocation. J. Bone Joint Surg. (Am.) *55*:189, 1973.

Lam, S. J.: Irreducible anterior dislocation of the shoulder. J. Bone Joint Surg. *48B*:132, 1966.

Laskin, R. S., et al.: Luxatio erecta in infancy. Clin. Orthop. *80*:126, 1971.

Letter: Acromioclavicular dislocation. J. Sports Med. *2(2)*:118, 1975.

Lombardo, S. J., et al. The modified Bristow procedure for recurrent dislocation of the shoulder. J. Bone Joint Surg. (Am.) *58(2)*:256, 1976.

Mauck, R. H., et al.: Bilateral posterior shoulder dislocation: an orthopaedic case report. Va. Med. Mont. *93*:452, 1966.

McLaughlin, H. L., et al.: Recurrent anterior dislocation of the shoulder. II. A comparative study. J. Trauma *7*:191, 1967.

Mears, D. C.: Letter: treatment of shoulder subluxation in the hemiplegic. Br. Med. J. *3*:648, 1975.

Moeller, J. C.: Compound posterior dislocation of the glenohumeral joint. Case report. J. Bone Joint Surg. (Am.) *57(7)*:1006, 1975.

Morrey, B. F., et al.: Recurrent anterior dislocation of the shoulder. Long term follow-up of the Putti-Platt and Bankart procedures. J. Bone Joint Surg. (Am.) *58(2)*:252, 1976.

Murphy, B. D.: "Cotton forker's injury" fracture of the upper dorsal spinous processes. Tex. J. Med. *60*:520, 1964.

Myles, J. W.: Manipulative reduction of fracture-dislocations of the shoulder. Proc. R. Soc. Med. *65*:1033, 1972.

Neer, C. S.: Prosthetic replacement of the humeral head: indications and operative technique. Surg. Clin. North Am. *43*:1581, 1963.

Neer, C. S., 2d: Anterior acromioplasty for the chronic impingement syndrome in the shoulder: a preliminary report. J. Bone Joint Surg. (Am.) *54*:41, 1972.

Nelson, C. L., et al.: Arthrography of the shoulder. A review. J. Trauma *13*:136, 1973.

Neviaser, J. S.: Posterior dislocations of the shoulder. Diagnosis and treatment. Surg. Clin. North Am. *43*:1623, 1963.

Oster, A.: Recurrent anterior dislocation of the shoulder treated by the Eden-Hybinette operation. Follow-up on 78 cases. Acta Oorthop. Scand. *40*:43, 1969.

Patterson, W. R.: Inferior dislocation of the distal end of the clavicle. A case report. J. Bone Joint Surg. *49A*:1184, 1967.

Perry, B. F.: An improved clavicle pin. Am. J. Surg. *112*:142, 1966.

Rapp, G. F.: Posterior dislocation of the shoulder. J. Indiana State Med. Assoc. *60*:923, 1967.

Riesel, H.: A contribution of the bilateral shoulder luxation. Mschr. Unfallheilk. *69*:327, 1966.

Roberts, A., et al.: Prognosis of posterior fracture-dislocation of the shoulder. Acta Orthop. Scand. *42*:328, 1971.

Rook, F. W., et al.: The treatment of acromioclavicular dislocation by use of a lag screw. South. Med. J. *60*:371, 1967.

Saha, A. K.: Dynamic stability of the glenohumeral joint. Acta Orthop. Scand. *42*:491, 1971.

Salter, R. B., and Harris, W. R.: Injuries involving the epiphyseal plate. J. Bone Joint Surg. *45A*:587, 1963.

Salto, H., et al.: Anterior-posterior dislocation of the shoulder joint in cerebral palsy. Orthop. Surg. (Tokyo) *23*:53, 1972.

Scott, K. J., Jr.: Treatment of recurrent posterior dislocations of the shoulder by glenoplasty. Report of 3 cases. J. Bone Joint Surg. *49A*:571, 1967.

Shaw, J. L.: Bilateral posterior fracture-dislocation of the shoulder and other trauma caused by convulsive seizures. J. Bone Joint Surg. (Am.) *53*:1437, 1971.

Sherk, H. H., and Nicholson, J. T.: Rotatory atlanto-axial

dislocation associated with ossibulum terminale and mongolism. J. Bone Joint Surg. *51A*:957, 1969.

Smedt de, A., et al.: Recurrent anterior dislocation of the glenohumeral joint. Acta Orthop. Belg. *41(2)*:215, 1975.

Sternoclavicular dislocation. Lancet *2(7933)*:491, 1975.

Strelec, J.: Congenital shoulder dislocation. Acta Chir. Orthop. Traumatol. Cech. *39*:158–60, 1972 (Engl. Abstr.).

Symeonides, P. P.: The significance of the subscapularis muscle in the pathogenesis of recurrent anterior dislocation of the shoulder. J. Bone Joint Surg. (Br.) *54*:476, 1972.

Teshima, S., et al.: Our surgical technique for acromioclavicular dislocation. Arch. Jap. Chir. *35*:407, 1966.

Trillat, A., et al.: Recurrent luxation of the shoulder and glenoid labrum lesions. Rev. Chir. Orthop. *51*:525, 1965.

Tsuchiya, H.: Bristow-McMurray's operation for recurrent anterior dislocation of the shoulder joint. Surgery (Tokyo) *17*:711, 1966.

Tveter, K. J., et al.: Posterior luxation of the shoulder joint. T. Norsk. Laegeforen. *86*:847, 1966.

Wagner, A.: Traumatic luxation of cervical vertebrae in children. Wiad.Lek. *18*:865, 1965.

Warrick, C. K.: Posterior dislocation of the shoulder joint. Br. J. Radiol. *38*:758, 1965.

Weaver, J. K., et al.: Treatment of acromioclavicular injuries, especially complete acromioclavicular separation. J. Bone Joint Surg. (Am.) *54*:1187, 1972.

Weile, F., et al.: Lesions of the axillary artery associated with dislocation of the shoulder. Acta Chir. Scand. *137*:279, 1971.

Weizman, G.: Treatment of acute acromio-clavicular joint dislocation by a modified Bosworth method. Report on 24 cases. J. Bone Joint Surg. *49A*:1167, 1967.

Welply, W. R.: Fractures and dislocations of the cervical spine—early treatment. Manit. Med. Rev. *46*:175, 1966.

Weston, W. J.: Soft tissue signs in recent subluxation and dislocation of the acromioclavicular joint. Br. J. Radiol. *45*:832, 1972.

Willoughby, D. V.: Acromioclavicular separations. A simple effective method of conservative treatment. Med Serv. J. Can. *21*:339, 1965.

Wilson, F. C., Jr., et al.: Results of operative treatment of acute dislocations of the acromioclavicular joint. J. Trauma 7:202, 1967.

Zaricznyj, B.: Late reconstruction of the ligaments following acromioclavicular separation. J. Bone Joint Surg. (Am.) *58(6)*:792, 1976.

Chapter 14

NERVE INJURIES IN THE NECK AND SHOULDER

More serious nerve injuries occur in this area than in any other region in the body. Several features contribute to this incidence.

ANATOMIC CONFIGURATION

The main nerves of the upper limb stream through the neck and shoulder on their way from the spinal cord to the hand. The vital contents cross an open and unprotected zone from the cervical spine to the clavicle. In addition to this exposed area, the intermingling and organization for distal limb distribution takes place in this region, adding to the complexity. Furthermore, these vital structures are grouped together in a relatively small region, so that damage over a very small area can exert extensive distal disruption.

EXPOSURE

The function of the shoulder-neck angle itself contributes to nerve damage. The tendency, particularly in industrial accidents, is for the workman to flee from the area of danger, for example, a tree or other falling obstacles. In doing this, he consistently exposes the posterior aspect of the shoulder-neck region, which often bears the brunt of such insults. The situation is somewhat similar in automobile injuries, because the upper portion of the body is less well protected than the lower part by the seating mechanism, being exposed in such a fashion that the acromiomastoid dimension is stretched, and neck-shoulder structures like the plexus are easily stretched (Fig. 14–1).

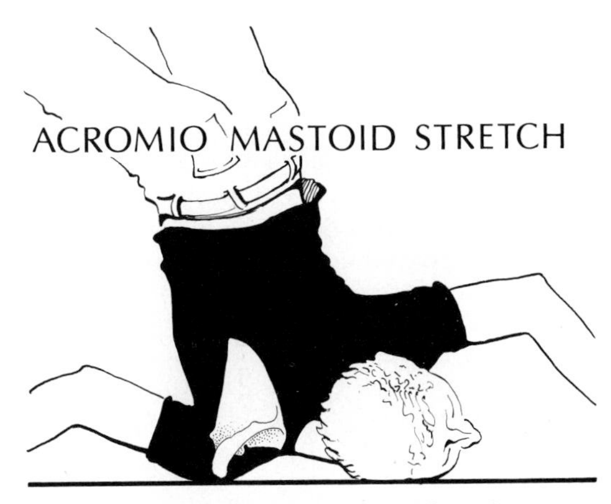

Figure 14–1 Acromiomastoid dimension.

ACTION OF THE PARTS

The shoulder-neck area, in allowing the passage through the plexus, creates a double-weighted linear system. The neck is weighted by the head, and the shoulder region by the extremity, so that it is possible to apply considerable linear force in both directions at the same time if the two weighted parts are distracted simultaneously.

CERVICAL PLEXUS INJURIES

The upper four spinal nerves, C.1 to C.4, contribute branches from their anterior segments to form what may be considered a separate plexus. Cervical spinal nerves divide into anterior and posterior segments. The posterior segment does not enter into any plexus formation, but ramifies posteriorly in the muscle planes of the neck, supplying the muscles and the sensory area over the posterior aspect of the neck (Fig. 14–2). Important branches arise from the anterior segments that constitute the cervical plexus. These include the lesser occipital, great auricular, cutaneous colli, and supraclavicular nerves. Injury to these nerves as a group is not frequent, but important symptoms are produced by damage in a variety of circumstances, and their significance as an entity should be clearly understood.

Sources of Injury

Direct trauma by way of lacerations is the commonest source of damage to these branches. In contrast to brachial plexus lesions, injuries do not arise as a result of traction, pressure, or radiation. One not uncommon source is accidental involvement in a surgical procedure. Explorations and dissections (particularly for malignant disease), exposure of the posterior triangle, operations on the clavicle, or procedures designed to remove tissue such as lymph nodes for biopsy contribute quite frequent damage to these branches.

Signs and Symptoms

Sensory function is the main contribution of these branches, so that, combined with the superficial position that they enjoy, the chief changes they mediate are sensory in nature. Unpleasant pain and superficial discomfort related to the scars or incisions in the area are frequent findings. Sensitive trigger areas can be identified, and alterations in sensations of touch can be detected, but zones of true anesthesia are rare. Subjective numbness, in addition to directly altered sensation, is also apparent. The posterior branches of these upper roots supply a zone of skin near the neck posteriorly, and innervate the muscles in the region. Direct injury to these elements is almost never seen, but they have considerable importance anatomically. These posterior branches, being a part of the common segmental nerves from the cord, are implicated in intradural, extradural, and foraminal lesions of the spinal cord at these levels. Their real importance lies in the fact that the electromyographic changes can often be detected in these muscles, thus implicating the cord or common nerve roots at this level, as opposed to more peripheral lesions.

Treatment. These branches are large enough to be repaired surgically. The result is worth the effort, because the best way to treat a bare nerve ending anywhere is to place it properly in another nerve. Excision of the neuromata and end-to-end suture materially decreases the unpleasant pain and diminishes the sensory loss.

BRACHIAL PLEXUS LESIONS

This most important grouping of nerve elements in the body is subject to quite frequent and serious injuries from a variety of insults. Special investigation, as well as very careful clinical assessment, is essential in the treatment of all these injuries.

INVESTIGATION OF PLEXUS INJURIES

Mechanism of Injury

Attention is directed toward careful assessment of the way in which injury has occurred. The manner of application of force and the type of trauma profoundly influence the type of injury, and therefore the treatment and prognosis. The damaging force may be a heavy blow from a bump on the shoulder; a projectile fall from a vehicle, spreading the acromiomastoid dimension; severe traction on the distal portion of the limb, as when the arm is caught in a machine belt; or the blow of a hockey or lacrosse stick across the front of the surpaclavicular zone. For many years practitioners of karate have been familiar with the vulnerability of the plexus above the clavicle, and have taken advantage of the disposition of these nerves to attack the area with a sharp incisive blow with the side of the hand in chopping fashion, midway between the root of the neck and the point of the shoulder above the clavicle (Fig. 14–3).

Examination

When nerve injury is suspected, the whole area must be carefully assessed (Fig. 14–4). If there is a wound of any kind, its relation to

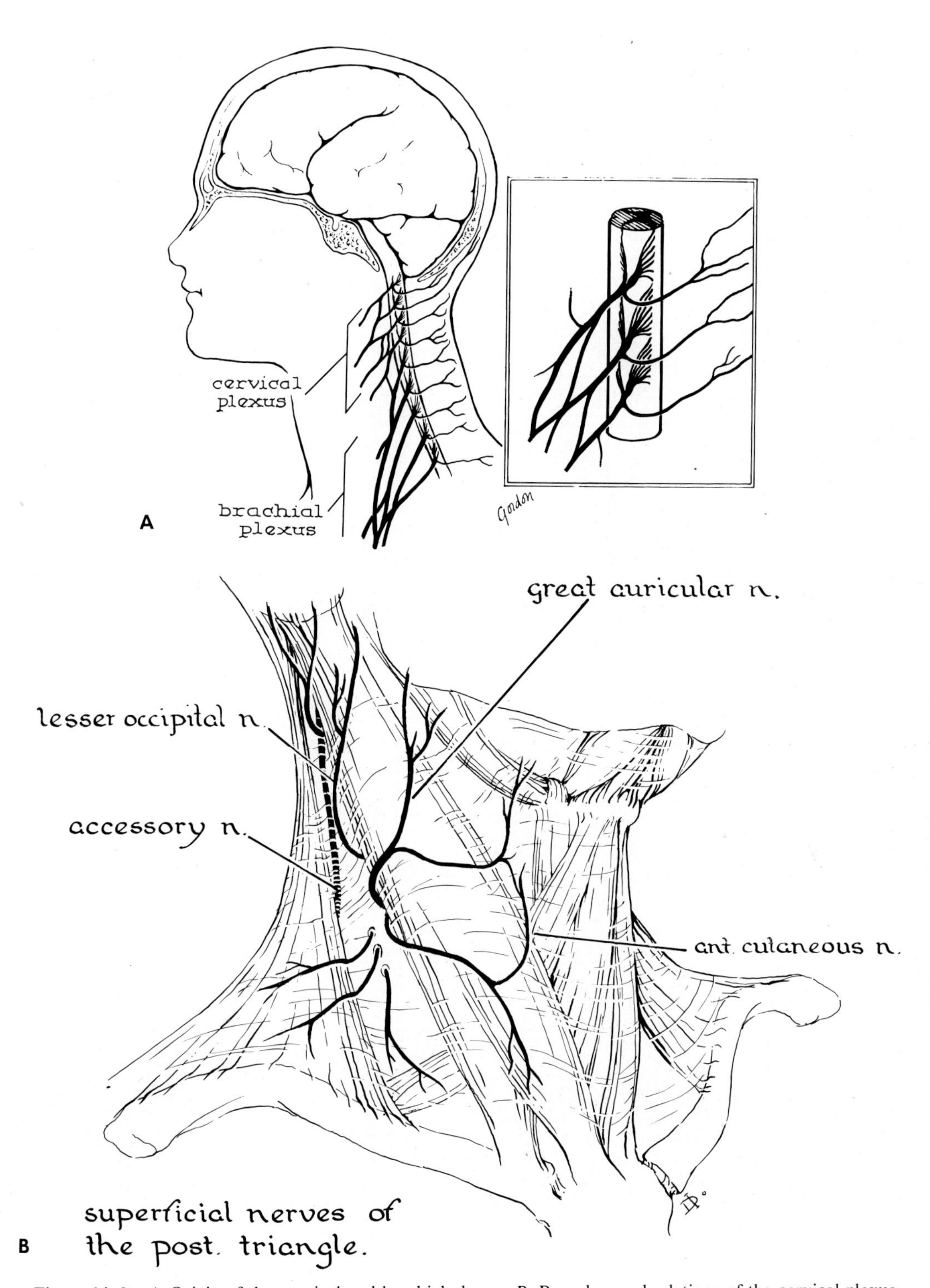

Figure 14–2 *A*, Origin of the cervical and brachial plexus. *B*, Branches and relations of the cervical plexus.

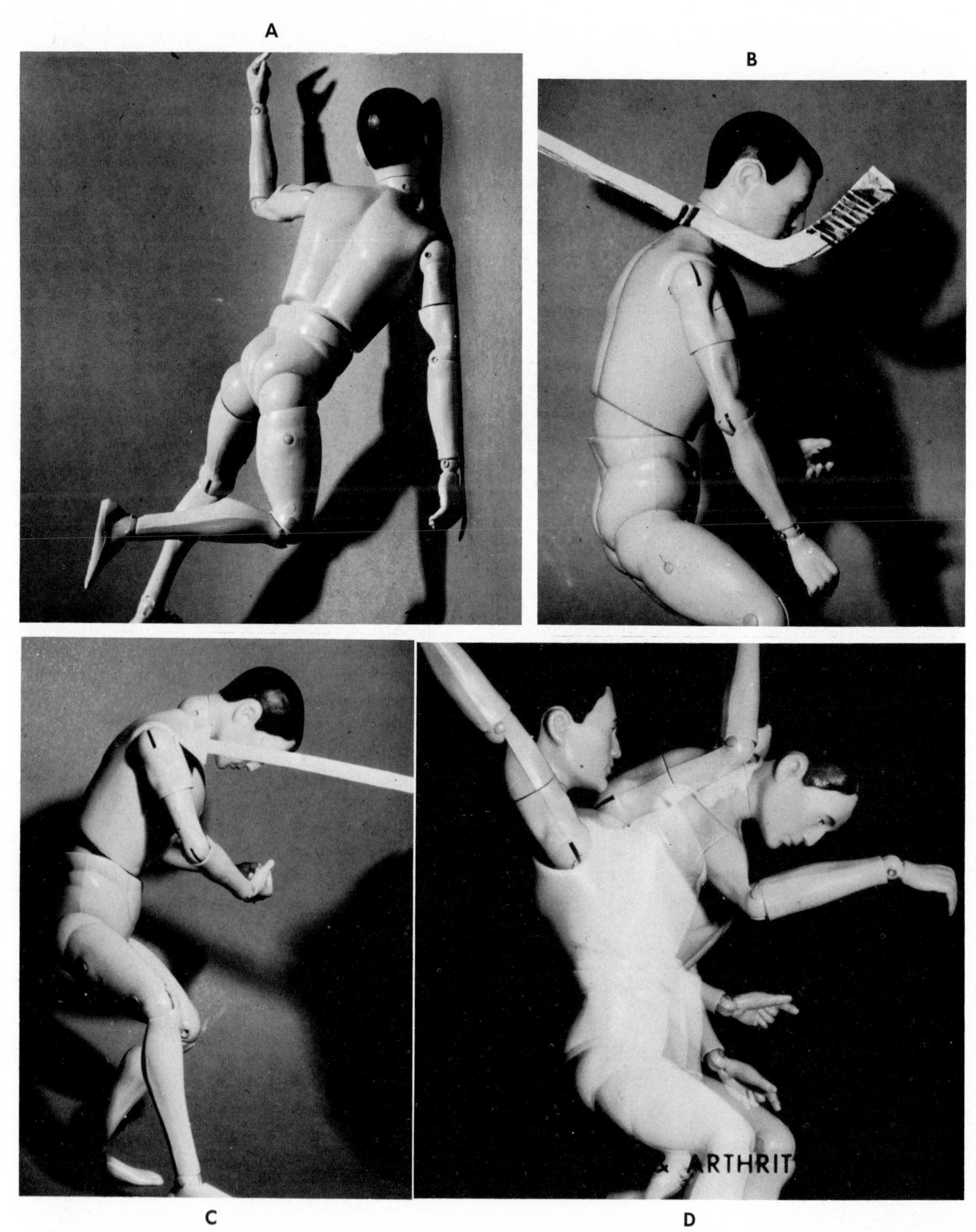

Figure 14–3 *A*, Mechanism of nerve injury in projectile falls. *B*, Shoulder angle blows. *C*, Frontal force. *D*, Twisting trauma.

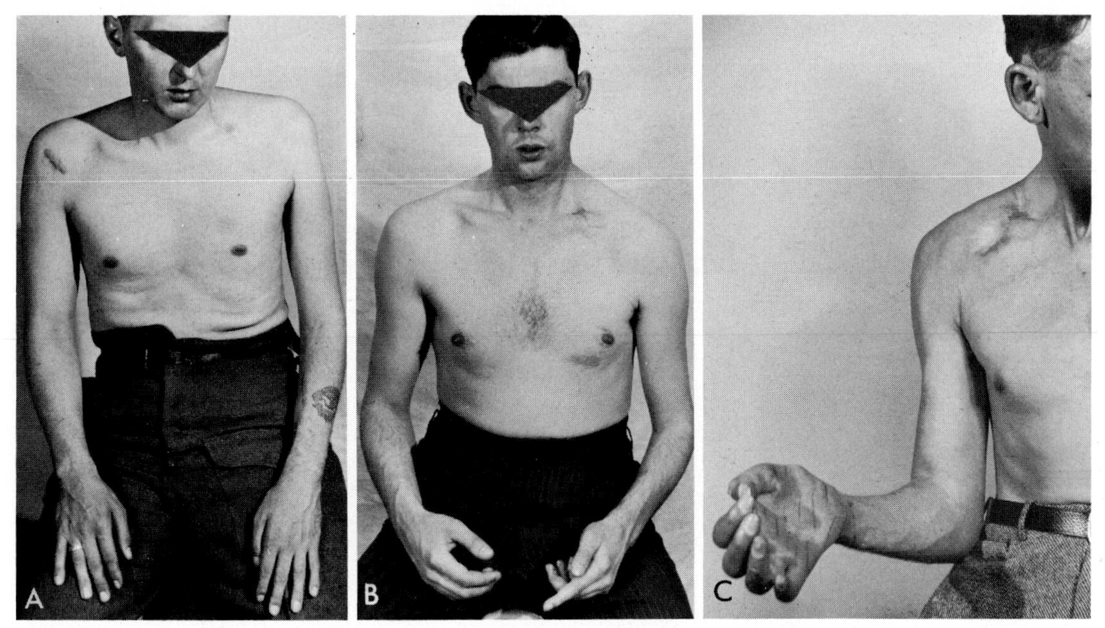

Figure 14–4 Plexus injuries from external wounds. *A*, C.5, C.6 paralysis. Note deltoid atrophy. *B*, C.7 paralysis. Note triceps and forearm extensor atrophy. *C*, C.8, T.1 paralysis. Note extensive hand changes.

underlying soft parts must be visualized, since this often gives an indication of which structures might be involved. In dealing with supraclavicular lesions, palpation of the plexus can be carried out by gently tilting the head and neck to the opposite side and feeling the plexus as it streams across the posterior triangle. Massive avulsions of the plexus from the spinal cord, a serious but fortunately infrequent lesion, can often be diagnosed by feeling the curled-up, avulsed roots lying just above the clavicle. Similarly, gentle tapping of the roots as they are put on the stretch may evoke a tingling response in the periphery, indicating the possibility of physical continuity.

Motor System. Considerable information can be obtained from simple clinical muscle testing. There are a few key muscles that provide a general impression of the level of the injury, all of which can be tested quickly. Abduction of the shoulder is chiefly dependent on the deltoid, and hence the upper roots of the plexus. Flexion of the elbow depends on continuity of C.5 and C.6, whereas extension of the elbow is activated by C.7. Action of the interossei and thenar group in the hand is dependent on C.8 and T.1.

These cardinal movements give a quick indication of the level of the lesion. Motor assessment usually acts as a guide to the areas of likely alteration in sensation.

Sensory Examination. In assessing a plexus injury, sensation should be carefully tested in the area at the back of the neck and over the shoulder, as well as in the arm, forearm, and hand. In serious avulsion lesions, altered sensation due to the involvement of the posterior branches may be picked up by some change in the appreciation of light touch and pinprick in the paraspinal zone of the same side. Loss of sensation over the lateral aspect of the shoulder implicates the posterior cord and accessory nerve, whereas changes in the forearm and hand will clearly implicate the medial and lateral cord. True anesthesia about the neck and shoulder or proximal arm zones is uncommon, but it occurs frequently in the more distal portion of the limb, and is an indication of serious damage.

Electrical Investigation. Special examination of motor and sensory systems is an important and essential part of the investigation of these injuries.

Simple Galvanic and Faradic Assessment. A good indication of the severity of the motor involvement can be obtained from assessing the response of muscles

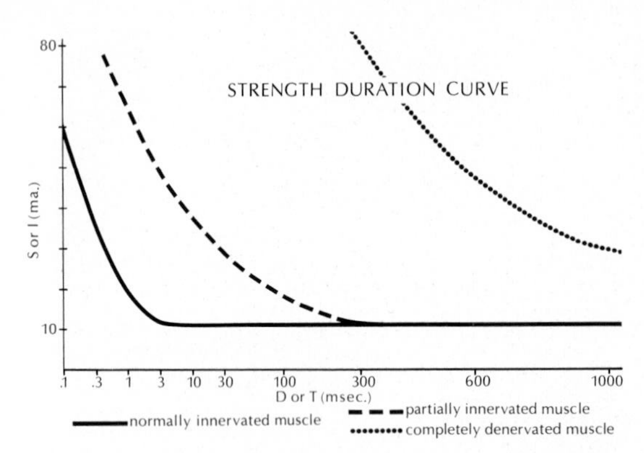

Figure 14–5 Strength Duration Curve (Intensity/Time Curve). S (strength) or I (intensity) measured in milliamperes: the amount of current necessary to produce minimal visible or palpable contraction. D (duration) or T (time) of electrical pulse measured in milliseconds.

to application of faradic and interrupted galvanic currents. The test can be done simply, and often more complicated investigation is not necessary. It has long been established that, when the nerve supply to a muscle has been cut, the muscle loses its response to faradic current but retains its reaction to an interrupted directly or interrupted galvanic current (Fig. 14–5). When a muscle is paralyzed clinically but still responds to the faradic current, the nerve supply is in physical continuity and the muscle should recover. When response to faradism is lost, however, more serious damage has occurred and recovery is likely only through regeneration. Under these circumstances, surgical exploration for possible repair of the nerve is usually necessary. Faradic and interrupted galvanic responses are sometimes difficult to obtain immediately after injury, but this situation alters in a matter of days. In long-standing lesions, however, absence of all electrical response indicates replacement of muscle fibers by fibrofatty tissue, so that recovery should not be expected.

Electromyographic Examination. The most accurate method of assessing muscle damage is by means of the electromyogram (Fig. 14–6). The examination is effected by inserting small unipolar electrodes directly into the muscle to be evaluated, and by observing the magnified pattern on the cathode ray oscilloscope. The electrical patterns of normal and denervated muscles are so characteristic that even minute changes can be identified. Normal muscle produces a broad deflection similar to the electrocardiograph pattern, and is easily recognized on the cathode ray screen. These deflections are referred to as motor unit action potentials (MUAPs). Denervated muscle, on the other hand, emits small continuous deflections that are not under voluntary control and are

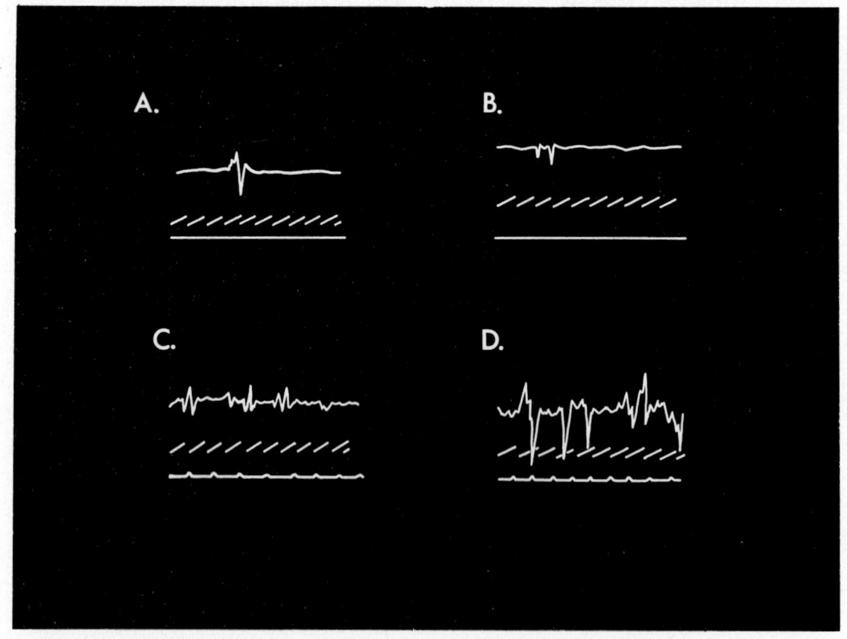

Figure 14–6 Electromyographic tracings. *A*, Normal motor unit action potentials. *B*, Fibrillation action potentials. *C*, Nascent units. *D*, Normal interference pattern.

called fibrillation action potentials (FAPs). When fibrillation is present and persistent, it is indicative of denervation and serious damage. As a muscle recovers after injury, the earliest sign of reinnervation is a pattern of new or nascent motor action potentials. These deflections are intermediate in form between FAPs and normal MUAPs, and gradually assume a more normal outline. As in the case with assessment by faradic and interrupted direct currents, when no action potential of any type can be recorded from the muscle it has been replaced by fatty or fibrous tissue (Fig. 14–6).

The minute changes in muscle can be measured and recorded. A photographic record is obtained of these, as with an electrocardiograph. The examiner has a further advantage in being able to discern certain properties from the audible accompaniment of the electromyogram. Typical MUAPs have a staccato quality that is clearly discernible when the patient is asked to bring a given muscle into action. This contrasts strongly with the FAPs not under voluntary control, which have little audible intensity.

Technique of Examination. The electromyograph is pictured in Figure 14–7. The patient sits on a stool or chair in front of the machine in a relaxed position, and the skin over the zone to be assessed is prepared with iodine. A small needle electrode is inserted directly into the muscle to be tested. The individual muscle can be picked out by moving the extremity, and by asking the patient to make whatever motions are feasible to assist in the identification. After the needle has been inserted, the surface electrode is applied some distance from the needle electrode.

Nerve Conduction Times. Assessment of the conduction time in a suspected nerve may also be carried out by the electromyograph. Conduction time is compared with the normal nerve on the opposite side, and the deficiency is recorded.

Assessment of Sensation. Clinical testing of light touch and pinprick is carried out routinely, but in addition there are more precise methods. These tests are of value in demarcating total or complete anesthesia in contrast to hyperesthesia, because the principle on which they are based depends on the presence or absence of sweating. When a peripheral nerve is cut, the autonomic supply to the area of autonomous sensory innervation is lost, and sweating in the denervated zone disappears. In medial cord injuries, for example, there is profound loss of sweating by the fingers if the lesion is complete. In using Richter's dermometer, a small electrode with a battery source of current is applied to the dry nonsweating area, and a much greater resistance to the passage in the current is encountered than when the electrode slides over the sweating zone, which provides a superior skin contact to the electrode.

Assessment by the use of a dye that changes color on application to the sweating area, as compared to the nonsweating zone, will outline the sympathetic loss accurately.

It has also been noted that the charac-

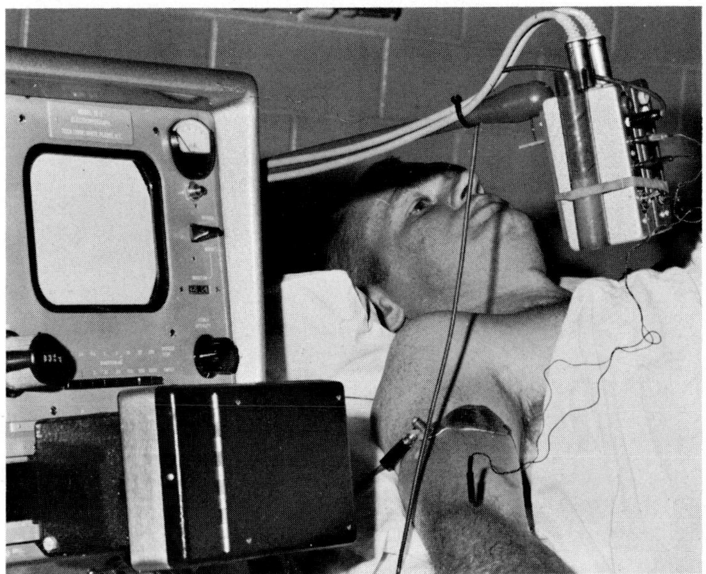

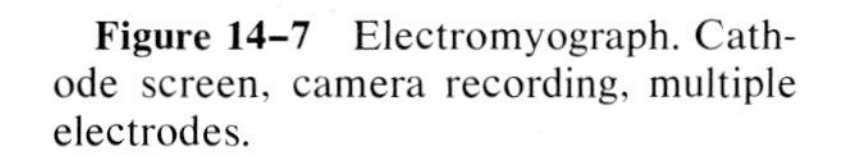

Figure 14–7 Electromyograph. Cathode screen, camera recording, multiple electrodes.

teristic skin wrinkles that appear on the skin after immersion in warm water for 30 minutes or so do not appear in the skin supplied by the damaged peripheral nerve.

SUPRACLAVICULAR PLEXUS INJURIES

Lesions of the plexus above the clavicle are the most serious of all injuries to the shoulder region. Not only is the shoulder involved, but the whole extremity may be paralyzed. Many of these are irreparable, and amputation is more often necessary for these than for any other shoulder injury.

The position with reference to amputation has changed profoundly over the past few years. The potential for reconstruction, along with the vast improvement in sensory retraining, has militated against amputation. The background of this was really established following the Second World War. The large number of peripheral nerve injuries at that time made possible the collection of a significant body of material. To a considerable degree, improvement in the over-all management of these lesions emerged from this experience. The author, as the surgeon-in-charge of the Canadian Combined Services Special Treatment Centre, followed a large group of brachial plexus injuries. The principle of exploring the plexus came to be further emphasized by the fact that no serviceman with a serious plexus lesion would allow his arm to be amputated unless his plexus had first been explored and the extent of the damage visualized directly.

In civilian practice one still sees examples of what amounts to complete avulsion of the plexus, but the relative percentage of these is extremely small. This incidence, coupled with increasing surgical experience, dictates that any consideration for amputation be approached with the utmost conservatism.

Etiology and Pathology

Traction force applied to the shoulder-neck angle is the commonest cause of supraclavicular plexus trauma in industrial and civilian accident cases. No two injuries are exactly alike. A study of the functional anatomy of the plexus, and an analysis of the ways in which force strikes the region, will help promote understanding of the various lesions.

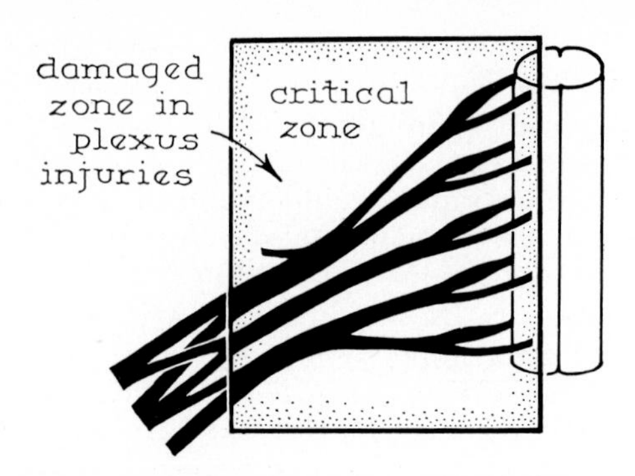

Figure 14–8 Main distribution of branches of the cervical plexus.

Functional Anatomy. The factors that contribute to the injury pattern from a structural standpoint are: (1) the nature of nerve substance; (2) the intimate protecting surroundings, like the fascial sleeve; (3) the disposition of these parts in the region; and (4) the effect of more distant structures.

Nerves are soft semi-elastic structures not comparable to tubes or rigid elements. So much attention has been focused on adjacent protecting parts that the influence of the nerve structure itself on the type of injury has been neglected. The zone of the plexus most affected is from the spinal cord to the level of trunk formation (Fig. 14–8). Over this zone the direction of nerve bundles changes three times (Fig. 14–9). Fibers arise from front and back of the spinal cord in the transverse plane, and then unite to form a spinal root. They intermingle and then divide again in a different fashion and in a different plane,

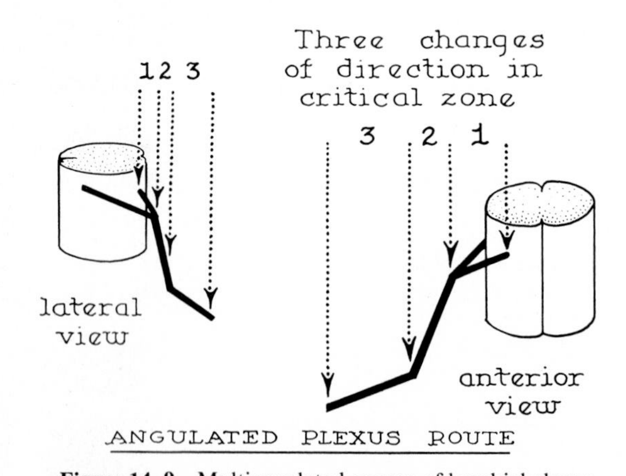

Figure 14–9 Multiangulated course of brachial plexus. 1. The roots start from the cord almost at a right angle. 2. Roots pass down and forward over transverse process. 3. Roots turned laterally and downward toward the clavicle.

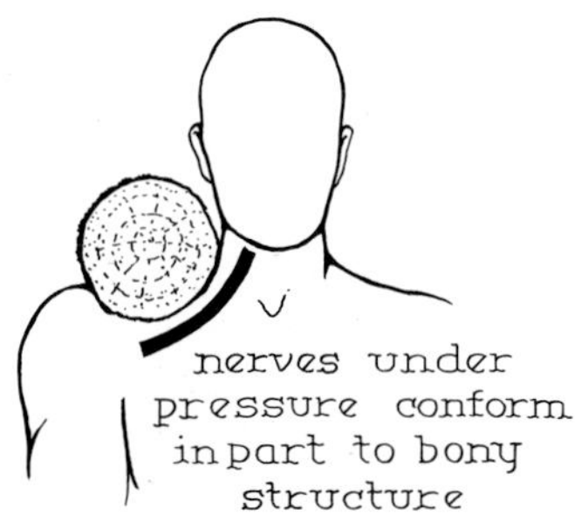

Figure 14–10 Innate elasticity of nerve substance allows some molding under stress.

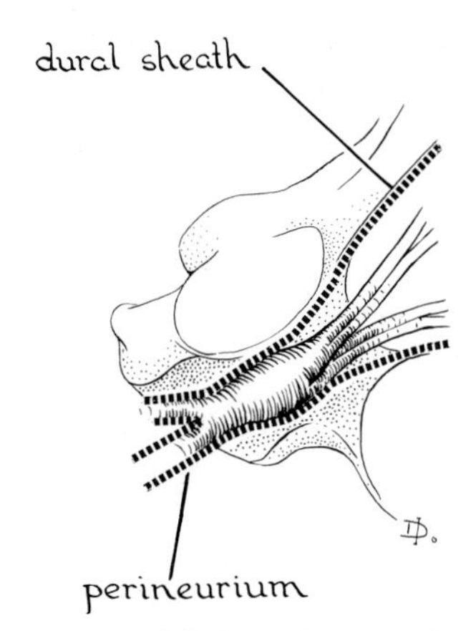

Figure 14–12 Fascial sleeve from the dura continues as perineurium of the plexus nerve trunks.

forming the three cords. It is over this zone that most of the damage is encountered. The principles of force application cannot be applied too exactly because of this intermingling of fibers, which amounts almost to a weaving or network-like course. Nerve substance is of jelly-like consistency, so that it may also be molded like putty. It is possible, therefore, to dent or sever the filling of a tube without cutting the outside covering (Fig. 14–10). The covering, like that of a wiener casing, may not crack, yet the filling may be seriously crushed. These properties of weaving distribution and soft consistency allow a most distorted separation or tearing of cylinders at various levels and to various degrees (Fig. 14–11). Added to this is the innate elasticity of the fibers so that, after being cut, they recoil and lie in disorder (Fig. 14–11). More recoil is possible than might be suspected because, upon occasion, the roots are found in a tangled heap just above the clavicle after severance from the spinal cord.

The surroundings of the critical zone from spinal cord to nerve cord level exert profound control. The important ones are the fascial sleeve (Fig. 14–12), the bony foramina, the transverse processes, and the scalene muscles. As the nerve roots stream from the cord into the foramina, they enter a fascial sheath or sleeve derived from the prevertebral fascia. This is anchored to the transverse processes and surrounds the roots and then trunks. It continues downward and distally, enveloping the vessels at the level of the clavicle. It is reinforced in this zone by subclavian and clavipectoral fascia extending to the coracoid region, where it is diverted as the plexus flares into its infraclavicular branches. This sheath guards the soft nerve trunks and resists lontitudinal stretch particularly. The nerve roots, in leaving the spine, pass through a gutter formed by the invertebral foramen medially and continued laterally by the anterior surface of the transverse processes (Fig. 14–13). They pass from above downward across this bony projection, closely related, and then angle a little an-

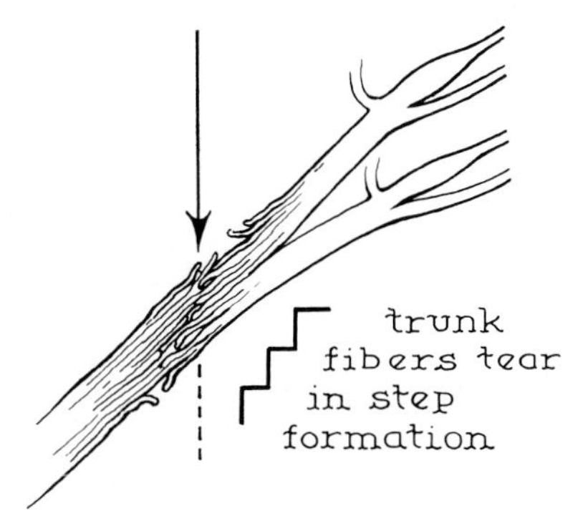

Figure 14–11 Components of the plexus roots tend to rip in step-like fashion.

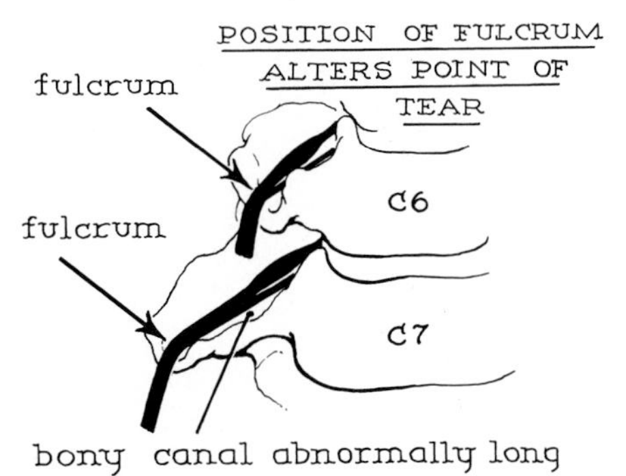

Figure 14–13 Influence of transverse process length on the level of root ruptures.

teriorly. Beyond this, they are related to soft structures only until thorax and clavicle are reached. The course is cushioned mainly by the scalene muscles.

The plexus streams diagonally across the shoulder-neck angle, taking the shortest course, while neck and shoulder form a right-angled scaffolding. In blows from above, the innate elasticity allows nerve trunks to stretch a little, sinking into the soft tissue padding conforming to the rigid support.

More distant parts also have an effect on the critical zone. The cords are stretched between two relatively fixed points, the spinal cord at one end and the embedded distal branches at the other. More tension is exerted by the proximal anchorage than the distal. The distal anchorage is movable as a unit, however, and is capable of producing a rotatory stress (see Chapter 10) focused at the roots when the arm is flailed about (Fig. 14–14*C*). Similarly, the arm may be clamped and the spine flexed, reversing the action. These properties of two-point anchorage and mobility of the anchoring element make a tremendous variation of stress application.

Force Mechanism. From the description of the numerous anatomic elements that come into play, it is obvious that a myriad of stress patterns may operate. No two closed plexus injuries are the same, but some rough grouping by force application is helpful. In this study, an analysis of the clinical picture, rather than the appearance at operation, is most informative. There are three ways in which these injuries commonly are sustained: (1) blows from above; (2) falls on the neck and shoulder; and (3) traction on the arm, either rotatory or direct pull.

FORCE FROM ABOVE. Force striking the shoulder from above is a common cause of brachial paralysis (Fig. 14–14*A*). Particularly in industry, falling objects—timbers, trees, masonry, rocks, or cables—may drop on a workman's shoulder. If the blow is anticipated, the posterior aspect bears the brunt as the victim exposes his back in attempting to escape from the danger. If the falling object is not seen, it drops more squarely on the point. Only rarely is it applied from the front. The lateral part of the superior aspect bears the brunt, so that the cords are stretched downward, with tension applied directly to the root area (Fig. 14–14*A*). Force from the back tends to shove the shoulder point forward; the nerves are tightened and stretched, but no hard fulcrum or obstruction is encountered. The force coming from above tends to pull roots out from the cord rather than stretch them, or it may tear them as they go through the foramina. These are the most serious lesions, because repair is impossible if the tear occurs high up in the foramina or from the cord.

FALLS ON THE NECK AND SHOULDER. Hurtling downward and sideways, so that the head and shoulders are the landing points, is also a common mechanism in these injuries. In such a fall, the acromiomastoid dimension is violently increased (Fig. 14–14*B*). Powerful stretch is transmitted to the nerve elements across the neck-shoulder angle. In this maneuver, the mobility and position of the head and cervical spine, rather than the arm, exert most influence. The shoulder girdle bears the

Figure 14–14 *A* to *C*, Common force applications producing brachial plexus damage.

brunt of the distal point stress, and this cannot shift backward or forward enough to affect the nerves. Arm influence is so much farther away from the critical zone that it must be less influential than that of the neck.

Whatever may be the minute controlling forces, the important result is whether the stretch is to the front or to the back. If it is to the front, damage is close to roots and cord. If it is to the back, the transverse processes insert as a fulcrum, so that maximum stretching and tearing lies farther laterally. The importance of this distinction is that sometimes more can be done to repair the damage if there is a good proximal segment. If the force is powerful enough, one would expect to find either fairly complete avulsion from the cord, or damage at or distal to the transverse processes. In the author's experience, this is the situation commonly encountered at operation.

TRACTION ON THE ARM. The third common injury mechanism is pull applied to some more distal part of the extremity, so that severe traction is focused at the neck-shoulder angle (Fig. 14–14*C*). Examples of this type of injury are arms being pulled into machinery, or hands caught in revolving belts, so that the whole extremity is flailed about like a windmill (see Chapter 10). As might be expected, these injuries are not quite so severe as the two preceding groups. Strain is applied over a longer zone, so that a broader area is affected. A stretching and tearing of nerve occurs, with fibers giving way at different levels. No fulcrum is inserted to cut fibers sharply. Extensive intraneural hemorrhage occurs, followed by fibrosis. These patients often end up having the distal part, forearm, or hand amputated because of the severe damage to the hand. They continue to complain of the burning, electric shock-like pain that seared them at the moment of their injury. This pain is due to the traction nerve damage at root or cord level, and is not the ordinary phantom limb sensation that follows amputations.

When a rotatory element is prominent in the injury mechanism, the direction in which the extremity is flailed controls which roots are predominantly affected. If it is counterclockwise, the lower parts are stretched most; a clockwise flail affects the upper roots most (Fig. 14–14*C*).

No matter what the intricate pattern of injury may be, the picture at operation is similar in most serious plexus injuries. The roots may be completly avulsed, and then are found as a tangled heap just above the clavicle. The fascial sheaths are empty, but usually even in these cases some remnant of sleeve will still be found. The scalenes may be torn, and sometimes the phrenic nerve is gone also.

In incomplete lesions, sheaths are thickened and fibrotic, nerve fibers are stretched and torn, intraneural vessels are torn, and much bleeding scar tissue infiltrates among the bundles. The longer that the time between injury and operation, the more rubbery-hard does the scar tissue become. At four to six weeks, it is easy to dissect and separate nerve bundles. At six to 12 months, dissection is much more difficult because of the strangulating scar.

Diagnosis of Supraclavicular Injuries

Diagnosis of brachial plexux injuries involves more than simple recognition of the paralysis. The lesion must be classed as to severity, site, and level.

Diagnosis of the Type of Lesion. In classifying nerve injuries, the routine most widely followed is that introduced by H. J. Seddon, in which the term "neurotmesis" is used to describe complete motor and sensory paralysis due to rupture of nerve fibers; "axonotmesis" indicates complete motor and sensory paralysis, with interruption of axons but without serious anatomic distribution; and "neurapraxia" is the term used to define a transient lesion that has largely motor signs and minimal sensory loss. In this last entity there is no anatomic damage, and recovery should occur quickly without surgical intervention. In the first group, surgery is necessary; in the second, surgery is sometimes needed. If examination shows a minimal sensory deficit and good response to the faradic or short pulse length interrupted direct current, the lesion is likely a transient one and the trunks are in continuity. Profound anesthesia with absent faradic response indicates serious nerve damage, and any recovery will occur only by regeneration. Beyond these two broad groups, an indication of severity is difficult, and the latter picture may be due to irreparable cord avulsion, rupture of the roots, severe stretching and intraneural scarring, or a partial rupture and associated stretching. Operative exploration is the only way of further differentiating this group.

Diagnosis of the Level of the Lesion. The level of the plexus damage is determined by careful assessment of the muscles involved, and an accurate knowledge of the local neural anatomy. At this point, some consideration should be afforded normal anatomic variations and the anomalies that may be encountered. The normal anatomic distribution of fibers to the muscles must be kept in mind, but there is considerable variation in the respective contributions to individual muscles. The make-up of the plexus also varies, and a pre- or postfixed plexus may be found (see Chapter 9). In the upward shift or prefixed type, the major contribution to the plexus involves segments C.5, C.6, C.7, and C.8. Such muscles as the deltoid and spinati may receive no contribution from C.6, all the fibers coming from C.4 and C.5, whereas the coracobrachialis is supplied by C.7 alone, and there is a major contribution from T.1 to the plexus.

There is considerable confusion on the part of students in the appreciation of cord versus nerve root versus peripheral nerve lesions, and in differentiating plexus from nerve roots or peripheral nerve injury. If a lesion is in the spinal cord, no sensory loss is encountered in either ventral or dorsal areas. Spinal nerves separate shortly after they are grouped together into dorsal and ventral divisions. The posterior division supplies segmental trunk muscles and the skin over an area of the back medial to the acromion. Therefore, if there is involvement close to the primary division, there is anesthesia over the posterior aspect of the trunk in addition to the usual signs and symptoms. If the lesion lies farther distally, this division must escape damage. The sympathetic supply is carried in the peripheral nerves—not in the roots or primary division—so that a lesion medial to the plexus, e.g., from a prolapsed disk, does not cause the alteration in sweating so characteristic of peripheral nerve damage (Fig. 14–15).

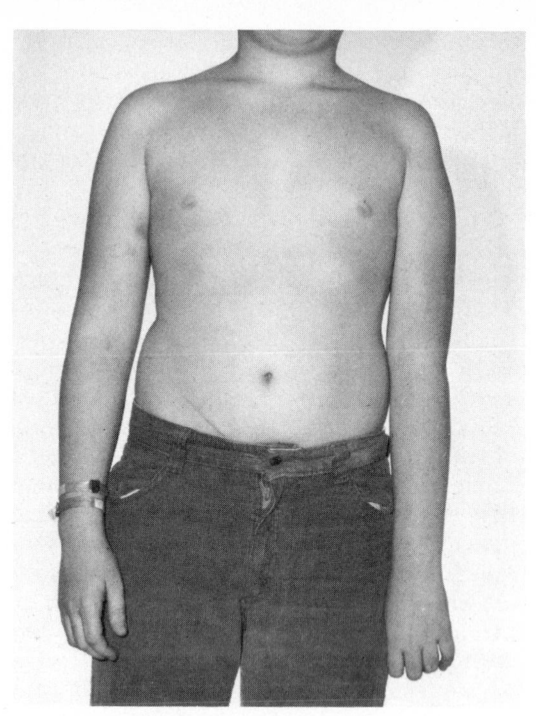

Figure 14–16 C.5–C.6 lesion. Note wasting of left deltoid.

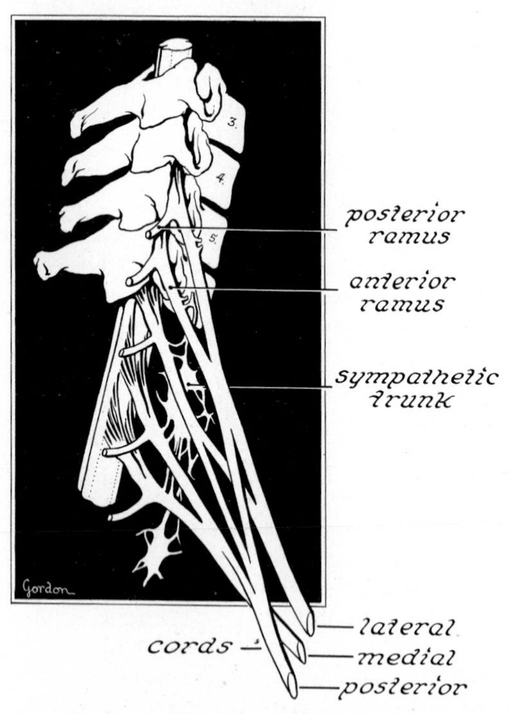

Figure 14–15 Diagrams showing point at which sympathetic fibers join peripheral nerves. This point is outside the foramen, and therefore sympathetic fibers are not involved because of disc or foraminal pressure.

UPPER ROOTS. Roots C.5 and C.6, and sometimes C.7 to a varying degree, are the most frequently injured. The reason for this is that these upper nerves bear the brunt of downward traction force and encounter the stress first. The force is dissipated as the more distal roots are affected and the leverage is decreased. Damage of the upper roots in the common form results in paralysis of the deltoid, supra- and infraspinatus, and biceps. In the very high lesions there is also involvement of the diaphragm, rhomboids, and

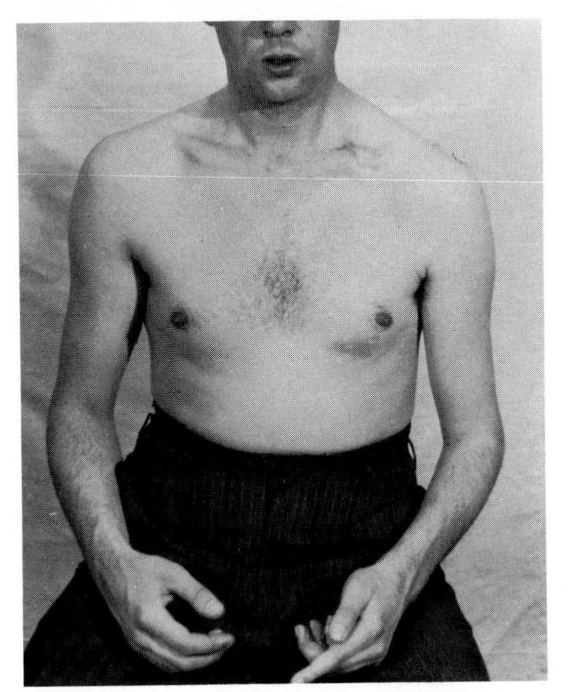

Figure 14–17 Typical superclavicular lesion, predominantly C.7.

serratus anterior. The area of sensory loss follows C.5 and C.6 distribution over the neck-shoulder zone (Fig. 14–16).

INVOLVEMENT OF C.7. When there is paralysis of latissimus dorsi, pectoralis major, serratus coracobrachialis, and brachialis in addition to the above muscles, and weakness of triceps, involvement of C.7 has occurred (Fig. 14–17).

INVOLVEMENT OF LOWER ROOTS. C.8 and T.1 are involved when there is paralysis of the flexors of the wrist and small muscles of the hand (Fig. 14–18). In addition, disturbance of T.1 frequently produces a Horner's syndrome (Fig. 14–19).

COMPLETE PLEXUS LESIONS. All the roots may be avulsed high in the neck close to the cord. This produces a typical picture: the injured arm hangs at the side as a useless flail extremity (Fig. 14–20*A*, *B*, and *C*). The only way that it can be moved is by shrugging the shoulder with the trapezius, or lifting the hand with the opposite, uninjured one. Palpation of the supraclavicular area frequently identifies a nodular rubbery swelling lying just above the clavicle, representing the curled-up retracted nerve roots.

Myelography

For many years considerable attention has been paid to changes that can be demonstrated in the myelogram in plexus injuries. The author's experience underlines the inaccuracy of any conclusion drawn from contrast studies in these injuries.

The distribution of the dye following a cervical myelogram is along the nerve root sleeve, and the usual configuration to which

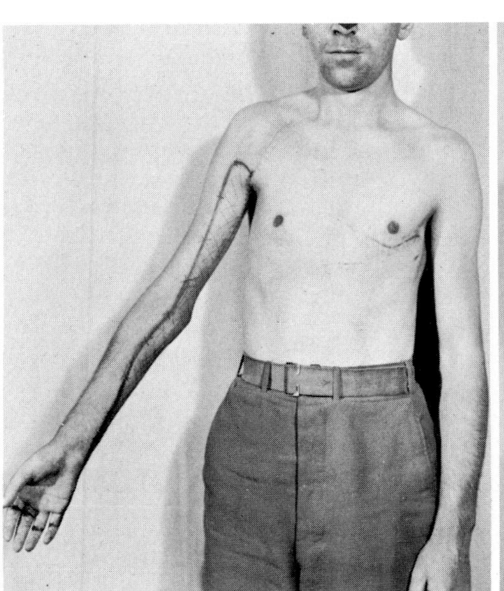

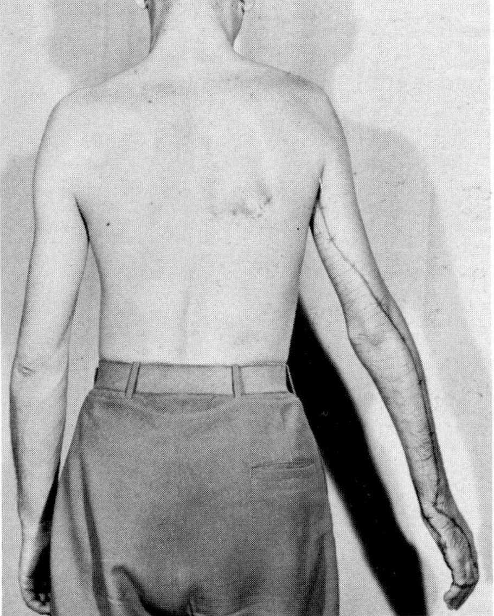

Figure 14–18 C.8, T.1 extensive plexus lesion; sensory loss outlined.

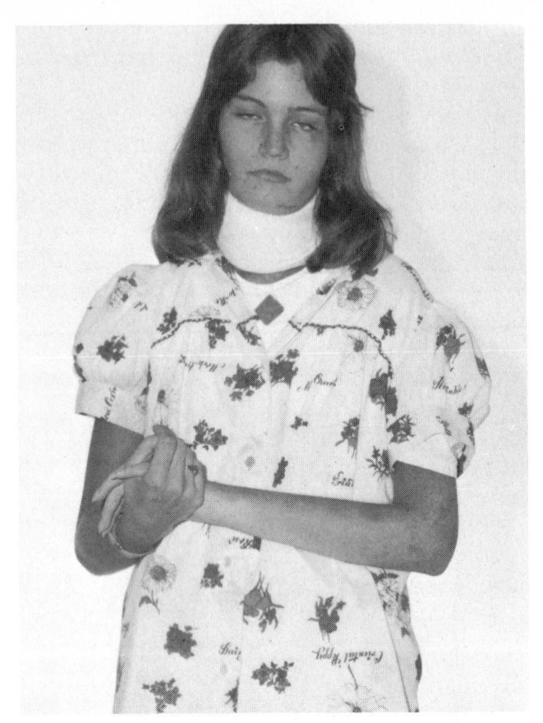

Figure 14–19 Extensive plexus injury with Horner's syndrome (left).

great attention is paid is the escape of dye from the sleeve. Actually this is all it means, because the dye does not give any significant information related to the contents of that sleeve. The presumptive conclusion drawn—that because it is torn the contents have been disrupted—does not necessarily follow. The author has operated on many patients who have been condemned because of these myelogram changes. The illustration referred to here shows an extensive leak of dye at several levels (Fig. 14–21*A*, and *B*). The conclusion made from these findings was that the plexus was irreparable.

It proved feasible to explore this plexus and carry out considerable resection of scar tissue and realignment of nerve fibers, so that ultimately this patient made an extensive recovery sufficient to provide a useful limb (Fig. 14–22*A* and *B*).

Selection of Patients for Surgical Treatment

The identification of new pathology, as well as the improved standards of functional result over a period of years, has very considerably altered the approach to the management of these lesions. The author's preference is to carry out surgical exploration in all these cases in which there has not been progressive and significant recovery, both clinically and electrically, over a period of 10 to 12 weeks.

The question of timing has also been discussed at length. It is virtually never too late to carry out an appropriate exploration, but the earlier this is done the more likely is there to be a satisfactory result.

Treatment. The treatment of brachial plexus paralysis is a long and tedious process. The paralyzed muscles should be splinted in the position of relaxation, and electrical stimulation applied until regeneration has occurred.

Nerves regenerate slowly, and it has been established both experimentally and clinically that the degree of motor recovery depends on the preservation of the myoneural end-plate mechanism. Much can be done by electrical stimulation to preserve muscles while axone regeneration is awaited, but in plexus injuries 18 to 24 months' treatment may be necessary before the question of possible recovery is settled. Therefore, it is preferable to explore early, rather than carry on treatment for a lengthy period only to have clinical verification of a complete neurotmesis.

Establishing an accurate prognosis is important as far as rehabilitation is concerned, so that an accurate concept of the extent of damage is essential. If the lesion is irreparable, reconstruction is needed. The earlier this program can be instituted, the better the result. Sometimes amputation is the solution, and it may be desirable to do this early. However, recent management indicates that amputation is less necessary than ever before because of the improvement that can be obtained by surgical exploration combined with reconstruction and sensory retraining.

The program of muscle re-education, utilizing the unparalyzed remainder, must be started early for maximum results. Nerve lesions differ from other injuries because there is a profound effect on other structures not directly damaged. Joints become stiff and ligaments become contracted, and it is most discouraging to have innervation eventually occur only to find that the joints are so stiff that they cannot be moved. Everything possible should be done to speed reinnervation and preserve the functional element. One of the primary indications for surgery is the unpleasant pain, amounting to a true causalgia, that frequently accompanies these le-

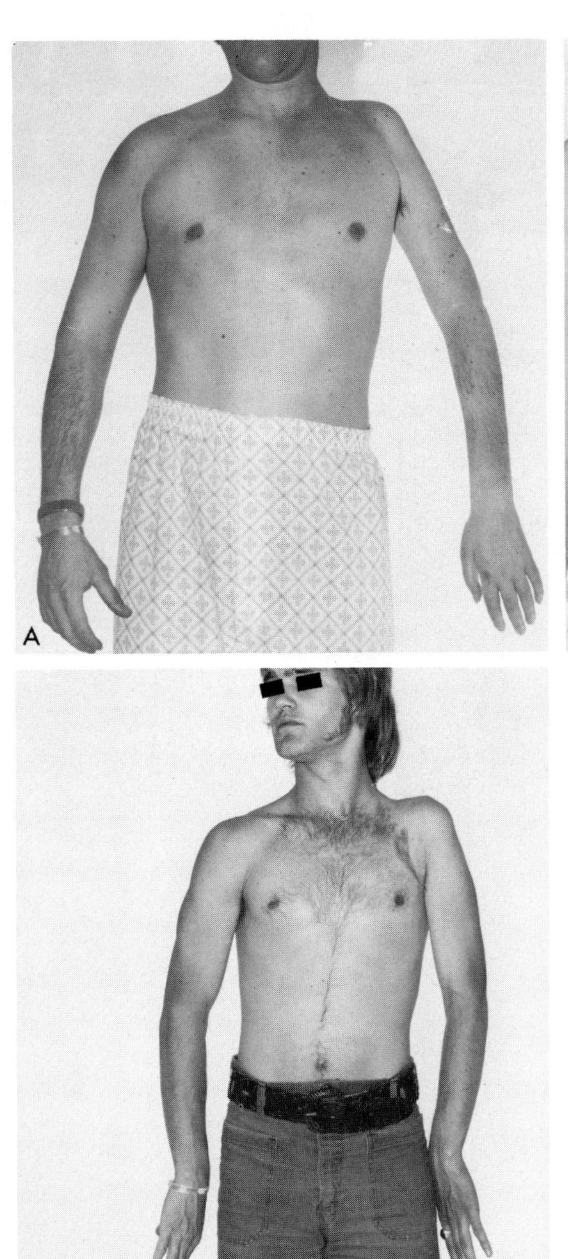

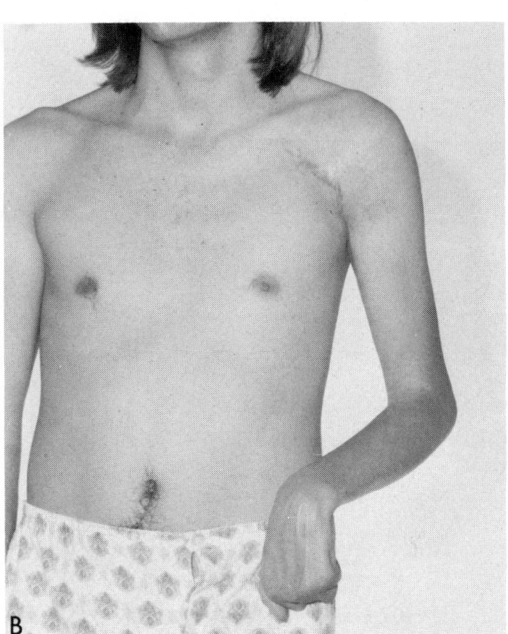

Figure 14–20 *A*, *B*, and *C*, Complete plexus lesions.

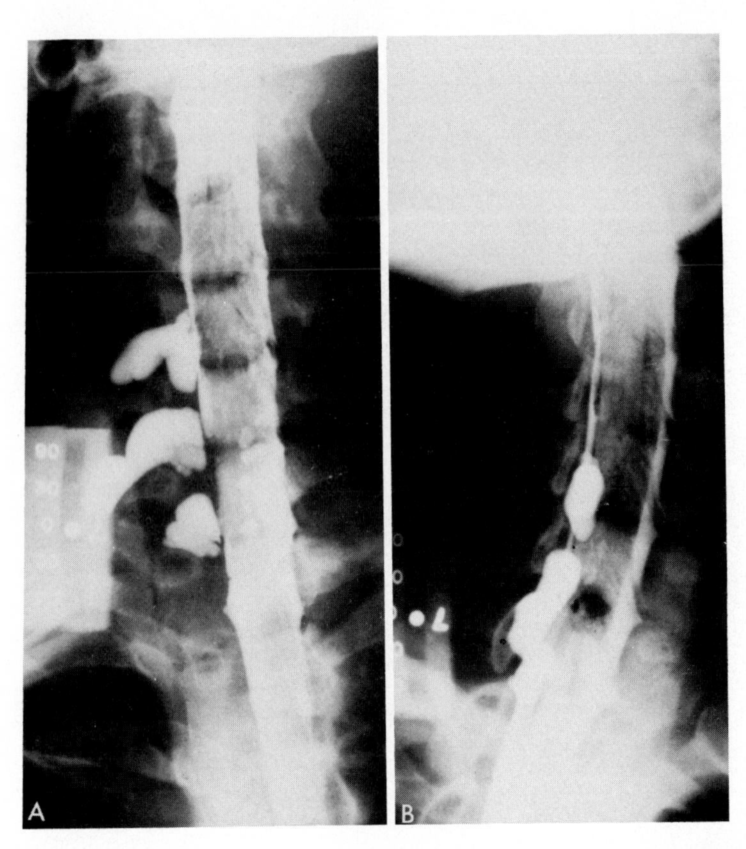

Figure 14–21 Myelography. Multiple level leak in plexus lesion. *A*, Anteroposterior. *B*, Lateral.

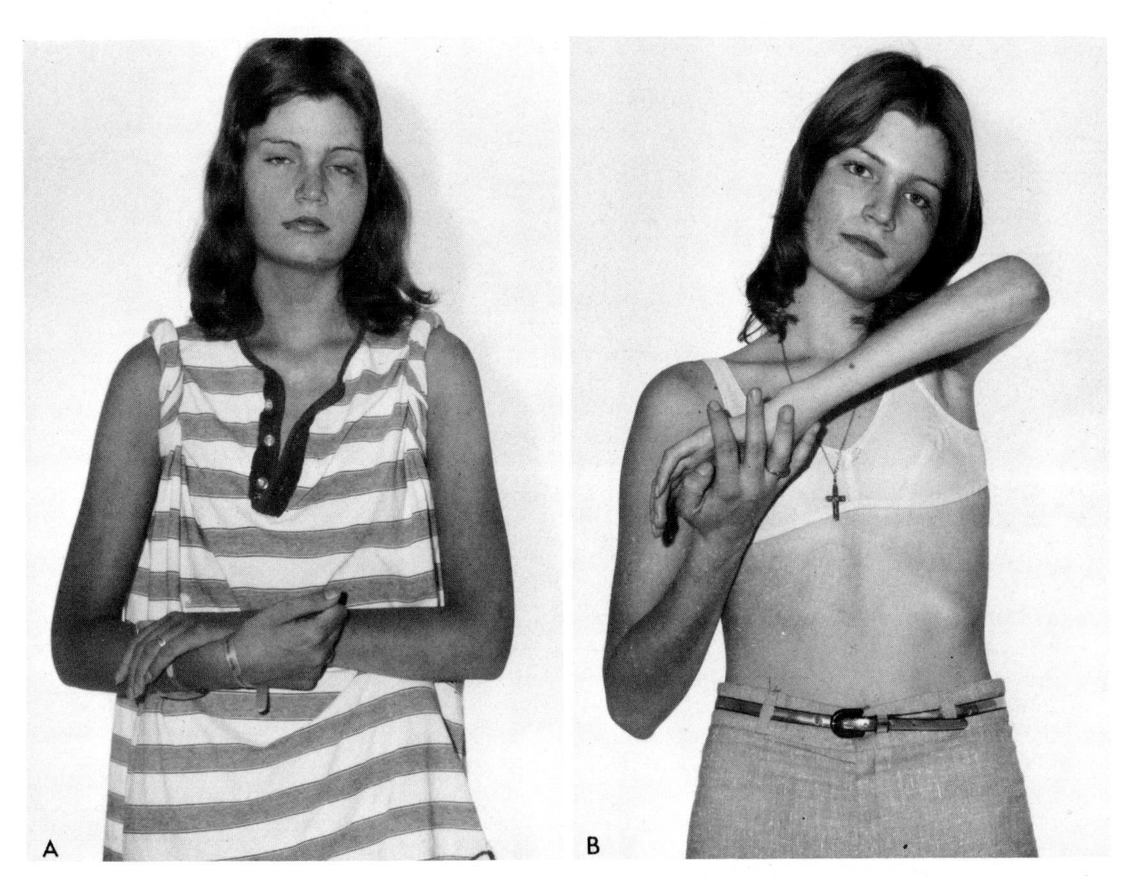

Figure 14-22 *A*, Extensive multiple level plexus injury with Horner's syndrome, preoperative. *B*, Same patient eight months postoperative. Note recovery in Horner's syndrome and some upper arm recovery.

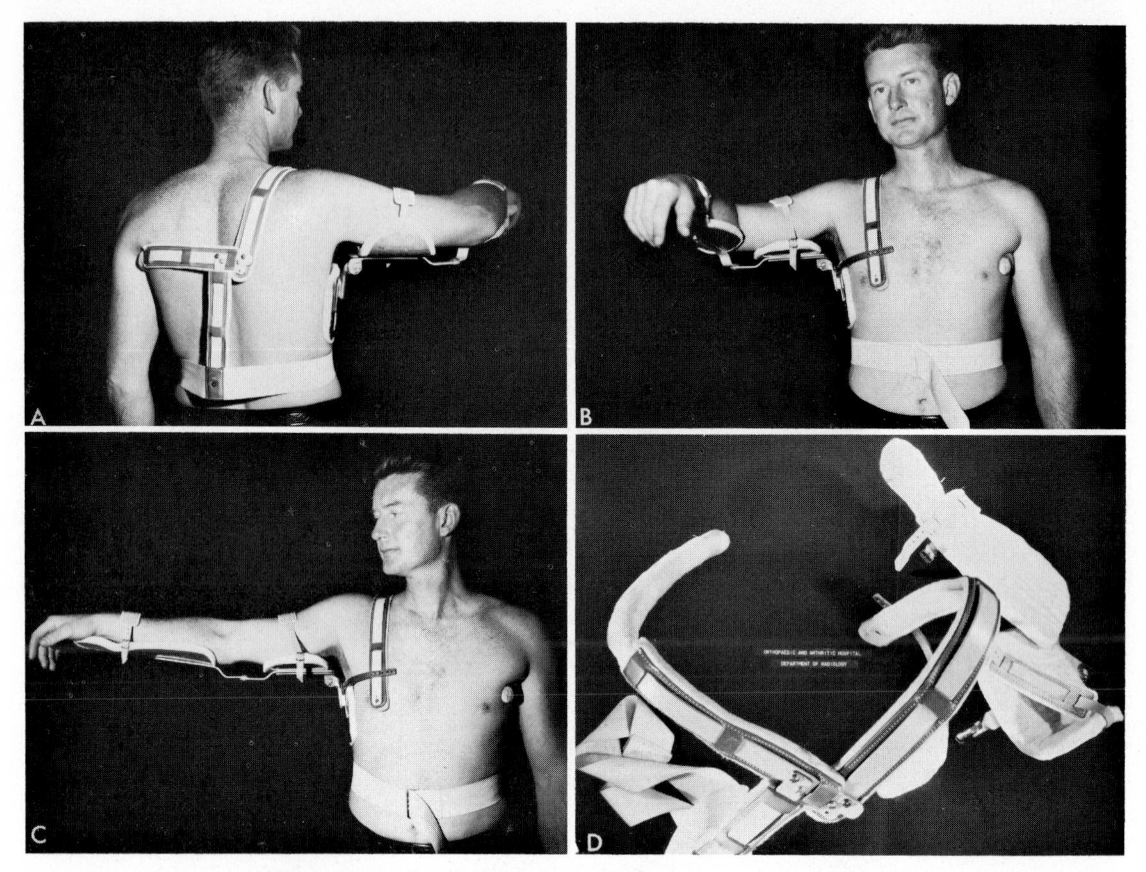

Figure 14–23 Cantilever abduction brace for abductor paralysis.

sions. There are some typical factors in the mechanism of injury that promote this very serious complication of causalgia. The most severe examples of this phenomenon are the traction injuries, in which there is a stretching and avulsion so extensive that the roots are pulled from their moorings in the spinal cord. These patients present a very typical story, in that they have a sickening, lancinating type of pain that comes on immediately at the time of injury and sometimes never disappears. The characteristics of the pain are very definite, the immediate onset following the traction-type lesion and the persistence of this disagreeable element.

In all instances, some degree of amelioration of the pain is obtained by carrying out a meticulous neurolysis. This varies from case to case, but removal of as much scar as possible and the separation and freeing of the nerve bundles has a beneficial effect on the pain. The precise mechanism of this pain improvement is not completely understood.

All surgeons dealing with these injuries have noticed the change in the appearance of the hand immediately after operation, even when nerve conduction is completely divided. Some type of vasomotor factor is stimulated or released to produce these changes affecting the nutrition in the damaged area. The changes are most striking after neurolysis of plexus injuries.

CONSERVATIVE TREATMENT. *Splinting.* The antigravity muscles should be splinted to facilitate reinnervation. Injuries of C.5 and C.6 result in loss of power in the shoulder abductors, and these should be splinted appropriately. The use of a light cantilever abduction splint that places the arm at the right angle with the elbow in gentle flexion is recommended, since it protects the muscle but still allows appropriate motion, active and passive, at the shoulder and other limb joints (Figs. 14–23 and 14–24).

Electrical stimulation. The object of electrical exercise of paralyzed muscle is to preserve it in a state of maximum receptiveness for the regenerating axon. This requires preservation of the muscle substance as well as the motor end-plate. Investigation has shown

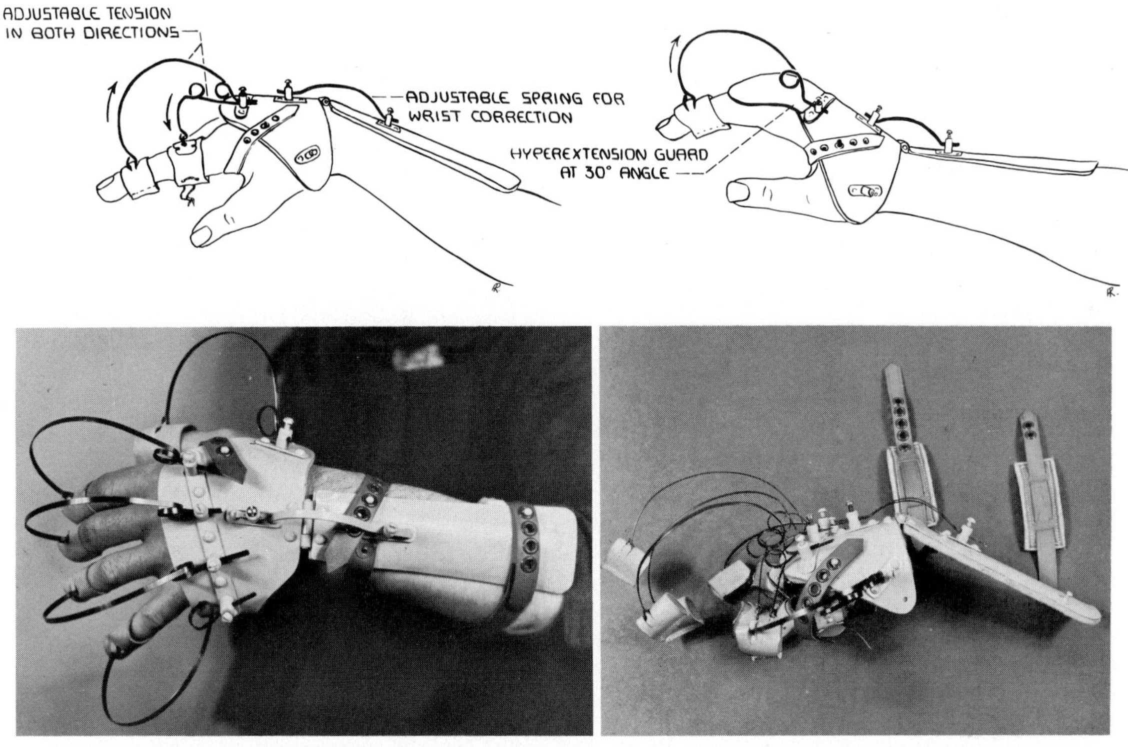

Figure 14–24 Universal splint for hand deformity is particularly useful in nerve injuries.

that these two considerations are symbiotic, in that the preservation of the muscle fiber automatically assists in that of the motor end-plate.

Following denervation, the muscle fiber shrinks progressively and may never regain its normal size. The longer the muscle is denervated, the more extensive becomes the atrophy. Closely associated with atrophy of the muscle fibers is damage to the myoneural or end-plate mechanism. This is the area of contact or the stimulating point of the muscle fiber. The mechanism degenerates when the nerve has been cut and may never recover, even though extensive regeneration of the axon has occurred. The formation of a new muscle end-plate is slow and difficult and may never happen. Atrophy of the muscle fibers affects the end-plate mechanism severely. The only method at our command to minimize these changes is electrical stimulation of the muscle.

If there is paralysis, electrical stimulation should be started, as soon as the immediate reaction to injury has subsided, and continued until reinnervation appears.

Denervated muscle fibers lack the accomodability of a nerve. Therefore, a slower-changing, longer duration (e.g., 600 msec) interrupted direct current is effective in ecliciting a response. This is applied in a longitudinal or "end-to-end" arrangement on the muscle belly. Interrupted direct current (or interrupted galvanism) must be used with care. The skin is very susceptible to burn from chemical build-up especially in the presence of sensory disturbances.

As well as taking proper precautions in application, such as cleaning and sufficient padding, the therapist should carefully assess the skin reaction after the first few sessions. As skin tolerance allows, the stimulation can be built up to 30 per session, three sessions per day, i.e., up to 90 stimulations per day for *each* denervated muscle. The patient should be instructed as soon as possible in the application of interrupted galvanic current, so that he can carry on independently with a portable stimulator.

During the recovery period, before there is any visible active muscle control, the trend of nerve regeneration can be assessed by doing a strength-duration curve (Fig. 14–5) on some of the individual muscle bellies supplied by the affected nerve. This simple test is not time-consuming for the physiotherapist to perform and demonstrates clearly the characteristic intensity-duration relationships of impulses necessary to approach the critical value that will elicit a response from denervated and innervated muscle.

A denervated muscle will demonstrate a quick rise in the intensity required to elicit a response, with successively shorter durations of square-shaped pulses beginning at 1000 msec, with the curve rising to infinity beyond approximately 100 m/sec pulse duration. Because of the property of accommodation, normally innervated muscle responds only to the initial part of these longer stimuli (i.e., over .1 to 1 msec duration). This property is responsible for the characteristically flat appearance of the strength-duration relationships of innervated muscles when plotted on a graph, with a sudden sharp rise in the curve as pulse durations shorten below 1 msec duration. Muscles at various stages of regeneration demonstrate varying curves, with their own characteristic peaks appearing in between the two extremes of complete denervation and total innervation.

Often one will note the presence of some voluntary muscle work before the muscle demonstrates normal responses to electrical stimuli used in strength-duration testing or even in faradic stimulation; therefore, the patient should continue using galvanic stimulation up to the time of the first voluntary muscle work.

Very often these lesions need stimulation for many months, so that continued attention from the physiotherapist becomes a problem from the aspect of finance and accommodation. The preferable approach is to teach the patient to carry on his own electrical stimulation, using a small apparatus such as that designed by the author. This is a very simple machine with a battery as a source of direct current. The current is controlled by a series of resistances, so that it is quite harmless. The controls are all on one side on a treatment panel that allows them to be operated by the unparalyzed hand, so that they can be easily adjusted. Current is applied through skin electrodes that are fixed in holders conforming to the pattern of the lesion, so that the individual electrode holders can be used. The practiced physiotherapist adjusts and supplies the machine, marks points of stimulation for application of electrodes, and teaches the patient to use it himself. The patient reports every four to six weeks for check-up and follow-up. The battery lasts for six to eight months, and the patient rarely wears one out. It is a standard battery that is easily replaced. The machine is small and compact, and can be easily carried (Fig. 14–25).

Muscle Re-education. Muscle re-education is necessary as healing progresses. Especially when shoulder and shoulder girdle are involved, normal scapulohumeral rhythm must be relearned. Muscles that have "forgotten" how to function must be taught to work in normal patterns with other stronger groups. Manual techniques of retraining functional patterns with all their components are useful; for example, in the case of a paralyzed deltoid, glenohumeral flexion-adduction-external rotation and flexion-abduction-external rotation, encouraging normal deltoid function, must be taught in conjunction with *normal* scapular movement and control. This is encouraged as the deltoid recovers, otherwise the patient will persist with the habit of scapular "hunching" and never learn to use effectively the reinnervated muscle.

Joint Mobility. Maintenance of joint mobility during the recovery period is, of course, important.

Relief of Pain. Causalgia is often a problem associated with nerve injuries. Modalities available to the physiotherapist, such as TNS or even ice, may give some relief of pain.

Sensory Re-education. In the management of plexus injuries, the importance of fully assessing the extent of sensory loss has previously been stressed. Once this has been determined, the need for implementing a treatment program of sensory re-education should also be considered. Both this assessment and the program may best be carried out through occupational therapy. When making an assessment prior to sensory re-education, the dorsal and volar surfaces of the neck, shoulder, upper arm, forearm, and hand should be tested for light touch, pain, proprioception (sense of joint positioning in space,), hot versus cold, 1–2 point discrimination, and stereognosis (the ability to identify objects, shapes, weights, and textures) (Fig. 14–41). Details of the patient's description of what he actually feels should also be noted.

Wynn Parry's reference to Highet's hierarchy of the grades of sensory recovery proves helpful as a guideline for determining the level of sensory loss. The levels of grades of

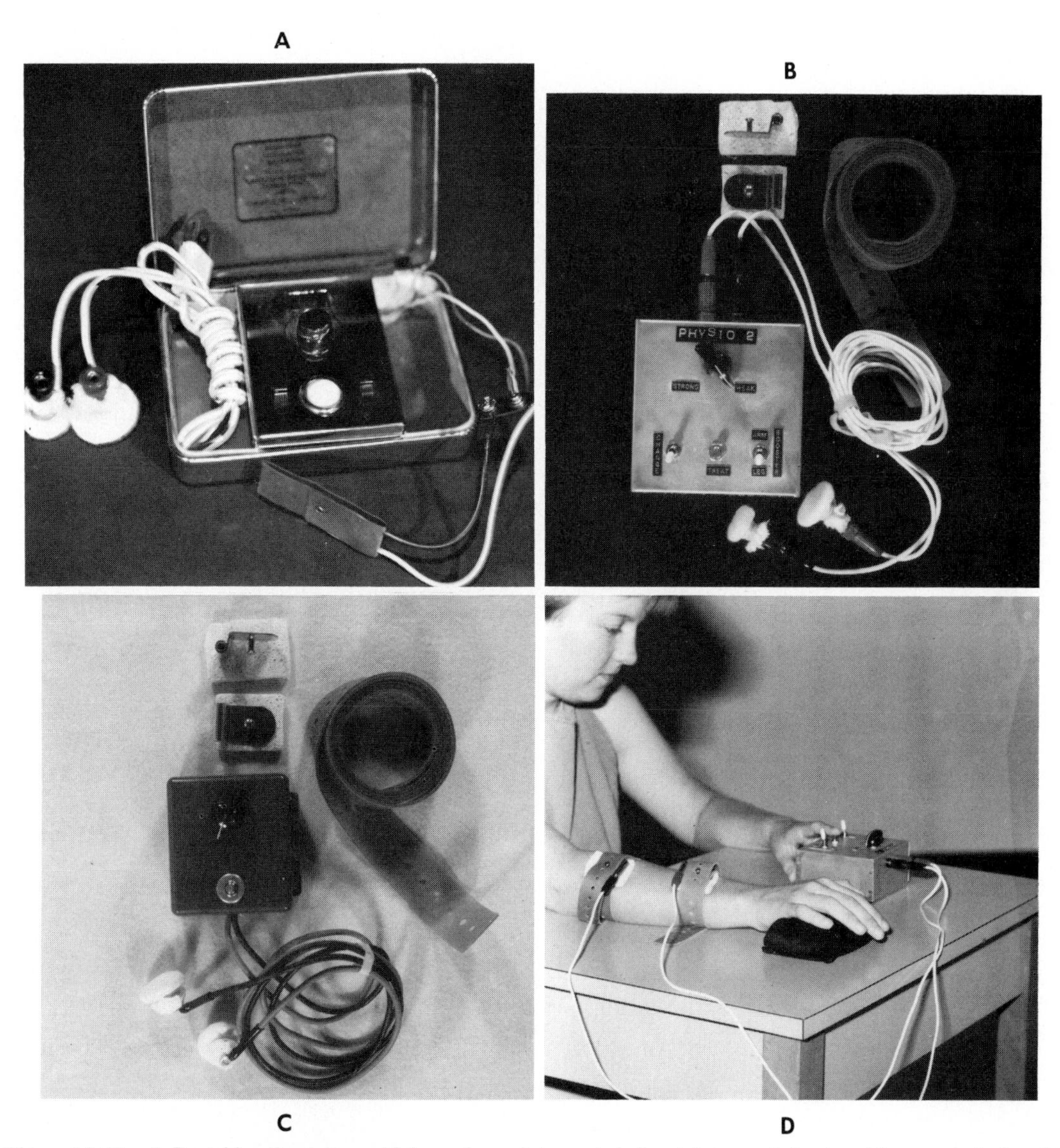

Figure 14–25 *A*, Portable stimulator, which produces interrupted direct (interrupted galvanic) current, designed by author. *B* and *C*, Other electrical stimulators that produce the same type of current. *D*, Patient shown using stimulator to stimulate individual denervated muscles in the extensor muscles of the forearm.

sensory recovery (within the autonomic zone) that Highet describes are:

1. no sensation;
2. deep cutaneous pain;
3. superficial pain and tactile sense;
4. as in #3, but with no over-response; and lastly
5. recovery of 1–2 point tactile discrimination.

The first considerations of sensory re-education should be to re-educate the protective characteristics of sensation (light touch, pain, and hot versus cold) before expecting return of 1–2 point discrimination or tactile discrimination. In addition, for reasons for health and safety of the affected arm, it is advisable that treatment first focuses in this area.

Sensory nerves are only afferent nerve fibers, and as such the expected response from a sensory stimulus is a voluntary motor movement. Therefore, the author and therapists involved in this program must concur that sensory re-education is actually cerebral retraining and not peripheral, and careful instruction is consequently very important. The patient should fully understand what part he plays toward the success of the treatment.

A sensory stimulus is first applied in association with the visual sense. The patient is asked to concentrate on the sensation that he should expect to feel. The therapist may first stimulate a normal sensory area to establish a recent normal sensation upon which the patient may concentrate. Sensory testing is then done again, without the aid of vision.

Once the patient begins to feel the stimulus applied (hot, cold, pain, etc.), treatment should also include identifying the point at which the stimulus was actually applied. First one should test if the patient can localize first without visual assistance and then with visual assistance in the hope that he will gradually learn where the stimulus actually did touch.

Sensory re-education should be done at least twice a day for about 15 minutes each time. Shorter sessions are preferable, as patients either become frustrated or overly stimulated if the tests are continued any longer.

Although a certain amount of protective sensation in the affected limb would be expected to return in time without sensory re-education (Wynn Parry, 1973), it is considered that the implementation of such a program improves upon both the rate and the quality of recovery. The author cannot sufficiently stress the importance of the part that the motivation of the patient and patient's family plays toward the success of the program. Often, the implementation of such a program at the intensity recommended is hampered by barriers of means and organization of time, when patients are discharged and return home with only a written outline of a home program to guide them. However, through periodic rechecks in the Occupational Department, the patient's progress can be assessed and the home program upgraded.

SURGICAL TREATMENT. *Time of Surgical Exploration.* In recent injuries, when clinical and electrical investigation indicates structural interruption of one or more roots, surgical exploration should be carried out as soon as the post-accident tissue reaction, often with its extensive hemorrhage, has subsided. Such an interval allows repeated examination, and sometimes more definite outline of the lesion. Exploration at an earlier period encounters all the excessive reaction from injury that has not yet had an opportunity to subside or become organized.

Technique of Plexus Exploration. The operation is done under a general anesthetic, preferably with intratracheal intubation. The neck and side of the head are shaved on the injured side, and the whole upper extremity is also prepared. The classic supine position

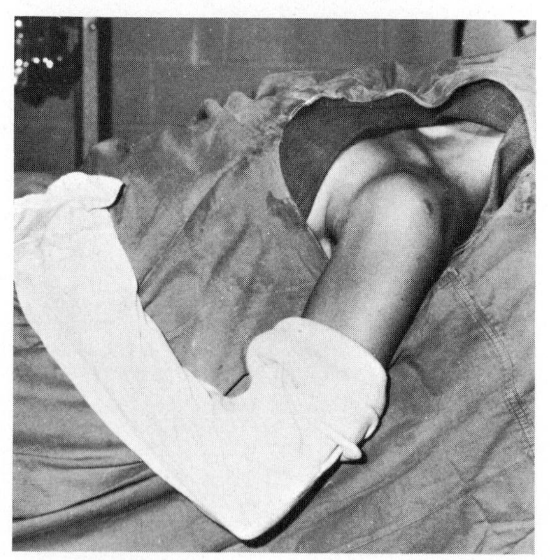

Figure 14–26 Position and draping for supraclavicular plexus exploration.

on the operating table has been altered to a seated posture (Fig. 14–26). The patient is placed in the sitting position, with the head rotated away from the injured side. In this way the point of the shoulder drops and remains dependent, increasing the length of nerve trunks that can be explored above the clavicle. The operating field is lifted to directly in front of the surgeon, and remains comfortably accessible during the long and sometimes tedious dissection. An almost vertical incision is used, extending from the midpoint of the lateral border of the sternomastoid to the middle third of the clavicle. It may terminate at the inner third to reach the lower roots, or veer toward the outer third when exploration of the fifth and sixth roots is most important (Fig. 14–27). The external jugular vein is ligated, and the sternomastoid muscle is retracted. The omohyoid is exposed and divided; the suprascapular and transverse cervical vessels are ligated. The brachial plexus is obvious, streaming out between the scalenes. The dependent position of the shoulder places the structures of the posterior triangle on a gentle stretch, facilitating dissection and identification in layers. Through the vertical incision, access is afforded to the front and back of the roots. Once the upper root is identified, the structures may be "wiped" forward and medially, allowing dissection from the posterior aspect (Fig. 14–27). Frequently this is a help, since scar tissue may not have penetrated to this layer and the roots may be more easily identified.

Following the identification of the upper roots and trunks, from the side as it were, dissection is continued along the anterior and posterior aspect, following the roots distally into the interval between the two scalenes. The scalenus anterior may then be "wiped"

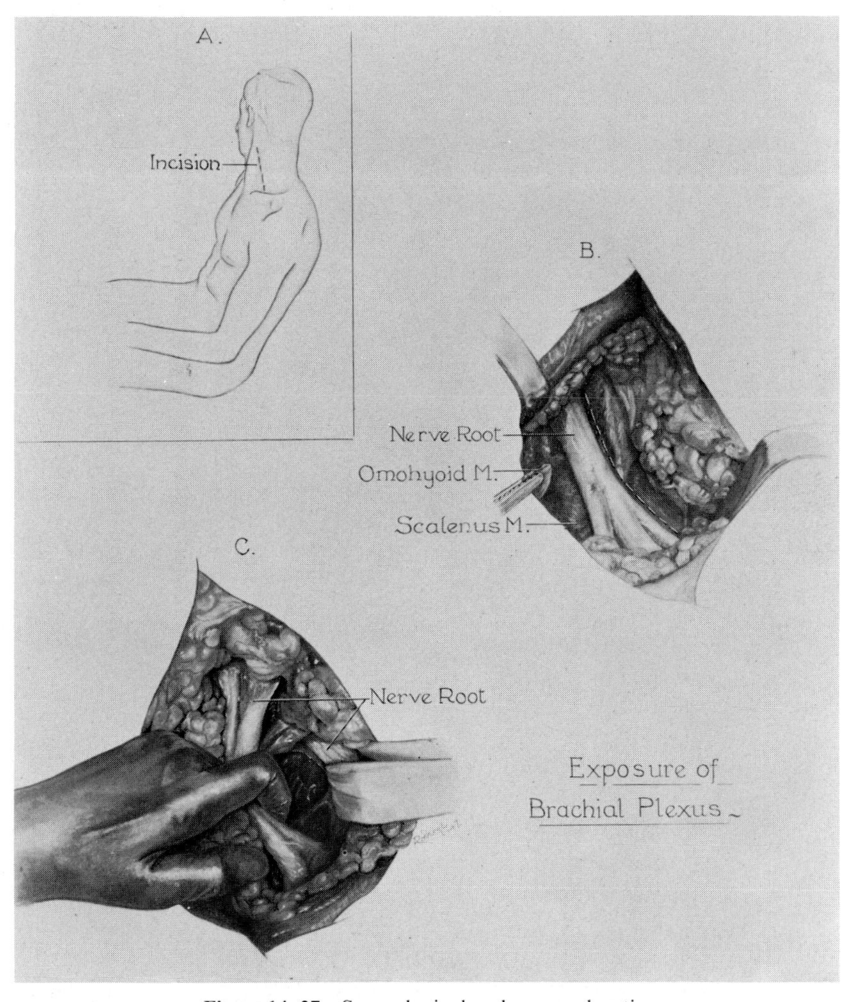

Figure 14–27 Supraclavicular plexus exploration.

or retracted medially, and the rest of the roots identified in serial fashion. Once the correct plane of the trunks has been obtained, dissection toward the medial side is greatly facilitated, even in densely scarred areas. The plexus may be followed distally and freed well under the clavicle. The dependent position of the shoulder tends to pull the clavicle out of the way and allows the trunks to be explored well beneath the clavicle. At the same time the trunks remain closer to the surface, instead of dropping posteriorly, as is the case with the body in the horizontal position when a sandbag behind the scapula pushes the whole girdle anteriorly, obstructing the base of the posterior triangle.

When further exposure is necessary, the incision described is extended in a Z-fashion, with the transverse limb along the middle third of the clavicle and the distal arm extending from the lateral third of the clavicle (Figs. 14–28, 14–29, and 14–30). The clavicle is divided just lateral to the midpoint, and retracted by steel wires placed through drill holes inserted before the bone is divided. These wires serve as retractors and as a quick method of fixation at closure (Fig. 14–31).

Bridging the Gaps in the Plexus Above the Clavicle. In many instances a sizeable gap remains to be bridged after following the above procedures. Extra length is obtained by extension of the incision in Z-fashion distally

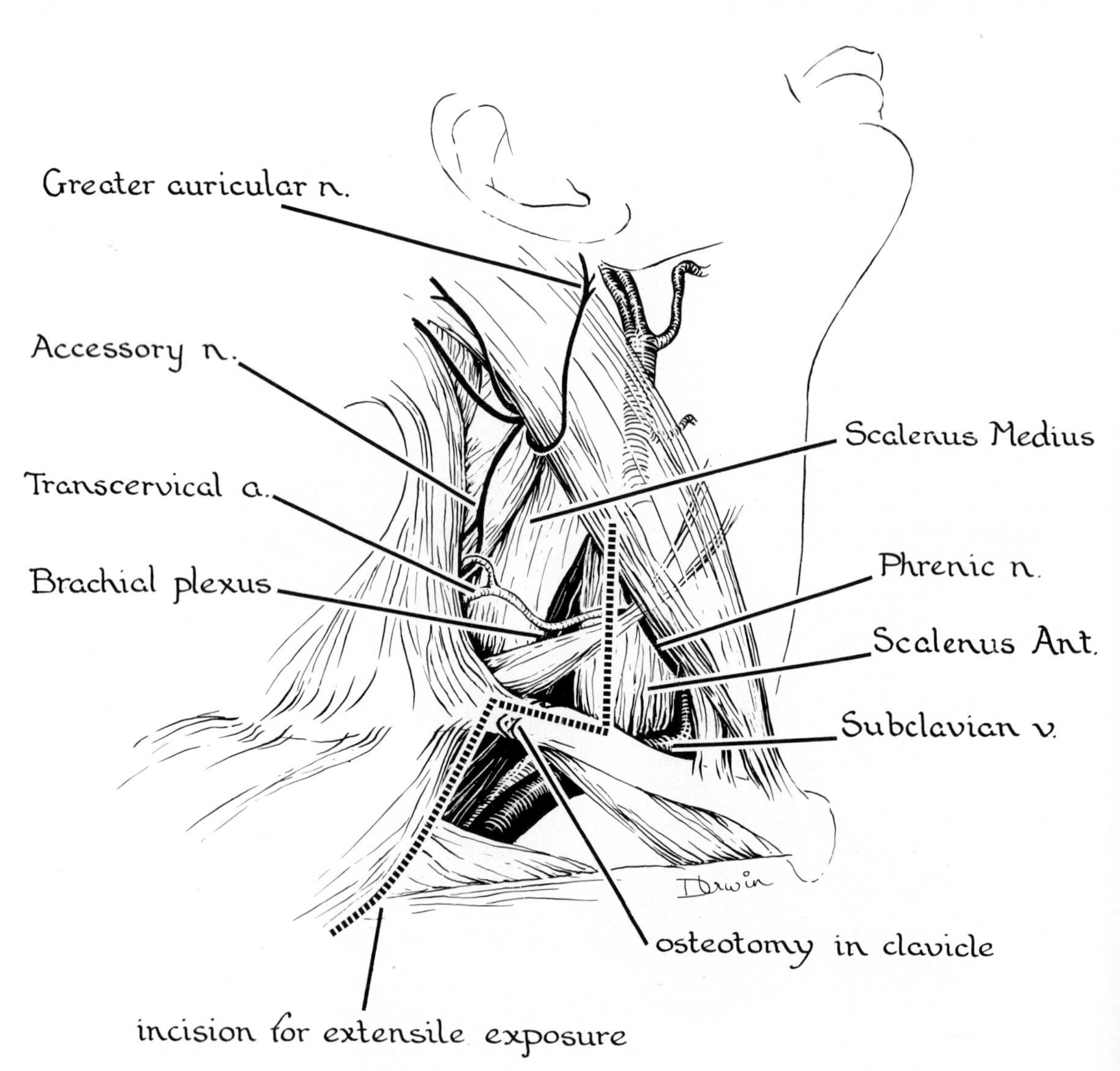

Figure 14–28 Surgical anatomy of brachial plexus exposure. Above, behind, and below clavicle.

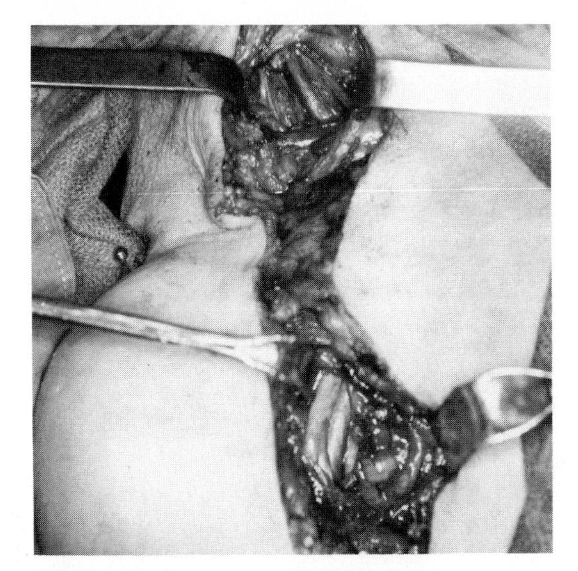

Figure 14–29 Exposure of plexus above and below clavicle.

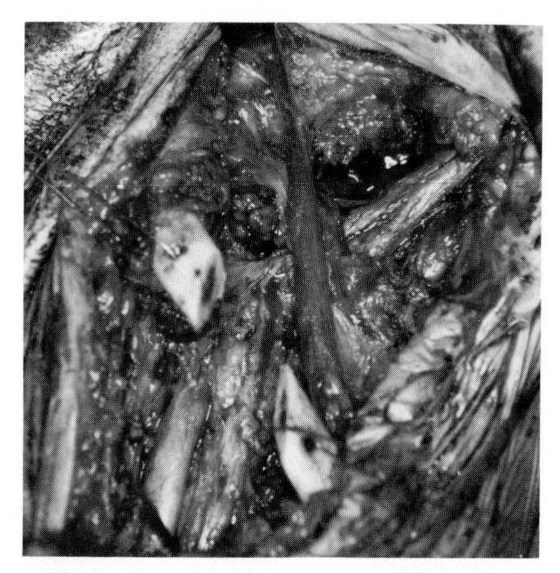

Figure 14–30 Exposure completed with resection of clavicle.

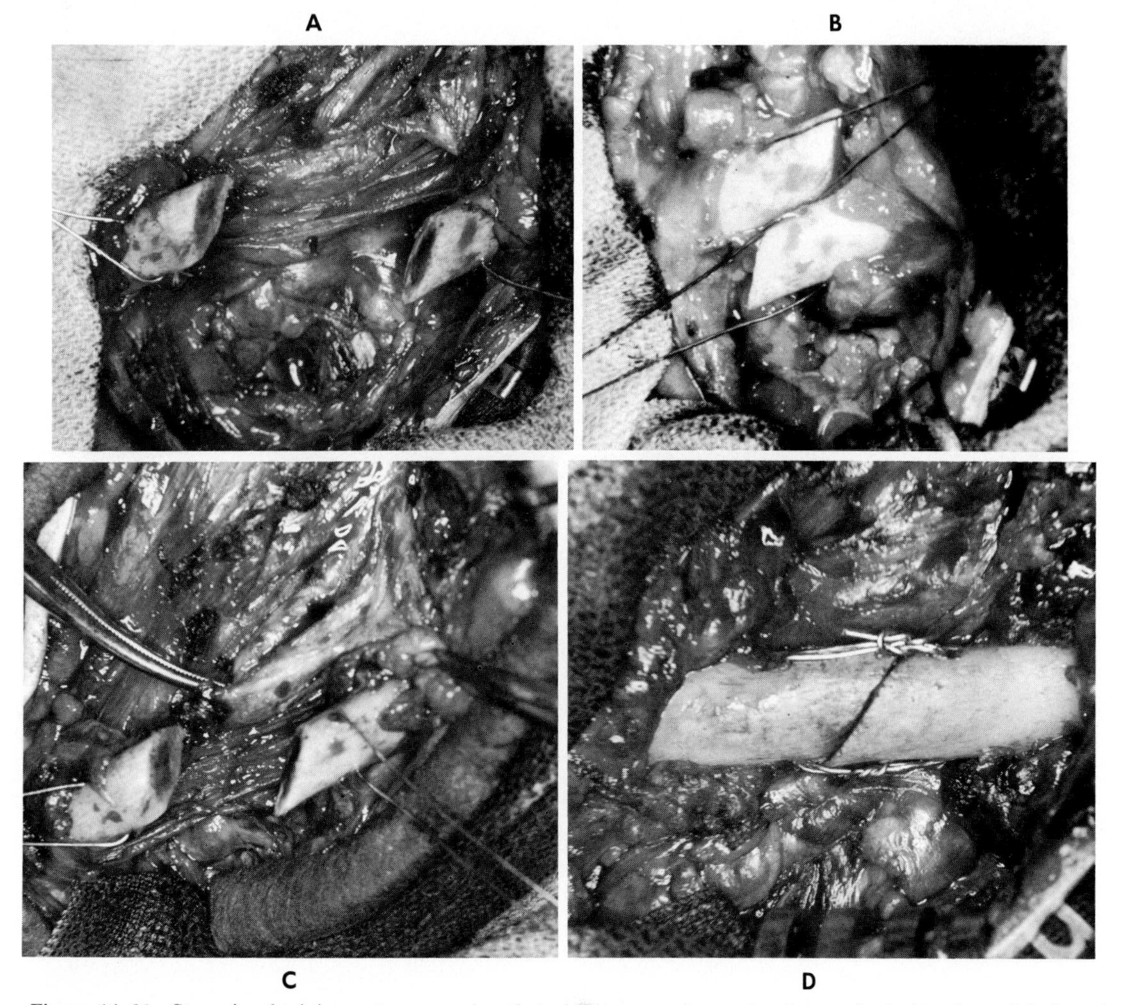

Figure 14–31 Steps in obtaining extra nerve length to bridge gaps in repair of supraclavicular plexus injuries. *A*, Osteotomy of clavicle. *B*, Overlap of clavicular ends possible with moderate traction, indicating amount of clavicle that may be resected. *C*, Resection of approximately 1 inch of clavicle shortens the supraclavicular gap appreciably. *D*, Completed osteotomy with shortening of clavicle. The retracting wires serve as a means of fixation.

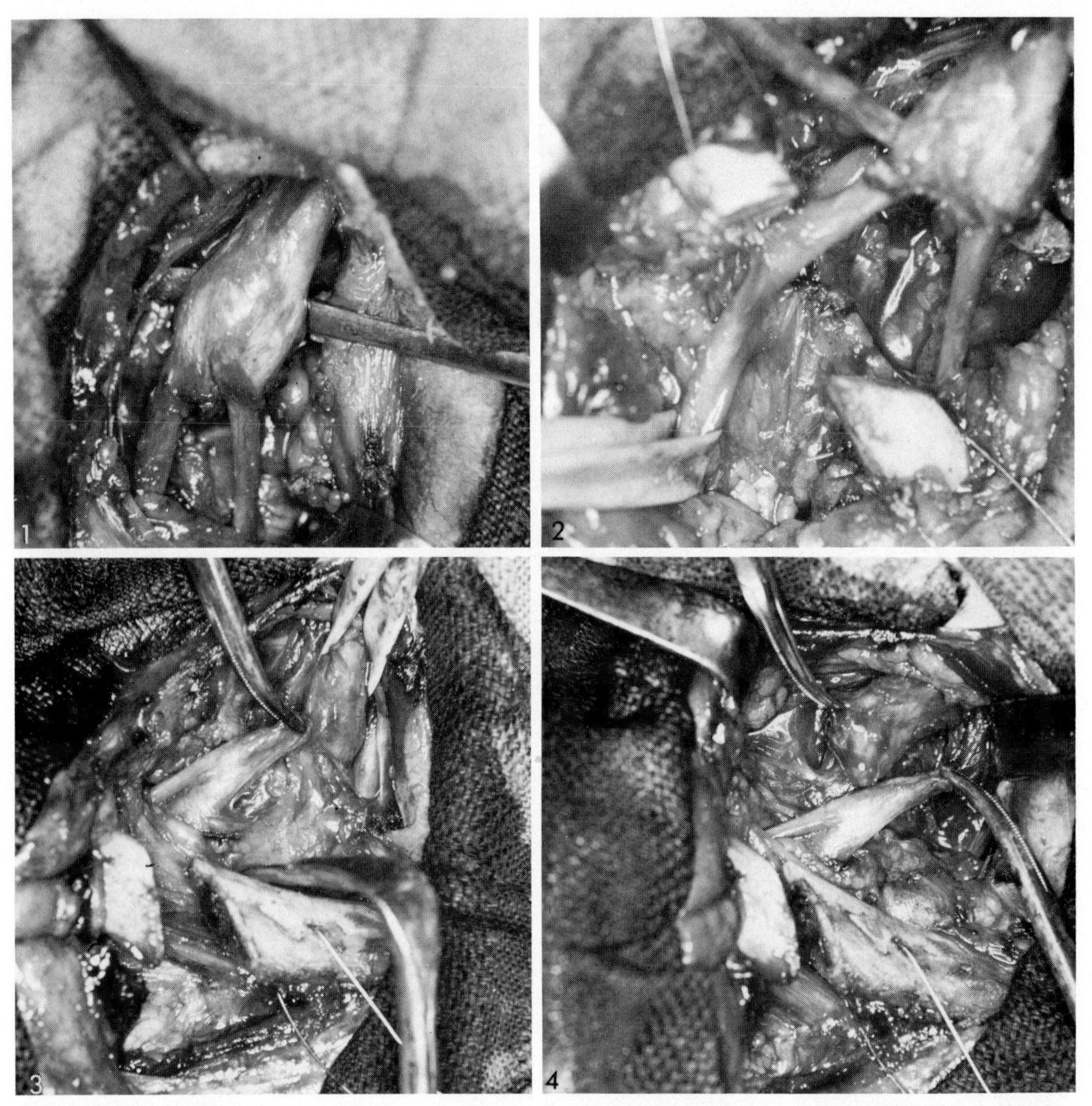

Figure 14–32 Bridging of gaps above clavicle. 1. Exposure of lesion above clavicle. 2. Extent of incision and osteotomy of clavicle. 3. Mobilization before resection of lesion. 4. Mobilization completed. Note length gained from resection segment of clavicle.

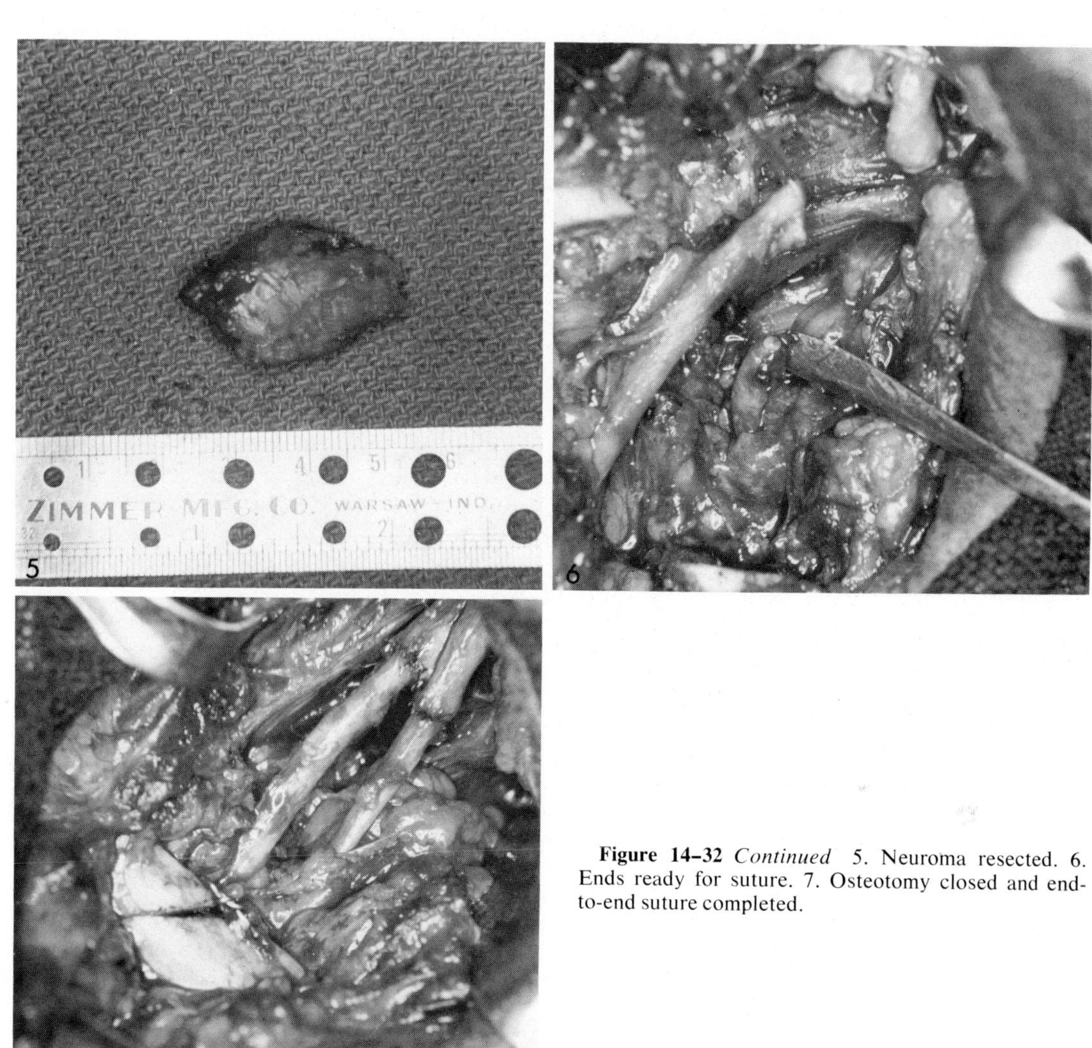

Figure 14–32 *Continued* 5. Neuroma resected. 6. Ends ready for suture. 7. Osteotomy closed and end-to-end suture completed.

to below the clavicle, close to the junction of the outer and middle thirds. To the incision below the clavicle, the fibers of the deltoid are separated longitudinally just lateral to the deltopectoral groove, to protect the extension of the veins in this area through to the subclavian vein. At a point just medial to the coracoid, digital dissection will identify the neurovascular bundle. The attachment of the pectoralis minor to the coracoid is severed, and the fibers of the pectoralis major are retracted strongly, or a portion of these fibers is cut obliquely.

It is then possible to mobilize the nerve trunks below the coracoid, and they can be pulled up above the clavicle a moderate distance. Some extra length is obtained by this maneuver, but usually not enough to bridge the gap.

At this point, it will be found that extra length is gained for the nerve trunks by shortening the clavicle, pulling the pieces on top of each other by means of the retracting wire sutures. A piece of the center of the clavicle amounting to three-quarters of an inch to 1 inch is then resected, and the ends of the clavicle are wired together securely. In fixing the clavicle, it is shortened; it will be found that extra length can be gained by further pulling the distal segment of the nerve upward. Three-quarters of an inch to 1$^1/_4$ inches may be gained by this maneuver, and suture usually can then be carried out without tension. By first wiring the clavicle together, and then completing the suture, a firm splint is obtained that takes the tension off the suture line and prevents its being torn apart by movement of the shoulder girdle (Fig. 14–32).

Postoperatively the arm and shoulder are mobilized in a body spica, with the point of the shoulder elevated slightly.

Technique in Apparently Irreparable Lesions (Fig. 14–33*A* and *B*). Not infrequently the damage encountered is such that several roots have been completely avulsed, and there are no proximal remnants to which the distal portions may be sutured. Under these circumstances the author has carried out the following procedure.

1. It is important to transect the clavicle and carry out the exploration well below this level to reach the coracoid process. Only by extending the exploration to this level can

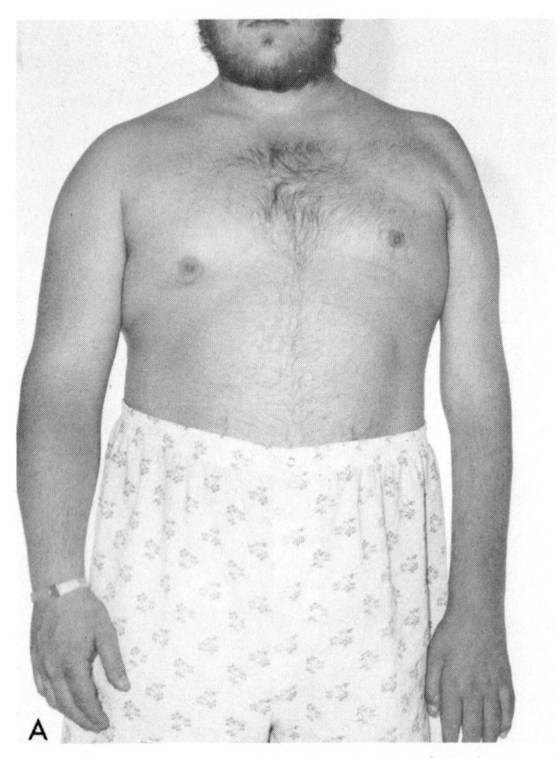

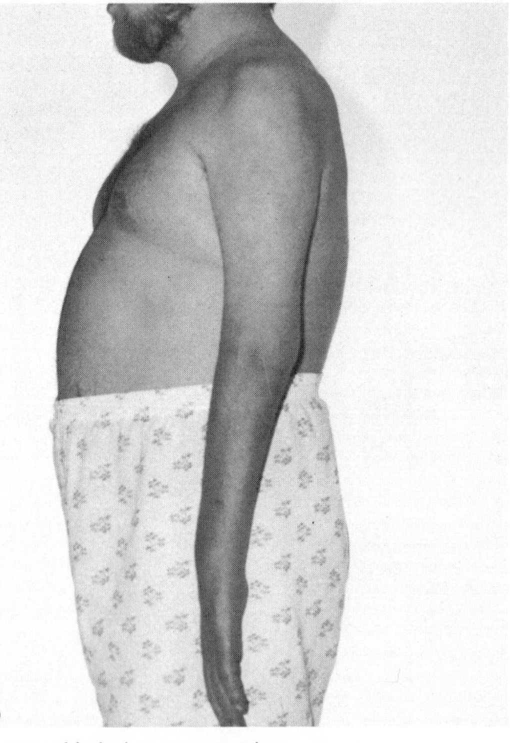

Figure 14–33 *A* and *B*, Apparently irreparable lesion, preoperative.

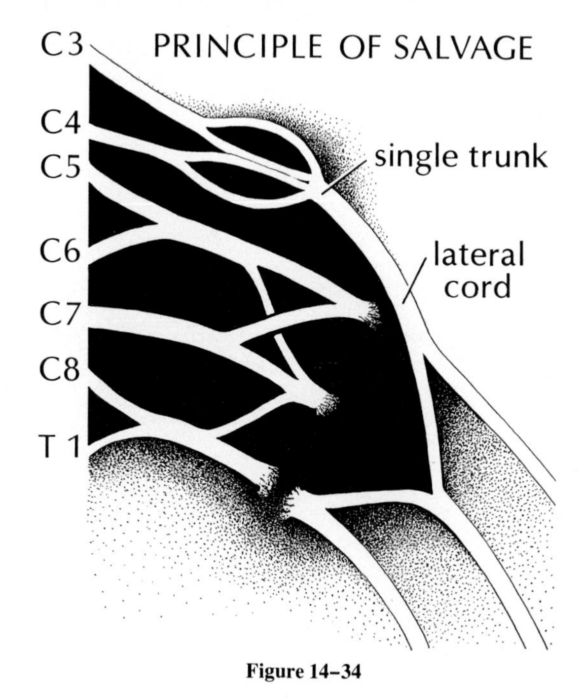

Figure 14–34

adequate mobilization of the cords be carried out so that the distal portion can be elevated above the clavicle as far as possible.

2. From the area that has been avulsed, as much dissection as possible is carried out to identify some cords that appear intact distally below the clavicle. As indicated above, the more these lesions are exposed the greater is the extent of the pathology encountered. It can happen very often that traction damage extends below the clavicle to around the coracoid process, as well as being related to the area of the transverse processes above. The infraclavicular dissection is mandatory in order to separate the adhesions in this secondary scar formation as well.

3. Very careful dissection is carried out to identify cervical nerve roots C.3 and C.4 (Fig. 14–34). The peripheral components of these are largely the supraclavicular branches, but there are some associated muscle branches also. Meticulous dissection is necessary to separate these fibers, but when this has been done it will be found that a quite presentable proximal trunk can be put together, which then can be sutured appropriately to the distal portion that has been identified. It very often is necessary to dig into the retracted distal segment and identify a satisfactory cord that has sufficient laxity to be pulled far enough upward to be sutured to this C.3–C.4 new trunk. The accompanying illustrations demonstrate this maneuver and the successful implantation of C.3–C.4 into the distal portion of C.5–C.6 (Fig. 14–35).

LESIONS OF THE SUPRASCAPULAR NERVE

Broadened interest in shoulder problems, along with accurate observation and more efficient methods of investigation, has revealed examples of damage to the suprascapular nerve. As this structure is not usually likely to be involved, it is understandable that it may have been overlooked for sometime. It is an uncommon lesion, but a number of ideologic factors have been identified.

Anatomy

The suprascapular nerve is the highest branch coming off the brachial plexus. It arises from the lateral aspect of the fifth root, and passes laterally and downward across the posterior triangle to course under the clavicle, reaching for the notch in the scapula. It passes under trapezius, resting on and at a point proximal to the notch of the scapula; it divides into the supra- and infraspinal branches that ramify under and supply the respective muscles (Fig. 14–36).

Pathology

A number of injury mechanisms have been recognized.

Injury at Origin from Plexus. The suprascapular nerve, although a small branch of the plexus, is exposed like the rest of the plexus to stretch trauma in acromiomastoid divergence. It can happen that such force is dissipated before the rest of the plexus and the larger elements are involved, but the suprascapular nerve is stretched. A very rare lesion is laceration from flying objects, such as a flying piece of steel.

Fractures of the Scapula. The scapula can be broken through its notch, and the nerve may be damaged in this action.

Suprascapular Nerve Entrapment. Unilateral shoulder swing, as in the act of throwing or other overhand motion, involves backward and forward rotation or rocking of the scapula, as well as a shift and recoil around the chest wall. A degree of friction irritation is feasible with the fulcrum at the notch of the scapula. A localized friction-type neuroma can form and produce paresis of the spinati.

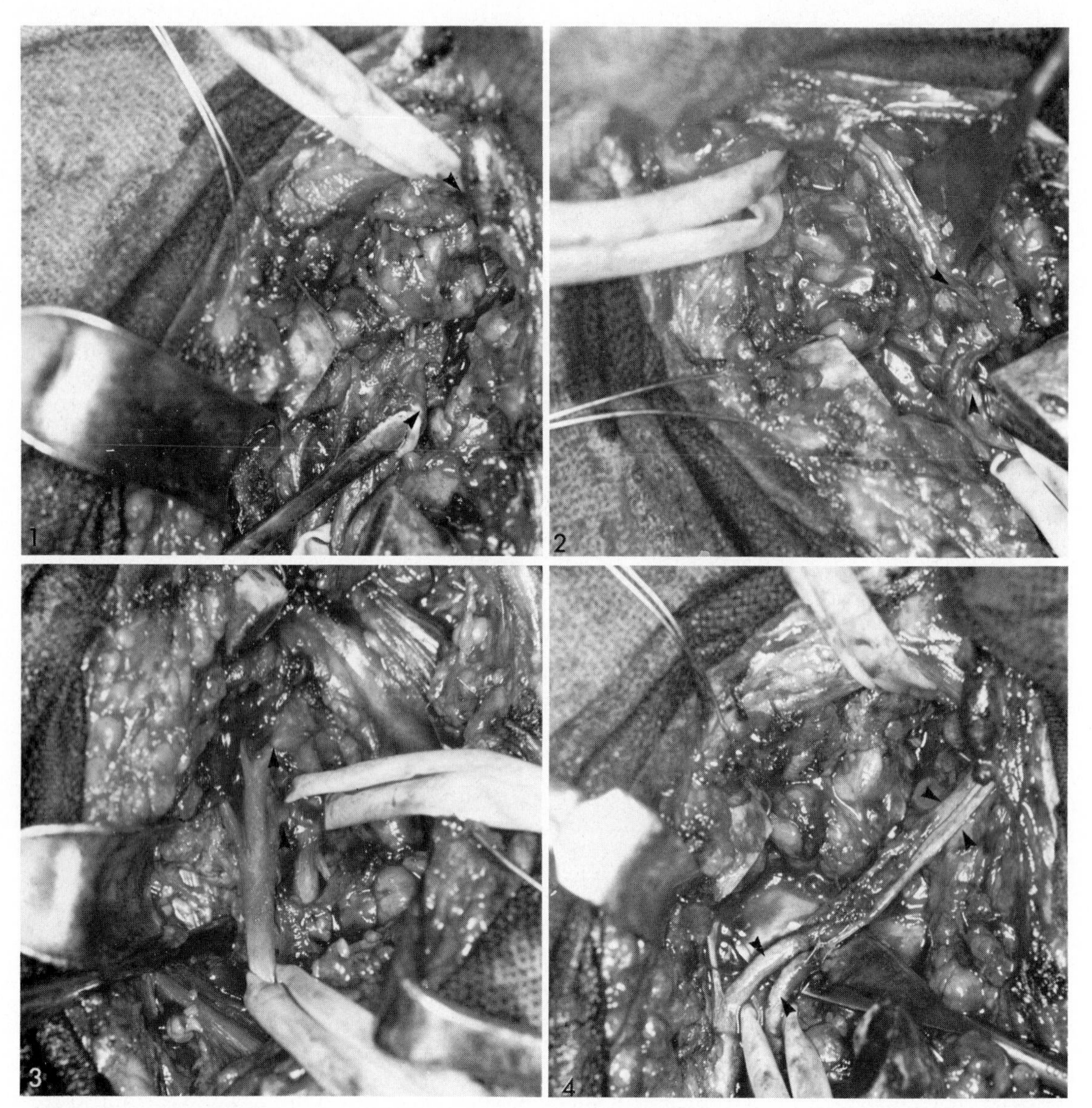

Figure 14–35 1. Total plexus irreparable lesion. 2. Dissection and isolation of distal branches C.3 and C.4. 3. Mobilization and elevation of infraclavicular remnants. 4. C.3 and C.4 branches sewn to a single trunk elevation of segments below clavicle for suture.

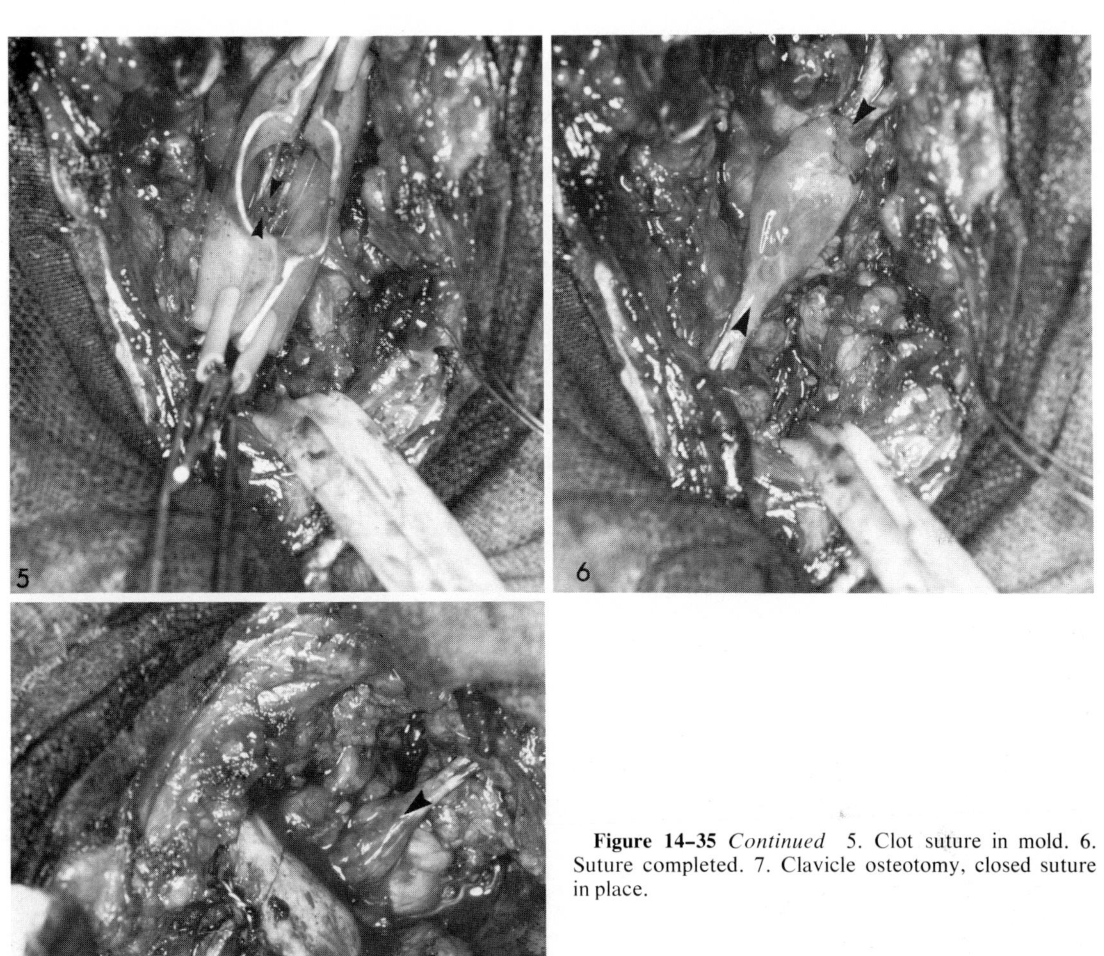

Figure 14–35 *Continued* 5. Clot suture in mold. 6. Suture completed. 7. Clavicle osteotomy, closed suture in place.

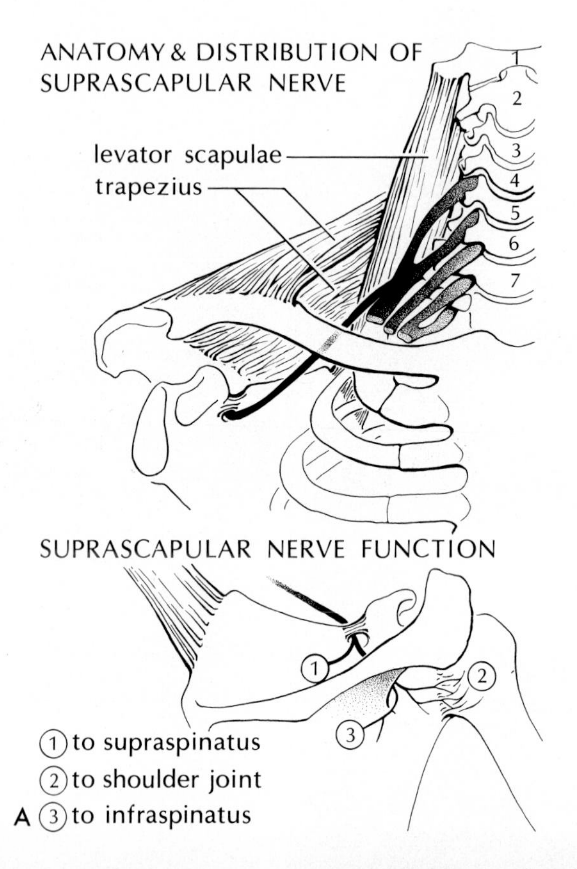

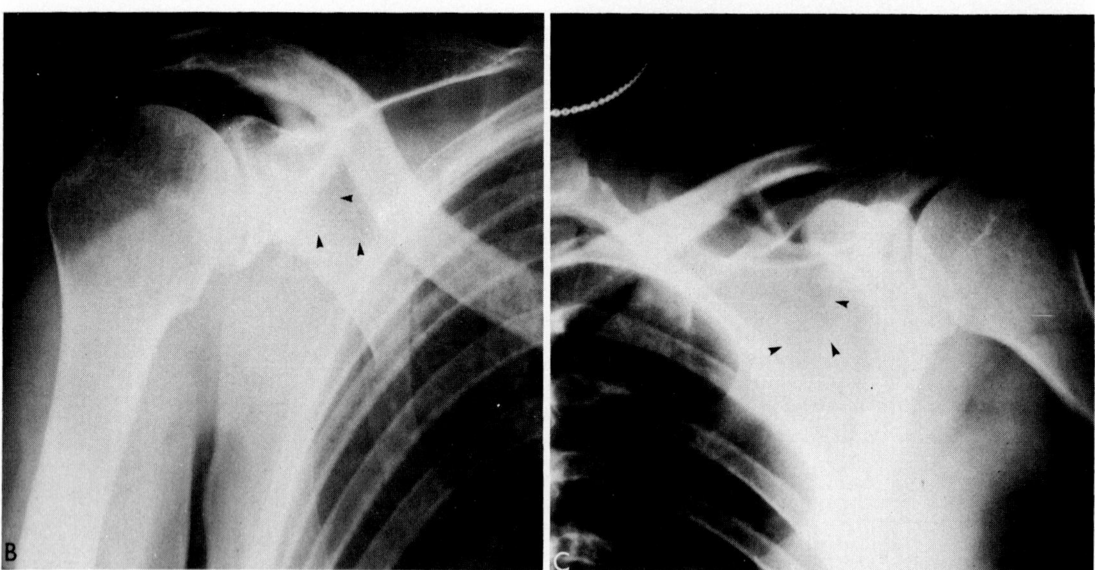

Figure 14–36 *A*, Anatomy and distribution of suprascapular nerve. *B*, Fracture neck of scapula with suprascapular nerve involvement. *C*, Neck of scapula with suprascapular nerve involvement.

Diagnosis and Treatment

As a wholly motor nerve, damage leads to weakness or paralysis of the spinati. In those lesions without specific injury, such as plexus stretch or fracture, localized glenohumeral aching pain is a precursor. Some shoulder angle discomfort develops also. These symptoms arise as a result of glenohumeral imbalance similar to that which stems from cuff damage.

Weakness in abduction and external rotation follows. Local atrophy is apparent. Electromyographic study discloses signs of denervation usually involving both supra- and infraspinatus, because the damage is proximal to the scapular notch and division of the nerve.

Tenderness over the notch of the scapula may be elicited on deep pressure. The signs of cuff dysfunction can be so clear that an arthrogram is needed to verify intactness of the cuff.

Treatment. In the *traumatic* lesions, a program of electrical stimulation can be assessed intially, and progress checked electromyographically. The reason why this is possible is that the damaging episode is not a continuous one, so that, following the initial insult, some recovery can be anticipated through regeneration, since the nerve as a rule is not divided. If no improvement is apparent after two months, exploration and neurolysis should be done.

The entrapment lesion is a more insidious development, and there may be considerable atrophy of the spinati before the source is identified.

When electrical changes are present, it is best to explore the nerve, since the source of pressure may be a continuing one, in contrast to the lesions in a fracture or stretch trauma.

TECHNIQUE. An oblique incision is made extending from the midposterior triangle laterally and obliquely over the edge of the trapezius. Roots C.5 and C.6 are identified in the proximal portion of the incision, and the suprascapular nerve is exposed at its origin from the upper root. The trunk is then used as a guide to its course under the trapezius, and hence to the notch.

Usually a gradual fusiform enlargement or sometimes merely firming of the nerve over three-quarters of an inch to 1 inch, is identified. Under magnified vision the sheath should be split, and an intrafascicular scar removed or "pseudo"-neuromata released.

Exposure can be made at the notch only, but the author has preferred the above approach in order to permit intrafascicular dissection over a longer course than just in the region of the notch.

Postoperatively, electrical stimulation is continued until some voluntary power has returned.

INJURIES BEHIND THE CLAVICLE

Fracture of the inner third of the clavicle from excessive force often involves the plexus at this point. Serious vascular injuries nearly always occur also. Under these circumstances, the vascular damage dominates the picture (Fig. 14–37).

Two types of injury are to be identified: (1) the traction injury in which excessive force pulls the artery and vein over the first rib as a fulcrum, and at the same time seriously stretches the adjacent neural structures; and (2) a second, less severe injury that results from force sufficient to break the clavicle but not penetrate strongly beyond it, so that there is a contusion type of injury to the neural elements but the subclavian vessels usually are not torn.

Treatment. When there is evidence of progressive vascular damage, immediate exploration of the subclavian vessels is required. The vascular damage is dealt with, and appropriate nerve repair is carried out at the same time if the patient's condition permits. Should this be critical, however, the vascular damage alone is controlled, and the plexus is explored again after recovery from this primary and emergency surgery.

In less severe injuries, even if definite

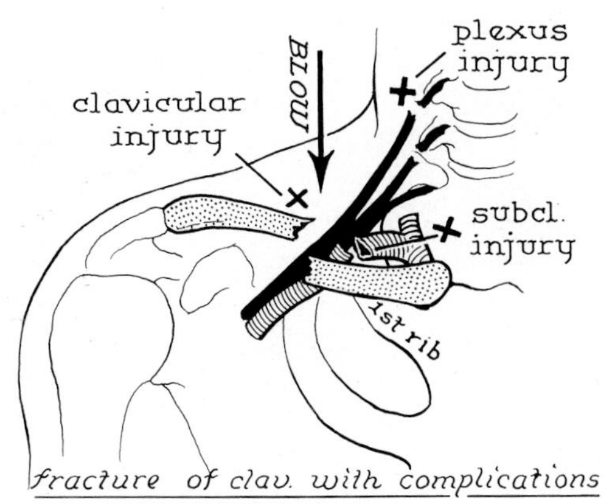

Figure 14–37 Fracture of the clavicle, showing mechanism of neurovascular complications.

plexus contusion has occurred, it may not be necessary to explore the nerves. The decision to do this depends on the electromyographic findings; if they indicate significant denervation of any group of muscles, this constitutes strong evidence for surgical exploration.

Frequently this type of injury is followed by symptoms of late compression of the neural elements due to scar formation or exuberant callus. Under these circumstances, a portion of clavicle can be excised and the ends reunited effectively, decompressing the neurovascular bundle.

INFRACLAVICULAR PLEXUS INJURIES

Etiology

The elements of the brachial plexus are frequently involved by several mechanisms applied in the area below the clavicle. Thus we can recognize: (1) direct trauma; (2) indirect trauma; and (3) complications of fractures and dislocations.

Direct Trauma. Falls on the armpit may seriously damage nerves and vessels in the axilla. Workmen, for example, in falling from a height may impale the axilla on a sharp edge in their descent, either crushing or cutting some of the axillary contents (Fig. 14–38). Similarly, tumbles through windows or glass doors are not an uncommon source of direct laceration of the plexus in the axilla (Fig. 14–39).

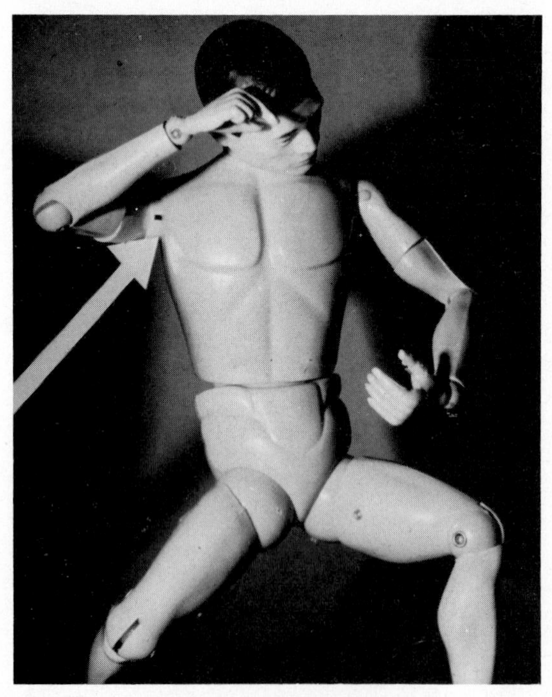

Figure 14–38 Axilla injuries.

Indirect Trauma. In industry a quite common serious injury results from the arm being caught in the heavy belting of a machine (see Chapter 10). The force is often enough to break the humerus at the point of the belt application, and the continued pull is applied to the soft tissues in such a way that tears of the nerves occur at a higher point in the arm. Damage to the nerves resulting from this mechanism often extends to the area of the axilla.

Dislocations of Acromioclavicular and Glenohumeral Joint. Forceful dislocation of the shoulder may stretch the posterior cord, and axillary and circumflex elements. For some time this mechanism was thought to cause the nerve damage by pressure of the head of the humerus on the cords. As one assesses this mechanism experimentally in cadavers, it appears to be a stretch lesion resulting from abduction and rotation of the humerus, with the head of the humerus acting as a fulcrum, increasing the stretch action as the arm is abducted and externally rotated and extended.

Complete acromioclavicular dislocations, with rupture of the suspensory ligament, can also implicate the neurovascular bundle (Fig. 14–40). As a rule, this is a late development resulting from failure to reconstruct the suspensory ligaments. A gradual increase in forward and downward displacement of the shoulder girdle results from loss of continuity of the conoid and trapezoid ligaments. Traction on the neurovascular bundle develops intermittently, but gradually becomes more continous. Symptoms of radiating pain and weakness in the hand develop. Repair of the suspensory ligament by re-establishing the stability of the shoulder girdle relieves the pressure on the neurovascular bundle, and it is not necessary to do a separate exploration of these structures.

*DAMAGE TO INDIVIDUAL CORDS OF THE PLEXUS**

Lateral Cord of the Plexus

This cord and its branches are infrequently involved. Damage to the outer cord produces

*See Figure 14–41.

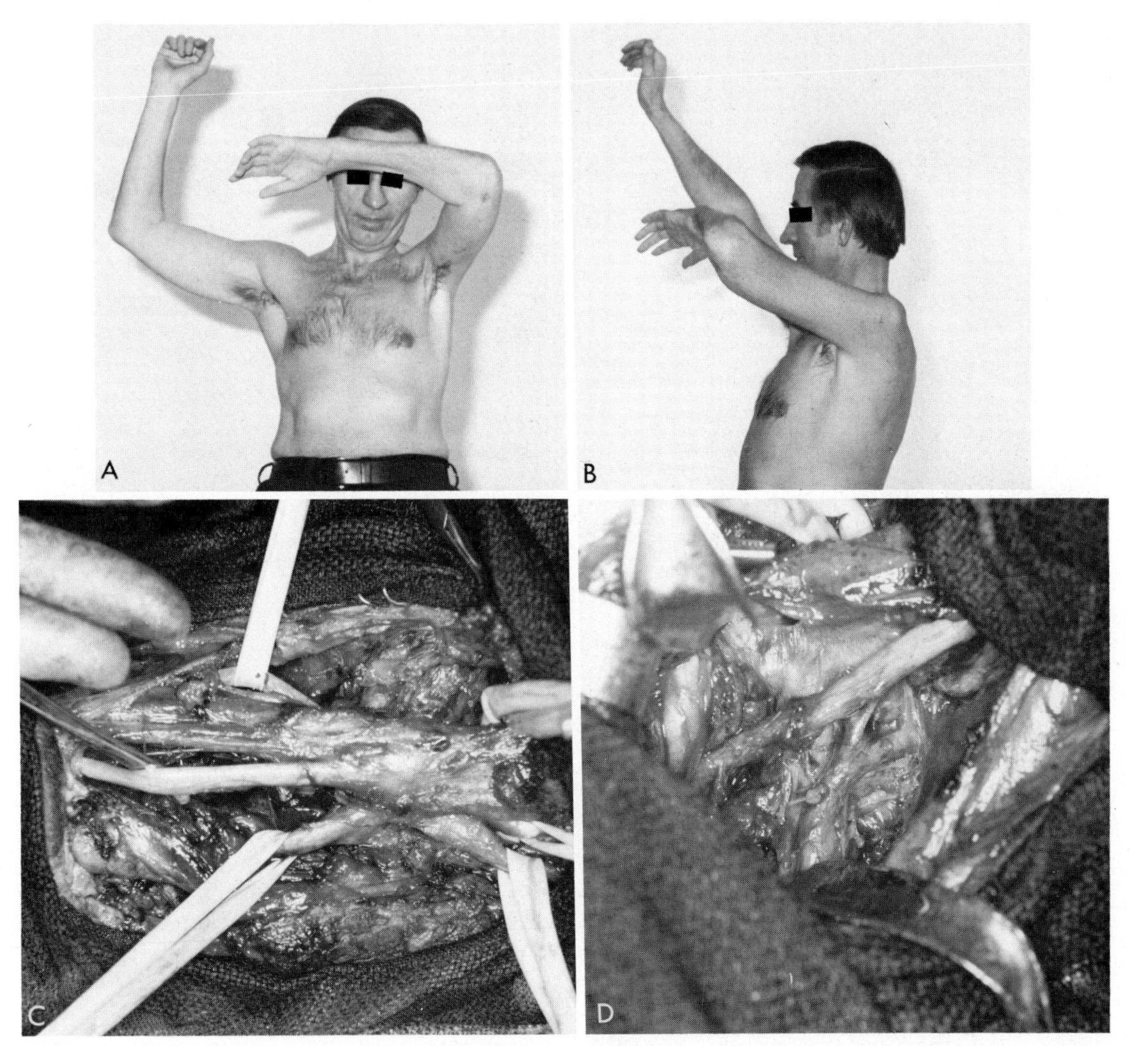

Figure 14–39 *A*, Axillary damage from ski injury. Complete posterior cord severance. *B*, Posterior cord lesion. Note extensive atrophy of deltoid. *C*, Posterior cord injury from axillary trauma. Note adherence to vessels. *D*, Posterior cord has been separated from vessels and repaired.

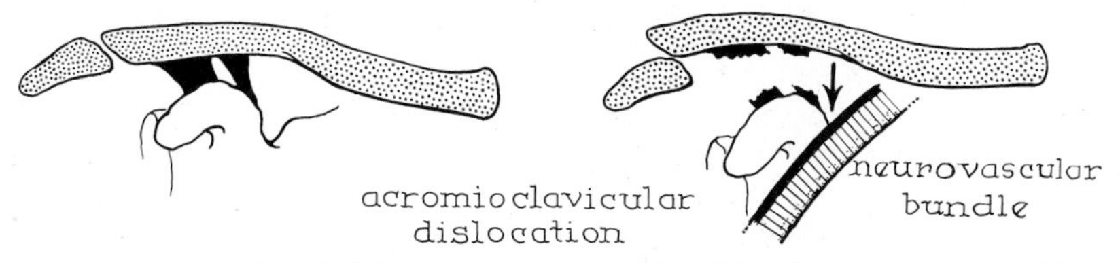

Figure 14–40 Neurovascular bundle injury in acromioclavicular dislocation and suspensory ligament rupture.

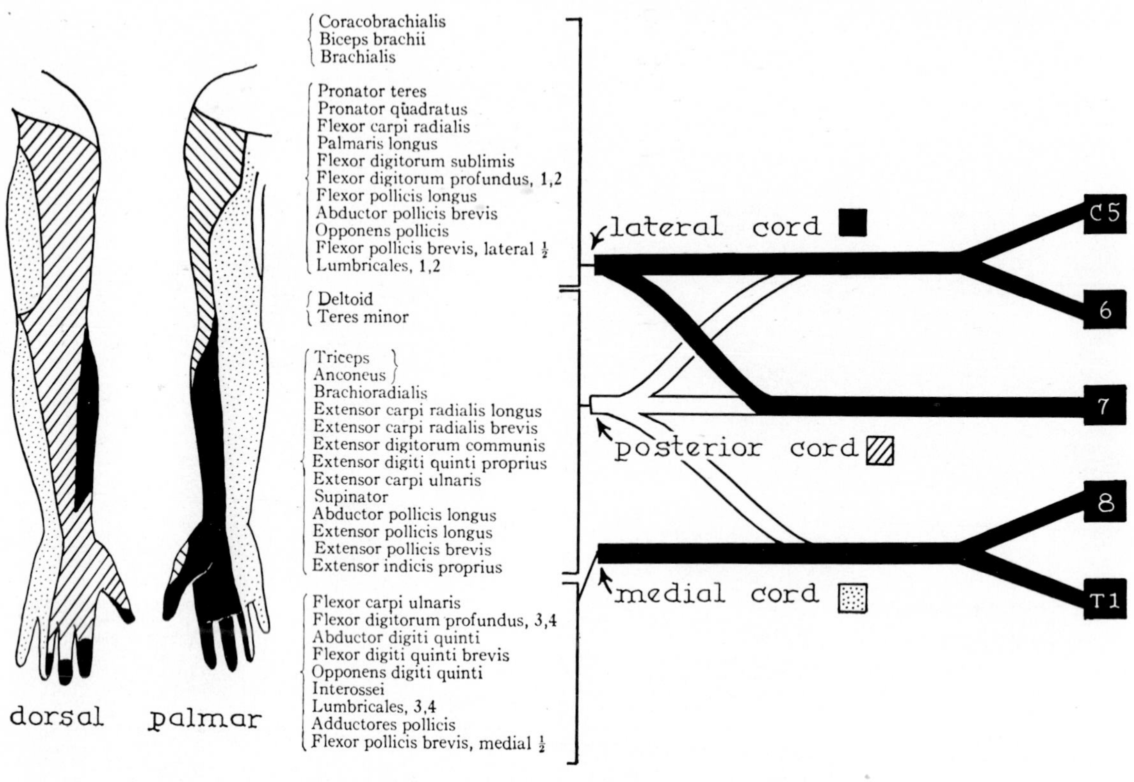

Figure 14–41. Composition of infraclavicular plexus.

paralysis of the muscles supplied by the musculocutaneous nerve, lateral anterior thoracic nerve, and a portion of the median nerve (Fig. 14–42). There is motor loss involving the biceps, coracobrachialis, brachialis, and pectoralis major. Clinically, weakness of flexion at the elbow is the most prominent sign. The sensory deficit is in the distribution of the lateral cutaneous nerve of the forearm along the lateral surface of the forearm.

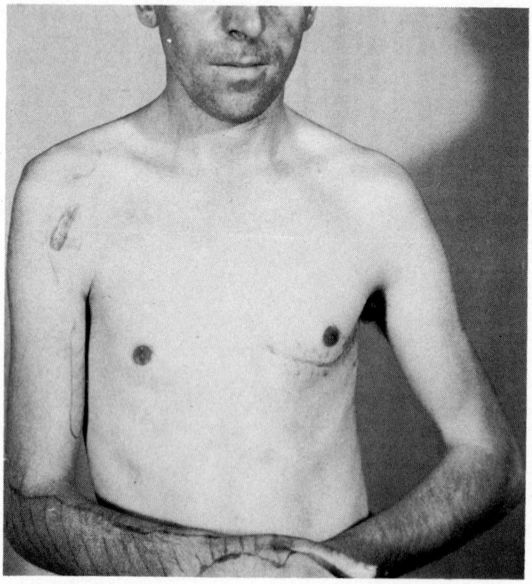

Figure 14–42 Lesion of lateral cord of plexus.

Medial Cord

Injuries of the medial cord produce signs and symptoms mainly involving the hand. There is paralysis of the muscles supplied by ulnar and median nerves. The sensory loss involves the area supplied by the medial cutaneous nerve of the arm and forearm, as well as the median and ulnar nerves, including the palmar surface of the hand and fingers and the medial border of the forearm and arm (Fig. 14–43).

Lesions of the Posterior Cord

The posterior cord is in a more vulnerable position than either of the other cords, possibly because, in lying posteriorly, it is more susceptible to cutting trauma from the

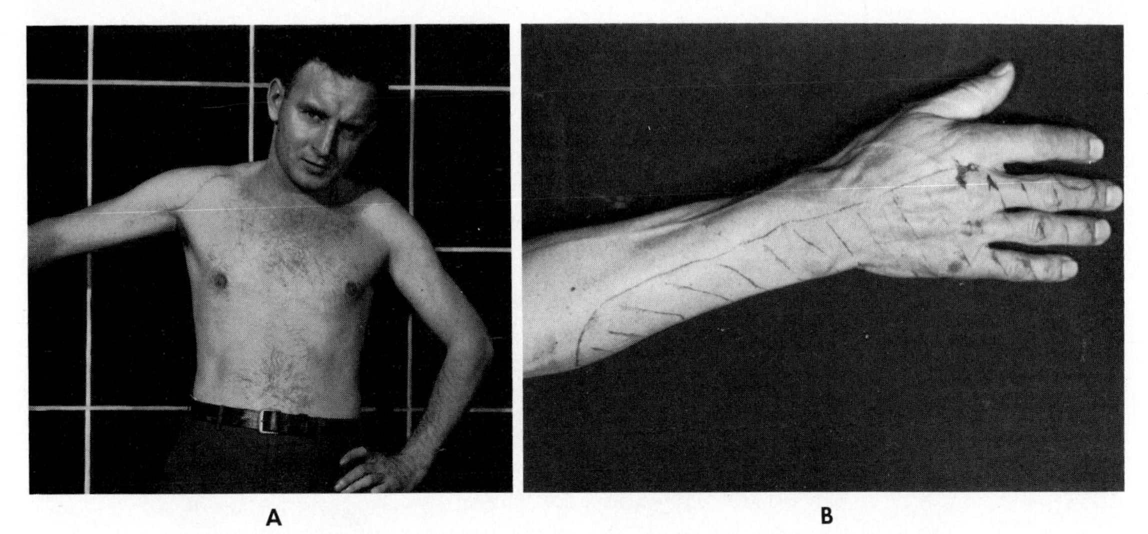

Figure 14–43 *A* and *B*, Medial cord lesion, and indication of area of hand involvement.

back in falls or wounds. When the posterior cord is injured, there is paralysis of the muscles supplied by the axillary, radial, thoracodorsal, and subscapular nerves. This means paralysis of the deltoid, teres, latissimus dorsi, subscapularis, brachioradialis, and extensors of the elbow, wrist, and fingers. Sensation is lost over the dorsal surface of the forearm and the hand (Fig. 14–44).

Treatment of Infraclavicular Lesions (Figs. 14–45 and 14–46). The same principles apply to the management of these lesions as have been outlined for injuries that occur above the clavicle. All the conservative and supportive measures are the same as those applied to the paralyzed muscles. Wounds and lacerations of the axilla tend to be below the supply of the deltoid and shoulder group, so that, from the standpoint of splinting, it is chiefly the hand that needs attention. Contractures are prevented by proper physiotherapy and adequate splinting. A splint of the Universal type, such as that illustrated in Figure 14–24, is the most satisfactory.

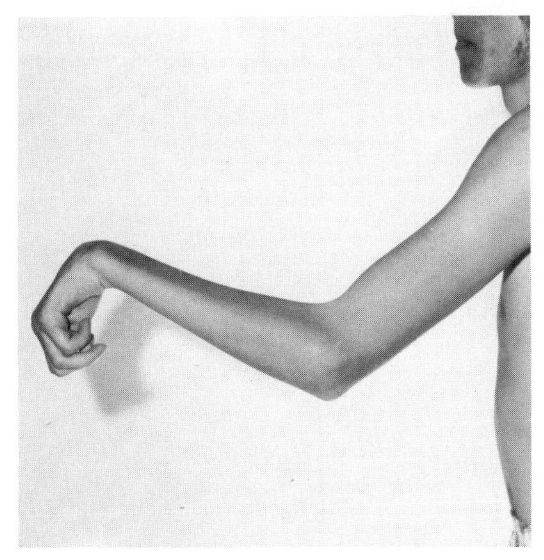

Figure 14–44 Posterior cord.

Operative Technique. The indications for exploration of this area are the same as for injuries above the clavicle. When there are signs of a complete lesion on electrical investigation and clinical examination, operation is required. The arm is placed in an abducted and externally rotated position on the table. The area is exposed by an incision extending from the clavicle across the anterior fold of the axilla down the medial surface of the arm. The incision is deepened by blunt dissection through the axillary fascia, and the neurovascular bundle is exposed without difficulty. In high lesions it may be necessary to detach the medial origin of the deltoid from the clavicle. If possible, the cords are identified above the lesion and traced to the scar area. Dissection is then continued below the site of injury and through the disordered zone of scar. The technique of nerve repair may be mentioned briefly. The result of repairing injured nerves is critically dependent on the accuracy with

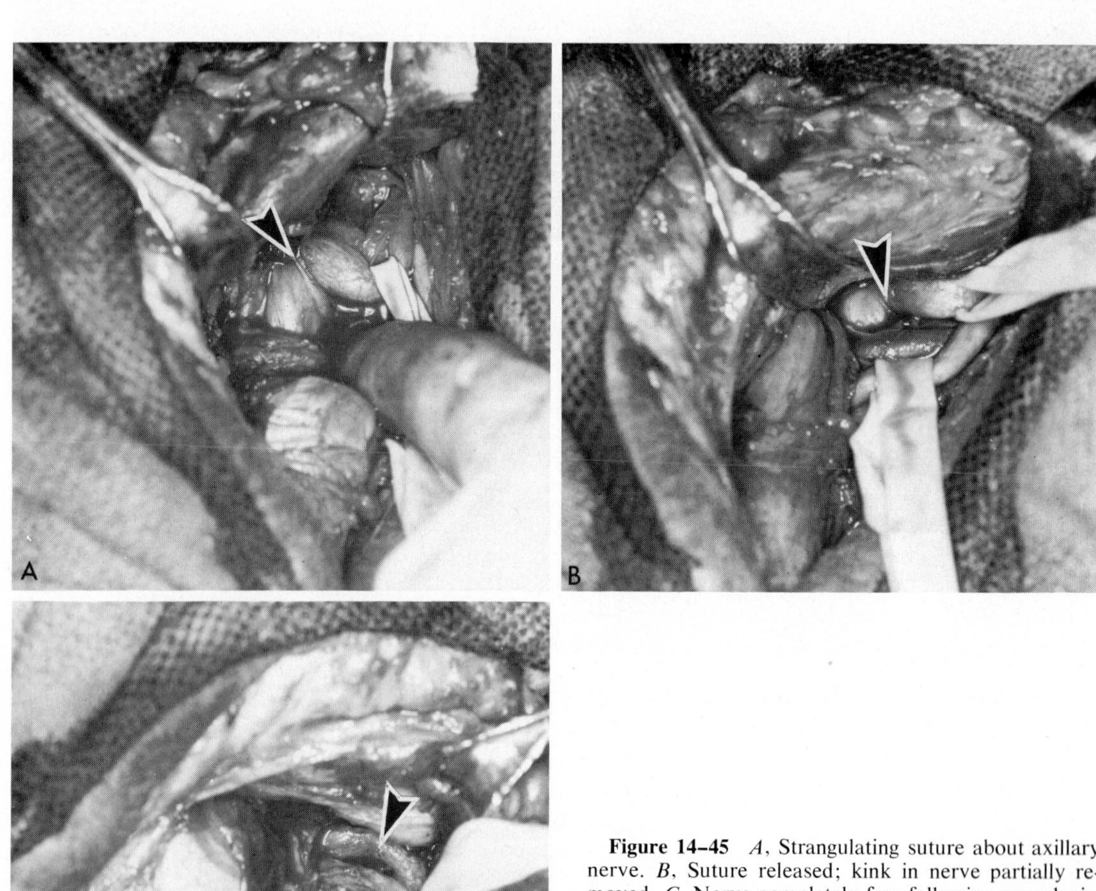

Figure 14–45 *A*, Strangulating suture about axillary nerve. *B*, Suture released; kink in nerve partially removed. *C*, Nerve completely free following neurolysis.

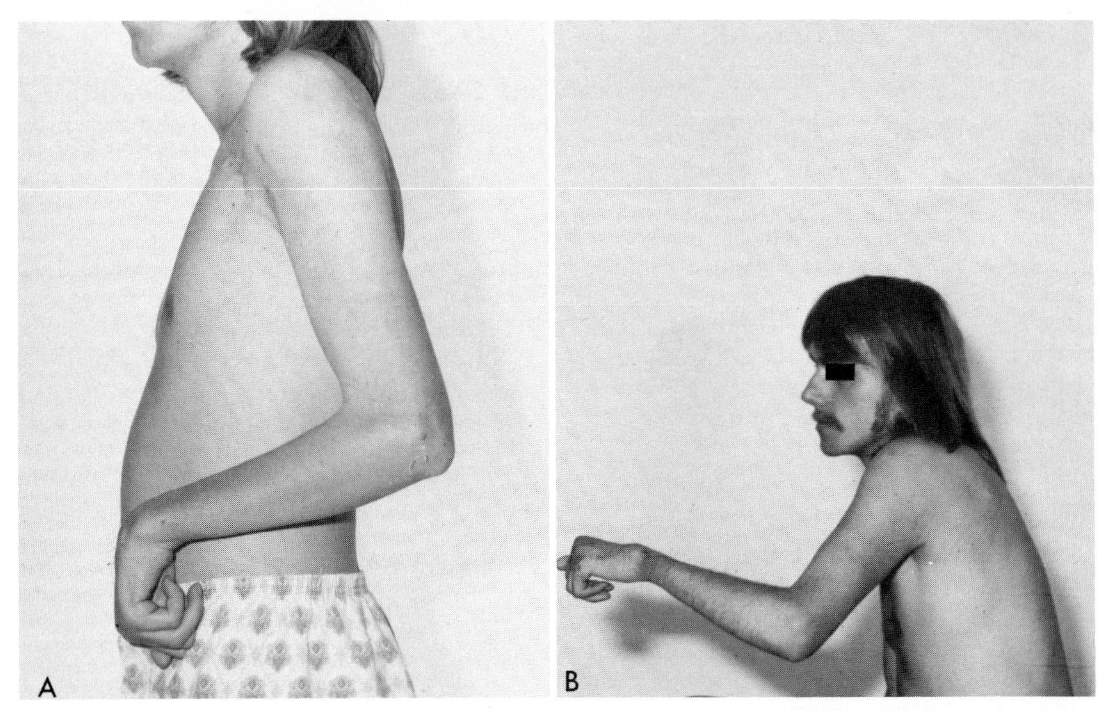

Figure 14–46 *A*, Infraclavicular lesion, posterior cord, preoperative. *B*, Posterior cord lesion following repair.

which the suture is performed. It is facilitated by using proper instruments that cut and trim the nerve ends accurately. A neurotome such as that designed by Tarlov is most useful. The nerve should be handled by rubber-covered forceps to prevent more damage; the finest of suture material should be used. The author prefers No. 6–0 fine mersilene or ophthalmic silk on a swaged needle, and supports the suture line with an autogenous plasma clot. Use of the plasma allows fewer sutures to be inserted, and hence less foreign body irritation from the stitches. The contraction of the clot splints the suture line, favoring regeneration of axons across the gap (Fig. 14–47*A* and *B*).

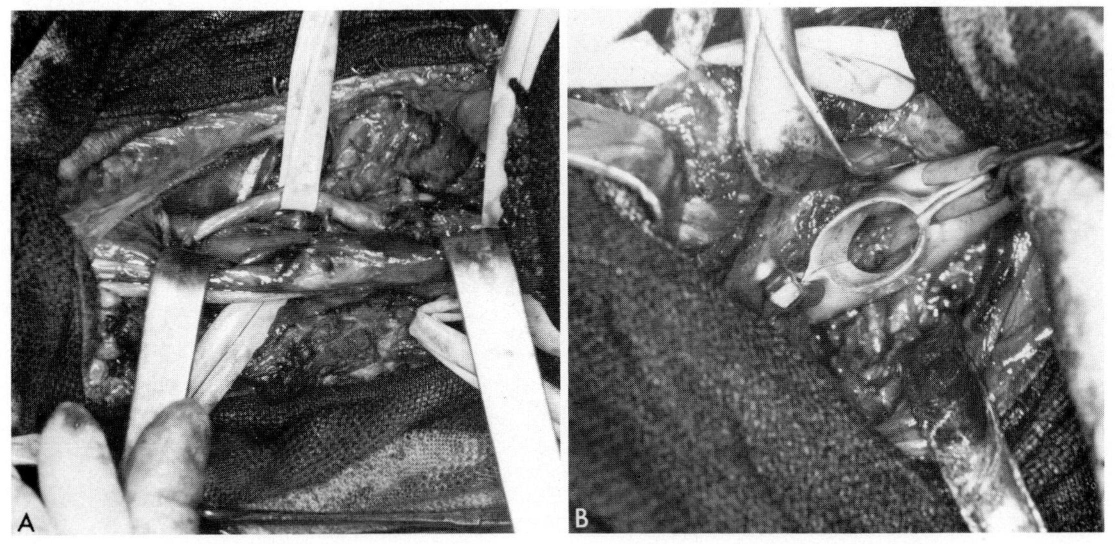

Figure 14–47 *A*, Posterior cord lesion at operation. *B*, Suture using plasma technique.

COMMON INFRACLAVICULAR BRANCH INJURIES

INJURY TO THE AXILLARY NERVE

The axillary nerve lies in the vulnerable position, and may be injured either by external trauma or internal damage. The latter arises most often as a complication of dislocations and fractures. In the case of direct trauma, there is sometimes, but not always, associated vascular damage.

The illustrations demonstrate a complete axillary nerve lesion due to a stab wound, and the technique of repair (Fig. 14–48).

Axillary Nerve or Circumflex Nerve Injury Accompanying Dislocation of the Shoulder

The mechanism of injury in dislocations has been a controversial one. Initially it was thought that the downward projection of the head of the humerus impaled the subjacent nerve trunk, thus producing the paralysis. Subsequent investigation has shown that this probably is not the mechanism of injury.

The nerve arises from the posterior cord and leaves the main trunk on the upper border of the subscapularis, accompanied by the posterior circumflex vessels. It passes through the quadrilateral space to reach the posterior border of the deltoid. In this trajectory it lies directly below the joint capsule, and from this point winds around the surgical neck closely applied to the undersurface of the deltoid. Such a position allows it to be easily compressed against the head of the humerus or neck of the scapula as a result of direct blunt trauma. Anatomic dissections have shown that, if the humerus is rotated forcibly, which is the mechanism of anterior dislocation, the axillary nerve is easily stretched, and it is probable that the damage is a traction injury from the whirling of the upper end of the humerus. The accompanying diagrams demonstrate this mechanism (Fig. 14–49).

Signs and Symptoms. Damage to the axillary nerve results in paralysis of the deltoid (Fig. 14–50), and an area of decreased appreciation to light touch and pinprick about the size of a 50-cent piece over the lateral aspect of the shoulder. Atrophy of the deltoid is obvious, and results in an angular prominence of the shoulder joint. The

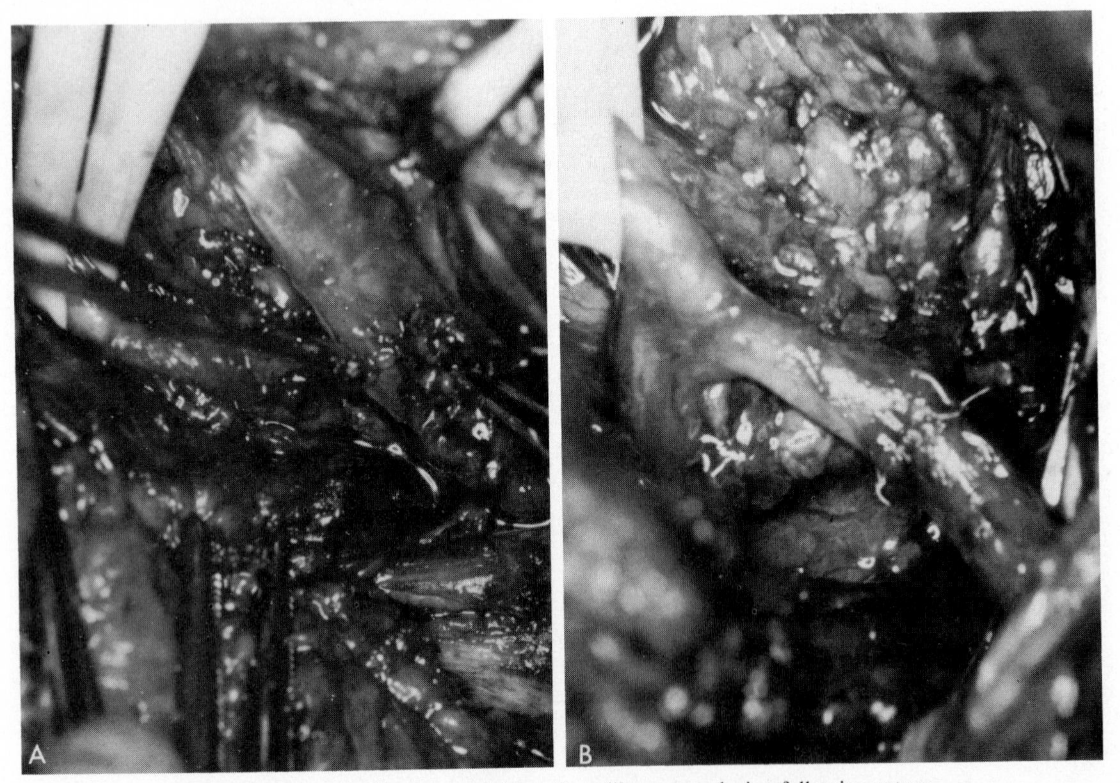

Figure 14–48 *A*, Axillary nerve injury. *B*, Axillary nerve lesion following suture.

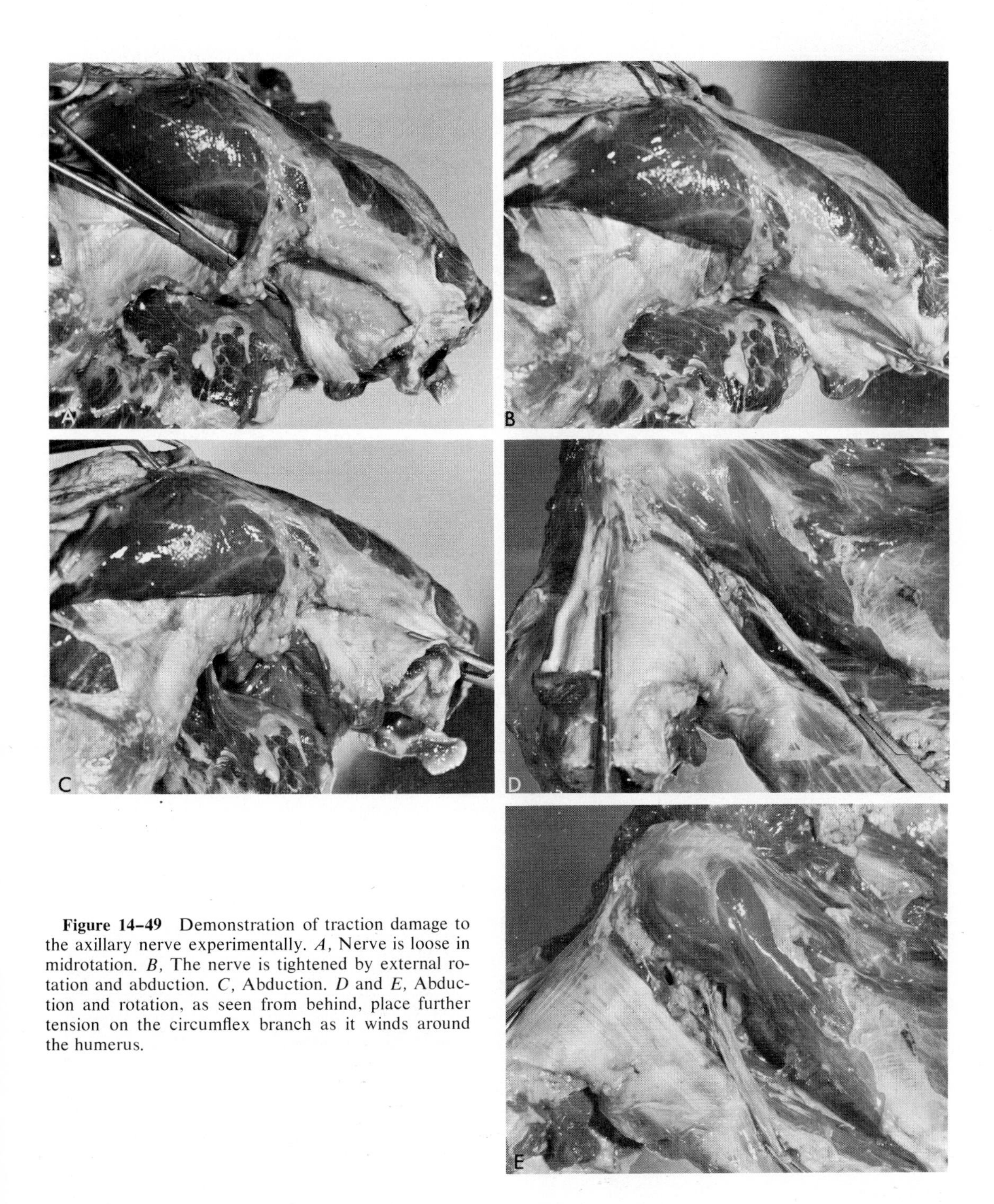

Figure 14–49 Demonstration of traction damage to the axillary nerve experimentally. *A,* Nerve is loose in midrotation. *B,* The nerve is tightened by external rotation and abduction. *C,* Abduction. *D* and *E,* Abduction and rotation, as seen from behind, place further tension on the circumflex branch as it winds around the humerus.

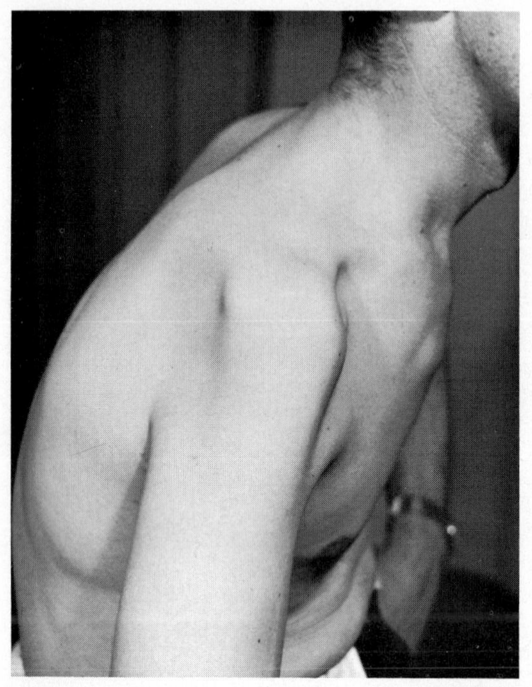

Figure 14–50 Deltoid paralysis from axillary nerve injury.

shoulder also drops a little, leaving the acromion and coracoid prominent.

Treatment. The deltoid is splinted in the relaxed position with a cantilever splint, and electrical stimulation is applied. Nearly all injuries of the axillary nerve are mild stretches in continuity, so that recovery is the rule. When the nerve has been divided by stabs or gunshot wounds, or when no recovery is apparent either electrically or clinically over a period of four to six months, the nerve should be explored and repaired.

OPERATIVE TECHNIQUE. The nerve is approached through a right-angle incision over the posterior aspect of the axilla. It is identified as it comes through the quadrilateral space and turns toward the deltoid. In repairing the nerve, extra length may be obtained by mobilizing it into the axilla and beneath the deltoid.

*IRREPARABLE PARALYSIS OF THE DELTOID**

Most deltoid paralyses are eventually overcome, but this is not always so. In young people particularly, the deltoid deficit can be overcome fairly satisfactorily by training the auxiliary muscles. By instruction and practice it is possible to abduct the arm without the deltoid when the rotator cuff and biceps are intact; if this is accomplished, there is no need for reconstruction (Fig. 14–51). The serious deltoid defect usually arises from the plexus injuries, and also is associated with damage to the supra- and infraspinati. Under these circumstances, there are no auxiliary muscles to help replace the loss, and serious disability results. Traction injuries of roots C.5 and C.6 are the commonest source of irreparable paralysis. Several operations have been devised, but replacement of abduction power remains a difficult problem. The most satisfactory procedures have been the tendon transfer, as devised by Mayer, or an arthrodesis of the shoulder. The latter stabilizes the

*See also Chapter 15.

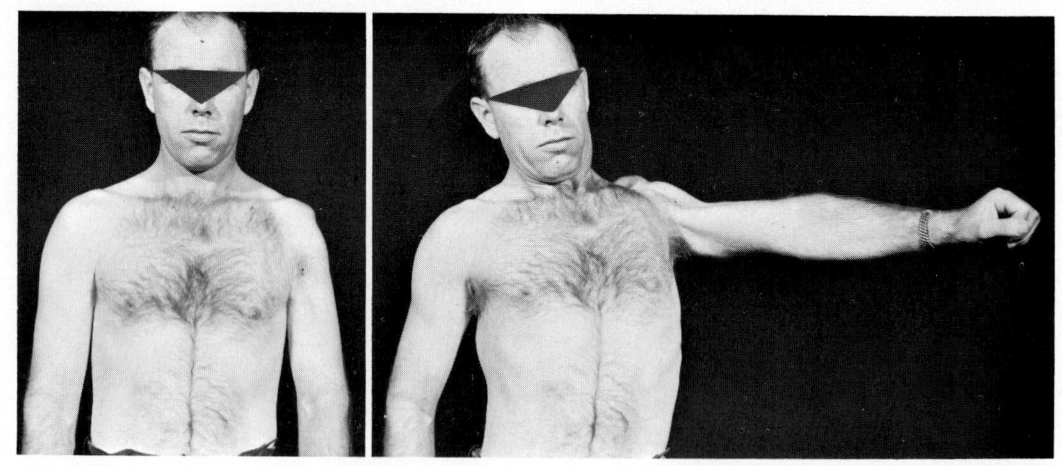

Figure 14–51 Deltoid paralysis. Accessory muscles like spinati can, at best, only partially replace deltoid loss.

joint and produces some power of abduction. When paralysis is extensive, with involvement of the serratus anterior, biceps, and pectorals as well as the deltoid, girdle movement is seriously hampered. Arthrodesis under these conditions does not produce as satisfactory a result as we are accustomed to expect in the nonparalytic lesions for which it is usually done; it leaves a rigid, poorly-powered shoulder.

The author has approached this problem by utilizing the trapezius and the acromion as a method of restoring abduction. Often the trapezius is the only useful muscle in the area that escapes completely. Even after an arthrodesis, the burden falls largely on this muscle, so that any measure to improve its mechanical advantage is of value. The leverage of this muscle is improved by transferring its lateral attachment to the humerus, fixing it as far down the shaft as possible. To be effective, the muscle must be firmly anchored in the new position. These considerations have been met by including the acromion and part of the spine of the scapula in the transfer, leaving the muscle attachment intact. In this way the acromion and spine provide a means of solid fixation to the humerus. By rotating the acromion and spine slightly, extra length is gained in the transplanted tendon. This technique allows transfer of a large mass of the trapezius, producing a strong sling suspending the upper end of the humerus and preventing subluxation. The author has used this technique in extensive, irreparable lesions and found it the most satisfactory procedure (Fig. 14–52).

Technique. A T-shaped or hockey-stick-shaped incision is used, with the short limb extending over the acromion. The transverse limb extends from the base of the spine of the scapula posteriorly around the point of the shoulder, terminating just above the coracoid process (Fig. 14–52). The vertical limb is centered over the lateral surface of the upper

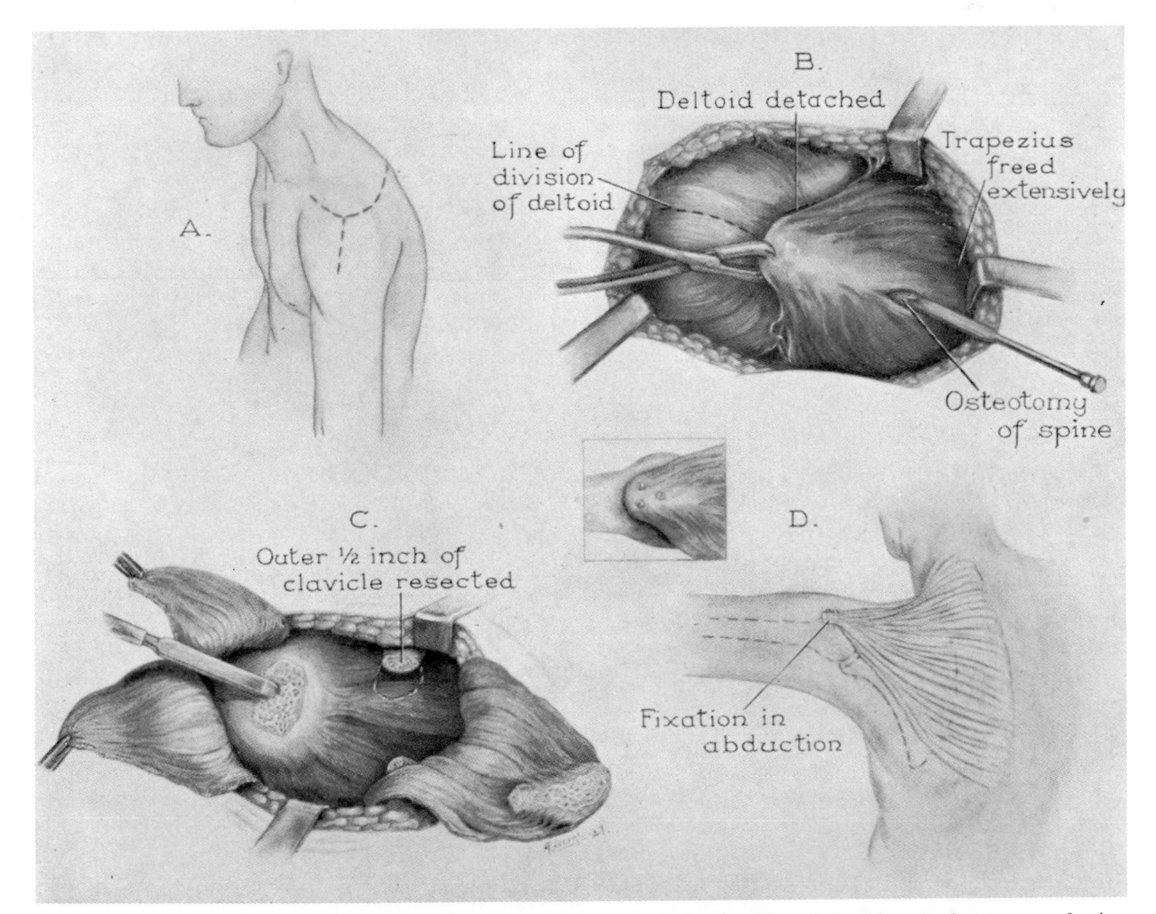

Figure 14–52 Operation for permanent paralysis of abductors of the shoulder. *A*, Incision. *B*, Osteotomy of spine. *C*, Immobilization and pulling of acromion laterally to the head of the humerus. *D*, Fixation to the humerus.

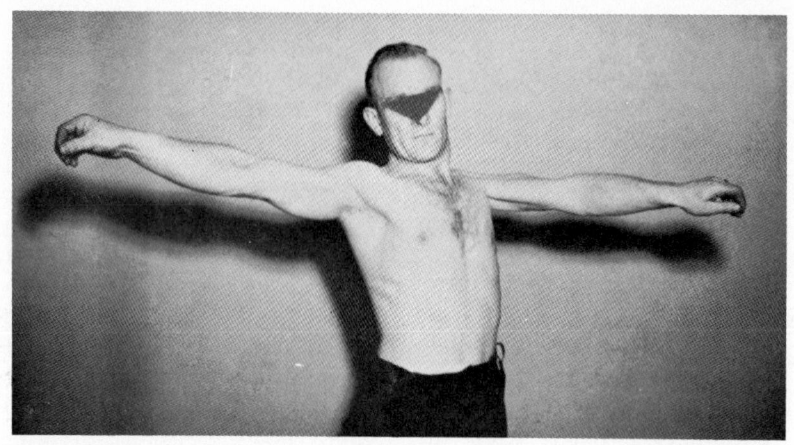

Figure 14–53 Result of trapezius transfer to the acromion in a case of irreparable abductor paralysis.

end of the humerus, extending 2½ to 3 inches distally from the transverse cut. These flaps are then mobilized freely to expose the spine of the scapula, the lateral 1½ inches of clavicle, the acromion, and the deltoid. The atrophic deltoid is split, exposing the joint. Dissection then continues underneath the acromion from the lateral aspect, freeing the undersurface of the acromion and the spine of the scapula. A small area of the spine of the scapula is exposed well toward the medial end of the incision. A small section only is exposed so as to preserve the attachment of as many of the fibers of the trapezius as possible. The spine is cut at its base, using a periosteal elevator as a guide from the lateral side. The cut extends obliquely downward and laterally. This frees a broad cuff of trapezius still attached to the spine and the acromion. The superficial surface and adjacent areas of the separated portion are mobilized freely. This provides a broad mass of muscle to be pulled laterally as a hood over the upper end of the humerus. The outer three-quarters of an inch of the clavicle is excised, avoiding damage to the suspensory ligaments. The undersurfaces of the acromion and the spine are prepared for fixation to the humerus by roughening the cortex. The arm is abducted to a right angle, and a corresponding area is prepared on the upper lateral aspect of the humerus. The acromion is fixed to the humerus as far distally as possible; firm traction is applied, stretching the trapezius cuff. Two or three screws are used to fix the transferred acromion.

Postoperatively the arm is immobilized in a shoulder spica in 90 degrees abduction. This fixation is continued until the transplant has united firmly with the humerus, which occurs in eight to ten weeks, depending on the fixation. At four to six weeks after operation, the patient is instructed to practice shrugging his shoulder while it is still encased in plaster. Two weeks later, the upper half of the plaster is removed and active exercise is begun. When union is solid, the arm is placed in an abduction splint in which the arm is gradually lowered to the side. During this period, physiotherapy is continued, with emphasis on a lifting, shrugging action to train the trapezius in its new role. There are several points in the technique to which special attention should be paid. Sufficient bone is removed at the site of the osteotomy of the spine so that it does not reunite or form new bone, thereby bridging the gap. In fixing the acromion to the humerus, the latter is kept in slight internal rotation (Fig. 14–53).

QUADRILATERAL SPACE SYNDROME

The author has encountered a group of cases showing a new or somewhat different grouping of paralysis after injury to the posterior axillary region. These patients have paralysis of the deltoid and triceps muscles, usually complete, producing a very disabling combination. Attention is called to this group because heretofore they have been somewhat loosely labeled as "plexus paralysis," and some aspects of the syndrome have been overlooked.

Signs and Symptoms

Following damage to the posterior aspect of the scapular or axillary area, either due to a blow or a fall backward, weakness of the

Figure 14–54 Mechanism of injury in quadrilateral space syndrome.

shoulder and elbow is noted. Examination shows the obvious deltoid paralysis, but the association of the triceps may be overlooked since gravity simulates triceps action so well. More careful questioning may indicate that the posterior axillary area has borne the brunt of a blow. Indentation of the area from the sharp edge of a falling object, such as a tree branch or a corner of a scantling, may be responsible; or the patient may have fallen backward, landing on a protrusion such as a stick, brick, stone, sharp concrete, or steel edge (Fig. 14–54).

Mechanism of Injury and Pathology

The author has explored several such cases, and the maximum disturbance may be demonstrated in the posterior infraglenoid region. The axillary nerve and the branches to the triceps are crushed against the posteroinferior glenohumeral surfaces. The branches to the triceps separate from the parent radial trunk and lie more closely related to the axillary nerve at this point, so that they may be compressed along with the axillary nerve, and the radial nerve escapes (Fig. 14–55). There are many small veins in the area, and a well-formed plexus almost surrounds the nerves, so that a large hematoma forms quickly from bruising trauma. Evidence of the extensive bleeding is found weeks later in the broad staining of the tissues. The boundaries of the quadrilateral space form a natural barrier, localizing the extravasation. The extensive, yet localized, hematoma favors scar formation, and at operation the nerves are found enmeshed in many rubbery adhesions. Definite neuroma formation may be demonstrated, amounting almost to division of the nerve. In the abducted position, the nerves are particularly close to the bony surface and may be easily compressed.

Treatment. As a rule, recovery occurs if a conservative program is followed, including proper splinting and electrical stimulation. If evidence of regeneration is not apparent within three months, the area should be explored and the nerves released from the strangulating scar (Fig. 14–56). The old argument that bruised nerves recover with or without treatment is not good enough, in

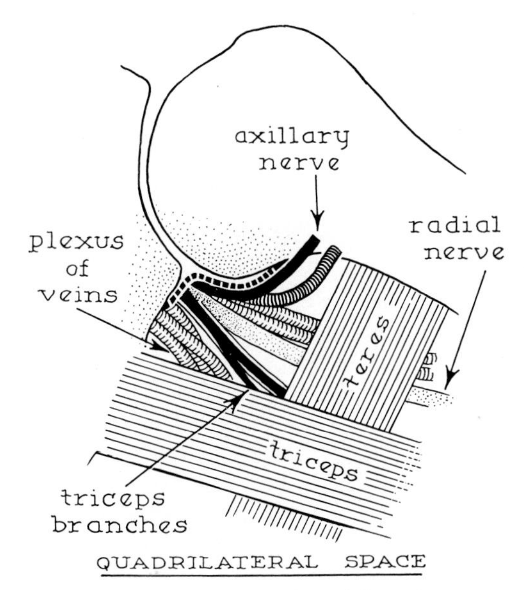

Figure 14–55 Anatomy of quadrilateral space.

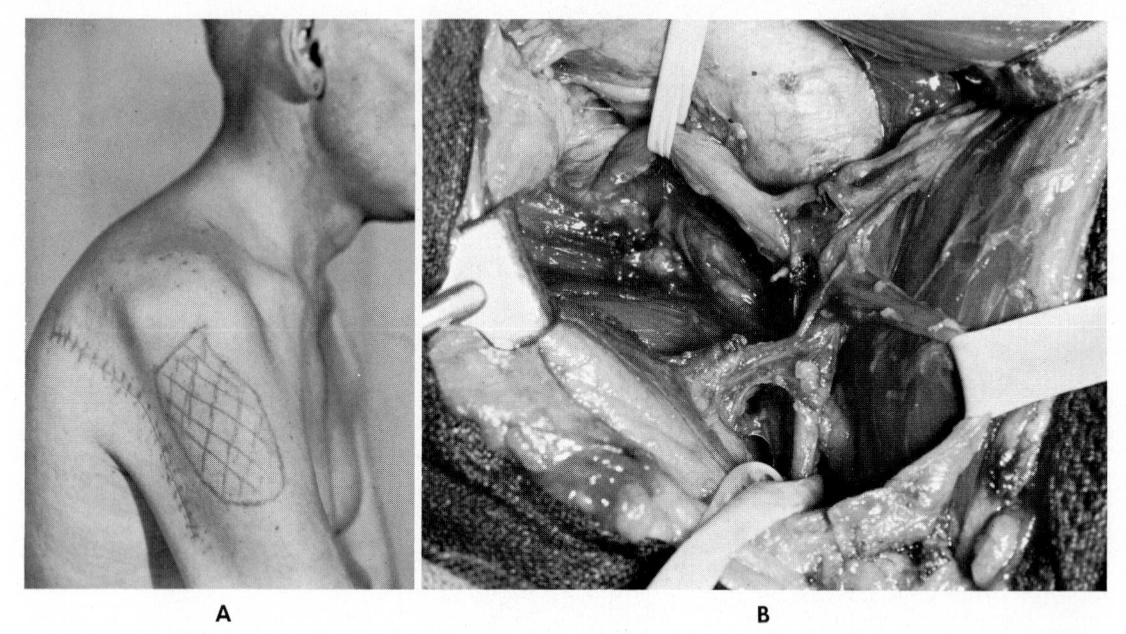

Figure 14–56 Quadrilateral space syndrome. *A*, Deltoid and triceps atrophy with zone of sensory loss. *B*, Appearance at operation. The deltoid is at the right; axillary nerve is at left above. Thickening and adhesions are seen about the circumflex and triceps branches. The radial nerve is the structure retracted and passing inferiorly.

light of our present knowledge of damage to the myoneural end-plate mechanism. Freeing the nerves from scar, or doing anything that will speed regeneration and improved axon conduction, diminishes the damage to the muscle. Sometimes the axillary nerve in particular is stuck to the inferior aspect of the glenoid at the neck of the scapula, and sharp dissection is necessary to free it. On palpation the nerve is firm and hard and has obviously been tightly crushed.

Technique of Exploration of Quadrilateral Space. The quadrilateral space is approached from the back. The patient is placed on his face, with the injured arm at right angles. The space is approached through a right-angle incision centered near the posterior border of the deltoid (Fig.

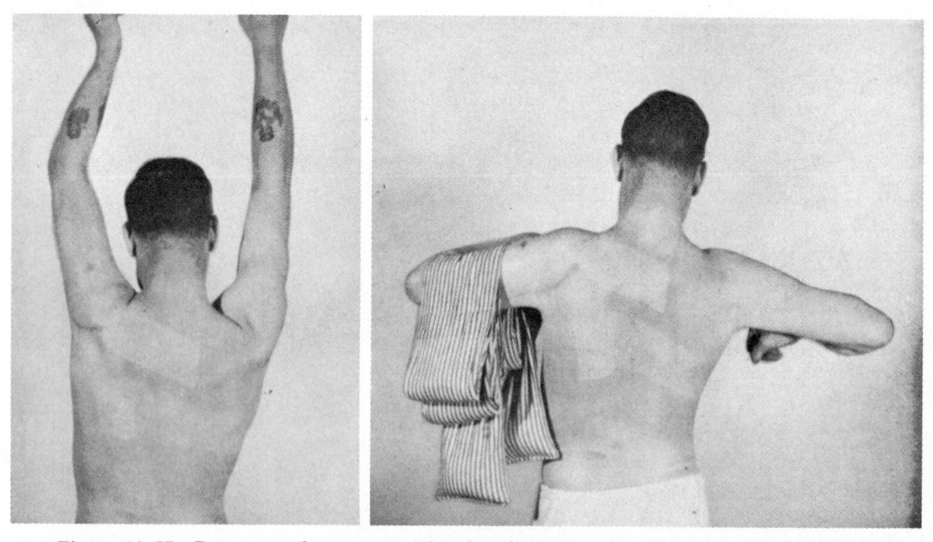

Figure 14–57 Recovery after surgery, showing the range of motion and power attained.

14–56*B*). The deltoid is retracted laterally, and the teres major superiorly. When this has been done, the nerves in the quadrilateral space may be identified as they stream through, and may be followed to their respective destinations. Sharp dissection is frequently necessary to separate the branches from the scar. The nerves are carefully freed over their whole length, and all adherent scar is excised. After operation, electrical stimulation is continued until voluntary power has returned. In all the cases that have been explored, some recovery has occurred (Fig. 14–57). The deltoid has failed to recover in one case.

Deltoid and triceps paralysis, without implication of the rest of the muscles supplied by the radial nerve, is the characteristic feature. If the injury is recognized as being the result of direct damage in the quadrilateral space zone, rather than an indefinite stretch lesion of the brachial plexus higher up, more rational therapy is possible.

BIRTH INJURIES OF BRACHIAL PLEXUS

The brachial plexus above the clavicle may be damaged during a difficult delivery. Forcible spreading apart of the neck and shoulder by manipulation or abnormal presentation stretches the nerve roots, and even the most skillful attention is not always able to prevent the complication. Fracture of the humerus or clavicle may be associated, but the nerve damage is most important.

Clinical Picture

In severe trauma the limp, useless arm is striking. It hangs at the side, partly flexed at the elbow, internally rotated, and with the hand turned palm outward. This is the common picture following damage to the upper roots, and is labeled Erb's palsy. Less severe forms occur; sometimes only the suprascapular nerve is damaged. The inferior roots C.7, C.8, and T.1 are injured when the arm gets caught above the head, and force then falls on the axilla, stretching the roots. There is little shoulder involvement in such injuries, the major defect appearing in the forearm and hand. Klumpke's name is attached to this type of paralysis. A plea is made to abandon these names as applied to these injuries, because at best they are an indefinite classification and not scientifically descriptive. Adequate treatment rests on accurate recognition of the muscles involved, and this is not conveyed by a proper name.

All gradations from transient weakness to profound paralysis are encountered. The less extensive injuries may not be recognized for some weeks, at which point they are largely recovered.

Early Treatment. The principles of treatment are similar to those outlined for other plexus injuries, and include proper splinting, electrical stimulation, and, occasionally, operative reconstruction. A light splint is applied with the arm abducted and externally rotated, and the elbow at 90 degrees. Splinting is continued until voluntary power starts. Electrical stimulation is desirable but difficult in these cases. The children are frightened, and the muscles are so small that accurate application is tedious. In extensive lesions, electromyographic studies should be done, but again this is difficult.

Operative Treatment. The situation in young children is a little different from that in adults when it comes to assessing regeneration. Children tolerate repeated electrical assessments very poorly, and it is difficult to obtain reliable results. One also should remember that the powers of regeneration in the child are fruitful and more productive than those of the adult. It is therefore hard to decide precisely when recovery from a birth palsy may be at a standstill.

It probably is reasonable to delay until the age of two or longer before making the decision for surgical exploration. At this point, however, if there are significant residual paralyses, surgical exploration should be carried out. The author has operated on a number of these patients, such as the one illustrated in Figure 14–58.

The lesion encountered is precisely the same as that seen in supraclavicular traction lesions, for which neurolysis is recommended in refractory problems. In reviewing the literature on the subject, it is interesting to note that, as far back as just following the First World War, one of the orthopaedic greats ("Ortho Gods"), Sir Henry Platt, recommended such a course.

Treatment of Residual Deformity. Residual deformity occurs in many of these injuries. The common defect is fixed internal rotation

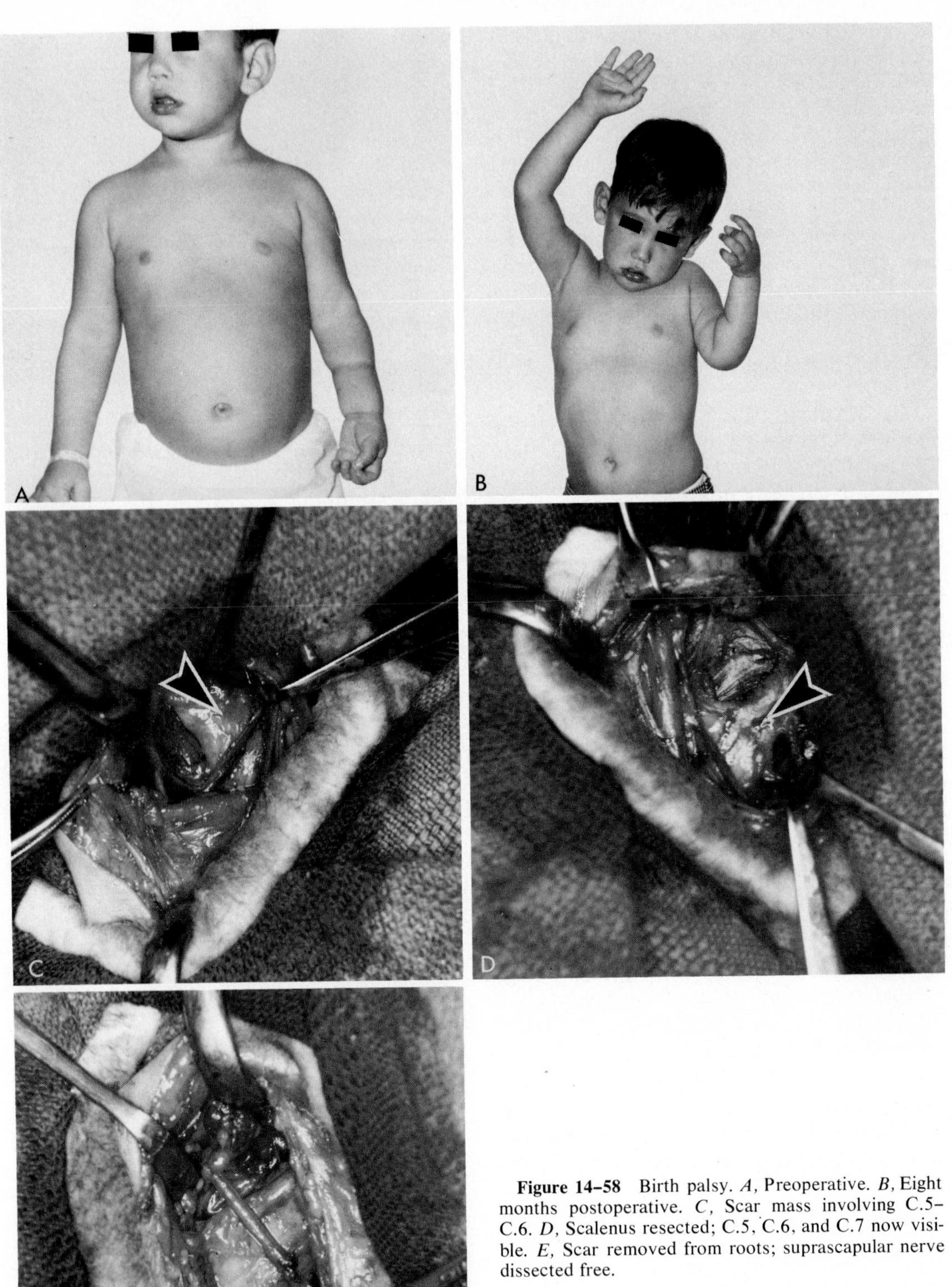

Figure 14–58 Birth palsy. *A,* Preoperative. *B,* Eight months postoperative. *C,* Scar mass involving C.5–C.6. *D,* Scalenus resected; C.5, C.6, and C.7 now visible. *E,* Scar removed from roots; suprascapular nerve dissected free.

of the shoulder. Even when there is extensive motor recovery, persistent internal rotation is difficult to prevent. Conservative measures such as passive stretching, muscle exercises, and education are continued until the age of four or five years. The deformity should not be allowed to continue longer than this because more distal portions of the extremity become involved. Bone growth is altered and deformities become fixed. The internal rotation at the shoulder favors flexion at the elbow, and lack of extension develops. The decreased range of extension becomes fixed when the relationship of olecranon to olecranon fossa does not develop normally. Release of the shoulder internal rotation diminishes these deformities.

The procedure of choice to correct adduction and internal rotation contracture is the Sever operation. Its principle is to cut the shortened internal rotators, remove any obstruction from coracoid and acromion, and rotate the arm into external rotation.

TECHNIQUE. The shoulder is approached through an anteromedial incision, extending from the acromion distally to beyond the pectoralis major tendon. The coracoid process is identified and severed near its tip, releasing the tension of the pectoralis minor, the short head of biceps, and the coracobrachialis. The subscapularis tendon is identified, elevated, and cut longitudinally across its fibers. The arm is then rotated externally. The tip of lateral edge of acrimion may need to be resected to free the head completely. When the latissimus dorsi and teres muscles interfere with abduction, they may be severed through a separate incision posteriorly, as suggested by Steindler. Postoperatively the arm is fixed in a shoulder spica in the corrected position for two weeks. The arm portion is then bivalved, and active exercises started. Fixation is removed at the end of three weeks.

Treatment of Bone Deformities. In the early stages, soft tissue contractures are the deforming elements. Later, bone and joint become a fixed part of the deformity, and need treatment. Torsion of the shaft of the humerus is the common finding, but subluxation of the head with torsion is also encountered. Frequently, abnormalities of the head of the humerus and the glenoid cavity develop.

OSTEOTOMY FOR INTERNAL ROTATION. Fixed internal rotation hampers shoulder, elbow, and hand movement profoundly. The deformity may go unnoticed until an attempt is made to raise the hand to the face, at which time it becomes obvious. When the elbow is flexed, the internal rotation at the shoulder brings the hand to chest level only, and further upward movement is impossible. Patients compensate by bending the neck forward as far as possible to reach the hand. Eating, washing, combing the hair, and similar actions are all profoundly hampered. Soft tissue release is not enough at this stage, and a rotation osteotomy of the humeral shaft is necessary.

Technique. The operation is best performed just before puberty, when bone growth is not interrupted and the amount of correction needed may be accurately assessed. Some have advocated performing the osteotomy at a level 2 inches below the joint. The author has preferred to do it just below the midpoint of the shaft to obtain complete correction. The shaft is exposed through a longitudinal incision posterolaterally. The humerus is divided transversely. The distal segment is rotated externally through nearly 90 degrees until the forearm is in the lateral body line. The fragments are fixed by plate or intramedullary nail, depending on the individual operator's preference. The arm is immobilized in a shoulder spica in the corrected position and at about 70 degrees abduction. Fixation is retained until the osteotomy is solidly united, usually 10 to 12 weeks.

Torsion and Joint Deformity. In addition to the torsion of the shafts, the contracture and deformity may be so severe that subluxation of the head of the humerus occurs. Various relationships of head to glenoid are encountered, but it tends to ride posteriorly. Long-standing, neglected cases are the commonest source of this complication.

Posterior subluxation results from the extreme internal rotation, and cannot be controlled unless osteotomy is done. The routine advocated by Putti and Scagletti is done in two stages. A preliminary operation releases the soft tissue barrier after the method of Severe, and the head of humerus is returned to the glenoid by whatever maneuver is then necessary. The arm is fixed in the corrected position for two weeks, and then the osteotomy is done. This is essential because, if the arm were allowed to return to the side, the extreme torsion would reproduce the luxation.

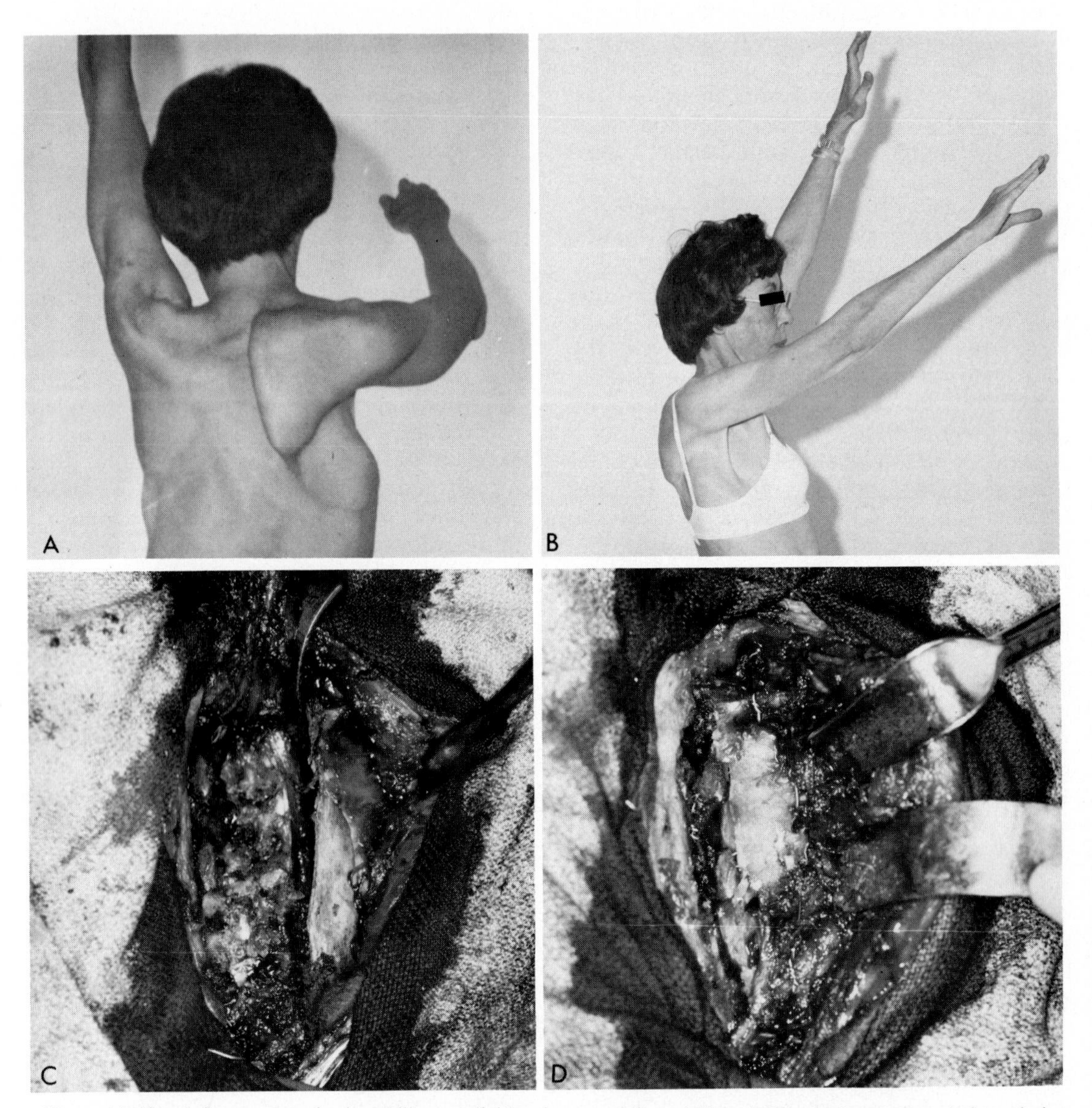

Figure 14–59 *A*, Severe scapular instability, medial border overriding midline. *B*, Instability apparent in lateral view also. *C*, Scapular fixation to spinal column. *D*, Iliac bone graft and tied wire fixation of scapular laminae and spinous processes.

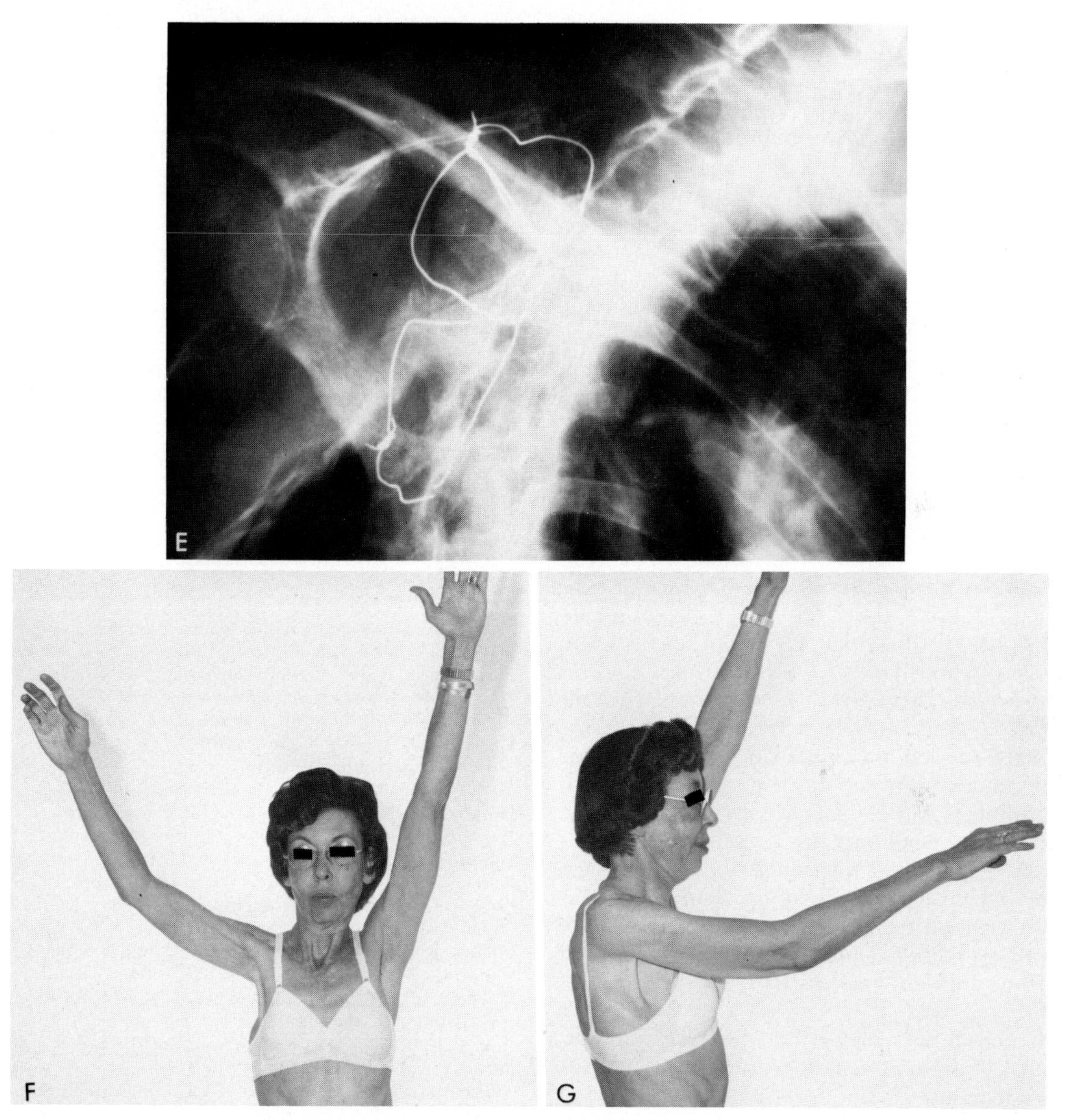

Figure 14–59 *Continued* *E,* Radiograph of scapulocostalvertebral arthrodesis. *F,* Stability apparent following fixation. *G,* Stability demonstrated in side view following fixation.

IRREPARABLE SCAPULAR FIXATORS PARALYSIS*

In some instances the requirements of massive thoracoplasty leave significant defects related to the scapular fixators that can become a progressively significant impairment. In most cases the significant relief occasioned by the thoracoplasty overrides any residual impairment, but it can happen that, in an active person and particularly in the master arm, the residual deficit is noticeable.

Clinical Picture

Initially the major concern is for control of the long-term status and the general systemic vigor. Once this has been attended to, the patient may gradually become conscious of the scapular instability. The scapula can be so unstable that it rides medially over the vertebral column when the patient attempts to lift the arm from the side (Fig. 14–59*A* and *B*).

The resultant symptoms include local pain, weakness, progressive instability of the shoulder girdle, eventual neurovascular embarrassment because of the lack of girdle support, and, ultimately, implication of the forearm and hand from this development.

Surgical Treatment. Under these circumstances a scapulocostalvertebral arthrodesis can be carried out. The principle is to anchor the medial border of the scapula toward midline to the subjacent ribs, and also the roots of the spinous processes at this level.

A longitudinal incision is made along the medial border of the scapula. The soft tissues are stripped from the medial border, and the undersurface cleaned. A bed is prepared from adjacent rib structures. The entire thoracic bed is not always available for anchorage because of the previous thoracotomy. Use is made of whatever rub structures are present.

The posterior spinous processes, laminae, and adjacent articular processes of the corresponding thoracic vertebrae are denuded, and a bed prepared by decorticating these structures. The medial border of the scapula is then fitted into this prepared gutter. Barrel stave-type grafts are removed from the ilium, and placed longitudinally supporting the scapula and the spinous processes. Wire fixation is used to hold the spine of the scapula, grafts, and roots of the spinous processes together. Usually a quite firm fixation can be obtained, but as much care as possible is required to keep the inferior surface of the scapula closely applied to the prepared bed (Fig. 14–59*C* and *D*).

The arm is immobilized in a shoulder spica for 12 weeks to allow firm fixation. In some instances a Fiberglas shoulder spica is used, as illustrated in Chapter 15.

* See Figure 14–59.

REFERENCES

Bateman, J. E.: Trauma to Nerves in Limbs. W. B. Saunders Co., Philadelphia, 1962.

Cloward, R. B.: New Method of Diagnoses and Treatment of Cervical Disc Disease. *In* Clinical Neurosurgery, Vol. 8. The Williams and Wilkins Co., Baltimore, 1962.

Drake, C. G.: Diagnosis and treatment of lesions of the brachial plexus and adjacent structures. Clin. Neurosurg. *11*:110, 1964.

Dunn, A. W.: Trapezius paralysis after minor surgical procedures in the posterior cervical triangle. South. Med. J. *67*:312, 1974.

Dutoit, G. T., et al.: Transposition of latissimus dorsi for paralysis of triceps brachii. Report of a case. J. Bone Joint Surg. *49A*:135, 1967.

Frykholm, L.: Cervical nerve root compression resulting from disc degeneration and root sleeve fibroses. Acta Chir. Scand. *160* (Suppl.), 1951.

Harris, H. H., et al.: Nerve grafting to restore function of the trapezius muscle after radical neck dissection. A preliminary report. Ann. Otol. *74*:880, 1965.

Howard, F. M., et al.: Injuries to the clavicle with neurovascular complications. A study of 14 cases. J. Bone Joint Surg. *47A*:1335, 1965.

Lain, T. M.: The military brace syndrome. A report of 16 cases of Erb's palsy occuring in military cadets. J. Bone Joint Surg. *51A*:557, 1969.

Leffert, R. D., et al.: Infra-clavicular brachial plexus injuries. J. Bone Joint Surg. *47B*:9, 1965.

Mayfield, F. H.: Neural and vascular compression syndromes of the shoulder girdles and arms. Clin. Neurosurg. *15*:384, 1968.

Merle D'Aubigne, R.: Nerve injuries in fracture and dislocations of the shoulder. Surg. Clin. North Am. *43*:1685, 1963.

Michon, J., and Moberg, E.: Traumatic Nerve Lesions of The Upper Limb. Churchill Livingstone, London, 1975, pp. 53–54.

Miller, D. B., and Boswick, J. A.: Lesions of the brachial plexus associated with fractures of the clavicle. Clin. Orthop. *64*:144, 1969.

Saha, A. K.: Surgery of the paralyzed and flail shoulder. Acta Orthop. Scand. (Suppl.) *97*:5, 1967.

Wynn Parry, C. B.: Rehabilitation of the Hand. Butterworths, London, 1973, p. 113–122.

Section V

SYSTEMIC DISORDERS OF THE SHOULDER AND THE NECK

Chapter 15

NEUROLOGIC AND DYSTROPHIC DISORDERS

Neurologic disturbances arising from the neck and shoulder are common and significant. The shoulder itself is more frequently involved in neurologic disorders than is generally appreciated. Generalized disease may first come to light in this region, or the process can be largely a local one. The hands and the arm, being used for intricate tasks, may first reflect weakness or unsteadiness from disease in the neck or the root of the limb. Disorders such as the muscle atrophies should always be kept in mind in investigating persistent shoulder disability. The group as a whole includes: (1) cervical root syndromes; (2) cervical tumors; (3) dystrophic diseases about the shoulder; and (4) neurovascular syndromes.

CERVICAL ROOT SYNDROMES

A number of neck disorders evoke signs and symptoms that may be brought together as a typical root syndrome. The term identifies changes at a level starting in the spinal cord to the spinal roots through the intervertebral foramina, and to the point of plexus formation above the clavicle in the posterior triangle of the neck (Fig. 15–1). Beyond this point a mingling of the roots occurs in forming the plexus, so that irritation from this level distally evokes a pattern of mingled segments, and the individual root orientation is altered. Thus it is important to appreciate the anatomy of segment or root distribution, as opposed to peripheral nerve or trunk

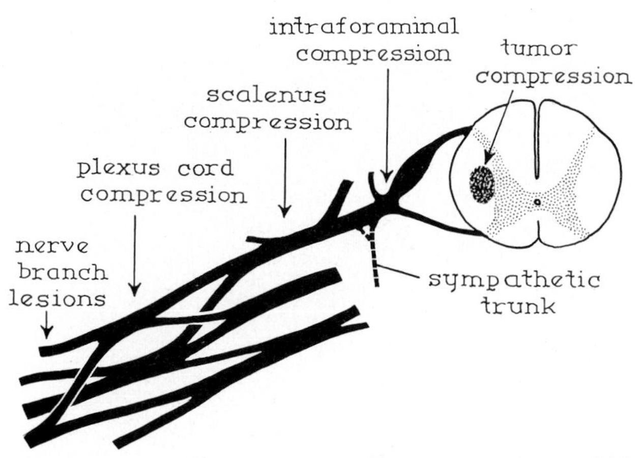

Figure 15–1 Sites of pathology evoking neural-type radiating pain.

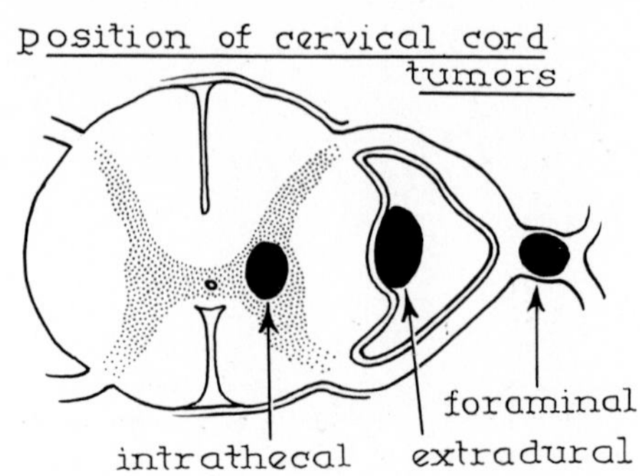

Figure 15–2 Sites of cervical cord tumors.

distribution. The prominent examples of root lesion embrace cervical cord tumors and cervical disk or foraminal lesions.

TUMORS OF THE CERVICAL CORD

In 1887 the first recorded operation in America for a tumor of the cervical cord was carried out on a patient who had been complaining of pain in the posterior scapular area for three years. Cervical cord tumors are not common, but are mentioned here because of their seriousness and the dramatically successful surgical treatment that can be offered.

The signs and symptoms are usually clear-cut, but it is important to be aware of these in investigating shoulder-neck pain. When profound motor and sensory changes are encountered in addition to persistent pain, without a history of injury, the possibility of a space-taking lesion should be kept in mind. In all other diseases of this group, the neurologic findings are not nearly so definite as they are in the case of cord tumor. Pain starts in a gradual fashion, but continues in the shoulder and neck, to be followed later by a sharper radiating discomfort. Characteristically the patient complains of difficulty in finding a comfortable position, and the pain may persist at night with a boring, aching quality.

Pathology

Tumors of the cervical cord may be classified as intradural, extradual, or foraminal according to the position they occupy (Fig. 15–2). Tumors developing directly in cord substance are more likely to be malignant; however, the more common lesion arises in relation to the dura and is a slow-growing entity more likely to be benign. The extradural lesion, implicating an individual nerve root, produces the most typical cervical root syndromes (Fig. 15–3).

Signs and Symptoms

Root irritation develops from tumor formation; later, signs and symptoms of cord compression appear. In this way disturbances develop in the lower motor neuron, such as atrophy, paralysis, and decreased tendon reflexes at the level of the compressed segment. Mixed with this there is upper motor neuron irritation resulting from cord compression, but this affects the fibers below the level of pressure application, so that spasticity and increased reflexes are encountered in the lower limbs. Pain and hypoesthesia are present because of irritation of the posterior spinal root. Alteration in appreciation of pinprick can be outlined following the segmental distribution. The localization of these lesions may be considered best under

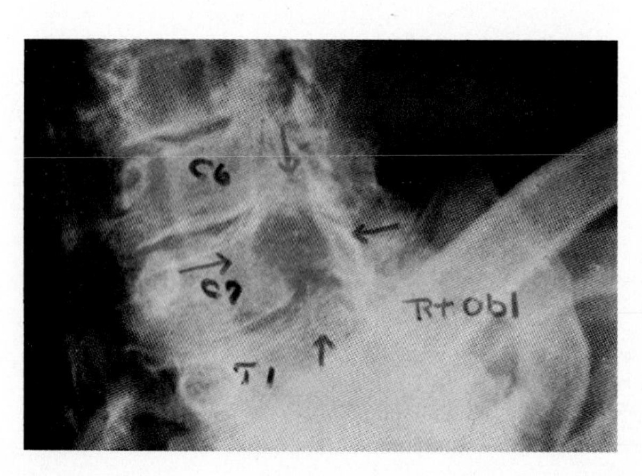

Figure 15–3 Neurofibroma of cervical root. Erosion of the intervertebral foramen may be seen. Patient gave four months' history of shoulder and right arm pain, and later difficulty in writing. The lesion has eroded the vertebral body and pedicle of the seventh cervical vertebra. (Courtesy Dr. C. P. McCormack.)

the headings of upper, mid-, and lower cervical regions.

Upper Cervical Region. The distribution of pain involves the base of the head and neck, and later reaches the posterior aspect of the shoulder. Movement of the neck aggravates the discomfort. There is weakness and atrophy of the cervical muscles, such as the trapezius, and diaphragm function may be impaired as a result of phrenic involvement.

Midcervical Region. Included in this area are the segments from C.4 to C.7. A lesion at the level of the fifth cervical root produces paralysis of rhomboids, deltoid, supraspinatus, biceps, and brachial radialis. The remaining muscles of the upper limb also show some spasticity, as does the lower limb. At C.5 the biceps reflex is decreased or absent, while the triceps reflex remains intact at C.6; with involvement of the seventh root, the triceps is implicated.

Lower Cervical Region. Segments C.8 and T.1 are involved, causing paralysis of the small muscles of the hand and weakness of wrist movement. There may be involvement of the sympathetic supply to the eye, resulting in a constricted pupil and enophthalmia (Horner's syndrome). Tendon reflexes are not significantly implicated, but some spasticity of the trunk and lower limb develops.

One of the striking types of cervical tumor is the neurofibroma arising from an individual spinal nerve. A common location for these is a lower nerve root and the intervertebral foramen. They arise from the connective tissue between fibers or bundles of fibers, forming a localized, slow-growing, fibrous lesion. The tumor gradually erodes the foramen, producing a striking x-ray picture (Fig. 15–3). Shoulder and radiating pain is the common symptom; discrete neurologic signs of the nerve root develop later.

Diagnosis

In all cases in which a space occupying lesion is suspected, cervical myelography should be carried out. The myelogram will present important information that will aid in localization and also give some indication of the possible type of neoplasm that may be encountered. Other special tests include cerebrospinal fluid assessment. X-ray examination of the chest, complete laboratory blood studies, and sometimes a scout series of the entire skeleton should be done.

Surgical Treatment

Once a space-occupying lesion has been identified, it should be removed surgically by posterior approach.

NEUROFIBROMATOSIS

Striking developmental changes of a hereditary or familial nature are sometimes found in a wide distribution of peripheral nerves. The neural changes involve a whole limb, and are accompanied by abnormalities of skin, skeleton, limb size, or endocrine function. Main trunks and terminal branches of nerves are principally involved, spindle-like enlargement being more frequent toward the periphery of the limb, but often entire limbs are involved, as in the accompanying illustrations (Figs. 15–4 and 15–5).

Much interest lies in the associated changes of a general nature found in neurofibromatosis. These consist of congenital pseudarthroses, scoliosis, and general limb hypertrophy.

In rare instances, one or other of the nodules in a given region may suddenly become acutely tender and enlarge, with changes suggestive of neoplastic development. Under these circumstances the area should be explored and the lesion resected. The given nerve trunk should have the gap bridged by usual methods if feasible. As a rule this is not difficult, because the nerve trunks are elongated and there is sufficient length to bridge longer gaps than usual.

EXTRUDED INTERVERTEBRAL DISKS

Irritation of cervical nerve roots due to abnormalities related to the interbody structures has now been recognized as a frequent occurrence. An understanding of this disorder and its interbody mechanics has clarified the etiology of these disturbances considerably. The syndrome has been likened to a lumbar disk lesion, but recent study has defined somewhat different pathologic states.

Etiology and Pathology

The interbody elements in the mobile cervical and lumbar segments of the spine are susceptible to wear and tear changes starting as early as the third decade. The changes

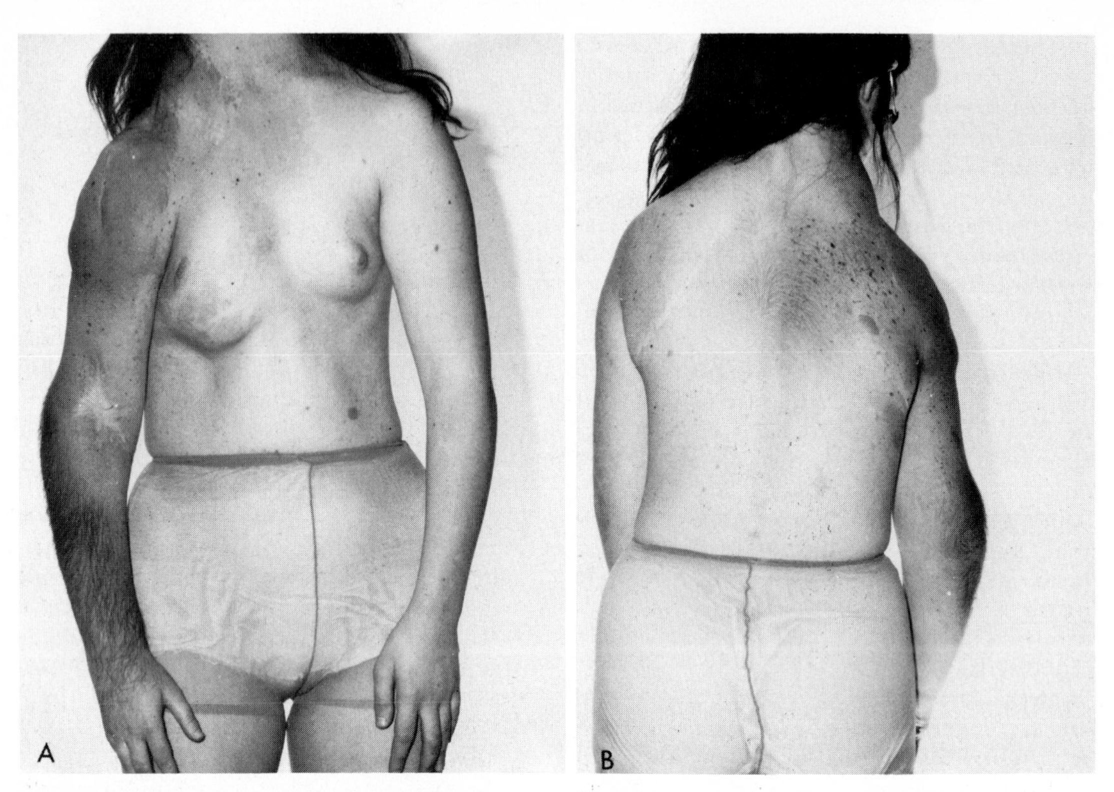

Figure 15–4 Neurofibromatosis. *A,* Right shoulder and upper limb. *B,* Right shoulder; note pigmentation and deformity.

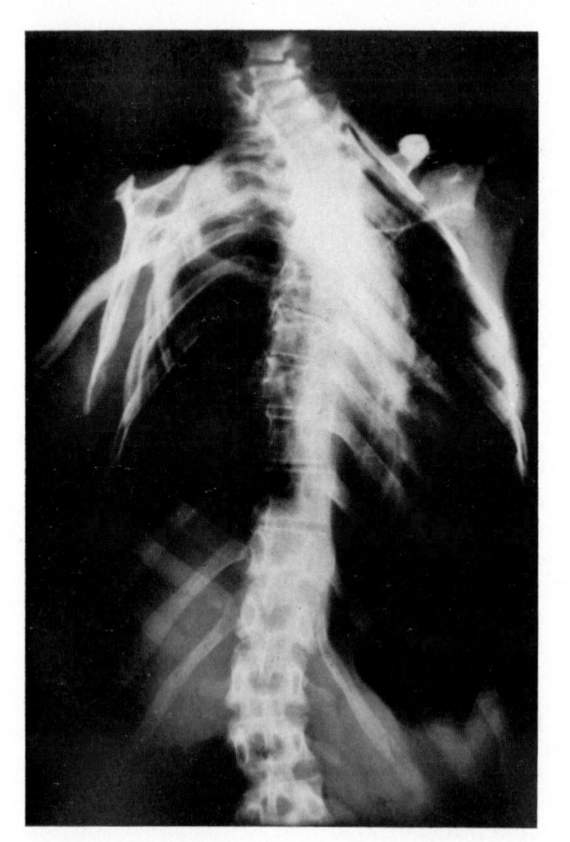

Figure 15–5 Severe cervicothoracic deformity in neurofibromatosis.

involve annulus, nucleus, and cartilaginous plates. Fissure formation in the annulus occurs in the cervical region, but less frequently than in the lumbar, so that frank herniations of the nucleus are much less common. The forces of vertebral compression are also less than in the lumbar zone, so that squeezing of the nucleus through the annulus is not so frequent. The nucleus undergoes degeneration, shrinking, and dehydration in the aging process, losing elasticity and resilience just as occurs in the lumbar region, but the forces imposed on it are not so

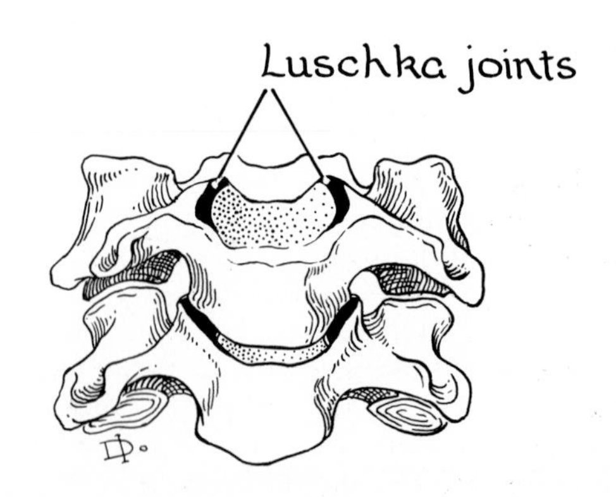

Figure 15–6

disturbing. It is in the third element of this interbody system, that of the cartilaginous plate and its edges, that greatest deformation occurs. A series of accessory joints on the later edges of the vertebral bodies from C.2 to T.1 have been identified and minutely described by Luschka (Fig. 15–6). These lie anteromedial to the nerve root and posteromedial to the vertebral artery and veins. Spur-like small lips on the upper surfaces of C.3 to T.1 form these accessory facets that articulate with cartilage-covered islands and corresponding beveled areas at the lower margin of the vertebral body (Fig. 15–7). A capsule and synovial tissue have been identified, completing these small joints. The consensus by experienced observers such as Compere is that these areas are important in the degenerative mechanics of the interbody system. The wear and tear changes related to the vertebral body edges implicate these articulations. In addition, stress of motion, particularly gliding motion, is reflected in deterioration of these joints. Their proximity to nerve and vessel has been postulated as a significant irritant in the degenerative or post-traumatic reaction (Fig. 15–8).

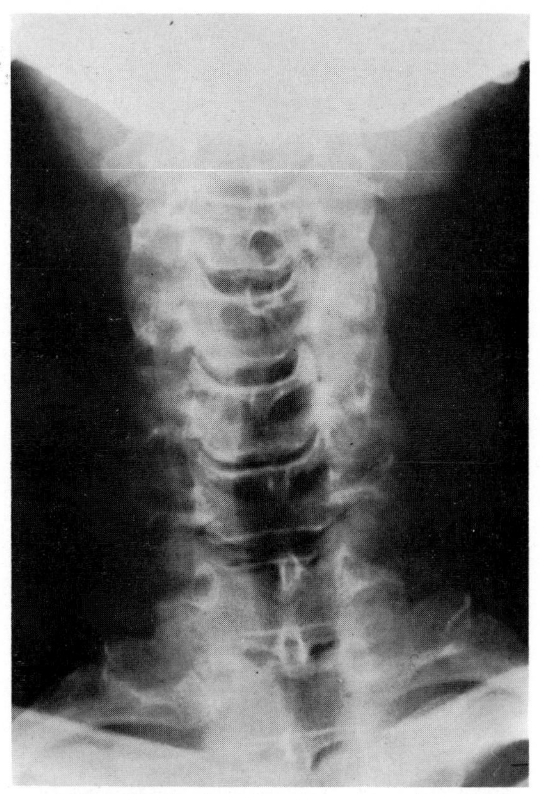

Figure 15–7 Spur formation at Luschka joints.

Signs and Symptoms

The typical case is encountered in the middle decades, 30 to 50. The patient complains of stiffness in the neck and pain in the shoulder, followed by pain in the arm and forearm, ending in the fingers. The pain follows two or three distinctive patterns that help to identify these lesions. Commonly the thumb and index finger are involved. The pain has distinctive qualities and distribution; the neck, shoulder, and upper arm are involved first by a constant, steady, vaguely localized ache. Shortly there is added a sharp, radiating element with an electric shock-like quality. This becomes a pins-and-needles sensation in the fingers, confined to discrete zones. Pain into the base of the thumb or into the index finger and thumb is frequent, which is in distinction to involvement of the whole hand or the middle fingers particularly, as occurs in vascular or neurovascular

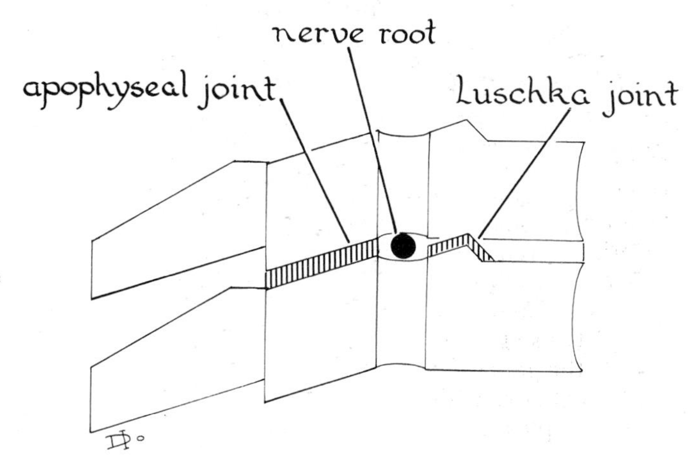

Figure 15–8 Articular relations of the nerve root.

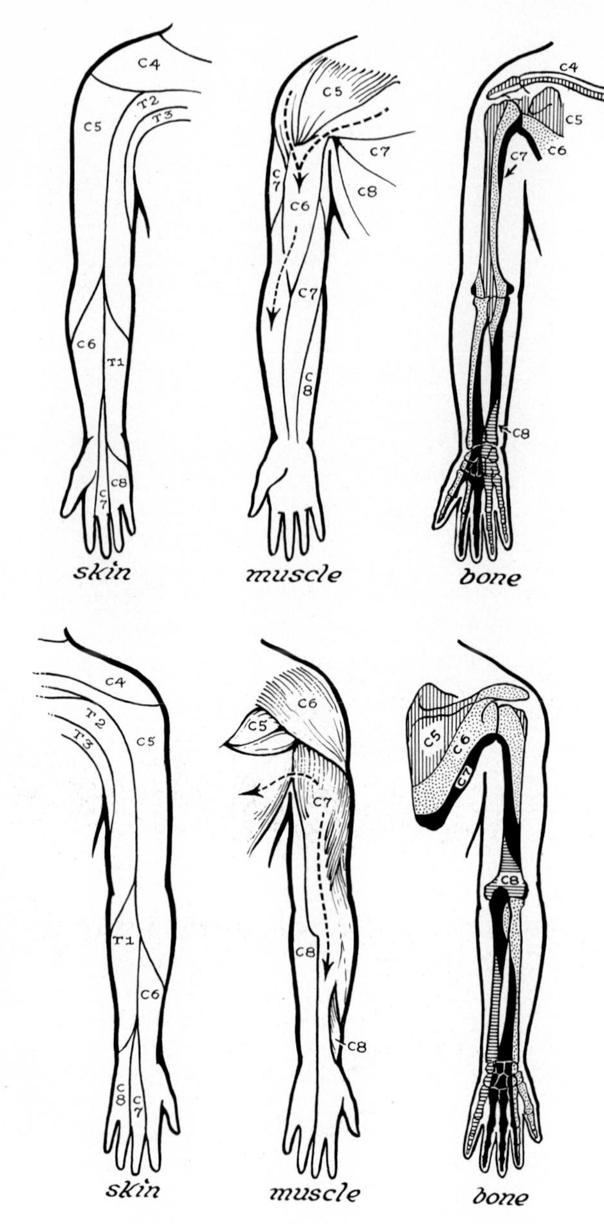

Figure 15–9 Comparison of segmental innervation of superficial and deep structures.

disorders. Pain develops intermittently, and may be followed or replaced entirely by a feeling of numbness in the fingers. It is aggravated by neck movement, sudden changes in position, stepping down a step suddenly, or coughing and sneezing. The pain in the neck and shoulders may be severe enough to awaken the patient at night, and relief is obtained only by changing the position. It is deeply situated and nagging. As a rule, in localizing the lesion, involvement of the thumb and index finger indicates irritation of the sixth nerve root at the sixth space. This is the general rule, but variations due to cervical abnormalities and so-called pre- and postfixed plexuses must be kept in mind.

The mechanism of pain production in disk lesions has been extensively investigated. Frykholm suggests that it is the stimulation of the central part of the cervical nerve root that produces the shoulder pain, whereas peripheral discomfort arises from irritation of the dorsal root; possibly the sclerotome interpretation as outlined by Inman and Saunders explains both types of pain (see Chapter 3 and Fig. 15–9). The supply to deep structures, bones, and joints, does not quite correspond to the segmental cutaneous supply, so that root irritation is manifested by deep pain from one area (in this case, shoulder), and cutaneous pain in the superficial zone (in this case, thumb and fingers).

As might be expected, the disk lesions of cervical and lumbar regions are not exactly alike. Greater mobility and less static compression operate in the cervical zone, which is one reason for fewer cervical extrusions.

NEUROBIOMECHANICS OF DISK LESIONS

Some authors, notably Cloward, have called attention to the possibility of two separate pain system entities in cervical intervertebral disk disease. It has been suggested that, in cervical spine injuries of the extension-flexion variety, the pain at the root of the neck with extension to the scapular and interscapular area is on a "discogenic" basis. Cloward emphasizes that the sensory nerve that supplies the intervertebral disk, the sinuvertebral nerve, extends from the periphery of the annulus to the posterior nerve root (Fig. 15–10); it then extends through the spinal cord and out the anterior root and motor nerve to the respective muscles. These observations are based on an extensive experience with the use of the diskogram in investigating intervertebral disk pathology. These complaints are prominent in traumatic disk lesions, but often subside, to be replaced by a soft tissue type of irritation.

The persistent radiating pain of nerve root irritation has been referred to as the "neurogenic" pain, as opposed to the discogenic element. In cases of more gradual onset, progressive degenerative changes, and osteoarthritic development, it is the neurogenic element that is more likely to dominate the clinical picture.

The neck is held stiffly, and in acute lesions all neck muscles may be in spasm. Movement to the side of the pain increases root compression and reproduces the radiating symptoms; tilting the head away decreases the discomfort. There is paraspinal tenderness on pressure at the level of the lesion; Spurling has shown that percussion of the posterior spinous process reproduces the radiating discomfort. Signs of weakness and atrophy are not prominent. In C.5 and C.6 lesions (sixth root), the biceps and deltoid are involved; in C.6 and C.7 (seventh root), the triceps is weak. Involvement of small muscles of the hand can occur, but is much less common and indicates a lesion of the eighth cervical root. A degree of altered appreciation of light touch and pinprick can usually be shown. It follows the pattern of the cutaneous supply; in the case of C.6, the base of the thumb and the lateral border of the forearm are involved; in C.7, the thumb and index finger, and sometimes the middle finger, are involved.

It is sometimes difficult to outline sensory change, and it rarely amounts to anesthesia. If there are signs of profound motor and sensory loss, plus loss of sweating, the lesion is beyond the level of disk and nerve root, and must be looked for distally along the peripheral nerve. Difficulty arises in differentiating disk lesions from peripheral nerve injuries. One of the most reliable signs is the loss of sweating, which does not occur in disk involvement but is common in peripheral injuries. The accompanying diagram illustrates this point (Fig. 15–11). The subjective

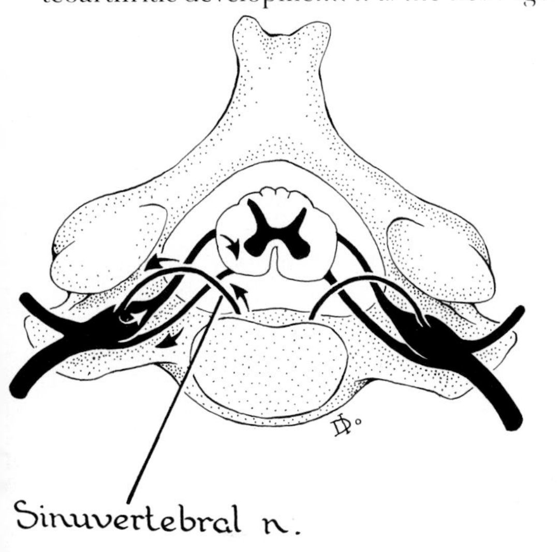

Figure 15–10 Location of sinuvertebral nerve.

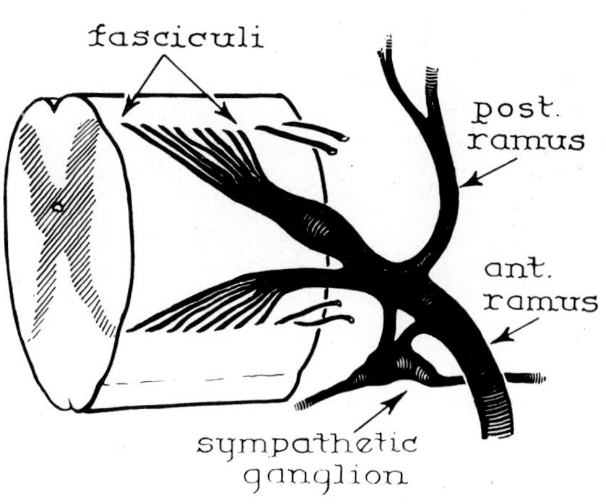

Figure 15–11 Sympathetic contribution reaches a spinal nerve beyond the zone of disk influence.

sensory disturbances follow similar distribution, i.e., to the lateral border of the arm and to the thumb. If the hypoesthesia is along the inside and to the ulnar area, the lesion is likely beyond root level, although rarely the eighth cervical root may be involved by disk protrusion. Root compression by disks below the C.6 and C.7 interspace is rare, which helps to separate these cases from disorders arising from cervical disk protrusions. Tilting the head to the side of the pain increases discomfort in disk disease, whereas tilting the head and chin away from the pain side aggravates scalene disorders.

Diagnosis

Reflexes. A very significant sign is alteration of the biceps and triceps reflexes. In lesions of the sixth root at the fifth space, the biceps jerk is altered; in lesions of the seventh root at the sixth space, the triceps reflex is commonly implicated. Occasionally both may be involved.

Radiographic Changes. In the lateral view there is a loss of the normal cervical curvature for one or two segments; above and below the disturbed level, the spine is straight and stiff (Figs. 15–12, 15–13, 15–14, and 15–15).

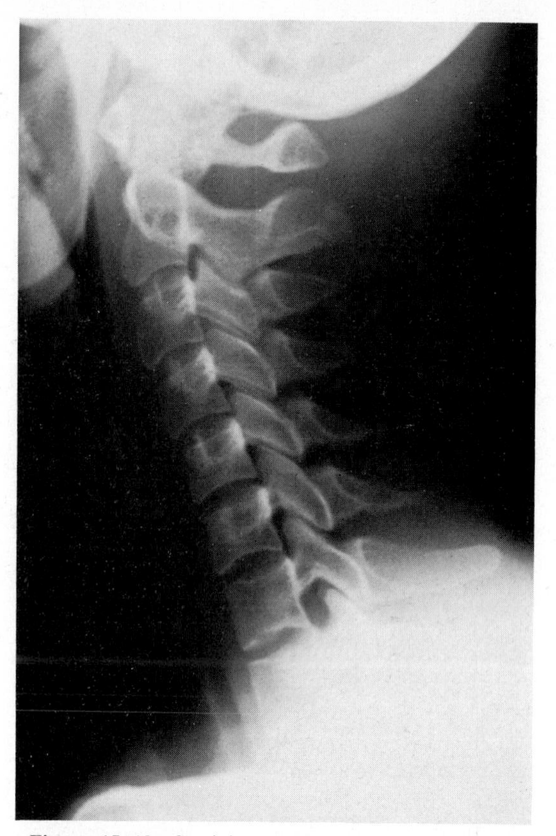

Figure 15–13 Straight cervical spine in acute nerve root irritation.

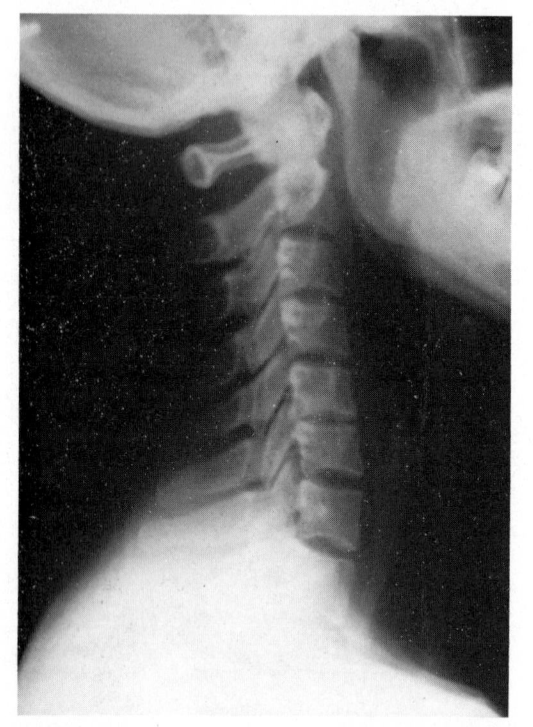

Figure 15–12 Typical interbody narrowing and posterior marginal spur formation producing cervical root syndrome.

Narrowing of the intervertebral space is present, and often there is lipping of the bony margins (Fig. 15–12). Oblique views should always be done to show foraminal changes well (Fig. 15–15).

Special Investigations. Contrast studies, spinal fluid analysis, and electromyographic studies are the basis of the special investigations to identify nerve root syndromes. Not every case suspected of having nerve root pressure requires any or all of these special tests, however. Routine x-ray studies often clearly show the level involved; oblique views, in particular, display the foramina with osteophyte impingement. In conjunction with the clinical findings, plain x-ray films may be enough to indicate the level involved. Contrast studies are often helpful, particularly in identifying the level of the greatest impingement when several zones appear narrowed. In cases with profound motor and sensory change, myelography should always be done to rule out a space-occupying, rather than a degenerative lesion (Fig. 15–16).

Diskography. Diskography has a place in those instances in which it is difficult to

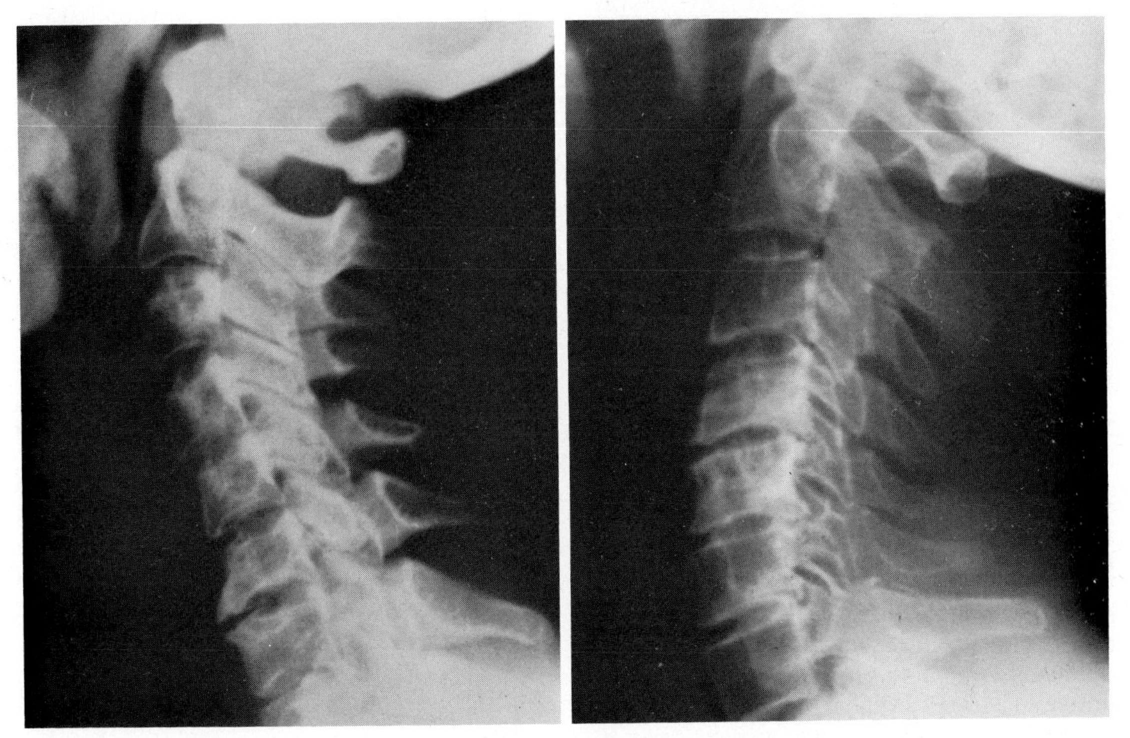

Figure 15–14 Multiple level osteophyte formation causing nerve root pressure.

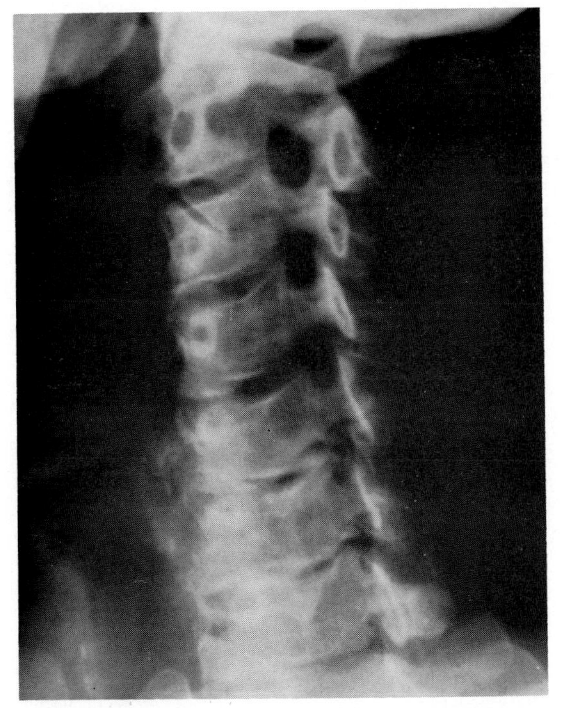

Figure 15–15 Foraminal osteophytes at C.5 and C.6 causing "neurogenic" pain are clearly shown in oblique view.

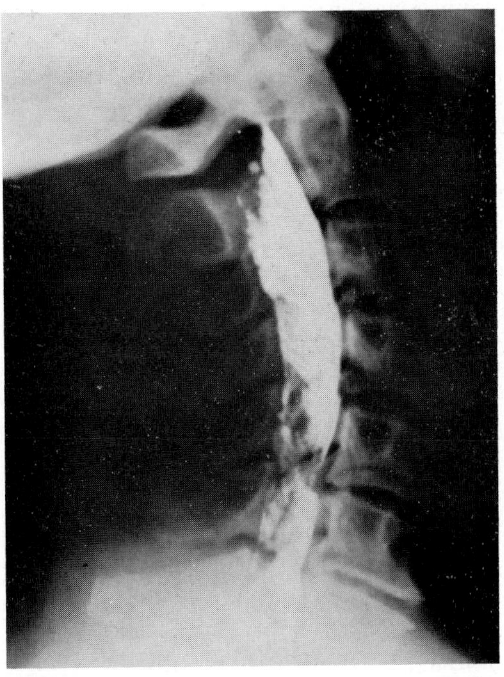

Figure 15–16 Cervical myelogram shows positive pressure on the nerve root at C.5 and C.6 involving the sixth root.

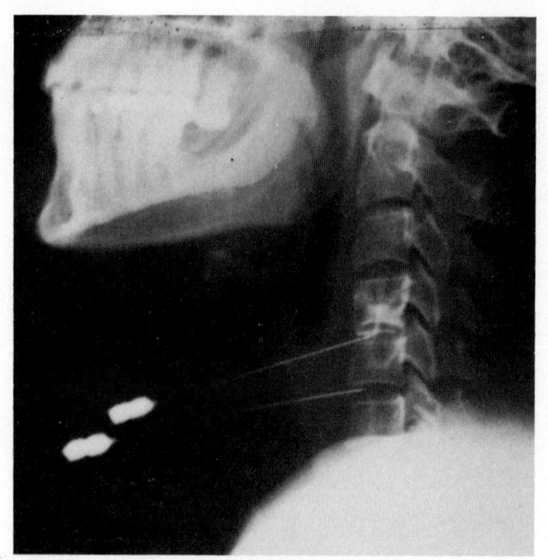

Figure 15–17 A diskogram technique. Dye may be seen in the C.4–C.5 interbody space, and a needle in place prior to injection for the C.5–C.6 space.

identify the level involved, and in particular to indicate the zone that requires operative stabilization. The technique is carried out under local anesthesia, a long needle being inserted under radiographic visualization directly into the disk, and a small amount of dye then inserted (Fig. 15–17).

CLOWARD TECHNIQUE. The procedure may be done in the x-ray department or, if desired, in an operating room with adequate radiographic facilities. The patient is given a mild sedative and placed in the supine position. The right half of the neck is prepared. A superficial skin wheal is made with 2 per cent Novocain without epinephrine. The C.5-C.6 space is approached initially, but this lies directly behind the coracoid cartilage. The principle of the approach is to displace the trachea and esophagus medially, and the carotid sheath with its contents laterally. This is accomplished by shoving the structures across the midline with the middle and index fingers, keeping pressure laterally on the carotid artery, which can be identified by its pulsation. Deep pressure in this interval identifies the ridges of the anterior margins of the vertebral bodies and the disk in between. This pressure is maintained, and a No. 20 2-inch needle is inserted into the disk at an angle of 45 degrees. The disk space is identified by gentle probing until a sense of resistance is encountered in the annulus, as compared to the hard firmness of the vertebral body. The needle is inserted 1 to 2 mm into the annulus. Through this needle a smaller bore No. 25 needle one half-inch longer is inserted, and the contrast media, usually Hypaque, is injected. Normally 0.1 to 0.2 ml is all that is used, but if there is an abnormality, such as rupture or separation of the annulus, as much as 0.5 ml may be needed. No more than 0.5 ml should ever be injected.

Considerable attention should be given to the patient's reaction during the procedure, and to the distribution of the pain of which he complains.

The procedure should be carried out with care, with proper preparation of the skin, adequate control of the patient, and caution taken not to move the needle indiscriminately in identifying the disk space. Complications reported from diskography include pain, infection, and spinal cord damage. Those who have used this procedure extensively have emphasized the necessity for proper precautions and for practicing the procedure on cadavers before using it clinically.

Treatment

Cervical root syndromes resulting from disk disease respond well to conservative treatment, and these measures should be used before resorting to surgery.

These entities commonly present with

Table 15–1. CARDINAL RULES FOR THE APPLICATION OF CERVICAL TRACTION

1. X-ray studies must be taken to help ascertain the level of the lesion and to rule out unusual occurrences such as malignancy.
2. Ascertain the level of the lesion through radiograph, clinical findings, and palpation.
3. The level to be treated must be localized. The amount of flexion determines the level where the traction occurs. As the spine is increasingly flexed, the upper cervical levels are locked, and the traction will occur at the specific level desired. The amount of flexion needed increases as the level of the lesion descends—e.g., the cervical spine must be flexed more to open C.6–C.7 then to open C.3–C.4. The experienced physiotherapist will be able to palpate and localize the affected level (Fig. 15–18).
4. Manual traction should be attempted first. If this does not alleviate symptoms, mechanical traction will not do so (Fig. 15–19).
5. If manual traction has met with good results, mechanical traction may be tried with the patient in lying or sitting. If in lying, the knees should be bent and the cervical spine should be flexed to localize the appropriate level. If in sitting (which may be the position of choice for lower level lesions), the arms and shoulders should be relaxed and supported, and any strain on the lumbar spine should be eliminated by having the knee joints flexed and higher than the hip joints (Fig. 15–20).
6. Home units may be obtained for the supine or sitting position. The latter is easier for the patient to manage alone (Fig. 15–21).

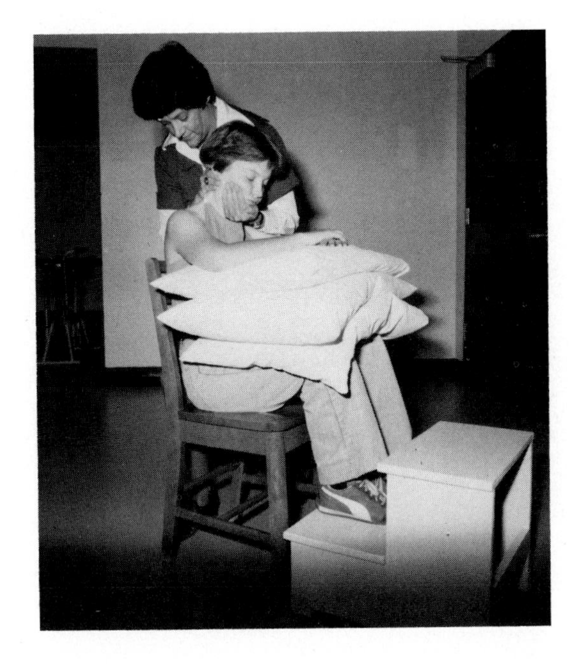

Figure 15–18 Manual cervical traction in sitting (right side lesion).

Figure 15–19 Manual cervical traction. Note that the therapist may maintain this position for long periods without undue strain.

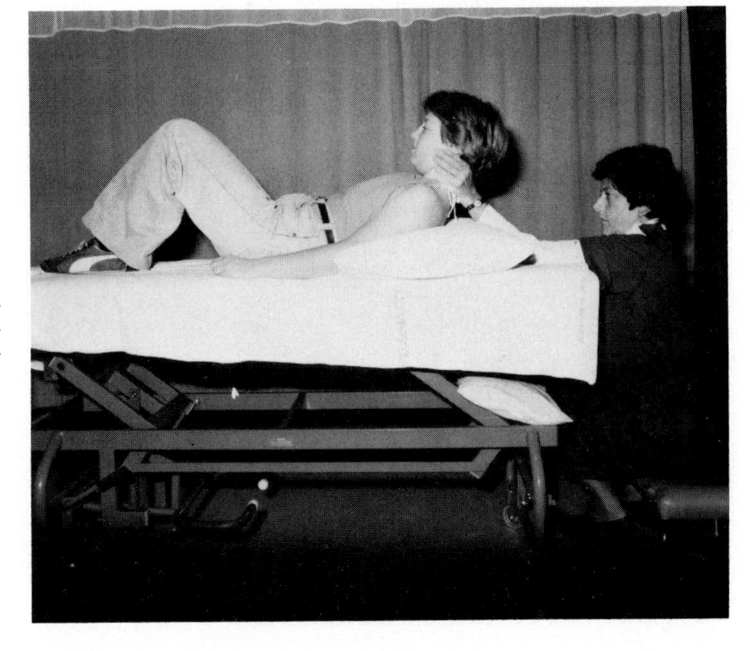

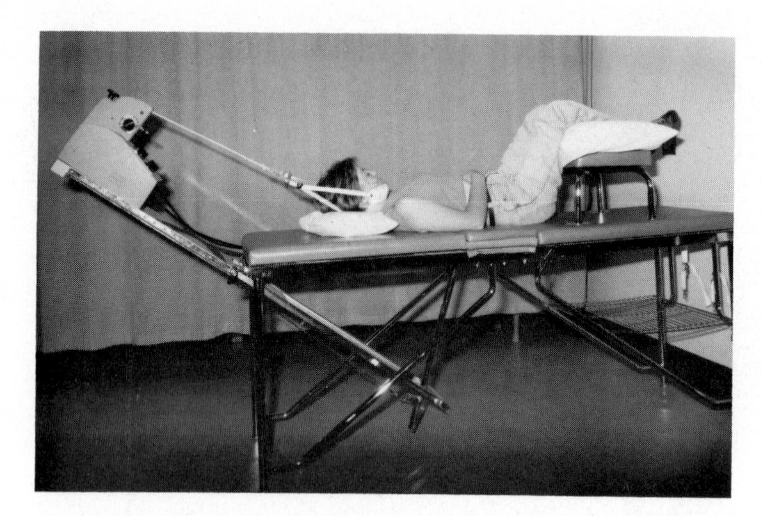

Figure 15–20 Mechanical cervical traction, which may be static or intermittent.

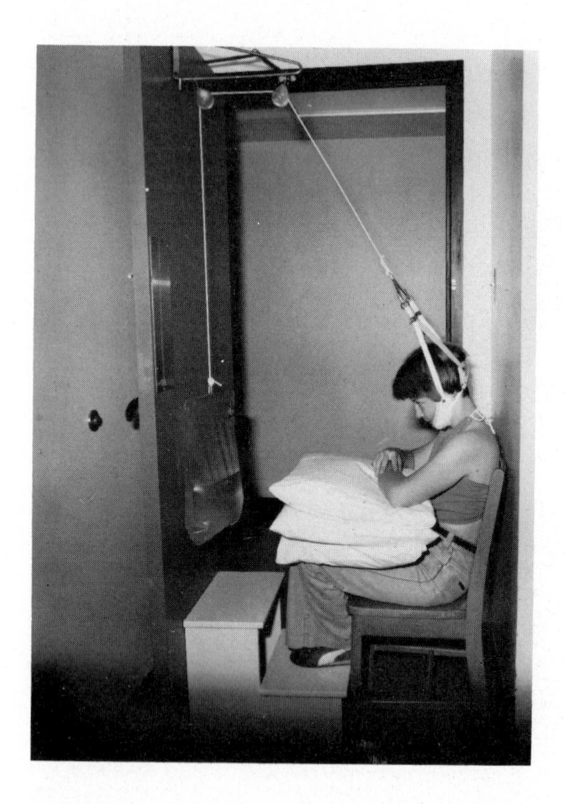

Figure 15–21 Home traction unit. Note amount of cervical flexion.

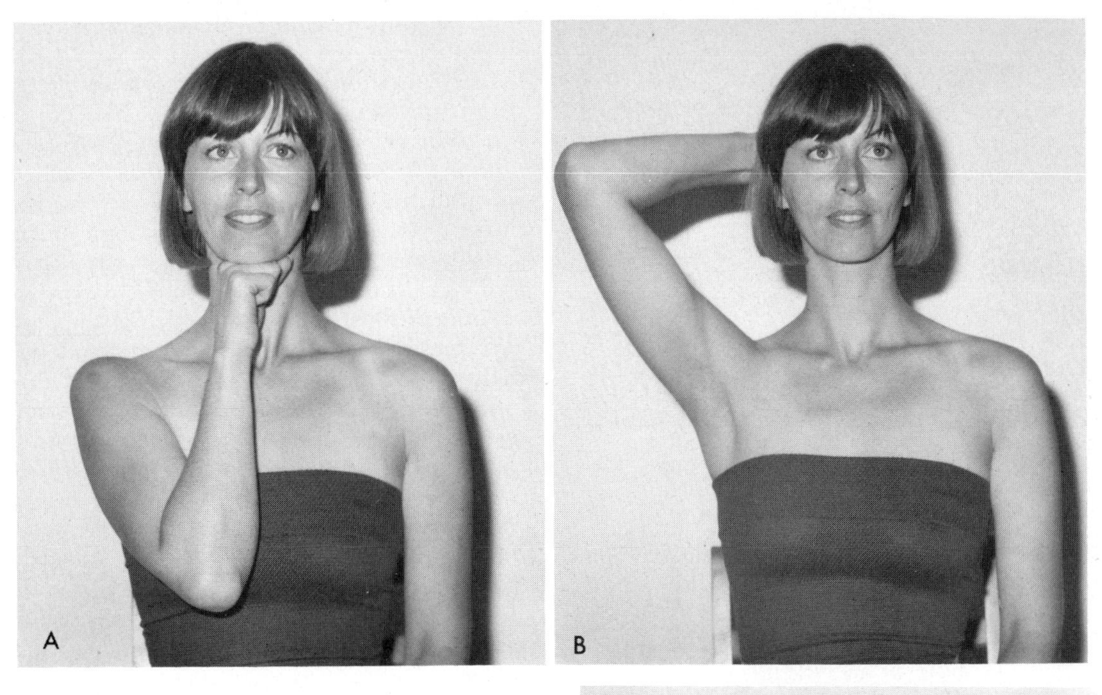

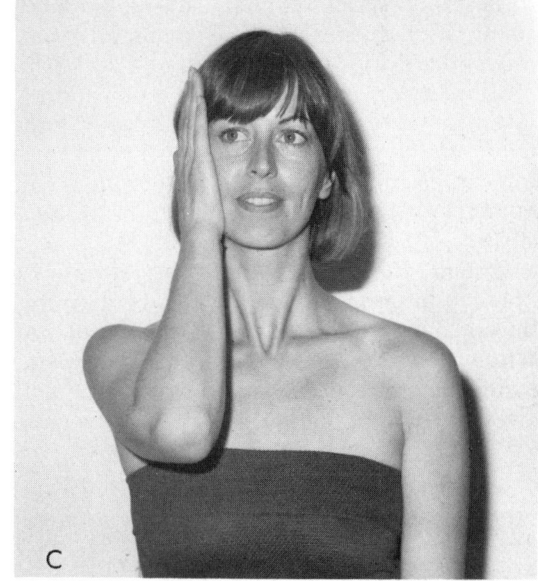

Figure 15–22 *A*, Isometric cervical flexion. *B*, Isometric cervical extension. *C*, Isometric side flexion or rotation.

dominant discomfort below the elbow. This may be accompanied with tingling and/or numbness and muscle weakness. Assessment is extremely important so that traction (which should always be manual to begin with) may be scientifically applied. Included in cervical root syndrome must be extruded nuclei, foraminal disturbances, and spinal stenosis. The common error is to expect that routine traction will benefit all of these. Actually the latter two entities may be aggravated, or traction may not be tolerated (assuming of course that the traction has been properly applied).

Physiotherapy. Physiotherapy should include self-resisted isometric strengthening exercises given to the weak musculature. These should be isometric for the neck musculature, but may be isotonic for the extremity (Fig. 15–22).

The discomfort may reach proportions necessitating hospitalization, so that traction can be applied continuously and accompanied by proper sedation. Particularly in

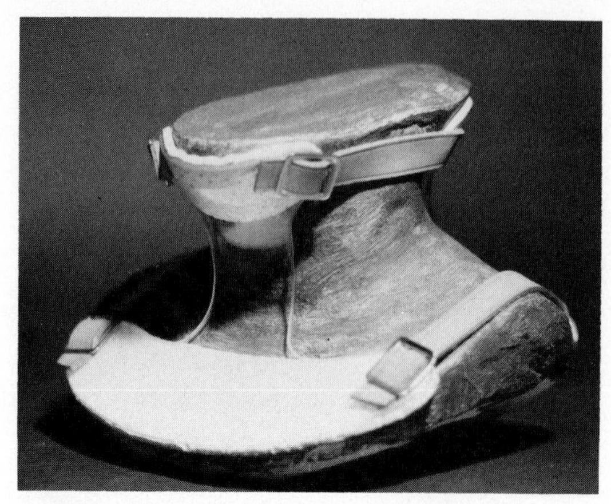

Figure 15–23 Plexiglas collar.

patients who appear as poor operative risks, the cervical traction may need to be continued for some weeks. When the patient becomes ambulatory, a light cervical collar of plexiglas should be used (Fig. 15–23); if the nerve root irritation has subsided, some stabilization during sleep is best obtained with a felt collar (Fig. 15–24).

MEDICATION. A program of medication is essential along with the traction. Light sedatives, muscle relaxants, and anti-inflammatory drugs and Novocain for trigger areas can enhance the effects of the physical measures.

Patient Education. The physiotherapist plays an important role in the careful education of patients with chronic neck problems. Often long-standing symptoms of pain, headache, and muscle spasm are very much associated with, and aggravated by, poor habitual posture and strain during activities of daily living.

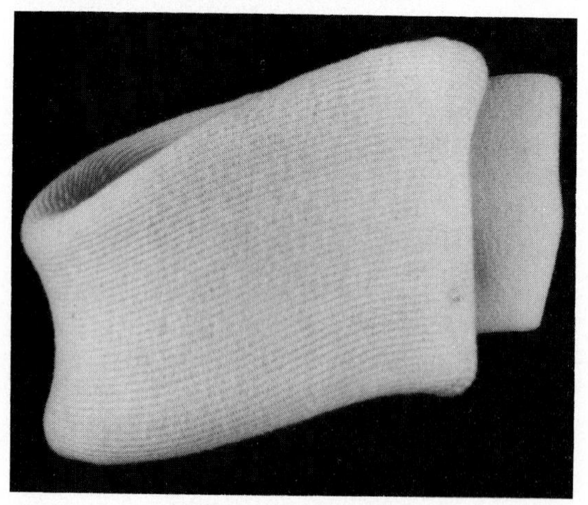

Figure 15–24 Felt collar.

Close questioning about life style and habits often uncovers problem areas that can be easily corrected to give significant relief. Most notably, poor sleeping positions such as prone lying contribute greatly to over-all discomfort. The patient often experiences considerable relief when proper supportive sleeping positions are substituted.

Patients must be taught which strains and extremes of movement should be avoided in daily activities, specifically extremes of flexion-extension. Constant neck rolling and testing of painful movements are contraindicated, as is prolonged maintenance of extreme positions, e.g., hunching over a desk or reaching and working at high levels above the shoulder. Simple personal postural habits, such as a constant upward tilt of the chin, often must be corrected before the patient experiences relief of symptoms. These are but a few examples of the importance of making the patient aware of neck-sparing postures as a life-time necessity.

Soft collars also will serve as a reminder to the patient of movements to be avoided and encourage him to maintain a relaxed neutral position. Isometric self-resisted exercises will be strengthening and will aid in relaxation.

Once the patient has learned about and can concentrate on neck-sparing during daily living, the effectiveness of other treatment modalities is greatly enhanced. Localized manual traction, applied gently by the physiotherapist according to "Cardinal Rules," is often effective in relieving symptoms. Home traction units are often helpful to the patient who has been carefully instructed in their proper use.

In conjunction with the above, other pain- and spasm-relieving modalities available to the physiotherapist can be used effectively, e.g., heat, ice, transcutaneous nerve stimulation, or ultrasound.

Biofeedback. The techniques of biofeedback may be very helpful in postural re-education. Through instantaneous sensory input, both auditory and visual, the patient may be taught to strengthen weak musculature, or to inhibit the use of one group while reinforcing the opposing group. The biofeedback units most commonly used in physiotherapy departments are small, battery-operated versions of the laboratory electromyograph, through which electrical impulses generated by active muscle fibers are picked up and fed

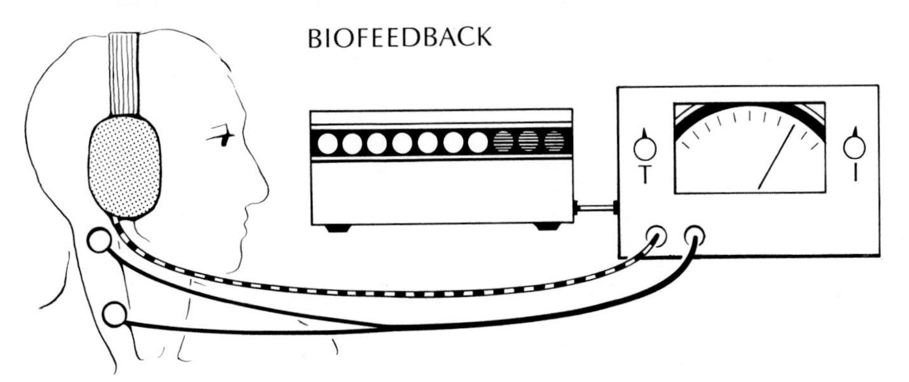

Figure 15–25 See text.

back to the patient in the form of an audible "beep" and a visual signal, such as a meter or a display of lights.

In chronic neck problems, postural habits are often long-standing and therefore difficult to change. A particular posture may have been adopted to alleviate pain, and may persist after the pain and its cause have disappeared. Biofeedback can help in the re-education of these alienated muscles, and as such is a useful addition to the physiotherapist's armamentarium. It has also been used to relieve pain and muscle spasm, two often very troublesome aspects of chronic neck problems.

Figure 15–25 shows the sensors of electrodes in place on the right sternomastoid—a position that may be used to strengthen this muscle in the correction of torticollis.

Surgical Treatment. Those patients not responding well to comprehensive programs can be materially helped by surgical measures. The primary lesion may be dealt with by direct approach, including diskotomy and anterior interbody fusion. Occasionally a large extrusion without extensive long-standing interbody change may be better handled by posterior laminectomy and diskotomy.

In some instances, particularly extension-flexion injuries with root irritation, the involvement of the paraspinal muscles, and the scalenes in particular, is prominent. Considerable relief of both local and radiating discomfort may be obtained by simple scalenotomy.

SCALENOTOMY (Fig. 15–26). A short 1½ inch incision is made a thumb's breadth above the clavicle and parallel to it. The deep fascia and platysma are separated along the line of the incision, and the posterior border of the sternomastoid is retracted. At this point, superficial cervical vessels may be encountered and will need to be ligated. Similarly, the external jugular vein may cross the area, and so will need to be clamped and ligated; as a rule, it may be retracted toward the midline. An essential step in this procedure is continued dissection just lateral to the posterior border of the mastoid muscle, to identify the upper roots of the brachial plexus. Experience has shown that many anomalies exist in the configuration of the scalene muscles, and some of these implicate the upper roots of the plexus. It can happen that the plexus is buried entirely in the scalenus anticus, so that, if this muscle is cut somewhat blindly, serious damage results to the brachial plexus. For this reason the author recommends that the upper roots of C.5 and C.6 be identified and retracted posteriorly, to allow precise identification of the scalenus anticus apart from any plexus involvement. After this has been done, it is possible to lift the scalenus anticus and wipe the phrenic nerve from its anterior surface, retracting it medially. Digital dissection is continued toward the medial aspect of the wound, gradually identifying the medial border of the scalenus anticus. From the side and at the back, as it were, the posterior aspect of the scalenus anticus is identified and a Luer clamp inserted posteriorly, elevating the muscle. The muscle then may be cut under direct vision. The seventh cervical root is then apparent posteriorly, and if fibers of the scalenus medius also appear taut, these too can be dissected and cut. Care should be taken in all dissecting maneuvers toward the medial aspect of the scalenus to avoid damage to the carotid sheath and its contents.

DISKOTOMY, ANTERIOR INTERBODY FUSION, POSTERIOR LAMINECTOMY. When symptoms are not relieved by a reasonable period of conservative treatment, there are surgical

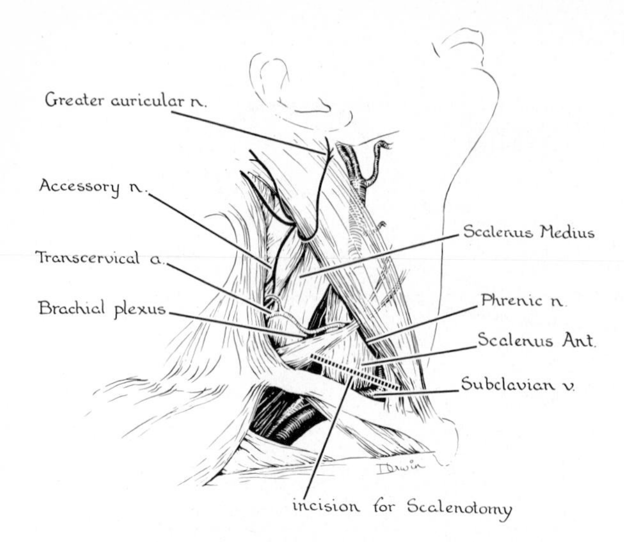

Figure 15–26 Surgical anatomy of approach for scalenotomy.

measures of proved benefit. In many instances the preferable approach is to the anterior portion of the spine, if the lesion is in the region of C.4 to C.7. In this procedure it is possible to remove the disk material quite completely, and if there is a posterior herniation it is often possible to draw this forward by gently curetting the interspace.

Following diskotomy, some form of interbody arthrodesis should be carried out. The method described by Cloward in 1958 has been modified by many contributors. The principle is to insert a graft in dowel fashion between the contiguous bodies in such a way that it will be locked in place. Unless proper precaution is taken in doing this, the graft may subsequently slip out, causing pressure on the esophagus and trachea. In the author's hands, the use of a baled graft that is locked into position with the help of strong cervical traction by the anesthetist has met most of the requirements successfully.

The anterior aspect of the spine is approached by an oblique 4-inch incision along the anterior border of the sternocleidomastoid muscle at the level of C.4 to C.7 (Fig. 15–27–1). (If the surgeon prefers, a transverse incision may be used, but the oblique one affords better exposure if abnormalities of blood supply or other obstructions are encountered.) Dissection continues through the platysma separating the interval between the upper border of the thyroid, trachea, and medial border of the sternomastoid muscle (Fig. 15–27–2). In keeping toward the midline, the small strap muscles then come into view, and are incised or dissected and reflected medially. At this point the superior thyroid vein may course across the wound and need to be ligated. Sometimes the pyramidal lobe of the thyroid gland extends proximally, or there may be exuberant thyroid tissue from one pole extending to the wound area. As a rule these structures can be retracted, but occasionally a superior pole of the gland needs to be resected (Fig. 15–27–3).

Traction medially will pull trachea and esophagus from the midline, and by digital palpation the anterior aspect of the vertebral bodies can be identified (Fig. 15–27–4). As a rule there is sufficient spur formation for the column to be felt easily; often the spur formation is a good guide to the desired level for diskotomy.

One assistant retracts the trachea and esophagus with a pair of right-angle retractors medially, and the other assistant retracts the neurovascular bundle under the edge of the sternomastoid muscle laterally. The pretracheal fascia is incised, and the spine comes into view covered by a thin layer of prevertebral muscles and prevertebral fascia.

At this point the precise level is checked by radiologic visualization, using a hypodermic needle inserted in one space as a marker. Depending on the equipment and the operator's routine practice, the level is identified using plain films or the fluoroscope. When the appropriate level or levels have been identified with certainty, the annulus is incised and the nuclear material curetted.

A longitudinal trough about five-sixteenths of an inch wide is then cut in the vertebral bodies, extending two-thirds of the way through on both sides of the contiguous plates (Fig. 15–27–5). This produces a trough five-eighths to three-quarters of an inch in length. With a curved curet the undersurfaces of the cortex and medullary cavity are cleaned, but the anterior cortex is left in place to serve as a locking ledge for the graft.

The assistant cuts a postage-stamp size graft from the iliac crest, incorporating the lateral cortex and the cancellous bone as far as the medial cortex, but not through it (Fig. 15–27–6). The graft is then cut appropriately so that it may be wedged into the prepared trough. The author prefers to cut a T-shaped graft, and use the root of the T as a handle to insert the baled ends under the cortex, with the assistant putting firm traction on the cervical spine. The excess of the T is then excised.

A dressing and felt collar (Fig. 15–24) are applied immediately after operation, and this immobilization is maintained for three weeks postoperatively. The soft collar is removed only for washing the neck in the side lying position. Two people are required to help the patient roll into side lying for back care. The head of the bed may be elevated only to 30 degrees during this period.

The status of the three-week radiographs, the number of disk spaces treated, the degree of stability, and the size of the patient will determine whether immobilization in bed is continued for three or four weeks. After this time the patient is allowed up, and wears a rigid collar when ambulating (Fig. 15–23). The soft collar is worn for sleeping. The surgeon assesses three months postoperatively when the rigid collar may be discontinued (Fig. 15–28).

Physiotherapy in Cervical Anterior Interbody Fusion. The physiotherapist plays an important role in the education of the patient, who must be carefully taught principles of neck care to avoid harmful stress. Once the brace is off, avoidance of extremes of flexion-extension must be stressed, and some daily activities altered for the sake of protection, e.g., hair washing. Strength may be maintained by gentle isometric exercises (see Fig. 15–22).

POSTERIOR LAMINECTOMY. In most patients the anterior approach is the method of choice, particularly when only one or two spaces may be involved. When multiple areas may be implicated and there is a possibility of a space-taking lesion, posterior laminectomy is preferable. It is carried out in the usual fashion, with resection of the contiguous portions of laminae and direct exposure of the cord (Fig. 15–29).

In some cases involving a single level lesion in which the herniation appears to be well lateral and posterior, the approach may be made through the area of the apophyseal joint after the method suggested by Frykholm. In this procedure, the bone just medial to the articular area is ground away and finally resected in the floor of the facet. When a portion of this bone on the medial side is removed along with the ligamentum flavum, the lateral border of the spinal cord and nerve root origin with the axilla can be exposed and dealt with appropriately.

APOPHYSEAL ARTHRITIS

The apophyseal joint may be involved in an extremely painful syndrome implicating adjacent nerve roots. Some degree of wear and tear change is an alteration of the apophyseal joints in the cervical region, just as occurs in the lumbar region. The mobility and flexibility of the cervical spine permit a greater degree of adaptation, so that the rigid approximation of articular surfaces is not as congruous as in the zone of greater weight-bearing of the lumbar region. However, the flexibility permits torsion stress and damage that result from taking the joint beyond its normal range to a far greater degree in the cervical than in the lumbar region.

In many instances, the lesion is caused by a traumatic episode that initiates discomfort for a time and subsequently is forgotten, reappearing some years later as a well-established osteoarthritic change.

Clinical Picture

Neck discomfort occurs first, followed by shoulder pain and then sharp, radiating pain. The cervicothoracic region is most involved, where the mobile cervical spine is based on the relatively immobile upper thoracic structures. The apophyseal joint of C.7–T.1 on one side or the other develops a spur formation that sometimes extends anteriorly into the foramen, constituting a source of irritation to the contained nerve root just as changes in the joint of Luschka produce spurs extending from the posterior aspect backward into the foramen (Fig. 15–30*A* and *B*).

The reaction from the apophyseal spur occurs much less frequently than that of the

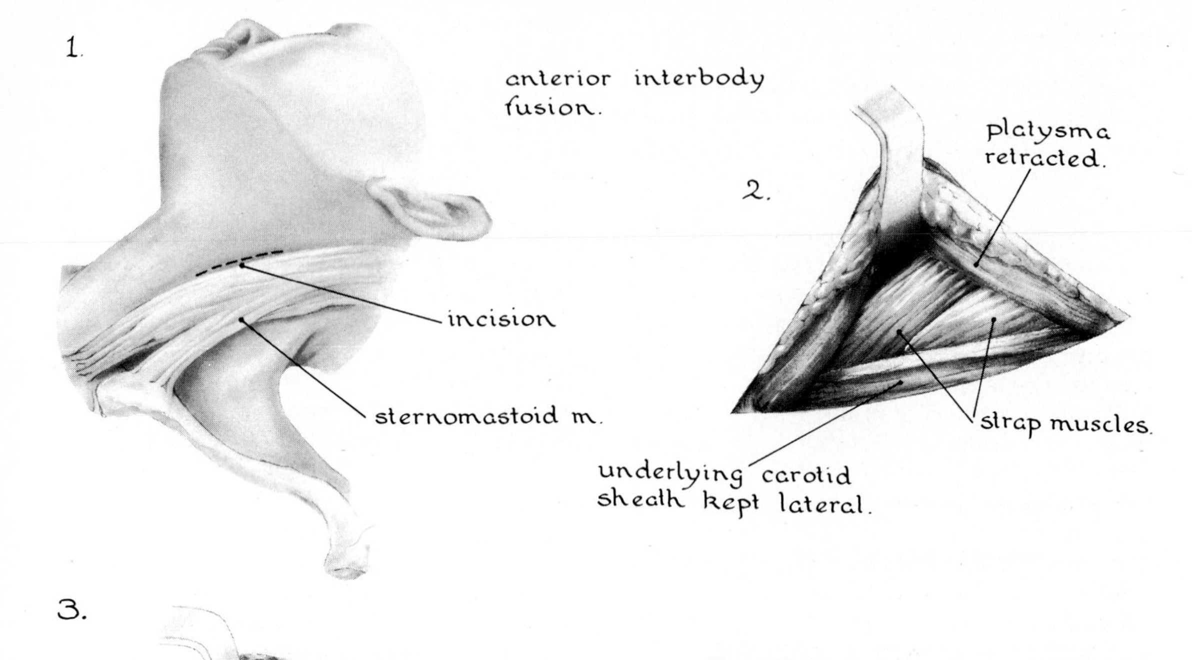

Figure 15–27 Technique for anterior interbody fusion. 1. Incision may be slightly oblique or transverse. 2. Superficial dissection. 3. Deep dissection.
Legend continued on opposite page

Luschka spur, and does not have accompanying degenerative interbody abnormality (Fig. 15–30*C*).

In the case of the C.7–T.1 lesion, the pain is appreciated in the upper paraspinal zone, extending to the posterior aspect of the shoulder, down to the posterolateral aspect of the forearm, and ultimately to the medial border of the hand and fourth and fifth fingers. There is a typical neural type of irritation with numbness, tingling, and sharp-shooting discomfort, followed by a frozen feeling implicating the most peripheral region.

The first thoracic and eight cervical roots are irritated most often; the pain pattern typically can involve the axilla and medial aspect of the upper arm. When the discomfort appears on the left side, it may simulate cardiac disturbance because of the typical intercostobrachial distribution of the pain.

Treatment

Conservative treatment assiduously applied is essential to relieve what can be most incapacitating discomfort. Repeated cervical traction, ultrasound to the paraspinal area, systemic medication, use of a cervical collar, and a degree of sedation are essential. Transcutaneous nerve stimulation is extremely helpful in alleviating severe pain in the paravertebral area, arm, and forearm. The discomfort may become sufficiently severe to necessitate exploration, foramenotomy, or stabilization of the C.8–T.1 vertebrae from the posterior approach.

In contrast to the common cervical root syndrome from involvement of higher roots, interbody pathology is not as prominent, so that anterior interbody fusion is not as effective as posterior stabilization.

NEUROVASCULAR SYNDROMES OF THE NECK AND SHOULDER

The funneling together of nerves and great vessels at the junction of neck and arm has laid the foundation for a large group of disorders with distinctive symptoms and signs. Neck, shoulder, and arm discomfort characterize these states. The quality, dis-

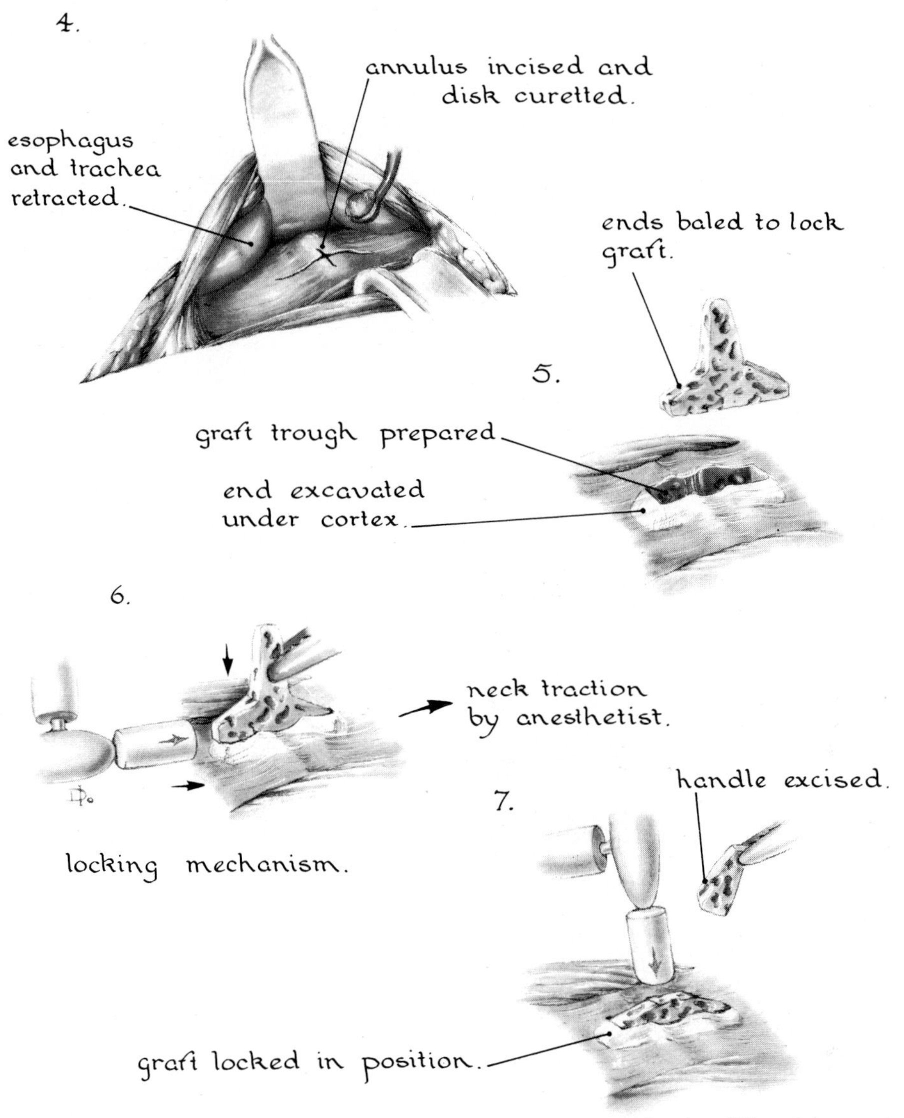

Figure 15–27 *Continued* 4. Midline structures firmly retracted medially, exposing the midline of the vertebral column. 5. Longitudinal trough is cut in the two vertebral bodies, with the cortex at the ends of the trough undercut to allow locking of a baled graft into place. 6 and 7. Locked graft in place with traction released.

tribution, and course of the pain differ considerably from that encountered in the cervical root syndromes. The clavicle lies in the middle of this area, acting somewhat like the constriction of an hourglass, so that three zones of irritation in relation to the clavicle may be identified: one above it, one behind, and one below. The differences between vascular and neural pain have been pointed out previously, and these should be reviewed for a complete understanding of these syndromes (see Chapter 9).

SPINAL STENOSIS

In many instances the effects of degenerative changes comprise a generalized spondylosis, and more than one level of spine may be implicated. Not infrequently the changes at one level reach the point where a much more extensive neurologic deficit develops (Fig. 15–31).

A narrow cervical canal can develop owing to the effects of degenerative changes, with sufficient narrowing over a small area to produce what is really a stenosis. In identifying this condition, estimation of the width of the spinal canal in plain x-ray films has been the cardinal indicator of the lesion. A canal under 10 mm is considered to be indicative of spinal stenosis; one measuring 10 to 15 mm is highly suggestive.

Clinical Picture

A variety of symptoms have been recognized as precursors of this abnormality. In young people, shoulder, neck, and then radiating symptoms are the initial complaints. At a later age, after the upper limb changes are established, severe motor and sensory disturbances develop in the lower limbs. Shoulder pain with extension to the distal portion of the limb is the common presenting symptom. This is followed by changes in the hands in the form of weakness and clumsiness, and persistent alteration in sensation in the fingers. As the duration of the condition increases, symptoms and signs of cord involvement appear. Significant atrophy of the scapulohumeral group of muscles may develop, and when these changes are present the condition may be confused with other neurologic syndromes including multiple sclerosis, amyotrophic lateral sclerosis, and

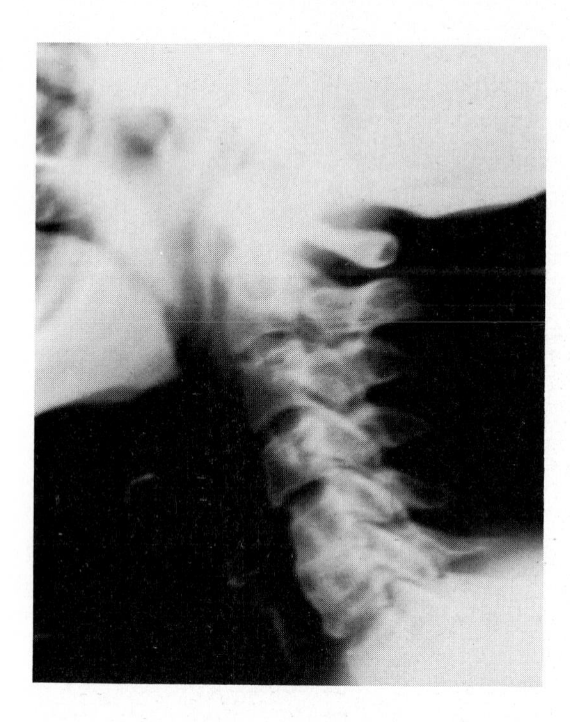

Figure 15–28 Appearance following anterior interbody fusion.

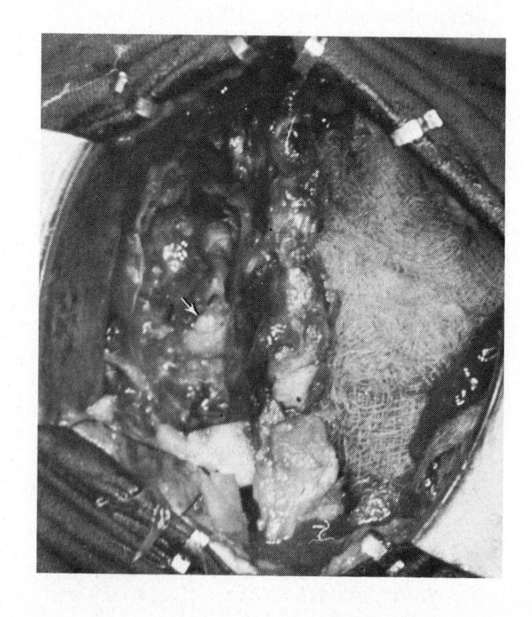

Figure 15–29 Posterior laminectomy and diskotomy. Nerve root C.7 is arched over a large soft disk extrusion. (Courtesy Dr. C. P. McCormack.)

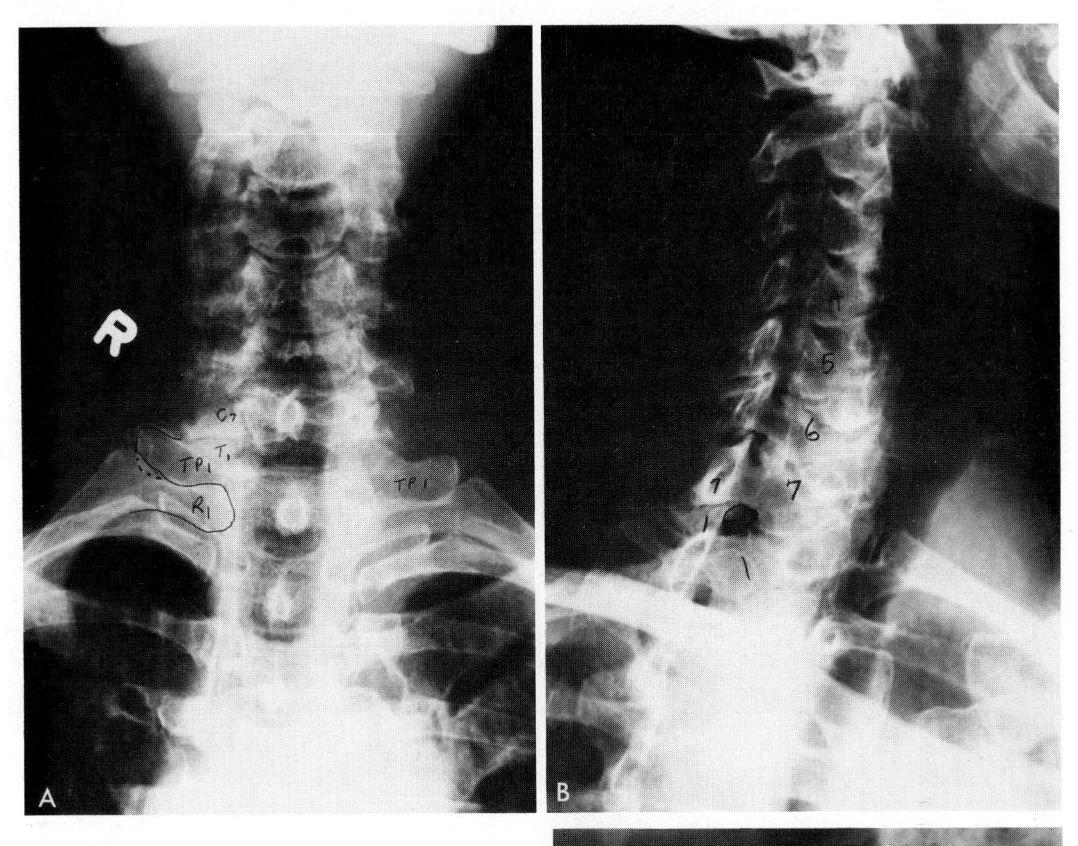

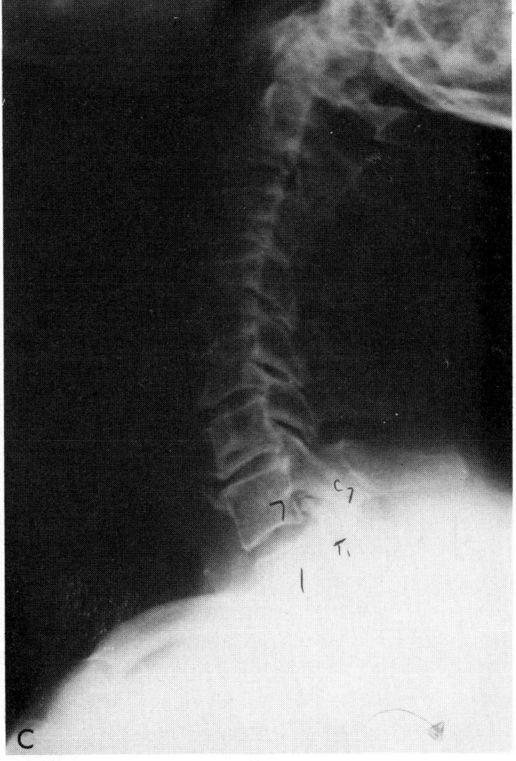

Figure 15–30 Apophyseal arthritis C.7–T.1. *A*, Note sclerosis and spur formation greater on right. *B*, Note sclerosis of C.7–T.1 facets and spur projecting from posterior wall into foramen. *C*, Note C.7–T.1 space with no involvement of the disk.

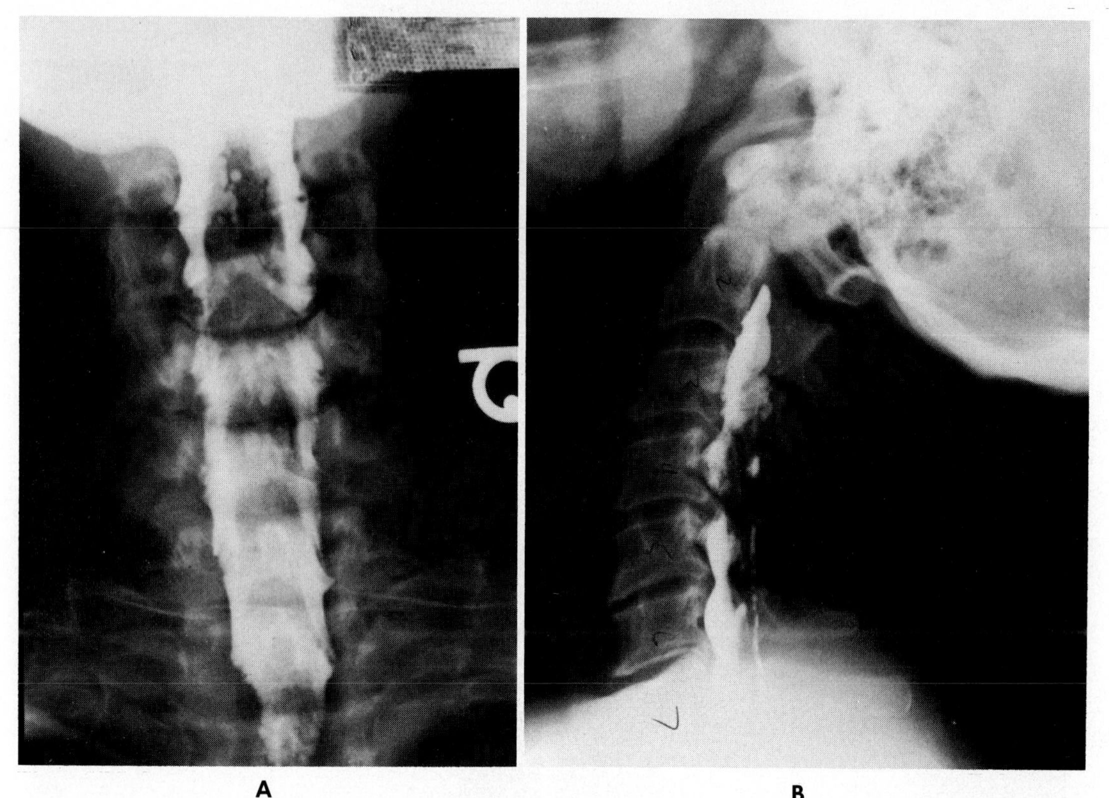

Figure 15–31 Spinal stenosis. *A*, Myelogram, anteroposterior view. *B*, Myelogram, lateral view.
Legend continued on opposite page

peripheral neuritis. In a number of cases, Lhermitte's sign will be identified. Changes in the upper limb vary from slight weakness and atrophy to marked bilateral long tract signs and spastic gait. There may be associated severe alteration in pain and temperature appreciation. In some instances, complications in the form of transient paraplegia and tetraplegia have been recorded.

Pathology

The spondylitic process is a natural sequela to the herniated and degenerated disk. The recognition that there may be a basic narrowing of the cervical canal before such processes are initiated represents the recent denouement of cervical spinal stenosis.

The natural and cumulative processes of degeneration can assume an added element of progression because of the continuing and consistent mobility of the cervical spine. The similar process in the lumbar region is not as adversely affected by the continued motion, since the added stability and weight-bearing properties contribute to a decrease rather than an increase in motion. Initially, spinal stenosis was identified accompanying certain developmental abnormalities, such as spondylolisthesis in the lumbar area and the Klippel-Feil disturbance in the cervical region.

Vertebral artery involvement also can complicate this condition. Vertebral vascular ischemia may be a complication of severe cervical spondylosis and cervical myelopathy. Under these conditions, arteriosclerosis and intimal plaque formation contribute an element of ischemia to the vertebral vascular system that may be accentuated further by pressure on the vertebral artery by osteophyte formation (Fig. 15–32). To the usual neurologic deficit of the myelopathy there are added severe intermittent attacks of vertigo caused by the ischemia. Arteriograms will often demonstrate significant intimal changes of the vascular tree, in addition to the spondylosis (Fig. 15–33).

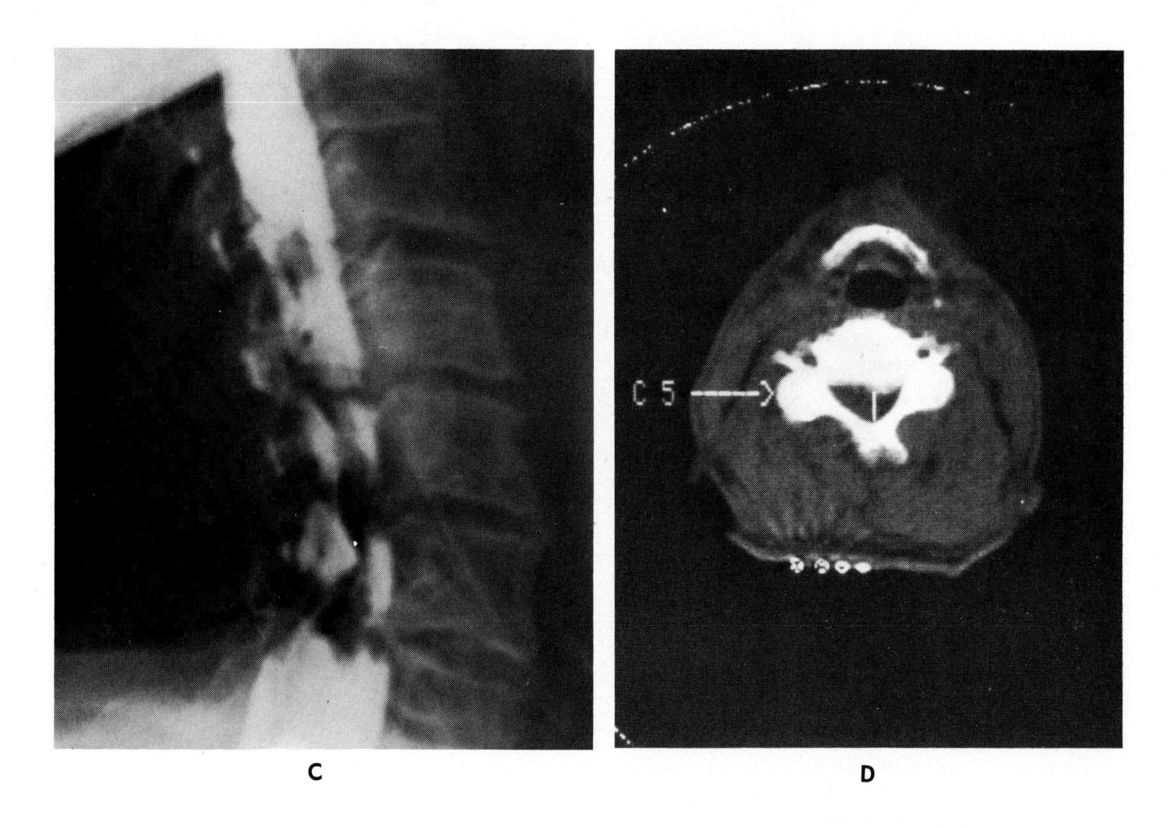

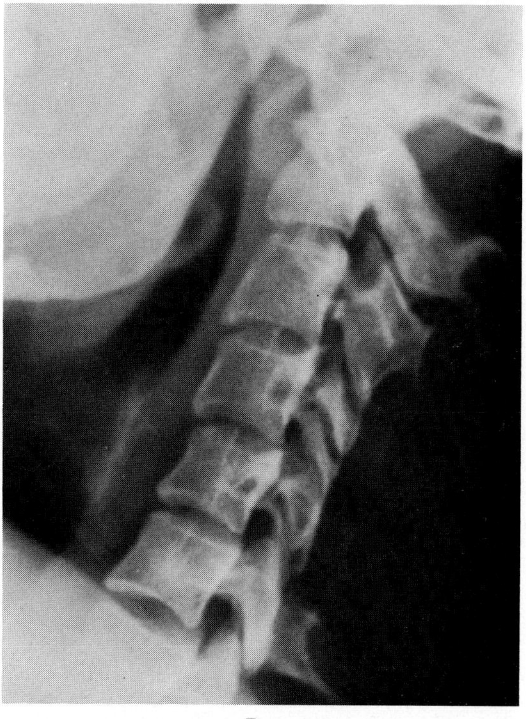

Figure 15–31 *Continued* *C,* Myelogram showing cervical myelopathy. *D,* Computerized Axial Tomography Study dramatically showing narrowing and arc of constriction in cervical canal. *E,* Following posterior laminectomy.

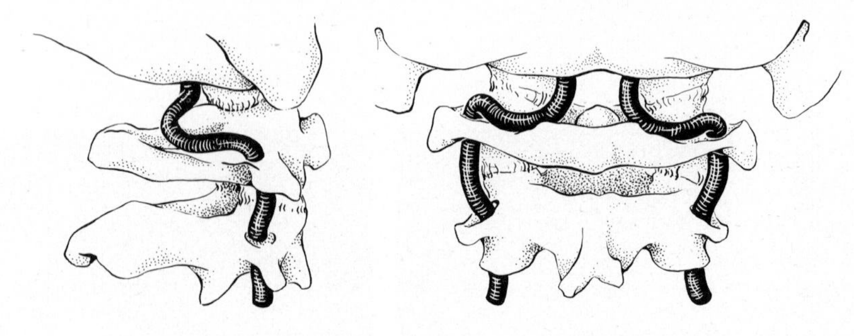

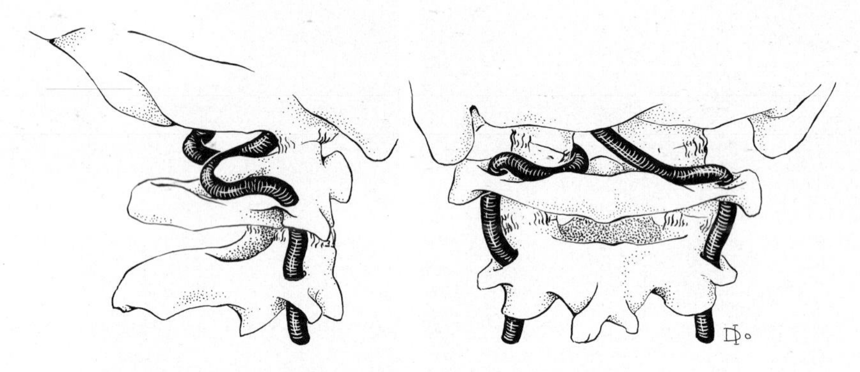

Figure 15–32 Anatomic and physiologic aspects of the vertebral artery.

Treatment

A comprehensive program of conservative treatment should be carried out initially, embracing all the modalities described for cervical root disturbances. By and large, if there is significant stenosis, traction not only is effective but may increase the local symptoms. The failure of relief from traction should call attention to the possibility of stenotic change.

The indications for surgery are the presence of persistent neurologic deficits. It is desirable to recognize the condition before this status is established, but often motor and sensory loss with significant reflex changes have developed before the true condition is recognized.

Surgical Treatment. Posterior laminectomy with decompression of the cord is carried out. The area usually involved is the central cervical spine, so that exposure embraces posterior spinous processes, laminae, and articular facets from C.3 to C.7. The laminae and spinous processes at the level with most extensive involvement are then completely removed.

Inspection of the cord is carried out, and further laminectomy is performed as appears necessary, guided by any apparent compression of the cord. When excessive decompression is required, stabilization is desirable. This may be carried out relatively simply by taking a piece of the fibula and splitting it longitudinally, wiring the two halves in place to posterior spines above and below the resected area.

Postoperatively the head and neck are supported in an appropriate cervical splint, which may be a soft felt collar to start with, progressing to a firm plexiglas collar when ambulation is allowed at the end of three to four weeks.

When the lesion is at a higher level, C.2, C.3, or C.4, the posterior approach appears to be superior, and laminectomy and stabilization carried out at the same time.

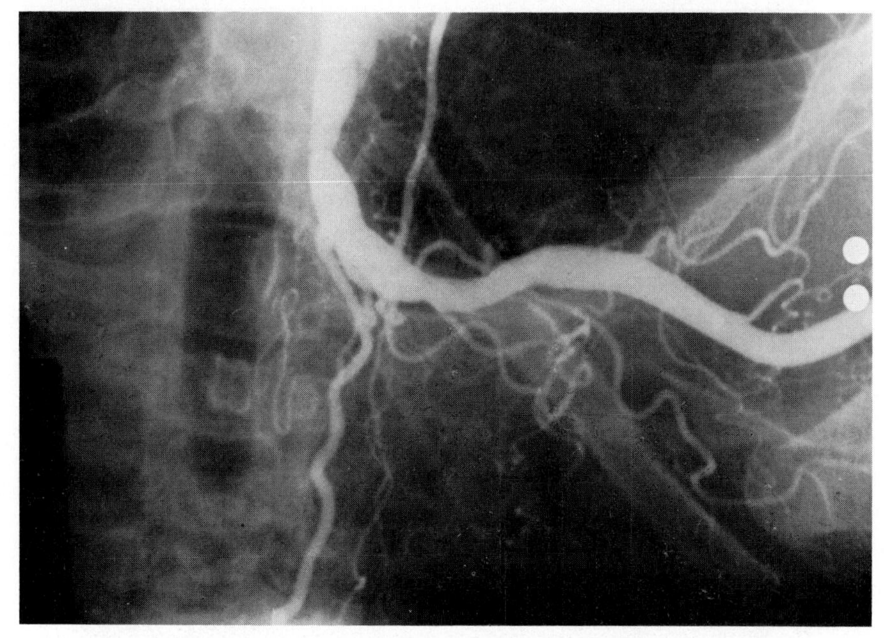

Figure 15–33 Arteriogram.

CERVICAL RIB, SCALENE DISTURBANCES, AND ABNORMALITIES OF THE FIRST RIB

These have been considered in detail in Chapter 14, Nerve Injuries.

Lesions Related to a Normal First Rib

Spontaneous or Fatigue Fracture of the First Rib. Sudden pain in the shoulder with radiating symptoms following strenuous unaccustomed activity may be due to fracture of the first rib (Fig. 15–34). The predisposing forces are the groove on the first rib and the scalene muscle attachment. Strong muscle pull, with the scalenus attached posteriorly and the subclavius anteriorly, is a suggested cause. Indirect violence has been postulated, because it is most difficult to damage the first rib by external force without injuring the clavicle. Follow-up x-ray studies show a typical healing process, so that the fracture is apparently a fatigue or stress-like type.

TREATMENT. Limitation of movement is indicated until the discomfort has subsided. In many patients the findings are incidental, although the painful episode can be recalled; frequently it has resulted from carrying heavy loads such as bags of coal or canoes.

High Riding First Rib. Variation in the shoulder slope and the shape of the thoracic cage is frequently seen. Improper posture and congenital deformities of the cervical spine can contribute to the abnormal position of the first rib. Normally the axis is downward and forward, and when this plane is altered so that the anterior end is tipped up, the rib becomes more horizontal, and consequently abnormal stress may be applied to the neurovascular bundle that loops over it; for example, cervical scoliosis resulting from congenital hemivertebra alters the first rib, disturbing the thoracic inlet. The rib on the convex side of the curve will be higher, with possible resultant traction on the neurovascular bundle. Shoulder and radiating symptoms often develop, but may not be apparent until middle life because of early body adaptation. Symptoms may appear after debilitating illness or injury.

TREATMENT. Conservative treatment is usually sufficient; occasionally, scalenotomy or resection of the first rib is required.

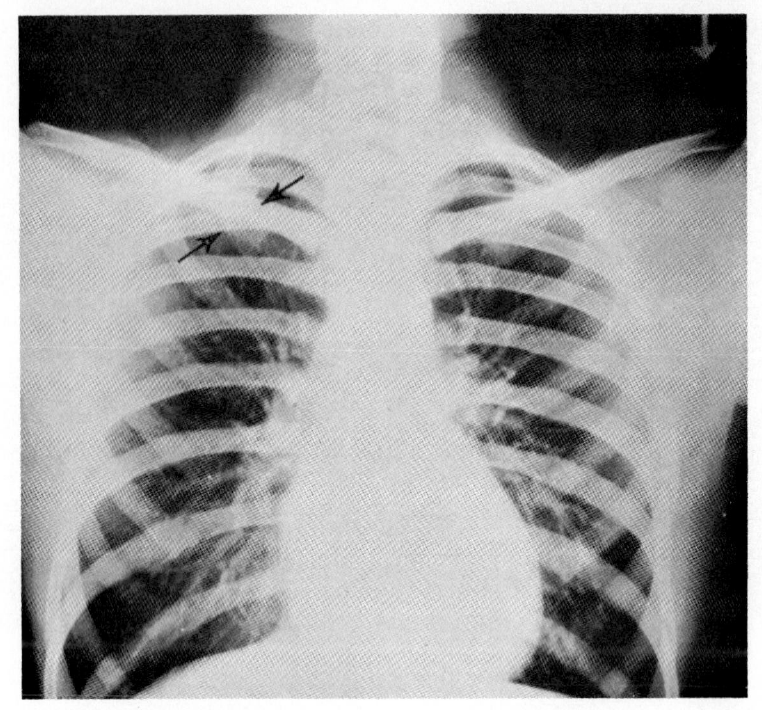

Figure 15–34 Fatigue fracture of the first rib.

MYOPATHIES AND DYSTROPHIES ABOUT THE SHOULDER

The shoulder is involved in neurologic disorders more frequently than is generally appreciated. Generalized disease may first come to light in this region, or the process may be largely a local one. The hand and the arm, because they are used for intricate tasks, may first reflect weakness or unsteadiness as a result of disease at the root of the limb. Disorders such as the muscle atrophies should always be kept in mind in investigating persistent shoulder disability. The group as a whole is considered under (1) myopathies, (2) neuroarthropathies, and (3) poliomyelitis. Many of the lesions are quite uncommon, but extensive research, particularly biochemical, is shedding new light on the incidence and the etiology.

MUSCULAR DYSTROPHIES

The muscular dystrophies are a group of disorders characterized by progressive degeneration of muscle, which develops apart from any active nervous system disease. Shoulder involvement is not uncommon, and it is particularly important to differentiate these lesions from nerve injuries about the shoulder. The characteristic finding is muscle wasting unaccompanied by any sensory change. The common deformity is atrophy of muscle, but, rarely, hypertrophy or pseudohypertrophy is the presenting sign. Different types are recognized according to the distribution of the atrophy and certain other properties.

Etiology and Pathology. A strong hereditary tendency is noted in these diseases. The pattern of transmission has been worked out in some instances; the pseudohypertrophic form, for example, appears as a sex-linked character transmitted by healthy females to males only. The origin of the hereditary fault has not been elucidated. Generalized metabolic and muscular metabolic abnormalities have been suggested. Pathologically the process is a degeneration of muscle fibers, which are gradually replaced with fibrous tissue. The degeneration is patchy, with areas of fibrosis alternating with apparently normal muscle fibers. Fibrous tissue is later infiltrated with fat, which in large amounts gives the pseudohypertrophic appearance.

Clinical Features. These disorders tend to begin early in childhood or adolescence, which sets them apart from diseases such as progressive muscular atrophy and myasthenia gravis. Painless atrophy of muscle in a symmetric distribution is the feature. There are no sensory changes. Vague aching and weakness in lifting the arm, followed by obvious wasting, is characteristic. There may be other similar cases in the family, or a history of hereditary incidence. No true relation of injury or infection has been established, although in industrial cases the patient nearly always relates the onset to some traumatic incident.

Facioscapulohumeral Muscular Dystrophy

There are separate types of dystrophy, but that most frequently encountered in the shoulder area is the facioscapulohumeral dystrophy of Landouzy. As a rule, weakness of the facial muscles ushers in this disorder, producing a characteristic loss of expression or a mask-like appearance. This abnormality is rarely noted by the patient, and the first symptoms to become apparent have to do with the shoulder. Weakness is noted, which progresses and is accompanied by wasting. The wasting process particularly involves the flat muscles about the shoulder, such as deltoid, trapezius, pectoralis, and latissimus. The long muscles, such as biceps and triceps, are relatively little involved. As the disease progresses there may be involvement of the trunk and lower extremities. In common with most of the muscular disorders, the disease begins at an early age; the sooner it begins, the poorer the prognosis. It does not always progress, and remissions are common, during which the atrophy changes very little (Fig. 15–35).

Treatment. No specific curative therapy has as yet been advanced. Physiotherapy for prevention of joint contractures and exercises to maintain and improve the power of the involved muscles are all that can be done. In some cases electrical stimulation has been applied, and this may have a beneficial effect. The most satisfactory method is to have the patient fitted with his own stimulator and to teach him to use it himself. He learns to

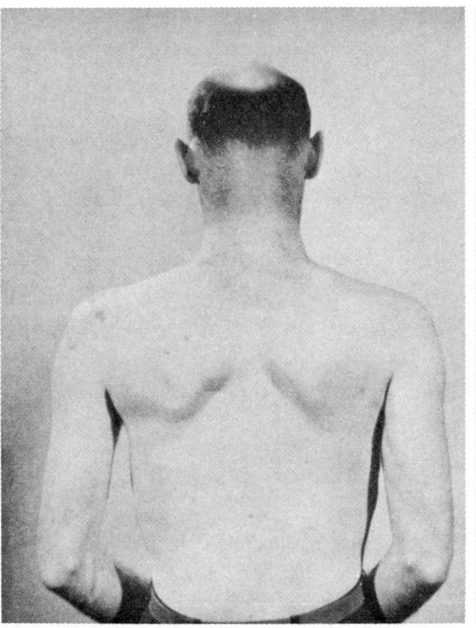

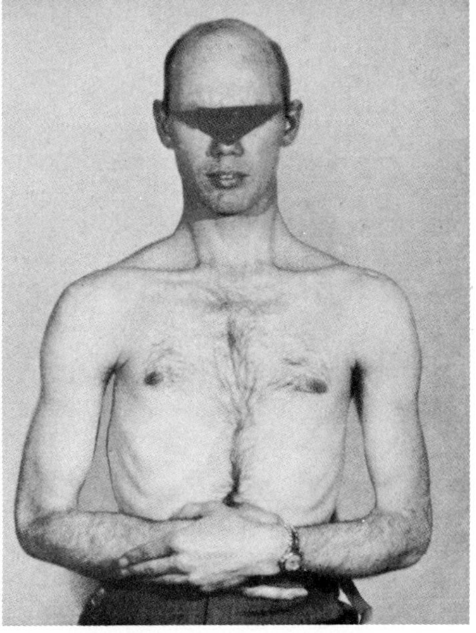

Figure 15–35 Facioscapulohumeral dystrophy. *A,* Atrophy of flat muscles of shoulder girdle. *B,* Lack of facial expression and pectoral atrophy.

stimulate the deltoid, pectorals, and so forth, as routinely as he cleans his teeth. Since the course is unpredictable, continued use of the uninvolved joints and muscles is important. Advantage should be taken of any remissions to improve general body health. Patients may go for years without significant change. If the disease becomes progressive, the involvement of respiratory, trunk, and swallowing muscles may prove fatal.

Pseudohypertrophic Muscular Dystrophy

Apparent enlargement of muscles may occur as another form of muscle substance disorder. This is a generalized process that usually starts in the lower extremities almost simultaneously with shoulder involvement.

Clinical Features. In the shoulder area certain muscles become enlarged, noticeably the deltoid, spinati, and triceps. Occasionally the biceps and the serratus anterior are involved: they become prominent, producing a bulky or chunky contour. On palpation, the muscles are firmer than normal, but they are not so strong. The calves and glutei of the legs are involved, and weakness of this group produces a lordotic stance and waddling gait. The disease is characterized by the absence of sensory abnormalities or central nervous system signs. There are no mental abnormalities. Pseudohypertrophic muscular dystrophy usually begins between the ages of 10 and 15 years and follows through the stage of enlargement to one of atrophy and gradual progressive weakness of the involved muscles. In contrast to progressive muscular atrophy, the small muscles of the hands and feet characteristically escape.

Treatment. The pseudohypertrophic form of muscular dystrophy is progressive, although when it starts in early adult life the progress may be very slow. Muscle exercises are initiated to improve the power of the intact groups. Joint contractures are controlled, but there is gradual involvement of more muscles, particularly those of respiration and swallowing. Death usually is a result of the pneumonia that develops following respiratory paralysis.

MYOTONIC DYSTROPHIES

These are a group of muscular diseases less frequently seen than the previous dystrophies; they are characterized by an abnormality in the contraction pattern of the muscle. The usual finding is an inability to relax after contraction, so that the individual action is prolonged as relaxation is resisted. Associated with this is a varying degree of weakness and progressive atrophy. A strong tendency to familial distribution is recognized, but the cause of these disorders has not been established. Various types are recognized, and are classed according to the character of the contractile action and the age incidence.

Dystrophia Myotonica or Myotonia Atrophica

This is an inherited disorder frequently afflicting several members of a family. It is a rare disease that may be recognized first in childhood. Muscles about the shoulder, the sternomastoids, and facial muscles gradually become atrophic. Later the forearm, hands, and quadriceps are involved. The initial symptoms are weakness and loss of control in certain movements, such as lifting the arm or turning the head. In addition to the atrophy and weakness, the muscles have an uncontrolled or involuntary persistence of any movement that is initiated. The initial contracture is slow and is followed by stiffness or sustained contracture; for example, in grasping, flexion of the fingers persists and the patient has trouble relaxing the grip. Tapping a muscle may initiate a contraction that is carried on if resistance is applied. Other defects such as gonadotrophy frequently accompany this disorder, separating it from similar disturbances. The muscles most frequently involved are the sternomastoids, and atrophy is severe in these. It may proceed to a point at which lifting the head from the pillow is difficult or entirely impossible. When it develops in childhood, it frequently progresses till puberty and then remains stationary.

Treatment. The patient should continue his usual activities as long as possible. Undue fatigue and overexposure to temperature extremes should be avoided.

Congenital Myotonia

A similar form starting as a congenital disorder is also recognized. Atrophy and the abnormalities of muscle contraction are not quite so obvious.

Treatment. Research is throwing much

new light on these disorders. Quinine reduces the myotonia and is administered orally; its effectiveness is ascribed to its curarizing action at the myoneural zone. The myotonia is also abolished by cortisone, as indicated by McEachern, but the increased contractility returns when the hormone is stopped. Further work is needed to elucidate the effectiveness of cortisone. In addition to proper drug therapy, attention is also directed toward preventing contractures, particularly adduction contracture of the shoulder. Proper physiotherapy, including adequate exercises for uninvolved groups, is prescribed.

Periodic Paralysis

One of the most dramatic diseases of this group is that labeled "periodic paralysis." Sudden attacks of profound muscle weakness progressing to flaccidity involve shoulder girdle and arm or pelvic girdle and leg. The attacks are recurrent and occur chiefly in young females, although males suffer also. Biochemical research has revealed a striking abnormality in the blood potassium level during attacks, and this is the basis of effective therapy.

Etiology and Pathology. Substantial evidence has accumulated indicating that this disease is closely related to changes in the blood potassium level. During attacks the serum potassium drops from 18 to 22 mg per cent to as low as 5 mg per cent. It would appear that muscles drain the serum calcium supply abnormally under certain conditions. Administrations of adrenocortical extract, glucose, or epinephrine may produce attacks. Symptoms are dramatically relieved by potassium. There are most significant implications in this modality as related to muscle activity in general: in patients with periodic paralysis, attacks may be produced by giving insulin and glucose. The muscle weakness and fatigue of diabetic coma are related to the hypopotassemia, and are relieved by administration of potassium. This brings up the possibility of relatively minor muscle disturbances, which are very common, having some relation to the same mechanism.

Clinical Features. The present symptoms are sudden loss of voluntary power in symmetric groups of muscles in the proximal part of the extremity. The process may start in the shoulder, with loss of power in the deltoid, biceps, and triceps. It rarely involves more distal groups or small muscles. There are no sensory changes. The paralysis is a true loss of voluntary power, and may last four to five days, then disappear as suddenly as it came. Between attacks the muscles seem quite normal. It is not a psychic or hysterical disorder. Tendon reflexes are lost and electrical responses are altered. Attacks may be associated with menstruation, and follow a menstrual period closely. They may cease suddenly and not recur for many months. The tendency is for the patient to grow out of the attacks, but they may increase in frequency, resulting in considerable muscle weakness and muscle atrophy. The frequent involvement of several members of a family is characteristic.

Thyroidal and Menopausal Dystrophy

Attention is directed to two new disorders of this neuromuscular group that have recently been recognized: thyroidal and menopausal muscular dystrophy. Although these are predominantly generalized diseases, the shoulder region is implicated, and it becomes important to be aware of them in the investigation of shoulder problems. Further significance lies in the biochemical investigation associated with these lesions, and their response to divergent therapy. In one instance the thyroid balance is faulty; in the other there is a relation to cortisone action.

Menopausal Muscular Dystrophy. Increased muscle weakness has been described, usually starting in the pelvic girdle but implicating the shoulder too, and is associated with the menopause. Women of menopausal age are most frequently afflicted, but the condition is described in men also. The profound weakness is relieved by cortisone, as reported by McEachern, and preliminary observations suggest treatment by administration of 100 mg daily for several weeks. Careful supervision is mandatory during this period.

Thyroidal Neuromuscular Disorder. Generalized muscular disturbance in which the shoulder and upper extremity participate has been reported recently by McEachern as being associated with thyroid disturbances. Weakness and abnormal fatigability occur, along with hyperthyroidism. The muscle disturbance may follow many patterns, and the exact relationship is not quite clear. In one instance it is similar to a periodic paralysis, and in another it is a chronic process resembling progressive muscular atrophy. For the present discussion, it is important to keep in mind the possibility of thyroid dysfunction when investigating obscure muscular disorders. Correction of the primary lesion is usually effective.

MYASTHENIA GRAVIS

Myasthenia gravis is a disease of adult life characterized by a profound fatigability and increasing weakness of skeletal muscles. The neck and shoulder are implicated in the process, although the initial signs appear in the muscles of face and mouth, progressing later to the limbs.

Etiology and Pathology. Many intriguing observations have been recorded relating this disorder to abnormality of the thymus gland. The general properties are most suggestive of an endocrine or metabolic disease. Autopsy findings and those of surgical exploration are conflicting. Tumor formation or hyperplasia is recorded in 50 per cent of autopsies, whereas at operation the percentage is 10 or less. Nerve and muscle show almost no change, so it is presumed that the abnormality lies at the myoneural junction. The clinical condition has been compared to chronic curare poisoning, but the precise mechanism is not yet clear.

Clinical Features. This disorder contrasts with many of those previously discussed, because it rarely begins before puberty and usually is not obvious until much later. Weakness begins in the eye and facial muscles, producing the typical ptosis and blank expression. Neck muscles are involved next, leading to a forward tilt of the head and stooped shoulders from the loss of power. This extends to the rest of the skeletal muscles. Symptoms are worse toward the end of the day. Difficulty in chewing and swallowing is marked. Oddly enough, wasting and atrophy of the muscles are not prominent, in contrast to the extreme changes seen in progressive muscular atrophy.

Treatment. This is a chronic disease punctuated by remissions. Thymectomy has been recommended, and the consensus is that this is beneficial. Not all patients are helped, however, and the improvement may be very slow. During exacerbations, rest and proper bed care are essential to prevent undue fatigue, and respiratory complications in particular.

PROGRESSIVE MUSCULAR ATROPHY (AMYOTROPHIC LATERAL SCLEROSIS)

The first symptom of this generalized disease may appear as weakness in movement of the shoulder. The disturbance most frequently starts in the upper extremity in early middle life, and is characterized by a progressive wasting and paralysis. A relationship to activity has been suggested, in that the disease sometimes appears to start in the muscle groups most actively used by the patient in his occupation.

Etiology. In contrast to the previous disorders, which were due to disturbance in muscle substance, progressive muscle atrophy is primarily a disease of nerve tissue. There is a patchy degeneration of the anterior horn cells, resulting in peripheral nerve degeneration. Trauma has no proved relationship.

Clinical Features. This disorder has been called chronic "poliomyelitis," which serves to indicate the adult incidence, the slow progress, and the predominant lower motor neuron quality. It differs a great deal from poliomyelitis because it is a progressive malady and a disturbance of later life. Symptoms appear first as weakness and clumsiness in certain muscle groups. The muscles about the shoulder, such as deltoid and supra- and infraspinatus, are often first involved. A little later the latissimus, triceps, and pectorals are implicated. This results in progressive weakness and insidious atrophy. Movements such as lifting, holding, and reaching become progressively less dependable, and are avoided as much as possible.

Although shoulder involvement is prominent (Fig. 15–36), the disease may start in other muscles, or other groups may be affected at the same time. The small muscles of the hand, the interossei in particular, are frequently involved; examination may show atrophy and fibrillation of the tongue. If the disease is suspected, careful inspection usually shows that several muscle areas are affected. No matter where the wasting starts, there are signs of pyramidal irritations in the lower limbs. Sensation is not involved, and no definite pattern of wasting and weakness corresponding to nerve distribution is followed. The presence of wasting in other areas, plus lower limb involvement, serves to differentiate this lesion from other shoulder

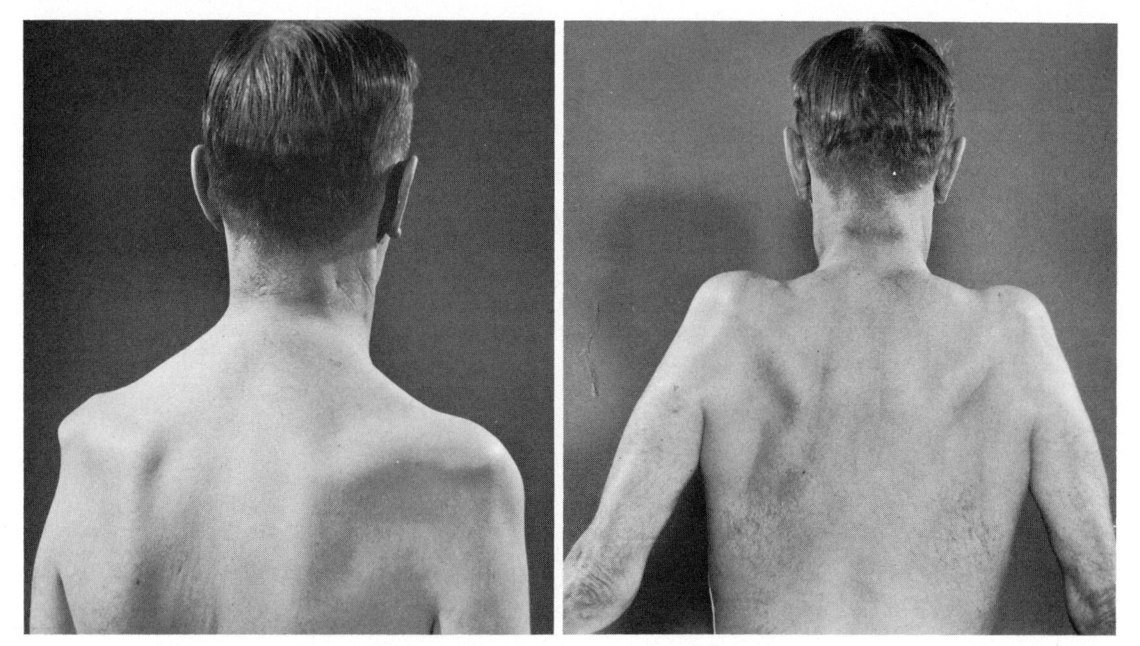

Figure 15–36 Amyotrophic lateral sclerosis.

disturbances. Fibrillation or twitching of the muscles is characteristic; this may not be obvious, but can be illustrated by gentle tapping of the muscle, which will induce quivering.

Initially the disease may be confused with spinal cord tumor, but the minimal sensory disturbance distinguishes it, and there are no spinal fluid abnormalities. Bilateral wasting of the small muscles of the hand may result from cervical rib pressure, but this is differentiated by the characteristic peripheral nerve pattern of paralysis and anesthesia. X-ray examination clarifies the disturbance. Muscular dystrophies occur at a much earlier age, and are not likely to be confused. The only similar disturbance is myotonia atrophica; the increased tone or after-contraction tension is characteristic. Syringomyelia often starts as atrophy in the upper limbs and increased tone in the lower limbs, but it has a characteristic and prominent sensory disturbance. Peripheral nerve injuries differ from amyotrophic lateral sclerosis because of the distributions of the paralysis and the anesthesia, which follows individual nerve distribution.

Treatment. At present there is no specific effective remedy for the disease. The results of the wasting and muscle weakness are treated. Physiotherapy is used to prevent contractures and to enhance the effectiveness of uninvolved groups. In the upper limbs, self-help devices are an aid. These are discussed under poliomyelitis management. The progressive and generalized nature of the disease makes reconstruction inadvisable.

NEUROPATHIES OF THE SHOULDER

The shoulder probably is now the most frequent site in the body for the development of neurotrophic joint changes. A number of factors have contributed to this status somewhat unexpectedly. The old scourge of syphilis remains, albeit to a much lesser degree. The new entity of significance is steroid arthropathy, which is mounting as a serious menace. Syringomyelia involving the cervicothoracic area remains as an always possible source of neurotrophic shoulder. Somewhat rarer states include severe osteochondromatoses and diabetic arthropathy.

Steroid Arthropathy*

The commonest cause of dystrophic shoulder is excessive use of steroid injection.

*See Figure 15–37.

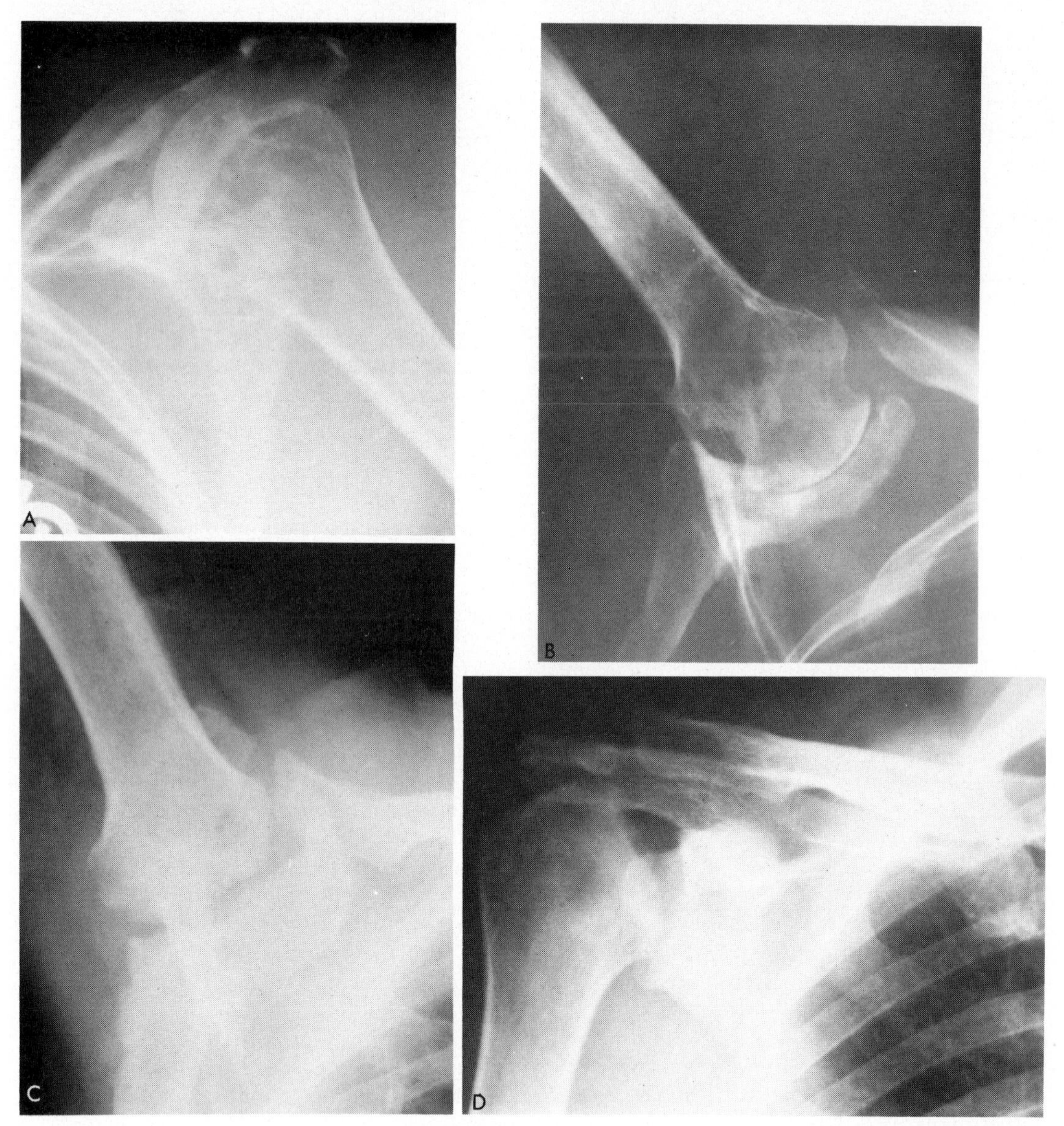

Figure 15-37 Steroid arthropathy. *A,* Early changes. *B,* Progressive changes. *C* and *D,* Late changes.

Legend continued on opposite page

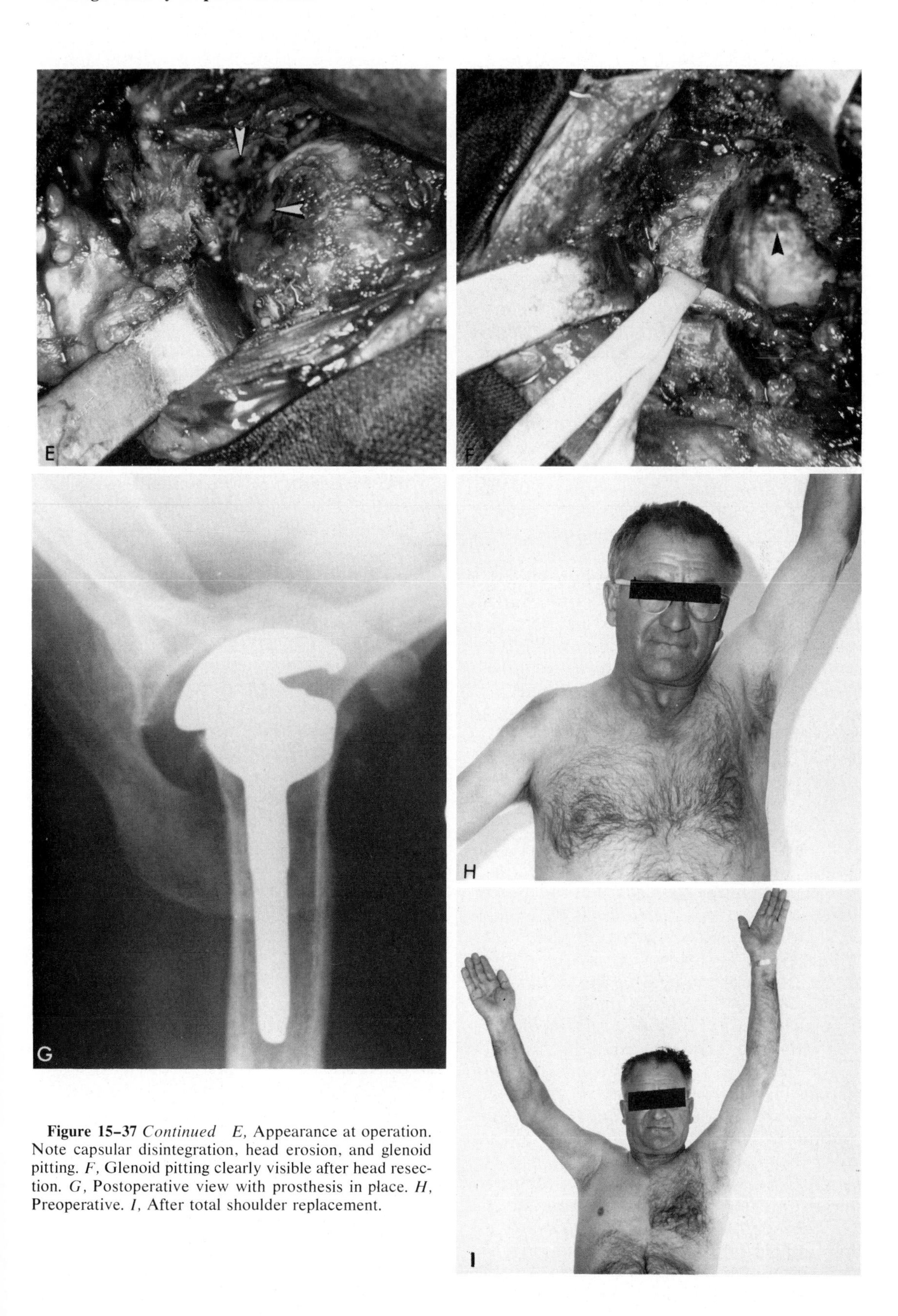

Figure 15–37 *Continued* *E,* Appearance at operation. Note capsular disintegration, head erosion, and glenoid pitting. *F,* Glenoid pitting clearly visible after head resection. *G,* Postoperative view with prosthesis in place. *H,* Preoperative. *I,* After total shoulder replacement.

Steroids as a rule are prepared as suspensions, and their continued infiltration interarticularly or subacromially eventually creates profound changes. A characteristic picture is presented, frequently ushered in by a relatively mild but persistent shoulder disturbance, such as a supraspinatus tendinitis or calcified tendinitis. Repeated steroid injections are carried out, as many as 15 or 20 over a period of six to 12 months. Significant irritation can also occur with a lesser number.

At some point following the frequent injections, the clinical status takes a significant turn for the worse. The patient notes increased pain, marked sensitivity on palpation, progressive restriction of motion, and persistent discomfort at night. Examination shows a swollen shoulder with increased heat, marked tenderness, and restricted motion; the patient is afraid to use his arm, and winces if virtually any attempts at examination are made. These are the findings in the initial stage.

At a later stage, marked crepitus ensues, as well as the restricted motion and virtually total decompensation of the glenohumeral joint. The radiographic changes are typical, with extensive atrophy of the head of the humerus and the glenoid, narrowed joint space, necrosis of the head, and osteolytic layers alternating with zones suggestive of aseptic necrosis.

Pathology. At operation, the tissues of the shoulder are edematous. Frequently there is complete disintegration of the rotator cuff. The synovium is grossly thickened and edematous with a marked proliferation that is exfoliative, almost like a villonodular synovitis, in contrast to the reaction to acute or subacute inflammatory agents.

The articular cartilage is almost entirely absent; there are craters in the head of the humerus and irregular pitting of the glenoid. In some instances frank sequestra are floating free within the joint. The changes usually do not progress beyond this stage, because those responsible for the shoulder recognize that all is not well, and repeated injections are discontinued. The continued grinding and use favor the dystrophic status, but it does not progress as extensively as in the totally insensitive tissues of syphilis or syringomyelia. The changes from this point onward are those of grinding friction irritation in a grossly unstable joint.

Microscopically, areas of the humeral head are eburnated, with the classical build-up of osteoarthritis at one margin, and on the other side bone is eroded by overlying fibrous pannus. The spongy part of the head is extremely porotic.

In cases in which there is no extensive bony involvement but in which the changes are confined to soft tissue, the steroid effect of defective fibrin clot organization is paramount.

Treatment. Cessation of injection of the innocuous agents is the primary maneuver, but the caliber of the change is such that very little reparative process is initiated. When the process has involved soft tissues only, an attempt is made at reconstituting the rotator cuff surgically. The shoulder is approached through the usual superoanterior incision described for the many conditions discussed in Chapter 8. An extensive débridement of the synovium is carried out, and an attempt is made to repair the rotator cuff as well as possible. The state of the cuff is somewhat frightening, because often there has been what amounts to a complete digestion of these tissues, and very little substance remains for repair. In some cases only a small rim of tendinous tissue at the junction of the musculotendinous area is left. It may be feasible to restore the cuff with a fasciae repair as indicated in Chapter 8, but sometimes this is extremely difficult. It is mandatory to remove as much of the devitalized tissue as possible.

The suggestion made by Dr. Julius Neviaser of replacing such a defect with specially prepared freeze-dried cadaver grafts and filling the whole segment would appear to be helpful.

When the changes are more progressive, with significant destruction of articular surfaces, replacement arthroplasty is required. Patients do well with this procedure, which would not be suitable in syphilis or syringomyelia.

The postoperative management should be carried out in the same fashion as described in previous chapters. One of the most significant results of the arthroplasty is the relief of pain and the complete subsidence of the irritative reaction. If the reconstruction is accurately performed, the results are significantly beneficial.

Syringomyelia and Syphilitic Neuropathy

Despite the tremendous advances in eradicating syphilis, shoulder complaints may be the first indication of syringomyelia or syphi-

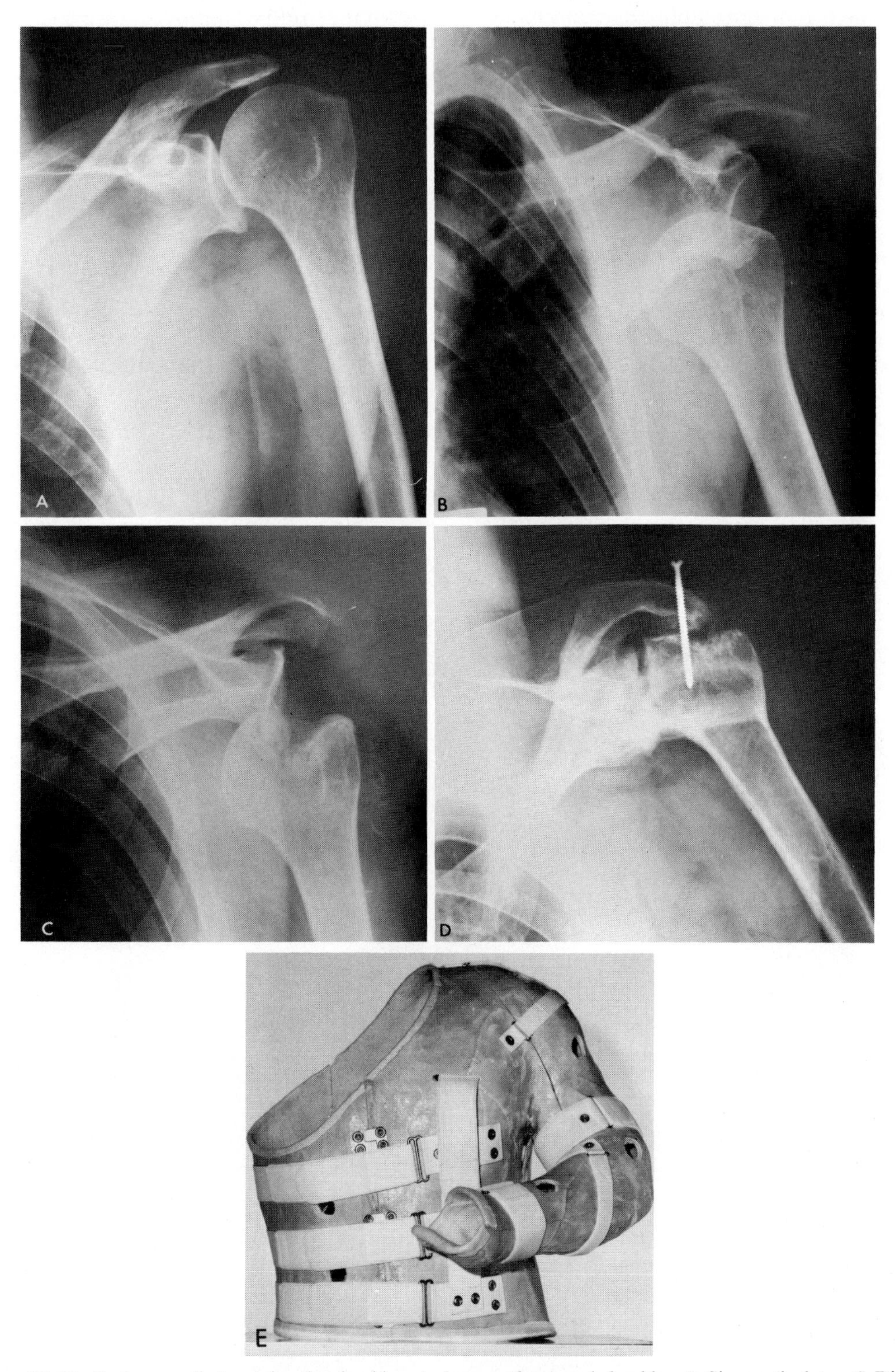

Figure 15–38 Syringomyelia involving the shoulder. *A,* Apparently normal shoulder. *B,* Six months later. *C,* Dislocation with joint destruction. *D,* Following arthrodesis. *E,* Useful Fiberglas spica for scapular suspensions or arthrodesis.

lis (Figs. 15–38 and 15–39). Both these disorders may progress sufficiently to obliterate normal joint sensation, so that subluxation and instability of the shoulder are the presenting changes. We tend to think of neurotrophic joints as occurring much more commonly in the lower extremity because of their weight-bearing. The shoulder is an exception to this because of the high incidence of syringomyelia in the cervicothoracic region.

Etiology and Pathology. In each of these primary disturbances, the effects on the joint are the same. The changes develop because of profound loss of sensation in articular and periarticular structures. The normal response for protection of the joint is lost, so that it is constantly carried beyond the normal range, or fails to respond to minor injury with a normal reparative process. The lack of response gradually produces instability. The increased laxity is then further aggravated, and in a more severe fashion, by more and more acute trauma. The range of insult even to minor trauma is increased. The vicious cycle of injury, instability, and more profound injury continues until the insensitive joint is grossily disorganized. When such a joint is exposed at operation, gross destruction of articular cartilage is apparent. There are pitting and erosion of subchondral bone, deep depressions, detached loose fragments, marginal hypertrophy, and large spurs. The joint capsule is stretched, and the articulation is grossly unstable.

Clinical Features. When the shoulder is involved, a similar picture is presented whether the underlying disease be syringomyelia, syphilis, or subacute combined degeneration. The distinguishing features of the primary disease are apart from the joint. The neurotrophic joint is recognized at once by the gross laxity and wide instability unaccompanied by pain. The disorganization is way beyond and out of proportion to the complaints. Examination shows laxity of the shoulder in all directions. In some instances it is obviously subluxed, with the head hanging

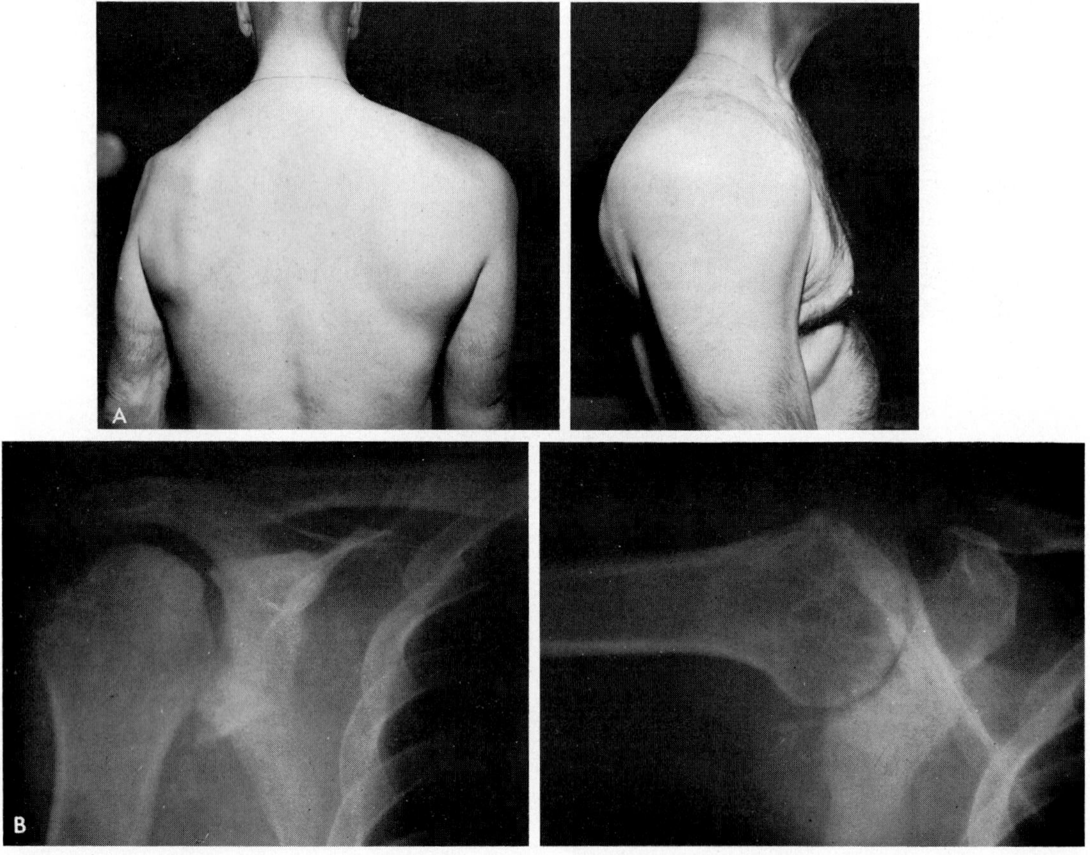

Figure 15–39 Neurotrophic shoulder in syphilis. *A*, Clinical picture; note swelling on right side. *B*, Radiograph of changes, showing gross joint destruction.

below the glenoid (Fig. 15–39). Mostly the head is dislocated anteriorly. The muscles about the shoulder contract normally, but disuse atrophy makes them thinner than usual. As the joint is examined passively, the ligamentous, capsular, and muscular laxity is apparent, allowing the instability. Coarse crepitus, catching sensations, and moderate effusion are also evident. Pain is strikingly absent. As the shoulder is moved passively, any protective pain that occurs arises from the accessory joints, such as the acromioclavicular or sternoclavicular. X-ray examination shows a characteristic picture, with extensive joint destruction, irregularities and incongruities in the articular surfaces, lipping of joint margins, and separated, devitalized fragments.

Signs and Symptoms. Syringomyelia is a disorder of the spinal cord characterized by the development of cystic areas replacing normal spinal cord substance. Cavities develop in the posterior horn of gray matter, and appear as elongated spaces. As these expand and dilate, the anterior horns of gray matter are compressed, producing some motor disturbances also. The position of the primary pathology in the posterior horn of gray matter results in distinctive disturbances in sensation. The appreciation of light touch is retained, but the sensitivity to pain, heat, and cold is grossly disturbed. The combination of retention of touch and loss of thermal appreciation is labeled "dissociated anesthesia," and usually begins on the medial aspect of the forearm, extending to the chest and posterior shoulder areas. Sometimes the posterior shoulder area is chiefly involved. The patient notices the dulled temperature sense in the hands when washing or when feeling no pain after burning the fingers with a cigarette.

Examination shows characteristic local and neurologic signs. The shoulder is lax and unstable. There is gross limitation of movement and weakness of all shoulder muscles. Areas of dissociated anesthesia over the posterior shoulder and scapular zone may be outlined. The small muscles of the hands are frequently involved, and this weakness and atrophy spread to the forearm flexors, and later to the arm. In the lower limb there may be signs of moderate pyramidal tract compression, resulting in increased tone and hyperactive reflexes, but the disturbance is not nearly so profound as in the upper extremity.

Treatment. When the shoulder is involved, the lesion is a progressive and disabling one. Instability and laxity of the joint lead to subluxation and partial dislocation, interfering with all upper extremity movements. As this increases, pressure occurs on the axillary vessels and brachial plexus. This aggravates any motor and sensory disturbance already present in the hand, and may continue. For these reasons, arthrodesis of the shoulder is advised. In some cases in which systemic conditions contraindicate extensive surgery, a protective apparatus around the shoulder or a sling may be worn. For all who wish to continue using the extremity, arthrodesis is the procedure of choice.

TECHNIQUE OF ARTHRODESIS IN NEUROTROPHIC JOINTS. These joints are difficult to fuse, and all possible aids must be called upon to obtain a successful result. Arthrodesis can be carried out by methods previously described, but some combination of intra-articulation fusion by bone grafts and internal fixation should be used. The disintegration of the joint surfaces and the deep incongruities make accurate apposition difficult. Surfaces must be excised until healthy layers of bone are exposed and an accurate approximation is possible. When this has been done, rigid internal fixation should be used, and the arm immobilized in plaster postoperatively. Plaster fixation is usually necessary for six months.

TREATMENT OF UNDERLYING DISEASE. The disease in the spinal cord should be treated also, and in this connection radiation therapy has been the most successful. When the intraspinal process becomes acute or fulminating, so that swelling and expansion seriously interfere with lower limb function, it may be necessary to do a decompression laminectomy.

Diabetic Arthropathy*

Severe arthropathies are not commonly encountered in diabetes, but they can occur. Sometimes this is on the basis of an initial injury to which the added complication of a severe diabetic diathesis produces changes of this category. The basis of the serious changes are a peripheral neuropathy and the subsequent diabetic osteopathy. This arises in cases of long-standing diabetes, usually severe

*See Figure 15–40.

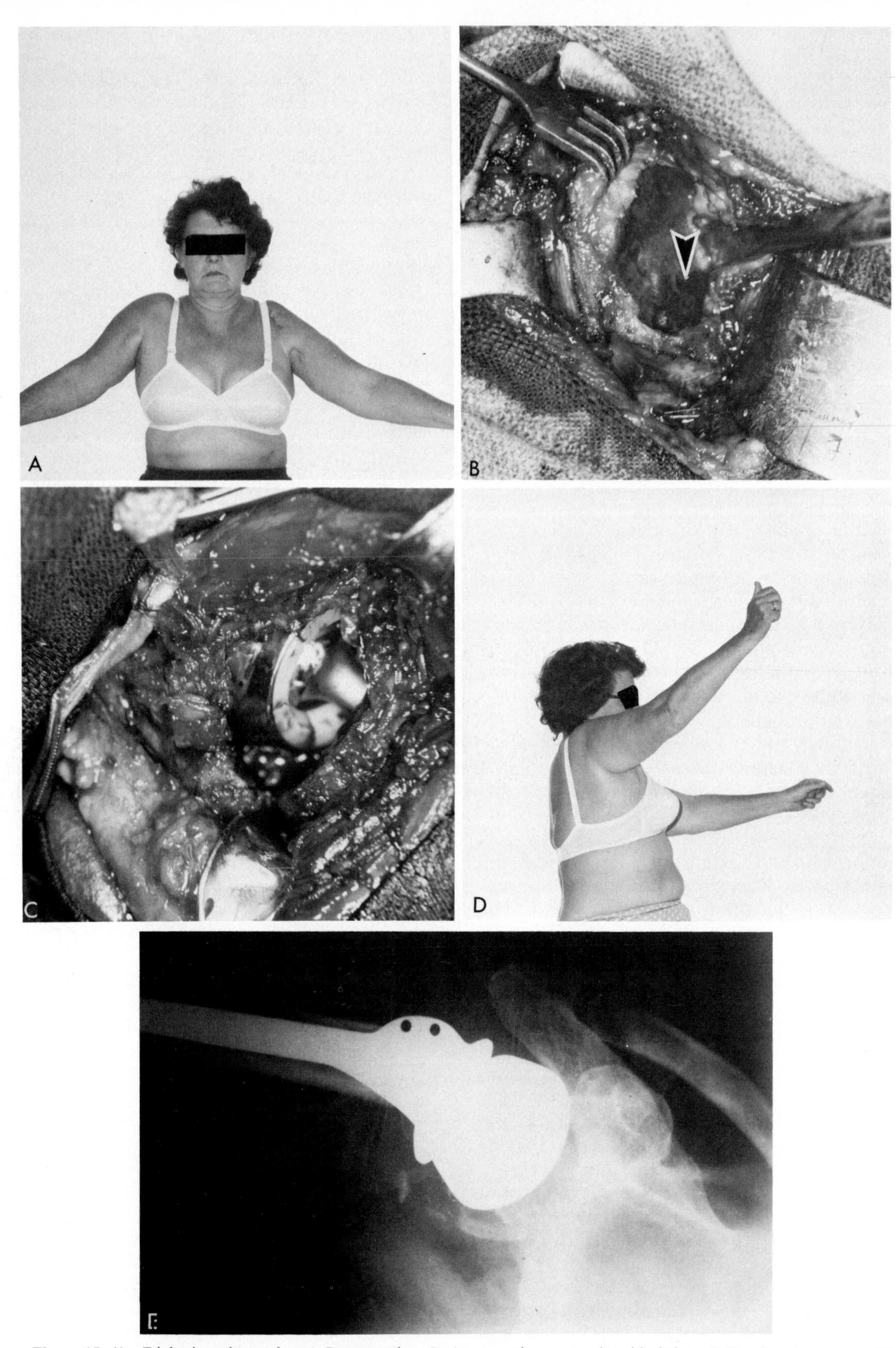

Figure 15–40 Diabetic arthropathy. *A*, Preoperative. *B*, At operation; note glenoid pitting. *C*, Total replacement with single assembly unit. *D*, Six months postoperative. *E*, Postoperative radiograph of total shoulder replacement.

in the youthful years, but the changes of arthropathy do not take place until middle age or later. Involvement of the shoulder is one of the very rare instances.

Clinical Picture. The usual history is of a fracture involving the glenohumeral area of a severe diabetic. Subsequently, delayed union or nonunion ensues, and friction necrosis from continued use in a less sensitive than normal joint produces neurotrophic-like changes. There is no profound loss of joint sense, but it is significantly diminished.

Treatment. In most instances replacement arthroplasty is the treatment of choice, and patients usually do well following this procedure.

Osteochondromatosis

There are examples of severe osteochondromatosis that in the end stages leave a picture akin to severe arthropathy (Fig. 15–41). The proliferative reaction followed by continued use can gradually lead to extensive joint disintegration.

In the villi of the synovium considerable pigmentation is present, somewhat suggestive of a nodular villus synovitis. Small calcified nodules are attached to dense fibrous tissue of the villi. Some areas of cartilage absorption are present, and others have coalesced to contribute to capsular thickening.

Treatment. If the condition is seen early, synovectomy prevents the complication of extensive joint disintegration. In the later stages some form of stabilization is required, as discussed in Chapter 8, because of severe defects in the humerus. The material and stock available for arthrodesis is extremely poor, and in the author's hands this has been a difficult manuever. A preferable operation has been the performance of a tendon transfer to suspend the humerus and stabilize it somewhat; this leaves a degree of mobility that is primarily passive, but which is sometimes more useful than the rigidity of an arthrodesis. The procedure described by the author in Chapter 14 for irreparable C.5–C.6 or deltoid paralysis has proved extremely effective. This provides a stability and control for the very considerable disability produced by the loss of the upper humeral segment. Very little power and a short range of abduction and flexion can be anticipated, but the patient can develop a useful and painless extremity.

POLIOMYELITIS*

Poliomyelitis is an acute viral infection with worldwide epidemiology. It is caused by an RNA virus of the picorna group pathogenic for man and primates. Three distinct types of virus have been identified antigenically. The accepted course of infection is by oral ingestion, with extension to lymphatic channels and the bloodstream from the G.I. tract, following which the central nervous system may be invaded.

Immunity results from the development of serum antibodies for all three types of virus. The incubation period varies from three to 35 days, the commonest period being six to 20 days.

Four distinct forms of the disease have been identified clinically: (1) inapparent infection; (2) minor illness; (3) nonparalytic poliomyelitis; and (4) paralytic poliomyelitis. It is the latter group with which we are principally concerned.

The development of Salk vaccine has marked a major achievement in control of the disease.

Method of Immunization. Immunization may be started at infancy: the first dose, at three months, followed by three doses at monthly intervals, and a booster at one year, three years, and five years. In adults the same routine is followed initially, but the booster can be given at five- and ten-year intervals.

Shoulder Involvement in Poliomyelitis

This acute infective disease is usually suspected from the constitutional and meningeal signs, and later verified by the lower motor neuron paralysis. It can happen that the general symptoms are overlooked and that flaccid paralysis is the first abnormality to be recognized. When the distribution of the effects of the virus is focused on the upper extremity, the shoulder area is frequently involved. Weakness and paralysis of the abductors of the shoulder may be the first alarming symptoms of the disease.

Etiology and Pathology. Poliomyelitis is caused by a group of filterable viruses probably transmitted by droplet infection to nasopharyngeal mucous membranes, and thence to the G.I. tract. It probably reaches the central nervous system by absorption

*See Figure 15–42.

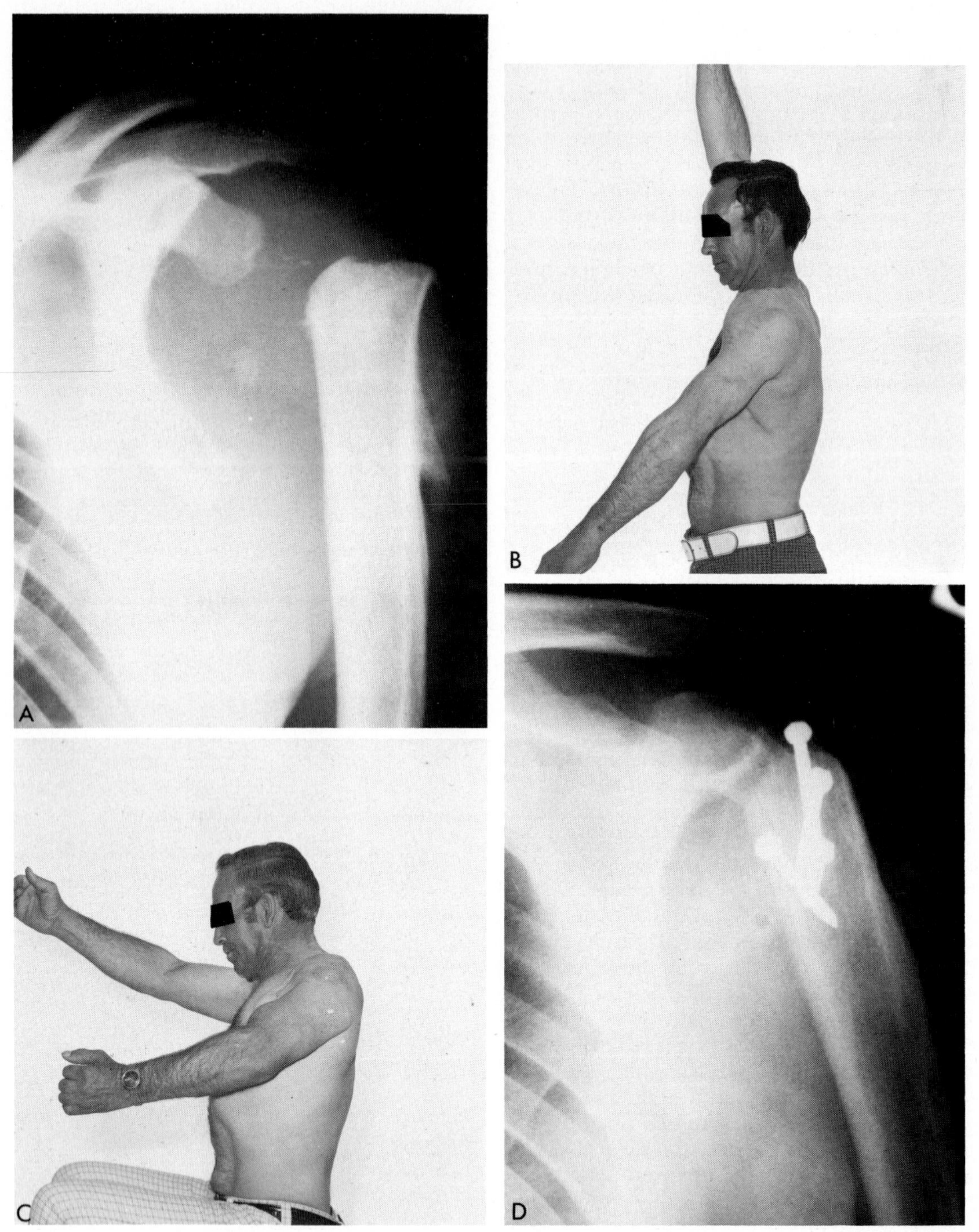

Figure 15–41 Osteochondromatosis. *A*, Neurotrophic changes in severe osteochondromatosis. *B*, Clinical picture of neurotrophic joint; note marked swelling. *C*, Range and stability following acromiotrapezius tenodesis. *D*, Postoperative radiograph of acromiotrapezius tenodesis.

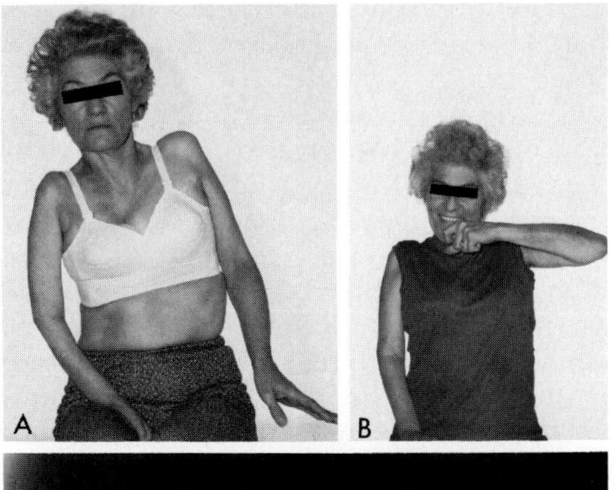

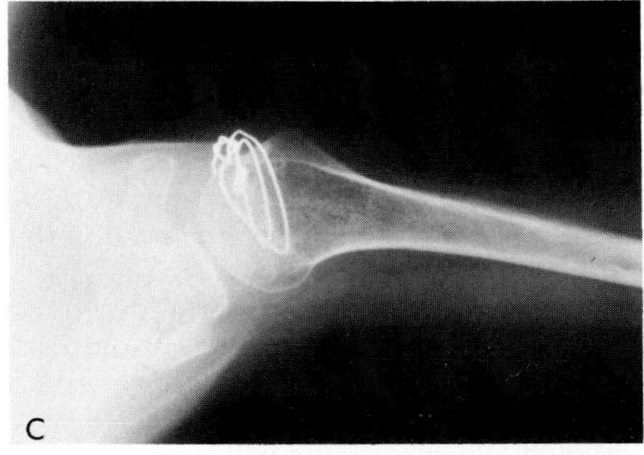

Figure 15–42 *A*, Post-polio, severe left shoulder paralysis with a good hand. *B*, Range and power following acromiotrapezius tenodesis. *C*, Postoperative radiograph of acromiotrapezius tenodesis.

from the alimentary canal. An inflammatory reaction is initiated, with hyperemia and edema of the spinal cord. The nutrition of the anterior horn cells is impaired, and if this is sufficiently severe, necrosis of the horn cells results. There is a spotty distribution, so that localized complete paralysis is rare, but widespread partial paralysis is common. When the anterior horn cells die, the peripheral nerves degenerate, and permanent paralysis results. The horn cells may be subjected only to transient pressure, and may later recover. Muscle recovery follows regeneration of the axons if the muscles have been properly protected. The most recent investigations indicate that there are at least three poliomyelitis viruses.

Clinical Features. The initial symptoms are headache, fever, malaise, sore throat, gastrointestinal upsets, and irritability. Examination shows stiffness of the neck, fever of 102 to 104 degrees F, and an increased spinal fluid count. These general symptoms may not be recognized, and the patient awakens one morning to find some parts paralyzed. In the upper extremity the shoulder and hand groups are those most often involved. The deltoid is the shoulder muscle most frequently affected, sometimes on both sides. The whole upper extremity may be paralyzed, including all the shoulder muscles. Poliomyelitis is differentiated from other neuromuscular disorders by the acute process, the young age-group affected, the seasonal incidence, the absence of sensory involvement, the rapid predominant motor involvement, and the initial meningeal disturbances.

Treatment. In underdeveloped countries where epidemics still occur, the principles of treatment include relief of pain, control of deformity, development of uninvolved muscles, and appropriate operative reconstruction for residual defects.

During Acute Stage. Management of the shoulder involvement is closely related to the disturbance in the rest of the extremity, and is based on the assumption that extensive recovery may occur even when the initial paralysis is severe. During onset of the disease, general supporting measures and good nursing are all that can be provided. Muscle tenderness is treated by moist heat, and when the inflammation has subsided sufficiently, splints are applied to control deformity and prevent contracture. The shoulder is supported in a position of relaxation compatible with the relief of pain. An effort is made to have it abducted as close to a right angle as possible. This is accomplished by degrees, lifting the arm on pillows and allowing it to rest in abduction. The position is altered several times daily, changing rotation. Shortly, pillows are replaced by light splints. When the patient can sit up, a platform is arranged in front to support the arm at shoulder level. When he is ambulatory, light, comfortable splints are applied to maintain the arm in a position of function with the shoulder abducted and flexed. Bilateral involvement is common, necessitating abduction splints on both sides. This is best accomplished by using a single central yoke, which is applied over the head with a platform attached at each side.

During Chronic Stage. Once the acute reaction has subsided, and muscle tenderness in particular has disappeared, more concentrated therapy can be tolerated. The length of the acute period varies considerably; it may be a matter of weeks or several months. Tenderness is not always confined to the paralyzed muscle in the shoulder. The axillary region seems to remain sensitive longest.

In the shoulder the problem is to prevent adduction contracture while paralyzed abductors are recovering. If the patient is bedridden, the position is shifted several times daily. Gentle passive stretching is initiated, and continued once the sitting position is reached. If the paralysis is extensive, special attention is needed to prevent the cuff from freezing and limiting rotation. Suspensory slings are a great help during this stage. They may be attached to the bed or applied to a wheel chair. Two leather loops are suspended by springs from a metal rod. The rod is three-eighths of an inch in diameter and about 5 feet long. It is bent at a right angle so that about 2 feet extends forward over the top of the chair when it is fixed to the back. After the patient is seated in the chair, the springs are adjusted so that the arm is held away from the body in 80 to 90 degrees abduction. Stand feeders and other similar stationary supports are used in combination with the suspensory slings. These self-help devices are a tremendous aid in extensive paralyses.

Beside therapy to prevent contractures, treatment must be given to both paralyzed and unparalyzed muscles. Electrical stimulation is started to aid muscles, and also to assist the relearning of movement patterns. Accessory muscles such as biceps, triceps, and spinati, if less involved, are educated to take over the deltoid action. Assisted active movements are started and gradually increased.

MANAGEMENT OF RESIDUAL DEFORMITIES. After some months a point is reached at which improvement stops. This may be six or 26 months, but it is then assumed that indefinite treatment will produce little useful improvement. The problem then is to make the best of what has occurred. When the shoulder is but a small part of an extensive lesion involving upper and lower extremities, mechanical aids are relied upon. Such vital acts as eating, shaving, and washing are aided by the suspension sling and stationary feeder. The trapezius frequently escapes, and may be used in a hunching motion to help raise and lower the shoulder. If the forearm rests on a support, such movement may then be developed to get the hand to the face. Tendon transfer or arthrodesis is not recommended in extensive lesions of the rest of the extremity. More commonly the residual defect is loss of abduction at the shoulder, with paralysis of deltoid and spinati. The treatment of this defect depends on the effectiveness of adjacent accessory muscles.

Biceps and Triceps Intact. When the muscles have escaped or have recovered well, a concentrated effort is made to improve their action to compensate for the deltoid loss. Specific exercises are given and trick movements are encouraged, such as swinging the arm into flexion and then abduction to learn a new action pattern. When this is disappointing, the contribution of these muscles to abduction can be increased by shifting their proximal attachments to the acromion. The anatomic and physiologic basis of this operation is referred to in Chapters 2 and 3.

Biceps and Triceps Transfer. This operation works best when accessory muscles such as the spinati, latissimus, and serratus are functioning well. The technique followed is that recommended by Ober.

Technique. The long tendons are exposed through separate incisions at the front and back. Anteriorly the coracoid process is exposed, and the short head of biceps is detached. The top of the coracoid is severed with tendon to facilitate attachment to the acromion. The tendon is pulled laterally and free of the pectoralis to be attached under tension to the acromion. Tied wire sutures are used as fixation. The long head of triceps is exposed posteriorly and freed. With a small flake of bone it is detached from the scapula and pulled forward. It is fixed to the edge of the acromion in similar fashion. The arm is immobilized in an abduction splint for four weeks. During a further two weeks, the arm is lowered gradually.

Reconstruction for Extensive Paralysis. The real problem is the patient with paralysis of the accessory muscles as well as the deltoid. Often the only muscle that remains intact is the trapezius. All power of abduction is lost under these circumstances, and serious disability results. The rest of the extremity may not be afflicted, so the patient is left with a good forearm and hand that cannot be used because of the shoulder weakness. When this is so, there are two procedures that help considerably. The first is some form of trapezius transfer, such as that suggested by Mayer. The author has modified this technique and found it most helpful in these problems. When there is extensive paralysis so that the scapula is not well powered, the result of arthrodesis is disappointing and trapezius transfer is preferable. The technique of this operation was outlined under reconstruction for brachial plexus paralysis in Chapter 14.

Arthrodesis of the Shoulder in Polio. In some instances, stabilization of the shoulder by arthrodesis is preferable to tendon transfer. This operation is only considered in the more extensive lesions. It must always be kept in mind that the result of arthrodesis in the paralyzed shoulder is not nearly so good as we are accustomed to expect in other conditions for which the operation is performed. When the accessory muscles are paralyzed, the girdle is not well controlled. A further consideration is that arthrodesis may be done at a wider angle in children, because they accommodate and accustom themselves much better than an adult to the sticking out of the scapula behind and on rotation. This accounts for the superior results in children. Arthrodesis may be performed by any of the methods previously described.

REFERENCES

Auquier, L., et al.: Neuralgic amyotrophy of the upper limb (Parsonage-Turner syndrome) and cervico-brachial neuralgia. Rev. Rhum. *32*:516, 1965.

Bridgman, J. F.: Periarthritis of the shoulder and diabetes mellitus. Ann. Rheum. Dis. *31*:69, 1972.

Bryan, W. J., et al.: Ischemic necrosis of multiple major joints. Report of two cases. South. Med. J. *69(1)*:70, 1976.

Chung, S. M., et al.: Necrosis of the humeral head associated with sickle cell anemia and its genetic variants. Clin. Orthop. *80*:105, 1971.

Chyatte, S. B., et al.: Early muscular dystrophy: differential patterns of weakness in Duchenne, limb-girdle and facioscapulohumeral types. Arch. Phys. Med. *47*:499, 1966.

Claessens, H., et al.: Tendinitis of the long head of the biceps brachii. Acta Orthop. Belg. *58*:124, 1972.

Cloward, R. B.: The anterior approach for ruptured cervical discs. J. Neurosurg. *15*:602, 1958.

Cloward, R. B.: Cervical discography. Ann. Surg. *150*:1052, 1959.

Erector, L.: Function and paralysis of the rhomboid and levator scapulae. Acta Neurol. Belg. *71*:470, 1971 (Engl. Abstr.).

Frykholm, R.: Cervical nerve root compression resulting from disc degeneration and root sleeve fibrosis. Acta Chir. Scand. (Suppl.) 60, 1951.

Groves, R. J., et al.: Contracture of the deltoid muscle in an adult after intramuscular injections. J. Bone Joint Surg. (Am.) *56*:817, 1974.

Johnson, M. M., et al.: Sling suspension techniques, demonstrating the use of a new portable frame. IV. Treatment of motor disabilities; neck and trunk. Phys. Ther. *53*:856, 1973.

Kaklamanis, P., et al.: Letter: calcification in the shoulders and diabetes mellitus. N. Engl. J. Med. *293(24)*:1266, 1975.

Katz, G. A., et al.: The shoulder-pad sign; a diagnostic feature of amyloid arthropathy. N. Engl. J. Med. *288*:354, 1973.

Kazakov, V. M., et al.: The facio-scapulo limb (or the facio-scapulohumeral) type of muscular dystrophy. Clinical and genetic study of 200 cases. Eur. Neurol. *11*:236, 1974.

Mayer, L.: Tendons, Ganglia, Muscles and Fascia. *In* Dean Lewis Practice of Surgery. W. F. Prior Co., Inc., Hagerstown, Md., 1947.

McEachern, D.: Disease and Disorders of Muscle Function. *In* The Musculoskeletal System. The MacMillan Co., New York, 1952, p. 94.

Ober, F. R.: Operation to relieve paralysis of deltoid muscle. J.A.M.A. *99*:2182, 1932.

Owen, S., Toomim, H., and Taylor, L. P.: Biofeedback in Neuromuscular Re-education. Biofeedback Research Institute, Los Angeles, 1975.

Poulet, J., et al.: Syringomyelic arthropathy (apropos of a case with arthrographic examinations). Presse Med. *76*:981, 1968.

Roger, J., et al.: Familial and recurring form of amyotrophic paralysis of the scapular girdle. Rev. Neurol. (Paris) *112*:557, 1965.

Spurling, R. G., and Scoville, W. B.: Lateral rupture of the cervical intervertebral discs: a common cause of shoulder and arm pain. Surg. Gynecol. Obstet. *78*:350, 1944.

Stamatoiu, I., et al.: Late scapuloperoneal form of progressive muscular dystrophy. Neurol. Psihiatr. Neurochir. *10*:21, 1965.

Verger, P., et al.: Infantile pseudomyopathic neurogenic amyotrophy. Two new cases. Pediatrics *21*:585, 1966.

Walbom-Jorgenson, S.: Neuropathy of the shoulder joint primarily diagnosed as sarcoma. Clin. Radiol. *17*:365, 1966.

Wolfgange, G. L.: Neurotrophic arthropathy of the shoulder. A complication of progressive adhesive arachnoiditis. Case report. Clin. Orthop. *87*:217, 1972.

Chapter 16

ARTHRITIS AND RELATED SYSTEMIC DISORDERS

Nowhere in medicine is there a more fruitful field for specialty collaboration embracing orthopaedists and rheumatologists than in the emerging concepts of rheumatoid arthritis treatment.

The most appropriate classification of these disorders has been evolved by the American Rheumatism Association. Both shoulder and neck are significantly involved in rheumatoid, osteo-, ankylosing, and metabolic arthritis.

PROGRESS IN RESEARCH OF RHEUMATOID ARTHRITIS

The most significant hypothesis presented in recent times relates to the identification of an anti-inflammatory substance in the blood that profoundly influences rheumatoid arthritis. Dr. Neil McArthur first postulated a competitive binding theory of anti-inflammatory drugs, based on the behavior of aspirin and the relation to tryptophan levels in the blood stream. Salicylates and other anti-inflammatory drugs like phenylbutazone bind with certain plasma proteins to release anti-inflammatory substances. At least two naturally occurring molecules have been identified that profoundly control inflammation when appropriate concentration is reached in the blood.

As a "marker," tryptophan has been identified as an amino acid bound to plasma proteins that bears a relationship to anti-inflammatory substance level. A further finding of significance presented by McArthur is that albumin, which is the major binding protein, long thought to be a single entity in blood, has now been shown by him to consist of several fractions. In this behavior may lie one of the steps explaining why the rheumatoid factor is dominant in some persons, but inactive in others.

A.R.A. Nomenclature and Classification of Arthritis and Rheumatism

Polyarthritis of Unknown Etiology
- Rheumatoid arthritis
- Juvenile rheumatoid arthritis
- Ankylosing spondylitis
- Psoriatic arthritis
- Reiter's syndrome
- Others

"Connective Tissue" Disorders
- Systemic lupus erythematosus
- Polyarteritis nodosa
- Scleroderma (progressive systemic sclerosis)
- Polymyositis and dermatomyositis
- Others

Rheumatic Fever

Degenerative Joint Disease
(Osteoarthritis Osteoarthrosis)
- Primary
- Secondary

RHEUMATOID ARTHRITIS OF THE SHOULDER

The shoulder is much more frequently implicated in rheumatoid arthritis as part of a widespread polyarthritis than as an isolated

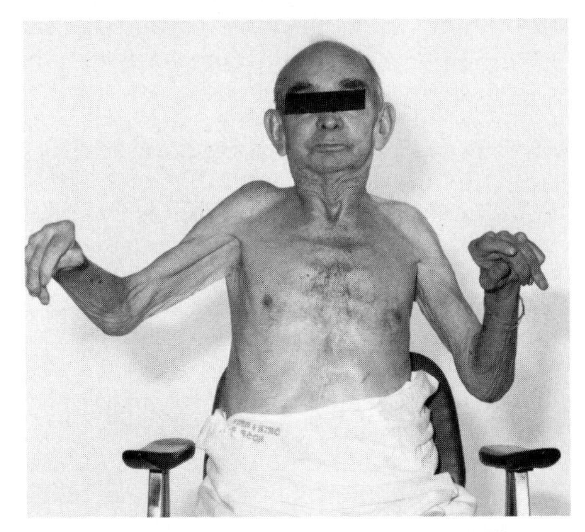

Figure 16–1 Rheumatoid arthritis of shoulder.

lesion. Other joints are involved first and progress to more incapacitating status. particularly in the lower limb, before the shoulder becomes a problem. However, a creeping involvement can proceed to the status of significant disability (Fig. 16–1).

Pathology. The tissue changes in rheumatoid arthritis start in the synovium, but eventually involve all elements of the musculoskeletal system. Once the reaction is chronically established in the joint structures, profound secondary changes in muscles, bone, nerves, and vessels may eventually dominate the picture.

SYNOVIUM. Ultramicroscopic studies have enlarged our knowledge of these changes. The initial one is a marked edema with the production of a mononuclear exudate consisting of lymphocytes, plasma cells, and macrophages. There are areas of destruction of synovial cells with the deposition of fibrin. Extensive hyperemia develops with dilated venules and capillaries, resulting in the production of a less viscous than normal synovial fluid. The distention of tissue by the inflammatory exudate initiates the pain and tenderness, and also leads to the decrease in joint motion.

JOINT CAPSULE. Some inflammatory reaction is present initially, with lymphoid and plasma cell infiltration extending from the synovium (Fig. 16–2). Later, the capsule becomes fibrotic and thickened. Similar changes extend also to the para-articular ligaments and tendons and the immediately subarticular bone marrow space. In the same fashion as the synovium, the ligaments and tendons that merge with the outer portion of the joint capsule become infiltrated with inflammatory cells, lymphocytes and plasma cells predominating. The extension from capsule to subarticular marrow space may be through defects in articular cartilage and subchondral bone plate associated with panus formation, or through vascular channels normally connecting with the synovium. The inflammatory reaction initiates increased vascularity, which contributes significantly to the bony atrophy in the area. The striking discrepancy in this process is its failure to invade the fatty elements. At operation a ravaged rheumatoid joint will show that the

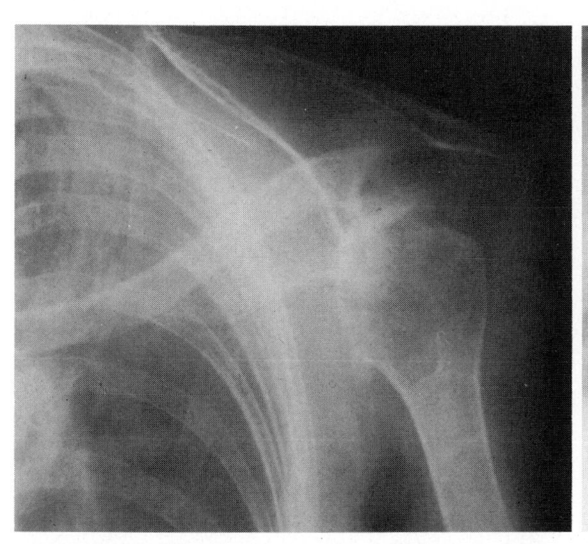

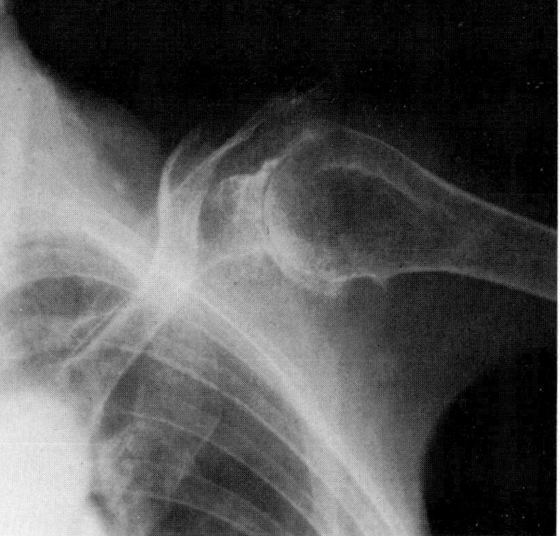

Figure 16–2 Rheumatoid arthritis of shoulder. Note narrowed joint space, erosion at capsular reflection, and extreme osteoporosis.

synovium has been destroyed, but the infrapatellar fat pad has remained immune. These changes have been interpreted as a passive or a secondary reaction resulting from extension from the synovium, rather than a primary process taking place within the capsule itself.

In the shoulder, the capsular thickening is particularly significant because it implicates the dependent inferior folds, gluing them together, and grossly interferes with motion, abduction, and flexion. This pathologic change, which is so strongly reinforced by gravity, has been a major obstacle to successful arthroplasty of the shoulder.

MUSCLES, TENDONS, AND BURSAE. Changes in the tendon sheath and muscle attachment are similar to the synovial reaction. In the shoulder the subacromial bursa is extensively implicated in more than half the patients. Involvement of muscles arises from the multiple tendon attachments about the joint. Extension of this process implicates nerve endings, and it is probable that this is the dominant factor initiating the deforming muscular spasm.

After joint reaction has become chronic, further change involves the muscles, largely as a result of inactivity. Atrophy of muscle fibers occurs, and collections of cells appear between fibers and about vessels and nerves. In some instances this inflammatory infiltration is quite extensive, initiating what has been described as a "myostatic change." When this happens, more severe muscle signs appear in the form of weakness and tenderness; even electromyographic changes, including fibrillation, can be identified. Enzyme estimations are also abnormal.

CARTILAGE AND BONE CHANGES. Destruction of articular cartilage occurs, with a fibrous panus formation extending over the damaged areas (Fig. 16–3). Recent observations have shown that the death of the cartilage cells probably precedes the panus formation. Previously it was felt that the panus formation invading the cartilage caused the death of the chondrocytes, but this would appear not to be so. In some fashion this is related to failure of replacement of the matrix polysaccharide. Portions of subchondral bone plate may also become necrotic in zones adjacent to the panus formation.

In the later stages of the disease, organization of the inflammatory reaction enhances replacement by fibrous tissue, leading to marked thickening of the joint capsule. Fibrous and bony ankylosis results from the organization of the fibrinous synovial exudates. If there has been extensive involvement of subchondral bone, the organization may consolidate adjacent bony surfaces, leading to ankylosis.

VASCULAR LESIONS. Vasculitis is common in rheumatoid arthritis, and severe associated skin changes may appear, including purpura, incipient gangrene, and profound peripheral erythema. A high titer of rheumatoid factor and peripheral neuroarthropathy are frequent accompaniments of profound vascular changes. In some instances biopsies have shown cellular infiltration of the small arteries, and the more extensive vascular alterations favor incipient necrosis of the area.

RHEUMATOID NODULES. These consist of masses of connective tissue distributed in para-articular fashion. Sokoloff has suggested that these nodules began as areas of necrosis around small arteries. They are commonest as subcutaneous deposits related to major joints, but may appear in almost any part of the limb. Similar granulomas have been identified involving heart, lung, aorta, and kidney. Lesions similar to the granulomas may also be found in tendons and, when present, form a weak zone that is a frequent site of rupture of the tendon.

Clinical Picture. Rheumatoid arthritis presents a characteristic picture; women are involved three times as often as men, onset commonly occurring between 30 and 45 years of age. Shoulder disturbance is often part of a multiple upper limb involvement. The patient complains principally of aching pain, stiffness, night pain, and restricted abduction and rotation. Both upper limbs are usually involved if this zone is implicated at all, the master arm presenting the more extensive involvement.

Signs and Symptoms.

GENERAL. Other joints, particularly the interphalangeal joints of the same sides, are swollen and stiff, presenting the characteristic fusiform appearance. Subcutaneous nodules may be identified over bony prominences in para-articular distribution. The slowly progressive change in the small joints of hands and feet is followed by typical deformity.

LOCAL. In the usually thinly upholstered patient, the involvement of the shoulder is obvious from the generalized swelling. The fullness implicates the glenohumeral joint and spreads to the subacromial zone. Tenderness is present over the whole joint.

Figure 16–3 Cartilage and bone changes in rheumatoid arthritis. *A*, Humeral head. *B*, Joint debris.

Movement is restricted in all directions, abduction and rotation being particularly impeded. Shoulder movement is possible only by a girdle action, producing obvious scapular rotation.

As the disease progresses, swelling continues and luxation of the head in the glenoid occurs. The joint grates as movement is attempted, and pain is considerably increased. In long-standing cases, partial subluxation is frequent (Fig. 16–4).

Laboratory Findings. Rheumatoid factor is present in 70 to 80 per cent of patients. The sedimentation rate is elevated, and a chronic hypochromic anemia is common during the active stage of the disease. Synovial fluid shows characteristic changes, including cloudiness, a deeper yellow or greenish tinge, decreased viscosity, and increased white cell count.

Pathologic Signs. Soft tissue swelling due to effusion is an early finding, followed by osteoporosis as the cardinal change. The glenoid and head of the humerus are markedly osteoporotic, the joint space is decreased, and the head of the humerus appears to be riding at a higher level than normal.

At the point of synovial reflection from cortical surfaces there is a tendency for bony erosion to form. In the case of the shoulder this is particularly prominent along the

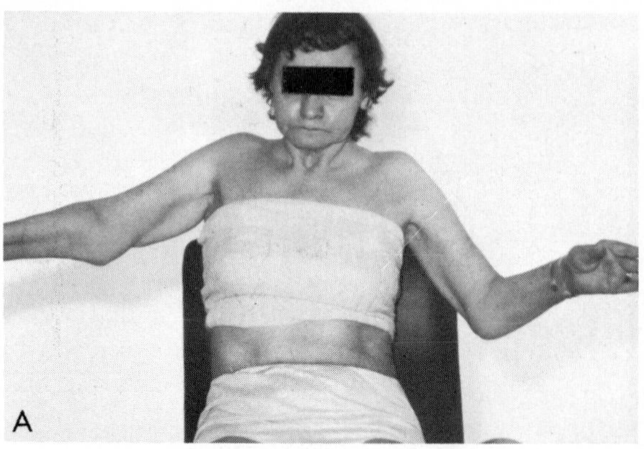

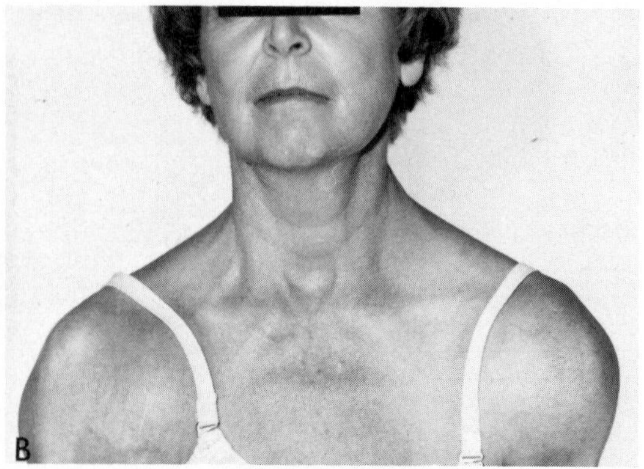

Figure 16–4 *A*, Bilateral rheumatoid arthritis (subluxation on left). *B*, Bilateral rheumatoid arthritis. (Note extensive effusion left.)

inferior aspect. It would appear that unprotected intra-articular bone does not stand the chronic pressure (which is increased in the joint as a result of the synovial hyperplasia) nearly so well as the part covered by cartilage.

In later stages subluxation is favored, accompanied by incongruity of articular surfaces. The joint space is almost totally obliterated. Subluxation probably results from the mechanical factors, principally increase of the intra-articular pressure and dependency of the head of the humerus as related to the glenoid. The changes in the shoulder suggest that anatomic mechanical factors significantly influence the deformities, possibly as much as the disease itself.

Treatment.

CONSERVATIVE. Local management involves splinting the area appropriately and then assisting joint function to regain motion, usually with physiotherapy. The program is best carried out under the direction of a rheumatologist who can continue supervision of the systemic program should surgery become necessary.

In the acute phase, bedrest is recommended, with the shoulder suspended at intervals in springs and slings, followed by use of the light cantilever brace or Styrofoam platform to prevent severe adduction contractures.

When the acute reaction has subsided, further physiotherapy is started, with more actively assisted motion and a consistent exercise program.

MEDICATION. The rheumatologist is best equipped to handle all the conservative program. Since this disease so often follows a long and chronic course, it is essential to have a clear understanding of what can be done at various stages to encourage the patient and to help him to maintain complete confidence in the doctor. The principles of rest, relief of pain with salicylates, balanced diet, planned exercises, and control of deformities are the accepted general measures. In addition to this, anti-inflammatory drugs are now used consistently. Considerable variations in the patient's response, along with the differences in the stages of the disease, govern which drug or combination of drugs is likely to be the most effective.

Gold Therapy. In most clinics gold therapy has continued to be used, and in some instances has proved the most effective measure. The drugs commonly applied are aurothioglucose (Solganal) and gold sodium thiomalate (Myochrysine). These are given in small doses of approximately 10 mg to assess the patient's reaction, followed by 25 to 50 mg at weekly intervals for a period of months. The continuation of this program depends entirely on the patient's response. If this is favorable, 50 mg once a month may be continued for several years. Many contributions have been made to the literature delineating the toxic effects of gold therapy, which include severe dermatitis, hematologic disorders, and kidney lesions.

Antimalarial Drugs. In some instances chloroquine and related drugs have been advised. The high incidence of side-effects, particularly ophthalmologic disturbances, has limited the use of this therapy.

Corticosteroids. In 1949 Hench and his colleagues introduced the use of corticosteroids. They are extremely effective in suppressing the symptoms caused by joint inflammation and generalized fatigue, but there has been no evidence that they effectively suppress the specific disease process. Candidates for steroid therapy are those patients with severe unremitting disease who, in spite of an adequate period on a conservative program, have continued to have fever and anemia, with weight loss, effusion, and progressive deformities. The usual plan is to administer sufficient drugs to control the symptoms, and then gradually to withdraw the medication. The starting dose is small, for example, prednisone in a dose of 3 to 4 mg three times a day is initiated, a further program depending on the patient's response. In some instances intra-articular injection of corticosteroids has been recommended, but experience has indicated that this must be controlled very carefully. In the shoulder, in particular, repeated intra-articular injections are to be avoided. Numerous examples have been recorded of neurotrophic joints with extensive destruction of the articular elements. This constitutes a serious complication that is almost impossible to eradicate.

Phenylbutazone. This has proved an effective anti-inflammatory drug. It has a special value in many orthopaedic conditions apart from rheumatoid arthritis, but in some rheumatoses it is the drug of choice. The initial program consists of 100 to 300 mg per day for a period of some weeks, reduced to 100 mg a day depending on the response. Toxic reactions may be frequent with this drug, including edema due to sodium retention, irritation of gastric ulcers, and agranulocytosis. For this reason the drug must be administered with caution, and continual observation maintained.

Indomethacin. Indomethacin is an indole derivative that indicated significant clinical response on initial clinical trials. In some clinics this is the drug of choice, the dosage being a 25-mg capsule daily at bedtime, with a second capsule added a week later and a third at the end of the third week to reach a daily dose of 75 mg. Use of the drug in this progressive fashion is essential because many patients show poor tolerance.

Cytotoxic Agents. In patients with rapidly advancing disease who have failed to respond to the usual forms of treatment, cytotoxic agents such as nitrogen mustard have been applied experimentally. Satisfactory results have not been obtained, so that at present nitrogen mustard and all similar drugs have been reserved for the more extreme cases. Similarly, intra-articular injection of these substances has not proved satisfactory.

SURGICAL TREATMENT. In recent times a more vigorous approach has been applied with considerable success through surgical reconstruction in the shoulder. Replacement arthroplasty, either hemi- or total, is now of proved value.

Indications. Pain and instability are the principal indications. The results of shoulder arthroplasty, as far as motion and power are concerned, fall far short of what is obtained in the lower limb, but the relief of pain is consistent and predictable.

Inferior luxation is the form of instability that prevails in long-standing cases. This complication increases pain, limits motion, and more ominously menaces the hand by intermittent pressure on the neurovascular bundle.

Age should be no contraindication to shoulder reconstruction, provided serious systemic complications are absent.

The sequence of reconstruction bears mention. In most instances the lower limb lesions are paramount and dictate priority, but it can happen that a shoulder is so painful that it needs to be repaired first to allow crutches as an aid in rehabilitation of the lower limb to be reconstructed later.

The patient should be thoroughly programmed with reference to a postsurgical rehabilitation course, since conscientious exercise is mandatory to retain the improved joint range. Gravity is a constant deterrent to the recovery of shoulder range in rheumatoid arthritics. The over-all program should be directed by the rheumatologist. He, and he alone, can assess most appropriately the multiple factors affecting treatment of the rheumatoid patient. Proper timing assists considerably in management. The patient requires continued supervision following surgery, and his medication skillful regulation. Consultation and collaboration with the rheumatologist is of inestimable value in all phases.

Operative Technique. In the author's experience, synovectomy has not been a significant help unless articular reconstruction is also carried out. Removal of excess synovial tissue, with preservation of as much of the capsule as possible, can be an appropriate step in both hemi- and total arthroplasty.

The patient is placed in the sitting shoulder position, and the usual superoanterior incision is made, extending from just behind the

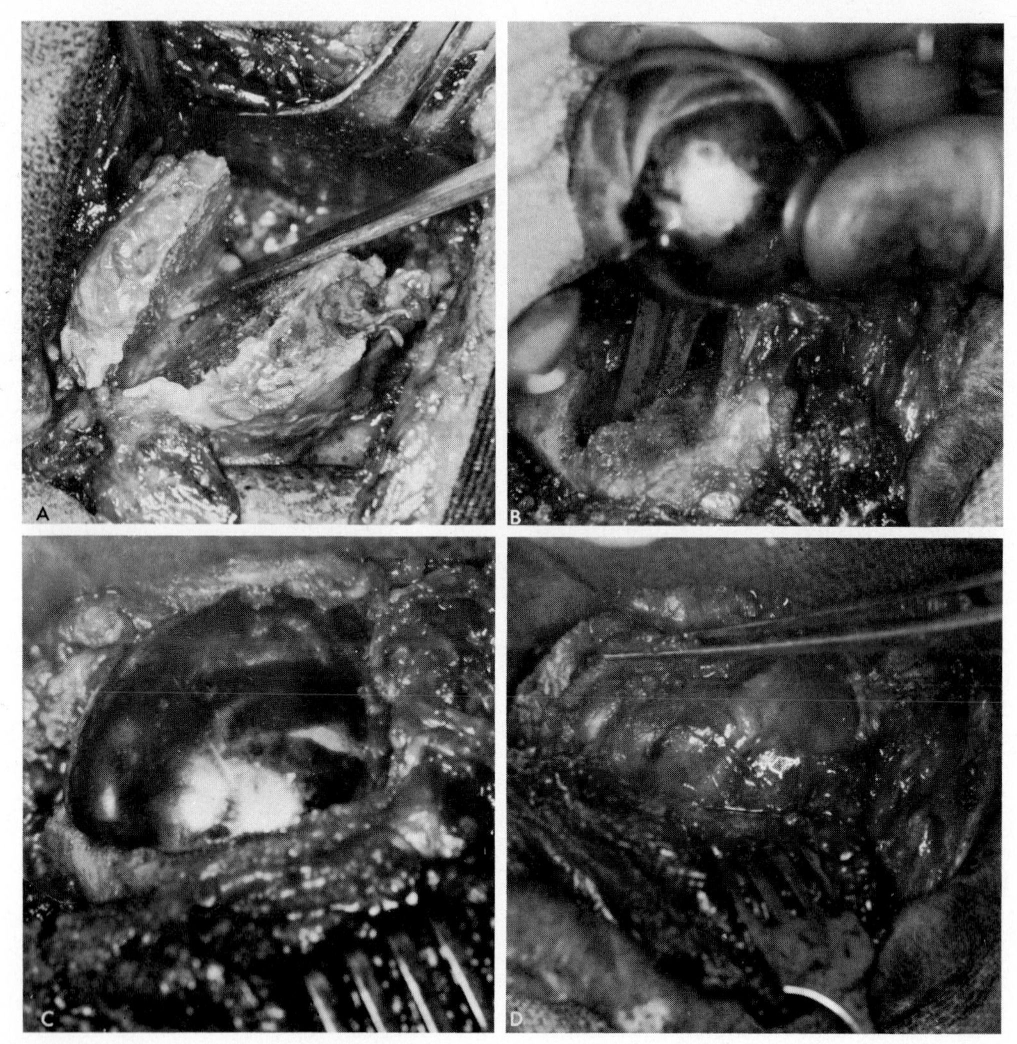

Figure 16–5 Arthroplasty for rheumatoid arthritis. *A*, Excision of head. *B*, Preparation and insertion of prosthesis. *C*, Prosthesis in place. *D*, Closure of capsule over prosthesis.

acromioclavicular joint over the top of the shoulder parallel to the fibers of the deltoid for approximately 5 inches. The incision is deepened between the deltoid fibers (Fig. 16–5*A*), the coracoacromial ligament is incised, and an acromioclavicular arthroplasty is performed. This procedure is carried out routinely to provide adequate exposure, and also to make use of its contribution to pain-free increased girdle action.

The capsule of the shoulder joint is incised medial to the long head of biceps, extending down through the subscapularis. In this fashion the joint is opened, and it may be adequately debrided. The head of the humerus is then elevated by the assistant through the aperture in the capsule, and the toilet of the head is carried out. In most instances, resection of the head and replacement with a prosthesis such as the Neer or some other type is required (Fig. 16–5*B*, *C*, and *D*).

When shoulder reconstruction has been inordinately delayed, destruction of the capsule is sometimes extensive. Under these circumstances an effort should be made to repair it as well as possible, using fascia lata or some form of synthetic suture.

The arm is placed in suspension for a period of 48 hours, and then transferred to the springs and slings apparatus (Fig. 16–6). As the wound heals and some motion is obtained, the cantilever splint is added (Fig. 16–7).

The significant complication of all these procedures is the reforming of capsular adhesions on the inferior aspect of the joint. Gravity is a constant menace, favoring gluing

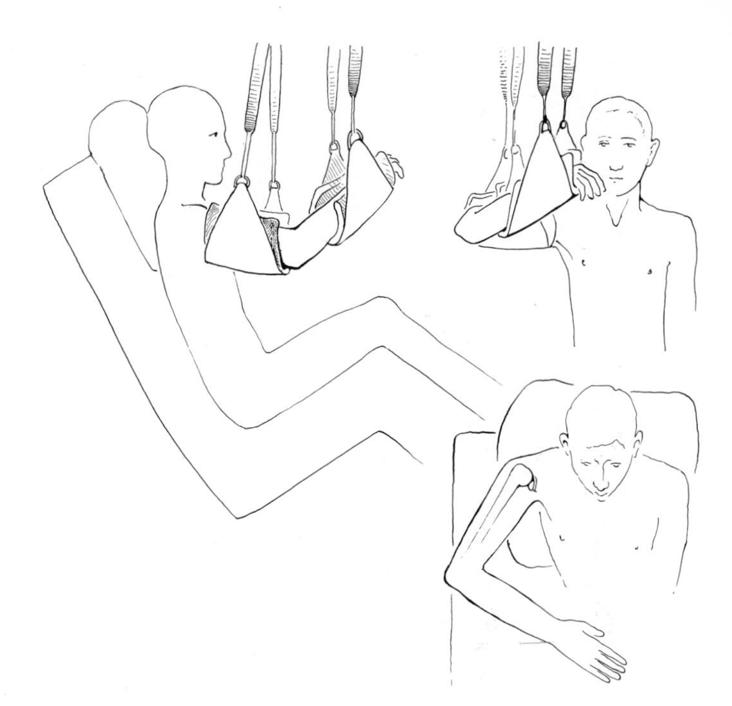

Figure 16–6 Slings and springs suspension.

together of the infra-articular structures. For this reason the author has persisted in using the cantilever splint for some months following surgery in an effort to minimize the periarticular fibrosis.

Extensive recovery of motion is difficult to obtain, but it may be anticipated that with careful physiotherapy the patient will at least get the arm up to a right angle (Fig. 16–8). The salient feature is that the pain nearly always is markedly diminished and the joint reaction subsides extensively. When the capsule is properly repaired, the element of neurovascular pressure from subluxation of the head also is removed.

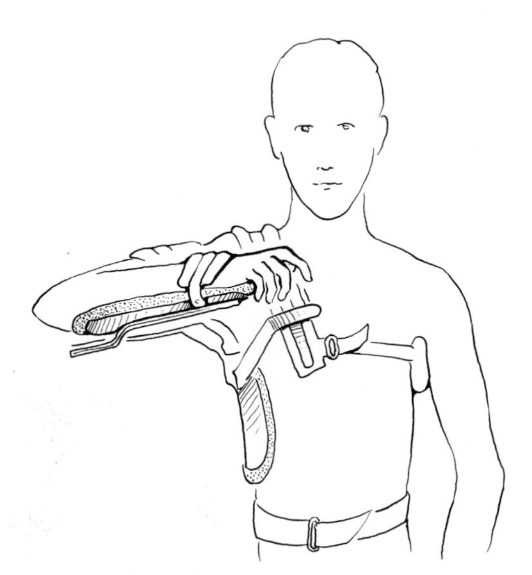

Figure 16–7 Cantilever brace.

Total Arthroplasty Technique. The advent of improved prostheses embodying the principles of total joint replacement has provided scope for improved management of some of the more severely involved cases.

Not all rheumatoid patients require total joint replacement; many manage quite satisfactorily with a hemiarthroplasty. However, when total replacement is required, the reader is referred to Chapter 7. An alternative form of total arthroplasty has been designed by Dr. Ian Macnab. This implant is a bipolar prosthesis that provides secure scapular fixation, and in addition has a superior outrigger pin attached to the scapular element that sits through the acromion to prevent rotatory displacement. The designer reports very rigid fixation and success in a number of cases (Fig. 16–9*A* and *B*).

OSTEOARTHRITIS OF THE SHOULDER

Osteoarthritis of the shoulder, although not a common lesion and not encountered nearly as often as in the case of the major joints of the lower limb, is being identified with increasing frequency. Part of the slow recognition has to do with the inherent role

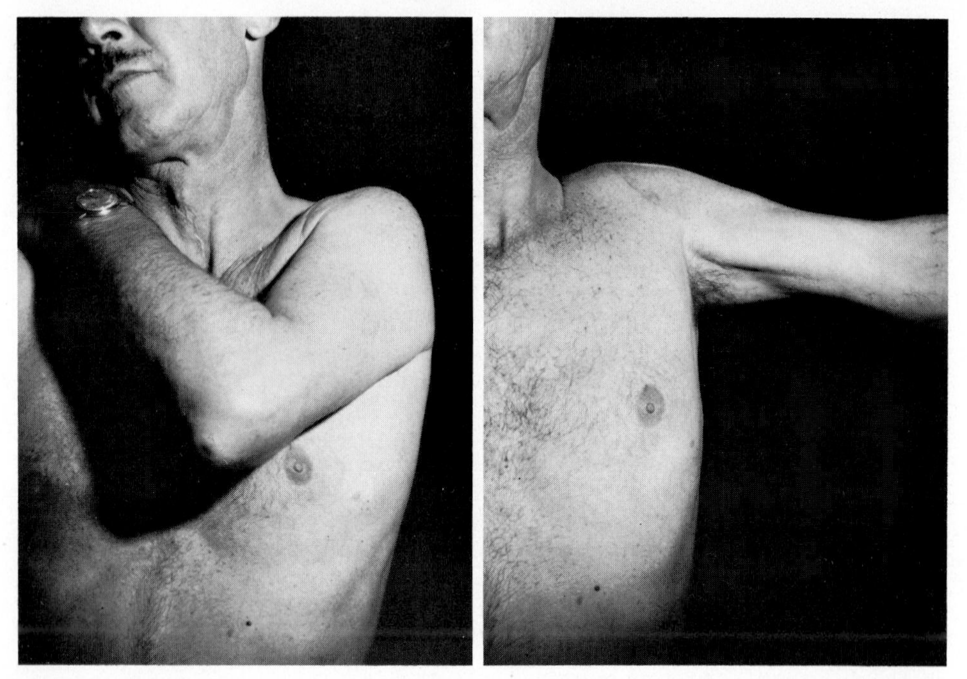

Figure 16–8 Postoperative result four months following arthroplasty for rheumatoid arthritis.

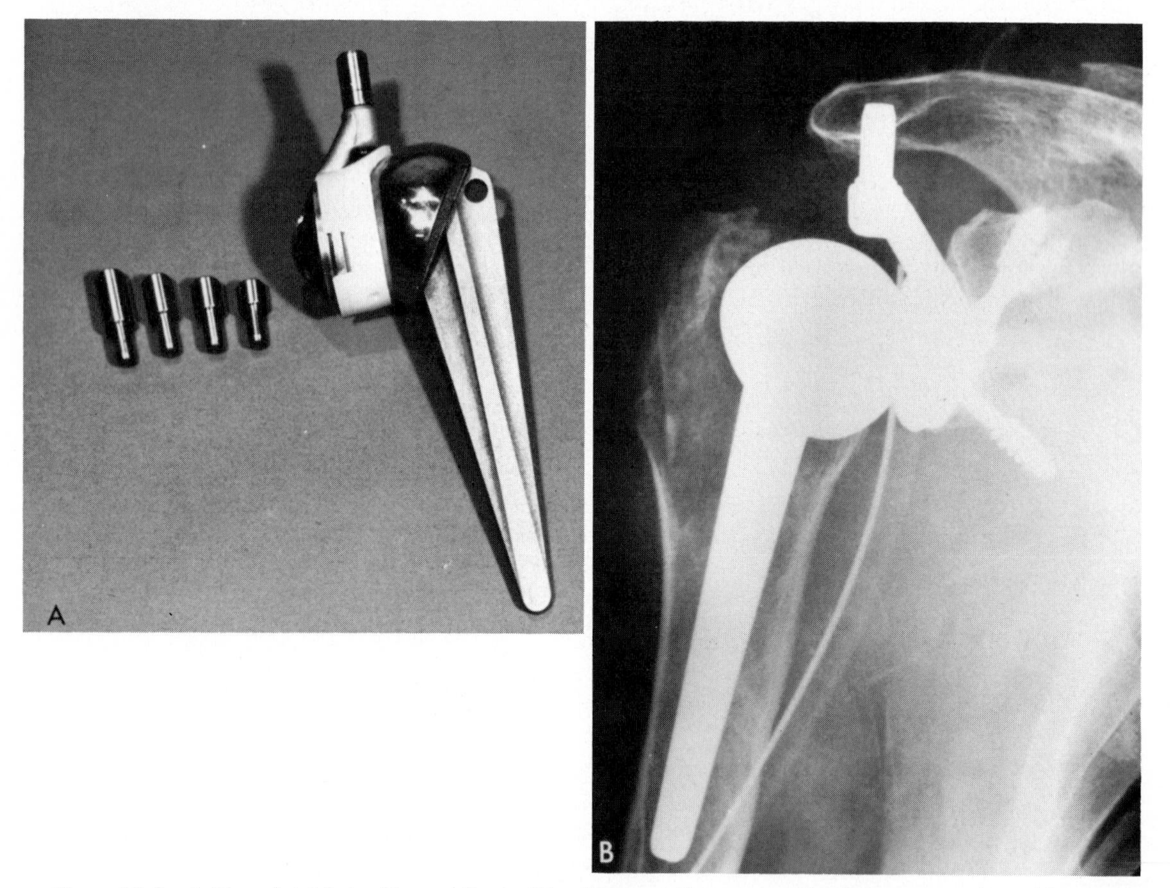

Figure 16–9 *A*, Macnab total shoulder prosthesis. Glenoid base with snap-on polyethylene cap and metal head and shaft. *B*, Macnab prosthesis in place.

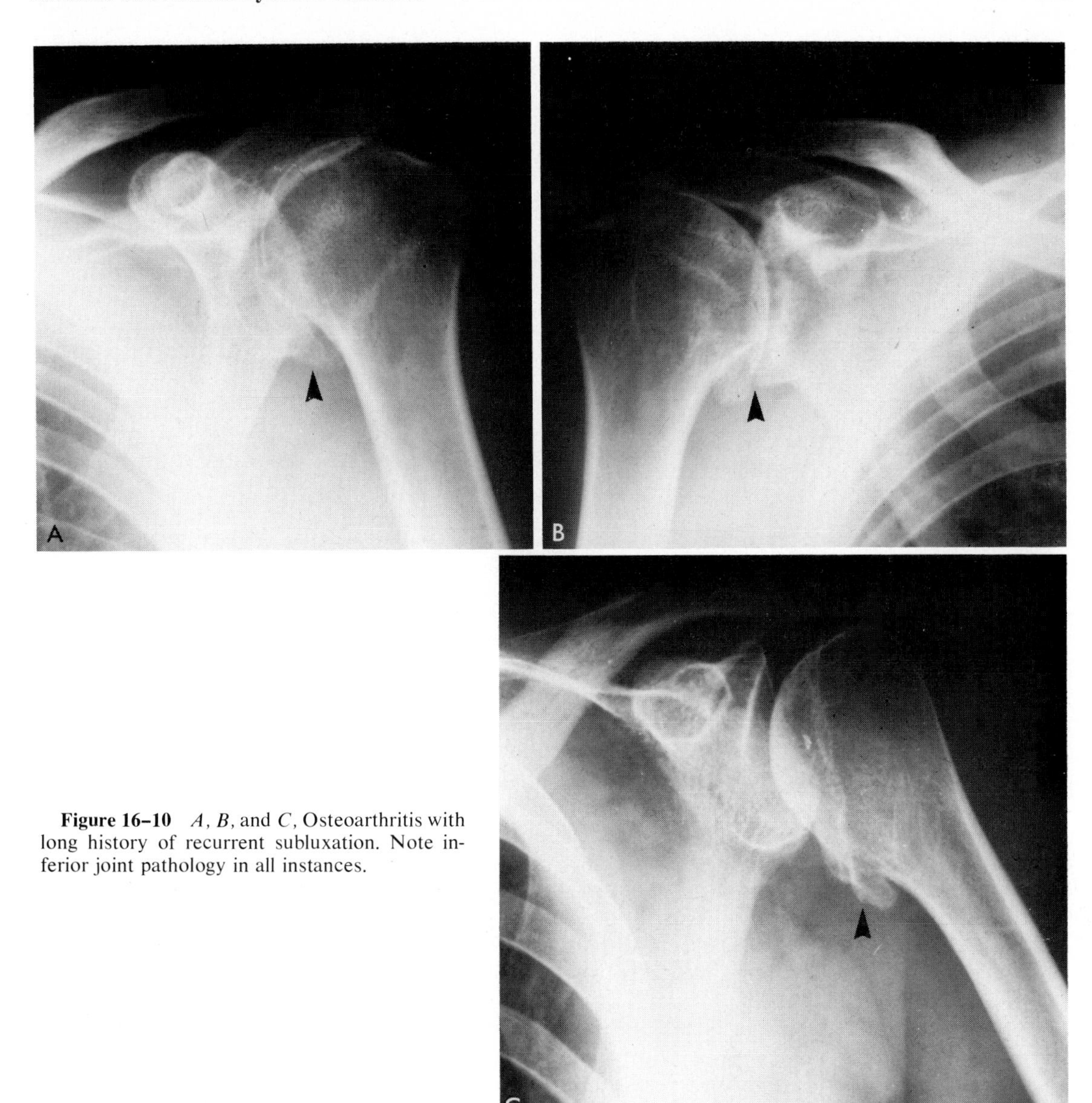

Figure 16–10 *A*, *B*, and *C*, Osteoarthritis with long history of recurrent subluxation. Note inferior joint pathology in all instances.

of the shoulder joint. Any deterrent to motion and pain is countenanced by persistent gravity and decreased use, which contributes a degree of replacement. Supplementing this is the ability to place the elbow and hand in the desired position by using girdle action only, even when the glenohumeral joint is virtually completely ankylosed.

Etiology of Glenohumeral Arthritis. For many years it has been presumed that the wear and tear changes so long chronicled with reference to the rotator cuff in purely cadaveric studies were the basis of osteoarthritis of the shoulder. Recent assessment and investigation suggest that this is not the case. In many instances the forerunner of shoulder osteoarthritis is an overlooked recurrent subluxation of the shoulder (Fig. 16–10*A*, *B*, and *C*).

In the past, cuff damage and degenerative tendinitis have been acknowledged as precursors of a post-traumatic type of osteoarthritis (Fig. 16–11), but it has been less well appreciated that a more common condition exists in the form of recurrent subluxation that favors great wear and tear changes on the glenohumeral joint. In this condition the superior rotator cuff usually is intact, but the anterior capsular laxity constitutes the main defect. This means that the shoulder

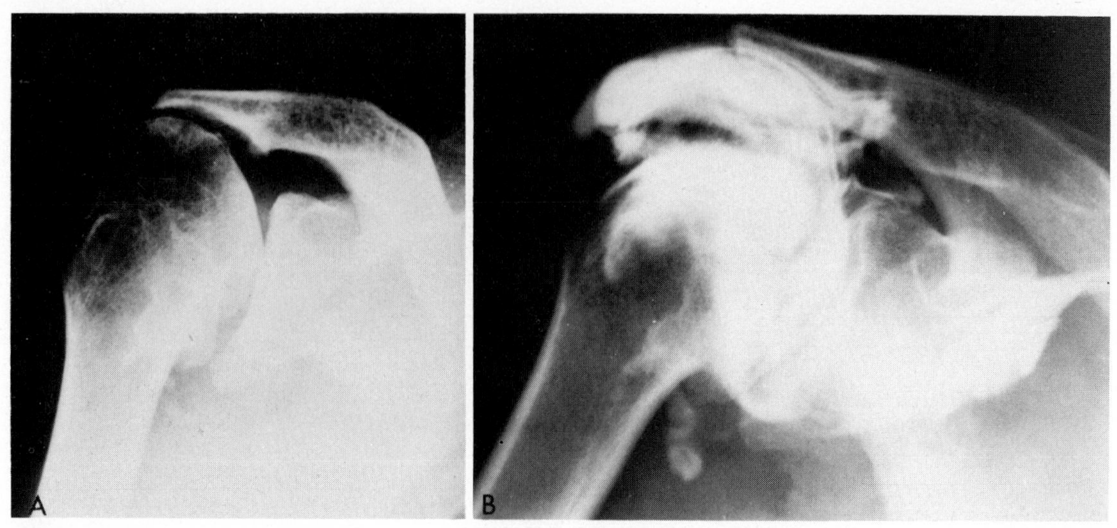

Figure 16–11 *A*, Late stage osteoarthritis. *B*, Osteoarthritis. Contrast study showing massive cuff tear, which explains erosion under surface of acromion.

retains its powerful and essential muscle balance, so that it can be used with considerable frequency; but if the anterior capsule is defective, the shoulder is used in a harmful fashion because of the increased play of the humerus in the glenoid, and the resultant greater wear and tear changes. As one analyzes osteoarthritic men in particular, a high percentage give a typical history of what we would now recognize as recurrent anterior subluxation.

Treatment. Extensive consideration has been given in Chapter 7 to the treatment of rotator cuff lesions.

CONSERVATIVE TREATMENT. The foundation of conservative management is physiotherapy, systemic medication, and restricted activities. In many instances patients cannot tolerate the last requirement, and persistent pain gradually leads them to seek more extensive relief through surgical measures.

SURGICAL TREATMENT.

Indications. Pain is the paramount irritant, and it is discomfort localized to the shoulder, triggered increasingly by minimal motion, from which patients gradually require relief. Pain on activity is but one element of the pain picture. Pain at rest increasingly augments the total discomfort.

Instability is a consideration, along with weakness and restricted motion, but the dependent position of gravity that protects the shoulder and modifies the pain by substituting girdle motion often is enough to satisfy the patient. Age should not be a limiting factor when the above indications are present. Before embarking on reconstruction it is imperative to make a proper systemic assessment of the patient, to see if surgery can be carried out safely.

Cheilotomy and Acromioclavicular Arthroplasty. In some instances simple acromioclavicular arthroplasty combined with a débridement of the joint provides significant relief of pain. Very little improvement in motion or strength should be expected from such a procedure, although the acromioclavicular excision will allow an increased abduction of at least 20 degrees. Sometimes the relief of pain and a little improvement of motion is all that the patient requires. The technique of acromioclavicular arthroplasty and cheilotomy has been considered extensively in Chapter 8.

Hemiarthroplasty. In many instances, replacement of the head of the humerus along with the acromioclavicular arthroplasty is a very satisfactory solution. Once again major increase in the arc of motion and in power should not be anticipated, and the patient should be informed beforehand that the major contribution will be relief of pain. However, in many instances a conscientious physiotherapy program carefully followed will also give considerable improvement in range and power. The technique of hemiarthroplasty has been described in detail in Chapter 8.

Total Shoulder Arthroplasty. In a few instances, destruction and abnormality related to the glenoid is a significant contributor to the pathologic picture, and under these

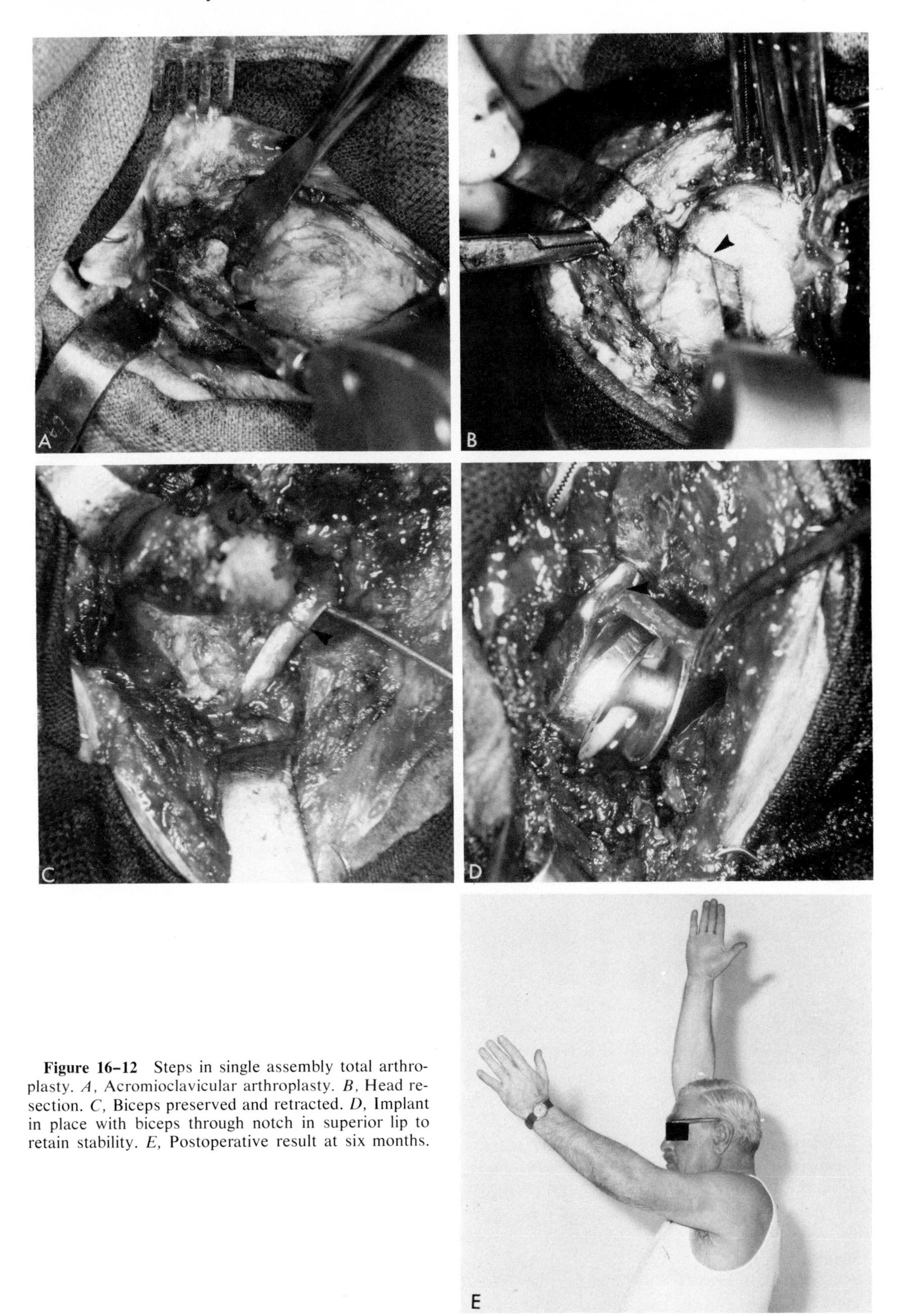

Figure 16–12 Steps in single assembly total arthroplasty. *A*, Acromioclavicular arthroplasty. *B*, Head resection. *C*, Biceps preserved and retracted. *D*, Implant in place with biceps through notch in superior lip to retain stability. *E*, Postoperative result at six months.

circumstances replacement of both the glenoid and the head of the humerus should be carried out (Fig. 16–12*A* to *E*). This may be done either by the technique described initially by C. S. Neer or by one of the alternative procedures also described in Chapter 8.

An important aspect of technique in both hemi- and total arthroplasty is reconstruction of the rotator cuff. The author has found it advantageous to perform routine contrast studies in these osteoarthritics before carrying out surgery, so that some conception is obtained of the likelihood of soft tissue reconstruction, and its consequent effect on the amount of motion and power that may remain postoperatively.

ACUTE INFECTIOUS ARTHRITIS OF THE SHOULDER

The shoulder is not often involved in acute arthritis, but it can occur. The widespread and effective use of antibiotics has controlled infection following compound fractures and osteomyelitis of the upper end of the humerus, which were the usual sources of articular involvement. Contamination after penetrating wounds and compound fractures remains a source of this lesion. In some instances repeated steroid injections favor a low-grade contamination, with changes that eventually look almost like a neurotrophic shoulder.

Signs and Symptoms. The diagnosis is usually obvious, with exquisite pain localized unhesitatingly to the shoulder area. The pain persists on any action, and there is increasing limitation of movement because of muscle spasm and acute soreness.

On examination the whole shoulder contour is disturbed by a generalized enlargement. Tenderness is present all over, but the superoanterior aspect is the most sensitive. The muscles are stiffly contracted, holding the shoulder and arm close to the side of the body. The signs and symptoms of an acute systemic process such as fever, leukocytosis, and increased sedimentation rate are also present. The x-ray studies show a narrowing of the joint space, and osteoporosis of the humerus and glenoid.

Treatment.

ASPIRATION. The joint should be aspirated and as much exudate as possible removed. Penicillin or an appropriate antibiotic, depending on the susceptibility of the organism, is injected into the joint. Repeated aspiration and antibiotic injection may be necessary. Systemic antibiotic therapy is also continued. The shoulder is immobilized in a sling or light abduction plaster with the upper half removed. Immobilization is continued until the acute phase has subsided, and then active motion is gradually resumed.

DRAINAGE. It is rare for the process to be so rapid and fulminating that it is not controlled by repeated aspiration and antibiotics. When this happens, however, the joint must be drained. An incision is made over the superoanterior and posterior aspects. Through-and-through Penrose drains are inserted, and may be removed as soon as the discharge has stopped. In some instances it is possible to set up a continuous drainage of antibiotics, with the irrigation continuing for several days. If the exudate is particularly sticky, the effectiveness of the antibiotic will be enhanced by the use of a detergent.

GOUT OF THE SHOULDER

Gout has long been recognized as a metabolic disease involving many joints. Symptoms related to the shoulder are uncommon as a single entity, but may be recognized as part of the generalized process. In nearly all instances, involvement of the shoulder is a late manifestation occurring in patients who have extremely severe disease.

Pathology. No joint is exempt from the involvement of metabolic arthritis, but those of the lower extremity are much more commonly involved. The characteristic finding is a deposit of urates in the periarticular structures and cartilage adjacent to the epiphyseal area. The deposits produce local necrosis, which is followed by a foreign body reaction and proliferation of fibrous tissue (Fig. 16–13).

The crystals have been identified as monosodium urate monohydrate, and a characteristic tophaceous nodule consists of a multicentric deposit of urate crystals and intercrystalline matrix, together with inflammatory reaction and foreign body granuloma. The process produces cartilaginous degeneration and considerable synovial irritation. Ultimately, destruction of subchondral bone and proliferation of the adjacent zone develops as a result of the panus

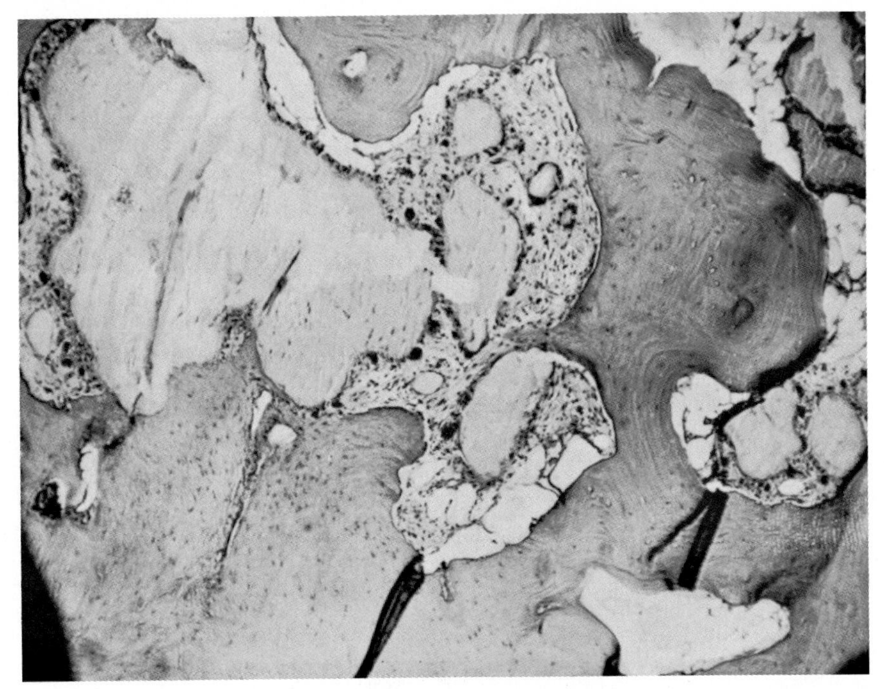

Figure 16–13 Gout of the shoulder.

infiltration, producing a characteristic appearance. The laboratory findings of an increase in blood uric acid are diagnostic.

Treatment. The primary need is for treatment of the systemic condition. The most effective remedies are colchicine, 0.5 or 0.65 mg every one or two hours, until the pain is relieved or until diarrhea, nausea, or vomiting occurs. Intravenous colchicine in 1- to 3-mg doses is effective and minimizes the intestinal irritation. Phenylbutazone is extremely effective but must be used with high initial doses of 400 to 600 mg, followed by 100 mg four times daily. A diet of milk, fruit juice, eggs, cereals, and high fluid intake is also required.

If the shoulder is acutely involved it should be splinted by a light abduction splint until the acute attack has subsided; this should be followed by a program of active and assisted active motion. The shoulder is so rarely involved that surgical attention is not often needed; should articular changes be extensive, arthroplasty may be required.

PSEUDOGOUT OR ARTICULAR CHONDROCALCINOSIS

In 1958 the Czechoslovakian authors Zitman and Sitchek first identified a condition of chondrocalcinosis polyarticularis that they differentiated from other metabolic arthritides such as gout. Subsequently the term "pseudogout" was applied to what is a gout-like syndrome in which there is a deposition of calcium thyrophosphate dehydrate (CTPD) crystals in the joint.

Pathology. Deposits of crystals in fibrocartilaginous structures are encountered; the knee is involved in about 90 per cent of all cases. Microscopically the deposits are composed of microcrystalline aggregates of CTPD. Synovial biopsy shows inflammatory and reparative changes consistent with the clinical state of the joint at the time of the biopsy. The precise mechanism of the crystal precipitation in the cartilage has not been identified. Presumably an acute attack results from the rupture of a preformed deposit into the adjacent large tissue area of the synovial cavity. Crystals have been identified initially in all fluids obtained from acutely inflamed joints in these patients.

The shoulder may be involved, but only rarely. It presents a picture of acute irritation very similar to that of calcified tendinitis. However, there is frank effusion and generalized joint tenderness. The diagnostic criteria for pseudogout include the demonstration of the crystals obtained by biopsy, typical calcifications on x-ray films, and an acute synovitis.

Treatment. Specific treatment has not been identified for this condition, but relief has been obtained by aspiration of the joint followed by injection or corticosteroids. In some instances phenylbutazone also appears to be of benefit. Caution should be observed, however, in carrying out repeated intra-articular injections.

MARIE-STRÜMPELL ARTHRITIS INVOLVING THE SHOULDER

The progression of ankylosing spondylitis to involve the shoulder girdle is not generally appreciated. Although this is not a consistent occurrence, an increasing number of patients with Marie-Strümpell arthritis in the later stages will be found to have significant involvement of the shoulder (Fig. 16–14).

Clinical Picture. The development is an insidious process, usually affecting both shoulders but becoming apparent on the master side first. The usual history is one of very gradual and insidious loss of motion, weakness, and pain, eventually progressing to almost complete ankylosis. The patient retains the ability to move the upper limb through the shoulder girdle, but progressively this also is restricted.

The accompanying radiographs show the extensive involvement both of the glenohumeral joint and the suspensory mechanism. It is not uncommon for the suspensory ligament and adjacent subclavicular zone to be completely ankylosed with the development of calcification in these ligaments.

Treatment. The important aspect is to recognize the lesion, because not infrequently the extensive atrophy that accompanies the

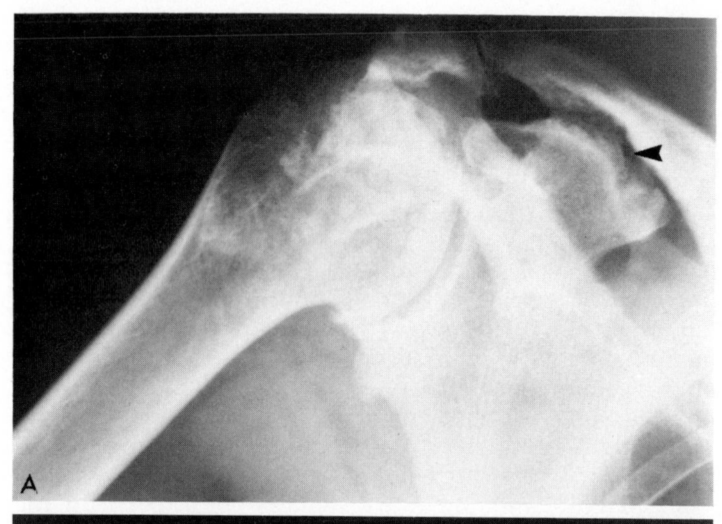

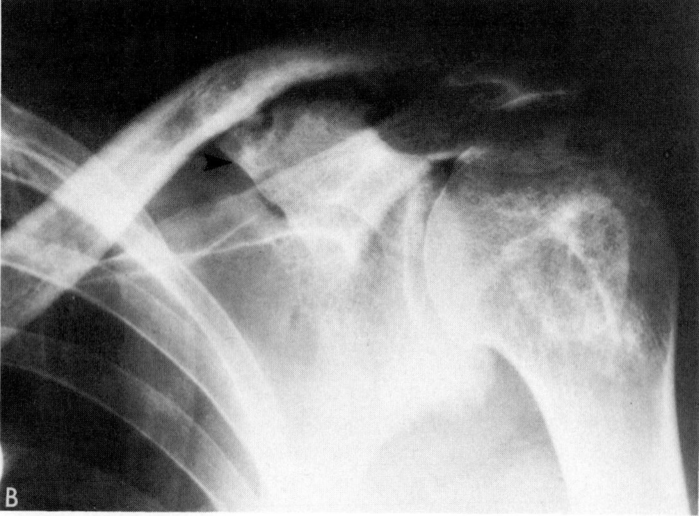

Figure 16–14 *A* and *B*, Marie-Strümpell involvement of shoulder. Note extensive calcification of suspensory ligaments.

loss of motion is mistaken for a neurologic disturbance, and may even be interpreted as a form of progressive muscular atrophy or amyotrophic lateral sclerosis. Symptomatic treatment only is provided, as a rule. Anti-inflammatory medication is helpful, and an exercise program to maintain as much power in intrinsic and accessory muscles as may be feasible.

SCLERODERMA

Progressive systemic sclerosis or scleroderma is a disease of which the main histopathologic feature is hyperplasia of collagen. The primary change involves the skin, but the changes in this zone subsequently give rise to contractures that lead to extensive limitation of joint movement. The upper extremities are involved much more frequently than the rest of the body, and the shoulder is implicated correspondingly.

Pathology. Onset is insidious, usually occurring in the fourth to fifth decade; it involves females much more often than males. Microscopically there is extensive hyperplasia of collagen with a diffuse distribution. In many instances vascular changes precede the cutaneous involvement. The skin is puffy and swollen initially, and this is followed by thickening and induration. Later the skin and subcutaneous tissues become tight and stretched; they are firmly bound to the underlying structures, thereby grossly restricting activity.

Clinical Picture. The course of the disease is variable, but most cases follow an extremely chronic process. There frequently is a prodromal appearance of changes in the hand and fingers, similar to Raynaud's disease. The skin is puffy and edematous; subsequently it becomes pigmented and indurated, with atrophy and fibrosis. Skin and muscle contracture follows, and subsequently the joints of the upper limb are involved. There is restriction of joint motion, diminution of joint space, loss of articular cartilage, and eventually extensive articular destruction. In 30 per cent of the patients, signs of cutaneous sclerosis occur after the phase of spastic phenomena; in approximately 25 per cent, the first changes implicate the joints directly.

Treatment. No completely satisfactory method of treatment of this progressive systemic disturbance has been delineated. Some promising new drugs such as ethylenediamine dihydroxide, ethacrynic acid, and potassium para-aminol benzoin (Potaba) have been used. In the case of the shoulder, physiotherapeutic measures maintain mobility for a period, but eventually the skin contracture is such that motion is lost, and no physical methods appear to prevent the progressive changes.

SYSTEMIC LUPUS ERYTHEMATOSUS

A connective tissue disorder predominant in women of child-bearing age, which runs a varied and sometimes very chronic debilitating course, has become known as systemic lupus erythematosus.

Pathology. The changes are confined to connective tissue and include a variety of lesions, including verrucous endocarditis; segmental thickening of the basement membrane of the glomerular tuft of the kidney; periarteric fibrosis in the spine; and the presence of hematoxylin bodies in heart, kidney, lymph nodes, spleen, and synovial membranes. At some stage, in almost all cases, the somewhat characteristic cutaneous erythematous lesions develop. The most frequent sites are the face, neck, upper chest, and back. In 75 per cent of patients there is involvement of the kidneys with a focal glomerulonephritis.

Clinical Picture. In approximately 90 per cent of patients there is some joint involvement that begins in the small joints of the upper extremity, but the shoulder may be implicated fairly rapidly. Characteristically there is a polyarthritis, but without evidence of acute irritation. The symmetric changes resemble those of rheumatoid arthritis extensively. Fever, fatigue, generalized weakness, and weight loss are systemic signs ushering in the disease. The shoulder involvement is usually a part of generalized involvement of the upper limb.

Treatment. No specific agent to combat this condition has been identified. The most widely used medications are steroids and salicylates. The local treatment consists of splinting the joints during the acute stages, followed by a program of active and assisted active motion in the chronic stage. Surgical therapy of the joints is not applicable except in long-standing cases of maximal severity.

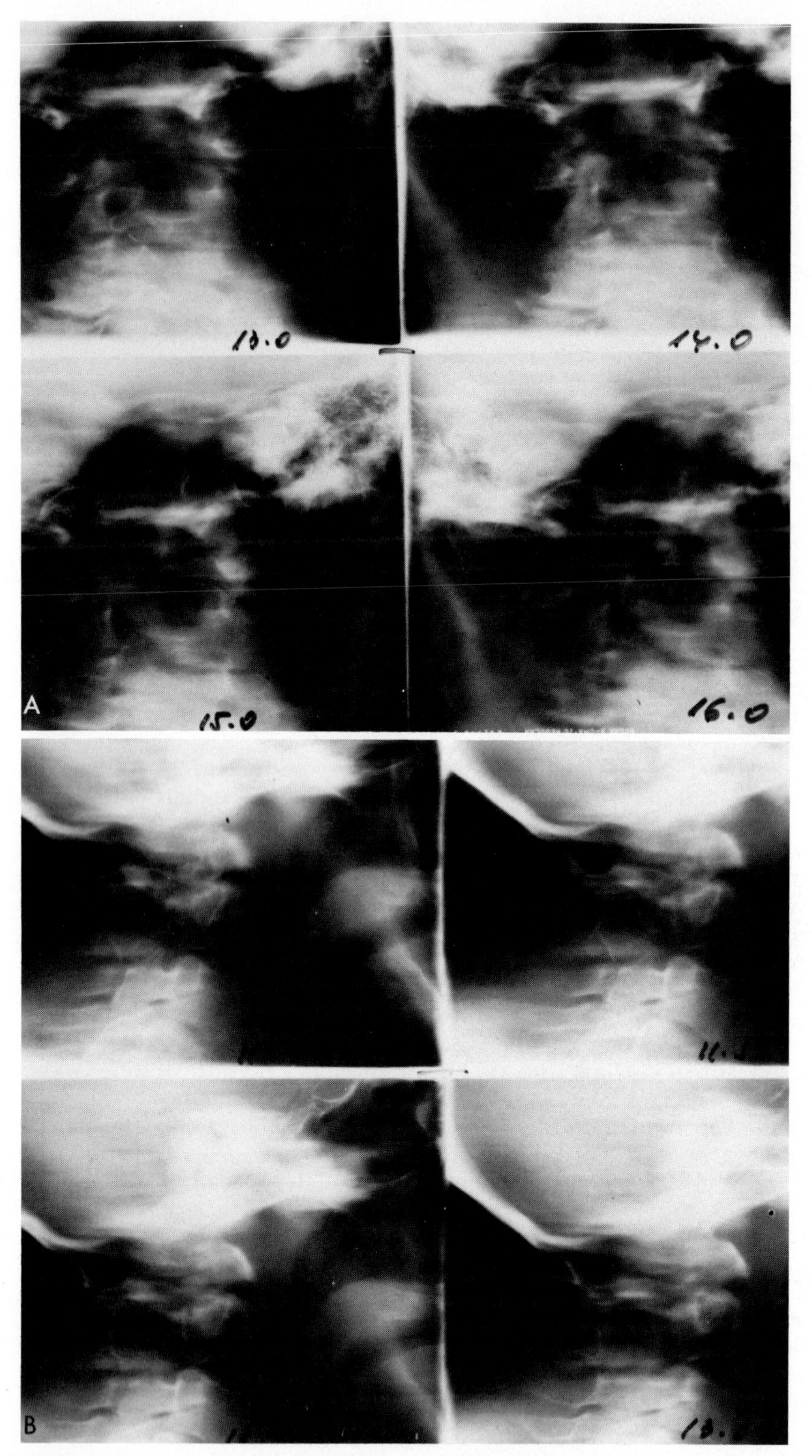

Figure 16–15 Rheumatoid erosion of C.2. Tomogram studies illustrating instability. *A*, Anteroposterior tomogram. *B*, Lateral tomogram.

POLYMYOSITIS

A disease related to the group of collagen disturbances has been identified with increasing frequency during recent years. It consists of muscle weakness and implicates the trunk muscles particularly, but the shoulder region is occasionally involved. Acute pain and soreness referable to the muscles is often present, with weakness progressing to the point at which the patient may not be able to use the limbs in controlled fashion.

The characteristic findings can be identified electromyographically; consistent changes include fibrillation on voluntary effort and low amplitude, short duration, and polyphasic potentials. Enzyme studies show gross abnormalities also. Biopsy of the muscles shows cellular infiltration among muscle fibers comprised of plasma cells and lymphocytes, and some follicle formation. Subsequently, considerable atrophy appears in the muscle fibers.

The condition is to be separated from steroid and metabolic myopathies. In the former, signs of hypercortisolism are present, and the electromyographic studies do not show the same profound changes.

Treatment. When the lesion has been identified by electromyographic and muscle studies, prednisone, 15 mg daily, is started. Painful areas are splinted and physiotherapy initiated. Steroid therapy is carefully controlled to prevent hypercortisolism; it may need to be continued for three to four months.

RHEUMATOID ARTHRITIS OF THE CERVICAL SPINE

Approximately 60 per cent of patients with rheumatoid arthritis have some involvement of the neck. The changes are often extensive and include apophyseal joint changes, vertebral subluxation, atlantoaxial subluxation, osteoporosis, ankylosis, disk narrowing, vertebral and plate erosion, odontoid erosion, and erosion of spinous processes.

Apophyseal Joint Changes. The surfaces of the apophyseal joints become irregular and eroded. Marked changes are frequent at C.2 and C.3. The joint space is thinned, and the cortex is osteoporotic. These alterations predispose to a serial subluxation of the whole spine.

Atlantoaxial Subluxation. Roughly one-quarter of the patients will show atlantoaxial subluxation. This change has been defined as a distance greater than 2 mm radiologically

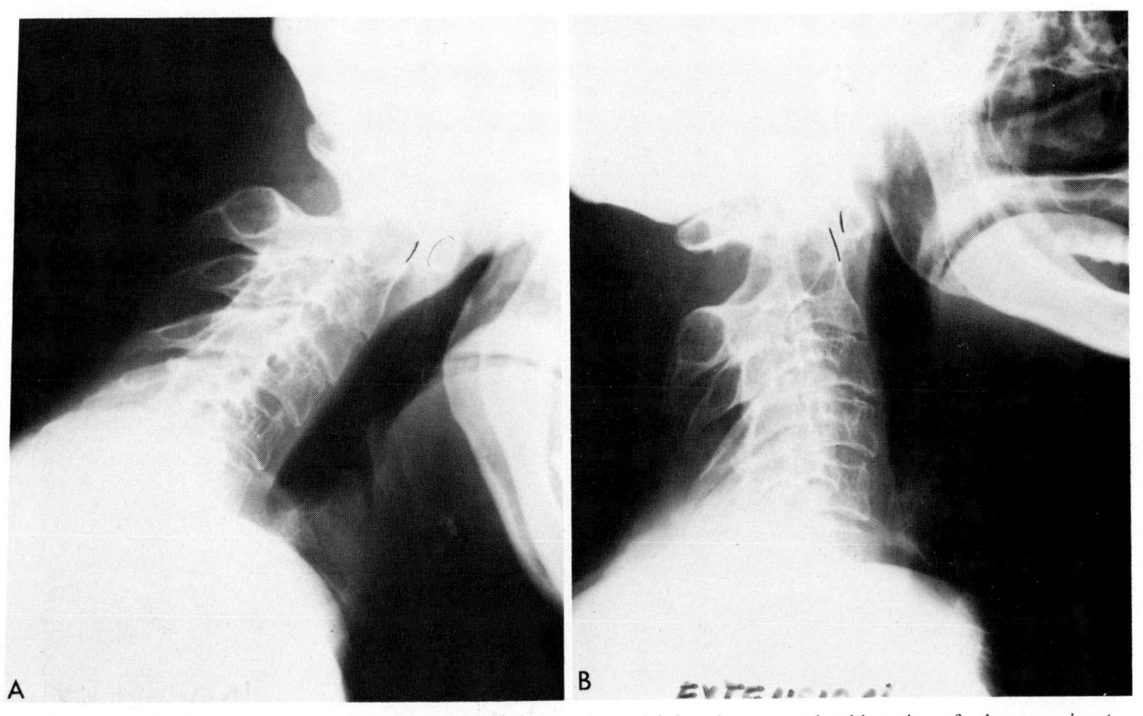

Figure 16–16 Rheumatoid arthritis. Note extensive apophyseal joint changes and subluxation of atlas on axis. *A*, Flexion. *B*, Extension.

between the anterior margin of the odontoid and the posterior margin of the atlas (Fig. 16–16*A* and *B*).

Neurologic signs are not always present, and a considerable degree of displacement can develop without these occurring. Cregan has contributed pioneering work in the treatment of cervical subluxation. When persistent neurologic signs develop, atlantoaxial cervical stabilization is necessary. Cregan has indicated the difficulties that arise from extensive disease in this area, leading to fragmentation of atlas and extensive instability; a method of stabilization of the occiput to the spine, as devised by him, is reproduced here (Fig. 16–18).

Subluxation in Lower Cervical Spine. Although the atlantoaxial and occipitoatloid zones are the critical ones, luxation at C.3–C.4 and C.4–C.5 occurs alone or in conjunction with the disease at a higher level (Figs. 16–19, 16–20, and 16–21). Treatment for this lesion is the same: protection by a collar and cervical traction with tongs or a halo, followed by surgical stabilization. Operation from the posterior aspect appears to be the most satisfactory approach; these patients often require tracheostomies, and approach from the front is difficult. In addition, stabilization of the area with some form of internal fixation may be more complicated if the anterior approach is used.

Osteoporosis. At least 20 per cent of patients with rheumatoid arthritis with cervical change show considerable osteoporosis. There is a prevalence of involvement of the upper segment or cervical spine, which contributes to the likelihood of subluxation.

Interbody Changes. Narrowing of all disk spaces occurs in a large percentage of patients (Fig. 16–21). Erosion of the end-plate often accompanies this, and is more frequent at the lower levels.

Spinous Processes. When interbody narrowing is marked and there is considerable osteoporosis, posterior spinous processes may impinge, and erosion subsequently occurs.

Treatment. During the acute stages, in addition to routine systemic therapy, splinting is required with a light Plexiglas collar molded to fit the individual patient. When incipient subluxation occurs, halter traction is used. If neurologic signs appear, halo or ice tong traction followed by stabilization is necessary. In some patients without neurologic signs, surgical stabilization is still required.

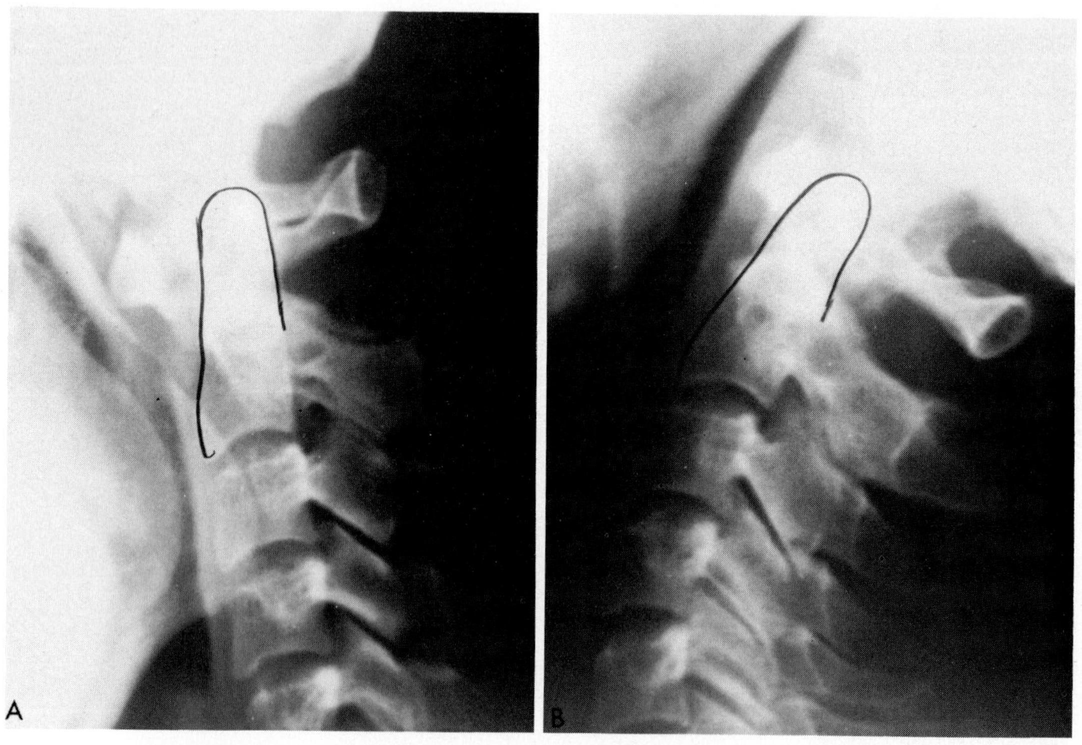

Figure 16–17 *A*, Subluxation C.1-C.2 on flexion. *B*, Reduction C.1-C.2 on extension.

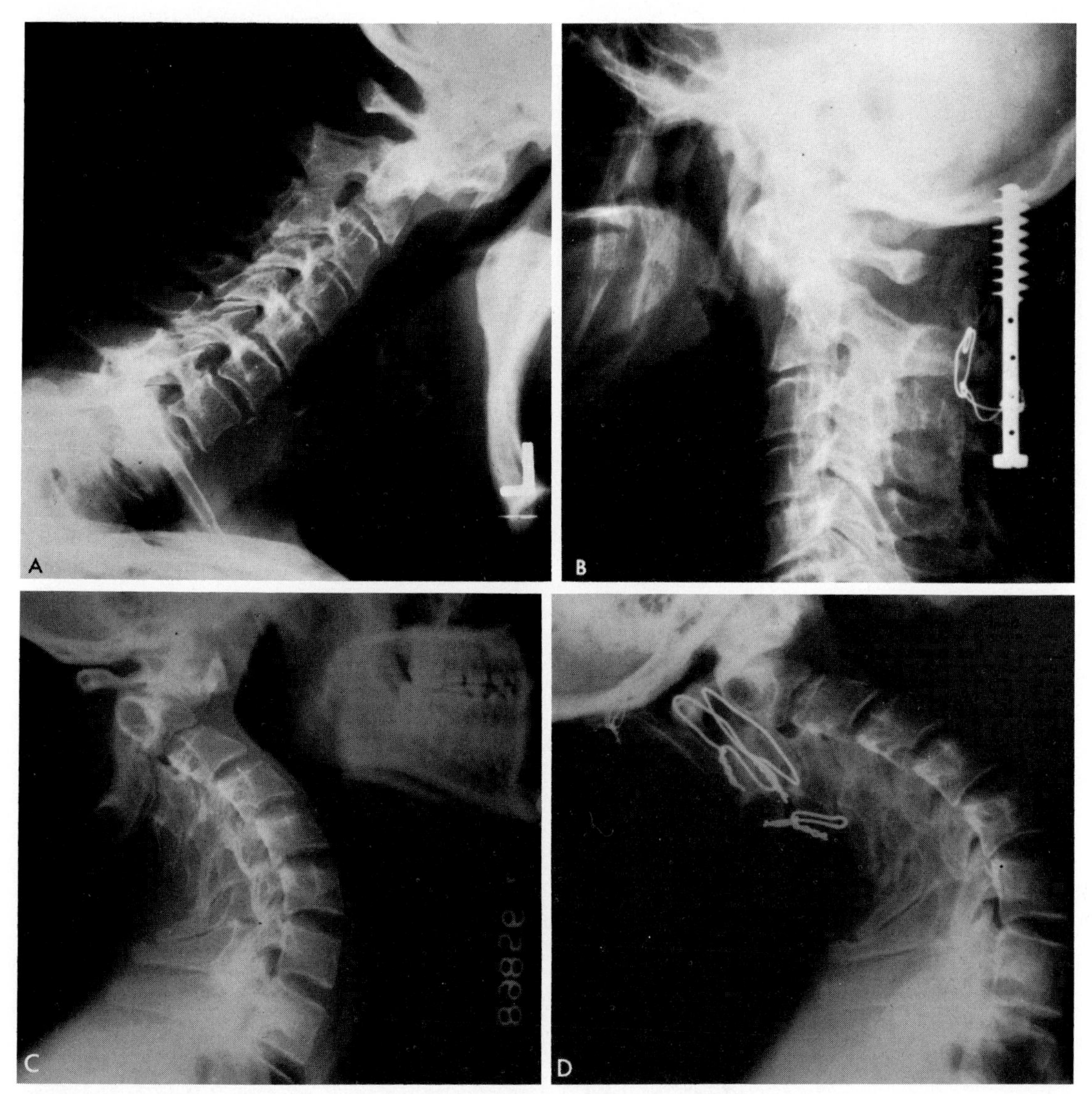

Figure 16–18 *A* and *B,* Before and after operation for screw fixation of occiput to the cervical spine reinforced by autogenous grafting. (Courtesy Dr. J. C. Cregan.) *C* and *D,* Alternative method of occipital cervical stabilization.

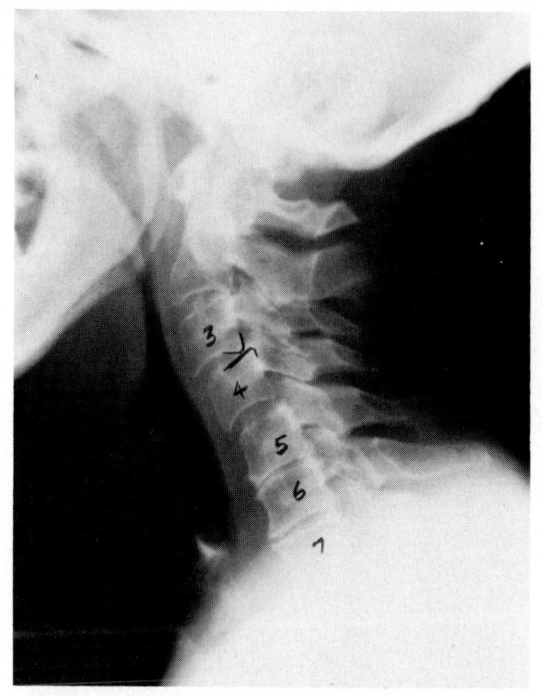

Figure 16–19 Rheumatoid arthritis with subluxation of C.3 on C.4.

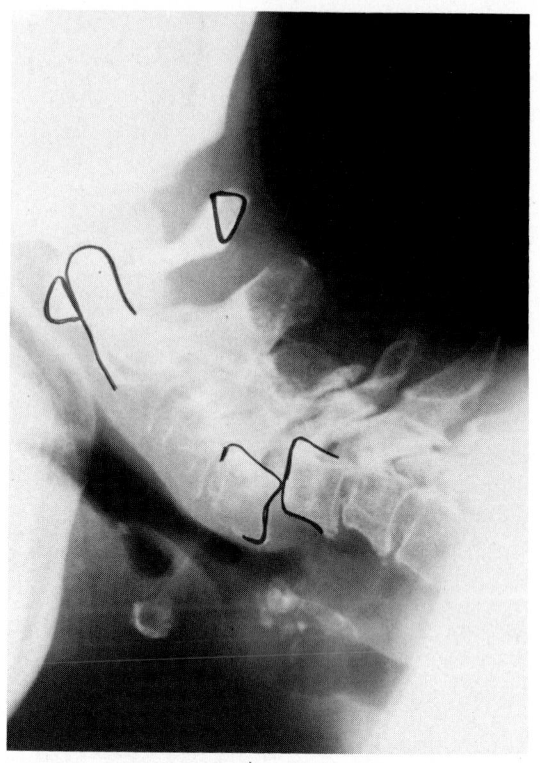

Figure 16–20 Marked subluxation at C.4–C.5 in rheumatoid arthritis on flexion.

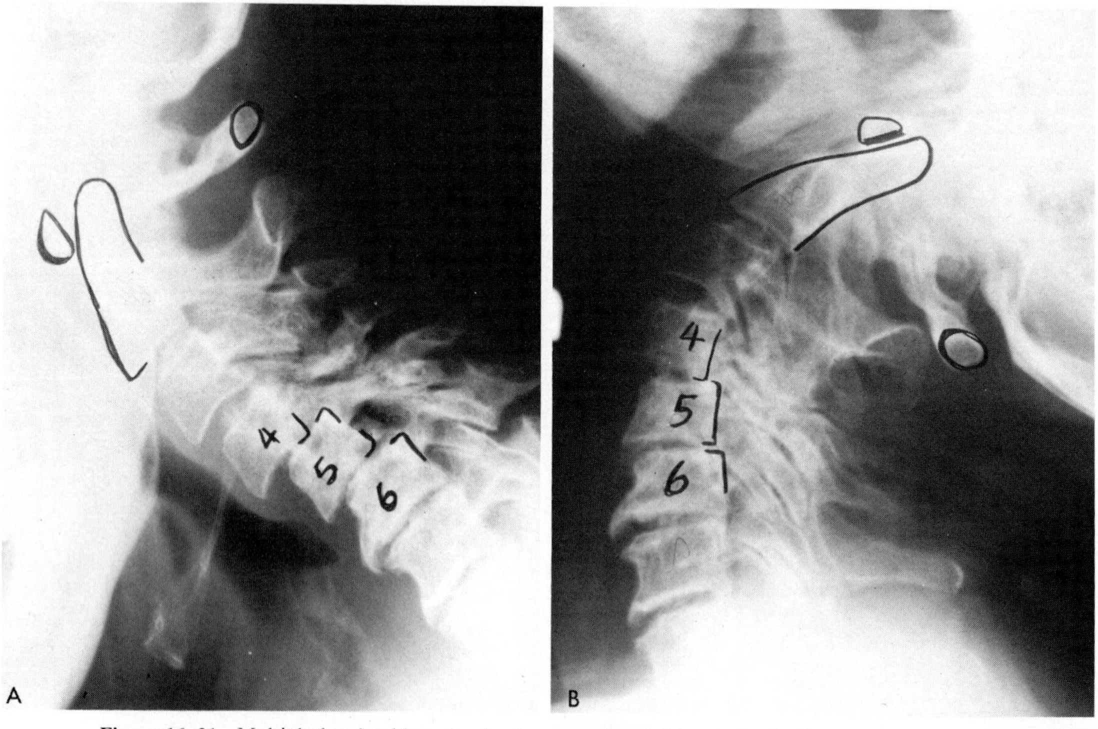

Figure 16–21 Multiple level subluxation in rheumatoid arthritis. *A*, On flexion. *B*, On extension.

ANKYLOSING SPONDYLITIS

Ankylosing spondylitis has many distinctive features that suggest its classification as a separate disease from rheumatoid arthritis.

The characteristics that tend to distinguish this entity are a predominance in young men, ligamentous calcification of the spinal column, increased incidence of recurrent iritis, and aortitis resulting in aortic insufficiency. A pattern of dominant inheritance, and absence of rheumatoid factor and rheumatoid nodules, is also evident.

Most patients with ankylosing spondylitis have a different and better prognosis than those with rheumatoid arthritis. The response to drugs is similar. One of the most important contrasting features is the pattern of joint involvement. The sacroiliac joints are always involved in ankylosing spondylitis. A further common distribution is to the symphysis pubis; manubrium sterni; acromioclavicular, costovertebral, and dorsolumbar spine; C.1, C.2, and C.3 of the cervical spine, and occasionally C.4–C.7 (Figs. 16–22 and 16–23). In both conditions the shoulder may be involved, although this is seen more frequently in rheumatoid arthritis than in ankylosing spondylitis.

Ankylosing spondylitis is usually considered to be a process that starts in the sacroiliac joints and spreads upward in the spine, hence the theory that an ascending infection of general origin is responsible. A further important difference is the development of syndesmophytes, particularly in the dorsolumbar region, which may sometimes occur before sacroiliac arthritis. Although differences in the manifestation of the two diseases in the cervical spine can be identified, they usually are not the basis of the diagnosis; there will be evidence of the dominant disease to a greater degree elsewhere. The tendency to subluxation is more apparent in rheumatoid arthritis than in ankylosing spondylitis. The changes in the lower part of the spine differ considerably with the extensive syndesmophyte formation, a distinct contrast to the changes found in rheumatoid arthritis.

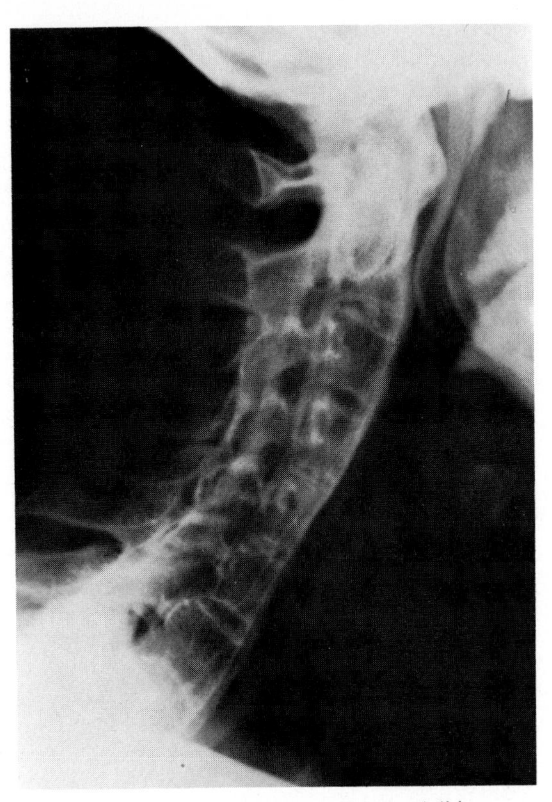

Figure 16–23 Late ankylosing spondylitis.

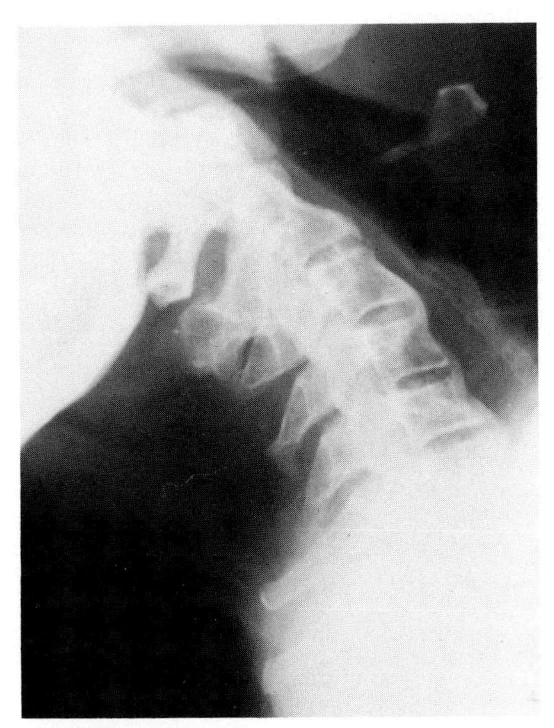

Figure 16–22 Early ankylosing spondylitis.

Considerable differences have been identified in the incidence of these diseases between the two sexes. Rheumatoid arthritis involves two or three women for every man, whereas the ratio of ankylosing spondylitis is closer to ten men for each woman.

A frank hereditary influence occurs in ankylosing spondylitis, and is present to a much greater degree than is the case with rheumatoid arthritis. There rarely is involvement of the shoulder joint along with the cervical spine in ankylosing spondylitis. In general, if there is no involvement of the peripheral joints early in the disease, these are not likely to complicate the ankylosing lesion.

Late Complications. In the later stages of the disease, the extreme rigidity of the whole spine can expose the patient to serious complications from tumbles or other mishaps. The total rigidity focuses stress to the upper area of the body, so that fracture of the neck and even fracture dislocation is not uncommon.

Reduction is extremely difficult because of the total stiffness of the tissues, and prolonged cervical traction is often required to restore alignment. Frequently, some degree of dislocation must be accepted, but as a rule neurologic complications can be kept under control (Fig. 16–24).

Surgical Treatment. In some instances progressive deformity of the cervical spine reaches a point at which it is difficult for the patient to see far enough ahead of himself to stand or walk comfortably. In many cases this is the result of progressive flexion contracture at the hips, and considerable improvement may be obtained by surgery.

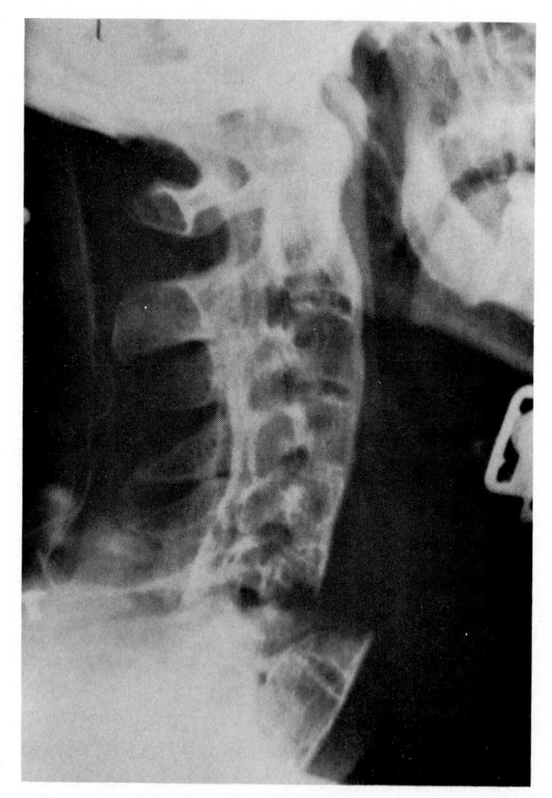

Figure 16–24 Complication in late ankylosing spondylitis.

In other cases the cervical spine deformity may progress to the point at which osteotomy would be extremely helpful. Attempts have been made to do this, but difficulties are encountered in giving these patients an intubation anesthetic and in performing a tracheostomy.

A significant contribution in this field has been made by E. H. Simmons, in the form of carrying out osteotomy of the cervical spine under a local anesthetic. He has recently devised a most ingenious method of cervical laminectomy under local anesthesia that is applicable to this area. The problems of general anesthesia, tracheostomy, and intubation in these patients are formidable, so that the use of a local marks a significant advance when it may be applied.

The principle is to use light sedation, place the patient in the sitting position, and approach the posterior spinous elements under local anesthesia. The site applicable for correction of anterior kyphosis is at the cervicothoracic junction.

A total laminectomy, including the posterior spinous process of C.7, is carried out, with extension carried well laterally to the articular elements. When this zone has been adequately freed, gentle posterior pressure is made on the forehead to bring the neck from the flexed position to one of greater extension. Usually this is accomplished with an audible snap. The head is then fixed in this position with the aid of the halo apparatus, and the position is maintained until fusion has taken place in the corrected alignment.

REFERENCES

Barton, N. J.: Arthrodesis of the shoulder for degenerative conditions. J. Bone Joint Surg. (Am.) *54*:1759, 1972.

Benedek, T. G., et al.: Ankylosing spondylitis with ulcerative colitis and amyloidosis. Report of a case and review of the literature. Am. J. Med. *40*:431, 1966.

Berger, L. S., et al.: Calcifications with enlarged sub-deltoid bursae on rheumatoid arthritis. Br. J. Radiol. *45*:530, 1972.

Bland, J. H., et al.: Rheumatoid arthritis of cervical spine. Arch. Intern. Med. *112*:892, 1963.

Bleck, E. E.: Arthritis of the C1–C2 and C2–C3 intervertebral facets. G.P. *33*:94, 1966.

Bose, K. S.: Osteotomy of the cervical spine. J. Indian Med. Assoc. *42*:576, 1964.

Brichard, M.: Arthroplasty of the shoulder by vitallium prosthesis. Acta Orthop. Belg. *31*:817, 1965.

Bunch, W. H.: Scapulo-thoracic fusion. Minn. Med. *56*:391, 1973.

Calabro, J. J., et al.: Management of ankylosing spondylitis. Am. J. Occup. Ther. *19*:255, 1965.

Carter, J. B., et al.: Myasthenia gravis and rheumatoid spondylitis. Co-existence in 3 cases. J.A.M.A. *194*:913, 1965.

Chand, K., et al.: Rheumatoid arthritis and shoulder joint. Int. Surg. *57*:969, 1972.

Claessens, H., et al.: Arthritis and arthrosis of the scapulo-humeral joint. J. Belg. Med. Phys. Rhum. *20*:73, 1965.

Conaty, J. P.: Reconstructive Surgical Procedures in Osteoarthritis of the Shoulder. *In* Symposium on Osteoarthritis. The C. V. Mosby Co., St. Louis, 1976, pp. 258–65.

Conlon, P. W., et al.: Rheumatoid arthritis of the cervical spine. An analysis of 333 cases. Ann. Rheum. Dis. *25*:120, 1966.

Cregan, J. C.: Internal fixation of the unstable cervical spine. Ann. Rheum. Dis. *25*:242, 1966.

David-Chausse, J., et al.: Ankylosing spondylitis beginning in childhood. Rhumatologie *18*:198, 1966.

DePalma, A. F.: Arthrodesis of the shoulder joint. Surg. Clin. North Am. *43*:1599, 1963.

Durrigl, T.: History of ankylosing spondylitis. Lijec. Vjesn. *87*:789, 1965.

Francois, R. J.: Microradiographic study of the intervertebral bridges in ankylosing spondylitis and in the normal sacrum. Ann. Rheum. Dis. *24*:481, 1965.

Gardner, R. C.: A simple rapid and esthetic exposure of the shoulder joint. Surg. Gynecol. Obstet. *137*:99, 1973.

Gleason, I. O., et al.: Atlanto-axial dislocation with odontoid separation in rheumatoid disease. Clin. Orthop. *42*:121, 1965.

Grantham, S. A., Dick, H. M., Thompson, R. C., and Stinchfield, F. E.: Occipitocervical arthrodesis. Indications, technic and result. Clin. Orthop. *65*:118, 1969.

Hart, F. D.: Lessons learnt in a 20 year study of ankylosing spondylitis. Proc. R. Soc. Med. *59*:456, 1966.

Hench, P. S.: Discussion. Proceeding of the American Rheumatic Association Annual Meeting. Rheumat. Dis. *13*:352, 1954.

Joyce, J. A.: Remission of rheumatic symptoms and headache by transecting the coracoacromial ligament. S. Afr. Med. J. *47*:1254, 1973.

Kanefield, D. G., Mullins, B. P., Freehafer, A. A., Furey, J. G., Horenstein, S., and Chamberlin, W. B.: Destructive lesions of the spine in rheumatoid ankylosing spondylitis. J. Bone Joint Surg. *51A*:1369, 1969.

Kinsella, T. D., et al.: Ankylosing spondylitis; a late re-evaluation of 92 cases. Can. Med. Assoc. J. *95*:1, 1966.

Kolawole, T. M., et al.: Acute septic arthritis in Nigeria. A review of 65 cases involving the hip and shoulder joints. Trop. Geogr. Med. *24*:327, 1972.

Lettin, A. W., et al.: Total replacement of the shoulder joint (two cases). Proc. R. Soc. Med. *65*:373, 1972.

Matsunaga, M.: A new method of arthrodesis of the shoulder. Acta Orthop. Scand. *43*:343, 1972.

McGill, I. G.: An unusual neurological syndrome associated with ankylosing spondylitis. Guys Hosp. Rep. *115*:33, 1966.

Merle D'Aubigne, R., et al.: Technic of arthrodesis of the shoulder by a posterior approach. Rev. Chir. Orthop. *52*:155, 1966.

Mukerjee, S. K.: Synovial chondromatosis in the shoulder joint. Proc. R. Soc. Med. *61*:665, 1968.

Munsat, T. L., et al.: Inflammatory myopathy with facioscapulohumeral distribution. Neurology (Minneap.) *22*:335, 1972.

Neviaser, J. S.: Surgical approaches to the shoulder. Clin. Orthop. *91*:34, 1973.

Newman, P., and Sweetman, R.: Occipito-cervical fusion. An operative technic and its indications. J. Bone Joint Surg. *51B*:423, 1969.

Ott, V. R., et al.: Differentiation of ankylosing spinal disease. Arch. Phys. Ther. (Leipzig) *17*:141, 1965.

Reeves, B., et al.: Some problems in the development of a total shoulder endo-prosthesis. Ann. Rheum. Dis. *31*:425, 1972.

Robinson, H. S.: Rheumatoid arthritis—atlanto-axial subluxation and its clinical presentation. Can. Med. Assoc. J. *94*:470, 1966.

Rogala, E. J., et al.: Multiple pyogenic arthritis due to Serratia marcescens, following renal homotransplantation. Report of a case. J. Bone Joint Surg. (Am.) *54*:1283, 1972.

Rometti, M.: Radio-clinical aspects of cervical curvature disharmonies. Rhumatologie *18*:27, 1966.

Rosenberg, M. A., et al.: Fracture dislocation of the cervical spine with rheumatoid spondylitis. Case report and review of literature. J. Can. Assoc. Radiol. *16*:241, 1965.

Saha, A. K.: Total shoulder replacement (a preliminary report). J. Indian Med. Assoc. *66(6)*:121, 1976.

Schulutko, L. I.: Some problems of treatment of Bechterew-Strümpell-Marie rheumatoid arthritis. Beitr. Orthop. Traumatol. *12*:412, 1965.

Serre, H., et al.: Atlanto-axial dislocation in rheumatoid arthritis. Rheumatism *22*:53, 1966.

Sharp, J.: The differential diagnosis of ankylosing spondylitis. Proc. R. Soc. Med. *59*:453, 1966.

Simmons, E. H.: Personal communication, 1969.

Sokoloff, L.: The Pathology of Rheumatoid Arthritis and Allied Disorders. *In* Hollander, J. L. (ed.): Arthritis and Allied Conditions. A Textbook of Rheumatology. 7th ed. Lea & Febiger, Philadelphia, 1966.

Sokolowski, A.: Our observations on the relationship between the clinical picture and patient's age in ankylosing spondylitis. Rheumatologia (Warsz.) *3*:103, 1965.

Verhaeghe, A., et al.: The shoulder in rheumatoid arthritis. Rhumatologie *20*:189, 1968.

Verjans, H.: The indications for arthrodesis of the shoulder. J. Belg. Med. Phys. Rhum. *20*:28, 1965.

Williams, K. A.: Ankylosing spondylitis. Br. J. Clin. Pract. *19*:647, 1965.

Section VI

TUMORS OF THE SHOULDER AND THE NECK

Chapter 17

TUMORS OF THE SHOULDER AND NECK

In the realm of shoulder and neck neoplasms the most significant developments have occurred in the management of osteosarcoma. New chemotherapeutic agents have been employed singly and in combination, along with an altered outlook with reference to lung metastases, and the realization that thoracotomy with resection of metastases can play an important role in long-term survival. The principles and techniques of the surgical operations for resection of the tumors have not altered significantly, nor has the approach to disarticulation or forequarter amputation. However, the combined application of all the agents has been carried out in a much more aggressive fashion, with significant improvement in results. Surgical techniques have not altered greatly, but the usefulness of radiation has increased, and some forms of drug therapy now show new promise for control of certain tumors.

INVESTIGATION AND DIAGNOSIS OF SUSPECTED TUMORS

No magic method of preselection of cases with neoplasms has yet been defined to replace the importance of constant clinical awareness that pain in the shoulder, particularly in the young person, can be due to tumor formation.

Accurate clinical assessment, meticulous radiologic investigation, and concomitant laboratory studies remain the foundation for investigation of tumors. No one procedure should be omitted in the hope of skipping quickly to an answer through the use of another. The armamentarium now includes significant new tools that allow an in-depth assessment of any lesion in the suspicious category.

In the older patient, eternal vigilance

remains the watchword, because the shoulder area is such an accessible one for metastatic seating.

SPECIAL POINTS IN THE HISTORY

As a generalization, the more serious lesions of bone malignancy are encountered in the early years, and in the second decade in particular. The upper end of the humerus is the third most common site of primary malignant bone tumor. In the history of these lesions, pain is the cardinal symptom and is usually the first symptom to call the attention of the patient to the area. The usual mode of onset is a nagging discomfort in the general shoulder-neck region that may be difficult to define. This soon changes, with the pain occurring more constantly and assuming a more persistent boring quality. The patient cannot get comfortable; no position alters the pain; sleep is interfered with, and sedation gradually has only a transitory effect. In a patient under 30 without a history of significant trauma who complains of a persistent discomfort in the shoulder area, the possibility of serious bone or joint involvement must be kept uppermost. The pain may not be severe. The one characteristic that should arouse suspicion is the persistence, since nearly all painful disorders of the shoulder respond to rest or to change in position with a decrease in discomfort. Continuation of the pain should make one look further and more carefully.

A history of injury is associated in so many cases, and often the patient is certain that his trouble arose from this incident. Our present knowledge suggests that injury does not cause bone tumors; trauma, however, often calls attention to an area already the seat of disease, and from then on the patient is aware of the process. Any pertinent incident should be carefully documented, since medicolegal controversy frequently develops following injury.

Limitation of movement is the next most frequent symptom. This may be active or passive, but in the early stages it is almost always active and results largely from the production of pain on motion. Later, passive movement, too, is hampered, and finally the patient develops a characteristic picture. The face is thin and drawn from months of pain; the expression is anxious; the shoulder is kept rigidly still, supported close to the side by the good arm; the posture is stooped; and any jar is exquisitely painful. Fracture may occur following an unusually trivial trauma, and may be the first indication of more serious disease, particularly of cystic lesions in the upper end of the humerus.

SPECIAL POINTS IN EXAMINATION

Careful and complete physical examination is essential, and includes a general examination as well as one of the suspected local area. There should be routine examination of neck, chest, breasts, abdomen, pelvis, and prostate. In patients past middle life, particular care is exercised in this routine to disclose primary tumors. Secondary tumors in the shoulder region can be the first sign of serious malignant disease of the viscera. A pathologic fracture of the neck of the humerus, for example, may be the first indication of widespread disease.

Swelling. Abnormal masses are detected by inspection and palpation. Unusual contour may be obvious, but overlying soft tissues often mask the lesion. The clavicle, the upper end of the humerus, and the scapular region are palpated for unusual swelling. The outline, consistency, and relation to skin and deep structures of any mass are assessed. Invasion of soft tissues is checked. A soft, freely movable lesion is not usually serious. A firm, adherent enlargement, diffuse in outline, somewhat tense, gradually increasing in size, is significant. Attention should be paid to the overlying skin. If it is soft and freely movable, the subjacent swelling does not suggest aggression. If it is thin, somewhat stretched, and adherent, suspicions should be aroused. Note is made of any throbbing sensation or sense of vascularity of the swelling. The axilla and supraclavicular fossa should always be searched for enlarged lymph glands. Vascular abnormalities are noted: for example, venous engorgement of the arm or chest due to subclavicular or mediastinal obstruction.

RADIOGRAPHIC INVESTIGATION

The radiologist can help tremendously in the diagnosis and investigation of bone tumors, and should be consulted early. Much of our improved knowledge of these tumors has come from the efforts of these colleagues. If skilled opinion is not immediately available, x-ray films can always be mailed to a recognized center in the area. Although it is asking a great deal to expect even an expert to express an opinion on films that may not show quite the caliber and technique to which he is accustomed, he can still guide and direct the investigation in a most helpful fashion. Routine views, as outlined previously (Chapter 4), are done first. When a suspicious area is demonstrated, further special views are in order. Films are made to show greater structural detail and soft tissue shadow. A "scout" series of the rest of the skeleton is indicated, particularly in cystic lesions. Chest plates are essential to rule out possible secondary involvement of the lung or a primary chest tumor, since the shoulder lesion might then be the metastatic one.

BONE SCANNING

Bone scanning is now an established and important tool in the investigation of neoplasms (Fig. 17–1*A* and *B*). The use of SR5 and Barium-135 with improved radiologic techniques has allowed a fast total body scan, producing extremely accurate results.

A further modification is the use of ultrasound B scan, which helps particularly in monitoring tumors of the neck. The apparatus is helpful in the identification of tumor formation, but also plays a further role in the assessment of the response to new chemotherapeutic agents. The use of ultrasound B scan with serial longitudinal transfers can record quite precisely regression or progression of a given tumor, for example, in the neck.

CAT SCANNING

Computerized axial tomography affords new opportunities for assessment of some shoulder problems (Fig. 17–1 *C* and *D*).

LABORATORY INVESTIGATION

Blood and urine determinations of certain critical elements remain important aspects of tumor investigation. These include the determinaion of hydroxyproline levels, alkaline and acid phosphatase, blood calcium and phosphorus, Bence Jones protein, and urinary calcium by the Sulkowitch method.

Diagnostic Value of Laboratory Tests

Biochemical analysis remains an essential element in the study of all bone disease, and there are findings of particular importance in tumor investigation.

Hydroxyproline Urine Determinations. Bone tissue contains about 40 per cent of the total body collagen, and this is rich in glycine, with a high concentration of the amino acids, proline and hydroxyproline. Roughly 10 per cent of the total amino acid residue in collagen is in the form of hydroxyproline. Monitoring hydroxyproline excretion in the urine can be a significant indicator in the investigation of neoplastic and metabolic diseases of bone. This is carried out by taking a 24-hour urine sample.

The concentration of hydroxyproline is greatest in the younger age-group of 10 to 14 years. Patients with malignant bone tumors, particularly osteogenic sarcoma and secondary metastases, for example, from the breast, show considerable increase in the excretion of hydroxyproline. The test also has been found to be of prognostic significance following surgical treatment, in that the continued presence of a high level is a poor prognosis.

Phosphatase Levels. Phosphatase is an enzyme present in many body tissues. It is elaborated in bone as an alkaline phosphatase, and is intimately connected with the calcification process. During new bone or osteoblastic bone formation, an increased amount is present at the site, and the excess passes into the blood. Its specific action is to break up inorganic phosphorus compounds, increasing phosphoric acid locally, which then forms calcium phosphate. Nearly all the alkaline phosphatase is derived from bone, and the blood level roughly parallels the bone level. It thus provides reliable evidence of osteoblastic activity. It is also used as an indication of liver function, since it is normally excreted by the liver. When disease interferes with liver function, phosphatase in the blood is increased because it remains

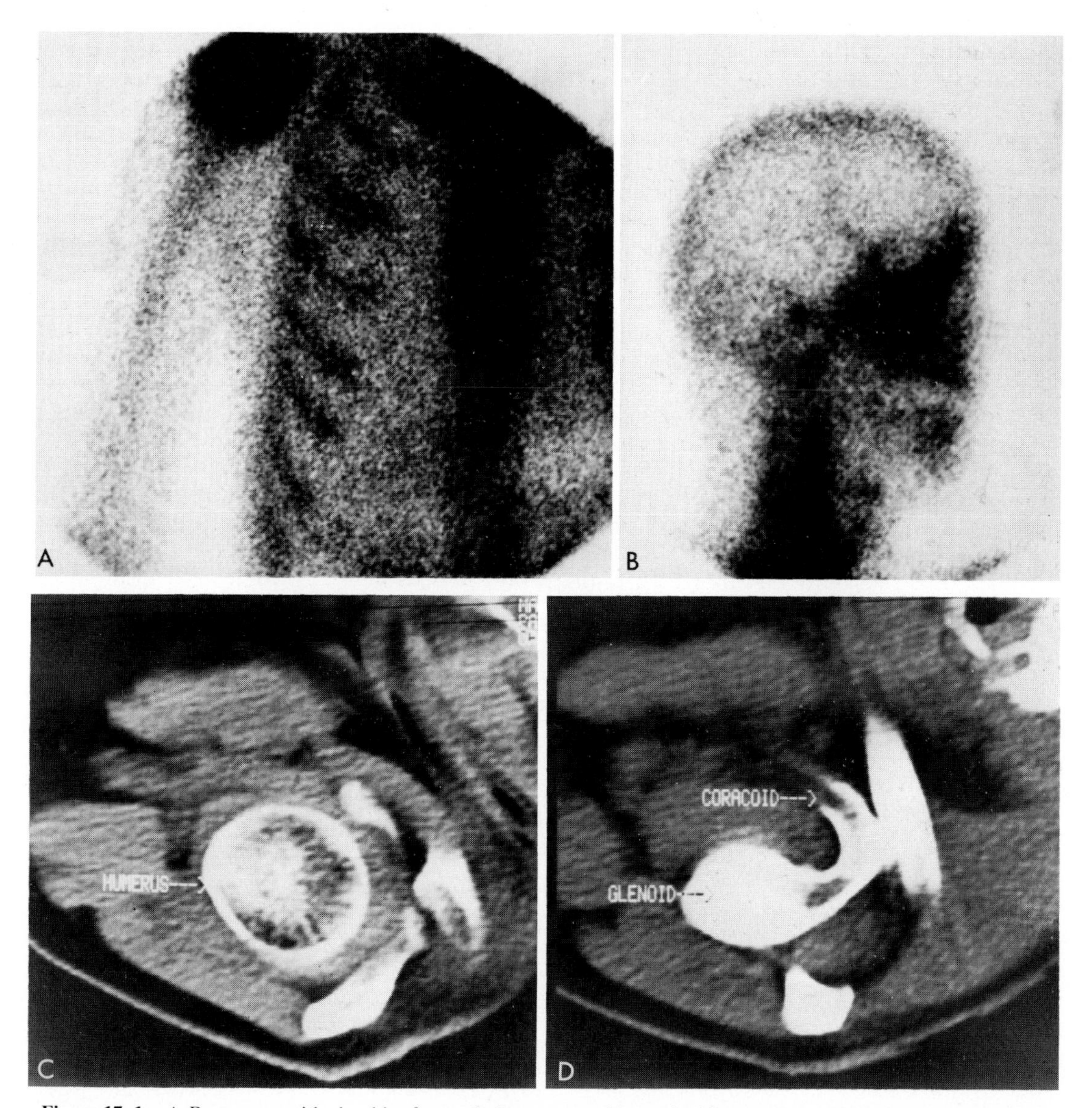

Figure 17–1 *A*, Bone scan with shoulder focus. *B*, Bone scan with cervical focus. *C* and *D*, CAT scan demonstrating shoulder relations post medial acromioclavicular arthroplasty.

unexcreted. Another enzyme, acid phosphatase, is also significant in tumor analysis. It is formed normally in large amounts in the prostate, and stays within normal limits in health, and also in cases of prostatic malignancy that have not metastasized. When the tumor has gone beyond the prostate, the enzyme is detected in abnormal amounts in the blood stream.

Discussion of Phosphatase Levels. The study of the phosphatase level has come to play an important part in the diagnosis of bone lesions; in some cases it is helpful in the prognosis and assessment of reaction to treatment. An elevated alkaline phosphatase level is encountered in Paget's disease, hyperparathyroidism, metastases (osteoblastic or osteolytic), osteogenic sarcoma, carcinoma of the prostate, and rickets. Normal or slightly elevated levels are encountered in giant cell tumor, Ewing's tumor, reticulum cell sarcoma of bone, plasma cell myeloma, and osteomalacia. Normal levels are encountered in senile osteoporosis, inflammatory diseases of bone, osteochondromas, osteomas, chondromas, exostoses, benign fibromas, and solitary bone cysts. Serum acid phosphatase is markedly elevated in a high percentage of patients with carcinoma of the prostate with bone metastases. In primary bone tumors, no disturbance in blood calcium or phosphorus should be anticipated. When the tumor is forming new bone rapidly, the alkaline phosphatase is elevated. A high acid phosphatase determination in light of our present knowledge is highly suggestive of carcinoma of the prostate. This does not mean, however, that a significant rise is always found.

Significance of Repeated Phosphatase Analysis. Repeated phosphatase determinations are significant in that they may indicate the course of the disease. A favorable process may be interpreted from a drop in acid phosphatase, whereas marked elevation usually indicates an unfavorable course. When metastases from carcinoma of the prostate show marked new bone formation, the alkaline phosphatase is also elevated. This latter is produced by the bone around the malignant process; the acid enzyme, in contrast, is derived from the malignancy itself or from metastases to other regions, not from reaction of the bone around the metastases (Luck).

High level phosphatase determinations may show a drop after amputation, excision of the tumor, or its inactivation by radiation. If a fall in the phosphatase does not occur, one may suspect the presence of secondary involvement. If the level rises after staying within relatively normal range for some time, again metastases may be suspected. Similarly a lesion that has been treated by x-ray therapy, apparently satisfactorily, will cause a drop in phosphatase; if this returns to the high level, reactivation is probable. These findings cannot be followed rigidly, but they help as a general guide.

Calcium and Phosphorus Levels. Calcium and phosphorus levels are not usually altered in primary bone tumors. Diagnostic variations occur in endocrine or metabolic bone lesions, however, and the shoulder may be involved in any of these. Recklinghausen's bone disease as a result of hyperparathyroidism is a classic example. Blood calcium is raised, phosphorus is lowered, and urinary calcium is increased. Renal osteodystrophy is the term given to bone and blood changes caused by parathyroid hyperplasia; it is believed to be stimulated by renal insufficiency. Blood calcium is low in this disease, as is urinary calcium excretion, whereas the phosphorus level is high. Calcification of tissues, sometimes generalized, is encountered. Paget's disease is a profound skeletal disturbance in which decalcification and then new bone formation may occur. The shoulder particularly the humerus, may be implicated in either or both of these processes. During the osteoporotic phase, there may be moderately increased blood calcium and lowered phosphorus, but the urinary excretion is nearly always normal.

Protein Levels. Recent investigation indicates that protein is more important in some bone diseases than has previously been appreciated.

Multiple Myeloma. Profound disturbances of protein metabolism occur in multiple myeloma. These consist of the appearance of urinary Bence Jones protein, altered serum globulin content, and abnormal amyloid deposits.

Menopausal Osteoporosis. Changes occur in the skeleton during the menopause that sometimes produce symptoms, chiefly in the back and pelvis. Biochemical changes occur at the same time so the condition may be confused with some of those, e.g., Recklinghausen's disease. The demineralization that occurs has been attributed to deficient protein bone matrix, which leads to a general decalcification. Blood and urine levels of calcium are increased slightly, and blood phosphorus is lowered. The alkaline phosphatase remains unaltered, in contrast to hyperparathyroidism and malignant bone lesions.

BIOPSY

Tumor investigation is completed by biopsy study. Before this step is taken, all the information derived from history, examination, radiograph, and laboratory analysis should be collected and studied. The biopsy procedure is important, and should be done by one who is prepared and equipped to carry treatment of the case to completion. Undesirable complications result from intervention made too hastily or by unqualified personnel. Tumor may be disseminated, profuse hemorrhage may be encountered, and wounds may be difficult to close, leaving fungating masses. These complications are prevented by systematic preparation, complete co-operation of auxiliary services, and meticulous technique.

Technique. The presence of the pathologist at the operation, both to observe the gross appearance of the lesion and to guide the surgeon in removing representative tissue for study, is of tremendous help. In dealing with bone tumors, quick sections have proved to be of inconsistent reliability unless the new technique of neutron radiography is available. In this method the biopsy sample is processed as a type of fast-frozen section, and the result can be transmitted to the surgeon in a very short time. This is very sophisticated equipment, usually available only in major centers.

The preparation of material from the quick section is often not good enough for even the expert pathologist to express an accurate opinion of great importance. It has been established that no serious harm results from a formal surgical removal of tissue for careful preparation and study.

In performing biopsy, it is important to remove representative tissue and to prepare meticulous tissue sections from which an accurate diagnosis can be made. The procedure should be regarded as a major operation, and must be performed under the usual rigid aseptic technique of bone procedures. An easily approachable area is chosen for section where there is no serious skin involvement. Tissues are handled gently. Representative areas (as indicated by x-ray and gross examination) of cortex, medulla, and adjacent soft tissues are removed. Bleeding is controlled by electrocoagulation, Gelfoam, or surgical gauze. The wound is closed tightly in layers and should never be drained. Sutures are not removed until the wound is well healed because of the danger of fungating extension. In some instances, aspiration biopsy will suffice, particularly when there is a question of inflammatory disease. This is also done under meticulously sterile conditions. The selected area is infiltrated with 2 per cent Novocain, and a large bore needle, No. 18 to 20, is introduced after puncture of the skin. It is advanced into the tumor mass, and a core of tumor tissue sucked out. If desired, a guide wire can be used, a small tube with teeth on the end guided over the wire, and a segment reamed from the tumor. X-ray visualization can be used to localize the lesion, if necessary. In most cases involving the shoulder, formal biopsy is preferable.

TUMORS OF THE SHOULDER

SOFT TISSUE TUMORS

Skin, subcutaneous tissue, lymph glands, muscles, connective tissue, nerves, vessels, and some viscera produce soft tumors that need to be differentiated from one another. The areas about the shoulder in which these are commonly found are: (1) above the clavicle at the front and back; and (2) in the axilla.

Supraclavicular Area

Sebaceous Cysts. The common tumor or swelling over the back of the shoulder and adjacent neck area is the sebaceous cyst, which appears as a soft, globular enlargement with a small black dot in the center, representing the blocked sebaceous duct. It is in the skin, so it moves with the skin; it is usually small, but can reach 2 to 3 inches in diameter. The outline is round or oval, not lobulated. Cheesy sebaceous material is expressed on pressure or excision. These do not cause significant disturbance unless they are secondarily infected, or break down and suppurate. They may be excised under a local anesthetic. The excision should include a small piece of skin with the blocked duct.

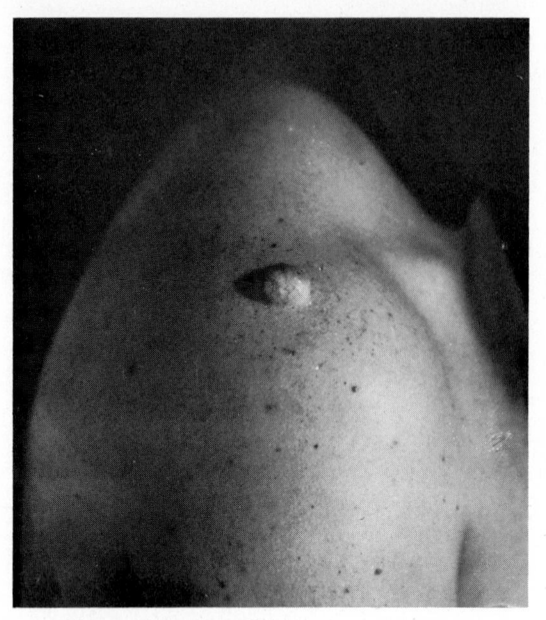

Figure 17–2 Superficial lipoma of shoulder.

Lipomas. Tumor-like collections of normal fat occur frequently over the posterior aspect of the shoulder, back, and neck. Occasionally, fat in the supraclavicular area looks like a tumor, but it is not so clearly demarcated as a true lipoma of the back or neck. Lipomas are soft, lobulated, painless, and sharply demarcated. They are not fluctuant or adherent to deep structures. The lobulation is due to fibrous septa passing between the fat deposits, which aids differentiation from the sebaceous cyst. The rubbery consistency of the lipoma further separates these two lesions. The lipoma is a true tumor, but has no tendency to malignant change. Symptoms result solely from local pressure. Sometimes, trauma results in hemorrhage into the area, causing considerable pain. These swellings commonly are present for a long time without causing symptoms. When they become noticeable or the patient feels they have increased in size, they should be excised. In some occupations, as in lifting weights on the shoulder, pressure is occasionally irritating and forces excision of the tumor (Figs. 17–2 and 17–3).

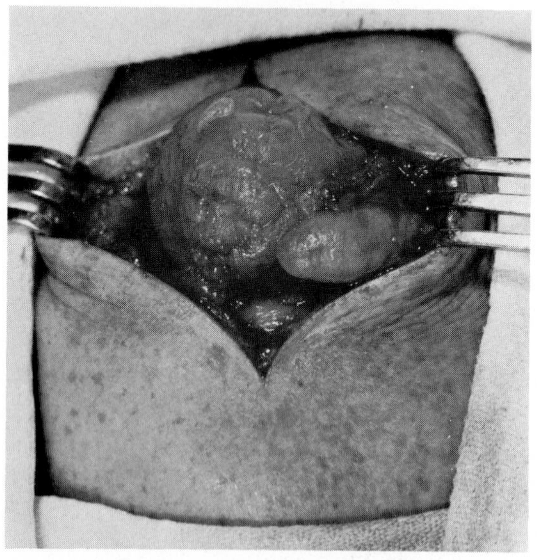

Figure 17–3 Deep lipoma of shoulder.

Neurofibromas. Pigmented, firm nodules, usually multiple, are common in this region. Most of these are neurofibromas growing from branches of the cutaneous nerves. They arise from the connective tissue sheath of the nerves, and are small and painless. They are found all over the body, sometimes as a generalized neurofibromatosis. A plexiform type is occasionally encountered. Treatment is not required unless, as occurs rarely, there is a sudden enlargement and irritation. Tumors sometimes arise from the brachial plexus, either as part of a generalized neurofibromatosis or as a solitary tumor. Neurofibroma is a common lesion and occasionally becomes malignant. The treatment is resection of the tumor and sufficient nerve trunk on either side so that all tumor tissue is removed (Fig. 17–4).

Lymphatic Swellings. Lymphatic enlargement is common in this region. The inferior, deep, cervical lymph glands lie here and are frequently implicated in infections, tumors, and blood and reticuloendothelial disorders. These glands drain the back of the neck and scalp, the superficial pectoral region, and the lateral part of the arm and forearm; therefore, they are involved in infective or neoplastic processes from chest, neck, back of the shoulder, and back of the tongue.

In addition to local lesions, these glands are involved in generalized systemic disturbances such as leukemia, Hodgkin's disease, or tuberculosis. The glands are relatively superficial, not much subcutaneous material being present. The area is examined frequently, so that these glands may be the first to be noted by the patient in some of the generalized processes. The type of enlargement varies from a tangled inflammatory mass to the

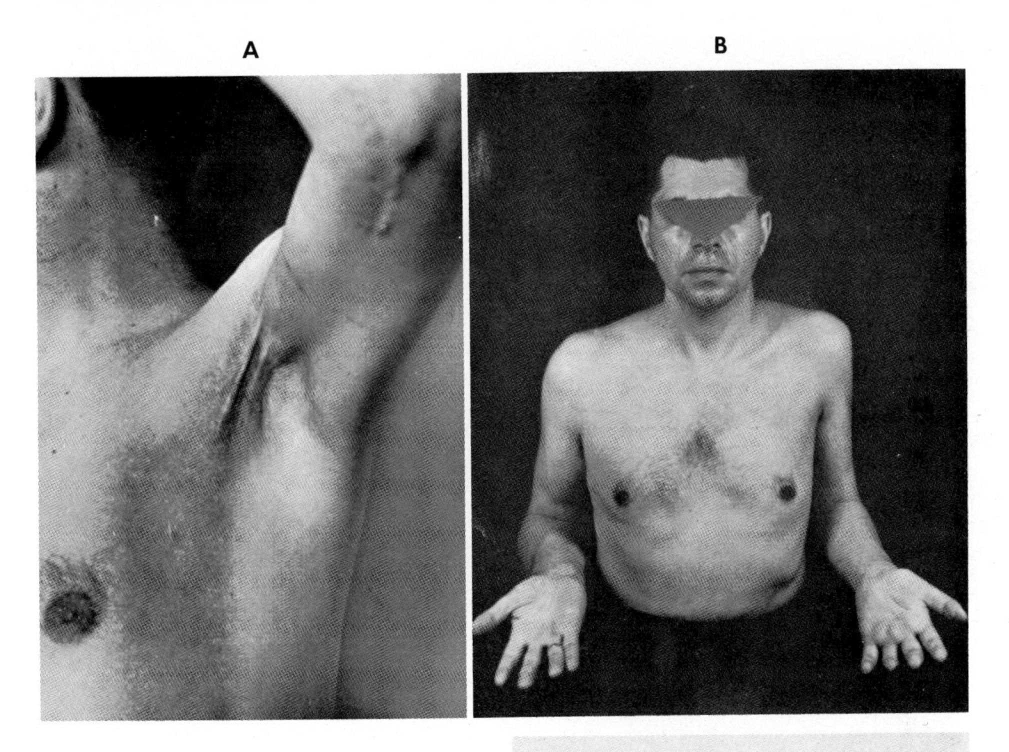

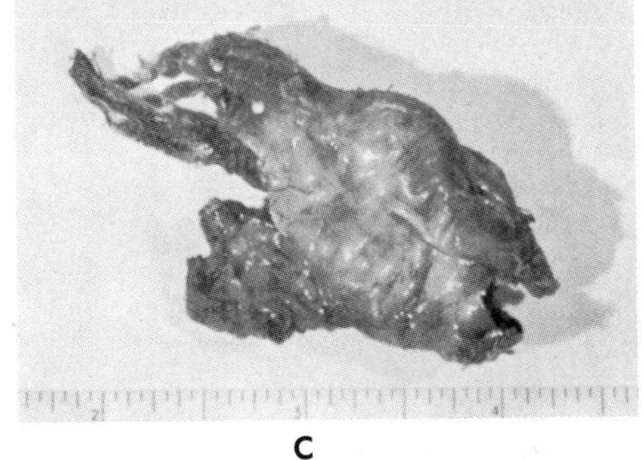

Figure 17-4 Neurosarcoma of brachial plexus. *A*, Biopsy scar. *B*, Extensive changes in hand. Note swollen fingers and thenar atrophy. *C*, Tumor removed in resection.

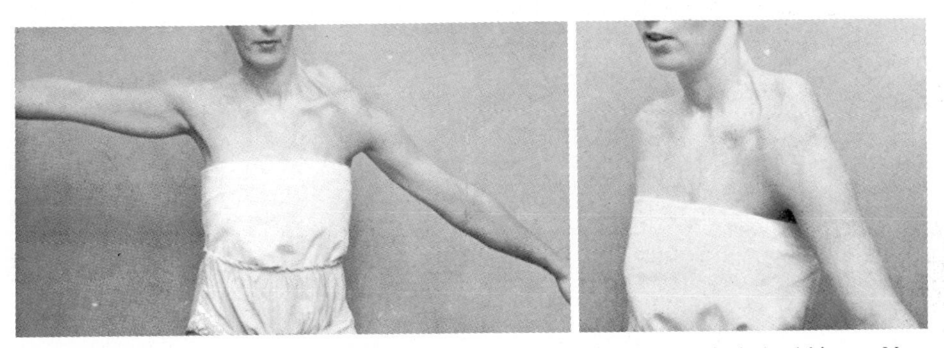

Figure 17-5 Patient with trapezius and levator scapula paralysis following cervical gland biopsy. Note extensive deformity, with altered neck contour and winging of scapula.

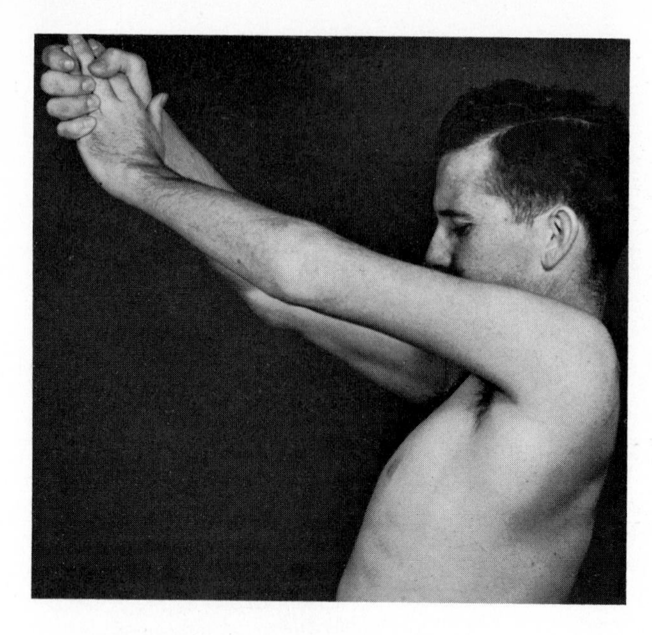

Figure 17–6 Axillary adenitis from elbow infection. Note swollen axilla.

multiple, discrete, rubbery nodules of the lymphoblastomas. Simple local infection in the neck, tongue, or back may still be the cause. Study of other areas discloses the irritating lesion. Because these glands are obvious and accessible, biopsies are frequently taken from them. The glands lie close to the accessory nerve, and care must be taken to avoid damaging it. A cluster of glands lies around the nerve as it crosses the posterior triangle, and it is easily cut or crushed (Fig. 17–5).

Axillary Swellings

Discomfort in the shoulder arises from lesions in the axilla, which are sometimes overlooked. Lymph tissue is the common source of axillary enlargements (Fig. 17–6).

Lipomas. The axillary area allows enlargement of tumors such as a lipoma, often without early identification. Occasionally a larger lipoma develops in the area that may come into clinical focus in an acute fashion following stress or injury.

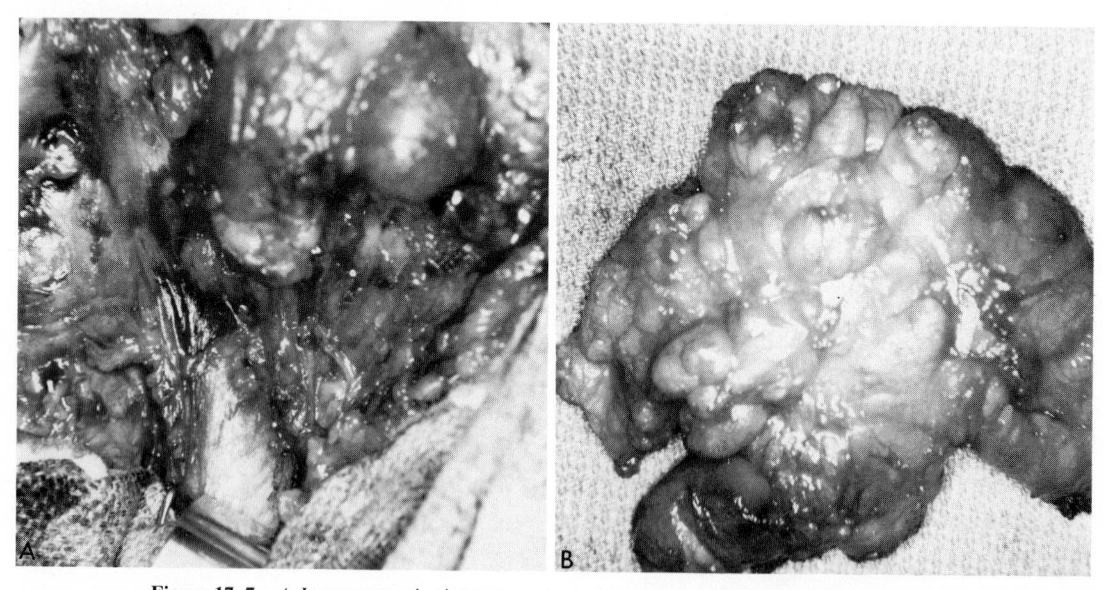

Figure 17–7 *A*, Large posterior intermuscular axillary lipoma. *B*, Large lipoma resected.

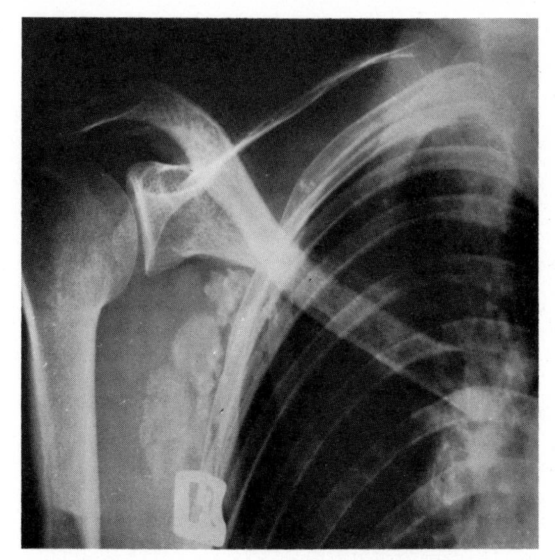

Figure 17–8 Calcification of axillary glands.

The treatment is meticulous local excision (Fig. 17–7).

Lymphatic Involvement. A tender, rounded swelling that comes up quickly is most probably a lymphadenitis. There are 20 to 30 glands that communicate with this region and drain the shoulder, back, front of chest, breast, upper abdomen, hand, and forearm. Infection in any of these areas may produce a swelling in the armpit. These glands are susceptible also to the other causes of adenopathy outlined previously, but infection is by far the commonest cause. A hangnail, olecranon bursitis, or pimple on the chest may lead to pain, soreness, and limitation of shoulder movement. Infection arising in the axilla itself is common, since hair follicles become inflamed by repeated use of irritating antihidrotics. Recurrent infection may be so well established that massive excision and replacement by skin grafting is needed. Calcification is occasionally seen in these glands (Fig. 17–8).

Upper Arm

Swellings in deltoid and bicipital regions merit careful assessment because they are a not infrequent source of serious neoplastic development. The tumors for the most part are benign, but occasionally a very malignant tumor such as a rhabdomyosarcoma is encountered.

In the case of a benign tumor, local local excision suffices (Fig. 17–9*A* and *B*). Malignant tumors require radical treatment such as disarticulation or forequarter am (Fig. 17–10*A*, *B*, and *C*).

BONE TUMORS

Every practitioner should be on guard when a young patient, particularly one between 10 and 25 years of age, complains of continuous, dull, aching shoulder pain followed by limitation of movement and local tenderness, since this may be the early indication of a bone tumor. Swelling or even thickening is a late sign, and if recognition is delayed until this appears the case may be hopeless. The symptoms are so often related to some accident or traumatic incident that everyone needs to be on guard (Fig. 17–11). Sometimes the initial x-ray film fails to show the lesion, so that all patients with persistent pain should be re-examined in a month's time, rather than labeled as psychoneurotic.

TUMORS OF THE UPPER END OF THE HUMERUS

Tbe upper end of the humerus is the third most frequent site of the body for the development of neoplastic change. In addition, it is not infrequently a site for metabolic disturbance, infections, parasitic disorders, and other disturbances. Changes suggestive of neoplasm and neoplastic-like disorders most commonly take the form of a circumscribed area of rarefaction, which then may have certain specific qualities and changes characteristic of many lesions.

An extensive study of the incidence of primary tumors of the upper end of the humerus has been carried out by Dahlin and Coventry of the Mayo Clinic, with the results summarized as follows:

Adolescent and Young Patients

Benign	*Malignant*
Osteochondroma	Osteosarcoma
Solitary bone cyst	Ewing's tumor
Osteoid osteoma	Chondrosarcoma
Aneurysmal bone cyst	Reticulum cell sarcoma
Giant cell tumor	
Benign chondroblastoma	
Multiple chondromas	

Adult to 50 Years of Age

Benign	*Malignant*
Single chondroma	Chondrosarcoma
Giant cell tumor	Multiple myeloma
	Reticulum cell sarcoma

Text continued on page 701

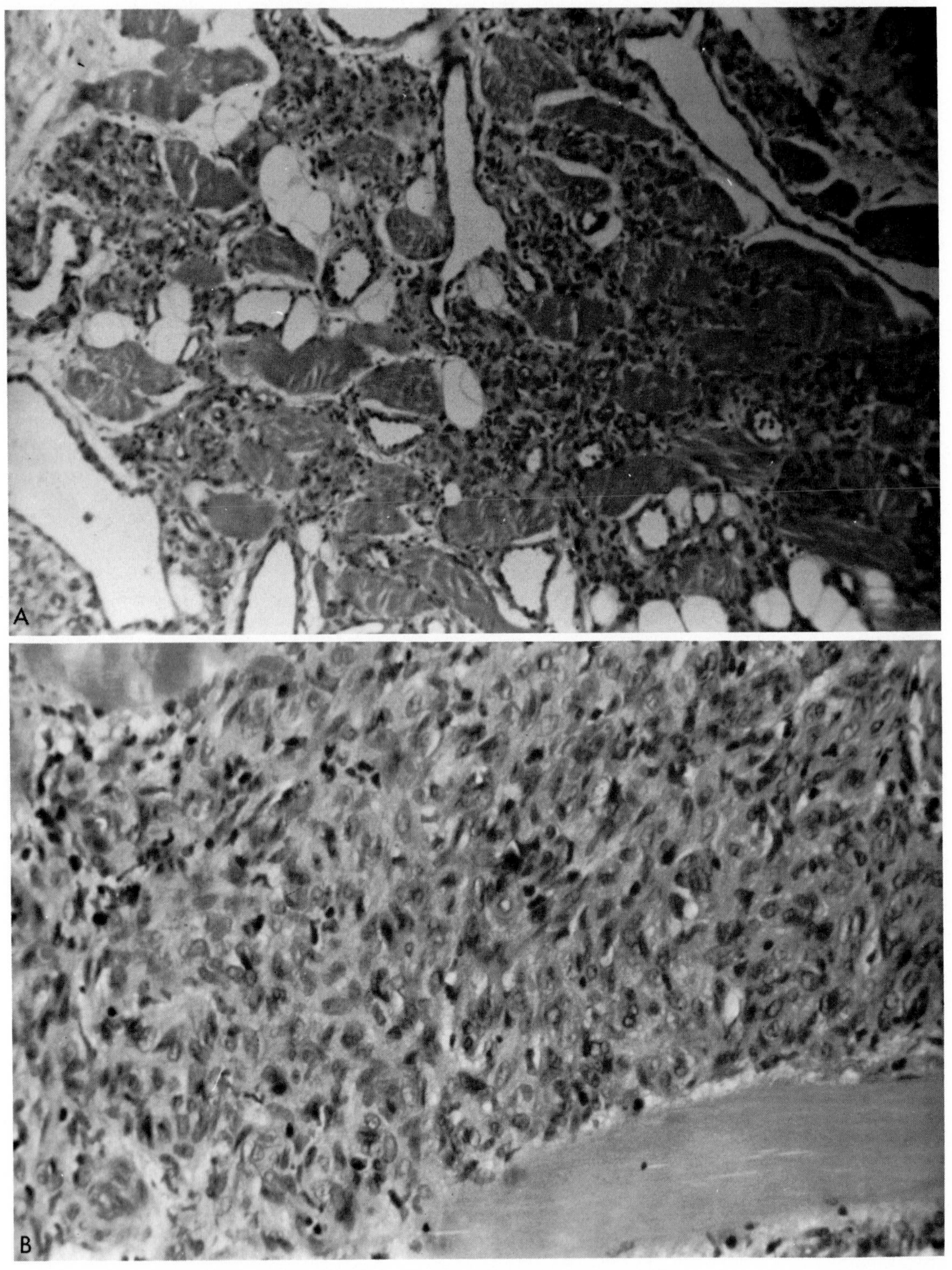

Figure 17–9 *A* and *B*, Cellular angioma of deltoid.

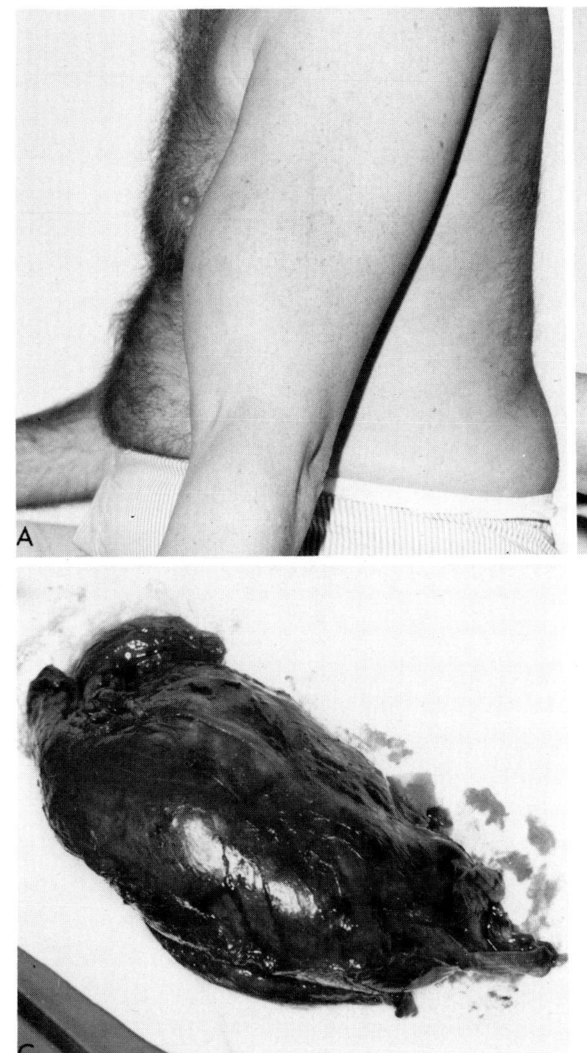

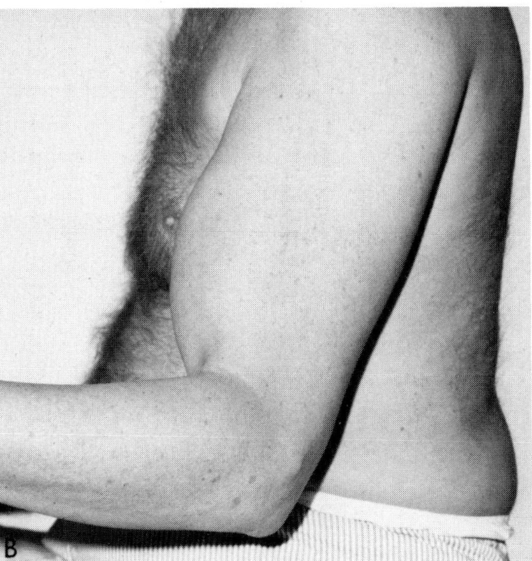

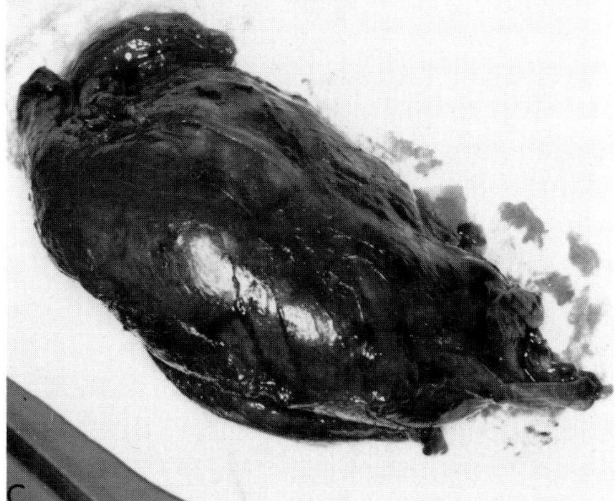

Figure 17–10 *A* and *B*, Bicipital swelling simulating ruptured biceps. *C*, Rhabdomyosarcoma of biceps following forequarter amputation.

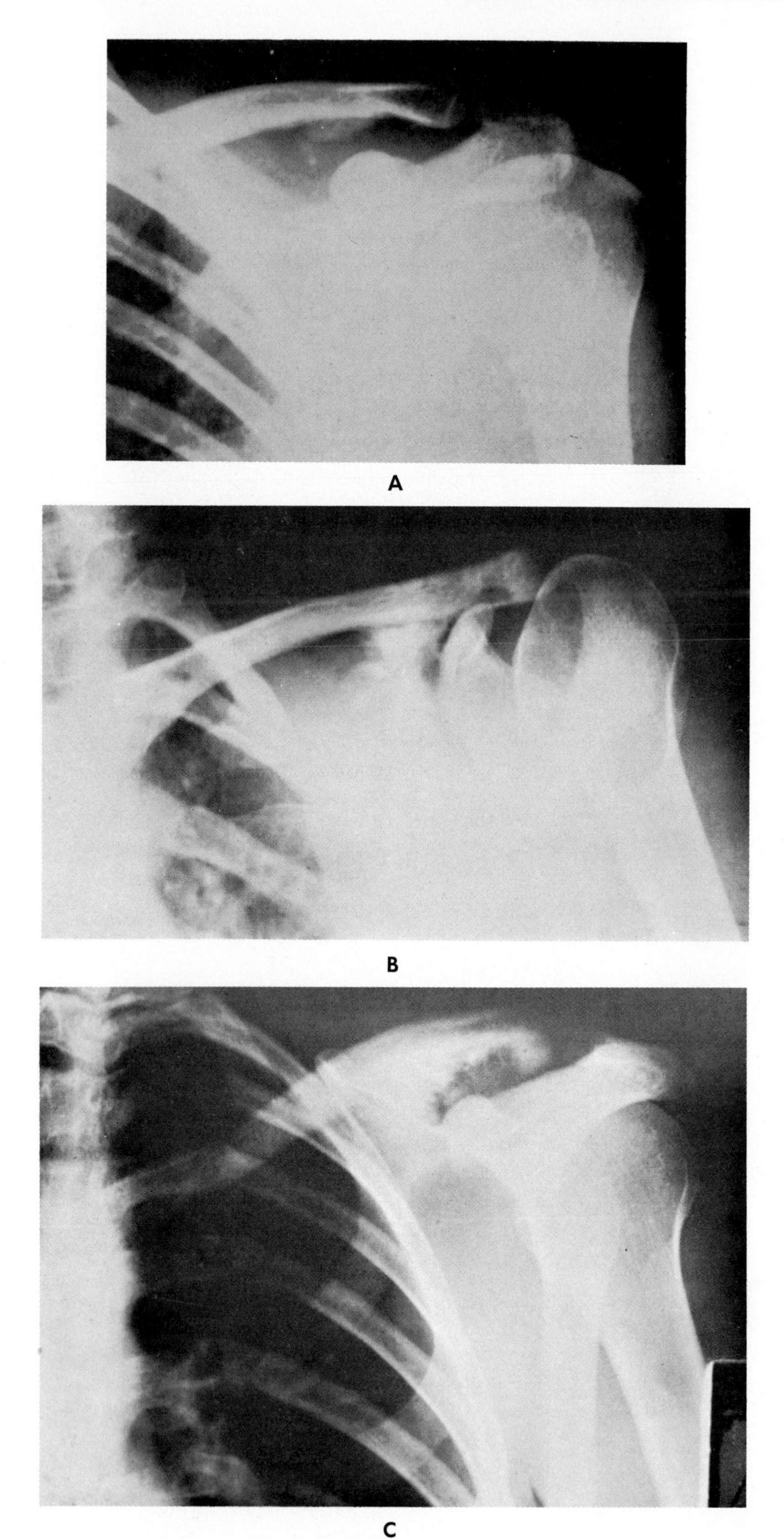

Figure 17–11 *A*, Blow on the shoulder blamed for persistent pain. *B*, Two months later. *C*, Advanced osteosarcoma.

Solitary Bone Cyst of Humerus

The upper end of the humerus is the commonest site of the lesion known as solitary bone cyst. A translucent or cystic expansile area of bone is seen lying juxta-epiphyseal, but always diaphyseal in site. It is definitely demarcated and occasionally trabeculated. It is of clinical importance that the second commonest pathologic fracture encountered in the upper end of the humerus is due to the solitary bone cyst.

Clinical Features. There is no complete agreement on the origin of the solitary cyst. The occurrence of a fracture from a relatively trivial trauma is a frequent first symptom. Pain occurs, but is intermittent and not severe. There is gradual expansion, leaving a thin cortex that is easily fractured. Repeated fractures lead to thickening of the cortex, and sometimes obliteration of the cyst. The cysts begin on the diaphyseal side of the epiphyseal plate, which is a cardinal observation in differentiating them from giant cell tumors, which arise on the epiphyseal side (Fig. 17–12).

Pathology. The radiographic appearance and clinical course follow a fairly constant pattern. There is considerable variation in the pathologic pattern, however. Grossly there is a well-defined cavity that sometimes contains fluid, sometimes blood, and sometimes a fibrofatty mixture. A definite lining membrane may be identified occasionally, or the edge of the cystic area may blend so completely with bone that no margin can be made out. Often it is difficult to obtain a good biopsy specimen by curetting the cavity. The lining membrane has a fibrous stroma and is avascular, with a few giant cells enmeshed in the stroma.

Diagnosis. As a rule, this lesion is easily diagnosed from its characteristic site and radiographic appearance. The only difficulty that arises in the diagnosis is in differentiating it from fibrous dysplasia or giant cell tumor. The giant cell tumor generally occurs at the end of the bone on the epiphyseal side. Fibrous dysplasia is encountered in the older age-group; trabeculation of the cyst is usual, and the lesions occur in other bones too. There are no abnormal laboratory findings in solitary cyst: calcium, phosphorus, and phosphatase are all within normal limits.

Treatment. Most of these cases should be treated surgically. Even when a pathologic fracture has occurred, it appears preferable to expose the area and insert massive bone grafts.

TECHNIQUE. The upper end of the humerus is exposed through a muscle-splitting incision. Aseptic technique is followed throughout. The site of the cyst is recognized by a slight expansion or bubble formation in the cortex. A portion of the cortex is removed and the cyst explored. It is curetted, coagulated, and swabbed—first with carbolic acid and then with alcohol. Bone is removed from the iliac crest or medial aspect of the tibia. Bank bone can be utilized, if preferred, but it is not quite as satisfactory. Whatever source of bone transplant is used, the most important step is to pack and obliterate the cavity completely; the cause of many failures in the past has been inadequate obliteration. The wound is closed in layers, and the arm is immobilized in an abduction plaster spica for eight weeks.

For a time radiation therapy was suggested in the treatment of these lesions, but experience has shown that surgery is preferable. The difficult cases are those that persist to adult life or those not treated radically enough at the primary operation. All these cases should be radiographed again at six-, 12-, and 18-month intervals after operation. Recurring cases sometimes require radical block resection of the diseased bone and massive grafts to repair the defect. Most patients do well; deformity and disability are not serious problems.

Giant Cell Tumor

This is a primary, benign bone tumor that occurs at the ends of long bones. The upper end of the humerus is not a common site, but neither is it rare.

Clinical Features. Swelling is usually the first sign, and is followed by disturbance in joint function. Tenderness is present on palpation. In the x-ray film it appears as a well-localized, cystic process on the epiphyseal side of the upper end of the humerus. Frequently the tumor is eccentrically situated, so that it appears as a blister or bubble-like development with trabeculation, and later shows more uniform expansile properties (Fig. 17–13).

Pathology. This tumor is usually benign, but improved laboratory methods and more careful study have permitted recognition of a more aggressive or telangiectatic form. Grossly an expanded portion of the cortex is

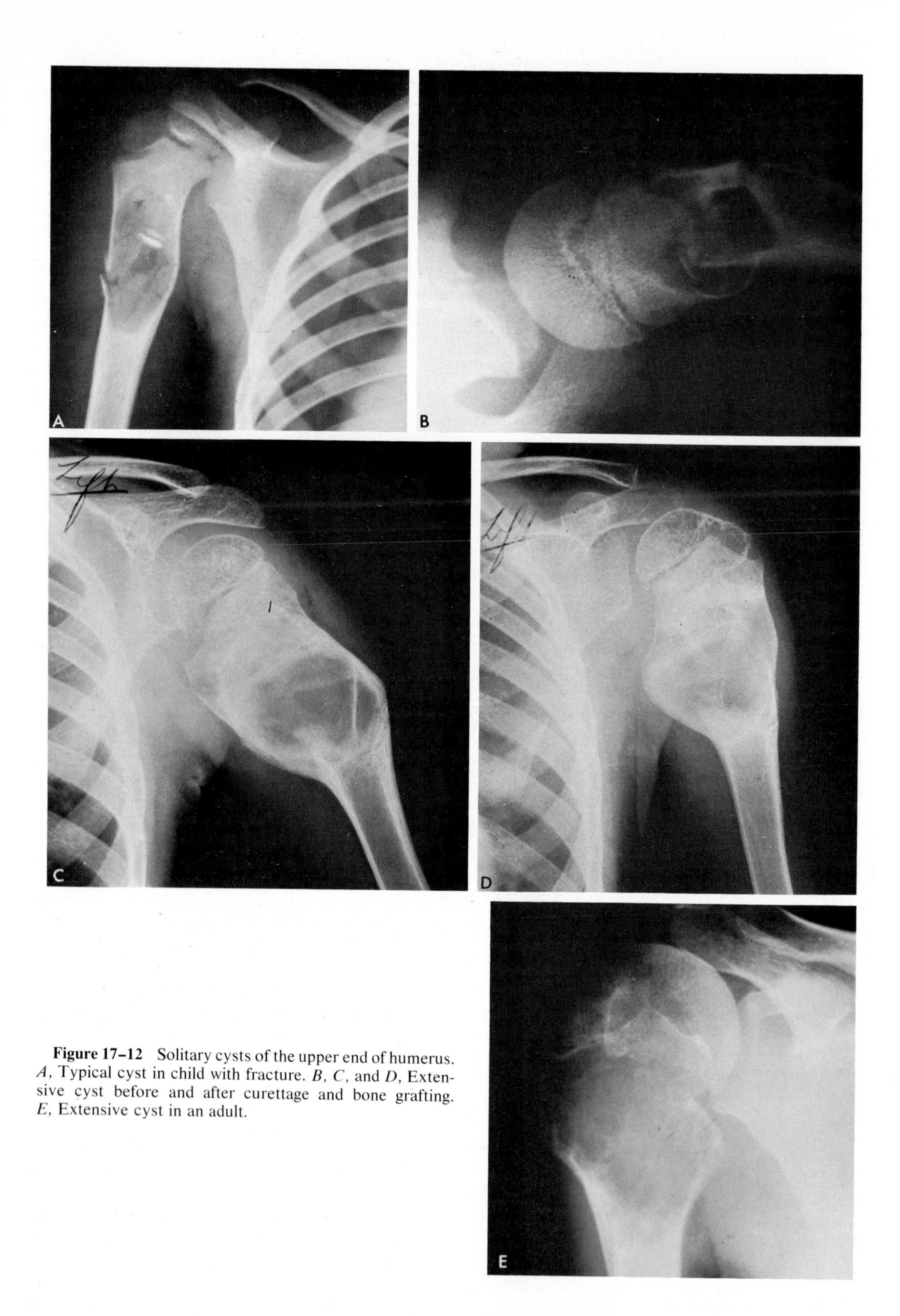

Figure 17–12 Solitary cysts of the upper end of humerus. *A*, Typical cyst in child with fracture. *B*, *C*, and *D*, Extensive cyst before and after curettage and bone grafting. *E*, Extensive cyst in an adult.

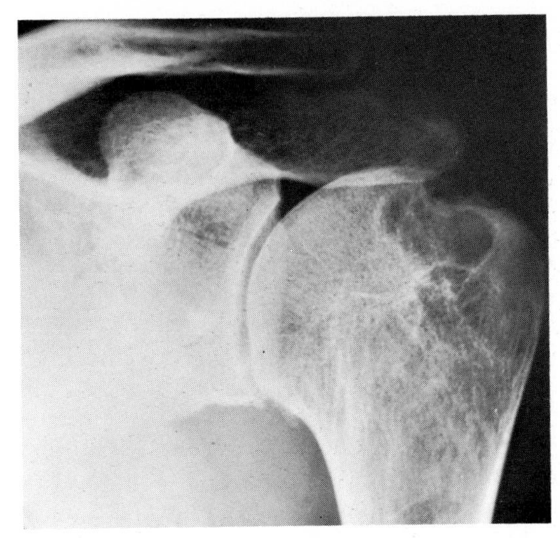

Figure 17–13 Giant cell tumor.

recognized, but there is no extension into the soft tissues or adherence to soft tissues. As the tumor grows there is a tendency to transverse expansion, rather than longitudinal progression. When cut into, the tumor has a characteristic currant-jelly appearance. Extending through the jelly-like area are fibrous strands and enmeshed spicules of bone. Microscopically it consists of a mass of multinucleated giant cells enmeshed in a vascular stroma.

Treatment. If the tumor is accessible, surgical excision and obliteration of the cavity is the preferred treatment. If it is not accessible, radiation may be used. Several factors determine the prognosis. The earlier the tumor is diagnosed and treated, the better the outlook. In general, the prognosis is good, but just as in any of these conditions, follow-up x-ray studies should be done at six months and a year. Some observers have classified these tumors according to microscopic appearance.

Benign Chondroblastoma of Humerus

A lesion somewhat linked to giant cell tumor has been identified; it is characteristically located in the upper end of the humerus. Codman originally called attention to this lesion, and it sometimes is referred to as Codman's tumor. The tumor occurs in young patients, and presents a vacuolated cystic appearance localized to the epiphysis. Recurrence of the tumor after the age of 25 is extremely uncommon. Attention is called to the area because of persistent pain, often an aching sensation, continuing at night in spite of resting of the extremities. In some instances slight swelling is apparent, and frequently there is persistent local tenderness. Radiologically the tumor appears cystic, with bubble-like striations and a patchy calcification. Grossly it appears as a grayish-yellow mass with irregular zones of calcification and hemorrhage scattered through it. Microscopically, giant cells, areas of calcification, and zones of fibrous tissue replacing hemorrhagic fields are found (Fig. 17–14).

The treatment recommended is complete excision and replacement by bone grafts, either cancellous or cortical, supported by cancellous bone. Radiation has some effect on this tumor, but it is less effective than resection and replacement with bone. The ultimate prognosis is good.

Aneurysmal Bone Cyst

This is a rare but essentially benign tumor that occasionally affects the upper end of the humerus (Fig. 17–15). Jaffe (1950) described the striking radiographic features characterized by a "blow out" or "aneurysmal" distention of the cortex, with preservation of a thin shell of bone. Characteristically the lesion is eccentrically placed in the bone, tending to involve only one cortical aspect. Patients almost always complain of pain localized to the shoulder region, and sometimes the pain does become acute, restricting shoulder movement in all directions.

X-ray examination can identify the lesion with reasonable certainty; the expansion of the bone, with preservation of a thin cortical shell, and the erosive character of the lesion as it abuts on the adjacent bone are characteristic features. Trabeculations within the lesions are few, and there may be no reactive sclerosis in the surrounding bone.

Pathologically the lesion is characterized by intercommunicating pools of brown, watery fluid that may show areas of recent hemorrhage. The blood spaces are outlined by bands of solid tissue that are usually thinned and attenuated by compression. Microscopically the solid tissue present consists of membrane-like layers of granulation tissue, with a minimum of fibroblastic elements. Histiocytes and multinucleated giant cells are prominent along the surfaces of the cystic spaces. In the more solid areas one finds proliferating fibroblasts and endothelial cells, and these are most prominent at the periphery of the lesion at the interface with the surrounding bone.

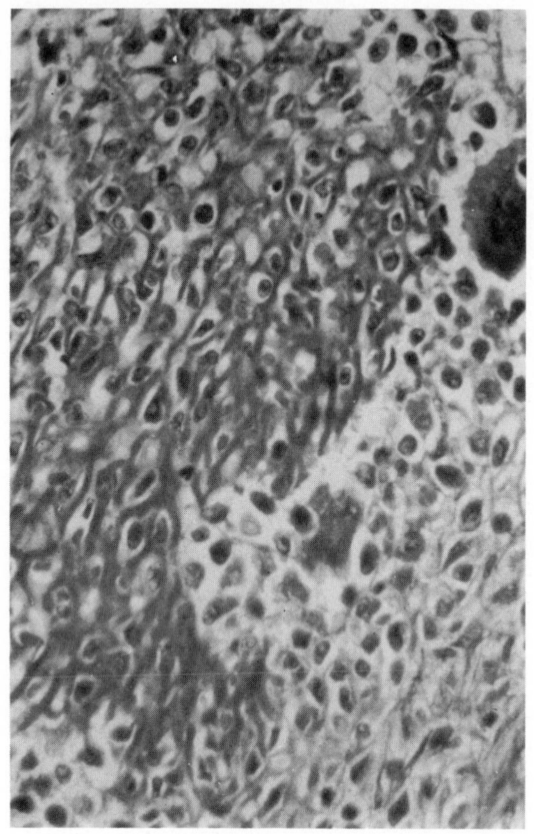

Figure 17–14 Chondroblastoma. Histologic picture is extremely cellular, showing mildly pleomorphic cells depositing intercellular matrix undergoing a degree of mineralization. Interspersed multinuclear giant cells are typical.

Occasional foci of metaplastic bone formation may be present, particularly at the periphery of the lesion. In the examination of biopsy material, care must be used to exclude any cellular atypia, for hemorrhagic necrosis and tissue liquefaction in giant cell tumor or osteosarcoma may mimic the pattern of aneurysmal bone cyst.

Surgical extirpation of the lesion by thorough curettage of the entire cystic area, and packing of the cavity with autologous bone, provides successful treatment. Recurrence after initial curettage is low, but once the cortical aspect of the lesion has been disturbed, soft tissue extension may occur in occasional cases; en bloc resection of the soft tissue extension, and on occasion saucerization of the bone, will fully eradicate the recurrent lesion in spite of what appears to be a very ominous progression.

Osteoid Osteoma

Jaffe proposed the concept of osteoid osteoma as a clinicopathologic entity in 1935. He described a small painful bone lesion occurring primarily in the age-group between 10 and 25 years. A clinical characteristic is the presence of symptoms of some years' standing before the lesion has been identified. In the case of the shoulder, persistent aching pain can be expected in the upper part of the arm and shoulder joint, with some restriction of motion. A point of exquisite local tenderness may be detected by pressure over the lesion, particularly in the lateral cortex of the humerus. In many instances the restriction of motion caused by the persisting pain produces extensive atrophy of muscle. Relief of the pain by administration of aspirin has been a significant clinical finding, but this need not necessarily be so.

The radiographic appearance is typical, demonstrating a small rounded lucency with a central density, all encased in an envelope of sclerotic bone. On occasion the sclerosis that encases the lesion may be so extensive as to completely hide the presence of the nidus. Periosteal reactive new bone may be part of the sclerotic reaction, and may modify the outline of the bone.

Pathology. The lesion consists of actively proliferating diminutive trabeculae of bone. They are covered by plump osteoblasts and show osteoclastic remodeling. The intertrabecular space consists of vascular fibrous stroma. Calcification of the trabeculae in the center of the lesion produces the radiographically detectable sequestrum-like density. More cellular granulation tissue, with less bone matrix deposition at the periphery, produces the lucent halo that denotes the nidus. Active resorption of the surrounding sclerotic bone gives the sharp delineation of the perimeter of the lesion (Fig. 17–16). The recommended and most successful treatment is en bloc excision of the lesion wherever possible. Grossly the lesion presents as a round, granular, red area deep in the cortex or at the junction of the medullary cavity and cortex. It is usually no larger than 1 cm in diameter. Once the lesion is excised, the remaining bony condensation slowly resolves.

Benign Osteoblastoma

This is a tumor entity that resembles osteoid osteoma histologically. However, this lesion tends to be larger in size and is more centrally located within the bone, and therefore has been given an alternate name of "giant osteoid osteoma." It produces much less reactive sclerosis than osteoid osteoma.

Histologically it is composed of diminutive trabeculae of bone that mineralize and which have well-organized osteoblastic cells along the surfaces. There is active osteoclastic remodeling. However, the stroma between the trabeculae tends to be more cellular and definitely more vascular, than that seen in osteoid osteoma. Although as a rule it is a relatively small tumor, it may produce a considerable degree of radiolucency and expansion of the bony outline. Irregular islands of calcification within the lesion produce patchy, and often granular, radiopacities. Whereas osteoid osteoma occurs primarily in the long bones of the limbs, osteoblastoma manifests a pre-election for the vertebral column. Involvement of the proximal humerus is rare. Complete surgical excision, with appropriate bone graft if necessary, constitutes satisfactory treatment.

Osteochondroma of Humerus

The commonest benign tumor of bone is the osteochondroma or osteocartilaginous exostosis. It occurs frequently on the upper end of the humerus, usually on the medial side just below the head. Most of these tumors develop in the first three decades, producing pain and limitation of motion as early symptoms. The typical lesion has a stalk 1 to 2 inches long, with a bulbous tip capped with cartilage. This projects upward at an angle above 60 degrees with the shaft (Fig. 17–17). The lesion may develop on the lateral aspect, in which case it more often projects at a right angle. The base is broad and bends with the shaft. The growth may extend to the point where it impinges on the glenoid, but more commonly the limitation of movement is from entanglement under the soft tissues. The tumor starts on the metaphyseal side of the epiphyseal plate; the tip is covered with cartilage, and growth continues at the top, usually until puberty.

Treatment. Surgical excision is the treatment of choice. Those lesions on the medial side may best be approached from the posteromedial aspect. Excision should include the periosteal layer and cartilaginous cap, cutting the case flush with the shaft. These lesions may rarely become malignant. Any osteocartilaginous tumor that starts to grow rapidly should be widely excised.

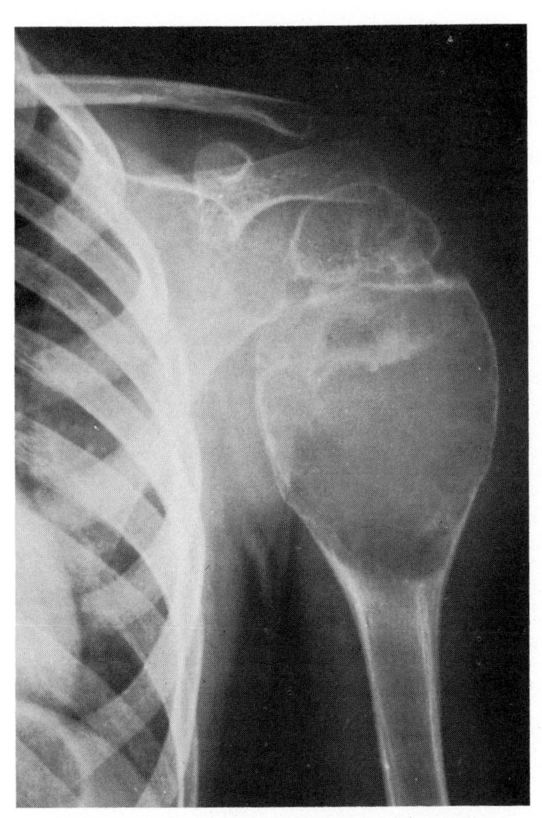

Figure 17–15 Aneurysmal-type bone cyst.

Solitary Enchondroma

The upper end of the humerus may be the seat of a solitary enchondroma. Occasionally this lesion resembles solitary cyst or fibrous dysplasia, in that it has a cystic appearance (Fig. 17–18). Next to the small bones of the hands and the feet, the humerus is not an uncommon site. Instead of a cystic appearance, the impression of a solid deposit is more common, with patchy, calcified flecks scattered throughout. This is a benign lesion, often coming to light because of an easily produced fracture. Pain with some limitation of movement may occur in the absence of fracture. The metaphysis is the characteristic site. The diagnosis is made on surgical exploration. Sometimes whole segments of the shaft are replaced by bluish-white cartilage. Microscopically the cartilage has a typical benign appearance; the cells are uniform in size, with a single small, or occasionally double, nucleus.

Treatment. Excision is the method of choice, with curettage of the area and replacement with cancellous bone. Radical resection is not so essential as in giant cell lesions, nor is recurrence nearly so frequent. Occasionally a chondroma undergoes ma-

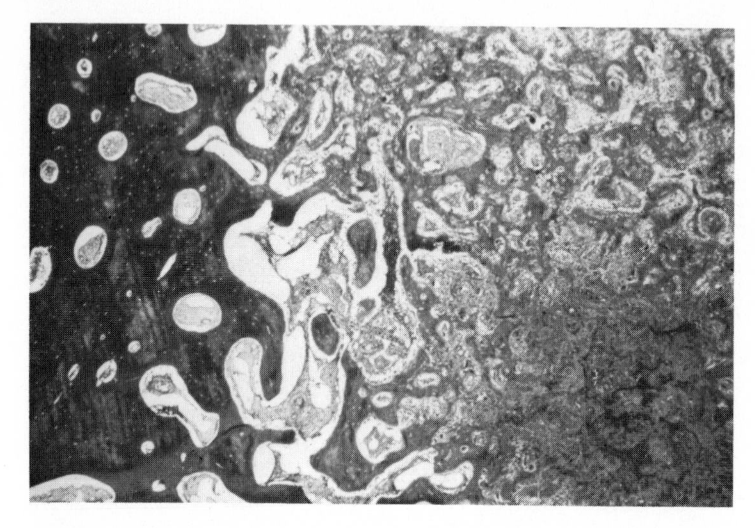

Figure 17–16 Osteoid osteoma. The typical nidus of calcified bone is present surrounded by actively forming tumor trabeculae. Dense cortical peripheral sclerosis is also a characteristic finding.

lignant change, usually evidenced clinically by persistent pain after previous therapy. Radical resection is indicated. Radiation therapy has not been effective in treatment of cartilaginous lesions.

Fibrous Dysplasia

Fibrous dysplasia produces radiolucent, well-circumscribed areas in long bones. Not infrequently it involves the upper end of the humerus. It is a disease of adolescence or early adult life. Involvement of the shoulder can be solitary or part of a polyostotic involvement. Radiographically the lucent area shows a granular stippling that imparts to the lesion a ground-glass pattern (Fig. 17–19). A margin of sclerosis of variable extent denotes the perimeter of the lesion. Fracture through the cortex may be the presenting symptom of the disease.

Pathology. On gross examination the lesion is represented by expansion of the cortex, with scalloped erosions by the advancing gray-white fibrous tissue. Patchy yellow streaks indicate collections of foamy histiocytes within the lesion. Curvilinear trabeculae of woven bone, with no covering layer of osteoblasts, are characteristic of fibrous dysplasia. Multinucleated giant cells of the osteoclastic type are frequent, and often associated with the deposits of bone within the lesion.

Treatment. Conservative methods of treatment are satisfactory. Many of the lesions do not require any specific treatment,

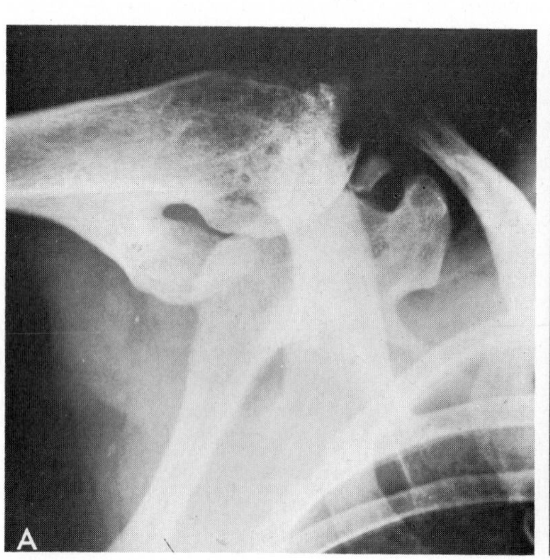

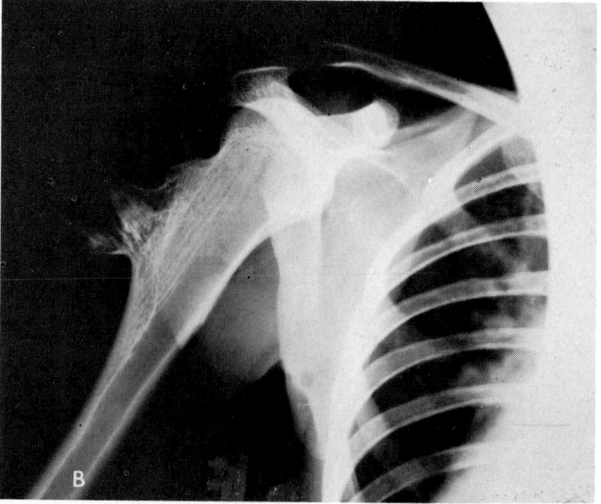

Figure 17–17 Typical osteochondroma. *A*, Medial aspect. *B*, Lateral aspect.

for commonly they stop growing at puberty. Surgical intervention may be required to correct a deformity or loss of function. Malignant change in fibrous dysplasia is almost unknown. Following a fracture there may be considerable healing of the lesion, so that immobilization in plaster is adequate treatment for fractures.

Generalized Osteitis Fibrosa Cystica*

Hyperparathyroidism produces a change in the normal balance of bone turnover characterized by variable degrees of increased resorption. Hyperfunction of the parathyroid glands, usually due to either adenoma or hyperplasia, alters the normal balance of phosphorus and calcium metabolism profoundly, resulting in increased loss of calcium in the urine. The body compensates for this by attempting to release calcium from the bone through bone resorption. Although this is usually a diffuse and generalized disease, in a small proportion of cases cyst-like radiolucencies may appear throughout the skeleton, and not infrequently may involve the upper end of the humerus.

Pathology. This is a metabolic disease of bone, and the key to diagnosis, particularly in the early stage, must depend heavily on the biochemical data. The classic pertinent biochemical abnormalities are hypercalcemia, hypophosphatemia, elevated serum alkaline phosphatase activity, and increased urinary secretion of calcium and phosphorus. It must also be pointed out that the presence of an unexplained hypercalcemia is still the most constant and significant finding. In hyperparathyroidism the kidneys excrete an excessive amount of calcium and phosphorus, lowering the serum level of these irons. As a result, calcium is drained from the bones through generalized bone resorption, leading to increased levels of calcium in both the blood and urine.

Histologically there is very active osteoclastic resorption of bone, not only along the endosteal and periosteal surfaces, but with

*See Figure 17–20.

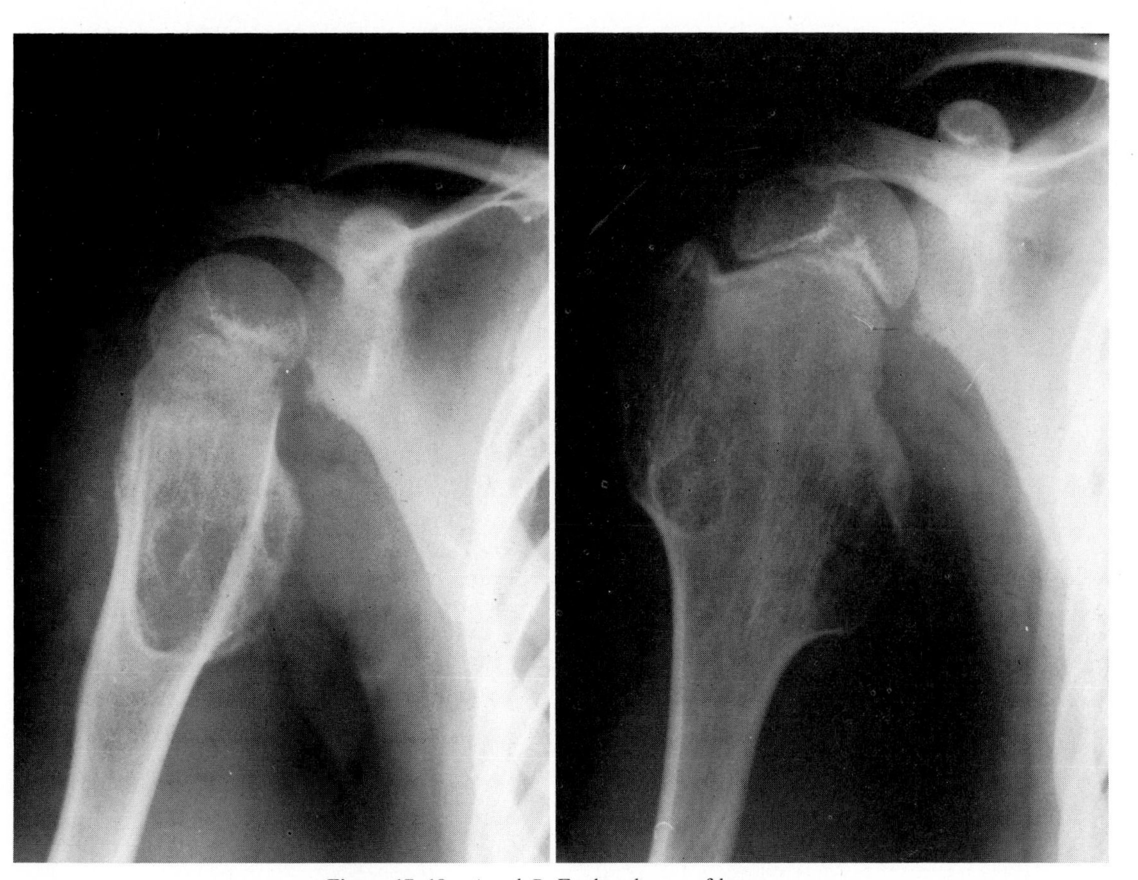

Figure 17–18 *A* and *B*, Enchondroma of humerus.

the formation of deep cutting cones within the trabeculae of bone. The rapid resorption in selected areas produces total replacement of bone by a mixture of fibrous tissue, capillaries, and osteoclasts, with evidence of recurrent hemorrhage that imparts to these areas a red-brown color, and hence the name "brown tumor."

The parathyroid pathology in primary hyperparathyroidism may consist of an adenoma or a diffuse hyperplasia of the glands. Chronic renal failure is the most common cause of secondary hyperparathyroidism. The prognosis and the disability are governed by the systemic features and the profound biochemical changes, rather than the local bone or gland abnormalities.

Treatment. Once a hyperparathyroid state is established, evaluation of parathyroid function should be undertaken. This should include neck vein catheterization, with evaluation of parathormone levels in multiple areas of the neck and inferior vena cava, in order to confirm that the hyperparathyroidism is due to parathyroid gland hyperfunction, and not to an ectopic source of parathormone-like secretion as one may find in malignancies such as anaplastic lung carcinoma. Once the parathyroid glands are established as the culprits, a neck dissection with excision of the abnormally functioning gland or glands is indicated. Following the excision, the blood chemistry must be carefully regulated; the increased phosphorus in the blood may depress calcium and precipitate tetany.

Nonossifying Fibroma or Fibrous Cortical Defect

This is a lytic lesion, usually in the metaphyseal end of long bones. The small intracortical lesion is usually referred to as "fibrous cortical defect," whereas the larger, more centrally placed lesion is termed "nonossifying fibroma." When one such lesion is encountered in the upper end of the humerus, it is common to find similar lesions in other bones, particularly the lower end of the femur, or the upper end of the tibia. Most of these lesions do not require treatment. Surgical excision is needed only where symptoms and local signs require it. In the larger nonossifying fibroma there may be sufficient destruction of bone to produce a multilobulated lytic defect within the bone, with extensive erosion of cortex, and a risk of fracture. Thus, the larger lesion more often necessitates surgical intervention. Although the risk of malignant change is minimal, nonossifying fibroma on occasion may follow an aggressive course, recurring after initial curettage and requiring a more aggressive excision (Fig. 17–21).

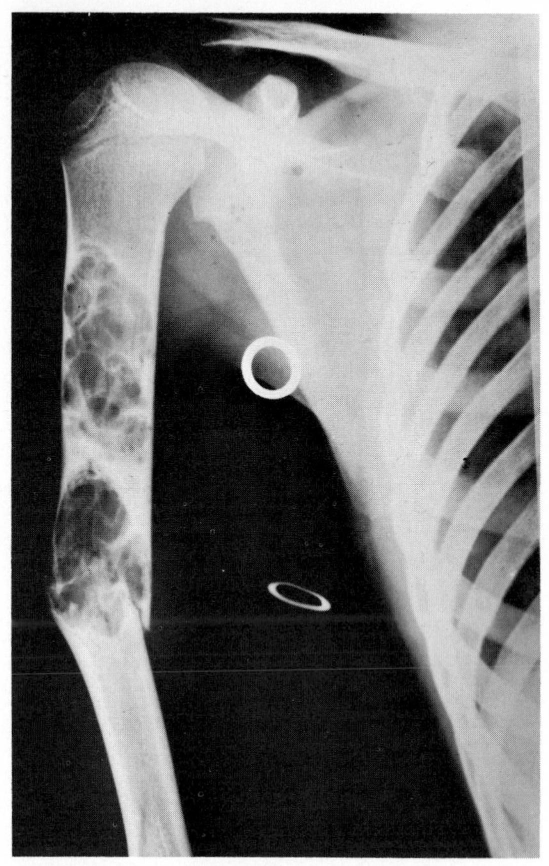

Figure 17–19 Fibrous dysplasia.

Xanthofibroma of the Proximal Humerus

A recently recognized variant of fibrous dysplasia or simple bone cyst has been segregated. The feature is fibrohistiocytic proliferation. The abundant fibroblastic elements, interspaced with foamy histiocytes, suggest the possibility of a benign fibroma or nonosteogenic fibroma of bone. Possibly the best interpretation is that of a nonossifying fibroma in which xanthomatous degeneration occurs. The primarily descriptive term "xanthofibroma" is a preferred and more informative one for the lesion at this stage of evolution.

These lesions are benign and respond to conservative surgical treatment. They differ

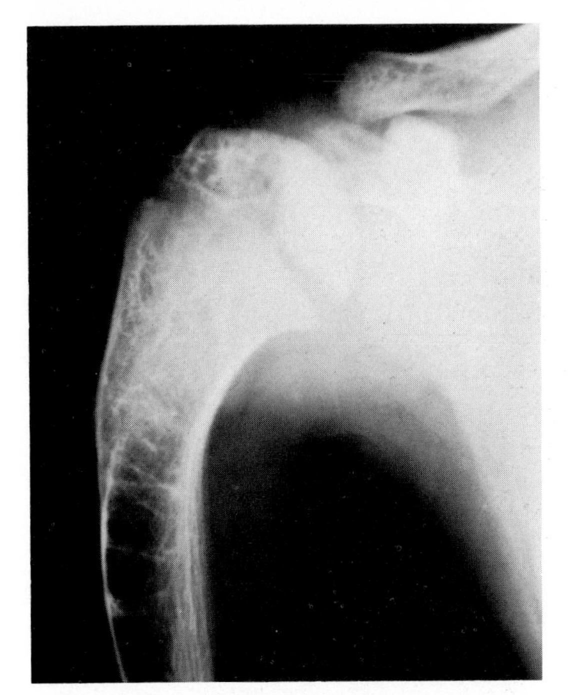

Figure 17–20 Osteitis fibrosa cystica.

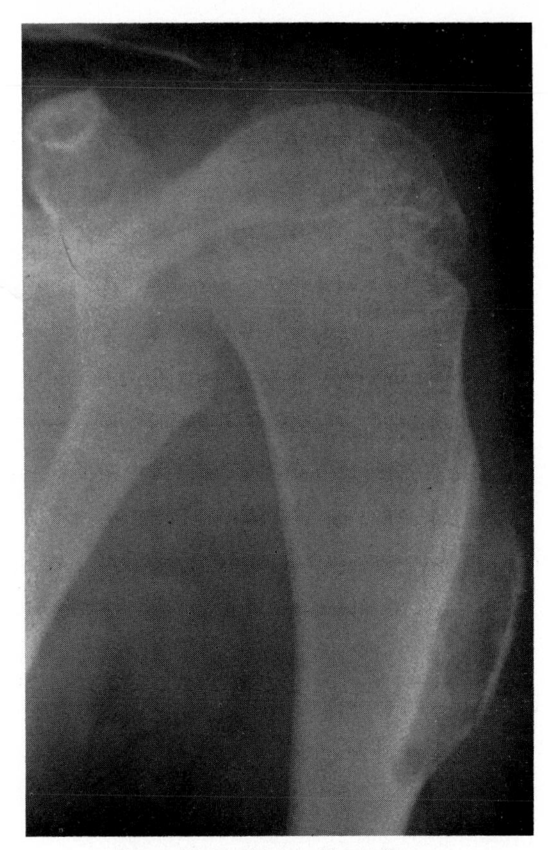

Figure 17–21 Nonossifying fibroma.

from simple cysts, however, in that little repair develops when a fracture is present (Fig. 17–22*A* and *B*).

Osteosarcoma

The upper end of the humerus is the third commonest site of occurrence of osteosarcoma, after the lower end of femur and the upper end of tibia. It is also the commonest primary malignant tumor about the shoulder.

Clinical Features. This tumor is commonest between the ages of 10 and 25 years. Persistent pain unrelieved by rest is the cardinal symptom. Local tenderness is the earliest reliable sign. The appearance of swelling varies with the make-up of the tumor, but is a late sign. The whole shoulder may be swollen, tense, and tender; the superficial veins become dilated. The hands and fingers are swollen from the venous obstruction, and from the persistent, cramped position in which the arm is held at the side of the body.

The radiographic appearance will vary with the predominating constituent of the tumor. In some, the appearance is primarily lytic (Fig. 17–23*A* and *B*), whereas in others bone formation with mineralization is predominant, producing a diffuse sclerosis that obliterates the medullary cavity (Fig. 17–24). Perforation of the cortex and extension into the soft tissue is the cardinal indication of the aggressive character of the tumor. When cortical disruption has occurred, pathologic fracture is common. Periosteal new bone formation may take several patterns (Fig. 17–25). The most common is the appositional layers of bone on the outer aspect of the cortex, which become centrally destroyed by the advancing tumor, and which on the x-ray film have the appearance known as Codman's triangle. Although in the past emphasis was placed on the "sun ray" appearance of bone spicules growing at right angles to the cortex, it is now acknowledged by authorities such as Lichtenstein that this appearance is not diagnostic. It may be seen in metastatic lesions in some neurogenic tumors and in Ewing's sarcoma. It must be emphasized that osteosarcoma, by its very nature, may present with a variety of appearances, and therefore biopsy is essential for the diagnosis. Progressive destruction of bone, with extension beyond the limits of the shaft of the bone, are unequivocal features of this malignancy. At a

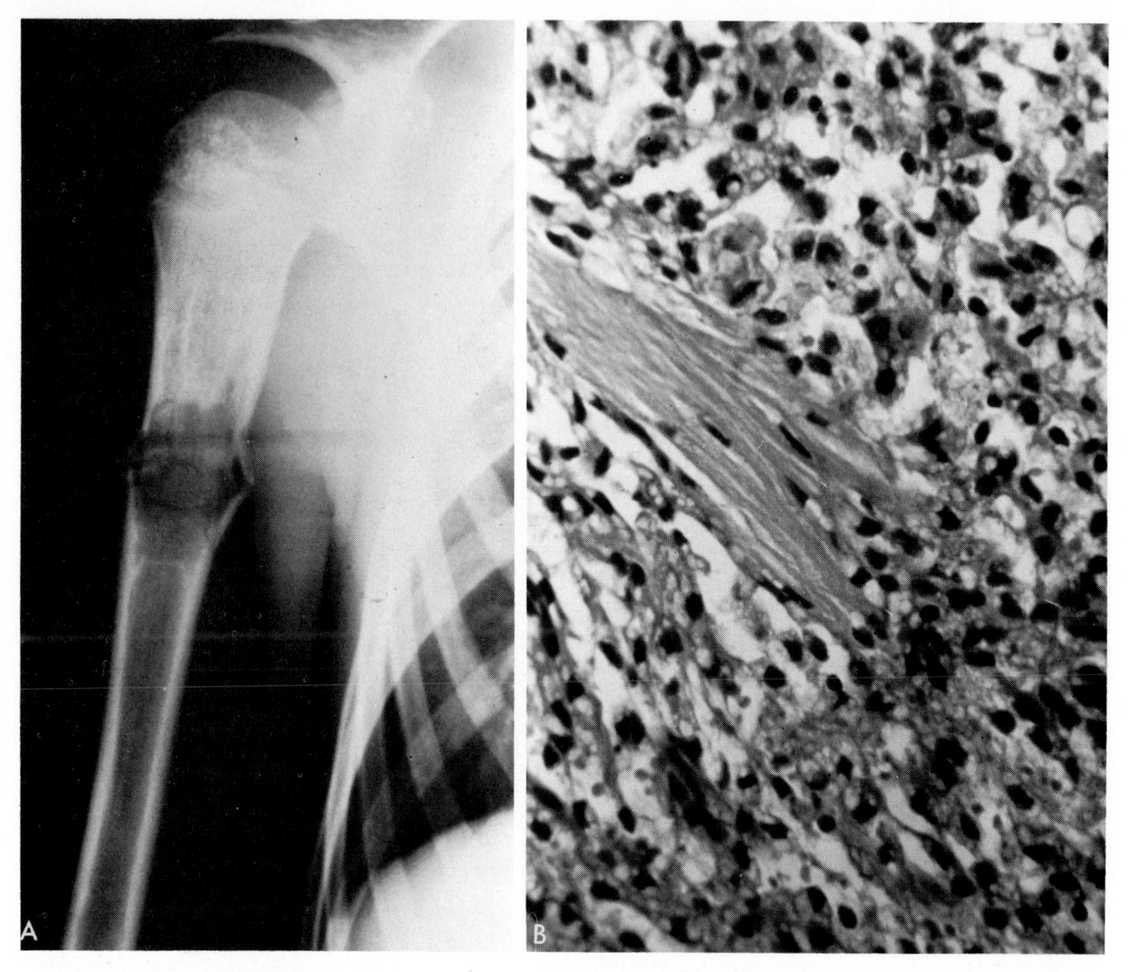

Figure 17–22 *A* and *B*, Xanthofibroma proximal metaphylaxis of humerus.

later stage, the soft tissue extension appearing as a soft tissue shadow on x-ray studies is most suggestive of the malignant properties (Fig. 17–26*A*, *B*, *C*, and *D*).

Pathology. It is now possible to subclassify osteosarcoma into several types according to the clinical, radiologic, and histologic appearance.

Osteosarcoma may be intraosseous or may occur on the surface of the bones. The conventional type of intraosseous osteosarcoma can be characterized histologically by the predominant cell pattern into osteoblastic, chondroblastic, and fibroblastic (Fig. 17–27*A*, *B*, and *C*). Dahlin has shown that the osteoblastic type has the worse prognosis, and the fibroblastic type the best prognosis, of the three. Osteosarcoma in a shoulder may arise as a complication of Paget's disease of bone, and may carry a particularly grave prognosis. Telangiectatic osteosarcoma presents as a primarily lytic lesion on the radiograph; grossly it is characterized by massive hemorrhage and necrosis, leading to cystic degeneration. Viable tumor is present as thin membranes that form the walls of the cyst. In the past this type has been called malignant giant cell tumor, or malignant aneurysmal bone cyst. Its malignant behavior, and the presence of bone matrix deposition by the tumor cells, identify this as an osteosarcoma. This subtype has a poorer prognosis than the conventional osteosarcoma. A subgroup that has been recently included in osteosarcoma is that of "dedifferentiated chondrosarcoma." This is an osteosarcoma of high grade malignancy arising in a pre-existing, well-differentiated chondrosarcoma. It occurs in the older age-group, and, although rare, has been known to show a predilection for the humerus. It carries a poorer prognosis than conventional osteosarcoma.

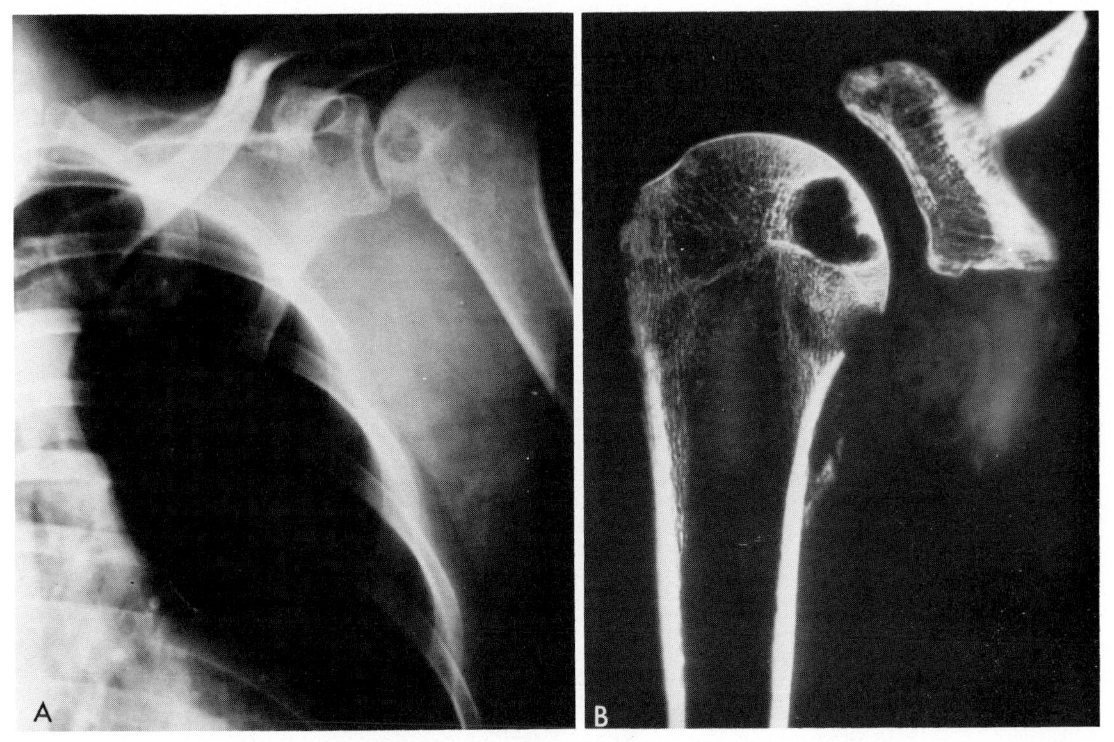

Figure 17–23 *A* and *B*, Osteosarcoma of humerus.

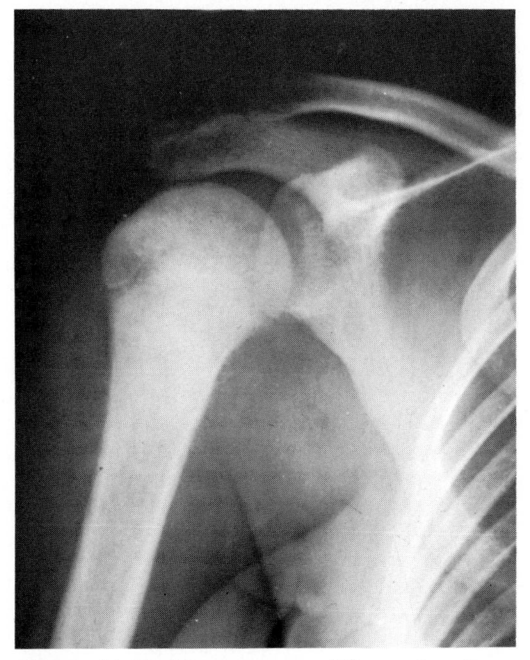

Figure 17–24 Osteosarcoma; diffuse sclerosis predominant.

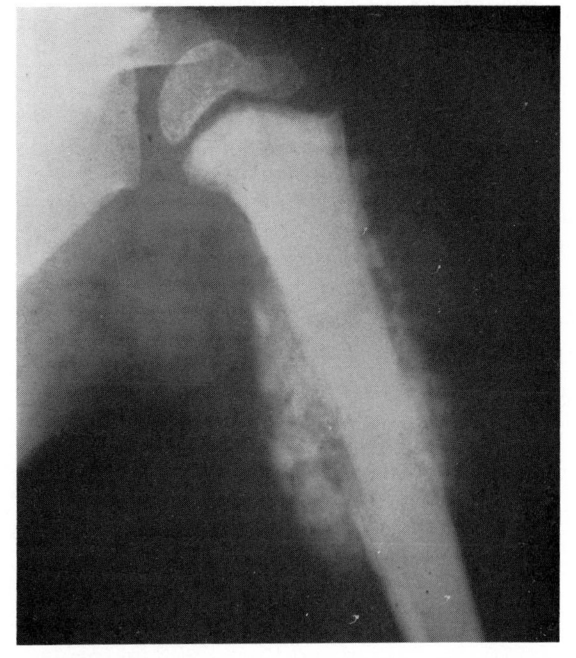

Figure 17–25 Osteosarcoma in a child with periosteal new bone formation.

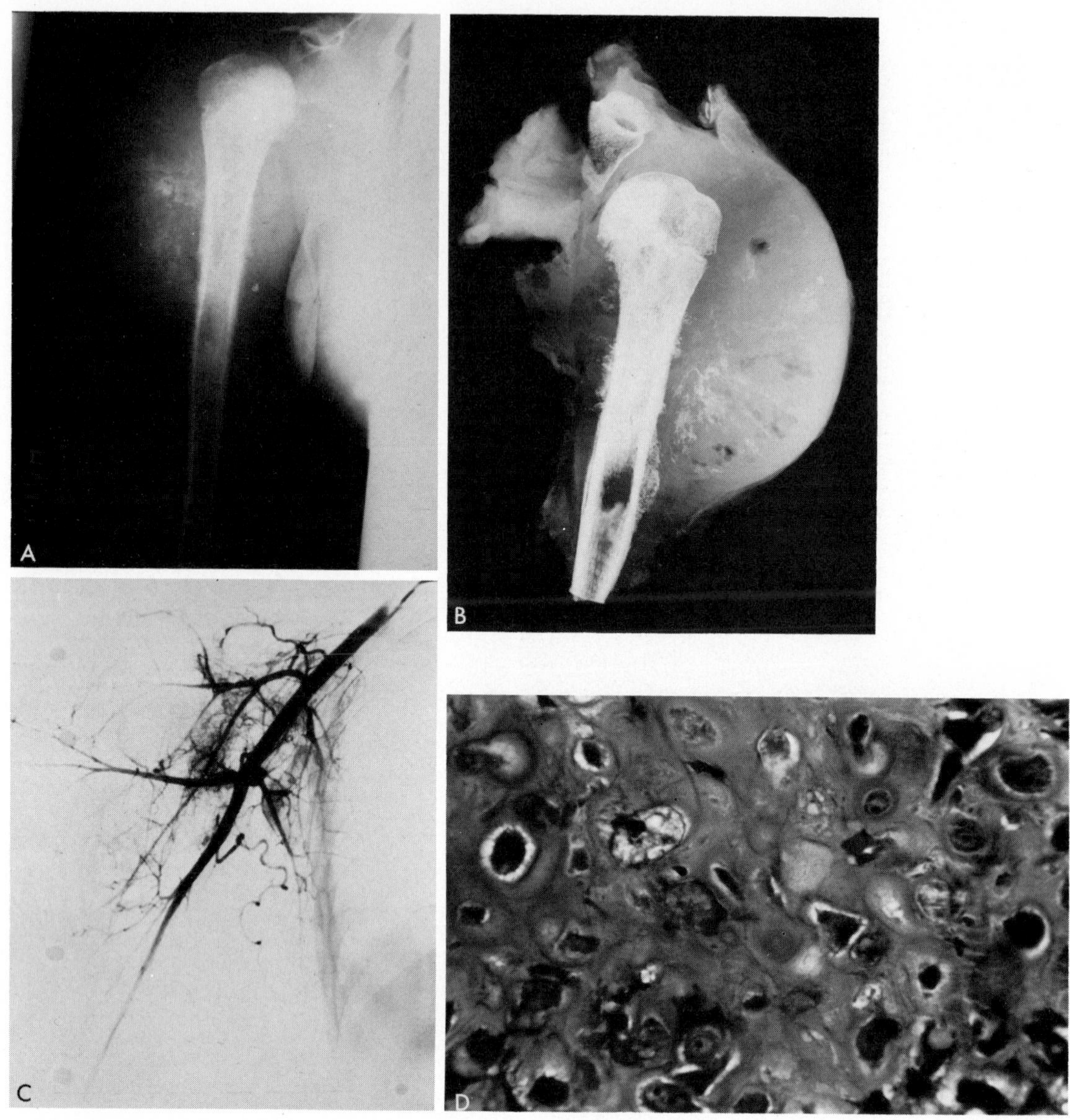

Figure 17–26 Osteosarcoma. *A*, With marked soft tissue extension. *B*, With soft tissue invasion. *C*, Vascular pattern. *D*, Microscopic appearance.

Parosteal osteosarcoma (Fig. 17–28*A*, *B*, and *C*) is the sclerotic type of sarcoma that involves the surface of the bone. When it involves the humerus it is usually present at the junction of the metaphysis and diaphysis. It is attached to the outer cortex as a heavily ossified mass that wraps itself around the bone. It is a well-differentiated tumor with a good prognosis. It must be remembered that conventional osteosarcoma may arise in eccentric location within the bone, and involve primarily the cortex. In such cases the prognosis is similar to that of the conventional osteosarcoma. An osteosarcoma can be termed parosteal in type only if it is well differentiated, heavily ossified, and entirely on the periosteal surface of the bone.

Treatment. Recent advances in the therapy of osteosarcoma have significantly modified the outlook for patients suffering from this disease. Although in the past retrospective studies for osteosarcoma have reported a five-year survival rate between 5 and 26 per cent, it is now possible to look forward to a five-year survival rate of well over 50 per cent. Surgical extirpation of the primary lesion is still the most successful method of definitive therapy of osteosarcoma. When

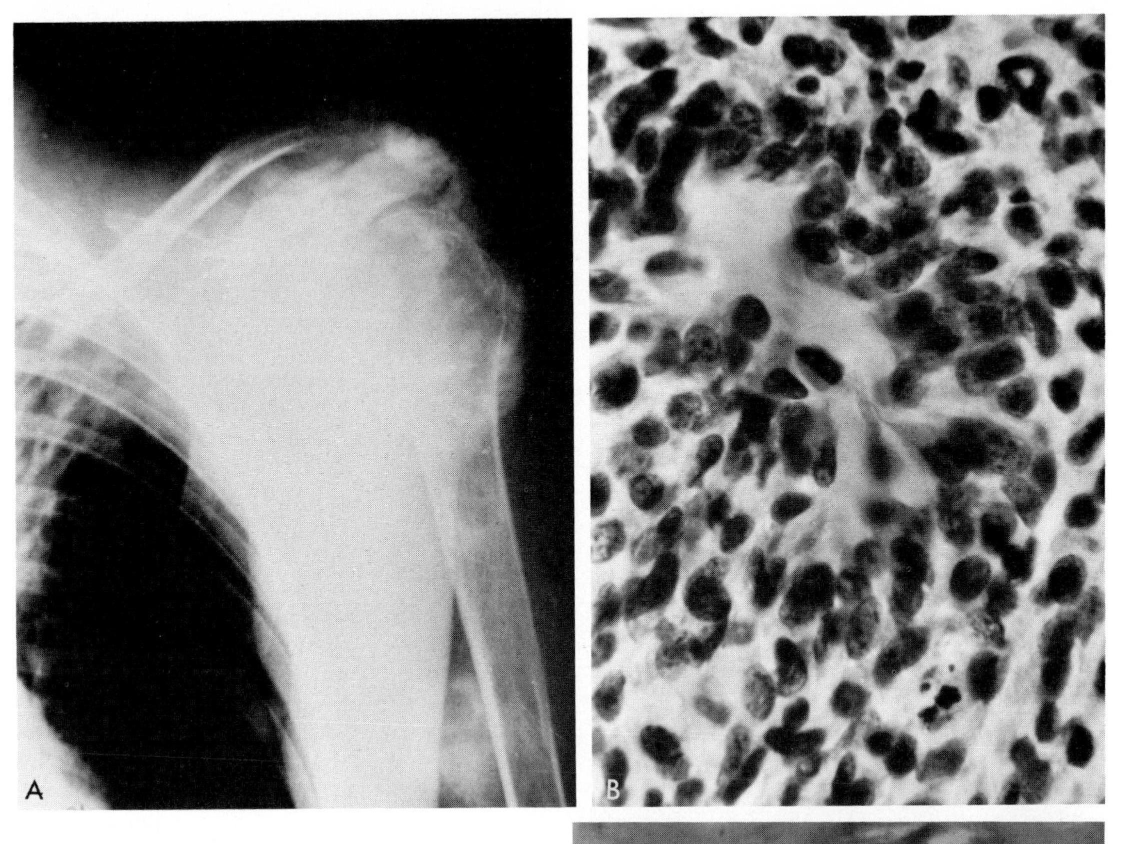

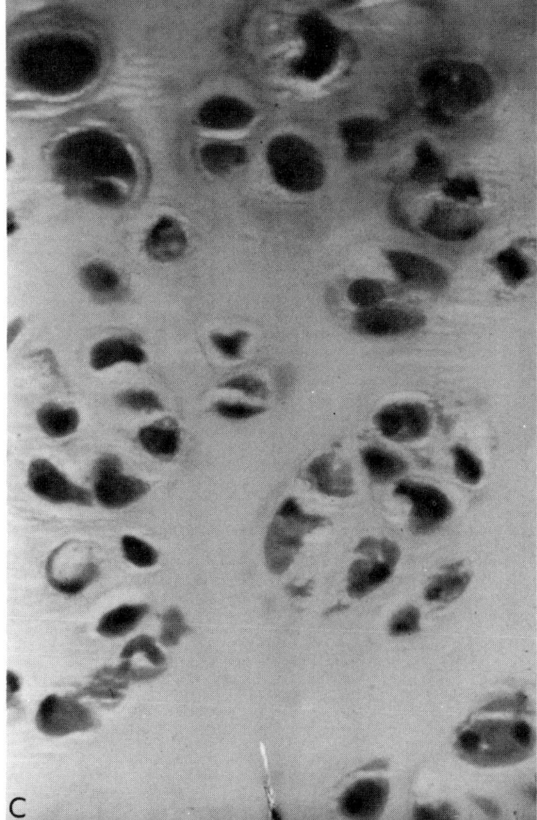

Figure 17–27 *A, B,* and *C,* Osteosarcoma (osteoblastoma) of humerus. Sections show active proliferating and richly vascular elements interspersed with marginal sclerosis and some thickened trabeculae.

surgery is combined with an ongoing course of adjuvant chemotherapy, markedly prolonged disease-free periods and greatly increased survival rates have been shown to result. The long-term effects of such intensive chemotherapy are not fully known, but current experience suggests that no greater risk is inherent in the use of high-dose chemotherapy. In addition, both single and multiple pulmonary metastases have been successfully eradicated by one or more thoracotomies in an attempt to reduce tumor bulk and potentiate the effect of chemotherapy. Classical surgical therapy of osteosarcoma of the proximal humerus and shoulder has been disarticulation or forequarter amputation. In view of the success of chemotherapy, local en bloc resection with prosthetic replacement is now a reasonable alternative in selected cases (Fig 17–29). However, if there is extensive soft tissue involvement, a more extensive resection is the procedure of choice. Even in the more aggressive and more extensive tumors, operation is advisable; patients are most appreciative of the relief of pain and the resulting comfort that follows the removal of the tumor.

TECHNIQUE OF DISARTICULATION OF SHOULDER. A tourniquet can be used, but most surgeons prefer to work without it. A stout rubber band is applied and held in place by heavy pins. The incision begins at the front, over the clavicle, lateral to the coracoid. It is carried outward and downward, following the anterior axillary fold, and crosses the axilla. The posterior limb swings down in racquet fashion, across the posterior deltoid, curving forward to meet the anterior limb (Fig. 17–30).

Dissection. Dissection proceeds from the front, with the branches of the thoracoacromial arch being clamped and tied, and also the cephalic vein. The deltoid is divided across its insertion, opening the shoulder joint. The long head of biceps, sub-scapularis, pectoralis major, latissimus dorsi, and teres major are divided close to their bone attachments. The capsule is cut across, dividing the supraspinatus, infraspinatus, and teres minor muscles. The axillary artery and vein are identified by palpation. These are ligated separately, if possible, and doubly with heavy chromic catgut or silk. The nerve trunks are pulled down gently, cut, and allowed to retract, avoiding stroñg traction. The other vessels are ligated. If a tourniquet has been used, it is released at this point. The subscapularis and triceps are cut across, and the upper extremity falls free. Muscles may be replaced in various ways to fill the resulting dead space. The pectoralis major, latissimus dorsi, and cuff remnants are tacked to the glenoid. The deltoid edges may be folded over into this space also. The wound is closed in layers. A Penrose drain is inserted, and removed in 48 hours. A pressure dressing is applied, and the bandage carried across and around the chest (Fig. 17–31).

FOREQUARTER AMPUTATION. This operation is needed for malignant disease when there is any suggestion of spread that will involve the joint, or go beyond the confines of the upper end of the humerus. It is a major procedure. Proper preparation, including adequate blood for transfusions, is essential. The operation may be done either from the front or the back, depending on the operator's preference. Some feel that the major vessels may be exposed and ligated with greater ease from the back.

From the Front. The incision extends laterally along the upper border of the clavicle and dips down, following the anterior axillary fold (Fig. 17–32). After the vessels have been ligated, the incision is completed posteriorly and upward, meeting the anterior limb.

Dissection. The clavicle is disarticulated at the sternum, or cut across at the junction of the inner and middle thirds. The muscles and ligaments attached to the clavicle are severed close to the bone. The pectoralis minor is then divided, and the extremity allowed to rotate and drop backward and outward. This exposes the axillary contents. The axillary artery and vein are identified and separated by careful dissection. The vessels are then doubly ligated with silk or heavy chromic catgut. The nerve trunks are severed while under definite tension, and then allowed to retract. The incision is continued to the back; the trapezius and the transversus colli are cut; and the suprascapular and transverse cervical arteries are tied. The muscles attached to the medial border of the scapula are then cut close to the bone, and the serratus magnus and latissimus dorsi are cut, freeing the extremity. The wound is closed in layers and a pressure dressing applied. Sutures are removed when the wound is healed, about the 12th or 14th day following operation.

From the Back. This operation may also be done with the patient on his face. In this case the muscles along the medial border of the

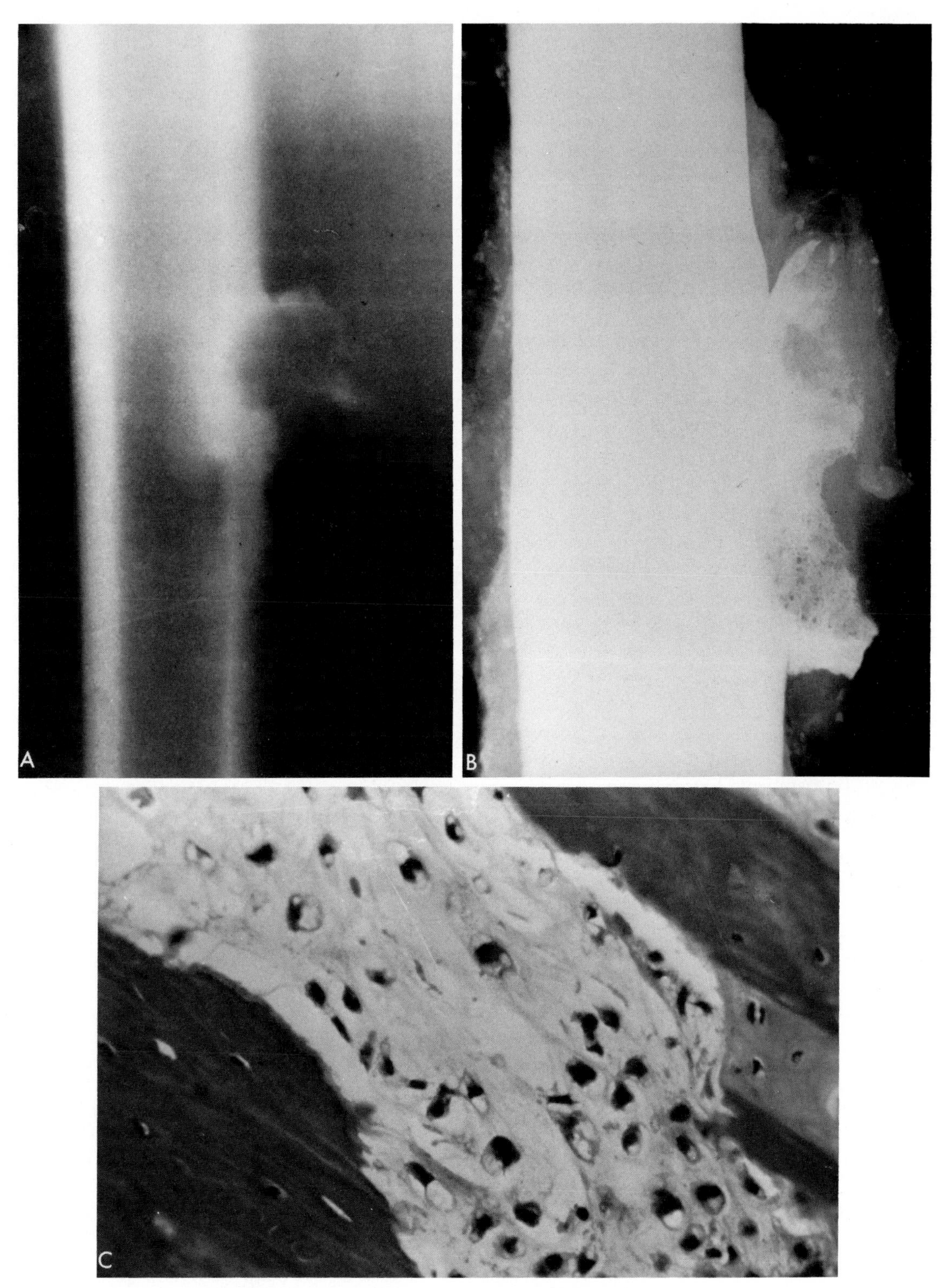

Figure 17–28 *A, B,* and *C,* Chondrosarcoma (parosteal) of humerus.

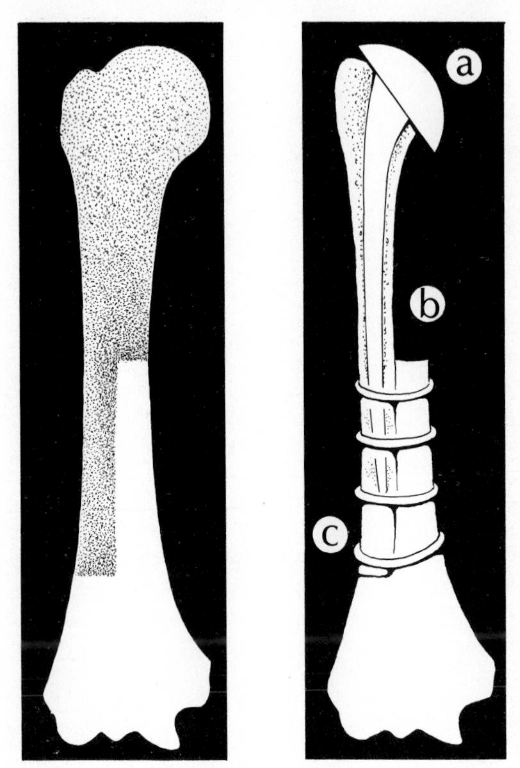

Figure 17–29 Prosthetic replacement and segmental resection of upper humerus for tumor. (a), Neer prosthesis with long stem. (b), ⅔ fibula for fibular graft. (c), tied wire fixation.

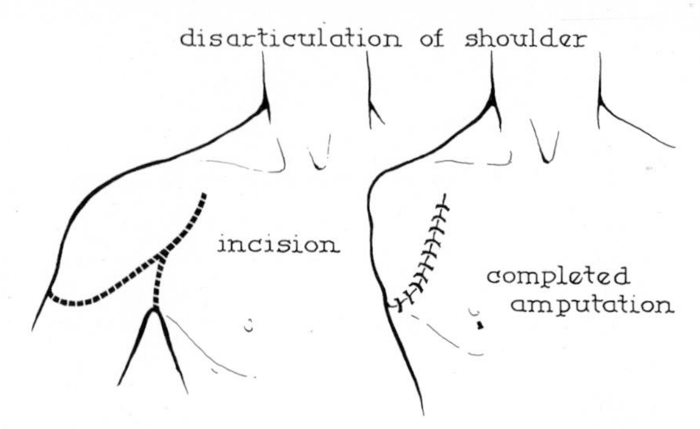

Figure 17–30. Incision for disarticulation of shoulder.

scapula are divided, and the scapula is allowed to rotate with the extremity downward and forward. It is then retracted more laterally. The serratus anterior is cut, and the axillary contents come into view. At this point they lie quite deep in the wound, and considerable retraction is necessary to complete their identification and dissection. The vessels are ligated and the nerves cut as just described. The patient is then rotated on his side, and the operation is completed from the front. (In doing the operation from the back first, the major portion of the dissection is completed before the anterior segment is reached. In doing it from the front, possibly the vessels are a little more quickly identified and ligated, but the operator still needs considerable time to complete the posterior dissection.)

Chondrosarcoma

Tumors displaying malignant properties stemming primarily from cartilage elements have been placed in a separate category. They are occasionally encountered in the humerus, but the pelvis and the femur are more common sites. Compared with osteogenic sarcomas, they appear later, are much slower-growing, metastasize less frequently, and are much rarer. Figure 17–33 shows chondrosarcoma of the first rib.

Clinically a mass may be present for some time without producing significant discomfort. Sudden increase in size or discomfort is suggestive of aggressive change. Radiologically, punctate calcification or a stippled appearance in the shaft, with an indistinct or fuzzy adjacent zone of cortex, is characteristic. The mass is often large, plastered on the cortex, and irregularly calcified.

Histologically, chondrosarcoma is separated from osteogenic sarcoma by the basic malignant element arising from cartilage rather than the primitive bone cell. Lichtenstein and others have drawn attention to this differentiation.

Treatment. Radical local excision or disarticulation of the shoulder may be done. The survival rate is much higher than in osteogenic sarcoma. Attention is drawn to the need for careful assessment of any large cartilage tumor for malignant change. It is the impression of authoritative observers that many early malignant cartilage changes are overlooked. In view of the relatively satisfactory result that can be expected from radical surgery, such lesions should be more carefully analyzed.

Fibrosarcoma

A primary malignant fibroblastic tumor has been recognized as occurring occasionally in the upper end of the humerus. No distinguishing clinical features are apparent, and the diagnosis is made on histologic section. An oval cystic lesion, with suggestive cortical distribution and beginning soft tissue invasion, is typical. The head, neck, and upper shaft of the humerus may be involved, and radiologic differentiation from malignant giant cell tumor and osteogenic sarcoma is difficult. The treatment is the same, disarticulation of the shoulder.

Ewing's Tumor of the Humerus

The upper portion of the shaft of the humerus may be involved by Ewing's sarcoma. The humerus is involved next in frequency to the femur and the tibia. This is an insidious lesion, present for some time in the medullary cavity before symptoms direct attention to the area. Persistent, dull, aching pain, pain at night, tenderness over the upper shaft of the humerus, and, later, limitation of shoulder movement are the early clinical findings. The typical radiograph shows a mottled disintegration of the shaft (Fig. 17–34). A moth-eaten appearance extends irregularly up and down the shaft, and later involves the cortex in a patchy fashion. Periosteal reaction, in the form of an onion skin effect, is noted beyond the limits of the distintegration site (Fig. 17–34). This layered or onion peel-like reaction is seen so often in Ewing's tumor that it has been designated as being completely characteristic. It is most suggestive, but other lesions such as metastatic carcinoma, neuroblastoma, and reticulum cell sarcoma may show the same thing. It seems best to regard it as a usual periosteal reaction to several lesions, rather than diagnostic of one.

Further clinical features recognized as characteristic of this lesion include fever, secondary anemia, and leukocytosis. These are late findings, and again are only suggestive rather than diagnostic. It is a disease of youth, most cases occurring between the ages of 10 and 25 years.

The tumor is closely simulated by reticulum cell sarcoma, neuroblastoma, and acute osteomyelitis. Reticulum cell sarcoma is encountered in older patients and has a diagnostic histologic appearance. The blood and systemic changes are not so common, nor does tumor tissue extend into the soft parts so extensively as in Ewing's. Much more of the bone is involved than is usually apparent from the x-ray examination (Fig. 17–35). Microscopically the tumor is made up of masses of small, round cells of characteristic uniform size and appearance, with minimum intercellular substance intervening. A characteristic arrangement in sheets or along blood vessels is described, but is not uniformly encountered. The cells have poorly limited cell boundaries, and nuclei are crowded together. Areas of hemorrhage and necrosis are frequent. There is no suggestion of bone formation. Metastases occur to other blood-forming regions such as ilium, ribs, and vertebrae. Viscera such as lung and liver also may be involved. Laboratory findings are significant in that calcium, phosphorus, and phosphatase levels are rarely altered.

Treatment. The lesion is easily confused with reticulum cell sarcoma, osteomyelitis, secondary carcinoma, and neuroblastoma.

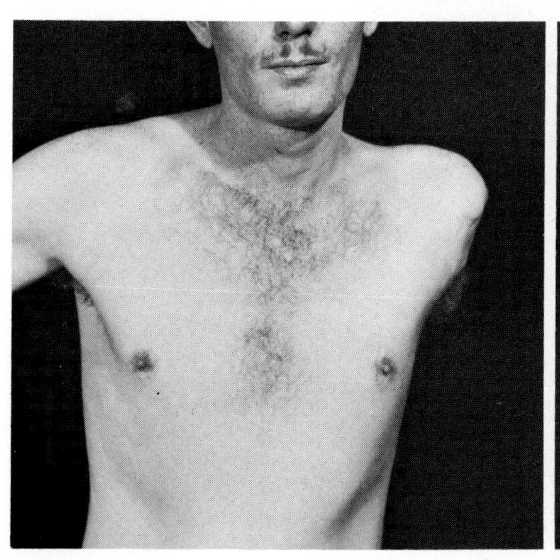
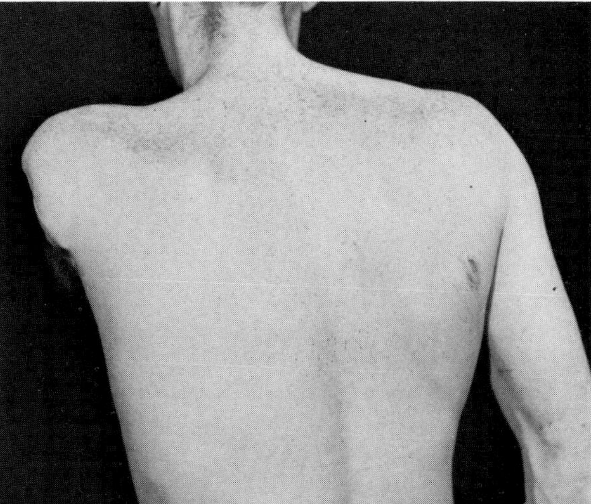

Figure 17–31 Postoperative result of disarticulation of shoulder.

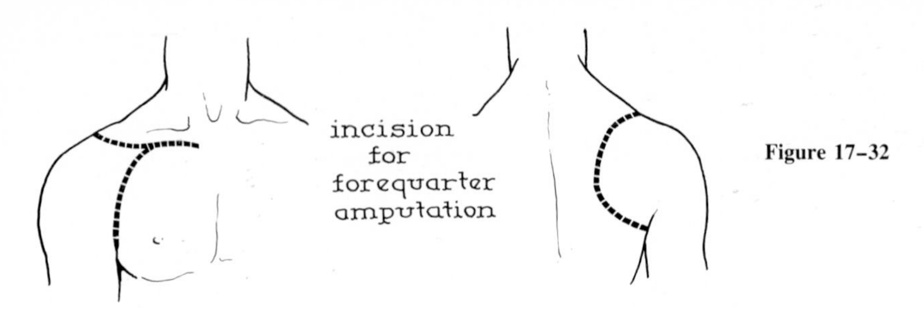

Figure 17–32

Reticulum cell tumor occurs in an older age-group, and has a characteristic cytologic picture that comes to light when special stains are used. Osteomyelitis may be confused with Ewing's tumor when found in young children because of the frequent leukocytosis, fever, and secondary anemia. Biopsy, chemotherapy, and response to radiation distinguish the two. Secondary carcinoma occurs in older patients; clinical signs and the biopsy are distinguishing. Neuroblastoma is difficult to separate clinically and radiologically from Ewing's sarcoma. Both produce a similar periosteal reaction, both occur in young people, and in both the lesions may be multiple. Neuroblastoma occurs in very young patients, most under ten. It has a characteristic histologic appearance, with the cells distributed in classic "rosette" fashion.

Ewing's tumor has a miserable prognosis despite early and accurate diagnosis. The treatment of choice in humeral lesions is immediate radiation, followed by disarticulation of the shoulder or forequarter amputation (Fig. 17–36). The immediate result is most gratifying, but most patients succumb to multiple secondary tumors in two to three years. Palliative radiation is used in recurrences and metastases.

Multiple Myeloma of the Humerus

The humerus, in company with the rest of the skeleton, may be involved in this primary malignant disease of the bone marrow cells. In the shoulder region, the clavicle possibly is involved more frequently than the upper end of the humerus. Primary symptoms of the disease are reflected from the spine and chest more often than from the long bones. The spine is a frequent site, and when the cervical vertebrae are affected, shoulder or shoulder plus radiating pain is prominent. The disease occurs after 30 years of age, and usually between 40 and 60. Occasionally the upper end of the humerus is the source of the initial complaints, but x-ray films generally show that skull, spine, and pelvis are also riddled. The bones have a pocked appearance, with small, sharp, punched-out zones (Fig. 17–37).

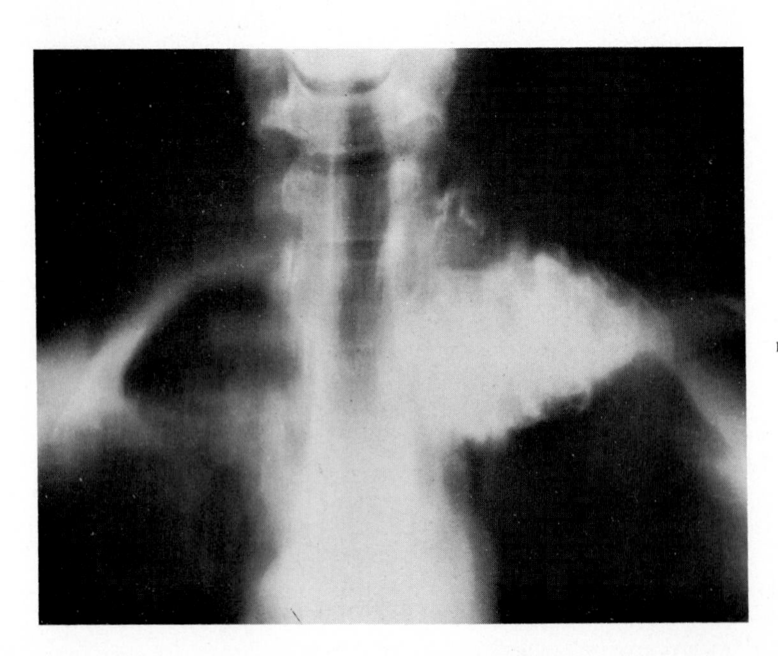

Figure 17–33 Chondrosarcoma of rib (laminogram).

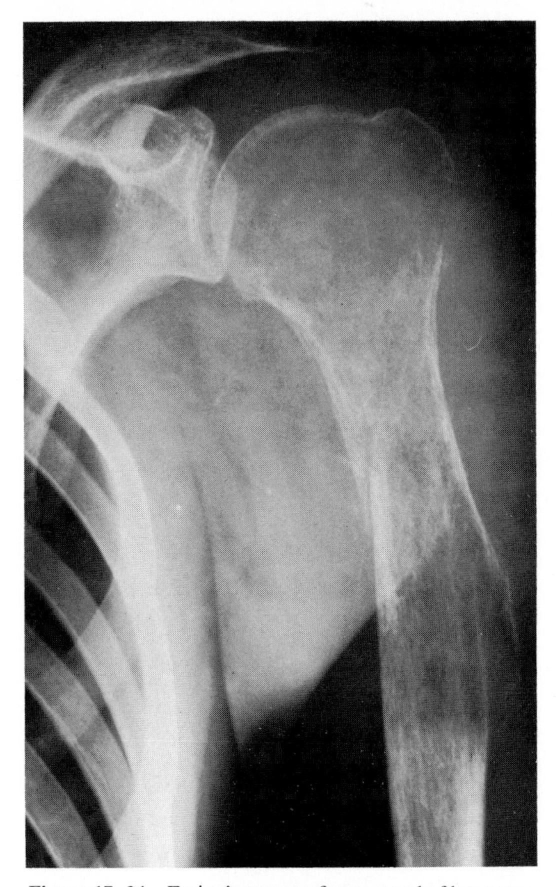

Figure 17–34 Ewing's tumor of upper end of humerus.

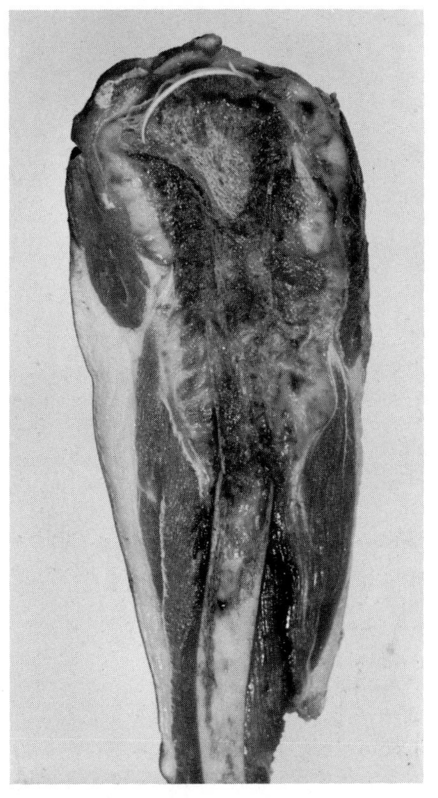

Figure 17–35 Ewing's tumor of the upper humerus. Note the extensive shaft and soft tissue involvement as compared to the radiograph in Figure 17–34.

Several may coalesce, forming a larger defect (Fig. 17–38). The pocking may be so diffuse that normal architecture is obliterated and only a thin, fragile shell remains. Pathologic fracture is common. In roughly half the patients, the urine shows Bence Jones protein. This develops as a cloudy precipitate when urine is heated to 45 to 60 degrees C, and disappears with further heating. Increased serum calcium is frequent, but the phosphorus level is not altered correspondingly, which distinguishes this disorder from Recklinghausen's disease and renal osteopathy. The blood changes include alteration of the albumin-globulin ratio, and rise in serum protein. In roughly 50 per cent of patients the globulin fraction is increased above the albumin level, accounting for the rise in the protein level. The mechanism of these blood changes appears to be associated with the breakdown of the myeloma cells, and present investigation indicates that this is a complex process. The uric acid level has also been reported raised in this disorder. Renal complications and amyloidosis are other features receiving increased attention in the investigation of this disease.

Pathology. A typical skeletal lesion appears as a small cortical elevation that cuts easily or is quite brittle. Medullary substance may have permeated the cortex, extending into soft tissue. Normal marrow is replaced by a grayish-white vascular tumor substance. Microscopically it is composed of sheets of cells with prominent nuclei, little cellular substance, and almost no intercellular supporting network. The cell type is characteristic, being similar to a plasma cell with a large, round, stippled nucleus. The intranuclear material distribution sometimes resembles a clock face, or radiates like the spokes of a wheel. In other examples the cell is much larger, with abundant cytoplasm. Lichtenstein has suggested a relationship with the blood findings between the large and small cell varieties; possibly, increased globulin is associated with the large cell type, whereas when the small cell is predominant, albumin and globulin are within normal limits. Primitive cells, myeloblasts, or plasma cells may be found in the blood smear. In advanced cases plasma cells may form one-third of the leukocyte blood count. Sternal puncture for examination of the marrow is recommended in all suspected cases.

Treatment and Prognosis. Multiple myeloma is a progressive, malignant disease. When it is sufficiently advanced to come into clinical focus, patients do not survive longer than two to three years, as a rule. Patients with well-localized lesions last longer. No cure is available, and efforts are directed toward preventing and controlling fractures, and providing relief from pain. Concentrated research is opening new avenues of therapy. Stilbamidine, as reported by Snapper, decreases the pain. Radioactivated compounds such as radioactive phosphorus are being investigated, but results are not too encouraging. To date, radiation appears as beneficial as these remedies.

Solitary Myeloma

A solitary myeloma may be encountered that follows a much more benign course. The upper end of the humerus may be the seat of a single large myeloma, but the scapula possibly is involved more frequently. The radiograph shows a somewhat sharp, punched-out lesion that is trabeculated, and without lytic involvement of the rest of the shaft, of the soft tissue, or of other bones. This is a much less common tumor than multiple myeloma, but the humerus or the scapula is a common site. The cystic look, the less aggressive course, and the site simulate giant cell tumor and solitary bone cyst. Blood changes show almost none of the profound alteration associated with multiple myeloma. Many observers assume that such a lesion may later develop into multiple myeloma.

Pathology. A single tumor zone is present without cortical destruction or soft tissue invasion. The marrow is not normal, and shows somewhat vacuolated zones alternating with fibrous or more vascular and cellular deposits. The cells dominating the histologic picture are plasma cells, but they lack the characteristics of aggressive malignancy.

Treatment. This tumor responds to radiation, and survivals of ten years or longer have been reported. Radical section, followed by radiation, is preferred. When there is any suggestion of extension, recurrence, or activation, disarticulation of the shoulder should be done provided the rest of the skeleton is not involved.

Reticulum Cell Sarcoma of Humerus

A rare, but extremely malignant, lesion can involve the upper end of the humerus as part of the spread of what is a malignant lymphoid tumor. It has a distinctive cell structure composed of reticulum fibers that appear when stained with special silver preparations. The lesion is believed to start in lymph nodes, eventually spreading to involve the skeleton. Lower limb long bones are most frequently involved. Recent advances in chemotherapy have made this preferable to the former management by radiation (Fig. 17–39*A* and *B*).

Metastatic Lesions

The upper end of the humerus is a frequent seat of secondary tumor growth extending from primary lesions elsewhere in the body. These frequently have an osteolytic or moth-eaten appearance. The characteristics of the group are the multiplicity of lesions, the frequency of pathologic fracture, and the occurrence in the older age-group. Almost any carcinoma may metastasize to bone, but certain ones do so more often; thus, carcinoma of the breast, prostate, kidneys, lung, and thyroid have a high incidence of skeletal involvement, and the humerus is one of the bones most frequently involved. Secondary tumors occur more often than primary tumors in this area, and one must constantly be on guard for their presence. Some observers have concluded that the nearer a bone is to the site of primary involvement, the more frequently is it the site of metastasis. The upper end of the humerus is close to the breast, chest, and thyroid, making it a common site of secondary involvement.

Secondary tumors occur about the shoulder, and in the upper end of the humerus in particular, with surprising frequency. It can happen that a metastasis discovered here is the first indication of an established visceral malignancy (Fig. 17–40). This area is close to the lung, breast, mediastinum, and neck, so tumor spread is early and rapid. Abdominal malignancies also metastasize to the shoulder, and may do so without implicating the lung. Such tumor spread has been shown by Batson to occur by way of the prevertebral veins. It is possible to inject this system with opaque dye by way of the dorsal vein of the penis, and demonstrate the profound venous extension to spine, pelvis, shoulder girdle, and even skull without involvement of lung.

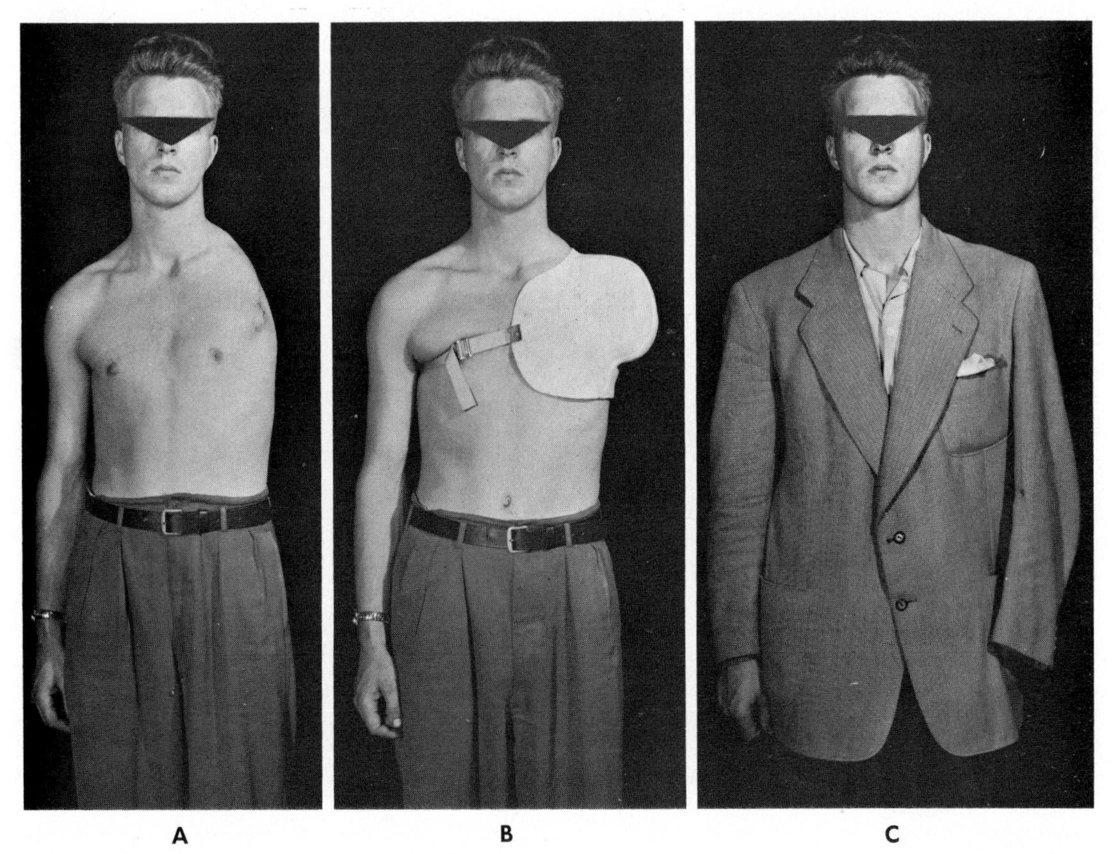

Figure 17–36 Forequarter amputation for Ewing's tumor. *A*, Postoperative appearance. *B*, Shoulder prosthesis. *C*, Improvement of appearance in wearing a coat when a prosthesis is used.

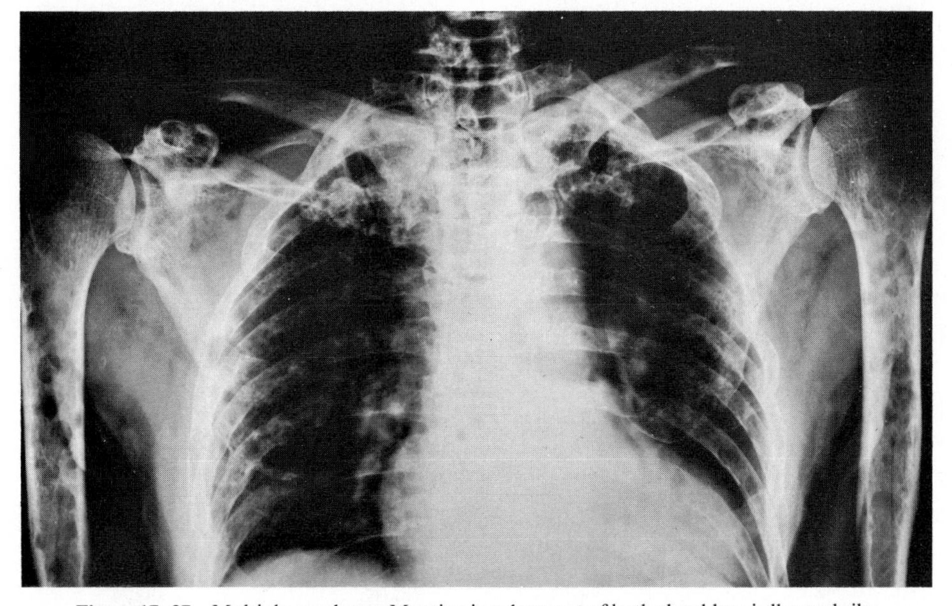

Figure 17–37 Multiple myeloma. Massive involvement of both shoulder girdles and ribs.

Carcinoma of the Breast. This leads to bone involvement in roughly 5 per cent of the patients. A pathologic fracture of the neck of the humerus may be the first indication of metastatic spread. The fracture is treated as usual by adequate immobilization, but x-radiation is also given.

Carcinoma of the Prostate. In over two-thirds of prostatic malignancies there is bone involvement. Although the pelvis and spine are the most frequent sites, the humerus and scapula also may be involved (Fig. 17–41). The mechanism of such spread is presumably by the prevertebral venous network. A moth-eaten cystic appearance in the radiograph is common. Increased acid phosphatase is highly suggestive of prostatic malignant disease. The level usually falls after adequate treatment. Should a sudden rise occur again, it is suggestive of further secondary development.

Pathologic fractures are treated by immobilization, but the important aspect of therapy is adequate hormone administration. Relief of pain and cessation of tumor aggression can be obtained for appreciable periods.

Carcinoma of the Lung. This tumor is one of the commonest causes of death in males. Increasing attention to, and awareness of, this dread tumor is needed. Skeletal metastases are common, and multiple pathologic fractures are frequently encountered. The primary disease is usually so far advanced or proceeding so rapidly that nothing can be done apart from relieving pain. One of the most distressing tumors encountered occurs in the apex of the lung, where, by direct or metastatic spread, the brachial plexus is involved. These patients, in addition to local pain, develop a typical causalgia involving the whole upper extremity. This adds a great deal to their misery, so that much sedation is essential to control the pain. A primary tumor of lung apex may produce shoulder-neck pain early in its course without metastatic involvement of the skeleton (Pancoast lesion) (Fig. 17–42).

Carcinoma of the Gastrointestinal Tract. Occasionally the shoulder is implicated from primary tumors in the abdominal cavity. Bone is involved in 3 per cent of these malignancies (Fig. 17–43). As with lung tumors, this is usually a late manifestation of the disease.

TUMORS OF THE SCAPULA

Tumors of the scapula are not encountered so often as those in the upper end of the humerus, but they occur more frequently than in the clavicle. Most of the scapular substance is in the base of the glenoid and the heavy buttresses leading from it. Tumors seem to be related to this zone more often than to the rest of the bone. As in the humerus, secondary tumors are not uncommon and arise from the same sources. Clinically, tumors of the scapula tend to become apparent a little sooner than those in the humerus. There is not so much medullary cavity to hide the process, and any

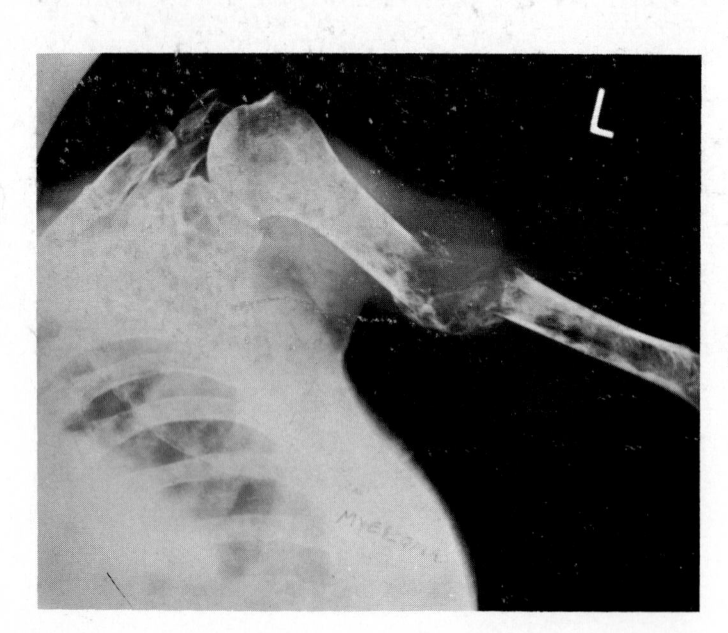

Figure 17–38 Myeloma of the humerus, with coalescence of multiple foci to form a larger defect.

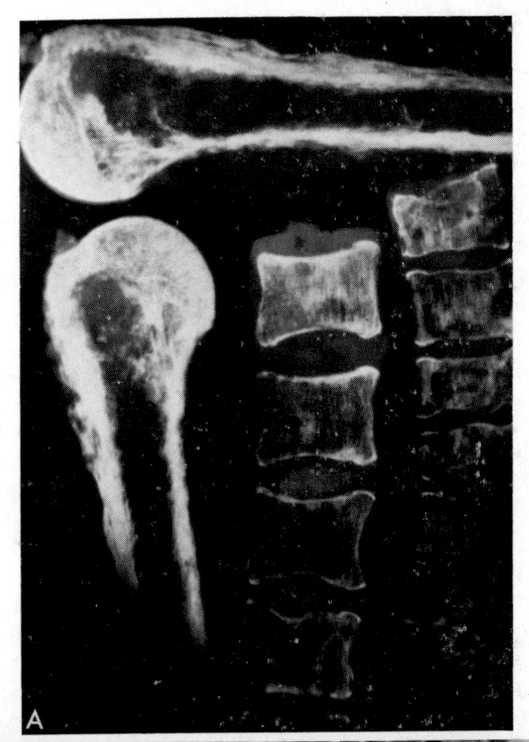

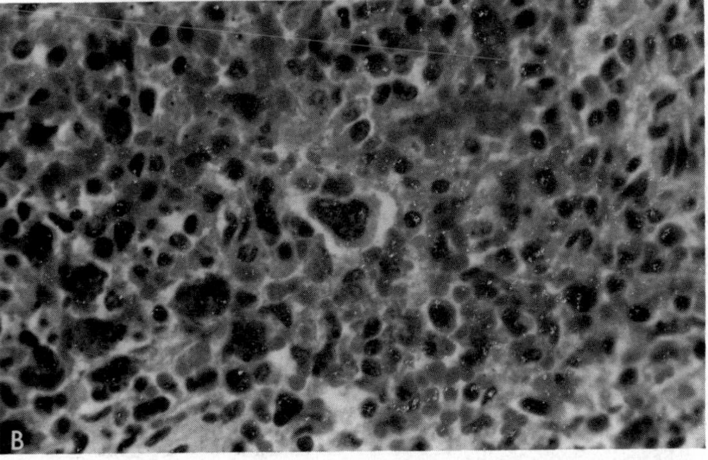

Figure 17-39 *A* and *B*, Reticulum cell sarcoma of humerus.

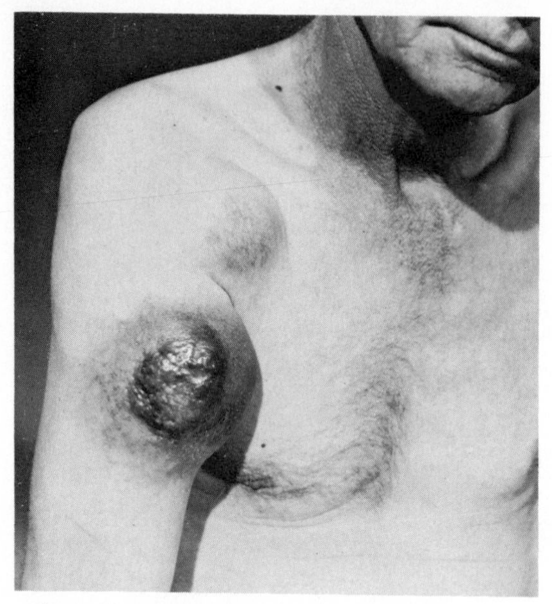

Figure 17–40 Secondary carcinoma in humerus, osteoblastic type; primary in lung.

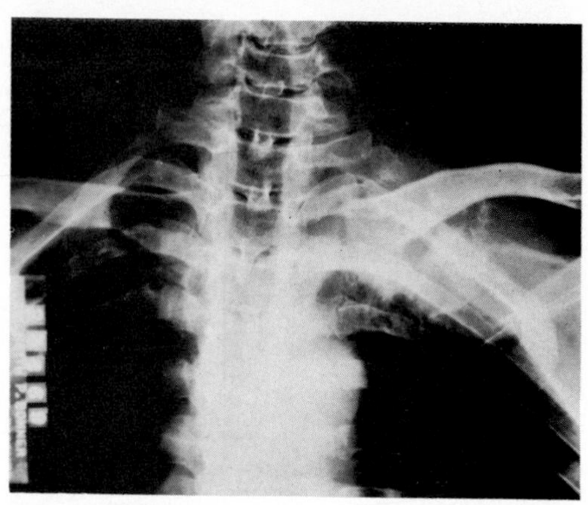

Figure 17–42 Apical lung tumor (Pancoast lesion).

irregularity becomes obvious in the thin bone structure. The tumors found are similar to those described for the humerus. The common, benign lesions are osteochondromas (Fig. 17–44), enchondromas (Fig. 17–45*A*, *B*, and *C*), and giant cell tumors (Figs. 17–46*A* and *B* and 17–47*A* and *B*). The treatment is the same as for tumors in the humerus.

A general problem is posed in the giant cell lesions. These commonly occur in the neck, and expand to just beneath the cartilage of the glenoid cavity. Sometimes the joint surface is cracked because the eggshell thinness of the bone withstands little trauma. These are treated by excision, curettage, and obliteration with cancellous bone chips and cortical bone, if necessary. Complete resection is difficult, and recurrence sometimes follows easily. When this happens, complete resection without grafting may be done, including the glenoid surface. Should there be any question of malignancy, scapulectomy (as outlined later) is the operation of choice. Plasmacytomas are occasionally encountered in the scapula, and appear in the subglenoid neck region. These are easily confused with giant cell tumors, as the illustration shows (Fig. 17–48). Biopsy settles the issue. Treat-

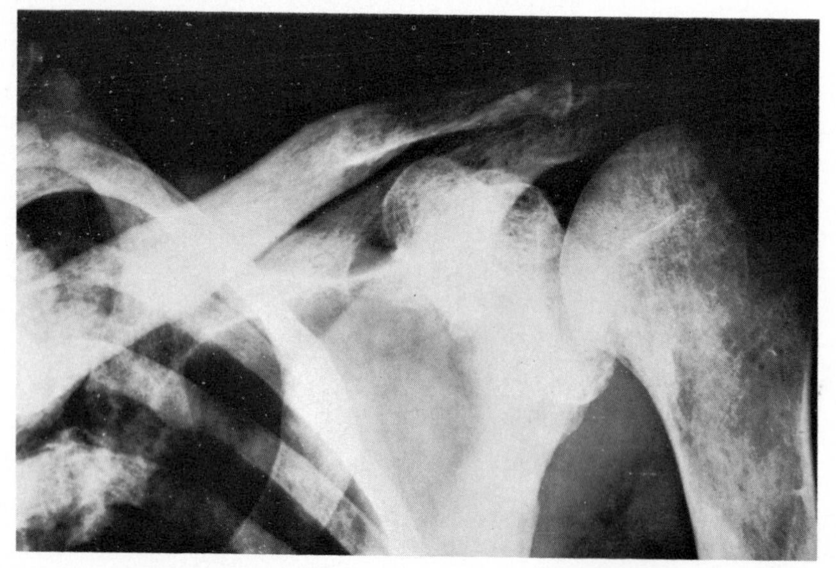

Figure 17–41 Multiple secondary deposits of carcinoma in the shoulder girdle; primary in prostate.

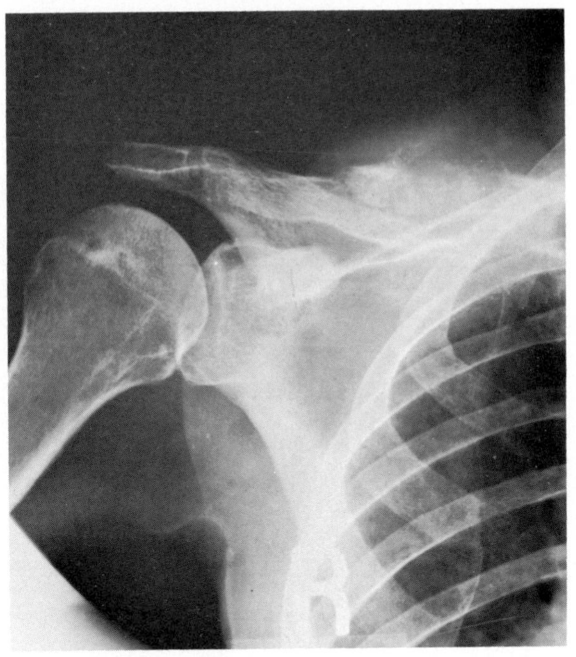

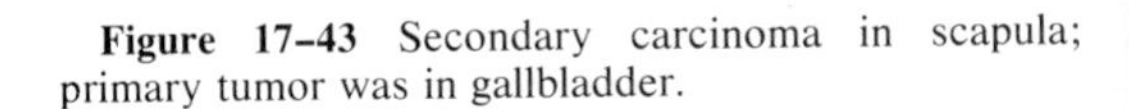

Figure 17–43 Secondary carcinoma in scapula; primary tumor was in gallbladder.

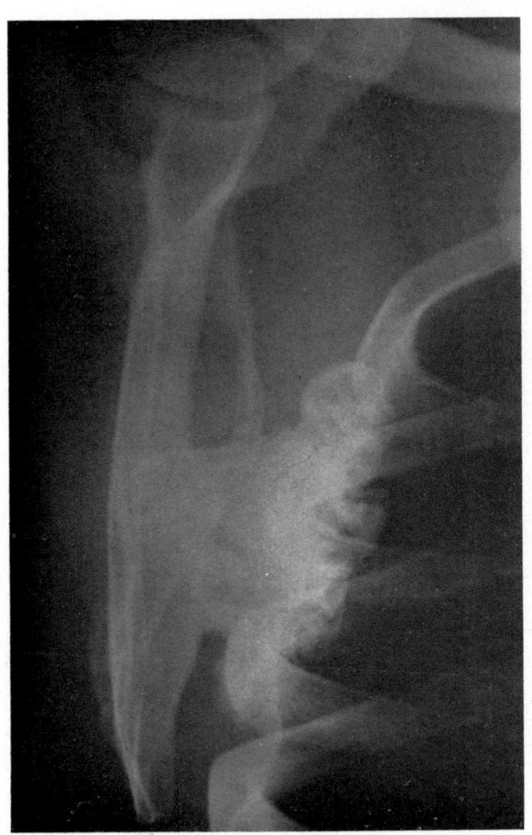

Figure 17–44 Osteochondroma of scapula.

ment is the same as for giant cell tumors. If they recur after excision and bone grafting, scapulectomy should be done.

Malignant tumors such as chondrosarcoma, Ewing's, and osteogenic sarcoma are also found. Cartilaginous tumors seem to be more frequent than Ewing's or osteogenic lesions (Fig. 17–49). Sometimes these grow to a large size. Apparently they may begin as a simple chondroma that, after some time, increases in size and assumes aggressive properties. Other lesions such as those outlined for the humerus are encountered, and the pathologic characteristics are similar.

Treatment. Local excision of benign lesions such as osteoma, osteoid osteoma, and osteochondroma is sufficient. Benign cystic lesions such as giant cell tumor should be resected and obliterated with bone. Malignant tumors, e.g., chondrosarcoma, are satisfactorily treated by total scapulectomy. In more aggressive lesions (osteogenic and Ewing's sarcoma), forequarter amputation is recommended.

TECHNIQUE OF TOTAL SCAPULECTOMY. The operation is performed with the patient face down, and the shoulder so draped that it may be moved. A curved incision is used and extends from the tip of the acromion, medially, across the spine, turning downward lateral and parallel to the vertebral border (Fig. 17–50). This allows access to all edges of the bone. The suspensory muscles along the spine are cut, and then those at the vertebral border and inferior angle. The cuff muscles are incised lateral to the glenoid; the long head of biceps is cut and clamped. The scap-

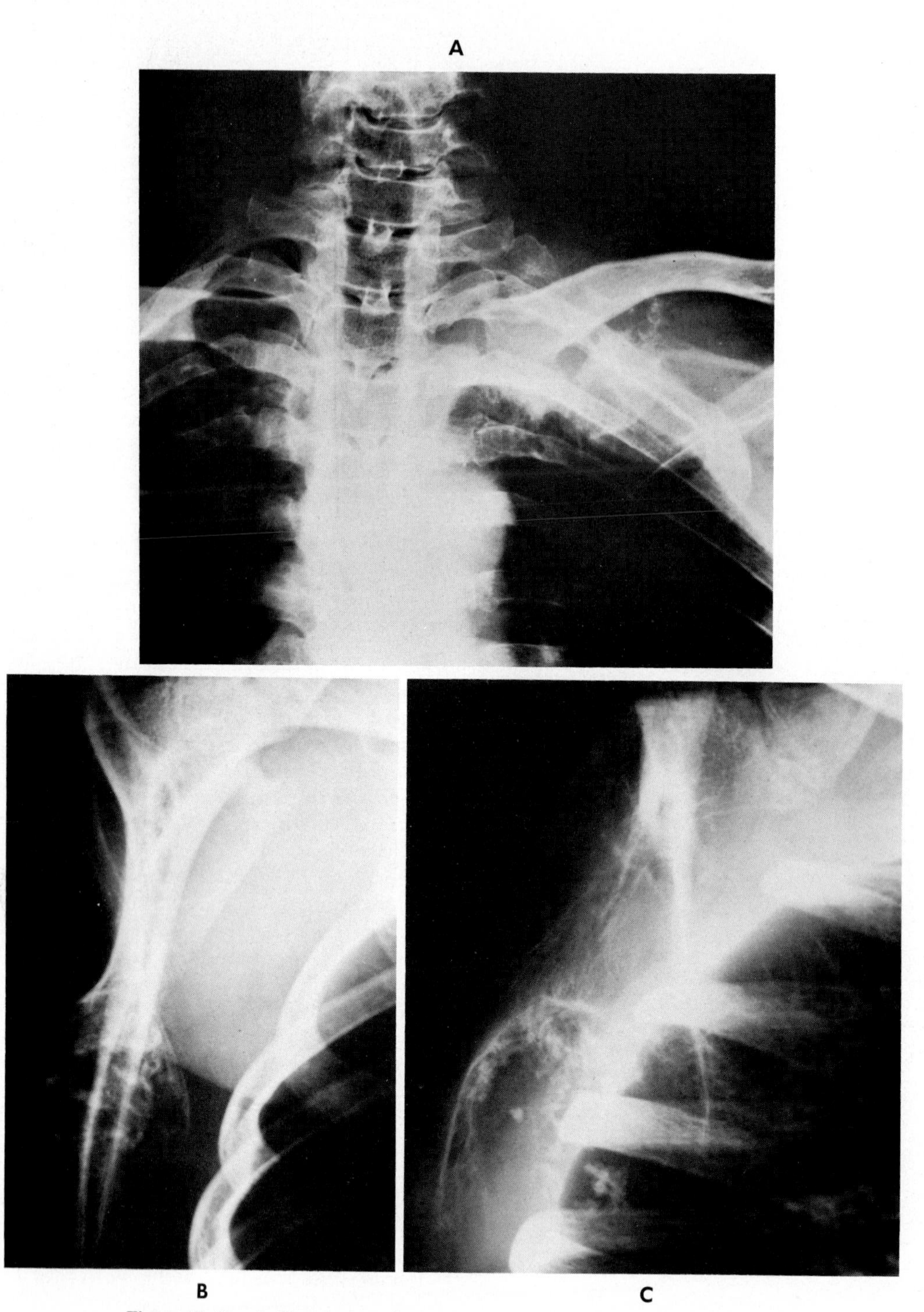

Figure 17–45 *A*, Chondroma of scapula. *B* and *C*, Enchondroma of scapula.

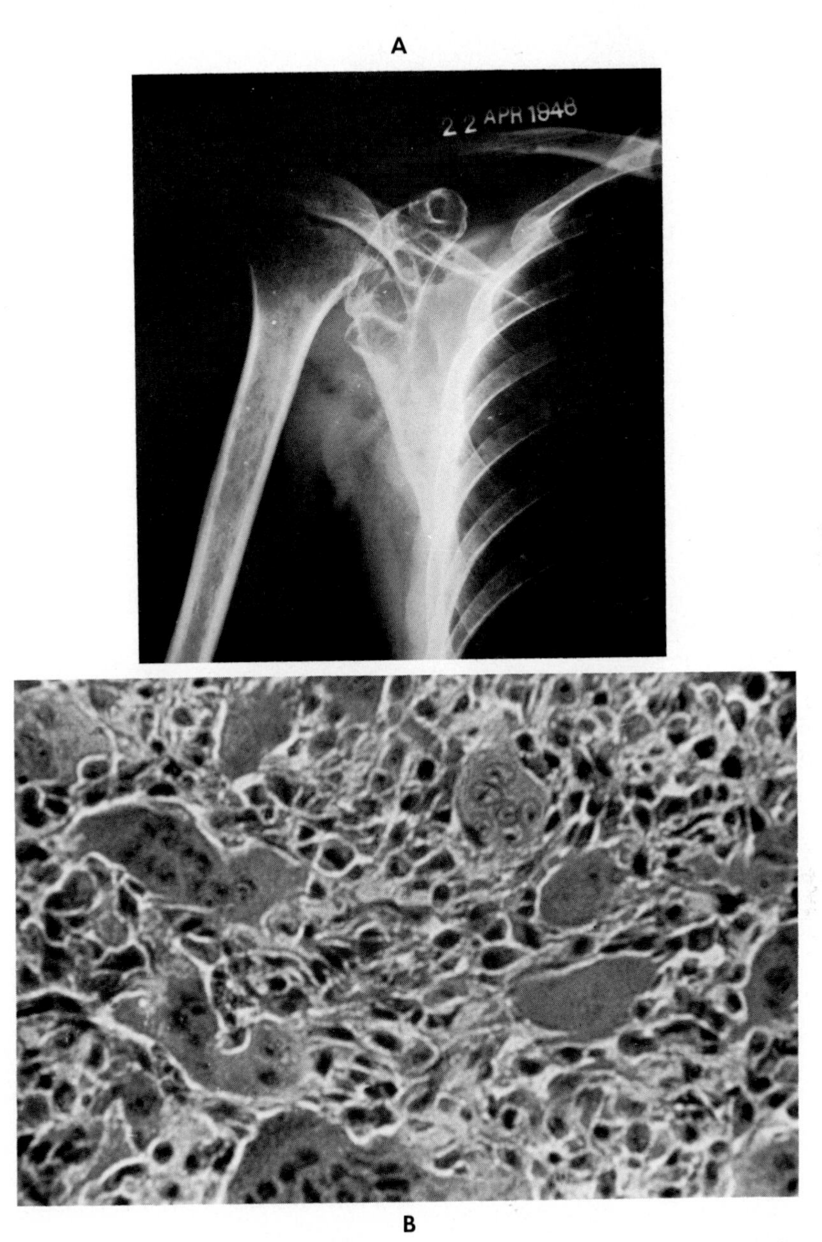

Figure 17–46 *A* and *B*, Giant cell tumor of scapula.

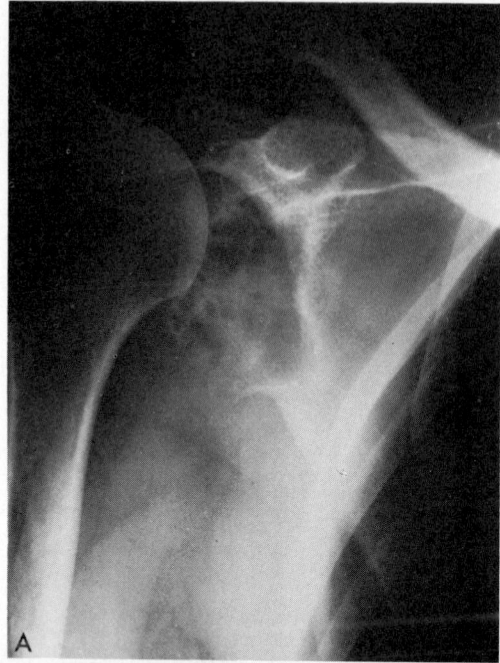

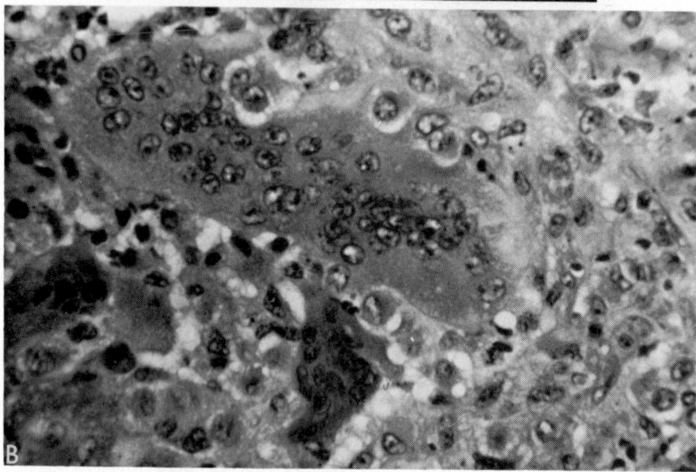

Figure 17–47 *A* and *B*, Giant cell tumor of glenoid.

ula is elevated, and the transverse scapular vessels are ligated as they extend into the suprascapular notch. The coracoid and trapezoid ligaments are cut. The scapula is rotated so that the subscapularis may be cut through. The long head of biceps is then sutured to the clavicle and acts as a suspensory ligament, replacing, in a fashion, the conoid and trapezoid ligaments. This last step was introduced by W. E. Gallie, who emphasized the necessity for some suspensory force for the arm. If this is not provided, the extremity tends to drop limply and drag. Some support relieves this and improves the power of movement. Scapulectomy is a surgical procedure of the first magnitude, but most satisfactory results are recorded. The resulting disability is less than might be anticipated. These patients retain reasonable control and are able to lift from the side.

TUMORS OF THE CLAVICLE

The clavicle is the least common site for tumors in the bones of the shoulder. It is still susceptible to both benign and malignant neoplasms; osteomas and, occasionally, giant cell tumors and hemangiomas (Fig. 17–51) are found. Their treatment is similar to the principles outlined for such growths in the humerus and scapula. Malignancies are encountered also (Fig. 17–52). Multiple mye-

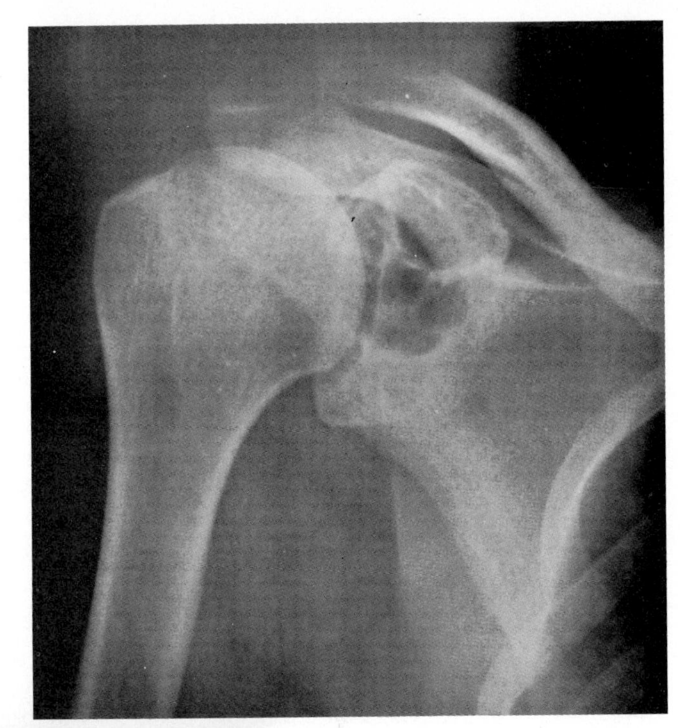

Figure 17–48 Plasmacytoma of scapula.

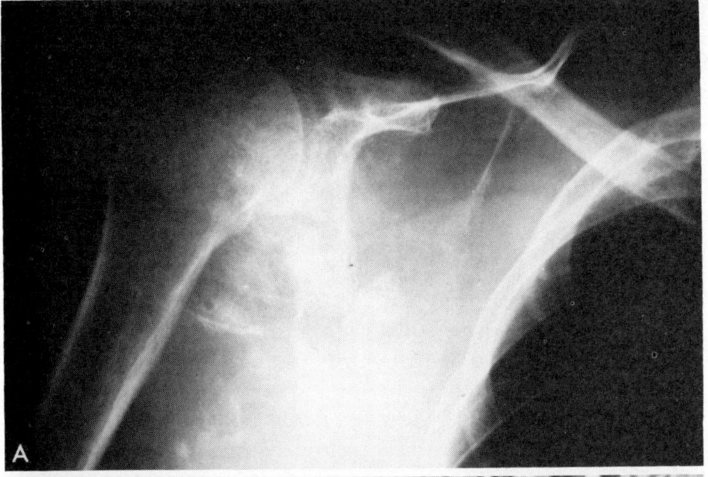

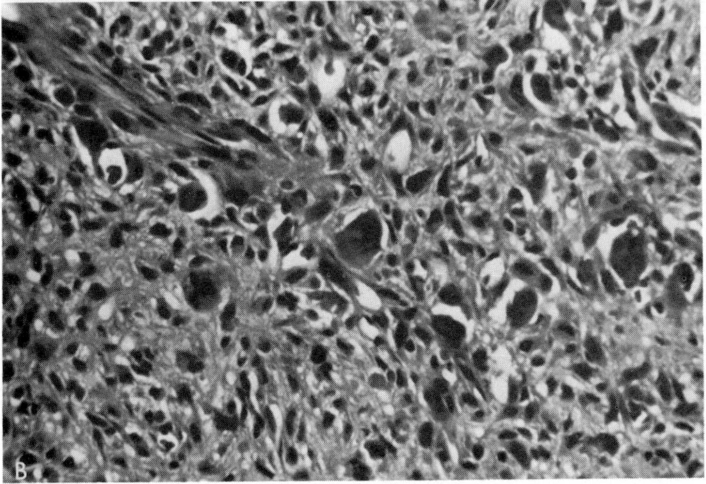

Figure 17–49 *A*, and *B*, Osteosarcoma of scapula.

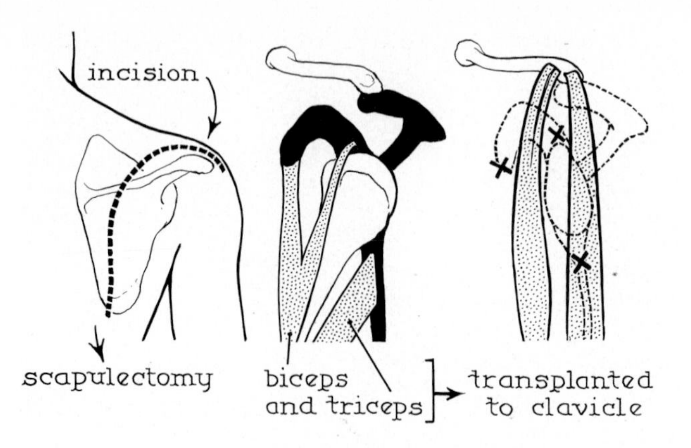

Figure 17–50 Technique of total scapulectomy.

loma (see Fig. 17–37) has some predilection for the clavicle. Osteogenic sarcoma arises occasionally (see Fig. 17–52 and 17–53). These tumors become apparent quite early because the superficial position of the whole shaft favors attention to any irregularity or soreness. Osteogenic sarcoma poses a serious problem to therapy. Local extension rapidly involves vital structures at the lung apex or in the neck, making excision difficult. The operation of choice is forequarter amputation, but occasionally progression is such that only local resection can be done. This may be accompanied by radiation, but the therapy is only transiently effective and recurrence is rapid. Fungating masses add considerably to the unfortunate patient's discomfort, and repeated local resection by cautery is justified.

BONE DISEASE TO BE DIFFERENTIATED FROM NEOPLASMA

In addition to tumors, the shoulder girdle is susceptible to bone diseases found elsewhere in the body, including Recklinghausen's disease, fibrous dysplasia, Paget's disease, osteomyelitis, syphilis, and even scurvy. The mobility and constant use may focus attention on this region first in any of these generalized disorders. Many simulate tumors, particularly in x-ray films, and these have been discussed previously. Paget's disease, lipoid granulomatosis, osteomyelitis, and the very rare syphilis and scurvy merit further consideration.

Paget's Disease

The shoulder bones are implicated in this generalized constitutional disorder of later life. In this region it commonly comes to light as an osteoporotic or cystic change in the upper zone of the humerus (Fig. 17–54). As such, it may be confused with other cystic lesions such as fibrous dysplasia, Recklinghausen's disease, and osteogenic sarcoma. Most authorities feel that Paget's disease proceeds through several phases, so that an osteoporotic stage is encountered initially (Fig. 17–54), followed by a lithocystic phase

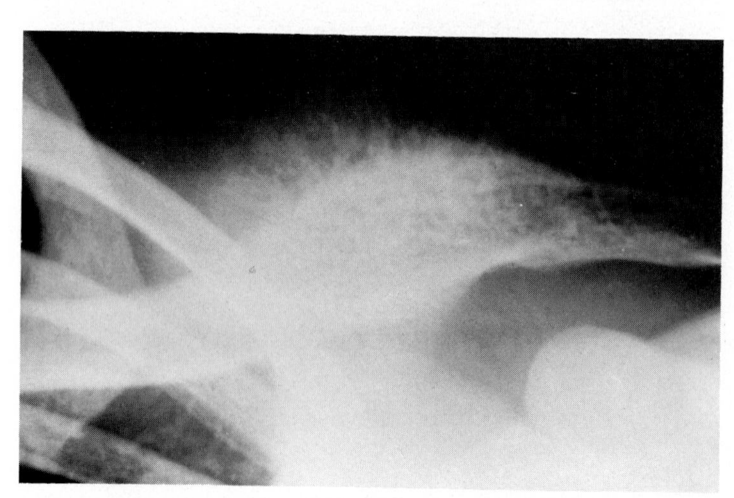

Figure 17–51 Hemangioma of clavicle.

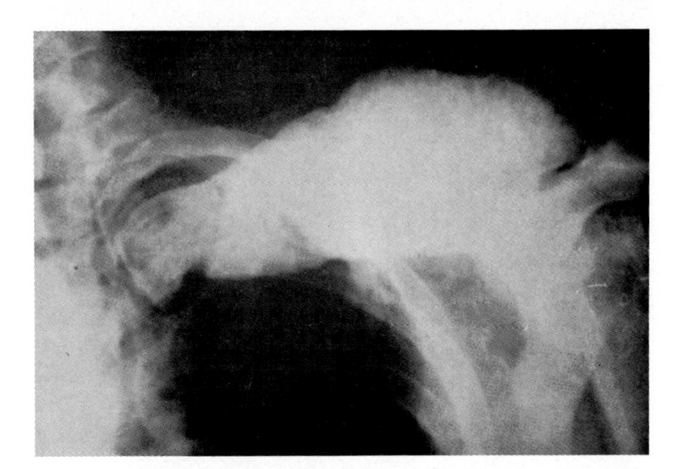

Figure 17–52 Osteogenic sarcoma of clavicle.

(Fig. 17–55), and finally the commonly seen osteolithic stage (Fig. 17–56*A* and *B*). It is in the early phase of osteoporosis or cyst-like change that difficulty in diagnosis arises and clinical complications are more apparent. Many cases progress through all these stages without ever producing symptoms. Nearly all patients are over 40, and males are afflicted more commonly than females. Pain, limitation of movement, and some bowing or swelling of the upper part of the arm are the clinical findings when the shoulder is involved. Occasionally, pathologic fracture is the initial indication. The x-ray films show startling changes in the early phase of this disease.

An osteoporotic zone or segment appears in the proximal half of the humerus. This may be followed by thickening and minute cyst formation in the cortex, and later by the typical hardening and gross thickening of the end stage. The process may stop anywhere along this course. In extreme cases, which have the most serious complaints, the osteoporosis is profound, amounting almost to a lytic process. The normal cortical outline disappears, and the upper portion of the shaft and head is represented by an irregularly calcified mass. Fractures are common at this stage. Investigation shows other body areas involved, but usually only one zone shows these profound changes at one time. Calcium and phosphorus in blood and urine are normal, but the serum phosphatase is elevated. Therapy is directed toward the complications of this disease, since no established treatment is available for the generalized process. Fractures of the humerus are treated by reduction and immobilization in plaster. Operative fixation usually is not necessary, and in the extremely porotic lesions is not suitable. Occasionally the osteoporosis is so marked that the fracture is months in healing; rarely, they do not heal. In such cases the effect of moderate x-radiation may be assessed.

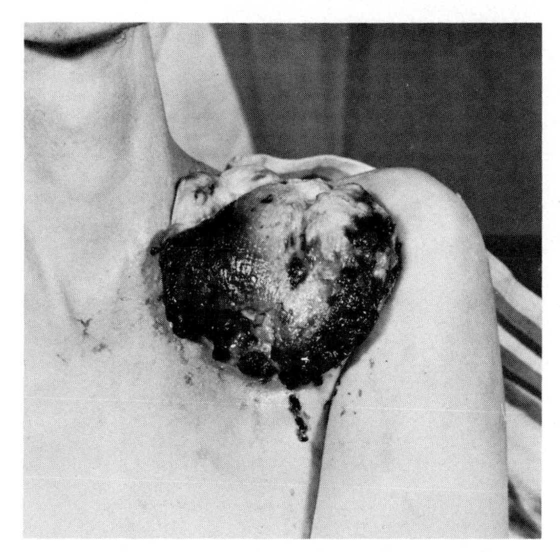

Figure 17–53 Fungating advanced osteogenic sarcoma of clavicle.

The most serious complication is malignant change, which is encountered in roughly 10 per cent of patients presenting symptoms (Fig. 17–57). The malignant process is classified as an osteogenic sarcoma, and in such form is the commonest type of osteogenic sarcoma in patients over 40 years of age. It is manifested by persistent and increasing pain, radiologically aggressive lytic development, and a high serum alkaline phosphatase level.

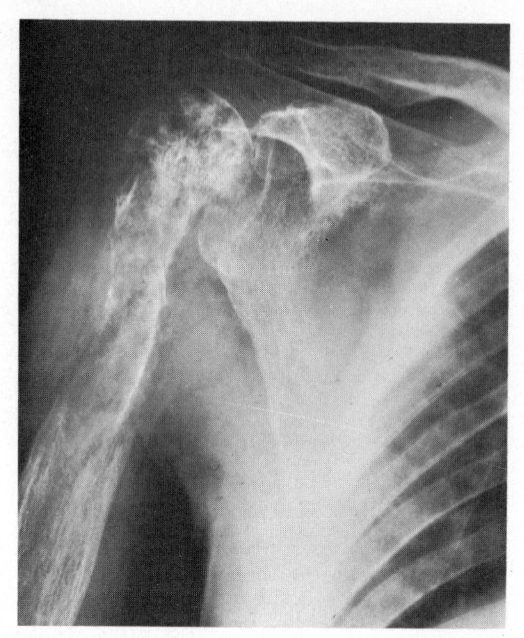

Figure 17–54 Paget's disease of the upper end of humerus; osteoporotic or osteolytic stage.

It should be emphasized at this point, however, that such a diagnosis should be made only on microscopic section, because the osteoporosis may be severe and then progress in quite benign fashion. In the shoulder region the treatment of choice is forequarter amputation. This may be supplemented by radiation.

Lipoid Granulomas

Cystic changes in scapula and humerus are encountered as manifestations of this somewhat rare group of disturbances. Letterer-Siwe disease, Hand-Schüller-Christian disease, and eosinophilic granuloma are currently interpreted as different histologic stages of one underlying disorder. The scapula appears to be the most frequently implicated of the shoulder bones. The basic radiographic change is a well-demarcated circular defect, or several such areas coalescing in irregular fashion (Fig. 17–58). Multiplicity of lesions is the rule, with skull, vertebrae, and pelvis more commonly implicated than the extremities.

In infants and in children up to two years of age the general systemic reaction is preponderant, with marked proliferation of the reticuloendothelial cells. "Letterer-Siwe disease" is the term applied to this phase. Later, bone changes are more prominent and the term "Hand-Schüller-Christian disease" may be applied. In addition to the cystic changes that are predominant in membrane bone, diabetes insipidus and exophthalmus occur. Eosinophilic granuloma is considered the late phase, and has fewer bone changes and less profound systemic reaction. The early forms are easily diagnosed. Eosinophilic granuloma, however, is easily confused with other cystic changes such as fibrocystic disease, solitary bone cyst, giant cell tumor, chon-

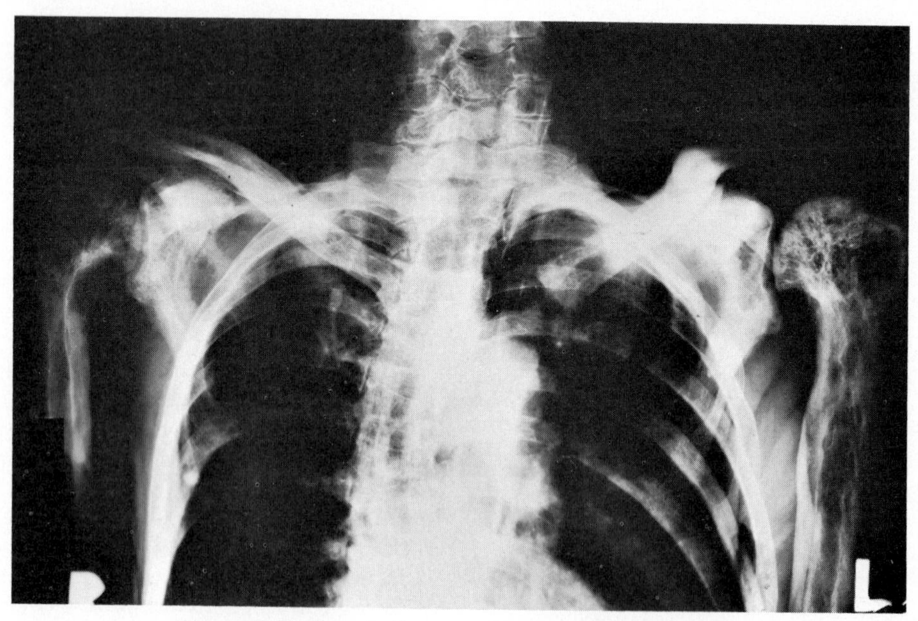

Figure 17–55 Paget's disease of humerus; lithocystic stage.

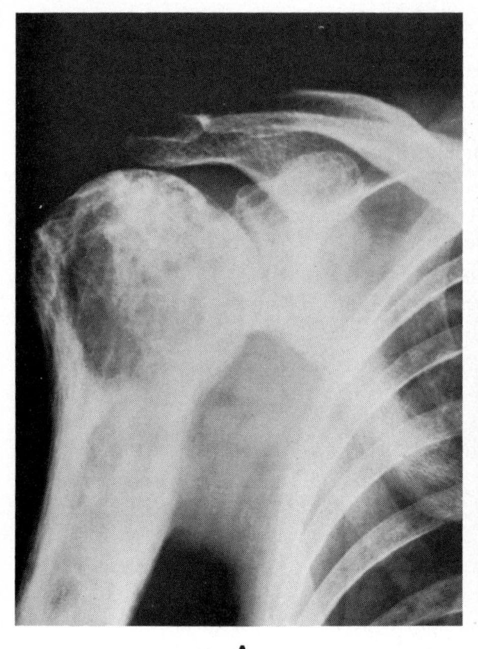

A

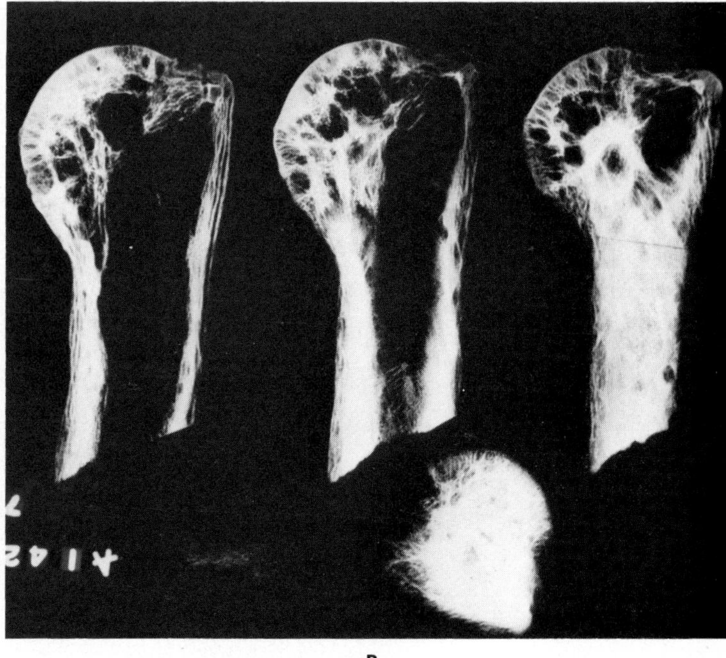

B

Figure 17–56 *A* and *B*, Paget's disease of humerus; osteolithic stage.

droblastoma, osteogenic sarcoma, and Ewing's tumor. Biopsy determines the diagnosis. A characteristic cytologic picture is present, with groups of foam cells in a granulomatous tissue. Very rarely, malignant change has been identified (Fig. 17–59*A* and *B*). In eosinophilic granuloma, masses of eosinophils, along with the histiocytes, are diagnostic.

The treatment of these disorders is changing as our knowledge increases. An infectious process is suggested by the distribution and progress of some of these cases. The possibility of a virus lesion of bone is provocative. Radiographic treatment has been the most successful measure to date. Recently the possible infectious etiology has been substantiated by R. N. Fisher, who reports successful treatment with Chloromycetin of the usually fatal Letterer-Siwe disease.

Atypical and Malignant Fibrous Histiocytoma

In recent years a heterogeneous group of neoplasms has been described in which a common origin from histiocytes has been postulated. These occur in both soft tissues and bone. Although they are all considered to be proliferative and often have been confused with other lesions, Stout (Atlas of Tumor Pathology, Fasc. 1, 2nd series, AFIP, Washington, D.C., 1967) was among the first to ascribe these many faceted lesions to the multipotential nature of the tissue histiocyte. Although a variety of diagnostic terms continues to be used, the histiocytic origin of these neoplasms is now generally acknowledged. In the past such tumors have been confused with fibroblastic and spindle-celled neoplasms, including liposarcoma and fibroblastic osteosarcoma. Because of their heterogeneous nature, one encounters lesions of this group that cannot be confidently classified as benign or malignant by their microscopic appearance. Because of this difficulty, the term "atypical" has been applied to fibrous histiocytomas by Soule (in Cancer *30*:128, 1972). To further complicate specific identification of this group, many of the histologic features of histiocytoma may be found in giant cell tumor of bone, fibrosarcoma, fibroblastic osteosarcoma, and pigmented villonodular synovitis.

These tumors may occur in any age-group and show no sex predilection. When identified by strict criteria, malignant fibrous histiocytoma is particularly aggressive, with a high rate of recurrence and metastases, very few five-year survivors, and almost no ten-year survivors.

In bone, these neoplasms are characterized by relentless lytic destruction and extraosseous extension. The lack of surrounding sclerosis denotes their aggressive character.

Microscopically, there is a combination of spindle-celled, actively proliferating atypical tumor with the spindle cells oriented in short, swirling bundles that produce the notorious "storiform" pattern. Areas with

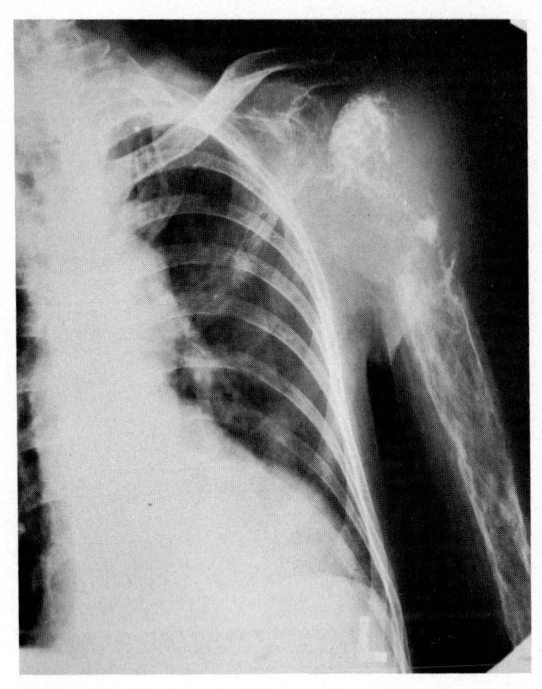

Figure 17–57 Paget's disease with malignant change.

larger cells, with abundant densely-staining cytoplasm that is often vacuolated, indicate the histiocytic character. A great degree of cellular pleomorphism, including bizarre giant cells and atypical mitotic figures, bears witness to the malignant character.

Complete exision would appear to be the treatment of choice, for neither radiation therapy nor current chemotherapy has been shown to be successful in controlling malignant histiocytoma.

Osteomyelitis

The advent of effective chemotherapy has decreased the incidence of this once dread disease. The humerus is the bone most frequently involved about the shoulder (Fig. 17–60). The metaphyseal region may be implicated in the hematogenous spread, but direct contamination from fractures and wounds is more frequent. In children the joint may be involved because a small corner lies within the capsular confines. The disease may be confused with calcified tendinitis or various bone tumors, notably Ewing's. The treatment is proper chemotherapy and immobilization in plaster. In chronic cases, if sequestra are apparent, they should be removed.

Syphilis

Changes in the shoulder bones may appear in syphilis in either the congenital or acquired varieties. In the congenital variety, there are the usual cortical thickening and epiphyseal fragmentation (Fig. 17–61). Occasionally the gumma may be encountered in the humerus as a solitary lesion (Fig. 17–62).

Scurvy

Scurvy has become a rare disease, but it still is encountered occasionally. The shoulder is often involved, and striking radiographic changes may be seen in the acute stage. The upper end of the humerus has a globular shadow, with the raised periosteum presenting a halo-like effect (Fig. 17–63), this ap-

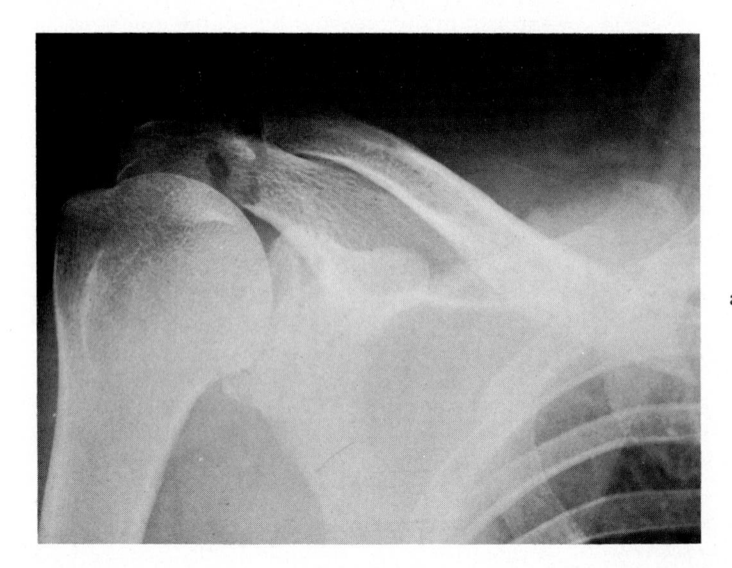

Figure 17–58 Cystic lesion of the acromion similar to eosinophilic granuloma.

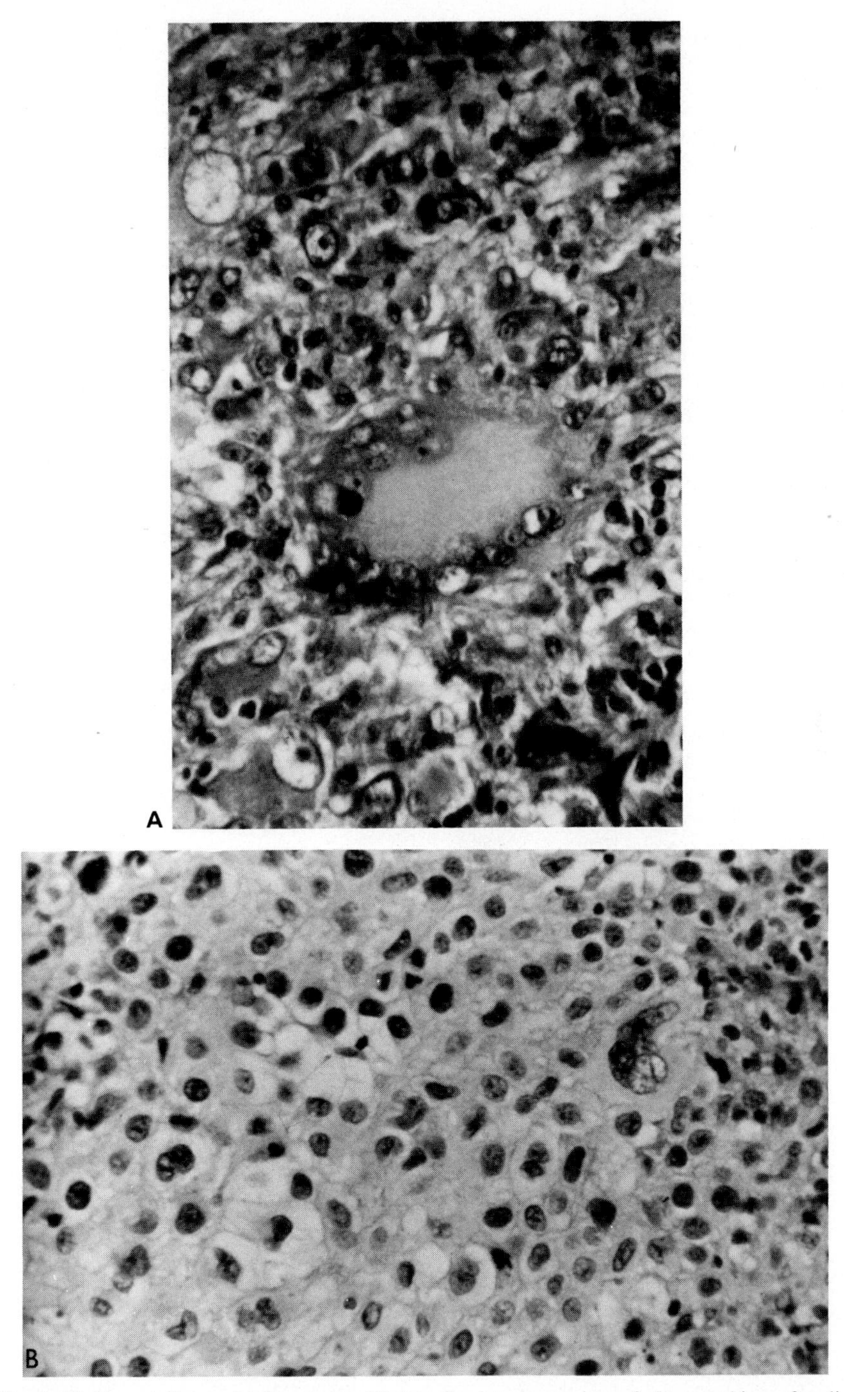

Figure 17–59 *A,* Malignant fibrous histiocytoma. Histologic picture consists of pleomorphism of malignant cells and prominent nucleated giant cells. Vesicular nuclei with prominent nucleoli are typical. The pale areas represent vacuolization of the cytoplasm of the tumor cells sprinkled throughout a very cellular tumor background. *B,* Malignant histiocytoma.

pearance is diagnostic. Systemic therapy quickly controls the bone changes.

Osteochondrodystrophies

Striking bone changes result from this group of developmental disorders, and the shoulder shares in these. The upper end of the humerus presents characteristic changes in achondroplasia and osteochondrodystrophy. In achondroplasia the humerus is short and thick, and the head has a flattened

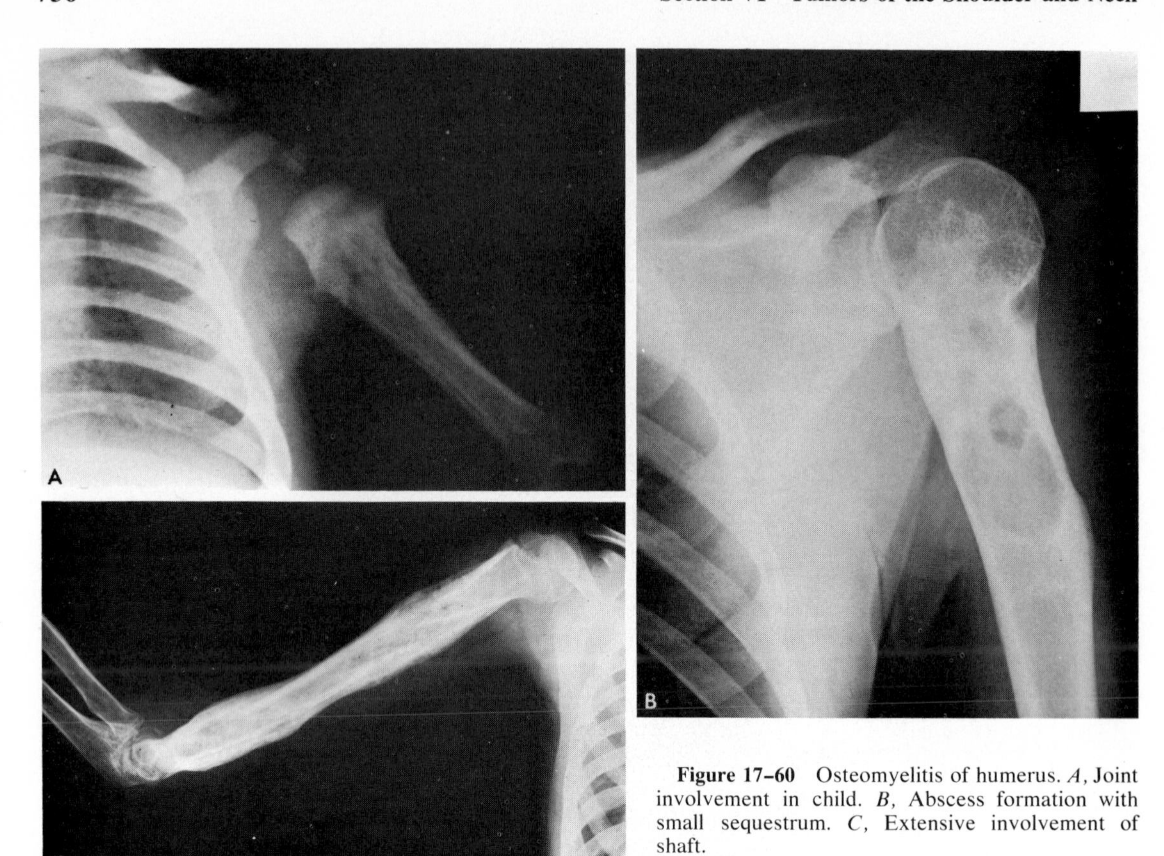

Figure 17–60 Osteomyelitis of humerus. *A*, Joint involvement in child. *B*, Abscess formation with small sequestrum. *C*, Extensive involvement of shaft.

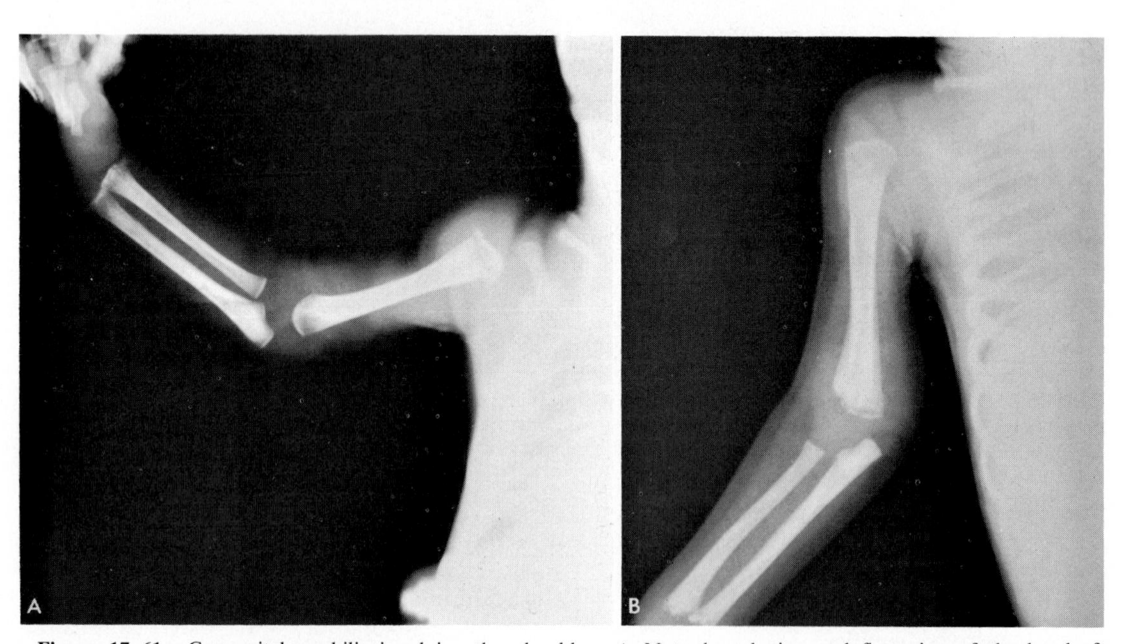

Figure 17–61 Congenital syphilis involving the shoulder. *A*, Note broadening and flattening of the head of the humerus. *B*, Note cortical thickening and ragged epiphysis.

"door-knob" shape (Fig. 17-64). Bony irregularities and exostoses close to the metaphyseal region are common. The changes rarely interfere with function to any extent, because adaptation and control to counterbalance the irregularities begin at an early age. Limitation of rotation is the most significant effect.

RARE JOINT DISEASES

Two uncommon joint disorders may be mentioned that are found much more frequently in joints in the lower limb. These are osteochondromatosis and neurotrophic changes (see also Chapter 15).

Osteochondromatosis

The x-ray film is striking, showing many small, halo-like bodies scattered throughout the joint (Fig. 17–65). These are cartilaginous bodies developed from the synovial lining by a process of metaplasia. Symptoms arise commonly about the third decade, and consist of painful catching or locking episodes, followed by swelling and limitation of movement. The treatment is exploration and excision of the loose bodies. At operation the joint is crammed with multiple, pea-sized, cartilaginous bodies. Some are loose and some are embedded in synovium; others are attached in pedunculated fashion by a synovial stalk. These latter are in the process of being pinched off to become loose within the joint. In some areas the synovial lining should be excised completely to eliminate all the potential chondromas. The joint is usually approached from the front; the deltoid fibers are separated, or the anterior portion detached from the clavicle and reflected laterally.

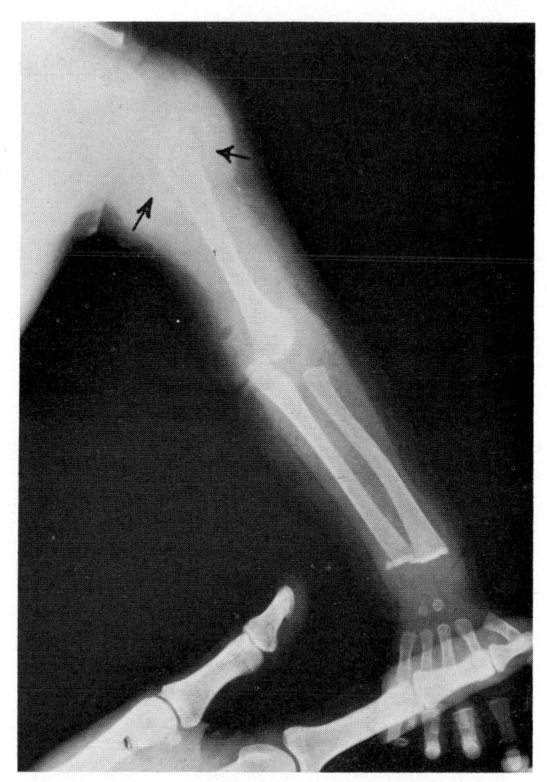

Figure 17–63 Scurvy of the shoulder.

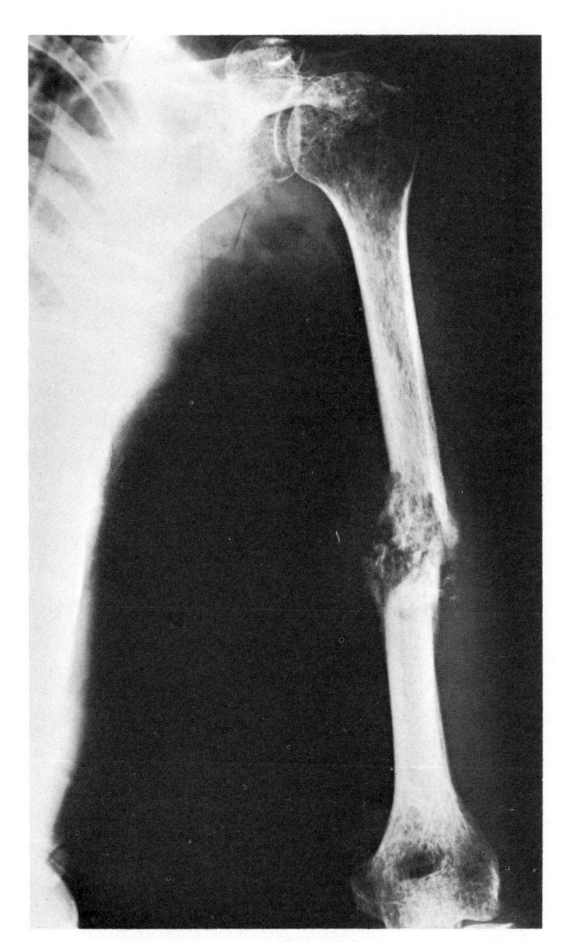

Figure 17–62 Gumma of humerus.

Neurotrophic Joints

Profound joint changes occur in the shoulder from syringomyelia and syphilis (Fig. 17–66). These have been considered in detail in Chapter 15.

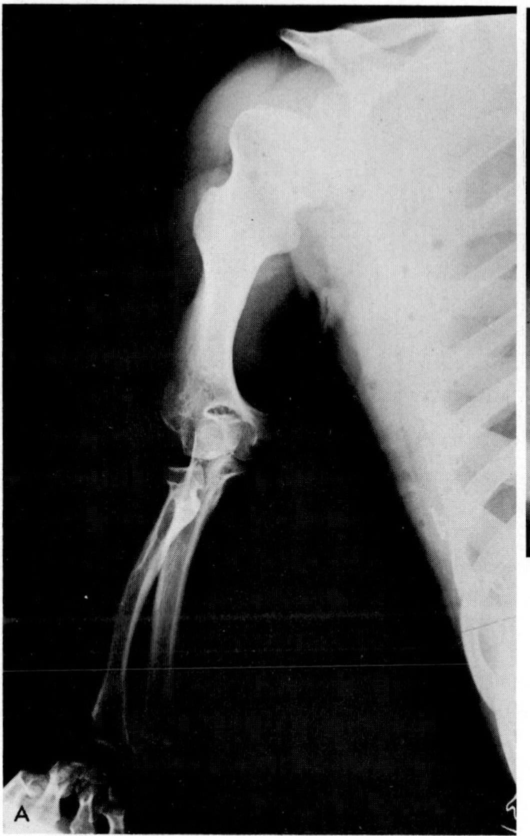

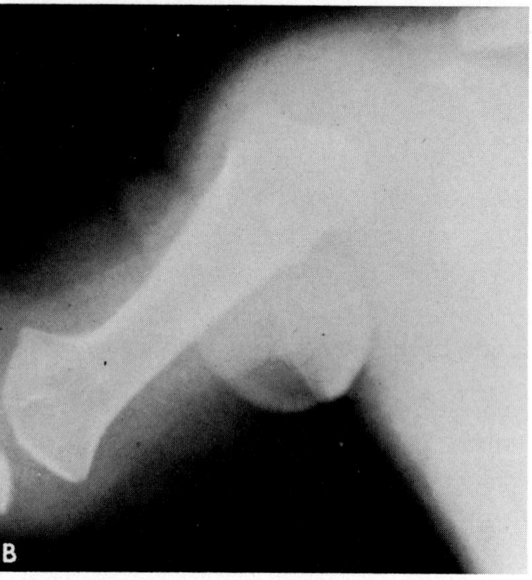

Figure 17–64 Shoulder changes in *A*, achondroplasia; *B*, Morquio's disease.

HODGKIN'S DISEASE

In conjunction with other parts of the skeleton, the bones of the shoulder may be involved in Hodgkin's disease. Diffuse uniform sclerosis is encountered, spreading from the cortex inward. Pain and limitation of movement may accompany the generalized systemic manifestations. Somewhat similar changes are also seen in leukemia (Fig. 17–67).

TUMORS OF THE NECK

Most tumors or tumor-like lesions involving the neck implicate the soft tissues and viscera. They fall naturally into two groups, depending on their location at the front or the back. In contrast to the zone about the shoulder, there are frequent swellings implicating the front of the neck that are of non-neoplastic origin. For this reason it is extremely important to carry out meticulous physical examination, particularly in assessing a swelling in the midline, anterior to or closely associated with this zone. In the same way, inspection of the supraclavicular zone should be a routine part of a general physical examination, because of the likelihood of certain systemic diseases becoming apparent in the lymph glands of this region.

ANTERIOR CERVICAL LESIONS

In the anterior triangle of the neck certain uncommon lesions may be defined.

Thyroglossal Cysts

These cysts or tumors arise from the remains of the thyroglossal duct, which extends from the base of the tongue to the isthmus of the thyroid gland. They appear in the early years of life as oval swellings in the midline. Often they consist of thyroid tissue and are firmly nodular on palpation. If soft, they are cystic with a loculated cavity, lying in the usual site just below the hyoid bone.

Dermoid Cysts

A further type of congenital cyst is identified, also lying in the midline and made up of cutaneous elements in various proportions. Skin, hair follicles, and sweat glands are included in these benign neoplasms. When they cause symptoms, they should be treated by surgical excision.

Branchial Cysts

A rare lesion is the laterally placed congenital cyst, which is termed a "branchial cyst." These are rounded swellings appearing below the angle of the jaw, or just at the anterior border of the sternocleidomastoid muscle. On section they contain epithelial and lymphoid elements, and arise from the remnants of a branchial cyst. In some instances an opening to the surface develops as a fistula from the collection of these congenital elements. The branchial fistula arises at a higher level, and in rare instances has an internal opening related to the base of the tongue.

Carotid Body Tumors

A tumor of the chromaffin system, developmental in nature, may appear in relation to the bifurcation of the carotid artery. It is called a potato tumor because of its loculated skin-like covering. The tumor occurs in the early decades, and may be mistaken for many less significant disorders. The tumor has an important relationship to the cerebral blood pressure, and this is its salient feature. Pressure on the lesion frequently produces attacks of syncope; these often have an apparently unexplained origin, but are due to a tight collar, pressure from a coat, or some other cervical constriction. Considerable recovery can be anticipated from surgical removal.

Thyroid Tumors

Firm swellings at the root of the front of the neck usually implicate the thyroid gland. Neck pain is not an unusual complaint, and yet the patient may be unaware that the source is really at the front. Colloid tumor or exophthalmic lesions are easily recognized. The rare condition of woody thyroiditis produces much more acute pain and is characterized by a rapid and diffuse enlargement, along with extreme local tenderness and absence of concomitant thyroid symptoms. Carcinoma of the thyroid, although a relatively rare lesion, should be watched for. It always develops in a gland already the seat of dysfunction, and the onset of the change may be characterized by a new painful state localized to this region. The further importance of the lesion is its predilection to metastasize to bone.

TUMORS OF THE POSTERIOR ASPECT OF THE NECK

Swellings in the posterior triangle and posterior cervical region may be classified under three main headings.

Inflammatory Lesions

Many states such as infections of the tonsils, teeth, and jaws may implicate the cervical lymph glands. Any of these will produce a generalized cervical adenopathy. Initially one group may be more involved than the other. Local skin inflammation and hair follicle infections also produce similar painful swellings, leading to a decrease in neck motion and considerable local pain. The characteristic of all these lesions is their rapid onset and their usually patent association with nearby inflammation.

Lymphoblastomas

The commonest initial site of involvement in leukemia and the lymphoblastomas of the lymphoid system is in the cervical lymph glands. There is little pain associated with this, and almost no implication of movement in the cervical spine. In some instances a casual assessment of the area identifies the swollen glands.

Secondary Carcinoma

The cervical lymph glands are important drainage mechanisms for lip, tongue, mouth, larynx, nasopharynx, and esophagus. Consequently, it is not uncommon for a primary malignant lesion to spread from these areas to the neck. Carcinoma of the stomach also can occasionally be detected in this area. Biopsy should be done of all firm, persistent swellings. Neck symptoms, apart from truly local changes, are most infrequent.

BONE TUMORS INVOLVING THE CERVICAL SPINE

Regional demarcation of bone tumors has not been extensively developed because most contributors dwell on the delineation of a given tumor, rather than interpreting its regional significance. In the case of the cervical spine, as elsewhere, we may demarcate benign, malignant, and secondary bone tumors.

Benign Tumors

Many benign tumors have been identified in the cervical spine, but the commonest one is some variant of the hemangioma; other lesions have been reported, including giant cell tumor, benign chondroblastoma, aneurysmal bone cyst, osteoid osteoma, osteoblastoma, osteochondroma, and enchondroma.

Hemangioma. The hemangioma is the commonest tumor of the spine, and in its general distribution frequently implicates the cervical area. Jaffe has suggested that they may represent focal varicosities rather than true hemangiomata.. Radiologically they appear as an area of rarefaction, with a coarse trabecular ribbing or longitudinal striations. Pain in the area, local tenderness, and, occasionally, nerve root irritation develop. A common course is collapse following a fall, after which symptoms are markedly accentuated. The tumors are more common in the thoracic and lumbar region. The outstanding characteristic is confinement to the vertebral body.

TREATMENT. This depends on the state of the lesion. If collapse has occurred, the resulting instability and distortion of the area may produce cord and radiating symptoms, requiring laminectomy. If this operation is carried out, the area should be stabilized at the same time. Radiation is effective for lesions causing local symptoms without neurologic signs, or in patients suffering severe complications of injury.

Osteochondroma. A not infrequent lesion implicating the tip of a spinous process may be identified as an osteochondroma. This appears as a solitary lesion, or in company with other osteochondromata may implicate humerus and scapula. Surgical excision is recommended once this lesion has been identified. In addition to the local pain and tenderness, considerable restriction of motion results from the mechanical interference with adjacent spinous processes. A further reason for early surgical excision is that, upon occasion, malignant changes have been reported in these lesions.

Benign Chondroblastoma. Another epiphyseal lesion that has been described in the spine is the benign chondroblastoma. It is a common tumor, also of the upper end of the humerus. It differs from the giant cell lesions because of its cartilaginous components and areas of focal necrosis. Radiologically it may be difficult to differentiate from osteochondroma, but the treatment is the same; the lesion should be excised completely.

Aneurysmal Bone Cyst. These have been reported as involving some part of the vertebral column almost as frequently as they involve the long bones. They occur in the cervical spine, usually confined to the vertebral body, or occasionally implicating the arch and processes. Radiologically the cyst is a ballooned-out zone, with soap bubble partitions initially, but when these collapse this feature alters. However, the clear-cut, translucent appearance on one side or the other is highly characteristic.

Surgical exploration and curettage with bone grafting is desirable, but where the cyst may be excised completely, this should be done. The surgeon should be prepared to encounter considerable hemorrhage; in this connection, some form of cryosurgery could be the method of choice in dealing with these lesions.

Osteoid Osteoma. These benign lesions have been reported in the cervical spine, and usually involve the arch or articular processes. Persistent local pain, followed later by radiating symptoms, is characteristic. Local tenderness can be identified, but because of the motion of the arch it may be difficult to identify precisely the point from which the pain is coming; consequently, the lesion may stay hidden for some time. Any tumor in this area is extremely difficult to demonstrate in the x-ray studies and may be present for a long time before it is identified. When it is surgically accessible, block resection is the treatment of choice, as is the case with this lesion elsewhere.

Solitary Bone Cyst. Although this is a common lesion in the shoulder girdle, with more than half of the reported cases being located in the upper end of the humerus, solitary bone cyst has not been described as occurring in the cervical area of the spine.

Nonossifying Fibroma. This benign lesion of bone from the fibrous elements of the cortex has occasionally been identified in the upper end of the humerus, but has not been reported as occurring in the cervical spine.

Benign Osteoblastoma. An uncommon

tumor with a predilection for the vertebral column has been identified; it is characterized microscopically by abundant osteoblasts, and it is vascular, osteoid, and bone-forming. The tumor occurs more often in the spine, including the cervical area, than elsewhere. It involves the arch and the spinous processes most frequently, but can occur in the vertebral body. Radiologically the cortex is expanded and has a stippled pattern, with trabeculation. Microscopically the appearance is akin to that of an osteoid osteoma.

TREATMENT. Surgical excision should be done if feasible, followed by x-ray therapy. The latter alone may sometimes promote healing if the infected zone is surgically inaccessible.

Enchondroma. Mention is made of this lesion for completeness in considering neoplastic involvement of the cervical spine. This benign growth of cartilaginous element is the commonest tumor in the phalanges, and is frequently encountered in the upper end of the humerus, but has only rarely been reported in any area in the spine.

Giant Cell Tumor of Cervical Spine. A cystic lesion of the vertebral body is sometimes encountered that is a giant cell tumor. Vertebral body biopsy identifies the true nature.

The problem is one of frequent collapse before extensive symptoms develop. Treatment consists of skull tong extension if there is any neurologic involvement, followed by cervical fusion. Anterior fusion usually does not provide sufficient stabilization, so that posterior stabilization is required. It may be necessary, however, to treat both areas with anterior excision of the tumor and heavy graft replacement of the defect after the posterior elements have been stabilized (Fig. 17–68).

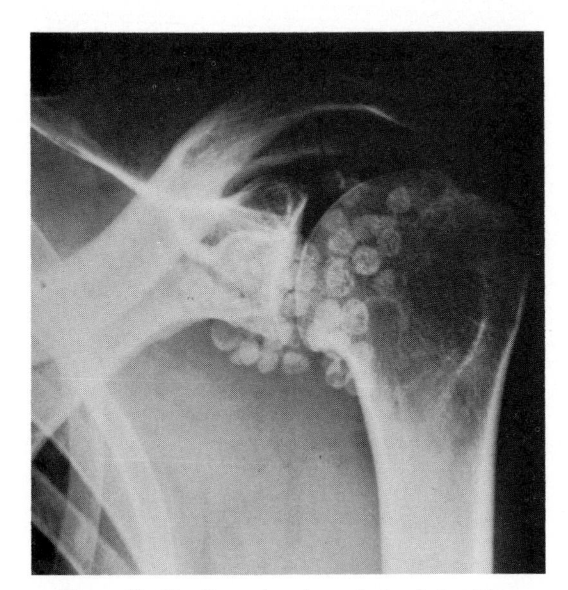

Figure 17–65 Osteochondromatosis of shoulder.

Malignant Tumors

Primary malignant lesions are extremely rare in the cervical spine, but the area is frequently involved by secondary deposits.

Multiple Myeloma. This generalized bone marrow disease is characterized by multiple, and occasionally single, lytic areas in the skeleton. It is a disease of older persons, and the bone deposits commonly appear in the spine, including the cervical region; it is the commonest malignant tumor identified in the cervical spine. The disease has an insidious onset, with weakness and lassitude resulting from the blood stream involvement. This is followed later by bone pain, neckache, and suboccipital pain due to bony involvement of the region. Vertebral body collapse occurs later in the disease, markedly increasing signs and symptoms, and often precipitating cord and extensive nerve root involvement. Generalized osteoporosis can be the only early sign of bone involvement, and the condition can progress to extreme systemic prostration, with almost complete absence of the typical punched-out areas of bone. The blood picture is best studied in sternal puncture smears of the bone marrow. A smear in which the plasma cells make up more than 3 per cent of the nucleated cells should be regarded as abnormal. Increased plasma cells of uniformly small round structure can be found in other diseases also, such as liver disease and metastatic carcinoma. However, when the proportion reaches 10 per cent, the diagnosis of myeloma is almost certain.

Associated laboratory findings are also significant; anemia, hypercalcemia, hyperglobulinemia, and renal insufficiency are common. Hypercholesterolemia with hyperglobulinemia is clearly indicative of the disease. Bence Jones protein in urine is also diagnostic of multiple myeloma. It must be recognized that hyperglobulinemia occurs in other conditions such as cirrhosis of the liver, chronic nephritis, rheumatoid arthritis, diffuse hepatitis, sarcoidosis, and lymphogranuloma venereum, but when associated with hypercalcemia it is highly suggestive of myeloma.

The treatment of this lesion is undergoing marked change with the advent of significant new drugs, and the management should be placed in the hands of a competent physician familiar with these.

Management of the local lesion may demand surgical reconstruction because of involvement of the spinal cord. In some instances collapse of a single vertebral body will precipitate serious cord symptoms. Under these circumstances, cervical traction is required, and is followed by laminectomy and stabilization of the cervical spine. The development of new methods of chemotherapy justifies even extensive surgical measures to maintain stability of the spinal column, to prevent cord symptoms, and to maintain a pain-free state as long as possible.

Osteogenic Sarcoma. This occurs in the upper end of the humerus (the third commonest location after the lower femur and upper tibia), but has not been described as a primary lesion of the cervical spine. Similarly, fibrosarcoma of the bone has been described in the upper end of the humerus, but not in the cervical spine.

Chondrosarcoma. Authorities now clearly separate malignant tumors developing from cartilage elements, which maintain their characteristics but develop malignant tendencies. They occur with half the frequency of osteogenic sarcoma, the upper end of the humerus and the scapula being common sites. The tumor also has been described in the cervical spine, arising from spinous processes. In some instances these appear to represent malignant changes in an osteochondroma. Because the cervical spine is a frequent source of injury, any accessible neoplastic lesion should be excised as soon as it has been discovered.

Ewing's Sarcoma. Ewing's tumor has been identified in the cervical spine, but its occurrence is extremely rare. It occurs in the shoulder girdle far less often than in the pelvis and all the bones of the lower limbs. The treatment of choice is radiation, but the prognosis for even a three-year survival is extremely grave.

Endosarcoma. A very rare primary tumor of bone has been identified in long bones, and is mentioned because it is representative of a change in a common vertebral hemangioma, taking on malignant tendencies. It has not been described in the cervical spine.

Lymphoma. Primary tumors of lymphoid tissue are now referred to collectively as the lymphomas. Included in this group are Hodgkin's disease, lymphosarcoma, and a rare lesion, giant follicle lymphoma. The cervical lymph glands represent the commonest site of early involvement of any of these lesions. Bone lesions then result from direct extension or metastatic invasion to the cervical spine.

In Hodgkin's disease 10 to 20 per cent of patients have some bone involvement during the clinical course, and as many as 50 to 60 per cent show changes in the spine at autopsy. Spinal involvement, in particular, can be an indication of the disease. Lymphosarcoma involves the skeleton to a much lesser degree than Hodgkin's, but any region of the spine may be implicated by this tumor.

The reticulum cell sarcoma is a separate malignant lymphoid tumor with distinct cell structure that shows abundant reticular fibers when stained with special silver preparations. The lesion starts in lymph glands, spreads by lymph chains, and may eventually involve the skeleton. Long bones of the lower limb are involved most frequently, but the spine, including the upper thoracic and cervical regions, also may be implicated. Giant follicle lymphoma is a rare malignant tumor that is differentiated by the large nodes and the

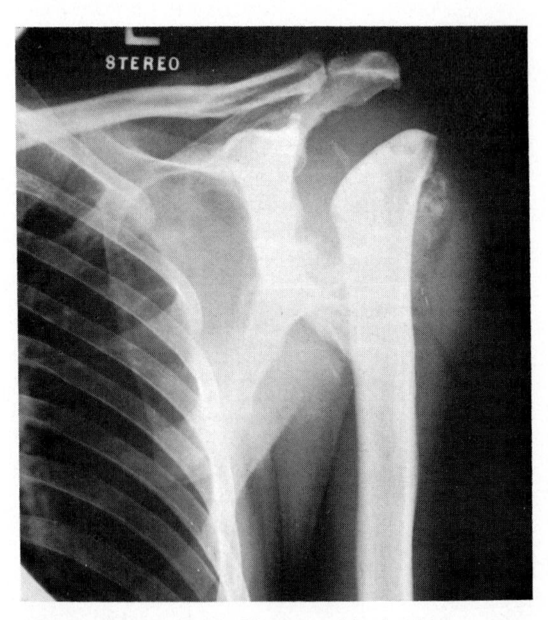

Figure 17-66 Neurotrophic shoulder.

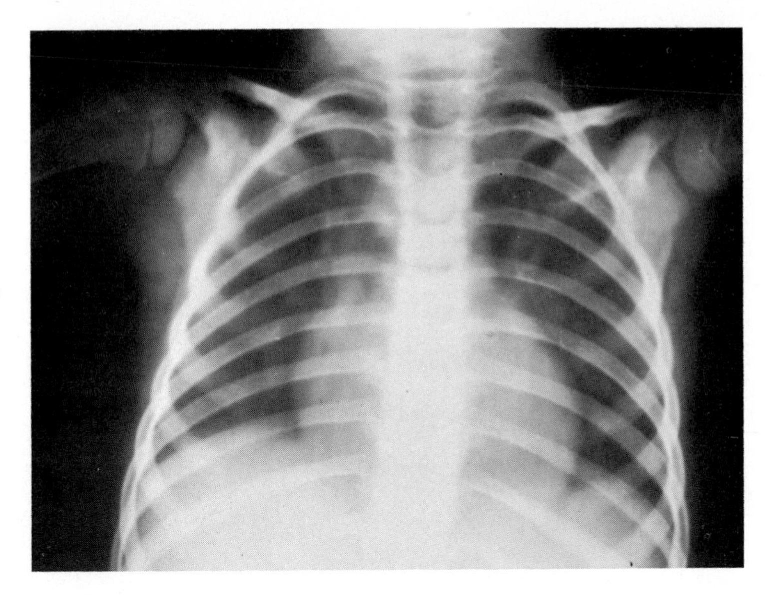

Figure 17–67 Hodgkin's disease, showing involvement of the shoulder.

numerous follicles with germinal centers. Skeletal involvement can occur in the later stages, as in lymphosarcoma.

Treatment for some time depended largely on the use of radiation, which still is effective in relieving pressure, particularly on neural elements. Chemotherapy now holds significant promise, and the possibility of its use should be assessed by a physician skilled in this field.

Metastatic Lesions

A skeletal focus is frequently the presenting lesion of a malignant process involving breast, prostate, lung, kidney, or thyroid gland (Figs. 17–69 and 17–70). When this is so, considerable search may be necessary to identify the primary lesion. It also often happens that more than one metastatic focus may be present, particularly in the spine, without giving rise to clinical symptoms and without the primary tumor being evident.

Our present form of investigation, relying as it does on x-ray studies, is grossly inadequate. Secondary deposits may be extensive, and yet not at all apparent in the best of films. The cervical spine, in contrast to the rest of the shoulder region, is a much more common site of metastatic deposit. Some authorities have indicated that, in patients with malignant disease that terminates fatally, as many as 70 per cent will show some skeletal involvement; of all the sites, the spine is the most frequently involved. It may be that, if there is skeletal involvement at all, the spine will be implicated. First, the thoracic, and then the lumbar spine are the most frequent sites, but certain tumors have a predilection for the cervical spine. In addition, the cervical spine is commonly involved in any general skeletal disturbance. The changes in the radiograph that are suggestive of secondary deposits

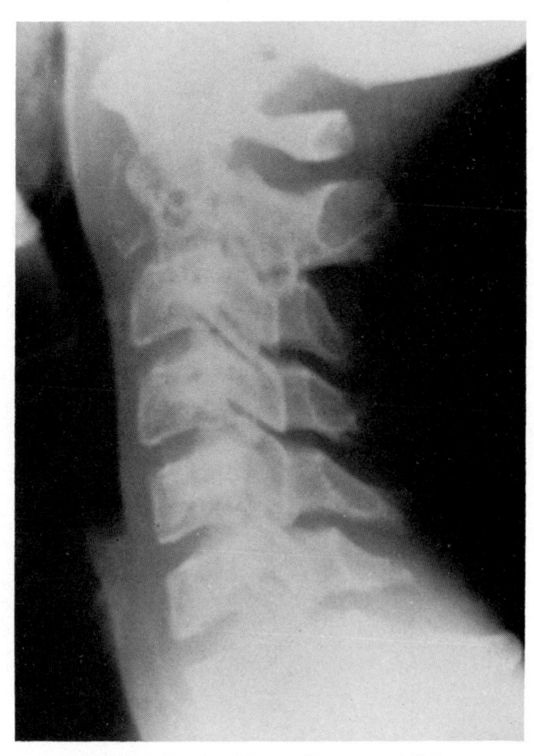

Figure 17–68 Giant cell tumor of C.2.

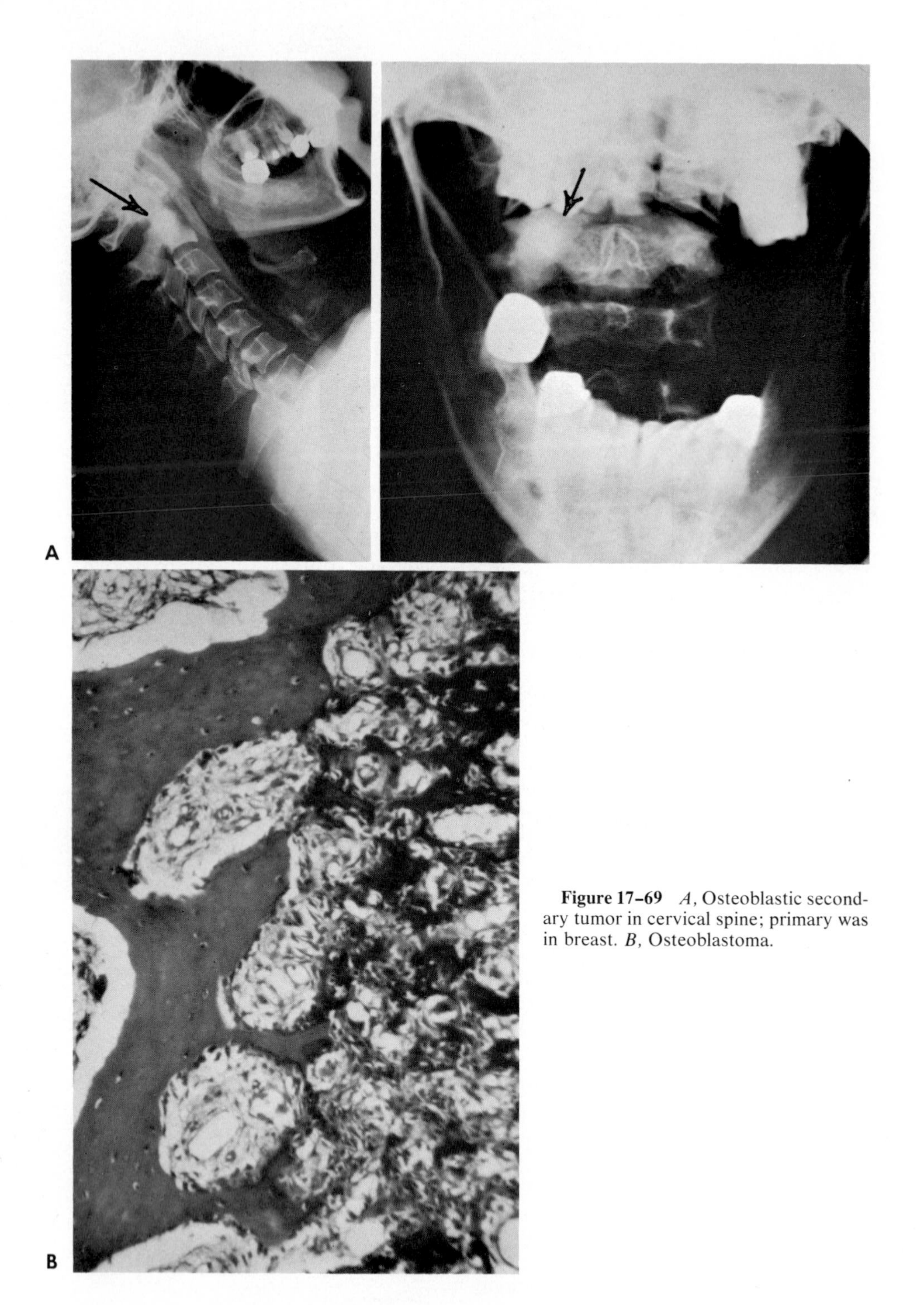

Figure 17–69 *A*, Osteoblastic secondary tumor in cervical spine; primary was in breast. *B*, Osteoblastoma.

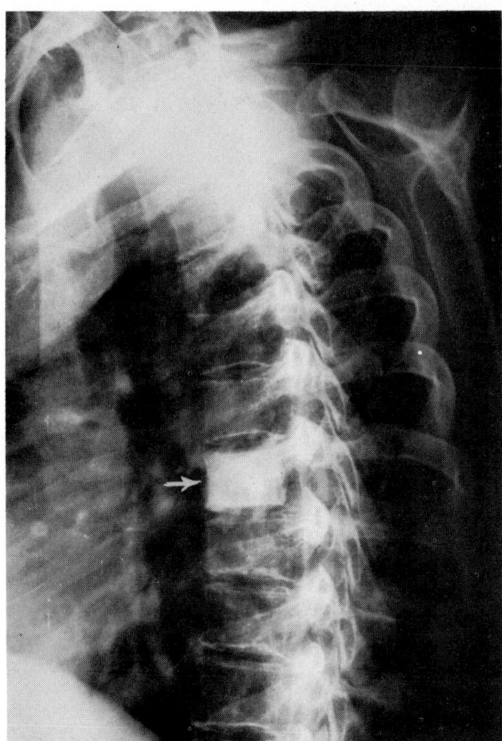

Figure 17–70 Secondary tumor in thoracic spine; primary was in prostate.

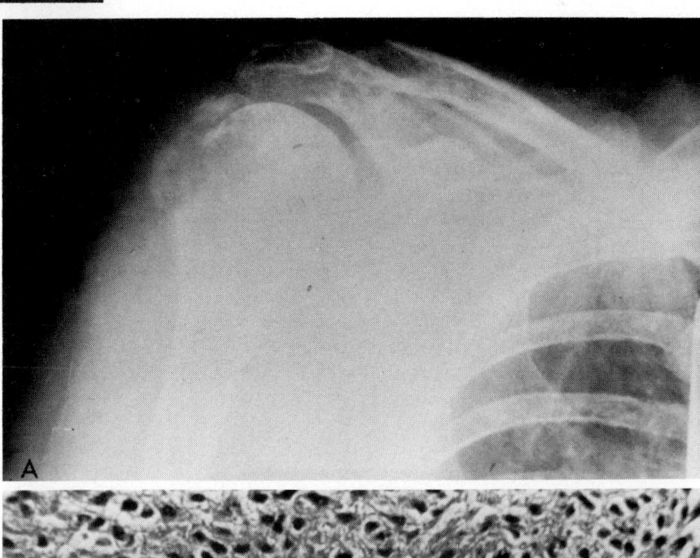

Figure 17–71 *A* and *B*, Postmastectomy radiation sarcoma of shoulder.

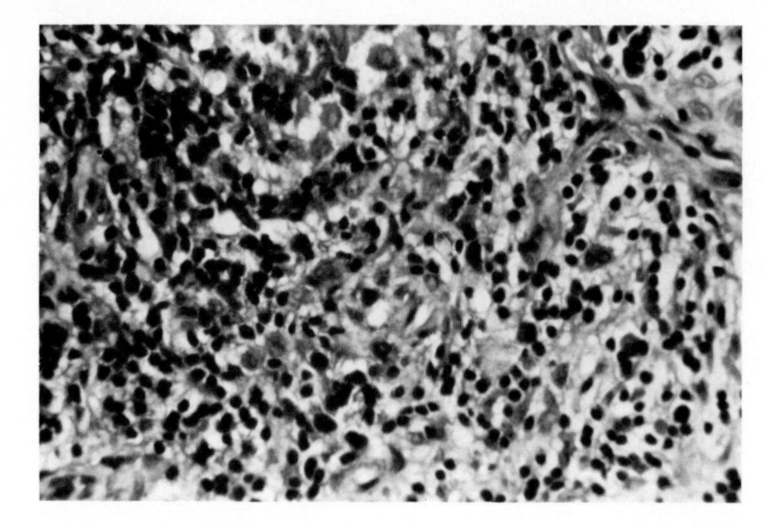

Figure 17–72 Eosinophilic granuloma of upper chest.

include alterations in the contour and slight body collapse; more extensive involvement is indicated by an osteolytic zone or an osteoblastic reaction.

LABORATORY FINDINGS. Cancer that is metastatic to the skeleton produces significant changes in blood chemistry. An increase in the serum calcium of 1 mg per 100 ml is important; elevation of alkaline phosphatase is also highly suggestive of skeletal metastases.

Other conditions producing hypercalcemia that must be differentiated are hyperthyroidism and vitamin B poisoning. Presumably it is lytic destruction of the osseous tissue at the sites of the metastases, releasing calcium into the blood stream, that is responsible for the hypercalcemia. The significant conclusion from the laboratory studies is that a patient with any malignant disease who demonstrates a persistent elevation in serum calcium should be strongly suspected of having a skeletal metastasis. By and large, the osteolytic rather than the osteoblastic lesions pro-

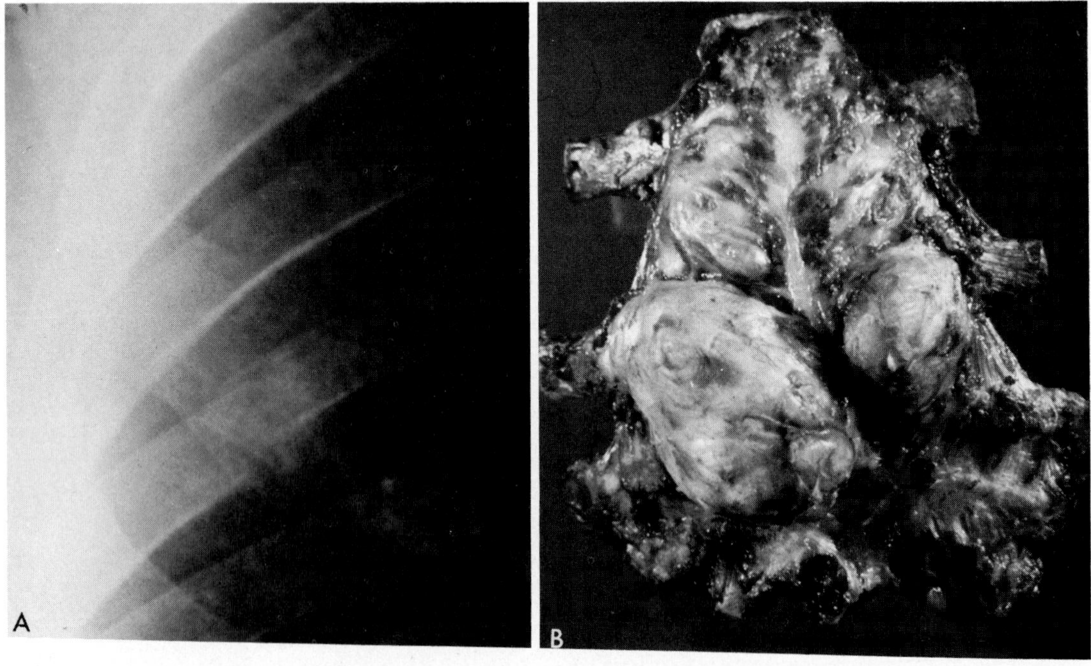

Figure 17–73 *A* and *B*, Chondrosarcoma of rib.

duce the greatest degree of calcium upset. Osteoblastic lesions produce new bone at the site, rather than lysing it for blood stream absorption.

Osteolytic Metastases. To some degree the type of metastatic change encountered may be related to the primary site. When the secondary deposit is a destructive one, it appears radiologically as an area of translucency, irregularly situated, usually in the body of the vertebra. This type of change is then frequently followed by vertebral body collapse and the development of more extensive symptoms. Primary tumors commonly producing this change are hypernephroma, carcinoma of the thyroid, and carcinoma of the lower bowel.

Osteoblastic Metastases. Certain primary tumors have a greater tendency to be manifested by metastases that initiate or stimulate bone growth about them, and these then appear as osteoblastic centers. Why they incite this type of reaction, rather than the lytic response, has not been determined. Carcinoma of the prostate commonly produces an osteoblastic metastasis, as does bronchogenic carcinoma. Metastases from carcinoma of the breast may be either osteoblastic or osteolytic; sometimes both types of action are encountered in the spine (Figs. 17–69 and 17–70).

The significance of the osteoblastic lesion is that it is much less likely to be the seat of vertebral body collapse, but the osteoblastic reaction is more likely to produce symptoms localized to the area at an earlier stage than the osteolytic disturbance. The development of the new bone formation is apparently due to irritation from the tumor on the bony elements already present, rather than any participation of the tumor tissue itself in the bone-forming mechanism.

Postirradiation Sarcoma of Bone

It has long been known that exposure to ionizing irradiation has a mutagenic effect on cells that may result in neoplastic changes. Improved long-term survivals from neoplasms treated by irradiation have brought attention to delayed side-effects, such as irradiation-induced malignant disease. In 1922 (Beck, A. in Munch. Med. Wochenschr. *69*:623, 1922), sarcoma was recorded following radiotherapy to bone for the treatment of tuberculosis, but awareness of the danger of radiation therapy was delineated by Cahan (Cancer 1 *3*:29, 1948: Sarcoma arising in irradiated bone: report of eleven cases), who specifically defined criteria for diagnosis of irradiation-induced sarcoma.

Current experience, even with high energy irradiation, suggests an increased risk of induction of sarcoma with increased doses of radiation absorbed by the bone. In the therapeutic range used in modern radiotherapeutic practice, there is a statistically low risk of inducing a sarcoma, ranging from 0.05 to 0.2 per cent of cases (between 4000 and 7000 rads). Furthermore, there would appear to be a negligible risk of radiation-induced sarcoma below a threshold dose of 1000 rads of external irradiation, or 1200 rads for long-term exposure by bone-seeking radionucleotides. Experimentally, it is known that multiple repeated doses are more effective in sarcoma induction in bone than a single dose of comparable magnitude, and this has been borne out in man.

Neoplasms induced by irradiation in bone tend to be poorly differentiated, aggressive neoplasms that rapidly destroy bone and extend to soft tissues. They metastasize and lead to the early demise of the patient. Since often the patient has received irradiation for a malignant neoplasm, it is not uncommon to regard the lesion as a metastasis or recurrence; therefore, recognition of the superimposed radiation-induced neoplasm may be significantly delayed. The shoulder region is often included in the therapeutic field in breast carcinoma with axillary node metastases. It is therefore not surprising that many irradiation-induced tumors seen about the shoulder have occurred in patients who have had treatment for breast carcinoma. Irradiation of benign conditions of skin, soft tissues, or bone is no longer practiced, and thus the proportion of postirradiation sarcoma superimposed on such things as tuberculosis, psoriasis, or other benign conditions is much less frequent than in the past.

Postirradiation sarcoma has a variety of histologic patterns ranging from totally undifferentiated pleomorphic sarcoma to osteosarcoma and chondrosarcoma. Regardless of the histologic pattern, the behavior is far more aggressive than the non-radiation-induced counterpart.

Because of the difficulty of recognition of a radiation-induced neoplasm superimposed on pre-existing and often malignant disease, treatment is delayed. Widespread local involvement and disseminated pulmonary metastases often are present when the neoplasm is identified, and these preclude successful therapy; it is not infrequent for palliation to be the main thrust of therapy in these cases.

TUMORS OF RIBS

Pathologic changes in the upper chest can be a source of discomfort interpreted as coming from the shoulder zone. Rib lesions in particular may initiate such discomfort.

Benign and malignant lesions occur. The common benign irritant is an osteochondroma, or occasionally an eosinophilic granuloma (Fig. 17–72). The treatment is local resection.

The most frequently encountered malignant tumor is a chondrosarcoma, which is treated by radical excision (Fig. 17–73).

REFERENCES

Arlen, M., et al.: Osseous metastasis: its relationship to primary carcinoma of the head and neck. Am. J. Surg. *128 (4)*:568, 1974.

Batsakis, J. G., et al.: Metastatic neoplasms to the head and neck. Surg. Gynecol. Obstet. *133*:673, 1971.

Batsakis, J. G., et al.: Sebaceous cell lesions of the head and neck. Arch. Otolaryngol. *95*:151, 1972.

Berardi, R. S., et al.: Cancer of the head and neck: eight-year experience. South. Med. J. *66*:1094, 1973.

Cheng, V. S. T., et al.: Unilateral hypoglossal nerve atrophy as a late complication of radiation therapy of head and neck carcinoma: a report of four cases and a review of the literature on peripheral and cranial nerve damages after radiation therapy. Cancer *35(6)*: 1537, 1975.

Doberneck, R. C.: Diagnosis and treatment of the solitary mass in the neck. Am. Surg. *40*:181, 1974.

Elias, E. G., et al.: Granular cell myoblastoma. J. Surg. Oncol. *2*:33, 1970.

Felder, H.: Benign congenital neoplasms: dermoids and teratomas. Arch. Otolaryngol. *101(5)*:333, 1975.

Feldman, J. M., et al.: Letter: carcinoid tumors with supraclavicular-lymph node metastasis. Arch. Surg. *110(4)*:450, 1975.

Fisher, R. M., et al.: Cervical synovial sarcoma in a young boy. S. Afr. Med. J. *48(52)*: 2181, 1974.

Fitzpatrick, P. J., et al.: Malignant melanoma of the head and neck: a clinicopathological study. Can. J. Surg. *15*:90, 1972.

Fornasier, V. L.: Osteosarcoma since high dose chemotherapy. Mod. Med. Can. *6*:June, 1977.

Hansen, M. G., et al.: Tumor thickness and lymphocytic infiltration in malignant melanoma of the head and neck. Am. J. Surg. *128(4)*:557, 1974.

Harris, M. N., et al.: Melanoma of the head and neck. Ann. Surg. *182(1)*:86, 1975.

Jaffe, B. F., et al.: Head and neck tumors in children. Pediatrics *51*:731, 1973.

Katz, A. D.: Midline dermoid tumors of the neck. Arch. Surg. *109(6)*:822, 1974.

Marcove, R. C.: Neoplasms of the shoulder girdle. Orthop. Clin. North Am. *6(2)*:541, 1975.

Raffensperger, J., et al.: Plexiform neurofibromas in childhood. J. Pediatr. Surg. *7*:144, 1972.

Roth, J. A., et al.: Synovial sarcoma of the neck. A follow-up study of cases. Cancer *35(4)*:1243, 1975.

Rubin, P.: Cancer of the head and neck. Hypopharynx and larynx. J.A.M.A. *221*:68, 1972.

Saunders, W. H., et al.: Rehabilitation of the shoulder after radical neck dissection. Ann. Otol. Rhinol. Laryngol. *84(6)*:812, 1975.

Sengupta, P., et al.: Desmoid tumour of the deltoid muscle in a male child. J. Indian Med. Assoc. *66(4)*:84, 1976.

Smith, N. J., et al.: The value of Gallium 67 scanning in the evaluation of head and neck malignancy. Laryngoscope *85(5)*:778, 1975.

Smith, R.: Diagnosis of head and neck cancer. J. Okla. State Med. Assoc. *67*:128, 1974.

Swain, R. E., et al.: Fibrosarcoma of the head and neck: a clinical analysis of forty cases. Ann. Otol. Rhinol. Laryngol. *83*:439, 1974.

Section VII

DISABILITY EVALUATION OF THE SHOULDER AND THE NECK

Chapter 18

PRINCIPLES OF DISABILITY ASSESSMENT

Automobile and industrial accidents have become potent sources of upper body injuries, and many times the shoulder and neck are involved. The individual unconsciously assumes automatic protective acts when the upper portion of the body is threatened with injury. In the case of the car accident, the protective act consists of putting the arm out in front to protect the head, neck, and shoulder region as the impact is taken against the dashboard or the rear of the front seat. Such an act directs force toward the root of the limb as the forearm-elbow zone bears the brunt of the blow. In industry the shoulder-neck area is likewise an exposed zone, particularly to objects dropping from a height, and the involuntary act of the workman in attempting to escape the impact is to turn the back of the head, neck, and shoulder region to the falling object. Other acts like simple stumbles, either backward or forward, involuntarily bring the upper limb into action and transmit force to the shoulder region, so that this area may exhibit more damage than the rest of the limb.

In each of these mechanisms of injury totally different components may be involved, so that a lucid understanding of the residual defects after injury requires a working knowledge of the practical anatomy and physiology of the region that has been exposed to injury processes. Some 75 per cent of litigation in courts of the United States arises out of accidents.

One of the challenges facing a surgeon treating injuries today is the practical interpretation of the end result he has obtained in treating a given case. More and more civil court judges, lawyers, industrial commissions, and workmen's compensation boards are looking to the man who handled treatment of the patient to tell them in terms they can understand how much practical damage the accident has caused the patient. This seems a reasonable request, and those physicians who regularly treat such injuries should prepare themselves to meet these demands adequately. The surgeon may be held responsible to lawyer, judge, and jury, as well as his patient, for proper assessment of the damage. Government authorities at all levels more and more often are requiring statements that assess the incapacity of the patient applying for welfare benefits, pensions, institutional care, and home attention of all descriptions. The whole phase of disability and incapacity appraisal has enlarged tremendously. One natural corollary to this development is the realization that total medicine embraces the phase of rehabilitation as a further direct responsibility of the doctor. Great service is provided by the profession if it can assist in judging disability and in planning rehabilitation.

From the beginning of medicine, the success of the profession has been founded on concern for the patient and the placing of his welfare above all else. There can be no more sincere motive nor surer avenue to success. The gospel of kindly interest spreads in industry as in private practice, engendering confidence and cooperation. A callous, disinterested impression conveyed by an arrogant approach of disbelief in the patient's story has no place in caring for the sick and injured.

The position of the doctor is like a latch pin, because he is responsible for the patient on one side, but should also be conscious of the employer's interests on the other. Industry is leading the way in providing care for the injured through both surgical reconstruction and rehabilitation, and employers are keenly conscious of the improved employee relations and increased efficiency and production that result from the provision of adequate medical care for the workmen. Accident prevention associations of both management and labor are cooperating to raise treatment standards to a high level.

In tackling the assessment of incapacity and planning rehabilitation, a knowledge of the stages of repair and an assessment of individual recuperative properties is most advantageous. The various phases of disability should be understood; the special means of investigating and controlling cases should be appreciated; and the common sources of disability of a given area should be known, as well as the special peculiarities to which the region is susceptible.

STAGES OF DISABILITY

Definition

The concept of total medical care now extends from the time of injury until the resumption of productive activity. In this period several phases may be recognized, each encompassing specific responsibilities for treatment and evaluation. For practical purposes, disability is defined as interference with the normal earning capacity. Four separate phases in this process can be identified, and it helps considerably to be able to define the stage reached by a given patient at the time of assessment. Often, opinions are requested regarding the injured at a time when it is possible to identify only the phase the patient has reached and to indicate in the report the further steps that must be taken to complete rehabilitation. Interpretation will be meaningful only if the doctor has a thorough knowledge of the different stages himself.

TOTAL INCAPACITY TREATMENT STAGE

This period of disability begins with the accident and continues until active treatment is discontinued. During this time the patient is treated actively, usually in a hospital; he remains in this phase until healing of his lesions has been completed. The period extends to the point where ambulation is possible or the patient is able to start learning purposeful activities with his upper limb. The patient is completely disabled as far as work is concerned during this whole period, but the present management of injuries so often requires multiple surgical reconstructions that a planned program of active treatment must be defined from the very beginning. For example, if a man has a deltoid paralysis from a traumatic dislocation, his active treatment period will continue until the paralysis has recovered, or appropriate reconstructive measures to ameliorate the residual impairment have been carried out.

TOTAL INCAPACITY REHABILITATION STAGE

Restoring the patient as nearly as possible to pre-injury condition is now a recognized responsibility. Treatment, therefore, includes a rehabilitation phase during which movement, power, control, and pattern movement activity are restored to a point at which the patient may reasonably resume work. As a rule, a further period of building confidence in his recovered motion is also required. Repair of a tendon, setting of a fracture, or restoration of power in a paralyzed muscle is not sufficient; the workman must regain confidence and the ability to start off by himself.

In this stage, structural repair is completed and functional repair progresses continually. Much of this active period is a phase of disuse resulting from the body malfunctions that follow injury, so that after physical structure has been restored, general body function must often be re-established. A period of relearning of intricate movement patterns, which were automatic before the injury but which now need careful cultivation, is essential. Proper organization and supervision during this stage helps tremendously. Group activities, a planned routine, and proper instruction are best given at a rehabilitation center, if this is feasible. At the end of this stage the patient may be said to have gone as far as possible where active treatment is concerned; the point has been reached at which further improvement and efficiency can be expected only from continued practice, and this is accomplished most advantageously on the job.

TEMPORARY PARTIAL DISABILITY

A period of partial disability usually follows active treatment and rehabilitation phases, and during this phase progress is continued toward maximum efficiency. Efficiency in strength or coordination, for example, in a specific action improves over a period of months, usually until a plateau is reached from which there is little change. During this stage new habits or movement patterns may be developed to replace those permanently disturbed by the disease or injury. Often it is the challenge of the specific task that stimulates this replacement pattern. A reasonable time should be allowed for adjustment to handicaps if complete restoration is not likely; it may then be decided that a given loss represents permanent impairment.

PERMANENT DISABILITY

Impairment of function persisting after active treatment, rehabilitation, and adaptive phases are completed is assessed as lasting for all time. Fair assessment of this is a constant challenge, but still is a reasonable responsibility of the doctor. Compensation and pension laws follow scales and tables based fundamentally on loss of body structure. The problem is to translate a partial loss of limb function into practical terms. Amputations from time immemorial have been the basis for computing disability, and tables worked out on a percentage basis have been developed on this premise. However, there is a further, most important factor of significance in the form of functional worth, rather than pure structural loss. Also, if feasible, some gradation according to occupation or situational influences may be desirable.

In the final analysis, however, the surgeon will have fulfilled his responsibility if he identifies the residual structural defect and interprets it in terms of limb function, leaving any additional gradations such as situational influence to the locally concerned authorities. The United States Veterans Bureau and other authorities, such as McBride, have made a fundamental contribution to analysis of functional incapacity as related to occupation; the reader is referred to these for amplification of the interpretation of impairment.

LEGAL RESPONSIBILITIES

The surgeon will be expected to prepare a proper report that defines the injury and the patient's incapacity in terms that may be understood by the lawyer, and which sets forth a clear conclusion regarding the injury. He may be asked to testify, in which case he will be expected to be able to present the nature of the damage resulting from the accident, the possibilities of reconstruction and rehabilitation, the result of the healing process, the extent of interference with the patient's working and leisure activities, and the permanence of these changes.

INVESTIGATION OF PHYSICAL IMPAIRMENT

In expressing an opinion and substantiating it, the surgeon relies on a good working knowledge of the mechanism of common injuries and their manifestations, as well as the likely degree of success following surgical reconstruction. Therefore, he requires an acute history, particularly of the injury mechanism, a thorough physical assessment, all the pertinent x-ray films, and reports of any special investigations. Specific considerations arise in automobile and industrial accidents that lead to somewhat differing presentations, so that it is best to consider these under separate headings. In each instance, however, there is a fundamental plan to be followed, dealing with special points in the history, investigation of the episode of the injury, and the patient's responses to therapy and the process of rehabilitation.

NECK INJURIES

Assessment of the "stop-light" sprain has become a frequent task. The classification and manifestations of these injuries have been considered in the chapter on automobile injuries, and should be reviewed for full understanding of this problem (see Chapter 12).

Important Points in the History. Much

more information regarding the incident is required than the patient's usual description of being "hit from behind." The points to be emphasized are the severity of the impact, the direction from which it came, the position of the head at the time of impact, and the patient's relationship to other structures in the car. In many cases simple observations are extremely helpful in determining the amount of violence that was involved. A query may be made as to whether the patient was wearing glasses that were knocked off, or whether the seat was broken or adjacent passengers were similarly involved. Many patients indicate they were "knocked out" by the accident, but concussion is not common in the usual extension-flexion mechanism, and as a rule they mean that they were confused or somewhat dazed. It is important to define such an experience as accurately as possible.

Onset of Symptoms. In most instances these patients are not seriously disabled. They are able to get out of the car, go to the hospital for emergency treatment and radiography, and be discharged to the care of their personal physician. Some soreness locally at the back of the neck is appreciated initially, but later, usually some hours afterward, more severe stiffness may set in. Older patients who already have some spine degeneration may have some symptoms that extend to the upper limbs and that persist in varying degrees, depending on the severity of the impact. Some 72 hours following the injury, as the patient takes stock of his state, he may be conscious of pain extending to the shoulder, persistent discomfort in the shoulder-neck region, pain through the front of the chest, pain implicating the anterior neck, difficulty in swallowing, a sensation of fullness in the face, or generalized headache.

Physical Findings. In the initial stages, true limitation of neck bending is almost always present. When there are no signs of nerve root involvement, it should not persist for longer than three to four months. When the patient is seen for impairment assessment, it usually is some months after the injury.

Study should be made of both the neck segments, i.e., the occipitoaxoid dimension, indicated by rotatory restriction, and the lower segment, C.3-C.7, where loss of flexion-extension usually ensues. The latter is the more common persisting sign.

Points of local tenderness related to the ligamentum nuchae and suspensory muscles should be identified. The range of rotation is 60 degrees to either side and 45 degrees' forward and backward flexion, with lateral flexion normally 60 to 70 degrees from the midline. Deformity is rarely present, but the neck may be held rigidly as a result of muscle spasm. The one abnormality that should not be ignored, and yet may be overlooked, is loss of rotation due to implication of the occipitoaxoid segment. Rarely, subluxation of a posterior facet in the lower segment is present. This will be identified by restriction of flexion and pain on extension. Often there is difficulty in getting the head and neck back to the normal point of extension.

These injuries are a result of the sudden cessation of motion, not of the sudden acceleration of motion; it is the abnormal braking mechanism, not an abnormal moving mechanism, that develops as a result of the impact.

Assessment of Motor System. The erector spinae group and the suspensory muscles should be assessed carefully. Muscle atrophy is rare in a usual extension-flexion injury, but pre-existing conditions can produce it, and the findings may be misinterpreted. Many individuals also have a natural atony of the erector spinae group, leaving the underlying area unduly sensitive to further insult.

Involvement of the nerve supply to the shoulder group of sufficient severity to produce paralysis or atrophy is rare in a pure neck injury. Implication of intrinsic muscles of the hand is much more frequent, but this is never an early change. If it should be noted immediately after the injury, it is an antecedent development. The thenar group is the one most often involved.

Electrodiagnosis plays an important role in identifying motor lesions from cervical trauma. Significant root insult may be identified by electrical changes in the cervical erector spinae muscles. The posterior branch of the spinal nerve comes off beyond the point of disk and foraminal pressure, so that, if it is disturbed, definite involvement of the nerve root has occurred in the neck injury mechanism. The presence of consistent fibrillation potentials coming from semispinalis and spinous zones can be detected accurately, and is most significant.

Sensory Changes. A search for sensory changes should always be made. These are usually apparent in the hand if sufficient force has been involved to implicate the nerve root. Subjective numbness, with some alteration in appreciation of touch and pinprick, is the usual finding in the zone of autogenous supply. Sixth root changes implicate the thumb and index fingers; the seventh root, usually some combination of the second, third, and fourth fingers; and the eighth root, the fourth and fifth fingers. These are always superficial losses, true anesthesia of the part being exceedingly rare. When anesthesia is present, involvement of the supply much more peripherally, at a point beyond the foramen, should be suspected, rather than the vertebral column zone. In all these injuries the anterior portion of the neck should be assessed for brachial plexus changes and cervical ribs. The elbows and wrists should also be examined to ensure that there are no old abnormalities apart from the neck that might produce changes in the hand that could be misinterpreted as being the result of an extension-flexion injury. The common example of this is old fractures in the region of the elbow, implicating the ulnar nerve. Cervical ribs also are often overlooked, but these when present must be counted as an additional element in the injury mechanism. When there is an extra rib, signs and symptoms emanating from the front of the neck are much more commonly misinterpreted than when this abnormality is not present.

Assessment of Tendon Reflexes. The biceps and triceps jerks should always be assessed. This must be done properly for the results to be of significance. Loss of either is important. The biceps is the one more often complicated. If no response is obtained the first time, it should be tested repeatedly to make sure it is truly absent. In the author's experience, the reflexes are not often implicated in the usual extension-flexion injury, but the tests should be made routinely. Loss of the biceps reflex implicates the C.5-C.6 roots, and loss of the triceps implicates the C.7 root.

SHOULDER INVESTIGATION

Most shoulder injuries requiring assessment are a result of industrial accidents, rather than stop-light sprains. Fractures and dislocations present a straightforward pattern of impairment not needing extensive investigation. Trauma to the shoulder is much more likely to involve the soft tissues, and the result can be significant, so that a careful study of shoulder function is required.

Pertinent History in Shoulder Accidents. Complaints presented by an industrial claimant preparatory to legal action must be sifted carefully. They differ considerably at times from those of the private patient presenting with a similar lesion. The friendly approach and generous cooperation, no matter what responsibilities are held by the examiner, should be maintained. An attitude of outright resentment on the part of the patient may be encountered, and it is the responsibility of the examiner to cope with this effectively. If this is not accomplished, false conclusions may be drawn and can be a source of embarrassment later in court or at commission investigations.

Injury Episode. Particular attention in the case of an injured workman is needed to pass a just opinion regarding settlement of compensation or insurance. In many instances a lay board rightfully decides this point, but questions are frequently put to the doctor as to whether the given history of an accident could have resulted in the injury or disability under investigation. Attention to the following points will be of assistance in settling this.

Date and Time of Initial Disturbance. From the standpoint of accurate reporting, all observations should be carefully documented. Most patients with significant disability can recall very clearly when they were hurt, and can recount the circumstances surrounding the incident. When no definite time of episode can be recalled, more investigation is needed to relate the complaint to a given occupation. For example, a fall or blow on the shoulder is a common incident. Should a history be given of pain coming on gradually in the shoulder, it is less likely that there is an occupational association. Investigation may show a well-established cervical rib.

Some activities gradually produce shoulder symptoms, and often a relatively minor episode is the true precipitating factor. In occupations carried out by painters, decorators, plasterers, hoistmen, and bricklayers, there is constant use of the arms at shoulder level or in the overhead position, so that some wear and tear on the intrinsic shoulder mechanism, such as the rotator cuff, can reasonably be anticipated. Gradual onset of pain in the shoulder in such an occupation might reasonably be related to the work without an obvious, more severe traumatic episode.

Observations as to the patient's precise

routine at a given job may be important. If a man who has been employed at a routine sorting operation is shifted to a post requiring the use of a heavy pneumatic drill, he might reasonably be expected to show some physical effects.

Severity of Initial Disturbance. In most instances a patient seeks treatment early for significant discomfort, and notifies his employer immediately of incapacity. Failure to document an injury or incapacity or to seek treatment suggests a not particularly disabling episode. If the patient reports the accident and seeks medical help, eligibility for compensation is on firm ground.

Extent of Incapacity. In legal controversies, particularly, the examiner should document the type and length of treatment. A history of immobilization in a plaster spica for six months, as against a sling for six days, is accepted as indicating a more severe injury. Attention is paid to the length of time away from work in the light of the treatment prescribed. A simple contusion of the shoulder should not require six weeks away from work, nor should a fracture of a clavicle prevent a housewife from resuming her duties for six months. There is a well-established time for normal healing with which the examiner should be familiar.

Significance of Pain and Tenderness. The significance of the complaint of pain is altered in this examination, and it is the examiner's responsibility to gauge the sincerity and the severity. Complaints should be substantiated by clinical signs. In the case of pain, the finding of tenderness is most significant. Most medical men develop a knack of telling whether a patient's story is exaggerated, and whether the description of the discomfort fits into properly recognized patterns. There are some common complaints that may be elicited from almost all patients of a certain age. Backache and aching shoulders are such examples. Women, particularly, are prone to complain of vague shoulder-neck ache when questioned. This rarely has an acute component, as would be expected from a significant traumatic incident, and is related more often to neck than to arm action. True tenderness is usually accompanied by accessory changes that reinforce the impression of discomfort, such as facial contortions, muscle spasms, withdrawal, and protective acts. Once precisely painful points are located, they should be marked and tested again later in the examination, possibly with the patient's attention diverted so that the constancy of the point of suspected sensitivity is established.

Pain and tenderness are significant from the disability standpoint because they interfere with normal function. A workman loses confidence in his ability to carry out certain acts, and when this happens strain falls on accessory structures in an effort to compensate for this loss. The result is awkwardness and inevitable inefficiency. A patient with post-traumatic acromioclavicular arthritis, for example, will stop lifting the arm above the shoulder to avoid the pain. When some act involving this movement is suddenly necessary and he is unprepared for it, pain results and he may let go whatever he is holding. This makes safety a factor, since a workman with a potential painful arc may be a hazard to others as well as himself. Similarly, sudden onset of shocking or severe shoulder pain may cause a housewife to stumble from a chair or stool on which she is standing to put up curtains or to dust the ceiling. The patient with a fused shoulder uses girdle muscles like the trapezius much more than normal, and consequently may develop an aching neck-shoulder pain, which then becomes a fatigue factor and diminishes efficiency.

Significance of Limitation of Movement. Loss of shoulder movement is a significant disability. The purpose of this joint is to enhance the effectiveness of the hand, so that when it is stiff far greater incapacity ensues than just loss of the shoulder joint action alone. Movement of the arm as a whole, and then with the scapula fixed, should be assessed. Mobility of the scapula masks glenohumeral movement.

The movements of particular importance about the shoulder are flexion and external rotation. Abduction is significant, but can be compensated for by bending or rotating the whole body (Fig. 18–1). External rotation is hampered by capsular adhesions mostly, and is difficult to replace. Internal rotation may be replaced, however, by abduction and girdle rotation, because the scapula may be levered posteriorly in a winging action, but it cannot go in the opposite direction to replace external rotation. A range of 180 degrees for circumduction is accepted as normal, and loss of 10 to 15 degrees at the end of this range may not be of great significance. Practice and use will likely compensate, so that little real permanent impairment materializes. When

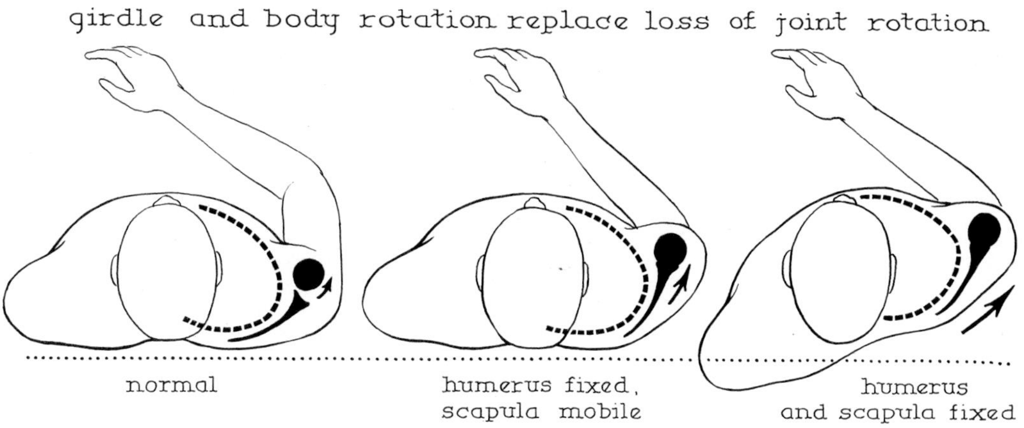

Figure 18–1 Substitution when the shoulder is fused.

the range is decreased to 90 degrees, about 20 per cent of the function of the extremity is lost. Most work is done at a level below the eyes, so that, if the arm can be raised to the shoulder level, most manual work can be performed.

When the shoulder is fused, resultant use of the upper extremity then depends on the amount of motion that can be obtained by movement of the scapula on the chest (Fig. 18-2). The optimum position for ankylosis of the shoulder is 15 to 20 degrees' abduction, 25 to 30 degrees' flexion, and 40 to 50 degrees' internal rotation, and in this position the disability is about 30 per cent. However, if there is no movement of the scapula and it is fixed, disability increases to 45 per cent. When the shoulder is fixed above or below the optimum position, disability is increased to 50 to 60 per cent. When scapular motion is lost in addition, incapacity of the extremity rises to 65 to 70 per cent.

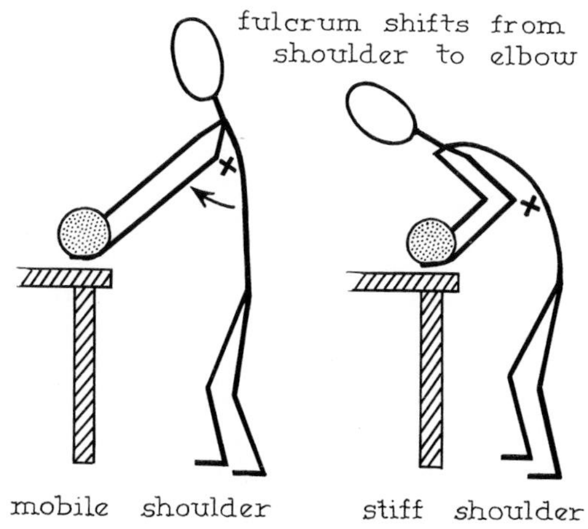

Figure 18–2 When the shoulder is fused or ankylosed, the body substitutes through flexion of the spine to assist in such activities as lifting.

Deformity. Altered contour arises chiefly from malunion of fractures, and is a source of disability cosmetically and functionally. Appearance of the shoulder rarely is permanently altered to an appreciable extent, and is of somewhat less consequence in a workman. The problem arises chiefly in fractures of the clavicle in young women, and here it should be remembered that in most instances a seemingly unsightly mass of callus usually recedes appreciably. Malunion of the humerus is a deformity interfering with function. The chief source is a fracture of the surgical neck that unites in too much internal rotation, so that the patient has difficulty in getting the hand to the mouth without flexing the neck.

Weakness and Muscle Atrophy. Just as tenderness is associated with the complaint of pain, so does weakness become significant when muscle atrophy is apparent. Weakness is a universal association of injury, but needs to be carefully assessed. In establishing a diagnosis it may not be quite so prominent, but in estimating permanent impairment it assumes greater importance. However, some recovery and improvement may reasonably be expected with time after most injuries. Generalized atrophy is common and of less importance, but localized wasting is of much more consequence. It indicates individual muscle loss, and the state of innervation in particular should be assessed before the extent of permanent disability is estimated.

Loss of Sensation. Nerve damage is not uncommon, and sensory loss should be looked for carefully. Plexus injuries have been dealt with in detail in the chapter on nerve injuries. Isolated nerve injuries producing sensory changes include axillary, musculocutaneous, and posterior cord lesions. The latter lesions are those that most often result in permanent impairment. For precise assessment of such injuries, the chapter on nerve lesions should be consulted.

REFERENCES

A guide to the evaluation of permanent impairment of the extremities and back. J.A.M.A., Special edition, Feb. 15, 1958.

American Academy of Orthopedic Surgeons: Manual for Orthopedic Surgeons in Evaluating Permanent Physical Impairment.

Bateman, J.E.: Disability evaluation about the shoulder. Surg. Clin. North Am. *43*:1721, 1963.

Marchiano, G., et al.: Contribution to the radiologic study of habitual dislocation of the shoulder and medico-legal considerations. G. Med. Milit. *115*:372, 1965.

McBride, E.D.: Disability Evaluation. 5th ed. J.B. Lippincott Co., Philadelphia, 1953.

Medical Society of North Carolina: Guide for Permanent Disability Evaluation of Industrial Accidents, 1960.

Rice, C.O.: Industrial Disabilities. Charles C Thomas, Springfield, Ill., 1952.

Rudd, J.L.: Need for better cervical neck traction. Med. Trial Tech. *11*:27, 1965.

Chapter 19

PERCENTAGE CALCULATION OF DISABILITY FROM COMMON INJURIES

Perhaps the commonest mistake made in assessing disability is to attempt to do it before treatment has been completed. Proper timing requires a review of the whole injury process, including the periods of active treatment, rehabilitation, and redevelopment or accommodation.

In most instances the plan of management is quite straightforward, and no confusion arises in delineating the various phases. In complicated cases, however, the contribution and efficiency of certain reconstructive procedures may not have been taken into consideration. Finally, most authorities today have agreed that treatment now includes the rehabilitation phase, and in some instances this is extended to redevelopment and re-education of a disabled workman.

Most injured persons, both civilian and industrial, return to their former jobs, even when they have some permanent impairment. How they fit into the former position, or how much the new impairment will interfere, can be assessed only by a trial run. If this process of adaptation is financially detrimental, some compensation on a partial basis is only fair. This means that the report on the injury may not be finalized until some months after active treatment has been completed. An important corollary of this is apparent, and of extreme importance to the patient: scars may break down, joints may become painful or fatigued, or complications attendant on an initial insult may appear, thereby altering the significance of the incapacity. Scientific re-education of the injured worker may decrease this incapacity. Some industries are making a determined effort to use the injured worker efficiently so as to avoid manpower loss.

MECHANISM OF ESTIMATING IMPAIRMENT IN THE SHOULDER

When a patient has reached a plateau of function and the time has come to measure his disability, certain fundamental principles should be followed. The defect has to be measured and then interpreted in terms of its percentage interference with the function of the body as a whole.

MEASURING THE DEFECT

The process of measuring the physical deviation from the norm requires some explanation. In all extremity assessment, interference with normal activity is principally reflected in loss of joint damage, muscle weakness or paralysis, or interference with control of the part. However, the result of any of this damage is most often apparent in abnormal joint action, so that measuring this module serves as a common denominator in identifying the defect. In the upper portion of the arm, alteration in shoulder action is quite a demonstrable entity.

A further principle requires acceptance. To simplify and standardize interpretation, the measurement is done in terms of the major joint action. In the shoulder, particularly, there is a whole system of joints, and it is obviously impractical to implicate each one precisely in the assessment. More than one direction of action or range of motion may be hampered following a given injury, but it is not feasible to measure each small loss in attempting to demarcate all of them. By common consent, and as a result of practical observation, if the major loss is assessed properly, this is a reasonable indication of the defect. To make such measurement more representative, it is customary to use the combined range of the complete joint action as the basic norm for comparison. In the shoulder, then, the arc of circumduction, which totals 200 degrees, is used as basic, and the degree that this arc is lost constitutes the defect or the actual physical loss of the shoulder action.

RELATING THE PHYSICAL LOSS TO THE SEGMENT OF THE BODY

The usefulness of a limb to the rest of the body has always been calculated from experience with amputations. This formed the basis for the original wartime pension awards, and the principles of this mechanism have filtered through to our present-day system. This accumulated experience has resulted in the acceptance of certain basic values for the arm and the leg. In more recent times, industrial commissions and compensation boards have established working values for parts or segments of the limbs. These segmental values are now used as the norm, and against these the abnormal is compared.

MATHEMATICAL CALCULATION

As previously mentioned, the functional arc of the shoulder is 200 degrees, which comprises 150 degrees of elevation from the side to vertically above the head, and a further 45 degrees of backward extension. The value of the shoulder as a segment of the upper limb is set at 60 per cent. This figure is arrived at by averaging figures of many authorities, and is related to the value of total loss of limb at this level. It may well be argued that the remainder of the extremity would be "worth" much more than 40 per cent, so how can the shoulder alone be "worth" 60 per cent? The answer to this is that we are concerned with the effect of what is lost, not what remains. Experience has shown that the awkwardness, incapacity, disturbance of function, and necessary overactivity of the remainder that result from the total loss of the shoulder segment constitute 60 per cent of the extremity's usefulness. It is the negative factor that must be measured, not the remaining positive one. The mathematical principles of estimating incapacity of the shoulder from an injury that has resulted in a loss of only 100 degrees of circumduction would be $100/200$ degrees $\times 60 = 30$ per cent of the limb. For practical purposes, upper and lower limbs are considered equal, so the body percentage of such an injury would be $50/100$ degrees $\times 30 = 15$ per cent of the body.

ASSESSMENT OF INDIVIDUAL SHOULDER COMPONENTS

The shoulder is really a system of joints, the glenohumeral, acromioclavicular, and sternoclavicular, and in addition there are two associated mechanisms that in a way serve as joints, the scapulothoracic and bicipital. Identification of these components assists in the breakdown of total shoulder activity, and also helps in assessing certain injuries that involved one, but not all, of these mechanisms that must be expressed in terms of the total joint function.

The glenohumeral joint is considered as 50 per cent of the total system of shoulder function. It is well recognized that total loss of glenohumeral action, such as occurs following an arthrodesis of the shoulder, does not completely wipe out over-all shoulder action. A workman can still make use of his fused shoulder by swinging the girdle as a whole, moving the scapula on the chest wall. If the scapula rotators are still acting, he retains considerable usefulness of the shoulder. Similarly, the defect from poliomyelitis in which all shoulder muscles are paralyzed, including those moving the scapula, is of much greater magnitude than would be the loss of the glenohumeral action only.

The precise act of glenohumeral range is 180 degrees, consisting of 150 degrees of elevation before the scapula starts to move, and 30 degrees of extension, producing a total arc of 180 degrees. The acromioclavicular joint is part of this system and has a functional arc of 45 degrees. Its contribution to the whole is taken from the 50 per cent remaining from glenohumeral action, and comprises approximately one-third of that remainder, or about 16 per cent.

The scapulothoracic joint contributes an arc of 60 degrees, and is rated as one-third of 50 per cent of the shoulder also. The remaining anatomic divisions are of less importance in the over-all picture. The sternoclavicular joint and biceps mechanism may be considered to be one-half as important as the other two segments, and therefore comprise one-sixth of the allotted 50 per cent, apart from glenohumeral action.

COMMON INJURIES TABLE

Having assimilated the principles and identified the segmental and relative values, the examiner still has the problem of translating common injury defects into these terms. This requires a study of the effect of the individual injury on the cardinal parts of the whole shoulder complex. In other words, the injury must be thought of in terms of its major anatomic interference, so that it may be related to the whole. A fracture of the outer end of the clavicle obviously affects the acromioclavicular joint more than it does the glenohumeral joint. A fracture of the upper end of the humerus mainly implicates the glenohumeral joint, and so on. It is possible to relate nearly all common injuries to a zone of particular implication, and thus use this as the yardstick. In the ensuing discussion, common entities have been selected.

FRACTURES OF THE UPPER END OF THE HUMERUS

The incapacity resulting from these injuries, including fractures of tuberosities, fractures of the head of the humerus, fractures of the surgical neck, and fracture dislocations of the humerus, is nearly always reflected in loss of glenohumeral motion. The glenohumeral functional arc is 180 degrees. The amount of lost motion in the arc of circumduction is measured as follows:

Loss of motion over functional arc

multiplied by glenohumeral contribution to whole shoulder,

multiplied by shoulder segment of whole limb,

multiplied by relation of limb to whole body.

For example: 90/180 degrees $\times$ 50/100 $\times$ 60/100 $\times$ 50 = 7.5 per cent. If a patient has lost half his normal range of motion at the glenohumeral joint following a fracture, it would still represent only a part of the contribution to the shoulder girdle, and this in turn is only a part of the whole limb, which in turn is only part of the whole body.

FRACTURES OF THE TUBEROSITIES

These are important because of their effect on abduction and possible interference with action of the rotator cuff. These considerations apply usually to young, active wage-earners. A fracture without displacement will unite in four weeks, and a further period of two to four weeks will allow resumption of work. Fractures with displacement, which need surgical excision and cuff repair, cause more prolonged disability, usually three to four months. Full range of motion is commonly regained. Any loss can be calculated precisely according to the fraction mechanism indicated previously.

FRACTURES OF THE SURGICAL NECK

Workmen do not frequently suffer this injury, but it is common in older people who are not working, and so is not a serious problem from an occupational standpoint. When it occurs in an elderly workman, movement is started early, and in six weeks a comminuted and slightly displaced fracture is united. In younger men with more complicated displacement, immobilization is necessary for eight to ten weeks, and a further period of four to six weeks is required to restore movement well enough for resumption of work. Similar considerations apply to fractures of the anatomic neck. Fracture dislocation is a most serious injury, usually requiring open operation. The period of total incapacity then runs 10 to 12 weeks before union may be expected, and following this it is often eight to ten weeks before suitable function is restored.

MECHANISM OF DISABILITY

The specific alterations that lead to the loss of joint motion in fractures of the upper end of the humerus are angulation and alteration in joint surfaces, articular and periarticular contractures, delayed union, and nonunion. Any one of these factors may be followed by considerable joint stiffness, resulting in diminished excursion. Often a fracture leaves such a short proximal segment close to the joint that is easily involved in contracture of periarticular structures. Older people, particularly, develop limitation of movement from periarticular adhesions. Mobility of the scapula is the most important compensating mechanism, and it decreases impairment considerably. Pain and weakness enhance the disability. The most serious complication is osteoarthritis from gross distortion of the joint surfaces. Almost all movement may be lost in such instances, and when this occurs these joints should be assessed for all practical purposes as if they were completely ankylosed. Arthrodesis of the shoulder is usually assessed at from 30 to 40 per cent, depending on the arm involved and the position of fixation. The optimum position is 60 degrees abduction and 10 to 15 degrees flexion. Below this level, function of the hand is limited. Often these patients experience pain resulting from the strain of constant rotation of the scapula and the necessity for using the accessory muscles excessively.

IMPAIRMENT FROM DISLOCATIONS ABOUT THE SHOULDER

Simple dislocation without complication responds well to conservative treatment and rarely leaves permanent impairment. After reduction most patients are able to resume moderate use of the shoulder at the end of four weeks, and full use at the end of two months. The important complications are fractures of the tuberosity, rupture of the rotator cuff, axillary nerve paralysis, and the development of recurrent dislocation.

All these complications may introduce an element of impairment. Fractures of the tuberosity require six to eight weeks to unite, and a further period of roughly four weeks to recover good movement and power. In a fracture of the tuberosity with a small displaced fragment, it may be excised; the period of incapacity usually is not longer than six to eight weeks. Movement to a right angle returns quickly, but full circumduction may require a further six to eight weeks. Permanent limitation of motion is not common, and a few degrees' loss at the end of the range is not significant.

Dislocation may be complicated by damage to the rotator cuff involving the supraspinatus or the subscapsularis. Following treatment of the dislocation, this results in an additional period of disability amounting to the length of time required for treatment of a cuff lesion. Disability then is rated as discussed under cuff tears.

Disability from axillary nerve paralysis is rarely permanent. The patient usually recovers in six to eight weeks, but sometimes four to six months is required. In some instances surgical exploration is necessary; the effects of permanent paralysis are discussed in the section on nerve injuries.

Recurrent dislocation is a potent source of permanent impairment. When treated by operations such as those described in Chapter 13, the operations are usually successful, so that the impairment is significantly decreased. The period of complete incapacity is about six weeks, and following a further six weeks of therapy most of the shoulder movement is recovered. Permanent impairment is due to limitation of movement. Loss of a small amount of external rotation is a frequent occurrence and possibly desirable, but is not usually regarded as functionally significant. When weakness and limitation of abduction to 90 degrees is present, the resulting impairment, as calculated previously, would be in the neighborhood of 15 per cent of the part.

Untreated recurrent dislocation is a serious permanent disability. In industry it is a hazard to the worker and also to his fellow employees because of the safety element. In a casual motion of lifting or reaching, the shoulder may slip out of joint, with serious consequences. For this reason, operative repair always should be recommended. The disability has been assessed at 35 per cent of the part when the condition of recurrent dislocation exists.

Acromioclavicular Dislocations

Simple dislocations, well treated, do not normally lead to permanent impairment.

The period of incapacity varies from four to eight weeks, depending on the type of treatment employed. When rupture of the suspensory ligaments has occurred, a longer period of treatment is required, usually six to ten weeks.

Chronic or recurrent dislocation in which reconstruction of the conoid and trapezoid ligaments is necessary involves limitation of heavy activity for three to four months. Some permanent impairment may result from this injury because of weakness of the shoulder, particularly in overhead activities. In untreated cases this amounts to something less than the total contribution of the acromioclavicular motion, which is 15 per cent of the part.

Sternoclavicular Dislocations

Dislocation is relatively easily reduced in the sternoclavicular joint, and usually remains quite stable. After reduction, disability is uncommon. Most activities are feasible three weeks after reduction, but for a further three weeks some discomfort on abduction and flexion of the shoulder may be encountered.

Permanent impairment follows unreduced dislocations. Pain is appreciated through the midrange of abduction and flexion particularly, and power in the shoulder is decreased. The unsightly appearance adds to the impairment, leading to incapacity of 15 to 20 per cent of the part. After reduction and fixation some sternoclavicular arthritis may ensue, or a moderate amount of instability may persist, resulting in disability of 10 to 12 per cent of the part.

Contusions, Sprains, and Fibrositis Assessment

In most instances, proper early treatment prevents permanent impairment from injuries like these. Time lost from work reaches formidable figures if the lesions are neglected or not treated properly. In bruises and sprains a few muscle fibers are torn, usually those close to bony attachments; they heal with rest, relief of pain, and avoidance of irritating movements. The sooner active motion is started after acute pain subsides, the better will be the resulting activity of the shoulder girdle. Local anesthetic infiltrations into the trigger zones and physiotherapy improve these conditions quickly; disability results from too long a rest, or rest without proper exercise.

Seven to ten days should be the maximum period of incapacity. In some instances a traumatic origin is suggested in fibrositis, there being small fascial herniations leading to some permanent scarring and impairment. Assiduous treatment helps these lesions also, and disability should not last longer than a matter of days.

Traumatic Tendinitis

Recurrent sprains or similar straining activities on the shoulder may produce the entity referred to as a traumatic tendinitis. As a rule, these patients have little total impairment and are able to carry on at their occupations, but occasionally this is not so. During the acute phase, particularly if there is the additional irritation of a calcified deposit, a short period of total incapacity may develop.

The speed and efficiency of active treatment control the impairment to a large extent. Most patients respond to systemic medications, physiotherapy, and local injections. Recovery within two to four weeks without significant permanent disability is frequent. Some patients are unable to tolerate the pain and limitation of motion, and require surgical measures, particularly if adhesive capsulitis develops. The period of incapacitation is then extended materially.

Patients who require surgical exploration typically are totally incapacitated for six weeks, and gradually regain use of the limb over a period of a further four to six weeks. Significant residual impairment is unusual, but if it occurs is measured according to the amount of glenohumeral motion lost.

Ruptures of the Rotator Cuff

The effect of cuff damage is to weaken shoulder action and to lead to limitation of glenohumeral function. These injuries are assessed on the basis of glenohumeral function, which represents 50 per cent of total shoulder action. The patient who exhibits 10 to 15 degrees' limitation does not have significant impairment. Even in the most extensive injuries, recovery of motion to at least 90 degrees following surgical repair may be anticipated. Many shoulders recover motion to a right angle when a cuff tear has been repaired. The interference resulting from a massive full thickness tear, therefore, would be calculated as follows: $2/3 \times 30 = 20$ per cent of the limb, or 10 per cent of the body. Additional consideration is often necessary after a cuff has been repaired. The basic function is still plotted on loss of glenohumeral function. Possibly the patient has motion in circumduction only to 90 degrees; this would then mean $90/180 \times 50/100$ of 60 per cent = 15 per cent of the limb, or 7.5 per cent of the body.

Untreated Lesions and Complete Tears

Disability is extensive in this group, and the theory of leaving such injuries alone, expecting them to recover within two years, is fallacious. It is true that one may hear no more from these patients, but if they are followed and examined it will be found that the use of the shoulder is significantly impaired. The attitude of doing nothing for them is to be condemned. Frequently these patients have only 25 to 35 degrees' glenohumeral abduction. If the scapula is movable, they may reach 60 degrees by using a girdle type of arm swing. This means that use of the hand and forearm is significantly limited. The elbow must bend at the waist level, so that there is serious interference with reaching, throwing, and hoisting. Gripping and holding at the waist level is not hampered because it is in the line of fixation. Workmen in occupations such as construction, carpentry, painting, and bricklaying will be incapacitated. In addition to the difficulty in performing work, the inability to put the hand and arm out at the side for protection, as in falling, is an added hazard at home as well as in industry. Bench work is feasible, but is also hampered if the workman cannot rest the arm sufficiently to make considerable use of the opposite one. The disability is a little less when it is not the master hand that is involved, since the injured arm can still be used as the holding member. Untreated tears have a permanent disability of 30 to 40 per cent of the extremity. If repair is performed and motion is recovered even to a right angle, the permanent impairment is decreased by 50 per cent. In all instances, it has been the author's experience that pain is materially decreased following surgery.

Bicipital Injuries

Rupture of the long head of biceps or traumatic tendinitis is not an uncommon lesion. In the elderly individual who is not earning his living, the resulting weakness in the shoulder function and elbow flexion may not be significant. Disability lasts two to three weeks, and no significant permanent impairment develops. In the young workman, however, the loss of function of the long head of biceps weakens elbow flexion and also diminishes the power of forward flexion of the shoulder. The more chronic lesions, such as recurrent slipping of the long head of the tendon or ruptures of the intertubercular ligament, require surgery. This entails roughly six weeks of total incapacity, followed by a further period of approximately four weeks during which extensive recovery may be anticipated. In rupture of the long head of biceps, transplantation to the coracoid process is recommended; this entails four to six weeks of disability followed by two to four weeks of gradual recovery of function. The surgery does not leave a normal shoulder, and some weakness occurs in forward flexion, particularly in the young workman. As a rule, this is not more than 5 per cent. When the condition is untreated, there is more interference with shoulder function, and disability may increase to 15 to 20 per cent of the part.

Frozen Shoulder or Adhesive Capsulitis

Significant limitation of glenohumeral function may be a complication of many injuries to the shoulder, and this has been interpreted under the specific lesions. In addition, the shoulder may be implicated when the main injury is at some distance, for example, at the elbow, in the forearm, or in the wrist. A simple Colles' fracture may recover well, but if the shoulder is neglected during the period of rehabilitation, significant impairment results because of development of adhesive capsulitis. This type of contracture is preventable, but once established it may be the source of permanent impairment. Most of these problems occur in the older age-group, which makes the possibility of adaptation still more difficult.

Mechanism of Disability—Frozen Shoulder. The gluing of the capsule to the head of the humerus limits motion in all directions, and this is followed by wasting and weakness of the important muscles about the shoulder. Disuse atrophy prolongs the disability, and a vicious cycle begins. In a frozen shoulder the effectiveness of the hand is seriously compromised, the forearm becomes the lever, and the extent of usefulness is then limited to the range through which the forearm may be operated. The elbow is held at the side, and the loss of rotation at the shoulder further limits the rotatory range of the hand. Some adaptation and compensation are obtained by improving the power and the use of accessory muscles like the trapezius. The pectoralis major also assists in pulling the shoulder girdle forward. When these accessory muscles are trained to increase movement, there is increased stress and strain on these muscles, which may then be the seat of further pain, adding to the disability. Neck muscles also participate in this substitition process, and tension is increased by the unconscious bending of the neck to help in flexion and abduction when a girdle action is used. Neck pain and headache may then develop also.

The underlying cause of the contracture governs the extent of the permanent impairment. In addition, the length of time the contracture has been present and the assiduousness of treatment are controlling factors. In an adhesive capsulitis or frozen shoulder established for six to eight months, it is extremely difficult to restore glenohumeral motion, apart from resorting to surgical measures should other conditions make this feasible. In the established condition, disability is about 30 per cent, similar to that in an ankylosis of the shoulder. When there is a painful element in addition to the freezing, impairment is increased to 50 to 60 per cent of the extremity.

ASSESSMENT OF IMPAIRMENT IN FRACTURES OF THE CLAVICLE

In a forward fall, which is the commonest mechanism of injury, force is rapidly transmitted from hand to shoulder, the impact usually being taken at the junction of the middle and outer third of the clavicle. It is at this point that the shape of the clavicle alters in two ways: it is the junction zone of the double curve, and the cross-section of the bone alters at this point from flat laterally to tubular medially. These changes favor localization of fractures in this region. The resulting deformity comprises shortening, overriding of fragments, and a forward slumping of the shoulder.

Treatment Period. The treatment period in an adult requires about eight weeks for solid union and restoration of limb movement. During this time, depending on the method of treatment, the patient is partially disabled. If the fracture has been treated by the application of a plaster yolk, few purposeful activities are possible, but if operative fixation is carried out, there is usually an earlier resumption of at least light duties. Office work is possible at an early stage, but an automobile mechanic will be off work for eight to ten weeks. The often-stated academic period of four weeks is really not long enough for solidification and restoration of function in an adult.

Permanent Impairment. No permanent impairment results from good union and reasonable alignment. Large masses of callus rarely persist as significant deterrents to function. Shortening, overriding, and poor alignment are the commonest sources of impairment. Occupation somewhat governs to what extent such derangement interferes with working ability. Workmen such as carpenters or painters, with much overhead work, have a rather longer period of partial disability. Those using the shoulder for carrying heavy objects will have persistent tenderness for six to 12 months after the fracture has healed.

Serious complications that require surgery such as malunion and nonunion, lengthen the temporary total disability to at least six months, and the chances of permanent disability are also increased. Complications such as infection, disfiguring scars, and persistent weakness are a risk of major reconstruction in this area. Contrary to an old, long-standing impression, nonunion of the clavicle is not rare. In cases with slight residual limitation of shoulder motion or muscle weakness, an assessment of 5 per cent of the arm is made, and this is increased to 10 to 15 per cent in mal- and nonunion. It may be argued that complete congenital absence of the clavicle is sometimes observed and causes little disability. Such a premise is fallacious, however, because it applies only to patients who have had a deformity from birth and have been able to learn to accommodate to it during the formative years. Those who have had a clavicle and lost it are seriously disabled. Partial loss of the clavicle from too extensive resection is also disabling, leaving a defect of 25 per cent of the limb, because of the instability from the loss of suspensory ligaments.

ASSESSMENT OF IMPAIRMENT IN FRACTURES OF THE SCAPULA

The scapula participates in shoulder-arm motion, so that disturbance in contour and motion will hamper shoulder motion activities.

Mechanism of Impairment

Direct violence from a blow on the top or posterior aspect of the shoulder is the common cause of fractures of the neck, acromion, or body of the scapula. These unite quickly, usually in six to eight weeks, and a further period of two to four weeks restores function. Permanent impairment is not frequent but can arise in two types of fractures.

Fractures of the Neck with Persistent Displacement of the Glenoid. In this instance, limitation of motion of the humerus in the glenoid arises as a result of altered alignment or position of the fulcrum of action, and also as a result of irregularities of the glenoid articulating surface. Workmen needing above-shoulder motion, such as in painting or plastering, are hampered somewhat, but it is rarely necessary for the patient to change his occupation. Permanent impairment of 8 to 20 per cent of the arm results, depending on the degree of the shoulder limitations.

Fractures of the Body, Involving the Vertebral Margin of the Scapula. In this instance, irregularities in the medial border of the scapula, which may develop in comminuted fractures, lead to impingement of the vertebral body on the soft parts. A chronic irritation results, with a varying amount of pain, crepitus, and limitation of motion. Sometimes this can be rectified by excision of the irregular zones. When the changes are permanent, incapacity implicates the scapulothoracic girdle contribution, and usually is in the range of 5 to 10 per cent of the limb.

IMPAIRMENT RESULTING FROM EXCISION OF BONES OF THE SHOULDER GIRDLE

In some cases trauma or disease so implicates a part or all of a bone contributing to the shoulder girdle that it must be excised. The need to estimate incapacity arises chiefly after injury.

Clavicle

Complete Absence. In Chapter 1 the various congenital abnormalities are discussed. As a rule, when such a deformity is present from birth, adaptation accomplishes so much that little impairment results. When the loss occurs later in life, adaptation contributes significantly but less completely. The source of the impairment is loss of stability and loss of the regulatory action of suspensory ligaments. Impairment then is somewhat akin to a flail shoulder, and may amount to 60 per cent of the part. Fascial suspension, as is carried out for a sagging shoulder, materially diminishes the impairment, decreasing it approximately 50 per cent.

Partial Excision, Inner Portion. Little disability results from excision of the inner end of the clavicle. In conditions such as sternoclavicular arthritis or unreduced dislocation, the operation may be carried out to improve the residual deformity and impairment. The treatment period covers three to six weeks, and the residual incapacity is about 5 per cent.

Partial Excision, Outer Portion. Removal of the outer half of the clavicle is disabling. Severe sagging shoulder results owing to irreparable loss of the suspensory ligaments. There are two elements comprising the permanent disability. The initial and less serious one is the altered appearance, since the unanchored lateral end of the clavicle usually protrudes upward, producing an unsightly alteration of the normal contour. The more disabling complication develops gradually. As the shoulder sags, increasing tension and pressure follow the neurovascular bundle, and eventually impairment of nerve function may compromise the whole upper limb. Shoulder action is also impaired by the loss of stability. Weakness in forearm and hand results from the brachial plexus irritation. If the condition is untreated, the disability amounts to 55 to 65 per cent of the extremity. Considerable improvement follows reconstruction. Movement to a right angle is possible, and the radiating symptoms are materially diminished. Disability is then estimated at 20 to 30 per cent of the part.

Acromioclavicular arthroplasty, on the other hand, is a frequent surgical procedure that does not impair shoulder action in the same way or to the same degree. In this instance, a small segment of only one half-inch of the outer end of clavicle is excised, and the joint ligaments are largely preserved, so that instability does not develop. This operation does not leave a completely normal joint, however, and some small degree of impairment, 5 to 7.5 per cent of the part, may be calculated.

IMPAIRMENT RESULTING FROM LOSS OF THE SCAPULA

Infrequently it is necessary to remove the scapula completely, as for example in certain tumors, but almost never as a result of trauma. Loss of the scapula is disabling, and results in incapacity similar to a flail shoulder, or about 60 to 70 per cent of the part.

IMPAIRMENT FROM LOSS OF THE UPPER END OF THE HUMERUS

Loss of the upper end of the humerus results from certain fractures, from resection of tumors, and in some cases of arthritis. When a poorly controlled lax shoulder results, the impairment is greater than that following arthrodesis. Weakness, pain, and loss of stability produce an impairment of 50 to 60 per cent.

In recent years this defect has been materially diminished by prosthetic replacement. The upper end of the humerus may be successfully replaced by a Vitallium prosthesis which improves the appearance, diminishes the instability, and contributes a degree of function. In most instances it is the loss of the soft tissues, such as the rotator cuff and subscapularis, that materially interferes with function. As in the case of assessing the effects of prosthetic replacement in the lower limb, it is felt that a shoulder which requires a prosthesis is vulnerable on many sides, and that for practical purposes the assessment should be as if no normal shoulder function remained, or roughly 60 per cent of the extremity. In actual practice, however, the use of the prosthesis may materially assist the condition, diminishing pain and improving function. When good movement may be developed to a right angle, for example, the incapacity is reduced 20 to 25 per cent.

IMPAIRMENT RESULTING FROM NERVE INJURY ABOUT THE SHOULDER

Nerve injuries about the shoulder are common and a frequent source of permanent impairment. Many large and important nerves course through this area and may be involved in many injury mechanisms. In some instances the use of the electromyograph is extremely helpful in identifying the lesion and predicting the likelihood of recovery following surgical reconstruction.

Brachial Plexus Injuries

Serious impairment, either from closed traction injuries or from the less frequent open laceration, is encountered quite often. In some cases nerve damage is a part of multiple injuries, such as a fracture of the upper end of the humerus or fracture of the clavicle. It is extremely important to initiate management of the nerve injury as early as possible; this has been emphasized in the chapter on nerve injuries. The period of total incapacity in these injuries is extensive, and nearly all are followed by some permanent impairment.

Total Plexus Avulsion

Traction lesions are the commonest source of this extremely serious injury, and leave an arm 100 per cent disabled. Not only is there total loss of function of the limb, but the element of pain may be considerable. Traction injuries such as root avulsion are notorious sources of persistent arthralgia. When this complication is present, the interference with normal working ability spreads far beyond the loss of power and sensation of the individual limb. An element of at least a further 50 per cent incapacity of the limb should be added, and sometimes the persistence of the arthralgia completely interferes with the resumption of gainful employment.

A further complication is that, as a rule, amputation in the region of the midshaft of the humerus or at the supracondylar level is needed to remove an insensitive, flail extremity that, if retained, would become a further liability.

C.5-C.6 Paralysis

Permanent loss of the function of these roots means a total loss of shoulder function. An arthrodesis or a trapezius transfer is required, as outlined in the chapter on nerve injuries. The usual assessment of complete loss of C.5-C.6 is in the range of 65 to 75 per cent of the extremity. Arthrodesis diminishes this figure, as does also the trapezius transfer to approximately the same degree.

C.7-C.8 and T.1 Permanent Paralysis

Paralysis of the lower roots implicates the hand. There are various reconstructive procedures available that should always be evaluated. When replacement is minimal, and if anesthesia of the hand is present, it should be assessed as a forearm amputation, or roughly 50 to 60 per cent of the limb.

Trapezius Paralysis

Permanent paralysis of the trapezius leaves a serious defect. Not only is the loss of the muscle substance unsightly, but these patients complain of a dragging ache in the shoulder, so much so that wearing a heavy coat is sometimes most uncomfortable. The loss of the trapezius function seriously interferes with abduction and flexion of the arm, because of the absence of the powerful stabilizing action of the trapezius in clamping the scapula to the chest wall. In untreated patients, disability is in the region of 30 to 35 per cent. When a successful trapezius suspension is performed, disability decreases to approximately 20 per cent.

Serratus Anterior Paralysis

Similar considerations to those observed with reference to the trapezius pertain in permanent damage to the long thoracic nerve. The aching pain is less with a serratus paralysis, and the weakness is not quite so pronounced. Surgical reconstruction may be carried out in the form of a fascial sling procedure, which clamps the scapula to the chest. Impairment in irreparable lesions is usually in the range of 20 per cent of the limb.

Deltoid Paralysis

The deltoid is the most powerful muscle about the shoulder, and its loss is disabling. Weakness and diminished control in abduction, flexion, and circumduction result. The extent of permanent impairment is controlled by the effectiveness of the accessory muscles. When the biceps, triceps, pectorals, trapezius, and rotator groups are functioning, the deltoid may be effectively replaced, and apparently minimal impairment results. However, the loss of power usually is significant in these cases, and although the patient may be able to lift the arm against gravity, he is unable to carry out strenuous activities.

There are reconstructive procedures, such as the trapezius transfer, that diminish the permanent impairment. Permanent complete paralysis leaves disability in the range of 30 to 40 per cent of the limb.

Suprascapular Nerve

Abduction and rotation of the humerus are impaired, leaving an impairment of 10 to 15 per cent.

Musculocutaneous Nerve

Crushing injuries to the forearm may implicate this nerve unexpectedly. Permanent paralysis leaves weakness in flexion of the elbow. This is diminished by the contribution of the flexors of the forearm, but considerable weakness still results. The lesion above the muscular branches leaves an impairment in the nature of 30 to 40 per cent. Injury below the branches, however, leaves only loss of a little sensation along the outer aspect of the forearm, which usually is gradually obliterated by ingrowth from the sides, so that little impairment accrues.

Radial Paralysis

Loss of extensor power of the elbow and/or wrist is disabling. Inability to extend the wrist and fingers prevents the hand from assuming the position of slight dorsiflexion at the wrist, which is so important in maintaining the strength of the grasp position. The salient feature is that tendon transfer and arthrodesis of the wrist compensate for this defect considerably. In permanent wrist drop, disability is in the range of 45 to 55 per cent; after a good tendon transfer, this may be reduced to 15 to 20 per cent.

Triceps Paralysis

Loss of active extension limits such activities as pitching, stretching, and holding. To a degree, gravity compensates in many acts, but the loss of strength will be noticed. Permanent impairment is in the range of 5 to 15 per cent.

Median Paralysis

Both the motor and sensory components are vital in this nerve, and irreparable lesions are seriously incapacitating. Tendon and nerve transfers, as outlined in earlier chapters, effect considerable replacement. The sensory loss is particularly disabling because we use the index finger and thumb so much in the acts of feeling. In complete lesions above the elbow, disability is roughly 60 per cent, and below the elbow, approximately 40 per cent.

Ulnar Nerve Paralysis

Ulnar nerve lesions are more common than any other nerve injury in the upper limb. The motor loss is the most incapacitating feature. A weak, thin, deformed hand results. Tendon transfer may be performed, which diminishes the impairment about 50 per cent. Impairment is usually assessed at roughly 40 to 50 per cent of the part, because of the resulting weakness in the hand and fingers.

ASSESSMENT OF IMPAIRMENT IN NECK INJURIES

In neck injuries, impairment is a composite modality involving some measurable components and others not so easily assessed (see Chapter 12). Loss of neck motion is readily measured, and residual motor and sensory loss can also be computed (Table 19-1). Estimation of the pain element is much more difficult. In addition, the neck is a compound structure with elements serving multiple functions as well as the total unit, contributing significantly to the function of the shoulder at one end and to the head at the other (Fig. 19-1).

Table 19–1 ASSESSMENT OF IMPAIRMENT IN NECK INJURIES

Soft Tissue Injuries (Stop-light Sprain)

1. Recovery without symptoms: No percentage.
2. Complaint of persistent neck pain, no decrease in motion, no other physical findings: 5 to 10 per cent of body.
3. Persistent neck pain plus restriction of motion, rotation, flexion, extension or both: 25 per cent loss, 10 to 15 per cent of body.
4. Persistent pain plus marked restriction of motion amounting to 25 to 50 per cent: 15 to 30 per cent of body.

Upper Segment Injuries (Fractures of Atlas, Axis, Odontoid, and Posterior Elements)

1. Loss of motion up to 25 per cent: 10 to 12 per cent of body.
2. Loss of motion up to 50 per cent: 20 to 25 per cent of body.
3. Complete ankylosis, upper segment: 40 to 50 per cent of body.

Fractures of the Lower Segment (Cervical Spine, C.3–C.7)

1. Compression of body, no neurologic sequelae: 10 per cent.
2. Fractures of two vertebral bodies with no neurologic sequelae: 15 per cent.
3. Fractures plus restricted motion in addition to the above:
   Moderate, 25 to 50 per cent; marked, to 50 per cent or more.
   One vertebral body, 15 to 20 per cent; two vertebral bodies, 20 to 25 per cent.
4. Fractures, posterior elements only: 10 per cent.
5. Fractures of posterior elements in addition to the above body involvement: 5 to 10 per cent.
6. Operative stabilization as in anterior interbody fusion:
   No residual pain or neurologic change, 15 per cent.
   Fusion plus residual pain and some neurologic sign, up to 30 per cent.

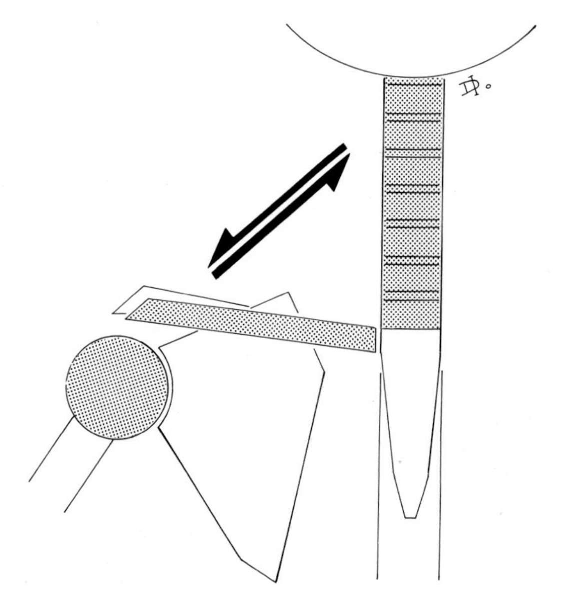

Figure 19–1 Shoulder-neck aggregate.

PRINCIPLES OF NECK FUNCTION

In a normal spine, weight-bearing is accomplished by bony structures in balance. These, in turn, are retained in this position by the ligaments. The motion of these parts is then produced by the muscles, which also assist in the balance process. Since the neck is but a part of the spine, alterations in this region may be followed by compensatory changes elsewhere; for example, the normal cervical lordosis, if lost, initiates compensatory alterations above and below. These changes may be at some distance, but the mobility of the cervical segments establishes it along with the lumbar region as a zone of compensation. Some initial extension at the occipitoatloid joint may be necessary, or an increased lordosis in the lumbar region may develop in response to changes in the area between these levels, in order to keep the head and eyes at effortless levels.

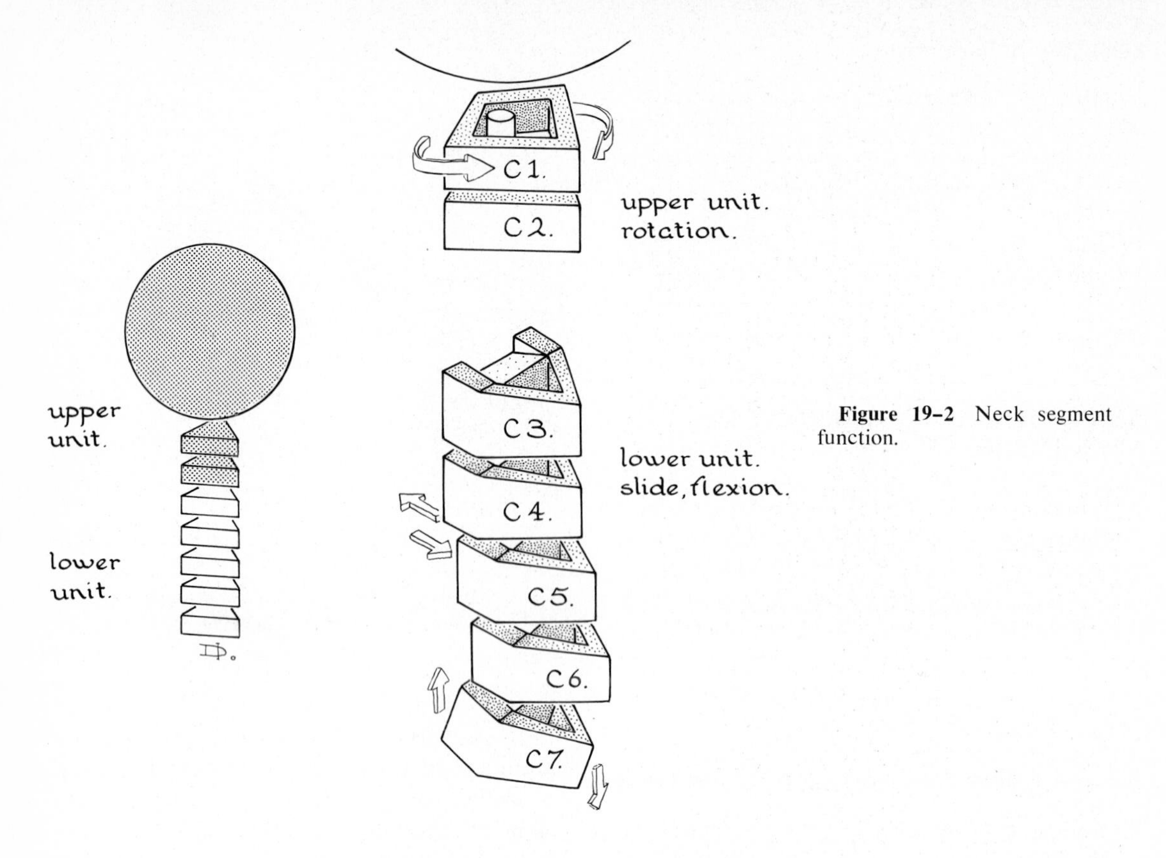

Figure 19–2 Neck segment function.

In sorting out neck action, the principle of recognizing two separate segments of function has important practical applications, and assists particularly in the estimation of impairment (Fig. 19-2). We can recognize an upper segment consisting of the occiput, C.1 and C.2, which is primarily concerned with the control of the head action, and in particular with rotatory motion in the cervical spine. The lower segment, consisting of bodies C.3 to C.7, is concerned much more with flexion and extension and the maintenance of spinal balance, and does not contribute nearly so much to activities that are principally the responsibility of the upper segment. Permanent physical change involving the upper segment may then be recognized as implicating specific function in this region, but changes in the lower segment, in addition to the local alteration, implicate structures and function extending in the opposite direction to the shoulder, arm, and hand. To be sure, at the level of functional transition in segments C.2, C.3, and C.4 there may be some overriding of minor function, but by and large the upper segment contributes to symptoms and signs related to occiput, head, and face, whereas the segments below implicate the neck, shoulder, and upper arm.

ASSESSMENT OF INJURIES IN THE UPPER SEGMENT, OCCIPUT, C.1 AND C.2

The occipito-atlantoaxial unit is implicated in fractures and dislocations, and such injuries may leave significant persistent change. Permanent impairment is principally estimated in terms of loss of motion; the element of pain is relatively less prominent, but extension of discomfort to the jaws, face, and temporal region, as well as headache, may accompany these injuries.

FRACTURES OF ATLAS AND AXIS

The disabling residual change from these injuries is interference with rotatory motion. Normally the head rotates throughout an arch of 120 degrees, with 60 degrees to each side. This is extremely important in the safe operation of an automobile. In many areas the driving laws require head turning, rather than mirror viewing, in moving from one traffic lane to another, because of the numerous small cars now on the road.

These fractures usually heal without deformity, but some loss of motion is common because the whole segment must be immobilized to allow proper healing. Some substitution is available through lateral bending and trunk rotation, so that head turning is not totally lost even in occipitocervical fusions.

Estimation of Impairment. Loss of 25 per cent motion amounts to 10 to 12 per cent of body; loss of 50 per cent rotation, 20 to 25 per cent of body; complete ankylosis, 40 to 50 per cent of body. Included in these figures would be the results of fractures of the atlas, the odontoid, and the body and posterior elements of the axis.

Neural involvement may be a complication that leads to quadriplegia, which is 100 per cent disability. The nerve root factor is added to the loss of movement factor. When a total arm is involved, 50 per cent is added; both arms or one arm and one leg, hemiplegia, also constitutes 100 per cent impairment. Rarely is there individual root loss of significance in this upper segment, the signs being more of cord implication. In some instances there is the addition of pain extending to the root of the ear and the side of the face. As a rule, this element subsides with the healing process, but when it persists at a significant level it may be considered to add a further figure of 50 per cent of the residual defect. The serious neural changes are the result of cord implication, but may be of transient duration.

ASSESSMENT OF LOWER CERVICAL SPINE SEGMENT IMPAIRMENT

Fractures and dislocations in cervical vertebrae C.3-C.7 are common, and frequently result in permanent impairment. The elements of disability include loss of motion, pain, and neural involvement.

Motion Loss. The normal range is 90 degrees flexion-extension and 90 degrees lateral bending. Fractures and dislocations of vertebral bodies, laminae, and spinous processes may heal with interference in these actions. Owing to the wide range of reserve action, if one segment is lost, extensive loss may not be apparent because of substitution from the segments above or below.

When two vertebral bodies have been fused, as in anterior interbody fusion, remarkably little loss of motion accrues, as a rule. Fusion of the posterior elements appears more disabling, although radiologically the same degree of motion loss has occurred. Up to 50 per cent loss of flexion-extension or lateral bending is assessed as 25 to 30 per cent of the body. Little significance is attached to the particular element involved whether in body or in posterior arch element. Some difference is accepted in the likely period of temporary total disability; it usually is longer in fractures of the body than when the posterior arch is involved.

ASSESSMENT OF IMPAIRMENT IN SOFT TISSUE INJURIES (STOP-LIGHT SPRAINS)

Musculotendinous and ligamentous injuries comprise the bulk of lesions for which assessment is required. In most instances, when a rear-end impact has been sufficient to produce frank stiffness and limitation of motion, some ligamentous damage has occurred. In many presentations of this subject, the extensor element has been depicted as the injuring one. However, a careful analysis of the injury mechanism focuses attention on the terminal phase of the act, which is the forward flexion jolt, resulting from the precipitant stopping of the vehicle that has been hit. It is the posterior elements that are put on the stretch in the forward flexion, and it is in this region that symptoms persist. Often the impairment is subjective pain that is suboccipital, midcervical, or in the shoulder-neck angle. The acute discomfort subsides in a matter of weeks, but a more persisting aching element, usually implicating the shoulder-neck zone but not accompanied by any limitation of neck motion, may last for a period of four to six months (Figs. 19-3 to 19-5).

Assessment

1. Persistent neck pain, no motion, restriction, or other physical findings: 5 to 10 per cent of body.

2. Persistent neck pain, plus restriction of rotation or flexion-extension, amounting to 25 to 50 per cent of neck motion: 10 to 15 per cent of body.

3. Pain plus marked restriction of motion and 50 per cent of neck motion: 15 to 30 per cent of body, usually with some radiating symptoms in addition.

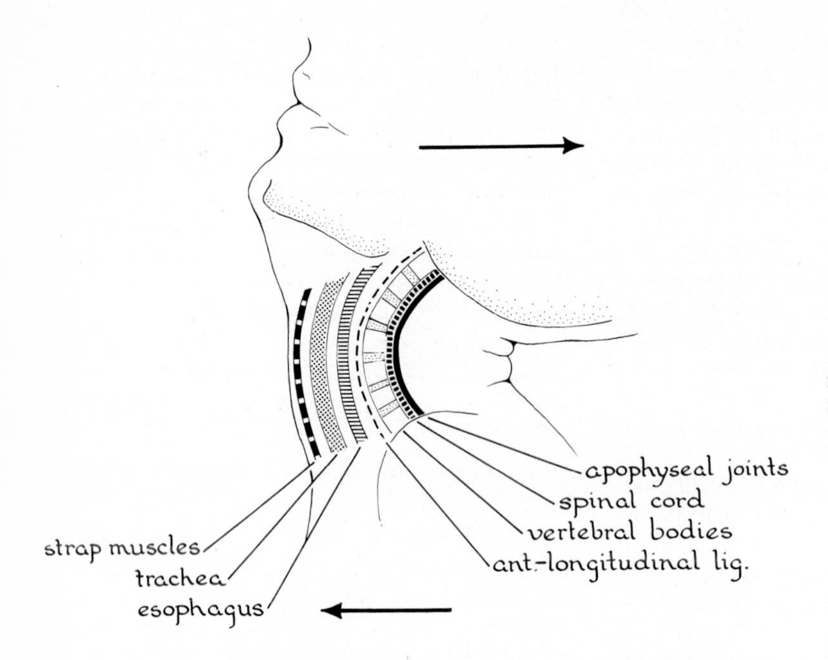

Figure 19–3 Soft tissue layers involved in extension-flexion lesions.

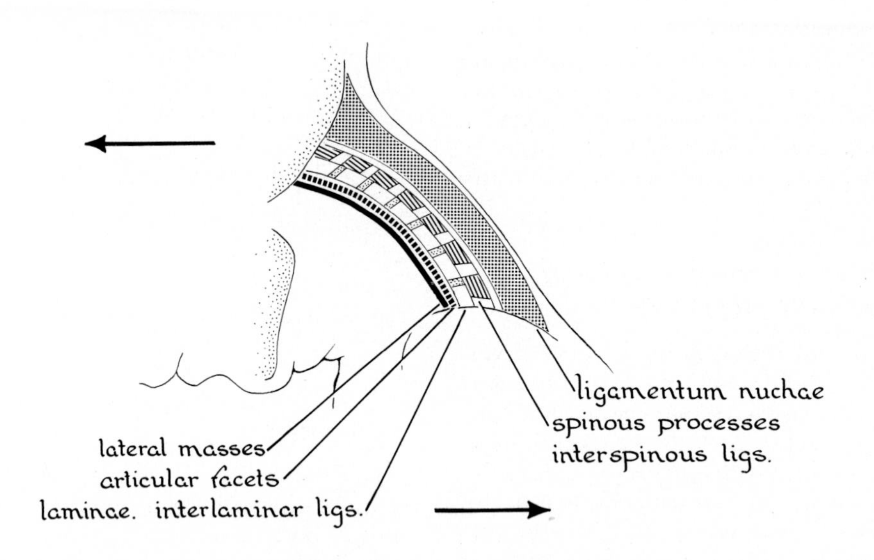

Figure 19–4 Soft tissue layers involved in flexion-extension lesions.

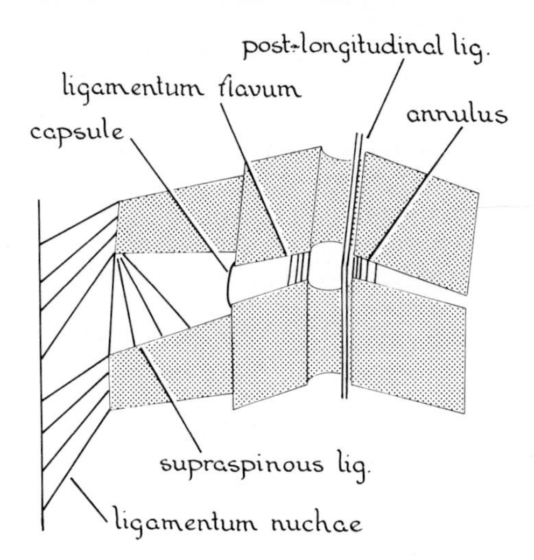

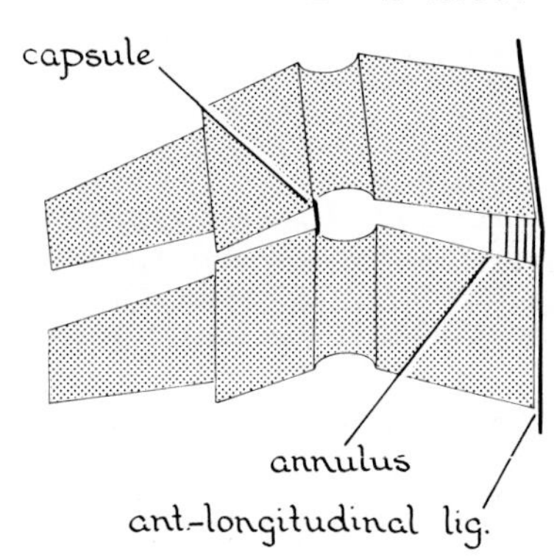

Figure 19–5 Principal ligaments involved in flexion and extension injuries.

PREPARATIONS FOR LEGAL DISCUSSION – PRETRIAL CONSULTATION AND TESTIFYING

Neck injuries become a source of legal controversy in so many instances that it behooves all who undertake the responsibility of treating them to prepare themselves adequately for discussions with legal advisers. In the beginning it should be realized that these matters are of great importance to the patient and to the lawyers concerned. If the practitioner has assumed the responsibility of treating a patient, and if that patient requires legal presentation of the findings resulting from the injury, his treatment, his progress, and the result that was obtained, the doctor should assume these responsibilities as part of the service he owes his patient; if he refuses to accept this, he is not performing his duties properly.

The legal interests should be held in proper regard, because members of a fellow profession have a right to expect cooperation. These principles apply to the interests of both plaintiff and defendant.

Preparations for a pretrial discussion or for testifying should be thorough from the standpoint of providing adequate notes, radiographic and laboratory findings, and the final outcome for the patient. Many errors are made by doctors in underestimating the capacity of competent lawyers to understand and assimilate the medical facts of these cases. It may be necessary to guide a lawyer somewhat in his interpretation by reading what he has prepared, but this can always be performed in proper fashion. Should the position be reversed, most doctors today would find themselves at a serious disadvantage, so that it behooves us to explain with patience and intelligence.

Some lawyers have become quite familiar with these problems and may dwell on them at length. If so the medical man should treat this performance respectfully, showing a spirit of cooperation rather than resentment.

Pretrial consultation with the lawyer is an extremely worthwhile procedure. In some instances it may facilitate settlement of the controversy without a trial, simply because better understanding of the injuries has been presented, and also because there has been a clear interpretation of the evidence and the body changes on which it is based. In all cases consultation improves the comprehension of the lawyer and helps him to assist the doctor in court, which is important.

In no way should such preparation be considered unorthodox or inappropriate. Should the doctor be queried and cross-examined in court as to whether a pretrial consultation has taken place, there is no reason whatsoever to conceal it; rather, it is an evidence of a sincere effort to present the facts clearly and justly to jury and judge. In all fairness to the doctor involved, he may make an appropriate charge for such a consultation; it should in no way be regarded as a curbstone consultation for which the expenditure of his time and thought is not to be recognized.

In most instances physicians who are called to give testimony have adequate background and an up-to-date knowledge of the injuries in question. Should this not be the case, it is of paramount importance that the doctor consult the recent literature and ensure that his own background of knowledge is complete regarding all facets of the subject to be discussed; he may be certain that those asking the questions will have made such an effort. If it is necessary to testify, the surgeon is fortified by this preparation, and he can deal effectively with any problems that may arise. Not only does this improve the interpretation of the facts for the jury and judge, but it lessens considerably the time required in the witness box.

GUIDELINES TO TESTIFYING

Presenting evidence in court has become a significant responsibility of the medical profession. It is felt that there are certain fundamental rules for preparation and presentation that may be followed with advantage. The following are guidelines applied particularly to orthopaedic problems, and neck and shoulder lesions in particular. For other applications and a more extensive knowledge of the subject, the reader is referred to an excellent book, The Law of Medical Practice by B. Shartel and M.L. Plant, professors of law at the University of Michigan, and published by Charles C Thomas.

1. The pretrial consultation is of inestimable value. It provides a solid groundwork for understanding with the lawyer involved, brings to light any discrepancy that might appear, and often makes court appearance unnecessary.

2. The presenting of evidence should be regarded as a reasonable responsibility of the doctor if he has treated the patient. If he is appearing as an expert witness, having assessed the results of the injury and care by others, he should realize he is helping to facilitate the administration of justice.

3. The court requires some evidence of the witness's qualifications, and it is helpful to have these readily available in a typewritten curriculum vitae that may be read in detail or simply summarized, according to the wishes of the court.

4. In many instances, particularly because he is an expert witness, the lawyer will simply let the doctor tell the story of the injury, the treatment, and the progress. The doctor should be prepared to do this, preferably from memory or with reference to a few notes.

5. Presentation in court by reading prepared notes may be adequate, but is not nearly so effective. Such documents when taken into the witness stand may be examined by the opposition, or retained as part of the court record, so they must be very carefully scrutinized before presentation. Notes have the disadvantage of possibly not providing answers to questions that might be asked by the opposition, so that, in the end, presentation of important evidence may be necessary without any help from these documents. It is better to rely upon more effective preparation.

6. Evidence should be presented in an honest and straightforward fashion. If the injuries are not extensive, they should be referred to in this fashion; if a good result has accrued from the treatment provided, this should be stated.

7. In presenting the evidence, all statements should be enunciated clearly and slowly, with the material directed toward the jury, but in such a fashion that the judge may hear and assimilate it. Since many facts in the preparation need to be written down, it may be presented at a leisurely pace, both for emphasis and to facilitate recording.

8. It is of extreme importance to refer to parts of the body, operations, and treatment procedures in language that the jury can understand. By and large, laymen have little knowledge of anatomic terms and physiologic or pathologic reactions, so that it behooves the witness to clarify these in understandable language.

9. Occasions may arise when it is helpful to show the jury anatomic specimens, such as a short segment of the spine, so that they may more clearly understand the relations of bones, joints, and intervertebral disks. If this is done, the explanation should be in as simple terms as possible so as not to burden the listeners with technical terms not easily comprehended.

10. Privileges vary considerably as to whether radiographs may be presented as evidence, but in explaining injuries to the neck and shoulder they are of particular significance. By and large it is reasonable to refer to significant changes that appear in the x-ray films, but again the relative importance of these should be pointed out to the judge and jury. Even a normal radiograph may confuse some members of the jury, so if one is to be used, it must be referred to in the proper context. X-ray studies are routine, and as a rule reveal a great many more

normal than abnormal elements. The taking of an x-ray film does not necessarily connote the seriousness of a problem; it is simply an accurate means of investigating bone and joint changes.

If radiographs are to be used, it is extremely important not to discuss what are essentially normal abnormalities. All cervical spines exhibit some signs of deterioration beyond the age of 35, and such changes should not be presented in an unfair light to the jury. On the other hand, if early x-ray studies of a young patient following a severe rear-end collision clearly show obliteration of the normal lordotic curve, this is significant and it is in order to present it, even though it is a relatively small change. However, the explanation will be of more importance than the film.

11. Cross-examination is often feared as an ordeal by the witness, but this need not be the case. If there has been adequate preparation, only pertinent aspects need be covered. Neither the judge nor the lawyer involved will allow irrelevant subjects to be introduced. Elaborate answers are not necessary, and by and large the shorter and more direct the answer, the more effective it is.

12. Ambiguous questions may be asked, and the witness should be prepared to deal with these in proper fashion. He has every right to sort a question out and to indicate that it must be answered in segments, since it might not be answered completely truthfully unless this is done.

13. Opposing lawyers frequently attempt to stampede a witness into giving a "yes" or "no" answer to a particular question. In some instances this is quite feasible, but when it is not, or when it is undesirable or ambiguous to do so, it is quite proper to state firmly that "yes" or "no" is not the complete answer to this question, and that a fuller explanation is required. If this is remembered, it will not be possible for the issue to become improperly confused.

14. A frequent approach in cross-examination by a lawyer is reference to testimony or opinion contrary to that of the witness, expressed by another doctor or some senior authority. This should not present any problem, since you will have given your opinion based on your examination of the patient at a given time and on the responses made by that patient. Allowance may be given for the examinations carried out at a different interval during the treatment period or the period of rehabilitation. Similarly, patients' responses may vary from time to time and under different circumstances. By and large, when there are physical findings that support a given opinion, this is reasonable substantiation.

Table 19–2 SUMMARY OF ASSESSMENT OF DISABILITY ABOUT THE SHOULDER

	Per Cent
Arthrodesis in optimum position	30–35
Arthrodesis but scapula fixed	45
Arthrodesis at the side	65–75
Ruptures of the rotator cuff	
With treatment and power to 90°	15–20
Untreated	30–40
Frozen shoulder	
No pain, position is usually less than optimum	30–40
With pain	50–60
Fractures of the clavicle	
Slight limitation of shoulder movement	5
Slight limitation of movement plus malunion	10–15
Fractures of the scapula	
Neck with articular involvement	10–20
Vertebral border	5–10
Fractures of upper end of humerus	
Tuberosity, with movement limited to 90°	12–18
Surgical neck, flexion and abduction to 90°	15–20
Flexion and abduction to 60°	20–25
Ankylosis at the side	30–40
Glenohumeral dislocations	
Simple, abduction limited to 90°	15–20
Recurrent dislocation, treated but with limitation to 90°	15–20
Recurrent dislocation, untreated	35–40
Acromioclavicular dislocations	
Recurrent dislocation	10–15
Sternoclavicular dislocation	
Chronic	15–20
Treated	10
Loss of bones about the shoulder	
Clavicle	
Complete	60
Medial half	5
Lateral half	50–55
Scapula (complete)	60–70
Humerus	
Upper end, complete	60–70
With arthroplasty	20–25
With arthrodesis	30–40
Nerve Lesions	
Trapezius paralysis, complete, untreated	30–35
Treated by suspension	20
Serratus paralysis, complete	20
Deltoid paralysis	30–40
Treated by tendon transfer	Approx. 20
Plexus lesions	
Paralysis of abductors, complete	55–60
Paralysis treated by arthrodesis	35–40
Paralysis treated by tendon transfer	25–30
Suprascapular nerve	10–15
Musculocutaneous nerve, complete	30–40
Triceps paralysis	5–15
Complete plexus paralysis	100
Radial paralysis, complete	45–55
Treated by tendon transfer	10–15
Median paralysis, complete at shoulder level	60
Ulnar paralysis, complete at shoulder level	40–50

The preceding figures apply to the extremity only. Disability in terms of the body as a whole is usually estimated at approximately 50 per cent of these figures.

Similar considerations apply if it is suggested that a different opinion was expressed by yourself on another occasion. No two patients are the same, and no two injury forces are precisely alike. Similarly, the variation in treatment program and individual patient response is beyond your control.

15. One of the prime tricks of lawyers in cross-examination is to make the witness angry, so that he blurts out inadequate or insecure responses. It should be borne in mind that the properly prepared medical witness has a vastly superior knowledge and background on the subject under discussion; if resort is made to such tactics, that background may be drawn upon. Most able attorneys refrain from these tactics, because the well-prepared and expert witness may take advantage of the questions on cross-examination to expand and elaborate upon the evidence in a new way.

16. Frequently it is desirable to be as precise as possible in the estimation of impairment. Both judge and jury have the feeling that, if a witness can talk in terms of percentage impairment, he has a background of knowledge on the subject that is significant. The witness under these circumstances may well be asked the source of his information, and he should be prepared to expound, or at least to state a usual process for the estimation of impairment. The court recognizes that there are authorities and established contributions to literature that may be drawn upon as a background for this mechanism, and it is quite in order to state this fact. When a witness has a thorough understanding of the process of estimation, no problems arise, and it contributes significantly to his stature in the presentation.

REFERENCES

Bateman, J.E.: Disability evaluation in the upper limb. Lawyer's Med. J. *1*:91, 1966.

Day, A.J., et al.: Recurrent dislocation of the shoulder. A comparison of the Bankart and Magnuson procedures after 16 years. Clin. Orthop. *45*:123, 1966.

Gjores, J.E., et al.: Prognosis in primary dislocation of the shoulder. Acta Chir. Scand. *129*:468, 1965.

Rice, C.O.: Industrial Disabilities of the Extremities. Charles C Thomas, Springfield, Ill., 1952.

Shartel, B., and Plant, M.L. (eds.): The Law of Medical Practice. Charles C Thomas, Springfield, Ill., 1959.

INDEX

Page numbers in *italic* type refer to illustrations and tables.